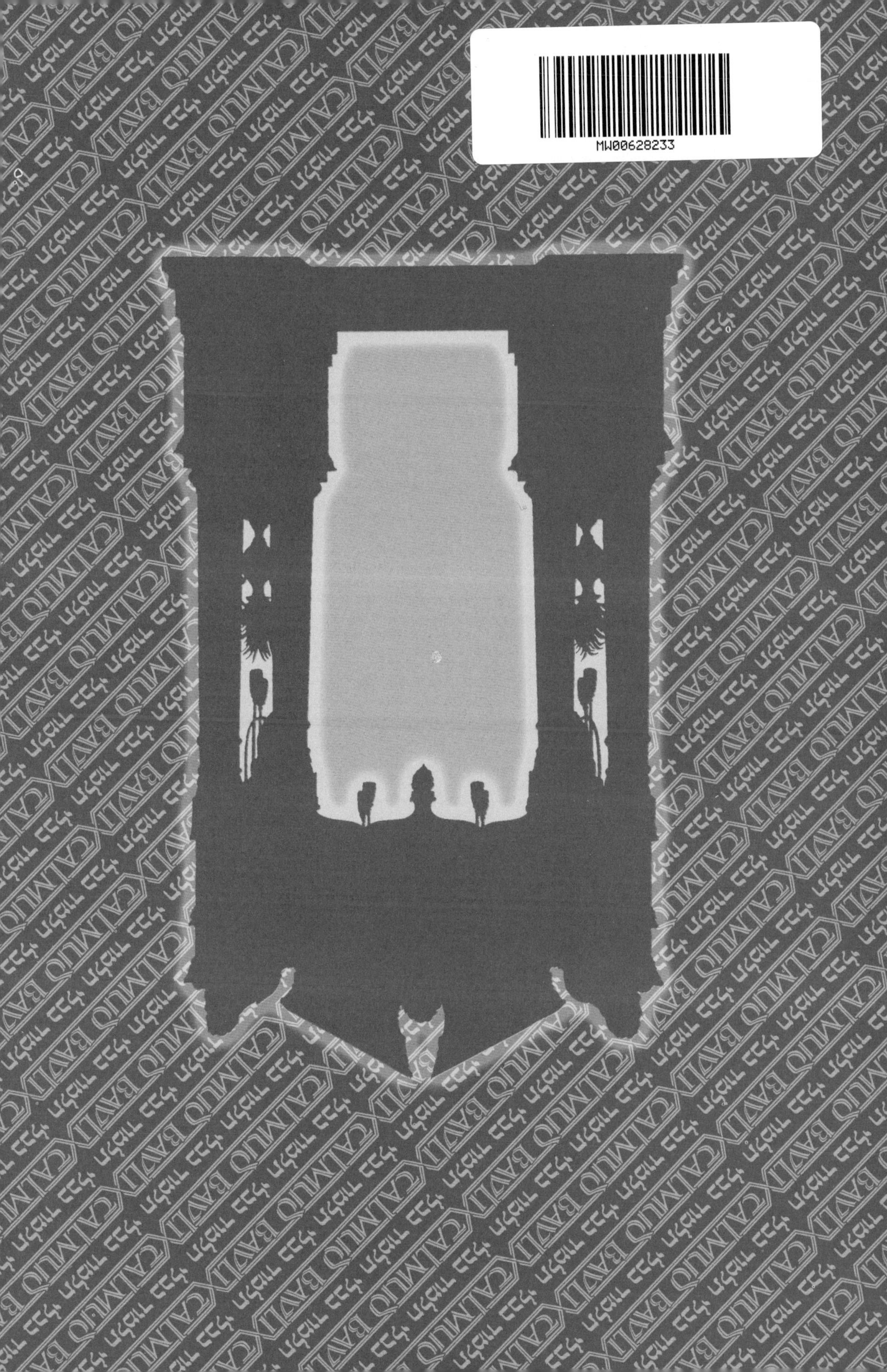
MW00628233

THE SCHOTTENSTEIN
DAF YOMI EDITION

תלמוד בבלי

TALMUD BAVLI

מהדורת דף היומי

The ArtScroll Series®

THE HORN EDITION OF SEDER MOED

מסכת חגיגה
TRACTATE CHAGIGAH

THE HORN EDITION OF SEDER MOED

מסכת חגיגה
TRACTATE CHAGIGAH

Elucidated by

Rabbi Dovid Kamenetsky (chapters 1)
Rabbis Henoch Levin, Feivel Wahl (chapter 2)
Rabbis Israel Schneider, Zev Meisels (chapter 3)

under the General Editorship of
Rabbi Yisroel Simcha Schorr
and Rabbi Chaim Malinowitz
in collaboration with a team of Torah Scholars

R' Hersh Goldwurm זצ"ל
General Editor
תש"נ-תשנ"ג / 1990-1993

The Schottenstein Daf Yomi Edition

THE GEMARA: THE CLASSIC VILNA EDITION,
WITH AN ANNOTATED, INTERPRETIVE ELUCIDATION,
AS AN AID TO TALMUD STUDY

The Hebrew folios are reproduced from
the newly typeset and enhanced
Oz Vehadar Edition of the Classic Vilna Talmud

Published by
Mesorah Publications, ltd

We gratefully acknowledge the outstanding
Torah scholars who contributed to this volume:

Rabbi Yisroel Simcha Schorr, Rabbi Chaim Malinowitz
and **Rabbi Mordechai Marcus**
who reviewed and commented on the manuscript,
Rabbis Hillel Danziger, Yosef Davis, Nesanel Kasnett,
Moshe Rosenblum, Eli Shulman, and **Yosaif Asher Weiss**
who edited, contributed and assisted in the production of this volume.

Rabbi Yehezkel Danziger, Editorial Director

We are also grateful to our proofreaders: Mrs. Judi Dick, Mrs. Mindy Stern, and Mrs. Faigie Weinbaum,
our typesetters: Mr. Yaakov Hersh Horowitz, Mr. Shaya Sonnenschein,
Miss Rivkie Bruck, Miss Chumie Zaidman, Mrs. Estie Dicker, Mrs. Esther Feierstein

FIRST EDITION
First Impression . . . June 1999

DAF YOMI EDITION
First Impression . . . October 2002
Second Impression . . . July 2005

Published and Distributed by
MESORAH PUBLICATIONS, Ltd.
4401 Second Avenue
Brooklyn, New York 11232

Distributed in Europe by
LEHMANNS
Unit E, Viking Business Park
Rolling Mill Road
Jarrow, Tyne & Wear NE32 3DP
England

Distributed in Australia & New Zealand by
GOLDS WORLD OF JUDAICA
3-13 William Street
Balaclava, Melbourne 3183
Victoria Australia

Distributed in Israel by
SIFRIATI / A. GITLER — BOOKS
6 Hayarkon Street
Bnei Brak 51127

Distributed in South Africa by
KOLLEL BOOKSHOP
Shop 8A Norwood Hypermarket
Norwood 2196, Johannesburg, South Africa

THE ARTSCROLL SERIES® / SCHOTTENSTEIN DAF YOMI EDITION
TALMUD BAVLI / TRACTATE CHAGIGAH

ISBN: 1-57819-603-5

Typography by CompuScribe at ArtScroll Studios, Ltd.
Custom bound by **Sefercraft, Inc.,** Brooklyn, N.Y.

A PROJECT OF THE

Mesorah Heritage Foundation

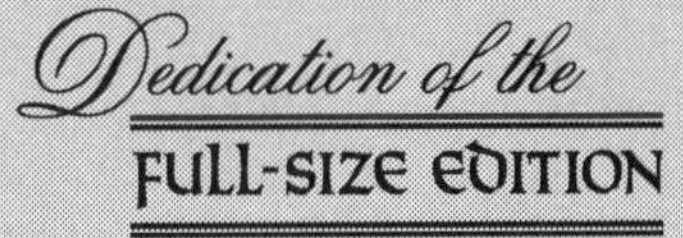

Dedicated in loving memory of

Alvin E. Schottenstein

חיים אברהם יונה בן אפרים אליעזר הכהן ז"ל

נפטר ז' תמוז תשמ"ד

Alvin E. Schottenstein was a much-loved and respected business leader in Columbus, Ohio. As busy as he was in the world of commerce, he was a humanitarian and philanthropist with a humble spirit and generous heart. He was always available to those seeking help. His devotion to his family, his community and to Eretz Yisrael was his precious legacy.

Irving Altman & Helen Altman

יצחק אייזיק בן עקיבא הכהן ז"ל

נפטר ר"ח אב תשכ"ח

הדס בת אברהם אביש ע"ה

נפטר כ"ד אב תשס"ב

Irving and Helen Altman ז"ל miraculously survived the Holocaust in Slovakia with their faith in Hashem intact, as well as their dedication to Torah values. They created a warm, nurturing home in Cleveland, Ohio and raised Torah observant children. Irving Altman ז"ל was a man of great humility, piety and sterling character. He took great pride in being a Kohen and reciting Birchat Kohanim, and attending *shiurim.* Helen Altman ע"ה was a true *aishes chayil,* a woman of great wisdom, spiritual strength, modesty, and kindness. She lovingly devoted her life to her family. Together, they opened their home to others, and always came to the aid of others in any capacity that they could. She took great pleasure in preparing a Shabbos and Yom Tov meals and having her children and grandchildren there with her to enjoy every beautiful moment.

Frank Altman

שרגא פייביל בן יצחק אייזיק הכהן ז"ל

נפטר י"ב ניסן תש"ס

Frank was the essence of a *talmid chacham,* a spiritual man committed to Torah observance. He enjoyed discussing Torah teachings and scholarly books. He was an especially good-hearted *neshamah* who was always ready and willing to help others in need. He was a genuine, honest man who performed acts of kindness. He preferred one of the highest degrees of charity, מתן בסתר, bringing joy and sustenance to the needy while preserving their dignity. He fulfilled the highest level of honoring his parents in his short lifetime. Furthermore, he was a loving, devoted brother who was always there for his siblings. He took great joy in spending time with his nephews as well, and passing on words of Torah learning to them.

תנצב"ה

Beverley Schottenstein,
Robert & Chaya Altman Schottenstein
and sons
Isaac, Ephraim, & Avi

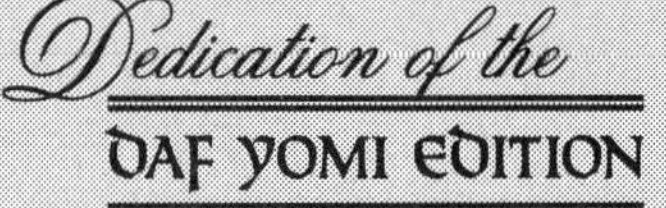

This volume is dedicated
to the memory of our grandparents

החבר ר׳ אורי יהודה ז״ל ב״ר אברהם אריה הכהן הי״ד

נפ׳ באמשטרדם כ״ג כסלו תשס״א

מרת רבקה ע״ה בת ר׳ יצחק הי״ד

נפ׳ באמשטרדם י״ב מרחשון תשס״א

Books can be written about them.

During the War, Reb Uri and Rivka Cohen were heroic rescue workers in Holland. Our grandfather personally hid over 250 people.

After the War, they pioneered the work of rebuilding. They established the Amsterdam Cheder in their own home, with four students. Our grandmother was the entire "faculty."

Today that humble beginning has burgeoned into a *cheder* of 300 students — the only strictly Orthodox yeshivah in Holland — and our grandfather headed it until his last day.

May their *z'chus* be rewarded with the continued growth of Torah life and study throughout *Klal Yisrael.*

הרה״צ ר׳ משה בן ר׳ שרגא פייבעל הי״ד

נהרג על קדה״ש ד׳ מנחם אב תש״ב

Reb Moishele Stempel was born in Cracow to a chassidic family that dedicated its resources and acumen to the *Klal.* His father represented Agudath Israel in the Polish Parliament.

Young Moishele celebrated his bar mitzvah at the tish of the Bobover Rebbe זצוק״ל הי״ד. So impressed was the Rebbe that he chose him as a future son-in-law.

He became a living legend of Torah and *chessed,* giving away his boots to a freezing pauper and pawning the family jewelry to raise funds for the needy.

Reb Moishele was murdered when he was barely 30, but well over 150 offspring בע״ה bring luster to his name and memory.

תנצב״ה

Benzi and Esther Dunner

The publishers pay tribute to
the memory of the unforgettable

Jerome Schottenstein ז״ל

whose wisdom, warmth, vision, and generosity wrote new chapters
of Jewish life and learning in America and around the world.
Generations from now, he will be remembered as the one
whose enlightened support made the Talmud accessible
to English-speaking Jews everywhere;

Geraldine Schottenstein תחי׳

who wears her mantle with unusual grace
and firm adherence to the values with which she set
the strong foundation of her family.
She sets a powerful and principled example
for her children and grandchildren.
We are grateful for her support and that of her children:

Jay and Jeanie Schottenstein,
Ann and Ari Deshe,
Susan and Jon Diamond,
and **Lori Schottenstein,**

friends from the start,
as staunch supporters who have been instrumental
in the ten years of the Talmud's success.
They bring energy, devotion, magnanimity, and graciousness
to a host of vital causes
in their native Columbus and throughout the world.

This edition — in a convenient new size
to serve the growing number of people
who are making the Talmud an indispensable part of their lives —
is dedicated by

Jay and Jeanie Schottenstein
and their children
Joseph Aaron, Jonathan Richard, and Jeffrey Adam

They dedicate it in honor of their cherished loved ones
who have left indelible marks on their own lives
and the lives of countless others,
as models of inspiration, generosity, integrity,
and devotion to the noblest causes of Jewish life.

They are:
his parents
Jerome ע״ה and Geraldine Schottenstein
her parents
Leonard and Heddy Rabe
and their uncle and aunt
Saul and Sonia Schottenstein

❦ ❦ ❦

Jay and Jeanie Schottenstein
have a perspective that transcends time and community.
Their names have become synonymous with
imaginative and effective initiatives
to bring Torah study and Jewish tradition to the masses of our people.

Through their magnanimous support of the various editions of
The Schottenstein Talmud
— this Daf Yomi Edition, the Hebrew Edition,
and the original full-size English Edition —
they spread Torah study around the globe and across generations.
Few people have ever had such a positive impact on Jewish life.
Myriads yet unborn will be indebted to them
for their vision and generosity.

PATRONS OF THE TALMUD ◆ DAF YOMI EDITION

With generosity, vision, and devotion to the perpetuation of Torah study,
the following patrons have dedicated individual volumes
of the Daf Yomi Edition of the Talmud

BERACHOS I: In memory of
Jerome Schottenstein ע״ה
יעקב מאיר חיים בן אפרים אליעזר הכהן ע״ה

BERACHOS II: **Zvi and Betty Ryzman**
and their children
Mickey and Shelly Fenig, Aliza, Yissachar David, and Batsheva
Elie and Adina Ryzman, Leora and Yonatan Zev
Avi and Rafi
In memory of
Hagaon Harav Meir Shapiro זצ״ל, the unforgettable Rav of Lublin,
and in honor of
Hagaon Harav Yisrael Meir Lau שליט״א, Chief Rabbi of Israel

SHABBOS I: **Dr. Paul and Esther Rosenstock** **Jake and Dr. Helaine Harman**
Mrs. Faigy Harman
and their children and grandchildren
Nechama Mordechai Binyamin Michelle Marc
Yonina and Dov Wisnicki, Avi and Leora
Shira and Shlomie Rosenberg
in memory of our father, husband, and grandfather
מרדכי ב״ר אברהם ע״ה — Mordechai (Mottel) Harman

SHABBOS II: **Stanley and Ellen Wasserman**
and their children
Alan and Svetlana Wasserman Mark and Anne Wasserman
Neil and Yael Wasserman Stuart and Rivka Berger
and families
In loving memory of
יוסף בן דוב בער ע״ה בילא בת יעקב ע״ה — Joseph and Bess Wasserman ע״ה, and
שמריהו בן משה ע״ה רבקה בת הרב יוסף הכהן ע״ה — Sascha and Regina (Czaczkes) Charles ע״ה

SHABBOS III: **Stanley and Ellen Wasserman**
and their children
Alan and Svetlana Wasserman Mark and Anne Wasserman
Neil and Yael Wasserman Stuart and Rivka Berger
and families
in loving memory of
יוסף בן דוב בער ע״ה בילא בת יעקב ע״ה — Joseph and Bess Wasserman ע״ה, and
שמריהו בן משה ע״ה רבקה בת הרב יוסף הכהן ע״ה — Sascha and Regina (Czaczkes) Charles ע״ה

SHABBOS IV: **Malkie and Nachum Silberman**
Leonard and Cassia Friedlander
Elkie Friedlander
in honor of their mother
Gussie Friedlander שתחי׳ לאוי״ט
in memory of their father
ר׳ סיני ב״ר אריה לייב ז״ל — Sidney Friedlander ז״ל
and in memory of their grandparents
ר׳ יוסף דוד ב״ר משה ז״ל וזיסל בת ר׳ ישעיהו ע״ה — Joseph and Jennie Trattner ז״ל

ERUVIN: [two volumes] **Jerome and Geraldine Schottenstein Saul and Sonia Schottenstein**
Jay and Jeanie Schottenstein Ann and Ari Deshe
Susan and Jon Diamond Lori Schottenstein
in memory of
אפרים אליעזר בן יהושע הכהן ע״ה — Ephraim Schottenstein ע״ה
חנה בת צבי הירש ע״ה — Anna Schottenstein ע״ה

PATRONS OF THE TALMUD • DAF YOMI EDITION

PESACHIM I: **Tommy and Judy Rosenthal**
Yitzchok and Tamar   Dani and Michali   Michal
in memory of his father
ר׳ יצחק ב״ר יעקב קאפיל ז״ל — Yitzchok Rosenthal
and יבלח״ט in honor of their parents עמו״ש
Magda Rosenthal שתחי׳
and her children שיחי׳
Moshe Yaakov and Beila Jakabovits שיחי׳
and their children שיחי׳

PESACHIM II: **Yisroel and Rochi Zlotowitz**
Gitty, Aaron and Sori
in memory of their beloved grandparents and great grandparents
הרב אהרן ב״ר מאיר יעקב זצ״ל   והרבנית פרומא בת ר׳ חיים צבי ע״ה — Zlotowitz
ר׳ חיים חייקל ב״ר שמואל ז״ל   וחיה בת הרב ישראל יהודה ע״ה — Schulman
הרב משה יהודה ב״ר יצחק צבי ז״ל   ושרה בת הרב שבתי ע״ה — Maybloom
החבר שלום בן שבתי ז״ל   וגיטל בת החבר פינחס צבי ע״ה — Goldman

PESACHIM III: **Lorraine and Mordy Sohn   Ann and Pinky Sohn**
in memory of
ר׳ צבי ב״ר אלעזר ע״ה — Dr. Harry Sohn ע״ה
מרת הענדיל דבורה ב״ר אברהם שלמה ע״ה — Dora F. Sohn ע״ה
ר׳ יחזקאל ב״ר אליקים חנוך הלוי ע״ה — Harold Levine ע״ה
רבקה הענא בת שמעון הלוי ע״ה — Ruth Levine ע״ה
רייזל ב״ר שמשון ע״ה — Rosalie Sohn ע״ה

SHEKALIM: **Laibish and Tanya Kamenetsky**
in memory of his parents
מרדכי בן משה צבי הלוי ז״ל   ובראנשע בת צבי הערש ע״ה — Max and Brenda Kamenetsky ז״ל
in memory of her father
דוד פישל בן יחיאל מאיר ז״ל — David Gottesman ז״ל
and in memory of their grandparents
משה צבי בן מרדכי הלוי ז״ל   וצירל בת זעליג ע״ה — Kamenetsky
צבי הערש ז״ל   וחיה לאה בת לייביש אליהו ע״ה — Berman
משה בן ישראל ז״ל   ודעכיל בת משה בונם ע״ה — Bolag
יחיאל מאיר בן שמואל   ושרה בת יהודה דוב ע״ה — Gottesman

BEITZAH: **Eric and Joyce Austein**
and their children
Ilana and Avi Lyons   Michael
Jonathan and Ilana Miriam   Adam and Sara   Eytan
in honor of their parents and grandparents שיחי׳
Morris and Susi Austein
Leo and Shirley Schachter

ROSH HASHANAH: **Steve and Genie Savitsky**
and their children and families
Julie and Shabsi Schreier   Avi and Cheryl Savitsky
Penina and Zvi Wiener   Yehuda and Estie Berman
In honor of their mothers and grandmothers
Mrs. Hilda Savitsky שתחי׳   Mrs. Amelia Seif שתחי׳
And in honor of their grandparents
Mrs. Faye Raitzik שתחי׳   Max and Edith Grunfeld שתחי׳
לעילוי נשמות — And in loving memory of their grandparents
ר׳ שבתי בן ר׳ מיכאל הלוי ע״ה — Shabsi Raitzik ע״ה
ר׳ אשר זעליג בן ר׳ יהושע הלוי ע״ה   רבקה בת ר׳ משה נתן ע״ה — Sigmund and Regina Schreier ע״ה
ר׳ ישראל יצחק בן ר׳ אלימלך הכהן ע״ה   גולדה בת ר׳ דוד לייב ע״ה — Irving and Goldie Stein ע״ה
ר׳ שמואל סנדר בן ר׳ אליעזר ליפא ע״ה   ריזל זלדה בת ר׳ שלום קלמן ע״ה — Sam and Rose Gottlieb ע״ה
ר׳ צבי הירש בן ר׳ נחום ע״ה   חיה שרה גאלדא בת ר׳ יוסף ע״ה — Harry and Goldie Wiener ע״ה
And in loving memory of Cheryl Savitsky's father
ר׳ שמעון פייביש בן ר׳ ישראל יצחק הכהן ע״ה — Dr. Steven F. Stein ע״ה

YOMA I: **Mrs. Ann Makovsky**
Shmulie and Daryle Spero and children
Reuven and Dvora Makovsky and children
Leslie and Linda Spero and children
in memory of
Morris Makovsky ז״ל — משה דוד בן אברהם אשר ז״ל
Abraham Osher and Fanny Makovsky ז״ל — אברהם אשר בן משה דוד ז״ל ופרומא דבורה בת אלחנן דוב ע״ה
Meyer and Riva Nissen ז״ל — גמליאל בן שלמה ז״ל ורבקה בת אברהם חיים ע״ה

YOMA II: **Trudy and David Justin**
and their children
Daniel, Brandel, Nina, Adam and Ayala Justin
in honor of their parents and grandparents
Malka Karp תחי׳
Kitty and Zoltan Justin שיחיו
and in loving memory of
Hersh Karp ז״ל — צבי בן דוב ז״ל

SUCCAH II: **Reuven and Ruth Fasman and Family**
Rudolph and Esther Lowy and Family
Allan and Ettie Lowy and Family
in memory of their parents
Marcus Lowy ז״ל — מרדכי אריה בן ר׳ רפאל הלוי ז״ל
Mina Lowy ע״ה — מינדל בת ר׳ שלמה זלמן ע״ה

TAANIS: **The Bernstein Family**
David and Jean
Matthew Peter
Scott and Andrea Samara Jonah
in memory of
Anna and Harry Bernstein ע״ה
Sarah and Joseph Furman ע״ה

MEGILLAH: In memory of
Jerome Schottenstein ע״ה
יעקב מאיר חיים בן אפרים אליעזר הכהן ע״ה

MOED KATAN: In honor of our beloved parents
Jochanan and Barbara Klein שיחי׳ לאוי״ט (Sao Paulo, Brazil)
by their children
Leon and Olga Klein Allen and Sylvia Klein Daniel and Esther Ollech and Families

CHAGIGAH: **Benzi and Esther Dunner**
in memory of their grandparents
Reb Uri Cohen ז״ל — החבר ר׳ אורי יהודה ז״ל ב״ר אברהם אריה הכהן הי״ד
נפ׳ באמשטרדם כג כסלו תשס״א
Mrs. Rivka Cohen ע״ה — מרת רבקה ע״ה בת ר׳ יצחק הי״ד
נפ׳ באמשטרדם יב מרחשון תשס״א
Reb Moshe Stempel הי״ד — הרה״צ ר׳ משה ב״ר שרגא פייבעל הי״ד
נהרג על קדה״ש ד׳ מנחם אב תש״ב

YEVAMOS I: **Phillip and Ruth Wojdyslawski and Family**
In memory of his beloved parents
Abraham Michel and Ora Wojdyslawski ע״ה
ר׳ אברהם מיכאל ב״ר פינחס ע״ה
אורה בת ר׳ צבי הירש ע״ה

YEVAMOS II: **Phillip and Ruth Wojdyslawski and Family**
In memory of her beloved mother
Chaya (Cytryn) Valt ע״ה
חיה צירל בת ר׳ שלמה זלמן ע״ה

YEVAMOS III: **Phillip and Ruth Wojdyslawski and Family**
In honor of
Benjamin C. Fishoff לאוי״ט
To the public he is a leader with vision and dedication.
To us he has always been a role model, a father,
and a constant inspiration.

KESUBOS I: **The Fishoff Families**
in memory of their beloved mother
מינדל בת ר׳ ישראל ע״ה – Mrs. Marilyn Fishoff ע״ה
נפ׳ כד תשרי תשמ״ט
and in memory of their dear grandparents
Fishoff – ר׳ דוב ב״ר מנחם אשר ע״ה   מרת מירל בת ר׳ מנחם מענדל ע״ה
Neider – ר׳ ישראל ב״ר אברהם ע״ה   מרת חיה זיסא בת ר׳ שרגא פייוועל ע״ה

KESUBOS II: **Moise Hendeles   Hayim and Miriam Hendeles   Jerry and Cecille Cohen**
and their families
in memory of their beloved father and grandfather
אליעזר ב״ר משה ז״ל – Lazare Hendeles ז״ל
נפ׳ כ׳ ניסן ד׳ חוה״מ פסח תשס״א
and in honor of their loving mother and grandmother
Mrs. Moselle Hendeles שתחיי׳

KESUBOS III: **Brenda and Isaac Gozdzik**
Tova Chava   Tzeryl Leah
in memory of their beloved parents and grandparents
שרגא פייוועל בן משה הענדעלעס ז״ל – Fred Hendeles ז״ל
נפ׳ ה׳ אלול תשס״ג
ביילע בת אליהו הלוי פערשלייסער ע״ה – Betty Hendeles ע״ה
נפ׳ כ״ו בניסן תשנ״ט

NEDARIM I: **Fradie Rapp**
Raizy, Menachem, Shimshon, Bashie, Tzvi
in memory of their beloved husband and father
הרב ישראל בן יעקב ז״ל – David Rapp ז״ל
נפ׳ כ׳ מרחשון תשס״ד

NEDARIM II: In memory of
Laurence A. Tisch
לייבל בן אברהם ע״ה

NAZIR I: **Andrew and Nancy Neff**
Abigail, Esther, Barnet and Philip
in honor of our parents and grandparents
Alan and Joyce Neff
Sidney and Lucy Rabin

NAZIR II: **Andrew and Nancy Neff**
Abigail, Esther, Barnet and Philip
in honor of our brothers and sisters
Garth and Valerie Heald
Lauren Neff
Douglas and Vivian Rabin
Andrew and Liat Rabin

SOTAH: **Motty and Malka Klein and Family**
In memory of
ר׳ ישעי׳ נפתלי הירץ ב״ר אהרן ז״ל — Norman Newman ז״ל

GITTIN I: **Mrs. Kate Tannenbaum**
Elliot and Debra Tannenbaum   Edward and Linda Zizmor
and Families
in memory of beloved husband, father and grandfather
ר׳ נפתלי ב״ר יהודה אריה ע״ה — Fred Tannenbaum ע״ה
נפטר ח׳ ניסן תשנ״ב

GITTIN II: **Mrs. Kate Tannenbaum**
Elliot and Debra Tannenbaum   Edward and Linda Zizmor
and Families
in memory of beloved husband, father and grandfather
ר׳ נפתלי ב״ר יהודה אריה ע״ה — Fred Tannenbaum ע״ה
נפטר ח׳ ניסן תשנ״ב

KIDDUSHIN I: **Ellis A. and Altoon Safdeye**
in memory of their beloved parents
המנוח יהודה אצלאן ומרת צלחה ויקטוריא ע״ה — Aslan and Victoria Safdeye ע״ה
המנוח יהודה ומרת מרגלית ע״ה — Judah and Margie Sultan ע״ה
and in memory of his brother יוסף ע״ה — Joseph Safdeye ע״ה

KIDDUSHIN II: **Malcolm and Joy Lyons**
in loving memory of her father
זיסל בן אברהם דוד ז״ל — Cecil Jacobs ז״ל
and in honour of their parents שיחיו
Leo and Eve Lyons
Mona Jacobs

BAVA KAMMA I: **Yitzchok and Shoshana Ganger**
in honor of their children and grandchildren
Aviva and Moshe Sigler — Aliza, Saul, Chani
Ilana and Menachem Ostreicher — Dov Ber, Miriam, Binyomin Paltiel
Dovid and Penina Ganger — Yosef Yaakov, Gavriel Moshe, Ettie
Daniella
and in memory of their fathers
ר׳ יוסף יעקב ב״ר יצחק ישעיהו ע״ה — Joseph Ganger ע״ה
נפטר טז כסלו תשנ״ו
הרב אריה ליב ב״ר מתתיהו ע״ה — Rabbi Aria Leib Newman ע״ה
נפטר כח ניסן תשס״ד

BAVA KAMMA II: **The Magid Families** (Sao Paulo, Brazil)
לעילוי נשמת — in memory of their dear husband and father
ר׳ אברהם יהודה אביר בן ר׳ יהושע ז״ל — R' Abir Magid ז״ל
נלב״ע כ״ו אדר תשמ״ב
ולעילוי נשמות — and in memory of
ר׳ יהושע ב״ר צבי חיים ז״ל וזוגתו מרת שרה פייגא בת ר׳ יששכר דוב ע״ה
ר׳ יעקב ישראל ב״ר מרדכי ז״ל וזוגתו מרת אסתר פרומה בת ר׳ חיים ע״ה

BAVA KAMMA III: **Robert and Malka Friedlander** (Sao Paulo, Brazil)
Debby, David and Daniel
in memory of their fathers and grandfathers
הרב ישראל יעקב ב״ר יצחק מאיר ז״ל — Rabbi Israel Jacob Weisberger ז״ל
הרב נפתלי צבי נח ב״ר יהודה לייביש ז״ל — Rabbi Bela Friedlander ז״ל

PATRONS OF THE TALMUD ◆ DAF YOMI EDITION

BAVA METZIA I: **Drs. Robert and Susan Schulman** **Howard and Tzila Schulman**
Fred and Cindy Schulman
in honor of our beloved parents
Molly Schulman
Stanley and Ruth Beck
Mrs. Sylvia Kuhr
Naftali and Berta Rendel

BAVA METZIA II: **Suzy and Yussie Ostreicher and Ricki** **Ilana and Menachem Ostreicher**
Miriam and Dovid Ostreicher **Shayna and Yitzchok Steg**
in honor of our parents and grandparents
Michael and Rose Pollack
Hershi and Helly Ostreicher

BAVA METZIA III: **Stephanie and George Saks**
in memory of
The Gluck Family
Zev and Esther Gluck ע״ה – זאב בן דוד צבי ע״ה ואסתר בת אשר זעליג ע״ה
– ליבא, אשר זעליג, דוד צבי, שמואל, מנשה, יחזקאל שרגא ע״ה
Lee, George, David H., Samuel C., Emanuel M., Henry ע״ה, and
in memory of their parents and grandparents
Philip and Mildred Pines ע״ה – פייוועל בן אליה ע״ה ומלכה בת אברהם ע״ה
Dr. Jack I. and Mrs. Mae Saks ע״ה – יעקב יצחק בן זאב ע״ה ומיימי בת זאב ע״ה
Wolf and Chaye Beilah Saks ע״ה – זאב בן חיים דוד ע״ה וחיה ביילע בת יצחק יעקב ע״ה
and in memory of
Elie Neustadter ע״ה – יחיאל בן משה ע״ה

BAVA BASRA I: **Nachum and Malkie Silberman**
in memory of his parents
Silberman – ר׳ צבי ב״ר זאב הלוי ז״ל דבורה אסתר בת ר׳ ישראל ע״ה
his paternal grandparents and their children who perished על קידוש השם in the Holocaust
Silberman – ר׳ זאב ב״ר משה הלוי ז״ל הי״ד גיטל בת ר׳ אפרים אלימלך הכהן ע״ה הי״ד
ובנותיהם רחל, לאה, ומרים ע״ה הי״ד
and his maternal grandparents
Weitman – ר׳ ישראל ב״ר לוי משה ז״ל שיינדל רחל בת ר׳ יעקב ע״ה

BAVA BASRA II: **Roger and Caroline Markfield**
and their children
Eric and **Maxine**
in memory of his parents
Max and Eileen Markfield ז״ל – מרדכי ב״ר נתנאל ואודל בת ר׳ מאיר דוד ז״ל
and his sister
Lynn Herzel ע״ה – זיסל ע״ה

BAVA BASRA III: **Jaime and Marilyn Sohacheski**
in honor of their children
Jasmine and David Brafman and their baby **Shlomo Zalman**
Melisa and her chatan Jonathan Beck
Lindsay and Bennett

SANHEDRIN I: **Martin and Rivka Rapaport**
and their children
Mordechai **Ezriel** **Yehuda Aryeh** **Miriam Dreizel** **Shimshon**
Leah **Penina** **Eliyahu** **Meir** **Bracha**
in memory of
Leo Rapaport ז״ל – ר׳ יהודה אריה ב״ר מרדכי הכהן ז״ל

SANHEDRIN II: **Martin and Rivka Rapaport**
and their children
Mordechai Ezriel Yehuda Aryeh Miriam Dreizel Shimshon
Leah Penina Eliyahu Meir Bracha
in memory of
ר׳ ישראל דוב ב״ר מרדכי ז״ל — Albert Berger ז״ל
חנה גיטל בת ר׳ עזריאל ע״ה — Chana Gittel Berger ע״ה

SANHEDRIN III: **Marvin and Roz Samuels**
in memory of
ר׳ צבי יוסף ב״ר יצחק ז״ל — Joseph Samuels ז״ל
רחל בת ר׳ זכריה מנחם ע״ה — Rose Samuels ע״ה
of Scranton, PA
בנימין נח ב״ר ישראל הלוי ז״ל — Norman Newman ז״ל
אלטא ביילא ראשקה בת נחמן הלוי ע״ה — Ruth Newman ע״ה

SHEVUOS: **Michael and Danielle Gross** (Herzlia and London)
in loving memory of their fathers
Paul Gross — פסח בן צבי הלוי ע״ה
David Beissah — דוד בן נתן ע״ה

MAKKOS: **The Tepper Families**
Beth and Yisroel Rabinowitz Jay and Sari Tepper
Hope and Moshe Abramson Neil and Leah Tepper
and children
in honor of their parents
David and Joan Tepper
and in memory of their grandparents
ר׳ מנחם מענדל ב״ר יעקב ז״ל ומרת מינדל בת ר׳ אריה ליב ע״ה — Tepper
ר׳ ראובן ב״ר נחמיה ז״ל ומרת עטיל בת ר׳ ישראל נתן נטע ע״ה — Gralla

AVODAH ZARAH I: **The Kuhl Family**
in memory of
יחיאל ב״ר יצחק אייזיק ע״ה Dr. Julius Kuhl ע״ה
פרומט בת ר׳ שמואל הלוי ע״ה Mrs. Yvonne Kuhl ע״ה
שמואל ב״ר יחיאל ע״ה Sydney Kuhl ע״ה

AVODAH ZARAH II: In memory of
Jerome Schottenstein ע״ה
יעקב מאיר חיים בן אפרים אליעזר הכהן ע״ה

HORAYOS-EDUYOS: **Woli and Chaja Stern** (Sao Paulo, Brazil)
in honor of their children
Jacques and Ariane Stern Jaime and Ariela Landau Michäel and Annete Kierszenbaum

ZEVACHIM I: **Robin and Warren Shimoff**
in memory of his parents
ישראל דוב ב״ר אהרן יעקב ז״ל — Irving Shimoff ז״ל
חיה רבקה לאה בת ר׳ אליעזר יהודה ע״ה — Lynn Shimoff ע״ה
and יבלח״ט in honor of their children שיחי׳
Lael Atara Alexander Ariana

ZEVACHIM II: **Abbie Spetner**
Ari and Chaya Sara and Dovi Nussbaum Chanoch Moshe
Rivkah Dinah Moshe Yosef
in honor of their father and grandfather
Kenneth Spetner שיחי׳ לאוי״ט
and in memory of their mother and grandmother
רבקה דינה בת ר׳ משה יעקב ע״ה — Rita Spetner ע״ה
נפ׳ ד׳ ניסן תשס״ב

ZEVACHIM III: **Yaakov and Yona Spinner**

Dovi Elisheva Yitzy Shiri Leora

in memory of their father and grandfather

ז״ל אפרים יצחק ב״ר אברהם ז״ל — Ephraim Spinner

נפ׳ י״ז שבט תשנ״ז

and in memory of their grandparents and great-grandparents

משה יודה בן דוד ע״ה   רחל בת חיים דוד יהודה הכהן ע״ה

אברהם בן יוסף משה ע״ה   צירל בת אברהם אליהו ע״ה

משה שלמה בן יעקב ע״ה   רבקה בת משה ע״ה

MENACHOS I: **Terumah Foundation**

MENACHOS II: **Terumah Foundation**

MENACHOS III: **Terumah Foundation**

CHULLIN I: **Rabbi Heshie and Rookie Billet**

in honor of their mothers Mrs. Pearl Billet and Mrs. Phyllis Katz

their children Daniel and Hadassa Jacobson David and Anouche Billet

Avraham and Chana Billet Moshe Billet Shira Billet Nava Billet

their grandchildren Tehila, Aharon, Yehuda, and Netanel Jacobson Aliza Billet

and in memory of their fathers

ז״ל ר׳ אהרן ב״ר יצחק הכהן כ״ץ ז״ל — Arthur Katz

ז״ל ר׳ יהודה יעקב ב״ר אברהם ז״ל — Jack Billet

their daughter ע״ה מרים רות ע״ה — Miriam Rus

their granddaughter ע״ה אליענה שרה ע״ה — Eliana Sara

CHULLIN II: **Elly and Brochie Kleinman**

and their children **Deenie and Yitzy Schuss** **Yossie and Blimi Kleinman**

Aliza and Lavey Freedman and families

לעילוי נשמות their fathers

ז״ל ר׳ אברהם אייזיק ב״ר אלכסנדר ז״ל — Avrohom Kleinman

ז״ל ר׳ מנחם דוד ב״ר מרדכי שמואל ז״ל — Mendel Indig

his grandparents שנהרגו על קידוש השם

Kleinman (Weiss) — ר׳ אלכסנדר ב״ר צבי אריה ז״ל   ומרת סימא לאה בת ר׳ אברהם ע״ה — הי״ד

Fischman — הרב אלימלך ב״ר ישראל ז״ל   ומרת יוטא ברכה בת ר׳ אברהם ע״ה — הי״ד

her grandparents

Indig — ר׳ מרדכי שמואל ב״ר יוסף יעקב ז״ל שנהרג על קדה״ש הי״ד   ומרת פרידה בת ר׳ מרדכי אריה ע״ה

Solomon — ר׳ יעקב ב״ר שאול ז״ל   ומרת חיה בת ר׳ יעקב ע״ה

and יבלח״ט in honor of their mothers

Mrs. Ethel Kleinman שתחי׳   Mrs. Rose Indig שתחי׳

CHULLIN III: **Members of the International Board of Governors of the Mesorah Heritage Foundation**

as a source of merit for all our brethren wherever they are

CHULLIN IV: **Terumah Foundation**

BECHOROS I: **Jeff and Leslie Gould** **Jody and Sheldon Hirst**

Rachel Jacob **Marci Tracy**

in memory of their father

ע״ה ראובן בן יוסף ע״ה — Rubin Gould

BECHOROS II: **Hilda and Yitz Applbaum**

in honor of their children

Aaron Jacob Ariel Tsvi Miriam Gabriella Zahava

and in memory of their deceased parents

ע״ה אהרן ב״ר יהודה לייב ז״ל ומרים בת ר׳ מנחם מענדל ע״ה — Aaron and Miriam Goetz

ע״ה טובה גיטל בת ר׳ אברהם יהושע העשיל ע״ה — Tova Gertrude Applbaum

PATRONS OF THE TALMUD ❖ DAF YOMI EDITION

ARACHIN: **The Brown Family**
in memory of
ז״ל Bernard and Tillie Tublin — בעריש דוב בן מרדכי אליהו ז״ל וטובא בת אברהם ע״ה
ז״ל Abraham and Mae Tublin — אברהם בן בעריש דוב ז״ל ומייטא בת ישראל ע״ה
ז״ל Neil Tublin — נחום בן אברהם ז״ל
Harry and Molly Brown ז״ל
Beatrice Geller ע״ה
Sophie Noble Scherr ע״ה

TEMURAH: **Dr. Thomas and Anne Kohn** and their children
Dennis and Chayie Kohn **Yitzy and Dina Gunsburg** **Yaakov and Aviva Eisenberger**

Dr. Allan and Susan Seidenfeld and their children
Mordechai and Shaindy **Aaron and Dassi** **Dov and Chanala**
Yosef and Ahuva **Ahuva Libe** **Eliezer Chaim Yitzchok**
in honour of Eugene and Eva Kohn
in memory of (נפ׳ כ״ה אדר ב׳ תשס״ג) מינדל בת חיים ע״ה — Vera Rubinstein ע״ה
in honour of Daniel Rubinstein
in memory of (נפ׳ כ״ה מרחשון תש״ס) חיה מירל בת אברהם ע״ה — Margit Seidenfeld ע״ה
in honour of Salomon Seidenfeld

KEREISOS: לעילוי נשמת
מיסד ורוח החיים של רעיון הדף יומי
הגאון הרב ר׳ מאיר ב״ר יעקב שמשון שפירא זצ״ל
נפ׳ ז׳ חשון תרצ״ד
In memory of
Rabbi Meir Shapiro זצ״ל, the Lubliner Rav
whose revolutionary Daf Yomi initiative grows day by day.

ME'ILAH, TAMID, MIDDOS, KINNIM: **Steven and Renée Adelsberg**
Sarita and Rubin Gober **David** **Sammy** **Avi**
in loving memory of
ז״ל Samuel Adelsberg — שמואל שמעלקא ב״ר גדליה ז״ל
and יבלח״ט in honor of
Helen Adelsberg Weinberg שתחי׳
and
Chaim and Rose Fraiman שיחי׳

NIDDAH I: In memory of
Joseph and Eva Hurwitz ע״ה
יוסף ב״ר מרדכי הלוי וחוה פיגא ב״ר אליעזר הלוי ע״ה
and
Lorraine Hurwitz Greenblott — לאה בילא חיה בת ר׳ יוסף ע״ה
by
Marc and Rachel Hurwitz,
Elisheva Ruchama, Michal, and Nechama Leah;
Martin and Geraldine Schottenstein Hoffman,
Jay and Jeanie Schottenstein, Ann and Ari Deshe,
Susan and Jon Diamond, and Lori Schottenstein;
and Pam and Neil Lazaroff, Frank Millman, and Dawn and Avi Petel

NIDDAH II: In memory of
Jerome Schottenstein ע״ה
יעקב מאיר חיים בן אפרים אליעזר הכהן ע״ה

The Schottenstein Edition of the Talmud

They never surrendered the principles of Judaism or the love of Torah that they had absorbed in Lithuania.

This pioneering elucidation of the entire Talmud was named **THE SCHOTTENSTEIN EDITION** in memory of **EPHRAIM AND ANNA SCHOTTENSTEIN** ז"ל, of Columbus, Ohio. Mr. and Mrs. Schottenstein came to the United States as children, but they never surrendered the principles of Judaism or the love of Torah that they had absorbed in their native Lithuania. Tenacious was their devotion to the Sabbath, kashruth, and halachah; their support of needy Jews in a private, sensitive manner; their generosity to Torah institutions; and their refusal to speak ill of others.

This noble and historic gesture of dedication was made by their sons and daughters-in-law **JEROME** ז"ל **AND GERALDINE SCHOTTENSTEIN** and **SAUL AND SONIA SCHOTTENSTEIN.**

Jerome left numerous memorials of accomplishment and generosity, but surely the Schottenstein Edition of the Talmud – spanning centuries – will be the most enduring.

With the untimely passing of JEROME SCHOTTENSTEIN ז"ל, it became our sad privilege to rededicate THE SCHOTTENSTEIN EDITION to his memory, in addition to that of his parents.

Jerome Schottenstein ז"ל was a dear friend and inspirational patron. He saw the world through the lens of eternity, and devoted his mind, heart and resources to the task of assuring that the Torah would never be forgotten by its people. He left numerous memorials of accomplishment and generosity, but surely the **SCHOTTENSTEIN EDITION OF THE TALMUD** – spanning centuries – will be the most enduring.

The Schottensteins are worthy heirs to the traditions and principles of Jerome and his parents. Gracious and generous, kind and caring, they have opened their hearts to countless causes and people.

The Schottensteins are worthy heirs to the traditions and principles of Jerome and his parents. Gracious and generous, kind and caring, they have opened their hearts to countless causes and people. Quietly and considerately, they elevate the dignity and self-respect of those they help; they make their beneficiaries feel like benefactors; they imbue institutions with a new sense of mission to be worthy of the trust placed in them.

THE MESORAH HERITAGE FOUNDATION is proud and grateful to be joined with the Schottenstein family as partners in this monumental endeavor.

We pray that this great undertaking will be a source of merit for the continued health and success of the entire Schottenstein family, including the children and grandchildren:

JAY and JEANIE SCHOTTENSTEIN and their children, Joseph Aaron, Jonathan Richard, and Jeffrey Adam; **ANN and ARI DESHE** and their children, Elie Michael, David Scott, Dara Lauren, and Daniel Matthew; **SUSAN and JON DIAMOND** and their children, Jillian Leigh, Joshua Louis, and Jacob Meyer; and **LORI SCHOTTENSTEIN.**

The Schottensteins will be remembered with gratitude for as long as English-speaking Jews are nourished by the eternity of the Talmud's wisdom, for, thanks to them, millions of Jews over the generations will become closer to their heritage.

A Jew can accomplish nothing more meaningful or lasting in his sojourn on earth.

The Schottenstein Edition

is reverently dedicated to the memory of
the patron of this Talmud
and of countless other noble causes in Jewish life

יעקב מאיר חיים בן אפרים אליעזר הכהן ע״ה

נפטר ה׳ אדר ב׳ תשנ״ב

Jerome Schottenstein ע״ה

and to the memory of his parents

אפרים אליעזר בן יהושע הכהן ע״ה — **חנה בת צבי הירש ע״ה**

נפטר ב׳ אייר תשט״ז — נפטרה ט״ו מנחם אב תשט״ו

Ephraim and Anna Schottenstein ע״ה

by

Geraldine Schottenstein

Saul and Sonia Schottenstein

and

Jay and Jeanie Schottenstein
and their children
Joseph Aaron, Jonathan Richard, Jeffrey Adam

Ann and Ari Deshe
and their children
Elie Michael, David Scott, Dara Lauren, Daniel Matthew

Susan and Jon Diamond
and their children
Jillian Leigh, Joshua Louis, Jacob Meyer

and

Lori Schottenstein

PATRONS OF THE SEDARIM

Recognizing the need for the holy legacy of the Talmud
to be available to its heirs in their own language,
these generous and visionary patrons have each dedicated
one of the six Sedarim/Orders of the Talmud.

THE FORMAN EDITION OF SEDER ZERAIM

is lovingly dedicated by

Mr. and Mrs. Sam Forman, Brett and Wendy

in memory of their beloved parents and grandparents

Mr. and Mrs. George Forman ע״ה **Dr. and Mrs. Morey Chapman ע״ה**

THE HORN EDITION OF SEDER MOED

is lovingly dedicated to the memory of

ר׳ משה מניס ב״ר יעקב יצחק ע״ה — Moishe Horn ע״ה

נפטר ב׳ מנחם אב תשנ״ד

by his wife **Malkie**

his parents **Jacob ע״ה and Genia Horn שתחי׳**

and her children

Shimmie and Alissa
Ari Shana Michal Tali

Devorah and Dov Elias
Moishe Ariella Eli Chaviva Tehilla

Shandi and Sruli Glaser
Ruthi Jack Miri

THE ELLIS A. SAFDEYE EDITION OF SEDER NASHIM

Is reverently dedicated to the memory of

המנוח יהודה אצלאן ומרת צלחה ויקטוריא ע״ה

Aslan and Victoria Safdeye ע״ה

and

המנוח יהודה ומרת מרגלית ע״ה

Judah and Margie Sultan ע״ה

by their children

Ellis A. and Altoon Safdeye

and grandchildren

Alan Judah and Rachel Safdeye **Joseph and Rochelle Safdeye**
Ezra and Victoria Esses **Michael and Bobbi Safdeye**

PATRONS OF THE SEDARIM

THE DAVIDOWITZ FAMILY
RENOV STAHLER ROSENWALD PERLYSKY EDITION OF SEDER NEZIKIN

is lovingly dedicated to

Rozi and Morty Davis-Davidowitz

builders of this dynasty

by their children and grandchildren

Esti and Ushi Stahler

Jamie, Danny, Duvi, Lisi, Avi, Eli, Malka and Loni

Ruki and Kal Renov

Tova, Tani, Eli, Ari, Yoni, Yael, Emi and Benji

Rivki and Lindsay Rosenwald

Doni, Joshy, Demi, Davey and Tamar Rina

Laya and Dov Perlysky

Ayala Malka, Tova Batsheva, Naftali Yonatan, Atara Yael, Eitan Moshe, Shira Avital and Akiva Yair

and is lovingly dedicated to the memory of our grandparents

Emily and Nathan Selengut ע״ה

נפתלי ב״ר יעקב ע״ה ומלכה בת ר׳ אלתר חיים ע״ה

THE SCHWARTZ EDITION OF SEDER KODASHIM

is lovingly dedicated by

Avrohom Yeshaya and Sally Schwartz

and their children

Ari and Daniella, Moshe, Dani, and Dovi

in memory of their beloved parents and grandparents

ז״ל Isaac and Rebecca Jarnicki — ר׳ יצחק ב״ר אשר ז״ל וחיה רבקה בת הרב בצלאל הירש ז״ל

נפ׳ יג׳ תמוז תשנ״ז　　נפ׳ ג׳ אדר תשס״ד

and their beloved grandmother

ע״ה Mrs. Pearl Septytor — פערל בת ר׳ מרדכי ע״ה

and in honor of יבלח״ט their parents and grandparents

Rabbi and Mrs. Gedalia Dov Schwartz שליט״א

and in memory of our grandparents

Rabbi Eliezer and Pesha Chaya Poupko ז״ל　Abraham Schwartz ז״ל

Betzalel Hersh and Hendel Berliner ז״ל　Asher and Gittel Jarnicki ז״ל

PATRONS OF THE TALMUD ✧ FULL-SIZE EDITION

With generosity, vision, and devotion to the perpetuation of Torah study, the following patrons have dedicated individual volumes of the Talmud

Reference/ Introduction: **George and Vita Kolber**
In loving memory of
Joseph and Frieda Hirschfeld **ע״ה**

BERACHOS I: In memory of
Jerome Schottenstein ע״ה
יעקב מאיר חיים בן אפרים אליעזר הכהן ע״ה

BERACHOS II: **Zvi and Betty Ryzman**
in honor of their children שיחיו
Mickey and Shelly Fenig — Aliza, Yissachar David, Batsheva and Aharon Yakov
Elie and Adina Ryzman — Leora and Yonatan Zev
Avi Rafi

Malcolm and Joy Lyons
in honour of their parents שיחיו
Eve Lyons
Cecil and Mona Jacobs
and in memory of his father
יהודה בן גרשון ע״ה נפ׳ כ״ב שבט תשס״ג — Leopold Lyons ע״ה

SHABBOS I: **Nachshon and Bruria Minucha [Nuchi] Draiman and Family**
in memory of
הר״ר יהודה ליב מנדלקורן זצ״ל בן הר״ר צבי הי״ו
Rabbi Yehuda Leib Mandelcorn זצ״ל — נפטר כ׳ תמוז, תשנ״ג

SHABBOS II: **David and Bonnie Anfang** — **Rachel, Julie and Elliot**
Chaim and Ruthie Anfang — **Ariella Hope**, **Michael Brett**
In loving memory of
ר׳ אריה ליב ב״ר דוד אביגדור ע״ה — Leib Anfang ע״ה
בשה לאה בת ר׳ אלימלך דוב ע״ה — Barbara Anfang ע״ה

Mimi and Steven Rosenbaum — **Stacey and Danny**
Joseph and Sharon Prawer — **Dena, Dovid, Alana, Naomi**
Alan and Louisa Prawer — **Ruben Pinchas**
In loving memory of
ר׳ פנחס ב״ר יוסף ברוך הלוי ע״ה גילה בת אשר יונה ע״ה — Pinkus and Genia Prawer ע״ה, and
שרה בת שמעון ליב ע״ה — Sarah Cukierman ע״ה

A Hebrew edition of the Talmud Bavli is now in progress.
The Hebrew edition is dedicated by

Jay and Jeanie Schottenstein

and their children

Joseph Aaron, Jonathan Richard, and Jeffrey Adam

— in honor of their cherished loved ones who have left indelible marks on their own lives and the lives of countless others, as models of inspiration, generosity, integrity, and devotion to the noblest causes in Jewish life:
his parents **JEROME ז״ל AND GERALDINE SCHOTTENSTEIN**,
her parents **LEONARD AND HEDDY RABE**
and **SAUL AND SONIA SCHOTTENSTEIN**

❦ ❦ ❦

JAY AND JEANIE SCHOTTENSTEIN
have a perspective that transcends time and community.
Through their dedication of these editions of the Talmud, they spread Torah study around the globe and across generations.
Multitudes yet unborn will be indebted to them for their vision and generosity.

PATRONS OF THE TALMUD ❖ FULL-SIZE EDITION

SHABBOS II: **Rabbi Eliyahu and Yehudit Fishman**
[continued] **Rivka and Zvi Silberstein and Leah   Akiva Yitzchak Fishman**
Rabbi Yechiel Meir and Chagit Fishman   Rabbi Yosef and Aliza Fishman
Talia Chanah, Ariel Yishai and Daniel
In loving memory of
ר׳ יוסף ב״ר טוביה ע״ה רודע רבקה בת ר׳ הירש מאיר ע״ה — Yosef and Rude Rivka Fishman ע״ה
and their children Yechiel Meir, Leah and Chanah הי״ד who perished in the Holocaust

SHABBOS III: **Stanley and Ellen Wasserman**
and their children
Alan and Svetlana Wasserman   Mark and Anne Wasserman
Neil and Yael Wasserman   Stuart and Rivka Berger
and families
In loving memory of
יוסף בן דוב בער ע״ה   בילא בת יעקב ע״ה — Joseph and Bess Wasserman ע״ה, and
שמריהו בן משה ע״ה   רבקה בת הרב יוסף הכהן ע״ה — Sascha and Regina (Czaczkes) Charles ע״ה

SHABBOS IV: לעילוי נשמות
הורינו היקרים **ר׳ לוי ב״ר יהודה הלוי ע״ה   וצירל בת ר׳ מרדכי ע״ה לוינגר**
זקנינו היקרים **ר׳ יהודה ב״ר אליעזר צבי הלוי ע״ה   וטלצא בת פרומט ע״ה לוינגר**
ר׳ מרדכי ב״ר שמואל ע״ה   ומלכה בת ר׳ נתן ע״ה אדלר
אחינו **שמואל הלוי ע״ה   יהודה הלוי ע״ה   יהונתן הלוי הי״ד**
אחותנו **לאה בת ר׳ לוי סג״ל ע״ה   ובעלה ר׳ טוביה ע״ה**
גיסינו **ר׳ מיכאל ב״ר ברוך שמואל ע״ה שוויצר   ר׳ שמואל ב״ר יעקב ע״ה מיכל**
ולעילוי נשמות דודינו ודודותינו ויוצאי חלוציהם שנפטרו ושנהרגו על קידוש השם הי״ד
Dedicated by **Louis and Morris Lowinger**
Teri Schweitzer   Kato Michel   Margit Baldinger   Eva Lowinger

ERUVIN: **Jerome and Geraldine Schottenstein   Saul and Sonia Schottenstein**
[two volumes] **Jay and Jeanie Schottenstein   Ann and Ari Deshe**
Susan and Jon Diamond   Lori Schottenstein
in memory of
אפרים אליעזר בן יהושע הכהן ע״ה — Ephraim Schottenstein ע״ה
חנה בת צבי הירש ע״ה — Anna Schottenstein ע״ה

PESACHIM I: **Vera and Soli Spira and Family**
in memory of
ברוך בן חיים ע״ה — Baruch Spira ע״ה
בילה בת נתן שלום ע״ה — Bella Spira ע״ה
שמואל בן אברהם ע״ה — Shmuel Lebovits ע״ה
and their respective families הי״ד who perished in the Holocaust
and in honor of
שפרה בת משה — Caroline Lebovits תחי׳

The Edmond J. Safra Edition of the Talmud Bavli in French,
adapted from the Schottenstein Edition, is now in progress.

The Edmond J. Safra Edition
is dedicated by
Lily Safra
in memory of her beloved husband
Edmond J. Safra רפאל אדמון עזרא בן אסתר ע״ה

His desire is in the Torah of HASHEM, and in His Torah he meditates day and night.
He shall be like a tree deeply rooted alongside brooks of water;
that yields its fruit in due season, and whose leaf never withers,
and everything that he does will succeed (Psalms 1:2-3).

PESACHIM II: **Vera and Soli Spira**
and Family
in memory of an uncle who was like a father
and a cousin who was like a brother
ע"ה ישראל בן נתן שלום ע"ה — Israel Stern
ע"ה נתן שלום בן ישראל ע"ה — Noussi Stern

PESACHIM III: **Lorraine and Mordy Sohn** **Ann and Pinky Sohn**
in memory of
ע"ה ר' צבי ב"ר אלעזר ע"ה — Dr. Harry Sohn
ע"ה מרת הענדיל דבורה ב"ר אברהם שלמה ע"ה — Dora F. Sohn
ע"ה ר' יחזקאל ב"ר אליקים חנוך הלוי ע"ה — Harold Levine
ע"ה רבקה הענא בת שמעון הלוי ע"ה — Ruth Levine
ע"ה רייזל ב"ר שמשון ע"ה — Rosalie Sohn

SHEKALIM: In loving memory of
Mr. Maurice Lowinger ז"ל
ר' מאיר משה ב"ר בן ציון הלוי ז"ל
נפ' כ"ז אדר תשס"א

YOMA I: **A. Joseph and Rochelle Stern**
Moshe Dov, Zev, Shani, Esty, and Shaye
in honor of their parents and grandparents
Eli and Frieda Stern שיחיו
Frida Weiss שתחי'
and in memory of
ר' ישעי' בן ר' ישראל שמואל ווייס ז"ל

YOMA II: **A. Leibish and Edith Elbogen**
and Family
לזכר נשמות
מוה"ר אהרן בן מוה"ר יעקב קאפל עלבוגן ז"ל
וזו' אלטע חנה חיה מלכה בת מוה"ר חיים יצחק מאיר ע"ה
אחותי פערל עם בעלה ושבע בנים ובנות
ושלשה אחי: חיים יצחק מאיר, משה יוסף, יעקב קאפל הי"ד
בני אהרן עלבוגן שנהרגו עקד"ה
מוה"ר נתן פייטל בן מוה"ר אברהם וואלד ז"ל
וזו' ברכה בת מוה"ר דוד יהודה הי"ד שנאספה עקד"ה באוישוויץ

SUCCAH I: **Howard and Roslyn Zuckerman** **Steven and Shellie Zuckerman**
Leo and Rochelle Goldberg
in memory of their parents
ע"ה ר' פסח יהודה ב"ר יצחק אייזיק ע"ה וחוה בת ר' יהודה לייב ע"ה — Philip and Evelyn Zuckerman

in honor of their children
Yisroel and Shoshana Pesi Zuckerman שיחי'
Pesach Yehudah and Asher Anshel שיחי'
Michael (Ezra) and Lauren Zuckerman שיחי'
Adrianne & Shawn Meller, Elliot, & Joshua Goldberg שיחי'

in honor of their children
Glenn and Heidi, Jamie Elle, Benjamin,
Brett and Robin, Brandon Noah, Ross and T.J. שיחי'
and in honor of their parents
Marilyn and Aaron Feinerman שיחי'

in memory of
ע"ה ר' ישראל צבי ב"ר ברוך ע"ה ושיינדל בת ר' ישראל ע"ה — Israel and Shaindel Ray
and in memory of Mrs. Rose Ray (Glass) ע"ה

Arthur and Randi Luxenberg
in honor of their parents
Irwin and Joan Luxenberg שיחי' Bernard and Evelyn Beeber שיחי'
their children Elizabeth Jewel and Jacqueline Paige שיחי'
in memory of his grandparents
ע"ה ר' אברהם בן אהרן מרדכי ז"ל ורחל בת ר' משה ע"ה — Abraham and Rose Luxenberg
ע"ה ישעיהו צבי בן הרב טוביה ז"ל ושרה צירל בת ר' יעקב ע"ה — Jesse and Celia Aronson

PATRONS OF THE TALMUD ♦ FULL-SIZE EDITION

SUCCAH II: **Thomas and Lea Schottenstein** **William and Amy Schottenstein**
in memory of
Leon Schottenstein ע״ה — אריה ליב בן אפרים אליעזר הכהן ע״ה
Meir Avner Levy ע״ה — מאיר אבנר בן דוד הלוי ע״ה
and in honor of
Mrs. Jean S. Schottenstein שתחי׳ Bertram and Corinne Natelson שיחי׳
Mrs. Flory Levy שתחי׳

BEITZAH: **Paul and Suzanne Peyser** **Irwin and Bea Peyser**
in memory of
David and Rose Peyser ע״ה — דוד בן פינחס ע״ה פריידע רייזעל בת יהושע ע״ה

ROSH HASHANAH: **Steve and Genie Savitsky** **David and Roslyn Savitsky**
In memory of
Jerry J. Savitsky ע״ה — יואל בן אברהם ע״ה
Irving Tennenbaum ע״ה — ישראל בן מנחם מאנעס ע״ה
George Hillelsohn ע״ה — שמואל בן יצחק ע״ה
Ruth Hillelsohn ע״ה — רחל בת דוד הלוי ע״ה
Aaron Seif ע״ה — אהרן בן יהודה אריה ע״ה

TAANIS: **David and Jean Bernstein, and Scott**
Matthew Bernstein
Albert and Gail Nassi, **Jessica and Garrett**
in memory of
Mr. and Mrs. Harry Bernstein ע״ה Mr. and Mrs. Joseph Furman ע״ה
Mr. Samuel Nassi ע״ה

MEGILLAH: Special Commemorative Edition published in conjunction
with the *Sh'loshim* of the patron of this edition of the Talmud
Jerome Schottenstein ע״ה
יעקב מאיר חיים בן אפרים אליעזר הכהן ע״ה

MOED KATAN: **Solomon T. and Leah Scharf**
and their children
David and Tzipi Diamond **Alexander and Naomi Scharf**
Joseph Scharf **Dovid and Chani Scharf**
לזכרון עולם
R' Eliyahu Scharf ע״ה — ר׳ אליהו בן משה יעקב ע״ה
Sara Scharf ע״ה — שרה בת אלכסנדר זיסקינד ע״ה
R' Joseph Felder ע״ה — ר׳ יוסף בן צבי הירש ע״ה

CHAGIGAH: **The Alvin E. Schottenstein Family**
In memory of
Alvin E. Schottenstein ז״ל — חיים אברהם יונה בן אפרים אליעזר הכהן ז״ל
Irving Altman ז״ל — יצחק אייזיק בן עקיבא הכהן ז״ל
Helen Altman ע״ה — הדס בת אברהם אביש ע״ה
Frank Altman ז״ל — שרגא פייוול בן יצחק אייזיק הכהן ז״ל

YEVAMOS I: **Phillip and Ruth Wojdyslawski and Family**
In memory of his beloved parents
Abraham Michel and Ora Wojdyslawski ע״ה
ר׳ אברהם מיכאל ב״ר פינחס ע״ה
אורה בת ר׳ צבי הירש ע״ה

YEVAMOS II: **Phillip and Ruth Wojdyslawski and Family**
In memory of her beloved mother
Chaya (Cytryn) Valt ע״ה
חיה צירל בת ר׳ שלמה זלמן ע״ה

PATRONS OF THE TALMUD ❖ FULL-SIZE EDITION

YEVAMOS III: **Phillip and Ruth Wojdyslawski and Family**
In honor of
Benjamin C. Fishoff לאוי״ט
To the public he is a leader with vision and dedication.
To us he has always been a role model, a father,
and a constant inspiration.

KESUBOS I: **The Fishoff Families**
in memory of their beloved mother
Mrs. Marilyn Fishoff — מינדל בת ר׳ ישראל ע״ה
נפ׳ כד תשרי תשמ״ט
and in memory of their dear grandparents
Fishoff — ר׳ דוב ב״ר מנחם אשר ע״ה   מרת מירל בת ר׳ מנחם מענדל ע״ה
Neider — ר׳ ישראל ב״ר אברהם ע״ה   מרת חיה זיסא בת ר׳ שרגא פייוועל ע״ה

KESUBOS II **Arthur A. and Carla Rand**
in memory of their parents
ר׳ ישראל ב״ר צבי Rand ומרת ליבא מלכה ב״ר יהודה Marcus ע״ה
ר׳ שלמה ב״ר מרדכי יהודה Ratzersdorfer ומרת חוה ב״ר חיים Finkelstein ע״ה
and in honor of their children
Lydia M. and Lionel S. Zuckier — ר׳ אריה יהושע ב״ר אליהו דוב ומרת ליבא מלכה שיחי׳
Gigi A. and Joel A. Baum — ר׳ יואל אשר ב״ר חיים שלמה ומרת גנענדל חנה שיחי׳
Jay J. and Cyndi G. Finkel-Rand — ר׳ ישראל יהודה ומרת צפורה געלא ב״ר יצחק חיים שיחי׳
and grandchildren
דניאל יעקב, נפתלי צבי, חוה, בנימין, צפורה מרים, רחל, בתשבע Baum שיחי׳
שלמה יצחק, שירה חיה, צבי, שפרה לאה, בן ציון Zuckier שיחי׳
אליהו אריה לייב, יעקב שלמה, צבי, חסיה ליבא, מתתיהו דוד Rand שיחי׳

KESUBOS III **ישימך אלהים כשרה רבקה רחל ולאה**
May God make you like Sarah, Rebecca, Rachel and Leah

NEDARIM I: **Mrs. Goldy Golombeck**
Hyman P. and Elaine Golombeck   **Blanche B. Lerer**
Moishe Zvi and Sara Leifer   **Avrohom Chaim and Renee Fruchthandler**
In memory of
Morris J. Golombeck — ר׳ משה יוסף ב״ר חיים פנחס ע״ה
and by Moishe Zvi and Sara Leifer in memory of
הרב ברוך יוסף ב״ר משה צבי ע״ה — האשה הצנועה מרים יוטא בת ר׳ לוי יצחק ע״ה
Mr. and Mrs. Baruch Leifer ע״ה

NEDARIM II: **The Rothstein Family**
In loving memory of
Warren Rothstein — וועלוועל ב״ר יוסף ע״ה
David and Esther Rothstein ע״ה   Max and Gussie Gottlieb ע״ה
and in honor of
Howard and Beatrice Rothstein

NAZIR I: **Albert and Gail Nassi**
Garrett A. Nassi
Jessica Lea Nassi
in memory of
Samuel Nassi ע״ה
Albert and Leona Nassi ע״ה
Benjamin and Adell Eisenberg ע״ה
Arthur and Sarah Dector ע״ה

Daniel and Susan Kane
Jessica, Adam and Stacey
in memory of
Abraham and Rose Kanofsky ע״ה
Benjamin and Sophie Gornstein ע״ה
Elie and Irma Darsa ע״ה
Mack and Naomi Mann ע״ה

NAZIR II: **Alan and Myrna Cohen,   Alison and Matthew**
in memory of
Harry and Kate Cohen ע״ה   Harry and Pauline Katkin ע״ה

SOTAH: **Motty and Malka Klein**
for the merit of their children שיחיו
Esther and Chaim Baruch Fogel   Dovid and Chavie   Binyomin Zvi
Elana Leah and Natan Goldstein   Moshe Yosef   Yaakov Eliyahu
In honor of his mother שתחי'
Mrs. Suri Klein לאוי"ט
In memory of his father
ר' יהודה ב"ר דוד הלוי ז"ל נפ' כ"ז אדר ב' תשס"ג – Yidel Klein
In memory of her parents
ר' אשר אנשיל ב"ר משה יוסף ז"ל נפ' ג' שבט תשנ"ט – Anchel Gross
שרה בת ר' חיים אליהו ע"ה נפ' כ"ד סיון תשס"א – Suri Gross
And in memory of their grandparents who perished על קידוש השם in the Holocaust
ר' דוד ב"ר יעקב הלוי ע"ה ופערל בת ר' צבי ע"ה הי"ד – Klein
ר' מרדכי ב"ר דוד הלוי ע"ה ולאה בת ר' יעקב הלוי ע"ה הי"ד – Klein
ר' משה יוסף ב"ר בנימין צבי ע"ה ומלכה בת ר' יחיאל מיכל ע"ה הי"ד – Gross
ר' חיים אליהו ב"ר מרדכי ע"ה ויוטא בת ר' שלמה אליעזר ע"ה הי"ד – Gartenberg

GITTIN I: **Mrs. Kate Tannenbaum**
Elliot and Debra Tannenbaum   Edward and Linda Zizmor
and Families
commemorating the first *yahrzeit* of beloved husband, father and grandfather
ר' נפתלי ב"ר יהודה אריה ע"ה – Fred Tannenbaum ע"ה
נפטר ח' ניסן תשנ"ב

GITTIN II: **Richard and Bonnie Golding**
in honor of   Julian and Frances Golding   Lawrence Cohen and Helen Lee Cohen
and in memory of   Vivian Cohen ע"ה
Irving and Ethel Tromberg   Clarence and Jean Permut
in memory of
Benjamin and Sara Tromberg ע"ה   Harry and Lena Brown ע"ה
Molly and Julius Permut ע"ה   Lizzie and Meyer Moscovitz ע"ה

KIDDUSHIN I: **Ellis A. and Altoon Safdeye**
in memory of their beloved parents
המנוח יהודה אצלאן ומרת צלחה ויקטוריא ע"ה – Aslan and Victoria Safdeye ע"ה
המנוח יהודה ומרת מרגלית ע"ה – Judah and Margie Sultan ע"ה
and in memory of his brother יוסף ע"ה – Joseph Safdeye ע"ה

KIDDUSHIN II: **Mr. and Mrs. Ben Heller**
in memory of his father
יואל נתן ב"ר חיים הלוי ע"ה – Joseph Heller ע"ה
and in honor of his mother
צפורה שתחי' לאוי"ט בת ר' בנימין ע"ה – Fanya Gottesfeld-Heller שתחי'

BAVA KAMMA I: **Yitzchok and Shoshana Ganger**
and Children
in memory of
ר' יצחק ישעיהו ב"ר שלמה זלמן ע"ה–רויזא גיטל בת ר' משה ע"ה – Ganger
מיכאל ב"ר אברהם מרדכי ע"ה–מרים יוכבד בת ר' בנימין ע"ה – Ferber
ר' משה דוד ב"ר יצחק זעליג מקוצק ע"ה–פיגא בת ר' אברהם מרדכי ע"ה – Morgenstern
ר' מתתיהו ב"ר שמואל דוב ע"ה–אסתר מלכה בת ר' אריה ליב ע"ה – Newman

BAVA KAMMA II: **William and Esther Bein, and**
Joseph Hillel, Abraham Chaim Zev, and Bella Leah
In memory of parents and grandparents
מנחם מענדל ב"ר שמואל יצחק הכהן ע"ה – Edward (Mendus) Bein ע"ה
לאה בת חיים זאב הכהן ע"ה – Ilus Hartstein Bein ע"ה
מרדכי בן יוסף ע"ה – Mordochej Szer ע"ה
בילה בת אברהם ע"ה – Baila Silber Szer ע"ה
שמואל יצחק הכהן ושרה ביין ע"ה – חיים זאב הכהן ושרה הרטשטיין ע"ה
יוסף ויענטה שער ע"ה – אברהם ואסתר זילבר ע"ה

PATRONS OF THE TALMUD ◆ FULL-SIZE EDITION

BAVA KAMMA III: **Dedicated to Klal Yisrael,**
and particularly to the Six Million.

הקב"ה שוכן בתוך בני ישראל והוא חד עם כנסת ישראל

"The Holy One Blessed is He dwells among the children of Israel;
He and the congregation of Israel are one."

— *Tzidkas Hatzaddik* 179

BAVA METZIA I: **Drs. Robert and Susan Schulman**
Howard and Tzila Schulman   Fred and Cindy Schulman
and Families

in memory of

מיכאל בן צבי הירש ע"ה ומלכה בת ר' יוסף ע"ה — Milton and Molly Schulman ע"ה

BAVA METZIA II: **Donald E. and Eydie R. Garlikov, and Jennifer**

in memory of beloved son and brother

צבי שלמה בן דן ע"ה — Kenneth Scott Garlikov ע"ה

and in memory of parents and grandparents

עזריאל וועלוויל ב"ר אנשיל ע"ה   טשארנא בת ר' אריה לייב ע"ה

Irve W. and Cecelia (Kiki) Garlikov ע"ה

and in honor of parents and grandparents, brother and uncle

מרדכי ואסתר פריידל ריטטער — Marcus and Elfrieda Ritter

נפתלי חיים ריטטער — Dr. Nathaniel Ritter

BAVA METZIA III: **The David H. Gluck Foundation**

in memory of

The Gluck Family

זאב בן דוד צבי ע"ה   ואסתר בת אשר זעליג ע"ה — Zev and Esther Gluck ע"ה

ליבא, אשר זעליג, דוד צבי, שמואל, מנשה, יחזקאל שרגא ע"ה —
Lee, George, David H., Samuel C., Emanuel M., Henry ע"ה, and

יעקב יצחק בן זאב ע"ה   ומיימי בת זאב ע"ה — Dr. Jack I. and Mrs. Mae Saks ע"ה

and in memory of

זאב בן חיים דוד   וחיה ביילע בת יצחק יעקב ע"ה — Wolf and Chaye Beilah Saks ע"ה

יחיאל בן משה ע"ה — Elie Neustadter ע"ה

BAVA BASRA I: In memory of

מנחם מענדל בן אלימלך יהושע העשל ע"ה
חיה בת יהושע הכהן ע"ה

BAVA BASRA II: **Paul and Beth Guez and Family**

in memory of

Felix (Mazal) Guez ע"ה

BAVA BASRA III: **Irving and Frances Schottenstein**

in honor of their beloved parents

מאיר בן יהושע הכהן ע"ה   ליבא בת הרב יצחק משה ע"ה — Meyer and Libbie Schottenstein

טוביה ע"ה   ויבדל"ח שיינדל תחי' — Tobias ע"ה and Jennie Polster תחי'

Melvin ע"ה and Lenore תחי' Schottenstein

in honor of their beloved parents

אברהם יוסף בן יהושע הכהן ע"ה   ויבדל"ח בליה זילפה בת יצחק תחי'

Abe J. ע"ה and Bessie (Stone) תחי' Schottenstein

יצחק ע"ה   ויבדל"ח שרה תחי' — Isadore J. ע"ה and Sophie תחי' Green

PATRONS OF THE TALMUD ❖ FULL-SIZE EDITION

SANHEDRIN I: **Mortimer and Barbara Klaus** **Lester and Esther Klaus**
Arthur and Vivian Klaus
in memory of their beloved parents
ר׳ שמשון ב״ר יעקב ע״ה באשא בת ר׳ מרדכי נתן ע״ה
Samuel and Bessie Klaus ע״ה
and in memory of their sister
רייזל בת ר׳ שמשון ע״ה — **Rosalie Klaus Sohn**

SANHEDRIN II: Dedicated by a fellowship of people who revere the Talmud, its sanctity and wisdom, who foster its study, and who join in helping bring its treasures to future generations, the world over.

SANHEDRIN III: **Joseph and Adina Russak**
Dr. Leonard and Bobbee Feiner
Larry and Rochelle Russak
in memory of
צבי הירש ורחל רוסק ע״ה — Mr. and Mrs. Harry Russak ע״ה
אליעזר ובריינדל דייטש ע״ה — Mr. and Mrs. Eliezer Deutsch ע״ה
יעקב ורבקה לאה פיינר ע״ה — Mr. and Mrs. Jacob Feiner ע״ה

MAKKOS: **Mr. and Mrs. Marcos Katz**
in honor of הרב אפרים לייבוש בן הרב מרדכי דוד הכהן כ״ץ שליט״א
Rabbi Ephraim Leibush Katz שליט״א

SHEVUOS: Dedicated by
Michael and Danielle Gross
(London)

AVODAH ZARAH I: **The Kuhl Family**
in memory of
יחיאל ב״ר יצחק אייזיק ע״ה Dr. Julius Kuhl ע״ה
פרומט בת ר׳ שמואל הלוי ע״ה Mrs. Yvonne Kuhl ע״ה
שמואל ב״ר יחיאל ע״ה Sydney Kuhl ע״ה

AVODAH ZARAH II: In memory of
Jerome Schottenstein ע״ה
יעקב מאיר חיים בן אפרים אליעזר הכהן ע״ה

HORAYOS-EDUYOS: **Woli and Chaja Stern** (Sao Paulo, Brazil)
in memory of his parents
ר׳ צבי בן ר׳ חיים הלוי ומרת מרים ז״ל – Stern
מרת דאכא בת ר׳ פרץ ומרת ברכה ע״ה – Tager
and in memory of her parents
ר׳ דוד אריה בן ר׳ יעקב ומרת שיינדל ז״ל – Brenner
מרת איטלה בת ר׳ חיים ומרת מדל ע״ה – Stern
and in memory of their mechutanim
ר׳ ישראל מרדכי ב״ר צבי יוסף סג״ל ז״ל – Landau
ר׳ יששכר טוביה ב״ר יוסף ז״ל – Weitman
ר׳ שמואל עקיבא ב״ר שלמה צבי ז״ל – Kierszenbaum
and in memory of their sister-in-law
מרת זלטה פסל בת ר׳ אברהם יעקב ומרת חנה גיטל ע״ה – Stern
and in honor of their children
Jacques and Ariane Stern Jaime and Ariela Landau Michäel and Annete Kierszenbaum

ZEVACHIM I: **Mr. and Mrs. Samson Bitensky**

ZEVACHIM II: **Victor Posner**

ZEVACHIM III: **Friends of Value City Department Stores**
In memory of
יעקב מאיר חיים בן אפרים אליעזר הכהן ע״ה — Jerome Schottenstein ע״ה

MENACHOS I: **Terumah Foundation**

MENACHOS II: **Terumah Foundation**

MENACHOS III: **Terumah Foundation**

CHULLIN I: **The Kassin Family**
in memory of
הרב יעקב שאול קצין זצ״ל — Rabbi Dr. Jacob Saul Kassin זצ״ל
The late Chief Rabbi of the Syrian-Sephardic Community
and in honor of
הרב שאול יעקב קצין שליט״א — Rabbi Saul Jacob Kassin שליט״א
Chief Rabbi of the Syrian-Sephardic Community

CHULLIN II: **Marty Silverman**
in memory of
Joseph and Fannie Silverman ע״ה and Dorothy Silverman ע״ה

CHULLIN III: **Harold and Ann Platt**
in memory of their beloved parents
אליעזר ושרה פיגא ע״ה — Eliezer and Sarah Feiga (Olshak) Platkowski ע״ה of Malkinia, Poland
ברוך ולאה ע״ה — Baruch and Laura Bienstock ע״ה of Lwow, Poland
and in memory of their entire families who perished in the Holocaust

CHULLIN IV: **Terumah Foundation**

BECHOROS I: **Howard Tzvi and Chaya Friedman**
Gabrielle Aryeh Yerachmiel Alexander and Daniella
in memory of their father and grandfather
הרב ירחמיאל ברוך בן הרה״ח ר׳ אלעזר ז״ל — Yerachmiel Friedman ז״ל

BECHOROS II: **Howard and Chaya Balter**
Nachum and Perri Augenbaum Naftali Aryeh Akiva
in memory of his mother and their grandmother
רחל בת ר׳ חיים ע״ה, נפ׳ ז׳ שבט תשנ״ט — **Ruth Balter** ע״ה
and in honor of their parents and grandparents שיחי׳
David Balter
Noah and Shirley Schall
and in beloved memory of their grandparents and great grandparents
ר׳ שלמה ב״ר דוד זאב ז״ל אדי בת ר׳ זאב ע״ה — Balter
ר׳ חיים ב״ר לייב ז״ל פערל בת ר׳ בייניש ע״ה — Lelling
ר׳ דוב בער ב״ר אליעזר ז״ל ליבה בת ר׳ ישראל ע״ה — Zabrowsky
ר׳ נפתלי ב״ר יעקב שלמה ז״ל שרה בת ר׳ רפאל ע״ה — Schall

ARACHIN: **Chanoch and Hadassah Weisz and Family**
in memory of his father:
לעי״נ אביו ר׳ צבי ב״ר שמחה הלוי ע״ה, נפ׳ כ״ז מנחם אב תשמ״ה — Weisz
his maternal grandfather:
לעי״נ ר׳ שלמה ב״ר יצחק ע״ה, נפ׳ ה׳ סיון תש״א — Grunwald
his maternal grandmother and their children who perished in the Holocaust:
לעי״נ מרת גנדל בת ר׳ חנוך העניך ע״ה, שנהרגה עקה״ש כ״ז סיון תש״ד הי״ד — Grunwald
ולעי״נ בניהם משה ב״ר שלמה, יעקב ב״ר שלמה, יצחק ב״ר שלמה, בנימין ב״ר שלמה,
שנהרגו עקה״ש כ״ז סיון תש״ד הי״ד
and in memory of her grandparents:
לעי״נ ר׳ חייא בן חכם ר׳ רפאל ע״ה, נפ׳ כ״ד מנחם אב תשל״ה — Aryeh
וזוגתו מרת מלכה בת ר׳ אליהו ע״ה, נפ׳ י״ח טבת תשל״ד

PATRONS OF THE TALMUD • FULL-SIZE EDITION

TEMURAH: **Dr. and Mrs. Walter Silver**
Shlomo, Chani, and Avi Cohen
Sheri, Terri, Jennifer and Michelle Kraut
Evan and Alison Silver
in memory of our parents, and great grandparents
צבי יצחק ב״ר שמואל ע״ה — Harry Silver ע״ה
שרה פיגא בת מענדל ע״ה — Sarah Silver ע״ה
אברהם משה בן הרב שלמה זאלי ע״ה — Morris Bienenfeld ע״ה
גוטקה טובה בת אברהם דוד ע״ה — Gertrude Bienenfeld ע״ה

KEREISOS: **Mouky and Charlotte Landau** (Antwerp)
in honor of their children
Natalie and Chemi Friedman   Yanky and Miriam Landau
Steve and Nechama Landau
and in beloved memory of their parents
חיים יעקב ב״ר יהושע ז״ל — Chaim Yaakov Landau ז״ל
אסתר בת ר׳ יעקב קאפל הכהן ע״ה — Esther Landau ע״ה
בן ציון ב״ר יצחק צבי ז״ל — Benzion Gottlob ז״ל
צילה בת ר׳ שמואל יהודה לייב ע״ה — Cila Herskovic ע״ה
and in beloved memory of our partner
מורנו הרב ר׳ יוסף יצחק בן מורנו ורבנו הרה״ג ר׳ מרדכי רוטנברג זצ״ל אבדק״ק אנטווערפן

ME'ILAH, TAMID, MIDDOS, KINNIM: **Steven and Renée Adelsberg**
Sarita and Rubin Gober   David   Sammy   Avi
in loving memory of
שמואל שמעלקא ב״ר גדליה ז״ל — Samuel Adelsberg ז״ל
and in honor of
Helen Adelsberg Weinberg שתחי׳
and
Chaim and Rose Fraiman שיחי׳

NIDDAH I: In memory of
Joseph and Eva Hurwitz ע״ה
יוסף ב״ר מרדכי הלוי וחוה פיגא ב״ר אליעזר הלוי ע״ה
and
Lorraine Hurwitz Greenblott — לאה בילא חיה בת ר׳ יוסף ע״ה
by
Marc and Rachel Hurwitz,
Elisheva Ruchama, Michal, and Nechama Leah;
Martin and Geraldine Schottenstein Hoffman,
Jay and Jeanie Schottenstein, Ann and Ari Deshe,
Susan and Jon Diamond, and Lori Schottenstein;
and Pam and Neil Lazaroff, Frank Millman, and Dawn Petel

NIDDAH II: In memory of
Jerome Schottenstein ע״ה
יעקב מאיר חיים בן אפרים אליעזר הכהן ע״ה

Guardians of the Talmud*

A society of visionary people who recognize the primacy of the Jewish people's commitment to intellect, ethics, integrity, law, and religion — and pursue it by presenting the treasures of the eternal Talmud in the language of today . . . for the generations of tomorrow.

❦ ❦ ❦

David and Jean Bernstein
Matthew Bernstein
Scott and Andrea Bernstein

in memory of
Mr. and Mrs. Harry Bernstein ע״ה
Mr. and Mrs. Joseph Furman ע״ה

❦ ❦ ❦

The publishers pay tribute to the memory of a couple that embodied Torah knowledge and service to our people

ז״ל Rabbi Yitzchok Filler — הרב יצחק בן ר׳ שמואל ז״ל
נפטר ל״ג בעומר תש״ל

ע״ה Mrs. Dorothy Filler — הרבנית דבורה בת ר׳ אברהם בצלאל ע״ה
נפטרה כ״א מרחשון תשס״ג

and the memory of a man of integrity and sensitivity

ז״ל George May — ר׳ יוסף בן הרב יהודה אריה ז״ל
נפטר כ״ז שבט תש״ס

תנצב״ה

We also honor a matriarch and role model

Mrs. Sylvia May תחי׳

❦ ❦ ❦

Stephen L. and Terri Geifman and children
Leonard and Linda Comess and children
Alan and Cherie Weiss and children

in loving memory of
ז״ל Morris M. Geifman — משה מרדכי בן יחיאל מיכאל ז״ל
and in honor of
Geraldine G. Geifman

❦ ❦ ❦

Elliot and Debbie Gibber
Daniel and Amy Gibber and family, Jacob and Jennifer Gibber and family,
Marc, Michael, Mindy, and David

in memory of our parents and grandparents
ז״ל Charles Goldner — אלימלך חיים בן ירמיה הלוי ז״ל
נפ׳ כ׳ חשון תשס״ב
who completed Shas many times
ע״ה Kate Ettlinger Goldner — מינדל בת משולם ע״ה
נפ׳ כ״א תמוז תשכ״ח

*In formation

The Written Word is Forever

Guardians of the Talmud*

A society of visionary people who recognize the primacy of the Jewish people's commitment to intellect, ethics, integrity, law, and religion — and pursue it by presenting the treasures of the eternal Talmud in the language of today . . . for the generations of tomorrow.

❦ ❦ ❦

Milton and Rita Kramer

in honor of their 50th wedding anniversary and Milton's 80th birthday (April 1999),
in honor of the marriage of Ellen to George Gross (September 18, 2000),
and in honor of their children and grandchildren

Daniel and Gina Kramer and Children **Jonathan and Marian Kramer and Children**

Ellen K. and George Gross and their Children

and in everlasting memory of their beloved parents and grandparents
חיים שניאור זלמן הלוי (חזק) ופייגע דינה ע״ה — Hyman S. and Fannie D. Kramer ע״ה
חיים אלטער ושרה חנה ע״ה — Adolph H. and Sadie A. Gross ע״ה
משה אליעזר הלוי ורחל עלקא ע״ה — Morris L. and Rachel E. Kramer ע״ה
דוב בער הכהן ודבורה ע״ה — Barney and Dvorah Cohen ע״ה
משולם צבי ולאה ע״ה — Herman M. and Leah Gross ע״ה
פסח אלכסנדר וחנה ע״ה — Peisach and Hannah Neustadter ע״ה

❦ ❦ ❦

Helene and Moshe Talansky **Ida Bobrowsky** **Irene and Kalman Talansky** **Shoshana Silbert**

in honor of

Rebecca Talansky's 100th birthday עמו״ש

and in memory of
הרב דוד בן הרב אברהם חיים ז״ל — Rabbi David Talansky ז״ל
בלומא בת ר׳ שלמה הלוי ע״ה — Blanche Moshel ע״ה
ר׳ אברהם חיים בן הרב דוד ז״ל — Abraham R. Talansky ז״ל
הרב יעקב בן ר׳ אברהם ז״ל — Rabbi Jacob Bobrowsky ז״ל
תמר בת הרב יעקב ע״ה — Tema Bobrowsky ע״ה
ר׳ משה בן ר׳ לייב ז״ל – בריינה בת ר׳ זלמן ע״ה — Rebecca and Morris Weisinger ז״ל
הרב אברהם בן ר׳ נחמיה ז״ל — Rabbi Avraham Silbert ז״ל
ר׳ מרדכי בן ר׳ שאול ז״ל – שפרה רייזל בת ר׳ צבי ע״ה — Ruth and Marek Stromer ז״ל
ר׳ אהרון בן ר׳ שלמה אריה ז״ל – רחל בת ר׳ יהושע אהרון ע״ה — Rose and Aaron Lerer ז״ל

❦ ❦ ❦

Thomas R. and Janet F. Ketteler

in memory of his mentor

Jerome Schottenstein ע״ה

❦ ❦ ❦

Alan and Myrna Cohen

in honor of

their children

Alison and Matthew

*In formation

The Written Word is Forever

Guardians of the Talmud*

A society of visionary people who recognize the primacy of the Jewish people's commitment to intellect, ethics, integrity, law, and religion — and pursue it by presenting the treasures of the eternal Talmud in the language of today . . . for the generations of tomorrow.

❦ ❦ ❦

Rona and Edward Jutkowitz

In honor of our family's continuing commitment to Torah learning and Klal Yisrael.
We dedicate this volume to our daughters, **Rebecca and Mollie,**
who are the light of our lives and our blessings, and always fill our hearts with nachas;
and to their zeide, **Mr. Herman Jutkowitz,** who is a constant source of guidance and inspiration;

and in memory of our beloved parents
משה בן מאניס ז״ל ורחל בת אברהם הכהן ע״ה — Martin W. and Ruth Trencher ז״ל
ברכה בת שניאור זלמן ע״ה — Bernice Jutkowitz ע״ה

May our daughters have the honor to teach the value of Torah to their own children,
and may Torah be the guiding light for all of Klal Yisrael.

❦ ❦ ❦

לעילוי נשמת

הבחור מרדכי גדליהו ז״ל בן משה ואסתר שיחי׳ — Franky Ehrenberg

June 22, 2003 / נפ׳ כ״ג סיון תשס״ג

With a life of Torah study and service to Klal Yisrael ahead of him,
our beloved son, brother, and uncle was plucked from this life at only twenty-three.

כי מרדכי . . . דרש טוב לעמו ודבר שלום לכל זרעו

Dr. Martin and Esther Ehrenberg

Scott Leon **Dr. Judy and Hillel Olshin**

Yonatan Eliezer **Sara Elisheva** **Shmuel Abba**

❦ ❦ ❦

Richard Bookstaber and Janice Horowitz

In memory of his son

May his memory be a blessing
to all those whose lives he touched.

❦ ❦ ❦

Michael and Patricia Schiff

Sophia, Juliette and Stefan

in memory and appreciation of

Jerome Schottenstein ז״ל

and in honor of beloved parents and grandparents

Shirlie and Milton Levitin **Solange and Joseph Fretas** **Judy and Robert Schiff**

and Torah scholars

Rabbi Mordechai Schiff ז״ל and **Rabbi Ephraim Schiff ז״ל**

May we all bring honor to Hashem

*In formation

The Written Word is Forever

Community Guardians of the Talmud

A community is more than a collection of individuals. It is a new entity that is a living expression of support of Torah and dedication to the heritage of Klal Yisrael.

In honor of

Rabbi Reuven Fink and the *maggidei shiur* of **Young Israel of New Rochelle**

Dr. Joey and Lisa Bernstein
in memory of
שרה אלטע בת אברהם ע״ה
Mrs. Sondra Goldman ע״ה

Meyer and Ellen Koplow
in honor of their children
Tovah and Michael Koplow,
Jonathan, and Aliza

Stanley and Sheri Raskas
in memory of his parents
ראובן ב״ר חיים שבתי לייב ע״ה וחנה בת הרב טוביה ע״ה
Ralph and Annette Raskas ז״ל

Stanley and Ellen Wasserman
in memory of
חיה פיגא בת שמריהו — Viola Charles ע״ה
רות גולדה בת שמריהו — Ruth Schreiber ע״ה
לאה בת יוסף — Lee Salzberg ע״ה

Stanley and Vivian Bernstein and children
in honor of their parents and grandparents
Jules and Adele Bernstein
Andrew and Renee Weiss

Dr. Ronald and Susan Moskovich
in honor of their children
Adam Moshe, Leah Rivka, and David
"עשה תורתך קבע"

Drs. Arthur and Rochelle Turetsky
in honor of their children and grandson
Avi and Melissa, Jonathan and Nili, Yehuda
Shmuel Chaim

Gerald and Judith Ziering
in memory of
יחיאל מיכל בן אפרים פישל ז״ל וזלטא בת נחמן ע״ה
Jesse and Laurette Ziering ז״ל

Aaron and Carol Greenwald
in honor of their children and grandchildren
Ira and Jamie Gurvitch and children
Shlomo and Tobi Greenwald and children

Karen and Michael Raskas and Family

Mark and Anne Wasserman
in honor of their children
Joseph, Bailey, Erin, Rebeccah
and Jordyn

Daf Yomi shiur
in honor of their wives

Lakewood Links
in honor of
Rabbi Abish Zelishovsky

The Community of Great Neck, New York

YOUNG ISRAEL OF GREAT NECK
Rabbi Yaacov Lerner
Rabbi Eric Goldstein
Dr. Leeber Cohen
Professor Lawrence Schiffman

GREAT NECK SYNAGOGUE
Rabbi Ephraim R. Wolf ז״ל
Rabbi Dale Polakoff
Rabbi Shalom Axelrod
Rabbi Yoel Aryeh
Rabbi Yossi Singer

In Memoriam
Rabbi Ephraim R. Wolf ז״ל,
a pioneer of *harbotzas Torah,* a *kiruv* visionary, and a gifted spiritual leader. His legacy is the flourishing Torah community of Great Neck, New York.

The Community of Columbus, Ohio

In memory of **Jerome Schottenstein** Of Blessed Memory
and in honor of **Geraldine Schottenstein and Family**

Jay And Jeanie Schottenstein
Joseph, Jonathan, Jeffrey
Ann And Ari Deshe
Elie, David, Dara, Daniel
Susie And Jon Diamond
Jillian, Joshua, Jacob
Lori Schottenstein
Saul And Sonia Schottenstein

Sarah and Edward Arndt & Family
Irwin and Beverly Bain
Daniela & Yoram Benary
Liron & Alexandra, Oron, Doreen
Deborah & Michael Broidy
Michelle & Daniel
Families of Columbus Kollel
Naomi & Reuven Dessler
Sylvia & Murray Ebner & Family

Tod and Cherie Friedman
Rachel, Ross & Kara
Jim & Angie Gesler
Gerald & Karon Greenfield
Ben & Tracy Kraner & Family
Mike, Heidi, Brian, Deena & Leah Levey
Helene & Michael Lehv
Gary Narin
Ira & Laura Nutis & Family

Lea & Thomas Schottenstein & Family
Jeff & Amy Swanson
Jon
Marcy, Mark, Sam, & Adam Ungar
Drs. Philip & Julia Weinerman
Michael & Channa Weisz & Family
Dr. Daniel & Chaya Wuensch & Family
Main Street Synagogue
Howard Zack, Rabbi

The Written Word is Forever

The Talmud Associates*

A fellowship of benefactors dedicated to
the dissemination of the Talmud

Audrey and Sargent Aborn and Family

Dr. Mark and Dr. Barbara Bell,
Bentzion Yosef and Mordechai Yehudah

The Belz Family

Richard Bookstaber and Janice Horowitz
In memory of his son

Michael and Bettina Bradfield
Gabrielle and Matthew
(London)

Nachi and Zippi Brown,
Jessica, Daniella, Shachar and Mindy
in honor of their parents and grandparents

Columbus Jewish Foundation

Milton Cooper and Family

Dr. and Mrs. David Diamond

Nahum and Feige Hinde Dicker and Family

Sophia, Alberto and Rose Djmal

Dr. Richard Dubin

Kenneth and Cochava Dubin

Dr. Martin and Esther Ehrenberg

David and Simone Eshaghian

Louis, Reuben and Larry Feder and Family

Rabbi Judah and Ruth Feinerman

In honor of
Mr. and Mrs. Yehoshua Chaim Fischman
by their children

Mayer and Ruthy Friedman
Ari, Yitzy, Suri, Dovi

Dr. Michael and Susan Friedman
לזכות בניהם, כלתם, ונכדם; בנותיהם, וחתניהם שיחי׳

Yeshaya and Perel Friedman

Julius Frishman

David and Sally Frenkel
לזכות בניהם וכלתם היקרים שיחיו:
דניאל שמואל ומאשה שושנה, אורי גבריאל, רונית פרימיט

The Furmanovich Family

Sander and Tracy Gerber
לזכות בניהם היקרים יעקב עקיבא, אסתר פערל, טליה גולדה,
חנה טובה, ודותי רבקה שיחי׳ שיתעלו בתורה ויראת שמים

Leon and Agi Goldenberg
in honor of the marriage of their children
Mendy and Estie Blau

Robert and Rita Gluck
לרפו״ש טויבא רחל בת פריידא שתחי׳

Shari and Jay Gold and Family

Dr. Martin and Shera Goldman and Family

Esther Henzel

Hirtz, Adler and Zupnick Families

Hashi and Miriam Herzka

Norman and Sandy Nissel Horowitz

Mrs. Farokh Imanuel, Kamram Imanuel
Dr. Mehran and Sepideh Imanuel
Eli and Fariba Maghen

David and Trudy Justin and Family
in honor of their parents
Zoltan and Kitty Justin

Nosson Shmuel and Ann Kahn and Family
ולזכות בניהם היקרים שיחיו:
חיים דוד, צבי מנחם, אברהם יצחק, ומשפחתם
ולכבוד אמו מרת גיטל שתחי׳ לאויוש״ט

David J. and Dora Kleinbart

In honor of
Mr. and Mrs. Label Kutoff
by their children

The Landowne Family

Ezriel and Miriam Langer

Mr. and Mrs. Chaim Leibel

Yehuda and Rasie Levi

Donald Light

Rudolph and Esther Lowy

Raphael and Blimie Manela
לזכות בניהם היקרים שיחיו:
מתתיהו, ישראל, ישעיהו, חיים משה, ושמעון

Howard and Debra Margolin and Family

Mendy and Phyllis Mendlowitz

*In formation

The Talmud Associates*

A fellowship of benefactors dedicated to
the dissemination of the Talmud

❖

Robby and Judy Neuman and Family
לזכות בניהם היקרים שיחיו:
אברהם לייב, שרה מאטיל, מרדכי שרגא, זיסל,
שמואל שמעלקא, רחל ברכה, ישראל זכריהו ומנשה ברוך

RoAnna and Moshe Pascher
לזכות בניהם היקרים שיחיו:
נח צבי, דוד ישראל

Naftali Binyomin and Zypora Perlman
In honor of
Mr. and Mrs. Yosef Perlman עמו״ש

Kenneth Ephraim and Julie Pinczower
לרפו״ש ישראל חיים בן פייגלא שיחי׳

Dr. Douglas and Vivian Rabin

Michael G. Reiff

Ingeborg and Ira Leon Rennert

Alan Jay and Hindy Rosenberg

Aviva and Oscar Rosenberg

John and Sue Rossler Family

Mr. and Mrs. David Rubin and Family

Dinah Rubinoff and Family

Ms. Ruth Russ

Mr. and Mrs. Alexander Scharf

Mark and Chani Scheiner

Avi and Michou Schnur

Rubin and Marta Schron

Rivie and Leba Schwebel and Family

Shlomo Segev (Smouha)

Bernard and Chaya Shafran
לזכות בניהם היקרים שיחיו:
דבורה, יעקב חיים, דוד זאב, אסתר מנוחה

Jeffrey and Catherine Shachat

in honor of Rabbeim Howard Zack and Judah Dardik

Steven J. Shaer

Joel and Malka Shafran
לזכות בניהם היקרים שיחיו:
אשר נחמן, טובה חיה, תמר פעסיל, שרה חוה

Robin and Warren Shimoff

Nathan B. and Malka Silberman

The Soclof Family

Dr. Edward L. and Judith Steinberg

Avrohom Chaim and Elisa Taub
Hadassah, Yaakov Yehuda Aryeh, Shifra, Faige,
Devorah Raizel, and Golda Leah

Max Taub
and his son Yitzchak

Jay and Sari Tepper

Walter and Adele Wasser

Melvin, Armond and Larry Waxman

William and Noémie Wealcatch

The Wegbreit Family

Robert and Rachel Weinstein and Family

Dr. Zelig and Evelyn (Gutwein) Weinstein
Yaakov, Daniella, Aliza and Zev

Erwin and Myra Weiss

Morry and Judy Weiss

Shlomo and Esther Werdiger

Leslie M. and Shira Westreich

Willie and Blimie Wiesner

The Yad Velvel Foundation

Moshe and Venezia Zakheim

Dr. Harry and Holly Zinn

Mrs. Edith Zukor and Family

*In formation

In Memoriam — לזכרון עולם

Dedicated by the Talmud Associates
to those who forged eternal links

✣

Abraham — שמחה בן ר׳ יהודה לייב הכהן ע״ה
דוד חי ב״ר שלום הכהן ע״ה וחנה בת ר׳ עזרא ע״ה
אהרן בן חיים זאב ע״ה גאלדע בת ר׳ דוד ע״ה
Ashkenazy — ר׳ שלמה ב״ר יצחק זצ״ל ורעיתו עלי׳ מינדעל בת ר׳ יעקב ע״ה
Sarah T. Belz — שרה בת אהרן צבי הלוי ע״ה
Ben-Ari — אליעזר בן מרדכי ע״ה ושרה בת ר׳ אברהם ע״ה
Ben-Ari — מרדכי בן אליעזר ע״ה
Berber — משה ורחל
Bernath — מנשה ב״ר שמואל שמעלקא ע״ה Meizner — מרדכי חיים ב״ר זבולן יצחק חייא ע״ה
Biegeleisen — שמעון דוד ז״ל ב״ר יעקב שלמה שיחי׳ לאוי״ט
Blitz — דוב מאיר ב״ר דוד הכהן ע״ה
Freddy Bradfield — יעקב בן צבי ע״ה
אהרן ב״ר דוד הכהן ז״ל
Elihu Brodsky — אליהו ב״ר חיים ע״ה
Vera (Greif) Brodsky — יונה בת ר׳ פינחס ע״ה
Cooperberg — שימה רייזל בת ר׳ אהרן שלמה ע״ה
Cooperberg — אברהם אשר בן ר׳ מאיר ע״ה
Cumsky — דוב בער בן אברהם ישׂשכר ע״ה ופעשא מאטלא בת יוסף ע״ה
צבי טעביל בן ישראל ע״ה וליבע בת דוד ע״ה
Diamant — אשר ב״ר יהושע מרדכי הכהן ע״ה
Diamant — שרה בת ר׳ אריה ע״ה
Diamant — ר׳ דוב ב״ר משה ע״ה ורייזל בת ר׳ אברהם ע״ה
Diamond — דר. ר׳ יצחק ב״ר ברוך בענדיט ע״ה
Dicker — מרדכי צבי ב״ר יעקב ע״ה
Dicker — קיילא בת ר׳ משה ע״ה
Djmal — טופיק טוביה בן משה ושושנה ע״ה
Paul and Jeannette Dubin ע״ה
Mollie Dubinsky ע״ה
Abram B. Efroymson ע״ה
Sylvia Spira Efroymson ע״ה
Ehrenberg — אברהם בן עמנואל ע״ה ויוכבד בת ר׳ אלימלך ע״ה
Einhorn — משה בן ברוך ז״ל ורבקה נעכא בת חיים צבי ע״ה
Eshaghian — אברהם בן דוד ע״ה
Esrig — דוד בן שלמה ע״ה וחיה אייגא בת שלום ע״ה
Feder — מלכה בת ירחמיאל הכהן ע״ה
Feiden — ישראל בן אהרן ע״ה
Feinerman — אליעזר בן יוסף ע״ה ולאה בת ישראל יצחק ע״ה
יוסף בן צבי יחזקאל ע״ה ושרה בת ר׳ משה ע״ה
Freier — ישעיה צבי ב״ר חיים אלכסנדר יוסף ע״ה
Freier — שיינדל בת ר׳ משה הלוי ע״ה
Freilich — הרב יצחק דוב ב״ר אברהם יעקב ז״ל
Frenkel — גרשון בן יחיאל דוד ע״ה Rottenstreich — דוד בן עקיבא ע״ה
Friedman — ר׳ אהרן ב״ר יעקב מאיר ע״ה
Friedman — ר׳ אברהם ב״ר אלטר יצחק אייזיק ע״ה
Frishman — מרים בת ר׳ יוסף מרדכי ע״ה

Frishman — יצחק אריה ב״ר יהודה ע״ה ומרים לאה בת ר׳ יצחק ע״ה
Furmanovich — לע״נ שרה הניה בת פסח הלוי ע״ה
Furmanovich — לע״נ גדליה דב בן אברהם יואל ז״ל
Goldman — אמו, שפרה בת ר׳ קלונימוס קלמן ע״ה
Gugenheim — החבר אפרים בן רפאל ע״ה
Gugenheim — בריינדל בת החבר נתן הכהן ע״ה
Hanz — חיים בן מרדכי הי״ד
Henzel — אברהם בן ר׳ מנחם זאב ע״ה
Hirtz — אליעזר בן ישעיה ז״ל ולאה בת יוסף הלוי ע״ה
Horowitz — שלמה יהודה ב״ר זלמן יוסף הלוי ז״ל ומרים בת אברהם הכהן ע״ה
Imanuel — מרדכי בן רחמים ז״ל
Kahn — ר׳ ישראל אריה ב״ר שמואל הכהן ז״ל
Katzef — פרומה באדענה בת אלחנן ע״ה
Kleinbart — משה ב״ר אריה לייב ע״ה
Kleinbart — בתיה בת ר׳ משה אברהם ע״ה
Kriegel — רויזא מינצא בת הרב ישראל יהודה ע״ה
Kulefsky — הילד יהודה לייב ע״ה בן נתן נטע לאי״ט
Langer — משה בן יצחק הי״ד
Landowne — שלמה בן יוסף ע״ה
Lasry — שאול ב״ר אברהם ע״ה וזהרה אסתר בת משה ע״ה
Lazar — אליעזר שאול בן זאב מאיר ע״ה
Lefkovich — ר׳ זאב וועלוול ב״ר יצחק אייזיק ע״ה
Lemberger — יצחק בן אריה ע״ה
Leibel — יחזקאל שרגא ב״ר חיים ע״ה
Leibel — רויזא בת ר׳ אברהם משה ע״ה
Levi — הרב חיים מאיר בן ר׳ מנחם ע״ה
Levi — שושנה טייבא רייזל בת ר׳ יחזקאל גרשון ע״ה
Light — משה גבריאל בן אברהם אליהו ז״ל וחנה בת נתן ע״ה
Lowy — מרדכי אריה ב״ר רפאל הלוי ז״ל ומינדל בת ר׳ שלמה זלמן ע״ה
May — ר׳ יוסף בן הרב יהודה אריה ע״ה
Miller — אלטער משה יוסף ב״ר צבי אריה ז״ל
Moskowitz — אליעזר ב״ר אברהם ברוך ז״ל וזהבה בת ר׳ משה ע״ה
Neuman — יצחק אייזיק ב״ר אהרן ע״ה
Nissel — שלמה מאיר בן הרב חיים לייב עזריאל ז״ל
Paneth — אלטע חיה שרה ע״ה בת ר׳ פנחס שיחי׳ לאוי״ט
Parnes — אריה לייבש בן יוסף יצחק ועטיא בת אשר ראובן ע״ה
Parnes — הרב אברהם זאב ב״ר ישכר ע״ה
Parsons — משה זלמן בן אהרן דוב ע״ה
Perlowitz — הרב משה ב״ר אליעזר הלל ע״ה
Pinczower — אפרים ב״ר ישראל חיים ופייגלא בת ר׳ יעקב ע״ה
Rabin — ישראל בן נחום ע״ה
Reiff — לוי יצחק ב״ר עזריאל ז״ל ויהודית בת ר׳ יצחק אייזיק ע״ה
Rennert — שרה בת יצחק יעקב ע״ה
Rennert — יונה מנחם בן אהרן ע״ה

תנצב״ה

In Memoriam — לזכרון עולם

Dedicated by the Talmud Associates
to those who forged eternal links

Rosenberg — חיים נחמן ב״ר דוד ולאה בת יוסף ע״ה
Sam and Leah Rosenbloom ע״ה
Roth — ר׳ צבי יהודה ז״ל ב״ר אברהם יצחק שיחי׳ לאוי״ט
Roth — משה ב״ר יעקב הכהן ע״ה   Weisner — יצחק ב״ר זאב ע״ה
In memory of the Sanz-Klausenburger Rebbe זצוק״ל
כ״ק אדמו״ר אבדק״ק צאנז-קלויזענבורג זי״ע
מרן הרהגה״צ ר׳ יקותיאל יהודה בהרהגה״צ ר׳ צבי זצוק״ל
נלב״ע ש״ק פ׳ חקת, ט׳ תמוז תשנ״ד
William Shachat ע״ה and Israel Ira Shachat ע״ה
Scharf — אליהו ב״ר משה יעקב ושרה בת אלכסנדר זיסקינד ע״ה
Scherman — ר׳ אברהם דוב ב״ר שמואל נטע ע״ה
Scherman — ליבא בת ר׳ זאב וואלף ע״ה
Schnur — אברהם יצחק בן אהרן הי״ד   וחנה בת חיים יעקב ע״ה
Schoenbrun — שרגא פייבל ב״ר יעקב הכהן ומאטל אסתר בת מרדכי הלוי ע״ה
Schron — אליעזר דוב בן חיים משה ע״ה
Schron — חוה בת שמעון ע״ה
Schulman — חיים חייקל בן ר׳ שמואל ע״ה
Schulman — חיה בת הרב ישראל יהודה ע״ה
Schwebel — אברהם זכריה מנחם בן יוסף ומחלה בת ישראל מרדכי ע״ה
Scherman — חיים שמואל ב״ר אברהם דוב ע״ה
Scherman — הילד אברהם דוב ע״ה ב״ר זאב יוסף שיחי׳
Sol Scheiner — שלמה טוביה בן יהושע מנחם הלוי ע״ה
Rose Schwartz — רייזל בת הרה״ג ר׳ אברהם יצחק ע״ה
Shafran — ר׳ יהושע ב״ר אברהם ע״ה
Shayovich — משה יעקב ב״ר נחום ועטיא פייגא בת מרדכי ע״ה
Shimoff — ר׳ ישראל דוב ב״ר אהרן יעקב ז״ל
Shimoff — חיה רבקה לאה בת ר׳ אליעזר יהודה ע״ה
Shubow — יוסף שלום בן משה ע״ה
Silberman — ר׳ צבי ב״ר זאב הלוי ע״ה
Silberman — דבורה אסתר בת ישראל ע״ה
Silbermintz — יהושע ב״ר יוסף שמריהו ע״ה
Singer — צבי בן ר׳ חיים ע״ה
Singer — הינדי בת ר׳ שלמה ע״ה

Soclof — אברהם אבא ב״ר שמריהו ע״ה
Soclof — חיה ברכה בת צבי הירש הלוי ע״ה
Smouha — הרב אליהו בן מאיר הלוי ע״ה
Steir — משה בן מיכאל ע״ה
Steinberg — יצחק גדליה בן יהודה לייב ע״ה
Steinberg — מלכה בת מאיר לוי ע״ה
Stern — ר׳ חיים מאיר ב״ר שמחה ז״ל ובינה בת ר׳ יוסף מרדכי ע״ה
Tabak — שיינא רחל בת יוסף מרדכי ע״ה
Taub — ר׳ יעקב ב״ר יהודה אריה ע״ה נפ׳ ד׳ מנחם אב תשל״ט
Taub — אליעזר יוסף בן מענדל ע״ה
Taub — מענדל בן אליעזר יוסף   חיה בת הירש ע״ה
Taub — רויזא בת ר׳ משה ע״ה
Wealcatch — חיים דוב ב״ר זאב ואסתר בת ר׳ יוסף אייזיק ע״ה
Weiss — צבי בן יואל ע״ה
Weiss — גיטל בת ישראל ע״ה
Werdiger — ר׳ שלמה אלימלך ב״ר ישראל יצחק ע״ה
Westreich — הרב יהושע בן הרב יוסף יאסקא ז״ל
Leo Werter ע״ה
Wiesner — הרב שמעיה בן הרב זאב ע״ה
Wiesner — שרה לאה בת ר׳ צבי אריה ע״ה
Zakheim-Brecher — בתיה רחל ע״ה בת ר׳ משה יוסף שיחי׳ לאוי״ט
Zalstain — שמעון בן מרדכי יוסף הלוי ע״ה
Zimmer — ר׳ אברהם יעקב בן אהרן אליעזר ע״ה
הרב אהרן ב״ר מאיר יעקב ע״ה
הרבנית פרומא בת ר׳ חיים צבי ע״ה
Zinn — צבי יהודה בן שמעון ע״ה
Zinn — דבורה בת יחיאל מרדכי ע״ה
Leslie Zukor — ר׳ יצחק חיים ב״ר יוסף ע״ה
Zlatow — ר׳ שמואל דוד ב״ר מאיר יעקב ז״ל
הרב אהרן ב״ר מאיר יעקב זצ״ל
הרבנית פרומא בת ר׳ חיים צבי ע״ה
צבי יהודה ז״ל בן אברהם יצחק לאוי״ט
חיים מאיר בן שמחה ז״ל ובינה בת יוסף מרדכי הכהן ע״ה
אליעזר ב״ר אברהם ברוך ז״ל וגולדה זהבה בת משה הלוי ע״ה

תנצב״ה

We express our appreciation to the distinguished patrons
who have dedicated volumes in the

HEBREW ELUCIDATION OF THE SCHOTTENSTEIN EDITION OF THE TALMUD

Dedicated by
JAY AND JEANIE SCHOTTENSTEIN
and their children
Joseph Aaron, Jonathan Richard, and Jeffrey Adam

SEDER ZERA'IM: **Mrs. Margot Guez and Family**
Paul Vivianne Michelle Hubert Monique Gerard Aline Yves

SEDER NASHIM: **Ellis A. and Altoon Safdeye and Family**

SEDER NEZIKIN: **Yisrael and Gittie Ury and Family** (Los Angeles)

BERACHOS I: **Jay and Jeanie Schottenstein** (Columbus, Ohio)
BERACHOS II: **Zvi and Betty Ryzman** (Los Angeles)
SHABBOS I: **Moshe and Hessie Neiman** (New York)
SHABBOS II: **David and Elky Retter and Family** (New York)
SHABBOS III: **Mendy and Itta Klein** (Cleveland)
SHABBOS IV: **Mayer and Shavy Gross** (New York)
ERUVIN I: **The Schottenstein Family** (Columbus, Ohio)
ERUVIN II: **The Schottenstein Family** (Columbus, Ohio)
PESACHIM I: **Serge and Nina Muller** (Antwerp)
PESACHIM III: **Morris and Devora Smith** (New York / Jerusalem)
SHEKALIM: **The Rieder, Wiesen and Karasick Families**
YOMA I: **Peretz and Frieda Friedberg** (Toronto)
YOMA II: **Avi Klein and Family** (New York)
SUCCAH I: **The Pruwer Family** (Jerusalem)
SUCCAH II: **The Pruwer Family** (Jerusalem)
BEITZAH: **Chaim and Chava Fink** (Tel Aviv)
ROSH HASHANAH: **Avi and Meira Schnur** (Savyon)
TAANIS: **Mendy and Itta Klein** (Cleveland)
MEGILLAH: **In memory of Jerome Schottenstein ז״ל**
MOED KATTAN: **Yisroel and Shoshana Lefkowitz** (New York)
CHAGIGAH: **Steven and Hadassah Weisz** (New York)
YEVAMOS I: **Phillip and Ruth Wojdyslawski** (Sao Paulo, Brazil)
YEVAMOS II: **Phillip and Ruth Wojdyslawski** (Sao Paulo, Brazil)
YEVAMOS III: **Phillip and Ruth Wojdyslawski** (Sao Paulo, Brazil)
KESUBOS I: **Ben Fishoff and Family** (New York)
KESUBOS II: **Jacob and Esther Gold** (New York)
KESUBOS III: **David and Roslyn Lowy** (Forest Hills)
NEDARIM I: **Soli and Vera Spira** (New York / Jerusalem)
NAZIR: **Shlomo and Esther Ben Arosh** (Jerusalem)

פטרוני התלמוד

SOTAH: **Motty and Malka Klein** (New York)
GITTIN I: **Mrs. Kate Tannenbaum;**
Elliot and Debra Tannenbaum; Edward and Linda Zizmor
KIDDUSHIN I: **Ellis A. and Altoon Safdeye** (New York)
KIDDUSHIN II: **Jacqui and Patty Oltuski** (Savyon)
BAVA KAMMA I: **Lloyd and Hadassah Keilson** (New York)
BAVA KAMMA II: **Faivel and Roiza Weinreich** (New York)
BAVA METZIA I: **Joseph and Rachel Leah Neumann** (Monsey)
BAVA METZIA II: **Shlomo and Tirzah Eisenberg** (Bnei Brak)
BAVA METZIA III: **A. George and Stephanie Saks** (New York)
SANHEDRIN I: **Martin and Rivka Rapaport** (Jerusalem)
SANHEDRIN III: In honor of **Joseph and Anita Wolf** (Tel Aviv)
MAKKOS: **Hirsch and Raquel Wolf** (New York)
SHEVUOS: **Jacques and Miriam Monderer** (Antwerp)
HORAYOS-EDUYOS: **Woli and Chaja Stern** (Sao Paulo, Brazil)
ZEVACHIM I: **Mr. and Mrs. Eli Kaufman** (Petach Tikva)
ZEVACHIM II: **Mr. and Mrs. Eli Kaufman** (Petach Tikva)
CHULLIN I: **The Pluczenik Families** (Antwerp)
CHULLIN II: **Avrohom David and Chaya Baila Klein** (Monsey)
CHULLIN III: **Avrohom David and Chaya Baila Klein** (Monsey)
CHULLIN IV: **The Frankel Family** (New York)
BECHOROS II: **Howard and Chaya Balter** (New York)
ARACHIN: **Mr. and Mrs. Eli Kaufman** (Petach Tikva)
TEMURAH: **Abraham and Bayla Fluk** (Tel Aviv)
NIDDAH I: **Daniel and Margaret, Allan and Brocha, and David and Elky Retter and Families**

ACKNOWLEDGMENTS

We are grateful to the distinguished *roshei hayeshivah* and rabbinic leaders שליט״א in Israel and the United States whose guidance and encouragement have been indispensable to the success of this Talmud, from its inception. Their letters of approbation appear earlier in this volume.

A huge investment of time and resources was required to make this edition of the Talmud a reality. Only through the generous support of many people is it possible not only to undertake and sustain such a huge and ambitious undertaking, but to keep the price of the volumes within reach of the average family and student. We are grateful to them all.

The Trustees and Governors of the MESORAH HERITAGE FOUNDATION saw the need to support the scholarship and production of this and other outstanding works of Torah literature. Their names are listed on an earlier page.

JAY SCHOTTENSTEIN is chairman of the Board of Governors and has enlisted many others in support of this monumental project. In addition, he and his wife JEANIE have dedicated the HEBREW ELUCIDATION OF THE SCHOTTENSTEIN EDITION OF THE TALMUD and the DAF YOMI EDITION OF THE TALMUD in honor of their parents. But those are only formal identifications. The Schottensteins are deeply involved in a host of causes and their generosity is beyond description. Most recently they have undertaken sponsorship of the SCHOTTENSTEIN INTERLINEAR SERIES, which is bringing a new and innovative dimension of understanding to tefillah. Nevertheless, this Talmud is their *liebling*. They surpass every commitment to assure its continuity and it has justly become synonymous with their name.

HAGAON RAV DAVID FEINSTEIN שליט״א has been a guide, mentor, and friend since the first day of the ArtScroll Series. We are honored that, though complex halachic matters come to the Rosh Yeshivah from across the world, he regards our work as an important contribution to *harbatzas haTorah* and that he has graciously consented to be a trustee of the Foundation.

In addition, we are grateful to:

LAURENCE A. TISCH, JAMES S. TISCH and THOMAS J. TISCH, who have been more than gracious on numerous occasions; JOEL L. FLEISHMAN, Founding Trustee of the Foundation, whose sage advice and active intervention was a turning point in our work; ELLIS A. SAFDEYE, the dedicator of the SAFDEYE EDITION OF SEDER NASHIM, a legendary supporter of worthy causes and a warm, treasured friend; BENJAMIN C. FISHOFF, patron of several volumes of the Talmud, and a sensitive, visionary friend who has brought many people under the banner of this project; ZVI RYZMAN, patron of the HEBREW RYZMAN EDITION OF THE MISHNAH and of tractates in this Talmud edition, a dynamic and imaginative force for Torah life and scholarship, and a loyal, devoted friend; SOLI SPIRA, patron of Talmud volumes, who is respected on three continents for his learning and magnanimity; RABBI MEYER H. MAY, a man who devotes his considerable acumen and prestige to the service of Torah. He has been a proven and invaluable friend at many junctures; ABRAHAM BIDERMAN, a Trustee, whose achievement for Torah and community, here and abroad, are astounding; JUDAH SEPTIMUS, a Trustee, whose acumen and resources are devoted to numerous Torah causes; and RABBI SHLOMO GERTZULIN, whose competence and vision are invaluable assets to Klal Yisrael.

Loyal friends who have been instrumental in the success of our work and to whom we owe a debt of gratitude are, in alphabetical order:

Our very dear friends: RABBI RAPAHEL B. BUTLER, founder of the Afikim Foundation, a laboratory to create innovative Torah programs; RABBI ALAN CINER, whose warmth and erudition will draw Jews closer to Judaism in his new position in Palm Beach, Florida. RABBIS BUTLER and CINER were instrumental in moving this edition of the Talmud from dream to reality in its formative stage; REUVEN DESSLER, a good friend and respected leader who adds luster to a distinguished family lineage; ABRAHAM FRUCHTHANDLER, who has placed support for Torah institutions on a new plateau; LOUIS GLICK, who sponsored the ArtScroll Mishnah Series with the *Yad Avraham* commentary; SHIMMIE HORN, patron of the HORN EDITION OF SEDER MOED, a self-effacing gentleman to whom support of Torah is a priority; DAVID RUBIN, dedicator of the RUBIN EDITION OF THE PROPHETS, whose visionary generosity is a vital force in his community and beyond; SHLOMO SEGEV of Bank Leumi, who has been a responsible and effective friend; HESHE SEIF, patron of the SEIF EDITION TRANSLITERATED PRAYER BOOKS, who has added our work to his long list of important causes; NATHAN SILBERMAN, who makes his skills and judgment available in too many ways to mention; A. JOSEPH STERN, patron of the SEFARD ARTSCROLL MACHZORIM and of tractates in this Talmud edition, whose warmth and concern for people and causes are justly legendary; ELLIOT TANNENBAUM, a warm and gracious patron of several volumes, whose example has motivated many others; STEVEN WEISZ, whose infectious zeal for our work has brought many others under its banner; and HIRSCH WOLF, a valued friend from our very beginning, and an energetic, effective leader in many causes.

We are grateful, as well, to many other friends who have come forward when their help was needed most: DR. YISRAEL BLUMENFRUCHT, YERUCHAM LAX, YEHUDAH LEVI, RABBI ARTHUR SCHICK, FRED SCHULMAN, and MENDY YARMISH.

We thank RABBI YEHOSHUA LEIFER, head of KOLLEL OZ VEHADAR, for permission to reproduce the folios from their new edition of the classic Vilna Talmud. Newly typeset and with many additions and enhancements, it establishes a new standard in Talmud publishing.

We conclude with gratitude to *Hashem Yisbarach* for His infinite blessings and for the privilege of being the vehicle to disseminate His word. May this work continue so that all who thirst for His word may find what they seek in the refreshing words of the Torah.

Rabbi Nosson Scherman / Rabbi Meir Zlotowitz

Cheshvan 5763
October, 2002

מסכת חגיגה
TRACTATE CHAGIGAH

מסכת חגיגה / Tractate Chagigah

General Introduction

I.
The Festival Offerings

Three times a year, on the pilgrimage festivals of Pesach, Succos and Shavuos, Jewish males are obligated to visit the Temple in Jerusalem. The primary subject of this tractate is the sacrifices that individuals must offer on these occasions. There are altogether three such sacrifices: the *olas re'iyah, shalmei chagigah* and *shalmei simchah.*

◈ *Olas Re'iyah*

The obligation to appear in the Temple on the pilgrimage festivals is described in the Torah as follows:

וְלֹא־יֵרָאוּ פָנַי רֵיקָם... שָׁלֹשׁ פְּעָמִים בַּשָּׁנָה יֵרָאֶה כָּל־זְכוּרְךָ אֶל־פְּנֵי הָאָדֹן ה׳, *. . . you shall not be seen before Me empty-handed . . . Three times during the year all your menfolk shall appear before the Lord, Hashem* (*Exodus* 23:15,17).

שָׁלוֹשׁ פְּעָמִים בַּשָּׁנָה יֵרָאֶה כָל־זְכוּרְךָ אֶת־פְּנֵי ה׳ אֱלֹהֶיךָ בַּמָּקוֹם אֲשֶׁר יִבְחָר בְּחַג הַמַּצּוֹת וּבְחַג הַשָּׁבֻעוֹת וּבְחַג הַסֻּכּוֹת וְלֹא יֵרָאֶה אֶת־פְּנֵי ה׳ רֵיקָם, *Three times a year all your menfolk shall appear before Hashem, your God, in the place that He will choose: on the festival of Matzos, on the Festival of Shavuos and on the Festival of Succos; and he shall not appear before Hashem empty-handed* (*Deuteronomy* 16:16).

As stated in these passages, it does not suffice to appear in the Temple with empty hands. The pilgrim must bring with him an offering known as the עוֹלַת רְאִיָּה, *olas re'iyah* (burned offering of appearance). This name is often abbreviated to רְאִיָּה, *re'iyah.* It is an *olah* offering, which is burned entirely on the Altar.

◈ *Shalmei Chagigah*

In addition to the *olas re'iyah,* a pilgrim must also bring a *shelamim* (peace offering) in honor of the festival. This sacrifice is called the שַׁלְמֵי חֲגִיגָה, *shalmei chagigah* (peace offering of celebration), or just חֲגִיגָה, *chagigah.* [It is from this sacrifice that our tractate derives its name.] As is the case with other *shelamim* offerings, only its *emurin* (certain fats and organs) are burned on the Altar. The meat is eaten by the owner, his family and guests, with the chest and right thigh being awarded to the Kohanim.

The obligation to bring the *chagigah* is inferred from the Torah's use of the verb חגג (or the noun חַג) in connection with the festivals; for example, שָׁלֹשׁ רְגָלִים תָּחֹג לִי בַּשָּׁנָה, *Three pilgrimage festivals in the year shall you celebrate [by bringing the chagigah] for Me* (*Exodus* 23:14; see also ibid. 12:14, *Leviticus* 23:41 and *Deuteronomy* 16:10).[1]

The *olas re'iyah* and *shalmei chagigah* should be offered on the first day of the festival. But if one failed to do so, he can compensate for that failure by bringing them any day throughout the festival (Mishnah, 9a).

◈ *Shalmei Simchah*

The Torah states: וְשָׂמַחְתָּ בְּחַגֶּךָ, *You shall rejoice on your festival* (*Deuteronomy* 16:14). From here it is derived that we must rejoice on each day of the festivals of Pesach, Shavuos and Succos. The requirement of rejoicing is fulfilled by eating the meat of sacrifices, e.g. *shelamim,* until one is satisfied (*Pesachim* 109a; see also 8a note 20). One must therefore bring *shelamim* for the purpose of eating their meat on the festival. These offerings are known as שַׁלְמֵי שִׂמְחָה, *shalmei simchah* (peace offerings of joy).[2]

NOTES

1. Although this verb is usually translated "to celebrate," it is understood here in the specific sense of celebrating a day (or other period) by bringing the *chagigah* at that time (Gemara below, 10b).

2. It is not always necessary to buy animals solely for this purpose. If one has other animal sacrifices to offer during the festival, he may use their meat to fulfill the mitzvah of rejoicing (Mishnah below, 7b). The requirement to offer special *shalmei simchah* applies only to one who would otherwise have no sacrificial meat to eat on the festival (*Rashi* ibid. ד״ה ישראל).

Since the obligation of rejoicing applies on each day of the festival, *shalmei simchah* must be eaten every day for the fulfillment of this mitzvah (*Tosefta* 1:5,8).

In a period when the Temple is not standing and it is not possible to offer sacrifices, the mitzvah of rejoicing can be fulfilled in any way that brings pleasure, such as: for men – drinking wine, and, according to some authorities, eating (nonsacred) meat; for women – wearing new clothing (*Pesachim* 109a and 71a; *Rambam, Hil. Yom Tov* 6:17-19; *Shulchan Aruch, Orach Chaim* 529:2 with *Beur Halachah* ד״ה כיצד).

II.
The Laws of *Tumah* and *Taharah*

The last third of this tractate (from 18b onwards) deals with laws of *tumah* and *taharah.* [3] The following is a brief summary of some of the main terms and principles that will be encountered:

Sources and Degrees of *Tumah*

The severity of *tumah* and the ability of one contaminated person or object to convey *tumah* to another are not uniform, but vary according to the degree of *tumah* and the class of contaminated object.

The most stringent level of *tumah,* אֲבִי אֲבוֹת הַטֻּמְאָה [literally: father of fathers of *tumah*], is limited to a human corpse. The next, and far more common level, is known as אַב הַטֻּמְאָה, *av hatumah* (literally: father of *tumah*), or in short, *av.* Examples of this level are: a person who touched a human corpse; a *neveilah* (i.e. the carcass of an animal that died by some means other than a valid ritual slaughter); a dead *sheretz* (i.e. one of the eight species of creeping creatures listed in *Leviticus* 11:29-30); a person who is a *zav, zavah, niddah* or *metzora;* and a woman who has given birth.

An object that is contaminated by an *av hatumah* becomes a רִאשׁוֹן לְטֻמְאָה, *rishon* (first degree) *of tumah.* Under Biblical law, a person or vessel cannot contract *tumah* from anything lower than an *av;* thus if a *rishon* touches a person or vessel, it acquires no *tumah* whatsoever. Food items, however, can acquire *tumah* from lesser levels. Any food object that touches a *rishon* becomes a שֵׁנִי לְטֻמְאָה, *sheni* (second degree) *of tumah.* In the case of *chullin,* i.e. unconsecrated foods, contamination can go no further than a *sheni;* thus if a *sheni* touches *chullin,* it acquires no degree of contamination whatsoever.

Due to the respectively greater degrees of sanctity associated with *terumah* and *kodesh* (sacrificial matter), their levels of contamination can go beyond that of *sheni.* Thus, if a *sheni* touches *terumah,* it becomes a שְׁלִישִׁי לְטֻמְאָה, *shelishi* (third degree) *of tumah* – but the *tumah* of *terumah* goes no further than this degree. *Kodesh* can go a step further, to רְבִיעִי לְטֻמְאָה, *revii* (fourth degree) *of tumah.*

Objects that Can Contract *Tumah*

There are four categories of things that can contract *tumah* from a *tumah* source: (a) human beings (אָדָם), (b) utensils (כֵּלִים), including articles of clothing, (c) foods (אוּכָלִין), and (d) beverages (מַשְׁקִין).[4]

Preparation to Receive *Tumah* (הֶכְשֵׁר)

The Torah teaches that food can contract *tumah* only if it has been previously rendered susceptible to *tumah* through being touched by water [or another of the seven "beverages"] (see *Leviticus* 11:38). Once the food has been made wet, it remains susceptible to *tumah* even after it has dried (see *Rashi* ad loc.; *Rambam, Tumas Ochalin* 1:2).

NOTES

3. See 18b note 1 regarding why this extensive treatment is included in this tractate.

4. According to *Rambam* (*Hil. Tumas Ochalin* 1:4), only seven liquids are defined as "beverages" in this regard. These are: water, wine, bee's honey, olive oil, milk, dew and blood. The designation of these liquids as "beverages" is derived from Scripture (see *Machshirin* 6:4 with *Rambam's Commentary*). However, *Raavad* (*Tumas Ochalin* loc. cit.) argues that all fruit juices are classified as beverages in that they are susceptible to *tumah.* In his view, the designation of only seven "beverages" pertains only to the law of הֶכְשֵׁר, *preparation* (see below).

◆§ "Contaminated" (*Tamei*) vs. "Unfit" (*Pasul*)

As a general rule, the title טָמֵא [*tamei*], *contaminated,* is applied to an object that can convey its *tumah* to another object of its genre. An object that cannot convey its *tumah* in this way is called פָּסוּל [*pasul*], *invalid,* rather than *tamei.* Thus, a *shelishi* (third degree) in the case of *terumah,* and a *revii* (fourth degree) in the case of *kodesh,* are called *invalid.* Each is unfit for consumption on account of its *tumah* but cannot convey it to another object of its genre.

◆§ Purification from *Tumah*

Persons and utensils can generally be purified of their *tumah* by the procedure of immersion in a *mikveh.*[5] After immersion, the person or utensil is *tahor* in respect to *chullin.* That is, he no longer contaminates the *chullin* that he touches. He is also allowed to eat *maaser sheni,* the second tithe. However, as regards *terumah,* the process of purification is complete only after sunset following the immersion (הֶעֱרֵב שֶׁמֶשׁ, *nightfall*). During the waiting period from immersion until sunset the person or article is known as טְבוּל יוֹם, *tevul yom* (one who immersed that day). A *tevul yom* contaminates *terumah* (or *kodashim*) by touching it, and renders it a *shelishi.*

A person whose *tumah* is the result of an irregularity in his or her body (i.e. a *zav, zavah* or *metzora,* as well as a woman who has given birth) must bring an offering on the day after the purification from *tumah.* During the period between the nightfall after immersion and the bringing of the offering, the person is known as מְחוּסַּר כִּפּוּרִים, *mechussar kippurim* (lacking atonement). A *mechussar kippurim* contaminates *kodesh* by touching it, and renders it a *revii.*[6]

◆§ *Tumas Yadayim* – *Tumah* of the Hands

Biblically speaking, there is no such thing as one part of the body becoming *tamei* with the rest of the body remaining *tahor.* Contact with *tumah* by one part of the body renders the entire body *tamei.* However, there are several instances in which a person is *tahor* according to Biblical law but *tamei* by Rabbinic enactment in which the Rabbis decreed that only his hands, which made the actual contact with the contaminating object, become *tamei.* The Rabbis assigned a *sheni* degree of *tumah* to the hands in these cases so that while such hands can contaminate or invalidate *terumah* and *kodesh,* which are susceptible to becoming a *shelishi* and *revii* respectively, they cannot affect *chullin,* whose level of *tumah* can be no less than a *sheni.* Additionally, the Rabbis allowed this *tumah* to be removed through purifying the hands alone, either by rinsing them with water from a vessel or through immersing them in a *mikveh,* without the need for the person to immerse his entire body. These rules will be more fully elaborated on 18b in note 4.

NOTES

5. An exception is the case of a person or utensil contaminated by a corpse, which requires sprinkling with water mixed with the ashes of the *parah adumah* (red cow) in addition to immersion in a *mikveh* (see *Numbers* ch. 19). Another exception is an earthenware vessel, which cannot be purified of any *tumah* through immersion in a *mikveh,* but only through breakage (see *Leviticus* 11:33,35).

6. See *Tos. Yom Tov, Niddah* 10:7 ד״ה אינה צריכה.

Chapter One

Mishnah As we have explained in the Introduction to our tractate, the Torah obligates Jewish males to appear in the Temple Courtyard during the three festivals – Pesach, Shavuos and Succos. Furthermore, when one does appear, he may not come empty-handed, but must bring certain offerings (*Exodus* 23:14,15,17; *Deuteronomy* 16:16). This Mishnah begins by exempting specific individuals from these obligations:[1]

הַכֹּל חַיָּיבִין בִּרְאִיָּיה – All are obligated in the mitzvah of ***re'iyah***[2] **חוּץ מֵחֵרֵשׁ שׁוֹטֶה וְקָטָן – except a deaf-mute, a deranged person and a minor;**[3] **וְטוּמְטוּם וְאַנְדְּרוֹגִינוּס – and a person of undetermined sex**[4] **and a hermaphrodite;**[5] **וְנָשִׁים וַעֲבָדִים שֶׁאֵינָם מְשׁוּחְרָרִים – women and slaves who have not been freed; הַחִיגֵּר וְהַסּוּמָא וְהַחוֹלֶה וְהַזָּקֵן וּמִי שֶׁאֵינוֹ יָכוֹל לַעֲלוֹת בְּרַגְלָיו – the lame, the blind, the infirm, the aged and one who is unable to ascend by foot** from Jerusalem to the Temple Courtyard.[6]

The Mishnah now discuses when the parental obligation to train minors in the mitzvah of appearing (*re'iyah*) commences:

אֵיזֶהוּ קָטָן – Which minor is it that is exempt from appearing in the Courtyard?[7] **כָּל שֶׁאֵינוֹ יָכוֹל לִרְכּוֹב עַל כְּתֵפָיו שֶׁל אָבִיו – Anyone who cannot ride on his father's shoulders וְלַעֲלוֹת מִירוּשָׁלַיִם לְהַר הַבַּיִת – and ascend from Jerusalem to the Temple Mount.**[8] **דִּבְרֵי בֵית שַׁמַּאי** – These are **the words of Beis Shammai. וּבֵית הִלֵּל אוֹמְרִים – But Beis Hillel say: כָּל שֶׁאֵינוֹ יָכוֹל לֶאֱחוֹז בְּיָדוֹ שֶׁל אָבִיו** – He is **anyone who is unable to hold onto his father's hand וְלַעֲלוֹת מִירוּשָׁלַיִם לְהַר הַבַּיִת – and ascend from Jerusalem to the Temple Mount** by foot, even though he is capable of riding on his father's shoulders, **שֶׁנֶּאֱמַר ,,שָׁלֹשׁ רְגָלִים" – for it is stated: *Three pilgrimages*.**[9]

The Mishnah now discusses the minimum values of the two pilgrimage offerings:[10]

בֵּית שַׁמַּאי אוֹמְרִים – Beis Shammai say: הָרְאִיָּיה שְׁתֵּי כֶסֶף – The *olas* ***re'iyah*** offering must be worth at least **two silver** *maos,*[11] **וְהַחֲגִיגָה מָעָה כֶסֶף – and the** *shalmei* ***chagigah*** sacrifice[12] must be worth at least one **silver *ma'ah*.**

NOTES

1. *Rambam* (*Hil. Chagigah* 2:4) maintains that those who are exempt from the *re'iyah* offering are likewise exempt from the *chagigah*. See, however, *Tosafos* below, 2b ד"ה שומע; and see *Minchas Chinuch* 88:6 regarding *Tosafos'* opinion.

2. I.e. in the mitzvah of *appearing* in the Temple Courtyard on the festivals, as mandated by *Exodus* 23:17 – *Three times during the year shall all your males appear before the Master, Hashem* (*Rashi*). *Tosafos* record a dispute concerning the interpretation of *Rashi's* comment: According to *Rabbeinu Elchanan, Rashi* understands that the Mishnah speaks only of the mitzvah of appearing in the Temple; *Rabbeinu Elchanan* then presents several difficulties with this approach. *Rabbeinu Tam,* on the other hand, holds that in *Rashi's* view the Mishnah speaks of both "*re'iyah*" mitzvos – appearance *and* the *re'iyah* sacrifice. However, it was sufficient to mention only the former, since from there it could be deduced that if one is exempt from appearing in the Courtyard, he is certainly exempt from bringing the sacrifice [the reverse, however, is not implied] (*Menachem Meishiv Nefesh,* who further states that *Rashi's* comments below – ד"ה הניחא למאן דאמר and on 2b ד"ה ואע"פ שהוא פטור – accord with *Rabbeinu Tam's* interpretation; see also *Yad David*). See also *Minchas Chinuch* 489:2, who cites the opinion of *Rambam* (*Hil. Chagigah,* 1:1) that there is only one mitzvah ["to appear *with a sacrifice*"]; cf. *Yerushalmi,* cited by *Tosafos* and *Minchas Chinuch* 489:5.

3. These three types are considered mentally incompetent, and are therefore exempt from all the commandments of the Torah (*Rashi;* see Gemara below, 3a).

Although the term חֵרֵשׁ usually refers to a deaf-mute, the Gemara below (2b, 3a) rules that deafness alone, or muteness alone, also exempts one from the mitzvah of *re'iyah.*

Although a minor is personally exempt from mitzvos, when he reaches a certain level of maturity his parents become obligated to train him in the performance of the commandments. This obligation of *chinuch* is Rabbinic in nature, and varies for each mitzvah. The Mishnah will discuss below when training for the performance of *re'iyah* commences (see note 7 below).

4. This is a person whose genitalia are covered by a membrane, so that his sex cannot be ascertained. The Gemara will derive this exemption and the ones that follow from Scripture.

5. This is someone who has both male and female genitalia, and therefore cannot be categorized as either a male or a female (*Tiferes Yisrael*).

6. I.e. all those who are incapable of making the ascent from Jerusalem to the Temple Courtyard because of physical infirmities.

7. I.e. which minors are not included even in the Rabbinic obligation upon parents to train their children in the performance of mitzvos (*Rashi;* see note 3 above). [See *Tosafos,* who maintain that the training includes not only an appearance in the Courtyard, but the offering of a sacrifice [on the first day of Chol HaMoed] as well. *Tosafos* cite *Rashi* as disagreeing with this; see *Maharsha, Sfas Emes* and *Siach Yitzchak.*]

Rashi expressly states that mothers are obligated to train their children in the performance of mitzvos. This view, however, is not universally held. See *Menachem Meishiv Nefesh* for a discussion of this issue; see also *Magen Avraham* §1 to *Orach Chaim* 343, and *Sdei Chemed* 8:59.

8. I.e. the child is unwilling to ride on his father's shoulders; alternatively, the weather makes it harmful for him to do so (*Tiferes Yisrael* §10).

Although the Mishnah mentions the Temple Mount, the mitzvah is to appear in the Temple Courtyard (see Gemara below, 7a). [The latter is equivalent to the Courtyard of the Tabernacle in the Wilderness, which was the Camp of the Divine Presence. The Temple Mount, on the other hand, is the equivalent of the Tabernacle's Camp of the Levites, which was not an area that could be considered "before Hashem."] The Mishnah uses the Temple Mount only as a measuring stick, for if one can climb to that point he can surely ascend the stairs that lead from the edge of the Temple Mount to the Courtyard (*Tos. Yom Tov;* but see *Rashash;* see also *Tiferes Yisrael* §11; cf. *Siach Yitzchak,* cited in previous note).

Similarly, the Mishnah means "*even* from Jerusalem . . ." – and all the more so if he cannot ascend from his own city.

9. *Exodus* 23:14. The Hebrew word for "pilgrimages" is רְגָלִים, which also – if pronounced differently – means *feet.* The verse thus implies that only one who is able to ascend to the Courtyard on his own two *feet* is obligated in the *pilgrimage* mitzvah of *re'iyah.* Now, since an adult who is physically incapable of ascending is entirely exempt from the mitzvah, it logically follows that a minor who is similarly unable to do so is exempt from being trained to perform the mitzvah (*Rashi;* see *Yad David,* cited in *Menachem Meishiv Nefesh*). See below, 6a, for an explanation of Beis Shammai's opinion.

10. As noted in the Introduction to this volume, a pilgrim is required to offer two sacrifices on the first day of the festival: an *olas re'iyah* and a *shalmei chagigah.*

11. An adult who appears in the Temple Courtyard must bring an *olah* offering worth at least two silver *maos.* A *ma'ah* is one sixth of a *dinar.* Thus, two silver *maos* equal one third of a *dinar.* Although the Torah obligates the pilgrim to bring an *olah,* as derived from the verse *and they shall not appear before Me empty-handed* (Exodus 23:15), it does not set a minimum value. However, the Sages did so (*Rashi;* cf. *Yerushalmi,* cited by *Tosafos* below, 7a ד"ה רבי).

12. The obligation to bring *shalmei chagigah* is derived below, 9a (*Rashi;* see Introduction to tractate). [See *Yalkut Yeshayahu* for a discussion of why *Rashi* states – seemingly superfluously – that "individuals are

א חייבין בראייה חוץ מחרש שוטה וקטן וטומטום ואנדרוגינוס ונשים ועבדים שאינם משוחררים החיגר והסומא והחולה והזקן ומי שאינו יכול לעלות ברגליו איזהו קטן כל שאינו יכול לרכוב על כתפיו של אביו ולעלות מירושלים להר הבית דברי בית שמאי ובית הלל אומרים ב כל שאינו יכול לאחוז בידו של אביו ולעלות מירושלים להר הבית שנאמר א שלש רגלים בית שמאי אומרים הראייה שתי כסף והחגיגה מעה כסף ובית הלל אומרים ג הראייה מעה כסף והחגיגה שתי כסף: גמ' ג הכל לאתויי מאי לאתויי ה מי שחציו עבד וחציו בן חורין ולרבינא דאמר ד מי שחציו עבד וחציו בן חורין ד פטור מן הראייה הכל לאתויי מאי לאתויי חיגר ביום ראשון ונתפשט ביום שני הניחא למ"ד ה כולן תשלומין זה לזה אלא למאן דאמר ה כולן תשלומין דראשון הכל לאתויי מאי לאתויי סומא באחת מעיניו ודלא כי האי תנא דתניא ו יוחנן בן דהבאי אומר משום ר' יהודה ז סומא באחת מעיניו פטור מן הראייה שנאמר ב יראה יראה כדרך שבא לראות כך בא ליראות מה לראות בשתי עיניו אף ליראות בשתי עיניו ואיבעית אימא לעולם כדאמרי' מעיקרא ודקא קשיא לך הא דרבינא לא קשיא כאן במשנה ראשונה כאן במשנה אחרונה דתנן ח מי שחציו עבד וחציו בן חורין עובד את רבו יום אחד ואת עצמו יום אחד דברי בית הלל אמרו להם בית שמאי תקנתם

הכל חייבין בראייה. במצות ראיית כל זכורך (שמות כג) שצריכים להתראות בעזרה ברגל: חוץ מחרש שוטה וקטן. דלאו בני דעה נינהו ופטורין ממצות: החיגר והסומא. כולה יליף מקראי בגמרא: ומי שאינו יכול לעלות ברגליו. מירושלים לעזרה ובגמרא מפרש להו: אי זהו קטן כו'. אבל מכאן ואילך אף על פי שאינו חייב מן התורה הטילו חכמים על אביו ועל אמו לחנכו במצות: שלש רגלים. הראוי לעלות ברגליו חייב הכתוב וכיון דגדול פטור מן התורה קטן לאו בר חינוך הוא: ב"ש אומרים הראייה שתי כסף. גדול הבא להיראות צריך להביא עולה ואינה פחותה משתי כסף שתי מעות כסף שהן שליש דינר שנאמר ולא יראו פני ריקם (שם) ויליף בגמרא שצריך להביא עולה אע"פ שלא נתנה בו תורה שיעור חכמים נתנו שיעור: והחגיגה. שלמי חגיגה חייבין היחידים להביא ברגל דיליפינן לה בשלהי פירקין (דף ט.) מוחגותם אותו חג לה': גמ' ולרבינא דאמר כו'. לקמן אמרינן בפירקין (דף ד.): הניחא למאן דאמר כו'. לקמן אמרינן בפירקין (דף ט.) שיש לקרבנות החג תשלומין כל ז' ואיפליגו בה אמוראי איכא למאן דאמר תשלומין זה לזה ואיכא למאן דאמר (א) תשלומין דראשון הן ואמרינן מאי בינייהו חיגר ביום ראשון ונתפשט ביום שני איכא בינייהו מאן דאמר כולן תשלומין לראשון מי שמחויב בראשון ולא הביא יביא באחד משאר הימים ומי שאינו מחויב אינו צריך תשלומין ומאן דאמר תשלומין זה לזה קסבר החובה מוטלת על כל אחד מן שאר הימים ולא על הראשון לבדו הלכך אף מי שפטור בראשון ונראה בשני חייב להביא ואם לא יביא בו ביום יביא למחר: (ב) יראה יראה. [יראה] כתיב וקרינן יראה כל זכורך את פני האדון דמשמע שהאדם רואה את השכינה יראה כל זכורך את פני האדון משמע שהאדון בא לראותך הקיש הכתוב ראייתך לראייתו: כדרך שבא (ג) לראותך. כך הוא בא ליראות ממך: מה לראות. בשתי עיניו: אף. כאן ליראות מן האדם בשתי עיניו של אדם: משנה ראשונה. קודם שחזרו ב"ה להורות כדברי ב"ש סיפא דמתני' דקתני חוץ מן העבדים שאין משוחררים לאוקמא רבינא במי שאינו עבד ואינו בן חורין דפטור משנית קודם שחזרו ב"ה אבל לאחר שהודו לב"ש שיש על ב"ד לכוף את אדונו לשחררו והוה ליה כאלו משוחרר כבר וחייב ומשנה שנשנית לא זזה ממקומה:

תקנתם

הכל חייבין בראייה. פירש רש"י במצות יראה כל זכורך והקשה הר"ר אלחנן דהא תני בסמוך ב"ש אומרים הראייה שתי כסף משמע דבקרבן מיירי ותו תניא בגמרא הערל וטמא פטורין מן הראייה בשלמא טמא דכתיב (דברים יב) ובאת שמה (ד) כל שישנו בביאה ישנו בהבאה ועוד אמרינן בירושלמי ריש מכילתין בד"א בראיית קרבן אבל בראיית פנים בעזרה הכל חייבין כמו בהקהל האנשים והנשים והטף ותו תניא בגמרא רבי יוסי אומר שלש מצות נצטוו ישראל בעלייתן לרגל ראייה ושמחה וחגיגה יש בראייה שאין בשתיהן שהראייה כולה כליל משמע דסתם ראייה בקרבן מיירי ע"כ נראה לר"ת דמתני' מיירי בקרבן ובעזרה ורש"י דנקט בראיית פנים בעזרה נקט חדא דמשמע תרי ולפטורא דכולהו אתא דאף בראיית פנים בעזרה פטירי וכל שכן בראיית פנים בקרבן וגם יש ליישב דמתני' משמע ליה דבראיית פנים (ה) נמי איירי דקתני בסמוך איזהו קטן כל שאין יכול לילך כו' (ו) משמע דבקטן דאיירי ביה קאמר אלמא בראיית פנים בעזרה איירי שאינו יכול לילך לשם ומיהו שיטת הירושלמי לא יתכן לפי שיטת שמעתתא שלנו מפני דברים הרבה דהתם יליף מהקהל לחיוב ואנן לא ילפינן מיניה רק לפטור דחרש ואע"ג דאמרינן לקמן ס"ד אמינא נילף ראיה ראיה מהקהל מה להלן נשים חייבות כו' מ"מ מהתם שמעינן דלפי המסקנא לא ילפינן מהקהל לחיוב ועוד היכי מחייבינן נשים בראיית פנים בעזרה מראייה דהקהל דהא ולא יראו הוא דמוקמינן לקמן בראיית פנים לקרבן וממעטינן נשים מזכורך ועוד קשיא ליה דאמרינן לקמן (דף ו.) (ז) מאן איתי' אמו דמחייב' בשמחה אייתיה ולא קאמר דמחייבא בראיית עזרה משמע דפטורה ועוד בגמרא דקאמר שפטורה מראייה וחייבת בשמחה לפי שיטת הירושלמי הוה מצי למימר שחייבת בראיית עזרה אלא ודאי כולי שמעתין מוכח דפטירי בכולי ראייה כדפרישית: **חוץ** מחרש שוטה וקטן. אין למדין מן הכללות אפילו במקום שנאמר בו חוץ כדאמרינן בריש כל מערכין (עירובין דף מ.) דהא תנא ושייר מקמן (ח) וכורש ומי שאין לו קרקע ומיהו אי משום הני לאו שיורא הוא דפסול דגופא קחשיב לאפוקי הני דפסולן מחמת דבר אחר הוא משום אומנותו וכי תימא הא איכא חרש באזנו אחת וחיגר ברגלו אחת ובעלי קבין כל הני מכללא אתיין וטמא פשיטא ליה דפטור לפי שאינו בביאה אינו בהבאה וערל מרבינן בגמרא כי טמא ואיצטריך לדרבי עקיבא אבל כל הני דמתני' רבותא אשמעינן דבעינן מעוטא מקרא: **איזהו** קטן כל שאינו יכול לרכוב. מסס והלכה הוה ליה הגיע לחינוך ומדרבנן הוא דמחויב וצריך להביא קרבנותיו נדבה ולמ"ד (ביצה יט.) אין קריבין ביו"ט אין קריבין עד למחר בחול המועד אך קשה למורי למ"ד תשלומין דראשון נינהו כיון דלא מצי קריב בראשון לא קרבי תו דאמרינן לקמן (דף ט.) גבי חיגר שנתפשט בשני וי"ל דהתם גברא לא חזי הלכך כיון דלא חזי (ט) בראשונה לא חזי בשני אבל הכא כל חיוב שיש בשני ישנו בראשונה אלא משום שאינו היום ראוי עכשיו ודומה לו מצינו בפסחים בפרק אלו דברים (דף ע: ושם) גבי חגיגה פעמים ז' פעמים ו' של יו"ט הראשון להיות בשבת דקרב בשבת אלמא אע"ג דלא קרב בראשון קרב בשני כיון דמחמת יום הוא דלא חזי ואיכא למימר דלמ"ד נדרים ונדבות אין קריבין ביו"ט דרבנן הוא והכא דרבנן תקינו לה שיוכל להביא אף ביו"ט דהא בפ"ק דביצה משמע דמדאורייתא הוא דהא שתי הלחם ולחם הפנים לא דחו יו"ט וכי תימא מ"מ כי מייתי להם נדבה היכי סמיך עלה דקטן אינו סומך כדאיתא במנחות בפרק שתי מדות (דף צג.) וי"ל אע"ג דלא סמיך עליה מ"מ דמיא לחינוך בנו ורש"י פירש דאיזהו קטן לא קאי (י) אראייה בראיית קרבן רק לראיית פנים בעזרה:

הכל לאתויי מאי לאתויי מי שחציו עבד וכו'. ואליבא דמשנה אחרונה אע"ג (כ) דמתניתין קאמר איפכא כדדייק בגמרא (דף ד.) מלשון שאין משוחררים דלאו עבד פטור מ"מ מתרץ שפיר לחיוב לפי מה דסבירא ליה השתא ואדיוקא לא חש ואליבא דעבדים שאין משוחררים:

תשלומין דראשון. ואע"ג דגבי חגיגה הוא דכתיב תשלומין מ"מ ילפינן ראייה מיניה כולן תשלומין דראשון והכא גברא לא חזי וכיון דלא חזי בראשון לא חזי בשני ולא הוה מצי למימר חיגר בשעה ראשונה ונתפשט בשנייה דהא פשיטא הוא:

יראה כדרך שבא לראות. פרש"י כדרך שבא הקב"ה לראותך דהיינו בשתי עיניו אף אתה בא (ג) לראותו בשתי עיניך ולא יתכן לר"ת דהא לא שייך ביאה גבי שכינה שבכל מקום הוא ועוד דלדרוש לא היה מסורת דהא קודם להכרה בו המקרא קודם ע"כ גריס ר"ת יראה יראה מה לראות בשתי עיניו שאדם בא להתראות לפני המקום בשתי עיניו של מקום אף האדם בא לראות המקום בשתי עיניו ולא דמי לעובד ועבד (פסחים דף מו:) דדרשינן תרוייהו מקרא ומסורת דהכא כי הדדי נינהו אבל התם כל חדא חלוק מחבירו:

תקנתם

עין משפט נר מצוה

א א מיי' פ"ב מהלכות חגיגה הלכה א סמג עשין רכז רכח רכט:
ב ב מיי' שם הל' ג:
ג ג מיי' פ"א שם הל' ב סמג שם:
ד ד מיי' שם פ"ב הלכה א סמג שם:
ה ה מיי' שם פ"א הלכה ז סמג שם:
ו ו מיי' שם פ"ב הלכה א סמג שם:

רבינו חננאל

הכל חייבין בראייה חוץ מחרש שוטה וקטן כו'. אתינן לאוקומה למתני' הכל חייבין הכל לאתויי מאי מי שחציו עבד וחציו בן חורין שחייב בראייה. ודחינן ולרבינא דפטור בהאי מאי מוקים לה הכל לאתויי מי שהיה חיגר ביום ראשון ולא היה יכול לעלות בהר הבית שפטור ואם נתפשט כלומר נתרפא ביום שני חייב. ואמרינן הניחא לר' אושעי' דאמר כולן תשלומין זה לזה וכיון שהוא יכול לעלות ביום ב' של חג [חייב] בשאר הימים אלא לר' יוחנן דאמר כולן תשלומין דראשון הן כדבעינן למימר לקמן האי הכל דקתני במתניתין לאתויי מאי

תורה אור השלם

א) שָׁלֹשׁ רְגָלִים תָּחֹג לִי בַּשָּׁנָה: [שמות כג, יד]
ב) שָׁלֹשׁ פְּעָמִים בַּשָּׁנָה יֵרָאֶה כָּל זְכוּרְךָ אֶל פְּנֵי הָאָדֹן יְיָ: [שמות כג, יז]

וּבֵית הִלֵּל אוֹמְרִים – **But Beis Hillel say:** הָרְאִיָּה מָעָה כֶסֶף – The *olas-re'iyah* must be worth at least one **silver** *ma'ah,* וְהַחֲגִיגָה שְׁתֵּי כֶסֶף – **whereas the** *shalmei* ***chagigah*** must be worth at least **two silver** *maos.*[13]

Gemara The Gemara inquires regarding the first statement of the Mishnah:

הַכֹּל לְאַתּוּיֵי מַאי – **What** does the word **"ALL"** come **to include?**[14]

The Gemara answers:

לְאַתּוּיֵי מִי שֶׁחֶצְיוֹ עֶבֶד וְחֶצְיוֹ בֶּן חוֹרִין – It comes **to include one who is half-slave and half-freeman.**[15]

The Gemara is unsatisfied with this explanation:

וּלְרָבִינָא – **But according to Ravina,** דְּאָמַר מִי שֶׁחֶצְיוֹ עֶבֶד וְחֶצְיוֹ בֶּן חוֹרִין פָּטוּר מִן הָרְאִיָּה – **who said**[16] that **one who is half-slave and half-freeman is exempt from the** mitzvah of **appearing** in the Courtyard, הַכֹּל לְאַתּוּיֵי מַאי – **what** does **"ALL"** come **to include?**

The Gemara answers:

לְאַתּוּיֵי חִיגֵּר בְּיוֹם רִאשׁוֹן – The word "All" comes **to include one who was lame on the first day** of the festival וְנִתְפַּשֵּׁט בְּיוֹם שֵׁנִי **– and was healed**[17]**on the second day.** Although on the first day he was exempt from the mitzvah of *re'iyah,* as per the later ruling of the Mishnah, he is obligated to appear on the second day.

The Gemara is again unsatisfied:

הָנִיחָא לְמַאן דְּאָמַר כּוּלָּן תַּשְׁלוּמִין זֶה לָזֶה – **This** explanation **is good according to the one who said** that **all** obligatory sacrifices brought during the festival **are a fulfillment of one another.**[18] אֶלָּא לְמַאן דְּאָמַר כּוּלָּן תַּשְׁלוּמִין דְּרִאשׁוֹן – **However, according to the one who said** that **all** obligatory sacrifices offered during the festival **are a fulfillment of the first** day's obligation, הַכֹּל לְאַתּוּיֵי מַאי – **what** does **"ALL"** come **to include?**[19]

The Gemara answers:

לְאַתּוּיֵי סוּמָא בְּאַחַת מֵעֵינָיו – It comes **to include a person who is blind in one eye,** teaching that he, too, is obligated to appear in the Temple during the festivals.[20] וּדְלָא כִּי הַאי תַּנָּא – **And [our Mishnah's ruling] is not like** the opinion of **this** other **Tanna,**[21] דְּתַנְיָא – **which was taught in a Baraisa:** יוֹחָנָן בֶּן דַּהֲבַאי אוֹמֵר מִשּׁוּם רַבִּי יְהוּדָה – **YOCHANAN BEN DAHAVAI SAYS IN THE NAME OF R' YEHUDAH:**[22] סוּמָא בְּאַחַת מֵעֵינָיו פָּטוּר מִן הָרְאִיָּה – **A PERSON WHO IS BLIND IN ONE EYE IS EXEMPT FROM THE** mitzvah of **APPEARING** at the Holy Temple during the pilgrimage festivals, שֶׁנֶּאֱמַר ,,יִרְאֶה'' ,,יֵרָאֶה'' – **FOR IT IS STATED**[23] according to the written form *[ALL YOUR MENFOLK] SHALL SEE* God, but according to the pronounced form it is *[ALL YOUR MENFOLK] SHALL BE SEEN* by God.[24] כְּדֶרֶךְ שֶׁבָּא לִרְאוֹת – This analogy teaches that **IN THE MANNER THAT [GOD] COMES,** so to speak, to the Temple **TO SEE** the pilgrims [as implied by the pronounced form], כָּךְ בָּא לֵירָאוֹת – **SO DOES HE COME** to the Temple for His Divine Presence **TO BE SEEN** by the pilgrims [as implied by the written form]. מַה לִּרְאוֹת בִּשְׁתֵּי עֵינָיו – That is, **JUST AS** God comes **TO SEE** the pilgrims **WITH HIS "TWO EYES,"** i.e. with a total vision,[25] אַף לֵירָאוֹת בִּשְׁתֵּי עֵינָיו **– SO TOO MUST HE BE SEEN WITH [THE PILGRIM'S] TWO EYES.**[26]

NOTES

obligated" to bring a *chagigah.*]

[R' Yochanan did not assign a minimum value to the *shalmei simchah* (see Introduction and 2b note 24); rather, each person brings what he can afford (*Meiri*).]

13. The Gemara below (6a) will elaborate on their dispute.

14. The Gemara interprets the general expression "all" as including borderline cases into the category of those people who are obligated in the mitzvah of *re'iyah.* It therefore inquires as to what case or cases are thereby included. See *Arachin* 2a-4a.

15. I.e. he was owned by two brothers (who inherited him jointly from their father) or two partners, and one of the owners emancipated his share (*Rashi* to Mishnah in *Gittin* 41a). Our Mishnah comes to teach that the freed part of him is obligated to appear in the Courtyard.

16. Below, 4a (*Rashi*). [The word אמרינן in, *Rashi's* comment is superfluous, and should be deleted (*MiTzur D'vash,* cited in *Yalkut Yeshayahu*).]

17. Literally: became straight [i.e. his limp disappeared and his gait became smooth].

18. The Mishnah below (9a) states that one who has not brought his *chagigah* offering on the first day of the festival may do so all the days of the festival. [Although the verse cited as the source for this ruling speaks only of the *chagigah* offering, the law of the *olas re'iyah* is derived therefrom, for the obligatory offerings of the festival instruct one as to the other (*Tosafos* ד״ה תשלומין; see *Siach Yitzchak*).] Amoraim there dispute whether the Mishnah means that any offering brought on a subsequent festival day is perforce a fulfillment of the first day's obligation (תַּשְׁלוּמִין דְּרִאשׁוֹן), or whether the first-day obligation becomes a new second-day obligation, and the second-day obligation becomes a third-day obligation, and so on (תַּשְׁלוּמִין זֶה לָזֶה). The legal significance of their dispute involves our very case: where one was lame on the first day of the festival, and so there was no first-day obligation to bring an *olas re'iyah* or *chagigah,* but then he became healed on the second (or a subsequent) day. According to the one who says that an obligation to appear and bring sacrifices is transferred to a later day, each day's obligation becomes an independent one. Thus, one who was healed on the second day becomes obligated even though he was exempt on the first day. This being the case, the Gemara's explanation of the word "All" is satisfactory – "All" is indeed alluding to one who has incurred this deferred obligation. However, according to the one who says that all delayed offerings are merely a "payment" of the first day's obligation, one who is exempt on the first day remains exempt for the entire festival! Thus, "All" cannot be referring to our case of the individual who was lame on the first day (*Rashi*).

19. [As explained in the previous note, this opinion holds that one who was lame on the first day is exempt for the entire festival, for even though he becomes well during the course of the festival, his first-day obligation is not transferred to another day. Thus, the question remains: What does "All" include?] *Tosafos* add that the Mishnah cannot be suggesting a case where one was lame at the beginning of the first day and was healed later that same day, for in that case it is obvious that he must fulfill the mitzvah of *re'iyah* [inasmuch as the first-day obligation is indivisible; there is no need for one part of the day to be considered a "fulfillment" of another].

20. [One might have thought that even partial blindness exempts one from the mitzvah. See following opinion.]

21. [Here the Gemara countenances a contradiction, since one Tanna may dispute another. Above, however, it was concerned that the Mishnah's ruling not conflict with an Amora's opinion [viz. that of Ravina, and the תַּשְׁלוּמִין דְּרִאשׁוֹן dictum], for an Amora cannot rule against a Mishnah.]

22. [In *Sanhedrin* 4b the text reads, "R' Yehudah ben Teima."]

23. A verse that contains the *re'iyah* commandment states (*Exodus* 34:23; see also ibid. 23:17): שָׁלֹשׁ פְּעָמִים בַּשָּׁנָה יֵרָאֶה כָּל־זְכוּרְךָ אֶת־פְּנֵי הָאָדֹן ה׳ אֱלֹהֵי יִשְׂרָאֵל, *Three times a year all your menfolk shall be seen before the Master, Hashem, the God of Israel.*

24. The simplest vowelization of the word יראה as it is written in the Torah would be יִרְאֶה, thus connoting that "every male shall see the face of the Master" (i.e. the pilgrim will see the Divine Presence). [This, according to *Rashi* here, is known as מָסוֹרֶת, the way the text, with its precise spellings, was transmitted.] However, the word is pronounced יֵרָאֶה, which means that "every male shall be seen by the face of the Master" (i.e. the Master [God] will see the pilgrim). [This is known as מִקְרָא, the way the word is pronounced; see *Sanhedrin* 4a and note 2 in Schottenstein ed.] The verse thus establishes an analogy between the pilgrim's seeing and God's seeing (*Rashi*).

25. We find (in *Deuteronomy* 11:12) Scripture describing God's providential awareness in terms of "seeing with His [two] eyes": עֵינֵי ה׳ אֱלֹהֶיךָ בָּהּ, *the eyes of Hashem your God [are upon] it* (*Rashi* to *Sanhedrin* 4b ד״ה יראה כל זכורך).

26. This translation follows *Rashi's* understanding of the written (מָסוֹרֶת) and pronounced (מִקְרָא) forms, which we have explained above in note 24. However, *Tosafos* apparently had a different understanding of

הכל חייבין בראייה חוץ מחרש שוטה וקטן וטומטום ואנדרוגינוס ונשים ועבדים שאינם משוחררים החיגר והסומא והחולה והזקן ומי שאינו יכול לעלות ברגליו איזהו קטן כל שאינו יכול לרכוב על כתפיו של אביו ולעלות מירושלים להר הבית דברי בית שמאי ובית הלל אומרים כל שאינו יכול לאחוז בידו של אביו ולעלות מירושלים להר הבית שנאמר שלש רגלים בית שמאי אומרים הראייה שתי כסף והחגיגה מעה כסף ובית הלל אומרים הראייה מעה כסף והחגיגה שתי כסף: **גמ'** הכל לאתויי מאי לאתויי מי שחציו עבד וחציו בן חורין ולרבינא דאמר מי שחציו עבד וחציו בן חורין פטור מן הראייה הכל לאתויי מאי לאתויי חיגר ביום ראשון ונתפשט ביום שני הניחא למ"ד כולן תשלומין זה לזה אלא למאן דאמר כולן תשלומין דראשון הכל לאתויי מאי לאתויי סומא באחת מעיניו ודלא כי האי תנא דתניא יוחנן בן דהבאי אומר משום ר' יהודה סומא באחת מעיניו פטור מן הראייה שנאמר יראה יראה כדרך שבא לראות כך בא ליראות מה לראות בשתי עיניו אף ליראות בשתי עיניו ואיבעית אימא לעולם כדאמרי מעיקרא ודקא קשיא לך הא דרבינא לא קשיא כאן במשנה ראשונה כאן במשנה אחרונה דתנן מי שחציו עבד וחציו בן חורין עובד את רבו יום אחד ואת עצמו יום אחד דברי בית הלל אמרו להם בית שמאי תקנתם

רש"י

הכל חייבין בראייה. במצות ראיית כל זכורך (שמות כג) שמראים עצמן לעזרה ברגל: חוץ מחרש שוטה וקטן. דלאו בני דעה נינהו ופטורין ממצות: החיגר והסומא. כולה יליף מקראי בגמרא: ומי שאינו יכול לעלות ברגליו. מירושלים לעזרה ובגמרא מפרש להו: אי זהו קטן כו'. אבל מכאן ואילך אף על פי שאינו חייב מן התורה הטילו חכמים על אביו ועל אמו לחנכו במצות: שלש רגלים. הראוי לעלות ברגליו חייב הכתוב וכיון דגדול פטור מן התורה קטן לאו בר חינוך הוא: ב"ש אומרים הראייה שתי כסף. גדול הבא להיראות צריך להביא עולה ואינה פחותה משתי כסף שתי מעות כסף שהן שליש דינר שנאמר ולא יראו פני ריקם (שם) ויליף בגמרא שצריך להביא עולה אע"פ שלא נתנה בו תורה שיעור חכמים נתנו שיעור: והחגיגה. שלמי חגיגה חייבין היחידים להביא ברגל דילפינן לה בשלהי פירקין (דף ט.) מוחגותם אותו חג לה': גמ' ולרבינא דאמר כו'. לקמן אמרינן בפירקין (דף ד.): הניחא למאן דאמר כו'. לקמן אמרינן בפירקין (דף ט.) שיש לקרבנות החג תשלומין כל ז' ואיפליגו בה אמוראי איכא למאן דאמר תשלומין זה לזה ואיכא למאן דאמר (א) תשלומין דראשון ומאי ביניהו חיגר ביום ראשון ונתפשט ביום שני איכא ביניהו מאן דאמר כולן תשלומין לראשון מי שמחויב בראשון ולא הביא יביא באחד משאר הימים ומי שאינו מחויב אינו צריך תשלומין ומאן דאמר תשלומין זה לזה קסבר החובה מוטלת על כל אחד מן שאר הימים ולא על הראשון לבדו הלכך אף מי שפטור בראשון ונראה בשני חייב להביא ואם לא יביא בו יביא למחר: (ב) יראה יראה. [יראה] כתיב וקרינן יראה כל זכורך את פני האדון משמע שהאדם רואה את השכינה יראה כל זכורך את פני האדון משמע שהאדון בא לראותך הקיש הכתוב ראייתך לראייתו: כדרך שבא (ג) לראותך. כך הוא בא ליראות ממך: מה לראותך. בשתי עיניו: אף. כאן ליראות מן האדם בשתי עיניו של אדם: משנה ראשונה. קודם שחזרו ב"ה להורות כדברי ב"ש סיפא דמתני' דקתני חוץ מן העבדים שאינן משוחררים דאוקמא רבינא במי שחציו עבד וחציו בן חורין דפטור כשנית קודם שחזרו ב"ה אבל לאחר שהודו לב"ש שיש על ב"ד לכוף את אדונו לשחררו והוה ליה כאלו משוחרר כבר וחייב ומשנה שנשנית לא זזה ממקומה:

תוספות

הכל חייבין בראייה. פירש רש"י במצות יראה כל זכורך והקשה הר"ר אלחנן דהא תני בסמוך ב"ש אומרים הראייה שתי כסף משמע דבקרבן מיירי ותו תניא בגמרא (ב) הערל וטמא פטורין מן הראייה בשלמא טמא דכתיב (דברים יב) ובאת שמה (ד) כל שישנו בביאה ישנו בהבאה ועוד אמרינן בירושלמי ריש מכילתין בד"א בראיית קרבן אבל בראיית פנים בעזרה הכל חייבין כמו בהקהל האנשים והנשים והטף ותו תניא בגמרא רבי יוסי אומר שלש מצות נצטוו ישראל בעלייתן לרגל ראייה ושמחה וחגיגה יש בראייה מה שאין בשתיהן שהראייה כולה כליל משמע דבסתם ראייה בקרבן מיירי ע"כ נראה לר"ת דמתני' מיירי בקרבן ובעזרה ורש"י דנקט בראיית פנים בעזרה נקט חדא דמשמע תרי ולפטורה דכולהו אתא דאף בראיית פנים בעזרה פטירי וכל שכן בראיית פנים בקרבן וגם יש ליישב דמתני' משמע ליה דבראיית פנים (ה) נמי איירי דקתני בסמוך איזהו קטן כל שאין יכול לילך כו' (ו) משמע דבקטן דאיירי ביה קאמר אלמא בראיית פנים בעזרה איירי שאינו יכול לילך לשם ומיהו שיטת הירושלמי לא יתכן לפי שיטת שמעתא שלנו מפני דברים הרבה דהתם יליף מהקהל לחיוב ואנן לא ילפינן מיניה רק לפטור דחרש ואע"ג דאמרינן לקמן ס"ד אמינא נילף ראיה ראיה מהקהל מה להלן נשים חייבות כו' מ"מ מהתם שמעינן דלפי האמת דלא ילפינן מהקהל לחיוב ועוד היכי מחייבינן נשים בראיית פנים בעזרה מראייה דהקהל דהא ולא יראו הוא דמוקמינן לקמן בראיית פנים לקרבן וממעטינן נשים מזכורך ועוד קשיא ליה דאמרינן לקמן (דף ו.) (ז) מאן אייתי' אמו דמחייב' בשמחה אייתיה ולא קאמר דמחייבא בראיית עזרה משמע דפטורה ועוד בגמרא דקאמר שפטורה מראייה וחייבת בשמחה לפי שיטת הירושלמי הוה מצי למימר שחייבת בראיית עזרה אלא ודאי כולי שמעתין מוכח דפטירי בכולי ראייה כדפרישית: **חוץ** מחרש שוטה וקטן. אין למדין מן הכללות אפילו במקום שנאמר בו חוץ כדאמרינן בריש בכל מערבין (עירובין דף כז.) דהא תנא ושייר מקמן (ח) וכורסי ומי שאין לו קרקע ומיהו אי משום הני לאו שיורא הוה דפסול דגופא קתני לאפוקי הני דפסולן מחמת דבר אחר הוא משום אומנותו וכי תימא הא איכא חרש באזנו אחת וחיגר ברגלו אחת ובעלי קבין כל הני מכללא אתיין וטמא פשיטא ליה לפי שאינו בביאה אינו בהבאה וערל מרבינן בגמרא כי טמא ואליבא דרבי עקיבא אבל כל הני דמתני' רבותא אשמעינן דבעינן מעוטא מקרא: **איזהו** קטן כל שאינו יכול לרכוב. משם והלאה הוה ליה הגיע לחינוך ומדרבנן הוא דמחויב וצריך להביא קרבנותיו נדבה ולמ"ד (ביצה יט.) אין קריבין ביו"ט אין קריבין עד למחר בחול המועד אך קשה למורי למ"ד תשלומין דראשון נינהו כיון דלא מצי קריב בראשון לא קרבי תו כדאמרינן לקמן (דף ט.) גבי חיגר שנתפשט בשני וי"ל דהתם גברא לא חזי הלכך כיון דלא חזי (ט) בראשונה לא חזי בשני אבל הכא כל חיוב שיש בשני ישנו בראשונה אלא משום שאינו היום ראוי עכשיו ודומה לו מצינו בפסחים בפרק אלו דברים (דף ע: ושם) גבי חגיגה פעמים ו' פעמים ז' חל יו"ט הראשון להיות בשבת קרב בששה אלמא אע"ג דלא קרב בראשון קרב בשני כיון דמחמת יום הוא דאתי כדפרישית וליכא למימר דלמ"ד דנדרים ונדבות אין קריבין ביו"ט דרבנן הוא והכא דרבנן תקינו לה שיוכל להביא אף ביו"ט דהא בפ"ק דביצה אן (דף יב. ושם) משמע דמדאורייתא הוא דהא שתי הלחם (ולחם הפנים) לא דחו יו"ט וכי תימא מ"מ כי מייתי להם נדבה היכי סמיך עלה דקטן אינו סומך כדאיתא במנחות בפרק שתי מדות (דף צג.) וי"ל אע"ג דלא סמיך עליה מ"מ דמיא לחינוך בנו ורש"י פירש דאיזהו קטן לא קאי (י) לראייה בראיית קרבן רק לראיית פנים בעזרה:

הכל לאתויי מאי לאתויי מי שחציו עבד וכו'. ואליבא דמשנה אחרונה אע"ג (כ) דמתניתין קאמר איפכא כדדייק בגמרא (דף ד.) מלשון שאינן משוחררים דחצי עבד פטור מ"מ מתרץ רישא לחיוב לפי מה דסבירא ליה השתא ואדיוקא לא חש אלישנא דעבדים שאינן משוחררים:

תשלומין דראשון. ואע"ג דגבי חגיגה הוא דכתיב תשלומין מ"מ ילפינן ראייה מיניה כולן תשלומין דראשון והכא גברא לא חזי הוא וכיון דלא חזי בראשון לא חזי בשני ולא הוה מצי למימר חיגר בשעה ראשונה ונתפשט בשניה דהא פשיטא הוא:

יראה יראה כדרך שבא לראות. פרש"י כדרך שבא הקב"ה לראותך דהיינו בשתי עיניו אף אתה בא (ל) לראותו בשתי עיניך ולא יתכן לר"ת דהא לא שייך ביאה גבי שכינה שבכל מקום הוא ועוד דדריש מסורת קודם אדרבה היו לנו לדרוש המקרא קודם ע"כ גרים ר"ת יראה יראה מה לראות בשתי עיניו שאדם בא להתראות לפני המקום בשתי עיניו של מקום אף האדם בא לראות המקום בשתי עיניו ולא דמי לעובד ועבד (פסחים דף כו:) דדרשינהו תרוייהו מקרא ומסורת דהכא כי הדדי נינהו אבל התם כל חדא חלוק מחבריה:

עין משפט נר מצוה

א א מיי' פ"ב מהלכות חגיגה הלכה א סמג עשין רכו רכט:
ב ב מיי' שם הל' ג:
ג ג מיי' פ"א שם הל' ג סמג שם:
ד ד מיי' שם פ"ב הלכה א סמג שם:
ה ה מיי' שם פ"א הלכה ז סמג שם:
ו ו מיי' שם פ"ב הלכה א סמג שם:

רבינו חננאל

הכל חייבין בראייה חוץ מחרש שוטה וקטן כו'. אתינן לאוקומא למתני' הכל חייבין הכל לאתויי מאי מי שחציו עבד וחציו בן חורין שחייב בראייה. ודחינן ולרבינא דפטור בהאי מאי ומוקים לה לאתויי מי שהיה חגר ביום ראשון ולא היה יכול לעלות בהר הבית שפטור ואם נתפשט ביום שני חייב. ואמרינן הניחא לר' אושעי' דאמר כולן תשלומין זה לזה וכיון שהוא יכול לעלות ביום ב' של חג [חייב] בשאר הימים אלא לר' יוחנן דאמר כולן תשלומין לראשון הן כדבעינן למימר לקמן האי הכל דקתני במתניתין לאתויי מאי

ליקוטי רש"י

בראייה. מצות עשה היא יראה כל זכורך [קידושין לד:]. וטומטום. אטום אינו ניכר בו לא זכרות ולא נקבות וספק זכר ספק נקבה הוא ואיכא למ"ד נמי ספק בריה הוא וכו' [ואיכא למאן דאמר לאו ספק הוא אלא בריה הוא] [רשב"ם ב"ב קכו:]. ואנדרוגינוס. שיש לו זכרות ונקבות [שם קכז.]. מי שחציו עבד כו'. כגון שהיו ב' אחין או ב' שותפין ושחרר א' את חלקו [גיטין מא.]. אבל עבד גמור פטור דכתיב את פני האדון מי שאין לו אדון אלא ה' הוא. ולרבינא דאמר כו'. בפרק קמא דחגיגה (דף ד.) ומייתי לה מסיפא דמתניתין דהתם קתני ועבדים שאינן משוחררים. חיגר. פטור מן הראייה דרגלים כתיב פרט לבעלי קבין [ערכין ב:]. גלוין. וחיגר היינו בעל רגל אחת צולע על ירכו שלש רגלים קרינא ביה [שם בשיטמ"ק מרש"י כת"י]. הניחא למ"ד וכו' זה לזה. אין לך יום בהם שאין חובתו תלויה בו בעצמו למי שלא נראה בימים שלפניו [דיום] ראשון שהוא עיקר להביא ואין לו לדידיה ודמיו שלאחריו תשלומין (לו) [זה לזה] [לקמן ט.]. בפ"ק דחגיגה (דף ט.) דהא דקתני התם חוגג והולך את כל הרגל משום דילה שבעת הימים תשלומין זה לזה ושלישי לשני אלא לראשון ולשלישי חשיב כאלו נעשה דהא אית להו תשלומין ואיכא למימר דמאן דלא חזי בראשון וחזי בשני לא חייב [ערכין שם]. תשלומין דראשון. שביום אחד עשה הכתוב עיקר בכולן דכתיב אותו ושלאחריו תשלומין לו [לקמן ט.]. למי שהוא ראוי להקריב ולא הקריב מקריב [והולך] כל שבעה ומי שלא נראה בראשון שוב אינו חייב דהא כולן אין תשלומין אלא לראשון מאי איכא למימר [ערכין שם]. **יראה יראה.** יראה כל זכורך כתיב, וקרינא יֵרָאֶה [ותרווייהו] דרשינן יֵרָאֶה כל זכורך שיראו פני השכינה יֵרָאֶה משמע שיתראו לפניו שהוא בא לראותו היקיש ראייתך לראיתו כדרך שהקדוש ברוך הוא בא לראותך כך בא ליראות לו מה הוא רואה אותך כשהוא שלם שנאמר (דברים יא) עיני ה' אלהיך בה מראשית אף אתה רואה אותו בשתי עיניך [סנהדרין ד:]. יֵרָאֶה כתיב וקרינא יראה כדרך שהקדוש ב"ה בא לראות אותך והוא שלם בשתי עיניו כך בא ליראות שיהא הוא נראה לך בשתי עיניך. **כמשנה ראשונה.** קודם שהודו ב"ה היה בחזקת עבד אבל אחר שחזרו להודות הואיל ובידינו לשחררו כמשוחרר דמי שאין רשות רבו עליו ולא קרינא ביה אדון אחר [ערכין שם]. **כמשנה אחרונה.** הואיל ובידינו לשחררו הרי הוא כבן חורין [פסחים פח.].

מסורת הש"ס

א) ערכין ג:, ב) [שם], ג) [כגון שהיו שני אחין או שני שותפין ושחרר אחד את חלקו רש"י גיטין מא.], ד) [לקמן ד.], ה) [לקמן ט.], ו) לקמן ז: סנהדרין ד: ערכין ג: [תוספתא פ"א ע"ש], ז) כסנהדרין ד: ע"ש, ח) פסחים פח. גיטין מא. ב"ב יג. ערכין ב: עדיות פ"א מי"ג, ט) [לקמן ז:], י) [לקמן ו:], כ) [דף ד.], ל) [פסחים ח.], מ) [לקמן דף ד:], נ) [ליתא בגירסא כ: ולא במנחות ק.].

הגהות הב"ח

(א) רש"י ד"ה הניחא וכו' ואיכא למאן דאמר כולם תשלומין לראשון הן ומאי בינייהו: (ב) ד"ה יראה יראה כתיב וקרינן יראה כל זכורך וכו' השכינה יראה כל: (ג) ד"ה כדרך שבא לראותך כך הוא בא לראות מקדש מה לראותך בשתי עיניו אף בא לראות מן האדם: (ד) תוס' ד"ה הכל חייבין וכו' ובאת שמה והבאתם שמה כל שישנו וכו' רבי יוסי הגלילי אומר: (ה) בא"ד וגם יש ליישב דמתניתין משמע ליה דבראיית פנים בעזרה איירי כצ"ל ותיבת נמי נמחק: (ו) בא"ד כל שאין יכול לילך כו' אלמא משמע דבקטן דאיירי ביה מדקאמר שאינו יכול לילך כצ"ל ותיבות קאמר אלמא נמחק: (ז) בא"ד דאמרינן לקמן מאן דאיתיה אמו וכו' דמחייבא בראיית פנים בעזרה וכו' ולפי שיטת הירוש' וכו' ראיית פנים בעזרה אלא: (ח) ד"ה חוץ וכו' ושייר מקמן ומלרע בהגהת וכורסי: (ט) ד"ה איזהו וכו' כיון דלא חזי בראשון לא חזי וכו' ישנו בראשון אלא: (י) בא"ד לא קאי אראייה בראיית קרבן רק: (כ) ד"ה הכל לאתויי וכו' אע"ג דפליגא דמתניתין קאמר: (ל) ד"ה יראה וכו' אף אתה בא לראותו אותך בשתי עיניך ולא יתכן וכו' ע"כ גרים ר"ת יראה מה לראות:

הגהות מהר"ב רנשבורג

אן תוס' ד"ה איזהו קטן וכו'. דהא בפ"ק דביצה דף יב ושם. נמחק תיבות בפ"ק דביצה וצ"ל דף כ ע"ב כצ"ל וכן הגיה בשער המלך פ"א מהלכות חגיגה הלכה ד דף ג ע"ש יעו"ש.

תורה אור השלם

א) שָׁלֹשׁ רְגָלִים תָּחֹג לִי בַּשָּׁנָה: [שמות כג, יד]
ב) שָׁלֹשׁ פְּעָמִים בַּשָּׁנָה יֵרָאֶה כָּל זְכוּרְךָ אֶל פְּנֵי הָאָדֹן יְיָ: [שמות כג, יז]

Accordingly, a person blind in even one eye is exempt from the pilgrimage obligation.

The Gemara returns to its first answer:

לְעוֹלָם כִּדְאָמְרֵי מֵעִיקָּרָא וְאִיבָּעִית אֵימָא – And if you prefer, say – that **really** the explanation is **as they said originally,** that "All" comes to include in the mitzvah of *re'iyah* one who is half-slave and half-freeman. **וּדְקָא קַשְׁיָא לָךְ הָא דְּרָבִינָא – And** as for **that which was difficult to you** from **this** opinion **of Ravina,**[27] **לֹא קַשְׁיָא – it is,** in truth, **not difficult. כָּאן כְּמִשְׁנָה רִאשׁוֹנָה** – The ruling **there** later in the Mishnah (as understood by Ravina) **accords with** Beis Hillel's **initial teaching,**[28] **כָּאן כְּמִשְׁנָה אַחֲרוֹנָה** – whereas the ruling **here** from the word "All"[29] **accords with** Beis Hillel's **later teaching.**[30] **דִּתְנַן – For we learned in a Mishnah:**[31] מִי שֶׁחֶצְיוֹ עֶבֶד וְחֶצְיוֹ בֶּן חוֹרִין – ONE WHO IS A HALF-SLAVE AND HALF-FREEMAN עוֹבֵד אֶת רַבּוֹ יוֹם אֶחָד וְאֶת עַצְמוֹ יוֹם אֶחָד – WORKS FOR HIS MASTER ONE DAY AND FOR HIMSELF ONE DAY.[32] דִּבְרֵי בֵּית הִלֵּל – These are THE WORDS OF BEIS HILLEL. אָמְרוּ לָהֶם בֵּית שַׁמַּאי – BEIS SHAMMAI SAID TO THEM:

NOTES

Rashi; see *Maharsha* for this alternative interpretation of *Rashi*. See, however, *Sanhedrin* 4b and *Arachin* 2b, where *Rashi* reiterates the interpretation we have here. See also *Siach Yitzchak* here.

27. Ravina ruled (below, 4a) that a half-slave and half-freeman is exempt from the mitzvah, and the Gemara did not wish to interpret the Mishnah in a way that it would conflict with and refute any Amora's opinion (see note 21 above).

28. Ravina's dictum is based on his understanding of the later clause of the Mishnah that exempts slaves, "except . . . slaves who have not been freed," as referring to a half-slave and half-freeman.

29. Which we suggested comes to include a half-slave and half-freeman in the mitzvah of *re'iyah*.

30. The Gemara now argues that the Mishnah's later ruling, that "slaves who have not been freed" [which Ravina interprets as referring to those who are half-slaves and half-freemen] are exempt from the mitzvah of *re'iyah*, accords only with Beis Hillel's original opinion [that *beis din* does not coerce the remaining owner to emancipate the slave-half]. However, even Ravina will concede that the half-slave exemption became obsolete, since Beis Hillel subsequently admitted to Beis Shammai that *beis din* coerces the owner to free his part (for reasons the Gemara will presently explain). Hence, since the half-slave's emancipation is required and imminent, he is regarded as already completely free, and so the word "All" was added to our Mishnah to teach that even a half-slave and half-freeman is obligated in the mitzvah of *re'iyah*. Nevertheless, the implication of a half-slave exemption was retained in the text of our Mishnah, as per the principle that a Tannaic teaching redacted into the Mishnah is not removed from its place [מִשְׁנָה שֶׁנִּשְׁנֵית לֹא זָזָה מִמְּקוֹמָהּ] (*Rashi*, with *Zeicher L'Chagigah* [cited in *Yalkut Yeshayahu*]). See *Rambam, Hil. Chagigah* 2:1 with *Lechem Mishneh,* and *Meiri* for an entirely different approach.

31. *Gittin* 41a.

32. The rights of master and half-slave half-freeman to the fruits of the latter's labor exist on a time-sharing basis, with each acquiring those fruits on alternate days.

א חייבין בראייה חוץ מחרש שוטה וקטן וטומטום ואנדרוגינוס ונשים ועבדים שאינם משוחררים החיגר והסומא והחולה והזקן ומי שאינו יכול לעלות ברגליו איזהו קטן כל שאינו יכול לרכוב על כתפיו של אביו ולעלות מירושלים להר הבית דברי בית שמאי ובית הלל אומרים ב כל שאינו יכול לאחוז בידו של אביו ולעלות מירושלים להר הבית שנאמר א שלש רגלים בית שמאי אומרים הראייה שתי כסף והחגיגה מעה כסף ובית הלל אומרים ג הראייה מעה כסף והחגיגה שתי כסף: גמ' ג הכל לאתויי מאי לאתויי ד מי שחציו עבד וחציו בן חורין ולרבינא דאמר ה מי שחציו עבד וחציו בן חורין ו פטור מן הראייה הכל לאתויי מאי לאתויי חיגר ביום ראשון ונתפשט ביום שני הניחא למ"ד ז כולן תשלומין זה לזה אלא למאן דאמר ח כולן תשלומין דראשון הן הכל לאתויי מאי לאתויי סומא באחת מעיניו ודלא כי האי תנא דתניא ט יוחנן בן דהבאי אומר משום ר' יהודה י סומא באחת מעיניו פטור מן הראייה שנאמר ב יראה יראה כדרך שבא לראות כך בא ליראות מה לראות בשתי עיניו אף ליראות בשתי עיניו ואיבעית אימא לעולם כדאמרי' מעיקרא ודקא קשיא לך הא דרבינא לא קשיא כאן במשנה ראשונה כאן במשנה אחרונה דתנן כ מי שחציו עבד וחציו בן חורין עובד את רבו יום אחד ואת עצמו יום אחד דברי בית הלל אמרו להם בית שמאי תקנתם

רש"י

הכל חייבין בראייה. במצות ראיית כל זכורך (שמות כג) שלריכים להתראות בעזרה ברגל: חוץ מחרש שוטה וקטן. דלאו בני דעה נינהו ופטורין ממצות: החיגר והסומא. כולה יליף מקראי בגמרא: ומי שאינו יכול לעלות ברגליו. מירושלים לעזרה ובגמרא מפרש להו: אי זהו קטן כו'. אבל מכאן ואילך אף על פי שאינו חייב מן התורה הטילו חכמים על אביו ועל אמו לחנכו במצות: שלש רגלים. הראוי לעלות ברגליו חייב הכתוב וכיון דגדול פטור מן התורה קטן לאו בר חינוך הוא: ב"ש אומרים הראייה שתי כסף. גדול הבא להיראות צריך להביא עולה ואינה פחותה משתי כסף שתי מעות כסף שהן שליש דינר שנאמר ולא יראו פני ריקם (שם) ויליף בגמרא שצריך להביא עולה אע"פ שלא נתנה בה תורה שיעור חכמים נתנו שיעור: והחגיגה. שלמי חגיגה חייבין היחידים להביא ברגל דילפינן לה בשלהי פירקין (דף ט.) מוחגותם אותו חג לה': גמ' ולרבינא דאמר כו'. לקמן אמרינן בפירקין (דף ד.): הניחא למאן דאמר כו'. לקמן אמרינן בפירקין (דף ט.) שיש לקרבנות החג תשלומין כל ז' ואיפליגו בה אמוראי איכא למאן דאמר תשלומין זה לזה ואיכא למאן דאמר (א) תשלומין דראשון הן ואמרינן מאי בינייהו חיגר ביום ראשון ונתפשט ביום שני איכא בינייהו מאן דאמר כולן תשלומין לראשון מי שמחויב בראשון ולא הביא יביא באחד משאר הימים ומי שאינו מחויב אינו צריך תשלומין ומאן דאמר תשלומין זה לזה קסבר החובה מוטלת על כל אחד מן שאר הימים ולא על הראשון לבדו הלכך אף מי שפטור בראשון ונראה בשני חייב להביא ואם לא יביא בו ביום יביא למחר: (ב) יראה יראה. [יִרְאֶה] כתיב וקרינן יֵרָאֶה יראה כל זכורך את פני האדון משמע שהאדם רואה את השכינה יראה כל זכורך את פני האדון משמע שהאדון בא לראותך הקיש הכתוב ראייתך לראייתו: כדרך שבא (ג) לראותך. כך הוא בא לראות ממך: מה לראותך. בשתי עיניו: אף. כאן לראות מן האדם בשתי עיניו של אדם: משנה ראשונה. קודם שחזרו ב"ה להורות כדברי ב"ש סיפא דמתני' דקתני חוץ מן העבדים שאינן משוחררים דאוקמא רבינא במי שחציו עבד וחציו בן חורין דפטור נשנית קודם שחזרו ב"ה אבל לאחר שהודו לב"ש שיש על ב"ד לכוף את אדונו לשחררו והוה ליה כאלו משוחרר כבר וחייב ומשנה שנשנית לא זזה ממקומה:

תוספות

הכל חייבין בראייה. פירש רש"י במצות יראה כל זכורך והקשה הר"ר אלחנן דהא תני בסמוך ב"ש אומרים הראייה שתי כסף משמע דבקרבן מיירי ותו תניא בגמרא הערל וטמא פטורין מן הראייה בשלמא טמא דכתיב (דברים יב) ובאת שמה (ד) כל שישנו בביאה ישנו בהבאה ועוד אמרינן בירושלמי ריש מכילתין בד"א בראיית קרבן אבל בראיית פנים בעזרה הכל חייבין כמו בהקהל האנשים והנשים והטף ותו תניא בגמרא רבי יוסי אומר שלש מצות נצטוו ישראל בעלייתן לרגל ראייה ושמחה וחגיגה יש בראייה שאין בשתיהן שהראייה כולה כליל משמע דסתם ראייה בקרבן מיירי ע"כ נראה לר"ת דמתני' מיירי בקרבן ובעזרה ורש"י דנקט בראיית פנים בעזרה נקט חדא דמשמע תרי ולפטורא דכולהו אתא דאף בראיית פנים בעזרה פטירי וכל שכן בראיית פנים בקרבן וגם יש ליישב דמתני' משמע ליה דבראיית פנים (ה) נמי איירי דקתני בסמוך איזהו קטן כל שאין יכול לילך כו' (ו) משמע דבקטן דאיירי ביה קאמר אלמא בראיית פנים בעזרה איירי שאינו יכול לילך לשם ומיהו לפי שיטת הירושלמי לא יתכן לפי שיטת שמעתתא שלנו מפני דברים הרבה דהתם יליף מהקהל לחיוב ואנן לא ילפינן מיניה רק לפטור מחרש ואע"ג דאמרינן לקמן ס"ד אמינא ניליף ראייה ראייה מהקהל מה להלן נשים חייבות כו' מ"מ מהתם שמעינן דלפי האמת דלא ילפינן מהקהל לחיוב ועוד היכי מחייבינן נשים בראיית פנים בעזרה מראייה דהקהל דהא ולא יראו הוא דמוקמינן לקמן בראיית פנים לקרבן וממעטינן נשים מזכורך ועוד קשיא ליה דאמרינן לקמן (דף ו.) (ז) מאן אייתיה אמו דמחייבא בשמחה אייתיה ולא קאמר דמחייבא בראיית עזרה משמע דפטורה מראייה וחייבת בשמחה ולפי שיטת הירושלמי הוה מצי למימר שחייבת בראיית עזרה אלא ודאי כולי שמעתין מוכח דפטירי בכולי ראייה כדפרישית: **חוץ** מחרש שוטה וקטן. אין למדין מן הכללות אפילו במקום שנאמר בו חוץ כדאמרינן בריש בכל מערבין (עירובין דף כז.) דהא תנא ושייר מקמץ (ח) ובורסי ומי שאין לו קרקע ומיהו אי משום הני לאו שיורא הוא דפסול דגופא קחשיב לאפוקי הני דפסולן מחמת דבר אחר הוא משום אומנותו וכי תימא הא איכא חרש באזנו אחת וחיגר ברגלו אחת ובעלי קבין כל הני מכללא אתיין וטמא פשיטא ליה לפי שאינו בביאה אינו בהבאה וערל מרבינן בגמרא כי טמא ואליבא דרבי עקיבא אבל כל הני דמתני' רבותא אשמעינן דבעינן מעוטא מקרא: **איזהו** קטן כל שאינו יכול לרכוב. מכאן והלאה הוה ליה הגיע לחינוך ומדרבנן הוא דמחויב וצריך להביא קרבנותיו נדבה ולמ"ד (ביצה יט.) אין קריבין ביו"ט אין קריבין עד למחר בחול המועד אך קשה למורי למ"ד תשלומין דראשון נינהו כיון דלא מצי קריב בראשון לא קרבי תו כדאמרינן לקמן (דף ט.) גבי חיגר שנתפשט בשני וי"ל דהתם גברא לא חזי הלכך כיון דלא חזי (ט) בראשונה לא חזי בשני אבל הכא כל חיוב שיש בשני ישנו בראשונה אלא משום שאינו היום ראוי עכשיו ודומה לו מצינו בפסחים בפרק אלו דברים (דף ע: ושם) גבי חגיגה פעמים ו' פעמים ז' חל יו"ט הראשון להיות בשבת קרב בששה אלמא אע"ג דלא קרב בראשון קרב בשני כיון דמחמת יום הוא דאתי כדפרישית וליכא למימר דלמ"ד דנדרים ונדבות אינן קריבין ביו"ט דרבנן הוא והכא דרבנן תקינו לה שיוכל להביא אף ביו"ט דהא בפ"ק דביצה א] (דף יב. ושם) משמע דמדאורייתא הוא דהא שתי הלחם ולחם הפנים לא דחו יו"ט וכי תימא מ"מ כי מייתי להם נדבה היכי סמיך עלה דקטן אינו סומך כדאיתא במנחות בפרק שתי מדות (דף צג.) וי"ל אע"ג דלא סמיך עליה מ"מ דמיא לחינוך בנו ורש"י פירש דאיזהו קטן לא קאי (י) לראייה בראיית קרבן רק לראיית פנים בעזרה:

הכל לאתויי מאי לאתויי מי שחציו עבד וכו'. ואליבא דמשנה אחרונה אע"ג (כ) דמתניתין קאמר איפכא כדדייק בגמרא (דף ד.) מלשון שאינן משוחררים דחצי עבד פטור מ"מ מתרץ רישא לחיוב לפי מה דסבירא ליה השתא ולדיוקא לא חש אלישנא דעבדים שאינן משוחררים:

תשלומין דראשון. ואע"ג דגבי חגיגה הוא דכתיב תשלומין מ"מ ילפינן ראייה מיניה כולן תשלומין דראשון והכא גברא לא חזי הוא וכיון דלא חזי בראשון לא חזי בשני ולא הוה מצי למימר חיגר בשעה ראשונה ונתפשט בשניה דהא פשיטא הוא:

יראה יראה כדרך שבא לראות. פרש"י כדרך שבא הקב"ה לראותך דהיינו בשתי עיניך אף אתה בא (ל) לראותו בשתי עיניך ולא יתכן לר"ת דהא לא שייך ביאה גבי שכינה שבכל מקום הוא ועוד דדריש מסורת קודם אדרבה היו לנו לדרוש המקרא קודם ע"כ גריס ר"ת יראה יראה מה לראות בשתי עיניו שאדם בא להתראות לפני המקום בשתי עיניו של מקום אף האדם בא לראות המקום בשתי עיניו ולא דמי לעובד ועבד (פסחים דף כו:) דדרשינהו תרווייהו מקרא ומסורת דהכא כי הדדי נינהו אבל התם כל חדא חלוק מחבריה:

מסורת הש"ס

א) ערכין ג:, ב) [שם], ג) [כגון שהיו שני אחין או שני שותפין ושחרר אחד את חלקו רש"י גיטין מא.], ד) [לקמן ד.], ה) [לקמן ט.], ו) לקמן ד: סנהדרין ד: ערכין ג: [תוספתא פ"א ע"ש], ז) בסנהדרין ד: אי' בן תימא, ח) פסחים פח. גיטין מא. ב"ב יג. ערכין ב: עדיות פ"א מי"ג, ט) [לקמן ד:], י) [לקמן ו:], כ) [דף ד.], ל) [פסחים ח:], מ) [לקמן דף ד:], נ) [ליתא בביצה כ: ולא במנחות ק:].

הגהות הב"ח

(א) רש"י ד"ה הניחא וכו' ואיכא למאן דאמר כולם תשלומין דראשון הן ואמרינן: (ב) ד"ה יראה יִרְאֶה כתיב וקרינן יֵרָאֶה יִרְאֶה כל זכורך וכו' השכינה יֵרָאֶה כל: (ג) ד"ה כדרך שבא לְרְאוֹתך כך הוא בא לֵרָאוֹת מִמְּךָ מה לִרְאוֹתך בשתי עיניו אף בא לֵרָאוֹת מן האדם: (ד) תוס' ד"ה הכל חייבין וכו' ובאת שמה והבאתם שמה כל שישנו וכו' רבי יוסי הגלילי אומר: (ה) בא"ד וגם יש ליישב דמתניתין משמע ליה דבראיית פנים בעזרה איירי כנ"ל ותיבת נמי נמחק: (ו) בא"ד כל שאין יכול לילך כו' אלמא משמע דבקטן דאיירי ביה בראיית פנים בעזרה איירי מדקאמר שאינו יכול לילך כנ"ל ותיבות קאמר אלמא נמחק: (ז) בא"ד דאמרינן לקמן עד הכא מאן אייתיה אמו וכו' דמחייבא בראיית פנים בעזרה וכו' ולפי שיטת הירוש' וכו' שחייבת בראיית פנים בעזרה אלא: (ח) ד"ה חוץ וכו' ושייר מקמץ ומצרף נחשת ובורסי: (ט) ד"ה איזהו וכו' כיון דלא חזי בראשון לא חזי וכו' ישנו בראשון אלא משום שאין היום ראוי: (י) בא"ד לא קאי לראיית פנים בקרבן רק לראיית פנים בעזרה: (כ) ד"ה הכל לאתויי וכו' אע"ג דסיפא דמתניתין קאמר: (ל) ד"ה יראה וכו' אף אתה בא ליראות לו מה הוא רואה אותך בשתי עיניו אף אתה רואה אותו בשתי עיניך ולא יתכן וכו' ע"כ גריס ר"ת יִרְאֶה יֵרָאֶה מה לִרְאוֹת:

הגהות מהר"ב רנשבורג

א] תוס' ד"ה איזהו קטן וכו'. דהא בפ"ק דביצה דף יב ושם. נמחק תיבות בפ"ק דביצה וצ"ב בפ"ב דביצה דף כ ע"ב כצ"ל וכן הגיה בשער המלך פ"א מהלכות חגיגה הלכה ח דף ס"ג ע"א יעו"ש:

תורה אור השלם

א) שָׁלֹשׁ רְגָלִים תָּחֹג לִי בַּשָּׁנָה: [שמות כג, יד]

ב) שָׁלֹשׁ פְּעָמִים בַּשָּׁנָה יֵרָאֶה כָּל זְכוּרְךָ אֶל פְּנֵי הָאָדֹן יְיָ: [שמות כג, יז]

עין משפט נר מצוה

א א מיי' פ"ב מהלכות חגיגה הלכה א סמג עשין רכח רכט רכט:
ב ב מיי' שם הל' ג:
ג ג מיי' פ"א שם הל' ב סמג שם:
ד ד מיי' שם פ"ב הלכה א סמג שם:
ה ה מיי' שם פ"א הלכה ז סמג שם:
ו ו מיי' שם פ"ב הלכה א סמג שם:

רבינו חננאל

הכל חייבין בראייה חוץ מחרש שוטה וקטן כו'. אתינן לאוקומה למתני' הכל חייבין הכל לאתויי מאי מי שחציו עבד וחציו בן חורין שחייב בראייה. ודחינן ולרבינא דפוטר בהאי מאי ומוקים לה הכל לאתויי מי שהיה חיגר ביום ראשון ולא היה יכול לעלות בהר הבית שפטור ואם נתפשט כלומר נתרפא ביום שני חייב. ואמרינן הניחא לר' אושעי' דאמר כולן תשלומין זה לזה וכיון שהוא יכול לעלות ביום ב' של חג [חייב] בשאר הימים אלא לר' יוחנן דאמר כולן תשלומין דראשון הן כדבעינן למימר לקמן האי הכל דקתני במתניתין לאתויי מאי

ליקוטי רש"י

בראייה. מצות עשה היא יראה כל זכורך [קידושין לד:]. וטומטום. אטום אינו ניכר בו לא זכרות ולא נקבות וספק זכר ספק נקבה הוא ואיכא למ"ד נמי ספק בריה הוא וכו' [ואיכא למאן דאמר לאו ספק הוא אלא בריה הוא] [רשב"ם ב"ב קמ: עיי"ש]. ואנדרוגינוס. שיש לו זכרות ונקבות [שם קכז.]. מי שחציו עבד כו'. כגון שהיו ב' אחין או ב' שותפין ושחרר א' את חלקו [גיטין מא.]. אבל עבד גמור פטור דכתיב את פני האדון ה' מי שאין לו אדון אלא הוא. ולרבינא דאמר כו'. בפרק קמא דחגיגה (דף ד.) ומייתי לה מסיפא דמתניתין דהתם קתני ועבדים שאינן משוחררין. חיגר. פטור מן הראייה דרגלים כתיב פרט לבעלי קבין [ערכין ב:]. גליון: וחיגר היינו בעל קבין אבל צולע על ירכו שלש רגלים קרינא ביה [שם בשיטמ"ק מרש"י כת"י]. הניחא למ"ד וכו' זה לזה. אין לך יום בהם שאין חובתו תלויה בו בעצמו למי שלא נראה בימים שלפניו [דיום] ראשון שהוא נראה להביא עיקר לדידיה וימיו שלאחריו תשלומין (לו) [זה לזה] [לקמן ט.]. בפ"ק דחגיגה (דף ט.) דהא דקתני התם חוגג והולך את כל הרגל משום דכל שבעת הימים תשלומין זה לזה שני לראשון ושלישי לשני אלמא כל חד וחד חשיב באפי נפשיה דהא אית להו תשלומין ואיכא למימר דמאן דלא חזי בראשון וחזי בשני חייב [ערכין שם]. תשלומין דראשון. שהרי יום אחד עשה הכתוב עיקר בכולן דכתיב אותו ושלאחריו עשה תשלומין לו [לקמן ט.]. למי שהוא ראוי ומחוייב בראשון להקריב ולא הקריב מקריב [והולך] כל שבעה ומי שלא נראה בראשון שוב אינו חייב דהא כולן אינן תשלומין אלא לראשון מאי איכא למימר [ערכין שם]. יראה יראה. יראה כל זכורך כתיב, וקרינא יֵרָאֶה [ותרווייהו] דרשינן יִרְאֶה כל זכורך שיראו פני השכינה יֵרָאֶה משמע שיתראו לפניו שהוא בא לראותו היקיש ראייתך לראיתו כדרך שהקדוש ברוך הוא בא לראותך כך בא לראות לו מה הוא רואה אותך כשהוא שלם שנאמר (דברים יא) עיני ה' אלהיך בה מראשית אף אתה רואה אותו בשתי עיניך [סנהדרין ד:]. יֵרָאֶה כתיב וקרינא יראה כדרך שהקדוש ב"ה בא לראות אותך והוא שלם בשתי עיניו כך בא לירְאות שיהא הוא נראה לך בשתי עיניך. במשנה ראשונה. קודם שהודו ב"ה היה בחזקת עבד אבל אחר שחזרו להודות הואיל ובידינו לשחררו כמשוחרר דמי שאין רשות רבו עליו ולא קרינא ביה אדון אחר [ערכין שם]. במשנה אחרונה. הואיל ובידינו לשחררו הרי הוא כבן חורין [פסחים פח.].

עין משפט
נר מצוה

ז א מיי' פ"ז מהלכות עבדים הלכה ז סמג עשין פו טוש"ע י"ד סימן רסז סעיף סב:
ח ב מיי' פ"ב מהלכות חגיגה הלכה ג ופ"ב מהלכות גירושין הלכה טז ופכ"ט מהלכות מכירה הלכה ג טוש"ע אה"ע סימן קכא סעיף ו וחו"מ סימן רלה סעיף יז:
ט ג מיי' פ"ב מהלכות חגיגה הלכה א סמג עשין רכז:
י ד מיי' שם הלכה ד סמג שם:

רבינו חננאל

ואמרינן (לאתויי מאי) לאתויי סומא באחת מעיניו שחייב בראייה ודלא כיוחנן בן דהבאי שהיה פוטרו ואסיקנא לעולם לאתויי חציו עבד וחציו בן חורין שחייב ומתני' כמשנה אחרונה דתנן כופין את רבו ועושהו בן חורין וחזרו ב"ה להורות כדברי בית שמאי דכיון דודאי לשחרור קאי אע"פ שעדיין לא נשתחרר חייב בראייה. ירושלמי מתניתין בראיית קרבן אבל בראיית פנים אפילו קטן אביו חייב להעלותו שנאמר הקהל את העם האנשים והנשים והטף. וסיפא דקתני עבדים שאינן משוחררין לגמרי פטורין כמשנה ראשונה היא שנויה. דרש ר' אלעזר בן עזריה אנשים באין ללמוד ונשים באות לשמוע וטף ליתן שכר למביאיהן. חוץ מחרש אתינן לאוקומא בחרש שאינו לא שומע ולא מדבר הא החרש המדבר ואינו שומע או שומע ואינו מדבר חייב. וא' תנינא להא דתנו רבנן המדבר ואינו שומע זהו חרש שומע ואינו מדבר זהו אלם זה וזה הרי הן כפקחין לכל דבריהם. ואקשינן איני והתניא מדבר ואינו שומע שומע ואינו מדבר פטור מן הראייה ואתא רבינא ותרצה ואמר חסורי מחסרא והכי קתני הכל חייבין בראייה ובשמחה חוץ מחרש

תקנתם את רבו ואת עצמו לא תקנתם לישא שפחה אינו יכול בת חורין אינו יכול ליבטיל והלא לא נברא העולם אלא לפריה ורביה שנאמר א) לא תהו בראה לשבת יצרה אלא מפני תיקון העולם כופין את רבו ועושה אותו בן חורין וכותב לו שטר על חצי דמיו וחזרו בית הלל להורות כדברי בית שמאי: חוץ מחרש שוטה וקטן כו': קתני חרש דומיא דשוטה וקטן מה שוטה וקטן דלאו בני דעה אף חרש דלאו בר דעה הוא וקא משמע לן כדתנן חרש שדיברו חכמים בכל מקום שאינו שומע ואינו מדבר הא מדבר ואינו שומע שומע ואינו מדבר חייב תנינא להא דתנו רבנן המדבר ואינו שומע זהו חרש שומע ואינו מדבר זהו אלם זה וזה הרי הן כפקחין לכל דבריהם וממאי דמדבר ואינו שומע זהו חרש שומע ואינו מדבר זהו אלם דכתיב ב) ואני כחרש לא אשמע וכאלם לא יפתח פיו ואיבעית אימא כדאמרי אינשי אישתקיל מילוליה: מדבר ואינו שומע שומע ואינו מדבר חייב: והתניא מדבר ואינו שומע שומע ואינו מדבר פטור אמר רבינא ואיתימא רבא חסורי מיחסרא והכי קתני הכל חייבין בראייה ובשמחה חוץ מחרש המדבר ואינו שומע שומע ואינו מדבר שפטור מן הראייה ואע"פ שפטור מן הראייה חייב בשמחה ואת שאינו לא שומע ולא מדבר ושוטה וקטן פטור אף מן השמחה הואיל ופטורים מכל מצות האמורות בתורה תניא נמי הכי הכל חייבין בראייה ובשמחה חוץ מחרש המדבר ואינו שומע שומע ואינו מדבר שפטורין מן הראייה ואף על פי שפטורין מן הראייה חייב

תקנתם את רבו ואת עצמו לא תקנתם. כל תקנת רבו כאן היא אבל תקנת העבד אין כאן אם נתקן במשפט הממון לא נתקן בפריה ורביה: לישא שפחה אינו יכול. מפני צד החרות שבו וכתיב לא יהיה קדש וגו' (דברים כג): בת חורין אינו יכול. מפני צד עבדות שבו: לא תהו בראה. לא ברא הקב"ה את הארץ להיות בלא יישוב אלא לשבת יצרה: כדתנן. בריש מסכת תרומות (מ"ב): חרש שדברו בו חכמים בכל מקום. שהשוו אותו לשוטה לפוטרו לא דברו אלא במי שאינו שומע ואינו מדבר הכי קים להו לרבנן דמי שאינו שומע ואינו מדבר דלאו בני דעה נינהו: מדבר ואינו שומע. תחילתו היה פקח עד שלמד לדבר ואח"כ נתחרש: תנינא. במתניתין: להא דתנו רבנן. בברייתא ולמדנו שהברייתא הזאת עיקר וסומכין עליה: זה וזה כפקחים. היינו כמתניתין דלא פטר אלא חרש הדומה לשוטה: ואי בעית אימא. אלם כמשמעו נוטריקון אישתקיל מלוליה ניטל דבורו: פטור. מן הראייה קשיין אהדדי מתניתין וברייתא: אמר רבא. מתניתין דתני אבל ראייה חרש דומיא דשוטה: חסורי מיחסרא והכי קתני. (א) דאע"פ דלא דומה לשוטה פטור וכי תניא מתניתין דומיא דשוטה גבי שמחה הוא דתני ותרי מיני חרש תנא מתניתין וחסורי מיחסרא מתניתין והכי קתני הכל חייבין בראייה חוץ מחרש כל דהו או שומע ואינו מדבר או מדבר ואינו שומע: ואף על פי שהוא פטור. בעולת ראייה לראות:
חייב

תקנתם את רבו. במה שהיה לו מעיקרא יש לו עכשיו שזהו העבדות ואת עצמו לא תקנתם שאינו יכול לישא אשה ואי משום עבדות הא לא איכפת ליה כלל כיון דמעיקרא היה כולו לרב ועכשיו ביומו לעצמו והר"ר משולם גרים תקנתם את עצמו ואת רבו לא תקנתם כלל שגם הרב מפסיד הוולדות:

לישא שפחה אינו יכול. ולמכור עצמו לא מצי כדי לישא שפחה דהא גר אינו נמכר בעבד עברי דבעינן ושב אל משפחתו (ויקרא כה) וליכא כדאיתא באיזהו נשך (ב"מ דף עא.) ועוד מאחר דלא קיים פריה ורביה ביהדות לא נסבינן ליה כנענית לצד חירות שבו ודכוותיה אלינו בפ"ק דקדושין (דף כ.) אין לו אשה ובנים אין רבו מוסר לו שפחה כנענית ואע"ג דישא בת חורין אינו יכול מ"מ ישא בת מינו ליתי לצד חירות ולישתמש בצד חירות ולצד עבדות בצד עבדות דומיא לפרידה שתבעה אין מרביעין עליה לא סוס ולא חמור אלא מינה בפרק אותו ואת בנו (חולין דף עט.) וי"ל דהתם לא קפיד קרא אלא בכלאים דתרי מינים והא ליכא אבל הכא אמאן קפיד קרא אצד חירות דלא לישתמש לצד חירות בעבדות והא איכא ומטעם דשרי הרבעה שרי גם לרכוב על הפרידה ובתוספתא דמסכת כלאים (פ"ה ובירושלמי פ"ח) תניא אמר רבי איסי בן יהודה אסור לרכוב על הפרידה מק"ו ומה במקום שמותר ללבוש שתי חלוקין אסור בתערובתו מקום שאסור לנהוג שני מינים אינו דין שאסור בתערובתו אמרו ליה והא כתיב (ב) והרכבתם את שלמה בני על הפרדה (מלכים א א) אמר להם אין למדים תורה מן ז) התקועה א"ל והא כתיב ה) ויעש הישר בעיני ה' ו):

לישא שפחה אינו יכול. וממזרת לא ישא אע"ג דעבד מותר בממזרת לפי שקדש ועומד כדתנן פרק האומר (קדושין דף סט.) יכולין ממזרים ליטהר כילד ממזר נושא שפחה וולד חירות שרי בה כדתנן פרק עשרה יוחסין (שם) שחרורי וממזרי שרו לבא זה בזה דהא י"ל דאין לנו לתקן כדי להרבות ממזרים בעולם ועוד כיון דתפסי בה קדושין אתי לד עבדות ומשתמש באשת איש ונתינה נמי לא ישא דאע"ג דממזרת ונתינה ושחרורי מותרין לבא זה בזה דהא הוה התפסת קדושין ואתי לד עבדות ומשתמש באשת איש אי נמי נתינה אסור בצד עבדות דלאו קדש ועומד הוא אע"ג דמותר בממזרת משום דלא מקרי קהל מוזהר בלאו דלא יהיה קדש (דברים כג) וא"ת וליתי עשה [דלשבת יצרה] ולידחי לאו דלא יהיה קדש וי"ל דהכא אפשר לקיים שניהם על ידי כפייה אי נמי דלא אתי עשה ודחי לא תעשה אלא כגון מילה בצרעת דבעידנא דמעקר לאו מקיים עשה אבל הכא משעת הערלה עובר ליה בלאו ועשה ליכא עד גמר ביאה:

לא תהו בראה. האי עשה אלים טפי מפרו ורבו כדאמר במגילה בפרק בתרא (דף כז.) מוכר אדם ס"ת לישא אשה וללמוד תורה ומייתי לא תהו בראה אבל י"מ משום דעבד לא מיפקיד אפריה ורביה דאמר ח) היו לו בנים בעבדותו ונשתחרר לא קיים פריה ורביה ולאו מילתא היא דאמר בירושלמי דמו"ק (פ"א) עבד מהו שישא אשה במועד אמר להון נשמעינן מן הדין מתניתין יבטל והלא לא נברא העולם אלא בשביל פריה ורביה ואמר שמעון בר אבא משום רבי יוחנן כל שהוא מצווה על פריה ורביה לא ישא אשה במועד ט) ועוד לישנא דנקט הכא והלא לא נברא העולם אלא בשביל פריה ורביה משמע דלאתרוייהו קאי והא דאמרינן לא קיים פריה ורביה היינו מטעם דבעינן זרעו מיוחס אחריו ואפילו ישראל שיש לו בן מן השפחה אינו קרוי (ג) אחריו ועוד פרו ורבו אכולהו בני נח כתיב אף לכנען:

כופין את רבו. אפילו לשמואל דאמר (גיטין דף לח.) המפקיר עבדו יוצא לחירות וא"צ גט שחרור הכא לשבא ליה עבדו ליה לעשות שחרור גמור ואע"ג דאמרינן (ברכות דף מז:) המשחרר עבדו עובר בעשה ניחא לן לעבד דלא ליעבד העבד איסורא רבה כדאמר בעירובין בפ' בכל מערבין (דף לב:) (ושם) ולא דמי להיא דריש שבת (דף ד. ושם) וכי אמרינן לו לאדם עמוד וחטא בשביל שיזכה חבירך דהתם פושע בדבר הוי שלא היה לו לאפות הפת תלע דשרינן ריש תמיד נשחט (פסחים דף נט. ושם) להקריב לכהן אחר תמיד של בין הערבים כפרת חבירו כדי שיאכל קרבן פסח לערב אע"ג דאיכא עשה דהשלמה י):

כ) נשים ועבדים. לא שייך לאקשויי אמאי תני נשים לשון רבים ותנא קטן (ד) חרש לשון יחיד כדדייק בפרק קמא דנדה (דף ח.) גבי קטנות והכא תנא אשה דהכא תרי ענייני ולא דמי חד לאידך דחרש ושוטה פטור מכל המצות כדאמר לקמן ולקטן לא ידעינן דפטור מקרא רק מק"ו דנשים פטורות דכתיב זכורך ועוד דנשים לא כל שכן דהכי דייקינן בפרק קמא דקדושין (דף לד: ושם) טפלים חייבין נשים לא כל שכן:

כ) ומי שאינו יכול לעלות ברגליו. פרש"י מירושלים לעזרה ובתוספתא נקט דלא מיבעיא מעירו לא מצי סליק לעזרה וה"ה נמי אם הוא אינו יכול לעלות מעירו לירושלים דפטור כדמשמע בגמרא עד הכא מאן לאיתויי: חרש דומיא דשוטה וקטן. במגילה פ"ב (דף יט:) הכל כשרין לקרות את המגילה חוץ מחרש שוטה וקטן כו' לא דייק הכי דהתם ע"כ במדבר קיימינן מדקרא את המגילה ובדמיכה לא הוה מפיק אחרים וכן בחולין (דף ב.) חוץ מחרש שוטה וקטן שמא יקלקלו את שחיטתן לא דייק הכי דהתם הטעם תלוי בכיון שיכול לאמן את ידו לשחוט: המדבר ואינו שומע זהו חרש. בנ"ר מפיק ליה אינו מדבר ואינו שומע דכתיב מי שם פה לאדם או מי ישום אלם או חרש (שמות ד) מי [שם] פה קאי אתרוייהו:

שומע ואינו מדבר פטור מן הראייה וחייב בשמחה. והא דלא קתני נשים דמחייבי בשמחה בתר הכי לא חש להכי למיתני פורסא וכיוצא בזה מלינו בכמה מקומות והיא לקמן (דף ו:) דאמר יש בשמחה שאין בשתיהן שנוהגת באנשים ובנשים מה שאין כן בשתיהן ולא קחשיב חרש מדבר ואינו שומע דהתם בחגיגה נמי מיחייב ולא בעי למיתני יש בשתיהן שאין באחת מהן כגון חרש מדבר ואינו שומע דלא נחית למיתני הך כללא רק מה שבאחת שאין בשתיים והכא כי קאמר דמיחייב בשמחה הוא הדין בחגיגה כדפירשתי אלא שמחה נקט דנשים חייבות וחרש שוטה וקטן פטורי וכי תנינן לעיל זה וזה כפיקחין לכל דבריהן להתחייב בשמחה ובחגיגה קאמר:

גמר

מסורת הש"ס

א) [יבמות לט: גיטין מא. מנחות לג. ערכין ה:], ב) [נדה יג: תרומות פ"א מ"ב], ג) גיטין עא. [תוספתא תרומות פ"א], ד) פי' תוקע עצמו לדבר הלכה, ה) [צ"ל אשר עשה דוד את הישר וכו' מלכים א טו ה], ו) ומשמי (בירושלמי שם) ברי' משמש ימי בראשית היתה [ובתוספתא לא משני כלום ע"ש], ז) [יבמות סב. וע"ש בתו' ד"ה הכל מודין בעבד שאין לו חייס], ח) [עיין לא תהו], ט) [ועי' תוספות פסחים פח: ד"ה כופין], י) [שייך לעיל במשנה ועיין תוי"ט], כ) [שייך למתני'].

הגהות הב"ח

(א) רש"י ד"ה חסורי מחסרא והכי קתני דבגי ראייה וכו' פ"ט דלא: (ב) תוס' ד"ה לישא שפחה אינו יכול ולמכור וכו' אמר ליה והא כתיב אשר עשה דוד את הישר בעיני ה' ולא סר מכל אשר צוהו כל ימי חייו רק בדבר אוריה החתי הס"ד וכ"ב עיין בר"ש פ' ח' דכלאים פי' תוקע עצמו לדבר הלכה ולי נראה שדוד [עשה זאת על פי] רבו עירא היאירי שהיה מעיר תקוע: (ג) ד"ה לא תהו וכו' בן מן השפחה אינו מיוחס אחריו: (ד) ד"ה נשים וכו' ותנא קטן שוטה חרש לשון יחיד:

תורה אור השלם

א) כִּי כֹה אָמַר יְיָ בּוֹרֵא הַשָּׁמַיִם הוּא הָאֱלֹהִים יֹצֵר הָאָרֶץ וְעֹשָׂהּ הוּא כוֹנְנָהּ לֹא תֹהוּ בְרָאָהּ לָשֶׁבֶת יְצָרָהּ אֲנִי יְיָ וְאֵין עוֹד: [ישעיה מה, יח]
ב) וַאֲנִי כְחֵרֵשׁ לֹא אֶשְׁמָע וּכְאִלֵּם לֹא יִפְתַּח פִּיו: [תהלים לח, יד]

ליקוטי רש"י

תקנתם את רבו. שאינו מפסיד כלום מן הלאו [פסחים פח:]. שאינו חסר כלום [גיטין מא.]. ואת עצמו לא תקנתם. מה תקנת עליו. לישא שפחה אינו יכול. לצד חירות אסור בה דכתיב (דברים כג) לא יהיה קדש לא יקבל איתתא אמה [פסחים שם]. מפני צד חירות שבו. בת חורין אינו יכול. לישא מפני צד עבדות שבו. לא תהו בראה. יוצר הארץ לא ברא אותה כי אם לשבת להיות בה ישוב יצרה [ישעיה מה, יח]. כי לשבת יצרה [גיטין מא.]. בכל מקום. להוציא מכלל בן דעת [נדה יג:]. המדבר ואינו שומע זהו חרש. ולא זהו חרש שדברו בו חכמים בכל מקום והשוו אותו לשוטה לפטרו אלא המוקח לכל דבריו [גיטין עא.]. ואני כחרש. ישראל שומעים חרפתם מן המחרפים ואינם משיבים [תהלים לח, יד].

תִּקַּנְתֶּם אֶת רַבּוֹ – YOU HAVE completely[1] **REMEDIED** the situation of **HIS MASTER** with this arrangement,[2] **וְאֶת עַצְמוֹ לֹא תִקַּנְתֶּם – BUT YOU HAVE NOT** completely **REMEDIED** the situation of the half-slave **HIMSELF.**[3] **לִישָּׂא שִׁפְחָה אֵינוֹ יָכוֹל** – On the one hand, **HE IS UNABLE TO MARRY A SLAVEWOMAN,** because half of him is a freeman, and she is prohibited to his free half.[4] **בַּת חוֹרִין אֵינוֹ יָכוֹל** – On the other hand, **HE IS UNABLE TO MARRY A FREE WOMAN,** because half of him is still a slave.[5] **לִיבָּטֵל – SHALL HE REMAIN IDLE** and not marry at all? **וַהֲלֹא לֹא נִבְרָא הָעוֹלָם אֶלָּא לִפְרִיָּה וּרְבִיָּה – BUT SURELY THE WORLD WAS NOT CREATED EXCEPT FOR PROPAGATION,** **שֶׁנֶּאֱמַר ,,לֹא תֹהוּ בְרָאָהּ לָשֶׁבֶת יְצָרָהּ" – AS IT IS STATED:**[6] ***HE*** (God) ***DID NOT CREATE IT*** (the world) ***TO BE DESOLATE; HE FORMED IT TO BE INHABITED!***[7] **אֶלָּא מִפְּנֵי תִּיקּוּן הָעוֹלָם – RATHER, FOR THE BETTERMENT OF SOCIETY,**[8] **כּוֹפִין אֶת רַבּוֹ וְעוֹשֶׂה אוֹתוֹ בֶּן חוֹרִין – WE COMPEL HIS MASTER TO MAKE HIM** a completely **FREE MAN.**[9] **וְכוֹתֵב לוֹ שְׁטָר עַל חֲצִי דָמָיו – AND** to compensate the master for his loss, **[THE SLAVE]** must **WRITE A NOTE** to the master **FOR HALF HIS VALUE.**[10] **וְחָזְרוּ בֵּית הִלֵּל לְהוֹרוֹת כְּדִבְרֵי בֵּית שַׁמַּאי – AND BEIS HILLEL** subsequently **REVERSED** themselves **TO RULE IN ACCORDANCE WITH THE OPINION OF BEIS SHAMMAI.**[11]

The Gemara now discusses the first exemption listed in the Mishnah:

חוּץ מֵחֵרֵשׁ שׁוֹטֶה וְקָטָן כו׳ – EXCEPT FOR A *CHEIREISH*, A DERANGED PERSON AND A MINOR etc.

The Gemara explains which *cheireish* is meant:[12]

קָתָנֵי חֵרֵשׁ דּוּמְיָא דְּשׁוֹטֶה וְקָטָן – [The Mishnah] taught of a *cheireish* that is similar to a deranged person and a minor:[13] **מָה שׁוֹטֶה וְקָטָן דְּלָאו בְּנֵי דֵּעָה – Just as a deranged person and a minor are not mentally competent,** **אַף חֵרֵשׁ דְּלָאו בַּר דֵּעָה הוּא – so, too,** the ***cheireish*** of our Mishnah is **one who is not mentally competent.** Thus, the *cheireish* is exempt because of mental incompetence. **וְקָא מַשְׁמַע לָן כִּדְתְנַן – And [the Mishnah] teaches us** implicitly **that which we learned in** another **Mishnah:**[14] **חֵרֵשׁ שֶׁדִּיבְּרוּ חֲכָמִים בְּכָל מָקוֹם – THE DEAF PERSON OF WHICH THE SAGES SPOKE IN ALL PLACES,** declaring him mentally incompetent, **שֶׁאֵינוֹ שׁוֹמֵעַ וְאֵינוֹ מְדַבֵּר** – is one **WHO CANNOT HEAR AND CANNOT SPEAK.**[15] **הָא מְדַבֵּר וְאֵינוֹ שׁוֹמֵעַ – This** implies that **one who speaks but cannot hear,**[16] **שׁוֹמֵעַ וְאֵינוֹ מְדַבֵּר** – or **one who hears but cannot speak,** **חַיָּיב – is obligated** to appear in the Courtyard during the festivals.

The Gemara points out that our Mishnah supports a Baraisa:[17]

תָּנִינָא לְהָא דְּתָנוּ רַבָּנָן – Thus, **we learn** in our Mishnah **this that the Rabbis taught** in a Baraisa: **הַמְדַבֵּר וְאֵינוֹ שׁוֹמֵעַ זֶהוּ חֵרֵשׁ – ONE WHO SPEAKS BUT CANNOT HEAR – THIS IS** called **A *CHEIREISH;*** **שׁוֹמֵעַ וְאֵינוֹ מְדַבֵּר זֶהוּ אִלֵּם – ONE WHO HEARS BUT CANNOT SPEAK – THIS IS** called **AN *ILLEIM.*** **זֶה וָזֶה הֲרֵי הֵן כְּפִקְחִין לְכָל דִּבְרֵיהֶם – BOTH THIS** *cheireish* **AND THIS** *illeim* **ARE CONSIDERED MENTALLY COMPETENT FOR ALL THEIR AFFAIRS.**[18]

NOTES

1. *Rashi.*

2. I.e. the master loses nothing through this arrangement, since he still receives his rightful share of the slave's work (*Rashi* to *Gittin* ibid. and *Pesachim* 88b, and *Tosafos* here).

3. While the arrangement successfully addresses the financial issue created by the half-emancipation, it does not resolve the propagation dilemma, which Beis Shammai will now delineate (*Rashi*).

4. A free Jew is prohibited to marry a Canaanite slave woman. This law is taught by the verse, וְלֹא־יִהְיֶה קָדֵשׁ מִבְּנֵי יִשְׂרָאֵל, *And there shall not be a promiscuous man among the sons of Israel* (*Deuteronomy* 23:18) [*Rashi*], which *Targum Onkelos* translates interpretively: "A Jewish man shall not marry a slavewoman." *Rashi* ad loc. explains the *Targum*: A Jewish man is rendered "promiscuous" by having relations with a slave woman, because all their cohabitations are immoral, since it is impossible to effect a legal marriage with her. See also *Rambam, Hil. Issurei Biah* 12:13.

Tosafos (to *Gittin* 41a and *Bava Basra* 13a) ask why the positive commandment of פְּרוּ וּרְבוּ, *Be fruitful and multiply* (see note 7 below), does not override the negative commandment of וְלֹא־יִהְיֶה קָדֵשׁ, *And there shall not be a promiscuous man* etc., pursuant to the rule of עֲשֵׂה דּוֹחֶה לֹא תַעֲשֶׂה (*a positive commandment overrides a prohibition*). [*Tosafos* here cite the verse quoted in our Gemara (*He did not create it* . . .) in asking the question. See, however, *Minchas Chinuch* 1:15, who avers that their question is baseless because *He did not create it* . . . is not a Biblical positive commandment.] *Tosafos* explain that the rule is not applied here because it is possible to fulfill the positive commandment without transgressing the negative commandment – viz. by forcing the master to free his half of the slave (see *Tosafos* for an alternative answer, with an extensive discussion thereof by *Turei Even* and *Sfas Emes*).

5. And a free Jewish woman may not marry a Canaanite slave (see *Rashi*).

6. *Isaiah* 45:18.

7. God's plan was that people beget children and populate the world (*Rashi*). [Hence, since it is of paramount importance that the slave marry, we must remove any obstacle to his doing so.]

Tosafos note that although even the slave half of this individual is obligated in the Biblical mitzvah of פְּרוּ וּרְבוּ, *Be fruitful and multiply* (*Genesis* 9:7), the Mishnah cites the *Isaiah* verse instead because it conveys the fundamental importance of the commandment (see *Tosafos* to *Gittin* 41b ד״ה לא תוהו). See, however, *Tosafos* to *Gittin* 41b (ד״ה לא), where they take the opposite position – that Canaanite slaves are *not* obligated by the *Genesis* verse [and therefore the Mishnah cited the *Isaiah* verse because it imposes a propagation requirement on the slave half as well]. Cf. *Tosafos'* discussion here.

8. I.e. to enable the slave to fulfill his obligation to propagate, a fulfillment of God's plan for the world.

9. [I.e. with a bill of emancipation (*Tosafos*).] Even though the master thereby violates the positive commandment of לְעֹלָם בָּהֶם תַּעֲבֹדוּ, *you shall work with them* (Canaanite slaves) *forever* (*Leviticus* 25:46; see *Berachos* 47b), it is better that he commit this (relatively) minor infraction than the slave commit a major one [by abstaining from the great mitzvah of populating the world] (ibid.). See *Ran* to *Gittin* (folio 20b) for a different explanation. See *Turei Even* (ד״ה עוד תירץ ר״י) and *Sfas Emes* for an extensive discussion of *Tosafos.*

10. The Sages compel the master to free his slave to enable the slave to marry; they do not compel him to incur a financial loss thereby. The newly freed slave thus becomes indebted to the master for the market value of that half of him that his master emancipated.

11. Thus, Ravina's inference from the later ruling of the Mishnah ("and slaves who have not been freed") accorded with Beis Hillel's original opinion, while the word "All" comes to include a person who is half-slave and half-free pursuant to Beis Hillel's revised opinion (see above, 2a note 30).

12. The word חֵרֵשׁ literally means a deaf person. However, it is unclear whether our Mishnah refers to one who is only deaf, as does the Mishnah in *Megillah* (19b), or whether it refers to a deaf-mute, who is also called a חֵרֵשׁ (see *Tosafos* and *Turei Even*).

13. Since the Mishnah taught these three cases together, it implies that a common factor exempts them from the mitzvah of appearing in the Holy Temple.

14. *Terumos* 1:2.

15. I.e. whenever the Rabbis equated a *cheireish* to a deranged person to exempt him from a mitzvah, they perforce had in mind a deaf-mute, for the Rabbis accepted as an established fact that a deaf-mute is mentally incompetent (*Rashi*). Thus, we see that *cheireish* is exempt because of mental incompetence.

16. Initially this person was fully functioning and learned to speak, and only afterward became deaf (*Rashi*).

17. And since the Mishnah corresponds with the Baraisa, it proves that the Baraisa is accurate and can be relied upon (*Rashi*). Cf. *Turei Even,* cited in following note.

18. This Baraisa, then, accords with our Mishnah, which exempts only the type of *cheireish* that resembles a deranged person [viz. one who neither speaks nor hears, and thus is adjudged mentally incompetent] (*Rashi*). See *Turei Even,* who poses several questions on this interpre-

תקנתם את רבו ואת עצמו לא תקנתם לישא שפחה אינו יכול בת חורין אינו יכול ליבטל והלא לא נברא העולם אלא לפריה ורביה שנאמר א) לא תהו בראה לשבת יצרה א אלא מפני תיקון העולם כופין את רבו ועושה אותו בן חורין וכותב לו שטר על חצי דמיו וחזרו בית הלל להורות כדברי בית שמאי: חוץ מחרש שוטה וקטן כו': קתני חרש דומיא דשוטה וקטן מה שוטה וקטן ט) דלאו בני דעה אף חרש דלאו בר דעה הוא וקא משמע לן כדתנן ג) חרש שדיברו חכמים בכל מקום שאינו שומע ואינו מדבר הא מדבר ואינו שומע שומע ואינו מדבר חייב תנינא להא דתנו רבנן ג המדבר ואינו שומע זהו חרש שומע ואינו מדבר זהו אלם ב זה וזה הרי הן כפקחין לכל דבריהם וממאי דמדבר ואינו שומע זהו חרש שומע ואינו מדבר זהו אלם דכתיב ב) ואני כחרש לא אשמע וכאלם לא יפתח פיו ואיבעית אימא כדאמרי אינשי אישתקיל מילוליה: מדבר ואינו שומע שומע ואינו מדבר חייב: והתניא ג מדבר ואינו שומע שומע ואינו מדבר פטור אמר רבינא ואיתימא רבא חסורי מיחסרא והכי קתני הכל חייבין בראייה ובשמחה חוץ מחרש המדבר ואינו שומע ואינו מדבר שפטור מן הראייה ואע"פ שפטור מן הראייה חייב בשמחה ד ואת שאינו לא שומע ולא מדבר ושוטה וקטן פטור אף מן השמחה הואיל ופטורים מכל מצות האמורות בתורה תניא נמי הכי הכל חייבין בראייה ובשמחה חוץ מחרש המדבר ואינו שומע ואינו מדבר שפטורין מן הראייה ואף על פי שפטור מן הראייה חייב

רש"י

תקנתם את רבו ואת עצמו לא תקנתם. כל תקנת רבו כאן היא אבל תקנת העבד אין כאן אם נתקן במשפט הממון לא נתקן בפריה ורביה: לישא שפחה אינו יכול. מפני צד החרות שבו וכתיב לא יהיה קדש וגו' (דברים כג): בת חורין אינו יכול. מפני צד עבדות שבו: לא תהו בראה. לא ברא הקב"ה את הארץ להיות בלא יישוב אלא לשבת יצרה: כדתנן. בריש מסכת תרומות (מ"ב): חרש שדברו בו חכמים בכל מקום. שהשוו אותו לשוטה לפוטרו לא דברו אלא במי שאינו שומע ואינו מדבר הכי קים להו לרבנן דמי שאינו שומע ואינו מדבר דלאו בני דעה נינהו: מדבר ואינו שומע. מתחלתו היה פקח עד שלמד לדבר ואח"כ נתחרש: תנינא. במתניתין להא דתנו רבנן. בברייתא ולמדנו שהברייתא הזאת עיקר וסומכין עליה: זה וזה כפקחים. היינו כמתניתין דלא פטר אלא חרש הדומה לשוטה: ואי בעית אימא. אלם כמשמעו נוטריקון אישתקיל מלוליה ניטל דבורו: פטור. מן הראייה קשיין אהדדי מתניתין וברייתא: אמר רבא. מתניתין דתני אלא ראייה חרש דומיא לשוטה: חסורי מיחסרא והכי קתני. (א) דאע"פ דלא דומה לשוטה פטור וכי תניא מתניתין דומיא לשוטה גבי שמחה הוא דתני ותרי מיני חרש תנא מתניתין וחסורי מיחסרא מתניתין והכי קתני הכל חייבין בראייה חוץ מחרש כל דהו או שומע ואינו מדבר או מדבר ואינו שומע: ואף על פי שהוא פטור. בעולת ראייה לראות:

תוספות

תקנתם את רבו. כמה שהיה לו מעיקרא יש לו עכשיו שזהו העבדות ואת עצמו לא תקנתם שאינו יכול לישא אשה ואי משום עבדות הא לא איכפת ליה כלל כיון דמעיקרא היה כולו לרב ועכשיו ביומו לעצמו והר"ר משולם גרים תקנתם את עצמו ואת רבו לא תקנתם כלל שגם הרב מפסיד הוולדות:

לישא שפחה אינו יכול. ולמכור עצמו לא מצי כדי לישא שפחה דהא גר אינו נמכר בעבד עברי דבעינן ושב אל משפחתו (ויקרא כה) וליכא כדאיתא באיזהו נשך (ב"מ דף עא.) ועוד מאחר דלא קיים פריה ורביה ביהודית לא נסבין ליה כנענית לצד חירות שבו ודכוותה מלינו בפ"ק דקדושין (דף כ.) אין לו אשה ובנים אין רבו מוסר לו שפחה כנענית וא"ת ישא בת מינו ליתי צד חירות ולשמש בצד חירות וצד עבדות בצד עבדות דומיא דפרידה שתבעה אין מרביעין עליה לא סוס ולא חמור אלא מינה בפרק אותו ואת בנו (חולין דף עט.) וי"ל דהתם לא קפיד קרא אלא בכלאים דתרי מינים והא ליכא אבל הכא אמאן קפיד קרא אצד חירות דלא לישתמש צד חירות בעבדות והא איתא ומטעם דשרי הרבעה שרי גם לרכוב על הפרידה ותוספתא דמסכת כלאים (פ"ה וירושלמי פ"ח) תניא אמר רבי איסי בן יהודה אסור לרכוב על הפרידה מק"ו ומה במקום שמותר ללבוש שני חלוקין אסור בתערובתן מקום שאסור לנהוג שני מינים אינו דין שאסור בתערובתן אמרו ליה והא כתיב (ג) והרכבתם את שלמה בני על הפרדה (מלכים א א) אמר להם אין למדים תורה מן ד) התקועה א"ל והא כתיב ה) ויעש הישר בעיני ה' ו):

לישא שפחה אינו יכול. וממזרת לא ישא אע"ג דעבד מותר בממזרת לפי שקדש ועומד כדתנן פרק האומר (קדושין דף סט.) יכולין ממזרים ליטהר כיצד ממזר נושא שפחה וצד חירות שרי בה כדתנן פרק עשרה יוחסין (שם) שחרורי וממזרי שרו לבא זה בזה דהא י"ל דאין לנו לתקן כדי להרבות ממזרים בעולם ועוד כיון דתפסי בה קדושין אתי צד עבדות ומשתמש באשת איש ונתינה נמי לא ישא דאע"ג דממזרת ונתינה ושחרורי מותרין לבא זה בזה דהא הוה התפסת קדושין ואתי צד עבדות ומשתמש באשת איש אי נמי נתינה אסור בצד עבדות דלאו קדש ועומד הוא אע"ג דמותר בממזרת משום דלא מקרי קהל מוזהר בלאו דלא יהיה קדש (דברים כג) וא"ת וליתי עשה [דלשבת יצרה] ולידחי לאו דלא יהיה קדש וי"ל דהכא אפשר לקיים שניהם על ידי כפייה אי נמי דלא אתי עשה ודחי לא תעשה אלא כגון מילה בצרעת דבעידנא דמעקר לאו מקיים עשה אבל הכא משעת הערלה עובר ליה בלאו ועשה ליכא עד גמר ביאה:

לא תהו בראה. האי עשה אלים טפי מפרו ורבו כדאמר במגילה בפרק בתרא (דף כז.) מוכר אדם ס"ת לישא אשה וללמוד תורה ומייתי לה תהו בראה אבל י"מ משום דעבד לא מיפקיד אפריה ורביה דאמר ז) היו לו בנים בעבדותו ונשתחרר לא קיים פריה ורביה ולאו מילתא היא דאמר בירושלמי דמו"ק (פ"א) עבד מהו שישא אשה במועד אמר להון נשמעינן מן הדין מתניתין יבטל והלא לא נברא העולם אלא בשביל פריה ורביה ואמר שמעון בר אבא משום רבי יוחנן כל שהוא מצווה על פריה ורביה לא ישא אשה במועד ח) ועוד לישנא דנקט הכא והלא לא נברא העולם אלא בשביל פריה ורביה משמע דאתרוייהו קאי והא דאמרינן לא קיים פריה ורביה היינו מטעם דבעינן זרעו מיוחס אחריו ואפילו ישראל שיש לו בן מן השפחה אינו קרוי (ג) אחריו ועוד פרו ורבו אכולהו בני נח כתיב אף לכנען:

כופין את רבו. אפילו לשמואל דאמר (גיטין דף לח.) המפקיר עבדו יוצא לחירות וא"צ גט שחרור הכא דטבא ליה עבדו ליה לעשות שחרור גמור ואע"ג דאמרינן (ברכות דף מז:) המשחרר עבדו עובר בעשה ניחא לן דליעבד הרב איסורא זוטא ולא ליעבד העבד איסורא רבה כדאמר בעירובין בפ' בכל מערבין (דף לב: ושם) ולא דמי להיא דריש שבת (דף ד. ושם) וכי אמרינן לו לאדם עמוד וחטא בשביל שיזכה חבירך דהתם פושע בדבר הוי שלא היה לו לאפות הפת תדע דשרינן ריש תמיד נשחט (פסחים דף נט. ושם) להקריב לכהן אחר תמיד של בין הערבים כפרת חבירו כדי שיאכל קרבן פסח לערב אע"ג דאיכא עשה דהשלמה ט):

י) נשים ועבדים. לא שייך לאקשויי אמאי תני נשים לשון רבים ותנא קטן (ד) חרש לשון יחיד כדדייק בפרק קמא דנדה (דף ח.) גבי קטנות והכא תנא אשה דהכא תרי ענייני ולא דמי חד לאידך דחרש ושוטה פטור מכל המצות כדאמר לקמן וקטן לא ידעינן דפטור מקרא רק מק"ו דנשים פטורות דכתיב זכורך טפלים לא כל שכן דהכי דייקינן בפרק קמא דקדושין (דף לד: ושם) טפלים חייבין נשים לא כל שכן:

כ) ומי שאינו יכול לעלות ברגליו. פרש"י מירושלים לעזרה ורבותא נקט דלא מיבעיא מעירו דלא מצי סליק לעזרה וה"ה נמי אם הוא אינו יכול לעלות מעירו לירושלים דפטור כדמשמע בגמרא עד הכא מאן אייתי: חרש דומיא דשוטה וקטן. במגילה פ"ב (דף יט:) הכל כשרין לקרות את המגילה חוץ מחרש שוטה וקטן כו' לא דייק הכי דהתם ע"כ במדבר קיימינן מדקרא את המגילה וברמיזה לא הוה מפיק אחרים וכן בחולין (דף ב.) חוץ מחרש שוטה וקטן שמא יקלקלו את שחיטתן לא דייק הכי דהתם הטעם תלוי בכיון שיוכל לאמן את ידו לשחוט: המדבר ואינו שומע זהו חרש. בב"ר מפיק ליה אינו מדבר ואינו שומע דכתיב מי שם פה לאדם או מי ישום אלם או חרש (שמות ד) מי [שם] פה קאי לתרוייהו:

שומע ואינו מדבר פטור מן הראייה וחייב בשמחה. והא דלא קתני נשים דמחייבי בשמחה בתר הכי לא תא להכי למיתני סורסא וכיוצא בזה מלינו בכמה מקומות והסיא לקמן (דף ו:) דאמר יש בשמחה שאין בשתיהן שנוהגת באנשים ובנשים מה שאין כן בשתיהן ולא קחשיב חרש מדבר ואינו שומע דהתם בחגיגה נמי מיחייב ולא בעי למיתני יש בשתיהן שאין בשמחה כגון חרש מדבר ואינו שומע דלא נחית למיתני הך כללא רק מה שבאלא שאין בשתים והכא כי קאמר דמיחייב בשמחה הוא הדין בחגיגה כדפירשתי אלא שמחה נקט דנשים חייבות וחרש שוטה וקטן פטורי וכי תנינן לעיל זה וזה כפיקחין לכל דבריהן להתחייב בשמחה ובחגיגה קאמר:

עין משפט נר מצוה

ז א מיי' פ"ז מהלכות עבדים הלכה ז סמג עשין פז טוש"ע י"ד סימן רסז סעיף סב:
ח ב מיי' פ"ב מהלכות אישות הלכה כו ופ"ב מהלכות גירושין הלכה טז ופכ"ט מהלכות מכירה הלכה ב ג טוש"ע א"ה סימן קכא סעיף ו וחו"מ סימן רלה סעיף יח:
ט ג מיי' פ"ב מהלכות חגיגה הלכה א סמג עשין רכו:
י ד מיי' שם הלכה ד סמג שם:

רבינו חננאל

ואמרינן (לאתויי מאי) לאתויי סומא באחת מעיניו שחייב בראייה ודלא כיוחנן בן דהבאי שהיה פוטרו ואסיקנא לעולם לאתויי חציו עבד וחציו בן חורין שחייב ומתני' כמשנה אחרונה דתנן כופין את רבו ועושהו בן חורין וחזרו ב"ה להודות לדברי בית שמאי דכיון דודאי לשחרור קאי אע"פ שעדיין לא נשתחרר חייב בראייה: ירושלמי מתניתין בראיית קרבן אבל בראיית פנים אפילו קטן אביו חייב להעלותו שנאמר הקהל את העם האנשים והנשים והטף. וסיפא דקתני עבדים שאינן משוחררין לגמרי פטורין כמשנה ראשונה היא שנויה. דרש ר' אלעזר בן עזריה אנשים באין ללמד ונשים באות לשמוע וטף ליתן שכר למביאיהן. חוץ מחרש אתינן לאוקומא בחרש שאינו לא שומע ולא מדבר הא החרש המדבר ואינו שומע או שומע ואינו מדבר חייב. וא' תנינא להא דתנו רבנן חרש מדבר ואינו שומע זהו חרש שומע ואינו מדבר זהו אלם זה וזה הרי הן כפקחין לכל דבריהם. ואקשינן איני והתניא מדבר ואינו שומע שומע ואינו מדבר פטור מן הראייה ואתא רבינא ותרצה ואמר חסורי מחסרא והכי קתני הכל חייבין בראייה ובשמחה חוץ מחרש

מסורת הש"ס

א) [יבמות לט: גיטין כג. מנחות לג. ערכין ה:], ב) [נדה יג: תרומות פ"א מ"ב], ג) גיטין עא. [תוספתא תרומות פ"א], ד) פי' תוקע עצמו לדבר הלכה, ה) [נ"ל אשר עשה דוד את הישר וכו' מלכים א טו ה], ו) [ומשני (בירושלמי שם) בר' משעת ימי בראשית היתה] ובתוספתא לא משני כלום ע"ז, ז) [יבמות סב. וע"ש בתו' ד"ה הכל מודין בעבד שאין לו חיים], ח) [עיין תוספות גיטין מא: ד"ה לא תהו], ט) [ועי' תוספות פסחים פח: ד"ה כופין], י) [שייך לעיל במשנה ועיין תוי"ט], כ) [שייך למתני'].

הגהות הב"ח

(א) רש"י ד"ה חסורי מחסרא והכי קתני דגבי ראייה אע"פ דלא: (ב) תוס' ד"ה לישא שפחה אינו יכול ולמכור וכו' אמר ליה והא כתיב אשר עשה דוד את הישר בעיני ה' ולא סר מכל אשר צוהו כל ימי חייו רק בדבר אוריה החתי הס"ד ונ"ב עיין בר"ש פ' ח' דכלאים פי' תקוע תוקע עצמו לדבר הלכה ולי נראה שדוד [עשה זאת על פין] רבו עירא היאירי שהיה מעיר תקוע: (ג) ד"ה לא תוהו וכו' בן מן השפחה אינו קרוי מיוחס אחריו: (ד) ד"ה נשים וכו' ותנא קטן שוטה חרש לשון יחיד:

תורה אור השלם

א) כִּי כֹה אָמַר יְיָ בּוֹרֵא הַשָּׁמַיִם הוּא הָאֱלֹהִים יֹצֵר הָאָרֶץ וְעֹשָׂהּ הוּא כוֹנְנָהּ לֹא תֹהוּ בְרָאָהּ לָשֶׁבֶת יְצָרָהּ אֲנִי יְיָ וְאֵין עוֹד: [ישעיה מה, יח]

ב) וַאֲנִי כְחֵרֵשׁ לֹא אֶשְׁמָע וּכְאִלֵּם לֹא יִפְתַּח פִּיו: [תהלים לח, יד]

ליקוטי רש"י

תקנתם את רבו. שאינו מפסיד כלום מן הראוי לו [פסחים פח:]. שאינו חסר כלום [גיטין מא.]. ואת עצמו לא תקנתם. מה תהא עליו. לישא שפחה אינו יכול. לצד חירות אסור בה דכתיב (דברים כג) לא יהיה קדש לא יקח אישתא אמה [פסחים שם]. מפני צד חירות שבו. בת חורין אינו יכול. לישא מפני צד עבדות שבו. לא תהו בראה. יוצר הארץ לא על תוהו להיות ריקנית ברא אותה כי אם לשבת להיות בה יישוב יצרה [גיטין מא.:]. כי לשבת יצרה [ישעיה מה, יח]. בכל מקום. להוציא מכלל בן דעת [נדה יג:]. המדבר ואינו שומע זהו חרש. ולא זהו חרש שדברו בו חכמים בכל מקום והשווהו לשוטה לזהו כפיקח לכל דבריו לדקתני בהדיה [גיטין עא.]. ואני כחרש. ישראל שומעים חרפתם מן המחרפים ולאינם משיבים [תהלים לח, יד].

The Gemara inquires concerning the Baraisa's terminology: וּמִמַּאי דִּמְדַבֵּר וְאֵינוֹ שׁוֹמֵעַ זֶהוּ חֵרֵשׁ – **And from what** evidence do you say **that** "ONE WHO SPEAKS BUT CANNOT HEAR – THIS IS called A *CHEIREISH*," שׁוֹמֵעַ וְאֵינוֹ מְדַבֵּר זֶהוּ אִלֵּם – and "ONE WHO HEARS BUT CANNOT SPEAK – THIS IS called AN *ILLEIM*"?

The Gemara answers:

דִּכְתִיב ,,וַאֲנִי כְחֵרֵשׁ לֹא אֶשְׁמָע וּכְאִלֵּם לֹא יִפְתַּח־פִּיו" – **For it is written:**[19] ***But I am like a deaf man** (cheireish), **I do not hear, and like a mute** (illeim) **who opens not his mouth.***[20] וְאִיבָּעִית אֵימָא – **And if you prefer, say** כִּדְאָמְרֵי אִינְשֵׁי – it is **like what people say** when referring to a mute: אִישְׁתַּקִּיל מִילּוּלֵיהּ – **"His speech was taken** from him."[21]

The Gemara above inferred from the Mishnah in *Terumos*: מְדַבֵּר וְאֵינוֹ שׁוֹמֵעַ – or **One who speaks but cannot hear,** שׁוֹמֵעַ וְאֵינוֹ מְדַבֵּר – or **one who hears but cannot speak,** חַיָּיב – **is obligated** in all mitzvos – presumably including the one to appear in the Courtyard during the festivals.[22]

A contradiction is raised:

וְהָתַנְיָא – **But it was** expressly **taught** otherwise **in a Baraisa:** מְדַבֵּר וְאֵינוֹ שׁוֹמֵעַ – ONE WHO SPEAKS BUT CANNOT HEAR, שׁוֹמֵעַ וְאֵינוֹ מְדַבֵּר – or ONE WHO HEARS BUT CANNOT SPEAK, פָּטוּר – IS EXEMPT from appearing in the Courtyard! This Baraisa thus contradicts the Mishnah. – ? –

The Gemara answers:

אָמַר רָבִינָא וְאִיתֵימָא רָבָא – **Ravina said – and some say** it was **Rava** who said: חַסּוּרֵי מִיחַסְּרָא וְהָכִי קָתָנֵי – It is as if **[the text]** of our Mishnah[23] **is lacking, and it** actually **teaches thus:** הַכֹּל חַיָּיבִין בִּרְאִיָּיה וּבְשִׂמְחָה – ALL ARE OBLIGATED IN both mitzvos of APPEARING AND REJOICING[24] חוּץ מֵחֵרֵשׁ הַמְדַבֵּר וְאֵינוֹ שׁוֹמֵעַ שׁוֹמֵעַ וְאֵינוֹ מְדַבֵּר – EXCEPT A *CHEIREISH* WHO SPEAKS BUT CANNOT HEAR and WHO HEARS BUT CANNOT SPEAK, שֶׁפָּטוּר מִן הָרְאִיָּיה – FOR HE IS EXEMPT FROM THE mitzvah of APPEARING. וְאַף עַל פִּי שֶׁפָּטוּר מִן הָרְאִיָּיה – BUT EVEN THOUGH HE IS EXEMPT FROM THE mitzvah of APPEARING and offering an *olas re'iyah*,[25] חַיָּיב בְּשִׂמְחָה – HE IS nonetheless OBLIGATED IN the mitzvah of REJOICING (with *shalmei-simchah* offerings).[26] וְאֶת שֶׁאֵינוֹ לֹא שׁוֹמֵעַ וְלֹא מְדַבֵּר – HOWEVER, ONE WHO NEITHER HEARS NOR SPEAKS – וְשׁוֹטֶה וְקָטָן – AND A DERANGED PERSON AND A MINOR as well – פָּטוּר אַף מִן הַשִּׂמְחָה – IS EXEMPT ALSO FROM THE mitzvah of REJOICING, הוֹאִיל וּפְטוּרִים מִכָּל מִצְוֹת הָאֲמוּרוֹת בַּתּוֹרָה – SINCE [MENTALLY INCOMPETENT INDIVIDUALS] such as they ARE EXEMPT FROM ALL COMMANDMENTS THAT ARE STATED IN THE TORAH.[27]

The Gemara adduces support for this reading of the Mishnah: תַּנְיָא נַמִּי הָכִי – **It was also taught thus in a Baraisa:** הַכֹּל חַיָּיבִין בִּרְאִיָּיה וּבְשִׂמְחָה – ALL ARE OBLIGATED IN both mitzvos of APPEARING AND REJOICING חוּץ מֵחֵרֵשׁ הַמְדַבֵּר וְאֵינוֹ שׁוֹמֵעַ שׁוֹמֵעַ וְאֵינוֹ מְדַבֵּר – EXCEPT A *CHEIREISH* WHO SPEAKS BUT CANNOT HEAR and WHO HEARS BUT CANNOT SPEAK, שֶׁפְּטוּרִין מִן הָרְאִיָּיה – FOR THEY ARE EXEMPT FROM THE mitzvah of APPEARING. וְאַף עַל פִּי שֶׁפָּטוּר מִן הָרְאִיָּיה – BUT EVEN THOUGH [A "MINIMAL" *CHEIREISH*] IS EXEMPT FROM THE mitzvah of APPEARING and offering an *olas re'iyah*,

NOTES

tation, and offers his own interpretation of the Gemara. See also *Hagahos R' Elazar Moshe Horowitz* here.

19. *Psalms* 38:14.

20. The verse treats the two disabilities separately, calling one who cannot hear a *cheireish* and one who cannot speak an *illeim*.

21. I.e. the word אִלֵּם itself indicates that it connotes only muteness, for the word is actually an acronym from the adage אִישְׁתַּקִּיל מִילּוּלֵיהּ, *His speech was taken* [from him] (*Rashi*). [*Siach Yitzchak* explains that we indeed see from the aforementioned *Psalms* verse that a "*cheireish*" is one who cannot hear but speaks, for if "*cheireish*" means a deaf-mute the verse would not continue, *and like an illeim who opens not his mouth*. However, perhaps the word *illeim* connotes one who cannot speak or hear, and not simply a mute. It is to establish that *illeim* means only a mute that the Gemara cites the adage ("and if you prefer, say etc.").]

22. And it further inferred that this supported our Mishnah's apparent comparison of a *cheireish* to a deranged person and minor with regard to the exemption from the mitzvah of *re'iyah*.

23. Which equates a "*cheireish*" to a deranged person with regard to the mitzvah of *re'iyah* (*Rashi*).

24. In addition to the mitzvah of appearing in the Courtyard during the three pilgrimage festivals with an *olas-re'iyah* offering, one must *rejoice* before his God at that time. The mitzvah of rejoicing is performed by slaughtering *shelamim* offerings and partaking of their meat. These sacrifices are the *shalmei simchah* (see *Rashi* below, 3a ד״ה חייב בשמחה; see Gemara below, 6b and 8a, and Introduction).

25. *Rashi* ד״ה ואע״פ שהוא פטור; see *Siach Yitzchak*.

26. The Gemara below (3a) will explain why he is exempt from appearing but obligated to rejoice. See *Tosafos* ד״ה שומע, where they write that he is obligated also to bring *shalmei chagigah;* cf. *Rambam, Hil. Chagigah* 2:4 (see ibid. 2:1). See *Minchas Chinuch* 88:5.

27. The Gemara is explaining that our Mishnah actually speaks of two types of *cheireish* – a deaf-mute, and one who is either deaf or mute. Thus, when the Mishnah states, "All are obligated in [the mitzvah of] *re'iyah* except a *cheireish,*" it means a "minimal" *cheireish* – i.e. one who is solely deaf or solely mute [see *Yalkut Yeshayahu* for why "*cheireish*" can be an appropriate appellation for a mute person]. On the other hand, when the Mishnah equates a "*cheireish*" with a deranged person [by grouping them together], it has in mind a deaf-mute, and refers to the mitzvah of *simchah*. Thus, the Mishnah exempts a "minimal" *cheireish* from only one of the mitzvos [appearing], but exempts the complete *cheireish* from both [appearing and rejoicing] (*Rashi*). The Gemara will proceed to explain why a minimal *cheireish* is exempt from the mitzvah of *re'iyah*. See *Turei Even*.

חַיָּיב בְּשִׂמְחָה – HE IS nonetheless OBLIGATED IN the mitzvah of REJOICING (with *shalmei-simchah* offerings). **וְאֶת שֶׁאֵינוֹ לֹא שׁוֹמֵעַ וְלֹא מְדַבֵּר** – HOWEVER, ONE WHO NEITHER HEARS NOR SPEAKS **וְשׁוֹטֶה וְקָטָן** – AND A DERANGED PERSON AND A MINOR **פְּטוּרִין אַף מִן הַשִּׂמְחָה** – ARE all EXEMPT ALSO FROM THE mitzvah of REJOICING, **הוֹאִיל וּפְטוּרִין מִכָּל מִצְוֹת הָאֲמוּרוֹת בַּתּוֹרָה** – SINCE [MENTALLY INCOMPETENT INDIVIDUALS] such as these ARE EXEMPT FROM ALL COMMANDMENTS THAT ARE STATED IN THE TORAH.

The Gemara now explains why the laws of *re'iyah* and *simchah* apply unevenly to a "minimal" *cheireish:*

מַאי שְׁנָא לְעִנְיַן רְאִיָּה – **What is the difference between the case of appearing, דִּפְטִירֵי** – **where [those who are either deaf or mute] are exempt,**[1] **וּמַאי שְׁנָא לְעִנְיַן שִׂמְחָה** – **and the case of rejoicing, דְּמִחַיְּיבֵי** – **where [these types] are obligated?**

The Gemara answers:

לְעִנְיַן רְאִיָּה – **In the case of appearing** they are exempt **גָּמַר „רְאִיָּה" „רְאִיָּה" מֵהַקְהֵל** – because **[the Tanna] learned** an ***"appearing", "appearing"*** *gezeirah shavah* **from** the mitzvah of **"gathering"** (*Hakheil*).[2] **דִּכְתִיב „הַקְהֵל אֶת־הָעָם הָאֲנָשִׁים וְהַנָּשִׁים וְהַטַּף"** – **For it is written**[3] regarding that mitzvah: ***Gather together the people – the men, the women and the small children.*** **וּכְתִיב „בְּבוֹא כָל־יִשְׂרָאֵל לֵרָאוֹת"** – **And** in the immediately preceding verse **it is written: *When all Israel comes to appear*** *before Hashem, your God.* Thus, through a *gezeirah shavah* from the common word *appearing,* the laws of appearing in the Courtyard during the pilgrimage festivals can be derived from the laws of the "gathering" ceremony.[4]

Having established this link between the mitzvos of appearing and gathering, the Gemara then asks:

וְהָתָם מְנָלַן – **And there,** regarding the mitzvah of gathering itself **from where do we [know]** that a "minimal" *cheireish* is exempt?

The Gemara answers:

דִּכְתִיב „לְמַעַן יִשְׁמְעוּ וּלְמַעַן יִלְמְדוּ" – **For it is written:**[5] *Gather together the people . . .* ***so that they will hear and so that they will learn.*** **וְתַנְיָא** – **And it was taught in a Baraisa** that elucidates this verse: **„לְמַעַן יִשְׁמְעוּ" פְּרָט לִמְדַבֵּר וְאֵינוֹ שׁוֹמֵעַ** – *SO THAT THEY WILL HEAR* – TO THE EXCLUSION OF ONE WHO SPEAKS BUT CANNOT HEAR; **„וּלְמַעַן יִלְמְדוּ" פְּרָט לְשׁוֹמֵעַ וְאֵינוֹ מְדַבֵּר** – *AND SO THAT THEY WILL LEARN* – TO THE EXCLUSION OF ONE WHO HEARS BUT CANNOT SPEAK.

The Gemara assumes that the Baraisa maintains that a mute is unable to learn[6] [and for that reason is exempt from the mitzvah of gathering]. The Gemara challenges this notion from the following account:

לְמֵימְרָא דְּכִי לֹא מִשְׁתָּעֵי לֹא גָּמַר – Is this **to say that one who cannot speak cannot learn?! וְהָא הָנְהוּ תְּרֵי אִילְּמֵי דַּהֲווּ בְּשִׁבָבוּתֵיהּ דְּרַבִּי** – **But** consider the case of **these two mutes who were residing in Rebbi's neighborhood, בְּנֵי בְרַתֵּיהּ דְּרַבִּי יוֹחָנָן בֶּן גּוּדְגְּדָא** – who were the **sons of R' Yochanan ben Gudgeda's daughter** – **וְאָמְרֵי לָהּ בְּנֵי אַחְתֵיהּ דְּרַבִּי יוֹחָנָן** – **and some say it:** they were the **sons of R' Yochanan's sister. דְּכָל אֵימַת דַּהֲוָה עָיֵיל רַבִּי לְבֵי מִדְרְשָׁא** – It happened **that whenever Rebbi would enter the study hall הֲווּ עָיְילֵי וְיָתְבֵי קַמֵּיהּוּ** – **they** too **would enter and sit down before him,**[7] **וּמְנַיְּידֵי בְּרֵישַׁיְיהוּ וּמְרַחֲשִׁין שִׂפְוָותַיְיהוּ** – **and they would nod their heads and move their lips** as Rebbi lectured.[8] **וּבָעֵי רַבִּי רַחֲמֵי עֲלַיְיהוּ** – **And** ultimately **Rebbi besought** Divine **mercy on their behalf, וְאִיתַּסּוּ** – **and they were healed. וְאִשְׁתַּכַּח דַּהֲווּ גְּמִירֵי הִלְכְתָא וְסִפְרָא וְסִפְרֵי וְכוּלָּהּ הַשַּׁ"ס** – **And it was** then **found that they were well versed in halachic rulings,**[9] ***Sifra,***[10] ***Sifrei,***[11] **and the entire Six Orders** of the Mishnah![12] Clearly, then, even a mute can learn, so long as his hearing is intact. How can the Baraisa interpret the verse, *and so that they will learn,* to exclude a mute?

The Gemara answers:

אָמַר מַר זוּטְרָא – **Mar Zutra said: קְרֵי בֵּיהּ „לְמַעַן יְלַמְּדוּ"** – **Read [the verse]** as if it said: **"so that they will teach."**[13] Now, since one who cannot speak cannot teach others, he is exempt from the mitzvah of "gathering" even if he can learn.

The Gemara adduces support for this reading of the verse:

רַב אַשִׁי אָמַר – **Rav Ashi said: וַדַּאי „לְמַעַן יְלַמְּדוּ" הוּא** – **Certainly, [the correct interpretation]** of the text **is "so that they will teach."**[14] **דְּאִי סָלְקָא דַּעְתָּךְ „לְמַעַן יִלְמְדוּ"** – **For if it enters your mind** that the text should be understood **"so that they will learn," וְכֵיוָן דְּלֹא מִשְׁתָּעֵי לֹא גָּמַר** – **and** therefore the

NOTES

1. Even if they do not have *both* disabilities.

2. Every seven years, after the conclusion of the *shemittah* year and during the ensuing festival of Succos, the king of Israel would sit on a specially built platform in the Women's Courtyard in the Temple, and recite from the Book of *Deuteronomy* to a "gathering" of the entire Jewish people (*Rashi;* see *Deuteronomy* 31:10-13, and *Sotah* 41a).

3. *Deuteronomy* 31:12; see next note.

4. Although women are obligated in this mitzvah, and in addition adults must bring their small children to the gathering, we do not also derive from here via the *gezeirah shavah* that women and minors must likewise appear in the Courtyard on the festivals with an *olas re'iyah.* This is because the Torah explicitly excludes women from the mitzvah of *re'iyah,* for it states there (*Exodus* 23:17): *your males.* And if women are exempt, children certainly are exempt (*Tosafos*).

The commentators question why verse 12 is quoted. Although it contains the actual command "to gather," the Gemara's purpose here is to establish the *gezeirah shavah* by showing that a variation of the word "appearing" (רְאִיָּה) appears also in the "gathering" passage; and to that end it will subsequently quote verse 11. See *Yalkut Yeshayahu* for further discussion of this problem, and see *Siach Yitzchak* for a possible explanation.

5. *Deuteronomy* 31:12.

6. *Rashi.*

7. In *Ein Yaakov* קַמַּיְיהוּ (*before them*) is changed to קַמֵּיהּ (*before him*). We have adopted that emendation in our translation. [The two mutes made certain to position themselves directly before Rebbi because much can be gleaned from a speaker's facial expressions and gestures. Because they could not speak, they could not ask their fellow students about these gestures after the lecture (*Yalkut Yeshayahu,* citing *Einei Yitzchak*).]

8. The question arises as to why the Gemara mentions these seemingly irrelevant details. *Iyun Yaakov* explains that had Rebbi not been cognizant of the various positive signs that the Gemara relates [the mutes' noble lineage, their regular attendance at the lectures, and their apparent attentiveness thereto (as indicated by their nodding heads and moving lips)], he would not have girded himself to pray for their miraculous recovery.

9. *Rashi.*

10. *Toras Kohanim,* a compilation of Tannaic teachings on *Leviticus.*

11. A compilation of Tannaic teachings on *Numbers* and *Deuteronomy.*

12. This presumably includes the Talmud, which consists of explanations of the reasoning of the Mishnah, resolutions of contradictions between various mishnahs, and interpretations and emendations of the Mishnaic texts (see *Rashi* to *Berachos* 11b ד"ה אף לגמרא וכו׳).

13. This is a method of Biblical exegesis that explains the text as if it were vocalized or written differently from the Masoretic tradition. Although the tradition has us pronounce יִלְמְדוּ, which means *they will learn,* we now interpret the text as if it stated יְלַמְּדוּ, which means *they will teach.*

14. I.e. even without the anecdotal refutation brought from the case of Rebbi's two mute disciples, it is impossible to argue that the Baraisa derives a mute's exemption from the mitzvah of gathering from the Masoretic reading of יִלְמְדוּ [i.e. as *they will learn*] (*Rashi*).

עין משפט נר מצוה

יא א מיי' פ"ג מהלכות חגיגה הלכה ב:
יב ב ג מיי' שם פ"ב הלכה א סמג עשין רכו:

מסורת הש"ס

א) [בע"י הגי' קמיה], ב) [מנחות דף סג.], ג) [לקמן ד. יבמות קג. ערכין יט:], ד) סוכה מט:, ה) שבת כב., ו) מכילתא פ' בא פר' יח ואדר"נ פרק יח [תוספתא סוטה פ"ז], ז) [ועי' תוי"ט סוף פ"ג דאבות], ח) ברכות כח., ט) ברכות ו., י) [פי' ציור אחד בעולם כלומר דבר הניכר שאין כמותו. ערוך בשם רב האי בערך אמר], כ) [וע"ע תוספות בכורות ו: ד"ה רוטב], ל) [סוטה כ.], מ) [כ"ה במסכת סופרים פי"ח הלכה ו].

גמרא

חייב בשמחה ואת שאינו לא שומע ולא מדבר ושוטה וקטן פטורין אף מן השמחה הואיל ופטורין מכל מצות האמורות בתורה מאי שנא לענין ראיה דפטירי ומאי שנא לענין שמחה דמחייבי לענין ראיה גמר ראיה ראיה מהקהל דכתיב הקהל את העם האנשים והנשים והטף וכתיב בבא כל ישראל לראות והתם מנלן דכתיב למען ישמעו ולמען ילמדו ותניא למען ישמעו פרט למדבר ואינו שומע ולמען ילמדו פרט לשומע ואינו מדבר למימרא דכי לא משתעי לא גמר והא הנהו תרי אילמי דהוו בשבבותיה דרבי בני ברתיה דרבי יוחנן בן גודגדא ואמרי לה בני אחתיה דרבי יוחנן דכל אימת דהוה עייל רבי לבי מדרשא הוו עיילי ויתבי קמייהו ומניידי ברישייהו ומרחשין שפוותייהו ובעי רבי רחמי עלייהו ואיתסו ואשתכח דהוו גמירי הלכתא וספרא וספרי וכולה הש"ס אמר מר זוטרא קרי ביה למען (א) ילמדו רב אשי אמר ודאי למען ילמדו הוא דאי סלקא דעתך למען ילמדו וכיון דלא משתעי לא גמר וכיון דלא שמע לא גמר האי מלמען ישמעו נפקא אלא ודאי למען ילמדו הוא אמר ר' תנחום חרש באזנו אחת פטור מן הראיה שנאמר באזניהם והאי באזניהם מבעי ליה באזניהם דכולהו ישראל ההוא מנגד כל ישראל נפקא אי מנגד כל ישראל הוה אמינא אע"ג דלא שמעי כתב רחמנא באזניהם והוא דשמעי ההוא מלמען ישמעו נפקא אמר רבי תנחום חיגר ברגלו אחת פטור מן הראיה שנאמר רגלים והא רגלים מבעי ליה פרט לבעלי קבין ההוא מפעמים נפקא דתניא פעמים אין פעמים אלא רגלים וכן הוא אומר תרמסנה רגל רגלי עני פעמי דלים ואומר מה יפו פעמיך בנעלים בת נדיב דרש רבא מאי דכתיב מה יפו פעמיך בנעלים בת נדיב כמה נאין רגליהן של ישראל בשעה שעולין לרגל בת נדיב בתו של אברהם אבינו שנקרא נדיב שנאמר נדיבי עמים נאספו עם אלהי אברהם אלהי אברהם ולא אלהי יצחק ויעקב אלא אלהי אברהם שהיה תחילה לגרים אמר רב כהנא דרש רב נתן בר מניומי משום ר' תנחום מאי דכתיב והבור רק אין בו מים ממשמע שנאמר והבור רק איני יודע שאין בו מים אלא מים אין בו אבל נחשים ועקרבים יש בו ת"ר מעשה ברבי יוחנן בן ברוקה ורבי אלעזר (בן) חסמא שהלכו להקביל פני ר' יהושע בפקיעין אמר להם מה חידוש היה בבית המדרש היום אמרו לו תלמידיך אנו ומימיך אנו שותין אמר להם אף על פי כן אי אפשר לבית המדרש בלא חידוש שבת של מי היתה שבת של ר' אלעזר בן עזריה היתה ובמה היתה הגדה היום אמרו לו בפרשת הקהל ומה דרש בה הקהל את העם האנשים והנשים והטף אם אנשים באים ללמוד נשים באות לשמוע טף למה באין כדי ליתן שכר למביאיהן אמר להם מרגלית טובה היתה בידכם ובקשתם לאבדה ממני ועוד דרש את ה' האמרת היום וה' האמירך היום אמר להם הקב"ה לישראל אתם עשיתוני חטיבה אחת בעולם ואני אעשה אתכם חטיבה אחת בעולם אתם עשיתוני חטיבה אחת בעולם דכתיב שמע ישראל ה' אלהינו ה' אחד ואני אעשה אתכם חטיבה אחת בעולם שנאמר ומי

רש"י

חייב בשמחה. לשמוח בחג דכתיב ושמחת בחגך (דברים טז) ואמרינן לקמן (דף ח.) דשמחה בשלמים לאכול את הבשר וילפינן לה (פסחים דף קט.) מחובחת שלמים ואכלת שם ושמחת ולקמן פריך מ"ש לענין ראייה לפטור ולענין שמחה דמחייב: **ושאינו לא שומע ולא מדבר.** היינו חרש דמתניתין סמכו לשוטה וקטן: **ראייה מהקהל.** דכתיב בפרשת הקהל בבוא כל ישראל לראות וגו' ופרשת הקהל המלך היה קורא משנה תורה בעזרה בכל מוצאי שמטה דכתיב מקץ שבע שנים במועד שנת השמטה וגו' (דברים לא): **פרט לשומע ואינו מדבר.** השתא משמע שאין זה ראוי ללמוד: **הלכתא.** משניות: **למען ילמדו.** ואין זה ראוי ללמד אחרים: **רב אשי אמר ודאי למען ילמדו.** כלומר בלאו קושיא דהנך תרי אילמי ליכא לאוקמי לדרשה דתנא דמעיט מהקהל שומע ואינו מדבר אלא מלמען ילמדו: **דאי סלקא דעתך** מלמען ילמדו. הוא דמשמע ליה אלמא סבירא ליה לתנא דכיון דלא משתעי לא גמיר לנפשיה: וכיון דלא שמע. אם סהדי דלא גמיר וכיון דתנן למען ישמעו פרט למדבר ואינו שומע ואם סהדי דטעמא משום דלא גמיר הוא שלא יבין כל מה שאומרים לפניו למה לי למהדר תו למען ילמדו פרט לשומע ואינו מדבר כיון דסבירא ליה דמאן דלא משתעי נמי לא גמיר מלמען ישמעו ממעט ליה אלא ודאי סבירא ליה דמאן דלא משתעי נמי גמיר ולא מלמען ישמעו ממעט הלכך הדר ומעטיה מלמען ילמדו הלכך ודאי למען ילמדו הוא דדריש: **פרט לבעלי קבין.** כשחתכו רגליהם נותנו קב קטן בסוף שוקו ונותנים בו מוכין וסומך סוף שוקו עליו: **אלא רגלים.** אדם שיש לו רגלים: **פעמיך בנעלים.** אלמא בבעלי מנעלים שייכי פעמים ובראייה כתיב שלש פעמים בשנה יראה כל זכורך וגו': **שנקרא נדיב.** על שם שנדבו לבו להכיר בוראו: **נדיבי עמים.** הם הגרים המתנדבין מבין העמים לקבל עליהן עול מצות: **והבור רק.** משום דרבי תנחום אמרה נקט לה הכא גבי שמעתתא דרבי תנחום: **אבל נחשים ועקרבים יש בו.** לא היה רק אלא ממים: **להקביל פניו.** יום טוב היה שחייב אדם לכבד את רבו בהקבלת פנים כדאמרינן במסכת ראש השנה (דף טז:) מדוע את הולכת אליו היום לא חדש ולא שבת (מלכים ב ד): **תלמידיך אנו.** ואין לנו לדבר בפניך: **האמרת.** שבחת כמו יתאמרו כל פועלי און (תהלים לד) ישתבחו שדרכן ללחה: **חטיבה אחת.** שבח אחד שבח מיוחד לומר אין כמוך לכך בחרנוך לאלוה:

ואף

תוספות

גמר ראיה ראיה מהקהל. ונשים ליכא לחיובי דקא ממעטו ליה לקמן מזכורך וכן אמרינן לקמן הא למה לי קרא תיפוק לי דמצות עשה שהזמן גרמא הוא מהו דתימא נילף ראיה מהקהל מה להלן נשים חייבות וטפלים לא מחייבינן כמו בהקהל וליתן שכר למביאיהם כי התם דמקל וחומר פטרינן ליה כדפרישית לעיל דנשים פטורות טפלים לא כל שכן (ג) ולקמן דמרבינן קטן שהגיע לחינוך מדכתיב כל ולא גמרינן מהקהל התם אסמכתא בעלמא הוא כדמסיק ומהאי ק"ו נמי פטור וכי פריך דרבנן הוא מאי לאקשויי למה לי קרא ליגמר מהקהל אלא עדיפא מינה פריך:

מלמען ישמעו נפקא. דפשטיה דקרא משמע האזנה והבין שיבין מה שילמדהו הלכך מה לנו שישמע כיון דלא גמיר ממעטינן ליה שפיר:

אלא קרי ביה למען ילמדו. ואף על גב דלא משתעי גמיר ולהכי לא נפקא להו מלמען ישמעו וכן מדבר ואינו שומע אפילו שמע עד השתא דמאי גמיר לאחריני כיון דלא מאי גמיר בהאי הליכה מה לו ללכת וכיון דלא שמע לא גמיר מכאן ולהבא אע"ג דגמיר לאחריני עד האידנא לא יזיל השתא כיון דלא יועיל לו הליכה זו דהא לא קאמר קרא הקהל אלא שישמעו בקריאת המלך ויבינו מהשתא ויבאו לידי יראת הבור דכתיב בסיפיה דקרא ויראו את ה' והש"ס לא חש להביאו דפשיטא ליה דמשתעי בהני אבל מלמען ילמדו לא מצי מפיק (ג) בלא ישמעו דלא הוינא מפיק מדבר ואינו שומע כיון דשמע מקמי הכי ושפיר גמיר אף לאחריני וגם יבין למה נקהלו עכשיו וגם (ד) יצטרך ישמעו כדאמרינן לקמן:

חרש באזנו אחת. בירושלמי אמר ר' יוחנן בעי חרש באזנו אחת מהו א"ר יוסי בר בון פלוגתא דרבי יוסי ורבנן דתני רבי יוסי ולבני אהרן תעשה כתנות (שמות כח) רבנן אמרי שתי כתונות לכל אחד רבי יוסי אמר אפילו כתונת (ה) לכל אחד ואחד הכי נמי רבנן אמרי באזניהם שתי אזנים לכל אחד ורבי יוסי אמר ° אזן לכל אחד ואחד:

אף על גב דלא שמעי. מחמת שהן רחוקים אבל אם היו חרשין ממעטין מבאזניהם:

מפעמים נפקא. וכי אמרינן לקמן רגלים פרט לבעלי קבין אסמכתא בעלמא הוא ° דמפעמים נפקא וכי פריך במצות חליצה (יבמות דף קג. ושם) ובערכין פרק האומר משקלי (דף יט: ושם) ורמינהי רגלים פרט לבעלי קבין ההיא (ו) מדסמכיה רגלים קאמר ולא משום שהוא עיקר דרשה:

תחילה לגרים. שנצטווה על המילה טפי מכל אותם שלפניו:

נשים לשמוע. אמר בירושלמי דלא כבן עזאי דאמר חייב אדם ללמד לבתו תורה:

כדי ליתן שכר למביאיהן. ועל זה סמכו להביא קטנים בבית הכנסת:

ומי

רבינו חננאל

מחרש המדבר ואינו שומע או שומע ואינו מדבר שפטור ואף על פי שפטור מן הראיה חייב בשמחה וחרש שאינו שומע ולא מדבר ושוטה וקטן פטורין אף מן השמחה הואיל ופטורין מכל מצות האמורות בתורה. ומנא לן דהני פטורין מן הראיה דגמר ראיה ראיה מהקהל וכתיב ביה בהקהל למען ישמעו ולמען ילמדו ותניא למען ישמעו פרט למדבר ואינו שומע שפטור למען ילמדו פרט לשומע ואינו מדבר. ומקשינן איני דכל מאן דלא ממלל לא גמר והא הנהו תרי אילמי דבעא רבי רחמי עלייהו ואתפתחו ואשתכחו דהוו גמירי הלכתא וסיפרי וסיפרא ותוספתא וכולה תלמודא ופריק מר זוטרא קרי ביה למען יְלַמְּדוּ הן לאחרים ורב אשי קאי כוותיה דודאי ילמדו פשטיה וכיון דאילמא הוא אע"ג דגמירי לא מצי לאגמורי הוא לאחריני. הא דא"ר תנחום חיגר ברגלו אחת וחרש באזנו אחת פטורין מן הראיה פשוטות הן. בת נדיב בת אברהם שנקרא נדיב כו'. והבור רק אין בו מים מים אין בו אבל נחשים ועקרבים יש בו: ת"ר מעשה בר' יוחנן בן ברוקה ור' אלעזר חסמא שהלכו להקביל פני ר' יהושע בפקיעין ואמרו כי ר' אלעזר בן עזריה דרש הקהל את העם האנשים והנשים והטף הא תינח אנשים ונשים וטף למה לי כו'. ועוד דרש את ה' האמרת היום וכו'. אתם עשיתוני חטיבה אחת

ליקוטי רש"י

הקהל. במועד שנת השמטה בחג הסוכות המלך עומד על הבימה וקורא לפניהן מצות משנה תורה כדאיתא בסוטה (דף מא.) [עירובין כז.]. **האנשים.** ללמוד. **והנשים.** לשמוע [דברים לא, יב]. **ומרחשין שפוותייהו.** שפתותיהן נעות [סנהדרין צ:]. **וספרא וספרי.** הן הלכות של [מדרשי] מקראות [קידושין מט.]. **רגלים.** שלש רגלים תחוג (שמות כג) [יבמות קג.]. **פרט לבעלי קבין.** מי שנחתך רגלו בפרק ראשון סמוך לשוקו וחוקק קב מקבל כתיתין ונותן שוקו לתוכה וקורין אשקנג"א שפטור מן הראיה דאין לו רגל [ערכין יט:]. **ההוא מפעמים נפקא.** פרט לבעלי קבין מפעמים נפקא כדאמרינן לעיל הלכך רגלים למעוטי מי שצריך משענת אחרת לבד מרגליו [לקמן ד.]. **רגלי עני.** מלך המשיח שנאמר בו עני ורוכב על החמור (זכריה ט ט). **פעמי דלים.** ישראל שהיו דלים עד הנה [ישעיה כו, ו]. **מה יפו פעמיך בנעלים.** הם אומרים לה חפלים אנו שתדבקי בנו בשביל נוי וחשיבות שראינו בך בעודך ביפיך. מה יפו פעמיך, בעליית הרגלים בת נדיבים [שיר השירים ז, ב]. **בנעלים.** בעליית הרגלים. **נדיב.** שנדבו לבו להכיר את בוראו [סוכה מט:]. **נדיבי עמים.** שהתנדבו עצמם לטבח ולהרוג על קדושת שמו. **עם אלהי אברהם.** שהיה תחלה לגרים. בנדבת לבו להתגייר [סוכה שם]. **האמרת.** והאמירך, אין להם עד מוכיח במקרא ולי נראה שהוא לשון הפרשה והבדלה הבדלתי לך מאלהי הנכר להיות לך לאלוה והוא הפרישך אליו מעמי הארץ להיות לו לעם סגולה ומצאתי להם עד והוא לשון תפארת כמו יתאמרו כל פועלי און [דברים כו, יז]. לשון חשיבות ושבח [ברכות ו.]. **ה' אלהינו ה' אחד.** ה' שהוא אלהינו ולא אלהי האומות הוא עתיד להיות ה' אחד שנאמר כי אז אהפוך אל עמים שפה ברורה לקרוא כולם בשם ה' ונאמר ביום ההוא יהיה ה' אחד ושמו אחד [דברים ו, ד].

הגהות הב"ח

(א) גמ' אמר מר זוטרא קרי ביה למען יְלַמְּדוּ וכו' למען יְלַמְּדוּ הוא דאי ס"ד למען יִלְמְדוּ: (ב) תום' ד"ה גמר ראיה וכו' ולקמן דמרבינן. נ"ב וק"ק דהא אצטריך כל דלא תימא נשים פטורין טפלים לכ"ש וי"ל דה"פ הא אי לאו [ק"ו מהקהל שפיר משמע אף קטן שלא] הגיע לחינוך כדקאמר ליתן שכר למביאיהם וכיון דאית לן ריבויא דכל איתרע ק"ו ושפיר נילף מהקהל אף בלא הגיע לחינוך וזה שכתבו התוספות ולקמן דמרבינן קטן שהגיע לחינוך מדכתיב כל ולא גמרינן מהקהל אף בלא הגיע לחינוך כיון דאיתרע ליה ק"ו והאי תירצו התם אסמכתא בעלמא הוא כדמסיק ומהאי ק"ו נמי פטור בלא הגיע לחינוך ומסיים התום' וכי פריך לקמן דף ד קודם דידע מתירוץ אסמכתא דרבנן הוא הוה מצי לאקשויי ליגמר מהקהל אף בלא הגיע לחינוך: (ג) ד"ה אלא וכו' לא מצי מפיק בלאו למען ישמעו דלא: (ד) בא"ד וגם איצטריך למען ישמעו כדאמרינן לקמן: (ה) ד"ה חרש וכו' ואפי' כתונת אחד לכל אחד וכו' ור' יוסי אומר אפי' אזן אחת לכל אחד: (ו) ד"ה מפעמים וכו' ההיא מדאסמכיה רגלים:

גליון הש"ס

תוספות ד"ה חרש וכו' אזן לכל אחד ואחד. עיין יומא דף לז ע"א וביבמות דף קא ע"ב תוספות ד"ה ש"מ: **ד"ה מפעמים נפקא וכו' דמפעמים נפקא.** עיין תוס' ר"ה דף ה ע"א ד"ה שלמי פסח:

תורה אור השלם

א) הַקְהֵל אֶת הָעָם הָאֲנָשִׁים וְהַנָּשִׁים וְהַטַּף וְגֵרְךָ אֲשֶׁר בִּשְׁעָרֶיךָ לְמַעַן יִשְׁמְעוּ וּלְמַעַן יִלְמְדוּ וְיָרְאוּ אֶת יְיָ אֱלֹהֵיכֶם וְשָׁמְרוּ לַעֲשׂוֹת אֶת כָּל דִּבְרֵי הַתּוֹרָה הַזֹּאת: [דברים לא, יב]

ב) בְּבוֹא כָל יִשְׂרָאֵל לֵרָאוֹת אֶת פְּנֵי יְיָ אֱלֹהֶיךָ בַּמָּקוֹם אֲשֶׁר יִבְחָר תִּקְרָא אֶת הַתּוֹרָה הַזֹּאת נֶגֶד כָּל יִשְׂרָאֵל בְּאָזְנֵיהֶם: [דברים לא, יא]

ג) שָׁלשׁ רְגָלִים תָּחֹג לִי בַּשָּׁנָה: [שמות כג, יד] ד) שָׁלשׁ פְּעָמִים בַּשָּׁנָה יֵרָאֶה כָּל זְכוּרְךָ אֶל פְּנֵי הָאָדֹן יְיָ: [שמות כג, יז] ה) תִּרְמְסֶנָּה רָגֶל רַגְלֵי עָנִי פַּעֲמֵי דַלִּים: [ישעיה כו, ו] ו) מַה יָּפוּ פְעָמַיִךְ בַּנְּעָלִים בַּת נָדִיב חַמּוּקֵי יְרֵכַיִךְ כְּמוֹ חֲלָאִים מַעֲשֵׂה יְדֵי אָמָּן: [שיר השירים ז, ב] ז) נְדִיבֵי עַמִּים נֶאֱסָפוּ עַם אֱלֹהֵי אַבְרָהָם כִּי לֵאלֹהִים מָגִנֵּי אֶרֶץ מְאֹד נַעֲלָה: [תהלים מז, י] ח) וַיִּקָּחֻהוּ וַיַּשְׁלִכוּ אֹתוֹ הַבֹּרָה וְהַבּוֹר רֵק אֵין בּוֹ מָיִם: [בראשית לז, כד] ט) אֶת יְיָ הֶאֱמַרְתָּ הַיּוֹם לִהְיוֹת לְךָ לֵאלֹהִים וְלָלֶכֶת בִּדְרָכָיו וְלִשְׁמֹר חֻקָּיו וּמִצְוֹתָיו וּמִשְׁפָּטָיו וְלִשְׁמֹעַ בְּקֹלוֹ: וַיְיָ הֶאֱמִירְךָ הַיּוֹם לִהְיוֹת לוֹ לְעַם סְגֻלָּה כַּאֲשֶׁר דִּבֶּר לָךְ וְלִשְׁמֹר כָּל מִצְוֹתָיו: [דברים כו, יז-יח] י) שְׁמַע יִשְׂרָאֵל יְיָ אֱלֹהֵינוּ יְיָ אֶחָד: [דברים ו, ד]

Tanna must hold that **since [this person] cannot speak he cannot learn,** וְכֵיוָן דְּלֹא שָׁמַע לֹא גָּמַר – **and since,** furthermore, in the case of **one who cannot hear** we can safely assume that **he cannot learn** (and that is the reason he is disqualified from the mitzvah of gathering)[15] – why, then, is a second verse needed to exclude one who cannot speak? הַאי מִ,,לְמַעַן יִשְׁמְעוּ" נַפְקָא – **This** case also **can be derived from *so that they will hear*!**[16] אֶלָּא וַדַּאי ,,לְמַעַן יִלְמְדוּ" הוּא – **Rather, [the correct interpretation]** of לְמַעַן ילמדו **is certainly "so that they will teach."**

The *gezeirah shavah* that links the mitzvos of "gathering" and "appearing" allows another law to be derived from the former to the latter:[17]

אָמַר רַבִּי תַּנְחוּם – **R' Tanchum said:** חֵרֵשׁ בְּאָזְנוֹ אַחַת פָּטוּר מִן הָרְאִיָּה – **Someone who is deaf in one ear is exempt from the** mitzvah of **appearing** in the Temple Courtyard during the festival pilgrimages, שֶׁנֶּאֱמַר ,,בְּאָזְנֵיהֶם" – **for it is stated** in the "gathering" passage,[18] ***in their ears.***[19]

The Gemara challenges this teaching:

וְהַאי ,,בְּאָזְנֵיהֶם" מִבְּעֵי לֵיהּ – **But this** phrase, ***in their ears,*** **is needed** to teach בְּאָזְנֵיהֶם דְּכוּלְּהוּ יִשְׂרָאֵל – that the king's recital must be **in the ears of all Israel!**[20] – ? –

The Gemara responds:

הַהוּא מִ,,נֶגֶד כָּל־יִשְׂרָאֵל" נַפְקָא – **That** law **is derived from** the phrase, ***before all Israel.***

The challenges rejects this answer:

אִי מִ,,נֶגֶד כָּל־יִשְׂרָאֵל" – **If** the law that all Israel must attend the recital is derived **from *before all Israel,*** הֲוָה אֲמִינָא אַף עַל גַּב דְּלֹא שָׁמְעֵי – **I might say** that this requirement is met if everyone is physically present, **even though they do not** actually **hear** the recital.[21] כָּתַב רַחֲמָנָא ,,בְּאָזְנֵיהֶם" – **The Merciful One** therefore **wrote *in their ears,*** וְהוּא דְּשָׁמְעֵי – which connotes: **provided that [all the people]** actually **hear.** Thus, *in their ears* cannot be used to teach that someone deaf in one ear is exempt from the mitzvah of gathering (and, by extension, from the mitzvah of appearing). – ? –

The Gemara finally defeats the challenge:

הַהוּא מִ,,לְמַעַן יִשְׁמְעוּ" נַפְקָא – **That** law[22] **is derived from** the verse,[23] ***so that they will hear.***[24]

Another relevant ruling by R' Tanchum:

אָמַר רַבִּי תַּנְחוּם – **R' Tanchum said:**[25] חִיגֵּר בְּרַגְלוֹ אַחַת פָּטוּר מִן הָרְאִיָּה – **Someone who is lame in one foot is exempt from the** mitzvah of **appearing** in the Temple during the pilgrimage festivals, שֶׁנֶּאֱמַר ,,רְגָלִים" – **for it is stated** in the *re'iyah* passage, ***regalim.***[26]

The Gemara challenges this ruling:

וְהָא ,,רְגָלִים" מִבְּעֵי לֵיהּ – **But** the word ***regalim,*** which we concede alludes to "feet," **is needed** to teach: פְּרָט לְבַעֲלֵי קַבִּין – **to the exclusion of people with wooden feet!**[27] – ? –

The Gemara deflects the challenge:

הַהוּא מִ,,פְּעָמִים" נַפְקָא – **That** exemption **is derived from** the word ***pe'amim,***[28] דְּתַנְיָא – **for it was taught in a Baraisa:** ,,פְּעָמִים" – Scripture states: *Three* PE'AMIM *during the year* etc., אֵין פְּעָמִים אֶלָּא רְגָלִים – and THERE IS NO connotation of *PE'AMIM* in this context OTHER THAN a man who has FEET.[29] וְכֵן הוּא אוֹמֵר ,,תִּרְמְסֶנָּה רָגֶל רַגְלֵי עָנִי פַּעֲמֵי דַלִּים" – AND SO [SCRIPTURE] STATES elsewhere:[30] *THE FOOT WILL TRAMPLE IT – THE FEET OF A PAUPER, THE SOLES OF THE NEEDY.*[31] וְאוֹמֵר – AND IT further STATES:[32] ,,מַה־יָּפוּ פְעָמַיִךְ בַּנְּעָלִים בַּת־נָדִיב" – *HOW LOVELY ARE*

NOTES

15. For his attending the gathering is pointless, since he will not be able to understand the king's recital (see *Rashi*). [*Tosafos* ד״ה מלמען explain that the very essence of לְמַעַן יִשְׁמְעוּ is not just hearing the recital, but understanding it as well. See *Menachem Meishiv Nefesh,* who applies *Tosafos'* insight in elucidation of *Rashi's* comment.]

16. If the Tanna holds that a mute, too, cannot learn, the mute can be disqualified from the same verse (לְמַעַן יִשְׁמְעוּ, *so that they will hear*) and for the same rationale (he will not understand the recital) as one who cannot hear. Since, in fact, the Tanna does not derive the mute's exemption from *so that they will hear,* we must conclude that he holds that a mute can indeed learn, and so a different verse is needed to exempt him. And that other verse – למען ילמדו – can exempt him only if it is interpreted "so that they will *teach*" (*Rashi*).

17. See *Maharsha.*

18. *Deuteronomy* 31:11. The verse states in pertinent part: תִּקְרָא אֶת־הַתּוֹרָה הַזֹּאת נֶגֶד כָּל־יִשְׂרָאֵל בְּאָזְנֵיהֶם, *you shall read this Torah before all Israel, in their ears.*

19. The plural "ears" indicates that only those who are able to hear with both ears must gather for the king's recital. Through the *gezeirah shavah,* the "both ears" requirement is applied to the mitzvah of *re'iyah* as well.

20. I.e. the entire Jewish nation must come to the Courtyard to hear him.

21. I.e. because they are standing too far from the king (*Tosafos*).

22. That the entire assemblage must actually hear the king's recital.

23. *Deuteronomy* 31:12.

24. According to the Gemara's conclusion, R' Tanchum derives the exemption of one who is deaf in one ear (and certainly one who is completely deaf) from the phrase בְּאָזְנֵיהֶם, *in their ears.* From the phrase לְמַעַן יִשְׁמְעוּ, *so that they will hear,* he derives a law (see note 22) that is unique to the mitzvah of gathering. It emerges, then, that R' Tanchum rejects the teaching of the Baraisa discussed above, which derived the exemption of one who speaks but cannot hear from *so that they will hear* (see *Maharsha;* see also *Tosafos* ד״ה אף). See *Sfas Emes,* who takes issue with this interpretation, and *Siach Yitzchak,* who defends it.

25. *Rashash* and *Menachem Meishiv Nefesh* emend the text to וְאָמַר רַבִּי תַּנְחוּם, *And R' Tanchum said.*

26. *Exodus* 23:14. The verse states in full: שָׁלֹשׁ רְגָלִים תָּחֹג לִי בַּשָּׁנָה, *Three times you shall celebrate for Me during the year.* Although the word רְגָלִים (*times,* as in *Numbers* 22:28) is necessary for the plain meaning of the verse [viz. that we must conduct pilgrimage festivals at *three* different *times* during the year], the verse itself is superfluous, since the next two verses teach this obligation: *You shall observe the Festival of Matzos . . . And the Festival of the Harvest . . . and the Festival of the Ingathering.* Hence, in the larger context of the passage the word רגלים is indeed extraneous, and so R' Tanchum interprets it as an allusion to רַגְלַיִם (*feet*), teaching that only one whose both feet are healthy is obligated in the mitzvos of the pilgrimage festivals (*Turei Even*).

27. One whose foot was amputated would hollow out a small block of wood (called a קַב), pad it with rags, and insert the stump of his leg into it, so that the wood served as an artificial foot (*Rashi*). The Gemara argues that the word רגלים excludes from the mitzvah of *re'iyah* only those who are actually missing feet; one who is merely lame is obligated.

28. Ibid. v. 17. The verse states: *Three times* (פְּעָמִים, *pe'amim*) *during the year all your males shall appear before the Master, Hashem.* The word *pe'amim* connotes "feet" as well as "times," as the Gemara proceeds to demonstrate. Since the word פְּעָמִים appears in the same passage as the word רְגָלִים, where the three festivals are enumerated (see note 26 above), it too is extraneous. The Gemara thus argues that the exemption of someone with an artificial foot [but no limp] is derived from פְּעָמִים [i.e. *pe'amim* teaches that a pilgrim must have both his feet], while the exemption of one who is lame even in one foot is derived from רְגָלִים, as R' Tanchum taught.

29. *Rashi.*

30. *Isaiah* 26:6.

31. רַגְלֵי עָנִי פַּעֲמֵי דַלִּים is an explanation of תִּרְמְסֶנָּה רָגֶל [i.e. of *whose* "foot will trample it"]. The identity of the tramplers (*the pauper, the needy*) is actually one and the same – Israel (*Radak* ad loc.). The synonymous repetition indicates that the רַגְלֵי of the pauper and the פַּעֲמֵי of the needy are likewise one and the same – *feet!*

32. *Song of Songs* 7:2.

חייב בשמחה ואת שאינו לא שומע ולא מדבר ושוטה וקטן פטורין אף מן השמחה הואיל ופטורין מכל מצות האמורות בתורה מאי שנא לענין ראיה דפטירי ומאי שנא לענין שמחה דמחייבי לענין ראיה גמר ראיה ראיה [א] מהקהל דכתיב [א] הקהל את העם האנשים והנשים והטף וכתיב [ב] בבא כל ישראל לראות והתם מנלן דכתיב [א] למען ישמעו ולמען ילמדו ותניא למען ישמעו פרט למדבר ואינו שומע ולמען ילמדו פרט לשומע ואינו מדבר למימרא דכי לא משתעי לא גמר והא הנהו תרי אילמי דהוו בשבבותיה דרבי בני ברתיה דרבי יוחנן בן גודגדא ואמרי לה בני אחתיה דרבי יוחנן דכל אימת דהוה עייל רבי לבי מדרשא הוו עיילי ויתבי [ב] קמייהו ומניידי ברישייהו [ג] ומרחשין שפוותייהו ובעי רבי רחמי עלייהו ואיתסו ואשתכח דהוו גמירי הלכתא וספרא וספרי וכולה הש"ס אמר מר זוטרא קרי ביה למען [א] ילמדו רב אשי אמר ודאי למען ילמדו הוא דאי סלקא דעתך למען ילמדו וכיון דלא משתעי לא גמר וכיון דלא שמע לא גמר האי מלמען ישמעו נפקא אלא ודאי למען ילמדו הוא אמר ר' תנחום [ב] חרש באזנו אחת פטור מן הראיה שנאמר [ג] באזניהם והאי באזניהם מבעי ליה באזניהם דכולהו ישראל ההוא [ג] מנגד כל ישראל נפקא אי מנגד כל ישראל הוה אמינא אע"ג דלא שמעי כתב רחמנא באזניהם והוא דשמעי ההוא מלמען ישמעו נפקא אמר רבי תנחום [ג] חיגר ברגלו אחת פטור מן הראיה שנאמר [ד] רגלים והא רגלים מבעי ליה [ג] פרט לבעלי קבין ההוא [ה] מפעמים נפקא דתניא פעמים אין פעמים אלא רגלים וכן הוא אומר [ה] תרמסנה רגל רגלי עני פעמי דלים ואומר [ו] מה יפו פעמיך בנעלים בת נדיב [ד] דרש רבא מאי דכתיב מה יפו פעמיך בנעלים בת נדיב כמה נאין רגליהן של ישראל בשעה שעולין לרגל בת נדיב בתו של אברהם אבינו שנקרא נדיב שנאמר [ז] נדיבי עמים נאספו עם אלהי אברהם אלהי אברהם ולא אלהי יצחק ויעקב אלא אלהי אברהם שהיה תחילה לגרים אמר רב כהנא דרש [ה] רב נתן בר מניומי משום ר' תנחום מאי דכתיב [ח] והבור רק אין בו מים ממשמע שנאמר והבור רק איני יודע שאין בו מים אלא מים אין בו אבל נחשים ועקרבים יש בו ת"ר [ו] מעשה ברבי יוחנן בן ברוקה ורבי אלעזר [ז] (בן) חסמא שהלכו להקביל פני ר' יהושע בפקיעין אמר להם מה חידוש היה בבית המדרש היום אמרו לו תלמידיך אנו ומימיך אנו שותין אמר להם אף על פי כן אי אפשר לבית המדרש בלא חידוש [ט] שבת של מי היתה שבת של ר' אלעזר בן עזריה היתה ובמה היתה הגדה היום אמרו לו בפרשת הקהל ומה דרש בה [א] הקהל את העם האנשים והנשים והטף אם אנשים באים ללמוד נשים באות לשמוע טף למה באין כדי ליתן שכר למביאיהן אמר להם מרגלית טובה היתה בידכם ובקשתם לאבדה ממני ועוד דרש [ט] את ה' האמרת היום וה' האמירך היום [י] אמר להם הקב"ה לישראל אתם עשיתוני חטיבה [י] אחת בעולם ואני אעשה אתכם חטיבה אחת בעולם אתם עשיתוני חטיבה אחת בעולם דכתיב [י] שמע ישראל ה' אלהינו ה' אחד ואני אעשה אתכם חטיבה אחת בעולם שנאמר ומי

רש"י

חייב בשמחה. לשמוח בחג דכתיב ושמחת בחגך (דברים טז) ואמרינן לקמן (דף ח.) דשמחה בשלמים לאכול את הבשר וילפינן לה (פסחים דף קט.) מוזבחת שלמים ואכלת שם ושמחת ולקמן פריך מ"ש לענין ראייה דפטור ולענין שמחה דמחייב: ושאינו לא שומע ולא מדבר. היינו חרש דמתניתין שסמכו לשוטה וקטן: ראייה מהקהל. דכתיב בפרשת הקהל בבוא כל ישראל לראות וגו' ופרשת הקהל המלך היה קורא משנה תורה בעזרה בכל מוצאי שמטה דכתיב מקץ שבע שנים במועד שנת השמטה וגו' (דברים לא): פרט לשומע ואינו מדבר. השתא משמע שאין זה ראוי ללמוד: הלכתא. משניות: למען ילמדו. ואין זה ראוי ללמד אחרים: רב אשי אמר ודאי למען ילמדו. כלומר בלאו קושיא דהנך תרי אילמי ליכא לאוקמי לדרשה דתנא דמעיט מהכא שומע ואינו מדבר אלא מלמען ילמדו: דאי סלקא דעתך מלמען ילמדו. הוא דמשמע ליה אלמא סבירא ליה לתנא דכיון דלא משתעי לא גמיר לנפשיה: וכיון דלא שמע. אנן סהדי דלא גמיר וכיון דתנן למען ישמעו פרט למדבר ואינו שומע ואנן סהדי דטעמא משום דלא גמיר הוא שלא יבין כל מה שאומרים לפניו למה לי למהדר תו למען ילמדו פרט לשומע ואינו מדבר כיון דסבירא ליה דמאן דלא משתעי נמי לא גמיר מלמען ישמעו ממעט ליה אלא ודאי סבירא ליה דמאן דלא משתעי נמי גמיר ולא מלמען ישמעו ממעט הלכך הדר ומעטיה מלמען ילמדו הלכך ודאי למען ילמדו הוא דדריש: פרט לבעלי קבין. כשחתכו רגליהם נתנו קב קטן בסוף שוקו ונותנים בו מוכין וסומך סוף שוקו עליו: אלא רגלים. אדם שיש לו רגלים: פעמיך בנעלים. אלמא בבעלי מנעלים שייכי פעמים ובראייה כתיב שלש פעמים בשנה יראה כל זכורך וגו': שנקרא נדיב. על שם שנדבו לבו להכיר בוראו: נדיבי עמים. הם הגרים המתנדבין מבין העמים לקבל עליהן עול מצות: והבור רק. משום דרבי תנחום אמרה נקט לה הכא גבי שמעתתא דרבי תנחום: אבל נחשים ועקרבים יש בו. לא היה רק אלא ממים: להקביל פניו. יום טוב היה שחייב אדם לכבד את רבו בהקבלת פנים כדאמרינן במסכת ראש השנה (דף טז:) מדוע את הולכת אליו היום לא חדש ולא שבת (מלכים ב ד): תלמידיך אנו. ואין לנו לדבר בפניך: האמרת. שבחת כמו יתאמרו כל פועלי און (תהלים צד) ישתבחו שדרכן נלחה: חטיבה אחת. שבח אחד שבח מיוחד לומר אין כמוך לכך בחרנוך לאלוה: ואף

תוספות

גמר ראיה ראיה מהקהל. ונשים ליכא לחיובי דקא ממעטו ליה לקמן מזוכרך וכן אמרינן לקמן הא למה לי קרא תיפוק לי דמצות עשה שהזמן גרמא מהו דתימא נילף ראיה מהקהל מה להלן נשים חייבות וטפלים לא מחייבינן כמו בהקהל וליתן שכר למביאיהם כי התם דמקל וחומר פטרינן ליה כדפרישית לעיל דנשים פטורות טפלים לא כל שכן (ג) ולקמן דמרבינן קטן שהגיע לחינוך מדכתיב כל ולא גמרינן מהקהל התם אסמכתא בעלמא הוא כדמסיק ומהאי ק"ו נמי פטור וכי פריך דרבנן הוא מאי לאקשויי למה לי קרא ליגמר מהקהל אלא עדיפא מינה פריך:

מלמען ישמעו נפקא. דפשטיה דקרא משמע האזינה והבין שיבין מה שילמדהו הלכך מה לנו שישמע כיון דלא גמיר ממעטינן ליה שפיר:

אלא קרי ביה למען ילמדו. ואף על גב דלא משתעי גמיר ולהכי לא נפקא להו מלמען ישמעו וכן מדבר ואינו שומע אפילו שמע עד השתא דמצי גמיר לאחריני כיון דלא מצי גמיר בהאי הליכה מה לו ללכת וכיון דלא שמע לא גמיר מכאן ולהבא אע"ג דגמיר לאחריני עד האידנא לא יזיל השתא כיון דלא יועיל לו הליכה זו דהא לא קאמר קרא הקהל אלא שישמעו בקריאת המלך ויבינו מהשתא ויבאו לידי יראת הבור דכתיב בסיפיה דקרא ויראו את ה' והש"ס לא חש להביאו דפשיטא ליה דמשתעי בהכי אבל מלמען ילמדו לא מצי מפיק (ג) בלא ישמעו דלא הוינא מפיק מדבר ואינו שומע כיון דשמע מקמי הכי ושפיר גמיר אף לאחריני וגם יבין למה נקהלו עכשיו וגם (ד) יצטרך ישמעו כדאמרינן לקמן:

חרש באזנו אחת. בירושלמי אמר ר' יוחנן בעי חרש באזנו אחת מהו א"ר יוסי בר בון פלוגתא דרבי יוסי ורבנן דתני רבי יוסי ולבני אהרן תעשה כתנות (שמות כח) רבנן אמרי שתי כתונות לכל אחד רבי יוסי אמר אפילו כתונת (ה) לכל אחד ואחד הכי נמי רבנן אמרי באזניהם שתי אזנים לכל אחד ורבי יוסי אמר ° אזן לכל אחד ואחד:

אף על גב דלא שמעי. מחמת שהן רחוקים אבל אם היו חרשין ממעטינן מבאזניהם:

מפעמים נפקא. וכי אמרינן לקמן רגלים פרט לבעלי קבין אסמכתא בעלמא הוא ° דמפעמים נפקא וכי פריך במצות חליצה (יבמות דף קג. ושם) ובערכין פרק האומר משקלי (דף יט: ושם) ורמינהי רגלים פרט לבעלי קבין ההיא (ו) מדסמכיה רגלים קאמר ולא משום שהוא עיקר דרשה ° :

תחילה לגרים. שנצטווה על המילה טפי מכל אותם שלפניו:

נשים לשמוע. אמר בירושלמי דלא כבן עזאי [ז] דאמר חייב אדם ללמד לבתו תורה:

כדי ליתן שכר למביאיהן. ועל זה סמכו [ח] להביא קטנים בבית הכנסת:

ומי

עין משפט נר מצוה

יא א מיי' פ"ג מהלכות חגיגה הלכה ב:
יב ב מיי' פ"ב הלכה א סמג עשין רכו:

רבינו חננאל

מחרש המדבר ואינו שומע או שומע ואינו מדבר שפטור ואף על פי שפטור מן הראיה חייב בשמחה וחרש שאינו שומע ולא מדבר ושוטה וקטן פטורין אף מן השמחה הואיל ופטורין מכל מצות האמורות בתורה. ומנא לן דהני פטורין מן הראיה דגמר ראיה ראיה מהקהל וכתיב ביה בהקהל למען ישמעו ולמען ילמדו ותניא למען ישמעו פרט למדבר ואינו שומע שפטור למען ילמדו פרט לשומע ואינו מדבר. ומקשינן איני דכל מאן דלא ממלל לא גמר והא הנהו תרי אילמי דבעא רבי רחמי עלייהו ואתפתחו ואשתכחו דהוו גמירי הלכתא וספרי וסיפרא ותוספתא וכולה תלמודא ופריק מר זוטרא קרי ביה למען ילמדו הן לאחרים ורב אשי קאי כוותיה דודאי ילמדו פשטיה וכיון דאילמא הוא אע"ג דגמירי לא מצי לאגמורי הוא לאחרים. הא דא"ר תנחום חיגר ברגלו אחת וחרש באזנו אחת פטורין מן הראיה פשוטות הן. בת נדיב בת אברהם שנקרא נדיב כו'. והבור רק אין בו מים מים אין בו אבל נחשים ועקרבים יש בו: ת"ר מעשה בר' יוחנן בן ברוקה ור' אלעזר חסמא שהלכו להקביל פני ר' יהושע בפקיעין ואמרו כי ר' אלעזר בן עזריה דרש הקהל את העם האנשים והנשים והטף הא תינח אנשים ונשים וטף למה לי כו'. ועוד דרש את ה' האמרת היום וכו'. אתם עשיתוני חטיבה אחת

ליקוטי רש"י

הקהל. במועד שנת השמטה בחג הסוכות המלך עומד על הבימה וקורא לפניהן מצות משנה תורה כדאיתא בסוטה (דף מא.) [ערכין כו.]. האנשים. ללמוד. והנשים. לשמוע [דברים לא, יב]. ומרחשין שפוותיהו. שפתותיהן נעות [סנהדרין צ:]. וספרא וספרי. הן הלכות של [מדרש] מקראות [קידושין מט.]. רגלים. שלא קבין תחת רגל [שמות כג]. פרט לבעלי קבין. מי שנחתך רגלו עושה כמין סמוך לשוקו וחוקק בו מקבל כתיתין ונותן שוקו לתוכה וקורין אשקצ"א שפטור מן הראיה דלאו בן רגל [ערכין יט:]. ההוא מפעמים נפקא. פרט לבעלי קבין מפעמים נפקא דכתיב פעמים לעיל הלכך רגלים לאחרים הוא שצריך משמעות אחרת לבר מרגלות [לקמן ד.]. רגלי עני. מלך המשיח שנאמר בו עני ורוכב על החמור (זכריה ט ט). פעמי דלים. ישראל שהיו דלים עד הנה [ישעיה כו, ו]. מה יפו פעמיך בנעלים. הם אומרים לה חפצים אנו שתהיה כנו בשביל נוי ותשיבות שראינו בך כשעלית לרגל. מה יפו פעמיך בעליית הרגלים בת נדיבים [שיר השירים ז, ב]. בנעלים. בעליית

הגהות הב"ח

(א) גמ' אמר מר זוטרא קרי ביה למען ילמדו וכו' למען ילמדו הוא דאי ס"ד למען ילמדו: (ב) תוס' ד"ה גמר ראיה וכו' ולקמן דמרבינן. נ"ב וק"ק הא אצטריך כל דלא תימא נשים פטורין טפלים לכ"ש ויל"ל דה"פ הא לא לאו (ק"ו מהקהל ספיר משמע אף קטן שלא הגיע לחינוך כדקאמר ליתן שכר למביאיהם וכיון דאיכא ק"ו דמו לן ריבויא דכל איצטרך ק"ו ואפשר דגם ולקמן מה"ט ולא ק"ו בלא הגיע לחינוך לא שכתבו התוספות ולקמן דמרבינן קטן שהגיע לחינוך מדכתיב כל ולא גמרינן מהקהל אף בלא הגיע לחינוך כיון דלדידהו ליה ק"ו והתם חינוכה לה אסמכתא בעלמא הוא כדמסיק ומהאי ק"ו נמי פטור בלא הגיע לחינוך ומפיק התם וכו' וכי פריך לקמן דף ד קודם דידע מהיכון אסמכתא דרבנן הוא הוא מאי לאקשויי ליגמר מהקהל אף בלא הגיע לחינוך: (ג) ד"ה אלא וכו' לא מצי מפיק בלא ישמעו דלא: (ד) באד"ה וגם יצטרך למען ישמעו כדאמרינן לקמן: (ה) ד"ה חרש וכו' ואפי' כתונת אחד לכל אחד וכו' ור' יוסי אומר אפי' אזן אחת לכל אחד: (ו) ד"ה מפעמים וכו' ההיא מדסמכיה רגלים:

גליון הש"ס

תוספות ד"ה חרש וכו' אזן לכל אחד ואחד. עיין יומא דף נח ע"א וביבמות דף קד ע"א תוספות ד"ה ור' ד"ה מפעמים נפקא וכו' דמפעמים נפקא. עיין תוס' ר"ה דף ה ע"א ד"ה שלמי פסח:

מסורת הש"ס

א) [בע"י הגי' קמייהו], ב) [מנחות דף סג.], ג) [לקמן ד. יבמות קג. ערכין יט:], ד) סוכה מט:, ה) שבת כג., ו) מכילתא פ' בא פר' יז ואדר"נ פרק יח [תוספתא סוטה פ"ז], ז) [וע' תוי"ט סוף פ"ג דלכאים], ח) ברכות ו., י) [פי' ליור אחד בעולם כלומר דבר הניכר שאין כמותו. ערוך ערך חטב רב האי בערך חמר], כ) [וע"ע תוספות בכורות ו: ד"ה רוטב], ל) [סוטה מא], מ) [כ"ה במסכת סופרים פי"ח הלכה ו].

תורה אור השלם

א) הַקְהֵל אֶת הָעָם הָאֲנָשִׁים וְהַנָּשִׁים וְהַטַּף וְגֵרְךָ אֲשֶׁר בִּשְׁעָרֶיךָ לְמַעַן יִשְׁמְעוּ וּלְמַעַן יִלְמְדוּ וְיָרְאוּ אֶת יְיָ אֱלֹהֵיכֶם וְשָׁמְרוּ לַעֲשׂוֹת אֶת כָּל דִּבְרֵי הַתּוֹרָה הַזֹּאת: [דברים לא, יב]

ב) בְּבוֹא כָל יִשְׂרָאֵל לֵרָאוֹת אֶת פְּנֵי יְיָ אֱלֹהֶיךָ בַּמָּקוֹם אֲשֶׁר יִבְחָר תִּקְרָא אֶת הַתּוֹרָה הַזֹּאת נֶגֶד כָּל יִשְׂרָאֵל בְּאָזְנֵיהֶם: [דברים לא, יא]

ג) שָׁלֹשׁ רְגָלִים תָּחֹג לִי בַּשָּׁנָה: [שמות כג, יד] ד) שָׁלֹשׁ פְּעָמִים בַּשָּׁנָה יֵרָאֶה כָּל זְכוּרְךָ אֶל פְּנֵי הָאָדֹן יְיָ: [שמות כג, יז] ה) תִּרְמְסֶנָּה רָגֶל רַגְלֵי עָנִי פַּעֲמֵי דַלִּים: [ישעיה כו, ו] ו) מַה יָּפוּ פְעָמַיִךְ בַּנְּעָלִים בַּת נָדִיב חַמּוּקֵי יְרֵכַיִךְ כְּמוֹ חֲלָאִים מַעֲשֵׂה יְדֵי אָמָּן: [שיר השירים ז, ב] ז) נְדִיבֵי עַמִּים נֶאֱסָפוּ עַם אֱלֹהֵי אַבְרָהָם כִּי לֵאלֹהִים מָגִנֵּי אֶרֶץ מְאֹד נַעֲלָה: [תהלים מז, י] ח) וַיִּקָּחֻהוּ וַיַּשְׁלִכוּ אֹתוֹ הַבֹּרָה וְהַבּוֹר רֵק אֵין בּוֹ מָיִם: [בראשית לז, כד] ט) אֶת יְיָ הֶאֱמַרְתָּ הַיּוֹם לִהְיוֹת לְךָ לֵאלֹהִים וְלָלֶכֶת בִּדְרָכָיו וְלִשְׁמֹר חֻקָּיו וּמִצְוֹתָיו וּמִשְׁפָּטָיו וְלִשְׁמֹעַ בְּקֹלוֹ: וַיְיָ הֶאֱמִירְךָ הַיּוֹם לִהְיוֹת לוֹ לְעַם סְגֻלָּה כַּאֲשֶׁר דִּבֶּר לָךְ וְלִשְׁמֹר כָּל מִצְוֹתָיו: [דברים כו, יז-יח] י) שְׁמַע יִשְׂרָאֵל יְיָ אֱלֹהֵינוּ יְיָ אֶחָד: [דברים ו, ד]

רגלים. שנדבו לבו להכיר את בוראו [סוכה מט:]. נדיבי עמים. שהתנדבו עלמם לטעם ולהרוג על קדושת שמו. עם אלהי אברהם. שהיה נדיב לב הראשון שבא להכיר [תהלים מז, י]. תחילה לגרים. נכנסת לנו להכניס [סוטה שם]. האמרת. והאמירך, אין להם עד מוכיח במקרא ולי נראה שהוא לשון הפרשה והבדלה הבדלת לך מאלהי הנכר להיות לך לאלוה והוא הפרישך אליו מעמי הארץ להיות לו לעם סגולה ומצאתי להם עד והוא לשון תפארת כמו יתאמרו כל פועלי און (תהלים צד ד) [דברים כו, יז]. לשון חשיבות ושבח כמו יתאמרו כל פועלי און (תהלים צד) [ברכות ו.]. ה' אלהינו ה' אחד. ה' שהוא אלהינו עתה ולא אלהי האומות הוא עתיד להיות ה' אחד שנאמר (צפניה ג ט) כי אז אהפוך אל עמים שפה ברורה לקרוא כולם בשם ה' ונאמר (זכריה יד ט) ביום ההוא יהיה ה' אחד ושמו אחד [דברים ו, ד].

YOUR FOOTSTEPS IN SANDALS, O DAUGHTER OF THE NOBLE.[33]

The Gemara digresses to interpret homiletically the verse from *Song of Songs:*

דָּרַשׁ רָבָא – Rava expounded: מַאי דִּכְתִיב ,,מַה־יָּפוּ פְעָמַיִךְ בַּנְּעָלִים בַּת־נָדִיב" **– What is** the meaning of that **which is written:** ***How lovely are your footsteps in sandals, O daughter of the noble?*** **כַּמָּה נָאִין רַגְלֵיהֶן שֶׁל יִשְׂרָאֵל – How lovely are the footsteps of Israel** בְּשָׁעָה שֶׁעוֹלִין לָרֶגֶל **– when they ascend** to Jerusalem **to** celebrate **the festival;**[34] ,,בַּת־נָדִיב" בִּתּוֹ שֶׁל אַבְרָהָם אָבִינוּ שֶׁנִּקְרָא נָדִיב **–** ***O daughter of the noble*** **– the daughter of our forefather Abraham, who is called "the noble,"** שֶׁנֶּאֱמַר ,,נְדִיבֵי עַמִּים נֶאֱסָפוּ עַם אֱלֹהֵי אַבְרָהָם" **– for it is stated:**[35] ***The nobles of the nations gathered, the nation of the God of Abraham.*** אֱלֹהֵי אַבְרָהָם וְלֹא אֱלֹהֵי יִצְחָק וְיַעֲקֹב – Now, does this verse mean to imply that Hashem is **"the God of Abraham" but not the God of Isaac and Jacob?!** That cannot be! אֶלָּא אֱלֹהֵי אַבְרָהָם שֶׁהָיָה תְּחִילָּה לַגֵּרִים **– Rather,** only in this context is Hashem referred to as **"the God of Abraham," for [Abraham] was the forerunner of** all **proselytes.**[36]

Having cited two rulings of R' Tanchum regarding the mitzvah of *re'iyah,* the Gemara records another statement of his concerning an unrelated topic:[37]

אָמַר רַב כַּהֲנָא – Rav Kahana said: דָּרַשׁ רַב נָתָן בַּר מַנְיוּמִי מִשּׁוּם רַבִּי תַּנְחוּם **– Rav Nassan bar Manyumi expounded in the name of R' Tanchum:** מַאי דִּכְתִיב **– What is** the meaning of that **which is written**[38] regarding the pit into which the brothers threw Yosef: ,,וְהַבּוֹר רֵק אֵין בּוֹ מָיִם" **–** ***and the pit was empty; no water was in it?*** מִמַּשְׁמַע שֶׁנֶּאֱמַר ,,וְהַבּוֹר רֵק" **– From the plain meaning of what is stated** in the earlier part of the verse, ***and the pit was empty,*** אֵינִי יוֹדֵעַ שֶׁאֵין בּוֹ מַיִם **– do I not know that no water was in it?** אֶלָּא מַיִם אֵין בּוֹ **– Rather,** the seemingly redundant latter part of the verse teaches that, indeed, **water was not in [the pit],** אֲבָל נְחָשִׁים וְעַקְרַבִּים יֵשׁ בּוֹ **– but snakes and scorpions were in it.**[39]

The Gemara resumes its discussion of the mitzvah of "gathering" in an anecdotal way:

תָּנוּ רַבָּנָן – The Rabbis taught in a Baraisa: מַעֲשֶׂה בְּרַבִּי יוֹחָנָן בֶּן בְּרוֹקָה וְרַבִּי אֶלְעָזָר (בן) חִסְמָא – There was once AN INCIDENT INVOLVING R' YOCHANAN BEN BEROKAH AND R' ELAZAR (BEN) CHISMA, שֶׁהָלְכוּ לְהַקְבִּיל פְּנֵי רַבִּי יְהוֹשֻׁעַ בִּפְקִיעִין – WHO WENT TO VISIT R' YEHOSHUA IN PEKIIN.[40] אָמַר לָהֶם – [R' YEHOSHUA] SAID TO THEM: מַה חִידּוּשׁ הָיָה בְּבֵית הַמִּדְרָשׁ הַיּוֹם – WHAT NOVEL TEACHING WAS expounded IN THE STUDY HALL TODAY?[41] אָמְרוּ לוֹ – THEY SAID TO HIM: תַּלְמִידֶיךָ אָנוּ וּמֵימֶיךָ אָנוּ שׁוֹתִין – WE ARE YOUR DISCIPLES,[42] AND WE DRINK *YOUR* WATERS![43] אָמַר לָהֶם – [R' YEHOSHUA] SAID TO THEM in reply: אַף עַל פִּי כֵן אִי אֶפְשָׁר לְבֵית הַמִּדְרָשׁ בְּלֹא חִידּוּשׁ – EVEN SO, IT IS IMPOSSIBLE FOR the scholars of THE STUDY HALL to conduct a session WITHOUT expounding A NOVEL TEACHING.[44] שַׁבָּת שֶׁל מִי הָיְתָה – Now, WHOSE WEEK WAS IT to lecture in the study hall?[45] שַׁבָּת שֶׁל רַבִּי אֶלְעָזָר בֶּן עֲזַרְיָה הָיְתָה – They replied: IT WAS THE WEEK OF R' ELAZAR BEN AZARYAH. וּבַמֶּה הָיְתָה הַגָּדָה הַיּוֹם – R' Yehoshua again inquired: AND ON WHAT subject WAS his DISCOURSE TODAY? אָמְרוּ לוֹ בְּפָרָשַׁת הַקְהֵל – THEY ANSWERED HIM: ON THE Torah PORTION OF GATHERING (*Hakheil*). וּמַה דָּרַשׁ בָּהּ – R' Yehoshua interrogated further: AND WHAT DID HE EXPOUND ON [THIS SUBJECT]? ,,הַקְהֵל אֶת־הָעָם הָאֲנָשִׁים וְהַנָּשִׁים וְהַטַּף" – They explained that R' Elazar first cited the following verse: ***GATHER TOGETHER THE PEOPLE – THE MEN, THE WOMEN AND THE SMALL CHILDREN.***[46] אִם אֲנָשִׁים בָּאִים לִלְמוֹד – R' Elazar then elaborated: We can understand IF THE MEN COME TO LEARN נָשִׁים בָּאוֹת לִשְׁמוֹעַ – AND THE WOMEN COME TO HEAR.[47] טַף לָמָּה בָּאִין – WHY, however, DO THE SMALL

NOTES

33. This verse associates *pe'amim,* which the previous verse established as meaning "feet," with shoes (פְּעָמַיִךְ בַּנְּעָלִים). Now, since people with artificial, wooden feet have no need for shoes, this second verse offers even more convincing proof that *three times* (פְּעָמִים) *during the year* (v. 17) is the verse that exempts people with wooden feet, while *three times* (רְגָלִים) *you shall celebrate* (v. 14) exempts the lame (see *Rashi*).

34. The word נְעָלִים, *ne'alim* (sandals), is expounded as if it were cognate with עֲלִיָּה, *aliyah* (ascension, or pilgrimage) [*Rashi* to *Succah* 49b].

35. *Psalms* 47:10.

36. The word נָדִיב is understood as *the noble-hearted one.* Abraham was the first whose heart volunteered him (שֶׁנְּדָבוֹ לִבּוֹ) to recognize his Creator. All the subsequent נְדִיבֵי עַמִּים, *noble-hearted ones of the nations,* followed Abraham's lead in converting to Judaism (*Rashi*). See also *Tosafos, Turei Even, Sfas Emes* and *Maharatz Chayes.*

When the people of Israel make their pilgrimage to the Temple Mount for the festivals, they in turn are praised as *the daughter of the noble-hearted one.* That is, they demonstrate a semblance of the dedication of the spirit that Abraham exhibited when he ascended the very same mountain in order to sacrifice his son (*Maharsha* to *Succah* 49b). The pilgrims agree to leave their homes and affairs behind them in order to do God's will, just as Abraham did (see *Iyei HaYam,* cited by *Eitz Yosef* and *Iyun Yaakov* here).

37. *Rashi.*

38. *Genesis* 37:24.

39. The phrase *no water was in it* is construed as modifying the seemingly absolute statement, *the pit was empty,* thus yielding: "The pit was empty only of water" (*Rashi*). However, the brothers did not know this, for in suggesting the plan to throw Yosef into the pit Reuven intended to save Yosef, not to abandon him to such dangerous creatures (*Ramban* to verse).

40. This incident occurred during a festival, when one is obligated to honor his Torah teacher with a visit, as taught in *Rosh Hashanah* 16b (*Rashi*).

Regarding whether the more precise reading is "R' Elazar ben (the son of) Chisma" or "R' Elazar Chisma," see *Tos. Yom Tov, Avos,* end of Chapter 3. Cf. *Rishon LeTzion* ad loc.

[R' Yehoshua was the head of the academy and the court in Pekiin, as emerges from the Gemara *Sanhedrin* 32b with *Rashi* ד״ה אחר חכמים לישיבה.]

41. See *Mirkeves HaMishnah* (*Mechilta Parashas Bo* §16), who discusses why R' Yehoshua did not himself go to the study hall that day; see also *Avos D'Rabbi Nassan* 18:2.

42. And therefore it is improper for us to speak before you *(Rashi)*.

43. I.e. it is you who teaches Torah to us, for we are your disciples. [Water is a metaphor for Torah; see *Isaiah* 55:1.]

44. [And my desire to acquire that novel teaching must outweigh all other considerations.]

45. The Gemara in *Berachos* 27b-28a relates how Rabban Gamliel was removed from the office of *Nasi* and was replaced by R' Elazar ben Azaryah. Rabban Gamliel was eventually reinstated, but the Sages were left in the quandary of how to divide the position [the principle, "in matters of sanctity we do not descend," precluded the complete demotion of R' Elazar]. They eventually decided to have Rabban Gamliel lecture three weeks of each month and R' Elazar ben Azaryah lecture the remaining week. Since the study hall was located in Yavneh and R' Yehoshua lived in Pekiin, he was unaware whose turn it was (see *Tosefta Sotah* 7:6; *Doros HaRishonim* Vol. III, pp. 327, 339).

Maharsha explains that R' Yehoshua took pains to ascertain the identity of the author of the novel teaching because the Gemara (*Megillah* 15a) states that whoever relates a teaching in the name of its author brings redemption to the world.

46. *Deuteronomy* 31:12.

47. The men also hear, but their "hearing" is a fulfillment of their Biblical obligation to learn Torah. R' Elazar ben Azaryah holds that women are exempt from learning Torah (on this point he disputes Ben Azzai; see *Sotah* 20a); nevertheless, their "hearing" serves the purpose of enabling them to perform the mitzvos more correctly (see *Tosafos* with *Maharsha; cf. Ben Yehoyada*).

גמ' חייב בשמחה ואת שאינו לא שומע ולא מדבר ושוטה וקטן פטורין אף מן השמחה הואיל ופטורין מכל מצות האמורות בתורה מאי שנא לענין ראיה דפטירי ומאי שנא לענין שמחה דמחייבי לענין ראיה גמר ראיה ראיה מהקהל דכתיב הקהל את העם האנשים והנשים והטף וכתיב בבא כל ישראל לראות והתם מנלן דכתיב למען ישמעו ולמען ילמדו ותניא למען ישמעו פרט למדבר ואינו שומע ולמען ילמדו פרט לשומע ואינו מדבר למימרא דכי לא משתעי לא גמר והא הנהו תרי אילמי דהוו בשבבותיה דרבי בני ברתיה דרבי יוחנן בן גודגדא ואמרי לה בני אחתיה דרבי יוחנן דכל אימת דהוה עייל רבי לבי מדרשא הוו עיילי ויתבי קמייהו ומנידי ברישייהו ומרחשין שפוותייהו ובעי רבי רחמי עלייהו ואיתסו ואשתכח דהוו גמירי הלכתא וספרא וספרי וכולה הש"ס אמר מר זוטרא קרי ביה למען (א) ילמדו רב אשי אמר ודאי למען ילמדו הוא דאי סלקא דעתך למען ילמדו וכיון דלא משתעי לא גמר וכיון דלא שמע לא גמר האי מלמען ישמעו נפקא אלא ודאי למען ילמדו אמר ר' תנחום חרש באזנו אחת פטור מן הראיה שנאמר באזניהם והאי באזניהם מבעי ליה באזניהם דכולהו ישראל ההוא מנגד כל ישראל נפקא אי מנגד כל ישראל הוה אמינא אע"ג דלא שמעי כתב רחמנא באזניהם והוא דשמעי ההוא מלמען ישמעו נפקא אמר רבי תנחום חיגר ברגלו אחת פטור מן הראיה שנאמר רגלים והא רגלים מבעי ליה פרט לבעלי קבין ההוא מפעמים נפקא דתניא פעמים אין פעמים אלא רגלים וכן הוא אומר תרמסנה רגל רגלי עני פעמי דלים ואומר מה יפו פעמיך בנעלים בת נדיב דרש רבא מאי דכתיב מה יפו פעמיך בנעלים בת נדיב כמה נאין רגליהן של ישראל בשעה שעולין לרגל בת נדיב בתו של אברהם אבינו שנקרא נדיב שנאמר נדיבי עמים נאספו עם אלהי אברהם אלהי אברהם ולא אלהי יצחק ויעקב אלא אלהי אברהם שהיה תחילה לגרים אמר רב כהנא דרש רב נתן בר מניומי משום ר' תנחום מאי דכתיב והבור רק אין בו מים ממשמע שנאמר והבור רק איני יודע שאין בו מים אלא מים אין בו אבל נחשים ועקרבים יש בו ת"ר מעשה ברבי יוחנן בן ברוקה ורבי אלעזר ([בן]) חסמא שהלכו להקביל פני ר' יהושע בפקיעין אמר להם מה חידוש היה בבית המדרש היום אמרו לו תלמידיך אנו ומימיך אנו שותין אמר להם אף על פי כן אי אפשר לבית המדרש בלא חידוש שבת של מי היתה שבת של ר' אלעזר בן עזריה היתה ובמה היתה הגדה היום אמרו לו בפרשת הקהל ומה דרש בה הקהל את העם האנשים והנשים והטף אם אנשים באים ללמוד נשים באות לשמוע טף למה באין כדי ליתן שכר למביאיהן אמר להם מרגלית טובה היתה בידכם ובקשתם לאבדה ממני ועוד דרש את ה' האמרת היום וה' האמירך היום אמר להם הקב"ה לישראל אתם עשיתוני חטיבה אחת בעולם ואני אעשה אתכם חטיבה אחת בעולם אתם עשיתוני חטיבה אחת בעולם דכתיב שמע ישראל ה' אלהינו ה' אחד ואני אעשה אתכם חטיבה אחת בעולם שנאמר ומי

רש"י

חייב בשמחה. לשמוח בחג דכתיב ושמחת בחגך (דברים טז) ואמרינן לקמן (דף ח.) דשמחה בשלמים לאכול את הבשר וילפינן לה (פסחים דף קט.) מוזבחת שלמים ואכלת שם ושמחת ולקמן פריך מ"ש לענין ראיה דפטור ולענין שמחה דמחייב: **ושאינו לא שומע ולא מדבר.** היינו חרש דמתניתין שסמכו לשוטה וקטן: **ראייה מהקהל.** דכתיב בפרשת הקהל בבוא כל ישראל לראות וגו' ופרשת הקהל המלך היה קורא משנה תורה בעזרה בכל מוצאי שמטה דכתיב מקץ שבע שנים במועד שנת השמטה וגו' (דברים לא): **פרט לשומע ואינו מדבר.** השתא משמע שאין זה ראוי ללמוד: **הלכתא.** משניות: **למען ילמדו.** ואין זה ראוי ללמד אחרים: **רב אשי אמר ודאי למען ילמדו.** כלומר בלאו קושיא דהנך תרי אילמי ליכא לאוקמי לדרשה דתנא דמעיט מהכא שומע ואינו מדבר אלא מלמען ילמדו: **דאי סלקא דעתך מלמען ילמדו.** הוא דמשמע ליה אלמא סבירא ליה לתנא דכיון דלא משתעי לא גמיר לנפשיה: **וכיון דלא שמע.** אנן סהדי דלא גמיר וכיון דתנן למען ישמעו פרט למדבר ואינו שומע ואנן סהדי דטעמא משום דלא גמיר הוא שלא יבין כל מה שאומרים לפניו למה לי למהדר תו למען ילמדו פרט לשומע ואינו מדבר כיון דסבירא ליה דמאן דלא משתעי נמי לא גמיר מלמען ישמעו ממעט ליה אלא ודאי סבירא ליה דמאן דלא משתעי נמי גמיר ולא מלמען ישמעו ממעט הלכך הדר ומעטיה מלמען ילמדו הלכך ודאי למען ילמדו הוא דדריש: **פרט לבעלי קבין.** כשחתכו רגליהם נתנו קב קטן בסוף שוקו ועושים בו מוכין וסומך סוף שוקו עליו: **אלא רגלים.** אדם שיש לו רגלים: **פעמיך בנעלים.** אלמא בבעלי מנעלים שייכי פעמים ובראייה כתיב שלש פעמים בשנה יראה כל זכורך וגו': **שנקרא נדיב.** על שם שנדבו לבו להכיר בוראו: **נדיבי עמים.** הם הגרים המתנדבין מבין העמים לקבל עליהן עול מלות: **והבור רק.** משום דרבי תנחום אמרה נקט לה הכא גבי שמעתתא דרבי תנחום: **אבל נחשים ועקרבים יש בו.** לא היה רק אלא ממים: **להקביל פניו.** יום טוב היה שחייב אדם לכבד את רבו להקבלת פנים כדאמרינן במסכת ראש השנה (דף טז:) מדוע את הולכת אליו היום לא חדש ולא שבת (מלכים ב ד): **תלמידיך אנו.** ואין לנו לדבר בפניך: **האמרת.** שבחת כמו יתאמרו כל פועלי און (תהלים צד) ישתבחו שדרכן בלשון: **חטיבה אחת.** שבח אחד שבח מיוחד לומר אין כמוך לכך בחרנוך לאלוה: ואף

תוספות

ראיה ראיה מהקהל. ונשים ליכא לחיובי דקא ממעטו ליה לקמן מזכורך וכן אמרינן לקמן הא למה לי קרא תיפוק לי דמלות עשה שהזמן גרמא מהו דתימא נילף ראייה מהקהל מה להלן נשים חייבות וטפלים לא מחייבין כמו בהקהל וליתן שכר למביאיהם כי התם דמקהל וחומר פטרינן ליה דלפרישית לעיל דנשים פטורות טפלים לא כל שכן (ב) ולקמן דמרבינן קטן שהגיע לחינוך מדכתיב כל ולא גמרינן מהקהל התם אסמכתא בעלמא הוא כדמסיק ומהאי ק"ו נמי פטור וכי פריך דרבנן הוא מאי לאקשויי למה לי קרא ליגמר מהקהל אלא עדיפא מינה פריך:

מלמען ישמעו נפקא. דפשטיה דקרא משמע השמיעה והבין שיבין מה שילמדוהו הלכך מה לנו שישמע כיון דלא גמיר ממעטינן ליה שפיר:

אלא קרי ביה למען ילמדו. ואף על גב דלא משתעי גמיר ולהכי לא נפקא להו מלמען ישמעו וכן מדבר ואינו שומע אפילו שמע עד השתא דמלי גמיר לאחריני כיון דלא מלי גמיר בהאי הליכה מה לו ללכת וכיון דלא שמע לא גמיר מכאן ולהבא אע"ג דגמיר לאחריני עד האידנא לא יזיל השתא כיון דלא יועיל לו הליכה זו דהא לא קאמר קרא הקהל אלא שישמעו בקריאת המלך ויבינו מהשתא ויבאו לידי יראת הבור דכתיב בסיפיה דקרא ויראו את ה' והש"ס לא חש להביאו דפשיטא ליה דמשתעי בהני אבל מלמען ילמדו לא מלי מפיק (ג) בלא ישמעו דלא הוינא מפיק מדבר ואינו שומע כיון דשמע מקמי הכי ושפיר גמיר אף לאחריני וגם יבין למה נקהלו עכשיו וגם (ד) יצטרך ישמעו כדאמרינן לקמן:

חרש באזנו אחת. בירושלמי אמר ר' יוחנן בעי חרש באזנו אחת מהו א"ר יוסי בר בון פלוגתא דרבי יוסי ורבנן דתני רבי יוסי ולבני אהרן תעשה כתנות (שמות כח) רבנן אמרי שתי כתונות לכל אחד רבי יוסי אמר אפילו כתונת (ה) לכל אחד ואחד הכי נמי רבנן אמרי באזניהם שתי אזנים לכל אחד ורבי יוסי אמר ° אזן לכל אחד ואחד:

אף על גב דלא שמעי. מחמת שהן רחוקים אבל אם היו חרשין ממעטינן מבאזניהם:

מפעמים נפקא. וכי אמרינן לקמן רגלים פרט לבעלי קבין אסמכתא בעלמא הוא ° דמפעמים נפקא וכי פריך במצות חליצה (יבמות דף קג. ושם) ובערכין פרק האומר משקלי (דף יט: ושם) ורמינהי רגלים פרט לבעלי קבין ההיא (ו) מדסמכיה רגלים קאמר ולא משום שהוא עיקר דרשה:

תחילה לגרים. שנצטוה על המילה טפי מכל אותם שלפניו:

נשים לשמוע. אמר בירושלמי דלא כבן עזאי (ז) דאמר חייב אדם ללמד לבתו תורה:

כדי ליתן שכר למביאיהן. ועל זה סמכו (ח) להביא קטנים לבית הכנסת: ומי

מסורת הש"ס

א) [בע"י הגי' קמיה], ב) [מנחות דף סד:], ג) [לקמן ד. יבמות קג. ערכין יט:], ד) סוכה מד:, ה) שבת כב., ו) מכילתא פ' בא פי' יו ולדר"כ פרק יח [תוספתא סוטה פ"ז], ז) [וע' תוי"ט סוף פ"ג דלעכום], ח) [פי' ליור אחד בעולם כלומר דבר הניכר שאין כמוהו. ערוך בערך רב הא' לערך חטב], ט) [וע"ע תוספות בכורות ז: ד"ה רוטב], י) [סוטה כ.], כ) [כ"ה במסכת סופרים פי"ח הלכה ה]

הגהות הב"ח

(א) גמ' אמר מר זוטרא קרי ביה למען יְלַמְּדוּ וכו' למען ילמדו הוא דאי ס"ד למען יִלְמְדוּ: (ב) תוס' ד"ה גמר ראיה וכו' ולקמן דמרבינן. נ"ב וק"ק דהא אצטריך כל דלא תימא נשים פטורין טפלים לכ"ש ו"ל דה"פ הא אי לאו ק"ו מהקהל שפיר משמע אף קטן הגיע לחינוך כדקאמר ליתן שכר למביאיהם וכיון דאית ריבויא דכל איתרבי ק"ו שפיר נילף כל דלא תימא הני ק"ו מהקהל שמעינן כל לא קטן שהגיע לחינוך והא דלכל שכתבו התוספות ולקמן דמרבינן קטן שהגיע לחינוך מדכתיב כל ולא גמרינן מהקהל אף דלא הגיע לחינוך כיון דליתרבי ליה ק"ו והא דאילו הוה אסמכתא בעלמא הוה כדמסיק ומהאי ק"ו נמי פטור ולא הגיע לחינוך ומיהו היינו דלא לקמן דף ד' קודם דידע מתירין אסמכתא דרבנן הוא היינו מאי לאקשויי ליגמר מהקהל אף דלא הגיע לחינוך: (ג) ד"ה אלא וכו' לא מלי מפיק מלא: (ד) בא"ד וגם אצטריך למען ישמעו כדאמרינן לקמן: (ה) ד"ה חרש וכו' אפי' כתונת אחת לכל אחד ואחד וכו' ור' יוסי אומר אפי' אזן אחת לכל אחד: (ו) ד"ה מפעמים וכו' היא מדסמכיה רגלים:

גליון הש"ס

תוספות ד"ה חרש וכו' אזן לכל אחד ואחד. עיין יומא דף ע"ב ובזבחים דף קא ע"ב: ד"ה מפעמים נפקא וכו' דמפעמים נפקא. עיין תוס' ר"ה דף ק ע"ב ד"ה שלמי פסח:

תורה אור השלם

א) הַקְהֵל אֶת הָעָם הָאֲנָשִׁים וְהַנָּשִׁים וְהַטַּף וְגֵרְךָ אֲשֶׁר בִּשְׁעָרֶיךָ לְמַעַן יִשְׁמְעוּ וּלְמַעַן יִלְמְדוּ וְיָרְאוּ אֶת יְיָ אֱלֹהֵיכֶם וְשָׁמְרוּ לַעֲשׂוֹת אֶת כָּל דִּבְרֵי הַתּוֹרָה הַזֹּאת: [דברים לא, יב]

ב) בְּבוֹא כָל יִשְׂרָאֵל לֵרָאוֹת אֶת פְּנֵי יְיָ אֱלֹהֶיךָ בַּמָּקוֹם אֲשֶׁר יִבְחָר תִּקְרָא אֶת הַתּוֹרָה הַזֹּאת נֶגֶד כָּל יִשְׂרָאֵל בְּאָזְנֵיהֶם: [דברים לא, יא]

ג) שָׁלֹשׁ רְגָלִים תָּחֹג לִי בַּשָּׁנָה: [שמות כג, יד] ד) שָׁלֹשׁ פְּעָמִים בַּשָּׁנָה יֵרָאֶה כָּל זְכוּרְךָ אֶל פְּנֵי הָאָדֹן יְיָ: [שמות כג, יז] ה) תִּרְמְסֶנָּה רָגֶל רַגְלֵי עָנִי פַּעֲמֵי דַלִּים: [ישעיה כו, ו] ו) מַה יָּפוּ פְעָמַיִךְ בַּנְּעָלִים בַּת נָדִיב חַמּוּקֵי יְרֵכַיִךְ כְּמוֹ חֲלָאִים מַעֲשֵׂה יְדֵי אָמָּן: [שיר השירים ז, ב] ז) נְדִיבֵי עַמִּים נֶאֱסָפוּ עַם אֱלֹהֵי אַבְרָהָם כִּי לֵאלֹהִים מָגִנֵּי אֶרֶץ מְאֹד נַעֲלָה: [תהלים מז, י] ח) וַיִּקָּחֻהוּ וַיַּשְׁלִכוּ אֹתוֹ הַבֹּרָה וְהַבּוֹר רֵק אֵין בּוֹ מָיִם: [בראשית לז, כד] ט) אֶת יְיָ הֶאֱמַרְתָּ הַיּוֹם לִהְיוֹת לְךָ לֵאלֹהִים וְלָלֶכֶת בִּדְרָכָיו וְלִשְׁמֹר חֻקָּיו וּמִצְוֹתָיו וּמִשְׁפָּטָיו וְלִשְׁמֹעַ בְּקֹלוֹ: וַייָ הֶאֱמִירְךָ הַיּוֹם לִהְיוֹת לוֹ לְעַם סְגֻלָּה כַּאֲשֶׁר דִּבֶּר לָךְ וְלִשְׁמֹר כָּל מִצְוֹתָיו: [דברים כו, יז-יח] י) שְׁמַע יִשְׂרָאֵל יְיָ אֱלֹהֵינוּ יְיָ אֶחָד: [דברים ו, ד]

עין משפט נר מצוה

יא א מיי' פ"ג מהלכות חגיגה הלכה ב:
יב ב ג מיי' שם פ"ב הלכה א סמג עשין רכו:

רבינו חננאל

מחרש המדבר ואינו שומע או שומע ואינו מדבר שפטור ואף על פי שפטור מן הראיה חייב בשמחה וחרש שאינו שומע ולא מדבר ושוטה וקטן פטורין אף מן השמחה הואיל ופטורין מכל מצות האמורות בתורה. ומנא לן דהני פטורין מן הראיה דגמר ראיה ראיה מהקהל וכתיב ביה בהקהל למען ישמעו ולמען ילמדו ותניא למען ישמעו פרט למדבר ואינו שומע שפטור ולמען ילמדו פרט לשומע ואינו מדבר. ומקשינן איני דכל מאן דלא ממלל לא גמר והא הנהו תרי אילמי דבעא רבי רחמי עלייהו ואתפתחו ואשתכחו דהוו גמירי הלכתא וספרי וספרא ותוספתא וכולה תלמודא ופריק מר זוטרא קרי ביה למען יְלַמְּדוּ הן לאחרים ורב אשי קאי כוותיה דודאי ילמדו פשטיה וכיון דאילמא הוא אע"ג דגמיר לא מצי לאגמורי לאחריני. הא דא"ר תנחום חיגר ברגלו אחת וחרש באזנו אחת פטורין מן הראיה פשוטות הן. בת נדיב בת אברהם שנקרא נדיב כר'. והבור רק אין בו מים מים אין בו אבל נחשים ועקרבים יש בו: ת"ר מעשה בר' יוחנן בן ברוקה ור' אלעזר חסמא שהלכו להקביל פני ר' יהושע בפקיעין ואמרו כי ר' אלעזר בן עזריה דרש הקהל את העם האנשים והנשים והטף הא תינח אנשים ונשים וטף למה לי כו'. ועוד דרש את ה' האמרת היום וכו'. אתם עשיתוני חטיבה אחת

ליקוטי רש"י

הקהל. במועד שנת השמטה בחג הסוכות המלך עומד על הבימה וקורא לפניהן מצות משנה תורה כדאיתא בסוטה (דף מא.) [עירובין כז.]. **האנשים.** ללמוד. **והנשים.** לשמוע [דברים לא, יב]. **ומרחשין שפוותייהו.** שפתותיהן נעות [סנהדרין צ:]. **וספרא וספרי.** הן הלכות של [מדרשי] מקראות [קידושין מט.]. **רגלים.** שלש רגלים תחוג (שמות כג) [יבמות קג.]. **פרט לבעלי קבין.** מי שנחתך רגלו בפרק ראשון סמוך לשוקו וחוקק קב מקבל כתיתין ונותן שוקו לתוכה וקורין אשקנצ"א שפטור מן הראיה דאין לו רגל [ערכין יט:]. **ההוא מפעמים נפקא.** פרט לבעלי קבין מפעמים נפקא כדאמרינן לעיל הלכך רגלים למעוטי מי שצריך משענת אחרת לבד מרגליו [לקמן ד.]. **רגלי עני.** מלך המשיח שנאמר בו עני ורוכב על החמור (זכריה ט ט). **פעמי דלים.** ישראל שהיו דלים עד הנה [ישעיה כו, ו]. **מה יפו פעמיך בנעלים.** הם אומרים לה חפלים אנו שתדבקי בנו בשביל נוי וחשיבות שראינו בך בעודך ביפיך. מה יפו פעמיך, בעליית הרגלים בת נדיבים [שיר השירים ז, ב]. **בנעלים.** בעליית רגלים. **נדיב.** שנדבו לבו להכיר את בוראו [סוכה מט:]. **נדיבי עמים.** שהתנדבו עצמם לטבח ולהרוג על קדושת שמו. **עם אלהי אברהם.** שהיה נדיב לב הראשון תחלה לגרים [תהלים מז, י]. **תחילה לגרים.** נדבה לבו להתגייר [סוכה שם]. **האמרת.** והאמירך, אין להם עד מוכיח במקרא ולי נראה שהוא לשון הפרשה והבדלה הבדלתי לך מאלהי הנכר להיות לך לאלהים והוא הפרישך אליו מעמי הארץ להיות לו לעם סגולה ומצאתי להם עד והוא לשון תפארת כמו יתאמרו כל פועלי און [דברים כו, יז]. לשון חשיבות ושבח כמו יתאמרו כל פועלי און (תהלים צד ד) [ברכות ו.]. **ה' אלהינו ה' אחד.** ה' שהוא אלהינו עתה ולא אלהי האומות הוא עתיד להיות ה' אחד שנאמר (צפניה ג ט) כי אז אהפוך אל עמים שפה ברורה לקרוא כולם בשם ה' ונאמר (זכריה יד ט) ביום ההוא יהיה ה' אחד ושמו אחד [דברים ו, ד].

CHILDREN COME? They are too young to "learn" or even "hear"! כְּדֵי לִיתֵּן שָׂכָר לִמְבִיאֵיהֶן – Rather, it is IN ORDER TO GIVE A REWARD TO THOSE WHO BRING THEM.[48]

The Baraisa relates R' Yehoshua's reaction:

אָמַר לָהֶם – [R' YEHOSHUA] SAID TO THEM: מַרְגָּלִית טוֹבָה הָיְתָה בְּיֶדְכֶם – A PRECIOUS STONE WAS IN YOUR HAND, וּבִקַּשְׁתֶּם לְאַבְּדָהּ מִמֶּנִּי – AND YOU SOUGHT TO WITHHOLD IT FROM ME!?[49]

The Baraisa now records other expositions of R' Elazar ben Azaryah:

וְעוֹד דָּרַשׁ – AND [R' ELAZAR BEN AZARYAH] EXPOUNDED FURTHER on that day: "אֶת־ה' הֶאֱמַרְתָּ הַיּוֹם" – One verse states,[50] *YOU HAVE PRAISED HASHEM TODAY,* "וַה' הֶאֱמִירְךָ הַיּוֹם" – and it is also written,[51] *AND HASHEM HAS PRAISED YOU TODAY.* אָמַר לָהֶם הַקָּדוֹשׁ בָּרוּךְ הוּא לְיִשְׂרָאֵל – THE HOLY ONE, BLESSED IS HE, SAID TO ISRAEL: אַתֶּם עֲשִׂיתוּנִי חֲטִיבָה אַחַת בָּעוֹלָם – YOU HAVE MADE ME A subject of UNIQUE PRAISE[52] IN THE WORLD, וַאֲנִי אֶעֱשֶׂה אֶתְכֶם חֲטִיבָה אַחַת בָּעוֹלָם – AND I WILL MAKE YOU A subject of UNIQUE PRAISE IN THE WORLD.[53] אַתֶּם עֲשִׂיתוּנִי חֲטִיבָה אַחַת בָּעוֹלָם – YOU HAVE MADE ME A subject of UNIQUE PRAISE IN THE WORLD, דִּכְתִיב "שְׁמַע יִשְׂרָאֵל ה' אֱלֹהֵינוּ ה' אֶחָד" – AS IT IS WRITTEN:[54] *HEAR O ISRAEL: HASHEM IS OUR GOD, HASHEM IS ONE.* וַאֲנִי אֶעֱשֶׂה אֶתְכֶם חֲטִיבָה אַחַת בָּעוֹלָם – AND I WILL MAKE YOU A subject of UNIQUE PRAISE IN THE WORLD, שֶׁנֶּאֱמַר – AS IT IS STATED:

NOTES

48. This statement is the basis for the practice of bringing small children to the synagogue (Tractate *Soferim* 18:6, *Tosafos*).

Maharsha notes that the next verse in the "gathering" passage (*Deuteronomy* 31:13) expressly states, *And their children who do not know – they shall hear and they shall learn,* which implies that small children are brought to the gathering for purposes other than merely rewarding their parents. *Maharsha* thus explains that verse 13 refers to children who are old enough to hear and understand, and so their parents are obligated to educate them. However, the טַף of verse 12 are small children who are unable to understand anything, and so they themselves derive no educational benefit from the gathering. See *Sfas Emes* and *She'arim Metzuyanim BaHalachah* for explanations of the purpose of bringing the טַף. See also *Chasam Sofer* (Mechon Chasam Sofer ed.).

49. See *Ben Yehoyada* for a discussion of why this particular teaching so excited R' Yehoshua. See also *Meshech Chochmah* to verse.

50. *Deuteronomy* 26:17. The verse states in its entirety: אֶת־ה' הֶאֱמַרְתָּ הַיּוֹם לִהְיוֹת לְךָ לֵאלֹהִים וְלָלֶכֶת בִּדְרָכָיו וְלִשְׁמֹר חֻקָּיו וּמִצְוֹתָיו וּמִשְׁפָּטָיו וְלִשְׁמֹעַ בְּקֹלוֹ, *You have praised Hashem today – to be a God for you, and to walk in His ways, and to observe His decrees, His commandments and His statues, and to hearken to His voice.* [Translation follows *Rashi.*]

51. Ibid. v. 18. The entire verse reads: וַה' הֶאֱמִירְךָ הַיּוֹם לִהְיוֹת לוֹ לְעַם סְגֻלָּה כַּאֲשֶׁר דִּבֶּר־לָךְ וְלִשְׁמֹר כָּל־מִצְוֹתָיו, *And Hashem has praised you today – to be for Him a treasured people, as He spoke to you, and to observe all His commandments.*

52. I.e. a praise of uniqueness. You have praised Me, saying that there is no other God besides Me (*Rashi*).

The Gemara's expression (חֲטִיבָה אַחַת, *unique praise*) is derived from *Targum Onkelos* (*Deuteronomy* ibid. v. 17), who renders הֶאֱמַרְתָּ, *you have praised,* as חֲטַבְתָּ. This verb, from the root חטב, means to *separate* or *split,* as in חוֹטְבֵי עֵצִים, *woodchoppers* (see *Maharsha,* based on *Rashi* to *Deuteronomy* ibid.). Hence, in our context, חטב means to separate and single out for praise. See also *Rashi* to *Ein Yaakov.*

53. God praises Israel, saying that there is no other nation like them.

54. Ibid. 6:4.

מסורת הש"ס

א) [בע"י הגי' קמיה], ב) [מנחות דף סג.], ג) [לקמן ד. יבמות קג. ערכין יט:], ד) סוטה מט:, ה) שבת כה:, ו) [מכילתא פ' בא פר' יח ולה"ד פרק יח [תוספתא סוטה פ"ז], ז) [וע' תוי"ט סוף פ"ג דמסכת סוכה], ח) ברכות כח., ט) [פי' ליור אחד בעולם כלומר דבר הניכר שאין כמותו. ערוך בשם רב האי בערך חטב], כ) [וע' תוספות בכורות כב. ד"ה רועה], ל) [סוטה כב.], מ) [כ"ה במסכת סופרים פי"ח הלכה ו].

הגהות הב"ח

(א) גמ' אמר מר זוטרא קרי ביה למען יִלְמְדוּ וכו' למען יְלַמְּדוּ הוא דאי ס"ד למען ילמדו: (ב) תוס' ד"ה גמר ראיה וכו' ולקמן דמרבינן. נ"ב וק"ק דהא לאצטריך כל לנשים ק"ו מה טפלים וכו' דהא נשים פטורות הא לא למה לי ק"ו מהקהל שפיר משמע אף קטן שלא הגיע לחינוך כדקאמר ליתן שכר למביאיהם וכיון דלאו בר ריבויא דכל חייב לכ"ע ושפיר ילף מהקהל אף בלא הגיע לחינוך וזה שכתבו התוספות ולקמן דמרבינן קטן שהגיע לחינוך מדכתיב כל ולא גמרינן מהקהל אף בלא הגיע לחינוך לא הגיע לחינוך ליה ק"ו ואמאי מיהדר התם אסמכתא בעלמא הוא כדמסיק ומהאי ק"ו נמי פטור ומסיים התוס' וכי פריך לקמן דף ד ר"ל קודם דידע מתירוץ אסמכתא דרבנן הוא מאי לאקשויי ליגמר מהקהל אף בלא הגיע לחינוך: (ג) ד"ה אלא וכו' לא מצי מפיק בלאו למען ישמעו דלא: (ד) בא"ד וגם אלטריך למען ישמעו כדאמרינן לקמן: (ה) ד"ה חרש וכו' ואפי' כתונת אחד לכל אחד וכו' ור' יוסי אומר אפי' אזן אחת לכל אחד: (ו) ד"ה מפעמים וכו' ההיא מדאסמכיה רגלים.

גליון הש"ס

תוספות ד"ה חרש וכו' אזן לכל אחד ואחד. עיין יומא דף לו ע"א וביבמות דף קא ע"ב ובסוטה דף ל"ה ע"ב: ד"ה מפעמים נפקא וכו' דמפעמים נפקא. עיין תוס' ד"ה ק ה ע"א ד"ה שלמי פסח.

תורה אור השלם

א) הַקְהֵל אֶת הָעָם הָאֲנָשִׁים וְהַנָּשִׁים וְהַטַּף וְגֵרְךָ אֲשֶׁר בִּשְׁעָרֶיךָ לְמַעַן יִשְׁמְעוּ וּלְמַעַן יִלְמְדוּ וְיָרְאוּ אֶת יְיָ אֱלֹהֵיכֶם וְשָׁמְרוּ לַעֲשׂוֹת אֶת כָּל דִּבְרֵי הַתּוֹרָה הַזֹּאת: [דברים לא, יב]

ב) בְּבוֹא כָל יִשְׂרָאֵל לֵרָאוֹת אֶת פְּנֵי יְיָ אֱלֹהֶיךָ בַּמָּקוֹם אֲשֶׁר יִבְחָר תִּקְרָא אֶת הַתּוֹרָה הַזֹּאת נֶגֶד כָּל יִשְׂרָאֵל בְּאָזְנֵיהֶם: [דברים לא, יא]

ג) שָׁלֹשׁ רְגָלִים תָּחֹג לִי בַּשָּׁנָה: [שמות כג, יד]

ד) שָׁלֹשׁ פְּעָמִים בַּשָּׁנָה יֵרָאֶה כָּל זְכוּרְךָ אֶל פְּנֵי הָאָדֹן יְיָ: [שמות כג, יז]

ה) תִּרְמְסֶנָּה רָגֶל רַגְלֵי עָנִי פַּעֲמֵי דַלִּים: [ישעיה כו, ו]

ו) מַה יָּפוּ פְעָמַיִךְ בַּנְּעָלִים בַּת נָדִיב חַמּוּקֵי יְרֵכַיִךְ כְּמוֹ חֲלָאִים מַעֲשֵׂה יְדֵי אָמָּן: [שיר השירים ז, ב]

ז) נְדִיבֵי עַמִּים נֶאֱסָפוּ עַם אֱלֹהֵי אַבְרָהָם כִּי לֵאלֹהִים מָגִנֵּי אֶרֶץ מְאֹד נַעֲלָה: [תהלים מז, י]

ח) וַיִּקָּחֻהוּ וַיַּשְׁלִכוּ אֹתוֹ הַבֹּרָה וְהַבּוֹר רֵק אֵין בּוֹ מָיִם: [בראשית לז, כד]

ט) אֶת יְיָ הֶאֱמַרְתָּ הַיּוֹם לִהְיוֹת לְךָ לֵאלֹהִים וְלָלֶכֶת בִּדְרָכָיו וְלִשְׁמֹר חֻקָּיו וּמִצְוֹתָיו וּמִשְׁפָּטָיו וְלִשְׁמֹעַ בְּקֹלוֹ: וַייָ הֶאֱמִירְךָ הַיּוֹם לִהְיוֹת לוֹ לְעַם סְגֻלָּה כַּאֲשֶׁר דִּבֶּר לָךְ וְלִשְׁמֹר כָּל מִצְוֹתָיו: [דברים כו, יז-יח]

י) שְׁמַע יִשְׂרָאֵל יְיָ אֱלֹהֵינוּ יְיָ אֶחָד: [דברים ו, ד]

עין משפט נר מצוה

יא א מיי' פ"ג מהלכות חגיגה הלכה ב:

יב ב מיי' שם פ"ב הלכה א סמג עשין רכו:

רבינו חננאל

מחרש המדבר ואינו שומע או שומע ואינו מדבר שפטור ואף על פי שפטור מן הראיה חייב בשמחה וחרש שאינו שומע ולא מדבר ושוטה וקטן פטורין אף מן השמחה הואיל ופטורין מכל מצות האמורות בתורה. ומנא לן דהני פטורין מן הראיה דגמר ראיה ראיה מהקהל וכתיב ביה בהקהל למען ישמעו ולמען ילמדו ותניא למען ישמעו פרט למדבר ואינו שומע ולמען ילמדו פרט לשומע ואינו מדבר. ומקשינן איני דכל מאן דלא ממלל לא גמר והא הנהו תרי אילמי דבעא רבי רחמי עלייהו ואתפתחו ואשתכחו דהוו גמירי הלכתא וסיפרי וסיפרא ותוספתא וכולה תלמודא ופריק מר זוטרא קרי ביה למען יְלַמְּדוּ הן לאחרים ורב אשי קאי כוותיה דודאי ילמדו פשטיה וכיון דאילמא הוא אע"ג דגמיר לא מצי לאגמורי הוא לאחריני. הא דא"ר תנחום חיגר ברגלו אחת וחרש באזנו אחת פטורין מן הראיה פשוטות הן. בת נדיב בת אברהם שנקרא נדיב כו'. והבור רק אין בו מים אין בו אבל נחשים ועקרבים יש בו: ת"ר מעשה בר' יוחנן בן ברוקה ור' אלעזר חסמא שהלכו להקביל פני ר' יהושע בפקיעין ואמרו לו ר' אלעזר בן עזריה דרש הקהל את העם האנשים והנשים והטף למה לי תנה אנשים ונשים וטף כו'. ועוד דרש את ה' האמרת היום וכו'. אתם עשיתוני חטיבה אחת

ליקוטי רש"י

הקהל. במועד שנת השמטה בחג הסוכות המלך עומד על הבימה וקורא לפניהן מצות משנה תורה כדאיתא בסוטה (דף מא.) [עירובין כז.]. האנשים. ללמוד. והנשים. לשמוע [דברים לא, יב]. ומרחשין שפוותייהו. ספתותיהן נעות [סנהדרין צז:]. וספרא וספרי. הן הלכות של [מדרש] מקראות [קידושין מט:]. רגלים. שלש רגלים תחוג (שמות כג) [יבמות קג.]. פרט לבעלי קבין. מי שנחתך רגלו בכרך לאחתן סמוך לשוקו ותוקק קב מקבל כתיתין ונותן שוקו לתוכו וקוקין ואשקו"א שפטור מן הראייה דלאו בן רגל [ערכין יט:]. ההוא מפעמים נפקא. פרט לבעלי קבין דרגלים נפקא כדלקמן שפטור ממגנה הלכך שפטורין לבעלי קבין שצריך רגליהם תשנת סטפה לכדי מרגליו [לקמן ד.]. רגלי עני. מלך המשיח שנאמר בו עני ורוכב על החמור (זכריה ט ט). פעמי דלים. ישראל שהיו דלים עד הנה [ישעיה כו, ו]. מה יפו פעמיך בנעלים. הם אומרים לה מה יפו אלו שמתנדבים לו בשביל נוי ותשיבנו שלאיש בן בעודך ביפין, מה יפו פעמיך, בעלייה לרגלים בת נדיבים [שיר השירים ז, ב]. בנעלים.

תוספות

גמר ראיה ראיה מהקהל. ונשים ליכא לחיובי דקא ממעטו ליה לקמן מזכורך וכן אמרינן לקמן הא למה לי קרא תיפוק לי דמלות עשה שהזמן גרמא מהו דתימא נילף ראיה מהקהל מה להלן נשים חייבות וטפלים לא מחייבינן כמו בהקהל וליתן שכר למביאיהם כי התם דמקל וחומר פטרינן ליה כדפרישית לעיל דנשים פטורות טפלים לא כל שכן (ב) ולקמן דמרבינן קטן שהגיע לחינוך מדכתיב כל ולא גמרינן מהקהל התם אסמכתא בעלמא הוא כדמסיק ומהאי ק"ו נמי פטור וכי פריך דרבנן הוא מאי לאקשויי למה לי קרא ליגמר מהקהל אלא עדיפא מינה פריך:

מלמען ישמעו נפקא. דפשטיה דקרא משמע האזינה והבין שיבין מה שילמדהו הלכך מה לנו שישמע כיון דלא גמיר ממעטינן ליה שפיר:

אלא קרי ביה למען ילמדו. ואף על גב דלא משתעי גמיר ולהכי לא נפקא להו מלמען ישמעו וכן מדבר ואינו שומע אפילו שמע עד השתא דמצי גמיר לאחריני כיון דלא מצי גמיר בהאי הליכה מה לו ללכת וכיון דלא שמע לא גמיר מכאן ולהבא אע"ג דגמיר לאחריני עד האידנא לא יזיל השתא כיון דלא יועיל לו הליכה זו דהא לא קאמר קרא הקהל אלא שישמעו בקריאת המלך ויבינו מהשתא ויבאו לידי יראת הבור דכתיב בסיפיה דקרא ויראו את ה' והש"ס לא חש להביאו דפשיטא ליה דמשתעי בהני אבל מלמען ילמדו לא מצי מפיק (ג) בלא ישמעו דלא הוינא מפיק מדבר ואינו שומע כיון דשמע מקמי הכי ושפיר גמיר אף לאחריני וגם יבין למה נקהלו עכשיו וגם (ד) ילטרך ישמעו כדאמרינן לקמן:

חרש באזנו אחת. בירושלמי אמר ר' יוחנן בעי חרש באזנו אחת מהו א"ר יוסי בר בון פלוגתא דרבי יוסי ורבנן דתני רבי יוסי ולבני אהרן תעשה כתנות (שמות כח) רבנן אמרי שתי כתונות לכל אחד רבי יוסי אמר אפילו כתונת (ה) לכל אחד ואחד הכי נמי רבנן אמרי באזניהם שתי אזנים לכל אחד ורבי יוסי אמר ° אזן לכל אחד ואחד:

אף על גב דלא שמעי. מחמת שהן רחוקים אבל אם היו חרשין ממעטינן מבאזניהם:

מפעמים נפקא. וכי אמרינן לקמן רגלים פרט לבעלי קבין אסמכתא בעלמא הוא ° דמפעמים נפקא וכי פריך במלות חליצה (יבמות דף קג. ושם) ובערכין פרק האומר משקלי (דף יט: ושם) ורמינהי רגלים פרט לבעלי קבין ההיא (ו) מדסמכיה רגלים קאמר ולא משום שהוא עיקר דרשה [כ]:

תחילה לגרים. שנלטווה על המילה טפי מכל אותם שלפניו:

נשים לשמוע. אמר בירושלמי דלא כבן עזאי [ל] דאמר חייב אדם ללמד לבתו תורה:

כדי ליתן שכר למביאיהן. ועל זה סמכו [מ] להביא קטנים בבית הכנסת:

רש"י

חייב בשמחה. לשמוח בחג דכתיב ושמחת בחגך (דברים טז) ואמרינן לקמן (דף ח.) דשמחה בשלמים לאכול את הבשר וילפינן לה (פסחים דף קט.) מוזבחת שלמים ואכלת שם ושמחת ולקמן פריך מ"ש לענין ראייה דפטור ולענין שמחה דמחייב: **ושאינו לא שומע ולא מדבר.** היינו חרש דמתניתין שסמכו לשוטה וקטן: **ראייה מהקהל.** דכתיב בפרשת הקהל בבוא כל ישראל לראות וגו' ופרשת הקהל המלך היה קורא משנה תורה בעזרה בכל מוצאי שמטה דכתיב מקץ שבע שנים במועד שנת השמטה וגו' (דברים לא): **פרט לשומע ואינו מדבר.** השתא משמע שאין זה ראוי ללמוד: **הלכתא.** משניות: **למען ילמדו.** ואין זה ראוי ללמד אחרים: **רב אשי אמר ודאי למען ילמדו.** כלומר בלאו קושיא דהנך תרי אילמי ליכא לאוקמי לדרשה דתנא למעוטי מהכא שומע ואינו מדבר אלא מלמען ילמדו: **דאי סלקא דעתך** מלמען ילמדו. הוא דמשמע ליה אלמא סבירא ליה לתנא כיון דלא מישתעי לא גמיר לנפשיה: **וכיון דלא שמע.** אנן סהדי דלא גמיר וכיון דתנן למען ישמעו פרט למדבר ואינו שומע ואנן סהדי דטעמא משום דלא גמיר הוא שלא יבין כל מה שאומרים לפניו למה לי למהדר תו למען ילמדו פרט לשומע ואינו מדבר כיון דסבירא ליה דמאן דלא משתעי נמי לא גמיר מלמען ישמעו ממעט ליה אלא ודאי סבירא ליה דמאן דלא משתעי נמי גמיר ולא מלמען ישמעו ממעט הלכך הדר ומעטיה מלמען ילמדו הלכך ודאי למען ילמדו הוא דדריש: **פרט לבעלי קבין.** כשחתכו רגליהם נתנו קב קטן בסוף שוקו ונותנים בו מוכין וסומך סוף שוקו עליו: **אלא רגלים.** אדם שיש לו רגלים: **פעמיך בנעלים.** אלמא בבעלי מנעלים שייכי פעמים ובראייה כתיב שלש פעמים בשנה יראה כל זכורך וגו': **שנקרא נדיב.** על שם שנדבו לבו להכיר בוראו: **נדיבי עמים.** הם הגרים המתנדבין מבין העמים לקבל עליהן עול מצות: **והבור רק.** משום דרבי תנחום אמרה נקט לה הכא גבי שמעתתא דרבי תנחום: **אבל נחשים ועקרבים יש בו.** לא היה רק אלא ממים: **להקביל פניו.** יום טוב היה שחייב אדם לכבד את רבו ולהקביל פניו כדאמרינן במסכת ראש השנה (דף טז:) מדוע את הולכת אליו היום לא חדש ולא שבת (מלכים ב ד): **תלמידיך אנו.** ואין לנו לדבר בפניך: **האמרת.** שבחת כמו יתאמרו כל פועלי און (תהלים צד) ישתבחו שדרכן כלתא: **חטיבה אחת.** שבח אחד שבח מיוחד לומר אין כמוך לכך בחרנוך לאלוה: ואף

גמרא

חייב בשמחה ואת שאינו לא שומע ולא מדבר ושוטה וקטן פטורין אף מן השמחה הואיל ופטורין מכל מצות האמורות בתורה מאי שנא לענין ראיה דפטירי ומאי שנא לענין שמחה דמחייבי לענין ראיה גמר ראיה ראיה [א] מהקהל דכתיב [א] הקהל את העם האנשים והנשים והטף וכתיב [ב] בבא כל ישראל לראות והתם מנלן דכתיב [א] למען ישמעו ולמען ילמדו ותניא למען ישמעו פרט למדבר ואינו שומע ולמען ילמדו פרט לשומע ואינו מדבר למימרא דכי לא משתעי לא גמר והא הנהו תרי אילמי דהוו בשבבותיה דרבי בני ברתיה דרבי יוחנן בן גודגדא ואמרי לה בני אחתיה דרבי יוחנן דכל אימת דהוה עייל רבי לבי מדרשא הוו עיילי ויתבי [א] קמייהו ומנידי ברישייהו [ב] ומרחשין שפוותיהו ובעי רבי רחמי עלייהו ואיתסו ואשתכח דהוו גמירי הלכתא וספרא וספרי וכולה הש"ס אמר מר זוטרא קרי ביה למען (א) ילמדו רב אשי אמר ודאי למען ילמדו הוא דאי סלקא דעתך למען ילמדו וכיון דלא משתעי לא גמר וכיון דלא שמע לא גמר האי מלמען ישמעו נפקא אלא ודאי למען ילמדו הוא אמר ר' תנחום [ג] חרש באזנו אחת פטור מן הראיה שנאמר [ב] באזניהם והאי באזניהם מבעי ליה באזניהם דכולהו ישראל ההוא [ב] מנגד כל ישראל נפקא אי מנגד כל ישראל הוה אמינא אע"ג דלא שמעי כתב רחמנא באזניהם והוא דשמעי ההוא מלמען ישמעו נפקא ואמר רבי תנחום [ג] חיגר ברגלו אחת פטור מן הראיה שנאמר [ג] רגלים והא רגלים מבעי ליה [ד] פרט לבעלי קבין ההוא [ד] מפעמים נפקא דתניא פעמים אין פעמים אלא רגלים וכן הוא אומר [ה] תרמסנה רגל רגלי עני פעמי דלים ואומר [ו] מה יפו פעמיך בנעלים בת נדיב [ה] דרש רבא מאי דכתיב מה יפו פעמיך בנעלים בת נדיב כמה נאין רגליהן של ישראל בשעה שעולין לרגל בת נדיב בתו של אברהם אבינו שנקרא נדיב שנאמר [ז] נדיבי עמים נאספו עם אלהי אברהם אלהי אברהם ולא אלהי יצחק ויעקב אלא אלהי אברהם שהיה תחילה לגרים אמר רב כהנא דרש [ו] רב נתן בר מניומי משום ר' תנחום מאי דכתיב [ח] והבור רק אין בו מים ממשמע שנאמר והבור רק איני יודע שאין בו מים אלא מים אין בו אבל נחשים ועקרבים יש בו ת"ר [ז] מעשה ברבי יוחנן בן ברוקה ורבי אלעזר [ח] בן חסמא שהלכו להקביל פני ר' יהושע בפקיעין אמר להם מה חידוש היה בבית המדרש היום אמרו לו תלמידיך אנו ומימיך אנו שותין אמר להם אף על פי כן אי אפשר לבית המדרש בלא חידוש [ט] שבת של מי היתה שבת של ר' אלעזר בן עזריה היתה ובמה היתה הגדה היום אמרו לו בפרשת הקהל ומה דרש בה [א] הקהל את העם האנשים והנשים והטף אם אנשים באים ללמוד נשים באות לשמוע טף למה באין כדי ליתן שכר למביאיהן אמר להם מרגלית טובה היתה בידכם ובקשתם לאבדה ממני ועוד דרש [ט] את ה' האמרת היום וה' האמירך היום [ט] אמר להם הקב"ה לישראל אתם עשיתוני חטיבה [י] אחת בעולם ואני אעשה אתכם חטיבה אחת בעולם אתם עשיתוני חטיבה אחת בעולם דכתיב [י] שמע ישראל ה' אלהינו ה' אחד ואני אעשה אתכם חטיבה אחת בעולם שנאמר
ומי

רגלים. **נדיב.** שנדבו לבו להכיר את בוראו [סוכה מט:]. **נדיבי עמים.** שהתנדבו עלמם לטבח ולהרוג על קדושת שמו. **עם אלהי אברהם.** שהיה נדיב לב הראשון תחלה לגרים [תהלים מז, י]. **תחילה לגרים.** נגדנת לבו להתגייר [סוכה שם]. **האמרת.** והאמירך, אין להם עד מוכיח במקרא ולי נראה שהוא לשון הפרשה והבדלה הבדלתי לך מאלהי הנכר להיות לך לאלהים והוא הפרישך אליו מעמי הארץ להיות לו לעם סגולה ומלאתי להם עד והוא לשון תפארת כמו יתאמרו כל פועלי און (תהלים צ"ד ד) [דברים כו, יז]. לשון חשיבות ושבח כמו יתאמרו כל פועלי און (תהלים לד) [ברכות ו.]. **ה' אלהינו ה' אחד.** ה' שהוא אלהינו עתה ולא אלהי האומות הוא עתיד להיות ה' אחד שנאמר (צפניה ג ט) כי אז אהפוך אל עמים שפה ברורה לקרוא כולם בשם ה' ונאמר (זכריה יד ט) ביום ההוא יהיה ה' אחד ושמו אחד [דברים ו, ד].

א) ומי כעמך ישראל גוי אחד בארץ ואף הוא פתח ודרש ב) דברי חכמים כדרבונות וכמסמרות נטועים בעלי אסופות נתנו מרועה אחד למה נמשלו דברי תורה לדרבן לומר לך מה דרבן זה מכוין את הפרה לתלמיה להוציא חיים לעולם אף דברי תורה מכוונין את לומדיהן מדרכי מיתה לדרכי חיים א] אי מה דרבן זה מטלטל אף דברי תורה מטלטלין ת"ל מסמרות ב] אי מה מסמר זה חסר ולא יתר אף דברי תורה חסירין ולא יתירין ת"ל נטועים מה נטיעה זו פרה ורבה אף דברי תורה פרין ורבין בעלי אסופות אלו תלמידי חכמים שיושבין אסופות אסופות ועוסקין בתורה הללו מטמאין והללו מטהרין הללו אוסרין והללו מתירין הללו פוסלין והללו מכשירין שמא יאמר אדם היאך אני למד תורה מעתה תלמוד לומר (א) כולם נתנו מרועה אחד אל אחד נתנן פרנס אחד אמרן מפי אדון כל המעשים ברוך הוא דכתיב ג) וידבר אלהים את כל הדברים האלה אף אתה עשה אזניך ב) כאפרכסת וקנה לך ג) לב מבין לשמוע את דברי מטמאים ואת דברי מטהרים את דברי אוסרין ואת דברי מתירין את דברי פוסלין ואת דברי מכשירין בלשון הזה אמר להם ד) אין דור יתום שר' אלעזר בן עזריה שרוי בתוכו ולימרו ליה בהדיא משום מעשה שהיה דתניא ה) מעשה בר' יוסי בן דורמסקית שהלך להקביל פני ר' אלעזר בלוד אמר לו מה חידוש היה בבהמ"ד היום א"ל נמנו וגמרו ו) עמון ומואב מעשרין מעשר עני בשביעית אמר לו יוסי פשוט ידיך וקבל עיניך פשט ידיו וקבל עיניו בכה ר' אלעזר ואמר ד) סוד ה' ליראיו ובריתו להודיעם אמור להם אל תחושו למניינכם כך מקובלני מרבן יוחנן בן זכאי ששמע מרבו ורבו מרבו ז) הלכתא למשה מסיני עמון ומואב מעשרין מעשר עני בשביעית מה טעם ח) הרבה כרכים כבשו עולי מצרים ולא כבשום עולי בבל מפני ט) שקדושה ראשונה קדשה לשעתה ולא קדשה לעתיד לבא והניחום כדי שיסמכו עליהן עניים בשביעית תנא לאחר שנתיישבה דעתו אמר יהי רצון שיחזרו עיני יוסי למקומן וחזרו ת"ר י) איזהו שוטה היוצא יחידי בלילה והלן בבית הקברות והמקרע את כסותו איתמר רב הונא אמר עד שיהו כולן בבת אחת ר' יוחנן אמר כ) אפי' באחת מהן היכי דמי אי דעביד להו דרך שטות אפי' בחדא נמי אי דלא עביד להו דרך שטות אפילו כולהו נמי לא לעולם דקא עביד להו דרך שטות והלן בבית הקברות אימור כדי שתשרה עליו רוח טומאה הוא דקא עביד והיוצא יחידי בלילה אימור גנדריפס אחדיה והמקרע את כסותו אימור בעל מחשבות הוא כיון דעבדינהו לכולהו הוה להו כמי

ומי כעמך ישראל גוי אחד בארץ. אמרינן במדרש שלשה מעידין זה על זה ישראל ושבת והקדוש ברוך הוא מעידים על השבת שהוא יום מנוחה ישראל ושבת על הקדוש ב"ה שהוא אחד הקב"ה ושבת על ישראל שהם יחידים באומות ועל זה סמכינן לומר אתה אחד במנחה בשבת אע"פ שאינו מדבר מעניינא דיומא דשבת כמו תפלת ערבית ושחרית:

עמון ומואב מעשרין מעשר עני בשביעית. לפי סדר השנים היה להם להפריש מעשר שני שהוא שנה ראשונה ומעשר עני נוהג בששית ולא מלינו מעשר עני שתי שנים רצופים אלא תקנה תקנו בה כדי שיסמכו עליהם עניים בשביעית ודבין הוא דלפי' תרומה גדולה לא ניתקן אלא יהא הכל מעשר עני אלא שלא רצו לחלק כל כך משאר שנים פרש"י דהיינו ארץ סיחון ועוג דאמרינן בחולין (דף ס:) עמון ומואב טהרו בסיחון כלומר על ידי כבוש סיחון ועוג הותר לישראל ליכבש והקשה ר"ת דאמרינן בפרק מקום שנהגו (פסחים דף נג: ושם) שלש ארצות לביעור יהודה ועבר הירדן והגליל ועבר הירדן היינו ארץ סיחון ועוג (ג) וכו"ת דקדושה ראשונה לא קידשה לעתיד לבא אם כן תיפשוט מיניה דלרבי אליעזר לא קידשה אלמה מיבעי' לן בפ"ק דמגילה (דף י. ושם) ושבועות (דף טז. ושם) מאי סבירא ליה אי קידשה אי לא קידשה (ד) ותירץ ר"ת דיש לחלק דהכא בעמון ומואב דלא כבשו סיחון ועוג ולא נתקדשו כלל בקדושת הארץ ועוד מתרץ דלא קידשה עבר הירדן רק לארץ סיחון ממש אבל מה שכבש מעמון לא נתקדשה:

דרך שטות אפילו בחד נמי. וכי תימא דלא היה מועד לשטות רק לאותו דבר ובעינן תלתא כדי להחזיקו כשוטה לכל מילי כמו נגח שור וחמור וגמל נעשה מועד לכל (ה) דהכא לא דמי דהכא כיון שהוא שוטה באחת ודאי יש להחזיקו בחזקת שוטה לכל דבר בירושלמי בפ"ק דתרומות אומר סימני שוטה היוצא בלילה והלן בבית הקברות והמקרע כסותו (ו) והוא מאבד מה שנותנים לו א"ר הונא והוא שיהו כולן בו דלא כן אומר אני היוצא בלילה יחידי אימור גנדריפס אחדיה והלן בבית הקברות לשדים והמקרע כסותו אימר בעל מחשבות מאבד מה שנותנים לו קוניקוס רבי יוחנן אמר אפילו אחת מהן אמר ר' אבין מסתברא כר' יוחנן בלבד ממאבד מה שנותנין לו דאפילו שוטה שבשוטים אינו מאבד מה שנותנין לו קוניקוס אין בו אחת מכל אלו:

כיון דעבדינהו לכולהו נעשה כמי שנגח כו'. ומחד בשלשה זימנא לא איתחזק דתלינן בהנך דקאמר הש"ס אימא בעל מחשבות או איך: או

ואף הוא. ג) רבי אלעזר בן עזריה: לתלמיה. שורות המענה: פוסלין ומכשירין. שייך לומר לענין פסול עדות ופסול כהונה: (ג) כולן אל אחד אמרן. אין לך מבני המחלוקת מביא ראיה מתורת אלוה אחר אלא מתורת אלהינו: פרנס אחד אמרן. אין לך מביא ראיה מדברי נביא הבא לחלוק על משה רבינו: עשה אזנך כאפרכסת. מאחר שכולן לבן לשמים עשה אזנך שומעת ולמוד ודע דברי כולן וכשתדע להבחין אי זה יכשר קבע הלכה כמותו אפרכסת טירמויי"א בלע"ז שעל הרימים: מה מסמר זה. כשנועצין אותו בכותל הוא מחסרו יכול אף זה כן תלמוד לומר נטועים כנטיעה שדרכה לפרות ולרבות: ולימרו ליה בהדיא. מיד למה החזקו לומר תלמידיך אנו: נמנו וגמרו. והתקינו שיהו ישראל הדרין בעבר הירדן במה שכבשו מסיחון ועוג ארץ עמון ומואב: מעשרין. עכשיו מעשר עני בשביעית שהן היו זורעין בשביעית כדאמרינן לקמן שלא קידשה עולי גולה קדושת הארץ: פשוט ידיך וקבל עיניך. הוקשה בעיניו שנתן עטרה לאותו דורש והלא מימות אנשי כנסת הגדולה היתה תקנה זו: אל תחושו למניינכם. אל יהי לכם שום חשש וגמגום במה שמניתם ותיקנתם שהרי הסכמתם להלכה: כך מקובלני. שקדושה ראשונה שקידשה יהושע לשעתה לא קידשה לעתיד לבא אבל קדושה שניה נתקדשה לעולם כדתניא ביבמות (דף פב:) קדושה ראשונה ושניה יש להן שלישית אין להן לפיכך בשאר ארץ ישראל אין זריעה בשביעית אבל עמון ומואב הניחו מלקדשן כדי שיסמכו עליהן עניים בשביעית בלקט שכחה ופאה ובמעשר עני לכך תקנו להן שיהו מעשרין מעשר עני וברשות החכמים היה להטיל עליהן אותו מעשר שירצו לפי שאין חייבין מן התורה: איזהו שוטה. האמור בכל מקום שפטור מן המצות ומן העונש ואין קנינו קנין ואין ממכרו ממכר: והלן בבית הקברות. בלילה: לעולם דקא עביד להו דרך שטות. ואפילו הכי לא מחזקינן ליה בחדא דהיוצא יחידי בלילה אימור גנדריפס אחדיה אני שמעתי חולי האוחז מתוך דאגה ולי נראה שנתחמם גופו ויוצא למקום האויר: שתשרה עליו רוח טומאה. רוח שדים שיסייעוהו להיות מכשף: כמו

עין משפט נר מצוה

יג א מיי' פ"ו מהלכות מתנות עניים הלכה ה סמג עשין קסב:

יד ב ג מיי' פ"א מהל' תרומות הלכה ה ופ"ו מהלכות בית הבחירה הלכה טו:

טו ד ה מיי' פ"ט מהל' עדות הלכה ט טוש"ע י"ד סימן א סעיף ה וטוש"ע ח"מ סימן לה סעיף ח:

רבינו חננאל

כו' אף ר' יהושע פתח ודרש דברי חכמים כדרבונות וכמסמרות נטועים בעלי אסופות. אלו ת"ח שיושבין אסופות ועוסקין בתורה הללו מטהרין והללו מטמאין הללו אוסרין והללו מתירין כו'. וא"ת הואיל וכן היאך אני למד תורה מעתה ת"ל נתנו מרועה אחד כולן מפי אל אחד אמרום שנאמר וידבר אלהים את כל הדברים האלה אלא עשה אזנך כאפרכסת וקנה לב לשמוע אלו ואלו שכולן מחבורתו לך באיזה מהן הלכה ברורה שאע"פ שנראין כמו חולקין חוזרין ונמנין וגומרין ומסכימין בסוף כדכתיב את והב בסופה לשון הזה אמר אין דור יתום שר' אלעזר בן עזריה שרוי בתוכו. ומעשה בר' יוסי בן דורמסקית שהלך להקביל פני ר' אלעזר וא"ל בבהמ"ד נמנו וגמרו עמון ומואב מעשרין מעשר עני בשביעית. א"ל ר' אלעזר יוסי פשוט ידיך וקבל עיניך פשט ידיו וקבל עיניו. כעס ר' אלעזר בשביל שא"ל כזה נמנו וגמרו כלומר למה נמנו והלא הלכה למשה מסיני הוא ובכה ואמר סוד ה' ליראיו ובריתו להודיעם ואין בריתו אלא תורה. תנא אחר שנתיישבה דעתו בקש רחמים ואמר יהי רצון שיחזרו עיני יוסי למקומן וחזרו. אמר צא ואמור אל תחושו למניינכם כך מקובלני מריב"ז שקיבל מרבו ורבו מרבו הלכה למשה מסיני עמון ומואב מעשרין מעשר שני בשביעית. מה טעם הרבה כרכים כבשום עולי מצרים ולא כבשום עולי בבל מפני שקדושה ראשונה קדשה לשעתה ולא קדשה לעתיד לבוא

ליקוטי רש"י

ומי כעמך ישראל גוי אחד. מאה הם מיוחדים מכל העמים מה אשר הלך האלהים לפדותו לו לעם כמו שכתוב אני יוצא בתוך מצרים (שמות יא) מה אנו מיוחדים שלא עשה זה לשום אומה בעולם [דברי הימים א יז, כא]. דברי חכמים. שעמו קיים לתורה בגזירות להרגיל את האדם מן העבירה כגון אכילת קדשים עד השמר והם אמרו עד חצות וקריאת שמע דערבית כמו כן. כדרבונות. מה דרבן זה מכוון את הפרה לתלמיה כך דבריהם מכוונים את האדם לדרכי חיים. וכמסמרות נטועים. מה מסמר זה קבוע אף דבריהם קבועים ומה נטיעה פרה ורבה אף דבריהם פרים ורבים למצוא בהם טעם. וכמשמרות, כתוב בשי"ן שהתורה בעשרים וארבעה ספרים וכמנין משמרות כהונה ולויה. בעלי אסופות. מסמרים שיש להם גולגולת אסופה וגסה גרוס"ה בלע"ז כן פירשו דונש בן לברט. נתנו מרועה אחד. כל דבריהם דברי אלהים חיים הוא אמרן ורועה אחד נתנן משה מפי הגבורה [קהלת יב, יא]. וידבר אלהים. אין אלהים אלא דיין לפי שיש פרשיות בתורה שאם עשאן אדם מקבל שכר ואם לאו אינו מקבל עליהם פורעניות יכול אף עשרת הדברות כן תלמוד לומר וידבר אלהים דיין ליפרע. את כל הדברים האלה. מלמד שאמר הקב"ה עשרת הדברות בדבור אחד מה שאי אפשר לאדם לומר כן אם כן מה תלמוד לומר עוד אנכי ולא יהיה לך שחזר ופירש על כל דבור ודבור בפני עצמו [שמות כ, א]. לב מבין. ומנין שהלב מבין שנאמר (ישעיה ו) ולבבו יבין [ברכות סא.]. עמון ומואב. ישראלים הדרים בארץ עמון ומואב שכיבש משה מסיחון ונתקדשו בקדושת א"י ועכשיו בבית שני בטלה קדושתה וזורעין בשביעית ותקנו להן מעשר ראשון ומעשר עני בשביעית כדמפרש לקמן מפני פרנסת עניים שבא"י שאין להם מה לאכול בשביעית לפי שבטל לקט שכחה ופיאה והולכים שם ונוטלים לקט שכחה ופיאה ומעשר עני [יבמות טז.]. הרבה כרכים כבשו עולי מצרים. וקדשום בקדושת הארץ ולא כבשום עולי בבל לקדשם בשניה ולכך לא כבשום דקסברי הואיל והותרו הותרו דקדושה ראשונה בטלה דכי קדשה יהושע לשעתה קדשה ולא לעתיד לבא [כשיגלו] בימי נבוכדנצר ולא רצו להחזיר קדושתה כדי שיהא מותר לחרוש ולזרוע שם בשביעית שאין נוהגת בחולה לארץ ויסמכו עליהן עניים ליטול לקט שכחה ופאה ומעשר עני וכו' ואותן שקדשו הן לא בטלו בחורבן שני כדאמרינן ביבמות בהערל (דף פב:) והביאך ה' אלהיך אל הארץ אשר ירשו אבותיך וירשתה ירושה ראשונה ושניה יש להם שבטלה ירושה ראשונה ונקראת שניה ירושה אבל ירושה שלישית אין להם שהשניה לא פסקה [חולין ז.]. שקדושה ראשונה. דבימי יהושע קדשה לשעתה ולא לעתיד הלכך זורעים בהן בשביעית שיסמכו עליהן עניים לשכור עצמן לחרוש ולקצור ועוד ליטול לקט שכחה ופיאה ומעשר עני [יבמות שם].

מסורת הש"ס

א) [אבות דר"נ פי"ח תוספתא סוטה פרק ז], ב) [ערוך גרס כאפרכסת], ג) [ברכות סג.], ד) מכילתא פ' בא פי"ז, ה) [תוספ' ידים פ"ב ע"ש ידים פ"ד מ"ג], ו) מכילתא פ' בא פי"ח יבמות טז., ז) לקמן דבר ברור כהלכה למשה מסיני עי' רא"ש בהל' מקוואות (סוף נדה) סימן א, ח) חולין ז, ט) מגילה י. [מכות יט. שבועות טז. זבחים ס: קז: חולין לב: תמורה כא: ערכין לב:], י) [תוספתא תרומות פ"א], כ) [בע"י הגירסא טולי האי], ל) [מקטיר לשדים כל"ג], מ) הוא נמי טולי של מחשבה מפרש שם.

הגהות הב"ח

(א) גמרא תלמוד לומר נתנו מרועה אחד כולם אל אחד: (ב) רש"י ד"ה פוסלין וכו' כהונה הס"ד ואח"כ מה"ד מה מסמר וכו' ולרבות הס"ד ואח"כ מה"ד כולן אל אחד וכו' שעל הרימים הס"ד ואחר כך מה"ד ולימרו: (ג) תוס' ד"ה עמון וכו' ארץ סיחון ועוג וכן קיימא דקאמר הכא לא קדושה ראשונה: (ד) בא"ד ותירץ ר"ת. נ"ב ועל קושיא שהקשה אם כן תיפשוט אין מתירין מפורש אבל בפרק קמא דמגילה מפורש בתוס' ע"ש דף י. (ה) ד"ה דרך וכו' נעשה מועד לכל דלא דמי כל"ג ותיבת דהכא נמחק: (ו) בא"ד והמקרע כסותו והמאבד:

הגהות מהר"ב רנשבורג

א] אי מה דרבון זה מטלטל. נ"ב אולי צ"ל מקומו מתקיים במקומו מהרש"א ח"א: ב] שם אי מה מסמר זה חסר. נ"ב ל"ל מסמר ומנוקב בכותל מהרש"א שם וכן הוא בלשון רש"י ד"ה מה מסמר וכו': ג] רש"י ד"ה ואף הוא ר' אלעזר בן עזריה. נ"ב ואולי צ"ל ר' יהושע פתח ודרש ויעוי"ש:

תורה אור השלם

א) וּמִי כְּעַמְּךָ יִשְׂרָאֵל גּוֹי אֶחָד בָּאָרֶץ אֲשֶׁר הָלַךְ הָאֱלֹהִים לִפְדּוֹת לוֹ עָם לָשׂוּם לְךָ שֵׁם גְּדֻלּוֹת וְנֹרָאוֹת לְגָרֵשׁ מִפְּנֵי עַמְּךָ אֲשֶׁר פָּדִיתָ מִמִּצְרַיִם גּוֹיִם: [דברי הימים א, יז, כא]

ב) דִּבְרֵי חֲכָמִים כַּדָּרְבֹנוֹת וּכְמַשְׂמְרוֹת נְטוּעִים בַּעֲלֵי אֲסֻפּוֹת נִתְּנוּ מֵרֹעֶה אֶחָד: [קהלת יב, יא]

ג) וַיְדַבֵּר אֱלֹהִים אֵת כָּל הַדְּבָרִים הָאֵלֶּה לֵאמֹר: [שמות כ, א]

ד) סוֹד יְיָ לִירֵאָיו וּבְרִיתוֹ לְהוֹדִיעָם: [תהלים כה, יד]

,,וּמִי כְּעַמְּךָ יִשְׂרָאֵל גּוֹי אֶחָד בָּאָרֶץ'' – ***AND WHO IS LIKE YOUR PEOPLE ISRAEL, A UNIQUE NATION ON THE EARTH.***[1] וְאַף הוּא פָּתַח וְדָרַשׁ – **AND HE**[2] **ALSO STARTED EXPOUNDING** the following verse: ,,דִּבְרֵי חֲכָמִים כַּדָּרְבֹנוֹת וּכְמַשְׂמְרוֹת נְטוּעִים בַּעֲלֵי אֲסֻפּוֹת נִתְּנוּ מֵרֹעֶה אֶחָד'' – ***THE WORDS OF THE WISE ARE LIKE GOADS, AND LIKE NAILS WELL PLANTED [ARE THE SAYINGS] OF THE MASTERS OF ASSEMBLIES, GIVEN FROM ONE SHEPHERD.***[3] לָמָּה נִמְשְׁלוּ דִּבְרֵי תוֹרָה לְדָרְבָן – **WHY ARE THE WORDS OF TORAH**[4] **LIKENED TO A GOAD?**[5] לוֹמַר לְךָ מַה דָּרְבָן זֶה מְכַוֵּין אֶת הַפָּרָה לְתַלְמֶיהָ לְהוֹצִיא חַיִּים לָעוֹלָם – **TO TEACH YOU** that **JUST AS THIS GOAD DIRECTS THE COW ALONG ITS FURROWS IN ORDER TO BRING FORTH LIFE TO THE WORLD,**[6] אַף דִּבְרֵי תוֹרָה מְכַוְּונִין אֶת לוֹמְדֵיהֶן מִדַּרְכֵי מִיתָה לְדַרְכֵי חַיִּים – **SO TOO, THE WORDS OF TORAH DIRECT THEIR STUDENTS FROM THE PATHS OF DEATH TO THE PATHS OF LIFE.**[7] אִי מַה דָּרְבָן זֶה מִטַּלְטֵל – **IF** the words of Torah are likened to a goad, one might think that **JUST AS THIS GOAD IS MOVABLE,** אַף דִּבְרֵי תוֹרָה מִטַּלְטְלִין – **SO TOO, THE WORDS OF TORAH ARE MOVABLE.**[8] תַּלְמוּד לוֹמַר ,,מַשְׂמְרוֹת'' – To teach otherwise **SCRIPTURE STATES:** *like **NAILS.***[9] אִי מַה מַסְמֵר זֶה חָסֵר וְלֹא יָתֵר – But **IF** the words of Torah are likened to nails, one might think that **JUST AS THIS NAIL DIMINISHES AND DOES NOT INCREASE** the object or wall into which it is driven,[10] אַף דִּבְרֵי תוֹרָה חֲסֵירִין וְלֹא יְתֵירִין – **SO TOO, THE WORDS OF TORAH DIMINISH AND DO NOT INCREASE** those who observe them.[11] תַּלְמוּד לוֹמַר ,,נְטוּעִים'' – To teach otherwise **SCRIPTURE STATES:** ***WELL PLANTED.***[12] מַה נְטִיעָה זוֹ פָּרָה וְרָבָה – That is, **JUST AS THIS PLANT IS FRUITFUL AND MULTIPLIES,** אַף דִּבְרֵי תוֹרָה פָּרִין וְרָבִין – **SO TOO, THE WORDS OF TORAH** cause one to be **FRUITFUL AND MULTIPLY.**[13]

R' Elazar ben Azaryah continues to expound upon the verse from *Ecclesiates,* which now speaks metaphorically:

,,בַּעֲלֵי אֲסֻפּוֹת'' – ***THE MASTERS OF ASSEMBLIES*** – אֵלּוּ תַּלְמִידֵי חֲכָמִים שֶׁיּוֹשְׁבִין אֲסוּפּוֹת אֲסוּפּוֹת וְעוֹסְקִין בַּתּוֹרָה – **THESE ARE THE WISE SCHOLARS WHO SIT IN VARIOUS GROUPS AND OCCUPY** themselves **WITH** the study of **TORAH.**[14] הַלָּלוּ מְטַמְּאִין וְהַלָּלוּ מְטַהֲרִין – There are **THOSE** scholars who **DECLARE** a thing ritually **CONTAMINATED AND** there are **THOSE** who **PRONOUNCE** it **CLEAN;** הַלָּלוּ אוֹסְרִין וְהַלָּלוּ מַתִּירִין – **THOSE** who **PROHIBIT AND THOSE** who **PERMIT;** הַלָּלוּ פּוֹסְלִין וְהַלָּלוּ מַכְשִׁירִין – **THOSE** who **DISQUALIFY AND THOSE** who **DECLARE FIT.**[15] שֶׁמָּא יֹאמַר אָדָם הֵיאַךְ אֲנִי לָמֵד תּוֹרָה מֵעַתָּה – **PERHAPS A MAN WILL SAY: HOW CAN I EVER LEARN TORAH** and understand it precisely, when every issue is subject to debate and disagreement? תַּלְמוּד לוֹמַר כּוּלָּם ,,נִתְּנוּ מֵרֹעֶה אֶחָד'' – To allay this concern, **SCRIPTURE STATES** that **ALL**[16] the various Rabbinic opinions are ***GIVEN FROM ONE SHEPHERD.*** אֵל אֶחָד נְתָנָן – **ONE GOD GAVE THEM;**[17] פַּרְנָס אֶחָד אֲמָרָן מִפִּי אֲדוֹן כָּל הַמַּעֲשִׂים בָּרוּךְ הוּא – **ONE LEADER PROCLAIMED THEM**[18] **FROM THE MOUTH OF THE MASTER OF ALL MATTERS, BLESSED IS HE,** דִּכְתִיב ,,וַיְדַבֵּר אֱלֹהִים אֵת כָּל־הַדְּבָרִים הָאֵלֶּה'' – **AS IS WRITTEN:**[19] ***AND GOD SPOKE ALL THESE WORDS.***[20] אַף אַתָּה עֲשֵׂה אָזְנֶיךָ כַּאֲפַרְכֶּסֶת – Hence, **YOU TOO MAKE YOUR EAR LIKE A MILL-HOPPER,**[21] וּקְנֵה לְךָ לֵב מֵבִין – **AND ACQUIRE FOR YOURSELF A DISCERNING HEART** לִשְׁמוֹעַ אֶת דִּבְרֵי מְטַמְּאִים וְאֶת דִּבְרֵי מְטַהֲרִים – **TO HEAR** intelligently **THE WORDS OF THOSE WHO DECLARE** a thing **IMPURE AND THE WORDS OF THOSE WHO PRONOUNCE** it **PURE;** אֶת דִּבְרֵי אוֹסְרִין וְאֶת דִּבְרֵי מַתִּירִין – **THE WORDS OF THOSE WHO PROHIBIT AND THE WORDS OF THOSE WHO PERMIT;** אֶת דִּבְרֵי פּוֹסְלִין וְאֶת דִּבְרֵי

NOTES

1. *I Chronicles* 17:21. The Sages of the Midrash teach that there are three who testify about each other: Israel, the Sabbath, and the Holy One, Blessed is He. Both Israel and the Holy One testify that the Sabbath is a day of rest. The Sabbath, for its part, testifies in concert with God as to Israel's uniqueness, and in concert with Israel as to God's uniqueness. This testimony is found in the Minchah prayer of the Sabbath, where it states: אַתָּה אֶחָד וְשִׁמְךָ אֶחָד וּמִי כְּעַמְּךָ יִשְׂרָאֵל גּוֹי אֶחָד בָּאָרֶץ, "You are One and Your Name is One; and who is like Your people Israel, a unique nation on the earth" (see *Tosafos*).

2. I.e. R' Elazar ben Azaryah (*Rashi;* this explanation is supported by the version of this incident as cited in *Tosefta Sotah* 7:6-7 and *Avos D'Rabbi Nassan* ch. 18). *Maharsha* (see also *Rabbeinu Chananel*) disagrees, however, explaining that the words וְאַף הוּא פָּתַח וְדָרַשׁ, *and he too began to expound,* imply a new speaker. That is, after R' Yehoshua heard R' Elazar's exegesis about Israel making God "One," R' Yehoshua himself "begins to expound," in a similar vein, about the *One Shepherd.* See note 24 below.

3. *Ecclesiastes* 12:11.

4. Whereas the verse stated *the words of the wise,* the Baraisa mentions "the words of Torah." This change intimates that the verse refers to the decrees of the Sages of the Torah that are protective fences around the Torah itself. This interpretation is in fact indicated by a preceding verse (ibid. v. 9), which states: וְאִזֵּן וְחִקֵּר תִּקֵּן, [*Koheles*] *has listened, investigated and established* [Rabbinic rules] (e.g. the laws of *eruvin* and of washing the hands before eating bread) [*Maharsha*].

5. A goad (דָּרְבָן) is a long stick with a thin nail implanted in its head, and it is used to direct and control the animal pulling the plow (*Rav* to *Keilim* 9:6; see also *Maharsha*).

6. I.e. so that fruits and vegetables will grow from the seeds planted in the furrow (*Eitz Yosef*).

7. The protective "fences" of the Sages prevent man from sinning (see *Rashi* to *Ecclesiastes* ibid.).

8. I.e. just as a physical object such as a goad does not last forever, so the Rabbinic decrees that protect the Torah are not lasting (see *Maharsha*). See also *Yalkut HaMeiri,* cited by *Yalkut Yeshayahu.*

9. I.e. nails are affixed and remain permanently in place; similarly, the decrees of Moses and all subsequent sages never lapse (*Maharsha*).

10. The object is diminished by the amount of space occupied by the nail (*Rashi* ד"ה מה מסמר זה, which appears out of place below [*Bach*]; see also *Maharsha*).

11. The Baraisa refers to the financial costs of observing the Torah [and the Rabbinic decrees] (see *Rif* to *Ein Yaakov*).

12. Since the verse employs the simile of "nails," it would have been more accurate to state "like nails well *driven.*" By stating "well planted" Scripture alludes to a plant, which is fruitful and multiplies (*Maharsha*).

13. Inasmuch as Scripture must use the word "planted" to convey this idea, why did it not perfect the simile by stating "like *trees* well planted"? *Maharsha,* citing *Yerushalmi,* explains that Scripture wishes to praise "the words of Torah" even further – by intimating that they are as strong as nails of iron.

14. Only when Torah is learned collectively, in contesting groups, can knowledge of it be truly acquired (*Maharsha*). The Baraisa will now elaborate on this point.

15. E.g. they debate whether one is fit or disqualified to testify in court, or whether one is fit or disqualified for the priesthood (*Rashi*).

16. In *Rashi's* text of the Gemara the word כּוּלָּם, *all,* appears immediately before the phrase in *Rashi's* text אֵל אֶחָד אֲמָרָן (see also *Bach*). According to this version, the Baraisa reads: "Scripture states: *Given from one Shepherd.* [That is, with regard to] all [the various Rabbinic opinions], one God uttered them etc."

17. Both sides of any Talmudic dispute adduce proof for their respective positions from the Torah of our God and not from the "Torah" of any other "god" (*Rashi*).

18. No disputant will ever adduce proof from a prophet who disagrees with Moses [who gave us God's Torah] (*Rashi*). *Maharsha* explains that *given from one shepherd* can refer to both God and Moses, since both are called "shepherd" in various places in Scripture.

19. *Exodus* 20:1.

20. *All these words* alludes to the two (or more) legitimate sides to every legal issue debated by the Sages. These too come from Hashem, whom the Baraisa above calls "the Master of all matters" in allusion to this very fact that all Rabbinic decisions are valid interpretations of God's law (*Maharsha;* see first four words of *Rashi* ד"ה עשה אזניך כאפרכסת).

21. A large funnel through which grain is channeled to the grinding area of a mill (*Rashi*). Much grain can be poured into the mouth of the hopper but only a small amount can flow from the spout (*Maharsha*).

ומי כעמך ישראל גוי אחד בארץ. אמרינן במדרש שלשה מעידין זה על זה ישראל ושבת והקדוש ברוך הוא ישראל והקדוש ברוך הוא מעידים על השבת שהוא יום מנוחה ישראל ושבת על הקדוש ב"ה שהוא אחד הקב"ה ושבת על ישראל שהם יחידים באומות ועל זה סמכינן לומר אתה אחד במנחה בשבת אע"פ שאינו מדבר מענינא דיומא דשבת כמו תפלת ערבית ושחרית:

ואף הוא. רבי אלעזר בן עזריה: לתלמיה. שורות המענה: פוסלין ומכשירין. שייך לומר לענין פסול עדות ופסול כהונה: כולן אל אחד אמרן. אין לך מבני המחלוקת מביא ראיה מתורת אלוה אחר אלא מתורת אלהינו: פרנס אחד אמרן. אין לך מביא ראיה מדברי נביא הבא לחלוק על משה רבינו:

א) ומי כעמך ישראל גוי אחד בארץ ואף הוא פתח ודרש ב) דברי חכמים כדרבונות וכמסמרות נטועים בעלי אסופות נתנו מרועה אחד למה נמשלו דברי תורה לדרבן לומר לך מה דרבן זה מכוין את הפרה לתלמיה להוציא חיים לעולם אף דברי תורה מכוונין את לומדיהן מדרכי מיתה לדרכי חיים אי מה דרבן זה מטלטל אף דברי תורה מטלטלין ת"ל מסמרות אי מה מסמר זה חסר ולא יתר אף דברי תורה חסירין ולא יתירין ת"ל נטועים מה נטיעה זו פרה ורבה אף דברי תורה פרין ורבין בעלי אסופות אלו תלמידי חכמים שיושבין אסופות אסופות ועוסקין בתורה הללו מטמאין והללו מטהרין הללו אוסרין והללו מתירין הללו פוסלין והללו מכשירין שמא יאמר אדם היאך אני למד תורה מעתה תלמוד לומר כולם נתנו מרועה אחד אל אחד נתנן פרנס אחד אמרן מפי אדון כל המעשים ברוך הוא דכתיב ג) וידבר אלהים את כל הדברים האלה אף אתה עשה אזניך כאפרכסת וקנה לך לב מבין לשמוע את דברי מטמאים ואת דברי מטהרים את דברי אוסרין ואת דברי מתירין את דברי פוסלין ואת דברי מכשירין בלשון הזה אמר להם אין דור יתום שר' אלעזר בן עזריה שרוי בתוכו ולימרו ליה בהדיא משום מעשה שהיה דתניא מעשה בר' יוסי בן דורמסקית שהלך להקביל פני ר' אלעזר בלוד אמר לו מה חידוש היה בבהמ"ד היום א"ל נמנו וגמרו עמון ומואב מעשרין מעשר עני בשביעית אמר לו יוסי פשוט ידיך וקבל עיניך פשט ידיו וקבל עיניו בכה ר' אלעזר ואמר ד) סוד ה' ליראיו ובריתו להודיעם אמר לו לך אמור להם אל תחושו למניינכם כך מקובלני מרבן יוחנן בן זכאי ששמע מרבו ורבו מרבו הלכתא למשה מסיני עמון ומואב מעשרין מעשר עני בשביעית מה טעם הרבה כרכים כבשו עולי מצרים ולא כבשום עולי בבל מפני שקדושה ראשונה קדשה לשעתה ולא קדשה לעתיד לבא והניחום כדי שיסמכו עליהן עניים בשביעית תנא לאחר שנתיישבה דעתו אמר יהי רצון שיחזרו עיני יוסי למקומן וחזרו ת"ר איזהו שוטה היוצא יחידי בלילה והלן בבית הקברות והמקרע את כסותו איתמר רב הונא אמר עד שיהו כולן בבת אחת ר' יוחנן אמר אפי' באחת מהן היכי דמי אי דעביד להו דרך שטות אפי' בחדא נמי אי דלא עביד להו דרך שטות אפילו כולהו נמי לא לעולם דקא עביד להו דרך שטות והלן בבית הקברות אימור כדי שתשרה עליו רוח טומאה הוא דקא עביד והיוצא יחידי בלילה אימור גנדריפס אחדיה והמקרע את כסותו אימור בעל מחשבות הוא כיון דעבדינהו לכולהו הוה להו כמי

עמון ומואב מעשרין מעשר עני בשביעית. לפי סדר השנים היה להם להפריש מעשר שני שהוא שנה ראשונה ומעשר עני נוהג בששית ולא מצינו מעשר עני שתי שנים רצופים אלא תקנה תקנו בה כדי שיסמכו עליהם עניים בשביעית ודין הוא דלפי' תרומה גדולה לא ניתקן אלא יהא הכל מעשר עני אלא שלא רצו לחלק כל כך משאר שנים פרש"י דהיינו ארץ סיחון ועוג כדאמרינן בחולין (דף ס:) עמון ומואב טהרו בסיחון כלומר על ידי כבוש סיחון ועוג הותר לישראל ליכבש והקשה ר"ת דאמרינן בפרק מקום שנהגו (פסחים דף נג: ושם) שלש ארצות לביעור יהודה ועבר הירדן והגליל ועבר הירדן היינו ארץ סיחון ועוג (ג) וכ"ת דקדושה ראשונה לא קידשה לעתיד לבא אם כן תיפשוט מיניה דלרבי אליעזר לא קידשה אלמה מיבעי' לן בפ"ק דמגילה (דף י. ושם) ובשבועות (דף טז. ושם) מאי סבירא ליה אי קידשה אי לא קידשה (ד) ותירץ ר"ת דיש לחלק דהכא בעמון ומואב דלא כבשו סיחון ועוג ולא נתקדשו כלל בקדושת הארץ ועוד מתרץ דלא קידשה עבר הירדן רק לארץ סיחון ממש אבל מה שכבשו מעמון לא נתקדשה:

דרך שטות אפילו בחד נמי. וכי תימא דלא היה מועד לשטות רק לאותו דבר ובעינן תלתא כדי להחזיקו כשוטה לכל מילי כמו נגח שור וחמור וגמל נעשה מועד לכל (ה) דהכא לא דמי דהכא כיון שהוא שוטה באחת ודאי יש להחזיקו בחזקת שוטה לכל דבר בירושלמי בפ"ק דתרומות אומר סימני שוטה היוצא בלילה והלן בבית הקברות והמקרע כסותו (ו) והוא מאבד מה שנותנים לו א"ר הונא והוא שיהו כולן בו דלא כן אומר אני היוצא בלילה יחידי אימור גנדריפס אחדיה והלן בבית הקברות לשדים והמקרע כסותו אימר בעל מחשבות מאבד מה שנותנים לו קוניקוס רבי יוחנן אמר אפילו אחת מהן אמר ר' אבין מסתברא כר' יוחנן בלבד ממאבד מה שנותנין לו דאפילו שוטה שבשוטים אינו מאבד מה שנותנין לו קוניקוס אין בו אחת מכל אלו:

כיון דעבדינהו לכולהו נעשה כמי שנגח כו'. ומחד בשלשה זימנא לא איתחזק דלינן בהך דקאמר הש"ס אימא בעל מחשבות או אינך: או

עשה אזניך כאפרכסת. מאחר שכולן לבן לשמים עשה אזן שומעת ולמוד ודע דברי כולן וכשתדע להכריע אי זה יכשר קבע הלכה כמותו אפרכסת טירמוי"א שעל הריחים: מה מסמר זה. כשנועצין אותו בכותל הוא מחסרו יכול אף זה כן תלמוד לומר נטועים כנטיעה שדרכה לפרות ולרבות: ולימרו ליה בהדיא. מיד למה הוזקקו לומר תלמידיך אנו: נמנו וגמרו. והתקינו שיהו ישראל הדרין בעבר הירדן במה שכבשו מסיחון ועוג ארץ עמון ומואב: מעשרין. עכשיו מעשר עני בשביעית שהן היו זורעין בשביעית כדאמרינן לקמן שלא קידשוה עולי גולה כקדושת הארץ: פשוט ידיך וקבל עיניך. הוקשה בעיניו שנתן עטרה לאותו דורש והלא מימות אנשי כנסת הגדולה היתה תקנה זו: אל תחושו למניינכם. אל יהי לכם שום חשש וגמגום במה שמניתם ותיקנתם שהרי הסכמתם להלכה: כך מקובלני. שקדושה ראשונה שקידשה יהושע לשעתה לא קידשה לעתיד לבא אבל קדושה שניה נתקדשה לעולם כדתניא ביבמות (דף פב:) קדושה ראשונה ושניה יש להן שלישית אין להן לפיכך בשאר ארץ ישראל אין זריעה בשביעית אבל עמון ומואב הניחו מלקדשן כדי שיסמכו עליהן עניים בשביעית בלקט שכחה ופאה ובמעשר עני לכך תקנו להן שיהו מעשרין מעשר עני וברשות החכמים היה להטיל עליהן איזה מעשר שירצו לפי שאינן חייבין מן התורה: איזהו שוטה. האמור בכל מקום שפטור מן המצות ומן העונש ואין קנינו קנין ואין ממכרו ממכר: והלן בבית הקברות. בלילה: לעולם דקא עביד להו דרך שטות. ואפילו הכי לא מחזקינן ליה בחדא דהיוצא יחידי בלילה אימור גנדריפס אחדיה אני שמעתי חולי האוחז מתוך דאגה ולי נראה שנתחמם גופו ויוצא למקום האויר: שתשרה עליו רוח טומאה. רוח שדים שיסייעוהו להיות מכשף: כמו

עין משפט נר מצוה

יג א מיי' פ"ו מהלכות מתנות עניים הלכה ה סמג עשין קסב:

יד ב ג מיי' פ"א מהל' תרומות הלכה ה ופ"ו מהלכות בית הבחירה הלכה טז:

טו ד ה מיי' פ"ט מהל' עדות הלכה ט טוש"ע י"ד סימן א סעיף ה וטוש"ע ח"מ סימן לה סעיף ח:

רבינו חננאל

כו' אף ר' יהושע פתח ודרש דברי חכמים כדרבונות וכמסמרות נטועים בעלי אסופות. אלו ת"ח שיושבין אסופות אסופות ועוסקין בתורה הללו מטהרין והללו מטמאין הללו אוסרין והללו מתירין כו'. וא"ת היאך וכן היאך אני למד תורה מעתה ת"ל נתנו מרועה אחד כולם מפי אל אחד אמורין שנאמר וידבר אלהים את כל הדברים האלה אלא עשה אזנך כאפרכסת ושכולן מתברכין לך באיזה מהן הלכה ברורה שאע"פ שנראין כמו חולקין חוזרין ונמנין וגומרין ומסכימין בסוף כדכתיב את והב בסופה כלשון הזה אמר אין דור יתום שר' אלעזר בן עזריה שרוי בתוכו. ומעשה בר' יוסי בן דורמסקית שהלך להקביל פני ר' אלעזר וא"ל בבהמ"ד נמנו וגמרו עמון ומואב מעשרין מעשר שני בשביעית. א"ל ר' אלעזר יוסי פשוט ידיך וקבל עיניך פשט ידיו וקבל עיניו. כעס ר' אלעזר בשביל שא"ל נמנו וגמרו כלומר למה נמנו והלא הלכה למשה מסיני הוא ובכה ואמר סוד ה' ליראיו ובריתו להודיעם ואין בריתו אלא תורה. תנא אחר שנתיישבה דעתו בקש רחמים ואמר יהי רצון שיחזרו עיני יוסי למקומן וחזרו. ואמר צא ואמור אל תחושו למניינכם כך מקובלני מריב"ז שקיבל מרבו ורבו מרבו הלכה למשה מסיני עמון ומואב מעשרין מעשר שני בשביעית. מה טעם הרבה כרכים כבשום עולי מצרים ולא כבשו עולי בבל שקדושה ראשונה קדשה לשעתה ולא קדשה לעתיד לבוא

ליקוטי רש"י

ומי כעמך ישראל גוי אחד. ממה הם מיוחדים מכל העמים מזה אשר הלך אלהים בעצמו לפדותם לו לעם כמו שכתוב אני יוצא בתוך מצרים (שמות י"ב) מזה אנו מיוחדים שלא עשה כן לשום לאום בעולם [דברי הימים א יז, כא]. דברי חכמים. שעמו סייג לתורה כגזירות להכריע את האדם מן העבירה כגון אכילת קדשים עד

מסורת הש"ס

א) [אבות דר"נ פי"ח תוספתא סוטה פרק ז], ב) [ערוך גרס באפרכסת], ג) [ברכות סג.], ד) מכילתא פ' בא פי"ז, ה) [תוספ' ידים פ"ב ע"ש ידים פ"ד מ"ג], ו) מכילתא פ' בא פי"א יבמות טז. ז) כלומר דבר ברור כהלכה למשה מסיני עי' רא"ש בהל' מקוואות (סוף נדה) סימן א, ח) חולין ז, ט) מגילה י. [מכות יט. שבועות טז. זבחים ס: קז: חולין ז. תמורה כח. ערכין לב:], י) [תוספתא תרומות פ"א], כ) בע"י הגירסא כולי האי, ל) [מקטיר לשדים כל"ג], מ) הוא נמי חולי של מחשבה מפרש שם.

תורה אור השלם

א) וּמִי כְּעַמְּךָ יִשְׂרָאֵל גּוֹי אֶחָד בָּאָרֶץ אֲשֶׁר הָלַךְ הָאֱלֹהִים לִפְדּוֹת לוֹ עָם לָשׂוּם לְךָ שֵׁם גְּדֻלּוֹת וְנֹרָאוֹת לְגָרֵשׁ מִפְּנֵי עַמְּךָ אֲשֶׁר פָּדִיתָ מִמִּצְרַיִם גּוֹיִם: [דברי הימים א, יז, כא]

ב) דִּבְרֵי חֲכָמִים כַּדָּרְבֹנוֹת וּכְמַשְׂמְרוֹת נְטוּעִים בַּעֲלֵי אֲסֻפּוֹת נִתְּנוּ מֵרֹעֶה אֶחָד: [קהלת יב, יא]

ג) וַיְדַבֵּר אֱלֹהִים אֵת כָּל הַדְּבָרִים הָאֵלֶּה לֵאמֹר: [שמות כ, א]

ד) סוֹד יְיָ לִירֵאָיו וּבְרִיתוֹ לְהוֹדִיעָם: [תהלים כה, יד]

מַכְשִׁירִין – AND THE WORDS OF THOSE WHO DISQUALIFY AND THE WORDS OF THOSE WHO DECLARE FIT.[22]

The Baraisa concludes:

בְּלָשׁוֹן הַזֶּה אָמַר לָהֶם – [R' YEHOSHUA] then SAID TO [R' YOCHANAN BEN BEROKAH AND R' ELAZAR BEN CHISMA] IN THIS LANGUAGE: אֵין דּוֹר יָתוֹם שֶׁרַבִּי אֶלְעָזָר בֶּן עֲזַרְיָה שָׁרוּי בְּתוֹכוֹ – IT IS NOT AN ORPHANED GENERATION,[23] **[THE GENERATION] THAT R' ELAZAR BEN AZARYAH DWELLS WITHIN.**[24]

The Gemara inquires about one particular detail of the Baraisa's narrative:

וְלֵימְרוּ לֵיהּ בְּהֶדְיָא – But let them relate the novel teaching **to [R' Yehoshua] immediately!?** Why was it necessary for R' Yochanan ben Berokah and R' Elazar ben Chisma to state first, "We are your disciples"?

The Gemara answers:

מִשּׁוּם מַעֲשֶׂה שֶׁהָיָה – It was **because of an incident that** once **occurred, דְּתַנְיָא – as was taught in a Baraisa:**[25] **מַעֲשֶׂה בְּרַבִּי יוֹסֵי בֶּן דּוּרְמַסְקִית** – There was once **AN INCIDENT INVOLVING R' YOSE BEN DURMASKIS, שֶׁהָלַךְ לְהַקְבִּיל פְּנֵי רַבִּי (אלעזר) [אֱלִיעֶזֶר] בְּלוֹד – WHO WENT TO VISIT R' ELIEZER**[26] **IN LOD. אָמַר לוֹ – [R' ELIEZER] SAID TO HIM: מַה חִידּוּשׁ הָיָה בְּבֵית הַמִּדְרָשׁ הַיּוֹם – WHAT NOVEL TEACHING WAS** expounded **IN THE STUDY HALL TODAY? אָמַר לוֹ נִמְנוּ וְגָמְרוּ – [R' YOSE] TOLD HIM** that **[THE SAGES] HAD VOTED AND DECIDED** and decreed that **עַמּוֹן וּמוֹאָב מְעַשְּׂרִין מַעְשַׂר עָנִי בַּשְּׁבִיעִית** – those Israelites who reside in the lands of **AMMON** and **MOAB**[27] must **GIVE THE TITHE OF THE POOR IN THE SEVENTH** year, i.e. during the *shemittah* year as well.[28] **אָמַר לוֹ – [R' ELIEZER] REPLIED TO HIM: יוֹסֵי פְּשׁוֹט יָדֶיךָ וְקַבֵּל עֵינֶיךָ – YOSE, STRETCH OUT YOUR HANDS**[29] **AND DARKEN YOUR EYES!**[30] **פָּשַׁט יָדָיו וְקִבֵּל עֵינָיו – [R' YOSE]** obediently **STRETCHED OUT HIS HANDS AND DARKENED HIS EYES** (he became blind). **בָּכָה רַבִּי (אלעזר) [אֱלִיעֶזֶר] וְאָמַר – R' ELIEZER** then **WEPT**[31] **AND DECLARED: "סוֹד ה' לִירֵאָיו וּבְרִיתוֹ לְהוֹדִיעָם" – *THE SECRET OF HASHEM IS TO THOSE WHO FEAR HIM, AND HIS COVENANT TO INFORM THEM.***[32] **אָמַר לוֹ – [R' ELIEZER]** then **SAID** directly **TO [R' YOSE]: לֵךְ אֱמוֹר לָהֶם אַל תָּחוּשׁוּ לְמִנְיַינְכֶם – GO** back **AND TELL [YOUR COLLEAGUES]: DO NOT FRET ABOUT YOUR VOTING.**[33] **כָּךְ מְקוּבְּלַנִי מֵרַבָּן יוֹחָנָן בֶּן זַכַּאי – THUS I HAVE RECEIVED FROM RABBAN YOCHANAN BEN ZAKKAI, שֶׁשָּׁמַע מֵרַבּוֹ – WHO HEARD** it **FROM HIS TEACHER, וְרַבּוֹ מֵרַבּוֹ – AND HIS TEACHER** had received it **FROM HIS TEACHER: הִלְכְתָא לְמֹשֶׁה מִסִּינַי** – It is as clear as[34] **A LEGAL TRADITION** transmitted **TO MOSHE FROM SINAI עַמּוֹן וּמוֹאָב מְעַשְּׂרִין מַעְשַׂר עָנִי בַּשְּׁבִיעִית** – that the inhabitants of **AMMON AND MOAB MUST GIVE THE TITHE OF THE POOR IN THE SEVENTH** year.[35]

The Gemara puts this ruling into its historical context:

מַה טַּעַם – What is the reason that the lands of Ammon and Moab are exempt of the laws of *shemittah* during the seventh year? **הַרְבֵּה כְּרַכִּים כְּבָשׁוּ עוֹלֵי מִצְרַיִם – Many cities were conquered** and sanctified **by those ascending from Egypt** during the first conquest of Eretz Yisrael, and were therefore considered part of Eretz Yisrael throughout the First Temple era, **וְלֹא כְּבָשׁוּם עוֹלֵי בָבֶל – but they were not conquered** and sanctified **by those ascending from Babylonia** during the second conquest of Eretz Yisrael. **מִפְּנֵי שֶׁקְּדוּשָּׁה רִאשׁוֹנָה קִדְּשָׁה לִשְׁעָתָהּ** – This is **because the initial sanctification** of Eretz Yisrael during the first conquest **sanctified it for that time,** i.e. for the duration of the Jews' possession of the Land, **וְלֹא קִדְּשָׁה לֶעָתִיד לָבֹא – but did not sanctify it for all future times;** rather, the initial sanctity terminated when the Jews were exiled to Babylonia. Thus, only areas that those ascending from Babylonia would reconquer and resanctify would be sanctified for future times and would be subject to the laws applicable to Eretz Yisrael (such as *shemittah*). **וְהִנִּיחוּם כְּדֵי שֶׁיִּסְמְכוּ עֲלֵיהֶן עֲנִיִּים בַּשְּׁבִיעִית – And** so **[those ascending from Babylonia] left [some areas]** unsanctified **in order that the poor should** be able to **rely on them** for produce **during the seventh** year, when it would be forbidden to plant anything in

NOTES

22. And then decide whom the halachah should follow.

[In actuality, the ultimate halachah is based on the disposition of the Sages – what they deem correct.]

23. I.e. one lacking a Torah leader.

24. This conclusion ostensibly supports *Rashi,* who holds (see note 2 above) that it was R' Elazar ben Azaryah who interpreted the verse in *Ecclesiastes* (*The words of the wise are like goads* etc.), for it appears that R' Yehoshua is now praising his teaching. However, *Maharsha* defends his own position (that R' Yehoshua himself interpreted it) by explaining that R' Yehoshua is now praising R' Elazar for authoring an exegesis (i.e. Israel making God "One") that accords well with R' Yehoshua's own "One Shepherd" interpretation.

25. See *Cheshek Shlomo* and *Dikdukei Soferim*. The basic text is found in a Mishnah (*Yadaim* 4:3).

26. The elucidation follows *Dikdukei Soferim, Rashash* and *Menachem Meishiv Nefesh,* who emend the reading רַבִּי אֶלְעָזָר, "R' Elazar," to רַבִּי אֱלִיעֶזֶר, "R' Eliezer." [See also *Sanhedrin* 32b with *Rashi* ד״ה אחר חכמים, that R' Eliezer was the sage who headed the academy and *Beis Din* in Lod.]

27. The lands that are located on the eastern side of the Jordan River and were captured by the kings Sichon and Og and were then captured from them by Moses (see *Rashi* and *Numbers* 21:21-35). See *Tosafos* ד״ה עמון ומואב.

28. When the lands of Ammon and Moab were initially conquered by Moses, they became sanctified with the holiness of Eretz Yisrael, and so their inhabitants observed the laws of *shemittah*. [Additionally, the Rabbis required tithing in the lands surrounding Eretz Yisrael even though they were not sanctified (*Rambam, Hil. Terumos* 1:1).] R' Yose's visit occurred during the Second Temple era, however, and by that time the sanctification of Ammon and Moab had been abrogated and deliberately never renewed (for the benefit of the poor; see Gemara below). For the further benefit of the poor, the Rabbis of R' Yose's academy decreed that *maaser ani* (the tithe of the poor) be given in the seventh year (*Rashi;* see *Rashi* to *Yevamos* 16a ד״ה עמון ומואב). Further explanation will be provided in note 36 below.

29. I.e. you have brought nothing in your hands, for the decree of which you speak was enacted years before, in the era of the Men of the Great Assembly (*Menachem Meishiv Nefesh*).

30. R' Eliezer cursed R' Yose with blindness because he credited the sages of his academy with authoring the decree rather than its true originators, the Men of the Great Assembly (*Rashi;* see *Menachem Meishiv Nefesh;* cf. *Maharsha;* see also *Turei Even*). *Ben Yehoyada* explains that the punishment affected specifically the eyes because the Great Sanhedrin is called the "Eyes" of the nation.

[By crediting the decree to his contemporaries, R' Yose was in effect deciding the law in the presence of his teacher (מוֹרֶה הֲלָכָה בִּפְנֵי רַבּוֹ), which is wrong (see *Maharsha*). The disciples of R' Yehoshua, R' Yochanan ben Berokah and R' Elazar ben Chisma, learned from R' Yose's failure, and therefore were reluctant to relate the novel teaching to R' Yehoshua.] See also *Siach Yitzchak.*

31. R' Eliezer wept in preparation for praying for R' Yose's recovery, since heartfelt tears soften harsh judgments (*Ben Yehoyada,* citing *Arizal*).

32. *Psalms* 25:14. [R' Eliezer here intimates that R' Yose's colleagues indeed came to the same conclusion as did the Men of the Great Assembly.]

33. I.e. do not entertain second thoughts about your voting to impose this decree, for actually it accords with established halachah (*Rashi*).

34. This follows comment of *Mesoras HaShas,* which is based on *Rosh* (*Hilchos Mikvaos* §1). See, however, *Rabbeinu Chananel,* who apparently holds that the *maaser ani* law is indeed an oral law transmitted to Moses at Sinai. See commentaries on Mishnah *Yadaim* 4:3.

35. See *Rif* to *Ein Yaakov,* who discusses the fact that R' Eliezer was apparently both upset and joyful.

עין משפט נר מצוה

יג א מיי' פ"ו מהלכות מתנות עניים הלכה ה סמג עשין קסב:

יד ב ג מיי' פ"א מהל' תרומות הלכה ה ופ"ו מהלכות בית הבחירה הלכה טו:

טו ד ה מיי' פ"ט מהל' עדות הלכה ט טוש"ע י"ד סימן א סעיף ה וטוש"ע ח"מ סימן לה סעיף ט:

גמרא

ומי כעמך ישראל גוי אחד בארץ ואף הוא פתח ודרש ב) דברי חכמים כדרבונות וכמסמרות נטועים בעלי אסופות נתנו מרועה אחד למה נמשלו דברי תורה לדרבן לומר לך מה דרבן זה מכוין את הפרה לתלמיה להוציא חיים לעולם אף דברי תורה מכוונין את לומדיהן מדרכי מיתה לדרכי חיים אי מה דרבן זה מטלטל אף דברי תורה מטלטלין ת"ל מסמרות אי מה מסמר זה חסר ולא יתר אף דברי תורה חסירין ולא יתירין ת"ל נטועים מה נטיעה זו פרה ורבה אף דברי תורה פרין ורבין בעלי אסופות אלו תלמידי חכמים שיושבין אסופות אסופות ועוסקין בתורה הללו מטמאין והללו מטהרין הללו אוסרין והללו מתירין הללו פוסלין והללו מכשירין שמא יאמר אדם היאך אני למד תורה מעתה תלמוד לומר כולם נתנו מרועה אחד אל אחד נתנן פרנס אחד אמרן מפי אדון כל המעשים ברוך הוא דכתיב ג) וידבר אלהים את כל הדברים האלה אף אתה עשה אזניך כאפרכסת וקנה לך לב מבין לשמוע את דברי מטמאים ואת דברי מטהרים את דברי אוסרין ואת דברי מתירין את דברי פוסלין ואת דברי מכשירין בלשון הזה אמר להם אין דור יתום שר' אלעזר בן עזריה שרוי בתוכו ולימרו ליה בהדיא משום מעשה שהיה דתניא מעשה בר' יוסי בן דורמסקית שהלך להקביל פני ר' אליעזר בלוד אמר לו מה חידוש היה בבהמ"ד היום א"ל נמנו וגמרו עמון ומואב מעשרין מעשר עני בשביעית אמר לו יוסי פשוט ידיך וקבל עיניך פשט ידיו וקבל עיניו בכה ר' אליעזר ואמר ד) סוד ה' ליראיו ובריתו להודיעם אמר לו לך אמור להם אל תחושו למניינכם כך מקובלני מרבן יוחנן בן זכאי ששמע מרבו ורבו מרבו הלכתא למשה מסיני עמון ומואב מעשרין מעשר עני בשביעית מה טעם הרבה כרכים כבשום עולי מצרים ולא כבשום עולי בבל מפני שקדושה ראשונה קדשה לשעתה ולא קדשה לעתיד לבא והניחום כדי שיסמכו עליהן עניים בשביעית תנא לאחר שנתיישבה דעתו אמר יהי רצון שיחזרו עיני יוסי למקומן וחזרו ת"ר איזהו שוטה היוצא יחידי בלילה והלן בבית הקברות והמקרע את כסותו איתמר רב הונא אמר עד שיהו כולן בבת אחת ר' יוחנן אמר אפי' באחת מהן היכי דמי אי דעביד להו דרך שטות אפי' בחדא נמי אי דלא עביד להו דרך שטות אפילו כולהו נמי לא לעולם דקא עביד להו דרך שטות והלן בבית הקברות אימור כדי שתשרה עליו רוח טומאה הוא דקא עביד והיוצא יחידי בלילה אימור גנדריפס אחדיה והמקרע את כסותו אימור בעל מחשבות הוא כיון דעבדינהו לכולהו הוה להו כמי

רש"י

ואף הוא. ר' אלעזר בן עזריה: לתלמיה. שורות המענה: שייך לומר לענין פסול עדות ופסול כהונה: (ג) כולן אל אחד אמרן. אין לך מבני המחלוקת מביא ראיה מתורת אלוה אחר אלא מתורת אלהינו: פרנס אחד אמרן. אין לך מביא ראייה מדברי נביא הבא לחלוק על משה רבינו: עשה אזניך כאפרכסת. מאחר שכולן לבן לשמים עשה אזן שומעת ולמוד ודע דברי כולן וכשתדע להבחין אי זה יכשר קבע הלכה כמותו אפרכסת טירמוי"א שעל הריחים: מה מסמר זה. כשנועצין אותו בכותל הוא מחסרו יכול אף זה כן תלמוד לומר נטועים כנטיעה שדרכה לפרות ולרבות: ולימרו ליה בהדיא. מיד למה הוזקקו לומר תלמידיך אנו: נמנו וגמרו. והתקינו שיהו ישראל הדרין בעבר הירדן במה שכבשו מסיחון ועוג ארץ עמון ומואב: מעשרין. עכשיו מעשר עני בשביעית שהן היו זורעין בשביעית כדאמרינן לקמן שלא קידשוה עולי גולה כקדושת הארץ: פשוט ידיך וקבל עיניך. הוקשה בעיניו שנתן עטרה לאותו דורש והלא מימות אנשי כנסת הגדולה היתה תקנה זו: אל תחושו למניינכם. אל יהי לכם שום חשש וגמגום במה שמניתם ותיקנתם שהרי הסכמתם להלכה: כך מקובלני. שקדושה ראשונה שקידשה יהושע לשעתה לא קידשה לעתיד לבא אבל קדושה שניה נתקדשה לעולם כדתניא ביבמות (דף פב:) קדושה ראשונה ושניה יש להן שלישית אין להן לפיכך בשאר ארץ ישראל אין זריעה בשביעית אבל עמון ומואב הניחו מלקדשן כדי שיסמכו עליהן עניים בשביעית בלקט שכחה ופאה ובמעשר עני לכך תקנו להן שיהו מעשרין מעשר עני וברשות החכמים היה להטיל עליהן איזה מעשר שירצו לפי שאין חייבין מן התורה: איזהו שוטה. האמור בכל מקום שפטור מן המצות ומן העונש ואין קנינו קנין ואין ממכרו ממכר: והלן בבית הקברות. בלילה: לעולם דקא עביד להו דרך שטות. ואפילו הכי לא מחזקינן ליה בחדא דהיוצא יחידי בלילה אימור גנדריפס אחדיה אני שמעתי חולי האוחז מתוך דאגה ולי נראה שנתחמם גופו ויוצא למקום האויר: שתשרה עליו רוח טומאה. רוח שדים שיסייעוהו להיות מכשף: כמו

תוספות

ומי כעמך ישראל גוי אחד בארץ. אמרינן במדרש שלשה מעידין זה על זה ישראל ושבת והקדוש ברוך הוא ב"ה ישראל והקב"ה מעידים על השבת שהוא יום מנוחה ישראל ושבת על הקב"ה שהוא אחד הקב"ה ושבת על ישראל שהם יחידים באומות ועל זה סמכינן לומר אתה אחד ומנוחה בשבת במנחה לפי שאינו מדבר מעניינא דיומא לשבת כמו תפלת ערבית ושחרית:

עמון ומואב מעשרין מעשר עני בשביעית. לפי סדר השנים היה להם להפריש מעשר שני שהוא שנה ראשונה ומעשר עני נוהג בשלישית ולא מצינו מעשר עני שתי שנים רצופים אלא תקנה תקנו בה כדי שיסמכו עליהם עניים בשביעית ובדין הוא דאפי' תרומה גדולה לא ניתקן אלא יהא הכל מעשר עני אלא שלא רצו לחלק כל כך משאר שנים פרש"י דהיינו ארץ סיחון ועוג כדאמרינן בחולין (דף ס:) עמון ומואב טהרו בסיחון כלומר על ידי כבוש סיחון ועוג הותר לישראל ליכבש והקשה ר"ת דאמרינן בפרק מקום שנהגו (פסחים דף נג: וסם) שלש ארצות לביעור יהודה ועבר הירדן והגליל ועבר הירדן היינו ארץ סיחון ועוג (ג) וכ"ת דקדושה ראשונה לא קידשה לעתיד לבא אם כן תיפשוט מיניה דלרבי אליעזר לא קידשה אלמה מיבעי' לן בפ"ק דמגילה (דף י. וסם) ובשבועות (דף טז. וסם) מאי סבירא ליה אי קידשה אי לא קידשה (ד) ותירץ ר"ת דיש לחלק דהכא בעמון ומואב דלא כבשו סיחון ועוג ולא נתקדשו כלל בקדושת הארץ ועוד מתרץ דלא קידשה עבר הירדן רק לארץ סיחון ממש אבל מה שכבש מעמון לא נתקדשה:

דרך שטות אפילו בחד נמי. וכי תימא דלא היה מועד לשטות רק לאותו דבר ובעינן תלתא כדי להחזיקו כשוטה לכל מילי כמו נגח שור וחמור וגמל נעשה מועד לכל (ה) דהכא לא דמי דהכא כיון שהוא שוטה באחת ודאי יש להחזיקו בחזקת שוטה לכל דבר בירושלמי בפ"ק דתרומות אומר סימני שוטה היוצא בלילה והלן בבית הקברות והמקרע כסותו (ו) והוא מאבד מה שנותנים לו א"ר הונא והוא שיהו כולן בו דלא כן אומר אני היוצא בלילה יחידי אימור גנדריפס אחדיה והלן בבית הקברות ל) לשדים והמקרע כסותו אימר בעל מחשבות מאבד מה שנותנים לו מ) קוניקוס רבי יוחנן אמר אפילו אחת מהן אמר ר' אבין מסתברא כר' יוחנן בלבד ממאבד מה שנותנין לו דאפילו שוטה שבשוטים אינו מאבד מה שנותנין לו קוניקוס אין בו אחת מכל אלו:

כיון דעבדינהו לכולהו נעשה כמי שנגח כו'. ומחד בשלשה זימנא לא איתחזק דתלינן בהכן דקאמר הש"ס אימא בעל מחשבות או אינך:

או

רבינו חננאל

כו': אף ר' יהושע פתח ודרש דברי חכמים כדרבונות וכמסמרות נטועים בעלי אסופות. אלו ת"ח שיושבין אסופות ועוסקין בתורה הללו מטהרין והללו מטמאין הללו אוסרין והללו מתירין כו'. וא"ת הואיל וכן היאך אני למד תורה ת"ל נתנו מרועה אחד כולן מפי אל אחד אמורין וידבר אלהים את כל הדברים האלה אלא עשה אזנך כאפרכסת וקנה לב לשמוע אלו ואלו שכולן מחברין לך באיזה מהן הלכה ברורה שאע"פ שנראין כמו חולקין חוזרין ונמנין וגומרין ומסכימין בסוף כדכתיב את והב בסופה כלשון הזה אמר אין דור יתום שר' אלעזר בן עזריה שרוי בתוכו. ומעשה בר' יוסי בן דורמסקית שהלך להקביל פני ר' אליעזר וא"ל בבהמ"ד נמנו וגמרו עמון ומואב מעשרין מעשר עני בשביעית. כעס ר' אליעזר יוסי פשוט ידיך וקבל עיניך ופשט ידיו וקבל עיניו. כעס ר' אליעזר בשביל שא"ל נמנו וגמרו כלומר למה נמנו והלא הלכה למשה מסיני הוא ובכה ואמר סוד ה' ליראיו ובריתו להודיעם ואין בריתו אלא תורה. תנא אחר שנתיישבה דעתו בקש רחמים ואמר יהי רצון שיחזרו עיני יוסי למקומן וחזרו. ואמר ליה לך ואמור אל תחושו למניינכם כך מקובלני מריב"ז שקיבל מרבו ורבו מרבו הלכה למשה מסיני עמון ומואב מעשרין מעשר עני בשביעית. מה טעם הרבה כרכים כבשום עולי מצרים ולא כבשום עולי בבל מפני שקדושה ראשונה קדשה לשעתה ולא קדשה לעתיד לבוא

ליקוטי רש"י

ומי כעמך ישראל גוי אחד. ממה הם מיוחדים מכל העמים מזה אשר הלך אלהים בעצמו לפדותם לו לעם כמו שכתוב אני יוצא בתוך מצרים (שמות יא, ד) מזה אנו מיוחדים שלא עשה כן לשום אומה בעולם [דברי הימים א יז, כא]. כדרבונות. שעושין לתורה כגון מדרבן להרבות את הפרה לחרוש את האדם והם מחזירים כגון אכילת קדשים עד

מסורת הש"ס

א) [אבות דר"נ פי"ח תוספתא סוטה פרק ז], ב) הערוך גרס כאפרכסת, ג) [ברכות סא.], ד) מכילתא פ' בא פי"ז, ה) [תוספ' ידים פ"ב ע"ש ידים פ"ד מ"ג], ו) מכילתא פ' בא פי"ז יבמות טז., ז) כלומר דבר ברור כהלכה למשה מסיני ועי' רא"ש בהל' מקוואות (סוף נדה) סימן א, ח) חולין ז., ט) מגילה י. [מכות יט. שבועות טז. זבחים קז:], ט) חולין ז. תמורה כח. ערכין לב:, י) [תוספתא תרומות פ"א], כ) בע"י הגרסא כולי האי, ל) [מקטיר לשדים כל"ל], מ) הוא נמי חולי של מחשבה מפרש שם.

הגהות הב"ח

(א) גמרא תלמוד לומר נתנו מרועה אחד כולם אל אחד: (ב) רש"י ד"ה פוסלין וכו' כהונה הס"ד ואח"כ מה"ד מה מסמר וכו' ולרבות הס"ד ואח"כ מה"ד כולן אל אחד וכו' שעל הריחים הס"ד ואחר כך מה"ד ולימרו: (ג) תוס' ד"ה עמון וכו' ארץ סיחון ועוג וכו' דקאמר הכא קדושה ראשונה: (ד) בא"ד ותירץ ר"ת. נ"ב ועל קושיא שהקשו אם תפשוט אין התירוץ מפורש אבל בפרק קמא דמגילה מפורש בתוס' ע"ש דף י: (ה) ד"ה דרך וכו' נעשה מועד לכל לא דמי כצ"ל ותיבת דהכא נמחק: (ו) בא"ד והמקרע כסותו והמאבד.

הגהות מהר"ב רנשבורג

א] אי מה דרבן זה מטלטל. נ"ב ר"ל שאינו מתקיים במקומו מהרש"א ח"א: ב] שם אי מה מסמר זה חסר. נ"ב ר"ל מחסר ומנקב בכותל מהרש"א ח"א וכן הוא בלשון רש"י ד"ה מה מסמר וכו': ג] רש"י ד"ה ואף הוא ר' אלעזר בן עזריה. נ"ב ומהרש"א בח"א כתב שר' יהושע פתח ודרש ועיי"ש:

תורה אור השלם

א) וּמִי כְּעַמְּךָ יִשְׂרָאֵל גּוֹי אֶחָד בָּאָרֶץ אֲשֶׁר הָלַךְ הָאֱלֹהִים לִפְדּוֹת לוֹ עָם לָשׂוּם לְךָ שֵׁם גְּדֻלּוֹת וְנֹרָאוֹת לְגָרֵשׁ מִפְּנֵי עַמְּךָ אֲשֶׁר פָּדִיתָ מִמִּצְרַיִם גּוֹיִם: [דברי הימים א, יז, כא]

ב) דִּבְרֵי חֲכָמִים כַּדָּרְבֹנוֹת וּכְמַשְׂמְרוֹת נְטוּעִים בַּעֲלֵי אֲסֻפּוֹת נִתְּנוּ מֵרֹעֶה אֶחָד: [קהלת יב, יא]

ג) וַיְדַבֵּר אֱלֹהִים אֵת כָּל הַדְּבָרִים הָאֵלֶּה לֵאמֹר: [שמות כ, א]

ד) סוֹד יְיָ לִירֵאָיו וּבְרִיתוֹ לְהוֹדִיעָם: [תהלים כה, יד]

the resanctified areas.[36]

The Gemara presents the epilogue of R' Yose's story:

תָּנָא – [A Tanna] taught in a Baraisa: לְאַחַר שֶׁנִּתְיַישְּׁבָה דַּעְתּוֹ – **AFTER [R' ELIEZER'S] MIND BECAME CALM,** אָמַר – **HE RECITED** the following prayer: יְהִי רָצוֹן שֶׁיַּחְזְרוּ עֵינֵי יוֹסֵי לִמְקוֹמָן – **"LET IT BE THE WILL** of Heaven **THAT YOSE'S EYES RETURN TO THEIR** former **STATE."** וְחָזְרוּ – **AND** indeed **THEY** so **RETURNED,** and he saw again.

The Mishnah taught that a deranged person is exempt from the mitzvah of *re'eyah,* as he is from all mitzvos of the Torah. The Gemara now seeks to determine the degree of insanity that qualifies one as deranged:

תָּנוּ רַבָּנָן – The Rabbis taught in a Baraisa: אֵיזֶהוּ שׁוֹטֶה – **WHO IS A DERANGED PERSON?**[37] הַיּוֹצֵא יְחִידִי בַּלַּיְלָה – **ONE WHO GOES OUT ALONE AT NIGHT;**[38] וְהַלָּן בְּבֵית הַקְּבָרוֹת – **AND ONE WHO LODGES IN A CEMETERY;**[39] וְהַמְקָרֵעַ אֶת כְּסוּתוֹ – **AND ONE WHO RENDS HIS GARMENT** for no apparent reason.

An Amoraic dispute regarding the interpretation of this Baraisa:

אִיתְּמַר – It was stated: רַב הוּנָא אָמַר – **Rav Huna said:** עַד שֶׁיְּהוּ כּוּלָּן בְּבַת אַחַת – One is not considered deranged **until all** three actions **are** performed **at one time.**[40] רַבִּי יוֹחָנָן אָמַר – However, **R' Yochanan said:** אֲפִילּוּ בְּאַחַת מֵהֶן – One qualifies as a deranged person **even through** performing **one of them.**[41]

The Gemara clarifies their argument:

הֵיכִי דָמֵי – **What is the case** of the Baraisa? אִי דְּעָבֵיד לְהוּ דֶּרֶךְ שְׁטוּת – **If [this person] performed [these actions] in an insane manner,** אֲפִילּוּ בְּחָדָא נָמֵי – he should be deemed deranged **even through** performing **one** of them![42] Why, then, would Rav Huna consider him sane in such a case? אִי דְּלָא עָבֵיד לְהוּ דֶּרֶךְ שְׁטוּת – And **if he did not perform [these actions] in an insane manner,** אֲפִילּוּ כּוּלְּהוּ נָמֵי לֹא – then performing **even all of them** should **not** render him deranged! Why would anyone say that it does? לְעוֹלָם דְּקָא עָבֵיד לְהוּ דֶּרֶךְ שְׁטוּת – **In truth,** we must say that the Baraisa speaks of **where he does perform [the acts] in an insane manner;**[43] וְהַלָּן בְּבֵית הַקְּבָרוֹת – nevertheless, Rav Huna holds **that** regarding **one who lodges in a cemetery,** אֵימוּר כְּדֵי שֶׁתִּשְׁרֶה עָלָיו רוּחַ טוּמְאָה הוּא דְּקָא עָבֵיד – **one could say it is so that an impure spirit would rest upon him that he did** so.[44] וְהַיּוֹצֵא יְחִידִי בַּלַּיְלָה – **And** regarding **one who goes out alone at night,** אֵימוּר גַּנְדְּרִיפַּס אַחֲדֵיהּ – **one could say** that a fit of **lycanthropy seized him.**[45] וְהַמְקָרֵעַ אֶת כְּסוּתוֹ – **And** regarding **one who rends his garment,** אֵימוּר בַּעַל מַחֲשָׁבוֹת הוּא – **one could say** that **he is a meditative individual,** who was lost in thought and did not realize what he was doing. Hence, for each bizarre action there is a plausible explanation. כֵּיוָן דְּעַבְדִינְהוּ לְכוּלְּהוּ – However, **once he performs all [three of them],** הָוָה לְהוּ – **they are**

NOTES

36. The immigrants from the Babylonia exile (i.e. Ezra and his colleagues) deliberately left unsanctified some areas (such as Ammon and Moab) that had been part of Eretz Yisrael during the First Temple era, so that planting would be permitted in those areas during *shemittah,* when planting in Eretz Yisrael is prohibited. Since grain that grows in the areas surrounding Eretz Yisrael is subject to the requirements of tithing under Rabbinical law (see above, note 28, and *Rambam, Hil. Terumos* 1:1), any grain that grew in these areas that were left unsanctified was subject to tithing, as well as similar charitable requirements. Thus, during *shemittah,* when planting would be permitted in these unsanctified areas, paupers would be entitled to glean *leket, shich'chah* and *pe'ah* from there. Furthermore, the Sages decreed that during *shemittah* the tithe given from produce grown in the areas surrounding Eretz Yisrael (viz. Ammon and Moab) would be the poor man's tithe, *maaser ani* (i.e. and not *maaser sheni,* which normally should have been the one given there in that year; see *Tosafos* ד״ה עמון). Thus, the paupers were assured of some income even during *shemittah,* when no tithes would be forthcoming from Eretz Yisrael (see *Rashi*).

37. I.e. who is the "deranged person" that the Sages always exempt from mitzvos and punishments, and who has no legal capacity to buy and sell? (*Rashi*).

38. To an uninhabited place (see *Turei Even;* cf. *Sfas Emes*).

39. At night (*Rashi*). *Yad David* (cited by *Menachem Meishiv Nefesh*) questions the necessity of *Rashi's* comment, inasmuch as the word לָן (*lodge*) ostensibly implies an overnight stay. Citing *Radak,* he explains that לָן can also connote continuous lodging, and so *Rashi* was compelled to inform us that the Baraisa speaks only of one who stays there at night.

40. Not literally at one time, since it is impossible to do so. Rather, Rav Huna means that we must find all three actions committed by one person (*Turei Even*).

41. [See following note.] Certainly, if one exhibited obvious characteristics of insanity but did not go out alone at night, sleep in a cemetery, or rend his garment, both Rav Huna and R' Yochanan would nonetheless pronounce him legally "deranged." They argue only where the sole indications of insanity are these three actions (see *Rambam, Hil. Eidus* 9:9-10; see, however, *Mordechai* to *Gittin* 70b §421 and *Beis Yosef* to *Even HaEzer* §121).

See *Teshuvos Or HaYashar,* where our *sugya* and the many ramifications of the Torah's definition of insanity are dealt with at length.

42. I.e. through performing one of them *three times.* Only then is he legally presumed deranged (*Tosafos,* as explained by *Maharsha*). See also *Sfas Emes* and *Beis Yosef* to *Choshen Mishpat* §35.

43. Nevertheless, Rav Huna maintains that performing one or two of the three acts even three times would not qualify him as deranged, since each bizarre action could have a rational explanation, as the Gemara now explains (*Rashi, Maharsha* ibid.).

44. I.e. although it may appear that he was acting insanely, perhaps he deliberately lodged there for the purpose of incurring the spirit of demons, which would assist him to become a sorcerer (*Rashi*).

45. Lycanthropy is a type of melancholy, which comes from worry. Alternatively, he was seized with fever and went out for some fresh air (*Rashi*).

כְּמִי שֶׁנָּגַח שׁוֹר חֲמוֹר וְגָמָל – **equivalent to** the case of **[an ox] that gored an ox, a donkey and a camel,** וְנַעֲשָׂה מוּעָד לַכֹּל – **and** thus **becomes a *muad* for all** animals.[1]

The Gemara refutes Rav Huna's opinion:

אָמַר רַב פָּפָּא – **Rav Pappa said:** אִי שְׁמִיעַ לֵיהּ לְרַב הוּנָא הָא דְּתַנְיָא – **If Rav Huna had heard this** ruling **that was taught in a Baraisa** – אֵי זֶהוּ שׁוֹטֶה – WHO IS A DERANGED PERSON? זֶה הַמְאַבֵּד כָּל מַה שֶּׁנּוֹתְנִים לוֹ – THIS ONE WHO DESTROYS EVERYTHING THAT WE GIVE TO HIM – הֲוָה הָדַר בֵּיהּ – **he would** certainly **have reversed [his opinion].**[2]

The Gemara seeks clarification:

אִיבַּעְיָא לְהוּ – **They inquired** in the academy: כִּי הֲוָה הָדַר בֵּיהּ – **When [Rav Huna] would have reversed [his opinion]** on account of this second Baraisa, מִמְּקָרֵעַ כְּסוּתוֹ הוּא דַּהֲוָה הָדַר בֵּיהּ – **would he have reversed it** only **regarding** the case of **one who rends his garment,** דְּדָמְיָא לְהָא – **since it is similar to this** case of the Baraisa?[3] אוֹ דִלְמָא מִכּוּלְּהוּ הֲוָה הָדַר – **Or, perhaps, he would have reversed** it **with regard to all** three cases of the original Baraisa![4] – ? –

The Gemara answers:

תֵּיקוּ – **Let [the question] stand** unresolved.

The Mishnah listed among those exempted from the mitzvah of *re'iyah:*

וְטוּמְטוּם וְאַנְדְּרוֹגִינוֹס כו' – A PERSON OF UNDETERMINED SEX AND A HERMAPHRODITE **etc.**

A Biblical source is cited for these exemptions:

תָּנוּ רַבָּנָן – **The Rabbis taught** in a Baraisa: Regarding the obligation of *re'iyah* the Torah states:[5] *All your males shall appear.* ,,זָכוּר'' לְהוֹצִיא אֶת הַנָּשִׁים – The verse states *MALES* TO EXCLUDE THE WOMEN from the mitzvah. ,,זְכוּרְךָ'' לְהוֹצִיא טוּמְטוּם וְאַנְדְּרוֹגִינוֹס – *YOUR MALES* is written TO EXCLUDE A PERSON OF UNDETERMINED SEX (*tumtum*) AND A HERMAPHRODITE,[6] ,,כָּל- זְכוּרְךָ'' לְרַבּוֹת אֶת הַקְּטַנִּים – while *ALL YOUR MALES* comes TO INCLUDE MINORS in the mitzvah.

The Gemara analyzes the Baraisa:

אָמַר מַר – **The master stated:** ,,זָכוּר'' לְהוֹצִיא אֶת הַנָּשִׁים – The Baraisa teaches that Scripture states ***males* to exclude the women** from the mitzvah of appearing. הָא לָמָּה לִי קְרָא – **But why is a** specific **verse necessary** to accomplish this end? מִכְּדִי מִצְוַת עֲשֵׂה שֶׁהַזְּמַן גְּרָמָא הוּא – **Now, [appearing] is a positive commandment that time causes**[7] וְכָל מִצְוַת עֲשֵׂה שֶׁהַזְּמַן גְּרָמָא נָשִׁים פְּטוּרוֹת – **and women are exempt** from **all positive commandments that time causes.**[8] Thus, no specific verse is needed to exclude women from the mitzvah of appearing! – ? –

The Gemara answers:

אִצְטְרִיךְ – **[The verse] is needed** to exclude women from this particular time-bound mitzvah, סַלְקָא דַּעְתָּךְ אָמִינָא – **for it might enter your mind to say:** נֵילַף רְאִיָּה רְאִיָּה מֵהַקְהֵל – **Let us learn** via the *gezeirah shavah* of **"*appearing,*" "*appearing*" from** the mitzvah of **"gathering"**[9] the following additional law: מָה לְהַלָּן נָשִׁים חַיָּיבוֹת – **Just as there women are obligated** even though "gathering" is a time-bound mitzvah,[10] אַף כָּאן נָשִׁים חַיָּיבוֹת – **here also,** in the mitzvah of appearing, **women are obligated.** קָא מַשְׁמַע לָן – To dispel this notion, **[the verse]** expressly **informs us** that women are indeed exempt.

The Gemara analyzes the next section of the aforementioned Baraisa:

אָמַר מַר – **The master stated:** ,,זְכוּרְךָ'' לְהוֹצִיא טוּמְטוּם וְאַנְדְּרוֹגִינוּס – The Baraisa then teaches that Scripture states ***your males* to exclude a person of undetermined sex and a hermaphrodite** from the mitzvah of *re'iyah.* בִּשְׁלָמָא אַנְדְּרוֹגִינוּס אִצְטְרִיךְ – **This is reasonable** for the case of **a hermaphrodite;**[11] indeed, **it is necessary** to exclude him, סַלְקָא דַּעְתָּךְ אָמִינָא – **for it might enter your mind to say:** הוֹאִיל וְאִית לֵיהּ צַד זַכְרוּת – **Since he has a masculine side,** לִיחַיֵּיב – **let him be obligated** in the mitzvah. קָא מַשְׁמַע לָן – **[Scripture]** thus **informs us** that he is exempt, דִּבְרִיָּה בִּפְנֵי עַצְמוֹ הוּא – **for he is a creature unto himself.**[12] אֶלָּא טוּמְטוּם סְפֵיקָא הוּא – **However, a person of undetermined sex is a** case of **doubt!**[13] מִי אִצְטְרִיךְ קְרָא לְמַעוּטֵי סְפֵיקָא – **Is a verse needed to exclude a** case of **doubt?!**[14]

NOTES

1. [The owner of an ox that gores another ox must pay half of the damage the first three times this occurs. With the fourth goring, the ox, now a *muad* (i.e. "forewarned" to gore oxen), obligates its owner to compensate fully the owner of the damaged ox (*Exodus* 21:35,36).] In *Bava Kamma* (37a) the Gemara explains that an ox that has gored another ox, a donkey and a camel [for example] is forewarned for *all* types of animals, and the owner must pay in full when his ox gores a fourth time regardless of the type of animal it attacks. We do not say that the ox must gore each type of animal three times to be considered a *muad* for all types, for since it has gored a variety of animals the ox is obviously not particular as to which type it will gore; rather, its aberrant behavior can be ascribed to an overarching wildness of nature. Similarly, in our case, since this person committed three unrelated acts of abnormality, we do not presume a logical explanation for each one; rather, we ascribe all three to a general condition of insanity (*Rashi*).

2. The Baraisa teaches that only one deranged behavior [committed three times; see above, 3b note 42] creates the legal presumption of insanity (*Rashi*), whereas Rav Huna held that three disparate acts of irrationality are needed.

3. The second Baraisa's case and rending one's garment are both acts of senseless destruction. Perhaps, then, it is only if one rent his garment on three occasions in a deranged manner that Rav Huna would agree that the person would be legally presumed insane. But, the Gemara is suggesting that a similar retraction vis-a-vis the two other irrational activities of the first Baraisa does *not* exist. That is, if – in a deranged manner – one thrice went out alone at night, or thrice lodged in a cemetery, he would *not,* in Rav Huna's view, be considered insane. Rather, he would have to rend his garment once, go out alone once, and lodge in a cemetery once for that legal presumption to exist (*Zeicher L'Chagigah,* cited in *Menachem Meishiv Nefesh;* see *Turei Even*).

4. Or perhaps we say that since Rav Huna would have retracted with regard to the analogous case of rending the garment, he would have retracted vis-a-vis the other two cases of the first Baraisa as well, since all three were taught together [and one of them is certainly no longer true] (*Tosafos*).

5. *Exodus* 23:17.

6. Had Scripture written *males,* we would have excluded only women. Now that it states *your males,* it excludes also hermaphrodites and those of undetermined sex in addition to the women (*Rashi*).

7. I.e. the onset of the festival triggers the mitzvah of appearing in the Temple Courtyard (see *Rashi* to *Kiddushin* 29a ד"ה שהזמן גרמא).

8. See *Kiddushin* 34a-35a, where this is derived. *Meiri* to *Eruvin* 27a offers a rationale for this law: Since, for the most part, women are preoccupied by their household responsibilities, the Torah released them from those mitzvah obligations that, because they must be performed at specific times, might conflict with those responsibilities.

9. See above, 3a notes 2-4.

10. For the Torah states explicitly: *Gather the people – the men, the women and the children* (*Deuteronomy* 31:12).

11. A person who has both male and female genitalia.

12. The Gemara's point is that a hermaphrodite's status is one of doubt [nevertheless, because he exhibits a discernible male side, it was necessary for Scripture to expressly exclude him from the mitzvah of *re'iyah*] (see *Meiri* and note 14 below).

13. This person is either a male or a female, but the genitalia are covered by a membrane and so the gender is unknown.

14. Why is an [exclusionary] verse needed? From where would we otherwise derive that a case of doubt is obligated in the mitzvah?! (*Rashi*).

כמי שנגח שור חמור וגמל ונעשה מועד לכל אמר רב פפא אי שמיע ליה לרב הונא הא דתניא [ה] אי זהו שוטה זה המאבד כל מה שנותנים לו הוה הדר ביה איבעיא להו כי הוה הדר ביה ממקרע כסותו הוא דהוה הדר ביה דדמיא להא או דלמא מכולהו הוה הדר תיקו: וטומטום ואנדרוגינוס כו': תנו רבנן [ו] זכור להוציא את הנשים זכורך להוציא טומטום ואנדרוגינוס כל זכורך לרבות את הקטנים אמר מר זכור להוציא את הנשים • הא למה לי קרא מכדי מצות עשה שהזמן גרמא הוא [ג] א וכל מצות עשה שהזמן גרמא נשים פטורות אצטריך סלקא דעתך אמינא נילף ראייה ראייה מהקהל [ב] מה להלן נשים חייבות אף כאן נשים חייבות קמ"ל אמר מר זכורך להוציא טומטום ואנדרוגינוס בשלמא אנדרוגינוס אצטריך סלקא דעתך אמינא הואיל ואית ליה צד זכרות ליחייב קמ"ל דבריה בפני עצמו הוא אלא טומטום ספיקא הוא מי אצטריך [ד] קרא למעוטי ספיקא אמר אביי כשביציו מבחוץ אמר מר כל זכורך לרבות את הקטנים והתנן חוץ מחרש שוטה וקטן אמר אביי לא קשיא [ג] כאן בקטן שהגיע לחינוך כאן בקטן שלא הגיע לחינוך קטן שהגיע לחינוך [ה] דרבנן היא אין ה"נ וקרא אסמכתא בעלמא ואלא קרא למאי אתא לכדאחרים ([י] דתנן) [ז] אחרים אומרים [ד] המקמץ והמצרף נחשת והבורסי פטורין מן הראייה משום שנאמר [א] כל זכורך מי שיכול לעלות עם כל זכורך יצאו אלו שאינן ראויין לעלות עם כל זכורך: נשים ועבדים שאינן משוחררים וכו': בשלמא נשים כדאמרן אלא עבדים מנלן אמר רב הונא אמר קרא [א] אל פני האדון ה' מי שאין לו אלא אדון אחד יצא זה שיש לו אדון אחר הא למה לי קרא מכדי [ה] כל [ס] מצוה שהאשה חייבת בה עבד חייב בה כל מצוה שאין האשה חייבת בה אין העבד חייב בה [ט] דגמר לה לה מאשה אמר רבינא [י] לא נצרכה אלא [ו] למי שחציו עבד וחציו בן חורין דיקא נמי דקתני נשים ועבדים שאינן משוחררין מאי שאינן משוחררין אילימא שאינן משוחררין כלל ליתני עבדים סתמא אלא לאו שאינן משוחררין לגמרי ומאי נינהו מי שחציו עבד וחציו בן חורין ש"מ: והחיגר והסומא וחולה והזקן: תנו רבנן [ב] רגלים [פ] פרט לבעלי קבין דבר אחר רגלים [ז] פרט לחיגר ולחולה ולסומא ולזקן ולשאינו יכול לעלות ברגליו ושאינו יכול לעלות ברגליו לאתויי מאי אמר רבא לאתויי

מפנקי

רש"י

שמיע ליה. הא דתניא דמשמע דבדבר אחד מחזיקין אותו בשוטה הוה הדר ביה: זכור. אם נאמר זכור אין לך להוציא אלא את הנשים עכשיו שנאמר זכורך בא להוציא אף טומטום ואנדרוגינוס עם הנשים: נשים פטורות. בפ"ק דקדושין (דף לד:) ילפינן לה: מהקהל. דהוי נמי מצות עשה שהזמן גרמא ונשים חייבות: אתא קרא למעוטי ספיקא. בתמיה למה לי קרא מהיכא תיתי לן לחיוביה: כשביציו מבחוץ. אלא שהגיד טמון דהא ודאי זכר הוא הלכך איצטריך קרא למעוטי: המקמץ. מפרש במסכת כתובות (דף עז.) המקמץ בידו צואת כלבים ואומר אני כי לתקן בהן עורות שקורין קורדוו"ן שמעבדין אותן בצואת כלבים [ל]: והמצרף נחשת. שמצרפו במקום שחופרין אותו מן הקרקע כדמפרש במסכת כתובות (שם) וכל אלו ריחן רע ואין יכולין לעלות עם חביריהם: כדאמרן. זכור להוציא את הנשים: לה לה מאשה. כתיב הכא וכתב לה (דברים כד) וכתיב התם או חפשה לא נתן לה (ויקרא יט): לא נצרכה כו'. מיהו למשנה אחרונה הואיל ובידינו לכוף את רבו חייב דאין לו אלא אדון אחד: דבר אחר כו'. פרט לבעלי קבין מפעמים נפקא כדאמרינן לעיל הלכך רגלים למעוטי מי שצריך משענת אחרת לבד מרגליו:

תוספות

או דלמא מבולהו. מי אמרינן דכיון [א] דמקרע דדמי להאי הדר ביה גם לאינך דחשיב בהדי מקרע הדר ביה או דלמא מהאי לחודיה: זכורך להוציא טומטום ואנדרוגינוס. בירושלמי בעי מה אמר רבי יהודה באנדרוגינוס דשמעינן ליה [ד] דמחייב דמחלין עליו שבת כשמעתא מן הדא רבי יוחנן בן דהבאי בשם רבי יהודה אומר אף הסומא [י] וליח בר נש אמר אף אלא דהוה מודה על קדמייתא כו' ומוקי טעמא דהתם גבי שבת [ס] דריש זכר מה תלמוד לומר ערל אפילו מקצת ערל והכא כל זכורך פרט לטומטום ואנדרוגינוס: אלא טומטום ספיקא הוא. ואע"ג דאנדרוגינוס נמי ספיקא הוא [אפ"ה מחייבי] מטעם מקצת זכורך כדאמר הש"ס [ו] אלא טומטום הואיל ונשים פטורות והאי אימא אשה הוה ממילא הוה פטרינן ליה כי היכי דלא לייתי חולין לעזרה וא"ת בנדה פרק המפלת (דף כח: ושם) מפקינן מזכר [עד נקבה תשלחו] (במדבר ה) [זכר] ודאי נקבה ודאית ולא טומטום ואנדרוגינוס ולא פריך מידי אומר הר"י דהתם איכא תרי קראי ומפיק ליה מייתורא דקרא אבל הכא ליכא אלא חד קרא הלכך יש לאוקומא באנדרוגינוס מטעם דקאמר והכי פריך ליה בבכורות בפ' על אלו מומין (דף מב: ושם) בגמרא [ב] דרבי ישמעאל אין לך מום גדול מזה אנדרוגינוס ספיקא הוא אצטריך קרא למעוטי ספיקא וכן בפרק דם שחיטה (כריתות כב.) גבי כוי וכריש פרק בתרא דיומא (דף עד.) דבכל הני ליכא רק מחדא קרא והכי יתכן ההיא דשילהי הערל (יבמות דף פג.) קאמר רבי שמעון אנדרוגינוס זכר מאכיל בתרומה ואלו בפרק על אלו מומין (בכורות דף מב.) אמר רבי שמעון בן יהודה בשם רבי שמעון הרי הוא אומר הזכר להוציא טומטום ואנדרוגינוס אלא ודאי התם קרא יתירא הזכר [ג] ובפרק קמא דב"מ (דף ז.) העשירי ודאי אמר רחמנא ולא ספק ולא פריך אצטריך קרא למעוטי ספק דבולא קרא יתירא להכי ובשילהי פ"ק דחולין (דף כג: ושם) גבי תחילת הליהוב שבזה ושבזה שפסול פריך ליה אצטריך קרא למעוטי ספיקא מתורים ובני יונה ממה נפשך או קטן או גדול הוי וכשר לחדא מינייהו וקמי שמיא גליא היא ולא למעוטי רק אחד וליתכשר גבי אידך בשם רבי יצחק בן ברוך [פ] נ"ע ויש להקשות לייתי על תנאי ואם הוא אשה ליהוי נדבה ואפילו למ"ד נדרים ונדבות אין קריבין ביו"ט ליקרבו למחר דשפיר [ד] עדיף אפילו למאן דאמר תשלומין דראשון כדפי' לעיל (דף ג.) וי"ל דמבטל ליה מסמיכה ואע"ג דסמיכה לא מיעכבא כדאיתא ביומא (דף ה.) מכל מקום לכתחילה אין לנו לתקן קרבן כדי לבטלו מסמיכה דהכי קאמר הש"ס פרק האשה בפסחים (דף פט.) גבי ה' שנתערבו פסחיהן ונמלא יבלת באחד מהן ולא דמי לערל וטמא משלחין קרבנותיהן וגם לקטן ממעטינן ליה משום דכל שישנו בביאה ישנו בהבאה ולא משום סמיכה דהתם גברא בר חיובא ואיהו הוא דרביעא עליה שאינו יכול לסמוך אבל האי לאו בר חיובא הוי דלמא איתתא הוא אבל הא ק"ל דתיפשוט מהכא דסמיכה בכל כחו בעינן דאי בהקפיי ידיו לייתי וליתני ולסמוך דהכי פריך לקמן פרק שני (דף טז:) ואיכא למימר דבכל ענין ממעט ליה קרא:

לא נצרכה אלא לחציו עבד וחציו בן חורין. ולא תימא דקאי עליה ג"ש דלה לה מאשה וקשה דעליה כתיב או חופשה לא ניתן לה [ה] ומוקי לה רבי עקיבא בהשולח (גיטין דף מג: ושם) ובכריתות (דף יא.) בחציה שפחה וחציה בת חורין וי"ל מכל מקום אבל עבדות כתיב דמוכח קרא או חופשה לא ניתן לה אך קשה הכא משמע בחציו עבד לפי משנה אחרונה חייב דלפי משנה ראשונה קיימא הכא כדאיתא לעיל ריש מכילתין ואלו בגיטין ריש השולח (דף מג:) [ק] מיבעי ליה מי שחציו עבד אם יש לו קנס או לא שלשים שקלים יתן לאדוניו אמר רחמנא והאי אדון הוא ולפי משנה אחרונה קאי דקאמר התם מאי לאו לפי משנה אחרונה ואילו הכא פשיטא לן דאין לו אלא אדון אחד ויש לחלוק דעד כאן לא מחייבי ליה הכא אלא משום דעומד לכוף את רבו כמאן דשיחרר דמי אבל התם כיון דמית אגליא מילתא דלא הוה עומד לשחרור והתם בכריתות (דף יא.) מתרץ הר"י בענין אחר:

כי

מסורת הש"ם

א) [תוספ' תרומו' פ"א], ב) [קידושין דף לד:], ג) [ברכות כ: עירובין כז. קידושין כט.], ד) [בכורות מא:] חולין כב:, ה) [סוכה כח:], ו) [נ"ל דתניא], ז) לקמן ז:, ח) [נזיר סא. כריתות ז:], ט) [קידושין כג. גיטין לט: מא:], י) [לעיל ב. ערכין ג:], כ) לעיל ג. יבמות קג. ערכין יט:, ל) [ועי' ברכות כה. וברש"י שם ד"ה בזמן וברש"י כתובות עז. ד"ה המקמץ כו' וצ"ע], מ) [שבת קלד:], נ) [פטור מן הראיה], ס) [שבת קלו:], ע) [א"נ כצ"ל מהרש"א], פ) [צ"ל נ"ע], צ) [ע"ש דלא מזכר ר' עקיבא], ק) [ע"ש דמיבעי ליה במעוכב גט שחרור ופשיט הש"ם מחצי עבד ודע דתוס' ערכין ב: ד"ה במשנה ראשונה וכו' העתיקו על נכון].

הגהות הב"ח

(א) תום' ד"ה או דלמא וכו' דכיון דממקרע: (ב) ד"ה אלא וכו' בגמרא אדרבי ישמעאל דאמר אין לך וכו' הני ליכא רק חדא קרא וכו' דקאמר רבי שמעון: (ג) בא"ד קרא יתירא הזכר קדריש ובפרק קמא דב"מ וכו' שבזה ושבזה שפסול פריך ליה שפיר איצטריך קרא למעוטי ספיקא שאם הביא מתורים ובני יונה נפיק ממה נפשך וכו' גליא היא ולא אתא למעוטי: (ד) בא"ד ליקרבו למחר דשפיר עביד אפילו: (ה) ד"ה לא נצרכה וכו' דמוקי לה רבי עקיבא וכו' אלא משום דכיון דעומד לכוף:

גליון הש"ס

גמרא הא למה לי קרא. עיין שיטה מקובצת רפ"ב דב"מ ד"ה מצא פירות בשם הרמב"ן:

תורה אור השלם

א) שָׁלֹשׁ פְּעָמִים בַּשָּׁנָה יֵרָאֶה כָּל זְכוּרְךָ אֶל פְּנֵי הָאָדֹן יְיָ: [שמות כג, יז]

ב) שָׁלֹשׁ רְגָלִים תָּחֹג לִי בַּשָּׁנָה: [שמות כג, יד]

עין משפט נר מצוה

טז א מיי' פ"ב מהל' ע"ז הלכה ג:

יז ב מיי' שם ופ"ג מהל' חגיגה הל' ב:

יח ג מיי' פ"ב מהלכות חגיגה הלכה ג:

יט ד מיי' שם הל' ב:

כ ה ו ז מיי' שם הלכה א:

רבינו חננאל

לבוא והניחם כדי לסמוך עניים בשביעית. שוטה פטור מן הראייה: ת"ר איזהו שוטה זה היוצא יחידי בלילה והלן בבית הקברות והמקרע את כסותו רב הונא אמר עד דעבדינהו כולהו ר' יוחנן אמר ואפילו אחד מהן והוא דעבדינהו דרך שטות וקיי"ל כר' יוחנן דתניא איזהו שוטה זה המאבד כל מה שנותנין לו. טומטום ואנדרוגינוס פטורין: ת"ר זכור להוציא הנשים שהן פטורות. זכורך להוציא טומטום ואנדרוגינוס כל לרבות הקטנים אתינן לאוקומה בקטן שהגיע לחינוך ונדחה דקטנים שהגיעו לחינוך מדרבנן נינהו וקרא לא אתא [אלא] לכדתניא דתניא אחרים אומרים המקמץ והמצרף נחושת והבורסקי פטורין מן הראייה שנא' כל זכורך כל מי שיכול לעלות עם כל זכורך יצאו אלו שאינן יכולין לעלות עם כל זכורך. נשים ועבדים אוקימנה מי שחציו עבד וחציו בן חורין פטורין במשנה ראשונה היא שנויה סיפא במשנה ראשונה ורישא דקתני לאיתויי מי שחציו עבד וחציו בן חורין חייב [כמשנה אחרונה] ומשנה לא זזה ממקומה כל מצוה שהאשה חייבת עבד חייב בה דגמר לה לה כתיב בשפחה או חופשה לא ניתן לה וכתיב באשה וכתב לה ספר כריתות ונתן. ושאינו יכול לעלות

ליקוטי רש"י

טומטום. אטום אינו ניכר בו לא זכרות ולא נקבות וספק זכר ספק נקבה הוא ואיכא למ"ד נמי ספק בריה הוא וכו' [ואיכא למ"ד לאו ספק הוא אלא בריה הוא] [רשב"ם ב"ב קמ:]. אנדרוגינוס. שיש לו זכרות ונקבות [שם קכז.]. שהזמן גרמא. שהזמן גורס לה שתבוא [קידושין כט.]. איצטריך קרא למעוטי. מי איכא ספיקא קמי קודשא בריך הוא [חולין כב:]. בתמיה הא ליכא ספק קמי שמיא [בכורות מא:]. המקמץ. צואת כלבים, לא ידעתי מה צורך בה אבל באשכנז ראיתי ששורין בהם הבגדים לפני כובסן יום או יומים [כתובות עז. ועיי"ש בגליון]. לא אתפרש מה צורך [בה] אבל בארץ אשכנז ראה רבי ששורין בהן את הבגדים לפני כובסם יום או יומים ומסריח למרחוק [רש"י מה"ק כתובות שם]. למי שחציו עבד וחציו בן חורין. כגון שהיו ב' אחין או ב' שותפין ושחרר א' את חלקו [גיטין מא.]. פרט לבעלי קבין. כשחתכו רגליהם נתנו קב קטן בסוף שוקו ועותנין בו מוכין וסומך סוף שוקו עליו [לעיל ג.]. מי שנחתך רגלו בפרק ראשון סמוך לשוקו וחוקק קב מקבל כתיתין ונותן שוקו לתוכה וקורין אשקנצ"א שפטור מן הראיה דאין לו רגל [ערכין יט:].

The Gemara answers:

אָמַר אַבַּיֵי – Abaye said: כְּשֶׁבֵּיצָיו מִבַּחוּץ – The verse is needed to exclude a *tumtum* **where his testicles are outside** the membrane.[15]

The Gemara now analyzes the final statement of the Baraisa:

אָמַר מַר – The Master stated: ,,כָּל־זְכוּרְךָ" לְרַבּוֹת אֶת הַקְּטַנִּים – The Baraisa further teaches that Scripture states *ALL YOUR MALES* TO INCLUDE MINORS in the mitzvah of *re'iyah.* וְהָתְנַן חוּץ מֵחֵרֵשׁ שׁוֹטֶה וְקָטָן – **But we learned** just the opposite **in** our **Mishnah,** which stated: All are obligated in [the mitzvah of] *re'iyah* EXCEPT A DEAF-MUTE, A DERANGED PERSON AND A MINOR. – ? –

The Gemara answers:

אָמַר אַבַּיֵי – Abaye said: לֹא קַשְׁיָא – There is **no difficulty** between our Mishnah and the Baraisa. כָּאן בְּקָטָן שֶׁהִגִּיעַ לְחִינּוּךְ – **Here** the Baraisa speaks **of a minor who has reached** the age of **training** in the performance of mitzvos, and so his parents are obligated to bring him to the Temple Courtyard; כָּאן בְּקָטָן שֶׁלֹּא הִגִּיעַ לְחִינּוּךְ – while **there** the Mishnah speaks **of a minor who has not** yet **reached** the age of **training,** and so there is no obligation at all to bring him to the Courtyard.

The Gemara challenges this answer:

קָטָן שֶׁהִגִּיעַ לְחִינּוּךְ דְּרַבָּנָן הִיא – The *re'iyah* obligation of **a minor who has reached** the age of **training is** only **Rabbinic** in origin![16] How, then, can the Baraisa derive it from a Biblical verse (*all your males*)?!

The Gemara defends Abaye's statement:

אִין הָכִי נַמִּי – **Yes, it is indeed so** that the obligation of a minor who has reached the age of training is only Rabbinic, וּקְרָא אַסְמַכְתָּא בְּעָלְמָא – **and the verse** cited by the Baraisa **is merely a** Scriptural **support** for their enactment. וְאֶלָּא קְרָא לְמַאי אָתָא – **And yet** the question remains: **For what** purpose **does the verse** (*all*) **come?** What additional *Biblical* law does it teach?

The Gemara explains:

לְכִדְאַחֵרִים – It comes **for what** the **"Others"** taught, (דתנן) [דְּתַנְיָא] – **for it was taught in a Baraisa:**[17] אֲחֵרִים אוֹמְרִים – OTHERS SAY: הַמְקַמֵּץ – ONE WHO SCRAPES UP dogs' excrement,[18] וְהַמְצָרֵף נְחֹשֶׁת – AND ONE WHO SMELTS COPPER ore,[19] וְהַבּוּרְסִי – AND A LEATHER TANNER פְּטוּרִין מִן הָרְאִיָּיה – ARE all EXEMPT FROM THE mitzvah of APPEARING in the Courtyard, מִשּׁוּם שֶׁנֶּאֱמַר ,,כָּל־זְכוּרְךָ" – BECAUSE IT IS STATED: *ALL YOUR MALES.* מִי שֶׁיָּכוֹל לַעֲלוֹת עִם כָּל זְכוּרְךָ – This teaches that only ONE WHO IS ABLE TO ASCEND together WITH "ALL YOUR MALES" is obligated in the mitzvah. יָצְאוּ אֵלּוּ – Perforce EXCLUDED ARE THESE three types, שֶׁאֵינָן רְאוּיִין לַעֲלוֹת עִם כָּל זְכוּרְךָ – WHICH ARE NOT FIT TO ASCEND together WITH "ALL YOUR MALES" due to the repulsive body odors experienced by these workers.[20]

The Mishnah exempted also these individuals from the mitzvah of *re'iyah:*

נָשִׁים וַעֲבָדִים שֶׁאֵינָן מְשׁוּחְרָרִים וכו' – WOMEN AND SLAVES WHO HAVE NOT BEEN FREED etc.

The Gemara inquires:

בִּשְׁלָמָא נָשִׁים – **It is reasonable** to exempt **women** from appearing in the Courtyard, כְּדַאֲמָרָן – **as we said** above.[21] אֶלָּא עֲבָדִים מְנָלָן – **However, from where do we [know]** that **slaves** are similarly exempt?

The Gemara answers:

אָמַר רַב הוּנָא – **Rav Huna said:** אָמַר קְרָא ,,אֶל־פְּנֵי הָאָדֹן ה'" – **A verse states:**[22] *Three times a year all your males shall appear* ***before the Lord, Hashem.*** מִי שֶׁאֵין לוֹ אֶלָּא אָדוֹן אֶחָד – The verse implies that **he who has only one Lord** (i.e. Hashem) is obligated in this mitzvah; יָצָא זֶה – perforce **excluded,** then, **is this** slave, שֶׁיֵּשׁ לוֹ אָדוֹן אַחֵר – **for he has another lord** – his human owner.

The Gemara asks:

הָא לָמָּה לִי קְרָא – **But why do I need a verse** to exclude slaves from the mitzvah of *re'iyah*?[23] מִכְּדִי כָּל מִצְוָה שֶׁהָאִשָּׁה חַיֶּיבֶת בָּהּ – **Since every commandment in which a woman is obligated** עֶבֶד חַיָּיב בָּהּ – **a slave is obligated therein** as well, כָּל מִצְוָה שֶׁאֵין הָאִשָּׁה חַיֶּיבֶת בָּהּ – and **every commandment in which a woman is not obligated** אֵין הָעֶבֶד חַיָּיב בָּהּ – **a slave** also **is not obligated therein,** the slave's exemption can actually be derived from the woman's exemption! דְּגָמַר ,,לָהּ" ,,לָהּ" מֵאִשָּׁה – **For we expound** a *gezeirah shavah* linking the words ***"to her," "to her"*** **from** the passage of **a woman,** to derive the laws of a slave from those of a woman.[24] – ? –

NOTES

Turei Even challenges this reasoning, arguing that since the halachah is that in matters of Biblical law we rule stringently (סְפֵיקָא דְאוֹרַיְיתָא לְחוּמְרָא), if not for the exclusionary verse a *tumtum would* be obligated in the Biblical mitzvah of *re'iyah.* See *Sfas Emes* for an explanation of *Rashi.* See also *Tosafos* here; Schottenstein ed. of *Chullin* 22b note 28; *Bechoros* 41b; *Meiri* and *Chasam Sofer* here.

Tosafos note that although a hermaphrodite also is a case of doubt, the Gemara understood that there an exclusionary verse is required, since that individual exhibits definite male characteristics (see note 12 above).

15. So that only his member is concealed. Since he is certainly a male, a verse is needed to exclude him (*Rashi*).

16. Abaye could not have meant that minors who have reached the age of training are included in a *Biblical* obligation, derived via the *gezeirah shavah* from the mitzvah of "gathering" [*hakheil*] (where the verse expressly states טַף, *young children* – see above, 3a). Had that been the case, even minors who have *not* reached the age of training would be subject to the *re'iyah* obligation (*Turei Even*).

17. Emendation follows *Mesoras HaShas.*

18. I.e. he collects it with his hands (*Kesubos* 77a). Excrement was used in the tanning of leather (*Rashi;* cf. *Rashi* to *Kesubos* ibid., where he explains that clothing was steeped in excrement as part of a laundering process).

19. See *Kesubos* ibid.

20. Although our Mishnah does not list these three exemptions, we should not conclude that it disagrees with the opinion of the "Others" in the Baraisa, for the Tanna of the Mishnah might have been presenting those whose *persons* are disqualified (see *Tosafos* above, 2a ד"ה חוץ).

Rambam (*Hil. Chagigah* 2:2) and *Meiri* rule – seemingly against the Baraisa – that the scraper, smelter and tanner should cleanse their bodies and garments and ascend to the Courtyard with the rest of the Jewish people. *Ri Korkos,* cited by *Kesef Mishneh,* explains that the "Others" spoke only of when these artisans reeked from their work. After cleansing, however, they are treated like any other Jew [and *Rambam* and *Meiri* rule that they do indeed attain that status]. *Siach Yitzchak* adds that it is on account of this very insistence that the Mishnah refused to mention the three artisans, for to do so would falsely imply that they are exempted categorically, like the deaf-mute, deranged person and minor. [*Otzar HaGeonim* (*Cheilek HaTeshuvos, Teshuvah* 3) apparently disputes *Ri Korkos,* since it holds that the foul odor is absorbed into the workers' skin and is impossible to eliminate. Accordingly, in *Otzar's* view, the workers are *permanently* exempted from the mitzvah of *re'iyah.*]

21. The Baraisa cited above taught that the word *males* in the verse *your males shall appear* (*Exodus* 23:17) exempts females from the mitzvah of appearing (*Rashi*).

22. *Exodus* ibid.

23. The commentators ask: Why does the Gemara now claim that no verse is needed, after it initially inquired about the source of the slave's exemption? *Rosh Mashbir* et al. (cited by *Yalkut Yeshayahu*) explain that initially it was Rav Huna who asked about the source, and then he answered his own question. Other Amoraim (i.e. the Gemara) now argue that no specific Scriptural source for the slave's exemption is needed. See also *Si'ach Yitzchak* and *Rashash.*

24. Regarding a certain case of a Canaanite slave woman, the Torah

כמי שנגח שור חמור וגמל ונעשה מועד לכל אמר רב פפא אי שמיע ליה לרב הונא הא דתניא איזהו שוטה זה המאבד כל מה שנותנים לו הוה הדר ביה איבעיא להו כי הוה הדר ביה ממקרע כסותו הוא דהוה הדר ביה דדמיא להא או דלמא מכולהו הוה הדר תיקו: וטומטום ואנדרוגינוס כו': תנו רבנן זכור להוציא את הנשים זכורך להוציא טומטום ואנדרוגינוס כל זכורך לרבות את הקטנים אמר מר זכור להוציא את הנשים הא למה לי קרא מכדי מצות עשה שהזמן גרמא הוא וכל מצות עשה שהזמן גרמא נשים פטורות אצטריך סלקא דעתך אמינא נילף ראיה ראייה מהקהל מה להלן נשים חייבות אף כאן נשים חייבות קמ"ל אמר מר זכורך להוציא טומטום ואנדרוגינוס בשלמא אנדרוגינוס אצטריך סלקא דעתך אמינא הואיל ואית ליה צד זכרות ליחייב קמ"ל דבריה בפני עצמו הוא אלא טומטום ספיקא הוא מי אצטריך קרא למעוטי ספיקא אמר אביי כשביציו מבחוץ אמר מר כל זכורך לרבות את הקטנים והתנן חוץ מחרש שוטה וקטן אמר אביי לא קשיא כאן בקטן שהגיע לחינוך כאן בקטן שלא הגיע לחינוך קטן שהגיע לחינוך דרבנן היא אין ה"נ וקרא אסמכתא בעלמא ואלא קרא למאי אתא לכדאחרים דתנן אחרים אומרים המקמץ והמצרף נחשת והבורסי פטורין מן הראייה משום שנאמר א) כל זכורך מי שיכול לעלות עם כל זכורך יצאו אלו שאינן ראויין לעלות עם כל זכורך: נשים ועבדים שאינן משוחררים וכו': בשלמא נשים כדאמרן אלא עבדים מנלן אמר רב הונא אמר קרא א) אל פני האדון ה' מי שאין לו אלא אדון אחד יצא זה שיש לו אדון אחר הא למה לי קרא מכדי כל מצוה שהאשה חייבת בה עבד חייב בה כל מצוה שאין האשה חייבת בה אין העבד חייב בה דגמר לה לה מאשה אמר רבינא לא נצרכה אלא למי שחציו עבד וחציו בן חורין דיקא נמי דקתני נשים ועבדים שאינן משוחררין מאי שאינן משוחררין אילימא שאינן משוחררין כלל ליתני עבדים סתמא אלא לאו שאינן משוחררין לגמרי ומאי נינהו מי שחציו עבד וחציו בן חורין ש"מ: והחיגר והסומא והחולה והזקן: תנו רבנן ב) רגלים פרט לבעלי קבין דבר אחר רגלים פרט לחיגר ולחולה ולסומא ולזקן ולשאינו יכול לעלות ברגליו לאתויי מאי אמר רבא לאתויי
מפנקי

רש"י

כמו שנגח שור חמור וגמל. דבבא קמא (דף לז.) לנעשה מועד לכל ולא אמרינן עד שיהא מועד בשלשה בכל מין ומין הואיל והועד שלשה נגיחותיו בשלשה מינין אין זה מקפיד על מין אחר אף כאן לא באו שלשה דברים לידו בבת אחת אלא כולן משום שטות: אי שמיעא ליה. הא דתניא דמשמע בדבר אחד מחזיקין אותו בשוטה הוה הדר ביה: זכור. אם נאמר זכור אין לך להוציא אלא את הנשים עכשיו שנאמר זכורך בא להוציא אף טומטום ואנדרוגינוס עם הנשים: נשים פטורות. בפ"ק דקדושין (דף לד:) ילפינן לה: מהקהל. דהוי נמי מצות עשה שהזמן גרמא ונשים חייבות: אתא קרא למעוטי ספיקא. בתמיה למה לי קרא מהיכא תיתי לחיוביה: כשביציו מבחוץ. אלא שהגיד טמון דהא ודאי זכר הוא הלכך איצטריך קרא למעוטי: המקמץ. מפרש במסכת כתובות (דף עז.) המקמץ בידו צואת כלבים ואומר אני כי לתקן בהן עורות שקורין קונדו"ן שמעבדין אותן בצואת כלבים: והמצרף נחשת. שמצרפו במקום שחופרין אותו מן הקרקע כדמפרש במסכת כתובות (שם) וכל אלו ריחן רע ואין יכולין לעלות עם חביריהם: כדאמרן. זכור להוציא את הנשים: לה לה מאשה. כתיב הכא וכתב לה (דברים כד) וכתיב התם או חפשה לא נתן לה (ויקרא יט): לא נצרכה כו'. מיהו למשנה אחרונה הואיל וכידינו לכוף את רבו חייב דאין לו אלא אדון אחד: דבר אחר כו'. פרט לבעלי קבין מפעמים נפקא כדאמרינן לעיל הלכך רגלים למעוטי מי שצריך משענת אחרת לבד מרגליו:
מפנקי

תוספות

או דלמא מכולהו. מי אמרינן דכיון (א) דמקרע דמי להאי הדר ביה גם לאידך דחשיב להדי מקרע הדר ביה או דלמא מהאי לחודיה: זכורך להוציא טומטום ואנדרוגינוס. בירושלמי בעי מה אמר רבי יהודה באנדרוגינוס דשמעינן ליה דמחיר דמחללין עליו שבת דשמעינן מן הדא רבי יוחנן בן דהכא בשם רבי יהודה אומר אף הסומא ולית בר נש אמר אף אלא דהוה מודה על קדמייתא כו' ומוקי טעמא דהתם גבי שבת דריש זכר מה תלמוד לומר ערל אפילו מקצת ערל והכא כל זכורך פרט לטומטום ואנדרוגינוס: אלא טומטום ספיקא הוא. ולעי"ג לאנדרוגינוס נמי ספיקא הוא [תוס' מחיבין] מטעם מקצת זכורך כדאמר הש"ס אלא טומטום הואיל ונשים פטורות והאי אימא אשה הוה ממילא הוה פטורין ליה כי היכי דלא לייתי חולין לעזרה ואו"ת בנדה פרק המפלת (דף כח: ושם) מפקינן מזכר [עד נקבה תשלחו] (במדבר ה) [זכר] ודאי נקבה ודאית ולא טומטום ואנדרוגינוס ולא פריך מידי אומר הר"י דהתם איכא תרי קראי ומפיק ליה מייתורא דקרא אבל הכא ליכא אלא חד קרא הלכך יש לאוקומה באנדרוגינוס מטעם דקאמר והכי פריך ליה בבכורות בפ' על אלו מומין (דף מב. ושם) בגמרא (ב) דרבי ישמעאל אין לך מום גדול מזה אנדרוגינוס ספיקא הוא איצטריך קרא למעוטי ספיקא וכן בפרק דם שחיטה (כריתות כב.) גבי כוי וכריש פרק בתרא דיומא (דף עד.) דבכל הני ליכא רק מחדא קרא והכי יתכן ההיא דשילהי הערל (יבמות דף פג.) קאמר רבי שמעון אנדרוגינוס זכר מאכיל בתרומה ואלו בפרק על אלו מומין (בכורות דף מב.) אמר רבי שמעון בן יהודה בשם רבי שמעון הרי הוא אומר הזכר להוציא טומטום ואנדרוגינוס אלא ודאי התם קרא יתירא הזכר (ג) ובפרק קמא דב"מ (דף ז.) העשירי ודאי אמר רחמנא ולא ספק ולא פריך אצטריך קרא למעוטי ספק דכולא קרא יתירא להכי ובשילהי פ"ק דחולין (דף כב: ושם) גבי תחילת הציהוב שבזה ושבזה שפסול פריך ליה אצטריך קרא למעוטי ספיקא מתורים ובני יונה ממה נפשך או קטן או גדול הוי וכשר לחדא מינייהו וקמי שמיא גליא היא ולא למעוטי רק אחד וליתכשר גבי אידך בשם רבי יצחק בן ברוך נ"ע ויש להקשות לייתי על תנאי ואם הוא אשה ליהוי נדבה ואפילו למ"ד נדרים ונדבות אין קריבין ביו"ט ליקרבו למחר דשפיר (ד) עדיף אפילו למאן דאמר תשלומין דראשון כדפי' לעיל (דף ג.) וי"ל דמבטל ליה מסמיכה ואע"ג דסמיכה לא מיעכבא כדאיתא ביומא (דף ה.) מכל מקום לכתחילה אין לנו לתקן קרבן כדי לבטלו מסמיכה דהכי קאמר הש"ס פרק האשה בפסחים (דף פט.) גבי ה' שנתערבו פסחיהן ונמצא יבלת באחד מהן ולא דמי לערל וטמא משלחין קרבנותיהן וגם לקמן ממעטינן ליה משום דכל שישנו בביאה ישנו בהבאה ולא משום סמיכה דהתם גברא בר חיובא ואריא הוא דרביעא עליה שאינו יכול לסמוך אבל האי לאו בר חיובא הוי דאימא איתתא הוא אבל הא ק"ל דתיפשוט מהכא דסמיכה בכל כחו בעינן דאי באקפויי ידיו לייתי וליתני ולסמוך דהכי פריך לקמן פרק שני (דף טז:) ואיכא למימר דבכל ענין ממעט ליה קרא:

לא נצרכה אלא לחציו עבד וחציו בן חורין. ולא תימא דקאי עליה ג"ש דלה לה מאשה וקשה דעליה כתיב או חופשה לא ניתן לה (ה) ומוקי לה רבי עקיבא בהשולח (גיטין דף מג: ושם) ובכריתות (דף יא.) בחציה שפחה וחציה בת חורין וי"ל מכל מקום אחר עבדות כתיב כדמוכח קרא או חופשה לא ניתן לה אך קשה הכא משמע בחציו עבד לפי משנה אחרונה חייב דלפי משנה ראשונה קיימא הכא כדאיתא לעיל ריש מכילתין ואלו בגיטין ריש השולח (דף מג:) מיבעי ליה מי שחציו עבד אם יש לו קנס או לא שלשים שקלים יתן לאדניו אמר רחמנא והאי אדון הוא ולפי משנה אחרונה קאי דקאמר התם מאי לאו לפי משנה אחרונה ואילו הכא פשיטא לן דאין לו אלא אדון אחד ויש לדחות דעד כאן לא מחייבי ליה הכא אלא משום דעומד לכוף את רבו כמאן דשיחרר דמי אבל התם כיון דמית אגליא מילתא דלא הוה עומד לשחרור והתם בכריתות (דף יא.) מתרץ הר"י בענין אחר:

כי

עין משפט נר מצוה

טז א מיי' פ"ב מהל' ע"ז הלכה ג:
יז ב מיי' שם ופ"ג מהל' חגיגה הל' ב:
יח ג מיי' פ"ב מהלכות חגיגה הלכה ג:
יט ד מיי' שם הל' ג:
כ ה ו ז מיי' שם הלכה א:

רבינו חננאל

לבוא והניחם כדי לסמוך עניים בשביעית. שוטה פטור מן הראייה: ת"ר איזהו שוטה זה היוצא יחידי בלילה והלן בבית הקברות והמקרע את כסותו רב הונא אמר עד דעבידנהו כולהו ר' יוחנן אמר ואפילו אחד מהן והוא דעבידנהו דרך שטות וקיי"ל כר' יוחנן דתניא איזהו שוטה זה המאבד כל מה שנותנין לו. טומטום ואנדרוגינוס פטורין: ת"ר זכור להוציא הנשים שהן פטורות. זכורך להוציא טומטום ואנדרוגינוס כל לרבות הקטנים אתינן לאוקומה בקטן שהגיע לחינוך ונדחה דקטנים שהגיעו לחינוך מדרבנן נינהו וקרא לא אתא [אלא] לכדתניא דתניא אחרים אומרים המקמץ והמצרף נחושת והבורסקי פטורין מן הראייה שנא' כל זכורך כל מי שיכול לעלות עם כל זכורך יצאו אלו שאינן יכולין לעלות עם כל זכורך. נשים ועבדים אוקימנא מי שחציו עבד וחציו בן חורין פטורין במשנה ראשונה היא שנויה סיפא במשנה ראשונה ורישא דקתני לאיתויי מי שחציו עבד וחציו בן חורין חייב [כמשנה אחרונה] ומשנה לא זהו ממקומה כל מצוה שהאשה חייבת עבד חייב בה דגמר לה לה כתיב בשפחה או חופשה לא ניתן לה וכתיב באשה וכתב לה ספר כריתות נתן. ושאינו יכול לעלות

ליקוטי רש"י

טומטום. אטום אינו ניכר בו לא זכרות ולא נקבות וספק זכר ספק נקבה הוא ואיכא למ"ד נמי ספק בריה הוא וכו' [ואיכא למ"ד לאו ספק הוא אלא בריה הוא] [רשב"ם ב"ב קמ:]. אנדרוגינוס. שיש לו זכרות ונקבות [שם קכז.]. שהזמן גרמא. שהזמן גורם לה שתנהג [קידושין כט.]. איצטריך קרא למעוטי. מי איכא ספיקא קמי קודשא בריך הוא [חולין כב:]. בתמיה הא ליכא ספק קמי שמיא [בכורות מא:]. המקמץ. צואת כלבים, לא ידעתי מה צורך בה אבל באשכנז ראיתי ששורין בהם הבגדים לפני כבוסן יום או יומים [כתובות עז. ועיי"ש בגליון]. לא אתפרש מה צורך [בה] אבל בארץ אשכנז ראה רבי ששורין בהן את הבגדים לפני כבוסם יום או יומים ומסריח למרחוק [רש"י מה"ק כתובות שם]. למי שחציו עבד וחציו בן חורין. כגון שהיו ב' אחין או ב' שותפין ושחרר א' את חלקו [גיטין מא.]. פרט לבעלי קבין. כשחתכו רגליהם נתנו קב

קטן בסוף שוקו ושותנין בו מוכין וסומך סוף שוקו עליו [לעיל ג.]. מי שנחתך רגלו בפרק ראשון סמוך לשוקו וחוקק קב מקבל כתיתין ונותן שוקו לתוכה וקורין אשקנצ"א שפטור מן הראיה דאין לו רגל [ערכין יט:].

מסורת הש"ם

א) [תוספ' תרומו' פ"א], ב) [קידושין דף לד:], ג) [ברכות כ: עירובין כז. קידושין כט.], ד) [בכורות מא:] חולין כב:, ה) [סוכה כח:], ו) [נ"ל דתניא], ז) לקמן ז:, ח) [נזיר סא. כריתות ז:], ט) [קידושין כג. גיטין לט: מא:], י) [לעיל ב. ערכין ב:], כ) לעיל ג. יבמות קג. ערכין יט:, ל) [ועי' ברכות כה. וברש"י שם ד"ה בזמן וברש"י כתובות עז. ד"ה המקמץ כו' וצ"ע], מ) [שבת קלד:], נ) [פטור מן הראיה], ס) [שבת קלו:], ע) [א"נ כצ"ל מהרש"א], פ) [נ"ל נ"ע], צ) [ע"ש דלא מזכר ר' עקיבא], ק) [ע"ש דמיבעי ליה במעוכב גט שחרור ופשיט הש"ס מהאי עבד ועיי' דתוס' ערכין ב: ד"ה במשנה ראשונה וכו' העתיקו על נכון].

הגהות הב"ח

(א) תוס' ד"ה או דלמא וכו' דכיון דממקרע: (ב) ד"ה אלא וכו' בגמרא אדרבי ישמעאל דאמר אין לך וכו' הני ליכא רק חדא קרא וכו' דקאמר רבי שמעון: (ג) בא"ד קרא יתירא הזכר קדריש ובפרק קמא דב"מ וכו' שבזה ושבזה שפסול פריך ליה שפיר איצטריך קרא למעוטי ספיקא שאם הביא מתורים ובני יונה נפיק ממה נפשך וכו' גליא היא ולא אתא למעוטי: (ד) בא"ד ליקרבו למחר דשפיר עביד אפילו: (ה) ד"ה לא נצרכה וכו' דמוקי לה רבי עקיבא וכו' אלא משום דכיון דעומד לכוף:

גליון הש"ם

גמרא הא למה לי קרא. עיין שיטה מקובצת רפ"ב דב"מ ד"ה מאי פירוש בשם הרמב"ן:

תורה אור השלם

א) שָׁלֹשׁ פְּעָמִים בַּשָּׁנָה יֵרָאֶה כָּל זְכוּרְךָ אֶל פְּנֵי הָאָדֹן יְיָ: [שמות כג, יז]
ב) שָׁלֹשׁ רְגָלִים תָּחֹג לִי בַּשָּׁנָה: [שמות כג, יד]

The Gemara answers:

אָמַר רָבִינָא – Ravina said: **לֹא נִצְרְכָה אֶלָּא לְמִי שֶׁחֶצְיוֹ עֶבֶד וְחֶצְיוֹ בֶּן חוֹרִין – Indeed, [the verse] is needed only for** the exemption of **one who is half-slave and half-freeman.**[25]

The Gemara offers support for this interpretation:

דַּיְקָא נַמִּי דְּקָתָנֵי – And [this interpretation] is indicated by a precise reading of the Mishnah **as well, for [the Tanna] stated:** **נָשִׁים וַעֲבָדִים שֶׁאֵינָן מְשׁוּחְרָרִין – WOMEN AND SLAVES WHO HAVE NOT BEEN FREED.** **מַאי שֶׁאֵינָן מְשׁוּחְרָרִין – Now, what is** meant by slaves **WHO HAVE NOT BEEN FREED?** **אִילֵימָא שֶׁאֵינָן מְשׁוּחְרָרִין כְּלָל – If we say** it means slaves **who have not been freed at all,** **לִיתְנֵי עֲבָדִים סְתָמָא – then let [the Tanna]** simply **state ordinary "slaves"!** **אֶלָּא לָאו שֶׁאֵינָן מְשׁוּחְרָרִין לְגַמְרֵי – Is he not, rather,** referring to slaves **who have not been completely freed?** **וּמַאי נִינְהוּ – And who are they?** **מִי שֶׁחֶצְיוֹ עֶבֶד וְחֶצְיוֹ בֶּן חוֹרִין – One who is half-slave and half-freeman.**

The Gemara concludes:

שְׁמַע מִינָּהּ – Indeed, derive from [this wording] that the verse (*before the Lord*) excludes the half-slave half-freeman from the mitzvah of appearing.

The Mishnah's final group of exemptions:

וְהַחִיגֵּר וְהַסּוּמָא וְחוֹלֶה וְהַזָּקֵן – THE LAME, THE BLIND, THE INFIRM, THE AGED [and one who is unable to ascend by foot].

The Gemara cites a Biblical source for these exemptions:

תָּנוּ רַבָּנָן – The Rabbis taught in a Baraisa: "רְגָלִים" – The verse states *REGALIM*:[26] **פְּרָט לְבַעֲלֵי קַבַּיִן – THIS EXCLUDES PEOPLE WITH WOODEN FEET.**[27] **דָּבָר אַחֵר – ANOTHER INTERPRETATION:** "רְגָלִים" – The word *REGALIM* is expounded **פְּרָט לְחִיגֵּר וּלְחוֹלֶה וּלְסוּמָא וּלְזָקֵן וּלְשֶׁאֵינוֹ יָכוֹל לַעֲלוֹת בְּרַגְלָיו – TO EXCLUDE THE LAME, THE INFIRM, THE BLIND, THE AGED AND ONE WHO IS UNABLE TO ASCEND BY FOOT.**[28]

The Gemara asks:

וְשֶׁאֵינוֹ יָכוֹל לַעֲלוֹת בְּרַגְלָיו לְאַתּוּיֵי מַאי – What additional exemption **does AND ONE WHO IS UNABLE TO ASCEND BY FOOT** come **to include?**[29]

The Gemara answers:

אָמַר רָבָא – Rava said: **לְאַתּוּיֵי – It comes to include**

NOTES

states: וְהָפְדֵּה לֹא נִפְדָּתָה אוֹ חֻפְשָׁה לֹא נִתַּן־לָהּ, *and she was not [fully] redeemed [for money], nor was [a bill of] emancipation given "to her"* (*Leviticus* 19:20). Thus, the Torah speaks of a bill of emancipation being given לָהּ, *to her.* Concerning the divorce of an ordinary Jewish woman, the Torah states: וְכָתַב לָהּ סֵפֶר כְּרִיתֻת וְנָתַן בְּיָדָהּ, *and he writes "to her" a document of severance and places it in her hand* (*Deuteronomy* 24:1). The common phrase *to her* (לָהּ) creates a *gezeirah shavah* that links the two passages and equates the obligations of a slave with those of a woman (*Rashi*). Hence, from the woman's exemption from the mitzvah of *re'iyah* we derive that a slave too is exempt.

[The following question arises, however: Since this *gezeirah shavah* is between a Jewish woman and a Canaanite slave woman, how do we know that *male* slaves are also subject to the laws of Jewish women? Perhaps they are obligated to perform all mitzvos, just like Jewish males! See *Turei Even* for a discussion of this question.]

25. [I.e. since one half of him has a second master, he is exempt from appearing.] However, according to the revised opinion of Beis Hillel (see above, 2a), this half-slave is indeed obligated in the mitzvah of *re'iyah.* Since we force the master to free his half, we already regard the half-slave as having only one master [viz. God] (*Rashi*; see *Tosafos,* who distinguish between our Gemara and *Gittin* 42b, where the half-slave is regarded as having two masters even according to the revised opinion; see also *Turei Even* and *Drush V'Chidush R' Akiva Eiger* for an extensive discussion of this point). [See also *Rabbeinu Avraham Min HaHar,* who disagrees with *Rashi* and maintains that even according to the revised opinion of Beis Hillel, a half-slave is not obligated to appear until his master actually frees him. Thus, the Gemara above (2a), which seems to include a half-slave in the *re'iyah* obligation, is only teaching that the master must indeed free him; however, as long as he has not done so, the slave incurs no obligation (see also *Teshuvos Radbaz* 1452).]

26. *Exodus* 23:14 (see above, 3a and note 26). The word רְגָלִים, which in this verse is translated *times,* literally means "feet."

27. The reference is to one whose foot was amputated and he was fitted with an artificial wooden foot (see note 27 ibid.). Although he is able to walk, he is exempt from appearing in the Courtyard since he does not walk on his own "feet."

28. According to this interpretation, the exemption of a person with an artificial foot is derived from the word *pe'amim* in *Exodus* 23:17, as the Gemara concluded above (3a; see note 28 there). The word *regalim* thus teaches the exemptions of those who need some form of crutch to walk up to the Courtyard (*Rashi*; cf. *Tosafos* above, 3a ד״ה מפעמים, and see *Siach Yitzchak* there).

29. [This case seems redundant, since the other enumerated exemptions are also unable to ascend by foot.]

כמי שנגח שור חמור וגמל ונעשה מועד לכל אמר רב פפא אי שמיע ליה לרב הונא הא דתניא איזהו שוטה זה המאבד כל מה שנותנים לו הוה הדר ביה איבעיא להו כי הוה הדר ביה ממקרע כסותו הוא דהוה הדר ביה דדמיא להא או דלמא מכולהו הוה הדר תיקו: וטומטום ואנדרוגינוס כו': תנו רבנן זכור להוציא את הנשים זכורך להוציא טומטום ואנדרוגינוס כל זכורך לרבות את הקטנים אמר מר זכור להוציא את הנשים הא למה לי קרא מכדי מצות עשה שהזמן גרמא הוא וכל מצות עשה שהזמן גרמא נשים פטורות אצטריך סלקא דעתך אמינא נילף ראייה ראייה מהקהל מה להלן נשים חייבות אף כאן נשים חייבות קמ"ל אמר מר זכורך להוציא טומטום ואנדרוגינוס בשלמא אנדרוגינוס אצטריך סלקא דעתך אמינא הואיל ואית ליה צד זכרות ליחייב קמ"ל דבריה בפני עצמו הוא אלא טומטום ספיקא הוא מי אצטריך קרא למעוטי ספיקא אמר אביי כשביציו מבחוץ אמר מר כל זכורך לרבות את הקטנים והתנן חוץ מחרש שוטה וקטן אמר אביי לא קשיא כאן בקטן שהגיע לחינוך כאן בקטן שלא הגיע לחינוך קטן שהגיע לחינוך דרבנן היא אין ה"נ וקרא אסמכתא בעלמא ואלא קרא למאי אתא לכדאחרים דתנן אחרים אומרים המקמץ והמצרף נחשת והבורסי פטורין מן הראייה משום שנאמר כל זכורך מי שיכול לעלות עם כל זכורך יצאו אלו שאינן ראויין לעלות עם כל זכורך: נשים ועבדים שאינן משוחררים וכו': בשלמא נשים כדאמרן אלא עבדים מנלן אמר רב הונא אמר קרא אל פני האדון ה' מי שאין לו אלא אדון אחד יצא זה שיש לו אדון אחר הא למה לי קרא מכדי כל מצוה שהאשה חייבת בה עבד חייב בה כל מצוה שאין האשה חייבת בה אין העבד חייב בה דגמר לה לה מאשה אמר רבינא לא נצרכה אלא למי שחציו עבד וחציו בן חורין דיקא נמי דקתני נשים ועבדים שאינן משוחררין מאי שאינן משוחררין אילימא שאינן משוחררין כלל ליתני עבדים סתמא אלא לאו שאינן משוחררין לגמרי ומאי נינהו מי שחציו עבד וחציו בן חורין ש"מ: והחיגר והסומא וחולה והזקן: תנו רבנן רגלים פרט לבעלי קבין דבר אחר רגלים פרט לחיגר ולחולה ולסומא ולזקן ולשאינו יכול לעלות ברגליו ושאינו יכול לעלות ברגליו לאתויי מאי אמר רבא לאתויי מפנקי

רש"י

כמו שנגח שור חמור וגמל. דבבא קמא (דף לז.) דנעשה מועד לכל ולא אמרינן עד שיהא מועד בשלשה בכל מין ומין דהואיל והועד שלשה נגיחותיו בשלשה מינין אין זה מקפיד על מין אחר אף כאן לא באו שלשה דברים לידו בבת אחת אלא כולן משום שטות: אי שמיעא ליה. הא דתניא למשמע בדבר אחד מחזיקין אותו בשוטה הוה הדר ביה: זכור. אם נאמר זכור אין לך להוציא אלא את הנשים עכשיו שנאמר זכורך בא להוציא אף טומטום ואנדרוגינוס עם הנשים: נשים פטורות. בפ"ק דקדושין (דף לד:) ילפינן לה: מהקהל. דהוי נמי מלות עשה שהזמן גרמא ונשים חייבות: אתא קרא למעוטי ספיקא. בתמיה למה לי קרא מהיכא תיתי לן לחיוביה: כשביציו מבחוץ. אלא שהגיד טמון דהא ודאי זכר הוא הלכך איצטריך קרא למעוטי: המקמץ. מפרש במסכת כתובות (דף עז.) המקמץ בידו צואת כלבים ואומר אני כי לתקן בהן עורות שקורין קורדוו"ן שמעבדין אותן בצואת כלבים: והמצרף נחשת. שמצרפו במקום שחופרין אותו מן הקרקע כדמפרש במסכת כתובות (שם) וכל אלו ריחן רע ואין יכולין לעלות עם חביריהם: כדאמרן. זכור להוציא את הנשים: לה לה מאשה. כתיב הכא וכתב לה (דברים כד) וכתיב התם או חפשה לא נתן לה (ויקרא יט): לא נצרכה כו'. מיהו למשנה אחרונה הואיל ובידינו לכוף את רבו חייב דאין לו אלא אדון אחד: דבר אחר כו'. פרט לבעלי קבין מפעמים נפקא כדאמרינן לעיל הלכך רגלים למעוטי מי שצריך משענת אחרת לבד מרגליו:

תוספות

אי דלמא מכולהו. מי אמרינן דכיון (א) דמקרע דדמי להאי הדר ביה גם לאיך דחשיב בהדי מקרע הדר ביה או דלמא מהאי לחודיה: זכורך להוציא טומטום ואנדרוגינוס. בירושלמי בעי מה אמר רבי יהודה באנדרוגינוס דשמעינן ליה דמתיר דמחללין עליו שבת נשמענה מן הדא רבי יוחנן בן דהבאי בשם רבי יהודה אומר אף הסומא ולית בר נש אמר אף אלא דהוה מודה על קדמייתא כו' ומוקי טעמא דהתם גבי שבת דריש זכר מה תלמוד לומר ערל אפילו מקצת ערל והכא כל זכורך פרט לטומטום ואנדרוגינוס: אלא טומטום ספיקא הוא. ואע"ג דאנדרוגינוס נמי ספיקא הוא [אפ"ה מחייבי] מטעם מקצת זכורך כדאמר הש"ס אלא טומטום הואיל ונשים פטורות והאי אימא אשה הוה ממילא הוה פטרינן ליה כי היכי דלא לייתי חולין לעזרה וא"ת בנדה פרק המפלת (דף כח: ושם) מפקינן מזכר [עד נקבה תשלחון] (במדבר ה) [זכר] ודאי נקבה ודאית ולא טומטום ואנדרוגינוס ולא פריך מידי אומר הר"י דהתם איכא תרי קראי ומפיק ליה מייתורא דקרא אבל הכא ליכא אלא חד קרא הלכך יש לאוקומא באנדרוגינוס מטעם דקאמר ולהכי פריך ליה בבכורות בפ' על אלו מומין (דף מב: ושם) בגמרא (ג) דרבי ישמעאל אין לך מום גדול מזה אנדרוגינוס ספיקא הוא אילטריך קרא למעוטי ספיקא וכן בפרק דם שחיטה (כריתות כא.) גבי כוי וברים פרק בתרא דיומא (דף עד.) דבכל הני ליכא רק מחדא קרא ובהכי יתכן ההיא דשילהי הערל (יבמות דף פא.) קאמר רבי שמעון אנדרוגינוס זכר מאכיל בתרומה ואלו בפרק על אלו מומין (בכורות דף מב.) אמר רבי שמעון בן יהודה בשם רבי שמעון הרי הוא אומר הזכר להוציא טומטום ואנדרוגינוס אלא ודאי התם קרא יתירא הזכר (ג) ובפרק קמא דב"מ (דף ז.) העשירי ודאי אמר רחמנא ולא ספק ולא פריך אלטריך קרא למעוטי ספק דכולא קרא יתירא להכי ובשילהי פ"ק דחולין (דף כב: ושם) גבי תחילת הליהוב שבזה ושבזה שפסול פריך ליה אלטריך קרא למעוטי ספיקא מתורים ובני יונה ממה נפשך או קטן או גדול הוי וכשר לחדא מינייהו וקמי שמיא גליא היא ולא למעוטי רק אחד וליתכשר גבי אידך בשם רבי יצחק בן ברוך נ"ע ויש להקשות לייתי על תנאי ואם הוא אשה ליהוי נדבה ואפילו למ"ד נדרים ונדבות אין קריבין ביו"ט ליקרבו למחר דשפיר (ד) עדיף אפילו למאן דאמר תשלומין דראשון כדפי' לעיל (דף ג.) וי"ל דמבטל ליה מסמיכה ואע"ג דסמיכה לא מיעכבא כדאיתא ביומא (דף ה.) מכל מקום לכתחילה אין לנו לתקן קרבן כדי לבטלו מסמיכה דהכי קאמר הש"ס פרק האשה בפסחים (דף פט.) גבי ה' שנתערבו פסחיהן ונמצא יבלת באחד מהן ולא דמי לערל וטמא משלחין קרבנותיהן וגם לקמן ממעטינן ליה משום דכל שישנו בביאה ישנו בהבאה ולא משום סמיכה דהתם גברא בר חיובא ואריא הוא דרביעא עליה שאינו יכול לסמוך אבל האי לאו בר חיובא הוי דאימא איתתא הוא אבל הא ק"ל דתיפשוט מהכא דסמיכה בכל כחו בעינן דאי באקפויי ידיו לייתי וליתני ולסמוך דהכי פריך לקמן פרק שני (דף טז:) ואיכא למימר דבכל ענין ממעט ליה קרא:

לא נצרכה אלא לחציו עבד וחציו בן חורין. ולא תימא דקאי עליה ג"ש דלה לה מאשה וקשה דעליה כתיב או חופשה לא ניתן לה (ה) ומוקי לה רבי עקיבא בהשולח (גיטין דף מג: ושם) ובכריתות (דף יא.) בחליה שפחה וחליה בת חורין וי"ל מכל מקום אלך עבדות כתיב כדמוכח קרא או חופשה לא ניתן לה אך קשה הכא משמע בחליו עבד לפי משנה אחרונה חייב דלפי משנה ראשונה קיימא הכא כדאיתא לעיל ריש מכילתין ואלו בגיטין ריש השולח (דף מג:) מיבעי ליה מי שחליו עבד אם יש לו קנס או לא שלשים שקלים יתן לאדניו אמר רחמנא והאי אדון הוא ולפי משנה אחרונה קאי דקאמר התם מאי לאו לפי משנה אחרונה ואילו הכא פשיטא לן דאין לו אלא אדון אחד ויש לדחות דעד כאן לא מחייבי ליה הכא אלא משום דעומד לכוף את רבו כמאן דשיחרר דמי אבל

רבינו חננאל

לבוא והניחם כדי לסמוך עניים בשביעית. שוטה פטור מן הראייה: ת"ר איזהו שוטה זה היוצא יחידי בלילה והלן בבית הקברות והמקרע את כסותו רב הונא אמר עד דעבדינהו כולהו ר' יוחנן אמר ואפילו אחד מהן והוא דעבדינהו דרך שטות וקי"ל כר' יוחנן דתניא איזהו שוטה זה המאבד כל מה שנותנין לו. טומטום ואנדרוגינוס פטורין: ת"ר זכור להוציא הנשים שהן פטורות. זכורך להוציא טומטום ואנדרוגינוס כל לרבות הקטנים אתינן לאוקומה בקטן שהגיע לחינוך ונדחה דקטנים שהגיעו לחינוך מדרבנן נינהו וקרא לא אתא [אלא] לכדתניא דתניא אחרים אומרים המקמץ והמצרף נחושת והבורסקי פטורין מן הראייה שנא' כל זכורך כל מי שיכול לעלות עם כל זכורך יצאו אלו שאינן יכולין לעלות עם כל זכורך. נשים ועבדים אוקימנא מי שחציו עבד וחציו בן חורין פטורין במשנה ראשונה היא שנויה סיפא במשנה ראשונה ורישא דקתני לאיתויי מי שחציו עבד וחציו בן חורין חייב [כמשנה אחרונה] ומשנה לא זזה ממקומה כל מצוה שהאשה חייבת עבד חייב בה דגמר לה לה כתיב בשפחה או חופשה לא ניתן לה וכתיב באשה וכתב לה ספר כריתות ונתן. ושאינו יכול לעלות

ליקוטי רש"י

טומטום. אטום אינו ניכר בו לא זכרות ולא נקבות וספק זכר ספק נקבה הוא ולמ"ד נמי ספק בריה הוא וכו' [ואיכא למ"ד לאו ספק הוא אלא בריה הוא] [רשב"ם ב"ב קכז.]. אנדרוגינוס. יש לו זכרות ונקבות [שם קכו:]. שהזמן גרמא. שהזמן גורם לה שתנהג [קידושין כט.]. איצטריך קרא למעוטי. מי איכא ספיקא קמי קודשא בריך הוא [חולין כב:]. בתמיה הא ליכא ספק קמי שמיא [בכורות מא.]. המקמץ. צואת כלבים, לא ידעתי מה צורך בה אבל באשכנז ראיתי שעושין בהם הבגדים לפני כונס יום או יומים [כתובות עז. ועיי"ש בגליון]. ...

עין משפט נר מצוה

טז א מיי' פ"ב מהל' ע"ז הלכה ב:
יז ב מיי' שם ופ"ב מהל' חגיגה הל' ג:
יח ג מיי' פ"ב מהלכות חגיגה הלכה ג:
יט ד מיי' שם הל' ב:
כ ה ו ז מיי' שם הלכה א:

מסורת הש"ס

א) [תוספ' תרומו' פ"א], ב) [קידושין דף לד:], ג) [ברכות כ: ערובין כז. קידושין כט.], ד) [בכורות מא:] חולין כב:, ה) [סוכה כח:], ו) [ע"ל דתניא], ז) לקמן ז:, ח) [נזיר סא. כריתות ז:], ט) [קידושין כג. גיטין לט: מא:], י) [לעיל ג. ערכין ב:], כ) לעיל ג. יבמות קג. ערכין יט:, ל) [ועי' ברכות כה. ובתוס' שם ד"ה זמנין ובתוס' כתובות עז. ד"ה המקמץ כו' וכ"ע], מ) [שבת קלד.], נ) [פטור מן הראיה], ס) [שבת קלו:], ע) [ע"כ כל מהרש"ל], פ) [ע"ל ע"ש דלא יזכור ר' עקיבא], ק) [ע"ש דמייתי ליה מעמוקה גט שחרר ופשט הש"ס מאי עבד ודע דתוס' ערכין ג: ד"ה משנה ראשונה וכו' העתיקו לא נכון].

הגהות הב"ח

(א) תוס' ד"ה או דלמא וכו' דכיון דממקרע: (ב) בא"ד הכי אלא וכו' בגמרא דרבי ישמעאל דאמר אין לך וכו' הכי ליכא רק חדא קרא וכו' דקאמר רבי שמעון: (ג) בא"ד קרא יתירא הזכר קדרים ובפרק קמא דב"מ וכו' שבזה ושבזה שפסול פריך ליה אטו איצטריך קרא למעוטי ספיקא שאם היא מתורים ובני יונה נפיק ממה נפשך וכו' גליא היא ולא אתא למעוטי: (ד) בא"ד ליקרבו למחר דשפיר עביד אפילו: (ה) ד"ה לא נצרכה וכו' למוקי לה רבי עקיבא וכו' אלא משום דכיון דעומד לכוף:

גליון הש"ס

גמרא הא למה לי קרא. עיין שיטה מקובצת רפ"ב דב"מ ד"ה אלא פירוש בשם הרמב"ן:

תורה אור השלם

א) שָׁלֹשׁ פְּעָמִים בַּשָּׁנָה יֵרָאֶה כָל זְכוּרְךָ אֶל פְּנֵי הָאָדֹן יְיָ: [שמות כג, יז]
ב) שָׁלֹשׁ רְגָלִים תָּחֹג לִי בַּשָּׁנָה: [שמות כג, יד]

עין משפט נר מצוה

כא א ב מיי' פ"ב מהלכות חגיגה הלכה א סמג עשין רכו:

כב ג מיי' פ"ו מהל' תרומות הלכה י:

רבינו חננאל

ברגליו לאתויי מפנקי שנאמר כי תבאו לראות פני. תנא הערל והטמא פטורין מן הראיה אוקימנא לרבי עקיבא דמרבי ליה לערל מן הטמא שנאמר איש איש מזרע אהרן והוא צרוע או זב ודחי ליה לערל מן התרומה כטמא ומפורש ביבמות פרק הערל בתחלתו. טמא פטור [מן הראיה] שנאמר ובאת שמה והבאתם שמה כל שישנו בביאה ישנו בהבאה כו'. ר' אלעזר כי מטי להאי קרא בכי ולא יכלו אחיו לענות אותו כי נבהלו מפניו ומה אחי יוסף לא יכלו לענות אותו בתוכחה כי נבהלו מפניו תוכחה של הקב"ה על אחת כמה וכמה. ועוד היה בוכה ואומר ומה שמואל הצדיק היה מתיירא מן הדין שנאמר ויאמר שמואל אל שאול למה הרגזתני להעלות אותי ולא עוד אלא שביקש מרבינו משה לבא עמו שנאמר ותאמר האשה אל שמואל אלהים ראיתי עולים מן הארץ. עולים תרי משמע וכו'. אנו על אחת כמה וכמה. ר' אמי הוה בכי אמר כתיב יתן בעפר פיהו אולי יש תקוה וכתיב בקשו צדק בקשו ענוה אולי תסתרו ביום אף ה' וכתיב שנאו רע ואהבו טוב והציגו בשער משפט אולי יחנן וגו' כולי האי ואולי

ליקוטי רש"י

מי בקש זאת מידכם רמוס חצרי. לרמוס את חצרי אחרי שאין לבנכם שלם עמי [ישעיה א, יב]. דמרבי לערל כטמא. מדרבי לערל גבי טמאים שמע מינה דכי טמאים ניהו [יבמות עב:]. איש איש לרבות ערל. דמשמע אלא מאיש כתיב דכתיב דכתיב לרבות ערל. לא יאכל תרומה [ויקרא כב] בלא ה שמש וטבל ואחר יאכל ורש ואסור אותו לעולם ערל הבעל הערל דאסור ליה דהנערל לעולם [יבמות ע.]. יראה יראה. כתיב [זה] יראה וקרינן יראה כל זכורך יראה את פני האדון כדרך שבא לראות כך בא ליראות [סנהדרין ד:] דכתיב יראה כל זכורך. יראה. כך בא לראות. ורואה אותו בשתי עיניו [ערכין ב:]. נבהלו מפניו. מפני הבושה [בראשית מה, ג].

מי בקש זאת מידכם רמוס חצרי. [ישעיה א, יב] לרמוס את חצרי

מסורת הש"ס

א) [יבמות עב:], ב) שם ע., ג) [תוספתא פ"א], ד) לעיל ב. סנהדרין ד: ע"ש ערכין ב: [תוספתא שם ע"ש], ה) [עיין תוספות בכורות כז. ד"ה בריש], ו) [לא משכן], ז) [פסחים נו.], ח) [עיין תוספות זבחים כב: ושייך למשנה דף טו: ערלן], ט) [יבמות ע.].

הגהות הב"ח

(א) גמ' ר' עקיבא היא דמרבי ליה לערל: (ב) שם כדרך שבא לראות כך בא לראות כך בא לראות בשתי עיניו אף לראות: (ג) שם בלא משפט ומי איכא כל"ל ותיבת אמר נמחק: (ד) תוס' ד"ה דכתיב וכו' ולאע"ג וכו' קבועים להם זמן: (ה) בא"ד דלעיל דערל וטמא משלחין קרבנותיהן דמשמע דליכא: (ו) בא"ד ועוד דהתם הוה ליה לאתויי ההוא דערל וטמא וכו' דמשלחין קרבנותיהן שפיר ונראה: (ז) ד"ה דמרבה וכו' וי"ל דהתם ידעינן ליה בעלמא דלאו דמדמה ערל לטמא דרשינן נמי מאיש איש לרבות ערל כטמא לאיכא למימר דלאי ליכא קרא דערל כי טמא הייתי אומר דפסח בא בערלות אי הוה:

תורה אור השלם

א) כִּי תָבֹאוּ לֵרָאוֹת פָּנָי מִי בִקֵּשׁ זֹאת מִיֶּדְכֶם רְמֹס חֲצֵרָי: [ישעיה א, יב]

ב) כִּי אִם אֶל הַמָּקוֹם אֲשֶׁר יִבְחַר יְיָ אֱלֹהֵיכֶם מִכָּל שִׁבְטֵיכֶם לָשׂוּם אֶת שְׁמוֹ שָׁם לְשִׁכְנוֹ תִדְרְשׁוּ וּבָאתָ שָׁמָּה: וַהֲבֵאתֶם שָׁמָּה עֹלֹתֵיכֶם וְזִבְחֵיכֶם וְאֵת מַעְשְׂרֹתֵיכֶם וְאֵת תְּרוּמַת יֶדְכֶם וְנִדְרֵיכֶם וְנִדְבֹתֵיכֶם וּבְכֹרֹת בְּקַרְכֶם וְצֹאנְכֶם: [דברים יב, ה-ו]

ג) אִישׁ אִישׁ מִזֶּרַע אַהֲרֹן וְהוּא צָרוּעַ אוֹ זָב בַּקֳּדָשִׁים לֹא יֹאכַל עַד אֲשֶׁר יִטְהָר וְהַנֹּגֵעַ בְּכָל טְמֵא נֶפֶשׁ אוֹ אִישׁ אֲשֶׁר תֵּצֵא מִמֶּנּוּ שִׁכְבַת זָרַע: [ויקרא כב, ד]

ד) שָׁלֹשׁ פְּעָמִים בַּשָּׁנָה יֵרָאֶה כָּל זְכוּרְךָ אֶל פְּנֵי הָאָדֹן יְיָ: [שמות כג, יז]

ה) וְזָבַחְתָּ שְׁלָמִים וְאָכַלְתָּ שָּׁם וְשָׂמַחְתָּ לִפְנֵי יְיָ אֱלֹהֶיךָ: [דברים כז, ז]

ו) לָמָּה לִּי רֹב זִבְחֵיכֶם יֹאמַר יְיָ שָׂבַעְתִּי עֹלוֹת אֵילִים וְחֵלֶב מְרִיאִים וְדַם פָּרִים וּכְבָשִׂים וְעַתּוּדִים לֹא חָפָצְתִּי: [ישעיה א, יא]

ז) וַיֹּאמֶר יוֹסֵף אֶל אֶחָיו אֲנִי יוֹסֵף הַעוֹד אָבִי חָי וְלֹא יָכְלוּ אֶחָיו לַעֲנוֹת אֹתוֹ כִּי נִבְהֲלוּ מִפָּנָיו: [בראשית מה, ג]

ח) וַיֹּאמֶר שְׁמוּאֵל אֶל שָׁאוּל לָמָּה הִרְגַּזְתַּנִי לְהַעֲלוֹת אֹתִי וַיֹּאמֶר שָׁאוּל צַר לִי מְאֹד וּפְלִשְׁתִּים נִלְחָמִים בִּי

רש"י

מפנקי. שאין הולכין בלא מנעל דאין אדם נכנס להר הבית במנעלו דכתיב מי בקש זאת מידכם רמוס חצרי: פטורים מן הראייה. אין חייבין לשלוח עולות ראיותיהן על ידי שליח: טמא אינו (חייב) בביאה שאינו יכול ליכנס למקדש דכתיב (י) כי מקדש) ה' טמא ונכרתה (במדבר יט): ערל. ישראל שמתו אחיו מחמת מילה: ה"ג דמרבי ליה ערל כטמא: איש איש. מזרע אהרן והוא צרוע או זב: לרבות את הערל. שהוא כטמא שלא יאכל תרומה אם כהן הוא: עבד. שהוא חייב לרבו עד שרבו מלפה ושואף מתי יראהו יתרחק מעליו: יתרחק מעליו. איך הגיע יוסף שנהפך לו לשונא ורחקו ולוה שלא יראהו שנאמר כי תבאו וגו': תוכחה. שמוכיח פשעו בפניו: מאי היא. מנא לן דמתיירא: כולי האי ואולי. כל היסורין הללו יקבל ועודנו בספק אם תהיה לו תקוה: ויש נספה בלא משפט. יש כלה ואין עון בידו ולא היה משפט לספות: ומי איכא דאזיל כו'. תלמודא קא בעי לה: אמר ליה. מלאך לשלוחו: אייתי לי מרים מגדלא נשייא. הרוג את מרים המקלעת שיער הנשים: היכי יכלת לה. מאחר שלא הגיע זמנה: הות נקיטא מתארא בידה. היתה אוחזת בידה האוד של תנור שקורין פרגו"ן: והא

תוספות

כי תבואו לראות פני. פירש רש"י דנפקא ליה מדכתיב רמוס חצרי דמשמע דהולך במנעליו ותימה הוא דבפרק הרואה (ברכות דף סב:) מפיק ליה מדכתיב של נעלך ויש לומר דהתם עיקר אבל הכא ניחא ליה לאתויי ראיה כדכתיב כי תבאו לראות וכו':

דכתיב ובאת שמה והבאתם שמה. והא דאמרינן (פסחים דף סב.) ערל וטמא משלחין קרבנותיהן (ד) דלא"ג דליתנהו בביאה התם מיירי בנדרים ונדבות שאין קבועין זמן בהבאת רגלים והאי קרא לא משתעי אלא בעולת ראיה דבעינן ביאה אך קשה לרבי שמעון דאמר פרק בתרא דמו"ק (דף טו. ושם) ויזיבו באו יקריב (יחזקאל מד) בזמן שהוא ראוי לביאה יקריב בזמן שאינו ראוי לביאה לא יקריב ופשיט מהתם דמצורע לא ישלח קרבנותיו וכי לית ליה ההוא דלעיל דערל (ה) וטמא דמשמע דליכא מאן דפליג ולא מסתבר לחלק דהתם במצורע לחוד והוה בשאר טמאים דהאי קרא בטמאת כתיב משמע דלכל טמאים קאי וכי תימא משום דכתיב לעיל מינה שבעת ימים יספרו לו (שם) דמשמע בימי ספירו דקאי דוקא אמצורע הא אפסקיה למילתיה וביום באו אל הקודש אל החצר הפנימית לדרשינן מיניה זו עשירית האיפה ועוד (ו) התם הוה ליה לאתויי ההוא ערל וטמא דמיפשט מינה דמשלח שפיר ונראה בעיני דהתם בקרבנות מצורע מלרעתו מיירי ובשמיני לרפואה כי בעי לאתויי קרבנותיו חוזר ונטרע הלכך האי קרבן דמחוייב לא מצי מייתי כיון דלאו בר ביאה הוא אבל בנדרים ונדבות מביא שפיר אף מצורע כמו שאר טמאים והתם האריכתי בדבר לפרש מההיא דערל וטמא משלחין קרבנותיהן ולא בעינן סמיכה כמו בההיא דהשולח חטאתו ממדינת הים דכל הגט (גיטין דף כח: ושם) דפריך לה והא בעי סמיכה ומוקי לה בקרבן נשים או בחטאת העוף דהתם בערל שמתו אחיו מחמת מילה וטמא כמו מצורע או זב דאין טהרתו תלויה רק ברפואה ואפשר שלא יתרפא לעולם והוה ליה מחוייב קרבן הלכך טוב לנו שיביא בלא סמיכה אבל התם בגיטין יש לנו להמתין עד שיביא עוד האריכתי התם בפרק ג' דגיטין (שם):

דמרבה ערל כי טמא. אמר הרב ר' אלחנן דהא דאיצטריך קרא דלעיל למעוטי ליה טומטום ואנדרוגינוס ולא למעוטי מספק ערל התם אליבא דרבנן הוא דלרבי עקיבא לא צריך ומיהו אך קשה אמאי איצטריך מיעוט לערל גבי פסח תיפוק ליה מטמא וי"ל (ז) דהתם ממעטינן ערל שמתו אחיו מחמת מילה דלאו כטמא ומיהו זהו דוקא לפרש"י דמפרש התם (ח) ערל שמתו אחיו מחמת מילה יש להעמיד הכי אבל לפר"ת (ט) דמפרש שדואג מחמת הצער אבל מתו אחיו מחמת מילה הוי אנוס יש להקשות לרבי עקיבא דמרבה ערל כי טמא אמאי איצטריך קרא לערל דפסח תיפוק ליה מטמא ויש לומר דמהתם ידעינן ליה בעלמא כיון דמדמה ערל לטמא בפסח דרשינן נמי מאיש איש לרבות ערל כטמא אבל ליכא למימר דאי ליכא קרא אלא דערל כטמא הייתי אומר דפסח בא בערלות כמו בטומאה דהא מנא ידעינן לרבות ערל כי טמא מאיש איש כי יהיה צרוע או זב והתם לא כתיב רק טומאת צרעת וזיבות ואנן אמרינן בריש אלו דברים (פסחים דף סו.) דלא דחי רק טומאת מת בלבד והשתא סוגיא דהכא פליגא אההיא דריש הערל (יבמות דף עב:) דקאמר דלא לישתמיט תנא דמרבה ערל כי טמא ונוקמא כרבי עקיבא ופריך ליה מהכא דערל וטמא פטורין מן הראייה ומשני שאני התם משום דמאיס ומשמע דאפילו רבנן מודו כלומר לאו משום דמרבה ליה כי טמא אלא משום דמאיס ומיהו י"ל דה"פ שאני התם משום דמאיס להכי מרבה ערל כי טמא אליבא דרבי עקיבא אבל לא שיהא ערל מטמא בנגיעה כטמא להכי לא תנינהו גבי הדדי:

של הקדוש ברוך הוא על אחת כמה וכמה. שלא יוכל להשיב תשובה מעלייתא להיפטר לגמרי דמכמה דברים מצי לפטור עצמו קצת כדאיתא בפרק הדר (עירובין דף סה.) יכולני לפטור כל העולם מדין של תפלה: דליכא מילתא דכתיב באורייתא דלא קיימתיה. לא בעי למימר שיעיד לו שקיים הכל דמנא ידע והא לא היה בדורו אלא היה אומר כך וכך דרשתי ועשיתי מעשה בוא והעידני שכן למדת גם אתה: אמר מי איכא איניש דאזיל בלא זימניה. ל"ג אמר שהרי רב יוסף לא היה שואל כך שעל זה לא מתרץ לו הש"ס כלום אלא הש"ס קא פריך ליה: הוה שכיח גביה מלאך המות. דמספר מה שאירע לו כבר דהאי עובדא דמרים מגדלא נשייא בבית שני היה דהיתה אמו של פלוני כדאיתא בשבת (דף קד: ושם):

גמרא

כי תבואו לראות פני א מפנקי דכתיב א כי תבאו לראות פני מי בקש זאת מידכם רמוס חצרי: תנא ב הערל והטמא פטורין מן הראייה בשלמא טמא דכתיב ב ובאת שמה והבאתם שמה כל שישנו בביאה ישנו בהבאה וכל שאינו בביאה אינו בהבאה אלא ערל מנלן הא מני רבי עקיבא היא דמרבי (א) לערל כטמא ג דתניא ר' עקיבא אומר ג איש איש ג לרבות את הערל ת"ר ד טמא פטור מן הראייה דכתיב ובאת שמה והבאתם שמה כל שישנו בביאה ישנו בהבאה וכל שאינו בביאה אינו בהבאה ה רבי יוחנן בן דהבאי אומר משום ר' יהודה סומא באחת מעיניו פטור מן הראייה שנאמר ו יראה יראה כדרך שבא (ב) לראות כך בא ליראות מה בא לראות בשתי עיניו אף ליראות בשתי עיניו: רב הונא כי מטי להאי קרא יראה יראה בכי אמר עבד שרבו מצפה לו לראותו יתרחק ממנו דכתיב א כי תבאו לראות פני מי בקש זאת מידכם רמוס חצרי רב הונא כי מטי להאי קרא בכי ה וזבחת שלמים ואכלת שם עבד שרבו מצפה לאכול על שלחנו יתרחק ממנו דכתיב ו למה לי רוב זבחיכם יאמר ה' ר' אלעזר כי מטי להאי קרא בכי ז ולא יכלו אחיו לענות אתו כי נבהלו מפניו ומה תוכחה של בשר ודם כך תוכחה של הקדוש ברוך הוא על אחת כמה וכמה רבי אלעזר כי מטי להאי קרא בכי ח ויאמר שמואל אל שאול למה הרגזתני להעלות אותי ומה שמואל הצדיק היה מתירא מן הדין אנו על אחת כמה וכמה שמואל מאי היא דכתיב ט ותאמר האשה אל שאול אלהים ראיתי עולים מן הארץ עולים תרי משמע חד שמואל ואידך דאזל שמואל ואתייה למשה בהדיה אמר ליה דלמא חס ושלום לדינא מתבעינא קום בהדאי דליכא מילתא דכתבת באורייתא דלא קיימתיה רבי אמי כי מטי להאי קרא בכי י יתן בעפר פיהו אולי יש תקוה אמר כולי האי ואולי רבי אמי כי מטי להאי קרא בכי כ בקשו צדק בקשו ענוה אולי תסתרו ביום אף ה' אמר כולי האי ואולי רבי אסי כי מטי להאי קרא בכי ל שנאו רע ואהבו טוב והציגו בשער משפט אולי יחנן ה' [אלהי] צבאות כולי האי ואולי רב יוסף כי מטי להאי קרא בכי מ ויש נספה בלא משפט (ג) אמר מי איכא דאזיל בלא זמניה אין כי הא דרב ביבי בר אביי הוה שכיח גביה מלאך המות אמר ליה לשלוחיה זיל אייתי לי מרים מגדלא שיער נשייא אזל אייתי ליה מרים מגדלא דרדקי אמר ליה אנא מרים מגדלא שיער נשייא אמרי לך אמר ליה אי הכי אהדרה אמר ליה הואיל ואייתיתה ליהוי למניינא אלא היכי יכלת לה הות נקיטא נ מתארא בידה והות קא שגרא ומחריא

ויאמר שאול צר לי מאד ופלשתים נלחמים בי והאלהים סר מעלי ולא ענני עוד גם ביד הנביאים גם בחלמות ואקראה לך להודיעני מה אעשה: [שמואל א, כח, טו] ט) ויאמר לה המלך אל תיראי כי מה ראית ותאמר האשה אל שאול אלהים ראיתי עולים מן הארץ: [שמואל א, כח, יג] י) יתן בעפר פיהו אולי יש תקוה: [איכה ג, כט] כ) בקשו את ה' כל ענוי הארץ אשר משפטו פעלו בקשו צדק בקשו ענוה אולי תסתרו ביום אף ה': [צפניה ב, ג] ל) שנאו רע ואהבו טוב והציגו בשער משפט אולי יחנן ה' אלהי צבאות שארית יוסף: [עמוס ה, טו] מ) רב אכל ניר ראשים ויש נספה בלא משפט: [משלי יג, כג]

שמואל שמא לפני מת מתבקש בדין והעלה משה עמו כדאיתא [חגיגה ד:]. הרגזתני. הטרדתני [שמואל א כח, טו]. אלהים ראיתי עולים. מלאכים שנים משה ושמואל שנתירא מהסם שסם כלים מן העולם ננכל כל שלא היה לו משפט ונעשה בלא עת [משלי יג, כג]. ויש נספה. ויש הכלה ומכשולות ויש משפט לספות וכו'. דרדקי. תינוקות [ב"ב כא.]. שגרא. הסיקה [שבת קנו.].

מְפַנְּקֵי – **delicate individuals.**[1] For one may enter the Temple Courtyard only barefoot, דִּכְתִיב – **as it is written:**[2] ,,כִּי תָבֹאוּ לֵרָאוֹת פָּנָי מִי-בִקֵּשׁ זֹאת מִיֶּדְכֶם רְמֹס חֲצֵרָי" – ***When you come to appear before Me, who sought this from your hand, to trample My Courtyards?!***[3]

The Gemara exempts other individuals from the mitzvah of *re'iyah:*

תָּנָא – **[A Tanna] taught** in a Baraisa: הֶעָרֵל וְהַטָּמֵא פְּטוּרִין מִן הָרְאִיָּה – THE UNCIRCUMCISED[4] AND THE RITUALLY IMPURE ARE EXEMPT FROM the *olas*-RE'IYAH offering.[5]

The Baraisa is analyzed:

בִּשְׁלָמָא טָמֵא – **It is understandable** that **a ritually impure individual** is exempt from sending his offering, דִּכְתִיב ,,וּבָאתָ שָׁמָּה וַהֲבֵאתֶם שָׁמָּה" – **for it is written:** ***And you shall come there*** (to the Holy Temple). ***And there you shall bring*** (your offerings).[6] This juxtaposition teaches that כָּל שֶׁיֶּשְׁנוֹ בְּבִיאָה – **everyone who is in** the category of those eligible for **"coming"** into the Temple Courtyard יֶשְׁנוֹ בַּהֲבָאָה – **is** also **in** the category of those eligible for **"bringing"** their offerings there, וְכָל שֶׁאֵינוֹ בְּבִיאָה אֵינוֹ בַּהֲבָאָה – **while everyone who is not in** the category of **"coming" is not in** the category of **"bringing."**[7] אֶלָּא עָרֵל מְנָלַן – **However, from where do we [know]** that **an uncircumcised person** is similarly exempt from bringing an *olas-re'iyah* offering?

The Gemara answers:

הָא מַנִּי – **Whose** ruling **is this?** רַבִּי עֲקִיבָא הִיא – **It is** the ruling **of R' Akiva,** דְּמְרַבֵּי לְעָרֵל כְּטָמֵא – **who** derives that the Torah **includes an uncircumcised person** to be **like an impure person,** דְּתַנְיָא – **as was taught in a Baraisa:** רַבִּי עֲקִיבָא אוֹמֵר – R' AKIVA SAYS: ,,אִישׁ אִישׁ" – The Torah states:[8] ***ANY MAN** from the offspring of Aaron who is a metzora or zav shall not eat of the holies.* לְרַבּוֹת אֶת הֶעָרֵל – The extra word אִישׁ[9] comes TO INCLUDE THE UNCIRCUMCISED INDIVIDUAL in this prohibition.[10] R' Akiva maintains that here the Torah equates the laws of the uncircumcised with those of the impure. Since we have established exegetically that the Torah has exempted impure individuals from sending *olas-re'iyah* offerings, R' Akiva extends this exemption to the uncircumcised.[11]

The Gemara cites another Baraisa, which explicates two previously established exemptions:[12]

תָּנוּ רַבָּנַן – **The Rabbis taught:** טָמֵא פָּטוּר מִן הָרְאִיָּה – AN IMPURE PERSON IS EXEMPT FROM sending THE *olas*-RE'IYAH offering, דִּכְתִיב ,,וּבָאתָ שָׁמָּה וַהֲבֵאתֶם שָׁמָּה" – FOR IT IS WRITTEN: *AND YOU SHALL COME THERE. AND THERE YOU SHALL BRING.* כָּל שֶׁיֶּשְׁנוֹ בְּבִיאָה יֶשְׁנוֹ בַּהֲבָאָה – This juxtaposition of "coming" and "bringing" teaches that EVERYONE WHO IS IN the category of "COMING" IS IN the category of "BRINGING," וְכָל שֶׁאֵינוֹ בְּבִיאָה אֵינוֹ בַּהֲבָאָה – WHILE EVERYONE WHO IS NOT IN the category of "COMING" IS NOT IN the category of "BRINGING." Since a *tamei* person is ineligible to "come" into the Courtyard, he is also ineligible to "bring" (or send) an *olas-re'iyah* sacrifice there. The Baraisa continues: רַבִּי יוֹחָנָן בֶּן דַּהֲבַאי אוֹמֵר מִשּׁוּם רַבִּי יְהוּדָה – R' YOCHANAN BEN DAHAVAI SAYS IN THE NAME OF R' YEHUDAH: סוּמָא בְּאַחַת מֵעֵינָיו פָּטוּר מִן הָרְאִיָּה – A PERSON BLIND IN ONE EYE IS EXEMPT FROM THE mitzvah of APPEARING at the Holy Temple during the pilgrimage festivals, שֶׁנֶּאֱמַר ,,יִרְאֶה" ,,יֵרָאֶה" – FOR IT IS STATED[13] according to the written form *[ALL YOUR MENFOLK] SHALL SEE* God, but according to the pronounced form it is *[ALL YOUR MENFOLK] SHALL BE SEEN* by God.[14] כְּדֶרֶךְ שֶׁבָּא לִרְאוֹת – This analogy teaches that IN THE MANNER THAT [GOD] COMES, so to speak, to the Holy Temple TO SEE the pilgrims [as implied by the pronounced form], כָּךְ בָּא לֵירָאוֹת – SO DOES HE COME to the Temple for His Divine Presence TO BE SEEN by the

NOTES

1. I.e. those who will not walk without shoes. Now, since it is forbidden to enter the Temple Mount while wearing his shoes, as we shall derive from the verse below, one who is unable to walk without shoes is exempt from appearing in the Temple *(Rashi)*. See *Rambam, Hil. Chagigah* 2:1 for a different interpretation, and *Mishneh LaMelech* for a discussion thereof.

2. *Isaiah* 1:12.

3. ["Trample" implies treading upon something while wearing shoes.] *Tosafos* note that the Gemara elsewhere (*Berachos* 62b) derives the "barefoot" requirement from a different verse: שַׁל-נְעָלֶיךָ מֵעַל רַגְלֶיךָ כִּי הַמָּקוֹם אֲשֶׁר אַתָּה עוֹמֵד עָלָיו אַדְמַת-קֹדֶשׁ הוּא, *Remove your shoes from your feet, for the place upon which you stand is holy ground* (*Exodus* 3:5). *Tosafos* explain that, in truth, the *Exodus* verse is the main source of the law. Our Gemara quotes the *Isaiah* verse because it speaks about "appearing" before Hashem, and the subject of our tractate is the mitzvah of appearing before Hashem on the festivals.

4. I.e. one who was not circumcised because two of his brothers died as a result of circumcision *(Rashi)*. [*Rashi* means to tell us that this law and the following discussion in our *sugya* involve *even* one who is legitimately uncircumcised; cf. *Tosafos* ד"ה דמרבה.]

5. I.e. they are not obligated to send an *olas-re'iyah* offering to the Temple with an agent (*Rashi;* see *Meromei Sadeh*). It was unnecessary for the Baraisa to teach that these individuals are exempt from the mitzvos of appearing in the Courtyard and personally bringing their *olas-re'iyah* offerings there, since one who is *tamei* [or uncircumcised according to R' Akiva, as we shall see below in our *sugya*] incurs the punishment of *kares* if he enters the Courtyard (*Siach Yitzchak*). [See *Turei Even* and *Sfas Emes,* who ask: Given this *kares* vulnerability, why would we think that these individuals are in any way obligated? Ostensibly, they do not have the mitzvah of *re'iyah*!]

6. The phrases of "coming" and "bringing" are juxtaposed in *Deuteronomy* 12:5,6.

7. A *tamei* person is forbidden on pain of *kares* to enter the Temple Courtyard, as it is written (*Numbers* 19:13; see also ibid. 20): *Whoever touches the dead body of a human being . . . and does not purify himself has contaminated the Tabernacle of God* (if he enters the Courtyard), *and that person shall be cut off from Israel.* Thus, since a *tamei* individual is not in the category of "coming" into the Courtyard, he is also not in the category of "bringing" (or sending) his *olas-re'iyah* sacrifice there (*Rashi,* as emended by *Mesoras HaShas*).

Although in *Pesachim* (62a) the Gemara teaches that the uncircumcised and the *tamei* may indeed send offerings to the Temple even though they may not enter, the Gemara there speaks of voluntary sacrifices (נְדָרִים וּנְדָבוֹת), which – since they have no obligatory aspect of "coming" (cf. *Rashash*) – are not subject to the "coming"/"bringing" requirement (see *Tosafos* here and to *Pesachim* ibid. ד"ה ערל).

8. *Leviticus* 22:4.

9. See *Yevamos* 70a, 71a.

10. I.e. just as a *tamei* Kohen may not eat *terumah,* so an uncircumcised Kohen may not eat *terumah* (*Rashi*).

11. [Presumably, the uncircumcised is prohibited also to enter the Temple; see *Rambam, Hil. Bi'as HaMikdash* 4:12, with *Sefer HaMafte'ach.*] Although the Gemara above (4a) cites a verse to exclude a hermaphrodite and a person of undetermined sex from the mitzvah of *re'iyah,* it does so only according to the opinion of the Rabbis, who do not equate the uncircumcised to the *tamei.* According to R' Akiva, however, a verse is unnecessary, since the hermaphrodite and person of undetermined sex possibly fall into the category of the uncircumcised and thus – as cases of doubt – would be exempted regardless (*Tosafos;* see above, 4a note 14, and see *Sfas Emes* here). [See *Tosafos* also for an extensive discussion of why a verse is needed to exempt the uncircumcised individual from bringing a *pesach* offering if he is equated to a *tamei;* see also *Turei Even* and *Siach Yitzchak.*]

12. This Baraisa also teaches the *tamei's* exemption, and it expressly corroborates the Gemara's rationale for it. The latter part of the Baraisa, containing the second exemption, was quoted above (2a).

13. See above, 2a note 23.

14. See ibid. note 24.

עין משפט
נר מצוה

כא א ב מיי' פ"ב מהלכות חגיגה הלכה א סמג עשין רכו:
כב ג מיי' פ"ז מהל' תרומות הלכה י:

מסורת הש"ס

א) [יבמות עב:], ב) שם ע., ג) [תוספתא פ"א], ד) לעיל ג. סנהדרין ד: ע"ש ערכין ג: [תוספתא שם ע"ש], ה) [עיין תוספות בכורות מ. ד"ה בריס], ו) [אם משכן], ז) [פסחים לו.], ח) [עיין תוספות זבחים כב: ושייך למשנה דף טו: ערל], ט) [יבמות ע.].

מפנקי דכתיב א) כי תבואו לראות פני מי בקש זאת מידכם רמוס חצרי תנא ה) ב הערל והטמא פטורין מן הראייה בשלמא טמא דכתיב ב) ובאת שמה והבאתם שמה כל שישנו בביאה ישנו בהבאה וכל שאינו בביאה אינו בהבאה אלא ערל מנלן הא מני רבי עקיבא היא דמרבי (א) לערל כטמא ג) דתניא ר' עקיבא אומר ג) איש איש ג לרבות את הערל ת"ר ג) טמא פטור מן הראייה דכתיב ובאת שמה והבאתם שמה כל שישנו בביאה ישנו בהבאה וכל שאינו בביאה אינו בהבאה ד) רבי יוחנן בן דהבאי אומר משום ר' יהודה סומא באחת מעיניו פטור מן הראייה שנאמר ד) יראה יראה כדרך שבא לראות כך בא ליראות מה בא לראות (ב) בשתי עיניו אף ליראות בשתי עיניו: רב הונא כי מטי להאי קרא יראה יראה בכי אמר עבד שרבו מצפה לו לראותו יתרחק ממנו דכתיב א) כי תבואו לראות פני מי בקש זאת מידכם רמוס חצרי רב הונא כי מטי להאי קרא בכי ה) וזבחת שלמים ואכלת שם עבד שרבו מצפה לאכול על שלחנו יתרחק ממנו דכתיב ו) למה לי רוב זבחיכם יאמר ה' ר' אלעזר כי מטי להאי קרא בכי ז) ולא יכלו אחיו לענות אתו כי נבהלו מפניו ומה תוכחה של בשר ודם כך תוכחה של הקדוש ברוך הוא על אחת כמה וכמה רבי אלעזר כי מטי להאי קרא בכי ח) ויאמר שמואל אל שאול למה הרגזתני להעלות אותי ומה שמואל הצדיק היה מתיירא מן הדין אנו על אחת כמה וכמה שמואל מאי היא דכתיב ט) ותאמר האשה אל שאול אלהים ראיתי עולים עולים תרי משמע חד שמואל ואידך דאזל שמואל ואתייה למשה בהדיה אמר ליה דלמא חס ושלום לדינא מתבעינא קום בהדאי דליכא מילתא דכתבת באורייתא דלא קיימתיה רבי אמי כי מטי להאי קרא בכי י) יתן בעפר פיהו אולי יש תקוה אמר כולי האי ואולי רבי אמי כי מטי להאי קרא בכי כ) בקשו צדק בקשו ענוה אולי תסתרו ביום אף ה' אמר כולי האי ואולי רבי אסי כי מטי להאי קרא בכי ל) שנאו רע ואהבו טוב והציגו בשער משפט אולי יחנן ה' [אלהי] צבאות כולי האי ואולי רב יוסף כי מטי להאי קרא בכי מ) ויש נספה בלא משפט (ג) אמר מי איכא דאזיל בלא זמניה אין כי הא דרב ביבי בר אביי הוה שכיח גביה מלאך המות אמר ליה לשלוחיה זיל אייתי לי מרים מגדלא שיער נשייא אזל אייתי ליה מרים מגדלא דרדקי אמר ליה אנא מרים מגדלא שיער נשייא אמרי לך אמר ליה אי הכי אהדרה אמר ליה הואיל ואייתיתה ליהוי למניינא אלא היכי יכלת לה הות נקיטא ט) מתארא בידה והות קא שגרא ומחריא

רש"י

מפנקי. שאין הולכין בלא מנעל דאין אדם נכנס להר הבית במנעלו דכתיב מי בקש זאת מידכם רמוס חצרי: פטורים מן הראייה. אין חייבין לשלוח עולות ראייתיהן על ידי שליח: טמא אינו (חייב) בביאה שאינו יכול ליכנס למקדש דכתיב (י) כי מקדש) ה' טמא ונכרתה (במדבר יט): ערל. ישראל שמתו אחיו מחמת מילה: ה"ג דמרבי ליה ערל כטמא: איש איש. מזרע אהרן והוא צרוע או זב: לרבות את הערל. שהוא כטמא שלא יאכל תרומה אם כהן הוא: עבד. שהוא חביב לרבו עד שרבו מצפה ושואף מתי יראהו יתרחק מעליו: יתרחק מעליו. אך הגיע יום שנהפך לו לשונא ורחקו ונוה שלא יראהו שנאמר כי תבאו וגו': תוכחה. שמוכיח פשעו בפניו: מאי היא. מנא לן דמתיירא: כולי האי ואולי. כל הייסורין הללו יקבל ועודנו בספק אם תהיה לו תקוה: ויש נספה בלא משפט. יש כלה ואין עון בידו ולא היה משפט לספות: ומי איכא דאזיל כו'. תלמודא קא בעי לה: אמר ליה. מלאך לשלוחו: אייתי לי מרים מגדלא נשייא. הרוג את מרים המקלעת שיער הנשים: היכי יכלת לה. מאחר שלא הגיע זמנה: הות נקיטא מתארא בידה. היתה אוחזת בידה האוד של תנור שקורין פרגו"ן: וקא

תוספות

כי תבואו לראות פני. פירש רש"י דנפקא ליה מדכתיב רמוס חצרי דמשמע דהולך במנעליו ותימה הוא דבפרק הרואה (ברכות דף סב:) מפיק ליה מדכתיב של נעלך ויש לומר דהתם עיקר אבל הכא ניחא ליה לאתויי ראייה כדכתיב כי תבאו לראות וכו':

דכתיב ובאת שמה והבאתם שמה. והא דאמרינן (פסחים דף סב.) ערל וטמא משלחין קרבנותיהן (ד) דאע"ג דליתנהו בביאה התם איירי בנדרים ונדבות שאין קבועין זמן בהבאת רגלים והאי קרא לא משתעי אלא בעולת ראייה דבעינן ביאה אך קשה לרבי שמעון דאמר פרק בתרא דמו"ק (דף טו. ושם) וביום באו יקריב (יחזקאל מד) בזמן שהוא ראוי לביאה יקריב בזמן שאינו ראוי לביאה לא יקריב ופשיט מהתם דמצורע לא ישלח קרבנותיו וכי לית ליה ההוא דלעיל דערל (ה) וטמא דמשמע דליכא מאן דפליג ולא מסתבר לחלק דהתם במצורע לחוד והכא בשאר טמאים דהאי קרא בסתמא כתיב משמע דלכל טמאים קאי וכי תימא משום דכתיב לעיל מיניה שבעת ימים יספרו לו (שם) דמשמע בימי ספירו דקאי דוקא אמצורע הא אפסקיה למילתיה וביום באו אל הקודש אל החצר הפנימית לדרשינן מיניה זו עשירית האיפה ועוד (ו) התם הוה ליה לאתויי ההוא דערל וטמא למיפשט מינה דמשלח שפיר ונראה דבעינן דהתם בקרבנות מצורע מלרעתו איירי ושמיני לרפואה כי בעי לאתויי קרבנותיו חזר ונצטרע הלכך האי קרבן דמחוייב לא מצי מייתי כיון דלאו בר ביאה הוא אבל בנדרים ונדבות מביא שפיר אף מצורע כמו שאר טמאים והתם הארכתי בדבר לפרש מההיא דערל וטמא משלחין קרבנותיהן ולא בעינן סמיכה כמו בההיא דהשולח חטאתו ממדינת הים דכל הגט (גיטין דף כח: ושם) דפריך לה והא בעי סמיכה ומוקי לה בקרבן נשים או בחטאת העוף דהתם בערל שמתו אחיו מחמת מילה וטמא כמו מצורע או זב דאין טהרתו תלויה רק ברפואה ואפשר שלא יתרפא לעולם והוה ליה מחוייב קרבן הלכך טוב לנו שיביא בלא סמיכה אבל התם בגיטין יש לנו להמתין עד שיביא עוד והארכתי התם בפרק ג' דגיטין (שם):

דמרבה ערל כי טמא. אמר הרב ר' אלחנן דהא דאיצטריך קרא דלעיל למעוטי ליה טומטום ואנדרוגינוס ולא למעוטי מספק ערל הוא דהתם אליבא דרבנן הוא דלרבי עקיבא לא צריך ומיהו אך קשה אמאי איצטריך מיעוט לערל גבי פסח תיפוק ליה מטמא וי"ל (ז) דהתם ממעטינן ערל שמתו אחיו מחמת מילה דלאו כטמא ומיהו זהו דוקא לפר"ש דמפרש התם ח) ערל שמתו אחיו מחמת מילה יש להעמיד הכי אבל לפר"ת ט) דמפרש שדוחק מחמת הצער אבל מתו אחיו מחמת מילה הוי אנוס יש להקשות לרבי עקיבא דמרבה ערל כי טמא אמאי איצטריך קרא לערל דפסח תיפוק ליה מטמא ויש לומר דמהתם ידעינן ליה בעלמא כיון דמדמה ערל לטמא דפסח דרשינן נמי מאיש איש לרבות ערל כטמא אבל ליכא למימר דאי ליכא קרא אלא דערל כטמאה הייתי אומר דפסח בא בערלות דאי הוה רובן ערלים כמו בטומאה דהא מנא ידעינן כי יהיה לרוע או זב והתם לא כתיב רק טומאת לרעת חיבות ואין אמרינן בריש אלו דברים (פסחים דף סו.) דלא דחי רק טומאת מת בלבד והשתא סוגיא דהכל פליגא ארבנן דריש הערל (יבמות דף עב:) דקאמר דלא לישתמיט תנא דמרבה ערל כי טמא ומוקמא כרבי עקיבא ופריך ליה מהכל דערל וטמא פטורין מן הראייה ומשני שאני התם משום דמאיס ומשמע דאפילו רבנן מודו כלומר לאו משום דמרבה ליה כי טמא אלא משום דמאיס ומיהו י"ל דה"פ שאני התם משום דמאיס ולהכי תנינהו גבי הדדי דרבי עקיבא אבל לא שייך ערל מטמא בנגיעה כטומאה להכי לא תנינהו גבי הדדי:

של הקדוש ברוך הוא על אחת כמה וכמה. שלא יוכל להשיב תשובה מעלייתא להיפטר לגמרי דמכמה דברים מצי לפטור עצמו קלת כדאיתא בפרק הדר (עירובין דף סה.) יכולני לפטור כל העולם מדין של תפלה: דליכא מילתא דכתיב באורייתא דלא קיימתיה. לא בעי למימר שיעיד לו שקיים הכל דמנא ידע והא לא היה בדורו אלא היה אומר כך וכך דרשתי ועשיתי מעשה בוא והעידני שכן למדת גם אתה: אמר מי איכא איניש דאזיל בלא זמניה. ל"ג אמר שהרי רב יוסף לא היה שואל כך שעל זה לא מתרץ לו הש"ס כלום אלא הש"ס קא פריך ליה: הוה שכיח גביה מלאך המות. למספר מה שאירע לו כבר דהאי עובדא דמרים מגדלא נשייא בבית שני היה דהיתה אמו של פלוני כדאיתא בשבת (דף קד: ושם):

רבינו חננאל

ברגליו לאתויי מפנקי שנאמר כי תבאו לראות פני. תנא הערל והטמא פטורין מן הראיה אוקימנא לרבי עקיבא דמרבי ליה לערל מן הטמא שנאמר איש איש מזרע אהרן והוא צרוע ודחי ליה לערל מן התרומה כטמא ומפורש ביבמות פרק הערל בתחלתו. טמא פטור [מן הראיה] שנאמר ובאת שמה והבאתם שמה כל שישנו בביאה ישנו בהבאה כו' ר' אלעזר כי מטי להאי קרא בכי לכו נא ונוכחה אמר ומה אחי יוסף לא יכלו לענות אותו בתוכחה כי נבהלו מפניו תוכחה של הקב"ה על אחת כמה וכמה. ועוד היה בוכה ואומר ומה שמואל הצדיק היה מתיירא מן הדין שנאמר ויאמר שמואל אל שאול למה הרגזתני להעלות אותי ולא עוד אלא שביקש מרבינו משה לבא עמו שנאמר ותאמר האשה אל שמואל אלהים ראיתי עולים מן הארץ. עולים תרי משמע וכו'. אנו על אחת כמה וכמה. ר' אמי הוה בכי אמר כתיב יתן בעפר פיהו אולי יש תקוה וכתיב בקשו צדק בקשו ענוה אולי תסתרו ביום אף ה' וכתיב שנאו רע ואהבו טוב והציגו בשער משפט אולי יחנן וגו' כולי האי ואולי

ליקוטי רש"י

מי בקש זאת מידכם רמוס חצרי. לרמוס את חצרי אחרי שאין לבבכם שלם עמי [ישעיה א, יב]. דמרבי לערל כטמא. מדרבי לערל גבי טמאים שמע מינה דכי הדדי נינהו [יבמות עב:]. איש איש לרבות ערל. כטמא אבל אכילת תרומה דבהאי קרא תרומה כתיב דכתיב (ויקרא כב) ובא השמש וטהר ואחר יאכל מן הקדשים והיינו תרומה דסגי ליה בהערב שמש [יבמות ע.]. יראה יראה. [יראה] כתיב וקרינן יראה יראה כל זכורך את פני האדון דמשמע שהאדם רואה את השכינה יראה כל זכורך את פני האדון משמע שהאדון בא לראותך הקיש הכתוב ראייתך לראייתו [לעיל ב.]. יראה כל זכורך כתיב, וקרינא יֵרָאֶה [דתרווייהו] דרשינן יֵרָאֶה כל זכורך שיראו פני השכינה יֵרָאֶה משמע שיתראו לפניו שהוא בא לראותו היקיש ראייתך לראיתו כדרך שהקדוש ברוך הוא בא לראותך כך בא לירא ות לו מה הוא רואה אותך כשהוא שלם שנאמר (דברים יא) עיני ה' אלהיך בה מראשית אף אתה רואה אותו בשתי עיניך [סנהדרין ד:]. יראה כתיב וקרינא יֵרָאֶה כדרך שהקדוש ב"ה בא לראות אותך והוא שלם בשתי עיניו כך בא לירא ות שיהא הוא נראה לך בשתי עיניך [ערכין ב:]. נבהלו מפניו. מפני הבושה [בראשית מה, ג]. הרגזתני. הסרדתני שמואל שמא אני מתבקש בדין ועלה משה עמו כדאיתא (בחגיגה ד: ובתענית) [שם שם יג]. ויש נספה. ויש הרבה מהם שהם כלים מן העולם בשביל לא משפט שאין נוהגין כשורה ולענין התבואה יש תבואה לוקה בשביל בעליה שאינו מוציא מעשרותיה ומתנות עניים כמשפט ורבותינו פירשו במסכת חגיגה ויש נספה על שלוחו של מלאך המות שמחליף שם בשם וממית את שלא הגיע זמנו אבל אם כן הוא אין ענין סוף הפסוק לראשו [משלי יג, כג]. דרדקי. תינוקות [ב"ב כא.]. שגרא. הסיקה [שבת קט:].

הגהות הב"ח

(א) גמ' ר' עקיבא היא דמרבי ליה לערל: (ב) שם כדרך שבא לראות כך בא לראות מה בא לראות בשתי עיניו אף לראות: (ג) שם בלא משפט ומי איכא כצ"ל ותיבת אמר נמחק: (ד) תוס' ד"ה דכתיב וכו' ואע"ג וכו' קבועים להם זמן: (ה) בא"ד דלעיל דערל וטמא משלחין קרבנותיהן דמשמע דליכא: (ו) בא"ד ועוד דהתם הוה ליה לאתויי ההוא דערל וטמא וכו' דמשלחין קרבנותיהן שפיר ונראה: (ז) ד"ה דמרבה וכו' וי"ל דמהתם ידעינן ליה בעלמא דכיון דמדמה ערל לטמא דרשינן נמי מאיש איש לרבות ערל כטמא אבל ליכא למימר דאי ליכא קרא דערל גבי פסח הייתי אומר דפסח בא בערלות אי הוה:

תורה אור השלם

א) כִּי תָבֹאוּ לֵרָאוֹת פָּנָי מִי בִקֵּשׁ זֹאת מִיֶּדְכֶם רְמֹס חֲצֵרָי: [ישעיה א, יב]
ב) כִּי אִם אֶל הַמָּקוֹם אֲשֶׁר יִבְחַר יְיָ אֱלֹהֵיכֶם מִכָּל שִׁבְטֵיכֶם לָשׂוּם אֶת שְׁמוֹ שָׁם לְשִׁכְנוֹ תִדְרְשׁוּ וּבָאתָ שָׁמָּה: וַהֲבֵאתֶם שָׁמָּה עֹלֹתֵיכֶם וְזִבְחֵיכֶם וְאֵת מַעְשְׂרֹתֵיכֶם וְאֵת תְּרוּמַת יֶדְכֶם וְנִדְרֵיכֶם וְנִדְבֹתֵיכֶם וּבְכֹרֹת בְּקַרְכֶם וְצֹאנְכֶם: [דברים יב, ה-ו]
ג) אִישׁ אִישׁ מִזֶּרַע אַהֲרֹן וְהוּא צָרוּעַ אוֹ זָב בַּקֳּדָשִׁים לֹא יֹאכַל עַד אֲשֶׁר יִטְהָר וְהַנֹּגֵעַ בְּכָל טְמֵא נֶפֶשׁ אוֹ אִישׁ אֲשֶׁר תֵּצֵא מִמֶּנּוּ שִׁכְבַת זָרַע: [ויקרא כב, ד]
ד) שָׁלֹשׁ פְּעָמִים בַּשָּׁנָה יֵרָאֶה כָּל זְכוּרְךָ אֶל פְּנֵי הָאָדֹן יְיָ: [שמות כג, יז]
ה) וְזָבַחְתָּ שְׁלָמִים וְאָכַלְתָּ שָּׁם וְשָׂמַחְתָּ לִפְנֵי יְיָ אֱלֹהֶיךָ: [דברים כז, ז]
ו) לָמָּה לִּי רֹב זִבְחֵיכֶם יֹאמַר יְיָ שָׂבַעְתִּי עֹלוֹת אֵילִים וְחֵלֶב מְרִיאִים וְדַם פָּרִים וּכְבָשִׂים וְעַתּוּדִים לֹא חָפָצְתִּי: [ישעיה א, יא]
ז) וַיֹּאמֶר יוֹסֵף אֶל אֶחָיו אֲנִי יוֹסֵף הַעוֹד אָבִי חָי וְלֹא יָכְלוּ אֶחָיו לַעֲנוֹת אֹתוֹ כִּי נִבְהֲלוּ מִפָּנָיו: [בראשית מה, ג]
ח) וַיֹּאמֶר שְׁמוּאֵל אֶל שָׁאוּל לָמָּה הִרְגַּזְתַּנִי לְהַעֲלוֹת אֹתִי וַיֹּאמֶר שָׁאוּל צַר לִי מְאֹד וּפְלִשְׁתִּים נִלְחָמִים בִּי וֵאלֹהִים סָר מֵעָלַי וְלֹא עָנָנִי עוֹד גַּם בְּיַד הַנְּבִיאִם גַּם בַּחֲלֹמוֹת וָאֶקְרָאֶה לְךָ לְהוֹדִיעֵנִי מָה אֶעֱשֶׂה: [שמואל א, כח, טו]
ט) וַיֹּאמֶר לָהּ הַמֶּלֶךְ אַל תִּירְאִי כִּי מָה רָאִית וַתֹּאמֶר הָאִשָּׁה אֶל שָׁאוּל אֱלֹהִים רָאִיתִי עֹלִים מִן הָאָרֶץ: [שמואל א, כח, יג]
י) יִתֵּן בֶּעָפָר פִּיהוּ אוּלַי יֵשׁ תִּקְוָה: [איכה ג, כט]
כ) בַּקְּשׁוּ אֶת יְיָ כָּל עַנְוֵי הָאָרֶץ אֲשֶׁר מִשְׁפָּטוֹ פָּעָלוּ בַּקְּשׁוּ צֶדֶק בַּקְּשׁוּ עֲנָוָה אוּלַי תִּסָּתְרוּ בְּיוֹם אַף יְיָ: [צפניה ב, ג]
ל) שִׂנְאוּ רָע וְאֶהֱבוּ טוֹב וְהַצִּיגוּ בַשַּׁעַר מִשְׁפָּט אוּלַי יֶחֱנַן יְיָ אֱלֹהֵי צְבָאוֹת שְׁאֵרִית יוֹסֵף: [עמוס ה, טו]
מ) רָב אֹכֶל נִיר רָאשִׁים וְיֵשׁ נִסְפֶּה בְּלֹא מִשְׁפָּט: [משלי יג, כג]

pilgrims [as implied by the written form]. מַה בָּא לִרְאוֹת בִּשְׁתֵּי עֵינָיו – That is, **JUST AS [GOD] COMES TO SEE** the pilgrims **WITH HIS "TWO EYES,"** i.e. with a total vision,[15] אַף לֵירָאוֹת בִּשְׁתֵּי עֵינָיו – **SO MUST HE BE SEEN WITH [THE PILGRIM'S] TWO EYES.**[16] Accordingly, a person blind in even one eye is exempt from the pilgrimage obligation.

The Gemara relates the emotional impact that the aforementioned verse had on Rav Huna:

רַב הוּנָא כִּי מָטֵי לְהַאי קְרָא ,,יִרְאֶה'' ,,יֵרָאֶה'' – **Whenever Rav Huna came to this verse** that is written **"he shall see"** and is read **"he shall be seen,"** בָּכֵי – **he wept.** אָמַר – **He said** to himself: עֶבֶד שֶׁרַבּוֹ מְצַפֶּה לוֹ לִרְאוֹתוֹ – Where **a servant** is so beloved of his master **that his master looks forward** and yearns **to see him,** יִתְרַחֵק מִמֶּנּוּ – how could it be that **[the master]** suddenly **distances himself from [the servant]**?![17] דִּכְתִיב – **For it is written** that Hashem will reject the servant-pilgrim whom He had longed to see: ,,כִּי תָבֹאוּ לֵרָאוֹת פָּנָי מִי־בִקֵּשׁ זֹאת מִיֶּדְכֶם רְמֹס חֲצֵרָי'' – ***When you come to appear before Me, who sought this from your hand, to trample My Courtyards?!***[18]

The Gemara relates Rav Huna's reaction to another verse:

רַב הוּנָא כִּי מָטֵי לְהַאי קְרָא – **Whenever Rav Huna came to this** following **verse,** בָּכֵי – **he wept,** for it is written:[19] ,,וְזָבַחְתָּ שְׁלָמִים וְאָכַלְתָּ שָּׁם'' – ***You shall slaughter shelamim offerings and eat there.*** עֶבֶד שֶׁרַבּוֹ מְצַפֶּה לֶאֱכוֹל עַל שֻׁלְחָנוֹ – Rav Huna said to himself: Where **a servant** is so beloved of his master **that his master longs** for the servant **to eat at his table,**[20] יִתְרַחֵק מִמֶּנּוּ – how could it be that **[the master]** suddenly **distances himself from [the servant]**?! דִּכְתִיב – **For it is written:** ,,לָמָּה לִּי רֹב־זִבְחֵיכֶם יֹאמַר ה' '' – ***"Why do I need your numerous sacrifices?" says Hashem.***[21]

The Gemara cites other verses whose description of God's rigorous judgment would cause the Amoraim dismay:

רַבִּי אֶלְעָזָר כִּי מָטֵי לְהַאי קְרָא – **Whenever R' Elazar came to this** following **verse,** בָּכֵי – **he wept,** for it is written:[22] ,,וְלֹא־יָכְלוּ אֶחָיו לַעֲנוֹת אֹתוֹ כִּי נִבְהֲלוּ מִפָּנָיו'' – ***but his brothers could not answer him, for they were astounded before him.*** וּמַה תּוֹכֵחָה שֶׁל בָּשָׂר וָדָם כָּךְ – R' Elazar said to himself: **Now, if the rebuke of flesh and blood is such** that it causes so much consternation,[23] תּוֹכֵחָה שֶׁל הַקָּדוֹשׁ בָּרוּךְ הוּא עַל אַחַת כַּמָּה וְכַמָּה – **the rebuke of the Holy One, Blessed is He,**[24] **will all the more so** cause dismay!

Another verse that affected R' Elazar:

רַבִּי אֶלְעָזָר כִּי מָטֵי לְהַאי קְרָא – **Whenever R' Elazar came tothis** following **verse,** בָּכֵי – **he wept,** for it is written: ,,וַיֹּאמֶר שְׁמוּאֵל אֶל־שָׁאוּל לָמָּה הִרְגַּזְתַּנִי לְהַעֲלוֹת אֹתִי'' – ***And Samuel said to Saul: "Why did you disturb me, to raise me up?"***[25] וּמַה שְׁמוּאֵל הַצַּדִּיק הָיָה מִתְיָירֵא מִן הַדִּין – R' Elazar said to himself: **Now, if the righteous Samuel was fearful of the** Divine **judgment,** אָנוּ עַל אַחַת כַּמָּה וְכַמָּה – **all the more so** should **we** be fearful!

The Gemara asks:

שְׁמוּאֵל מַאי הִיא – **What is it** that indicates that **Samuel** feared the judgment?[26] דִּכְתִיב – **For it is written:**[27] ,,וַתֹּאמֶר הָאִשָּׁה אֶל־שָׁאוּל אֱלֹהִים רָאִיתִי עֹלִים'' – ***and the woman said to Saul, "I saw a great man***[28] ***ascending** from the earth."* ,,עֹלִים'' תְּרֵי מַשְׁמַע – Now, the plural **"*olim*"** (*they* are ascending) **implies** that **two** people arose. חַד שְׁמוּאֵל – **One** certainly was **Samuel.** וְאִידָךְ – **And the other** was Moses, דְּאָזַל שְׁמוּאֵל וְאַתְיֵיהּ לְמֹשֶׁה בַּהֲדֵיהּ – **for** after he was summoned **Samuel went and brought Moses with him.** אָמַר לֵיהּ – In explanation for doing so, **[Samuel] said to [Moses]:** דִּלְמָא חַס וְשָׁלוֹם לְדִינָא מִתְבָּעֵינָא – **Perhaps, God forbid, I am being summoned to judgment.**[29] קוּם בַּהֲדַאי – **Stand by me,** דְּלֵיכָּא מִילְּתָא דִּכְתַבְתְּ בְּאוֹרַיְיתָא דְּלָא

NOTES

15. See above, 2a note 25.

16. See ibid. note 26.

17. How could it be that the master suddenly finds the servant hateful, and distances himself from the servant by ordering that the latter not appear before him? (*Rashi*).

The Gemara mentions both the written form [מָסוֹרֶת] (יִרְאֶה, *he shall see*) and the pronounced form [מִקְרָא] (יֵרָאֶה, *he shall been seen*) – even though only the latter teaches that God once yearned to see Israel – to indicate that God's rejection of the now-hateful pilgrim is total: Not only does He no longer yearn *to see* the pilgrim, He does not even wish *to be seen* by him! (*Turei Even*). See also *Maharsha.*

18. *Isaiah* 1:12. [See *Turei Even,* who notes that the Gemara above understood that the "trampling" was a result of wearing shoes in the Courtyard, and not a consequence of being rejected by God.]

19. *Deuteronomy* 27:7.

20. *Shelamim* are sacred offerings (קָדָשִׁים), and when a Jew partakes of them he eats – as it were – from the table of the Most High. A *shelamim* sacrifice establishes peace between the Jewish people and their Heavenly Father, as its name indicates [שְׁלָמִים = שָׁלוֹם, *peace*]. Hence, God longs for His servants, the Jewish people, to eat at His table (*Maharsha*).

21. *Isaiah* 1:11. See *Maharsha.*

22. *Genesis* 45:3, which describes the brothers' reaction when Joseph reveals his identity to them.

23. Although Joseph did not actually rebuke his brothers at that time for selling him, they feared he would do so later. Hence, they were dismayed now on account of the great embarrassment the reproof would cause them (*Maharsha*).

[Alternatively, Joseph did in fact rebuke the brothers, by asking them (in that verse): הַעוֹד אָבִי חָי, *Is my father still alive*? That is, is he still alive – despite his massive grief – after all the years that I was missing because of you? (*Yefei To'ar* to *Bereishis Rabbah* 93:10).]

24. [The Midrash (ibid.) adds: The Holy One, Blessed is He, will come to rebuke each and every person according to who he is. That is, each person will be judged according to his potential – what he could have accomplished and did not (see commentaries ad loc.).] Although one may have an adequate excuse for many of his misdeeds, he will not be able to justify them completely (*Tosafos*).

25. *I Samuel* 28:15. [The chapter in which this verse appears relates how a frightened King Saul sought Divine reassurance when faced with war against the mighty Philistines. He could no longer inquire of the prophet Samuel, since the latter had passed away. Nor could he inquire of the necromancers and *Yidoni*-diviners (see *Leviticus* 19:31 and *Deuteronomy* 18:11), because he had banished them. Having received no reply from Hashem, either in a dream or through the *Urim VeTumim* or through the prophets (ibid. v. 6), a desperate Saul had no choice but to resort to the forbidden: He sought out one of the few remaining necromancers, a woman who was able to raise up the spirit of Samuel through the forces of profanity. [Just as God gave great powers to the forces of holiness, as evidenced by the exploits of the Patriarchs and prophets, so He gave great powers to the forces of profanity. He did this in order to create tests of faith, so that people could choose between good and evil.]

26. I.e. from where do we know that Samuel feared the Divine judgment? (*Rashi,* who understands that the Gemara will now identify that verse). [*Maharsha,* however, objects to this interpretation on the grounds that if it is the second verse that indicates that Samuel feared Divine judgment, it should have been the second verse that affected R' Elazar, not the one just quoted. *Maharsha* therefore understands that the first verse (*Why did you disturb me*?) indeed indicates that Samuel was fearful, and the Gemara now asks מַאי הִיא, *What is it* that caused him to fear? And the Gemara will answer that Samuel feared Divine judgment.]

27. Ibid. v. 13.

28. See *Menachem Meishiv Nefesh.*

29. See *Iyun Yaakov* and *Ben Yehoyada.* Although Samuel knew that he had never sinned, he nonetheless feared that he was being judged for what could be construed as rendering a halachic decision in the presence of his teachers (as related in *Berachos* 31b). He therefore called upon Moses to defend him, for Eldad and Meidad had once prophesied in Moses' presence, an act that was tantamount to students rendering a halachic decision in the presence of their teacher (see

עין משפט נר מצוה

כא א ב מיי' פ"ב מהלכות חגיגה הלכה א סמג עשין רכו:
כב ג מיי' פ"ז מהל' תרומות הלכה י:

כי תבואו לראות פני. פירש רש"י דנפקא ליה מדכתיב רמוס חצרי דמשמע דהולך במנעליו ותימה הוא דבפרק הרואה (ברכות דף סב:) מפיק ליה מדכתיב של נעלך ויש לומר דהכא עיקר אבל הכא ניחא ליה לאתויי ראייה כדכתיב כי תבאו לראות וכו':

מפנקי דכתיב א) כי תבאו לראות פני מי בקש זאת מידכם רמוס חצרי תנא ב) הערל והטמא פטורין מן הראייה בשלמא טמא דכתיב ב) ובאת שמה והבאתם שמה כל שישנו בביאה ישנו בהבאה וכל שאינו בביאה אינו בהבאה אלא ערל מנלן הא מני רבי עקיבא היא דמרבי (א) לערל כטמא ג) דתניא ר' עקיבא אומר ג) איש איש לרבות את הערל ת"ר ג) טמא פטור מן הראייה דכתיב ובאת שמה והבאתם שמה כל שישנו בביאה ישנו בהבאה וכל שאינו בביאה אינו בהבאה ד) רבי יוחנן בן דהבאי אומר משום ר' יהודה סומא באחת מעיניו פטור מן הראייה שנאמר ד) יראה יראה כדרך שבא (ב) לראות כך בא ליראות מה בא לראות בשתי עיניו אף ליראות בשתי עיניו: רב הונא כי מטי להאי קרא יראה יראה בכי אמר עבד שרבו מצפה לו לראותו יתרחק ממנו דכתיב א) כי תבואו לראות פני מי בקש זאת מידכם רמוס חצרי רב הונא כי מטי להאי קרא בכי ה) וזבחת שלמים ואכלת שם עבד שרבו מצפה לאכול על שלחנו יתרחק ממנו דכתיב ו) למה לי רוב זבחיכם יאמר ה' ר' אלעזר כי מטי להאי קרא בכי ז) ולא יכלו אחיו לענות אתו כי נבהלו מפניו ומה תוכחה של בשר ודם כך תוכחה של הקדוש ברוך הוא על אחת כמה וכמה רבי אלעזר כי מטי להאי קרא בכי ח) ויאמר שמואל אל שאול למה הרגזתני להעלות אותי ומה שמואל הצדיק היה מתירא מן הדין אנו על אחת כמה וכמה שמואל מאי היא דכתיב ט) ותאמר האשה אל שאול אלהים ראיתי עולים עולים תרי משמע חד שמואל ואידך דאזל שמואל ואתייה למשה בהדיה אמר ליה דלמא חס ושלום לדינא מתבעינא קום בהדאי דליכא מילתא דכתבת באורייתא דלא קיימתיה רבי אמי כי מטי להאי קרא בכי י) יתן בעפר פיהו אולי יש תקוה אמר כולי האי ואולי רבי אמי כי מטי להאי קרא בכי כ) בקשו צדק בקשו ענוה אולי תסתרו ביום אף ה' אמר כולי האי ואולי רבי אסי כי מטי להאי קרא בכי ל) שנאו רע ואהבו טוב והציגו בשער משפט אולי יחנן ה' [אלהי] צבאות כולי האי ואולי רב יוסף כי מטי להאי קרא בכי מ) ויש נספה בלא משפט (ג) אמר מי איכא דאזיל בלא זמניה אין כי הא דרב ביבי בר אביי הוה שכיח גביה מלאך המות אמר ליה לשלוחיה זיל אייתי לי מרים מגדלא שיער נשייא אזל אייתי ליה מרים מגדלא דרדקי אמר ליה אנא מרים מגדלא שיער נשייא אמרי לך אמר ליה אי הכי אהדרה אמר ליה הואיל ואייתיתה ליהוי למניינא אלא היכי יכלת לה הות נקיטא י) מתארא בידה והות קא שגרא ומחריא

מפנקי. שאין הולכין בלא מנעל דאין אדם נכנס להר הבית במנעלו דכתיב מי בקש זאת מידכם רמוס חצרי: **פטורים מן הראייה.** אין חייבין לשלוח עולות ראייתן על ידי שליח: **טמא** אינו (חייב) בביאה שאינו יכול ליכנס למקדש דכתיב (במדבר יט) כי מקדש ה' טמא ונכרתה: **ערל.** ישראל שמתו אחיו מחמת מילה: ה"ג דמרבי ליה ערל כטמא: **איש איש.** מזרע אהרן והוא צרוע או זב: **לרבות את הערל.** שהוא כטמא שלא יאכל תרומה אם כהן הוא: **עבד.** שהוא חביב לרבו עד שרבו מצפה ושואף מתי יראהו יתרחק מעליו: **יתרחק מעליו.** אוף הגיע יום שנהפך לו לשונא ורחקו וצוה שלא יראהו שנאמר כי תבאו וגו': **תוכחה.** שמוכיח פשעו בפניו: **מאי היא.** מנא לן דמתיירא: **כולי האי ואולי.** כל היסורין הללו יקבל ועודנו בספק אם תהיה לו תקוה: **ויש נספה בלא משפט.** יש כלה ואין עון בידו ולא היה משפט לספות: **ומי איכא דאזיל כו'.** תלמודא קא בעי לה: **אמר ליה.** מלאך לשלוחו: **אייתי לי מרים מגדלא נשייא.** הרוג את מרים המקלעת שיער הנשים: **היכי יכלת לה.** מאחר שלא הגיע זמנה: **הות נקיטא מתארא בידה.** היתה אוחזת בידה האוד של תנור שקורין פרגו"ן:

דכתיב ובאת שמה והבאתם שמה. והא דאמרינן (פסחים דף סב.) ערל וטמא משלחין קרבנותיהן (ד) דלאע"ג דליתנהו בביאה התם איירי בנדרים ונדבות שאין קבועין זמן בהבאת רגלים והאי קרא לא משתעי אלא בעולת ראייה דבעינן ביאה אך קשה לרבי שמעון דאמר פרק בתרא דמו"ק (דף טו. ושם) וביום באו יקריב (יחזקאל מד) בזמן שהוא ראוי לביאה יקריב בזמן שאינו ראוי לביאה לא יקריב ופשיט מהתם דמצורע לא ישלח קרבנותיו וכי לית ליה ההוא דלעיל דערל (ה) וטמא דמשמע דליכא מאן דפליג ולא מסתבר לחלק דהתם במצורע לחוד והוי בשאר טמאים דהאי קרא בטמאה כתיב משמע דלכל טמאים קאי וכי תימא משום דכתיב לעיל מינה שבעת ימים יספרו לו (שם) דמשמע בימי ספירו דקאי דוקא אמצורע הא אפסקיה למילתיה וביום באו אל הקודש אל החצר הפנימית דדרשינן מיניה זו עשירית האיפה ועוד (ו) התם הוה ליה לאתויי ההוא דערל וטמא ולמיפשט מינה דמשלח שפיר ונראה בעיני דהתם בקרבנות מצורע מלרעתו מיירי ובשמיני לרפואה כי בעי לאתויי קרבנותיו חזר ונצטרע הלכך האי קרבן דמחוייב לא מצי מייתי כיון דלאו בר ביאה הוא אבל בנדרים ונדבות מביא שפיר אף מצורע כמו שאר טמאים והתם הארכתי בדבר לפרש מההיא דערל וטמא משלחין קרבנותיהן ולא בעינן סמיכה כמו בההיא דהשולח חטאתו ממדינת הים דכל הגט (גיטין דף כח: ושם) דפריך לה והא בעי סמיכה ומוקי לה בקרבן נשים או בחטאת העוף דהתם בערל שמתו אחיו מחמת מילה וטמא כמו מצורע או זב דאין טהרתו תלויה רק ברפואה ואפשר שלא יתרפא לעולם והוה ליה מחוייב קרבן הלכך טוב לנו שיביא בלא סמיכה אבל התם בגיטין יש לנו להמתין עד שיביא עוד הארכתי התם בפרק ג' דגיטין (שם): **דמרבה** ערל כי טמא. אמר הרב ר' אלחנן דהא דאיצטריך קרא דלעיל למעוטי ליה טומטום ואנדרוגינוס ולא למעוטי מספק ערל התם אליבא דרבנן הוא דלרבי עקיבא לא צריך ומיהו אך קשה אמאי איצטריך מיעוט לערל גבי פסח תיפוק ליה מטמא וי"ל (ז) דהתם ממעטינן ערל שמתו אחיו מחמת מילה דלאו כטמא ומיהו זהו דוקא לפרש"י דמפרש התם ח) ערל שמתו אחיו מחמת מילה יש להעמיד הכי אבל לפר"ת ט) דמפרש שדואג מחמת הצער אבל מתו אחיו מחמת מילה הוי אנוס יש להקשות לרבי עקיבא דמרבה ערל כי טמא אמאי איצטריך קרא לערל דפסח תיפוק ליה מטמא ויש לומר דמהתם ידעינן ליה בעלמא כיון דמדמה ערל לטמא בפסח דרשינן נמי מאיש איש לרבות ערל כטמא אבל ליכא למימר דאי ליכא קרא אלא דערל כטמא הייתי אומר דפסח בא בערלות דאי הוה רובן ערלים כמו בטומאה דהא מנא ידעינן לרבות ערל כי טמא מאיש איש כי יהיה צרוע או זב והתם לא כתיב רק טומאת צרעת וזיבות ואנן אמרינן בריש אלו דברים (פסחים דף סו.) דלא דחי רק טומאת מת בלבד והשתא סוגיא דהכא פליגא ארבא דריש הערל (יבמות דף עב:) דקאמר דלא לישתמיט תנא דמרבה ערל כי טמא ונוקמא כרבי עקיבא ופריך ליה מהכא דערל וטמא פטורין מן הראייה ומשני שאני התם משום דמאיס ומשמע דאפילו רבנן מודו כלומר לאו משום דמרבה ליה כי טמא אלא משום דמאיס ומיהו י"ל דה"פ שאני התם משום דמאיס להכי מרבה ערל כי טמא אליבא דרבי עקיבא אבל לא שיהא ערל מטמא בנגיעה כטמא להכי לא תנינהו גבי הדדי:

של הקדוש ברוך הוא על אחת כמה וכמה. שלא יוכל להשיב תשובה מעלייתא להיפטר לגמרי דמכמה דברים מצי לפטור עצמו קצת כדאיתא בפרק הדר (עירובין דף סה.) יכולני לפטור כל העולם מדין של תפלה: **דליכא** מילתא דכתיב באורייתא דלא קיימתיה. לא בעי למימר שיעיד לו שקיים הכל דמנא ידע והא לא היה בדורו אלא היה אומר כך וכך דרשתי ועשיתי מעשה בוא והעידני שכן למדת גם אתה: **אמר** מי איכא איניש דאזיל בלא זימניה. ל"ג אמר שהרי רב יוסף לא היה שואל כך שעל זה לא מתרץ לו הש"ס כלום אלא הש"ס קא פריך ליה: **הוה** שכיח גביה מלאך המות. דמספר מה שאירע לו כבר דהאי עובדא דמרים מגדלא נשייא בבית שני היה דהיתה אמו של פלוני כדאיתא בשבת (דף קד: ושם):

רבינו חננאל

ברגליו לאתויי מפנקי שנאמר כי תבאו לראות פני. תנא הערל והטמא פטורין מן הראיה אוקימנא לרבי עקיבא דמרבי ליה לערל מן הטמא שנאמר איש איש מזרע אהרן והוא צרוע ודחי ליה לערל מן התרומה כטמא ומפורש ביבמות פרק הערל בתחלתו. טמא פטור [מן הראיה] שנאמר ובאת שמה והבאתם שמה כל שישנו בביאה ישנו בהבאה כו' ר' אלעזר כי מטי להאי קרא בכי אמר ומה אחי יוסף לא יכלו לענות אותו בתוכחה כי נבהלו מפניו תוכחה של הקב"ה על אחת כמה וכמה. ועוד היה בוכה ואומר ומה שמואל הצדיק היה מתיירא מן הדין שנאמר ויאמר שמואל אל שאול למה הרגזתני להעלות אותי ולא עוד אלא שביקש מרבינו משה לבא עמו שנאמר ותאמר האשה אל שמואל אלהים ראיתי עולים מן הארץ. עולים תרי משמע וכו'. אנו על אחת כמה וכמה. ר' אמי הוה בכי אמר כתיב יתן בעפר פיהו אולי יש תקוה וכתיב בקשו צדק בקשו ענוה אולי תסתרו ביום אף ה' וכתיב שנאו רע ואהבו טוב והציגו בשער משפט אולי יחנן וגו' כולי האי ואולי

ליקוטי רש"י

מי בקש זאת מידכם רמוס חצרי. לרמוס את חצרי אחרי שאין לנכנס שלא עמי [ישעיה א, יב]. **דמרבי לערל כטמא.** מדרבי לערל גבי טמאים שמע מינה דכי הדדי נינהו [יבמות עב:]. **איש איש לרבות ערל.** כטמא אבל אכילת תרומה דבהאי קרא תרומה כתיב דכתיב (ויקרא כב) ובא השמש וטהר ואחר יאכל מן הקדשים והיינו תרומה דסגי ליה בהערב שמש [יבמות ע.]. **יראה יראה.** [יראה] כתיב וקרינן יראה יראה כל זכורך את פני האדון דמשמע שהאדם רואה את השכינה יראה כל זכורך את פני האדון משמע שהאדון בא לראותך הקיש הכתוב ראייתך לראייתו [לעיל ב.]. יראה כל זכורך כתיב, וקרינא יֵרָאֶה [דתרוייהו] דרשינן יֵרָאֶה כל זכורך שיראו פני השכינה יֵרָאֶה משמע שיראו לפניו שהוא בא לראותו היקיש ראייתך לראיתו כדרך שהקדוש ברוך הוא בא לראותך כך בא ליראות לו מה הוא רואה אותך כשהוא שלם שנאמר (דברים יא) עיני ה' אלהיך בה מראשית אף אתה רואה אותו בשתי עיניך [סנהדרין ד:]. יראה כתיב וקרינא יֵרָאֶה כדרך שהקדוש ב"ה בא לראות אותך והוא שלם בשתי עיניו כך בא ליראות שיהא הוא נראה לך בשתי עיניך [ערכין ב:]. **נבהלו מפניו.** מפני הבושה [בראשית מה, ג]. **הרגזתני.** הפחדתני שמואל שמא אני מתבקש בדין והעלה מהם שהם כלים מן העולם ... מוליא מעשרותיה ומתנות ... בשם וממית את שלא הגיע ...

מסורת הש"ס

א) [יבמות עב:], ב) שם ע., ג) [תוספתא פ"א], ד) לעיל ב. סנהדרין ד: ע"ש ערכין ב: [תוספתא שם ע"ש], ה) [עיין תוספות בכורות מ. ד"ה בריש], ו) [את משכן], ז) [פסחים לו.], ח) [עיין תוספות זבחים כב: ושייך למשנה דף טו: ערל], ט) [יבמות ע.].

הגהות הב"ח

(א) גמ' ר' עקיבא היא דמרבי ליה לערל: (ב) שם כדרך שבא לראות כך בא לראות מה בא לראות בשתי עיניו אף לראות: (ג) שם בלא משפט ומי איכא כצ"ל ותיבת אמר נמחק: (ד) תוס' ד"ה דכתיב וכו' ולאע"ג וכו' קבועים להם זמן: (ה) בא"ד דלעיל דערל וטמא משלחין קרבנותיהן דמשמע דליכא: (ו) בא"ד ועוד דהתם הוה ליה לאתויי ההוא דערל וטמא וכו' דמשלחין קרבנותיהן שפיר ונראה: (ז) ד"ה דמרבה וכו' וי"ל דמהתם ידעינן ליה בעלמא דכיון דמדמה ערל לטמא דרשינן נמי מאיש איש לרבות ערל כטמא אבל ליכא למימר דאי ליכא קרא דערל גבי פסח הייתי אומר דפסח בא בערלות אי הוה:

תורה אור השלם

א) כִּי תָבֹאוּ לֵרָאוֹת פָּנָי מִי בִקֵּשׁ זֹאת מִיֶּדְכֶם רְמֹס חֲצֵרָי: [ישעיה א, יב]

ב) כִּי אִם אֶל הַמָּקוֹם אֲשֶׁר יִבְחַר יְיָ אֱלֹהֵיכֶם מִכָּל שִׁבְטֵיכֶם לָשׂוּם אֶת שְׁמוֹ שָׁם לְשִׁכְנוֹ תִדְרְשׁוּ וּבָאתָ שָׁמָּה: וַהֲבֵאתֶם שָׁמָּה עֹלֹתֵיכֶם וְזִבְחֵיכֶם וְאֵת מַעְשְׂרֹתֵיכֶם וְאֵת תְּרוּמַת יֶדְכֶם וְנִדְרֵיכֶם וְנִדְבֹתֵיכֶם וּבְכֹרֹת בְּקַרְכֶם וְצֹאנְכֶם: [דברים יב, ה-ו]

ג) אִישׁ אִישׁ מִזֶּרַע אַהֲרֹן וְהוּא צָרוּעַ אוֹ זָב בַּקֳּדָשִׁים לֹא יֹאכַל עַד אֲשֶׁר יִטְהָר וְהַנֹּגֵעַ בְּכָל טְמֵא נֶפֶשׁ אוֹ אִישׁ אֲשֶׁר תֵּצֵא מִמֶּנּוּ שִׁכְבַת זָרַע: [ויקרא כב, ד]

ד) שָׁלֹשׁ פְּעָמִים בַּשָּׁנָה יֵרָאֶה כָּל זְכוּרְךָ אֶל פְּנֵי הָאָדֹן יְיָ: [שמות כג, יז]

ה) וְזָבַחְתָּ שְׁלָמִים וְאָכַלְתָּ שָּׁם וְשָׂמַחְתָּ לִפְנֵי יְיָ אֱלֹהֶיךָ: [דברים כז, ז]

ו) לָמָּה לִּי רֹב זִבְחֵיכֶם יֹאמַר יְיָ שָׂבַעְתִּי עֹלוֹת אֵילִים וְחֵלֶב מְרִיאִים וְדַם פָּרִים וּכְבָשִׂים וְעַתּוּדִים לֹא חָפָצְתִּי: [ישעיה א, יא]

ז) וַיֹּאמֶר יוֹסֵף אֶל אֶחָיו אֲנִי יוֹסֵף הַעוֹד אָבִי חָי וְלֹא יָכְלוּ אֶחָיו לַעֲנוֹת אֹתוֹ כִּי נִבְהֲלוּ מִפָּנָיו: [בראשית מה, ג]

ח) וַיֹּאמֶר שְׁמוּאֵל אֶל שָׁאוּל לָמָּה הִרְגַּזְתַּנִי לְהַעֲלוֹת אֹתִי וַיֹּאמֶר שָׁאוּל צַר לִי מְאֹד וּפְלִשְׁתִּים נִלְחָמִים בִּי וֵאלֹהִים סָר מֵעָלַי וְלֹא עָנָנִי עוֹד גַּם בְּיַד הַנְּבִאִים גַּם בַּחֲלֹמוֹת וָאֶקְרָאֶה לְךָ לְהוֹדִיעֵנִי מָה אֶעֱשֶׂה: [שמואל א, כח, טו]

ט) וַיֹּאמֶר לָהּ הַמֶּלֶךְ אַל תִּירְאִי כִּי מָה רָאִית וַתֹּאמֶר הָאִשָּׁה אֶל שָׁאוּל אֱלֹהִים רָאִיתִי עֹלִים מִן הָאָרֶץ: [שמואל א, כח, יג]

י) יִתֵּן בֶּעָפָר פִּיהוּ אוּלַי יֵשׁ תִּקְוָה: [איכה ג, כט]

כ) בַּקְּשׁוּ אֶת יְיָ כָּל עַנְוֵי הָאָרֶץ אֲשֶׁר מִשְׁפָּטוֹ פָּעָלוּ בַּקְּשׁוּ צֶדֶק בַּקְּשׁוּ עֲנָוָה אוּלַי תִּסָּתְרוּ בְּיוֹם אַף יְיָ: [צפניה ב, ג]

ל) שִׂנְאוּ רָע וְאֶהֱבוּ טוֹב וְהַצִּיגוּ בַשַּׁעַר מִשְׁפָּט אוּלַי יֶחֱנַן יְיָ אֱלֹהֵי צְבָאוֹת שְׁאֵרִית יוֹסֵף: [עמוס ה, טו]

מ) רָב אֹכֶל נִיר רָאשִׁים וְיֵשׁ נִסְפֶּה בְּלֹא מִשְׁפָּט: [משלי יג, כג]

אלהים ראיתי עולים. מלאכים שנים משה ושמואל שהעלתה [שמואל א כח, יג]. ... ויש נספה. ... שגרא. הסיקה [שבת קד:].

קַיֵּימְתִּיהָ – for there is no law that you have written in the Torah that I have not fulfilled![30]

Another powerful verse:
רַבִּי אַמִי כִּי מָטֵי לְהַאי קְרָא – Whenever R' Ami came to this following **verse, בָּכֵי – he wept,** for it is stated:[31] ,,יִתֵּן בֶּעָפָר פִּיהוּ אוּלַי יֵשׁ תִּקְוָה'' – ***Let him put his mouth to the dust – perhaps there is hope.*** **אָמַר – [R' Ami] would say: כּוּלֵּי הַאי וְאוּלַי – All this** suffering **and** only **"perhaps"?!**[32]

Another verse that affected R' Ami:
רַבִּי אַמִי כִּי מָטֵי לְהַאי קְרָא – Whenever R' Ami came to this following **verse, בָּכֵי – he wept,** for it is written:[33] ,,בַּקְשׁוּ־צֶדֶק בַּקְשׁוּ עֲנָוָה אוּלַי תִּסָּתְרוּ בְּיוֹם אַף ה' '' – ***seek righteousness, seek humility; perhaps you will be concealed on the day of Hashem's anger.*** **אָמַר – [R' Ami] would say: כּוּלֵּי הַאי וְאוּלַי – All this** spiritual accomplishment **and** only **"perhaps"?!**[34]

A colleague adds to R' Ami's point:[35]
רַבִּי אַסִי כִּי מָטֵי לְהַאי קְרָא – Whenever R' Assi came to this following **verse, בָּכֵי – he wept,** for it is written:[36] ,,שִׂנְאוּ־רָע וְאֶהֱבוּ טוֹב וְהַצִּיגוּ בַשַּׁעַר מִשְׁפָּט אוּלַי יֶחֱנַן ה' [אֱלֹהֵי]־צְבָאוֹת'' – ***Despise evil and love good, and establish justice by the gate; perhaps Hashem, God of Hosts, will grant favor*** *to the remnant of Joseph.* **כּוּלֵּי הַאי וְאוּלַי** – R' Assi would say: **All this** spiritual attainment **and** only **"perhaps"?!**[37]

Another powerful verse:
רַב יוֹסֵף כִּי מָטֵי לְהַאי קְרָא – Whenever Rav Yosef came to this following **verse, בָּכֵי – he wept,** for it is written:[38] ,,וְיֵשׁ נִסְפֶּה בְּלֹא מִשְׁפָּט'' – ***There is one who succumbs without justification.***[39] **אָמַר – He** would **say:**[40] **מִי אִיכָּא דְאָזִיל בְּלֹא זִמְנֵיהּ – Is there anyone who departs** this world **not at his allotted time? אִין – Yes! כִּי הָא דְרַב בִּיבִי בַּר אַבַּיֵי – It is similar to that** case **of Rav Bivi bar Abaye, הֲוָה שְׁכִיחַ גַּבֵּיהּ מַלְאַךְ הַמָּוֶת – whom the Angel of Death frequently visited.**[41]

The Gemara relates the story:
אָמַר לֵיהּ לִשְׁלוּחֵיהּ – On one occasion **[the Angel of Death] said to his agent: זִיל אַיְיתֵי לִי מִרְיָם מְגַדְּלָא שֵׂיעַר נְשַׁיָּיא – Go** and **bring me Miriam, the braider of women's hair.**[42] **אֲזַל אַיְיתֵי לֵיהּ מִרְיָם מְגַדְּלָא דַרְדְּקֵי** – However, **[the agent] went** and instead **brought him Miriam, the caretaker of young children. אָמַר לֵיהּ – [The Angel] said to [his agent]: אֲנָא מִרְיָם מְגַדְּלָא שֵׂיעַר נְשַׁיָּיא אָמְרִי לָךְ – I told you** to bring **Miriam, the braider of women's hair!**[43] **אָמַר לֵיהּ – [The agent] said to [the Angel]** in reply: **אִי הָכִי אַהַדְרַהּ – If so, I shall return [this other Miriam]** (i.e. to life). **אָמַר לֵיהּ – [The Angel of Death] told him: הוֹאִיל וְאַיְיתִיתָהּ לֶיהֱוֵי לְמִנְיָינָא – Since you have** already **brought her, let her be numbered** among the dead.

After hearing the story, Rav Bivi asked the Angel of Death:
אֶלָּא הֵיכִי יָכְלַתְּ לָהּ – But if it was not yet her time to die, **how were you able** to take **her?**

The Angel responded:
הֲוַת נְקִיטָא מְתָארָא בִּידָהּ – She was holding a poker in her hand, וַהֲוַת קָא שָׁגְרָא – and she was extending it into an oven

NOTES

Sanhedrin 17a), and yet Moses had spoken up on their behalf: *"Would that the entire people of Hashem could be prophets"* (*Numbers* 11:29). Thus, Samuel hoped that Moses would defend him as well, for Samuel had fulfilled all of the laws in Moses' Torah (*Iyun Yaakov; cf. Ben Yehoyada* and *Eitz Yosef*).

30. [Samuel did not request of Moses that he attest to Samuel's fulfillment of all the mitzvos, for Moses had no way of knowing this, since the two did not live at the same time! Rather, Samuel said thus: This is how I expounded the verses, and I ruled accordingly. Testify on my behalf that you understood them similarly (*Tosafos;* however, see *Maharsha*).]

31. *Lamentations* 3:29.

32. I.e. a person will suffer all these afflictions and will still be in doubt as to whether he has any hope of survival?! (*Rashi;* cf. *Maharsha*).

33. *Zephaniah* 2:3.

34. Humility is a great character trait; it brings one to *ruach hakodesh* (Divine inspiration). And certainly righteousness is also a magnificent trait. Nevertheless, the verse states that even one who has acquired both attributes cannot be assured of his survival on the day God brings judgment upon the world (*Maharsha*).

35. *Maharsha.*

36. *Amos* 5:15.

37. The hatred of evil and love of good perforce encompass all the superior character traits. Nevertheless, even one who has reached this spiritual pinnacle cannot be sure of receiving Hashem's favor (*Maharsha*).

38. *Proverbs* 13:23.

39. I.e. there are those who die with no sins in their hands, and so their demise is without justification (*Rashi*). The verse speaks of dying before one's time, inasmuch as יֵשׁ נִסְפֶּה (*there is one who succumbs*) implies a premature death (*Maharsha*).

40. *Rashi* and *Tosafos* both delete the word אָמַר (see also *Hagahos HaBach* §3). Accordingly, it is the Gemara that asks the following question, and then answers it.

41. The Angel of Death would relate to Rav Bivi its past experiences. The following story is an example of such, for it took place during the Second Temple era – i.e. long before Rav Bivi lived (*Tosafos*).

42. I.e. go and take her life (*Rashi*). Regarding the identity of this Miriam's son, see *Tosafos* ד״ה הוה.

43. The Angel of Death did not actually specify "Miriam, the braider of women's hair" (מִרְיָם מְגַדְּלָא שֵׂיעַר נְשַׁיָּיא). Rather, he said only מִרְיָם מְגַדְּלָא, and the agent – given the similarity between מְגַדְּלָא and מְגַדְּלָה – mistook it for מִרְיָם מְגַדְּלָא דַרְדְּקֵי ("Miriam, the caretaker etc.") [*Benayahu*].

שְׁקַלְתָּא וְאַנְּחַתָּא – **and sweeping out the oven.** וּמְחַרְיָא תַּנּוּרָא – **She** then **removed** the poker from the oven **and** accidently **rested it on top of her foot.** אַגְבַּהּ דִּכְרַעָה – **She** thus **burnt** herself **and her** ***mazal*** was thereby **impaired,** קָדְחָא וְאִיתְּרַע מַזָּלַהּ – **and** thus **I brought her.**[1] וְאַיְיתִיתָהּ – אָמַר לֵיהּ רַב בִּיבִי בַּר אַבַּיֵי – **Rav Bivi bar Abaye** thereupon **said to [the Angel]:** אִית לְכוּ רְשׁוּתָא לְמֶיעֱבַד הָכִי – **Do you**[2] **have permission to act in this manner?** אָמַר לֵיהּ – **[The Angel] answered him:** וְלֹא כְּתִיב ,,וְיֵשׁ נִסְפֶּה בְּלֹא מִשְׁפָּט'' – **Is it not written:** ***there is one who succumbs without justification?***[3] אָמַר לֵיהּ – **[Rav Bivi] said to [the Angel]** in reply: וְהָכְתִיב ,,דּוֹר הֹלֵךְ וְדוֹר בָּא'' – **But it is written** elsewhere:[4] ***A generation goes and a generation comes,*** which implies that each generation must complete its allotted time before it is replaced![5] אָמַר – **[The Angel] explained:** אֲנָא – דְּרָעֵינָא לְהוּ **I take [those souls] along**[6] with me עַד דְּמָלוּ לְהוּ לְדָרָא – **until they have completed the generation,**[7] וַהֲדַר מַשְׁלִימְנָא לֵיהּ לְדוּמָה – **and** only **then do I deliver them to Dumah.**[8] אָמַר לֵיהּ – **[Rav Bivi] then said to [the Angel]:** סוֹף סוֹף שְׁנֵיהּ מַאי עָבְדַתְּ – **Be that as it may, what do you do with [that person's]** unfinished **years** on earth? אָמַר – **[The Angel] replied:** אִי אִיכָּא צוּרְבָא מֵרַבָּנָן דְּמַעֲבִיר בְּמִילֵּיהּ – **If there is a young Rabbinic scholar who is a forgiving person,**[9] מוֹסִיפְנָא לְהוּ לֵיהּ – **I add [those years] to him,** וְהָוְיָא חִלּוּפֵיהּ – **and he is [the deceased's] replacement.**[10]

The Gemara continues to relate verses whose ominous portent had an impact on Amoraim:

רַבִּי יוֹחָנָן כִּי מָטֵי לְהַאי קְרָא בָּכֵי – **When R' Yochanan would come to the following verse, he would weep:** ,,וַתְּסִיתֵנִי בוֹ לְבַלְּעוֹ חִנָּם'' – ***and you incited me against him to destroy him for no reason.***[11] עֶבֶד שֶׁרַבּוֹ מְסִיתִין לוֹ וְנִיסַּת – He said: **A slave whose master,** when **they incite him, is incited** and acts against the slave, תַּקָּנָה יֵשׁ לוֹ – **is there any remedy for him?** רַבִּי יוֹחָנָן כִּי מָטֵי לְהַאי קְרָא בָּכֵי – **When R' Yochanan would come to the following verse, he would weep:** ,,הֵן בִּקְדֹשָׁיו לֹא יַאֲמִין'' – ***Behold, He cannot have any faith even in His holy ones.***[12] אִי בִּקְדוֹשָׁיו לֹא יַאֲמִין – He said: **If in His holy ones, He cannot have any faith,** בְּמַאן יַאֲמִין – **then in whom can he have faith?**

An incident is related, whereby the true meaning of the verse is revealed:

יוֹמָא חַד הֲוָה קָא אָזִיל בְּאוֹרְחָא – **One day [R' Yochanan] was going on a journey.** חַזְיֵיהּ לְהַהוּא גַּבְרָא דַּהֲוָה מְנַקִּיט תְּאֵנֵי – **He saw a certain man who was gathering figs.** שָׁבִיק הָנָךְ דִּמְטוּ וְשָׁקִיל הָנָךְ דְּלֹא מְטוּ – **He would leave those that were ripe, and take those that were not ripe.** אָמַר לֵיהּ לָאו הָנֵי מְעַלְּן טְפֵי – **[R' Yochanan] said to him: Are these** ripe ones **not better?** אָמַר לֵיהּ הָנֵי לְאוֹרְחָא בְּעֵינַן לְהוּ – **He responded: I require these** figs **for** provisions during my **journey.** הָנֵי נָטְרָן וְהָנֵי לֹא נָטְרָן – **These** unripe figs **will keep** for the journey, **while those** that are ripe now **will not keep** for the journey, as they would spoil before the journey's end. אָמַר – Upon hearing the man's reply, **[R' Yochanan] commented:** הַיְינוּ דִּכְתִיב ,,הֵן בִּקְדֹשָׁיו לֹא יַאֲמִין'' – **This is** the meaning of that **which is written;** ***Behold, He cannot have any faith even in His holy ones.***[13]

An attempt to refute this explanation is stated:

אֵינִי – **Is this indeed so?** וְהָא הַהוּא תַּלְמִידָא דַּהֲוָה בְּשִׁיבָבוּתֵיהּ דְּרַבִּי אַלֶכְּסַנְדְּרִי – **But there was a certain student who was in the neighborhood of R' Alexandri** וְשָׁכִיב אַדְּזוּטַר – **and he passed away while still in his youth.** וְאָמַר – **And [R' Alexandri] said** of him: אִי בָּעֵי הַאי מֵרַבָּנָן הֲוָה חַיֵּי – **Had this Rabbinic** student **wished** to follow a more righteous path, **he would have lived!** וְאִם אִיתָא – **But if** the interpretation of R' Yochanan is **correct,** דִּלְמָא מֵ,,הֵן בִּקְדֹשָׁיו לֹא יַאֲמִין'' הֲוָה – **perhaps this** student **was one of those** of whom it is said: ***Behold, He cannot have any faith even in His holy ones,*** and for this reason he passed away in his youth![14]

The Gemara answers:

הַהוּא מְבַעֵט בְּרַבּוֹתָיו הֲוָה – **That** student **was one who rebelled against his teachers.**[15]

NOTES

1. [Since her *mazal* was impaired, it was possible to bring her before her time.] *Rashi* and *Ein Yaakov* have the reading אותיבתיה instead of וְאַנְּחַתָּא, but the meaning is the same – *she rested it* (see, however, *Menachem Meishiv Nefesh*).

2. [The word "you" is written in the plural, and thus refers to both the Angel of Death and his agent.]

3. See above, 4b note 39.

4. *Ecclesiastes* 1:4.

5. See *Menachem Meishiv Nefesh.*

6. [The word רָעֵינָא literally means "shepherd."] That is, I let them roam the world with me (*Rashi*).

7. I.e. until the years allotted to them have passed (*Rashi*).

8. Dumah was an angel who was keeper of the dead. If one passed away before his allotted time, his soul would wander about until his years were completed, and it was then consigned to Dumah (*Rashi;* see *Menachem Meishiv Nefesh*).

9. Literally: who relinquishes his measures [of retribution]. See Schottenstein edition of *Rosh Hashanah,* 17a note 37.

10. In truth, one who dies prematurely has a legitimate complaint: Perhaps he would have used those lost years to repent of his misspent life. In order to compensate the prematurely deceased, the Angel of Death searches specifically for a Rabbinical scholar, for as a sage ages he focuses completely on learning Torah and performing mitzvos. Hence, a young Torah scholar will use his windfall of added years well. And the prematurely deceased will share in the merit and reward the scholar earns during those additional years, for they originally belonged to him. It is for this reason that the scholar must also be a forgiving person, for he must willingly relinquish a portion of his reward so that the deceased can receive his rightful recompense (*Yechi Reuven,* cited in *Yalkut Yeshayahu*).

11. *Job* 2:3. The verse refers to God's statement that the Satan had "tricked" Him, as it were, into afflicting Job, by maintaining that such afflictions would cause Job's righteousness to waver (see *Bava Basra* 15b-16a)

[Although Job was deserving of punishment for remaining silent at Pharaoh's decrees against the Jews (see *Sotah* 11a), he would not have been subject to such harsh afflictions without the incitement of the Satan (*Turei Even*).]

12. Ibid. 15:15.

13. I.e. just as the figs which are ripe and ready to be eaten are not taken on a long journey lest they spoil, so too, young people who are perfectly righteous are sometimes taken away before their time lest they succumb to sin (*Rashi*). [This occurs only to the truly righteous who have *never* sinned; others, who have already sinned, do not merit to be taken, and thus are allowed to live (*Maharsha;* see also *Iyun Yaakov*).]

[Above, the Gemara inquired about who is referred to in the verse, "there is one who succumbs without judgment," and does not answer that the verse is referring to the righteous who die before their time so they will not sin. *Maharsha* explains that this death cannot be referred to as being "without judgment," as the purpose of their death is to preserve their unblemished state.]

14. How, then, could R' Alexandri have stated categorically that the student would have lived had he acted correctly?

15. I.e. R' Alexandri knew that this student was not one of the "holy ones," for he did not treat his teachers with the proper respect. The Gemara in *Kiddushin* (33b) states that one who does not rise before his teacher to honor him is considered a wicked person and his life is shortened. This is derived from the verse that states: *A wicked person will not enjoy good, and like a shadow his days will not be lengthened, because he does not fear before God* (*Ecclesiastes* 8:13). Now, the fear of God is associated with rising before a *zakein* (a wise man), as is stated (*Leviticus* 19:32): וְהָדַרְתָּ פְּנֵי זָקֵן וְיָרֵאתָ מֵּאֱלֹהֶיךָ – *and you will glorify the face of a zakein* (*by rising before him*), *and you shall fear your God.* Thus, it is derived that if one does *not* rise before the Sages, his life is shortened (*Rashi;* see *Tosafos* and *Turei Even*).

גמרא

ומחריא תנורא שקלתא ואנחתא אגבה דכרעה [א] קדחא ואיתרע מזלה ואייתיתה א"ל רב ביבי בר אביי אית לכו רשותא למעבד הכי אמר ליה ולא כתיב ויש נספה בלא משפט א"ל והכתיב [א] דור הולך ודור בא אמר דרעינא להו אנא עד דמלו להו לדרא והדר משלימנא ליה לדומה א"ל סוף סוף שניה מאי עבדת אמר אי איכא צורבא מרבנן דמעביר במיליה מוסיפנא להו ליה והויא חלופיה רבי יוחנן כי מטי להאי קרא בכי [ב] ותסיתני בו לבלעו חנם עבד שרבו מסיתין לו וניסת תקנה יש לו רבי יוחנן כי מטי להאי קרא בכי [ג] הן בקדושיו לא יאמין במאן יאמין יומא חד הוה קא אזיל באורחא חזייה לההוא גברא דהוה מנקיט תאני שביק הנך דמטו ושקיל הנך דלא מטו א"ל לאו הני מעלן טפי א"ל הני לאורחא בעינן להו הני נטרן והני לא נטרן אמר היינו דכתיב הן בקדושיו לא יאמין איני והא ההוא תלמידא דהוה בשיבבותיה דרבי אלכסנדרי ושכיב אדזוטר ואמר [ג] אי בעי האי מרבנן הוה חיי ואם איתא דלמא מהן בקדושיו לא יאמין הוה ההוא מבעט ברבותיו הוה רבי יוחנן כי מטי להאי קרא בכי [ד] וקרבתי אליכם למשפט והייתי עד ממהר במכשפים ובמנאפים ובנשבעים לשקר ובעושקי שכר שכיר עבד שרבו מקרבו לדונו וממהר להעידו תקנה יש לו אמר רבי יוחנן בן זכאי אוי לנו ששקל עלינו הכתוב קלות כחמורות אמר ריש לקיש כל המטה דינו של גר כאילו מטה דינו של מעלה שנאמר [ד] ומטי גר ומטי כתיב א"ר חנינא בר פפא כל העושה דבר ומתחרט בו מוחלין לו מיד שנאמר [ה] ולא יראוני הא יראוני מוחלין [ו] להם מיד רבי יוחנן כי מטי להאי קרא בכי [ה] כי את כל מעשה האלהים יביא במשפט על כל נעלם עבד שרבו שוקל לו שגגות כזדונות תקנה יש לו מאי על כל נעלם אמר רב זה ההורג כינה בפני חבירו ונמאס בה ושמואל אמר זה הרק [ז] בפני חבירו ונמאס מאי [ח] אם טוב ואם רע אמרי דבי ר' ינאי זה הנותן צדקה לעני בפרהסיא כי הא דרבי ינאי חזייה לההוא גברא דקא יהיב זוזא לעני בפרהסיא אמר ליה מוטב דלא יהבת ליה מהשתא דיהבת ליה וכספתיה דבי ר' שילא אמרי זה הנותן צדקה לאשה בסתר דקא מייתי לה לידי חשדא רבא אמר זה המשגר לאשתו בשר שאינו מחותך בערבי שבתות [ט] והא רבא [י] משגר שאני בת רב חסדא דקים ליה בגווה דבקיאה רבי יוחנן כי מטי להאי קרא בכי [ו] והיה כי תמצאן אותו רעות רבות וצרות עבד שרבו ממציא לו רעות וצרות תקנה יש לו מאי רעות וצרות אמר רב רעות שנעשות צרות זו לזו כגון זיבורא ועקרבא ושמואל אמר זה הממציא לו מעות לעני בשעת דוחקו אמר רבא היינו דאמרי אינשי זוזא לעללא לא שכיחא לתליתא שכיח [ז] וחרה אפי בו ביום ההוא ועזבתים והסתרתי פני מהם אמר רב ברדלא בר טביומי אמר רב כל שאינו בהסתר פנים אינו מהם כל שאינו בוהיה לאכול אינו

רש"י

וקא מחריא תנורא. מכבדת את התנור: אותיבתיה אגבה דכרעה. הושיבתו על גב רגלה ונכוות והורע מזלה: דרעינא להו אנא. איני מוסרן לשומר המתים ששמו דומה אלא מתגלגלין עמי ושטין בעולם עד שיתמלאו שנותיו והוא קרוי דור: דמעביר במיליה. מעביר על מדותיו: דמטו. נתבשלו: הני מינטרן. אותן שלא בישלו כל צורכן אין ממהרות לירקב: היינו דכתיב כו'. (א) הטובות ירא פן ירקבו אף הבחורים הצדיקים נאחזין למיתה פן יחטאו: אדזוטר. בעודו בחור: אי בעי האי מרבנן. להיות הולך בדרך טובים הוי חיי: מבעט ברבותיו הוה. רבי אלכסנדרי היה מכיר בו שלא היה מן הקדושים וכתיב וטוב לא יהיה לרשע ולא יאריך ימים כצל אשר איננו ירא מלפני האלהים (קהלת ח) ותניא במסכת קדושין (דף לג:) מורא זו איני יודע מהו כשהוא אומר והדרת פני זקן ויראת מאלהיך (ויקרא יט) הוי אומר מורא זו כבוד חכמים: קלות כחמורות. עושקי שכר שכיר כמנאפים ומכשפים: ומטי גר. בהאי קרא כתיב: ולא יראוני. והאי קרא כתיב: כי את כל מעשה האלהים יביא במשפט על כל נעלם. ואף על הנעלמות ממנו שעשה שוגג הוא מביאו במשפט: על כל. אפי' דבר מועט במשמע: ונמאס. קצה דעת חבירו בדבר: מאי אם טוב. דמשמע אף על הטובה מביאו במשפט: שאינו מחותך. שאינו מנוקר מן החלב ומן הגידין האסורים: בערבי שבתות. שמתוך שממהרין לעשות צורכי שבת אינן נותנין לב אם מנוקר הוא: צרות סמוכות זו לזו. לשון וכעסתה צרתה (שמואל א א) שתי נשים יחד: זיבורא ועקרבא. [ז] נקיט הכי משום דאמרינן במסכת ע"ז בפרק אין מעמידין (דף כח:) חמימי לעקרבא וקרירי לזיבורא וחילופא סכנתא הלכך היכא דנכתיה זיבורא ועקרבא נעשות צרות זו לזו דלית ליה תקנתא לא בקרירי דקשה לעקרב ולא בחמימי דקשה לזיבורא: זה הממציא מעות לעני בשעת דוחקו. אלעיל קאי אם טוב ואם רע הרגיל להמציא לדקתו לעני בשעת דוחקו ולא קודם שעת הדחק שיכול לבקש מזונותיו ולקנותן בשעת הזול: לעללא. לקנות התבואה [ט] דמתרגם ועללת ארעא (ויקרא כה): לתליתא. להפסד ולאיבוד כך שמעתי ולי נראה לקנות בשעת הדחק מזון שהוא תולה בסלו כדאמר מר (פסחים דף קיד:) תלא סילתא תלא מזוני תלאי בזיתא קשה לעניותא: אינו

תוספות

מוסיפנא לו והוה חלופיה. יש להקשות לרבי עקיבא דלית ליה בשילהי החולץ (יבמות דף נ. ושם) משלו הוסיפו לו לחזקיהו ולית ליה זכה מוסיפין לו הא משמע הכא דמוסיפין לו לע"ע: מבעט ברבותיו הוה. וכן איכא למימר בההיא דפ"ק דשבת (דף יג.) באחד שמת והיתה אשתו מולכת תפיליו בבית המדרש אמרה כתיב כי היא חייך ואורך ימיך בעלי שקרא הרבה ושנה הרבה היכי מת בחצי ימיו ולא השיבו לה דבר ולא היו אומרים מהני הוה דבקדושיו לא יאמין [ט] אי נמי לא היה תשובה נכחת: הא יראוני מוחלין. גבי עושק שכר שכיר כתיב דהוה [ס] ליה לא תעשה ופליגא אז דרבי ישמעאל בפרק בתרא דיומא (דף פו.) דאמר תשובה תולה ויוה"כ מכפר ואיכא בריית' אחרת דאמר על עשה ולא תעשה תשובה מכפרת (ג) ועוד יש לחלק בין עניני תשובה יש שב ומוחלין לו מיד ויש שב דמוחלין לו אבל לא מחילה גמורה ועדיין יש עונש ואותו עונש תולין והא דאמרינן בשבועות (דף יב: ושם) העובר על מלות עשה ונתחרט לא זז משם עד שמוחלין לו היינו מחילה גמורה ואם שב בכל לבו ע"י יסורין יתכפרו לו עונותיו:

שנעשות צרות זו לזו כגון זיבורא ועקרבא. פר"ח רפואה לנשיכה זו קשה לנשיכה זו וכן אמרינן ריש פרק ב' דע"ז (דף כח: ושם) חמימי לעקרבא קרירי לזיבורא: זה הממציא מעות לעני בשעת דוחקו. פרש"י דקאי אדלעיל אם טוב ואם רע שממתין לו עד שעת היוקר ונמצא קונה ביוקר לתליתא לקנות פת לפי שעה כמו שקונהו בסלו כדאמרינן תלא לסילתי תלא למזוניה וקשיא לר"ת חדא למה [י] נקט כולי האי ואפסקיה באידך קרא והיה כי תמצאן אותו רעות רבות וצרות ועוד דאמרינן המלוה לעני בשעת דוחקו עליו נאמר אז תקרא וה' יענה (ישעיה נח) בפרק הבא על יבמתו (יבמות דף סג. ושם) מיהו התם מחלק הריב"ן בין מלוה לממציא ועוד דנקט הש"ס מילתא דלא שכיח לתלות הלכם דאמר בערבי פסחים (דף קיא: ושם) תלאי בזיתא קשי לעניותא ומפרש ר"ח צרות רבות ורעות זהו הממציא מעות לעני בשעת דוחקו כגון שתפסו המושל וכה זה ואמר לו שילוה לו מעות על קרקעותיו ואם לא היה זה בא המושל היה מיקל בפדיונו לפי שהוא דחוק ועני וזוזי לעללתא לא שכיח אם היה רוצה לקנות תבואה להאכילו לביתו אין (ג) מוצאין לו מעות לתליתא כמו תלא וזבין (ב"ב דף מז:) כשדוחקין אותו למכור משלו לתלותו כדי שיפדה עצמו [וע"ע תוס' סנהדרין דף עו: ד"ה והמלוה]:

שדור

מסורת הש"ס

א) [פי' נשרפה רגלה. ערוך], ב) [כתובות קיא.], ג) [צ"ל לו וכ"א בילקוט ובע"י], ד) [ד"א רבה בע"י], ה) [איני], ו) [צ"ל משדר], ז) [כל זה הדיבור אינו מפרש"י שייך לתוספות וכ"ה בע"י], ח) צ"ל תבואת הארץ ת"א עללא דארעא (ויקרא כג), ט) משום שלא כ"ה הגרסא בע"י, י) [צ"ל נטר].

הגהות הב"ח

(א) רש"י ד"ה היינו דכתיב כו' כי היכי דכתיבים הטובות ירא: (ב) תוס' ד"ה הא יראוני וכו' ועוד יש לחלק. נ"ב כלומר דהשתא לא קאמר הכא הא יראוני מוחלין מחילה גמורה אלא כשנתחרט ועדיין לא שב בכל לבו תולין והיינו דקאמר תשובה תולה והא דקאמר בשבועות דף י"ב דהעובר ונתחרט לא זז משם עד שמוחלין לו משמע [מחילה גמורה] היינו דוקא במלות עשה והוא ברייתא דאמר על עשה ול"ת תשובה מכפרת מיירי בשב בכל לבו ע"י יסורין שעושה בגופו אז יתכפרו לו לגמרי [והשאר חסר]: (ג) ד"ה זה הממציא וכו' לביתו אין ממציאין לו וכו' כמו תליה וזבין וכו' כדי שיפדה עצמו ממציאין לו מעות הס"ד:

גליון הש"ס

תוס' ד"ה הא יראוני וכו' דהוה ליה ל"ת. עיין תשובת פנים מאירות ח"א סימן כ"ו ובספר מים חיים להפר"ח בתשובה האחרונה:

הגהות מהר"ב רנשבורג

א] תוס' ד"ה הא יראוני כו' ופליגא דר' ישמעאל. נ"ב עי' בסוף ספר מים חיים להפר"ח דף מ"ד ע"ב ד"ה נתקשיתי וכו' וד"ה אמר וכו':

תורה אור השלם

א) דוֹר הֹלֵךְ וְדוֹר בָּא וְהָאָרֶץ לְעוֹלָם עֹמָדֶת: [קהלת א, ד]

ב) וַיֹּאמֶר יְיָ אֶל הַשָּׂטָן הֲשַׂמְתָּ לִבְּךָ אֶל עַבְדִּי אִיּוֹב כִּי אֵין כָּמֹהוּ בָּאָרֶץ אִישׁ תָּם וְיָשָׁר יְרֵא אֱלֹהִים וְסָר מֵרָע וְעֹדֶנּוּ מַחֲזִיק בְּתֻמָּתוֹ וַתְּסִיתֵנִי בוֹ לְבַלְּעוֹ חִנָּם: [איוב ב, ג]

ג) הֵן בִּקְדֹשָׁיו לֹא יַאֲמִין וְשָׁמַיִם לֹא זַכּוּ בְעֵינָיו: [איוב טו, טו]

ד) וְקָרַבְתִּי אֲלֵיכֶם לַמִּשְׁפָּט וְהָיִיתִי עֵד מְמַהֵר בַּמְכַשְּׁפִים וּבַמְנָאֲפִים וּבַנִּשְׁבָּעִים לַשָּׁקֶר וּבְעֹשְׁקֵי שְׂכַר שָׂכִיר אַלְמָנָה וְיָתוֹם וּמַטֵּי גֵר וְלֹא יְרֵאוּנִי אָמַר יְיָ צְבָאוֹת: [מלאכי ג, ה]

ה) כִּי אֶת כָּל מַעֲשֶׂה הָאֱלֹהִים יָבִא בְמִשְׁפָּט עַל כָּל נֶעְלָם אִם טוֹב וְאִם רָע: [קהלת יב, יד]

ו) וְהָיָה כִּי תִמְצֶאןָ אֹתוֹ רָעוֹת רַבּוֹת וְצָרוֹת וְעָנְתָה הַשִּׁירָה הַזֹּאת לְפָנָיו לְעֵד כִּי לֹא תִשָּׁכַח מִפִּי זַרְעוֹ כִּי יָדַעְתִּי אֶת יִצְרוֹ אֲשֶׁר הוּא עֹשֶׂה הַיּוֹם בְּטֶרֶם אֲבִיאֶנּוּ אֶל הָאָרֶץ אֲשֶׁר נִשְׁבָּעְתִּי: [דברים לא, כא]

ז) וְחָרָה אַפִּי בוֹ בַיּוֹם הַהוּא וַעֲזַבְתִּים וְהִסְתַּרְתִּי פָנַי מֵהֶם וְהָיָה לֶאֱכֹל וּמְצָאֻהוּ רָעוֹת רַבּוֹת וְצָרוֹת וְאָמַר בַּיּוֹם הַהוּא הֲלֹא עַל כִּי אֵין אֱלֹהַי בְּקִרְבִּי מְצָאוּנִי הָרָעוֹת הָאֵלֶּה: [דברים לא, יז]

רבינו חננאל

יש נספה בלא משפט מעשה דמרים מגדלא נשיא ומרים [מגדלא] דרדקי דאתחלף ליה לשליחא ואייתי מרים מגדלא שער נשיא ויש מי שאומר כענין חלום ראה דברים הללו. ולא עוד אלא רב ביבי בן אביי היה מתעסק בראיית השדים לפיכך יש לומר כדרך הזה ראה ואין סומכין עליו ופתרון יש נספה בלא וגו' כגון אדם שהרג חבירו. ותסיתני בו. אתה מעלה בדעתך כיון שאתה בא בדבריך הללו בעקיפין אתה מדמה להסית ואינך יכול להסית אלא (ברבוי מור) מיכן שהשטן של איוב אדם היה. הן בקדושיו לא יאמין כלומר אינו מאמין להם לחיות הרבה שמא בזקנותם יטו מן הדרך הטובה [וקשיא לי דהא אמרינן ביומא כיון שאדם עבר שלשים וששה שנה ולא חטא שוב אינו חוטא] וההוא תלמיד דהוה בשיבבותיה דר' יוחנן ושכיב זוטר. ואמר ר' יוחנן אי בעי להוטובי ארחתיה דלא לבעוט ברבותיו היה חיי. ר' יוחנן הוה בכי אמר כתיב וקרבתי אתכם למשפט והייתי עד ממהר וגו' עבד שרבו מקרבו לדין וממהר להעידו כלום יש בו תקנה. אריב"ז אוי לנו ששקל הקלות עושק שכר שכיר וכיוצא בו הקישו למנאף ולמכשף ר"ל אמר ומטה גר ומטי גר כתיב כלומר כאלו מטה דין של מעלה וכל העושה דבר ומתחרט בו מוחלין לו שנאמר ולא יראוני הא יראוני אני מוחל להם. כי את כל מעשה האלהים יביא במשפט על כל נעלם. היה ר' יוחנן אומר עבד שרבו שוקל שגגות כזדונות תקנה יש לו. על כל נעלם זה שהורג כינה לפני חבירו ונמאס אם טוב ואם רע כלומר אפילו רצה לעשות טוב ועלה בידו רע כגון שנתן צדקה לעני בפרהסיא שנמצא מביישו ר' שילא אמר הנותן צדקה לאשה בסתר ומייתי לה חשדא שמשיאה שם רע רבא אמר זה המשגר לאשתו בשר בע"ש שאינו מחותך אלא אי קים ליה בגווה ובהימנותא א) כרבא בר רב חסדא: והיה כי תמצאן אותו רעות רבות וצרות. אמר רב רעות שנעשות צרות זו לזו כגון זיבורא ועקרבא כגון שעקצו זיבורא ועקרב ביחד לאדם מי שעקצו עקרב [אינו] רוצה דברים קרים נמצא המועיל לאחד מזיק לאחר. שמואל אמר זה הממציא מעות לעני בשעה שהנוגשים עליו ומלוה אותו והנוגשים באין ולוקחין אותו הממון שהלוהו וכי מסתלקי והוא בא ונושה בו בכל יום היינו דאמרי אינשי זוזא לעללא לא שכיח לתוליתא שכיח. פי' זוזא לקנות בו תבואה אינו מצוי ולמי שתולין אותו הנוגשים מצוי. כתיב והסתרתי פני מהם והיה לאכול. אמר רב כל שאין בו והסתרתי פני כלומר שהתפלל [illegible] ואין נענה אין בו והיה לאכול כלומר שמעשיש אותו [illegible]

חשק שלמה על ר"ח א) נראה דל"ל כמו בת רב חסדא אשתו של רבא. ב) נראה של"ל ואינו נענה אינו מישראל כל שאין בו והיה לאכול וכו'.

ליקוטי רש"י

קדחא. אשלפי"ר לשון קקדוח אש (ישעיה סד) מתמוגת עלה. ואיתרע מזלה. הואיל ואיתרע מזלה מזומנת פורענותא להכי [illegible]. דור הולך ודור בא. כל מה שהדור יגע ועמל לעשוק ולגזול אינו משלימנא ליה לדומה. מלאך שהוא ממונה על המתים [ברכות יח:]. צורבא מרבנן. תלמיד חכם [שבת קיד.]. ותסיתני בו. הסיתני לבולעו כל לשון הסתה אינו אלא לשון המסכה שמסיתו לאדם לעלתו [איוב ב, ג]. בשיבבותיה. בשכונתו [תענית כא:]. מבעט ברבותיו. עי' סוטה כב. וברש"י ד"ה המבעט. כי את כל מעשה. אשר אדם עושה יביא האלהים במשפט ולכך נקוד מעשה פתח והטעם למעלה לפי שאינו דבוק לשם. על כל נעלם. אפילו על השוגג. זה הנותן צדקה לעני בפרהסיא. [illegible] זיבורא. צרעה [ע"ז יב:]. והסתרתי פני. כמו שאיני רואה בצרתם [דברים לא, יז].

The Gemara continues its discussion:

רַבִּי יוֹחָנָן כִּי מָטֵי לְהַאי קְרָא בָּכֵי – **When R' Yochanan would come to the following verse, he would weep:** "וְקָרַבְתִּי אֲלֵיכֶם לַמִּשְׁפָּט וְהָיִיתִי עֵד מְמַהֵר בַּמְכַשְּׁפִים וּבַמְנָאֲפִים וּבַנִּשְׁבָּעִים לַשָּׁקֶר וּבְעֹשְׁקֵי שְׂכַר־שָׂכִיר" – ***And I will draw near to you for the judgment, and I will be a swift witness against the sorcerers; and against the adulterers; against those who swear falsely; and against those who extort the wage of the worker.***[16] עֶבֶד שֶׁרַבּוֹ מְקָרְבוֹ לְדוּנוֹ וּמְמַהֵר לְהָעִידוֹ – He said: **A slave whose master draws him near to judge him, and is swift to testify** against **him,** תַּקָּנָה יֵשׁ לוֹ – **is there any remedy for him?** אָמַר רַבִּי יוֹחָנָן בֶּן זַכַּאי – And regarding this verse **R' Yochanan ben Zakkai said** further: אוֹי לָנוּ שֶׁשָּׁקַל עָלֵינוּ הַכָּתוּב קַלּוֹת כַּחֲמוּרוֹת – **Woe unto us, for the Torah weighs against us the light [offenses] as** equivalent to **the stringent ones!**[17]

Reish Lakish expounds further on this verse:

אָמַר רֵישׁ לָקִישׁ – **Reish Lakish said:** כָּל הַמַּטֶּה דִּינוֹ שֶׁל גֵּר – **Anyone who perverts the judgment of a proselyte** כְּאִילּוּ מַטֶּה דִּינוֹ שֶׁל מַעְלָה – **is** viewed **as if he had perverted the judgment of the One Above.** שֶׁנֶּאֱמַר "וּמַטֵּי־גֵר" – **For it is stated** in the aforementioned verse: ***and those who pervert*** *(the judgment of)* ***the proselyte.*** וּמַטִּי כְּתִיב – This word is expounded as if **it is written: *and one who perverts Me.***[18]

Another exposition of this verse:

אָמַר רַבִּי חֲנִינָא בַּר פָּפָּא – **R' Chanina bar Pappa said:** כָּל הָעוֹשֶׂה דָּבָר וּמִתְחָרֵט בּוֹ – **If anyone does something** which is prohibited **and** then **regrets [his action],** מוֹחֲלִין לוֹ מִיָּד – **he is forgiven immediately.** שֶׁנֶּאֱמַר "וְלֹא יְרֵאוּנִי" – **For it is stated** in the previously mentioned verse: ***and they do not fear Me.***[19] הָא יְרֵאוּנִי מוֹחֲלִין לָהֶם מִיָּד – This implies: **If they do fear Me, they are forgiven immediately.**[20]

The Gemara continues its discussion:

רַבִּי יוֹחָנָן כִּי מָטֵי לְהַאי קְרָא בָּכֵי – **When R' Yochanan would come to the following verse, he would weep:** "כִּי אֶת־כָּל־מַעֲשֶׂה הָאֱלֹהִים יָבִא בְמִשְׁפָּט עַל כָּל־נֶעְלָם" – ***For every action*** *which man does,* ***God will bring into judgment,*** *even* ***concerning every hidden matter.***[21] עֶבֶד שֶׁרַבּוֹ שׁוֹקֵל לוֹ שְׁגָגוֹת כִּזְדוֹנוֹת – He said: **A slave whose master weighs his unintentional mistakes as** equivalent to **his intentional offenses,**[22] תַּקָּנָה יֵשׁ לוֹ – **is there any remedy for him?**

The Gemara asks:

מַאי "עַל כָּל־נֶעְלָם" – **What is** meant by the words of the verse: ***concerning "every" hidden matter?***[23]

The Gemara answers:

אָמַר רַב – **Rav said:** זֶה הַהוֹרֵג כִּינָּה בִּפְנֵי חֲבֵרוֹ וְנִמְאָס בָּהּ – **This** refers to **one who kills a louse in the presence of his friend, and [the friend] is disgusted by it.** וּשְׁמוּאֵל אָמַר – **And Shmuel said:** זֶה הָרָק בִּפְנֵי חֲבֵירוֹ וְנִמְאָס – **This** refers to **one who spits in the presence of his friend, and [the friend] is disgusted** by this.[24]

The Gemara explains the end of that verse:

מַאי "אִם־טוֹב וְאִם־רָע" – **What is** meant by the conclusion of the verse, which states: ***whether good or bad?*** Does God punish one for performing a good deed?[25] אָמְרֵי דְּבֵי רַבִּי יַנַּאי – **They said in the academy of R' Yannai:** זֶה הַנּוֹתֵן צְדָקָה לְעָנִי בְּפַרְהֶסְיָא – **This** refers **to one who gives charity to a poor person in public,** כִּי הָא דְּרַבִּי יַנַּאי – **as in that** incident that occurred **with R' Yannai.** חַזְיֵיה לְהַהוּא גַּבְרָא דְּקָא יָהֵיב זוּזָא לְעָנִי בְּפַרְהֶסְיָא – **He saw a certain man who gave a** ***zuz*** (a small coin) **to a poor person in public.** אָמַר לֵיהּ – **[R' Yannai] said to him:** מוּטָב דְּלָא יְהַבְתְּ לֵיהּ – **It would have been better had you not given him** the charity, מֵהַשְׁתָּא דִּיהַבְתְּ לֵיהּ וְכִסַּפְתֵּיהּ – **than** what you have done **now; for you have given him** charity in public **and embarrassed him.** Thus, one can be brought to judgment even for performing a good deed.[26]

NOTES

16. *Malachi* 3:5.

17. I.e. in the verse cited, the offense of one who extorts the wages of a worker is equated to the offenses of sorcery and adultery, for which the penalty is death (see *Rashi*). [The verse cannot be speaking only of one who committed *all* of the transgressions mentioned, for there would then be no need to mention the lesser sins. Perforce, then, the verse means to equate one who commits one of the lesser sins mentioned in the verse with one who commits any of the atrocities mentioned therein (*Maharsha;* see there for further elaboration).]

18. While all of the other transgressions mentioned in the verse are written with the prefix ב (e.g. בַּמְכַשְּׁפִים וּבַמְנָאֲפִים), the word וּמַטֵּי is written without the ב. This indicates that the word can be expounded as referring not only to one who perverts the judgment of proselytes, but also to one who perverts the judgment of God (*Eitz Yosef;* cf. *Maharsha*).

[An apparent difficulty: The Gemara in *Sanhedrin* (6b) states that perverting the judgment of *any* person is considered as if one had perverted the judgment of God (see *Rashi* there). If so, why does our Gemara equate only the injustice of a proselyte to perverting the judgment of God? *Turei Even* answers that wronging any person is considering perverting the judgment of God in the sense that he causes God to be bothered (so to speak) to have the money returned to its rightful owner (see *Rashi* there). But wronging a proselyte is deemed a greater evil; one who commits this sin is viewed as if he were presiding over a case where God was the defendant, and he perverted God's judgment.]

19. I.e. they commit these sins because they do not fear Me (see *Metzudas Dovid* ad loc., who explains that performance of the atrocities stated in the verse are all hidden from man and seen only by God; thus, they are performed due to the lack of the fear of God).

20. I.e. once the sinner repents due to his fear of God, he is forgiven.

Tosafos note that the question of whether repentance alone effects complete forgiveness is debated by Tannaim in *Yoma* (86a); in their view, our Gemara follows the opinion that repentance alone is sufficient to effect atonement for the transgression of a negative commandment. And the Gemara's statement here that fear of God effects complete forgiveness refers only to the transgression of withholding a worker's wages (the only ordinary prohibition listed in the verse). Alternatively, the Gemara refers to *all* of the transgressions mentioned in the verse, and the Gemara does not mean that repentance effects *complete* atonement; rather, it serves only to shield the sinner from punishment. Complete atonement, however, can require the passage of a Yom Kippur or even afflictions, depending on the severity of the sin (see *Bach* and *Maharsha*).

21. *Ecclesiastes* 12:14; see next note.

22. The word נֶעְלָם means *hidden;* thus, the verse is stating that God will bring a person to judgment even for the unintentional sins which are unknown to the sinner (*Rashi*).

[The Gemara does not mean that all sins are punishable in the same manner, for certainly an intentional offense carries a more severe punishment. Furthermore, the verse itself refers only to unintentional misdeeds. Rather, the verse implies only that one is punished for unintentional misdeeds as well as intentional ones (*Turei Even*).]

23. The Gemara inquires here into the verse's use of the phrase כָּל־נֶעְלָם, *every hidden matter,* which implies that even minuscule lapses will be judged (*Rashi*).

24. Shmuel adds another dimension to Rav's words. For in the case mentioned by Rav, one could have removed the louse and taken it away in place of killing it in the presence of his friend; thus, it is arguable that he should be held liable for not doing so. However, when one is forced to spit, one might think that he cannot be blamed for doing so in the presence of his fellow. Shmuel therefore teaches that even if he must expectorate, he should do so into a handkerchief so as not to disgust his fellow (*Maharsha*).

25. See *Rashi.*

26. [I.e. the good deed of charity is outweighed by the grave sin of embarrassing one's fellow; and it would have been better had the charity not been performed at all.]

ומחריא תנורא שקלתא ואנחתא אגבה דכרעה א) קדחא ואיתרע מזלה ואייתיתה א"ל רב ביבי בר אביי אית לכו רשותא למיעבד הכי אמר ליה ולא כתיב ויש נספה בלא משפט א"ל והכתיב א) דור הולך ודור בא אמר דרעינא להו אנא עד דמלו להו לדרא והדר משלימנא ליה לדומה א"ל סוף סוף שניה מאי עבדת אמר אי איכא צורבא מרבנן דמעביר במיליה מוסיפנא להו ליה והויא חלופיה רבי יוחנן כי מטי להאי קרא בכי ב) ותסיתני בו לבלעו חנם עבד שרבו מסיתין לו וניסת תקנה יש לו רבי יוחנן כי מטי להאי קרא בכי ג) הן בקדושיו לא יאמין אי בקדושיו לא יאמין במאן יאמין יומא חד הוה קא אזיל באורחא חזייה לההוא גברא דהוה מנקיט תאני שביק הנך דמטו ושקיל הנך דלא מטו א"ל לאו הני מעלן טפי א"ל הני לאורחא בעינן להו הני נטרן והני לא נטרן אמר היינו דכתיב הן בקדושיו לא יאמין איני והא ההוא תלמידא דהוה בשיבבותיה דרבי אלכסנדרי ושכיב אדזוטר ואמר ו) אי בעי האי מרבנן הוה חיי ואם איתא דלמא מהן בקדושיו לא יאמין הוה ההוא מבעט ברבותיו הוה רבי יוחנן כי מטי להאי קרא בכי ד) וקרבתי אליכם למשפט והייתי עד ממהר במכשפים ובמנאפים ובנשבעים לשקר ובעושקי שכר שכיר עבד שרבו מקרבו לדונו וממהר להעידו תקנה יש לו אמר רבי יוחנן בן זכאי אוי לנו ששקל עלינו הכתוב קלות כחמורות אמר ריש לקיש כל המטה דינו של גר כאילו מטה דינו של מעלה שנאמר ז) ומטי גר ומטי כתיב א"ר חנינא בר פפא כל העושה דבר ומתחרט בו מוחלין לו מיד שנאמר ד) ולא יראוני הא יראוני מוחלין ג) להם מיד רבי יוחנן כי מטי להאי קרא בכי ה) כי את כל מעשה האלהים יביא במשפט על כל נעלם עבד שרבו שוקל לו שגגות כזדונות תקנה יש לו מאי על כל נעלם אמר רב זה ההורג כינה בפני חבירו ונמאס בה ושמואל אמר זה הרק ז) בפני חבירו ונמאס מאי ה) אם טוב ואם רע אמרי דבי ר' ינאי זה הנותן צדקה לעני בפרהסיא כי הא דרבי ינאי חזייה לההוא גברא דקא יהיב זוזא לעני בפרהסיא אמר ליה מוטב דלא יהבת ליה מהשתא דיהבת ליה וכספתיה דבי ר' שילא אמרי זה הנותן צדקה לאשה בסתר דקא מייתי לה לידי חשדא רבא אמר זה המשגר לאשתו בשר שאינו מחותך בערבי שבתות ט) והא רבא י) משגר שאני בת רב חסדא דקים ליה בגווה דבקיאה רבי יוחנן כי מטי להאי קרא בכי ו) והיה כי תמצאן אותו רעות רבות וצרות עבד שרבו ממציא לו רעות וצרות תקנה יש לו מאי רעות וצרות אמר רב רעות שנעשות צרות זו לזו כגון זיבורא ועקרבא ושמואל אמר זה הממציא לו מעות לעני בשעת דוחקו אמר רבא היינו דאמרי אינשי זוזא לעללא לא שכיחא לתליתא שכיח ז) וחרה אפי בו ביום ההוא ועזבתים והסתרתי פני מהם אמר רב ברדלא בר טביומי אמר רב כל שאינו בהסתר פנים אינו מהם כל שאינו בוהיה לאכול אינו

רש"י

וקא מחריא תנורא. מכבדת את התנור: אותיבתיה אגבה דכרעה. הושיבתו על גב רגלה ונכוית והורע מזלה: דרעינא להו אנא. איני מוסרן לשומר המתים ששמו דומה אלא מתגלגלין עמי ושטין בעולם עד שיתמלאו שנותיו והוא קרוי דור: דמעביר במיליה. מעביר על מדותיו: דמטו. נתבשלו: הני מינטרן. אותן שלא בישלו כל צורכן אין ממהרות לירקב: היינו דכתיב כו'. א) הטובות יראו פן ירקבו אף הבחורים הצדיקים נאחזין למיתה פן יחטאו: אדזוטר. בעודו בחור: אי בעי האי מרבנן. להיות הולך בדרך טובים הוי חיי: מבעט ברבותיו הוה. רבי אלכסנדרי היה מכיר בו שלא היה מן הקדושים וכתיב וטוב לא יהיה לרשע ולא יאריך ימים כצל אשר איננו ירא מלפני האלהים (קהלת ח) ותניא במסכת קדושין (דף לג:) מורא זו איני יודע מהו כשהוא אומר והדרת פני זקן ויראת מאלהיך (ויקרא יט) הוי אומר מורא זו כבוד חכמים: קלות כחמורות. עושקי שכר שכיר כמנאפים ומכשפים: ומטי גר. בהאי קרא כתיב: ולא יראוני. ובהאי קרא כתיב: כי את כל מעשה האלהים יביא במשפט על כל נעלם. ואף על הנעלמות ממנו שעשה שוגג הוא מביאו במשפט: על כל. אפי' דבר מועט במשמע: ונמאס. קצה דעת חבירו בדבר: מאי אם טוב. דמשמע אף על הטובה מביאו במשפט: שאינו מחותך. שאינו מנוקר מן החלב ומן הגידין האסורים: בערבי שבתות. שמתוך שממהרין לעשות צורכי שבת אינן נותנין לב אם מנוקר הוא: צרות סמוכות זו לזו. לשון וכעסתה צרתה (שמואל א א) שתי נשים יחד: זיבורא ועקרבא. ז) נקיט הכי משום דאמרינן במסכת ע"ז בפרק אין מעמידין (דף כח:) חמימי לעקרבא וקרירי לזיבורא וחילופא סכנתא הלכך היכא דנכתיה זיבורא ועקרבא נעשות צרות זו לזו דלית ליה תקנתא לא בקרירי דקשה לעקרב ולא בחמימי דקשה לזיבורא: זה הממציא מעות לעני בשעת דוחקו. אלעיל קאי אם טוב ואם רע הרגיל להמציא צדקתו לעני בשעת דוחקו ולא קודם שעת הדחק שיכול לבקש מזונותיו ולקנותן בשעת הזול: לעללא. לקנות התבואה ח) דמתרגם ועללת ארעא (ויקרא כה): לתליתא. להפסד ולאיבוד כך שמעתי ולי נראה לקנות בשעת הדחק מזון שהוא תולה בסלו כדאמר מר (פסחים דף קיא:) תלא סילתא תלא מזוני תלאי בביתא קשה לעניותא: אינו

תוספות

מוסיפנא לו והוה חלופיה. יש להקשות לרבי עקיבא דאית ליה בשילהי החולץ (יבמות דף נ. ושם) משלו מוסיפין לו לחזקיהו ולית ליה זכה מוסיפין לו הא משמע הכא דמוסיפין לו לע"ג דמבעט ברבותיו הוה. וכן איכא למימר בההיא דפ"ק דשבת (דף יג.) באחד שמת והיתה אשתו מולכת תפיליו בבית המדרש אמרה כתיב כי היא חייך ואורך ימיך בעלי שקרא הרבה ושנה הרבה היכי מת בחצי ימיו ולא השיבו לה דבר ולא היו אומרים מהכי הוה דבקדושיו לא יאמין ו) אי נמי לא היה תשובה נגלית: הא יראוני מוחלין. גבי עושק שכר שכיר כתיב דהוה ליה לא תעשה ופליגא א) דרבי ישמעאל בפרק בתרא דיומא (דף פו.) דאמר תשובה תולה ויוה"כ מכפר ואיכא ברייתא אחרת דאמר על עשה ולא תעשה תשובה מכפרת (ב) ועוד יש לחלק בין עניני תשובה יש שב ומוחלין לו מיד ויש שב דמוחלין לו אבל לא מחילה גמורה ועדיין יש עונש ואותו עונש תולין והא דאמרינן בשבועות (דף יב: ושם) העובר על מצות עשה ונתחרט לא זז משם עד שמוחלין לו היינו מחילה גמורה ואם שב בכל לבו ע"י יסורין יתכפרו לו עונותיו: שנעשות צרות זו לזו כגון זיבורא ועקרבא. פר"ת רפואה לנשיכה זו קשה לנשיכה זו וכן אמרינן ריש פרק ב' דע"ז (דף כח: ושם) חמימי לעקרבא קרירי לזיבורא: זה הממציא מעות לעני בשעת דוחקו. פרש"י דקאי אדלעיל אם טוב ואם רע שממתין לו עד שעת היוקר ונמצא קונה ביוקר לתליתא לקנות פת לפי שעה שקונהו בסלו כדאמרינן תלא סלתי תלא למזוניה וקשיא לר"ת חדא למה ז) נקט כולי האי ואפסקיה באידך קרא והיה כי תמצאן אותו רעות רבות וצרות ועוד דאמרינן המלוה לעני בשעת דוחקו עליו נאמר אז תקרא וה' יענה (ישעיה נח) בפרק הבא על יבמתו (יבמות דף סג. ושם) מיהו התם מחלק הריב"ן בין מלוה לממציא ועוד דנקט הש"ס מילתא דלא שכיח לתלות הלחם דאמר בערבי פסחים (דף קיא: ושם) תלאי בביתא קשי לעניותא ומפרש ר"ת צרות רבות ורעות זהו הממציא מעות לעני בשעת דוחקו כגון שתפסו המושל ובא זה ואמר לו שילוה לו מעות על קרקעותיו ואם לא היה זה בא המושל היה מיקל בפדיונו לפי שהוא דחוק ועני זוזי לעללתא לא שכיח אם היה רוצה לקנות תבואה להאכילו לביתו אין (ג) מוליאין לו מעות לתליתא כמו תלא חבין (ב"ב דף מז:) כשדוחקין אותו למכור משלו לתלותו כדי שיפדה עצמו [וע"ע תוס' סנהדרין דף עו: ד"ה והמלוה]:

שדור

רבינו חננאל

יש נספה בלא משפט מעשה דמרים מגדלא נשיא ומרים [מגדלא] דרדקי דאתחלף ליה לשליחא ואייתי מרים מגדלא שער נשיא ויש מי שאומר כענין חלום ראה דברים הללו. ולא עוד אלא רב ביבי בן אביי היה מתעסק בראיית השדים לפיכך יש לומר כדרך הזה ראה ואין סומכין עליו ופתרון יש נספה בלא וגו' כגון אדם שהרג חבירו. ותסיתני בו. אתה מעלה בדעתך כיון שאתה בא בדבריך הללו בעקיפין אתה מדמה להסית ואינך יכול להסית אלא (ברבוי מור) מיכן שהשטן של איוב אדם היה. הן בקדושיו לא יאמין כלומר אינו מאמין להם לחיות הרבה שמא בזקנותם יטו מן הדרך הטובה [וקשיא לי דהא אמרינן ביומא כיון שאדם עבר שלשים ושש שנה ולא חטא שוב אינו חוטא] וההוא תלמיד דהוה בשיבבותיה דר' יוחנן ושכיב זוטר. ואמר ר' יוחנן אי בעי להוטובי ארחתיה דלא לבעוט ברבותיו היה חיי. ר' יוחנן הוה בכי אמר כתיב וקרבתי אתכם למשפט והייתי עד ממהר וגו' עבד שרבו מקרבו לדין וממהר להעידו כלום יש בו תקנה. אריב"ז אוי לנו ששקל הקלות עושק שכר שכיר וכיוצא בו הקישו למנאף ולמכשף ר"ל אמר ומטה גר ומטי גר כתיב כלומר כאלו מטה דין של מעלה וכל העושה דבר ומתחרט בו מוחלין לו שנאמר ולא יראוני הא יראוני אני מוחל להם. כי את כל מעשה האלהים יביא במשפט על כל נעלם. היה ר' יוחנן אומר עבד שרבו שוקל שגגות כזדונות תקנה יש לו. על כל נעלם זה שהורג כינה לפני חבירו ונמאס אם טוב ואם רע כלומר אפילו רצה לעשות טוב ועלה בידו רע כגון שנתן צדקה לעני בפרהסיא שנמצא מביישו ר' שילא אמר הנותן צדקה לאשה בסתר ומייתי לה חשדא שמשיאה שם רע רבא אמר זה המשגר לאשתו בשר בע"ש שאינו מחותך אלא אי קים ליה בגווא ובהימנותא א) כרבא בר רב חסדא: והיה כי תמצאן אותו רעות רבות וצרות. אמר רב רעות שנעשות צרות זו לזו כגון זיבורא ועקרבא כגון שעקצו זיבורא ועקרב ביחד לאדם מי שעקצו עקרב [אינו] רוצה דברים קרים נמצא המועיל לאחד מזיק לאחר. שמואל אמר זה הממציא מעות לעני בשעה שהנוגשים עליו ומלוה אותו והנוגשים באין ולוקחין אותו הממון שהלוהו וכי מסתלקי והוא בא ונושה בו בכל יום היינו דאמרי אינשי זוזא לעללא לא שכיח לתוליתא שכיח. פי' זוזא לקנות בו תבואה אינו מצוי ולמי שתולין אותו הנוגשים מצוי. כתיב והסתרתי פני מהם והיה לאכול. אמר רב כל שאין בו והסתרתי פני מהם כלומר שהתפלל ב) ואין נענה אין בו והיה לאכול כלומר שמענישין אותו

מסורת הש"ס

א) [פי' נשרפה רגלה. ערוך], ב) [כתובות קיא.], ג) [צ"ל לו וכ"א בילקוט ובע"י], ד) [ד"א רבה פ"י], ה) [איני], ו) [צ"ל משדר], ז) [כל זה הדיבור אינו מפרש"י ושייך לתוספות וכ"ה בע"י], ח) צ"ל תבואת הארץ ת"א עללא דארעא (ויקרא כג), ט) משום שלא כ"ה הגרסא בע"י, י) [צ"ל נטר].

הגהות הב"ח

(א) רש"י ד"ה היינו דכתיב כו' כי היכי דבתאנים הטובות יראו: (ב) תום' ד"ה הא יראוני וכו' ועוד יש לחלק. נ"ב כלומר דהשתא לא קאמר הכא הא יראוני מוחלין מחילה גמורה אלא כשנתחרט ועדיין לא שב בכל לבו תולין והיינו דקאמר תשובה תולה והא דקאמר בשבועות דף י"ב דבעובר ונתחרט לא זז משם עד שמוחלין לו ומשמע [מחילה גמורה] היינו דוקא במצות עשה והוא ברייתא דאמר על עשה ול"ת תשובה מכפרת מיירי בשב בכל לבו ע"י יסורין שעושה בגופו אז יתכפרו לו לגמרי [והשאר חסר]: (ג) ד"ה זה הממציא וכו' לביתו אין ממציאין לו וכו' כמו תליה חבין וכו' כדי שיפדה עצמו ממציאין לו מעות הס"ד:

גליון הש"ס

תוס' ד"ה הא יראוני וכו' דהוה ליה ל"ת. עיין תשובת פנים מאירות ח"א סימן כ"ו ובספר מים חיים להפר"ח בתשובה האחרונה:

הגהות מהר"ב רנשבורג

א] תוס' ד"ה הא יראוני כו' ופליגא דר' ישמעאל. נ"ב עי' בסוף ספר מים חיים להפר"ח דף מ"ד ע"ב ד"ה נתקשיתי וכו' וד"ה אמר וכו':

תורה אור השלם

א) דּוֹר הֹלֵךְ וְדוֹר בָּא וְהָאָרֶץ לְעוֹלָם עֹמָדֶת: [קהלת א, ד]

ב) וַיֹּאמֶר יְיָ אֶל הַשָּׂטָן הֲשַׂמְתָּ לִבְּךָ אֶל עַבְדִּי אִיּוֹב כִּי אֵין כָּמֹהוּ בָּאָרֶץ אִישׁ תָּם וְיָשָׁר יְרֵא אֱלֹהִים וְסָר מֵרָע וְעֹדֶנּוּ מַחֲזִיק בְּתֻמָּתוֹ וַתְּסִיתֵנִי בוֹ לְבַלְּעוֹ חִנָּם: [איוב ב, ג]

ג) הֵן בִּקְדֹשָׁיו לֹא יַאֲמִין וְשָׁמַיִם לֹא זַכּוּ בְעֵינָיו: [איוב טו, טו]

ד) וְקָרַבְתִּי אֲלֵיכֶם לַמִּשְׁפָּט וְהָיִיתִי עֵד מְמַהֵר בַּמְכַשְּׁפִים וּבַמְנָאֲפִים וּבַנִּשְׁבָּעִים לַשָּׁקֶר וּבְעֹשְׁקֵי שְׂכַר שָׂכִיר אַלְמָנָה וְיָתוֹם וּמַטֵּי גֵר וְלֹא יְרֵאוּנִי אָמַר יְיָ צְבָאוֹת: [מלאכי ג, ה]

ה) כִּי אֶת כָּל מַעֲשֶׂה הָאֱלֹהִים יָבִא בְמִשְׁפָּט עַל כָּל נֶעְלָם אִם טוֹב וְאִם רָע: [קהלת יב, יד]

ו) וְהָיָה כִּי תִמְצֶאןָ אֹתוֹ רָעוֹת רַבּוֹת וְצָרוֹת וְעָנְתָה הַשִּׁירָה הַזֹּאת לְפָנָיו לְעֵד כִּי לֹא תִשָּׁכַח מִפִּי זַרְעוֹ כִּי יָדַעְתִּי אֶת יִצְרוֹ אֲשֶׁר הוּא עֹשֶׂה הַיּוֹם בְּטֶרֶם אֲבִיאֶנּוּ אֶל הָאָרֶץ אֲשֶׁר נִשְׁבָּעְתִּי: [דברים לא, כא]

ז) וְחָרָה אַפִּי בוֹ בַיּוֹם הַהוּא וַעֲזַבְתִּים וְהִסְתַּרְתִּי פָנַי מֵהֶם וְהָיָה לֶאֱכֹל וּמְצָאֻהוּ רָעוֹת רַבּוֹת וְצָרוֹת וְאָמַר בַּיּוֹם הַהוּא הֲלֹא עַל כִּי אֵין אֱלֹהַי בְּקִרְבִּי מְצָאוּנִי הָרָעוֹת הָאֵלֶּה: [דברים לא, יז]

חשק שלמה על ר"ח א) נראה דל"ל כמו בת רב חסדא אשתו של רבא. ב) נראה דצ"ל ולאו ענוה מישראל לא שאין בו והיה לאכול וכו'.

ליקוטי רש"י קדחא. אשלפי"ר לשון קדוח אש (ישעיה סד) [ע"ז כח.]. ואיתרע מזלה. הוזל ואיתרע מזלה מזומנת פורענותה לבא [שבת לב.]. דור הולך ודור בא. כל מה שהרשע יגע ועמל לעשוק ולגזול אינו מגלה את מעשיו כי הדור הולך ודור אחר בא וכל הכל מיד כנוי כענין שנאמר (איוב כ) בניו ירצו דלים [קהלת א, ד]. משלימנא ליה לדומה. מלאך שהוא ממונה על המתים [ברכות יח:]. צורבא מרבנן. תלמיד חכם [שבת קיט.]. ותסיתני בו. הסיתני לבולעו כל לשון הסתה אינו אלא לשון המסכה שממשיך את האדם לעלתו [איוב ב, ג]. בשיבבותיה. בשכונתו [תענית כא.]. מבעט ברבותיו. עי' סוטה כב. וברש"י ד"ה המבעט. כי את כל מעשה. אשר אדם עושה יביא האלהים במשפט ולכך נקוד מעשה פתח והטעם למעלה לפי שאינו דבוק לשם. אם טוב אם רע אפי' נכשל במצוה כגון נותן צדקה לעני בפרהסיא. על כל נעלם. אפילו על השוגג. זה הנותן צדקה לעני בפרהסיא. [קהלת יב, יד]. זיבורא. צרעה [תענית יב:]. והסתרתי פני. כמו שאיני רואה בצרתם [דברים לא, יז].

The Gemara offers another example of an improperly performed good deed:

דְּבֵי רַבִּי שִׁילָא אָמְרֵי – In the academy of R' Shila they said: זֶה הַנּוֹתֵן צְדָקָה לְאִשָּׁה בַּסֵּתֶר – This verse refers **to one who gives charity to a woman in a concealed place, דְּקָא מַיְיתֵי לָהּ לִידֵי חֲשָׁדָא – for this brings her under suspicion** of impropriety.[27] **רָבָא אָמַר – Rava said: זֶה הַמְשַׁגֵּר לְאִשְׁתּוֹ בָּשָׂר שֶׁאֵינוֹ מְחוּתָּךְ בְּעַרְבֵי שַׁבָּתוֹת – This** verse refers to **one who sends uncut meat** (i.e. meat from which the halachically forbidden portions have not been removed [28]) **to his wife on the eve of the Sabbath.**[29]

The Gemara asks:

וְהָא רָבָא מְשַׁגֵּר – But Rava would send uncut meat to his wife on the eve of Shabbos. Obviously, then, this cannot be an undesirable practice!

The Gemara answers:

שָׁאנֵי בַּת רַב חִסְדָּא – The daughter of Rav Chisda (who was Rava's wife) **was different** than most women, **דְּקִים לֵיהּ בְּגַוָּוהּ דִּבְקִיאָה – for [Rava] was certain about her that she was expert** in these matters, and she would notice immediately that the meat was not prepared for consumption.

The Gemara continues its discussion:

רַבִּי יוֹחָנָן כִּי מָטֵי לְהַאי קְרָא בָּכֵי – When R' Yochanan would come to the following verse, he would weep: "וְהָיָה כִּי־תִמְצֶאןָ אֹתוֹ רָעוֹת רַבּוֹת וְצָרוֹת" – ***And it shall be that many evils and distresses come upon him*** **etc.**[30] **עֶבֶד שֶׁרַבּוֹ מַמְצִיא לוֹ רָעוֹת וְצָרוֹת – A slave whose master brings upon him evils and distresses, תַּקָּנָה יֵשׁ לוֹ – is there any remedy for him?**

The Gemara analyzes the verse:

מַאי "רָעוֹת ... וְצָרוֹת" – What is the meaning of ***"evils"*** and ***"distresses"***?[31] **אָמַר רַב – Rav said: רָעוֹת שֶׁנַּעֲשׂוֹת צָרוֹת זוֹ לְזוֹ – Evils which compound one another;**[32] **כְּגוֹן זִיבּוּרָא וְעַקְרַבָּא – for example,** the bites of **a wasp and a scorpion.**[33] **וּשְׁמוּאֵל אָמַר – And Shmuel said: זֶה הַמַּמְצִיא לוֹ מָעוֹת לֶעָנִי בִּשְׁעַת דּוֹחְקוֹ – This** refers to **one who makes money available to a poor person** only **when he is in pressing need.**[34] **אָמַר רָבָא – Rava commented: הַיְינוּ דְּאָמְרֵי אִינָשֵׁי – This is** the meaning of **the popular adage: זוּזָא לְעַלְלָא לָא שְׁכִיחָא – A** ***zuz*** **is not available for** purchasing **produce; לִתְלִיתָא שְׁכִיחַ –** but for food **to hang up** in a basket, **it can be found.**[35]

The Gemara digresses to explain other verses that appear in the same chapter as the verse just cited:

It is written: **"וְחָרָה אַפִּי בוֹ בַיּוֹם־הַהוּא וַעֲזַבְתִּים וְהִסְתַּרְתִּי פָנַי מֵהֶם" –** ***Then My anger will flare against him on that day and I will forsake them, and I will conceal My face from them.***[36] **אָמַר רַב בַּרְדְּלָא בַּר טַבְיוּמֵי אָמַר רַב – Rav Bardela bar Tavyomi said in the name of Rav: כָּל שֶׁאֵינוֹ בְּהֶסְתֵּר פָּנִים – Anyone who is not subject to "concealment of the face," אֵינוֹ מֵהֶם – is not one of [the Children of Israel].**[37] **כָּל שֶׁאֵינוֹ בְּ"וְהָיָה לֶאֱכֹל" – And anyone who is not subject to** the punishment of ***"and he will be for consumption,"***[38]

NOTES

27. I.e. the act of giving her charity in a secluded place brings her under suspicion. For those who were aware of her previously destitute situation – and see her enter a secluded area and then subsequently see an increase in her means – will conclude that the money that she presently has was given to her in payment for immoral acts (*Eitz Yosef; cf. Turei Even*).

28. [Even if meat has been properly slaughtered, there are forbidden fats and other parts (such as the גִּיד הַנָּשֶׁה, *sciatic nerve*) that must be removed before the meat is cooked. The Gemara here refers to such meat as בָּשָׂר שֶׁאֵינוֹ מְחוּתָּךְ, *uncut meat* (see *Rashi*).]

29. Because she is rushing to prepare for the Sabbath, the housewife is apt not to investigate whether the forbidden fats and parts were removed (*Rashi*). Furthermore, since most women are not expert in removing the forbidden parts [and such removal would therefore of necessity take a considerable amount of time], she will assume that her husband would not have sent her the meat on the eve of the Sabbath unless he had already prepared the meat (*Iyun Yaakov*).

This too is an example of an improperly performed mitzvah – for sending meat to one's home to grace the Sabbath table is certainly a meritorious act (*Maharsha*).

30. *Deuteronomy* 31:21.

31. Had the verse simply meant to state that there would be many evils and distresses, it would have stated רָעוֹת וְצָרוֹת רַבּוֹת; the placement of the word וְצָרוֹת at the end of the phrase indicates that the distresses are in some way connected to the evils (*Maharsha; Rif in Ein Yaakov*).

32. The word צָרָה means *close to;* thus, two wives of the same husband are referred to as צָרוֹת [see *I Samuel* 1:6] (*Rashi*). In this instance, the verse is referring to evils which are all the more distressing because they come in tandem, as the Gemara proceeds to explain (see next note).

33. I.e. the remedy for one bite is detrimental to the other bite. The Gemara in *Avodah Zarah* (28b) relates that hot water must be used to cure a wasp's bite and cold water for a scorpion's sting; the reverse is dangerous in both cases. Thus, when one is bitten by both a wasp and a scorpion at the same time, the cure for each opposes the other and there is no remedy (*Rashi*). [Hence, when God brings upon us "evils and distresses," i.e. evils that compound each other, there is no remedy, as R' Yochanan commented (*Maharsha*).]

[*Maharsha* translates the word צָרָה is the sense of צַעַר, *pain;* just as rival wives cause pain to each other, the evils mentioned in the verse cause pain to each other by preventing the cures from being effective.]

34. *Rashi* explains this statement of Shmuel as referring back to the previously mentioned verse, אִם־טוֹב וְאִם־רָע, *whether good or bad.* Thus, Shmuel is teaching that one can be judged even for the good deed of providing charity to a poor person in his time of need, if it is given only when the poor person is in extreme distress. Such charity is improperly performed, for it would have been far better to give the money to him earlier, to enable him to buy food during the market season at a cheaper price. See, however, end of next note.

35. I.e. to purchase food at a time of distress. The Gemara's expression ("food to hang up") is based on a Gemara in *Pesachim* (111b) which states that bread suspended in a house brings one to poverty, as people say: "One who suspends his basket of bread suspends his sustenance." Alternatively, the word לִתְלִיתָא means *for liquidation;* thus, the adage teaches that money is available to be wasted, but not to distribute to charity (*Rashi*).

[*Tosafos* find *Rashi's* explanation difficult, for the Gemara apparently concluded its discussion of that verse (*whether good or bad*) earlier. Furthermore, the Gemara in *Yevamos* (63a) specifically states that giving charity to a poor person in his time of pressing need is a *meritorious* act! Accordingly, *Tosafos* explain that Shmuel is giving another example of evils that compound one another, as follows: When a person is stricken with poverty, he is unable to secure funds to buy food for his family. But if the government seizes that person and attempts to collect taxes from him, people will come forward to lend him money to pay his taxes, in return for securing a lien on his properties. This loan is in itself an evil that compounds the indigent person's poverty, for the governor would have been lenient with him had he truly had no source from which to pay. According to *Tosafos,* this is also the situation referred to in the saying cited by Rava, which is explained as follows: Money for the poor is not to be found, but funds for he who is being hung (i.e. coerced to pay, as in the expression תַּלְיוּהוּ וְזַבִּין, *they coerced him and he sold* [*Bava Basra* 47b]) can be found.]

36. *Deuteronomy* 31:17. I.e. they will cry out because of the troubles that befall them, yet God will ignore their pleas (*Rashi* [printed on 5b]).

37. Only the nation of Israel is subject to the punishment of "concealment of the face," for it is only to Israel that God "turns His face in favor," as stated in the priestly blessings (*Numbers* 6:26). However, the other nations of the world are not subject to "concealment of the face" since the Almighty never shows them this singular mark of His favor (*Maharsha*). Furthermore, God punishes the Children of Israel as soon as they sin; thus, immediately following sin there is a concealment of His face. However, the other nations of the world are not punished immediately for their sins; rather, their sins are allowed to accumulate until they reach the level where they deserve to be totally annihilated from this world and the World to Come (see *Turei Even,* based on *Avodah Zarah* 3a).

38. [This is the continuation of the cited verse.] I.e. that the idolaters will come and seize the monies of the Jews (*Rashi* [printed on 5b]).

מוסיפנא לו והוה חלופיה. יש להקשות לרבי עקיבא דאית ליה בשילהי החולץ (יבמות דף נ. וש"נ) משלו הוסיפו לו לחזקיהו ולית ליה זכה מוסיפין לו הא משמע הכא דמוסיפין לו ע"כ: **מבעט** ברבותיו הוה. וכן איכא למימר בההיא דפ"ק דשבת (דף יג.) באחד שמת והיתה אשתו מולכת תפיליו בבית המדרש אמרה כתיב כי היא חייך ואורך ימיך בעלי שקרא הרבה ושנה הרבה היכי מית בחצי ימיו ולא השיבו לה דבר ולא היו אומרים מהני הוה דבקדושיו לא יאמין ט) אי נמי לא היה תשובה נלמת: **הא** יראוני מוחלין. גבי עושק שכר שכיר כתיב דהוה ^פ ליה לא תעשה ופליגא א) דרבי ישמעאל בפרק בתרא דיומא (דף פו.) דאמר תשובה תולה ויוה"כ מכפר ואיכא ברייתא אחרת דאמר על עשה ולא תעשה תשובה מכפרת (ג) ועוד יש לחלק בין עניני תשובה יש שב ומוחלין לו מיד ויש שב דמוחלין לו אבל לא מחילה גמורה ועדיין יש עונש ואותו עונש תולין והא דאמרינן בשבועות (דף יב: וש"נ) העובר על מצות עשה ונתחרט לא זז משם עד שמוחלין לו היינו מחילה גמורה ואם שב בכל לבו ע"י יסורין יתכפרו לו עונותיו: **שנעשות** צרות זו לזו כגון זיבורא ועקרבא. פר"ח רפואה לנשיכה זו קשה לנשיכה זו וכן אמרינן ריש פרק ב' דע"ז (דף כח: וש"נ) חמימי לעקרבא וקרירי לזיבורא: **זה** הממציא מעות לעני בשעת דוחקו. פרש"י דקאי אדלעיל אם טוב ואם רע שממתין לו עד שעת היוקר ונמצא קונה ביוקר לתליתא לקנות פת לפי שעה כמו שקונהו בסלו כדאמרינן תלא לסילתי תלא למזוניה וקשיא לר"ת חדא למה י) נקט כולי האי ולפסקיה באידך קרא והיה כי תמצאן אותו רעות רבות וצרות ועוד דאמרינן המלוה לעני בשעת דוחקו עליו נאמר אז תקרא וה' יענה (ישעיה נח) בפרק הבא על יבמתו (יבמות דף סג. וש"נ) מיהו התם מחלק הריב"ן בין מלוה לממציא ועוד דנקט הש"ס מילתא דלא שכיח לתלות הלכס דאמר בערבי פסחים (דף קיא: וש"נ) תלאי בביתא קשי לעניותא ומפרש ר"ח צרות ורעות וזהו הממציא מעות לעני בשעת דוחקו כגון שתפסו המושל וזה זה ואמר לו שילוה לו מעות על קרקעותיו ואם לא היה זה בא המושל היה מיקל בפדיונו לפי שהוא דחוק ועני זוזי לעללא לא שכיח אם היה רוצה לקנות תבואה להאכילו לביתו אין (ג) מוליכין לו מעות לתליתא כמו תלא וזבין (ב"ב דף מז:) כשדוחקין אותו למכור משלו לתלותו כדי שיפדה עצמו [וע"ע תוס' סנהדרין דף עו: ד"ה והמלוה]:

סדור

ומחריא תנורא שקלתא ואנחתא אגבה
דכרעה א) קדחא ואיתרע מזלה ואייתיתה א"ל
רב ביבי בר אביי אית לכו רשותא למיעבד
הכי אמר ליה ולא כתיב ויש נספה בלא
משפט א"ל והכתיב א) דור הולך ודור בא
אמר דרעינא להו אנא עד דמלו להו לדרא
והדר משלימנא ליה לדומה א"ל סוף סוף
שניה מאי עבדת אמר אי איכא צורבא מרבנן
דמעביר במיליה מוסיפנא להו ליה והויא
חלופיה רבי יוחנן כי מטי להאי קרא בכי
ב) ותסיתני בו לבלעו חנם עבד שרבו מסיתין
לו וניסת תקנה יש לו רבי יוחנן כי מטי להאי
קרא בכי ג) הן בקדושיו לא יאמין אי בקדושיו
לא יאמין במאן יאמין יומא חד הוה קא אזיל
באורחא חזייה לההוא גברא דהוה מנקיט
תאני שביק הנך דמטו ושקיל הנך דלא מטו
א"ל לאו הני מעלן טפי א"ל הני לאורחא
בעינן להו הני נטרן והני לא נטרן אמר היינו
דכתיב הן בקדושיו לא יאמין איני והא ההוא
תלמידא דהוה בשיבבותיה דרבי אלכסנדרי
ושכיב אדזוטר ואמר ג) אי בעי האי מרבנן
הוה חיי ואם איתא דלמא מהן בקדושיו לא
יאמין הוה ההוא מבעט ברבותיו הוה רבי
יוחנן כי מטי להאי קרא בכי ד) וקרבתי אליכם
למשפט והייתי עד ממהר במכשפים
ובמנאפים ובנשבעים לשקר ובעושקי שכר
שכיר עבד שרבו מקרבו לדונו וממהר
להעידו תקנה יש לו אמר רבי יוחנן בן זכאי
אוי לנו ששקל עלינו הכתוב קלות כחמורות
אמר ריש לקיש כל המטה דינו של גר כאילו
מטה דינו של מעלה שנאמר ד) ומטי גר ומטי
כתיב א"ר חנינא בר פפא כל העושה דבר
ומתחרט בו מוחלין לו מיד שנאמר ד) ולא
יראוני הא יראוני מוחלין ג) להם מיד רבי
יוחנן כי מטי להאי קרא בכי ה) כי את כל
מעשה האלהים יביא במשפט על כל נעלם
עבד שרבו שוקל לו שגגות כזדונות תקנה
יש לו מאי על כל נעלם אמר רב זה ההורג
כינה בפני חברו ונמאס בה ושמואל אמר
זה הרק ד) בפני חבירו ונמאס מאי ה) אם טוב
ואם רע אמרי דבי ר' ינאי זה הנותן צדקה
לעני בפרהסיא כי הא דרבי ינאי חזייה
לההוא גברא דקא יהיב זוזא לעני בפרהסיא
אמר ליה מוטב דלא יהבת ליה מהשתא
דיהבת ליה וכספתיה דבי ר' שילא אמרי
זה הנותן צדקה לאשה בסתר דקא מייתי
לה לידי חשדא רבא אמר זה המשגר לאשתו
בשר שאינו מחותך בערבי שבתות ו) והא רבא ו) משגר שאני בת רב חסדא
דקים ליה בגווה דבקיאה רבי יוחנן כי מטי להאי קרא בכי ו) והיה כי תמצאן
אותו רעות רבות וצרות עבד שרבו ממציא לו רעות וצרות תקנה יש
לו מאי רעות וצרות אמר רב רעות שנעשות צרות זו לזו כגון זיבורא
ועקרבא ושמואל אמר זה הממציא לו מעות לעני בשעת דוחקו אמר רבא היינו דאמרי אינשי
זוזא לעללא לא שכיחא לתליתא שכיח ז) וחרה אפי בו ביום ההוא ועזבתים והסתרתי פני מהם
אמר רב ברדלא בר טביומי אמר רב כל שאינו בהסתר פנים אינו מהם כל שאינו בוהיה לאכול
אינו

וקא **מחריא** תנורא. מכבדת את התנור: **אותיבתיה** אגבה דכרעה. הושיבתו על גב רגלה ונכוה והורע מזלה: **דרעינא** להו אנא. איני מוסרן לשומר המתים ששמו דומה אלא מתגלגלין עמי ושטין בעולם עד שיתמלאו שנותיו והוא קרוי דור: **דמעביר** במיליה. מעביר על מדותיו: **דמטו**. נתבשלו: **הני** מינטרן. אותן שלא בישלו כל צורכן אין ממהרות לירקב: **היינו** דכתיב כו'. (א) הטובות ירא פן ירקבו אף הבחורים הצדיקים נאחזין למיתה פן יחטאו: **אדזוטר**. בעודו בחור: **אי** בעי האי מרבנן. להיות הולך בדרך טובים הוי חיי: **מבעט** ברבותיו הוה. רבי אלכסנדרי היה מכיר בו שלא היה מן הקדושים וכתיב וטוב לא יהיה לרשע ולא יאריך ימים כצל אשר איננו ירא מלפני האלהים (קהלת ח) ותניא במסכת קדושין (דף לג:) מורא זו איני יודע מהו כשהוא אומר והדרת פני זקן ויראת מאלהיך (ויקרא יט) הוי אומר מורא זו כבוד חכמים: **קלות** כחמורות. עושקי שכר שכיר כמנאפים ומכשפים: **ומטי** גר. בהאי קרא כתיב: **ולא** יראוני. ובהאי קרא כתיב: **כי** את כל מעשה האלהים יביא במשפט על כל נעלם. ואף על הנעלמות ממנו שעשה שוגג הוא מביאו במשפט: **על** כל. אפי' דבר מועט במשמע: **ונמאס**. קלה דעת חבירו בדבר: **מאי** אם טוב. דמשמע אף על הטובה מביאו במשפט: **שאינו** מחותך. שאינו מנוקר מן החלב ומן הגידין האסורים: **בערבי** שבתות. שמתוך שממהרין לעשות צורכי שבת אינן נותנין לב אם מנוקר הוא: **צרות** סמוכות זו לזו. לשון וכעסתה צרתה (שמואל א א) שתי נשים יחד: **זיבורא** ועקרבא. ז) נקיט הכי משום דאמרינן במסכת ע"ז בפרק אין מעמידין (דף כח:) חמימי לעקרבא וקרירי לזיבורא וחילופא סכנתא הלכך היכא דנכתיה זיבורא ועקרבא נעשות צרות זו לזו דלית ליה תקנתא לא בקרירי דקשה לעקרב ולא בחמימי דקשה לזיבורא: **זה** הממציא מעות לעני בשעת דוחקו. אלעיל קאי אם טוב ואם רע הרגיל להמציא לדקתו לעני בשעת דוחקו ולא קודם שעת הדחק שיכול לבקש מזונותיו ולקנותן בשעת הזול: **לעללא**. לקנות התבואה ח) דמתרגם ועללת ארעא (ויקרא כה): **לתליתא**. להפסד ולאיבוד כך שמעתי ולי נראה לקנות בשעת הדחק מזון שהוא תולה בסלו כדאמר מר (פסחים דף קיא:) תלא סילתא תלא מזוני תלאי בביתא קשה לעניותא:

אינו

רבינו חננאל

יש נספה בלא משפט מעשה דמרים מגדלא נשיא ומרים [מגדלא] דרדקי דאתחלף ליה לשליחא ואייתי מרים מגדלא שער נשיא ויש מי שאומר כענין חלום ראה דברים הללו. ולא עוד אלא רב ביבי בן אביי היה מתעסק בראיית השדים לפיכך יש לומר כדרך הזה ראה ואין סומכין עליו ופתרון יש נספה בלא וגו' כגון אדם שהרג חבירו. ותסיתני בו. אתה מעלה בדעתך כיון שאתה בא בדבריך הללו בעקיפין אתה מדמה להסית ואינך יכול להסית אלא (ברבוי מור) מיכן שהשטן של איוב אדם היה. הן בקדושיו לא יאמין כלומר אינו מאמין להם לחיות הרבה שמא בזקנותם יטו מן הדרך הטובה [וקשיא לי דהא אמרינן ביומא כיון שאדם עבר שלשים וששה שנה ולא חטא שוב אינו חוטא] וההוא תלמיד דהוה בשיבבותיה דר' יוחנן ושכיב זוטר. ואמר ר' יוחנן אי בעי להוטובי ארחתיה דלא לבעוט ברבותיו היה חיי. ר' יוחנן הוה בכי אמר כתיב וקרבתי אתכם למשפט והייתי עד ממהר וגו' עבד שרבו מקרבו לדין וממהר להעידו כלום יש בו תקנה. אריב"ז אוי לנו ששקל הקלות עושק שכר שכיר וכיוצא בו הקישו למנאף ולמכשף ר"ל אמר ומטה גר ומטי גר כתיב כלומר כאלו מטה דין של מעלה וכל העושה דבר ומתחרט בו מוחלין לו שנאמר ולא יראוני הא יראוני אני מוחל להם. כי את כל מעשה האלהים יביא במשפט על כל נעלם. היה ר' יוחנן אומר עבד שרבו שוקל שגגות כזדונות תקנה יש לו. על כל נעלם זה שהורג כינה לפני חבירו ונמאס אם טוב ואם רע כלומר אפילו רצה לעשות טוב ועלה בידו רע כגון שנתן צדקה לעני בפרהסיא שנמצא מביישו ר' שילא אמר הנותן צדקה לאשה בסתר ומייתי לה חשדא שמשיאה שם רע רבא אמר זה המשגר לאשתו בשר בע"ש שאינו מחותך אלא אי קים ליה בגווא ובהימנותא א) כרבא בר רב חסדא: והיה כי תמצאן אותו רעות רבות וצרות. אמר רב רעות שנעשות צרות זו לזו כגון זיבורא ועקרבא כגון שעקצו זיבורא ועקרב ביחד לאדם מי שעקצו עקרב [אינו] רוצה דברים קרים נמצא המועיל לאחד מזיק לאחר. שמואל אמר זה הממציא מעות לעני בשעה שהנוגשים עליו ומלוה אותו והנוגשים באין ולוקחין אותו הממון שהלוהו וכי מסתלקי והוא בא ונושה בו בכל יום היינו דאמרי אינשי זוזא לעללא לא שכיח לתוליתא שכיח. פי' זוזא לקנות בו תבואה אינו מצוי ולמי שתולין אותו הנוגשים מצוי. כתיב והסתרתי פני מהם והיה לאכול. אמר רב כל שאין בו והסתרתי פני מהם כלומר שהתפלל ב) ואין נענה אין בו והיה לאכול כלומר שמענישין אותו

מסורת הש"ס

א) [פי' נשרפה רגלה. ערוך], ב) [כתובות קיא.], ג) [נ"ל לו וכ"א בילקוט ובע"י], ד) [ד"א רבה פ"י], ה) [איני], ו) [נ"ל משדר], ז) [כל זה הדיבור אינו מפרש"י ושייך לתוספות וכ"ה בע"י], ח) נ"ל תבואת הארץ ת"א עללא דארעא (ויקרא כג), ט) משום שלא כ"ה הגרסא בע"י, י) [נ"ל נטר].

הגהות הב"ח

(א) רש"י ד"ה היינו דכתיב כו' כי היכי דבתאנים הטובות ירא: (ב) תוס' ד"ה הא יראוני וכו' ועוד יש לחלק. נ"ב כלומר דהשתא לא קאמר הכא הא יראוני מוחלין מחילה גמורה אלא כשנתחרט ועדיין לא שב בכל לבו תולין והיינו דקאמר תשובה תולה והא דקאמר בשבועות דף י"ב דעובר ונתחרט לא זז משם עד שמוחלין לו ומשמע [מחילה גמורה] היינו דוקא במצות עשה והוא ברייתא דאמר על עשה ול"ת תשובה מכפרת מיירי בשב בכל לבו ע"י יסורין שעושה בגופו אז יתכפרו לו לגמרי [והשאר חסר]: (ג) ד"ה זה הממציא וכו' לביתו אין ממציאין לו וכו' כמו תליה חבין וכו' כדי שיפדה עצמו ממציאין לו מעות הס"ד:

גליון הש"ס

תוס' ד"ה הא יראוני וכו' דהוה ליה ל"ת. עיין תשובת פנים מאירות ח"א סימן כ"ו ובספר מים חיים להפר"ח בתשובה האחרונה:

הגהות מהר"ב רנשבורג

א] תוס' ד"ה הא יראוני כו' ופליגא דר' ישמעאל. נ"ב ע' בסוף ספר מים חיים להפר"ח דף מ"ד ע"ב ד"ה נתקשיתי וכו' וד"ה אמר וכו':

תורה אור השלם

א) דּוֹר הֹלֵךְ וְדוֹר בָּא וְהָאָרֶץ לְעוֹלָם עֹמָדֶת: [קהלת א, ד]

ב) וַיֹּאמֶר יְיָ אֶל הַשָּׂטָן הֲשַׂמְתָּ לִבְּךָ אֶל עַבְדִּי אִיּוֹב כִּי אֵין כָּמֹהוּ בָּאָרֶץ אִישׁ תָּם וְיָשָׁר יְרֵא אֱלֹהִים וְסָר מֵרָע וְעֹדֶנּוּ מַחֲזִיק בְּתֻמָּתוֹ וַתְּסִיתֵנִי בוֹ לְבַלְּעוֹ חִנָּם: [איוב ב, ג]

ג) הֵן בִּקְדֹשָׁיו לֹא יַאֲמִין וְשָׁמַיִם לֹא זַכּוּ בְעֵינָיו: [איוב טו, טו]

ד) וְקָרַבְתִּי אֲלֵיכֶם לַמִּשְׁפָּט וְהָיִיתִי עֵד מְמַהֵר בַּמְכַשְּׁפִים וּבַמְנָאֲפִים וּבַנִּשְׁבָּעִים לַשָּׁקֶר וּבְעֹשְׁקֵי שְׂכַר שָׂכִיר אַלְמָנָה וְיָתוֹם וּמַטֵּי גֵר וְלֹא יְרֵאוּנִי אָמַר יְיָ צְבָאוֹת: [מלאכי ג, ה]

ה) כִּי אֶת כָּל מַעֲשֶׂה הָאֱלֹהִים יָבִא בְמִשְׁפָּט עַל כָּל נֶעְלָם אִם טוֹב וְאִם רָע: [קהלת יב, יד]

ו) וְהָיָה כִּי תִמְצֶאןָ אֹתוֹ רָעוֹת רַבּוֹת וְצָרוֹת וְעָנְתָה הַשִּׁירָה הַזֹּאת לְפָנָיו לְעֵד כִּי לֹא תִשָּׁכַח מִפִּי זַרְעוֹ כִּי יָדַעְתִּי אֶת יִצְרוֹ אֲשֶׁר הוּא עֹשֶׂה הַיּוֹם בְּטֶרֶם אֲבִיאֶנּוּ אֶל הָאָרֶץ אֲשֶׁר נִשְׁבָּעְתִּי: [דברים לא, כא]

ז) וְחָרָה אַפִּי בוֹ בַיּוֹם הַהוּא וַעֲזַבְתִּים וְהִסְתַּרְתִּי פָנַי מֵהֶם וְהָיָה לֶאֱכֹל וּמְצָאֻהוּ רָעוֹת רַבּוֹת וְצָרוֹת וְאָמַר בַּיּוֹם הַהוּא הֲלֹא עַל כִּי אֵין אֱלֹהַי בְּקִרְבִּי מְצָאוּנִי הָרָעוֹת הָאֵלֶּה: [דברים לא, יז]

חשק שלמה על ר"ח

א) נראה דל"ל כמו בת רב חסדא אשתו של רבא. ב) נראה דצ"ל ואינו נענה אינו מישראל כל שאין בו והיה לאכול וכו'.

ליקוטי רש"י

קדחא. אשלפי"ר לשון קדוש אש (ישעיהו סד) חממות [ע"ז כח.]. **ואיתרע מזלה**. הואיל ואיתרע מזלה מזומנת פורענותה לבא [שבת לב.]. **דור הולך ודור בא**. כל מה שהרשע יגע ועמל לאסוף ולעשק ולגזול אינו מגלגל מן מעשיו כי הדור הולך ודור אחר בא ונוטל הכל מיד כענין שנאמר (איוב כ) בניו ירצו דלים [קהלת א, ד]. **משלימנא ליה לדומה**. מלאך שהוא ממונה על המתים [ברכות יח:]. **צורבא מרבנן**. תלמיד חכם [שבת קיט.]. **ותסיתני בו**. הסיתוני לבלעו לא הוא לשון הסתה אלא לשון הסתה שממשיך את האדם להיות [איוב ב, ג]. **בשיבבותיה**. בשכונתו [תענית כג:]. **מבעט ברבותיו**. ע' סוטה כב. וברש"י ד"ה מבעט. **כי את כל מעשה**. אשר אדם עושה יביא האלהים במשפט ולכך גם הנעלם ממנו. **על כל נעלם**. אפילו על השוגג. **זה הנותן צדקה לעני בפרהסיא**. אם טוב אם רע אפי' על טוב אם נעשה לפי שהוא לבוש בגד הרע [קהלת יב, יד]. **זיבורא**. לרעה [ע"ז כח:]. **והסתרתי פני**. כמו שאיני רואה בצרתם [דברים לא, יז].

אינו מהן. מזרע ישראל דכתיב והסתרתי פני מהם (דברים לא) שלועק מלרות הבאות עליו ואינו נענה שלא יבואו: והיה לאכול. שהעובדי כוכבים שולטין ממונו: וגרבוהו. שלנוהו: בחלום אדבר בו. ס) ביום ההוא קא דייק ולא בלילה שמראין לו חלום כדי שיתפלל על הדבר: ידו נטויה. להגן עליו: אפיקורסים. שאינם מאמינים לדברי רז"ל כגון לדוקים: אחוי ליה. על ידי סימן רמז לו החזיר פניו: במחוג. ברמז: נסרחה חכמתם. בפסוק כתיב האין עוד חכמה בתימן אבדה עלה מבנים מישראל: לנגדך. בשוה: שיחה יתירה. דברי שחוק שלפני תמימים: כדלא טעים תבשילא. שרעב לאכול כלומר מתאוה לתשמיש: בבתי גואי. היכא דכתיב במסתרים: הכי גרסינן ובבתי בראי ליכא והכתיב ויקרא. וכל קריאה השמעת קול היא: מאיגרא רם לבירא עמיקתא. כמה גדולה נפילה זו אין לך גבוה וגור עמוק כמשמים לארץ: תקפיה. רבי לר' חייא ואזיל רבי בהדיה: כי הוו מיפטרי מקמיה. שנטלו ממנו רשות: איכו השתא. אם לא באתי עמך והאמנתי לך מנעתני מברכה זו: מנא לך. שכל כך גדולה הקבלת פנים: בדקש. כשהזקין (ג) רבי יעקב: היה רגיל כו'. מהלך שלשה חדשים היה מביתו לבית המדרש ויום אחד לומד ויום אחד והולך לביתו לשמח את אשתו בחג הסוכות:

שדור בי שבור מלכא וגרבוהו. אומר הר"י דהיינו הסוס דבפרק בתרא דברכות (דף נו.) גבי פטריה דבר הדיא שפתר לו שתמות אשתו ויאכל כל אשר לו מאת המלך: הן אראלם צעקו חוצה. פשטיה דקרא בישעיה כתיב על המזבח וכתיב הוי אריאל (ישעיה כט): ויחי עוד לנצח לא יראה השחת. פשטיה דקרא בתמיה הוא וכי הרשע לא ימות כמו שהחכמים ימותו: דממילא

אינו מהם אמרו ליה רבנן לרבא מר לא בהסתר פנים איתיה ולא בוהיה לאכול איתיה אמר להו מי ידעיתו כמה משדרנא בצנעא בי שבור מלכא אפי' הכי יהבו ביה רבנן עינייהו אדהכי שדור דבי שבור מלכא וגרבוהו אמר היינו דתניא אמר רבן שמעון בן גמליאל א) כל מקום שנתנו חכמים עיניהם או מיתה או עוני א) ואנכי הסתר אסתיר פני ביום ההוא אמר ב) רבא אמר הקב"ה אף על פי שהסתרתי פני מהם בחלום אדבר בו רב יוסף אמר ידו נטויה עלינו שנאמר ב) ובצל ידי כסיתיך ר' יהושע בן חנניה הוה קאי בי קיסר אחוי ליה ההוא אפיקורוסא עמא דאהדרינהו מריה לאפיה מיניה אחוי ליה ידו נטויה עלינו אמר ליה קיסר לר' יהושע מאי אחוי לך עמא דאהדרינהו מריה לאפיה מיניה ואנא מחוינא ליה ידו נטויה עלינו אמרו ליה לההוא מינא מאי אחויית ליה עמא דאהדרינהו מריה (א) מיניה ומאי אחוי לך לא ידענא אמרו גברא דלא ידע מאי ג) מחוו ליה במחוג יחוי קמי מלכא אפקוהו וקטלוהו כי קא ניחא נפשיה דרבי יהושע בן חנניה אמרו ליה רבנן מאי תיהוי עלן מאפיקורוסין אמר להם ג) אבדה עצה מבנים נסרחה חכמתם כיון שאבדה עצה מבנים נסרחה חכמתן של אומות העולם ואי בעית אימא מהכא ד) ויאמר נסעה ונלכה ואלכה לנגדך רבי אילא הוה סליק בדרגא דבי רבה בר שילא שמעיה לינוקא דהוה קא קרי ה) כי הנה יוצר הרים ובורא רוח ומגיד לאדם מה שיחו אמר עבד שרבו מגיד לו מה שיחו תקנה יש לו מאי מה שיחו אמר רב אפילו א) שיחה יתירה שבין איש לאשתו מגידים לו לאדם בשעת מיתה איני והא ה) רב כהנא הוה גני תותי פורייה דרב ושמעיה דסח וצחק ועשה צרכיו אמר דמי פומיה דרב כמאן דלא טעים ליה תבשילא אמר ליה כהנא פוק לאו אורח ארעא לא קשיא כאן דצריך לרצויה הא דלא צריך לרצויה ו) ואם לא תשמעוה במסתרים תבכה נפשי מפני גוה אמר רב שמואל בר איניא משמיה דרב מקום יש לו להקב"ה ומסתרים שמו מאי מפני גוה אמר רב שמואל בר יצחק מפני גאוותן של ישראל שניטלה מהם ונתנה לעובדי כוכבים ר' שמואל בר נחמני אמר מפני גאוותה של מלכות שמים (ב) ומי איכא בכיה קמיה הקב"ה והאמר רב פפא אין עציבות לפני הקב"ה שנאמר ז) הוד והדר לפניו עוז וחדוה במקומו לא קשיא ז) הא בבתי גואי הא בבתי בראי ובבתי בראי לא והא כתיב ח) ויקרא אדני ה' צבאות ביום ההוא לבכי ולמספד ולקרחה ולחגור שק שאני חרבן בית המקדש דאפילו מלאכי שלום בכו שנאמר ט) הן אראלם צעקו חוצה מלאכי שלום מר יבכיון: י) ודמע תדמע ותרד עיני דמעה כי נשבה עדר ה' אמר ר' אלעזר שלש דמעות הללו למה אחת על מקדש ראשון ואחת על מקדש שני ואחת על ישראל שגלו ממקומן ואיכא דאמרי אחת על ביטול תורה בשלמא למאן דאמר על ישראל שגלו היינו דכתיב כי נשבה עדר ה' אלא למאן דאמר על ביטול תורה מאי כי נשבה עדר ה' כיון שגלו ישראל ממקומן אין לך ביטול תורה גדול מזה תנו רבנן שלשה הקב"ה בוכה עליהן בכל יום על שאפשר לעסוק בתורה ואינו עוסק ועל שאי אפשר לעסוק בתורה ועוסק ועל פרנס המתגאה על הצבור רבי הוה נקיט ספר קינות וקא קרי בגויה כי מטא להאי פסוקא י) השליך משמים ארץ נפל מן ידיה אמר מאיגרא רם לבירא עמיקתא רבי ורבי חייא הוו שקלי ואזלי באורחא כי מטו להוא מתא אמרי איכא צורבא מרבנן הכא נזיל וניקביל אפיה אמרי איכא צורבא מרבנן הכא ומאור עינים הוא אמר ליה ר' חייא לרבי תיב את לא תזלזל בנשיאותך איזיל אנא ואקביל אפיה תקפיה ואזל בהדיה כי הוו מיפטרי מיניה אמר להו אתם הקבלתם פנים הנראים ואינן רואין תזכו להקביל פנים הרואים ואינן נראין אמר ליה איכו השתא מנעתן מהאי בירכתא אמרו ליה ממאן שמיע לך מפרקיה דרבי יעקב שמיע לי דרבי יעקב איש כפר חיטייא הוה מקביל אפיה דרביה כל יומא כי קשיש א"ל לא נצטער מר דלא יכיל מר אמר ליה מי זוטר מאי דכתיב בהו ברבנן כ) ויחי עוד לנצח לא יראה השחת כי יראה חכמים ימותו ומה הרואה חכמים במיתתן יחיה בחייהן על אחת כמה וכמה רב אידי אבוה דרבי יעקב י) בר אידי הוה רגיל דהוה אזיל תלתא ירחי באורחא וחד יומא בבי רב והוו קרו ליה רבנן בר בי רב דחד יומא חלש דעתיה קרי אנפשיה ל) שחוק לרעהו אהיה וגו' א"ל ר' יוחנן במטותא מינך לא תעניש להו רבנן נפק ר' יוחנן לבי מדרשא ודרש מ) ואותי יום יום ידרשון וכי ביום דורשין אותו ובלילה אין דורשין אותו אלא לומר לך כל העוסק בתורה אפי' יום אחד בשנה מעלה עליו הכתוב כאילו עסק כל השנה כולה וכן במדת פורענות דכתיב נ) במספר הימים אשר תרתם את הארץ וכי ארבעים שנה חטאו והלא ארבעים יום חטאו אלא לומר לך כל העובר עבירה אפי' יום אחד בשנה מעלה עליו הכתוב כאילו עבר כל השנה כולה: אי זהו קטן כל שאינו יכול לרכוב על כתפו של אביו: מתקיף לה רבי זירא

עד

עין משפט נר מצוה

כג א מיי' פ"ה מהל' דעות הלכה ד סמג לאוין פא טוש"ע א"ח סימן רמ סעיף ט [ובאה"ע סימן כה סעיף ב]:

רבינו חננאל

העובדי כוכבים ואוכלין ממונו אינו מישראל אמרו ליה לרבא והא מר ליתא בוהיה לאכול ומתפלל ונענה. אמר להן לא ידעיתהו כמה משדרנא בצנעא לבי שבור מלכא ואפ"ה לא איפרק דאמור רבנן כ"מ שנתנו חכמים עיניהם או מיתה או עוני. שדרוה ליה שבור מלכא וגרבוה לרבא אמר רבה אע"ג דכתיב והסתרתי פני מהם אמר רחמנא בחלום אדבר בו. רב יוסף אמר ידו נטויה עלינו ובצל ידו אנו סכוכים כו' ענינא כי נח נפשיה דר' יהושע בן חנניא אמרו ליה מה תהא עלן ממינאי כלומר אין אדם בינינו שיש בו כח להשיבם כמותו אמר להם אבדה עצה מבנים נסרחה חכמת האומות: כי הנה יוצר הרים ובורא רוח ומגיד לאדם מה שיחו. אמר רב אפילו שיחה קלה שבין איש לאשתו מגידין לאדם בשעת מיתתו כלומר אין לאדם להרבות שיחה אפילו עם אשתו אלא אם צריך לארצויה כגון שהיא כעוסה ובא לרצותה: ואם לא תשמעוה במסתרים תבכה נפשי מקום שיש למעלה ומסתרים שמו שבוכים שם המלאכים כדכתיב מלאכי שלום מר יבכיון ואע"פ שיש מפורש מלאכי שלום. השלוחים ששלח המלך לעשות שלום לא קבלו מהם וחזרו בוכים בפחי נפש: מפני גוה מפני גאותן של ישראל שניטלה מהן ונתנה לעובדי כוכבים. ומקשה ומי איכא בכיה קמיה דקב"ה והא כתיב עוז וחדוה במקומו ופרקינן כי ליכא בכיה בבתי גואי ומקום הנקרא מסתרים בבתי בראי הוא. איני ויקרא ה' אלהים צבאות ביום ההוא לבכי ולמספד וגו' הנה הקב"ה קראו לבכי. ופרקינן שאני חורבן ביהמ"ק שאפילו מלאכי שלום בכו שנאמר הן אראלם צעקו חוצה מלאכי שלום מר יבכיון פי' ויקרא ה' אלהים צבאות וגו' קרא אותו היום כלומר קבעו יום בכיה ומספד לדורות. כתיב ודמע תדמע ותרד עיני דמעה. ג' דמעות הללו אחת למקדש ראשון ואחת למקדש שני ואחת כי נשבה עדר ה' דכיון שגלו אין לך ביטול תורה מזה: תנו רבנן שלשה הקב"ה בוכה עליהן בכל יום. פי' אומר הקב"ה ראוי לבכות על אלו בכל יום על מי שאפשר לו לעסוק בתורה [ואינו עוסק ועל שאי אפשר לעסוק בתורה ועוסק] ועל פרנס המתגאה על הצבור בחנם. ר' ור' חייא אקבילו אפיה חד סגי נהורא. אמר להו אתם הקבלתם פנים הנראים ואינם רואים תזכו להקביל פני שכינה שרואין ואינן נראין. הרואה חכמים במיתתם כתיב ויחי עוד לנצח לא יראה השחת כי יראה חכמים ימותו השתא ומה הרואה חכמים במיתתן יחיה בחייהם על אחת כמה וכמה. דרש ר' יוחנן כתיב ואותי יום יום ידרשון וכי ביום דורשין ובלילה אין דורשין אלא לומר לך כל העוסק בתורה אפילו יום אחד בשנה לשמה מעלה עליו הכתוב כאילו עסק כל השנה וכן במדת פורענות כתיב במספר הימים אשר תרתם את הארץ ארבעים יום יום לשנה וכי שנה חטאו והלא לא חטאו אלא ארבעים יום אלא לומר לך כל העובר עבירה אפילו יום אחד בשנה מעלה עליו כאילו עבר כל השנה כולה. איזהו (חייב) [קטן] שאינו חייב בראיה

בה"א

מסורת הש"ס

א) מו"ק יז: סוטה מו: נדרים ז: ע"ש, ב) [יתכן להיות רבה], ג) [ברכות מו:], ד) [ברכות סב.], ה) [לקמן יג.], ו) [עיין מ"ש בס"ד פסחים מג: על לידו בשם רש"ק בכריתות כה:], ז) [עי' תוספות סוטה יא. ד"ה מריס], ח) העיקר חסר מן הספר ובע"י מפני קא דייק וכו"ה שם אע"פ שהסתרתי פני מהם כדכתיב ודבר ה' אל משה פנים וגו' אותן הפנים אסתיר אבל בחלום אדבר בו. ע"כ מחילופי גרס'.

הגהות הב"ח

(א) גמרא מריה לאפיה מיניה ומאי אחוי לך: (ב) שם של מלכות שמים שנטלה ומי איכא: (ג) רש"י ד"ה בדקש כשהזקין הס"ד ואח"כ מה"ד רב אידי אבוה דרבי יעקב היה רגיל:

תורה אור השלם

א) וְאָנֹכִי הַסְתֵּר אַסְתִּיר פָּנַי בַּיּוֹם הַהוּא עַל כָּל הָרָעָה אֲשֶׁר עָשָׂה כִּי פָנָה אֶל אֱלֹהִים אֲחֵרִים: [דברים לא, יח]

ב) וָאָשִׂים דְּבָרַי בְּפִיךָ וּבְצֵל יָדִי כִּסִּיתִיךָ לִנְטֹעַ שָׁמַיִם וְלִיסֹד אָרֶץ וְלֵאמֹר לְצִיּוֹן עַמִּי אָתָּה: [ישעיה נא, טז]

ג) לֶאֱדוֹם כֹּה אָמַר יְיָ צְבָאוֹת הַאֵין עוֹד חָכְמָה בְּתֵימָן אָבְדָה עֵצָה מִבָּנִים נִסְרְחָה חָכְמָתָם: [ירמיה מט, ז]

ד) וַיֹּאמֶר נִסְעָה וְנֵלֵכָה וְאֵלְכָה לְנֶגְדֶּךָ: [בראשית לג, יב]

ה) כִּי הִנֵּה יוֹצֵר הָרִים וּבֹרֵא רוּחַ וּמַגִּיד לְאָדָם מַה שֵּׂחוֹ עֹשֵׂה שַׁחַר עֵיפָה וְדֹרֵךְ עַל בָּמֳתֵי אָרֶץ יְיָ אֱלֹהֵי צְבָאוֹת שְׁמוֹ: [עמוס ד, יג]

ו) וְאִם לֹא תִשְׁמָעוּהָ בְּמִסְתָּרִים תִּבְכֶּה נַפְשִׁי מִפְּנֵי גֵוָה וְדָמֹעַ תִּדְמַע וְתֵרַד עֵינִי דִּמְעָה כִּי נִשְׁבָּה עֵדֶר יְיָ: [ירמיה יג, יז]

ז) הוֹד וְהָדָר לְפָנָיו עֹז וְחֶדְוָה בִּמְקֹמוֹ: [דברי הימים א, טז, כז]

ח) וַיִּקְרָא אֲדֹנָי אֱלֹהִים צְבָאוֹת בַּיּוֹם הַהוּא לִבְכִי וּלְמִסְפֵּד וּלְקָרְחָה וְלַחֲגֹר שָׂק: [ישעיה כב, יב]

ט) הֵן אֶרְאֶלָּם צָעֲקוּ חֻצָה מַלְאֲכֵי שָׁלוֹם מַר יִבְכָּיוּן: [ישעיה לג, ז]

י) אֵיכָה יָעִיב בְּאַפּוֹ אֲדֹנָי אֶת בַּת צִיּוֹן הִשְׁלִיךְ מִשָּׁמַיִם אֶרֶץ תִּפְאֶרֶת יִשְׂרָאֵל וְלֹא זָכַר הֲדֹם רַגְלָיו בְּיוֹם אַפּוֹ: [איכה ב, א]

כ) וִיחִי עוֹד לָנֶצַח לֹא יִרְאֶה הַשָּׁחַת: כִּי יִרְאֶה חֲכָמִים יָמוּתוּ יַחַד כְּסִיל וָבַעַר יֹאבֵדוּ וְעָזְבוּ לַאֲחֵרִים חֵילָם: [תהלים מט, י-יא]

ל) שְׂחֹק לְרֵעֵהוּ אֶהְיֶה קֹרֵא לֶאֱלוֹהַּ וַיַּעֲנֵהוּ שְׂחוֹק צַדִּיק תָּמִים: [איוב יב, ד]

מ) וְאוֹתִי יוֹם יוֹם יִדְרֹשׁוּן וְדַעַת דְּרָכַי יֶחְפָּצוּן כְּגוֹי אֲשֶׁר צְדָקָה עָשָׂה וּמִשְׁפַּט אֱלֹהָיו לֹא עָזָב יִשְׁאָלוּנִי מִשְׁפְּטֵי צֶדֶק קִרְבַת אֱלֹהִים יֶחְפָּצוּן: [ישעיה נח, ב]

נ) בְּמִסְפַּר הַיָּמִים אֲשֶׁר תַּרְתֶּם אֶת הָאָרֶץ אַרְבָּעִים יוֹם יוֹם לַשָּׁנָה יוֹם לַשָּׁנָה תִּשְׂאוּ אֶת עֲוֹנֹתֵיכֶם אַרְבָּעִים שָׁנָה וִידַעְתֶּם אֶת תְּנוּאָתִי: [במדבר יד, לד]

ליקוטי רש"י

שבור מלכא. מלך פרס היה [סוכה נג.]. כי קא ניחא נפשיה דרבי יהושע וכו' מאי תיהוי וכו'. שהיה זהיר בדרשות ובקי בהלכות ובתשובת האפיקורסים ולהבין ברמזיהם כדאמרי' בפ"ק דחגיגה (דף ה:) כי נח נפשיה אמרו ליה רבנן מאי תהוי עלן ממינים אמר להן אבדה עלה מבני ישראל נסרחה חכמה של עובדי כוכבים [סוטה מט:]. מבנים. מדור זה. נסרחה. אתקלקלת [ירמיה מט, ז]. נסעה. כמו שמעה סלחה (דניאל ט יט) שהוא כמו שמע סלח אף כאן נסעה כמו נסע והנו"ן יסוד בתיבה ותרגומו טול ונהך עשו אמר ליעקב נסע מכאן ונלך. ואלכה לנגדך. בשוה לך טובה זו אעשה לך שאאריך ימי מהלכתי ללכת לאט כאשר אתה צריך וזהו לנגדך בשוה לך [בראשית לג, יב]. סליק בדרגא. עולה בסולם [ע"פ סוטה מח: שבת קנה.]. מה שיחו. כל מעשיו פורטין לפניו בשעת מיתתו [עמוס ד, יג]. פורייה. מיטתו [ע"פ מו"ק כה.]. דסח וצחק. עם אשתו שיחה בטלה של ריצוי תשמיש. ועשה צרכיו. ושימש מטתו. כמאן דלא טעים ליה תבשילא. כאדם רעב כמו שלא שמשת מטתך מעולם שאתה נוהג קלות ראש זה לתאותך [ברכות סב.]. מפני גוה. מפני גדולה שלכם שמתבטל ד"א מפני גאותה של מלכות שמים שנתנה לגלילים של כשדים [ירמיה יג, יז]. הוד והדר לפניו עוז וחדוה במקומו. אבל האחרים כמת מוטלים במקום שמשימין אותם שם מונחים לפי שאלהינו הוא אלהים אמת [דברי הימים א טז, כז]. גואי. בפנים [מנחות מח.]. בראי. מבחוץ [יומא כא.]. הן אראלם צעקו חוצה. היא הנביא מתנבא נחמות ואומר שהפורענות ככר אכלוהו ומעתה אקום ואנשא לגאלם, הן על אראלים שלהם הוא המזבח ככר צעקו וספדו כמותם וברחובות בכבי ונהי. מלאכי שלום. מלאכי שליחותם שהיו רגילין לבשר שלום מר יבכיון ואומרים נשמו מסילות שבת עובר אורח [ישעיה לג, ז]. משמים ארץ. לאחר שהגביהם עד לשמים השליכם לארץ בבת אחת ולא מעט מעט מאיגרא רמא לבירא עמיקתא [איכה ב, א]. צורבא מרבנן. תלמיד חכם [ע"פ ברכות ל:]. בר בי רב. תלמיד [שבת קיט.]. אנפשיה. על עצמו [פסחים נב.]. ואותי יום יום ידרשון. כענין שנאמר ויפתוהו בפיהם (תהלים עח). ודעת דרכי יחפצון. מפלים לשאול הוראות לחכמים כאילו רוצים לקיימם [ישעיה נח, ב].

אֵינוֹ מֵהֶם – is not one of the [children of Israel].

The Gemara cites a related incident:

אָמְרוּ לֵיהּ רַבָּנָן לְרָבָא – The Rabbis said to Rava: מַר לָא בְּהֶסְתֵּר פָּנִים אִיתֵיהּ וְלָא בְּ,,וְהָיָה לֶאֱכֹל" אִיתֵיהּ – Behold the **master** (Rava) **is subject neither to "concealment of the face," nor to** the punishment of: *And he will be for consumption!* **אָמַר לְהוּ – He responded to them:** מִי יָדְעִיתוּ כַּמָּה מְשַׁדַּרְנָא בְּצִנְעָא בֵּי שָׁבוּר מַלְכָּא – **Do you know how much** money **I am forced to send in secret to the palace of King Shapur?**[1] אֲפִילוּ הָכִי יְהַבוּ בֵּיהּ רַבָּנָן עֵינַיְיהוּ – **Nevertheless, the Rabbis had set their eyes upon him.**[2] אַדְּהָכִי שְׁדוּר דְּבֵי שָׁבוּר מַלְכָּא – **Subsequently [agents] of the palace of King Shapur were sent,** וּגְרַבוּהוּ – **and they looted him.** אָמַר – **[Rava]** thereupon **commented:** הַיְינוּ דְּתַנְיָא – **This is what was taught in the Baraisa:** אָמַר רַבָּן שִׁמְעוֹן בֶּן גַּמְלִיאֵל – RABBAN SHIMON BEN GAMLIEL SAID: כָּל מָקוֹם שֶׁנָּתְנוּ חֲכָמִים עֵינֵיהֶם – WHEREVER it states that THE SAGES SET THEIR EYES upon someone, אוֹ מִיתָה אוֹ עוֹנִי – the outcome was EITHER DEATH OR POVERTY.[3]

The Gemara expounds on the next verse in *Deuteronomy:*

,,וְאָנֹכִי הַסְתֵּר אַסְתִּיר פָּנַי בַּיּוֹם הַהוּא" – It is written: ***And I will certainly conceal My face in that day.***[4] **אָמַר רָבָא – Rava said:** אָמַר הַקָּדוֹשׁ בָּרוּךְ הוּא אַף עַל פִּי שֶׁהִסְתַּרְתִּי פָּנַי מֵהֶם – **The Holy One, Blessed is He, said: Even though I concealed My face from them,** בַּחֲלוֹם אֲדַבֵּר בּוֹ – **I will,** nevertheless, **speak with him through a dream.**[5] **רַב יוֹסֵף אָמַר – Rav Yosef said:**[6] יָדוֹ נְטוּיָה עָלֵינוּ – **His hand is** yet **outstretched over us** to protect us, שֶׁנֶּאֱמַר ,,וּבְצֵל יָדִי כִּסִּיתִיךָ" – **for it is stated:** ***and with the shadow of My hand I will cover you.***[7]

The Gemara cites a related incident:

רַבִּי יְהוֹשֻׁעַ בֶּן חֲנַנְיָה הֲוָה קָאֵי בֵּי קֵיסָר – **R' Yehoshua ben Chananyah was once standing in the Caesar's palace.** אַחֲוֵי לֵיהּ הַהוּא אֶפִּיקוֹרוֹסָא – **A certain heretic**[8] who was there **signaled to [R' Yehoshua]:**[9] עַמָּא דְּאַהַדְרִינְהוּ מָרֵיהּ לְאַפֵּיהּ מִינֵּיהּ – **The** Jews are **a nation whose Master has turned His face away from it!** אַחֲוֵי לֵיהּ – **[R' Yehoshua] signaled to him** in reply יָדוֹ נְטוּיָה עָלֵינוּ – **His hand is** yet **outstretched over us.**[10] אָמַר לֵיהּ קֵיסָר לְרַבִּי יְהוֹשֻׁעַ – Upon seeing the exchange of signals between R' Yehoshua and the heretic, **the Caesar said to R' Yehoshua** מַאי אַחֲוֵי לָךְ – **What did he signal to you?** R' Yehoshua replied עַמָּא דְּאַהַדְרִינְהוּ מָרֵיהּ לְאַפֵּיהּ מִינֵּיהּ – He signaled to me that the Jews are **a nation whose Master has turned His face away from it;** וַאֲנָא מַחֲוֵינָא לֵיהּ יָדוֹ נְטוּיָה עָלֵינוּ – **and I signaled to him in return** that **His hand is yet outstretched over us.** אָמְרוּ לֵיהּ לְהַהוּא מִינָא מַאי אַחֲוֵיית לֵיהּ – **They**[11] then **said to that heretic: What did you signal to him** with your gesture? The heretic responded: עַמָּא דְּאַהַדְרִינְהוּ מָרֵיהּ [לְאַפֵּיהּ] מִינֵּיהּ – I signaled that the Jews are **a nation whose Master has turned His face**[12] **away from it.** They asked him further: וּמַאי אַחֲוֵי לָךְ – **And what did he signal to you** in return? To which he responded: לָא יָדַעְנָא – **I do not know.** אָמְרוּ גַּבְרָא דְּלָא יָדַע מַאי מַחֲווּ לֵיהּ בִּמְחוֹג – Upon hearing this, **they said: A man who does not understand what is being signaled to him,** יַחֲוֵי קַמֵּי מַלְכָּא – **should he exchange signals before the king!?**[13] אַפְּקוּהוּ וְקַטְלוּהוּ – **They took him out and killed him** as punishment for his disrespect to the king.

כִּי קָא נִיחָא נַפְשֵׁיהּ דְּרַבִּי יְהוֹשֻׁעַ בֶּן חֲנַנְיָה אָמְרוּ לֵיהּ רַבָּנָן – **When R' Yehoshua ben Chananyah was** about to **pass away,**[14] **the Rabbis said to him:** מַאי תֶּיהֱוֵי עֲלָן מֵאֶפִּיקוֹרוֹסִין – **What will become of us from the** attacks of the **heretics?**[15] אָמַר לְהֶם – **He said to them:** The verse states: אָבְדָה עֵצָה מִבָּנִים נִסְרְחָה חָכְמָתָם" – ***The counsel has been lost from the children, their wisdom has soured.***[16] כֵּיוָן שֶׁאָבְדָה עֵצָה מִבָּנִים – This verse teaches that **once the counsel is lost from the children** (i.e. the Jews), נִסְרְחָה חָכְמָתָן שֶׁל אוּמּוֹת הָעוֹלָם – **the wisdom of the nations of the world will sour.**[17] וְאִי בָּעֵית אֵימָא מֵהָכָא – **If you prefer, say** that I can derive this concept **from here:** ,,וַיֹּאמֶר נִסְעָה וְנֵלֵכָה וְאֵלְכָה לְנֶגְדֶּךָ" – ***And [Esau] said: "Travel on and let us go – and I will proceed alongside you."***[18]

NOTES

1. The Persian monarch who ruled at that time (see *Rashi* to *Pesachim* 54a ד״ה שמואל).

2. Although in truth the verse *and he will be for consumption* had been fulfilled with respect to Rava when he had sent funds to King Shapur, the Rabbis had cast their eyes upon Rava [who was a very wealthy man – see *Moed Katan* 28a] in the belief that his property had not yet been looted. This caused him to be collected from yet again (*Maharsha;* see next note). [*Tosafos* note that this occurrence was foretold to Rava by Bar Hedya the interpreter of dreams, as related in *Berachos* (56a).]

3. The Sages are exceptionally sharp and precise, for they perceive far more than ordinary people. Hence, their eyes are said to be "tough"; and so when their eyes are set upon someone for the purpose of exacting punishment, the effect is devastating (either death, or poverty, which is the equivalent of death, as derived in *Nedarim* [7b] from a verse). Although in this case Rava had done no wrong, the Rabbis' mistaken impression that a punishment was due him was enough to cause him misfortune (see previous note; for an example of a similar phenomenon, see *Bava Basra* 14a). Cf. *Ben Yehoyada.*

4. *Deuteronomy* 31:18. [The verse continues, *for all the iniquity which he did, and because he turned to other gods.*]

5. Since the verse states *in that day,* it intimates that God will conceal his face only by day, but not at night. Thus, the verse teaches that God will reveal the evils which the nations plan to do to the Jewish people through a dream, to awaken them to repent and pray concerning the matter (*Rashi*). Alternatively, God will not inform the Jewish nation through a mediator such as Moses with whom God spoke "face to face" (פָּנִים אֶל פָּנִים); rather, He will do so through a prophet who receives his prophecy through a dream-vision (*Maharsha, Ein Yaakov*).

6. [From our text of the Gemara, which reads רַב יוֹסֵף אָמַר, it is implied that Rav Yosef is in disagreement with the previous statement of Rava. See, however, *Turei Even,* who emends the text to read אָמַר רַב יוֹסֵף, introducing a separate topic unrelated to the previous statement. See also *Maharsha* and *Meromei Sadeh.*]

7. *Isaiah* 51:16. See *Meshech Chochmah* to *Exodus* 3:13-14, who explains this concept further.

8. "Heretic" is a general term that refers to those who do not believe in the Oral Tradition such as the words of the Sages; e.g. the Sadducees (*Rashi*).

9. I.e. he turned his face away from R' Yehoshua, as if to show him that God had turned his face away from the Jewish people (*Rashi*).

10. [See *Meshech Chochmah* cited in note 7.]

11. I.e. the court officers. [It would seem that although the Caesar spoke directly to R' Yehoshua, he would not speak directly to the heretic, but did so only through his officers.]

12. Emendation follows *Hagahos HaBach.*

13. [Exchanging signals instead of speaking while in the king's presence is normally a mark of respect, for it shows that the signalers recognize the impropriety of disturbing the king. However, if one is not able to interpret signals correctly, his act of signaling is akin to waving foolishly before the king – a breach of respect deserving of serious punishment.]

14. Literally: his soul was about to rest.

15. I.e. who will be able to debate them and disprove their heretical ideas? R' Yehoshua was the one sage who would always succeed in disproving the arguments of the heretics, as is enumerated in many places in the Talmud (*Maharsha*).

16. *Jeremiah* 49:7. [The verse begins: *Is there no longer wisdom in Yemen, has counsel been lost from the sons* (i.e. Israel)?]

17. I.e. when the Jewish people will no longer have a defender against the arguments of the heretics, the polemics of the nonbelievers will cease.

18. *Genesis* 33:12. The word לְנֶגְדֶּךָ, *alongside you,* implies that while the gentiles and heretics may parallel the Israelites in their religious arguments, they will never gain the upper hand (see *Maharsha*).

עין משפט נר מצוה

גג א מיי' פ"ה מהל' דעות הלכה ד סמג לאוין סה טוש"ע א"ח סימן רמ סעיף ט [וטוש"ע א"ה סימן כה סעיף ב]:

רבינו חננאל

העובדי כוכבים ואוכלין ממונו אינו מישראל אמרו ליה לרבא והא מר ליתא בוהיה לאכול ומתפלל ונענה. אמר להן לא ידעיתו כמה משדרנא בצנעא לבי שבור מלכא ואפ"ה לא איפרק דאמור רבנן כ"מ שנתנו חכמים עיניהם או מיתה או עוני. שדרוה ליה שבור מלכא וגרבוה לרבא אמר רבה אע"ג דכתיב והסתרתי פני מהם אמר רחמנא בחלום אדבר בו. רב יוסף אמר ידו נטויה עלינו ובצל ידו אנו סכוכים כו'. עניא כי נח נפשיה דר' יהושע בן חנניא אמרו ליה מה תהא עלן ממינאי כלומר אין אדם בינינו שיש בו כח להשיבם כמותו אמר להם אבדה עצה מבנים נסרחה חכמת האומות: כי הנה יוצר הרים ובורא רוח ומגיד לאדם מה שיחו. אמר רב אפילו שיחה קלה שבין איש לאשתו מגידין לאדם בשעת מיתתו כלומר אין לאדם להרבות שיחה אפילו עם אשתו אלא אם צריך לרצותה כגון שהיא כעוסה ובא לרצותה: ואם לא תשמעוה במסתרים תבכה נפשי מקום יש למעלה ומסתרים שמו שבוכים שם המלאכים כדכתיב מלאכי שלום מר יבכיון ואע"פ שיש מפרשים מלאכי שלום. השלוחים ששלח המלך לעשות שלום עם ישראל ולא קבלו מהם וחזרו בוכים בפחי נפש: מפני גוה מפני גאונן של ישראל שניטלה מהן ונתנה לעובדי כוכבים. ומקשה ומי איכא בכיה קמיה דקב"ה והא כתיב עוז וחדוה במקומו ופרקינן כי ליכא בכיה בבתי גואי והמקום הנקרא מסתרים בבתי בראי הוא. איני ויקרא ה' אלהים צבאות ביום ההוא לבכי ולמספד וגו' הנה הקב"ה קראו לבכי. ופרקינן שאני חורבן ביהמ"ק שאפילו מלאכי שלום בכו שנאמר הן אראלם צעקו חוצה מלאכי שלום מר יבכיון פי' ויקרא ה' אלהים צבאות וגו' קרא אותו היום כלומר קבעו יום בכיה ומספד לדורות. כתיב ודמע תדמע ותרד עיני דמעה. ג' דמעות הללו אחת למקדש ראשון ואחת למקדש שני ואחת כי נשבה עדר ה' דכיון שגלו אין לך ביטול תורה מזה: תנו רבנן שלשה הקב"ה בוכה עליהן בכל יום. פי' אומר הקב"ה ראוי לבכות על אלו בכל יום על מי שאפשר לו לעסוק בתורה ואינו עוסק ועל שאי אפשר [ואינו עוסק בתורה ועוסק] ועל פרנס המתגאה על הצבור בחנם. ר' ור' חייא אקבילו אפיה חד סגי נהורא. אמר להו אתם הקבלתם פנים הנראים ואינם רואים תזכו להקביל פני שכינה שרואין ואינן נראין. הרואה חכמים במיתתם כתיב ויחי עוד לנצח לא יראה השחת כי יראה חכמים ימותו השתא ומה הרואה חכמים במיתתן יחיה בחייהם על אחת כמה וכמה. דרש ר' יוחנן כתיב ואותי יום יום ידרשון וכי ביום דורשין ובלילה אין דורשין אלא לומר לך כל העוסק בתורה אפילו יום אחד בשנה לשמה מעלה עליו הכתוב כאילו עסק כל השנה וכן במדת פורענות כתיב במספר הימים אשר תרתם את הארץ ארבעים יום יום לשנה וכי שנה חטאו והלא לא חטאו אלא ארבעים יום אלא לומר לך כל העובר עבירה אפילו יום אחד בשנה מעלה עליו כאילו עבר כל השנה כולה. איזהו (חייב) [קטן] שאינו חייב בראיה בה"א

תוספות

שדור בי שבור מלכא וגרבוהו. אומר הר"י דהיינו ההוא דפרק בתרא דברכות (דף נו.) גבי פשריה דבר הדיא שפתר לו שתמות אשתו ויאבד כל אשר לו מאת המלך:

הן אראלם צעקו חוצה. פשטיה דקרא בישעיה כתיב על המזבח וכתיב הוי אריאל (ישעיה כט):

ויחי עוד לנצח לא יראה השחת. פשטיה דקרא בתמיה הוא וכי הרשע לא ימות כמו שהחכמים ימותו:

רש"י

אינו מהן. מזרע ישראל דכתיב והסתרתי פני מהם (דברים לא) שלועג מצרות השונאות עליו ואינו נענה שלא יבואו: והיה לאכול. שהעובדי כוכבים שוללין ממונו: וגרבוהו. שלוהו: בחלום אדבר בו. ביום ההוא קא דייק ביום ולא בלילה שמראין לו חלום כדי שיתפלל על הדבר: ידו נטויה. להגן עליו: אפיקורסים. שאינם מאמינים לדברי רז"ל כגון לדוקים: אחוי ליה. על ידי סימן רמז לו החזיר פניו: במחוג. ברמז: נסרחה חכמתם. בפסוק כתיב האין עוד חכמה בתימן אבדה עצה מבנים מישראל: לנגדך. בשוה: שיחה יתירה. דברי שחוק שלפני תשמיש: כדלא טעים תבשילא. שרעב לאכול כלומר מתאוה לתשמיש: בבתי גואי. איכא דכתיב במסתרים: הכי גרסינן ובבתי בראי ליכא והכתיב ויקרא. וכל קריאה השמעת קול היא: מאיגרא רם לבירא עמיקתא. כמה גדולה נפילה זו אין לך גבוה ובור עמוק כמשמים לארץ: תקפיה. רבי לר' חייא ואזיל רבי בהדיה: כי הוו מיפטרי מקמיה. שנטלו ממנו רשות: איכו השתא. אם לא באתי עמך והאמנתי לך מנעתני מברכה זו: מנא לך. שכל כך גדולה הקבלת פנים: בדקש. כשהזקין (ג) רבי יעקב: היה רגיל כו'. מהלך שלשה חדשים היה מביתו לבית המדרש ונוסע מביתו אחר הפסח ולומד יום אחד וחוזר לביתו לשמח את אשתו בחג הסוכות: עד

גמרא

אינו מהם אמרו ליה רבנן לרבא מר לא בהסתר פנים איתיה ולא בוהיה לאכול איתיה אמר להו מי ידעיתו כמה משדרנא בצנעא בי שבור מלכא אפי' הכי יהבו ביה רבנן עינייהו אדהכי שדור דבי שבור מלכא וגרבוהו אמר היינו דתניא אמר רבן שמעון בן גמליאל כל מקום שנתנו חכמים עיניהם או מיתה או עוני א) ואנכי הסתר אסתיר פני ביום ההוא אמר רבא אמר הקב"ה אף על פי שהסתרתי פני מהם בחלום אדבר בו רב יוסף אמר ידו נטויה עלינו שנאמר ב) ובצל ידי כסיתיך ר' יהושע בן חנניה הוה קאי בי קיסר אחוי ליה ההוא אפיקורוסא עמא דאהדרינהו מריה לאפיה מיניה אחוי ליה ידו נטויה עלינו אמר ליה קיסר לר' יהושע מאי אחוי לך עמא דאהדרינהו מריה לאפיה מיניה ואנא מחוינא ליה ידו נטויה עלינו אמרו ליה לההוא מינא מאי אחויית ליה עמא דאהדרינהו מריה (א) מיניה ומאי אחוי לך לא ידענא אמרו גברא דלא ידע מאי מחוו ליה במחוג יחוי קמי מלכא אפקוהו וקטלוהו כי קא ניחא נפשיה דרבי יהושע בן חנניה אמרו ליה רבנן מאי תיהוי עלן מאפיקורוסין אמר להם ג) אבדה עצה מבנים נסרחה חכמתם כיון שאבדה עצה מבנים נסרחה חכמתן של אומות העולם ואי בעית אימא מהכא ד) ויאמר נסעה ונלכה ואלכה לנגדך רבי אילא הוה סליק בדרגא דבי רבה בר שילא שמעיה לינוקא דהוה קא קרי ה) כי הנה יוצר הרים ובורא רוח ומגיד לאדם מה שיחו אמר עבד שרבו מגיד לו מה שיחו תקנה יש לו מאי מה שיחו אמר רב אפילו שיחה יתירה שבין איש לאשתו מגידים לו לאדם בשעת מיתה איני והא רב כהנא הוה גני תותי פורייה דרב ושמעיה דשח וצחק ועשה צרכיו אמר דמי פומיה דרב כמאן דלא טעים ליה תבשילא אמר ליה כהנא פוק לאו אורח ארעא לא קשיא כאן דצריך לרצויה הא דלא צריך לרצויה ו) ואם לא תשמעוה במסתרים תבכה נפשי מפני גוה אמר רב שמואל בר איניא משמיה דרב מקום יש לו להקב"ה ומסתרים שמו מאי מפני גוה אמר רב שמואל בר יצחק מפני גאוותן של ישראל שניטלה מהם ונתנה לעובדי כוכבים ר' שמואל בר נחמני אמר מפני גאוותה של מלכות שמים (ב) ומי איכא בכיה קמיה הקב"ה והאמר רב פפא אין עציבות לפני הקב"ה שנאמר ז) הוד והדר לפניו עוז וחדוה במקומו לא קשיא הא בבתי גואי הא בבתי בראי ובבתי בראי לא והא כתיב ח) ויקרא אדני ה' צבאות ביום ההוא לבכי ולמספד ולקרחה ולחגור שק שאני חרבן בית המקדש דאפילו מלאכי שלום בכו שנאמר ט) הן אראלם צעקו חוצה מלאכי שלום מר יבכיון: ודמע תדמע ותרד עיני דמעה כי נשבה עדר ה' אמר ר' אלעזר שלש דמעות הללו למה אחת על מקדש ראשון ואחת על מקדש שני ואחת על ישראל שגלו ממקומן ואיכא דאמרי אחת על ביטול תורה בשלמא למאן דאמר על ישראל שגלו היינו דכתיב כי נשבה עדר ה' אלא למאן דאמר על ביטול תורה מאי כי נשבה עדר ה' כיון שגלו ישראל ממקומן אין לך ביטול תורה גדול מזה תנו רבנן שלשה הקב"ה בוכה עליהן בכל יום על שאפשר לעסוק בתורה ואינו עוסק ועל שאי אפשר לעסוק בתורה ועוסק ועל פרנס המתגאה על הצבור רבי הוה נקיט ספר קינות וקא קרי בגויה כי מטא להאי פסוקא י) השליך משמים ארץ מיד נפל מן ידיה אמר מאיגרא רם לבירא עמיקתא רבי ורבי חייא הוו שקלי ואזלי באורחא כי מטו להוא מתא אמרי איכא צורבא מרבנן הכא ניזיל וניקביל אפיה אמרי איכא צורבא מרבנן הכא ומאור עינים הוא אמר ליה ר' חייא לרבי תיב את לא תזלזל בנשיאותך איזיל אנא ואקביל אפיה תקפיה ואזל בהדיה כי הוו מיפטרי מיניה אמר להו אתם הקבלתם פנים הנראים ואינם רואין תזכו להקביל פנים הרואים ואינן נראין אמר ליה איכו השתא מנעתן מהאי בירכתא אמרו ליה ממאן שמיעא לך מפרקיה דרבי יעקב שמיע לי דרבי יעקב איש כפר חיטייא הוה מקביל אפיה דרביה כל יומא כי קש א"ל לא נצטער מר דלא יכיל מר אמר ליה מי זוטר מאי דכתיב בהו ברבנן כ) ויחי עוד לנצח לא יראה השחת כי יראה חכמים ימותו ומה הרואה חכמים במיתתן יחיה בחייהן על אחת כמה וכמה רב אידי אבוה דרבי יעקב בר אידי הוה רגיל דהוה אזיל תלתא ירחי באורחא וחד יומא בבי רב והוו קרו ליה רבנן בר בי רב דחד יומא חלש דעתיה קרי אנפשיה ל) שחוק לרעהו אהיה וגו' א"ל ר' יוחנן במטותא מינך לא תעניש להו רבנן נפק ר' יוחנן לבי מדרשא ודרש מ) ואותי יום יום ידרשון ודעת דרכי יחפצון וכי ביום דורשין אותו ובלילה אין דורשין אותו אלא לומר לך כל העוסק בתורה אפי' יום אחד בשנה מעלה עליו הכתוב כאילו עסק כל השנה כולה וכן במדת פורענות דכתיב נ) במספר הימים אשר תרתם את הארץ ארבעים יום וכי ארבעים שנה חטאו והלא ארבעים יום חטאו אלא לומר לך כל העובר עבירה אפי' יום אחד בשנה מעלה עליו הכתוב כאילו עבר כל השנה כולה: אי זהו קטן כל שאינו יכול לרכוב על כתפו של אביו: מתקיף לה רבי זירא

עד

מסורת הש"ס

א) מו"ק יז: סוטה מו: נדרים ז: ע"ש, ב) [ויחנן לקמן יג.], ג) [ברכות נו:], ד) [ברכות סב.], ה) [לקמן יג.], ו) [עיין לידו בשם רש"י פסחים מג:], ז) [ע' תוספות סוטה יא. ד"ה מרים], ח) העיקר חסר מן הספר ועצ"ע מה"ד כיום ההוא קא דייק וכו"ה שם אע"ש שהסתרתי פני מהם כדכתיב ודבר ה' אל משה פנים אל פנים וגו' ולומר הפנים אסתיר אבל בחלום אדבר בו. ע"כ ממהרש"ל גרס.

הגהות הב"ח

(א) גמרא מריה לאפיה מיניה ומאי אחוי לך: (ב) שם של מלכות שמים שנטלה ומי איכא: (ג) רש"י ד"ה כשהזקין הס"ד ואח"כ מה"ד רב אידי אבוה דרבי יעקב היה רגיל:

תורה אור השלם

א) וְאָנֹכִי הַסְתֵּר אַסְתִּיר פָּנַי בַּיּוֹם הַהוּא עַל כָּל הָרָעָה אֲשֶׁר עָשָׂה כִּי פָנָה אֶל אֱלֹהִים אֲחֵרִים: [דברים לא, יח]
ב) וָאָשִׂים דְּבָרַי בְּפִיךָ וּבְצֵל יָדִי כִּסִּיתִיךָ לִנְטֹעַ שָׁמַיִם וְלִיסֹד אָרֶץ וְלֵאמֹר לְצִיּוֹן עַמִּי אָתָּה: [ישעיה נא, טז]
ג) לֶאֱדוֹם כֹּה אָמַר יְיָ צְבָאוֹת הַאֵין עוֹד חָכְמָה בְּתֵימָן אָבְדָה עֵצָה מִבָּנִים נִסְרְחָה חָכְמָתָם: [ירמיה מט, ז]
ד) וַיֹּאמֶר נִסְעָה וְנֵלֵכָה וְאֵלְכָה לְנֶגְדֶּךָ: [בראשית לג, יב]
ה) כִּי הִנֵּה יוֹצֵר הָרִים וּבֹרֵא רוּחַ וּמַגִּיד לְאָדָם מַה שֵּׂחוֹ עֹשֵׂה שַׁחַר עֵיפָה וְדֹרֵךְ עַל בָּמֳתֵי אָרֶץ יְיָ אֱלֹהֵי צְבָאוֹת שְׁמוֹ: [עמוס ד, יג]
ו) וְאִם לֹא תִשְׁמָעוּהָ בְּמִסְתָּרִים תִּבְכֶּה נַפְשִׁי מִפְּנֵי גֵוָה וְדָמֹעַ תִּדְמַע וְתֵרַד עֵינִי דִּמְעָה כִּי נִשְׁבָּה עֵדֶר יְיָ: [ירמיה יג, יז]
ז) הוֹד וְהָדָר לְפָנָיו עֹז וְחֶדְוָה בִּמְקֹמוֹ: [דברי הימים א טז, כז]
ח) וַיִּקְרָא אֲדֹנָי אֱלֹהִים צְבָאוֹת בַּיּוֹם הַהוּא לִבְכִי וּלְמִסְפֵּד וּלְקָרְחָה וְלַחֲגֹר שָׂק: [ישעיה כב, יב]
ט) הֵן אֶרְאֶלָּם צָעֲקוּ חֻצָה מַלְאֲכֵי שָׁלוֹם מַר יִבְכָּיוּן: [ישעיה לג, ז]
י) אֵיכָה יָעִיב בְּאַפּוֹ אֲדֹנָי אֶת בַּת צִיּוֹן הִשְׁלִיךְ מִשָּׁמַיִם אֶרֶץ תִּפְאֶרֶת יִשְׂרָאֵל וְלֹא זָכַר הֲדֹם רַגְלָיו בְּיוֹם אַפּוֹ: [איכה ב, א]
כ) וִיחִי עוֹד לָנֶצַח לֹא יִרְאֶה הַשָּׁחַת: כִּי יִרְאֶה חֲכָמִים יָמוּתוּ יַחַד כְּסִיל וָבַעַר יֹאבֵדוּ וְעָזְבוּ לַאֲחֵרִים חֵילָם: [תהלים מט, י-יא]
ל) שְׂחֹק לְרֵעֵהוּ אֶהְיֶה קֹרֵא לֶאֱלוֹהַּ וַיַּעֲנֵהוּ שְׂחוֹק צַדִּיק תָּמִים: [איוב יב, ד]
מ) וְאוֹתִי יוֹם יוֹם יִדְרֹשׁוּן וְדַעַת דְּרָכַי יֶחְפָּצוּן כְּגוֹי אֲשֶׁר צְדָקָה עָשָׂה וּמִשְׁפַּט אֱלֹהָיו לֹא עָזָב יִשְׁאָלוּנִי מִשְׁפְּטֵי צֶדֶק קִרְבַת אֱלֹהִים יֶחְפָּצוּן: [ישעיה נח, ב]
נ) בְּמִסְפַּר הַיָּמִים אֲשֶׁר תַּרְתֶּם אֶת הָאָרֶץ אַרְבָּעִים יוֹם יוֹם לַשָּׁנָה יוֹם לַשָּׁנָה תִּשְׂאוּ אֶת עֲוֹנֹתֵיכֶם אַרְבָּעִים שָׁנָה וִידַעְתֶּם אֶת תְּנוּאָתִי: [במדבר יד, לד]

ליקוטי רש"י

שבור מלכא. מלך פרס היה [סוכה נג.]. כי קא ניחא נפשיה דרבי יהושע וכו' מאי תיהוי עלן. שהיה זהיר בדרשות ובקי בהלכות ובתשובת האפיקורסים ולהבין ברמזיהם כדאמרי' בפ"ק דמגיגה (דף ה:) כי נח נפשיה אמרו ליה רבנן מאי תהוי עלן ממינים אמר להן אבדה עצה מבני ישראל נסרחה חכמה של עובדי כוכבים [סוטה מט:]. מבנים. מדור זה. נסרחה. אתקלקלת [ירמיה מט, ז]. נסעה. כמו שמעה סלחה (דניאל ט יט) שהוא כמו שמע כמו נסע והטו"ן יסוד בתיבה ותרגומו טול ונהך עשו אמר ליעקב נסע מכאן ונלך. ואלכה לנגדך. בשוה לך טובה זו אעשה לך שאאריך ימי מהלכתי ללכת לאט כאשר אתה צריך וזהו לנגדך בשוה לך [בראשית לג, יב]. סליק בדרגא. עולה במעלות [שבת קנה.]. מה שיחו. כל מעשיו פורטין לפניו בשעת מיתתו [עמוס ד, יג]. פורייה. מיטתו [ע"פ מו"ק כה.]. דסח וצחק. עם אשתו שיחה בטלה של ריצוי תשמיש. ועשה צרכיו. ושימש מטתו. כמאן דלא טעים ליה תבשילא. כאדם שמשה מטתך מעולם שאתה נוהג קלות ראש זה לתאותך [ברכות סב.]. מפני גוה. מפני גדולה שלהם שתתבטל ד"א מפני גאותה של מלכות שמים שתנתן לאלילים של כשדים [ירמיה יג, יז]. הוד והדר לפניו עוז וחדוה במקומו. אבל האמת במקום שמשימין אותם שם מונחים לפי שאלהינו הוא אלהים אמת [דברי הימים א טז, כז]. בראי. מבחוץ [יומא כא.]. גואי. בפנים [מנחות מח.]. הן אראלם צעקו חוצה. היה הנביא מתנבא נחמות ואומר שהפורענות ככר אכלוהו ומעתה אף הן על אראלים שלהם הוא המזבח ככר לעקו וספדו בחוצות וברחובות בבכי ונהי. מלאכי שלום. מלאכי שליחותם שהיו רגילין לבשר שלום מר יבכיון ואומרים נשמו מסילות שבת עובר אורח [ישעיה לג, ז]. משמים ארץ. לאחר שהגביהם עד לארץ בבת אחת ולא מעט מעט מאיגרא רמא לבירא עמיקתא [איכה ב, א]. צורבא מרבנן. תלמיד חכם [שבת קיט.]. בר בי רב. תלמיד [פסחים נב.]. אנפשיה. על עצמו [ע"פ ברכות ל:]. ואותי יום יום ידרשון. כענין שנאמר ויפתוהו בפיהם ודעת דרכי יחפצון. חפצים לשאול הוראות לחכמים כאילו רוצים לקיימם [ישעיה נח, ב].

The Gemara returns to its earlier discussion:

רַבִּי אִילָּא הֲוָה סָלִיק בְּדַרְגָּא דְּבֵי רַבָּה בַּר שִׁילָא – R' I'lla was once ascending the stairs of the house of Rabbah bar Shila. **שְׁמָעֵיהּ לְינוּקָא דַּהֲוָה קָא קָרֵי – He heard a young child who was reading** the following verse:[19] ,,כִּי הִנֵּה יוֹצֵר הָרִים וּבֹרֵא רוּחַ וּמַגִּיד לְאָדָם מַה־שֵּׂחוֹ" – ***For behold, He forms mountains and creates winds; He recounts to a person what were his words.*** **אָמַר – Said [R' I'lla]:** **עֶבֶד שֶׁרַבּוֹ מַגִּיד לוֹ מַה שִּׂיחוֹ – A slave whose master tells him what all of his words were,** **תַּקָּנָה יֵשׁ לוֹ – is there any remedy for him?**

The Gemara asks:

מַאי ,,מַה־שֵּׂחוֹ" – What is the meaning of ***what were his words?***[20] **אָמַר רַב – Rav said:** **אֲפִילּוּ שִׂיחָה יְתֵירָה שֶׁבֵּין אִישׁ לְאִשְׁתּוֹ – Even the extra talk between a man and his wife**[21] **מַגִּידִים לוֹ לְאָדָם בִּשְׁעַת מִיתָה – is recounted to a person at the time of** his **death.**[21]

The Gemara asks:

אִינִי – But is this indeed **so?** Is a man brought to account for the talk between himself and his wife before marital relations? **וְהָא רַב כַּהֲנָא הֲוָה גְּנֵי תּוּתֵי פּוּרְיֵיהּ דְּרַב – Why, Rav Kahana once lay under the bed of Rav,**[22] **וְשַׁמְעֵיהּ דְּסָח וְצָחַק וְעָשָׂה צְרָכָיו – and he heard how [Rav]** first **spoke** with his wife **and** then **laughed** with her, **and** only then **attended to his needs,** i.e. his marital obligations. **אָמַר – Said** Rav Kahana from beneath the bed: **דָּמֵי פּוּמֵיהּ דְּרַב כְּמַאן דְּלֹא טְעִים לֵיהּ תַּבְשִׁילָא – Rav's mouth is like one that has not tasted food!**[23] **אָמַר לֵיהּ – [Rav] said to him:** **כַּהֲנָא פּוּק – Kahana, go out!** **לָאו אוֹרַח אַרְעָא – It is not proper** that you be here! Nevertheless, we see that Rav talked and laughed with his wife before relations. **– ? –**

The Gemara answers:

לֹא קַשְׁיָא – There is no difficulty. **כָּאן דְּצָרִיךְ לְרַצּוּיָהּ – Here,** one is not accountable for talk before relations **when he must appease her.** **הָא דְּלֹא צָרִיךְ לְרַצּוּיָהּ – However, when he does not need to appease her,** he is accountable for superfluous talk.

The Gemara expounds on another verse related to the concealment of God:

It is written:[24] ,,וְאִם לֹא תִשְׁמָעוּהָ בְּמִסְתָּרִים תִּבְכֶּה־נַפְשִׁי מִפְּנֵי גֵוָה" – ***And if you do not heed this, My spirit will cry in hidden chambers because of your haughtiness.*** **אָמַר רַב שְׁמוּאֵל בַּר אִינְיָא מִשְּׁמֵיהּ דְּרַב – Rav Shmuel bar Inya said in the name of Rav:** **מָקוֹם יֵשׁ לוֹ לְהַקָּדוֹשׁ בָּרוּךְ הוּא – The Holy One, Blessed is He, has a place** **וּמִסְתָּרִים שְׁמוֹ – and its name is *Mistarim*.**[25] **מַאי ,,מִפְּנֵי גֵוָה" – What is** the meaning of ***because of your haughtiness?*** **אָמַר רַב שְׁמוּאֵל בַּר יִצְחָק – Rav Shmuel bar Yitzchak said:** **מִפְּנֵי גַּאֲוָותָן שֶׁל יִשְׂרָאֵל – Because of the exaltedness of Israel** **שֶׁנִּיטְּלָה מֵהֶם וְנִתְּנָה לְעוֹבְדֵי כּוֹכָבִים – that was taken from them and given to idol worshipers.** **רַבִּי שְׁמוּאֵל בַּר נַחְמָנִי אָמַר – R' Shmuel bar Nachmani said:** **מִפְּנֵי גַּאֲוָותָהּ שֶׁל מַלְכוּת שָׁמַיִם – Because of the exaltedness of the Kingdom of Heaven** that was removed.[26]

The Gemara asks:

וּמִי אִיכָּא בְּכִיָּה קַמֵּיהּ הַקָּדוֹשׁ בָּרוּךְ הוּא – But is there weeping in the presence of the Holy One, Blessed is He? **וְהָאָמַר רַב פָּפָּא אֵין עֲצִיבוּת לִפְנֵי הַקָּדוֹשׁ בָּרוּךְ הוּא – Why, Rav Pappa said: There is no grief in the presence of the Holy One, Blessed is He,** **שֶׁנֶּאֱמַר ,,הוֹד וְהָדָר לְפָנָיו עֹז וְחֶדְוָה בִּמְקֹמוֹ" – for it states:**[27] ***Glory and Majesty are before Him, might and delight are in His place!***[28]

The Gemara answers:

לֹא קַשְׁיָא – There is no difficulty. **הָא בְּבָתֵּי גַּוָּאֵי – This** earlier verse which states that God weeps **refers to the inner chambers,** as inferred by the term "hidden chambers." **הָא בְּבָתֵּי בָּרָאֵי – Whereas this** second verse, which infers that only happiness exists in the presence of God, **refers to the outer chambers.** [29]

The Gemara challenges this:

וּבְבָתֵּי בָּרָאֵי לֹא – And is there indeed **no** weeping **in the outer chambers?** **וְהָא כְּתִיב – Behold it is written:**[30] ,,וַיִּקְרָא אֲדֹנָי ה' צְבָאוֹת בַּיּוֹם הַהוּא לִבְכִי וּלְמִסְפֵּד וּלְקָרְחָה וְלַחֲגֹר שָׂק" – ***And Hashem, God of Hosts, called out on that day*** (of the destruction of the Temple) ***for weeping and for eulogizing and for baldness, and for girding the sackcloth.*** Now, since the verse states "called out," the implication is that the weeping was done publicly in the outer chamber as well!

The Gemara answers:

שָׁאנֵי חֻרְבַּן בֵּית הַמִּקְדָּשׁ – The destruction of the Holy Temple is different **דַּאֲפִילּוּ מַלְאֲכֵי שָׁלוֹם בָּכוּ – for even the Angels of Peace wept.** **שֶׁנֶּאֱמַר ,,הֵן אֶרְאֶלָּם צָעֲקוּ חֻצָה מַלְאֲכֵי שָׁלוֹם מַר יִבְכָּיוּן" – For it states:**[31]***Behold for their Altar***[32] ***they cried***

NOTES

19. *Amos* 4:13. See *Rif* to *Ein Yaakov,* and *Iyun Yaakov* there.

20. The verse could have been written וּמַגִּיד לְאָדָם שחו. The extra word מה implies that man is held accountable for even the smallest amount of idle talk (*Maharsha*), such as small talk between man and wife before marital relations (*Rashi*).

21. [See *Rambam, Hilchos Dei'os* 2:4 who writes: "It was said about Rav, the disciple of Rabbeinu HaKadosh, that he never spoke in vain his entire life." *Kesef Mishneh* does not find a source for this statement. However, it is implicit from our Gemara, for Rav himself states here that one must account for all his conversations, even those which take place between man and wife during moments of intimacy (*Mekom Shmuel* 65, *Maharatz Chayes*).]

[R' I'lla was dismayed by the prospect of man being brought to account for every word he utters. For virtually all men have many conversations that contain idle talk and foolishness; furthermore, it is all too easy to transgress and utter words that are forbidden (e.g. *lashon hora*).]

22. He wished to observe Rav's actual practice in fulfilling the laws of marital relations. Torah learning becomes much more deeply rooted in one's head if he sees his teacher actually apply it, rather than if he merely hears it from his teacher.

23. I.e. you are comparable to a starving man presented with food! For your lightheadedness regarding this act seems to indicate that you are enjoying it for your own pleasure, as would one who had never before performed the act (*Rashi*). [Rav's intention, however, was to infuse the act with a certain sense of joy, so as to ensure that his wife would have pleasure in the act (see *Rambam, Hilchos Dei'os* 5:4 with *Hagahos Maimoniyos* 3, and *Hilchos Ishus* 15:17). Alternatively, it was to increase his own desire, since children born of an act performed without desire can be afflicted with serious character deficiencies (*Tur Orach Chaim* 240, from *Rosh* to *Nedarim* 20b; see *Rashi, Niddah* 17a ד"ה אונס שינה; see also *Shulchan Aruch, Even HaEzer* 25:2, and *Orach Chaim* 240:10 with *Magen Avraham*).]

24. *Jeremiah* 13:17.

25. The verse should seemingly have been written בְּסֵתֶר תִּבְכֶּה נַפְשִׁי, *my soul shall weep in secret.* Since it is written בְּמִסְתָּרִים, the implication is that the *place* where God weeps is called מִסְתָּרִים. See *Ben Yehoyada.*

26. I.e. God weeps in hidden chambers due to the loss of His glory, which is diminished when the Jewish nation does not heed His word.

27. *I Chronicles* 16:27.

28. I.e. this verse implies that only a display of happiness can exist in the presence of God, whereas the previous verse implies that God weeps in his hidden chambers!

29. [*Cf. Rabbeinu Chananel;* see also *Or Gedalyahu* to end of *Sefer Bamidbar,* p. 168.]

30. *Isaiah* 22:12.

31. Ibid. 33:7.

32. The verse is written in reference to the Altar, which is called אֲרִיאֵל in *Isaiah* (29:1) (*Tosafos;* see *Rashi* to the verse in the name of *Targum:* "The lion of God," i.e. the fire which descended unto the Altar from Heaven, was in the shape of a lion). Alternatively, it refers to the Sanctuary which was broad in the front and narrow in the back like a lion (*Rashi* ibid.).

עין משפט נר מצוה

כג א מיי' פ"ה מהל' דעות הלכה ד סמג לאוין קח טוש"ע א"ח סימן רמ סעיף ט [ונאה"ע סימן סה סעיף ב]:

רבינו חננאל

העובדי כוכבים ואוכלין ממונו אינו מישראל אמרו ליה לרבא והא מר לא בוהיה לאכול ומתפלל ונענה. אמר להן לא ידעיתון כמה משדרנא בצנעא לבי שבור מלכא ואפ"ה לא איפרק דאמור רבנן כ"מ שנתנו חכמים עיניהם או מיתה או עוני. שדרוה ליה שבור מלכא וגרבוה לרבא אמר רבה אע"ג דכתיב והסתרתי פני מהם אמר רחמנא בחלום אדבר בו. רב יוסף אמר ידו נטויה עלינו ובצל ידו אנו מכוסים: ר' יהושע בן חנניא אמרו ליה מה תהא עלן מנינאי כלומר אין אדם בינינו שיש בו כח להשיבם כמותו אמר להם אבדה עצה מבנים נסרחה חכמת האומות: כי הנה יוצר הרים ובורא רוח ומגיד לאדם מה שיחו. אמר רב אפילו שיחה קלה שבין איש לאשתו מגידין לאדם בשעת מיתתו כלומר צריך לאדם להרבות שיחה אפילו עם אשתו אלא אם צריך לארצויה כגון שהיא כעוסה לה לרצותה: ואם לא תשמעוה במסתרים תבכה נפשי מקום שיש למעלה ומסתרים שמו שבוכים שם המלאכים כדכתיב מלאכי שלום מר יבכיון ואע"פ שיש מפורש מלאכי שלום. השלוחים ששלח המלך לעשות שלום לא קבלו מהם וחזרו בוכים בפחי נפש: מפני גוה מפני גאותן של ישראל שניטלה מהן ונתנה לעובדי כוכבים. ומקשה ומי איכא בכיה קמיה דקב"ה והא כתיב עוז וחדוה במקומו ופרקינן כי ליכא בכיה בבתי גואי ומקום הנקרא מסתרים בבתי בראי הוא. איני ויקרא ה' אלהים צבאות ביום ההוא לבכי ולמספד וגו' הנה הקב"ה קראו לבכי. ופרקינן שאני חורבן ביהמ"ק שאפילו מלאכי שלום בכו שנאמר הן אראלם צעקו חוצה מלאכי שלום מר יבכיון פי' ויקרא ה' אלהים צבאות וגו' קרא אותו היום כלומר קבעו יום בכיה ומספד לדורות. כתיב ודמע תדמע ותרד עיני דמעה. ג' דמעות הללו אחת למקדש ראשון ואחת למקדש שני ואחת כי נשבה עדר ה' דכיון שגלו אין לך ביטול תורה מזה: תנו רבנן שלשה הקב"ה בוכה עליהן בכל יום. פי' אומר הקב"ה ראוי לבכות על אלו בכל יום על מי שאפשר לו לעסוק בתורה [ואינו עוסק ועל שאי אפשר לעסוק בתורה ועוסק] ועל פרנס המתגאה על הצבור בחנם. ר' ור' חייא אקבילו אפיה חד סגי נהורא. אמר להו אתם הקבלתם פנים הנראים ואינם רואים תזכו להקביל פני שכינה שרואין ואינן נראין. הרואה חכמים במיתתם כתיב ויחי עוד לנצח לא יראה השחת כי יראה חכמים ימותו ומה הרואה חכמים במיתתן יחיה בחייהן על אחת כמה וכמה. דרש ר' יוחנן כתיב ואותי יום יום ידרשון וכי ביום דורשין ובלילה אין דורשין אלא לומר לך כל העוסק בתורה אפילו יום אחד בשנה מעלה עליו כאילו עסק כל השנה כולה וכן במספר הימים אשר תרתם את הארץ ארבעים יום יום לשנה וכי שנה חטאו והלא לא חטאו אלא ארבעים יום אלא לומר לך כל העובר עבירה אפילו יום אחד בשנה מעלה עליו כאילו עבר כל השנה כולה. איזהו (חייב) [קטן] שאינו חייב בראיה בה"א

אינו מהם. מזרע ישראל דכתיב והסתרתי פני מהם (דברים לא) שלועג מצרות הבאות עליו ואינו נענה שלא יבואו: והיה לאכול. שהעובדי כוכבים שוללין ממונו: וגרבוהו. שלוהו: בחלום אדבר בו. ביום ההוא קא דייק ביום ולא בלילה שמראין לו חלום כדי שיתפלל על הדבר: ידו נטויה. להגן עליו: אפיקורסים. שאינם מאמינים לדברי רז"ל כגון לדוקים: אחוי ליה. על ידי סימן רמז לו החזיר פניו: במחוג. ברמז: נסרחה חכמתם. בפסוק כתיב האין עוד חכמה בתימן אבדה עצה מבנים מישראל: לנגדך. כשוה: שיחה יתירה. דברי שחוק שלפני תשמיש: כדלא טעים תבשילא. שרעב לאכול כלומר מתאוה לתשמיש: בבתי גואי. איכא דכתיב במסתרים: הכי גרסינן ובבתי בראי ליכא והכתיב ויקרא. וכל קריאה השמעת קול היא: מאיגרא רם לבירא עמיקתא. כמה גדולה נפילה זו אין לך גבוה כשמים ובור עמוק כארץ: תקפיה. רבי לר' חייא ואזיל רבי בהדיה: כי הוו מיפטרי מקמיה. שנטלו ממנו רשות: איכו השתא. אם לא באתי עמך והאמנתי לך מנעתני מברכה זו: מנא לך. שכל כך גדולה הקבלת פנים: כדקש. כשהזקין (ג) רבי יעקב: היה רגיל כו'. מהלך שלשה חדשים היה מביתו לבית המדרש ונוסע מביתו אחר הפסח ולומד יום אחד וחוזר לביתו לשמח את אשתו בחג הסוכות: עד

שדור בי שבור מלכא וגרבוהו. אומר הר"י דהיינו הוא דבפרק במה דברכות (דף נו.) גבי פשרה דבר הלא שסיפר לו שחמות אשתו ויאבד כל אשר לו מאת המלך: הן אראלם צעקו חוצה. פשטיה דקרא בישעיה כתיב על המזבח וכתיב הוי אריאל (ישעיה כט): ויחי עוד לנצח לא יראה השחת. פשטיה דקרא במתים הוא וכי הרשע לא ימות כמו שהחכמים ימותו: [illegible]

אינו מהם אמרו ליה רבנן לרבא מר לא בהסתר פנים איתיה ולא בוהיה לאכול איתיה אמר להו מי ידעיתו כמה משדרנא בצנעא בי שבור מלכא אפי' הכי יהבו ביה רבנן עינייהו אדהכי שדור דבי שבור מלכא וגרבוהו אמר היינו דתניא אמר רבן שמעון בן גמליאל כל מקום שנתנו חכמים עיניהם או מיתה או עוני ואנכי הסתר אסתיר פני ביום ההוא אמר רבא אמר הקב"ה אף על פי שהסתרתי פני מהם בחלום אדבר בו רב יוסף אמר ידו נטויה עלינו שנאמר ובצל ידי כסיתיך ר' יהושע בן חנניה הוה קאי בי קיסר אחוי ליה ההוא אפיקורוסא עמא דאהדרינהו מריה לאפיה מיניה אחוי ליה ידו נטויה עלינו אמר ליה קיסר לר' יהושע מאי אחוי לך עמא דאהדרינהו מריה לאפיה מיניה ואנא מחוינא ליה ידו נטויה עלינו אמרו ליה לההוא מינא מאי אחויית ליה עמא דאהדרינהו מריה (א) מיניה ומאי אחוי לך לא ידענא אמרו גברא דלא ידע מאי מחוו ליה במחוג יחוי קמי מלכא אפקוהו וקטלוהו כי קא ניחא נפשיה דרבי יהושע בן חנניה אמרו ליה רבנן מאי תיהוי עלן מאפיקורסין אמר להם אבדה עצה מבנים נסרחה חכמתם כיון שאבדה עצה מבנים נסרחה חכמתן של אומות העולם ואי בעית אימא מהכא ויאמר נסעה ונלכה ואלכה לנגדך רבי אילא הוה סליק בדרגא דבי רבה בר שילא שמעיה לינוקא דהוה קא קרי כי הנה יוצר הרים ובורא רוח ומגיד לאדם מה שיחו אמר עבד שרבו מגיד לו מה שיחו תקנה יש לו מאי מה שיחו אמר רב אפילו שיחה יתירה שבין איש לאשתו מגידים לו לאדם בשעת מיתה איני והא רב כהנא הוה גני תותי פורייה דרב ושמעיה דסח וצחק ועשה צרכיו אמר דמי פומיה דרב כמאן דלא טעים ליה תבשילא אמר ליה כהנא פוק לאו אורח ארעא לא קשיא כאן דצריך לרצויה הא דלא צריך לרצויה ואם לא תשמעוה במסתרים תבכה נפשי מפני גוה אמר רב שמואל בר איניא משמיה דרב מקום יש לו להקב"ה ומסתרים שמו מאי מפני גוה אמר רב שמואל בר יצחק מפני גאוותן של ישראל שניטלה מהם ונתנה לעובדי כוכבים ר' שמואל בר נחמני אמר מפני גאוותה של מלכות שמים (ב) ומי איכא בכיה קמיה הקב"ה והאמר רב פפא אין עציבות לפני הקב"ה שנאמר הוד והדר לפניו עוז וחדוה במקומו לא קשיא הא בבתי גואי הא בבתי בראי ובבתי בראי לא והא כתיב ויקרא אדני ה' צבאות ביום ההוא לבכי ולמספד ולקרחה ולחגור שק שאני חרבן בית המקדש דאפילו מלאכי שלום בכו שנאמר הן אראלם צעקו חוצה מלאכי שלום מר יבכיון ודמע תדמע ותרד עיני דמעה כי נשבה עדר ה' אמר ר' אלעזר שלש דמעות הללו למה אחת על מקדש ראשון ואחת על מקדש שני ואחת על ישראל שגלו ממקומן ואיכא דאמרי אחת על ביטול תורה בשלמא למאן דאמר על ישראל שגלו היינו דכתיב כי נשבה עדר ה' אלא למאן דאמר על ביטול תורה מאי כי נשבה עדר ה' כיון שגלו ישראל ממקומן אין לך ביטול תורה גדול מזה תנו רבנן שלשה הקב"ה בוכה עליהן בכל יום על שאפשר לעסוק בתורה ואינו עוסק ועל שאי אפשר לעסוק בתורה ועוסק ועל פרנס המתגאה על הצבור רבי הוה נקיט ספר קינות וקא קרי בגויה כי מטא להאי פסוקא השליך משמים ארץ נפל מן ידיה אמר מאיגרא רם לבירא עמיקתא רבי ורבי חייא הוו שקלי ואזלי באורחא כי מטו להההוא מתא אמרי איכא צורבא מרבנן הכא נזיל וניקביל אפיה אמרי איכא צורבא מרבנן הכא ומאור עינים הוא אמר ליה ר' חייא לרבי תיב את לא תזלזל בנשיאותך איזיל אנא ואקביל אפיה תקפיה ואזל בהדיה כי הוו מיפטרי מיניה אמר להו אתם הקבלתם פנים הנראים ואינן רואים תזכו להקביל פנים הרואים ואינן נראין אמר ליה איכו השתא מנעתן מהאי בירכתא אמרו ליה ממאן שמיע לך מפרקיה דרבי יעקב שמיע לי דרבי יעקב איש כפר חיטייא הוה מקביל אפיה דרביה כל יומא כי קשיש א"ל לא נצטער מר דלא יכיל מר אמר ליה מי זוטר מאי דכתיב בהו ברבנן ויחי עוד לנצח לא יראה השחת כי יראה חכמים ימותו ומה הרואה חכמים במיתתן יחיה בחייהן על אחת כמה וכמה רב אידי אבוה דרבי יעקב בר אידי הוה רגיל דהוה אזיל תלתא ירחי בארחא וחד יומא בבי רב והוו קרו ליה רבנן בר בי רב דחד יומא חלש דעתיה קרי אנפשיה שחוק לרעהו אהיה וגו' א"ל ר' יוחנן במטותא מינך לא תעניש להו רבנן נפק ר' יוחנן לבי מדרשא ודרש ואותי יום יום ידרשון ודעת דרכי יחפצון וכי ביום דורשין אותו ובלילה אין דורשין אותו אלא לומר לך כל העוסק בתורה אפי' יום אחד בשנה מעלה עליו הכתוב כאילו עסק כל השנה כולה וכן במדת פורענות דכתיב במספר הימים אשר תרתם את הארץ וכי ארבעים שנה חטאו והלא ארבעים יום חטאו אלא לומר לך כל העובר עבירה אפי' יום אחד בשנה מעלה עליו הכתוב כאילו עבר כל השנה כולה: אי זהו קטן כל שאינו יכול לרכוב על כתפו של אביו: מתקיף לה רבי זירא

עד

מסורת הש"ס

א) מו"ק ח: סוטה מו: נדרים ז: ע"ש, ב) [יתקן לסיות רבה], ג) [ברכות מו:], ד) [ברכות סב.], ה) [לקמן יג.], ו) [עיין מ"ש בס"ד פסחים מג: על לידו בשם רש"ק בכריתות כה:], ז) [עי' תוספות סוטה יח. ד"ה מרים], ח) העיקר חסר מן הספר ובע"י מפני קא דייק וכו"ה שם לא"ס שהסתרתי פני מהם כדכתיב ודבר ה' אל משה פנים וגו' אותן הפנים אסתיר אבל בחלום אדבר בו. ע"כ מחילופי גרס'.

הגהות הב"ח

(א) גמרא מריה לאפיה מיניה ומאי אחוי לך: (ב) שם של מלכות שמים שנטלה ומי איכא: (ג) רש"י ד"ה כדקש כשהזקין הס"ד ואח"כ מה"ד רב אידי אבוה דרבי יעקב היה רגיל:

תורה אור השלם

א) וְאָנֹכִי הַסְתֵּר אַסְתִּיר פָּנַי בַּיּוֹם הַהוּא עַל כָּל הָרָעָה אֲשֶׁר עָשָׂה כִּי פָנָה אֶל אֱלֹהִים אֲחֵרִים: [דברים לא, יח]

ב) וָאָשִׂם דְּבָרַי בְּפִיךָ וּבְצֵל יָדִי כִּסִּיתִיךָ לִנְטֹעַ שָׁמַיִם וְלִיסֹד אָרֶץ וְלֵאמֹר לְצִיּוֹן עַמִּי אָתָּה: [ישעיה נא, טז]

ג) לֶאֱדוֹם כֹּה אָמַר יְיָ צְבָאוֹת הַאֵין עוֹד חָכְמָה בְּתֵימָן אָבְדָה עֵצָה מִבָּנִים נִסְרְחָה חָכְמָתָם: [ירמיה מט, ז]

ד) וַיֹּאמֶר נִסְעָה וְנֵלֵכָה וְאֵלְכָה לְנֶגְדֶּךָ: [בראשית לג, יב]

ה) כִּי הִנֵּה יוֹצֵר הָרִים וּבֹרֵא רוּחַ וּמַגִּיד לְאָדָם מַה שֵּׂחוֹ עֹשֵׂה שַׁחַר עֵיפָה וְדֹרֵךְ עַל בָּמֳתֵי אָרֶץ יְיָ אֱלֹהֵי צְבָאוֹת שְׁמוֹ: [עמוס ד, יג]

ו) וְאִם לֹא תִשְׁמָעוּהָ בְּמִסְתָּרִים תִּבְכֶּה נַפְשִׁי מִפְּנֵי גֵוָה וְדָמֹעַ תִּדְמַע וְתֵרַד עֵינִי דִּמְעָה כִּי נִשְׁבָּה עֵדֶר יְיָ: [ירמיה יג, יז]

ז) הוֹד וְהָדָר לְפָנָיו עֹז וְחֶדְוָה בִּמְקֹמוֹ: [דברי הימים א, טז, כז]

ח) וַיִּקְרָא אֲדֹנָי אֱלֹהִים צְבָאוֹת בַּיּוֹם הַהוּא לִבְכִי וּלְמִסְפֵּד וּלְקָרְחָה וְלַחֲגֹר שָׂק: [ישעיה כב, יב]

ט) הֵן אֶרְאֶלָּם צָעֲקוּ חֻצָה מַלְאֲכֵי שָׁלוֹם מַר יִבְכָּיוּן: [ישעיה לג, ז]

י) אֵיכָה יָעִיב בְּאַפּוֹ אֲדֹנָי אֶת בַּת צִיּוֹן הִשְׁלִיךְ מִשָּׁמַיִם אֶרֶץ תִּפְאֶרֶת יִשְׂרָאֵל וְלֹא זָכַר הֲדֹם רַגְלָיו בְּיוֹם אַפּוֹ: [איכה ב, א]

כ) וִיחִי עוֹד לָנֶצַח לֹא יִרְאֶה הַשָּׁחַת: כִּי יִרְאֶה חֲכָמִים יָמוּתוּ יַחַד כְּסִיל וָבַעַר יֹאבֵדוּ וְעָזְבוּ לַאֲחֵרִים חֵילָם: [תהלים מט, י-יא]

ל) שְׂחֹק לְרֵעֵהוּ אֶהְיֶה קֹרֵא לֶאֱלוֹהַּ וַיַּעֲנֵהוּ שְׂחוֹק צַדִּיק תָּמִים: [איוב יב, ד]

מ) וְאוֹתִי יוֹם יוֹם יִדְרֹשׁוּן וְדַעַת דְּרָכַי יֶחְפָּצוּן כְּגוֹי אֲשֶׁר צְדָקָה עָשָׂה וּמִשְׁפַּט אֱלֹהָיו לֹא עָזָב יִשְׁאָלוּנִי מִשְׁפְּטֵי צֶדֶק קִרְבַת אֱלֹהִים יֶחְפָּצוּן: [ישעיה נח, ב]

נ) בְּמִסְפַּר הַיָּמִים אֲשֶׁר תַּרְתֶּם אֶת הָאָרֶץ אַרְבָּעִים יוֹם יוֹם לַשָּׁנָה יוֹם לַשָּׁנָה תִּשְׂאוּ אֶת עֲוֹנֹתֵיכֶם אַרְבָּעִים שָׁנָה וִידַעְתֶּם אֶת תְּנוּאָתִי: [במדבר יד, לד]

ליקוטי רש"י

שבור מלכא. מלך פרס היה (סוכה נג.). כי קא ניחא נפשיה דרבי יהושע וכו'. מאי תיהוי וכו'. [illegible]

without; the Angels of Peace wept bitterly.[33]

The continuation of the verse that refers to God's weeping is cited and expounded upon:

It is written:[34] "וְדָמֹעַ תִּדְמַע וְתֵרַד עֵינִי דִּמְעָה כִּי נִשְׁבָּה עֵדֶר ה׳" – ***and I shall surely weep and my eyes will drip with tears, for the flock of Hashem is taken into captivity.*** אָמַר רַבִּי אֶלְעָזָר שָׁלֹשׁ דְּמָעוֹת הַלָּלוּ לָמָּה – **Said R' Elazar: These three** expressions of **"tears"**[35] – to **what** do they refer? אַחַת עַל מִקְדָּשׁ רִאשׁוֹן – **One for** the destruction of **the First Temple;** וְאַחַת עַל מִקְדָּשׁ שֵׁנִי – **and one for** the destruction of **the Second Temple;** וְאַחַת עַל יִשְׂרָאֵל שֶׁגָּלוּ מִמְּקוֹמָן – **and one for the Israelites who were exiled from their place.** וְאִיכָּא דְּאָמְרֵי – **And there are those who say** אַחַת עַל בִּיטּוּל תּוֹרָה – that **one** (i.e. the third one) **is for the neglect** of the study **of Torah.**

The Gemara asks:

בִּשְׁלָמָא לְמַאן דְּאָמַר עַל יִשְׂרָאֵל שֶׁגָּלוּ – **It is understandable according to the one who said** that the third "tear" is **for the Israelites who were exiled** from their land, הַיְינוּ דִּכְתִיב "כִּי נִשְׁבָּה עֵדֶר ה׳" – for **that is** the meaning of **what is written** at the end of the verse: ***for the flock of Hashem is taken into captivity*** – a clear reference to exile. אֶלָּא לְמַאן דְּאָמַר עַל בִּיטּוּל תּוֹרָה – **But according to the one who said** that the third "tear" is **for the neglect** of the study **of Torah,** מַאי "כִּי נִשְׁבָּה עֵדֶר ה׳" – **what is** the meaning of ***for the flock of Hashem is taken into captivity?***

The Gemara answers:

כֵּיוָן שֶׁגָּלוּ יִשְׂרָאֵל מִמְּקוֹמָן – **Since the Israelite people were exiled from their place,** אֵין לְךָ בִּיטּוּל תּוֹרָה גָּדוֹל מִזֶּה – **there is no greater** cause for the **neglect** of the study **of Torah than this.** Thus, the third "tear" is shed for the neglect of Torah that is caused by the exile of the nation.

A related Baraisa is cited:

תָּנוּ רַבָּנָן – **The Rabbis taught in a Baraisa:** שְׁלֹשָׁה הַקָּדוֹשׁ בָּרוּךְ הוּא בּוֹכֶה עֲלֵיהֶן בְּכָל יוֹם – THE HOLY ONE, BLESSED IS HE, WEEPS FOR THREE types of people EVERY DAY:[36] עַל שֶׁאֶפְשָׁר לַעֲסוֹק בַּתּוֹרָה וְאֵינוֹ עוֹסֵק – OVER ONE WHO IS ABLE TO OCCUPY himself WITH TORAH study, BUT DOES NOT DO SO; וְעַל שֶׁאִי אֶפְשָׁר לַעֲסוֹק בַּתּוֹרָה וְעוֹסֵק – AND OVER ONE WHO IS UNABLE TO OCCUPY himself WITH TORAH study, YET HE DOES SO;[37] וְעַל פַּרְנָס הַמִּתְגָּאֶה עַל הַצִּבּוּר – AND OVER A COMMUNAL LEADER WHO BEHAVES ARROGANTLY TOWARD THE COMMUNITY.

The Gemara relates an incident concerning the downfall of the Jewish nation in the wake of the Temple's destruction:

רַבִּי הֲוָה נָקִיט סֵפֶר קִינוֹת – **Rebbi was once holding the Book of *Lamentations*,** וְקָא קָרֵי בְּגַוֵּיהּ – **and he was reading from it.** כִּי מְטָא לְהַאי פְּסוּקָא "הִשְׁלִיךְ מִשָּׁמַיִם אֶרֶץ" – **When he came to the verse** that states:[38] ***He cast down from heaven to earth [the glory of Israel],*** נָפַל מִן יָדֵיהּ – **[the Book] fell from his hand.** אָמַר – **He commented:** מֵאִיגְּרָא רָם לְבֵירָא עֲמִיקְתָּא – **From a high roof to a deep pit!**[39]

Another event involving Rebbi is related:

רַבִּי וְרַבִּי חִיָּיא הֲווּ שָׁקְלֵי וְאָזְלֵי בְּאוֹרְחָא – **Rebbi and R' Chiya were once going on a journey.** כִּי מְטוּ לְהַהוּא מָתָא אָמְרֵי – **When they came to a certain town they said** to the inhabitants: אִיכָּא צוּרְבָא מֵרַבָּנָן הָכָא נֵיזִיל וְנִיקַבִּיל[40] אַפֵּיהּ – **If**[41] **there is a Rabbinical scholar here, we will go and pay him our respects.**[42] אָמְרֵי אִיכָּא צוּרְבָא מֵרַבָּנָן הָכָא וּמְאוֹר עֵינַיִם הוּא – **[The inhabitants] told** them: **There is in fact a Rabbinical scholar here; however, he is blind.**[43] אָמַר לֵיהּ רַבִּי חִיָּיא לְרַבִּי – **Said R' Chiya to Rebbi:** תִּיב אַתְּ – **You remain** here; לֹא תְּזַלְזֵל בִּנְשִׂיאוּתָךְ – **do not degrade your position of *Nasi*** by visiting the scholar.[44] אֵיזִיל אֲנָא וְאַקְבִּיל אַפֵּיהּ – **I will go** alone **and pay him my respects.** תַּקְפֵיהּ וְאָזַל בַּהֲדֵיהּ – However, **[Rebbi] bested**[45] **[R' Chiya] and went along with him** to visit the scholar.[46] כִּי

NOTES

33. Thus, God called out on that day for all the angels to weep publicly, although He (so to speak) wept only in his inner chambers (*Maharsha*).

34. *Jeremiah* 13:17.

35. [The double expression וְדָמֹעַ תִּדְמַע, which translates, *and I shall surely weep,* and the phrase וְתֵרַד עֵינִי דִּמְעָה, *and my eyes will drip with tears.*]

36. See *Rabbeinu Chananel,* who explains the Baraisa to mean that God states that these three types of people should be wept over [by others] every day.

37. This part of the Baraisa is enigmatic, for it would seem that God should rejoice over one who is unable to occupy himself with Torah and yet does so! However, the Baraisa teaches that God Himself shares the pain, so to speak, of the person who exerts himself and studies Torah even in the most difficult circumstances. In a similar vein, the Gemara below (15b) states: בִּזְמַן שֶׁאָדָם מִצְטַעֵר שְׁכִינָה מַה לָּשׁוֹן אוֹמֶרֶת, *When a person suffers, what expression does the Shechinah articulate?* Thus, we see that the Divine Presence expresses anguish for the suffering of a person. See also *Taanis* 16a, where the verse עִמּוֹ־אָנֹכִי בְצָרָה, *I am with him in distress* (*Psalms* 91:15), is similarly explained. Thus, the weeping is in sympathy for the harsh circumstances which cause the scholar to suffer. See also *Maharsha,* who offers a novel interpretation of the first two statements of the Baraisa.

38. *Lamentations* 2:1.

39. The fall of the Book, that coincided with his reciting the verse which describes the fall of the Jewish nation, heightened Rebbi's awareness of the vast difference between the state of the people before the fall and after it, which is described by the prophet as "from heaven to earth." He therefore commented: How drastic is the fall of the Jewish people – they have been cast from the highest place to the lowest one! (*Rashi;* see also *Rashi* to the verse). [*Maharsha* suggests that perhaps the Book fell from Rebbi's hand into a deep place, thus causing him to find a new, more profound meaning to the verse. For the verse states הִשְׁלִיךְ מִשָּׁמַיִם אֶרֶץ (which literally means: *He cast down from Heaven earth*), rather than stating that He cast it down לָאָרֶץ – *to* the ground! He therefore understood the verse as saying that the glory of Israel was thrown from the heaven *and* from the earth, into a place which is even deeper than the surface of the earth – a deep pit.]

40. See *Dikdukei Soferim,* where the word is spelled וְנִקַבִּיל.

41. *Ein Yaakov's* text reads: אִי אִיכָּא וכו׳, ***If** there is* etc.

42. [Literally: we will draw near to his face.]

43. Literally: light of the eyes, a euphemism for "blind."

44. Rebbi was the *Nasi* – the head of the Sanhedrin and the leader of the Jewish people in Eretz Yisrael.

The commentators deal with the following difficulty: Initially, both Rebbi and R' Chiya were seeking a Torah scholar to visit, and R' Chiya did not protest. If so, why did R' Chiya attempt to dissuade Rebbi from going after they heard that the scholar residing in the town was blind? Possibly, R' Chiya thought that as soon as they would tell the townspeople that they were seeking out a scholar, the people would immediately notify the scholar, who would first come to visit Rebbi. If Rebbi would then pay him a return visit out of courtesy, it would not be considered a disgrace, for such common courtesy is appropriate even for a *Nasi.* Once they heard that the scholar was blind, however, R' Chiya knew that the scholar would not initially come out to greet Rebbi. Thus, Rebbi's visiting him would be degrading to Rebbi's position (*Iyun Yaakov;* see *Yaaros Devash [Drush* 12] for an alternative answer; see also *Ben Yehoyada*).

45. He did not heed R' Chiya's arguments, and went along against R' Chiya's wishes (*R' Avraham Min HaHar*). Alternatively, he disproved R' Chiya's arguments and R' Chiya capitulated and withdrew his objection (*Ben Yehoyada*). See next note.

46. *Meiri* maintains that Rebbi not only was *permitted* to do what he did, but was even *obligated* to do so, because honoring a Torah sage is incumbent upon everyone, even a *Nasi.* Moreover, the *Nasi* benefits from such a deed, for his honor is in fact enhanced thereby and not diminished, as the verse states (*I Samuel* 2:30): כִּי־מְכַבְּדַי אֲכַבֵּד, *for I honor those who honor Me.*

A different approach is followed by some commentators, who hold

כג א מיי' פ"ה מהל' דעות הלכה ד סמג לאוין פא טוש"ע א"ח סימן רמ סעיף ט ובאה"ע סימן כה סעיף בן:

אינו מהן. מזרע ישראל דכתיב והסתרתי פני מהם (דברים לא) שלועק מלרות הבאות עליו ואינו נענה שלא יבואו: והיה לאכול. שהעובדי כוכבים שוללין ממונו: וגרבוהו. שללוהו: בחלום אדבר בו. ביום ההוא קא דייק ביום ולא בלילה שמראין לו חלום כדי שיתפלל על הדבר: ידו נטויה. להגן עליו: אפיקורסים. שאינם מאמינים לדברי רז"ל כגון לדוקים: אחוי ליה. על ידי סימן רמז לו החזיר פניו: במחוג. ברמז: נסרחה חכמתם. בפסוק כתיב האין עוד חכמה בתימן אבדה עצה מבנים מישראל: לנגדך. בשוה: שיחה יתירה. דברי שחוק שלפני תשמיש: כדלא טעים תבשילא. שרעב לאכול כלומר מתאוה לתשמיש: בבתי גואי. איכא דכתיב במסתרים: הכי גרסינן ובבתי בראי ליכא והכתיב ויקרא. וכל קריאה השמעת קול היא: מאיגרא רם לבירא עמיקתא. כמה גדולה נפילה זו אין לך גבוה ובור עמוק כמשמים לארץ: תקפיה. רבי לר' חייא ואזיל רבי בהדיה: כי הוו מיפטרי מקמיה. שנטלו ממנו רשות: איכו השתא. אם לא באתי עמך והאמנתי לך מנעתני מברכה זו: מנא לך. שכל כך גדולה הקבלת פנים כדקש. כשהוזקן (ג) רבי יעקב: היה רגיל כו'. מהלך שלשה חדשים היה מביתו לבית המדרש ונוסע מביתו אחר הפסח ולומד יום אחד וחוזר לביתו לשמח את אשתו בחג הסוכות: עד

שדור בי שבור מלכא וגרבוהו. אומר הר"י דהיינו ההוא דבפרק בתרא דברכות (דף נו.) גבי פשריה דבר הדיא שפתר לו שתמות אשתו ויאבד כל אשר לו מאת המלך: **הן** אראלם צעקו חוצה. פשטיה דקרא בישעיה כתיב על המזבח וכתיב הוי אריאל (ישעיה כט): **ויחי** עוד לנצח לא יראה השחת. פשטיה דקרא בתמיה הוא וכי הרשע לא ימות כמו שהחכמים ימותו: למחייבא

אינו מהם אמרו ליה רבנן לרבא מר לא בהסתר פנים איתיה ולא בוהיה לאכול איתיה אמר להו מי ידעיתו כמה משדרנא בצנעא בי שבור מלכא אפי' הכי יהבו ביה רבנן עינייהו אדהכי שדור דבי שבור מלכא וגרבוהו אמר היינו דתניא אמר רבן שמעון בן גמליאל ^ה^ כל מקום שנתנו חכמים עיניהם או מיתה או עוני ^א^ ואנכי הסתר אסתיר פני ביום ההוא אמר ^ג^ רבא אמר הקב"ה אף על פי שהסתרתי פני מהם בחלום אדבר בו רב יוסף אמר ידו נטויה עלינו שנאמר ^ב^ ובצל ידי כסיתיך ר' יהושע בן חנניה הוה קאי בי קיסר אחוי ליה ההוא אפיקורוסא עמא דאהדרינהו מריה לאפיה מיניה אחוי ליה ידו נטויה עלינו אמר ליה קיסר לר' יהושע מאי אחוי לך עמא דאהדרינהו מריה לאפיה מיניה ואנא מחוינא ליה ידו נטויה עלינו אמרו ליה לההוא מינא מאי אחויית ליה עמא דאהדרינהו מריה ^(א)^ מיניה ומאי אחוי לך לא ידענא אמרו גברא דלא ידע מאי ^ג^ מחוו ליה במחוג יחוי קמי מלכא אפקוהו וקטלוהו כי קא ניחא נפשיה דרבי יהושע בן חנניה אמרו ליה רבנן מאי תיהוי עלן מאפיקורסין אמר להם ^ג^ אבדה עצה מבנים נסרחה חכמתם כיון שאבדה עצה מבנים נסרחה חכמתן של אומות העולם ואי בעית אימא מהכא ^ד^ ויאמר נסעה ונלכה ואלכה לנגדך רבי אילא הוה סליק בדרגא דבי רבה בר שילא שמעיה לינוקא דהוה קא קרי ^ה^ כי הנה יוצר הרים ובורא רוח ומגיד לאדם מה שיחו אמר עבד שרבו אומר מגיד לו מה שיחו תקנה יש לו מאי מה שיחו אמר רב אפילו ^א^ שיחה יתירה שבין איש לאשתו מגידים לו לאדם בשעת מיתה איני והא ^ד^ רב כהנא הוה גני תותי פורייה דרב ושמעיה דסח וצחק ועשה צרכיו אמר דמי פומיה דרב כמאן דלא טעים ליה תבשילא אמר ליה כהנא פוק לאו אורח ארעא לא קשיא כאן דצריך לרצויה הא דלא צריך לרצויה ^ו^ ואם לא תשמעוה במסתרים תבכה נפשי מפני גוה אמר רב שמואל בר איניא משמיה דרב מקום יש לו להקב"ה ומסתרים שמו מאי מפני גוה אמר רב שמואל בר יצחק מפני גאוותן של ישראל שניטלה מהם ונתנה לעובדי כוכבים ר' שמואל בר נחמני אמר מפני גאוותה של מלכות שמים ^(ב)^ ומי איכא בכיה קמיה הקב"ה והאמר רב פפא אין עציבות לפני הקב"ה שנאמר ^ז^ הוד והדר לפניו עוז וחדוה במקומו לא קשיא ^ז^ הא בבתי גואי הא בבתי בראי ובבתי בראי לא והא כתיב ^ח^ ויקרא אדני ה' צבאות ביום ההוא לבכי ולמספד ולקרחה ולחגור שק שאני חרבן בית המקדש דאפילו מלאכי שלום בכו שנאמר ^ט^ הן אראלם צעקו חוצה מלאכי שלום מר יבכיון: ^י^ ודמע תדמע ותרד עיני דמעה כי נשבה עדר ה' אמר ר' אלעזר שלש דמעות הללו למה אחת על מקדש ראשון ואחת על מקדש שני ואחת על ישראל שגלו ממקומן ואיכא דאמרי אחת על ביטול תורה בשלמא למאן דאמר על ישראל שגלו היינו דכתיב כי נשבה עדר ה' אלא למאן דאמר על ביטול תורה מאי כי נשבה עדר ה' כיון שגלו ישראל ממקומן אין לך ביטול תורה גדול מזה תנו רבנן שלשה הקב"ה בוכה עליהן בכל יום על שאפשר לעסוק בתורה ואינו עוסק ועל שאי אפשר לעסוק בתורה ועוסק ועל פרנס המתגאה על הצבור רבי הוה נקיט ספר קינות וקא קרי בגויה כי מטא להאי פסוקא ^י^ השליך משמים ארץ נפל מן ידיה אמר מאיגרא רם לבירא עמיקתא רבי ורבי חייא הוו שקלי ואזלי באורחא כי מטו להההוא מתא אמרי איכא צורבא מרבנן הכא נזיל וניקביל אפיה אמרי איכא צורבא מרבנן הכא ומאור עינים הוא אמר ליה ר' חייא לרבי תיב את לא תזלזל בנשיאותך איזיל אנא ואקביל אפיה תקפיה ואזל בהדיה כי הוו מיפטרי מיניה אמר להו אתם הקבלתם פנים הנראים ואינן רואין תזכו להקביל פנים הרואים ואינן נראין אמר ליה איכו השתא מנעתן מהאי בירכתא אמרו ליה ממאן שמיעא לך מפרקיה דרבי יעקב שמיע לי דרבי יעקב איש כפר חיטייא הוה מקביל אפיה דרביה כל יומא כי קש א"ל לא נצטער מר דלא יכיל מר אמר ליה מי זוטר מאי דכתיב בהו ברבנן ^כ^ ויחי עוד לנצח לא יראה השחת כי יראה חכמים ימותו ומה הרואה חכמים במיתתן יחיה בחייהן על אחת כמה וכמה רב אידי אבוה דרבי יעקב ^י^ בר אידי הוה רגיל דהוה אזיל תלתא ירחי באורחא וחד יומא בבי רב והוו קרו ליה רבנן בר בי רב דחד יומא חלש דעתיה קרי אנפשיה ^ל^ שחוק לרעהו אהיה וגו' א"ל ר' יוחנן במטותא מינך לא תענויש להו רבנן נפק ר' יוחנן לבי מדרשא ודרש ^מ^ ואותי יום יום ידרשון ודעת דרכי יחפצון וכי ביום דורשין אותו ובלילה אין דורשין אותו אלא לומר לך כל העוסק בתורה אפי' יום אחד בשנה מעלה עליו הכתוב ^י^ כאילו עסק כל השנה כולה וכן במדת פורענות דכתיב ^נ^ במספר הימים אשר תרתם את הארץ וכי ארבעים שנה חטאו והלא ארבעים יום חטאו אלא לומר לך כל העובר עבירה אפי' יום אחד בשנה מעלה עליו הכתוב כאילו עבר כל השנה כולה: אי זהו קטן כל שאינו יכול לרכוב על כתפו של אביו: מתקיף לה רבי זירא עד

רבינו חננאל

העובדי כוכבים ואוכלין ממונו אינו מישראל אמרו ליה לרבא והא מר ליתא בהיה לאכול ומתפלל ונענה. אמר להן לא ידעיתו כמה משדרנא בצנעא לבי שבור מלכא ואפ"ה לא איפרק דאמור רבנן כ"מ שנתנו חכמים עיניהם או מיתה או עוני. שדרוה ליה שבור מלכא וגרבוה לרבא אמר רבה אע"ג דכתיב והסתרתי פני בחלום אדבר בו. רב יוסף אמר ידו נטויה עלינו ובצל ידו אנו מכוסים כו' עניינא כי נח נפשיה דר' יהושע בן חנניא אמרו ליה מה תהא עלן ממינאי כלומר אין אדם בינינו שיש בו כח להשיבם כמותו אמר להם אבדה עצה מבנים נסרחה חכמת האומות: כי הנה יוצר הרים ובורא רוח ומגיד לאדם מה שיחו. אמר רב אפילו שיחה קלה שבין איש לאשתו מגידין לאדם בשעת מיתתו כלומר על אף הרבה שיחה אפילו עם אשתו אלא אם צריך לארצויה כגון שהיא כעוסה ובא לרצותה: ואם לא תשמעוה במסתרים תבכה נפשי מקום שיש למעלה ומסתרים שמו שבוכים שם המלאכים כדכתיב מלאכי שלום מר יבכיון ואית שם דמפרש ששלח המלך לעשות שלום ולא קבלו מהם וחזרו בוכים בפחי נפש: מפני גוה מפני גאותן של ישראל שניטלה מהן ונתנה לעובדי כוכבים. ומקשה ומי איכא בכיה קמיה הקב"ה והא כתיב עוז וחדוה במקומו ופרקינן כי ליכא בכיה בבתי בראי ומקום הנקרא מסתרים בבתי גואי הוא. איני ויקרא ה' אלהים צבאות ביום ההוא לבכי ולמספד וגו' הנה הקב"ה קורא לבכי. שאני חורבן ביהמ"ק שאפילו מלאכי שלום בכו שנאמר הן אראלם צעקו חוצה מלאכי שלום מר יבכיון פי' ויקרא ה' אלהים צבאות וגו' קרא אותו היום כלומר קבעו יום בכיה ומספד לדורות. כתיב ודמע תדמע ותרד עיני דמעה. ג' דמעות הללו אחת למקדש ראשון ואחת למקדש שני ואחת כי נשבה עדר ה' דכיון שגלו אין לך ביטול תורה מזה: תנו רבנן שלשה הקב"ה בוכה עליהן בכל יום. פי' אומר הקב"ה ראוי לבכות על אלו בכל יום על מי שאפשר לו לעסוק בתורה [ואינו עוסק ועל שאי אפשר לעסוק בתורה ועוסק] ועל פרנס המתגאה על הצבור בחנם. ר' ור' חייא אקבילו אפיה חד סגי נהורא. אמר להן אתם הקבלתם פנים הנראים ואינם רואים תזכו להקביל פני שכינה שרואין ואינן נראין. הרואה חכמים במיתתם כתיב ויחי עוד לנצח לא יראה השחת כי יראה חכמים ימותו ומה הרואה חכמים במיתתן יחיה בחייהן על אחת כמה וכמה. דרש ר' יוחנן ואותי יום יום ידרשון וכי ביום דורשין ובלילה אין דורשין אלא לומר לך כל העוסק בתורה אפילו יום אחד בשנה מעלה עליו הכתוב כאלו עסק כל השנה כולה כתיב במספר הימים אשר תרתם את הארץ ארבעים יום לשנה וכי שנה חטאו והלא לא חטאו אלא ארבעים יום אלא לומר לך כל העובר עבירה אפילו יום אחד בשנה מעלה עליו כאילו עבר כל השנה כולה. איזהו (חייב) [קטן] שאינו חייב בראיה בה"א

^(א)^ מו"ק יח: סוטה מו: נדרים ז: ע"ש, ג) [יתכן לגירסא רבה], ג) [ברכות מו:], ד) [ברכות סב.], ה) [לקמן יג.], ו) [עיין מ"ש בס"ד פסחים מג: על לגיון בשם רש"ק בבכורות כה:], ז) [עי' תוספות סוטה יא. ד"ה מריס], ח) העיקר חסר מן הספר ובע"י מפני מאי דייק דלא לו"ה כי אם שהסתירים פני מהם כדכתיב ודבר ה' אל משה פנים וגו' לומר הספנים שהסתיר אבל בחלום אדבר בו. ע"כ מתוליפי גרס.

הגהות הב"ח

(א) גמרא מריה לאפיה מיניה ומאי אחוי לך: (ב) שם של מלכות שמים שנטלה ומי איכא: (ג) רש"י ד"ה כדקש כשהוזקן הס"ד ואח"כ מה"ד רב אידי אבוה דרבי יעקב היה רגיל:

תורה אור השלם

א) וְאָנֹכִי הַסְתֵּר אַסְתִּיר פָּנַי בַּיּוֹם הַהוּא עַל כָּל הָרָעָה אֲשֶׁר עָשָׂה כִּי פָנָה אֶל אֱלֹהִים אֲחֵרִים: [דברים לא, יח]

ב) וָאָשִׂם דְּבָרַי בְּפִיךָ וּבְצֵל יָדִי כִּסִּיתִיךָ לִנְטֹעַ שָׁמַיִם וְלִיסֹד אָרֶץ וְלֵאמֹר לְצִיּוֹן עַמִּי אָתָּה: [ישעיה נא, טז]

ג) לֶאֱדוֹם כֹּה אָמַר יְיָ צְבָאוֹת הַאֵין עוֹד חָכְמָה בְּתֵימָן אָבְדָה עֵצָה מִבָּנִים נִסְרְחָה חָכְמָתָם: [ירמיה מט, ז]

ד) וַיֹּאמֶר נִסְעָה וְנֵלֵכָה וְאֵלְכָה לְנֶגְדֶּךָ: [בראשית לג, יב]

ה) כִּי הִנֵּה יוֹצֵר הָרִים וּבֹרֵא רוּחַ וּמַגִּיד לְאָדָם מַה שֵּׂחוֹ עֹשֵׂה שַׁחַר עֵיפָה וְדֹרֵךְ עַל בָּמֳתֵי אָרֶץ יְיָ אֱלֹהֵי צְבָאוֹת שְׁמוֹ: [עמוס ד, יג]

ו) וְאִם לֹא תִשְׁמָעוּהָ בְּמִסְתָּרִים תִּבְכֶּה נַפְשִׁי מִפְּנֵי גֵוָה וְדָמֹעַ תִּדְמַע וְתֵרַד עֵינִי דִּמְעָה כִּי נִשְׁבָּה עֵדֶר יְיָ: [ירמיה יג, יז]

ז) הוֹד וְהָדָר לְפָנָיו עֹז וְחֶדְוָה בִּמְקֹמוֹ: [דברי הימים א, טז, כז]

ח) וַיִּקְרָא אֲדֹנָי אֱלֹהִים צְבָאוֹת בַּיּוֹם הַהוּא לִבְכִי וּלְמִסְפֵּד וּלְקָרְחָה וְלַחֲגֹר שָׂק: [ישעיה כב, יב]

ט) הֵן אֶרְאֶלָּם צָעֲקוּ חֻצָה מַלְאֲכֵי שָׁלוֹם מַר יִבְכָּיוּן: [ישעיה לג, ז]

י) אֵיכָה יָעִיב בְּאַפּוֹ אֲדֹנָי אֶת בַּת צִיּוֹן הִשְׁלִיךְ מִשָּׁמַיִם אֶרֶץ תִּפְאֶרֶת יִשְׂרָאֵל וְלֹא זָכַר הֲדֹם רַגְלָיו בְּיוֹם אַפּוֹ: [איכה ב, א]

כ) וִיחִי עוֹד לָנֶצַח לֹא יִרְאֶה הַשָּׁחַת: כִּי יִרְאֶה חֲכָמִים יָמוּתוּ יַחַד כְּסִיל וָבַעַר יֹאבֵדוּ וְעָזְבוּ לַאֲחֵרִים חֵילָם: [תהלים מט, י-יא]

ל) שְׂחֹק לְרֵעֵהוּ אֶהְיֶה קֹרֵא לֶאֱלוֹהַּ וַיַּעֲנֵהוּ שְׂחוֹק צַדִּיק תָּמִים: [איוב יב, ד]

מ) וְאוֹתִי יוֹם יוֹם יִדְרֹשׁוּן וְדַעַת דְּרָכַי יֶחְפָּצוּן כְּגוֹי אֲשֶׁר צְדָקָה עָשָׂה וּמִשְׁפַּט אֱלֹהָיו לֹא עָזָב יִשְׁאָלוּנִי מִשְׁפְּטֵי צֶדֶק קִרְבַת אֱלֹהִים יֶחְפָּצוּן: [ישעיה נח, ב]

נ) בְּמִסְפַּר הַיָּמִים אֲשֶׁר תַּרְתֶּם אֶת הָאָרֶץ אַרְבָּעִים יוֹם יוֹם לַשָּׁנָה יוֹם לַשָּׁנָה תִּשְׂאוּ אֶת עֲוֹנֹתֵיכֶם אַרְבָּעִים שָׁנָה וִידַעְתֶּם אֶת תְּנוּאָתִי: [במדבר יד, לד]

ליקוטי רש"י

שבור מלכא. מלך פרס היה [סוכה נג.]. כי קא ניחא נפשיה דרבי יהושע וכו' מאי תיהוי וכו'. שסיה זכיר בדרשות ובקי בהלכות ובתשובת האפיקורסים ולהכין ברמזים כדאמרי' בפ"ק דחגיגה (דף ה:). כי נח נפשיה אמרו ליה רבנן מאי תיהוי עלן מאפיקורסין אמר להן אבדה עצה מבנים של עובדי כוכבים נסרחה חכמה של ישראל נסרחה חכמתם [סוטה מט:]. מבנים. מדור זה. נסרחה. מתקלקלת [ירמיה מט, ז]. נסעה. כמו נסעה כלומר (דילול ט ינ) נסעו תזוז שתבא כלומר כמו נסעה (בראשית לג, יב). לנגדך. ואלכה לנגדך בשוה לך (בראשית לג, יב). סליק בדרגא. עולה בסולם. מה שיחו. כל מעשיו מוצאין לפני בשעת מיתה. פורייה. מיטתו. דסח וצחק. עם אשתו שיחה של ריצוי. ועשה צרכיו. תשמיש מיטתו. כמאן דלא טעים ליה תבשילא. כלומר לעצבו. מפני גוה. מפני גאוה של ישראל שנטלה מהם ונתנה לעובדי כוכבים. הוד והדר לפניו עוז וחדוה במקומו. אבל באחרים מותר. הן אראלם צעקו חוצה. מלאכי השרת. מלאכי שלום. בר בי רב. תלמיד בית רב. צורבא מרבנן. תלמיד חכם. אנפשיה. על עצמו. ואותי יום יום ידרשון. ודעת דרכי יחפצון. מפלים לשאול הוראות לחכמים כאילו רוצים לקיימם [ישעיה נח, ב].

הֲוו מִיפַּטְרֵי מִינֵּיהּ – When they were departing from [the blind scholar], אָמַר לְהוּ – he said to them: אַתֶּם הִקְבַּלְתֶּם פָּנִים הַנִּרְאִים וְאֵינָן רוֹאִין – You came to pay your respects to one who is seen but does not see; תִּזְכּוּ לְהַקְבִּיל פָּנִים הָרוֹאִים וְאֵינָן נִרְאִין – may you merit to pay your respects to the One Who sees but is not seen.[47] **אָמַר לֵיהּ – [Rebbi] said to [R' Chiya]: אִיכּוּ הַשְׁתָּא מְנַעְתָּן מֵהַאי בִּירְכְתָא – Had I now** listened to you and not come, **you would have prevented me from** receiving **this blessing!**

Having been blessed by the blind scholar with such a sublime blessing, they understood that the scholar regarded their visiting him as an extremely meritorious act. They therefore inquired of him why this was so:

אָמְרוּ לֵיהּ – They said to [the blind scholar]: מִמַּאן שְׁמִיעָא לָךְ – From whom did you hear this teaching that paying respects to a Torah scholar is a great deed? To which he responded: **מִפִּרְקֵיהּ דְּרַבִּי יַעֲקֹב שְׁמִיעַ לִי – I heard it from a lecture of R' Yaakov.**[45] **דְּרַבִּי יַעֲקֹב אִישׁ כְּפַר חִיטַּיָּא הֲוָה מַקְבִּיל אַפֵּיהּ דְּרַבֵּיהּ כָּל יוֹמָא – For R' Yaakov, a resident of Kfar Chittaya, would pay respects to his teacher every day. כִּי קָשׁ – When [R' Yaakov] became old אָמַר לֵיהּ לֹא נִצְטַעֵר מַר – [his teacher] said to him: Let the master not trouble himself** to visit, **דְּלֹא יָכִיל מַר – for the master is unable** to do it. **אָמַר לֵיהּ – [R' Yaakov] replied: מִי זוּטַר מַאי דִּכְתִיב בְּהוּ בְּרַבָּנָן – Is it a small** matter, **that which is written concerning the Rabbis,** "**וִיחִי־עוֹד לָנֶצַח לֹא יִרְאֶה הַשָּׁחַת כִּי יִרְאֶה חֲכָמִים יָמוּתוּ**" ***– And he will then live for eternity and never see the pit; for he sees wise men die.***[49] **וּמָה הָרוֹאֶה חֲכָמִים בְּמִיתָתָן יִחְיֶה – Now, if one who sees wise men at their death will live,**[50] **בְּחַיֵּיהֶן עַל אַחַת כַּמָּה וְכַמָּה – all the more so** will one who sees them **in their life** live![51]

Another event is recorded:

רַב אִידִי אֲבוּהּ דְּרַבִּי יַעֲקֹב בַּר אִידִי – Rav Idi, the father of R' Yaakov bar Idi, הֲוָה רָגִיל דַּהֲוָה אָזִיל תְּלָתָא יַרְחֵי בְּאוֹרְחָא – used to set out on a three-month journey, וְחַד יוֹמָא בְּבֵי רַב – and then spend only **one day at the Rabbinical academy.**[52] **וַהֲווּ קָרוּ לֵיהּ רַבָּנָן** – On that account, **the Rabbis would** mockingly **call him בַּר בֵּי רַב דְּחַד יוֹמָא – "a student of the Rabbinical academy for one day." חֲלַשׁ דַּעְתֵּיהּ – He felt dejected, קָרֵי אַנַּפְשֵׁיהּ "שְׂחֹק לְרֵעֵהוּ אֶהְיֶה וגו'" – and applied to himself** the verse:[53] ***I will be as one who is mockery for his friend etc.*** **בְּמָטוּתָא אָמַר לֵיהּ רַבִּי יוֹחָנָן – R' Yochanan entreated [Rav Idi]: מִינָּךְ – I beg of you, לֹא תַעֲנִישׁ לְהוּ רַבָּנָן – do not bring punishment upon the Rabbis** who have insulted you.[54] **נְפַק רַבִּי יוֹחָנָן לְבֵי מִדְרְשָׁא וְדָרַשׁ – R' Yochanan went out to the House of Study and delivered** the following **exposition:** The verse states:[55] "**וְאוֹתִי יוֹם יוֹם יִדְרֹשׁוּן וְדַעַת דְּרָכַי יֶחְפָּצוּן**" ***– Yet they seek Me each and every day, and desire to know My ways.*** At first glance, it would seem that the verse is telling us that the seeking of God takes place only during the day.[56] However, this cannot be; **וְכִי בַּיּוֹם דּוֹרְשִׁין אוֹתוֹ – for now, is it** only **by day that they seek Him, וּבַלַּיְלָה אֵין דּוֹרְשִׁין אוֹתוֹ – and by night they do not seek Him?** Obviously, this is untrue! **אֶלָּא לוֹמַר לָךְ – Rather,** this verse comes **to tell you** the following: **כָּל הָעוֹסֵק בַּתּוֹרָה אֲפִילוּ יוֹם אֶחָד בַּשָּׁנָה – Anyone who occupies** himself **with** the study of **Torah even one day of the year,**[57] **מַעֲלֶה עָלָיו הַכָּתוּב כְּאִילוּ עָסַק כָּל הַשָּׁנָה כּוּלָּהּ – Scripture considers it for him as if he had occupied** himself with Torah study **the entire year!**[58] **וְכֵן בְּמִדַּת**

NOTES

that Rebbi did relinquish his honor by visiting the Torah sage. The reason Rebbi did so was because he maintained that a *Nasi* may forgo his honor [נָשִׂיא שֶׁמָּחַל עַל כְּבוֹדוֹ כְּבוֹדוֹ מָחוּל] (*Turei Even;* see *Kiddushin* 32b). Alternatively, even if a *Nasi* may *not* relinquish his honor, this is only so to the extent that no one can be given permission to *degrade* the honor of a *Nasi.* However, the *Nasi* himself may certainly forgo the honor due him. [In this, *a Nasi* is different than a king, who may not forgo his honor in any fashion, for Scripture requires that "his fear be upon you"] (*Sfas Emes*). See also *Ben Yehoyada.* [Regarding a king and a *Nasi* paying respects to a Torah scholar, see also *Kesubos* 103b and *Makkos* 24a.]

47. I.e. may you merit the World to Come, when you will be able to pay respects to the One Who [presently] sees but is not seen, for the *Shechinah* (the Divine Presence) will then be visible to the righteous (*Maharsha*).

48. [Alternatively, it was R' Chiya who asked Rebbi why he was ready to forgo his princely honor and visit the scholar. Rebbi answered him that he had learned it from R' Yaakov, who would pay his respects to him (Rebbi), and eventually explained to him why he was adamant in continuing to do so even when it became difficult for him, as the Gemara will now relate (*Dikdukei Soferim*).]

49. *Psalms* 49:10-11. [The simple reading of the verse is in question form: Can one live eternally, never to see the pit? I.e. no one lives forever; no one is spared from the pit (i.e. the grave). Just as the wise men will pass away, so too will the wicked (*Tosafos;* see *Maharsha, Rif* to *Ein Yaakov* and *Iyun Yaakov*).]

See *Rif* to *Ein Yaakov,* who explains that seeing the wise at their death and during their life does not mean merely gazing upon them, but rather deriving lessons from their lives and deaths. That is, one must strive to hear their words of morality and reproach while they live, thus acquiring the merit for life in the World to Come. And when the righteous leave this world, one must realize that if even the most deserving die, how much more so will the undeserving! Accordingly, there is no contradiction between the simple meaning of the verse and the exposition of R' Yaakov. [Cf. *Maharsha* and *Iyun Yaakov.*]

50. For seeing the face of a Torah scholar is akin to seeing the *Shechinah,* and it causes longevity, as opposed to looking upon the face of a wicked person, which is prohibited (*Maharsha*).

51. Although the merit of righteous people is greater after their death than during their lifetime, nevertheless the benefit for the onlooker is greater while the tzaddik is still alive and his soul has not yet departed (*Iyun Yaakov*).

52. I.e. it took him three months to travel from his house to the *beis midrash.* Thus, he would leave immediately after Pesach, stay in the academy and study for one day, and return immediately in order to reach home before Succos, to enable him to rejoice with his wife during the Succos festival (*Rashi*). Alternatively, Rav Idi was away on his business-related travels, and only one day in three months remained, during which he would study in the academy (*Maharsha*).

53. *Job* 12:4.

54. Causing distress to a sage may result in severe Divine retribution — see *Moed Katan* 25b, Schottenstein edition, with note 24 there; *Bava Kamma* 117a; *Bava Basra* 9b, et al.

It seems that R' Yochanan's entreaty to Rav Idi was based on the realization that the Rabbis were not aware of the value of such Torah study; that is, they did not realize that the deciding factor is that a person indeed uses the maximum time available to him for his studies, and not the quantity of his study. R' Yochanan proceeded to lecture the Rabbis of the academy accordingly.

55. *Isaiah* 58:2.

56. Although יוֹם generally infers day *and* night, as stated in the verse (*Genesis* 1:5): וַיְהִי־עֶרֶב וַיְהִי־בֹקֶר יוֹם אֶחָד, here the redundancy of the word יוֹם seems to exclude night (*Maharsha*).

57. That is, when this one day is the only day in the year which is available for him to study.

58. Since he did all that was in his ability, it was clear that had he had more time he would have utilized it for study as well. Hence, it is considered as if he *actually* studied all the time he wished to study, but was not able to.

The commentators struggle to explain R' Yochanan's derivation from this verse. *Maharsha* states that the term יוֹם יוֹם, *each and every day,* means all the days of the year. *Iyun Yaakov* cites *Kli Paz,* who explains that a year is referred to in Scripture as יָמִים (see *Genesis* 24:55; 40:4; *Leviticus* 25:29). Thus, the first יוֹם refers to the actual study, which continued for only one day, while the second יוֹם hints to the value of that study, which is equal to a full year.

Iyun Yaakov himself (see also *Turei Even*) says that this difficulty is the reason why the Gemara below adduces the example of the "measure of punishment," for in that context Scripture mentions explicitly the equation of "one day is equal to a whole year."

עין משפט נר מצוה

כג א מיי' פ"ה מהל' דעות הלכה ד סמג לאוין פא טוש"ע א"ח סימן רמ סעיף ט [ובאה"ע סימן כה סעיף ב]:

רבינו חננאל

העובדי כוכבים ואוכלין ממונו אינו מישראל אמרו ליה לרבא והא מר ליתא בוהיה לאכול ומתפלל ונענה. אמר להן לא ידעיתהו כמה משדרנא בצנעא לבי שבור מלכא ואפ"ה לא איפרק דאמור רבנן כ"מ שנתנו חכמים עיניהם או מיתה או עוני. שדרוה ליה שבור מלכא וגרבוה לרבא אמר רבה אע"ג דכתיב והסתרתי פני מהם אמר רחמנא בחלום אדבר בו. רב יוסף אמר ידו נטויה ובצל ידו אנו סכוכים כו' ענינא כי נח נפשיה דר' יהושע בן חנניא אמרו ליה מה תהא עלן ממינאי כלומר אין אדם בינינו שיש בו כח להשיבם כמותו אמר להם אבדה עצה מבנים נסרחה חכמת האומות: כי הנה יוצר הרים ובורא רוח ומגיד לאדם מה שיחו. אמר רב אפילו שיחה קלה שבין איש לאשתו מגידין לאדם בשעת מיתתו כלומר אין לאדם להרבות שיחה אפילו עם אשתו אלא אם צריך לארצויה כגון שהיא כעוסה ובא לרצותה: ואם לא תשמעוה במסתרים תבכה נפשי מקום שיש למעלה ומסתרים שמו שבוכים שם המלאכים כדכתיב מלאכי שלום מר יבכיון ואע"פ שיש מפורש מלאכי שלום. השלוחים ששלח המלך לעשות שלום לא קבלו מהם וחזרו בוכים בפחי נפש: מפני גוה מפני גאותן של ישראל שניטלה מהן ונתנה לעובדי כוכבים. ומקשה ומי איכא בכיה קמיה דקב"ה והא כתיב עוז וחדוה במקומו ופרקינן כי ליכא בכיה בבתי גואי ומקום הנקרא מסתרים בבתי בראי הוא. איני ויקרא ה' אלהים צבאות ביום ההוא לבכי ולמספד וגו' הנה הקב"ה קראו לבכי. ופרקינן שאני חורבן ביהמ"ק שאפילו מלאכי שלום בכו שנאמר הן אראלם צעקו חוצה מלאכי שלום מר יבכיון פי' ויקרא ה' אלהים צבאות וגו' קרא אותו היום כלומר קבעו יום בכיה ומספד לדורות. כתיב ודמע תדמע ותרד עיני דמעה. ג' דמעות הללו אחת למקדש ראשון ואחת למקדש שני ואחת כי נשבה עדר ה' דכיון שגלו אין לך ביטול תורה מזה: תנו רבנן שלשה הקב"ה בוכה עליהן בכל יום. פי' אומר הקב"ה ראוי לבכות על אלו בכל יום על מי שאפשר לו לעסוק בתורה [ואינו עוסק ועל שאי אפשר לעסוק בתורה ועוסק] ועל פרנס המתגאה על הצבור בחנם. ר' ור' חייא אקבילו אפיה חד סגי נהורא. אמר להו אתם הקבלתם פנים הנראים ואינם רואים תזכו להקביל פני שכינה שרואין ואינן נראין. הרואה חכמים במיתתם כתיב ויחי עוד לנצח לא יראה השחת כי יראה חכמים ימותו השתא ומה הרואה חכמים במיתתן יחיה בחייהם על אחת כמה וכמה. דרש ר' יוחנן כתיב ואותי יום יום ידרשון וכי ביום דורשין ובלילה אין דורשין אלא לומר לך כל העוסק בתורה אפילו יום אחד בשנה לשמה מעלה עליו הכתוב כאילו עסק כל השנה וכן במדת פורענות כתיב במספר הימים אשר תרתם את הארץ ארבעים יום יום לשנה וכי שנה חטאו והלא לא חטאו אלא ארבעים יום אלא לומר לך כל העובר עבירה אפילו יום אחד בשנה מעלה עליו כאילו עבר כל השנה כולה. איזהו (חייב) [קטן] שאינו חייב בראיה בה"א

רש"י

אינו מהן. מזרע ישראל דכתיב והסתרתי פני מהם (דברים לא) שלועג מלרות הבלות עליו ואינו נענה שלא יכולו: והיה לאכול. שהעובדי כוכבים שוללין ממונו: וגרבוהו. שללוהו: בחלום אדבר בו. ה) ביום הוא קא דייק ביום ולא בלילה שמראין לו חלום כדי שיתפלל על הדבר: ידו נטויה. להגן עליו: אפיקורסים. שאינם מאמינים לדברי רז"ל כגון לדוקים: אחוי ליה. על ידי סימן רמז לו החזיר פניו: במחוג. ברמז: נסרחה חכמתם. בפסוק כתיב האין עוד חכמה בתימן אבדה עלה מבנים מישראל: לנגדך. בשוה: שיחה יתירה. דברי שחוק שלפני תשמיש: כדלא טעים תבשילא. שרעב לאכול כלומר מתאוה לתשמיש: בבתי גואי. היכא דכתיב במסתרים: הכי גרסינן ובבתי בראי ליכא והכתיב ויקרא. וכל קריאה משמעת קול היא: מאיגרא רם לבירא עמיקתא. כמה גדולה נפילה זו אין לך גבוה וכור עמוק כמשמים לארץ: תקפיה. רבי לר' חייא ואזיל רבי בהדיה: כי הוו מיפטרי מקמיה. שנטלו ממנו רשות: איכו השתא. אם לא באתי עמך והאמנתי לך מנעתני מברכה זו: מנא לך. שכל כך גדולה הקבלת פנים: כדקש. כשהזקין (ג) רבי יעקב: הוה רגיל בו. מהלך שלשה חדשים היה מביתו לבית המדרש ונוסע מביתו אחר הפסח ולומד יום אחד וחוזר לביתו לשמח את אשתו בחג הסוכות: עד

תוספות

שדור בי שבור מלכא וגרבוהו. אומר הר"י דהיינו ההוא דבפרק בתרא דברכות (דף נו.) גבי פשריה דבר הדיא שפתר לו שתמות אשתו ויאבד כל אשר לו מאת המלך: הן אראלם צעקו חוצה. פשטיה דקרא בישעיה כתיב על המזבח וכתיב הוי אריאל (ישעיה כט): ויחי עוד לנצח לא יראה השחת. פשטיה דקרא בתמיה הוא וכי הרשע לא ימות כמו שהחכמים ימותו: דמחייבא

גמרא

אינו מהם אמרו ליה רבנן לרבא מר לא בהסתר פנים איתיה ולא בוהיה לאכול איתיה אמר להו מי ידעיתו כמה משדרנא בצנעא בי שבור מלכא אפי' הכי יהבו ביה רבנן עינייהו אדהכי שדור דבי שבור מלכא וגרבוהו אמר היינו דתניא אמר רבן שמעון בן גמליאל ה) כל מקום שנתנו חכמים עיניהם או מיתה או עוני א) ואנכי הסתר אסתיר פני ביום ההוא אמר רבא אמר הקב"ה אף על פי שהסתרתי פני מהם בחלום אדבר בו רב יוסף אמר ידו נטויה עלינו שנאמר ב) ובצל ידי כסיתיך ר' יהושע בן חנניה הוה קאי בי קיסר אחוי ליה ההוא אפיקורוסא עמא דאהדרינהו מריה לאפיה מיניה אחוי ליה ידו נטויה עלינו אמר ליה קיסר לר' יהושע מאי אחוי לך עמא דאהדרינהו מריה לאפיה מיניה ואנא מחוינא ליה ידו נטויה עלינו אמרו ליה להוא מינא מאי אחוית ליה עמא דאהדרינהו מריה (א) מיניה ומאי אחוי לך לא ידענא אמרו גברא דלא ידע מאי מחוו ליה במחוג יחוי קמי מלכא אפקוהו וקטלוהו כי קא ניחא נפשיה דרבי יהושע בן חנניה אמרו ליה רבנן מאי תיהוי עלן מאפיקורסין אמר להם ג) אבדה עצה מבנים נסרחה חכמתם כיון שאבדה עצה מבנים נסרחה חכמתן של אומות העולם ואי בעית אימא מהכא ד) ויאמר נסעה ונלכה ואלכה לנגדך רבי אילא הוה סליק בדרגא דבי רבה בר שילא שמעיה לינוקא דהוה קא קרי ה) כי הנה יוצר הרים ובורא רוח ומגיד לאדם מה שיחו אמר עבד שרבו מגיד לו מה שיחו תקנה יש לו מאי מה שיחו אמר רב אפילו שיחה יתירה שבין איש לאשתו מגידים לו לאדם בשעת מיתה איני והא רב כהנא הוה גני תותי פורייה דרב ושמעיה דסח וצחק ועשה צרכיו אמר דמי פומיה דרב כמאן דלא טעים ליה תבשילא אמר ליה כהנא פוק לאו אורח ארעא לא קשיא כאן דצריך לרצויה הא דלא צריך לרצויה ו) ואם לא תשמעוה במסתרים תבכה נפשי מפני גוה אמר רב שמואל בר איניא משמיה דרב מקום יש לו להקב"ה ומסתרים שמו מאי מפני גוה אמר רב שמואל בר יצחק מפני גאוותן של ישראל שניטלה מהם ונתנה לעובדי כוכבים ר' שמואל בר נחמני אמר מפני גאוותה של מלכות שמים (ב) ומי איכא בכיה קמיה הקב"ה והאמר רב פפא אין עציבות לפני הקב"ה שנאמר ז) הוד והדר לפניו עוז וחדוה במקומו לא קשיא הא בבתי גואי הא בבתי בראי ובבתי בראי לא והא כתיב ח) ויקרא אדני ה' צבאות ביום ההוא לבכי ולמספד ולקרחה ולחגור שק שאני חרבן בית המקדש דאפילו מלאכי שלום בכו שנאמר ט) הן אראלם צעקו חוצה מלאכי שלום מר יבכיון: ודמע תדמע ותרד עיני דמעה כי נשבה עדר ה' אמר ר' אלעזר שלש דמעות הללו למה אחת על מקדש ראשון ואחת על מקדש שני ואחת על ישראל שגלו ממקומן ואיכא דאמרי אחת על ביטול תורה בשלמא למאן דאמר על ישראל שגלו היינו דכתיב כי נשבה עדר ה' אלא למאן דאמר על ביטול תורה מאי כי נשבה עדר ה' כיון שגלו ישראל ממקומן אין לך ביטול תורה גדול מזה תנו רבנן שלשה הקב"ה בוכה עליהן בכל יום על שאפשר לעסוק בתורה ואינו עוסק ועל שאי אפשר לעסוק בתורה ועוסק ועל פרנס המתגאה על הצבור רבי הוה נקיט ספר קינות וקא קרי בגויה כי מטא להאי פסוקא י) השליך משמים ארץ נפל מן ידיה אמר מאיגרא רם לבירא עמיקתא רבי ורבי חייא הוו שקלי ואזלי באורחא כי מטו לההוא מתא אמרי איכא צורבא מרבנן הכא נזיל וניקביל אפיה אמרי איכא צורבא מרבנן הכא ומאור עינים הוא אמר ליה ר' חייא לרבי תיב את לא תזלזל בנשיאותך איזיל אנא ואקביל אפיה תקפיה ואזל בהדיה כי הוו מיפטרי מיניה אמר להו אתם הקבלתם פנים הנראים ואינן רואין תזכו להקביל פנים הרואים ואינן נראין אמר ליה איכו השתא מנעתן מהאי בירכתא אמרו ליה ממאן שמיע לך מפרקיה דרבי יעקב שמיע לי דרבי יעקב איש כפר חיטייא הוה מקביל אפיה דרביה כל יומא כי קש א"ל לא נצטער מר דלא יכיל מר אמר ליה מי זוטר מאי דכתיב בהו ברבנן כ) ויחי עוד לנצח לא יראה השחת כי יראה חכמים ימותו ומה הרואה חכמים במיתתן יחיה בחייהן על אחת כמה וכמה רב אידי אבוה דרבי יעקב בר אידי הוה רגיל דהוה אזיל תלתא ירחי באורחא וחד יומא בבי רב והוו קרו ליה רבנן בר בי רב דחד יומא חלש דעתיה קרי אנפשיה ל) שחוק לרעהו אהיה וגו' א"ל ר' יוחנן במטותא מינך לא תעניש להו רבנן נפק ר' יוחנן לבי מדרשא ודרש מ) ואותי יום יום ידרשון ודעת דרכי יחפצון וכי ביום דורשין אותו ובלילה אין דורשין אותו אלא לומר לך כל העוסק בתורה אפי' יום אחד בשנה מעלה עליו הכתוב כאילו עסק כל השנה כולה וכן במדת פורענות דכתיב נ) במספר הימים אשר תרתם את הארץ וכי ארבעים שנה חטאו והלא ארבעים יום חטאו אלא לומר לך כל העובר עבירה אפי' יום אחד בשנה מעלה עליו הכתוב כאילו עבר כל השנה כולה: אי זהו קטן כל שאינו יכול לרכוב על כתפו של אביו: מתקיף לה רבי זירא

עד

מסורת הש"ס

א) מו"ק יח: סוטה מו: נדרים ז: ע"ש, ב) [יתכן להיות רבה], ג) [ברכות מו:], ד) [ברכות סב.], ה) [לקמן יג.], ו) [עיין מ"ש בס"ד פסחים מג: על לידו בשם רש"ק בכריתות כה:], ז) [עי' תוספות סוטה יא. ד"ה מריס], ח) העיקר חסר מן הספר ונע"ל מפני קא דייק וכ"ה שם אע"פ שהסתרתי פני מהם כדכתיב ודבר ה' אל משה פנים וגו' אותן הפנים אסתיר אבל בחלום אדבר בו. ע"כ מחילופי גרס'.

הגהות הב"ח

(א) גמרא מריה לאפיה מיניה ומאי אחוי לך: (ב) שם של מלכות שמים שנטלה ומי איכא: (ג) רש"י ד"ה כדקש כשהזקין הס"ד ואח"כ מה"ד רב אידי אבוה דרבי יעקב היה רגיל:

תורה אור השלם

א) וְאָנֹכִי הַסְתֵּר אַסְתִּיר פָּנַי בַּיּוֹם הַהוּא עַל כָּל הָרָעָה אֲשֶׁר עָשָׂה כִּי פָנָה אֶל אֱלֹהִים אֲחֵרִים: [דברים לא, יח]

ב) וָאָשִׂים דְּבָרַי בְּפִיךָ וּבְצֵל יָדִי כִּסִּיתִיךָ לִנְטֹעַ שָׁמַיִם וְלִיסֹד אָרֶץ וְלֵאמֹר לְצִיּוֹן עַמִּי אָתָּה: [ישעיה נא, טז]

ג) לֶאֱדוֹם כֹּה אָמַר יְיָ צְבָאוֹת הַאֵין עוֹד חָכְמָה בְּתֵימָן אָבְדָה עֵצָה מִבָּנִים נִסְרְחָה חָכְמָתָם: [ירמיה מט, ז]

ד) וַיֹּאמֶר נִסְעָה וְנֵלֵכָה וְאֵלְכָה לְנֶגְדֶּךָ: [בראשית לג, יב]

ה) כִּי הִנֵּה יוֹצֵר הָרִים וּבֹרֵא רוּחַ וּמַגִּיד לְאָדָם מַה שֵּׂחוֹ עֹשֵׂה שַׁחַר עֵיפָה וְדֹרֵךְ עַל בָּמֳתֵי אָרֶץ יְיָ אֱלֹהֵי צְבָאוֹת שְׁמוֹ: [עמוס ד, יג]

ו) וְאִם לֹא תִשְׁמָעוּהָ בְּמִסְתָּרִים תִּבְכֶּה נַפְשִׁי מִפְּנֵי גֵוָה וְדָמֹעַ תִּדְמַע וְתֵרַד עֵינִי דִּמְעָה כִּי נִשְׁבָּה עֵדֶר יְיָ: [ירמיה יג, יז]

ז) הוֹד וְהָדָר לְפָנָיו עֹז וְחֶדְוָה בִּמְקֹמוֹ: [דברי הימים א, טז, כז]

ח) וַיִּקְרָא אֲדֹנָי אֱלֹהִים צְבָאוֹת בַּיּוֹם הַהוּא לִבְכִי וּלְמִסְפֵּד וּלְקָרְחָה וְלַחֲגֹר שָׂק: [ישעיה כב, יב]

ט) הֵן אֶרְאֶלָּם צָעֲקוּ חֻצָה מַלְאֲכֵי שָׁלוֹם מַר יִבְכָּיוּן: [ישעיה לג, ז]

י) אֵיכָה יָעִיב בְּאַפּוֹ אֲדֹנָי אֶת בַּת צִיּוֹן הִשְׁלִיךְ מִשָּׁמַיִם אֶרֶץ תִּפְאֶרֶת יִשְׂרָאֵל וְלֹא זָכַר הֲדֹם רַגְלָיו בְּיוֹם אַפּוֹ: [איכה ב, א]

כ) וִיחִי עוֹד לָנֶצַח לֹא יִרְאֶה הַשָּׁחַת: כִּי יִרְאֶה חֲכָמִים יָמוּתוּ יַחַד כְּסִיל וָבַעַר יֹאבֵדוּ וְעָזְבוּ לַאֲחֵרִים חֵילָם: [תהלים מט, י-יא]

ל) שְׂחֹק לְרֵעֵהוּ אֶהְיֶה קֹרֵא לֶאֱלוֹהַּ וַיַּעֲנֵהוּ שְׂחוֹק צַדִּיק תָּמִים: [איוב יב, ד]

מ) וְאוֹתִי יוֹם יוֹם יִדְרֹשׁוּן וְדַעַת דְּרָכַי יֶחְפָּצוּן כְּגוֹי אֲשֶׁר צְדָקָה עָשָׂה וּמִשְׁפַּט אֱלֹהָיו לֹא עָזָב יִשְׁאָלוּנִי מִשְׁפְּטֵי צֶדֶק קִרְבַת אֱלֹהִים יֶחְפָּצוּן: [ישעיה נח, ב]

נ) בְּמִסְפַּר הַיָּמִים אֲשֶׁר תַּרְתֶּם אֶת הָאָרֶץ אַרְבָּעִים יוֹם יוֹם לַשָּׁנָה יוֹם לַשָּׁנָה תִּשְׂאוּ אֶת עֲוֹנֹתֵיכֶם אַרְבָּעִים שָׁנָה וִידַעְתֶּם אֶת תְּנוּאָתִי: [במדבר יד, לד]

ליקוטי רש"י

שבור מלכא. מלך פרס היה [סוכה נג.]. כי קא ניחא נפשיה דרבי יהושע וכו' מאי תיהוי וכו'. שהיה זהיר בדרשות ובקי בהלכות ובתשובת האפיקורסים ולהבין ברמזיהם כדאמרי' בפ"ק דחגיגה (דף ה:) רבנן מאי תהוי עלן ממינים אמר להן אבדה עלה מבני ישראל נסרחה חכמה של עובדי כוכבים [סוטה מט:]. מבנים. מדור זה. נסרחה. אתקלקלת [ירמיה מט, ז]. נסעה. כמו שמעה סלחה (דניאל ט יט) שהוא כמו שמע אף כאן נסעה כמו נסע והנו"ן יסוד בתיבה ותרגומו טול ונהך עשו אמר ליעקב נסע מכאן ונלך. ואלכה לנגדך. בשוה לך שאאריך ימי מהלכי ללכת לאט כאשר אתה צריך וזהו לנגדך בשוה לך [בראשית לג, יב]. סליק בדרגא. עולה בסולם [ע"פ סוטה מח:]. מה שיחו. כל מעשיו פורטין לפניו בשעת מיתתו [עמוס ד, יג]. פורייה. מיטתו [ע"פ מו"ק כה.]. דסח וצחק. עם אשתו שיחה בטלה של ריצוי תשמיש. ועשה צרכיו. ושימש מטתו. כמאן דלא טעים ליה תבשילא. כאדם רעב כמו שלא טעם מטעם מעולם שאתה נוהג קלות ראש זה למאוך [ברכות סב.]. מפני גוה. מפני גדולה שלכם שמתבטל ד"א מפני גאותה של מלכות שמים שתנתן לאליליס של כשדים [ירמיה יג, יז]. הוד והדר לפניו עוז וחדוה במקומו. אבל האחרים כמת מוטלים במקום שמשימין אותם שם מונחים לפי שאלהיהו הוא אלהים אמת [דברי הימים א טז, כז]. בראי. בחוץ [מנחות מח.]. גואי. בפנים [יומא כא.]. הן אראלם צעקו חוצה. היה הנביא מתנבא נחמות ואומר שהפורענות כבר אכלוהו ומעתה אקום ואנשא לגאלם, הן על אראלים שלהם הוא המזבח כבר צעקו וספדו במלותם וברחובות בבכי ונהי. מלאכי שלום. מלאכי שליחותם שהיו רגילין לבשר שלום מר יבכיון ואומרים נשמו מסילות שבת עובר אורח [ישעיה לג, ז]. משמים ארץ. לאחר שהגביהם עד לשמים השליכם לארץ בבת אחת ולא מעט מעט מאיגרא רמא לבירא עמיקתא [איכה ב, א]. צורבא מרבנן. תלמיד חכם [שבת קיט.]. בר בי רב. תלמיד [פסחים נב.]. אנפשיה. על עצמו [ע"פ ברכות ל:]. ואותי יום יום ידרשון. כענין שנאמר ויפתוהו בפיהם (תהלים עח). ודעת דרכי יחפצון. חפצים לשאול הוראות לחכמים כאילו רוצים לקיימם [ישעיה נח, ב].

פּוּרְעָנוּת – And it is likewise so with respect to the measure of punishment. דִּכְתִיב – For it is written:[59] **,,בְּמִסְפַּר הַיָּמִים אֲשֶׁר־תַּרְתֶּם אֶת־הָאָרֶץ" –** ***Like the number of the days that you spied out the land,*** etc. **וְכִי אַרְבָּעִים שָׁנָה חָטְאוּ – Now, did they** in fact **sin** for **forty years?**[60] **וַהֲלֹא אַרְבָּעִים יוֹם חָטְאוּ – But they sinned** only **for forty days! אֶלָּא לוֹמַר לְךָ – Rather, this teaches you** the following teaching: **כָּל הָעוֹבֵר עֲבֵירָה אֲפִילוּ יוֹם אֶחָד בַּשָּׁנָה – Anyone who commits a transgression even one day in the year, מַעֲלֶה עָלָיו הַכָּתוּב כְּאִילוּ עָבַר כָּל הַשָּׁנָה כּוּלָּה – Scripture considers** it **against him as if he transgressed the entire year.**[61]

The Mishnah (2a) stated:

אֵי זֶהוּ קָטָן – WHICH MINOR IS IT that is exempt from appearing in the Courtyard?[62] **כָּל שֶׁאֵינוֹ יָכוֹל לִרְכּוֹב עַל כְּתֵפוֹ שֶׁל אָבִיו – ANYONE WHO CANNOT RIDE ON HIS FATHER'S SHOULDERS** and ascend from Jerusalem to the Temple Mount – these are the words of Beis Shammai. But Beis Hillel say: He is anyone who cannot hold onto his father's hand and ascend from Jerusalem to the Temple Mount by foot, even though he is capable of riding on his father's shoulders.

The Gemara raises a difficulty with the Mishnah:

מַתְקִיף לָהּ רַבִּי זֵירָא – R' Zeira objected to it as follows:

NOTES

59. *Numbers* 14:34.

60. [The verse reads: בְּמִסְפַּר הַיָּמִים אֲשֶׁר־תַּרְתֶּם אֶת־הָאָרֶץ אַרְבָּעִים יוֹם יוֹם לַשָּׁנָה יוֹם לַשָּׁנָה תִּשְׂאוּ אֶת־עֲוֹנֹתֵיכֶם אַרְבָּעִים שָׁנָה . . ., *Like the number of the days that you spied out the land – forty days – each day for a year, shall you bear your iniquities, forty years* ... Although the verse continues to explain that the meaning is, in fact, one day of sin for one year of punishment, the Gemara seeks to expound the expression that the Torah uses at the beginning of the verse: . . . בְּמִסְפַּר הַיָּמִים, *Like the number of days* ... In its simple meaning, this implies that the number of the days that they spied out the land is exactly equivalent to that of their punishment (which was forty years).]

61. [It is also possible that R' Yochanan, by stating that the same rule applies to Divine punishment, hinted to the scholars of the academy that the gravity of the sin of slighting the scholar was not lessened by the fact that they did so for only one day during the year. For since that day was their only opportunity to do so, it would be deemed as if they had mocked him throughout the entire year.]

62. I.e. when is a child too young for his parents to be obligated to bring him to the Temple for the pilgrimage festivals? (see 2a note 7).

עַד הָכָא מַאן אַתְיֵיהּ – But **who brought him here** (to Jerusalem) in the first place?[1]

The Gemara answers:

אָמַר לֵיהּ אַבַּיֵי – [Abaye] **said to** [R' Zeira]: **עַד הָכָא** – **To here** (i.e. Jerusalem), **דְּמִיחַיְּיבָא אִימֵּיהּ בְּשִׂמְחָה** – **where his mother is obligated** to go **for** the mitzvah of **rejoicing,**[2] **אַיְיתְיתֵיהּ אִימֵּיהּ** – **his mother brings him.**[3] **מִכָּאן וְאֵילָךְ** – **From here on,** i.e. from Jerusalem to the Temple Mount,[4] Beis Hillel rule that **אִם יָכוֹל לַעֲלוֹת וְלֶאֱחוֹז בְּיָדוֹ שֶׁל אָבִיו מִירוּשָׁלַיִם לְהַר הַבַּיִת** – **if he is able to ascend from Jerusalem to the Temple Mount while holding onto his father's hand, חַיָּיב** – his father is **obligated** to take him; **וְאִי לֹא פָּטוּר** – **and if he is not able** to do so, his father is **not obligated** to take him.

The Gemara challenges the view of Beis Shammai:

הֵשִׁיב רַבִּי תַּחַת בֵּית הִלֵּל לְדִבְרֵי בֵּית שַׁמַּאי – **Rebbi objected, on behalf of Beis Hillel, to the statement of Beis Shammai:** "**וְחַנָּה לֹא עָלָתָה כִּי־אָמְרָה לְאִישָׁהּ עַד יִגָּמֵל הַנַּעַר וַהֲבִיאֹתִיו**" – [Scripture states:] ***And Channah did not ascend*** *[to Shiloh*[5] *for the festival]* ***for she said to her husband: "Until the child*** *[Samuel]* ***will be weaned – then I will bring him."***[6] **וְהָא שְׁמוּאֵל דְּיָכוֹל לִרְכּוֹב עַל כְּתֵיפוֹ שֶׁל אָבִיו הֲוָה** – **But** even before he was weaned **Samuel was able to ride on his father's shoulder.** Thus, according to Beis Shammai, Samuel should have been taken to the Temple despite his young age.[7] – ? –

The challenge is deflected:

אָמַר לֵיהּ אֲבוּהּ – **His** [Rebbi's] **father**[8] **said to him: וּלְטַעְמִיךְ** – **But according to your reasoning** as well, the verse is problematic, **תִּיקְשֵׁי לָךְ חַנָּה גּוּפָהּ** – because **you** too **are faced with the problem of** why **Channah herself** did not go to Shiloh. **מִי לֹא מִיחַיְּיבָא בְּשִׂמְחָה** – **Was she not obligated** to fulfill the mitzvah of **rejoicing?**[9] **אֶלָּא** – **Rather,** we are compelled to say that **חַנָּה מִפַּנְקוּתָא יְתֵירְתָא חֲזְיָיא בֵּיהּ בִּשְׁמוּאֵל** – **Channah observed unusual delicacy in Samuel וְחָשָׁא בֵּיהּ בִּשְׁמוּאֵל לְחוּלְשָׁא דְּאוֹרְחָא** – **and she was worried that Samuel** might suffer harm **due to exhaustion from the journey.**[10]

A halachic question is raised:

בָּעֵי רַבִּי שִׁמְעוֹן – **R' Shimon asked: קָטָן חִיגֵּר לְדִבְרֵי בֵית שַׁמַּאי** – In the case of **a minor who is lame, according to the opinion of Beis Shammai, וְסוּמָא לְדִבְרֵי שְׁנֵיהֶם** – **or** [**a minor**] **who is blind, according to the views of both** [**Beis Shammai and Beis Hillel**], **מַהוּ** – **what is** [**the law**]? Is the child's father obligated to bring him to the Temple?[11]

The Gemara clarifies the question:

הֵיכִי דָּמֵי – **What are the circumstances** in each case? **אִילֵימָא בְּחִיגֵּר שֶׁאֵינוֹ יָכוֹל לְהִתְפַּשֵּׁט** – **If we say** that the reference is **to a lame** child who **cannot be healed** (i.e. he will never be able to

NOTES

1. The pilgrimage to the Temple is accomplished in two stages: (a) from the pilgrim's hometown to Jerusalem; (b) from Jerusalem to the Temple Mount. A child cannot travel from his hometown to Jerusalem unless he has been weaned and can be apart from his mother for several days. However, a child who has been weaned is typically capable of walking (see note 7). Hence, a child old enough to be apart from his mother for the first stage of the journey can presumably walk the second stage. It is consequently beside the point for Beis Shammai and Beis Hillel to discuss whether he can ascend from Jerusalem to the Temple Mount by riding on his father's shoulders or by walking. The very fact that he is present in Jerusalem demonstrates that he can walk that distance (based on *Rashi;* cf. *Chazon Ish* 129:1, who presents other interpretations of the Gemara).

[R' Zeira assumes that the mother herself does not travel to Jerusalem (see *Siach Yitzchak* and *Ikvei Aharon*).]

2. The obligation to rejoice on the festivals applies also to women, as it is stated: וְשָׂמַחְתָּ אַתָּה וּבֵיתֶךָ, *you shall rejoice, you and your household* (*Deuteronomy* 14:26; see *Tosafos* to *Pesachim* 109a ד״ה שנאמר). A married woman consequently must ascend to Jerusalem and rejoice there together with her husband (*Rashi*).

Actually, Abaye himself rules elsewhere that the Torah does not directly obligate a woman to rejoice on the festivals; it places the onus on her husband to cause her to rejoice (*Rosh Hashanah* 6b, *Kiddushin* 34b). A husband can fulfill this obligation by inducing his wife to travel to Jerusalem and rejoice there together with him (*Tosafos* ibid.). Accordingly, Abaye cannot mean here that the mother is actually obligated to go to Jerusalem; rather, Abaye refers to a mother who had consented to go up and rejoice with her husband, as is usually the case (*Baal HaMaor* to *Rosh Hashanah,* folio 1a ד״ה בעי ר׳ זירא; *Tosafos* to *Rosh Hashanah* 6b סד״ה אשה; see also *Pnei Yehoshua* ibid. 6b [end] in explanation of *Rashi*).

3. The Mishnah could thus be referring to a child too young to be apart from his mother. Nevertheless, he would be taken to Jerusalem for the festival, because his mother would be traveling there to rejoice with her husband.

4. His mother is not obligated to appear in the Temple Mount (*Rashi;* see *Tosafos* to 2a ד״ה הכל; see also *Sfas Emes*). [And she would have no reason to visit it for the purpose of rejoicing, because the mitzvah of rejoicing is fulfilled elsewhere in the Jerusalem.]

5. In that time, the Sanctuary (Tabernacle) was situated in Shiloh.

6. *I Samuel* 1:22.

7. A child is weaned after twenty-four months. However, a child as young as *twelve* months can ride on his father's shoulders from Jerusalem to the Temple Mount. Moreover, in that time, the distance was even shorter, for the Sanctuary was situated in Shiloh [which was smaller than Jerusalem] (*Rashi*). Thus, according to Beis Shammai, Channah's reason – "until the child will be weaned" – is flawed, because even before a child is weaned (at twenty-four months), he is old enough to ride on his father's shoulders, and that suffices in their opinion for the mitzvah of training to apply. [According to Beis Hillel, however, who require the child to be capable of walking, Channah's reason is valid, because it is not unusual for a child to be unable to walk until the age at which he is weaned.]

The following difficulty must be addressed: The Gemara has assumed all along that a child who needs his mother is not separated from her in order to be taken on the pilgrimage to Jerusalem. Therefore, how can Rebbi argue that, according to Beis Shammai, Samuel should have been taken from his mother before he was weaned? One answer given is that Samuel's family lived in Har Ephraim (*I Samuel* 1:1), which was located in the territory of the tribe of Ephraim. The town of Shiloh, where the Temple then stood, was likewise situated in Ephraim (*Psalms* 78:60,67; see *Zevachim* 118b). Thus, it may be surmised that Samuel's family lived near the Temple, and he could have been separated from his mother for the short length of time required to bring him to the Temple and bring him back (*Turei Even*).

[The requirement of חִנּוּךְ, *training,* is of Rabbinic origin. Evidently, this Rabbinic law had already been enacted by the time of Samuel (*Turei Even;* cf. *Meromei Sadeh;* see also *Siach Yitzchak*).]

8. I.e. Rabban Shimon ben Gamliel (see *Baal HaMaor* to *Rosh Hashanah* folio 1a סד״ה בעי ר׳ זירא, cited by *Maharsha*).

9. That is, it can be presumed that Channah wanted to rejoice together with her husband in Shiloh. Why, then, did she not go to Shiloh on this occasion? (*Baal HaMaor* ibid.; see note 2).

10. Hence, this verse does not refute Beis Shammai's view, for even if Samuel *was* old enough to be trained in the mitzvah of *re'iyah,* he was not taken to Shiloh lest the journey cause him harm.

11. An adult who is lame or blind is exempt from the mitzvah of appearing in the Temple (Mishnah 2a). However, a child with such disabilities is possibly subject to the Rabbinic requirement of training, as the Gemara will explain.

In the case of a lame child, the Gemara specifies Beis Shammai as opposed to Beis Hillel. This is because Beis Hillel hold that a child need not be taken to the Temple unless he can walk; hence, the obligation would certainly not apply in the case of a lame child. [According to Beis Shammai, however, provided that the child can ride on his father's shoulders, it is possible that he must be taken to the Temple despite his disability.] In the case of a blind child, however, who can walk holding onto his father's hand, the Gemara's inquiry is relevant according to Beis Hillel as well (*Rashi*).

עד הכא מאן אתייה אמר ליה אביי עד הכא (א) *דמיחייבא אימיה בשמחה אייתיתיה אימיה מכאן ואילך אם יכול לעלות ולאחוז בידו של אביו מירושלים להר הבית חייב ואי לא פטור השיב רבי תחת בית הלל לדברי בית שמאי א) וחנה לא עלתה כי אמרה לאישה עד יגמל הנער והביאותיו והא שמואל דיכול לרכוב על כתיפו של אביו הוה א"ל (א) אבוה ולטעמיך תיקשי לך חנה גופה מי לא מיחייבא בשמחה אלא חנה מפנקותא יתירתא חזייא ביה בשמואל וחשא ביה בשמואל לחולשא דאורחא בעי רבי שמעון ג) קטן חיגר לדברי בית שמאי וסומא לדברי שניהם מהו היכי דמי אילימא בחיגר שאינו יכול להתפשט וסומא שאינו יכול להתפתח השתא גדול פטור קטן מיבעיא לא צריכא בחיגר שיכול להתפשט וסומא שיכול להתפתח מאי אמר אביי ב) כל היכא דגדול מיחייב מדאורייתא קטן נמי מחנכינן ליה מדרבנן כל היכא דגדול פטור מדאורייתא מדרבנן (ג) קטן נמי פטור: ב"ש אומרים הראייה שתי כסף כו': ת"ר בית שמאי אומרים הראייה שתי כסף והחגיגה מעה כסף שהראייה עולה כולה לגבוה מה שאין כן בחגיגה ועוד מצינו בעצרת שריבה בהן הכתוב בעולות יותר מבשלמים ובית הלל אומרים הראייה מעה כסף וחגיגה שתי כסף שחגיגה ישנה לפני הדיבור מה שאין כן בראייה ועוד מצינו בנשיאים שריבה בהן הכתוב בשלמים יותר מבעולות ובית הלל מאי טעמא לא אמרי כבית שמאי דקא אמרת ראייה עדיפא דעולה כולה לגבוה אדרבה חגיגה עדיפא דאית בה שתי אכילות ודקא אמרת נילף מעצרת דנין קרבן יחיד מקרבן יחיד ואין דנין קרבן יחיד מקרבן צבור ובית שמאי מ"ט לא אמרי כבית הלל דקאמרת חגיגה עדיפא דישנה לפני הדיבור ראייה נמי ישנה לפני הדיבור ודקאמרת נילף מנשיאים דנין דבר הנוהג לדורות מדבר הנוהג לדורות ואין דנין דבר הנוהג לדורות מדבר שאינו נוהג לדורות ובית הלל מאי שנא חגיגה דישנה לפני הדיבור דכתיב ב) ויזבחו זבחים שלמים ראייה נמי הכתיב ב) ויעלו עולות קסברי בית הלל ג) * עולה שהקריבו ישראל במדבר עולת תמיד הואי ובית שמאי סברי עולה שהקריבו ישראל במדבר עולת ראייה הואי אמר אביי בית שמאי (ג) ורבי אלעזר ור' ישמעאל כולהו סבירא להו עולה שהקריבו ישראל במדבר עולת ראייה הואי ובית הלל ורבי עקיבא ור' יוסי הגלילי כולהו סבירא להו עולה שהקריבו ישראל במדבר עולת תמיד הואי בית שמאי הא דאמרן ר' ישמעאל ד) דתניא ר' ישמעאל אומר כללות נאמרו בסיני

ופרטות

עד הכא מאן אתייה. עד ירושלים מי הביאו (ד) והלא משהוא יכול להיות חוץ מאמו יכול לאחוז ביד אביו דכדי עלייה מירושלים להר הבית אתה אומר שמחנכוהו ועד ירושלים מי הביאו: **מחייבא בשמחה.** לעלות לרגל ולשמוח בחג עם בעלה דעל השמחה נלטוו נשים דכתיב ושמחת אתה וביתך (דברים יד): **מכאן ואילך.** דאימיה לא מחייבא להתראות בהר הבית: **עד יגמל.** לסוף כ"ד חודש שכן תינוק יונק ומשנה ראשונה הוא יכול לרכוב על כתיפו של אביו כדי לעלות מירושלים להר הבית וכל שכן משילה למשכן: **הכי גרס קטן חיגר לדברי בית שמאי וסומא לדברי שניהן.** דאילו חיגר לדברי בית הלל לא מיבעיא לן דלא מחנכינן ליה דהא אמרינן אין מחנכין אלא לקטן שיכול לאחוז ולעלות ברגליו בירושלים וזה אינו יכול אבל לבית שמאי דמחייבי לחנכו משיכול לרכוב קטן חיגר יכול לרכוב על כתיפו של אביו והסומא יכול לאחוז לב"ה מהו צריך חינוך או לא: **שאינו יכול להתפשט.** שאין סופו להתפשט עולמית: **קטן מיבעיא.** הלא אין חינוך קטן אלא כדי להרגילו שיהא סרוך אחר מנהגו לכשיגדיל וכיון שזה פטור לכשיגדיל למה לי חינוך: **שיכול להתפתח.** קודם שיגדיל: **מצינו בעצרת.** בפ' שור או כשב והקרבתם על הלחם שבעת כבשים תמימים ופר בן בקר אחד ואילים שנים יהיו עולה לה' וכתיב ושני כבשים בני שנה לזבח שלמים (ויקרא כג): **ישנה לפני הדיבור.** קודם מתן תורה הקריבו שלמים בסיני דכתיב וישלח את נערי בני ישראל (שמות כד) ואע"ג דהאי קרא כתיב בואלה המשפטים לאחר עשרת הדברות קודם עשרת הדברות הוה ואין מוקדם ומאוחר בתורה והכי תניא במסכת שבת בפרק ר' עקיבא (דף פח.) רבי יוסי אומר בשני עלה וירד בשלישי עלה וירד ברביעי ירד ושוב לא עלה בחמישי בנה מזבח והקריב עליו קרבן בששי ה) ניתנה תורה ואין אתה מוצא בנתינת התורה בנין מזבח אלא באותו שנאמר וישלח את נערי בני ישראל וגו' ולקמן פריך התם נמי עולה הואי: **נשיאים.** בחנוכת המזבח הקריבו שלמים יותר מעולות דכתיב כל הבקר לעולה וגו' וכל בקר זבח השלמים וגו' (במדבר ז): **שתי אכילות.** מזבח ואדם: נשיאים קרבן יחיד וראייה וחגיגה קרבן יחיד אבל כבשי עצרת קרבן צבור ומתרומת הלשכה: **ראייה נמי ישנה לפני הדיבור.** דעולה נמי הוה התם: **מדבר הנוהג לדורות.** כבשי עצרת: **עולת תמיד הואי.** תוכת כל יום ויום ולא גמרינן מינה: **עולת ראייה הואי.** על שם ויחזו את האלהים: **כללות נאמרו בסיני.** הרבה דברים נאמרו סתומים בסיני שלא נתפרשו כל צרכן ופירשו לו לאחר שהוקם המשכן באהל מועד שהרי לא נתפרשו שם הלכות עבודה ככל הצריך אלא מזבח אדמה תעשה לי וזבחת עליו את עולותיך ואת שלמיך (שמות כ) ולא פי' מתן דמיהן הפשטן וניתוחן של עולות והקרבת אימורין של שלמים:

(ה) **דמחייבא** אימיה בשמחה. פירש רש"י בפרק קמא דקדושין (דף לד: ושם) גבי אשה בעלה משמחה בבגדי צבעונין בא"י בבגדי פשתן והכא משמע דבשלמי שמחה מיירי והתם (בד"ה אשה) פי' וכן בפ"ק דר"ה (דף ו: ושם):

דיכול לרכוב על כתיפו של אביו. שהיה גדול קצת אבל לא מצי לאחוז בידו ולעלות ברגליו:

בחיגר שיכול להתפשט. מקמי גדולו מאי מי אמרינן דכיון דגדול המחייב מדאורייתא גבי קטן נמי מיחייב בחינוך דמידי הוא טעמא בקטן אלא משום לחנכו דידע כשהוא גדול או דלמא כיון דגדול בהכי לא מיחייב גם קטן לא:

הראייה שתי כסף. * ומדרבנן הוא דמדאורייתא אין לו שיעור לקרבן רק לאשם מעילות (שבועת העדות) דכתיב ביה כסף שקלים (ויקרא ה) ותנן בכריתות (דף כז:) המפריש שתי סלעים לאשם והא דאמרינן בזבחים (דף מח.) [לא יהא ספיקו חמור מודאו מה ודאו חטאת בת דנקא אף ספיקו אשם בר דנקא] ובמנחות (דף קז:) יביא * אשם הוא ונסכיו בסלע לאו דוקא קאמר דאמרינן בפרק ג' דכריתות (דף י:) יביא י) אשם בסלע וכן הא דאמרינן בפ' הוציאו לו ביומא (דף נה:) ניסקול ארבעה זוזי ונשדי בנהרא לאו דוקא דלא בעי כולי האי ובפ"ב דמנחות (דף קז: ושם בד"ה כבש) פירשתי *:

ישנה לפני הדבור. וס"ל עולת (ו) ראייה הואי כדקאמר בסמוך:

ט) **קרבן** יחיד. כגון חגיגה ובפ"ה דיומא (דף נא. ושם) דקרי ליה קרבן צבור היינו גבי פסח שני כדקאמר התם חגיגה מ"ט מקריא קרבן צבור דאתיא בכנופיא פסח נמי אתיא בכנופיא איכא פסח שני דלא אתיא בכנופיא:

דנין דבר הנוהג לדורות. ולא בעי למימר דנין יו"ט מיו"ט לאפוקי נשיאים דחול הוי דלא מלינו ליה האי סילוקא בשום מקום (ז) ואע"ג דלקמן פרק חומר בקודש (דף כג: ושם) ילפינן לירוק כף אחת דכתיב עשה כל מה שבכף אחת ולא פרכינן דורות משעה לא ילפינן התם כיון דליכא למילף מדורות ילפינן ליה שפיר משעה אי נמי שאני התם דתני ביה קרא תריסר זימני כדאמרינן בפ"ק דמנחות (דף ט:) ובפרק הקומץ רבה (שם דף יט:) גבי כלי הלח מקדש הלח וליף שמואל דורות משעה דתני ביה קרא תריסר זימני:

ורבי ישמעאל ורבי אלעזר וכו'. ואין להקשות ושבקי ב"ה ועבדי כב"ש הלא ב"ש במקום בית הלל אינו משנה וי"ל דסבירא להו לא נחלקו בית שמאי וב"ה בדבר זה:

בית שמאי הא דאמרן. וליכא לאקשויי מנא ליה דאית להו עולת ראייה הואי דלמא לעולם סבירא להו עולת תמיד וטעמא דידהו עדיף להו דהכי משמע מדבעי מאי טעמא לא אמרי בית הלל כוותייהו הא לאו מילתא היא דמיבעיא ליה אמאי לא קאמרי בית הלל עולת ראייה כבית שמאי:

מי

מסורת הש"ס

א) ס"א **אביי**, ג) [בן לקיש וכן איתא בפסחים קיט.], ג) [יבמות ה:], ד) סוטה לז: זבחים קטו:, ה) [לא היה לו פנאי ואח"כ בשבת כנ"ל להגי' וע"ש], ו) נ"ל כבש, ז) נ"ל כבש, ח) [וע"ע תוספות ב"ב קמו: ד"ה רבעתים], ט) [דיבור זה שייך קודם ד"ה ישנה].

הגהות הב"ח

(א) **גמרא** עד הכא מאן אייתיה אמר ליה אביי עד הכא אימיה דמחייבא בשמחה אייתיתיה מכאן ואילך כצ"ל: (ב) **שם** דגדול פטור מדאורייתא קטן נמי [פטור] מדרבנן ב"ש אומר: (ג) **שם** בית שמאי ור' ישמעאל ור' אליעזר כולהו: (ד) **רש"י** ד"ה עד הכא מאן אייתיה עד ירושלים מי הביאו דכדי עלייה מירושלים וכו' מי הביאו והלא משהוא יכול וכו' לאחוז ביד אביו הס"ד ואח"כ מה"ד דמחייבא: (ה) **תוס'** ד"ה אימיה דמחייבא בשמחה: (ו) ד"ה ישנה וכו' עולת תמיד הואי: (ז) ד"ה דנין וכו' ואף על גב וכו' מכף אחת וכו' משעה משום דתני:

גליון הש"ס

גמרא עולה שהקריבו ישראל במדבר עולת תמיד הואי. עיין יומא דף לד ע"א תוספות ד"ה העולה: **תד"ה הראיה כו' ומדרבנן היא.** עי' קדושין ח ע"א תד"ה ונילף:

תורה אור השלם

א) וְחַנָּה לֹא עָלָתָה כִּי אָמְרָה לְאִישָׁהּ עַד יִגָּמֵל הַנַּעַר וַהֲבִאֹתִיו וְנִרְאָה אֶת פְּנֵי יְיָ וְיָשַׁב שָׁם עַד עוֹלָם: [שמואל א, א, כב]

ב) וַיִּשְׁלַח אֶת נַעֲרֵי בְּנֵי יִשְׂרָאֵל וַיַּעֲלוּ עֹלֹת וַיִּזְבְּחוּ זְבָחִים שְׁלָמִים לַייָ פָּרִים: [שמות כד, ה]

ליקוטי רש"י

עד יגמל. לסוף כ"ב חדשים (ס"א כ"ד) שכן זמן לתינוק לינק [שמואל א א, כב]. **עולה שהקריבו ישראל במדבר.** דכתיב (שמות כד) ויעלו עולות עולת תמיד הוה [יבמות ה:]. קודם מתן תורה וישלח את נערי וגו' [זבחים קטו:]. **כללות נאמרו בסיני.** בסתם נאמרה תורה בסיני ולא נתפרשה לו כגון בסיני נאמר (שמות כ) וזבחת עליו את עולותיך ואת שלמיך ולא פירש מתן דמים כילד הקטרת אימורים והפשט ונתוח וכליל של עולה ובספר ויקרא באהל מועד פירשה [סוטה לז:]. כגון מזבח אדמה תעשה לי וזבחת עליו וגו' ולא נתפרשו הלכות עולה ושלמים שם [זבחים שם].

עין משפט נר מצוה

כד א מיי' פ"א מהל' חגיגה הלכה א סמג עשין רכו:
כה ב מיי' שם פ"ב הלכה ג:

רבינו חננאל

בה"א כל שאינו יכול לאחוז בידו של אביו ולעלות מירושלים להר הבית שנאמר שלש רגלים. ממקום מושבותיהם מי הביא הקטנים ופרקינן ממקומם שהיתה אמן חייבת לעלות ולשמוח הביאתו אמו מיכן ואילך שאינה חייבת בראייה משלימתו לאביו ומקשה לב"ש דאמרינן אם יכול לרכוב על כתיפיו של אביו ולעלות חייב. והא שמואל דיכול לרכוב הוה וכתיב וחנה לא עלתה כי אמרה לאישה עד יגמל הנער והביאותיו ונראה את פני ה' וישב שם עד עולם. ודחי ב"ש ולטעמיך חנה גופה אמאי לא עלתה מי לא מיחייבא בשמחה אלא חנה מפנקותא יתירתא חזת בשמואל (והשתא) [וחששה] משום חולשא דאורחא משום הכי חנה נמי פטורה דאמר א) חולין ומשמשיהן פטורין מן הראיה. בעי ר"ש בר אבא קטן חגר שיכול להתפשט לדברי (ב"ה) [ב"ש] וקטן סומא שיכול להתפתח לדברי שניהם מאי ופשטה אביי כל היכא דגדול חייב מן התורה קטן נמי מדרבנן פטור: **מתני'** ב"ש אומרים הראייה שתי כסף כו'. ת"ר הראייה שתי כסף שהיא כולה לגבוה מה שאין כן בחגיגה שהחגיגה החלב והדם לגבוה והבשר לבעלים ועוד מצינו בעצרת שהזהיר הקב"ה לישראל בעולות ושלמים וריבה בעולות. ובה"א החגיגה גדולה מן הראייה שהחגיגה ישנה לפני מתן תורה שנאמר ויזבחו זבחים שלמים לה' פרים וכי תימא והא התם נמי כתיב ויעלו עולות והנה הקריבו נמי קודם מתן תורה עולת ראיה ההיא עולה שהקריבו ישראל קודם מתן תורה עולת תמיד הואי. ועוד מצינו בנשיאים שהקריבו פר ואיל וכבש לעולה והקריבו לזבח שלמים פרים שנים וגו'. ודחינן ב"ה עצרת קרבן צבור ואין דנין קרבן יחיד מקרבן צבור. ודחינן ב"ש עולה שהקריבו ישראל במדבר עולת ראיה הואי. קרבן נשיאים אינו נוהג לדורות. אמר אביי ב"ש ור' ישמעאל ור' אליעזר כולהו סבירא להו עולה שהקריבו ישראל

חשק שלמה על ר"ח

א) בגמ' לא מצינו זה רק גבי סוכה בסוכה ד' כ"ה ואולי צ"ל דאמרה ור"ל דחנה סברה כן בדעתה דחולין ומשמשיהן פטורין מן הראיה.

walk), וְסוּמָא שֶׁאֵינוֹ יָכוֹל לְהִתְפַּתֵּחַ – **and** to **a blind** child whose vision **cannot be restored** (i.e. he will never be able to see), there is no question that the obligation of training does not apply. הַשְׁתָּא גָּדוֹל פָּטוּר קָטָן מִיבַּעְיָא – **Since an adult** who is lame or blind **is not obligated** to fulfill the mitzvah of *re'iyah*, is it even **necessary** to say that **a minor** with these disabilities does not have to be trained in the mitzvah?![12] לֹא צְרִיכָא – **Rather,** the question is **warranted** only בְּחִיגֵּר שֶׁיָּכוֹל לְהִתְפַּשֵּׁט – **in the case of a lame** child who **can be healed** before adulthood, וְסוּמָא שֶׁיָּכוֹל לְהִתְפַּתֵּחַ – **and a blind** child whose vision **can be restored** before adulthood. מַאי – **What** is the law? Must he be trained in the mitzvah of *re'iyah* while he is still disabled?[13]

The question is answered:

אָמַר אַבַּיֵי – **Abaye said:** כָּל הֵיכָא דְּגָדוֹל מִיחַיֵּיב מִדְּאוֹרַיְיתָא – **Wherever an adult would be obligated** to perform a mitzvah **under Biblical law,** קָטָן נַמִּי מְחַנְּכִינַן לֵיהּ מִדְּרַבָּנָן – there is **also** an obligation to **train a minor under Rabbinic law.** כָּל הֵיכָא דְּגָדוֹל פָּטוּר מִדְּאוֹרַיְיתָא – **Wherever an adult would not be obligated under Biblical law,** מִדְּרַבָּנָן קָטָן נַמִּי פָּטוּר – **a minor too would not be subject to the obligation** of training **under Rabbinic law.**[14] Hence, in our case, since an adult who is lame or blind is not Biblically obligated in the mitzvah of *re'iyah*, there is no Rabbinic obligation to train a minor with the same disabilities, even though he can recover by the time he reaches adulthood.

The Mishnah (2a) stated:

בֵּית שַׁמַּאי אוֹמְרִים הָרְאִיָּה שְׁתֵּי כֶסֶף כו׳ – **BEIS SHAMMAI SAY: THE *OLAS-RE'IYAH*** offering must be worth at least **TWO SILVER** *maos*, and the *shalmei chagigah* sacrifice must be worth at least one silver *ma'ah*. But Beis Hillel say: The *olas re'iyah* must be worth at least one silver *ma'ah*, **etc.**[15]

A Baraisa elaborates on the dispute between Beis Shammai and Beis Hillel:

תָּנוּ רַבָּנָן – **The Rabbis taught in a Baraisa:** בֵּית שַׁמַּאי אוֹמְרִים – **BEIS SHAMMAI SAY:** הָרְאִיָּה שְׁתֵּי כֶסֶף וְהַחֲגִיגָה מָעָה כֶסֶף – **THE *OLAS RE'IYAH*** must be worth at least **TWO SILVER** *maos*, **AND THE *SHALMEI CHAGIGAH*** at least one **SILVER *MA'AH*.** The minimum requirement is greater for the *olas re'iyah* שֶׁהָרְאִיָּה עוֹלָה כּוּלָּהּ לַגָּבוֹהַּ – **BECAUSE THE *OLAS RE'IYAH* IS OFFERED UP ENTIRELY TO THE MOST HIGH,** i.e. it is burned entirely on the Altar, מַה שֶּׁאֵין כֵּן בַּחֲגִיגָה – **WHICH IS NOT SO REGARDING THE *SHALMEI CHAGIGAH*.**[16] וְעוֹד מָצִינוּ בַּעֲצֶרֶת – **FURTHERMORE, WE FIND WITH RESPECT TO** the offerings of the **SHAVUOS** festival שֶׁרִיבָּה בָּהֶן הַכָּתוּב בְּעוֹלוֹת יוֹתֵר מִבִּשְׁלָמִים – **THAT SCRIPTURE INCLUDED MORE *OLOS* THAN *SHELAMIM*.**[17]

Beis Hillel's dissenting view:

וּבֵית הִלֵּל אוֹמְרִים – **BUT BEIS HILLEL SAY:** הָרְאִיָּה מָעָה כֶסֶף – **THE *OLAS RE'IYAH*** must be worth at least one **SILVER *MA'AH*,** וַחֲגִיגָה שְׁתֵּי כֶסֶף – **AND THE *SHALMEI CHAGIGAH*** at least **TWO SILVER** *maos*. The minimum requirement is greater for the *shalmei chagigah*, שֶׁחֲגִיגָה יֶשְׁנָהּ לִפְנֵי הַדִּיבּוּר – **BECAUSE THE *SHALMEI CHAGIGAH* WAS** brought **BEFORE THE WORD** of God was transmitted at Sinai, מַה שֶּׁאֵין כֵּן בָּרְאִיָּה – **WHICH WAS NOT SO REGARDING THE *OLAS RE'IYAH*.**[18] וְעוֹד מָצִינוּ בַּנְּשִׂיאִים – **FURTHERMORE, WE FIND WITH RESPECT TO THE** offerings brought by the ***NESIIM*** שֶׁרִיבָּה בָּהֶן הַכָּתוּב בִּשְׁלָמִים יוֹתֵר מִבְּעוֹלוֹת – **THAT SCRIPTURE INCLUDED MORE *SHELAMIM* THAN *OLOS*.**[19]

The Gemara analyzes the dispute:

וּבֵית הִלֵּל מַאי טַעְמָא לֹא אָמְרֵי כְּבֵית שַׁמַּאי – **And why do Beis Hillel not say** the same **as Beis Shammai?** How would they refute Beis Shammai's reasons?[20]

NOTES

12. The purpose of training a child to perform a mitzvah is so that he will be in the habit of doing it by the time he becomes obligated in its performance at adulthood. Hence, this child, who will never be obligated to fulfill the mitzvah of *re'iyah* [for it is not incumbent upon the lame and the blind], does not require training in it (*Rashi*).

13. On the one hand, perhaps we must train this child because he will [possibly] be obligated to perform the mitzvah when he reaches adulthood. On the other hand, since an adult who is lame or blind is not obligated in the mitzvah, perhaps a minor with these disabilities need not be trained (*Tosafos;* see next note).

[Regarding a lame or blind child who will recover *after* he becomes an adult, see *Meromei Sadeh*. See also *Turei Even,* who notes an apparent contradiction in the words of *Rashi*.]

14. That is, the Rabbinic requirement to train children is subject to the same limits and exclusions as the Biblical obligation for which the child is being trained. Thus, a factor that would exempt an adult from the mitzvah (e.g. lameness in the case of the mitzvah of *re'iyah*) also exempts a child from the Rabbinic requirement of training for that mitzvah. This rule holds true for all exemptions except, of course, the exemption of a minor from Biblical obligations, which by definition does not apply with respect to training (see *Chazon Ish* 129:3, *Turei Even* and *Sfas Emes*). [Consequently, Beis Shammai's ruling that a child must be trained even if he cannot walk applies only to a child whose inability to walk stems from his young age and not from lameness.]

15. See 2a note 11.

16. The *olas re'iyah,* like other *olah* offerings, is entirely burned on the Altar. The *shalmei chagigah,* by contrast, is a *shelamim* offering, whose meat is eaten by the owner and the Kohanim. Thus, it is logical that we attach more importance to the *olah*.

17. The *shtei halechem* (the first offering brought from the new wheat crop), which is brought on Shavuos, is accompanied by a set of offerings that include ten *olos* but only two *shelamim* [*Leviticus* 23:18-19] (*Rashi*). Apparently, the Torah attaches more importance to *olah* offerings.

[See *Turei Even,* who explains why Beis Shammai did not derive a proof from the *mussaf* offerings of the festivals and Rosh Chodesh, which include *olos* but no *shelamim* at all.]

18. The Torah states (*Exodus* 24:5): וַיִּשְׁלַח אֶת־נַעֲרֵי בְּנֵי יִשְׂרָאֵל וַיַּעֲלוּ עֹלֹת וַיִּזְבְּחוּ זְבָחִים שְׁלָמִים, *He* [Moses] *sent the youths of the children of Israel, they offered up olos and they slaughtered shelamim sacrifices.* These *shelamim* sacrifices were *shalmei chagigah* (see 6b note 16). Since on this occasion *shalmei chagigah* were offered, whereas *olos re'iyah* were not [although *olos re'iyah* would have been appropriate at that time (see note 27)], the Torah evidently places greater value on *shalmei chagigah*. [The Gemara will ask how Beis Hillel explain the verse's mention of *olos*.]

This incident took place shortly before the Revelation at Sinai. Although the verse appears *after* the narrative of the Revelation (chs. 19,20), it is evident from a Baraisa (*Shabbos* 88a) that these sacrifices were actually offered beforehand. The Torah does not necessarily follow the chronogical order of events [אין מוקדם ומאוחר בתורה] (*Rashi;* cf. *Ramban* to *Exodus* 24:1; see also the difficulty raised by *Tos. Rid*).

Beis Hillel's words "before the [transmission of God's] word" do not refer to the entire pre-Sinaitic era [when *olos* were more commonly offered than *shelamim* (see *Zevachim* 116a)]; rather, they refer to this particular occasion at Sinai, when only *shalmei chagigah,* and not *olos re'iyah,* were offered.

19. The *Nasi* (prince) of each tribe brought offerings in honor of the inauguration of the Mishkan. Their total contribution included 204 *shelamim* and 36 *olos* [*Numbers* 7:87-88] (*Rashi*). [See *Rosh Mashbir* (cited by *Yalkut Yeshayahu*), who explains why *Rashi* refers to the total contribution rather than the offerings of each *Nasi*.]

20. The Gemara is not suggesting that Beis Shammai's arguments are stronger than Beis Hillel's. Rather, its point is that Beis Shammai's arguments are also valid. Therefore, why do Beis Hillel hold that the minimum requirement for the *shalmei chagigah* is higher than for the *olas re'iyah*? They should accept Beis Shammai's arguments as well and consequently rule that the two offerings are *both* subject to the higher minimum requirement of two silver *maos* (*Sfas Emes* on *Tosafos* ד״ה בית שמאי; see also *Meromei Sadeh*).

עד הכא מאן אתייה אמר ליה אביי עד הכא
(א) א דמיחייבא אימיה בשמחה אייתיתיה אימיה
מכאן ואילך אם יכול לעלות ולאחוז בידו של
אביו מירושלים להר הבית חייב ואי לא פטור
השיב רבי תחת בית הלל לדברי בית שמאי
א) וחנה לא עלתה כי אמרה לאישה עד יגמל
הנער והביאותיו והא שמואל דיכול לרכוב
על כתיפו של אביו הוה א"ל ב) אבוה ולטעמיך
תיקשי לך חנה גופה מי לא מיחייבא
בשמחה אלא חנה מפנקותא יתירתא חזייא
ביה בשמואל וחשא ביה בשמואל לחולשא
דאורחא בעי רבי שמעון ג) קטן חיגר לדברי
בית שמאי וסומא לדברי שניהם מהו היכי
דמי אילימא בחיגר שאינו יכול להתפשט
וסומא שאינו יכול להתפתח השתא גדול
פטור קטן מיבעיא לא צריכא בחיגר שיכול
להתפשט וסומא שיכול להתפתח מאי אמר
אביי ג) כל היכא דגדול מיחייב מדאורייתא
קטן נמי מחנכינן ליה מדרבנן כל היכא
דגדול פטור מדאורייתא מדרבנן (ב) קטן נמי
פטור: ב"ש אומרים הראייה שתי כסף
כו': ת"ר בית שמאי אומרים הראייה שתי
כסף והחגיגה מעה כסף שהראייה עולה
כולה לגבוה מה שאין כן בחגיגה ועוד מצינו
בעצרת שריבה בהן הכתוב בעולות יותר
מבשלמים ובית הלל אומרים הראייה מעה
כסף וחגיגה שתי כסף שחגיגה ישנה לפני
הדיבור מה שאין כן בראייה ועוד מצינו
בנשיאים שריבה בהן הכתוב בשלמים יותר
מבעולות ובית הלל מאי טעמא לא אמרי
כבית שמאי דקא אמרת ראייה עדיפא דעולה
כולה לגבוה אדרבה חגיגה עדיפא דאית
בה שתי אכילות ודקא אמרת נילף מעצרת
דנין קרבן יחיד מקרבן יחיד ואין דנין קרבן
יחיד מקרבן צבור ובית שמאי מ"ט לא אמרי
כבית הלל דקאמרת חגיגה עדיפא דישנה
לפני הדיבור ראייה נמי ישנה לפני הדיבור
ודקאמרת נילף מנשיאים דנין דבר הנוהג
לדורות מדבר הנוהג לדורות ואין דנין דבר
הנוהג לדורות מדבר שאינו נוהג לדורות
ובית הלל מאי שנא חגיגה דישנה לפני
הדיבור דכתיב ב) ויזבחו זבחים שלמים ראייה
נמי הכתיב ב) ויעלו עולות קסברי בית הלל
ד) עולה שהקריבו ישראל במדבר עולת תמיד
הואי ובית שמאי סברי עולה שהקריבו
ישראל במדבר עולת ראייה הואי אמר אביי
בית שמאי (ג) ורבי אלעזר ור' ישמעאל כולהו
סבירא להו עולה שהקריבו ישראל במדבר
עולת ראייה הואי ובית הלל ורבי עקיבא ור'
יוסי הגלילי כולהו סבירא להו עולה
שהקריבו ישראל במדבר עולת תמיד הואי
בית שמאי הא דאמרן ר' ישמעאל ד) דתניא
ר' ישמעאל אומר כללות נאמרו בסיני
ופרטות

רש"י

עד הכא מאן אתייה. עד ירושלים מי הביאו (ד) והלא משהוא יכול להיות חוץ מאמו יכול לאחוז ביד אביו דכדי עלייה מירושלים להר הבית אתה אומר שיחנכוהו ועד ירושלים מי הביאו: **מחייבא בשמחה.** לעלות לרגל ולשמוח בחג עם בעלה דעל השמחה נצטוו נשים דכתיב ושמחת אתה וביתך (דברים יד): **מכאן ואילך.** דאימיה לא מחייבא להתראות בהר הבית: **עד יגמל.** לסוף כ"ד חודש שכן תינוק יונק ומשנה ראשונה הוא יכול לרכוב על כתיפו של אביו כדי לעלות מירושלים להר הבית וכל שכן משילה למשכן: **הכי גרס קטן חיגר לדברי בית שמאי וסומא לדברי שניהן.** דאילו חיגר לדברי בית הלל לא מיבעיא לן דלא מחנכינן ליה דהא אמרינן אין מחנכין אלא לקטן שיכול לאחוז ולעלות ברגליו בירושלים וזה אינו יכול אבל לבית שמאי דמחייבי לחנכו משיכול לרכוב קטן חיגר יכול לרכוב על כתיפו של אביו והסומא יכול לאחוז לב"ה מהו צריך חינוך או לא: **שאינו יכול להתפשט.** שאין סופו להתפשט עולמית: **קטן מיבעיא.** הלא אין חינוך קטן אלא כדי להנהיגו שיהא סרוך אחר מנהגו לכשיגדיל וכיון שזה פטור לכשיגדיל למה לי חינוך: **שיכול להתפתח.** קודם שיגדיל: **מצינו בעצרת.** בפ' שור או כשב והקרבתם על הלחם שבעת כבשים תמימים ופר בן בקר אחד ואילים שנים יהיו עולה לה' וכתיב ושני כבשים בני שנה לזבח שלמים (ויקרא כג): **ישנה לפני הדיבור.** קודם מתן תורה הקריבו שלמים בסיני דכתיב וישלח את נערי בני ישראל (שמות כד) ואע"ג דהאי קרא כתיב בואלה המשפטים לאחר עשרת הדברות קודם עשרת הדברות הוה ואין מוקדם ומאוחר בתורה והכי תניא במסכת שבת בפרק ר' עקיבא (דף פח.) רבי יוסי אומר בשני עלה וירד בשלישי עלה וירד ברביעי ירד ושוב לא עלה בחמישי בנה מזבח והקריב עליו קרבן בששי ה) ניתנה תורה ואין אתה מוצא בנתינת התורה בנין מזבח אלא באותו שנאמר וישלח את נערי בני ישראל וגו' ולקמן פריך התם נמי עולה הואי: **נשיאים.** בחנוכת המזבח הקריבו שלמים יותר מעולות דכתיב כל הבקר לעולה וגו' וכל בקר זבח השלמים וגו' (במדבר ז): **שתי אכילות.** מזבח ואדם: נשיאים קרבן יחיד וראייה וחגיגה קרבן יחיד אבל כבשי עצרת קרבן צבור ומתרומת הלשכה: **ראייה נמי ישנה לפני הדיבור.** דעולה נמי הוה התם: **מדבר הנוהג לדורות.** כבשי עצרת: **עולת תמיד הואי.** חובת כל יום ויום ולא גמרינן מינה: **עולת ראייה הואי.** על שם ויחזו את האלהים: **כללות נאמרו בסיני.** הרבה דברים נאמרו סתומים בסיני שלא נתפרשו כל צרכן ופירשו לו לאחר שהוקם המשכן באהל מועד שהרי לא נתפרשו שם הלכות עבודה ככל הצריך אלא מזבח אדמה תעשה לי וזבחת עליו את עולותיך ואת שלמיך (שמות כ) ולא פי' מתן דמיהן הפשטן ונתוחן של עולות והקרבת אימורין של שלמים:

תוספות

(ה) **דמחייבא** אימיה בשמחה. פירש רש"י בפרק קמא דקדושין (דף לד: ושם) גבי אשה בעלה משמחה בבגדי צבעונין בא"י בבגדי פשתן והכא משמע דבשלמי שמחה מיירי והתם (בד"ה אשה) פי' וכן בפ"ק דר"ה (דף ו: ושם):

דיכול לרכוב על כתיפו של אביו. שהיה גדול קצת אבל לא מצי לאחוז בידו ולעלות ברגליו:

בחיגר שיכול להתפשט. מקמי גדלו מאי מי אמרינן דכיון דגדול המיחייב מדאורייתא גבי קטן נמי מחייב בחינוך דמידי הוא טעמא בקטן אלא משום לחנכו דידע כשהוא גדול או דלמא כיון דגדול בהכי לא מיחייב גם קטן לא:

הראייה שתי כסף. ט) ומדרבנן הוא דמדאורייתא אין לו שיעור לקרבן רק לאשם מעילות (שבועות העדות) דכתיב ביה כסף שקלים (ויקרא ה) ותנן בכריתות (דף כז:) המפריש שתי סלעים לאשם והא דאמרינן בזבחים (דף מח.) [לא יהא ספיקו חמור מודאו] ודאו חטאת בת דנקא אף ספיקו אשם בר דנקא ובמנחות (דף קז:) יביא ו) אשם הוא ונסכיו בסלע לאו דוקא קאמר דאמרינן בפרק ב' דכריתות (דף י:) יביא ז) אשם בסלע וכן הא דאמרינן בפ' הוציאו לו ביומא (דף נה:) נישקול ארבעה זוזי ונשדי בנהרא לאו דוקא דלא בעי כולי האי ובפ"ב דמנחות (דף קז: ושם בד"ה כגס) פירשתי ח):

ישנה לפני הדבור. וס"ל עולת (ו) ראייה הואי כדקאמר בסמוך:

ט) **קרבן** יחיד. כגון חגיגה ובפ"ב דיומא (דף נא. ושם) קרי ליה קרבן צבור היינו גבי פסח שני כדקאמר התם חגיגה מ"ט מקריא קרבן צבור דאתיא בכנופיא פסח נמי אתיא בכנופיא איכא פסח שני דלא אתיא בכנופיא:

דנין דבר הנוהג לדורות. ולא בעי למימר דנין יו"ט מיו"ט לאפוקי נשיאים דמיהו הוי דלא מצינו ליה האי פירכא בשום מקום (ז) ואע"ג דלקמן פרק אומר בקודש (דף כג: ושם) ילפינן לירוק כף אחת ולא פרכינן עשה כל מה שבכף אחת ולא דורות משעה לא ילפינן דהתם כיון דליכא למילף מדורות ילפינן ליה שפיר משעה אי נמי שאני התם דמני ביה קרא תריסר זימני כדאמרינן בפ"ק דמנחות (דף ט:) ובפרק הקומץ רבה (שם דף יט:) גבי כלי הלח מקדש הלח וליף שמואל דורות משעה דתני ביה קרא תריסר זימני:

ורבי ישמעאל ורבי אלעזר וכו'. ואין להקשות ושבקי ב"ה ועבדי כב"ש הלא ב"ש במקום בית הלל אינו משנה וי"ל דסבירא להו לא נחלקו בית שמאי וב"ה בדבר זה:

בית שמאי הא דאמרן. וליכא לאקשויי מנא ליה דאית להו עולת ראייה הואי דלמא לעולם סבירא להו עולת תמיד וטעמא דידהו עדיף להו דהכי משמע מדבעי מאי טעמא לא אמר בית הלל כוותיהו האי לאו מילתא היא דמיבעיא ליה אמאי לא קאמרי בית הלל עולת ראייה כבית שמאי: מי

עין משפט נר מצוה

כד א מיי' פ"א מהל' חגיגה הלכה א סמג עשין רכו:
כה ב מיי' שם פ"ב הלכה ג:

רבינו חננאל

בה"א כל שאינו יכול לאחוז בידו של אביו ולעלות מירושלים להר הבית שנאמר שלש רגלים. ממקום מושבותיהם מי הביא הקטנים ופרקינן ממקום שהיתה אמו חייבת לעלות ולשמוח הביאתו אמו מיכן ואילך שאינה חייבת בראייה משלימתו לאביו ומקשה לב"ש דאמרינן אם יכול לרכוב על כתיפו של אביו ולעלות חייב. והא שמואל דיכול לרכוב הוה וכתיב וחנה לא עלתה כי אמרה לאישה עד יגמול הנער והביאותיו ונראה את פני ה' וישב שם עד עולם. ודחי ב"ש ולטעמיך חנה גופה אמאי לא עלתה מי לא מיחייבא בשמחה אלא חנה מפנקותא יתירתא חזית בשמואל (והשתא) [וחיישה] משום חולשא דאורחא משום הכי חנה נמי פטורה דאמר א) חולין ומשמשיהן פטורין מן הראיה. בעי ר"ש בר אבא קטן חגר שיכול להתפשט לדברי (ב"ה) [ב"ש] וקטן סומא שיכול להתפתח לדברי שניהם מאי ופשטה אביי כל היכא דגדול חייב מן התורה קטן נמי מדרבנן פטור: מתני' ב"ש אומרים הראייה שתי כסף כו'. ת"ר הראייה שתי כסף שהיא כולה לגבוה מה שאין כן בחגיגה שהחגיגה החלב והדם לגבוה והבשר לבעלים ועוד מצינו בעצרת שהזהיר הקב"ה לישראל בעולות ושלמים וריבה בעולות. ובה"א החגיגה גדולה מן הראייה שהחגיגה ישנה לפני מתן תורה שנאמר ויזבחו זבחים שלמים לה' פרים וכי תימא והא התם נמי כתיב ויעלו עולות והנה הקריבו נמי קודם מתן תורה עולת ראיה ההיא עולה שהקריבו ישראל קודם מתן תורה עולת תמיד הואי. ועוד מצינו בנשיאים שהקריבו פר ואיל וכבש לעולה והקריבו לזבח שלמים פרים שנים וגו'. ודחינן ב"ה עצרת קרבן צבור ואין דנין קרבן יחיד מקרבן צבור. ודחינן ב"ש עולה שהקריבו ישראל במדבר עולת ראיה הואי. קרבן נשיאים אינו נוהג לדורות. אמר אביי ב"ש ור' ישמעאל ור' אליעזר כולהו סבירא להו עולה שהקריבו ישראל

חשק שלמה על ר"ח

א) בגמ' לא מצינו זה רק גבי סוכה בסוכה כ"ו ואולי דר"ל דאמרה דר"ל דחנה סברה כן בדעתה דחולין ומשמשיהן פטורין מן הראיה.

מסורת הש"ס

א) ע"א אבי, ב) [בן לקיש וכן איתא בפסחים קיט.], ג) [יבמות ה:], ד) סוטה לז: זבחים קטו:, ה) [לא היה לו פנאי ואח"ז בשבת בכ"ל להגי' וע"ש], ו) נ"ל כבש, ז) נ"ל כבש, ח) [וע"ע תוספות ב"ב קטו: ד"ה רבעתים], ט) [דיבור זה שייך קודם ד"ה ישנה].

הגהות הב"ח

(א) גמרא עד הכא מאן אייתיה אמר ליה אביי עד הכא דמיחייבא אימיה בשמחה אייתיתיה מכאן ואילך כצ"ל: (ב) שם דגדול פטור מדאורייתא קטן נמי [פטור] מדרבנן כ"ש אומר: (ג) שם בית שמאי ור' ישמעאל ור' אליעזר כולהו: (ד) רש"י ד"ה עד הכא מאן הביאו עד ירושלים מי הביאו לדכי עלייה מירושלים וכו' מי הביאו והלא משהוא יכול לאחוז ביד אביו הס"ד ואח"כ מה"ד דמחייבא: (ה) תוס' ד"ה אימיה דמחייבא בשמחה: (ו) ד"ה תמיד הואי: (ז) ד"ה דנין וכו' ואף על גב וכו' מכף אחת וכו' משעה משום דתני:

גליון הש"ס

גמרא עולה שהקריבו ישראל במדבר עולת תמיד הואי. עיין יומא דף לד ע"א תוספות ד"ה עולה: תד"ה הראיה כו' ומדרבנן היא. עי' קדושין יח ע"א תד"ה ונלך:

תורה אור השלם

א) וְחַנָּה לֹא עָלָתָה כִּי אָמְרָה לְאִישָׁהּ עַד יִגָּמֵל הַנַּעַר וַהֲבִאֹתִיו וְנִרְאָה אֶת פְּנֵי יְיָ וְיָשַׁב שָׁם עַד עוֹלָם: [שמואל א, א, כב]

ב) וַיִּשְׁלַח אֶת נַעֲרֵי בְּנֵי יִשְׂרָאֵל וַיַּעֲלוּ עֹלֹת וַיִּזְבְּחוּ זְבָחִים שְׁלָמִים לַייָ פָּרִים: [שמות כד, ה]

ליקוטי רש"י

עד יגמל. לסוף כ"ד חדשים (ס"א כ"ד) שכן זמן לתינוק לינק [שמואל א א, כב]. עולה שהקריבו ישראל במדבר. דכתיב (שמות כד) ויעלו עולות עולת תמיד הוה [יבמות ה:]. קודם מתן תורה ויעלו את נערי וגו' [זבחים קטו:]. כללות נאמרו בסיני. כגמר נאמרה תורה בסיני נתפרשה לו כגון בסיני נאמר (שמות כ) וזבחת עליו את עולותיך ואת שלמיך ולא פירש מתן דמים וכיצד הקטרת אימורים והפשט ונתוח ובאהל מועד פירשה [סוטה לז:]. כגון מזבח אדמה תעשה לי וזבחת עליו וגו' ולא נתפרשו הלכות עולה ושלמים עד [זבחים שם].

The Gemara answers that Beis Hillel could respond as follows: דְּקָא אָמְרַתְּ רְאִיָּיה עֲדִיפָא דְּעוֹלָה כּוּלָּהּ לַגָּבוֹהַּ – **Regarding what you** [Beis Shammai] **say** that **the *olas re'iyah* is superior because it is offered up entirely to the Most High,** to this we can respond: אַדְּרַבָּה – **On the contrary!** חֲגִיגָה עֲדִיפָא – **The *shalmei chagigah* is superior** דְּאִית בָּהּ שְׁתֵּי אֲכִילוֹת – **because it is subject to two consumptions,** i.e. part is consumed on the Altar and part is consumed by man.[21] וּדְקָא אָמְרַתְּ נֵילַף מֵעֲצֶרֶת – **And regarding what you say** that **we** should **derive** the superiority of the *olas re'iyah* **from** the offerings of **Shavuos,** to this we can respond: דָּנִין קָרְבַּן יָחִיד מִקָּרְבַּן יָחִיד – **We compare an offering of an individual** (such as the *shalmei chagigah* and *olas re'iyah*) **to** another **offering of an individual** (e.g. the offerings brought by the *Nesiim*), וְאֵין דָּנִין קָרְבַּן יָחִיד מִקָּרְבַּן צִבּוּר – **and we do not compare an offering of an individual to an offering of the community** (such as the Shavuos offerings).[22]

The Gemara asks:

וּבֵית שַׁמַּאי מַאי טַעְמָא לֹא אָמְרֵי כְּבֵית הִלֵּל – **And why do Beis Shammai not say** the same **as Beis Hillel?**[23]

The Gemara suggests why Beis Shammai rejected each of Beis Hillel's arguments:

דְּקָאָמְרַתְּ חֲגִיגָה עֲדִיפָא דְּיֶשְׁנָהּ לִפְנֵי הַדִּיבּוּר – **Regarding that which you** [Beis Hillel] **say** that **the *shalmei chagigah* is superior because it was** brought **before the word** of God was transmitted at Sinai, to this we can respond: רְאִיָּיה נַמִּי יֶשְׁנָהּ לִפְנֵי הַדִּיבּוּר – **The *olas re'iyah* was also** brought **before the word** of God was transmitted at Sinai![24] וּדְקָאָמְרַתְּ נֵילַף מִנְּשִׂיאִים – **And regarding that which you say** that **we** should **derive** the superiority of the *shalmei chagigah* **from the** offerings of the ***Nesiim,*** to this we can respond: דָּנִין דָּבָר הַנּוֹהֵג לְדוֹרוֹת מִדָּבָר הַנּוֹהֵג לְדוֹרוֹת – **We compare a matter practiced for generations** (such as the *shalmei chagigah* and *olas re'iyah*) **to** another **matter practiced for generations** (e.g. the offerings of Shavuos), וְאֵין דָּנִין דָּבָר הַנּוֹהֵג לְדוֹרוֹת מִדָּבָר שֶׁאֵינוֹ נוֹהֵג לְדוֹרוֹת – **and we do not compare a matter practiced for generations to a matter that is not practiced for generations** (such as the offerings of the *Nesiim,* which were brought only once).

The Gemara challenges Beis Hillel:

וּבֵית הִלֵּל – **But Beis Hillel,** מַאי שְׁנָא חֲגִיגָה דְּיֶשְׁנָהּ לִפְנֵי הַדִּיבּוּר – **why** did they **single out the *shalmei chagigah* as having been** brought **before the word** of God was transmitted at Sinai, דִּכְתִיב ,,וַיִּזְבְּחוּ זְבָחִים שְׁלָמִים" – **for it is written: *they sacrificed shelamim*?** רְאִיָּיה נַמִּי – Regarding the ***olas re'iyah* as well,** הָכְתִיב ,,וַיַּעֲלוּ עֹלֹת" – **behold it is written** in that very verse: ***they offered up olos.***[25] Thus we see that *both* types of offerings were brought on that occasion. How, then, can Beis Hillel infer from there that *shalmei chagigah* are superior?

The Gemara answers:

קָסָבְרֵי בֵּית הִלֵּל – **Beis Hillel maintain** that עוֹלָה שֶׁהִקְרִיבוּ יִשְׂרָאֵל בַּמִּדְבָּר – **the *olah* that Israel offered up in the Wilderness** (before the transmission of God's word) עוֹלַת תָּמִיד הֲוַאי – **was the *olah* of the *tamid.***[26]

The Gemara explains how Beis Shammai interpret the verse:

וּבֵית שַׁמַּאי סָבְרֵי – **But Beis Shammai maintain** that עוֹלָה שֶׁהִקְרִיבוּ יִשְׂרָאֵל בַּמִּדְבָּר – **the *olah* that Israel offered up in the Wilderness** עוֹלַת רְאִיָּיה הֲוַאי – **was an *olas re'iyah.***[27]

Beis Shammai and Beis Hillel thus disagree as to whether the *olah* brought at Sinai was the *tamid* or an *olas re'iyah.* The Gemara notes that this issue has been debated by other Tannaim as well:

אָמַר אַבַּיֵי – **Abaye said:** בֵּית שַׁמַּאי וְרַבִּי אֶלְעָזָר וְרַבִּי יִשְׁמָעֵאל כּוּלְּהוּ סְבִירָא לְהוּ – **Beis Shammai, R' Elazar**[28] **and R' Yishmael are all of the opinion** that עוֹלָה שֶׁהִקְרִיבוּ יִשְׂרָאֵל בַּמִּדְבָּר – **the *olah* that Israel offered up in the Wilderness** עוֹלַת רְאִיָּיה הֲוַאי – **was an *olas re'iyah.*** וּבֵית הִלֵּל וְרַבִּי עֲקִיבָא וְרַבִּי יוֹסֵי הַגְּלִילִי כּוּלְּהוּ סְבִירָא לְהוּ – **But Beis Hillel, R' Akiva and R' Yose HaGlili are all of the opinion** that עוֹלָה שֶׁהִקְרִיבוּ יִשְׂרָאֵל בַּמִּדְבָּר – **the *olah* that Israel offered up in the Wilderness** עוֹלַת תָּמִיד הֲוַאי – **was the *olah* of the *tamid.***

Abaye elaborates:

הָא בֵּית שַׁמַּאי – **Beis Shammai** hold that it was an *olas re'iyah;* דַּאֲמָרַן – **this is as we have** already **stated.** רַבִּי יִשְׁמָעֵאל – **R' Yishmael** is also of this opinion, דְּתַנְיָא – **for it was taught in a Baraisa:** רַבִּי יִשְׁמָעֵאל אוֹמֵר – **R' YISHMAEL SAYS:** כְּלָלוֹת נֶאֶמְרוּ בְּסִינַי – **THE GENERAL PRINCIPLES** of the mitzvos **WERE TOLD** to Moses **AT SINAI,**

NOTES

21. The *emurin* (sacrificial parts) of a *shelamim* are consumed on the Altar. Its meat is eaten by the owner, except for the breast and right thigh, which are eaten by the Kohanim (*Meiri*).

There is no question that the *olah* possesses a higher level of sanctity than the *shelamim* because it is *kodshei kodashim,* while the *shelamim* is *kodashim kalim* (Mishnah *Zevachim* 89a [2]). Beis Hillel's argument is rather that the *shalmei chagigah* should be of significant value, since it must suffice for two consumptions, in contrast to the *olas re'iyah* which must satisfy only one consumption (*Sfas Emes;* see *Turei Even*).

22. Which are purchased with [public] funds from the Temple treasury (*Rashi;* see *Siach Yitzchak*).

23. See note 20.

24. See note 18. The *olah* offerings brought at that time were *olos re'iyah* according to Beis Shammai, as the Gemara states explicitly below.

25. These were presumably *olos re'iyah* (*Rabbeinu Chananel, Meiri;* see note 27).

26. The *tamid* is a communal *olah* that must be brought twice daily – once in the morning and once in the afternoon (*Numbers* 28:1-8). It is to this sacrifice that the verse refers when it says *they brought up olos.* The daily *tamid* has nothing to do with the festival offerings; hence, one cannot infer any lessons from it with respect to the matter at hand (*Rashi*).

[Although the verse says *olos* (plural), the Gemara uses the singular form, "the *olah* that Israel offered up, etc." For an explanation, see *Meromei Sadeh* to 6b ד״ה שם או דלמא; see also *Siach Yitzchak* here ד״ה ב״ש הא דאמרן.]

27. It was appropriate to offer an *olas re'iyah* at that time because the Jewish people were about to witness the Divine presence, as it is stated (*Exodus* 24:11): וַיֶּחֱזוּ אֶת־הָאֱלֹהִים, *they gazed at God* (*Rashi;* cf. *Tos. Rid;* see also *Meromei Sadeh*). [This experience was analogous to visiting the Temple on the pilgrimage festivals.]

28. Alternatively, the text reads: וְרַבִּי אֱלִיעֶזֶר, *R' Eliezer* (*Rabbeinu Chananel, Hagahos HaBach;* see *Siach Yitzchak* to 6b ד״ה מאי טעמא).

עד הכא מאן אתייה אמר ליה אביי עד הכא
(א) א דמחייבא אימיה בשמחה אייתיתיה אימיה
מכאן ואילך אם יכול לעלות ולאחוז בידו של
אביו מירושלים להר הבית חייב ואי לא פטור
השיב רבי תחת בית הלל לדברי בית שמאי
א) וחנה לא עלתה כי אמרה לאישה עד יגמל
הנער והביאותיו והא שמואל דיכול לרכוב
על כתיפו של אביו הוה א"ל ח) אבוה ולטעמיך
תיקשי לך חנה גופה מי לא מיחייבא
בשמחה אלא חנה מפנקותא יתירתא חזייא
ביה בשמואל וחשא ביה בשמואל לחולשא
דאורחא בעי רבי שמעון ג) קטן חיגר לדברי
בית שמאי וסומא לדברי שניהם מהו היכי
דמי אילימא בחיגר שאינו יכול להתפשט
וסומא שאינו יכול להתפתח השתא גדול
פטור קטן מיבעיא לא צריכא בחיגר שיכול
להתפשט וסומא שיכול להתפתח מאי אמר
אביי ב כל היכא דגדול מיחייב מדאורייתא
קטן נמי מחנכינן ליה מדרבנן כל היכא
דגדול פטור מדאורייתא מדרבנן (ג) קטן נמי
פטור: ב"ש אומרים הראייה שתי כסף
כו': ת"ר בית שמאי אומרים הראייה שתי
כסף והחגיגה מעה כסף שהראייה עולה
כולה לגבוה מה שאין כן בחגיגה ועוד מצינו
בעצרת שריבה בהן הכתוב בעולות יותר
מבשלמים ובית הלל אומרים הראייה מעה
כסף וחגיגה שתי כסף שחגיגה ישנה לפני
הדיבור מה שאין כן בראייה ועוד מצינו
בנשיאים שריבה בהן הכתוב בשלמים יותר
מבעולות ובית הלל מאי טעמא לא אמרי
כבית שמאי דקא אמרת ראייה עדיפא דעולה
כולה לגבוה אדרבה חגיגה עדיפא דאית
בה שתי אכילות ודקא אמרת נילף מעצרת
דנין קרבן יחיד מקרבן יחיד ואין דנין קרבן
יחיד מקרבן צבור ובית שמאי מ"ט לא אמרי
כבית הלל דקאמרת חגיגה עדיפא דישנה
לפני הדיבור ראייה נמי ישנה לפני הדיבור
ודקאמרת נילף מנשיאים דנין דבר הנוהג
לדורות מדבר הנוהג לדורות ואין דנין דבר
הנוהג לדורות מדבר שאינו נוהג לדורות
ובית הלל מאי שנא חגיגה דישנה לפני
הדיבור דכתיב ב) ויזבחו זבחים שלמים ראייה
נמי הכתיב ב) ויעלו עולות קסברי בית הלל
ג) ה עולה שהקריבו ישראל במדבר עולת תמיד
הואי ובית שמאי סברי עולה שהקריבו
ישראל במדבר עולת ראייה הואי אמר אביי
בית שמאי (ג) ורבי אלעזר ור' ישמעאל כולהו
סבירא להו עולה שהקריבו ישראל במדבר
עולת ראייה הואי ובית הלל ורבי עקיבא ור'
יוסי הגלילי כולהו סבירא להו עולה
שהקריבו ישראל במדבר עולת תמיד הואי
בית שמאי הא דאמרן ר' ישמעאל ד) דתניא
ר' ישמעאל אומר כללות נאמרו בסיני
ופרטות

רש"י

עד הכא מאן אתייה. עד ירושלים מי הביאו (ד) והלא משהוא יכול להיות חוץ מאמו יכול לאחוז ביד אביו דכדי עליה מירושלים להר הבית אתה אומר שיחנכוהו ועד ירושלים מי הביאו: מחייבא בשמחה. לעלות לרגל ולשמוח בחג עם בעלה דעל השמחה נצטוו נשים דכתיב ושמחת אתה וביתך (דברים יד): מכאן ואילך. דאימיה לא מחייבא להתראות בהר הבית: עד יגמל. לסוף כ"ד חודש שכן תינוק יונק ומשנה ראשונה הוא יכול לרכוב על כתיפו של אביו כדי לעלות מירושלים להר הבית וכל שכן משילה למשכן: הכי גרס קטן חיגר לדברי בית שמאי וסומא לדברי שניהן. דאילו חיגר לדברי בית הלל לא מיבעיא לן דלא מחנכינן ליה דהא אמרינן אין מחנכין אלא לקטן שיכול לאחוז ולעלות ברגליו בירושלים וזה אינו יכול אבל לבית שמאי דמחייבי לחנכו משיכול לרכוב קטן חיגר יכול לרכוב על כתיפו של אביו והסומא יכול לאחוז לב"ה מהו צריך חינוך או לא: שאינו יכול להתפשט. שאין סופו להתפשט עולמית: קטן מיבעיא. הלא אין חינוך קטן אלא כדי להרגילו שיהא סרוך אחר מנהגו כשיגדיל וכיון שזה פטור כשיגדיל למה לי חינוך: שיכול להתפתח. קודם שיגדיל: מצינו בעצרת. בפ' שור או כשב והקרבתם על הלחם שבעת כבשים תמימים ופר בן בקר אחד ואילים שנים יהיו עולה לה' וכתיב ושני כבשים בני שנה לזבח שלמים (ויקרא כג): ישנה לפני הדיבור. קודם מתן תורה הקריבו שלמים בסיני דכתיב וישלח את נערי בני ישראל (שמות כד) ואע"ג דהאי קרא כתיב בואלה המשפטים לאחר עשרת הדברות קודם עשרת הדברות הוה ואין מוקדם ומאוחר בתורה והכי תניא במסכת שבת בפרק ר' עקיבא (דף פח.) רבי יוסי אומר בשני עלה וירד בשלישי עלה וירד ברביעי ירד ושוב לא עלה בחמישי בנה מזבח והקריב עליו קרבן בששי ה) ניתנה תורה ואין אתה מוצא בחמישי בנה מזבח אלא באותו שנאמר וישלח את נערי בני ישראל וגו' ולקמן פריך התם נמי עולה הואי: נשיאים. בחנוכת המזבח הקריבו שלמים יותר מעולות דכתיב כל הבקר לעולה וגו' וכל בקר זבח השלמים וגו' (במדבר ז): שתי אכילות. מזבח ואדם: נשיאים קרבן יחיד ראייה וחגיגה קרבן יחיד אבל כבשי עצרת קרבן צבור ומתרומת הלשכה: ראייה נמי ישנה לפני הדיבור. דעולה נמי הוה התם: מדבר הנוהג לדורות. כבשי עצרת: עולת תמיד הואי. מזבח כל יום ויום ולא גמרינן מינה: עולת ראייה הואי. על שם ויחזו את האלהים: כללות נאמרו בסיני. הרבה דברים נאמרו סתומים בסיני שלא נתפרשו כל צרכן ופירשו לו לאחר שהוקם המשכן באהל מועד שהרי לא נתפרשו שם הלכות עבודה ככל הצריך אלא מזבח אדמה תעשה לי וזבחת עליו את עולותיך ואת שלמיך (שמות כ) ולא פי' מתן דמיהן הפשטן וניתוחן של עולות והקרבת אימורין של שלמים:

תוספות

(ה) דמחייבא אימיה בשמחה. פירש רש"י בפרק קמא דקדושין (דף לד: ושם) גבי אשה בעלה משמחה בבגד לבגדי צבעונין בא"י בבגדי פשתן והכא משמע דבשלמי שמחה איירי והתם (בד"ה אשה) פי' וכן בפ"ק דר"ה (דף ו: ושם):

דיכול לרכוב על כתיפו של אביו. שהיה גדול קצת אבל לא מצי לאחוז בידו ולעלות ברגליו:

בחיגר שיכול להתפשט. מקמי גדולו מאי מאמרינן דכיון דגדול המחייב מדאורייתא גבי קטן נמי מיחייב בחינוך דמידי הוא טעמא בקטן אלא משום לחנכו דידע כשהוא גדול או דלמא כיון דגדול בהכי לא מיחייב גם קטן לא:

הראייה שתי כסף. ומדרבנן הוא דמדאורייתא אין לו שיעור לקרבן רק לאשם מעילות (שבועת העדות) דכתיב ביה כסף שקלים (ויקרא ה) ותנן בכריתות (דף כו:) המפריש שתי סלעים לאשם והא דאמרינן בזבחים (דף מח.) [לא יהא ספיקו חמור מודאו מה ודאו חטאת בת דנקא אף ספיקו אשם בר דנקא] ובמנחות (דף קז:) יביא ו) אשם הוא ונסכיו בסלע לאו דוקא קחשיב דאמרינן בפרק ב' דכריתות (דף י:) יביא ז) אשם בסלע וכן הא דאמרינן בפ' הוציאו לו ביומא (דף נה:) ניסקול ארבעה זוזי ונשדי בנהרא לאו דוקא דלא בעי כולי האי ובפ"ב דמנחות (דף קז: ושם בד"ה כבש) פירשתי ח):

ישנה לפני הדבור. וס"ל עולת (ו) ראייה הואי כדקאמר בסמוך:

ט) קרבן יחיד. כגון חגיגה ובפ"ה דיומא (דף נא. ושם) דקרי ליה קרבן צבור היינו גבי פסח שני כדקאמר התם חגיגה מ"ט מקריא קרבן צבור דאתיא בכנופיא פסח נמי אתיא בכנופיא איכא פסח שני דלא אתיא בכנופיא:

דנין דבר הנוהג לדורות. ולא בעי למימר דנין יו"ט מיו"ט לאפוקי נשיאים דחול הוי דלא מלינו ליה האי חילוקא בשום מקום (ז) אע"ג דלקמן פרק חומר בקודש (דף כג: ושם) ילפינן לירוף כף אחת הכתוב עשה כל מה שבכף אחת ולא פרכינן דורות משעה לא ילפינן דהתם כיון דליכא למלפי מדורות ילפינן ליה שפיר משעה אי נמי שאני התם דתני ביה קרא תריסר זימני כדאמרינן בפ"ק דמנחות (דף ח:) ובפרק הקומץ רבה (שם דף יט:) גבי כלי הלא מקדש הלא ויליף שמואל דורות משעה דתני ביה קרא תריסר זימני:

ורבי ישמעאל ורבי אלעזר וכו'. ואין להקשות ושבקי ב"ה ועבדי כב"ש הלא ב"ש במקום בית הלל אינו משנה וי"ל דסבירא להו לא נחלקו בית שמאי וב"ה בדבר זה:

בית שמאי הא דאמרן. וליכא לאקשויי מנא ליה דאית להו עולת ראייה הואי דלמא לעולם סבירא להו עולת תמיד וטעמא דידהו עדיף להו דהכי משמע מדבעי מאי טעמא לא אמר בית הלל כוותייהו האי לאו מילתא היא דמיבעיא ליה מאי לא קאמרי בית הלל עולת ראייה כבית שמאי:

מסורת הש"ס

א) פ"א אבוי, ב) [בן קידוש קיש אם באשה בפשפסים קיט.], ג) [יבמות ה:], ד) סוטה לג: זבחים קטו:, ה) [לא היה לו פנאי ואח"כ בשבת כנ"ל להגרי ועי"ז], ו) נ"ל כבש, ז) נ"ל כבש, ח) [וע"ע תוספות ב"ב קפו: ד"ה רבעתים], ט) [דיבור זה שייך קודם ד"ה ישנה].

הגהות הב"ח

(א) גמרא עד הכא מאן אתייה אמר ליה אביי עד הכא דמחייבא אימיה בשמחה אייתיתיה אימיה מכאן ואילך כצ"ל: (ב) שם דגדול פטור מדאורייתא קטן נמי [פטור] מדרבנן: (ג) שם בית שמאי ור' ישמעאל ור' אליעזר כולהו: (ד) רש"י ד"ה עד הכא מאן אתייה עד ירושלים מי הביאו דכדי עליה מירושלים וכו' מי הביאו והלא משהוא יכול וכו' ואח"כ מה"ד דמחייבא: (ה) תוס' ד"ה אימיה דמחייבא בשמחה: (ו) ד"ה ישנה וכו' עולת תמיד הואי: (ז) ד"ה דנין וכו' ואף על גב וכו' מכף אחת וכו' משעה משום דמני:

גליון הש"ס

גמרא עולה שהקריבו ישראל במדבר עולת תמיד הואי. עיין יומא דף לד ע"א תוספות ד"ה העולה: תד"ה הראייה כו' ומדרבנן היא. עי' קדושין ע"א מד"ה ואילך:

תורה אור השלם

א) וְחַנָּה לֹא עָלָתָה כִּי אָמְרָה לְאִישָׁהּ עַד יִגָּמֵל הַנַּעַר וַהֲבִאֹתִיו וְנִרְאָה אֶת פְּנֵי יְיָ וְיָשַׁב שָׁם עַד עוֹלָם: [שמואל א, א, כב]

ב) וַיִּשְׁלַח אֶת נַעֲרֵי בְּנֵי יִשְׂרָאֵל וַיַּעֲלוּ עֹלֹת וַיִּזְבְּחוּ זְבָחִים שְׁלָמִים לַיְיָ פָּרִים: [שמות כד, ה]

ליקוטי רש"י

עד יגמל. לסוף כ"ד חדשים (ס"א כ"ד) שכן זמן לתינוק לינק [שמואל א א, כב]. עולה שהקריבו ישראל במדבר. דכתיב (שמות כ) ויעלו עולות עולת תמיד הוה [יבמות מו:]. קודם מתן תורה וישלח את נערי וגו' [זבחים קטו:]. כללות נאמרו בסיני. כמשמעו נאמרה ופרשה לו כגון בסיני נאמר (שמות כ) וזבחת עליו את עולותיך ואת שלמיך ולא פירש מתן דמים וכיצד הקטרת אימורים והפשט ונתוח וכליל של עולה ונכפר ויקרא באהל מועד פירשה [סוטה לז:]. כגון מזבח אדמה תעשה לי וזבחת עליו וגו' ולא נתפרשו הלכות עולה ושלמים שם [זבחים שם].

עין משפט נר מצוה

כד א מיי' פ"א מהל' חגיגה הלכה ב סמג עשין רכו:
כה ב מיי' שם פ"ב הלכה ג:

רבינו חננאל

בה"א כל שאינו יכול לאחוז בידו של אביו ולעלות מירושלים להר הבית שנאמר שלש רגלים. ממקום מושבותיהם מי הביא הקטנים ופרקינן ממקומם שהיתה אמן חייבת לעלות ולשמוח הביאתו אמו מיכן ואילך שאינה חייבת בראייה משלימתו לאביו ומקשה לב"ש דאמרינן אם יכול לרכוב על כתיפו של אביו ולעלות חייב. והא שמואל דיכול לרכוב הוה וכתיב וחנה לא עלתה כי אמרה לאישה עד יגמל הנער והביאותיו ונראה את פני ה' וישב שם עד עולם. ודחי ב"ש ולטעמיך חנה גופה אמאי לא עלתה מי לא מיחייבא בשמחה אלא חנה מפנקותא יתירתא חזות בשמואל (והשתא) [וחששה] משום חולשא דאורחא משום הכי חנה נמי פטורה דאמר א) חולין ומשמשיהן פטורין מן הראייה. בעי ר"ש בר אבא קטן חגר שיכול להתפשט לדברי (ב"ה) [ב"ש] וקטן סומא שיכול להתפתח לדברי שניהם מאי ופשטה אביי כל היכא דגדול חייב מן התורה קטן נמי מדרבנן פטור: מתני' ב"ש אומרים הראייה שתי כסף כו'. ת"ר הראייה שתי כסף שהיא כולה לגבוה מה שאין כן בחגיגה שהחגיגה החלב והדם לגבוה והבשר לבעלים ועוד מצינו בעצרת שהזהיר הקב"ה לישראל בעולות ושלמים וריבה בעולות. ובה"א החגיגה גדולה מן הראייה שהחגיגה ישנה לפני מתן תורה שנאמר ויזבחו זבחים שלמים לה' פרים וכי תימא והא התם נמי כתיב ויעלו עולות והנה הקריבו נמי קודם מתן תורה עולת ראיה הכי היא עולה שהקריבו ישראל קודם מתן תורה עולת תמיד הואי. ועוד מצינו בנשיאים שהקריבו פר ואיל וכבש לעולה והקריבו לזבח שלמים פרים שנים וגו'. ודחינן ב"ה עצרת קרבן צבור ואין דנין קרבן יחיד מקרבן צבור. ודחינן ב"ש עולה שהקריבו ישראל במדבר עולת ראיה הואי. קרבן נשיאים אינו נוהג לדורות. אמר אביי ב"ש ור' ישמעאל ור' אליעזר כולהו סבירא להו עולה שהקריבו ישראל

חשק שלמה על ר"ח

א) גמ' לא מצינו זה רק גבי סוטה בסוטה ד' כ"ה ואולי דצ"ל לאמירה ור"ל דמנה סבירה קן בדעתה דחולין ומשמשיהן פטורין מן הראייה.

ופרטות באהל מועד ור' עקיבא אומר כללות ופרטות נאמרו בסיני ונשנו באהל מועד ונשתלשו בערבות מואב ואי סלקא דעתך עולה שהקריבו ישראל במדבר עולת תמיד הואי מי איכא מידי דמעיקרא לא בעי הפשט וניתוח ולבסוף בעי הפשט וניתוח ר' אלעזר דתניא א) עולת תמיד העשויה בהר סיני ר' אלעזר אומר מעשיה נאמרו בסיני והיא עצמה לא קרבה רבי עקיבא אומר קרבה ושוב לא פסקה אלא מה אני מקיים ב) הזבחים ומנחה הגשתם לי במדבר ארבעים שנה בית ישראל שבטו של לוי שלא עבדו ע"ז הן הקריבו אותה בית הלל הא דאמרן ר' עקיבא הא נמי דאמרן ר' יוסי הגלילי דתניא ר' יוסי הגלילי אומר א) שלש מצות נצטוו ישראל בעלותם לרגל ראייה וחגיגה ושמחה יש בראייה שאין בשתיהן ויש בחגיגה שאין בשתיהן יש בשמחה שאין בשתיהן יש בראייה שאין בשתיהן שהראייה עולה כולה לגבוה מה שאין כן בשתיהן יש בחגיגה מה שאין בשתיהן שחגיגה ישנה לפני הדיבור מה שאין כן בשתיהן יש בשמחה מה שאין בשתיהן שהשמחה נוהגת באנשים ובנשים מה שאין בשתיהן ור' ישמעאל מאי טעמא קא מוקמת ליה כבית שמאי אי סלקא דעתך עולה שהקריבו ישראל במדבר עולת תמיד הואי מי איכא מידי דמעיקרא לא בעי הפשט וניתוח ולבסוף בעי הפשט וניתוח והא רבי יוסי הגלילי דאמר עולה שהקריבו ישראל במדבר עולת תמיד הואי מעיקרא לא בעי הפשט וניתוח ולבסוף בעי הפשט וניתוח ג) דתניא רבי יוסי הגלילי אומר עולה שהקריבו ישראל במדבר אינה טעונה הפשט וניתוח לפי שאין הפשט וניתוח אלא מאהל מועד ואילך סמי מכאן ר' ישמעאל ג) בעי רב חסדא האי קרא היכי כתיב ג) וישלח את נערי בני ישראל ויעלו עולות כבשים ויזבחו זבחים שלמים לה' פרים או דלמא אידי ואידי פרים הוו למאי נפקא מינה מר זוטרא אמר לפיסוק טעמים רב אחא בריה דרבא אמר לאומר הרי עלי עולה כעולה שהקריבו ישראל במדבר מאי פרים הוו או כבשים הוו תיקו ד) תנן התם אלו דברים שאין להם שיעור הפאה

ופרטות באהל מועד. משהוקם המשכן ודיבר עמו מעל (א) הכפורת שם פירש לו הכתוב כדכתיב ויקרא אל משה וידבר ה' אליו מאהל מועד לאמר ובספר תורת כהנים דהיינו ויקרא נתפרשו כל הלכות קרבן וכן בדברים הרבה: **ונשנו.** פעם שנית וכל מה שנאמר כאן נאמר כאן ואע"פ שלא נכתב: **ונשתלשו בערבות מואב.** מפי משה לישראל שנאמר בעבר הירדן בארץ מואב הואיל משה באר את התורה וגו' (דברים א): **ואי סלקא דעתך עולת סיני עולת תמיד הואי.** ונוהגת לדורות מפי הגבורה: **מי איכא מידי כו'.** אלא ודאי עולת ראייה הואי ומאליהם הקריבוה: **והיא עצמה לא קרבה.** והעולה שהקריבו הבכורות עולת ראייה הוה: **ומה אני מקיים הזבחים ומנחה הגשתם לי במדבר.** לשון תימה ומשמע שלא הקריבו לפי שנזופין היו: **שבטו של לוי.** הקריבוה משלהם: **שמחה.** אף הם שלמי שמחה אם אין לו בשר שלמים של נדר ונדבה שהתנדב כל השנה שמביאין ברגל ולא מעשר בהמה מביא שלמים משלו או ממעות מעשר שני שלו להיות לו בשר לשובע שאין שמחת החג אלא בבשר: **שחגיגה ישנה לפני הדיבור.** אותן שלמים שהקריבו הבכורות אף על פי שלא ברגל הקריבום חגיגה נקראו שכבר נתקיים ויחוגו לי במדבר (שמות ה) שנאמר להם במצרים: **השמחה נוהגת בנשים.** דכתיב ושמחת אתה וביתך (דברים יד): **מה שאין כן בשתיהן.** דמצות עשה שהזמן גרמא הן והכתוב לא ריבה אותן: **הכי גרסינן ורבי ישמעאל מאי טעמא קא מוקמת ליה כבית שמאי אי סלקא דעתך וכו'.** ולא גרסינן אמר לך והכי פירושא לאביי פריך דאמר לעיל בית שמאי ורבי ישמעאל כו' מאי טעמא מוקמת לה לרבי ישמעאל דלא כהלכתא דבית שמאי במקום בית הלל אינו משנה משום דשמעת ליה דאמר פרטות לא נאמרו בסיני וקשיא לך אי סלקא דעתך עולת תמיד הואי ומי איכא מידי כו' משום הכי לא הוה לך לאוקמה כבית שמאי (ב): **הא ר' יוסי הגלילי.** דשמעת ליה דהדיא דאמר לעיל עולת תמיד הואי ואפילו הכי מעיקרא לא בעי הפשט וניתוח: **לפסוקי טעמים.** בנגינות אם תאמר שני מינין צריך אתה לפסוק הטעם של ויעלו עולות באתנחתא כמו שאנו קורין אותו או זוקף קטן טעם מפסיק הדבור ממה שלאחריו ואם מין אחד היה צריך אתה לקרותו באחד משאר טעמים שאין מפסיקין כגון פשטא או רביע: **לאומר הרי עלי עולה כו'** גרס' ולא גרסי' כלומר: **נפקא מינה לאומר הרי עלי עולה** כאותה עולה. מה יביא פרים או כבשים תיקו: **תנן התם.** במסכת פאה:

מי איכא מידי דמעיקרא לא בעי הפשט. דוקא (ג) קא מבעיא ליה משום דעיקר הפשט כתיב בגופיה אבל מעולת ראייה לא"ג דאמת הוא לטעונה הפשט לא קשה ליה מידי כיון דלאו בגופיה כתיב: **רבי עקיבא וכו'.** לא"ג דבחמישי בנה מזבח ולא ניתנה תורה עד סיני דריש מאותה שעה דנאמר מעשיה בסיני כדכתיב עולת תמיד העשויה בהר סיני ומאן דלא דריש הכי מוקי לה לעולה טעונה כלי וכן פירש רש"י בנימוקי חומש העשויה בהר סיני ובספרי דריש לה שנעשית בהר סיני קודם לתורה והיינו בחמישי שבנה מזבח: **יש בשמחה שאין בשתיהן.** ובתוספ' גרסינן שהשמחה יש לה תשלומין כל שבעה * ולא בשתיהן ושמעתתא שלנו לא גריס ליה סבירא ליה דגם באידך יש להן תשלומין ולא קאמר יש בשתיהן שצריכין שיעור מה שאין כן בשמחה דלימא אף שמחה יש לה שיעור ומיהו בלאו הכי ניחא דלא נחית למיתני הא כללא כדפרי' לעיל (דף ג: ה)) רק חומרא באחת שאין בשתים ולהכי לא חשיב שתיהן אינן באין מכל דבר מה שאין כן בשמחה שבאה מכל דבר דהא חומרי דשתים לא קא חשיב: **אידי ואידי פרים הוו.** אליבא דמ"ד עולת ראייה הואי ואפי' למ"ד עולת תמיד קודם מתן תורה היתה של פרים והדר אישתנו כמו שנשתנה מן הפשט וניתוח לרבי יוסי הגלילי: **מאי נפקא מינה.** כלומר מאי דהוה הוה וכן פריך בפ"ק דיומא (דף ה: ושם) גבי כיצד מלבישן ובפסחים (נו.) גבי אימורי פסחים (ד) ובסנהדרין (דף טו: ושם ו)) גבי שור סיני בכמה לא בעי משום דסבירא לאלופי דורות משעה ובע"ז פרק שני (דף כד.) ובתענית (דף יא:) גבי במה שמש משה כל ימי המלואים לא פריך ליה התם נמי למיסבר קראי לפי שלא מצינו בגדי כהונה רק לאהרן ובניו ועוד דהכי לא נתחנכו הבגדים דבעינן עלייהו הזאה ונפקא מינה לעבוד במלואים בלא הזאת בגדים: **לפסוקי טעמא.** ולא דמי לה' מקראות שאין להן הכרע (יומא דף נב.) דלא אזלינן בתר פסוקי טעמא התם לא מצי קאי רק לחד מינייהו דאין משמעות שתיהן שוה אבל הכא מצי קאי לתרוייהו: **שאין להן שיעור הפאה.** דכתיב לא תכלה פאת שדך (ויקרא יט) ומדאורייתא היא דאילו מדרבנן (ה) אמר בפרק ראשית הגז (חולין דף קלז. ושם) אין פוחתין (ו) לעני בגורן פחות משישים ופליגי אמוראי בירושלמי חד אמר אין להם שיעור למעלה ולא למטה כלומר יוכל לפחות עד חטה ולמעלה כל שדהו וחד אמר למעלה אין לו שיעור אבל למטה יש לה ובעי מאי ביניהו כלומר ודאי לכולי עלמא איכא ומשני אם פיחת משישים למאן דאמר אין לו שיעור כל מה שנתן נתן ופטור מן המעשר ולמאן דאמר יש לו שיעור למטה מה שנתן נתן ואינו פטור מפאה וזוכה העני ומחייב במעשר עד שישלם שיעור ששים בבת אחת דלא הוי פאה אם לא שילם לו בבת אחת כו' ופריך אמאי לא חשיב תרומה ומשני מפני המחלוקת לשון פלוגתא דמחלוקת בששיהן אדוקין בתורף (כ"מ דף ז:) כלומר שיש בה חילוק דאמר רבי יוחנן עושה אדם כל שדהו בכורים ולא אמר עושה כל שדהו תרומה דהא בעינן שיהיו שיריה ניכרים כדאמר בפרק בכל מערבין התיבון הרי פאה דאין אדם עושה כל שדהו פאה ומשני עד שלא קצר שבולת ראשונה לא נתחייב שדהו פאה כלומר דכתיב פאת שדך בקוצרך תלה רחמנא פאה בקציר והכי קאמר דמשנתחייבת בפאה אין לה שיעור וכי תימא בכורים נמי הכתיב ראשית ולעינן שיריים ניכרים כמו בתרומה דמרבינן ליה התם ראשית כל בכורי כל ולאו היינו מפרש מפני המחלוקת עיין יפה עין רעה ובינוני יתר מכאן לאפוקי הן דעניינים שוה ועוד דפליגי במסכת תרומה (פרק ד מ"ה) המרבה בתרומה רבי אליעזר אומר עד מעשרה כתרומת מעשר יתר מכאן יעשה תרומת מעשר למקום אחר רבי ישמעאל אומר מחצה חולין ומחצה תרומה ר' עקיבא אומר עד שישייר שם חולין ומפרש בירושלמי טעמא דרבי ישמעאל דראשית דגנך דיו לראשית שיהיו כדגנך:

והבכורים

(במדבר ט) מגיד שלא עשו ישראל במדבר אלא אותו פסח לבדו [עמוס ה, כה]. **עולה שהקריבו ישראל במדבר.** קודם מתן תורה ושלח את נערי וגו' [שמות שם]. **ויעלו עולות כבשים.** ונפקא מינה לפסוק כאן את הטעם באתנחתא. **או דילמא אידי ואידי פרים.** ולאו אתנחתא בטעם עולות אלא טעם גרש ויעלו עולות כדי שיתחבר לשל אחריו [יומא נב.].

כו א מיי' פ"א מהל' חגיגה הלכה א:

רבינו חננאל

ישראל במדבר עולת ראיה הואי וב"ה ורבי עקיבא ור' יוסי הגלילי סברי עולת תמיד הואי ב"ש הא דאמרן ר' ישמעאל דתניא כללות נאמרו בסיני ופרטות באהל מועד וליכא מידי דבסיני לא בעי הפשט ונתוח דהא אמרת כללות נאמרו בסיני ובסוף בעי הפשט והפשיט את העולה ונתח אותה לנתחיה. אלא לאו ש"מ לאו עולת תמיד הואי. אלא עולת ראיה הואי. ר' אליעזר נמי דתניא עולת תמיד העשויה בהר סיני ר' אליעזר אומר מעשיה נאמרו בסיני והיא עצמה לא קרבה ר' עקיבא אומר היא עצמה קרבה בסיני ושוב לא פסקה. וכי תימא איני והכתיב הזבחים ומנחה הגשתם לי במדבר ארבעים שנה בית ישראל א) שעבדו ע"ז הקריבו עולת תמיד בכל ארבעים שנה שהיו ישראל במדבר והוא א"ר עקיבא כללות ופרטות נאמרו בסיני ונשנו באהל מועד ונשתלשו בערבות מואב ב"ה ור"ע הני דאמרן ר' יוסי הגלילי דתניא ר' יוסי הגלילי אומר ג' מצות נצטוו ישראל בעלייתן לרגל ראיה חגיגה ושמחה יש בראיה משא"כ בשתיהן. שהראיה כולה לגבוה משא"כ בשתיהן ויש בחגיגה משא"כ בשתיהן שהחגיגה ישנה לפני הדבור מה שאין כן בשתיהן ויש בשמחה שהשמחה נוהגת בנשים כבאנשים מה שאין כן בשתיהן. קתני מיהא שהחגיגה ישנה לפני הדבור מה שאין כן בעולת ראיה ובשמחה ש"מ דסבר ר' יוסי הגלילי עולה שהקריבו בני ישראל במדבר עולת תמיד הואי. ואמרינן אמאי מוקמת ליה לר' ישמעאל כב"ש משום דליכא מידי דמעיקרא לא בעי הפשט ונתוח ובסוף בעי הא ר' יוסי הגלילי דאוקימנא כב"ה תני בהדיא רבי יוסי הגלילי אומר עולה שהקריבו בני ישראל במדבר לא בעי הפשט ונתוח אלא מאהל מועד ואילך. ואסיקנא סמי מכאן ר' ישמעאל מב"ש ב). בעי רב חסדא האי קרא היכי פירושיה וישלח את נערי בני ישראל ויעלו עולות כבשים ויזבחו זבחים שלמים לה' פרים או דלמא אידי ואידי פרים כלומר העולות והשלמים כולן פרים היו ואמרינן מאי נפקא לן מינה [מאן] דהוה הוה. ואמר מר זוטרא לפיסוק טעמי' כלומר אם אלו כבשים ואלו פרים קרא צריך לאפסוקינהו ואי לא [אז] צריך רב אחא אמר לנדר. באומר הרי עלי עולה כעולה שהקריבו ישראל במדבר מאי פר מחייבת ליה או כבש תיקו. תנן התם אלו

חשק שלמה על ר"ח

א) נראה דצ"ל שבטו של לוי שלא עבדו ע"ז וכו'. ב) לכאורה נ"ל דצ"ל סבר כב"ש או דצ"ל דקמי ר' ישמעאל מדברי אביי.

מסורת הש"ס

א) [תוספת' פרק א], ב) זבחים קטו: ע"ש ודף קכ. [תוספת' דפרה פ"ג], ג) יומא נב., ד) פאה פ"א מ"א חולין קלז., ה) בד"ה שומע, ו) [ועי' בתוס' ד"ה שור סיני], ז) [נ"ל לפאה].

הגהות הב"ח

(א) רש"י ד"ה ופרטות וכו' מעל הכפורת שם: (ב) ד"ה הכי גרסינן וכו' לאוקמה כב"ש דהא רבי יוסי: (ג) תוס' ד"ה מי איכא וכו' דוקא מעולת תמיד קא מיבעיא ליה: (ד) ד"ה למאי נפקא מינה וכו' גבי אימורי פסחים דאמרינן מאי דהוה הוה ובסנהדרין: (ה) ד"ה שאין וכו' דאילו מדרבנן הא אמר וכו' אין פוחתין לפאה אפילו בחוצה לארץ פחות מששים וכו' אין להם שיעור לא למעלה ולא למטה כלומר למטה יוכל לפחות וכו' לכולי עלמא איכא שיעור למטה מדרבנן ומשני וכו' ופריך אמאי לא חשיב תרומה ומשני מפני המחלוקת ואין מחלוקת זה לשון פלוגתא וכו' ששייריה ניכרים כדאמר בפרק בכל וכו' שלא קצר שבולת ראשונה לא נתחייב וכו' ועוד דפליגי נ"ב לפי פירוש זה דקאמר ועוד כו' יהיה מחלוקת זה לשון פלוגתא וק"ל:

גליון הש"ס

תוספות ד"ה יש בשמחה וכו' ולא בשתיהן. עיין פסחים דף ע ע"ב תוספות ד"ה מ"ט:

תורה אור השלם

א) עֹלַת תָּמִיד הָעֲשֻׂיָה בְּהַר סִינַי לְרֵיחַ נִיחֹחַ אִשֶּׁה לַיְיָ: [במדבר כח, ו]

ב) הַזְּבָחִים וּמִנְחָה הִגַּשְׁתֶּם לִי בַמִּדְבָּר אַרְבָּעִים שָׁנָה בֵּית יִשְׂרָאֵל: [עמוס ה, כה]

ג) וַיִּשְׁלַח אֶת נַעֲרֵי בְּנֵי יִשְׂרָאֵל וַיַּעֲלוּ עֹלֹת וַיִּזְבְּחוּ זְבָחִים שְׁלָמִים לַייָ פָּרִים: [שמות כד, ה]

ליקוטי רש"י

ופרטות באהל מועד. לאחר שהוקם המשכן נאמרה ת"כ למשה ושם נתפרשו והפשיט ונתח. **ונשתלשו בערבות מואב.** [במשנה] תורה שחזר משה ואמרה להם על הסדר כדכתיב (דברים א) בעבר הירדן בארץ מואב הואיל משה וגו' [זבחים קטו:]. **העשויה בהר סיני.** כאותן שנעשו בימי המלואים. ד"א העשויה בהר סיני הקיש עולת תמיד לעולת הר סיני אותה שנתקרבה לפני מתן תורה שכתוב בה ויעלו עולות ויזבחו זבחים ויקח משה חצי הדם וישם באגנות (שמות כ"ד) מלמד שטעונה כלי [במדבר כח, ו]. **הזבחים ומנחה.** וכי לזבחים ומנחות רצוני והלא במדבר לא דברתי את אבותיכם להקריב לי זבחים אני אמרתי אדם כי יקריב (ויקרא א) כשירצה להקריב ועושה ועשו בני ישראל את הפסח במועדו

וּפְרָטוֹת בְּאֹהֶל מוֹעֵד – **WHILE** their **DETAILS** were told to him **IN THE TENT OF MEETING.**[1] וְרַבִּי עֲקִיבָא אוֹמֵר – **BUT R' AKIVA SAYS:** כְּלָלוֹת וּפְרָטוֹת נֶאֶמְרוּ בְּסִינַי – Both **THE PRINCIPLES AND THE DETAILS WERE TOLD** to him **AT SINAI,** וְנִשְׁנוּ בְּאֹהֶל מוֹעֵד – **AND THEY WERE REITERATED** to him **IN THE TENT OF MEETING,**[2] וְנִשְׁתַּלְּשׁוּ בְּעַרְבוֹת מוֹאָב – **AND WERE REITERATED** by Moses **A THIRD TIME** to the Jews **IN THE PLAINS OF MOAB.**[3] וְאִי סָלְקָא דַּעְתָּךְ – **Now, if you should think** that according to R' Yishmael עוֹלָה שֶׁהִקְרִיבוּ יִשְׂרָאֵל בַּמִּדְבָּר – **the *olah* that Israel offered up in the Wilderness** עוֹלַת תָּמִיד הֲוַאי – **was the *tamid*,** the following difficulty arises: מִי אִיכָּא מִידֵי דְּמֵעִיקָּרָא לֹא בָּעֵי הֶפְשֵׁט וְנִיתּוּחַ – **Can there be such a thing** as an *olah* mandated by God for all generations (e.g. the *tamid*) **that initially did not require skinning and dismemberment,** וּלְבַסּוֹף בָּעֵי הֶפְשֵׁט וְנִיתּוּחַ – **but later did require skinning and dismemberment?!**[4] Thus, in R' Yishmael's opinion, the *olah* brought in the Wilderness could not have been the *tamid;* instead it must have been an *olas re'iyah.*[5]

Abaye lists another Tanna who maintains that the *olah* of Sinai was an *olas re'iyah*:

רַבִּי אֶלְעָזָר – **R' Elazar** is also of this opinion, דְּתַנְיָא – **for it was taught in a Baraisa** regarding a verse about the *tamid*: "עֹלַת תָּמִיד הָעֲשֻׂיָה בְּהַר סִינַי" – ***THE OLAH OF THE TAMID THAT WAS OFFERED AT MOUNT SINAI.***[6] רַבִּי אֶלְעָזָר אוֹמֵר – **R' ELAZAR SAYS:** מַעֲשֶׂיהָ נֶאֶמְרוּ בְּסִינַי – This means that **THE PROCEDURES OF** [**ITS OFFERING**] **WERE STATED AT SINAI** וְהִיא עַצְמָהּ לֹא קָרְבָה – **BUT** [**THE *TAMID***] **ITSELF WAS NOT OFFERED** there.[7] According to R' Elazar, the *olah* offered at Sinai was not the *tamid;* rather, it was an *olas re'iyah.*

The Baraisa continues with a dissenting view:

רַבִּי עֲקִיבָא אוֹמֵר – **R' AKIVA SAYS:** קָרְבָה וְשׁוּב לֹא פָּסְקָה – [**THE *TAMID***] **WAS** indeed **OFFERED** at Sinai **AND WAS NOT SUBSEQUENTLY DISCONTINUED.**[8] אֶלָּא מָה אֲנִי מְקַיֵּים – **But WHAT, THEN, DO I ESTABLISH** as the meaning of the verse: "הַזְּבָחִים וּמִנְחָה הִגַּשְׁתֶּם־לִי בַמִּדְבָּר אַרְבָּעִים שָׁנָה בֵּית יִשְׂרָאֵל" – ***DID YOU BRING SACRIFICES AND MINCHAH OFFERINGS TO ME IN THE WILDERNESS FOR FORTY YEARS, O HOUSE OF ISRAEL?***[9] This verse implies that the *tamid* was *not* offered during that period![10] שִׁבְטוֹ שֶׁל לֵוִי שֶׁלֹּא עָבְדוּ עֲבוֹדָה זָרָה – Hence, I must say that **THE TRIBE OF LEVI, WHO HAD NOT ENGAGED IN IDOL WORSHIP** (with the Golden Calf), הֵן הִקְרִיבוּ אוֹתָהּ – it was only **THEY** who **OFFERED** [**THE *TAMID***] during the forty years in the Wilderness.[11]

Abaye now turns his attention to those Tannaim who maintain that the *olah* offered at Sinai was indeed the *tamid*:

בֵּית הִלֵּל – **Beis Hillel** maintain that it was the *tamid;* הָא דַּאֲמָרָן – **this is as we said** above.[12] רַבִּי עֲקִיבָא – **R' Akiva** is also of this opinion; הָא נַמִּי דַּאֲמָרָן – **this too is as we said** above.[13] רַבִּי יוֹסֵי הַגְּלִילִי – **R' Yose HaGlili** also subscribes to this view, דְּתַנְיָא – **for it was taught in a Baraisa:** רַבִּי יוֹסֵי הַגְּלִילִי אוֹמֵר – **R' YOSE HAGLILI SAYS:** שָׁלֹשׁ מִצְוֹת נִצְטַוּוּ יִשְׂרָאֵל בַּעֲלוֹתָם לָרֶגֶל – There are **THREE MITZVOS** that **THE JEWISH PEOPLE WERE COMMANDED** to fulfill **WHEN THEY ASCEND TO**

NOTES

1. Many laws were taught to Moses at Sinai in a general manner without the details. It was only after the Mishkan (Tabernacle) was erected, when God communicated with Moses from above the *Kapores* (covering of the Ark), that the details were given. For example, Moses was told at Sinai (*Exodus* 20:21): *An Altar of earth shall you make for Me, and you shall slaughter near it your olos and your shelamim.* At that time Moses was not instructed in the details of the sacrificial procedure – e.g. the exact method of sprinkling the blood onto the Altar, skinning and dismembering the *olah,* burning the *emurin* of the *shelamim* (*Rashi* to 6a ד״ה כללות). The details of sacrificial law were taught later, in the Mishkan; they are recorded in the Book of *Leviticus,* which begins: *He called to Moses and Hashem spoke to him from the Tent of Meeting, saying,* etc. This pattern was followed not only in the case of sacrificial law, but in several other areas of law as well (*Rashi*).

2. [R' Akiva maintains that even the details of the mitzvos were taught to Moses at Sinai. Later, in the Mishkan, these very laws were repeated to him.] Thus, every law taught in the Tent of Meeting had already been taught at Sinai, although the Torah does not record them all in conjunction with Sinai (*Rashi*).

3. Moses repeated many of the Torah's laws to the Jewish people at the end of their forty-year sojourn in the Wilderness, as they stood in the Plains of Moab about to enter Eretz Yisrael. This repetition comprises a major part of the Book of *Deuteronomy.*

The fact that Moses reviewed these laws in the Plains of Moab has nothing to do with the dispute between R' Akiva and R' Yishmael; it is included here only incidentally (see *Tosafos* to *Sotah* 37b ד״ה ונשתלש; see also *Siach Yitzchak*).

4. The *tamid* must be skinned and cut into pieces before it is burned on the Altar (*Leviticus* 1:6). However, R' Yishmael holds that these laws were not taught to Moses until the Mishkan was built [almost ten months after the Revelation] (see note 1). Thus, if the *olah* brought before the Revelation was the *tamid,* it would emerge that for several months it was not skinned and dismembered, as it subsequently was. Abaye argues that a change of this nature would not have been allowed to occur in an offering such as the *tamid,* which was mandated by God for all generations (see *Rashi*).

5. Although the *olas re'iyah* also requires skinning and dismembering [as do all *olah* offerings], the omission of these procedures at Sinai is of no consequence. This is because the *olas re'iyah* of Sinai was not necessarily ordered by God; it might have been brought voluntarily by the people [in whatever manner they deemed fit] (see *Rashi;* cf. *Tosafos*).

Abaye makes this argument only with respect to R' Yishmael's opinion that the details of the mitzvos were not transmitted until the Mishkan was built. According to this opinion, even if God had told Moses about the *tamid* before the Revelation, He would have described it in a general manner without the details of skinning and dismemberment. According to R' Akiva, however, God may have instructed Moses before the Revelation in *all* the laws of the *tamid,* including skinning and dismemberment (*Siach Yitzchak*). [Hence, R' Akiva could hold that the *olah* brought at Sinai was the *tamid.* Indeed, a Baraisa quoted below states explicitly that this is R' Akiva's opinion.]

6. *Numbers* 28:6.

7. The verse seems to mean that the *tamid* was offered at Sinai. R' Elazar teaches that this is not so; rather, the meaning is that the *laws* of the *tamid* were given at Sinai.

8. R' Akiva maintains that from that day (the fifth of Sivan) and on, the *tamid* was offered every single day (see *Tosafos*).

9. *Amos* 5:25.

10. The verse is asking a rhetorical question, which implies that the Jews did *not* bring offerings during their forty-year sojourn in the Wilderness. The reason was that they had been excommunicated by Heaven (*Rashi;* see *Moed Katan* 15b) for worshiping the Golden Calf (*Rashi* to *Yevamos* 72a ד״ה איבעית אימא משום דנזופים היו; cf. *Tosafos* ibid.; see *Rashash* and *Meromei Sadeh*). [The verse is problematic only according to R' Akiva, who holds that the *tamid* was brought every day of the forty years. According to R' Elazar, it is possible that no offerings were brought on a regular basis in the Wilderness (see *Siach Yitzchak*).]

The commentators point out that the Gemara in *Moed Katan* (15b) states explicitly that the people *did* bring offerings in the Wilderness, though they had been excommunicated. Some resolve this contradiction by asserting that the excommunication barred them only from offering public sacrifices, such as the *tamid.* They did, however, bring private, voluntary offerings (*Meromei Sadeh, Mitzpeh Eisan;* cf. *Turei Even*).

11. That is, the Leviim *paid* for the *tamid* (*Rashi*). It was consequently considered to have been brought by them alone and not by the rest of the people ("the House of Israel"). [The Leviim were not excommunicated because they had refrained from worshiping the Golden Calf; hence, their sacrifices were accepted.]

12. Gemara, 6a.

13. In the preceding Baraisa. See also end of note 5.

כו א מיי' פ"א מהל' חגיגה הלכה א:

ופרטות באהל מועד ור' עקיבא אומר כללות ופרטות נאמרו בסיני ונשנו באהל מועד ונשתלשו בערבות מואב ואי סלקא דעתך עולה שהקריבו ישראל במדבר עולת תמיד הואי מי איכא מידי דמעיקרא לא בעי הפשט וניתוח ולבסוף בעי הפשט וניתוח ר' אלעזר דתניא [א] עולת תמיד העשויה בהר סיני ר' אלעזר אומר מעשיה נאמרו בסיני והיא עצמה לא קרבה רבי עקיבא אומר קרבה ושוב לא פסקה אלא מה אני מקיים [ב] הזבחים ומנחה הגשתם לי במדבר ארבעים שנה בית ישראל שבטו של לוי שלא עבדו ע"ז הן הקריבו אותה בית הלל הא דאמרן ר' עקיבא הא נמי דאמרן ר' יוסי הגלילי דתניא ר' יוסי הגלילי אומר [א] שלש מצות נצטוו ישראל בעלותם לרגל ראייה וחגיגה ושמחה יש בראייה שאין בשתיהן ויש בחגיגה שאין בשתיהן יש בשמחה שאין בשתיהן יש בראייה שאין בשתיהן שהראייה עולה כולה לגבוה מה שאין כן בשתיהן יש בחגיגה מה שאין בשתיהן שחגיגה ישנה לפני הדיבור מה שאין בשתיהן יש בשמחה מה שאין בשתיהן שהשמחה נוהגת באנשים ובנשים מה שאין בשתיהן ור' ישמעאל מאי טעמא קא מוקמת ליה כבית שמאי אי סלקא דעתך עולה שהקריבו ישראל במדבר עולת תמיד הואי מי איכא מידי דמעיקרא לא בעי הפשט וניתוח ולבסוף בעי הפשט וניתוח והא רבי יוסי הגלילי דאמר עולה שהקריבו ישראל במדבר עולת תמיד הואי מעיקרא לא בעי הפשט וניתוח ולבסוף בעי הפשט וניתוח [ג] דתניא רבי יוסי הגלילי אומר עולה שהקריבו ישראל במדבר אינה טעונה הפשט וניתוח לפי שאין הפשט וניתוח אלא מאהל מועד ואילך סמי מכאן ר' ישמעאל [ג] בעי רב חסדא האי קרא היכי כתיב [ג] וישלח את נערי בני ישראל ויעלו עולות כבשים ויזבחו זבחים שלמים לה' פרים או דלמא אידי ואידי פרים הוו למאי נפקא מינה מר זוטרא אמר לפיסוק טעמים רב אחא בריה דרבא אמר לאומר הרי עלי עולה כעולה שהקריבו ישראל במדבר מאי פרים הוו או כבשים הוו תיקו [ד] תנן התם אלו דברים שאין להם שיעור הפאה

ופרטות באהל מועד. משהוקם המשכן ודיבר עמו מעל (א) הכפרת שם פירש לו הכתוב כדכתיב ויקרא אל משה וידבר ה' אליו מאהל מועד לאמר ובספר תורת כהנים דהיינו ויקרא נתפרשו כל הלכות קרבן וכן לדברים הרבה: ונשנו. פעם שנית וכל מה שנאמר כאן נאמר כאן ואע"פ שלא נכתב: ונשתלשו בערבות מואב. מפי משה לישראל שנאמר בעבר הירדן בארץ מואב הואיל משה באר את התורה וגו' (דברים א): ואי סלקא דעתך עולת סיני עולת תמיד הואי. ותוכת הדורות מפי הגבורה: מי איכא מידי כו'. אלא ודאי עולת ראייה הואי ומאליהם הקריבוה: והיא עצמה לא קרבה. והעולה שהקריבו הבכורות עולת ראייה הוה: ומה אני מקיים הזבחים ומנחה הגשתם לי במדבר. לשון תימה ומשמע שלא הקריבו לפי שנזופין היו: שבטו של לוי. הקריבוה משלהם: שמחה. אף הם שלמי שמחה אם אין לו בשר שלמים של נדר ונדבה שהתנדב כל השנה שמביאין ברגל ולא מעשר בהמה מביא שלמים משלו או ממעות מעשר שני שלו להיות לו בשר לשובע שאין שמחת החג אלא בבשר: שחגיגה ישנה לפני הדיבור. אותן שלמים שהקריבו הבכורות אף על פי שלא ברגל הקריבום חגיגה נקראו שכהן נתקיים ויחוגו לי במדבר (שמות ה) שנאמר להם במצרים: השמחה נוהגת בנשים. דכתיב ושמחת אתה וביתך (דברים יד): מה שאין כן בשתיהן. דמצות עשה שהזמן גרמא הן והכתוב לא ריבה אותן: הכי גרסינן ורבי ישמעאל מאי טעמא קא מוקמת ליה כבית שמאי אי סלקא דעתך וכו'. ולא גרסינן אמר לך והכי פירושא לאביי פריך דאמר לעיל בית שמאי ורבי ישמעאל כו' מאי טעמא מוקמת לה לרבי ישמעאל דלא כהלכתא דבית שמאי במקום בית הלל אינו משנה משום דשמעת ליה דאמר פרטות לא נאמרו בסיני וקשיא לך אי סלקא דעתך עולת תמיד הואי ומי איכא מידי כו' משום הכי לא הוה לך לאוקמה כבית שמאי (ב): הא ר' יוסי הגלילי. דשמעת ליה בהדיא דאמר לעיל עולת תמיד הואי ואפילו הכי שמעינן בעולת תמיד דלית ביה הפשט וניתוח: לפסוקי טעמים. בנגינות אם תאמר שני מינין צריך אתה לפסוק הטעם של ויעלו עולות באתנחתא כמו שאנו קורין אותו או בזקף קטן טעם שמפסיק הדבור ממה שלאחריו ואם מין אחד היה צריך אתה לקרותו באחד משאר טעמים שאין מפסיקין כגון פשטא או רביע: לאומר הרי עלי עולה כו' גר' ולא גרסי' כאומר: נפקא מינה לאומר הרי עלי עולה כאותה עולה. מה יביא פרים או כבשים תיקו: תנן התם. במסכת פאה: הפאה

מי איכא מידי דמעיקרא לא בעי הפשט. דוקא (ג) קא מבעיא ליה משום דעיקר הפשט כתיב בגופיה אבל מעולת ראייה לא"ג דאמת הוא דטעונה הפשט לא קשה ליה מידי כיון דלאו בגופיה כתיב: רבי עקיבא וכו'. אע"ג דבחמישי בנה מזבח ולא ניתנה תורה עד סיני דריש מלותה שעה דנאמר מעשיה בסיני לכדכתיב עולת תמיד העשויה בהר סיני ומאן דלא דריש האי מוקי לה לדעולה טעונה כלי וכן פירש רש"י בנימוקי חומש העשויה בהר סיני ובסיפרי דריש לה שנעשית בהר סיני קודם לתורה והיינו בחמישי שבנה מזבח: יש בשמחה שאין בשתיהן. ובתוספ' גרסינן שהשמחה יש לה תשלומין כל שבעה * ולא בשתיהן ושמעתתא שלנו דלא גרים ליה סבירא ליה דגם באינך יש להן תשלומין ולא קאמר יש בשתיהן שצריכין שיעור מה שאין כן בשמחה דלימא אף שמחה יש לה שיעור ומיהו בלאו הכי ניחא דלא נחית למיתני הא כללא כדפריש' לעיל (דף ג:) רק חומרא באחת שאין בשתים ולהכי לא חשיב שתיהן אינן באין מכל דבר מה שאין כן בשמחה שבאה מכל דבר דהא חומרי דשתים לא קא חשיב: אידי ואידי פרים הוו. אליבא דמ"ד עולת ראייה הואי ואפי' למ"ד עולת תמיד קודם מתן תורה היתה של פרים והדר אישתנו כמו שנשתנה מן הפשט וניתוח לרבי יוסי הגלילי: מאי נפקא מינה. כלומר מאי דהוה הוה וכן פריך בפ"ק דיומא (דף ה: ושם) גבי כילד מלבישן ובפסחים (נו.) גבי אימורי פסחים (ד) ובסנהדרין (דף טו: ושם[ו]) גבי שור סיני בכמה לא בעי משום דסבירא לאלופי דורות משעה ובע"ז פרק שני (דף לד.) ובתענית (דף יא:) גבי במה שמש משה כל ימי המלואים דלא פריך ליה התם נמי למיסבר קראי לפי שלא מלינו בגדי כהונה רק לאהרן ובניו ועוד דאכתי לא נתחנכו הבגדים דבעינן עלייהו הזאה ונפקא מינה לעבוד במלואים בלא הזאת בגדים: לפסוקי טעמא. ולא דמי לה' מקראות שאין להן הכרע (יומא דף נב.) ולא אזלינן בתר פסוקי טעמא התם לא מצי קאי רק לחד מינייהו דאין משמעות שתיהן שוה אבל הכא מצי קאי לתרווייהו: שאין להן שיעור הפאה. דכתיב לא תכלה פאת שדך (ויקרא יט) ומדאורייתא היא דאילו מדרבנן (ה) אמר בפרק ראשית הגז (חולין דף קלז: ושם) אין פוחתין ([ז] לעני בגורן פחות) משישים ופליגי אמוראי בירושלמי חד אמר אין להם שיעור למעלה ולא למטה כלומר יוכל לפחות עד חטה ולמעלה כל שדהו וחד אמר למעלה אין לה שיעור הא למטה יש לה ובעי מאי בינייהו כלומר ודאי לכולי עלמא איכא ומשני אם פיחת משישים למאן דאמר אין לו שיעור כלל מה שנתן נתן ופטור מפאה ואם הוסיף חייב במעשר ולמאן דאמר יש לו שיעור למטה מה שנתן נתן ואינו פטור מפאה וזכה העני ומחויב במעשר עד שישלם שיעור ששים בבת אחת דלא הוי פאה אם לא שילם לו בבת אחת כו' ופריך אמאי לא חשיב תרומה ומשני תפתר מפני המחלוקת לשון פלוגתא דומיא דמחלוקת בששיהן אדוקין בתורף (ב"מ דף ז:) כלומר שיש בה חילוק דאמר רבי יוחנן עושה אדם כל שדהו בכורים ולא אמר עושה כל שדהו תרומה דהא בעינן ראשית ששייריה ניכרים בפרק בכל מערבין התיבון הרי פאה דאין אדם עושה כל שדהו פאה ומשני עד שלא קצר שבולת לא נתחייב שדהו פאה כלומר דכתיב פאת שדך בקולרך תלה רחמנא פאה בקציר והכי קאמר דמשנתחייב בפאה אין לה שיעור וכי תימא בכורים נמי הכתיב ראשית וליבעי שיריים ניכרים כמו בתרומה דמרבינן ליה התם ראשית כל בכורי כל ואני הייתי מפרש מפני המחלוקת עין יפה עין רעה ובינונית לאפוקי הך דעניינס שוה ועוד דפליגי במסכת תרומה (פרק ד מ"ה) המרבה בתרומה רבי אליעזר אומר אחד מעשרה יתר מכאן יעשה תרומת מעשר למקום אחר רבי ישמעאל אומר מחצה חולין ומחצה תרומה ר' עקיבא אומר עד שישייר שם חולין ומפרש בירושלמי טעמא דרבי ישמעאל דראשית דגנך דיו לראשית שיהו כדגן:

והבכורים

רבינו חננאל

ישראל במדבר עולת ראיה הואי וב"ה ורבי עקיבא ור' יוסי הגלילי סברי עולת תמיד הואי ב"ש הא דאמרן ר' ישמעאל דתניא כללות נאמרו בסיני ופרטות באהל מועד וליכא מידי דבסיני לא בעי הפשט ונתוח דהא אמרת כללות נאמרו בסיני ובסוף בעי הפשט והפשיט את העולה ונתח אותה לנתחיה. אלא לאו ש"מ לאו עולת תמיד הואי. אלא עולת ראיה הואי. ר' אליעזר נמי דתניא עולת תמיד העשויה בהר סיני ר' אליעזר אומר מעשיה נאמרו בסיני והיא עצמה לא קרבה ר' עקיבא אומר היא עצמה קרבה בסיני ושוב לא פסקה. וכי תימא אינו והכתיב הזבחים ומנחה הגשתם לי במדבר ארבעים שנה בית ישראל א) שעבדו ע"ז הקריבו עולת תמיד בכל ארבעים שנה שהיו ישראל במדבר ותוב א"ר עקיבא כללות ופרטות נאמרו בסיני ונשנו באהל מועד ונשתלשו בערבות מואב ב"ה ור"ע הני דאמרן ר' יוסי הגלילי דתניא ר' יוסי הגלילי אומר ג' מצות נצטוו ישראל בעלייתן לרגל ראיה חגיגה ושמחה יש בראיה משא"כ בשתיהן שהראיה כולה לגבוה משא"כ בשתיהן. ויש בחגיגה משא"כ בשתיהן שהחגיגה ישנה לפני הדבור מה שאין כן בשתיהן ויש בשמחה שהשמחה נוהגת בנשים כאנשים מה שאין כן בשתיהן. קתני מיהא שהחגיגה ישנה לפני הדבור מה שאין כן בעולת ראיה ובשמחה ש"מ דסבר ר' יוסי הגלילי עולה שהקריבו בני ישראל במדבר עולת תמיד הואי. ואמרינן אמאי מוקמית ליה לר' ישמעאל כב"ש משום דליכא מידי דמעיקרא לא בעי הפשט ונתוח ובסוף בעי הא ר' יוסי הגלילי דאוקימתא כב"ה תני בהדיא רבי יוסי הגלילי אומר עולה שהקריבו בני ישראל במדבר לא בעי הפשט ונתוח אלא מאהל מועד ואילך. ואסיקנא סמי ר' ישמעאל מב"ש ב): בעי רב חסדא האי קרא היכי פירושיה וישלח את נערי בני ישראל ויעלו עולות כבשים ויזבחו זבחים שלמים לה' פרים או דלמא אידי ואידי כלומר העולות והשלמים כולן פרים היו ואמרינן מאי נפקא לן מינה [מאין] דהוה הוה. ואמר מר זוטרא לפיסוק טעמי' כלומר אם אלו כבשים ואלו פרים קרא צריך לאפסוקינהו ואי לא [לא] צריך רב אחא אמר לנודר. באומר הרי עלי עולה כעולה שהקריבו ישראל במדבר מאי פר מחייבת ליה או כבש תיקו. תנן התם אלו

חשק שלמה על ר"ח

א) נראה דצ"ל שבטו של לוי שלא עבדו ע"ז וכו'. ב) לכאורה צ"ל לא סבר לה כב"ש או דצ"ל דסמי ר' ישמעאל מדבר אבי.

א) [תוספתא פרק א], ב) זבחים קטו: ע"ש ודף קז. [תוספתא פרה פ"ג], ג) יומא נב:, ד) פאה פ"א מ"א חולין קלז:, ה) בד"ה סומא, ו) [וער' בתוס' ד"ה שור סיני], ז) [צ"ל לפאה].

הגהות הב"ח

(א) רש"י ד"ה ופרטות וכו' מעל הכפורת שם: (ב) ד"ה הכי גרסינן וכו' לאוקמה כב"ש דהא רבי יוסי: (ג) תוס' ד"ה מי איכא וכו' דוקא מעולת תמיד קא מיבעיא ליה: (ד) ד"ה למאי נפקא מינה וכו' גבי אימורי פסחים דאמרינן מאי דהוה הוה ובסנהדרין: (ה) ד"ה שאין וכו' דאילו מדרבנן לא אמר וכו' אין פוחתין לפאה אפילו בגורן פחות משישים וכו' אין להם שיעור לא למעלה ולא למטה כלומר למטה יוכל לפחות וכו' לכולי עלמא איכא שיעור למטה מדרבנן ומשני ופריך אמאי לא חשיב תרומה ומשני מפני המחלוקת ולקמן מחלוקת זה לשון פלוגתא וכו' ששייריה ניכרים לאמר וכו' שלא קצר שבולת לא נתחייב וכו' ועוד דפליגי נ"ב לפי פירוש זה דקאמר וכו' עד כו' פירוש המחלוקת זה לשון פלוגתא וק"ל:

גליון הש"ס

תוספות ד"ה יש בשמחה וכו' ולא בשתיהן. עיין פסחים דף ע ע"ב תוספות ד"ה מ"ט:

תורה אור השלם

א) עֹלַת תָּמִיד הָעֲשֻׂיָה בְּהַר סִינַי לְרֵיחַ נִיחֹחַ אִשֶּׁה לַייָ: [במדבר כח, ו]

ב) הַזְּבָחִים וּמִנְחָה הִגַּשְׁתֶּם לִי בַמִּדְבָּר אַרְבָּעִים שָׁנָה בֵּית יִשְׂרָאֵל: [עמוס ה, כה]

ג) וַיִּשְׁלַח אֶת נַעֲרֵי בְּנֵי יִשְׂרָאֵל וַיַּעֲלוּ עֹלֹת וַיִּזְבְּחוּ זְבָחִים שְׁלָמִים לַייָ פָּרִים: [שמות כד, ה]

ליקוטי רש"י

ופרטות באהל מועד. לאחר שהוקם המשכן נאמרה מ"כ למשה ושם נתפרשו הפשט ונתוח. ונשתלשו בערבות מואב. [משנה] תורה שחזר משה ואמרה להם על הספר דכתיב (דברים א) בעבר הירדן בארץ מואב הואיל משה וגו' [זבחים קטו:]. העשויה בהר סיני. כאותן שנעשו בימי המלואים. ד"א העשויה בהר סיני הקיש עולת תמיד לעולת הר סיני אותה שנקרבה לפני מתן תורה שכתוב בה וישם באגנות (שמות כד) מלמד שטעונה כלי [במדבר כח, ו]. הזבחים ומנחה. וכי זבחים ומנחות הגשתם לי במדבר לא כדרכי לא אכתבתם לי זבחים אלא אמרתם אדם כי יקריב (ויקרא א) כשירה להקריב ואומר אלו ועשו בני ישראל את הפסח במועדו (במדבר ט) מגיד שלא עשו ישראל במדבר אלא אותו פסח לבדו [עמוס ה, כה]. עולה שהקריבו ישראל במדבר. קודם מתן תורה וישלח את נערי וגו' [זבחים שם]. ויעלו עולות כבשים. ונפקא מינה לפסוק כאן את הטעם באתנחתא. או דילמא אידי ואידי פרים. ואין אתנחתא בטעם עולות אלא טעם גרש ויעלו עולות כדי שיתחבר לשל אחריו [יומא נב:].

Jerusalem for **A FESTIVAL:** רְאִיָּה וַחֲגִיגָה וְשִׂמְחָה – **THE *OLAS RE'IYAH, SHALMEI CHAGIGAH* AND *SHALMEI SIMCHAH*.**[14] יֵשׁ בָּרְאִיָּה שֶׁאֵין בִּשְׁתֵּיהֶן – **THERE IS** a feature **IN THE *OLAS RE'IYAH* THAT IS NOT** found **IN THE [OTHER] TWO;** וְיֵשׁ בַּחֲגִיגָה שֶׁאֵין בִּשְׁתֵּיהֶן – **THERE IS** a feature **IN THE *SHALMEI CHAGIGAH* THAT IS NOT** found **IN THE [OTHER] TWO;** יֵשׁ בְּשִׂמְחָה שֶׁאֵין בִּשְׁתֵּיהֶן – and **THERE IS** a feature **IN THE *SHALMEI SIMCHAH* THAT IS NOT** found **IN THE [OTHER] TWO.**

These features are identified:

יֵשׁ בָּרְאִיָּה שֶׁאֵין בִּשְׁתֵּיהֶן – **THERE IS** a feature **IN THE *OLAS RE'IYAH* THAT IS NOT** found **IN THE [OTHER] TWO,** שֶׁהָרְאִיָּה עוֹלָה כּוּלָּהּ לַגָּבוֹהַּ – **FOR THE *OLAS RE'IYAH* IS OFFERED UP ENTIRELY TO THE MOST HIGH,** i.e. it is completely burned on the Altar, מַה שֶּׁאֵין כֵּן בִּשְׁתֵּיהֶן – **WHICH IS NOT SO REGARDING THE [OTHER] TWO.**[15] יֵשׁ בַּחֲגִיגָה מַה שֶּׁאֵין בִּשְׁתֵּיהֶן – **THERE IS** a feature **IN THE *SHALMEI CHAGIGAH* WHICH IS NOT** found **IN THE [OTHER] TWO,** שֶׁחֲגִיגָה יֶשְׁנָהּ לִפְנֵי הַדִּיבּוּר – **FOR THE *SHALMEI CHAGIGAH* WAS** brought **BEFORE THE WORD** of God was transmitted at Sinai, מַה שֶּׁאֵין בִּשְׁתֵּיהֶן – **WHICH IS NOT** so **REGARDING THE [OTHER] TWO.**[16] יֵשׁ בְּשִׂמְחָה מַה שֶּׁאֵין בִּשְׁתֵּיהֶן – **THERE IS** a feature **IN THE *SHALMEI SIMCHAH* WHICH IS NOT** found **IN THE [OTHER] TWO,** שֶׁהַשִּׂמְחָה נוֹהֶגֶת בַּאֲנָשִׁים וּבְנָשִׁים – **FOR THE** mitzvah of ***SHALMEI SIMCHAH* APPLIES TO** both **MEN AND WOMEN,** מַה שֶּׁאֵין בִּשְׁתֵּיהֶן – **WHICH IS NOT** so **REGARDING THE [OTHER] TWO.**[17] R' Yose HaGlili states here that the *shalmei chagigah* was brought at Sinai whereas the *olas re'iyah* was not. Therefore, he must be of the opinion that the *olah* offered at Sinai was a *tamid,* as Beis Hillel maintain.

Abaye named R' Yishmael among the Tannaim who maintain that the *olah* brought at Sinai was an *olas re'iyah.* The Gemara questions whether this is indeed R' Yishmael's opinion:

וְרַבִּי יִשְׁמָעֵאל – **But** as far as **R' Yishmael** is concerned, מַאי טַעְמָא קָא מוֹקְמַתְּ לֵיהּ כְּבֵית שַׁמַּאי – **why do you** [Abaye] **determine him** to be of the same opinion **as Beis Shammai** (viz. that the *olah* of Sinai was an *olas re'iyah*)?[18] You reached this conclusion on the basis of the following argument:[19] אִי סָלְקָא דַעְתָּךְ – **If you should think** that according to R' Yishmael עוֹלָה שֶׁהִקְרִיבוּ יִשְׂרָאֵל בַּמִּדְבָּר – **the *olah* that Israel offered up in the Wilderness** עוֹלַת תָּמִיד הֲוַאי – **was the *tamid*,** the following difficulty arises: מִי אִיכָּא מִידֵי דְּמֵעִיקָּרָא לֹא בָּעֵי הֶפְשֵׁט וְנִיתּוּחַ – **Can there be such a thing** as an *olah* mandated by God for all generations (e.g. the *tamid*) **that initially did not require skinning and dismemberment,** וּלְבַסּוֹף בָּעֵי הֶפְשֵׁט וְנִיתּוּחַ – **but later did require skinning and dismemberment?!** Thus, in R' Yishmael's opinion, the *olah* brought in the Wilderness could not have been the *tamid;* instead it must have been an *olas re'iyah.* This concludes Abaye's reasoning. The Gemara now demonstrates why this argument is not valid: וְהָא רַבִּי יוֹסֵי הַגְּלִילִי – **But there is R' Yose HaGlili,** דְּאָמַר עוֹלָה שֶׁהִקְרִיבוּ יִשְׂרָאֵל בַּמִּדְבָּר עוֹלַת תָּמִיד הֲוַאי – **who says** that **the *olah* that Israel offered up in the Wilderness was the *tamid*,**[20] מֵעִיקָּרָא לֹא בָּעֵי הֶפְשֵׁט וְנִיתּוּחַ – yet he also maintains that **initially it did not require skinning and dismemberment,** וּלְבַסּוֹף בָּעֵי הֶפְשֵׁט וְנִיתּוּחַ – **and ultimately it did require skinning and dismemberment!** דְּתַנְיָא – **For it was taught in a Baraisa:** רַבִּי יוֹסֵי הַגְּלִילִי אוֹמֵר – **R' YOSE HAGLILI SAYS:** עוֹלָה שֶׁהִקְרִיבוּ יִשְׂרָאֵל בַּמִּדְבָּר – **THE *OLAH* THAT ISRAEL OFFERED UP IN THE WILDERNESS** אֵינָהּ טְעוּנָה הֶפְשֵׁט וְנִיתּוּחַ – **DID NOT REQUIRE SKINNING AND DISMEMBERMENT,** לְפִי שֶׁאֵין הֶפְשֵׁט וְנִיתּוּחַ אֶלָּא מֵאֹהֶל מוֹעֵד וָאֵילָךְ – **FOR SKINNING AND DISMEMBERMENT APPLIED ONLY FROM** the time **THE TENT OF MEETING** was built **AND ONWARD.**[21] Like R' Yose HaGlili, R' Yishmael too could be of the opinion that although the laws of skinning and dismemberment were not introduced until later, they began offering the *tamid* at Sinai. – ? –

The Gemara accepts this refutation of Abaye's argument:

סַמִּי מִכָּאן רַבִּי יִשְׁמָעֵאל – **Delete R' Yishmael from here,** i.e. do not include him among those who hold that the *olah* brought at Sinai was an *olas re'iyah,* for he could agree that it was the *tamid.*

The verse (*Exodus* 24:5) about the sacrifices offered at Sinai reads: וַיִּשְׁלַח אֶת־נַעֲרֵי בְּנֵי יִשְׂרָאֵל וַיַּעֲלוּ עֹלֹת וַיִּזְבְּחוּ זְבָחִים שְׁלָמִים לַה׳

NOTES

14. From the verse וְשָׂמַחְתָּ בְּחַגֶּךָ, *You shall rejoice on your festival* (*Deuteronomy* 16:14), it is derived that we must rejoice on the festivals of Pesach, Shavuos and Succos. The requirement of rejoicing is fulfilled by eating the meat of sacrifices (e.g. *shelamim*) until one is satiated (*Pesachim* 109a; see also 8a note 21). One must therefore bring *shelamim* for the purpose of eating their meat on the festival. These offerings are known as שַׁלְמֵי שִׂמְחָה, *shalmei simchah* (peace offerings of joy).

It is not always necessary to buy animals solely for this purpose. If, for example, one had voluntarily pledged earlier in the year to bring a *shelamim,* or if he is obligated to bring a *maaser beheimah* offering, he may use its meat to fulfill the mitzvah of rejoicing (Mishnah below, 7b). The obligation to offer special *shalmei simchah* applies only to one who would otherwise have no sacrificial meat to eat on the festival. Furthermore, it is not necessary to purchase *shalmei simchah* with regular (nonsacred) money; one may use sacred money, which had been used to redeem *maaser sheni* (*Rashi,* from Mishnah 7b; see *Rashi* ibid. ד״ה ישראל יוצאין; see also *Siach Yitzchak* here). [The *shalmei chagigah* could also be used to satisfy this requirement; however, it would not suffice on its own, because a *shelamim* may be eaten only on the day of its sacrifice and the next day, whereas the obligation of rejoicing applies on each day of the festival (Mishnah, *Succah* 42b; see also *Pesachim* 71a).]

While the Temple is not standing, the mitzvah of rejoicing can be fulfilled in any way that brings pleasure, such as eating (nonsacred) meat, drinking wine, wearing new clothing, etc. (see *Pesachim* 109a and 71a; see also *Rambam, Hil. Yom Tov* 6:17-19; cf. *Tosafos* to *Moed Katan* 14b ד״ה עשה; and see *Shaagas Aryeh* §65 at length).

15. Both the *shalmei chagigah* and *shalmei simchah* are *shelamim* offerings, whose meat is eaten by both the owner and the Kohanim.

16. *Shelamim* were offered by the firstborn ("the youths of the Children of Israel") at Sinai prior to the Revelation (see 6a note 18). Although no festival was celebrated at that time, these offerings were nevertheless deemed *shalmei chagigah* because they served to fulfill God's command (*Exodus* 5:1): וְיָחֹגּוּ לִי בַּמִּדְבָּר, *they shall celebrate for Me in the Wilderness* (*Rashi*). [This command was originally transmitted to Moses at the "burning bush" in somewhat different language (ibid. 3:18), but when Moses repeated it to Pharaoh (5:1) he used the root חג, *chag,* which implies the *chagigah* offering (see below, 10b).]

17. Women are included in the mitzvah of rejoicing, because it is stated (*Deuteronomy* 14:26): וְשָׂמַחְתָּ אַתָּה וּבֵיתֶךָ, *you shall rejoice, you and your household* (see 6a note 2). They are not, however, obligated to bring an *olas re'iyah* or *shalmei simchah,* because these are positive time-bound mitzvos, from which women are generally exempt unless a Scriptural source states otherwise [as it does regarding the *shalmei simchah*] (*Rashi;* see, however, 4a with note 8; see 6a note 2; see also *Tosafos* to 3a ד״ה גמר).

18. It is unlikely that a Tanna would agree with Beis Shammai as opposed to Beis Hillel, because, as a rule, wherever these two schools disagree the view of Beis Hillel is usually accepted as completely authoritative and the view of Beis Shammai is disregarded (*Rashi,* from *Berachos* 36b; see *Siach Yitzchak*).

19. The following lines of Gemara repeat Abaye's reasoning that was recorded earlier on this *amud.* (See notes 4 and 5 for its explanation.)

20. As the Gemara above derived from R' Yose HaGlili's statement in the preceding Baraisa.

21. [Evidently, it *is* possible for the procedure of the *tamid* to change, although this offering was mandated by God for all generations. This contradicts the basic premise of Abaye's argument.]

עין משפט נר מצוה

כו א מיי' פ"א מהל' חגיגה הלכה א:

רבינו חננאל

ישראל במדבר עולת ראיה הואי וב"ה ורבי עקיבא ור' יוסי הגלילי סברי עולת תמיד הואי ב"ש הא דאמרן ר' ישמעאל אומר דתניא כללות נאמרו בסיני ופרטות באהל מועד ולהכי מידי דבסיני לא בעי הפשט ונתוח דהא אמרת כללות נאמרו בסיני ובסוף בעי הפשט ונתוח שנאמר והפשיט את העולה ונתח אותה לנתחיה. אלא לאו ש"מ לאו עולת תמיד הואי. אלא עולת ראיה הואי. ר' אליעזר נמי דתניא עולת תמיד העשויה בהר סיני ר' אליעזר אומר מעשיה נאמרו בסיני והיא עצמה לא קרבה ר' עקיבא אומר היא עצמה קרבה בסיני ושוב לא פסקה. וכי תימא אימי והכתיב הזבחים ומנחה הגשתם לי במדבר ארבעים שנה בית ישראל א) שעבדו ע"ז הקריבו עולת תמיד בכל ארבעים שנה שהיו במדבר ותנא א"ר עקיבא כללות ופרטות נאמרו בסיני ונשנו באהל מועד ונשתלשו בערבות מואב ב"ה ור"ע הני דאמרן ר' יוסי הגלילי דתניא ר' יוסי הגלילי אומר ג' מצות נצטוו ישראל בעלייתן לרגל ראיה חגיגה ושמחה יש בראיה משא"כ בשתיהן שהראיה כולה לגבוה משא"כ בשתיהן. ויש בחגיגה משא"כ בשתיהן שהחגיגה ישנה לפני הדבור מה שאין כן בשתיהן ויש בשמחה שהשמחה נוהגת בנשים כבאנשים מה שאין כן בשתיהן. קתני מיהא שהחגיגה ישנה לפני הדבור מה שאין כן בעולת ראיה ובשמחה ש"מ דסבר ר' יוסי הגלילי עולה שהקריבו בני ישראל במדבר עולת תמיד הואי. ואמרינן אמאי מוקמת ליה לר' ישמעאל כב"ש משום דליכא מידי דמעיקרא לא בעי הפשט ונתוח ובסוף בעי הא ר' יוסי הגלילי דאוקימתא כב"ה תני בהדיא רבי יוסי הגלילי אומר עולה שהקריבו בני ישראל במדבר לא בעי הפשט ונתוח אלא מאהל מועד ואילך. ואסיקנא סמי ר' ישמעאל מב"ש ג): בעי רב חסדא האי קרא היכי פירושיה וישלח את נערי בני ישראל ויעלו עולות כבשים ויזבחו זבחים שלמים לה' פרים או דלמא אידי ואידי כלומר העולות והשלמים כולן פרים היו ואמרינן מאי נפקא לך מינה [מאי] דהוה הוה. ואמר מר זוטרא לפיסוק טעמי' כלומר אם כבשים ואלו פרים קרא צריך לאפסוקינהו ואי [לא] צריך רב אחא אמר לנודר. באומר הרי עלי עולה כעולה שהקריבו ישראל במדבר מאי פר מחייבת ליה או כבש תיקו. תנן התם אלו

חשק שלמה על ר"ח

א) נראה דל"ל שבטו של לוי שלא עבדו ע"ז וכו'. ב) לכאורה נ"ל דלא סבר לה כב"ש אלא דל"ל דסמי ר' ישמעאל מדברי אביי.

מי איכא מידי דמעיקרא לא בעי הפשט. דוקא (ג) קא מבעיא ליה משום דעיקר הפשט כתיב בגופיה אבל מעולת ראייה לא"ע דאמת הוא דטעונה הפשט לא קשה ליה מידי כיון דלאו בגופיה כתיב:

רבי עקיבא וכו'. אע"ג דבחמישי בנה מזבח ולא ניתנה תורה עד סיני דריש מאותה שעה דנאמר מעשיה בסיני כדכתיב עולת תמיד העשויה בהר סיני ומאן דלא דריש האי מוקי לה דעולה טעונה כלי וכן פירש רש"י בנימוקי חומש העשויה בהר סיני ובספרי דריש לה שנעשית בהר סיני קודם לתורה והיינו בחמישי שבנה מזבח:

יש בשמחה שאין בשתיהן. וכתוספ' גרסינן שהשמחה יש לה תשלומין כל שבעה * ולא בשתיהן ומשמעתא שלנו דלא גריס ליה סבירא ליה דגם באינך יש להן תשלומין ולא קאמר יש בשתיהן שצריכין שיעור מה שאין כן בשמחה לאימא אף שמחה יש לה שיעור ומיהו בלאו הכי ניחא דלא נחית למיתני הא כללא כדפרישי' לעיל (דף ב: [ה]) רק קומרא באחת שאין בשתים ולהכי לא חשיב שתיהן אינן באין מכל דבר מה שאין כן בשמחה שבאה מכל דבר דהא חומרי דשתים לא קא חשיב:

אידי ואידי פרים הוו. אליבא דמ"ד עולת ראייה הואי ואפי' למ"ד עולת תמיד קודם מתן תורה היתה של פרים והדר איפשטו כמו שנשתנה מן הפשט וניתוח לרבי יוסי הגלילי:

מאי נפקא מינה. כלומר מאי דהוה הוה וכן פריך בפ"ק דיומא (דף ה: ושם) גבי כיצד הלבישן ובפסחים (נז.) גבי אימורי פסחים (ד) ובסנהדרין (דף טו: ושם [ו]) גבי שור סיני בכמה לא בעי משום דקבילה לאלופי דורות משעה ובע"ז פרק שני (דף לד.) ובתענית (דף יא:) גבי במה שמש משה כל ימי המלואים דלא פריך ליה התם נמי למיסבר קראי לפי שלא מצינו בגדי כהונה רק לאהרן ובניו ועוד דאכתי לא נתחנכו הבגדים דבעינן עלייהו הזאה ונפקא מינה לעבוד במלואים בלא הזאת בגדים:

לפסוקי טעמא. ולא דמי לה' מקראות שאין להן הכרע (יומא דף נב.) ולא אזלינן בתר פסוקי טעמא התם לא מצי קאי רק לחד מינייהו דאין משמעות שתיהן שוה אבל הכא מצי קאי לתרווייהו:

שאין להן שיעור הפאה. דכתיב לא תכלה פאת שדך (ויקרא יט) ומדאורייתא היא דאילו מדרבנן (ה) אמר בפרק ראשית הגז (חולין דף קלז: ושם) אין פוחתין ([ו] לעני בגורן פחות) מששים ופליגי אמוראי בירושלמי חד אמר אין להם שיעור למעלה ולא למטה כלומר יוכל לפחות עד חטה ולמעלה כל שדהו וחד אמר למעלה אין לה שיעור הא למטה יש לה ובעי מאי בינייהו כלומר ודאי לכולי עלמא איכא ומשני אם פיחת מששים למאן דאמר אין לו שיעור כלל מה שנתן נתן ופטור מפאה ואם הוסיף חייב במעשר ולמאן דאמר יש לו שיעור למטה מה שנתן נתן ואינו פטור מפאה וזכה העני ומחויב במעשר עד שישלם שיעור ששים בבת אחת דלא הוי פאה אם לא שילם לו בבת אחת כו' ופריך אמאי לא חשיב תרומה ומשני תפתר מפני המחלוקת לשון פלוגתא דומיא דמחלוקת בששניהן אדוקין בתורף (ב"מ דף ז:) כלומר שיש בה חילוק דאמר רבי יוחנן עושה אדם כל שדהו בכורים ולא אמר עושה כל שדהו תרומה דהא בעינן ראשית ששיריה ניכרים בפרק בכל מערבין התיבון הרי פאה דאין אדם עושה כל שדהו פאה ומשני עד שלא קצר שבולת לא נתחייב שדהו פאה כלומר דכתיב פאת שדך בקוצרך תלה רחמנא פאה בקציר והכי קאמר דמשנתחייב בפאה אין לה שיעור וכי תימא בכורים נמי הכתיב ראשית וליבעי שירים ניכרים כמו בתרומה דמרבינן ליה התם ראשית כל בכורי כל ואני הייתי מפרש מפני המחלוקת עין יפה עין רעה ובינונית לאפוקי הך דעניינם שוה ועוד דפליגי במסכת תרומה (פרק ד מ"ה) המרבה בתרומה רבי אליעזר אומר אחד מעשרה יתר מכאן יעשה תרומת מעשר למקום אחר רבי ישמעאל אומר מחצה חולין ומחצה תרומה ר' עקיבא אומר עד שישייר שם חולין ומפרש בירושלמי טעמא דרבי ישמעאל דראשית דגנך דיו לראשית שיהו כדגן:

ופרטות באהל מועד ור' עקיבא אומר כללות ופרטות נאמרו בסיני ונשנו באהל מועד ונשתלשו בערבות מואב ואי סלקא דעתך עולה שהקריבו ישראל במדבר עולת תמיד הואי מי איכא מידי דמעיקרא לא בעי הפשט וניתוח ולבסוף בעי הפשט וניתוח ר' אלעזר דתניא א) עולת תמיד העשויה בהר סיני ר' אלעזר אומר מעשיה נאמרו בסיני והיא עצמה לא קרבה רבי עקיבא אומר קרבה ושוב לא פסקה אלא מה אני מקיים ב) הזבחים ומנחה הגשתם לי במדבר ארבעים שנה בית ישראל שבטו של לוי שלא עבדו ע"ז הן הקריבו אותה בית הלל הא דאמרן ר' עקיבא הא נמי דאמרן ר' יוסי הגלילי דתניא ר' יוסי הגלילי אומר א) *שלש מצות נצטוו ישראל בעלותם לרגל ראייה וחגיגה ושמחה יש בראייה שאין בשתיהן ויש בחגיגה שאין בשתיהן יש בשמחה שאין בשתיהן יש בראייה שאין בשתיהן שהראייה עולה כולה לגבוה מה שאין כן בשתיהן יש בחגיגה מה שאין בשתיהן שחגיגה ישנה לפני הדיבור מה שאין בשתיהן יש בשמחה מה שאין בשתיהן שהשמחה נוהגת באנשים ובנשים מה שאין בשתיהן ור' ישמעאל מאי טעמא קא מוקמת ליה כבית שמאי אי סלקא דעתך עולה שהקריבו ישראל במדבר עולת תמיד הואי מי איכא מידי דמעיקרא לא בעי הפשט וניתוח ולבסוף בעי הפשט וניתוח והא רבי יוסי הגלילי דאמר עולה שהקריבו ישראל במדבר עולת תמיד הואי מעיקרא לא בעי הפשט וניתוח ולבסוף בעי הפשט וניתוח ג) דתניא רבי יוסי הגלילי אומר עולה שהקריבו ישראל במדבר אינה טעונה הפשט וניתוח לפי שאין הפשט וניתוח אלא מאהל מועד ואילך סמי מכאן ר' ישמעאל ג) בעי רב חסדא האי קרא היכי כתיב ג) וישלח את נערי בני ישראל ויעלו עולות כבשים ויזבחו זבחים שלמים לה' פרים או דלמא אידי ואידי פרים הוו למאי נפקא מינה מר זוטרא אמר לפיסוק טעמים רב אחא בריה דרבא אמר לאומר הרי עלי עולה כעולה שהקריבו ישראל במדבר מאי פרים הוו או כבשים הוו תיקו ד) תנן התם אלו דברים שאין להם שיעור הפאה והבכורים

ופרטות באהל מועד. משהוקם המשכן ודיבר עמו מעל (א) הפרוכת שם פירש לו הכתוב דכתיב ויקרא אל משה וידבר ה' אליו מאהל מועד לאמר ובספר תורת כהנים דהיינו ויקרא נתפרשו כל הלכות קרבנן וכן דברים הרבה: **ונשנו.** פעם שנית וכל מה שנאמר כאן נאמר כאן ואע"פ שלא נכתב: **ונשתלשו בערבות מואב.** מפי משה לישראל שנאמר בעבר הירדן בארץ מואב הואיל משה באר את התורה וגו' (דברים א): **ואי סלקא דעתך עולת סיני עולת תמיד הואי.** והוצרכה הדורות מפי הגבורה: **מי איכא מידי כו'.** אלא ודאי עולת ראייה הואי ומאליהם הקריבוה: **והיא עצמה לא קרבה.** והעולה שהקריבו הבכורות עולת ראייה הוה: **ומה אני מקיים הזבחים ומנחה הגשתם לי במדבר.** לשון תימה ומשמע שלא הקריבו לפי שמזופין היו: **שבטו של לוי.** הקריבוה משלהם: **שמחה.** אף הם שלמי שמחה אם אין לו בשר שלמים של נדר ונדבה שהתנדב כל השנה שמקריבין ברגל ולא מעשר בהמה מביא שלמים משלו או ממעות מעשר שני שלו להיות לו בשר לשובע שאין שמחת החג אלא בבשר: **שחגיגה ישנה לפני הדיבור.** אותן שלמים שהקריבו הבכורות אף על פי שלא ברגל הקריבום חגיגה נקראו שבהן נתקיים ויחוגו לי במדבר (שמות ה) שנאמר להם במצרים: **השמחה נוהגת בנשים.** דכתיב ושמחת אתה וביתך (דברים יד): **מה שאין כן בשתיהן.** דמצות עשה שהזמן גרמא הן והכתוב לא ריבה אותן: **הכי גרסינן ורבי ישמעאל מאי טעמא קא מוקמת ליה כבית שמאי אי סלקא דעתך וכו'.** ולא גרסינן אמר לך והכי פירושא לאביי פריך דאמר לעיל בית שמאי ורבי ישמעאל כו' מאי טעמא מוקמת לה לרבי ישמעאל דלא כהלכתא דבית שמאי במקום בית הלל אינו משנה משום דשמעת ליה דאמר פרטות לא נאמרו בסיני וקשיא לך אי סלקא דעתך עולת תמיד הואי ומי איכא מידי כו' משום הכי לא הוה לך לאוקמה כבית שמאי (ג): **הא ר' יוסי הגלילי.** דשמעת ליה בהדיא דאמר לעיל עולת תמיד הואי ואפילו הכי שמעינן בעולת תמיד דלית ביה הפשט וניתוח: **לפסוקי טעמים.** בנגינות אם תאמר שני מינין צריך אתה לפסוק הטעם של ויעלו עולות באתנחתא כמו שאנו קורין אותו או בזקף קטן טעם שמפסיק הדבור ממה שלאחריו ואם מין אחד היה צריך אתה לקרותו באחד משאר טעמים שאין מפסיקין כגון פשטא או רביע: **לאומר הרי עלי עולה כו'** גר' ולא גרסי' כאומר: **נפקא מינה לאומר הרי עלי עולה** כאותה עולה. מה יביא פרים או כבשים תיקו: **תנן התם.** במסכת פאה: **הפאה**

מסורת הש"ס

א) [תוספתא פרק א], ב) זבחים קטו: ע"ש ודף קח. [תוספתא דפרה פ"ג], ג) יומא נב:, ד) פאה פ"א מ"א חולין קלז., ה) בד"ה שומע, ו) [וע' בתוס' ד"ה שור סיני], ז) [צ"ל לפאה].

הגהות הב"ח

(א) רש"י ד"ה ופרטות וכו' מעל הכפורת שם: (ב) ד"ה הכי גרסינן וכו' לאוקמה כב"ש דהא רבי יוסי: (ג) תוס' ד"ה מי איכא וכו' דוקא מעולת תמיד קא מיבעיא ליה: (ד) ד"ה מאי נפקא מינה וכו' גבי אימורי פסחים דאמרינן מאי דהוה הוה ובסנהדרין: (ה) ד"ה שאין וכו' דאילו מדרבנן הא אמר וכו' אין פוחתין לפאה אפילו במולה לארץ פחות מששים וכו' אין להם שיעור למעלה ולא למטה יוכל לפחות וכו' לכולי עלמא איכא שיעור ומנחה מדרבנן ומשני וכו' ופריך אמאי לא חשיב תרומה ומשני מפני המחלוקת ואין מחלוקת זה לשון פלוגתא וכו' ששיריה ניכרים כדאמר בפרק בכל וכו' שבולת לא נתחייב וכו' ועוד דפליגי נ"ב פי' זה לקמן נמי מהא מחלוקת זה לשון פלוגתא וק"ל:

גליון הש"ס

תוספות ד"ה יש בשמחה וכו' ולא בשתיהן. עיין פסחים דף ע ע"ב תוספות ד"ה מ"ט:

תורה אור השלם

א) עֹלַת תָּמִיד הָעֲשֻׂיָה בְּהַר סִינַי לְרֵיחַ נִיחֹחַ אִשֶּׁה לַייָ: [במדבר כח, ו]

ב) הַזְּבָחִים וּמִנְחָה הִגַּשְׁתֶּם לִי בַמִּדְבָּר אַרְבָּעִים שָׁנָה בֵּית יִשְׂרָאֵל: [עמוס ה, כה]

ג) וַיִּשְׁלַח אֶת נַעֲרֵי בְּנֵי יִשְׂרָאֵל וַיַּעֲלוּ עֹלֹת וַיִּזְבְּחוּ זְבָחִים שְׁלָמִים לַייָ פָּרִים: [שמות כד, ה]

ליקוטי רש"י

ופרטות באהל מועד. לאחר שהוקם המשכן נאמרה מ"כ למשה והמשכן נתפרשו והפשט ונתח. **ונשתלשו בערבות מואב.** [משנה] תורה שחזר משה ואמרה להם על הסדר כדכתיב (דברים א) בעבר הירדן בארץ מואב הואיל משה באר וגו' [זבחים קטו:]. **העשויה בהר סיני.** כאותן שנעשו בימי המילואים. ד"א העשויה בהר סיני הקיש עולת תמיד לעולת סיני אותה שנקרבה לפני מתן תורה שנאמר בה ויבש בגאגנות (שמות כ"ד) מלמד שטעונה כלי [במדבר כח, ו]. **הזבחים ומנחה.** וכי לאבותים ומנחות ולמנחה שלמים כל ארבעים שנה במדבר לא לדברתי את אבותיכם להקריב לי זבחים אבי אמרתי אם מי מקריב (ויקרא א) כשירה להקריב ואומר ויעשו בני ישראל את הפסח במועדו

פָּרִים, *He* [Moses] *sent the youths of the Children of Israel and they offered up olos and they slaughtered shelamim sacrifices to Hashem, bulls*. The Gemara asks where the last word ("bulls") should be applied:

בָּעֵי רַב חִסְדָּא – **Rav Chisda asked:** הַאי קְרָא הֵיכִי כְּתִיב – **How is this verse written?** Does the word "bulls" apply only to the *shelamim,* in which case the verse may be rendered as follows: "וַיִּשְׁלַח אֶת־נַעֲרֵי בְּנֵי יִשְׂרָאֵל וַיַּעֲלוּ עֹלֹת" כְּבָשִׂים – ***He sent the youths of the Children of Israel and they offered up olos,*** which were **lambs;**[22] "וַיִּזְבְּחוּ זְבָחִים שְׁלָמִים לַה' פָּרִים" – ***and they slaughtered shelamim sacrifices to Hashem,*** which were ***bulls?*** אוֹ דִלְמָא אִידִי וְאִידִי פָּרִים הָווּ – **Or, perhaps** the verse means that **both** the *shelamim* and the *olos* **were bulls?**[23]

The Gemara asks:

לְמַאי נַפְקָא מִינַּהּ – **What difference does it make?**[24]

Two answers are given:

מַר זוּטְרָא אָמַר – **Mar Zutra said** that it makes a difference לְפִיסוּק טְעָמִים – **with regard to determining** the verse's **notes of cantillation.**[25] רַב אַחָא בְּרֵיהּ דְּרָבָא אָמַר – **Rav Acha the son of Rava said** that it makes a difference לְאוֹמֵר – **with regard to one who utters** the following vow: הֲרֵי עָלַי עוֹלָה כָּעוֹלָה שֶׁהִקְרִיבוּ יִשְׂרָאֵל בַּמִּדְבָּר – "It is **hereby** incumbent **upon me** to offer **an *olah* like the *olah* that Israel offered up in the Wilderness."** מַאי – **What** is the law? פָּרִים הָווּ – **Were they bulls,** in which case he must offer a bull, אוֹ כְּבָשִׂים הָווּ – **or were they lambs,** in which case he must offer a lamb?

The Gemara concludes:

תֵּיקוּ – **Let [the question] stand** unresolved.

The Gemara cites a related Mishnah:

תְּנַן הָתָם – **We learned in a Mishnah elsewhere:**[26] אֵלּוּ דְּבָרִים שֶׁאֵין לָהֶם שִׁיעוּר – THESE ARE THINGS THAT HAVE NO MEASURE:[27]

NOTES

22. The word "lambs" is interpolated by the Gemara into its quotation of the verse. The reason why the Gemara specifies this type of animal is that the *tamid* must be a lamb (*Numbers* 28:3), and the *olah* of Sinai was a *tamid* [according to Beis Hillel et al.] (*Meiri*). [If it was an *olas re'iyah,* which may come from sheep, goats or cattle, a lamb is mentioned here only as an example of an animal, other than a bull, acceptable for this purpose.]

23. According to this interpretation, if these *olos* were *tamid* offerings, it emerges that initially the *tamid* was a bull and later it was a lamb (see previous note). This change is similar to that reported by R' Yose HaGlili, who holds that the requirements of skinning and dismembering were introduced only after the *tamid* had been brought for several months (*Tosafos*).

24. The verse describes a past event which seemingly has no practical relevance for later generations (see *Tosafos*).

25. These are the symbols of melody and inflection by means of which the Torah is read in synagogues. If the word פָּרִים, *bulls,* at the end of the verse refers only to the *shelamim,* the verse comprises two separate clauses – one about the *olos* and one about the *shelamim*. Accordingly, the word עלת, *olos,* should be marked with a symbol that separates it from the verse's continuation, such as an אֶתְנַחְתָּא (as we read it) or a זָקֵף קָטֹן. But if the verse is one continuous statement, the cantillation mark should be one that does not divide it, such as a פַּשְׁטָא or רְבִיעַ (*Rashi;* see *Meiri;* and see *Maharsha* to *Yoma* 52b ד"ה בפירש"י). [For a thorough discussion of the possibilities concerning the cantillation of this verse, see *Nechmad LeMareh* to *Shemos Rabbah, Parshah* 31 (printed in back of Vilna edition of *Midrash Rabbah Im Kol HaMefarshim*).]

26. *Pe'ah* 1:1.

27. The mitzvos listed below have no limits according to Torah law. They have no minimum below which performance of the mitzvah would be meaningless, nor do they have an upper limit beyond which the performance would no longer be meritorious. Rather, the slightest performance of these mitzvos fulfills the obligation, and more extensive performance brings additional merit (see *Tosafos* to 7a ד"ה והביכורים).

הַפֵּאָה – *PE'AH,*[1] וְהַבִּכּוּרִים – *BIKKURIM,*[2] וְהָרְאָיוֹן – THE *RE'AYON,*[3] וּגְמִילוּת חֲסָדִים – ACTS OF KINDNESS[4] וְתַלְמוּד תּוֹרָה – AND THE STUDY OF TORAH.[5]

One of the meanings of *re'ayon* is the *olas re'iyah.* In this context, R' Yochanan comments on the Mishnah's ruling that the *re'ayon* has no measure:

אָמַר רַבִּי יוֹחָנָן – R' Yochanan said: כִּסְבוּרִין אָנוּ לוֹמַר – We considered saying that the Mishnah means that **הָרְאָיוֹן אֵין לוֹ שִׁיעוּר לְמַעְלָה – the *re'ayon*** [*olas re'iyah*] **has no maximum measure;**[6] **אֲבָל יֵשׁ לוֹ שִׁיעוּר לְמַטָּה – however, it does have a minimum measure,** insofar as it must be worth at least one silver *ma'ah.*[7] **עַד שֶׁבָּא רַבִּי אוֹשַׁעְיָא בְּרַבִּי וְלִימֵּד** – This was our assumption **until R' Oshaya, the great** scholar of the generation, **came and taught** the Mishnah as follows: **הָרְאָיוֹן אֵין לוֹ שִׁיעוּר לֹא לְמַעְלָה וְלֹא לְמַטָּה – The *re'ayon*** [*olas re'iyah*] **has neither a maximum nor a minimum measure** according to Biblical law. **אֲבָל חֲכָמִים אוֹמְרִים – However, the Sages said**[8] that **הָרְאִיָּיה מָעָה כֶּסֶף וְהַחֲגִיגָה שְׁתֵּי כֶּסֶף – the *olas re'iyah*** must be worth at least one **silver *ma'ah,* and the *shalmei chagigah*** must be worth at least **two silver** *maos.*[9]

The Gemara discusses the Mishnah's use of the word *re'ayon:*

מַאי הָרְאָיוֹן – What is the meaning of ***re'ayon*?**[10] **רַבִּי יוֹחָנָן אָמַר רְאִיַּית פָּנִים בָּעֲזָרָה – R' Yochanan says** that it means **appearing in the** Temple **Courtyard.**[11] **וְרֵישׁ לָקִישׁ אָמַר רְאִיַּית פָּנִים בְּקָרְבָּן – But Reish Lakish says** that it means **appearing** in the Courtyard **with an offering.**[12]

This dispute is qualified:

בְּעִיקַּר הָרֶגֶל – Regarding the main part of the festival, i.e. the first day, **כּוּלֵּי עָלְמָא לֹא פְּלִיגֵי דִּרְאִיַּית פָּנִים בְּקָרְבָּן – everyone agrees that the appearance** must be **with an offering.**[13] **כִּי פְּלִיגֵי – Where do they disagree? בִּשְׁאָר יְמוֹת הָרֶגֶל** – They disagree **regarding the other days of the festival.**

NOTES

1. The Torah (*Leviticus* 19:9; 23:22) forbids a farmer in Eretz Yisrael to harvest his entire field. Some part of the crop, known as *pe'ah* [literally: corner, edge], must be left standing and is designated as the property of the poor.

Biblically, there is no specific amount of *pe'ah* that must be left for the poor. A farmer can fulfill his basic *pe'ah* obligation by reaping his entire crop except for one stalk, which he leaves over as *pe'ah* for the poor. At the other end of the scale, he can fulfill the mitzvah to the greatest extent by reaping just one stalk and designating the entire remainder of his crop as *pe'ah* (*Yerushalmi Pe'ah* 1:1, cited by *Tosafos* to 6b ד״ה שאין). [See there for a discussion of why the Mishnah omits *terumah.*]

Although there is no Biblical minimum for *pe'ah,* the Rabbis decreed that one should set aside at least one sixtieth of the field for this purpose (*Rashi,* from *Pe'ah* 1:2; see *Tosafos* ibid.).

2. *Bikkurim* are each year's first-ripening fruits of the seven species with which Torah praises Eretz Yisrael (wheat, barley, grapes, figs, pomegranates, olives and dates). They are brought to the Temple, where the procedure described in *Deuteronomy* 26:1-11 is carried out and they are given to the Kohanim.

The Mishnah teaches that there are no set limits to the amount of *bikkurim* that must be brought. On the one hand, a person can satisfy the obligation of *bikkurim* by bringing a minute quantity. On the other hand, if he so desires, he may bring his entire crop as *bikkurim* (*Bikkurim* 2:4). [*Rambam* rules that under Rabbinic law *bikkurim* have a minimum of one sixtieth (*Hil. Bikkurim* 2:17, based on *Yerushalmi Bikkurim* 3:1).]

3. *Re'ayon* carries two meanings: (a) the *olas re'iyah;* (b) the general mitzvah of *re'iyah* [i.e. appearing in the Temple Courtyard during a festival] (see note 10). The Mishnah's ruling that *re'ayon* has no measure carries a different connotation with respect to each of these meanings, as explained below.

4. There are no limits given with regard to physical acts of kindness (e.g. attending to the sick, comforting mourners). The more one engages in this type of activity, the more praiseworthy he is (see e.g. *Rambam, Hil. Eivel* 14:4). Financial acts of kindness (e.g. redeeming captives, charity for the poor) have no Biblical limits either. The Rabbis, however, imposed an upper limit in regard to financial kindness, stating that a person should not give away more than one fifth of his property [so that he himself will not be reduced to poverty and become a public charge] (*Rambam, Commentary to the Mishnah,* from *Kesubos* 50a; see *Siach Yitzchak* on *Tosafos* ד״ה גמילות חסדים).

5. Jewish men are commanded to study Torah at all times, as it is written (*Joshua* 1:8): וְהָגִיתָ בּוֹ יוֹמָם וָלַיְלָה, *you shall contemplate it day and night* (*Rav, Rash, Ri ben Malki Tzedek* to Mishnah *Pe'ah* ibid.). At the minimal level, it is possible to fulfill this obligation by learning for a short period of time each day and each night (*Meiri,* from *Menachos* 99b; *Meleches Shlomo; Shenos Eliyahu [Peirush HaAroch]; Mishnah Rishonah;* see *Rambam, Hil. Talmud Torah* 1:8; cf. *Ran* to *Nedarim* 8a ד״ה הא קמ״ל and *Turei Even*). However, the more one studies Torah, the greater his reward (*Rambam* ibid. 3:6).

The preceding applies to one who is otherwise involved in the performance of mitzvos, which includes the pursuit of a livelihood and other personal needs. Only in such circumstances does it suffice to study for a short time each day and night. One who has free time is *obligated* to use it for further Torah study (*Shenos Eliyahu* ibid.; *Mishnah Berurah* 155:4; see *Ritva* to *Nedarim* 8a).

[Regarding the Mishnah's omission of other mitzvos, see *Meiri;* see also *Meromei Sadeh* ד״ה הפאה.]

6. One may bring as many *olos re'iyah* as he desires [and they all serve to fulfill the mitzvah of *re'iyah*] (*Rashi*).

7. [As Beis Hillel maintain (see 6b note 18).] R' Yochanan initially thought that the minimum requirement of one silver *ma'ah* for an *olas re'iyah* is a Biblical law (*Rashi*). Therefore, even if the Mishnah, "These are things that have no limit, etc.," is stating only Biblical law, it cannot be referring to minimum requirements; instead, it refers only to maximum limits.

8. The text should read: אֲבָל אָמְרוּ חֲכָמִים (*Rashi, Hagahos HaBach*).

9. The minimum requirements stipulated in our Mishnah for the *olas re'iyah* and *shalmei chagigah* are not Biblical, but Rabbinic (*Rashi*). Hence, the statement of the Mishnah in *Pe'ah,* "These are mitzvos that have no limit," means that – according to Biblical law – these mitzvos have neither a maximum nor a minimum limit [as explained above, notes 1-5] (*Rashi*).

10. Had the Mishnah said רְאִיָּיה, *re'iyah* we would have understood it as referring only to the value of the *olas re'iyah.* Instead, the Mishnah uses the word רְאָיוֹן, *re'ayon* (*appearance*), which also implies a reference to the mitzvah of appearing in the Temple Courtyard (*Rashi,* according to *Maharsha;* see also *Meiri;* cf. *Meromei Sadeh*). [R' Yochanan and Reish Lakish proceed to argue as to how this mitzvah is performed when it is done more than once during a single festival.]

11. R' Yochanan rules that one can perform the mitzvah of *re'iyah* [again and again] simply by appearing in the Temple Courtyard during the festival, even without an offering (*Rashi*). [According to R' Yochanan, the obligation to bring an *olas re'iyah* applies the first time one appears in the Courtyard (*Tosafos*), and each time one appears there on the first day of the festival (see Gemara below and note 13; cf. *Meromei Sadeh*).]

12. Reish Lakish maintains that one must bring an *olas re'iyah* every time he appears in the Courtyard during a festival [even after the first day] (*Rashi*).

According to both R' Yochanan and Reish Lakish, the Mishnah in *Pe'ah* means that the mitzvah of appearing in the Temple Courtyard does not have a minimum limit, for even a single appearance satisfies the obligation. It also lacks a maximum limit, inasmuch as each subsequent appearance is credited as a mitzvah. Their dispute concerns only the question of whether these subsequent visits must be accompanied by an offering.

13. That is, every time a pilgrim appears in the Courtyard on the first day of the festival, he must bring an *olas re'iyah.* [See below, 9a, where it is derived from the Torah that the first day is the basic time for bringing the *shalmei chagigah* and, by extension, the *olas re'iyah.*]

[For a different understanding of the Gemara, see *Sfas Emes* and *Meromei Sadeh* in explanation of *Rambam;* see also *Rabbeinu Chananel.*]

הפאה והבכורים והראיון וגמילות חסדים ותלמוד תורה א"ר יוחנן כסבורין אנו לומר הראיון אין לו שיעור למעלה אבל יש לו שיעור למטה עד שבא ר' אושעיא ברבי ולימד הראיון אין לו שיעור לא למעלה ולא למטה אבל חכמים אומרים הראייה מעה כסף והחגיגה שתי כסף מאי הראיון רבי יוחנן אמר ראיית פנים בעזרה וריש לקיש אמר ראיית פנים בקרבן בעיקר הרגל כולי עלמא לא פליגי דראיית פנים בקרבן כי פליגי בשאר ימות הרגל כל היכא דאתא ואייתי כולי עלמא לא פליגי דמקבלינן מיניה כי פליגי דאתא ולא אייתי דר' יוחנן סבר ראיית פנים בעזרה דכל אימת דאתי לא צריך לאתויי וריש לקיש אמר ראיית פנים בקרבן דכל אימת דאתי צריך לאתויי איתיביה ריש לקיש לרבי יוחנן ולא יראו פני ריקם אמר ליה בעיקר הרגל איתיביה ולא יראו פני ריקם בזבחים אתה אומר בזבחים או אינו אלא בעופות ומנחות ודין הוא נאמרה חגיגה להדיוט ונאמרה ראייה לגבוה מה חגיגה האמורה להדיוט זבחים אף ראייה האמורה לגבוה זבחים ומה הן זבחים עולות אתה אומר עולות או אינו אלא שלמים ודין הוא נאמרה חגיגה להדיוט ונאמרה ראייה לגבוה מה חגיגה האמורה להדיוט בראוי לו אף ראייה האמורה לגבוה בראוי לו וכן בדין שלא יהא שולחנך מלא ושולחן רבך ריקם א"ל בעיקר הרגל איתיביה ר' יוסי בר' יהודה אומר שלש רגלים בשנה נצטוו ישראל לעלות ברגל בחג המצות ובחג השבועות ובחג הסוכות ואין נראין ריקנים משום שנאמר כל זכורך ואין נראין ריקנים משום שנאמר ולא יראו פני ריקם א"ל בעיקר הרגל איתיביה ר' יוחנן לריש לקיש יראה יראה מה אני בחנם אף אתם בחנם אלא א"ל כל היכא דאתא ולא אייתי דכולי עלמא לא פליגי דעייל ומתחזי ונפיק כי פליגי דאתא ואייתי רבי יוחנן דאמר ראיית פנים בעזרה הוא דאין לה שיעור הא לקרבן יש לה שיעור וריש לקיש אמר ראיית פנים בקרבן דאפילו קרבן נמי אין לו שיעור איתיביה הוקר רגלך מבית רעך התם בחטאות ואשמות כדרבי לוי דרבי לוי רמי כתיב הוקר רגלך מבית רעך וכתיב אבוא ביתך בעולות לא קשיא כאן בחטאות ואשמות כאן בעולות ושלמים תניא נמי הכי הוקר רגלך מבית רעך בחטאות ואשמות הכתוב מדבר אתה אומר בחטאות ואשמות או אינו אלא בעולות ושלמים כשהוא אומר אבוא ביתך בעולות אשלם לך נדרי הרי עולות ושלמים אמור הא מה אני מקיים הוקר רגלך מבית רעך בחטאות ואשמות הכתוב מדבר: ואין נראין חצאין כו': סבר רב יוסף למימר מאן דאית ליה עשרה בנים לא ליסקו האידנא חמשה ולמחר חמשה א"ל

רש"י

הפאה. לא נתנה בו תורה שיעור (ד) ואע"פ שאין לפאה שיעור נתנו בו חכמים שיעור אחד מששים: וכן הבכורים. ולוקחת מראשית כל פרי האדמה (דברים כו) ולא נאמר כמה: והראיון. לקמן מפרש: אמר רבי יוחנן כסבורין היינו לפרש. האי אין לו שיעור דקתני הכא: אין להן שיעור למעלה. שיביא כמה שירצה: אבל למטה יש לו שיעור. שלא לפחות ממעה כסף כמו ששנינו במשנתינו והיינו סבורין דשיעור דאורייתא הוא: עד שבא ר' אושעיא ברבי ולימד. ברבי גדול בדורו: ולימד שאין לו שיעור לא למטה ולא למעלה. מן התורה: אבל חכמים כו'. כלומר שיעור מעה כסף ושתי כסף האמור במשנתינו בראייה ובחגיגה מדברי חכמים הוא. אבל אמרו חכמים גרסינן: מאי הראיון. ולא תנא הראייה ליהוי משמע דמי עולה דאלו השתא לאו בדמים משמע אלא במצות ראיית פנים: רבי יוחנן אמר ראיית פנים בעזרה. כמה פעמים שהוא חפץ בא ומראה עצמו בעזרה ואין צריך להביא קרבן בכל ראייה וראייה: ראיית פנים בקרבן. וצריך להביא קרבן על כל פעם ופעם: בעיקר רגל. ביו"ט ראשון: בזבחים. צריך להביא קרבן בהמה הזבוחים בסכין ולא עולת העוף שהיא נמלקת: נאמרה חגיגה ברגל. למאכל הדיוט: ונאמרה ראייה לגבוה. דהא לא יראו פני דכתיב משמע לגורלי אני שואל: מה חגיגה האמורה להדיוט זבחים. של בהמה דכתיב לא ילין חלב חגי עד בקר (שמות כג) במידי דאית ליה חלב הקרב לגבוה קאמר: ואין נראין חצאין. מפרש לקמן: (ה) בחטאות ואשמות. שלא תחטא ותזקק להביא חטאת ואשם: מבית רעך. מבית אוהבך הקב"ה שקרא ישראל רעים שנאמר למען אחי ורעי (תהלים קכב): סבר רב יוסף למימר כו'. דלאו הכי מאי אין נראין חלאין דיליף מכל זכורך אי שלא יהיו חלין עולין מזכורך נפקא שהרי כל הזכרים בכלל זכורך:

תוספות

והבכורים אין לו שיעור לא למעלה ולא למטה. הדר פריך בירושלמי רבי ברכיה בעי למה לא תנינן עפר לסוטה ואפר פרה רוק יבמה דם לפור של מצורע א"ר יוסי לא איירינן במתני' אלא לדברים שהוא מוסיף עליהן ויש בעשייתן מצוה ולאו אע"פ שמוסיף עליהן אין בעשייתן מצוה:

גמילות חסדים. בירושלמי הדא דתימא בגופו אבל בממונו יש לו שיעור וביקור חולים דאין לו שיעור כדאיתא בנדרים (דף לט:) הוי בכלל גמילות חסדים:

כסבורין אנו לומר דיש לו שיעור למטה. וסבירא ליה כאידך תנא בירושלמי דחשיב פאה דיש לה שיעור למטה:

רבי יוחנן אמר ראיית פנים בעזרה. דכיון דלאייתי (ו) בראייה הדא זימנא מיפטר בכך אם ירצה או יביא כמו שירצה אבל ראיית פנים בקרבן יש לו שיעור דסבירא ליה לרבי יוחנן מעה כסף ושתי כסף דאורייתא והכי איתא בירושלמי דמסכת פאה מתני' בראייה (ז) אבל בקרבן יש לו שיעור דא"ר יוחנן מעה כסף שתי כסף דאורייתא ועוד אמר במכילתין רבי יוחנן כדעתיה דאמר כל השיעורים הלכה למשה מסיני ואמר מעה כסף ושתי כסף דאורייתא וריש לקיש דמוקי לה בראיית פנים בקרבן סבירא ליה כר' (ג) יהושע דאמר מעה כסף שתי כסף דרבנן וכן אמר התם לא יראו פני (ח) כל שהוא אבל חכמים נתנו להם שיעור מעה כסף שתי כסף ומיהו הש"ס שלנו לא נחית להכי אלא להך לישנא קמא משמע דבעי למימר דמתניתין מיירי אף במועד הלכך לא מצי לאוקמי בראיית קרבן דאז לא מיחייב כלל להביא אבל בראיית פנים מיחייב לבוא הדא זימנא ואם (זה) והלכה אין לו שיעור וריש לקיש אמר דמתני' נמי בראיית פנים בקרבן דמיחייב להביא ומ"מ צריך לומר דסבירא ליה כרבי יהושע כדפירשתי כדי שלא יהא שיעור כלל ולאידך לישנא דאתא ואייתי בו ביום קאמר דלא מקבלינן (ט) משום כל מוסיף כיון דכבר נפיק אבל למימר ולימא אותרא מצי להביא אם ירצה והא לא פטר ליה קרא מה אני בחנם רק בחיובא אבל אי מייתי שפיר מקבלינן וכן משמע לישנא דלעיל דאתא ולא אייתי בשאר יומי ולא פליג רבי יוחנן רק דלא מיחייב לאתויי אבל אי מייתי מקבלינן שפיר וריש לקיש לא איתותב אלא משום דמיחייב ולא מחייב ליה קרא ולא דמי האי יש לו שיעור להאי דירושלמי דהתם מלמטה מיירי (ז) ודחי) הקרבן אבל הכא קיימינן שיעור בהבאתו ואם נגוה להשוותם יחד הא לקרבן יש לו שיעור למטה כדאיתא בירושלמי וה"נ דין הוא שיש לו שיעור בהבאתו אי בעי מייתי אי מקבלינן מיניה או לא ומיהו לפי לשון הירושלמי לא ידענא היכי מוקי לה מתני' בראיית פנים בעזרה ולא בקרבן משום שיש לה שיעור כרבי יוחנן והא חשיב פאה שיש לה שיעור למטה ושמא דאיבעי לייתבו למתני' כדברי הכל אף כתנא דאמר פאה אין לה שיעור לא למעלה ולא למטה ומתוקמא בראיית פנים לחוד לרבי יוחנן כן נראה לי הפירוש דהך שמעתתא:

מביאין

עין משפט נר מצוה

כז א מיי' פ"א מהל' מתנות עניים הלכה טו סמג לאוין רפד:
כח ב מיי' פ"ב מהל' בכורים הלכה יז סמג עשין קלג:
כט ג מיי' פ"א מהלכות חגיגה הלכה ב סמג עשין רכט:
ל ד מיי' פ"ד מהלכות אבל הלכה א:
לא ה מיי' פ"א מהל' ת"ת הלכה ו טוש"ע י"ד סי' רמו סעיף ג:
לב ו ז מיי' פ"א מהל' חגיגה הלכה ב:
לג ח מיי' שם הל' א:
לד י כ מיי' שם הל' ב ופ"ב שם הלכה ו:

רבינו חננאל

דברים שאין להם שיעור הפאה והבכורים והראיון כו'. א"ר יוחנן בא ר' אושעיה ברבי ולימד הראיון אין לו שיעור לא למעלה ולא למטה. אבל חכמים אומרים הראיה מעה כסף והחגיגה שתי כסף. מאי הראיון ר' יוחנן אמר ראיית פנים בעזרה כלומר ביאתו ויציאתו בעזרה כמה פעמים אין לה שיעור. ר"ל אמר ראיית פנים בקרבן. ואמרינן בעיקר הרגל כלומר בתחלת הרגל בעת בואו להקביל פנים בעזרה דברי הכל ראיית [פנים] בקרבן כי פליגי בשאר ימות הרגל וכל עידן דמייתי ועייל כ"ע לא פליגי דמקבלין מיניה כי פליגי היכא דאתא בשאר ימות הרגל ולא אייתי ר' יוחנן אומר עייל דלא צריך לאתויי כל זמן דעייל ור' שמעון בן לקיש [אומר] לא עייל אלא אי מייתי קרבן בהדיה. ומותיב ר"ל והכתיב ולא יראו פני ריקם. ופריק ר' יוחנן ההוא בעיקר הרגל כי קאמרינן דלא צריך היכא דאייתי בעיקר הרגל ולא אייתי בשאר ימות הרגל. איתיביה לא יראו פני ריקם בזבחים אתה אומר בזבחים או אינו אלא בעופות ובמנחות ודין הוא נאמרה חגיגה להדיוט ונאמרה ראיה לגבוה כו' ופריק רבי יוחנן ההיא בעיקר הרגל וכן בהא דר' יוסי ב"ר יהודה והדר ר' יוחנן ומותיב ליה לר"ל כתיב יראה יראה מה אני בחנם אף אתם בחנם. ופרקינן אלא לעולם בעו לאתויי דהא כתיב לא יראו פני ריקם (א) וכל היכא דאתא ולא אייתי אע"ג דבעי כ"ע לא פליגי דעייל בעזרה ומתחזי ונפיק כי פליגי דאתא ואייתי בעיקר הרגל. ר' יוחנן אומר תוב לא מייתי דראיית פנים בעזרה הוא דאין לו שיעור אבל אימת דאתי עייל אבל ראית קרבן יש לה שיעור וכיון דאייתי אי מייתי אחריתי לא מקבלינן מיניה ומותיב ר' יוחנן והכתיב הוקר רגלך מבית רעך כלומר אל תרבה להראות לו פניך ופריק ר"ל התם בחטאות ואשמות כלומר הזהר בעצמך ואל תחטא בכל יום ולהביא חטאת ואשם וכדר' לוי דאמר כתוב אחד אומר אבוא ביתך בעולות וכתוב אחר אומר הוקר רגלך מבית רעך ומשני לא קשיא הא בעולות ושלמים הא בחטאות ואשמות. תניא נמי

חשק שלמה על ר"ח א) דברי רבינו אלו אינם עולים לפי סוגיית הגמ' ואולי דגירסא אחרת היה לו וצ"ע.

מסורת הש"ס

א) [ביצה כ:], ב) [עי' תוספות ב"ב קנד: ד"ה ברס ותוספות בכורות ד: ד"ה אלא], ג) [צ"ל אושעיא], ד) [צ"ל ודמי].

הגהות הב"ח

(א) גמ' אבל אמרו חכמים הראייה: (ב) שם בעיקר הרגל איתיביה ר"ל לר"י ר' יוסי בר' יהודה: (ג) שם איתיביה ר' יוחנן לריש לקיש יראה יראה מה אני: (ד) רש"י ד"ה הפאה וכו' אע"פ שיש לפאה שיעור חכמים נתנו בו שיעור: (ה) רש"י ד"ה ואין נראין וכו' לקמן הס"ד ואח"כ מה"ד מבית רעך וכו' אחי ורעי הס"ד ואח"כ מה"ד בחטאות וכו' ואשם הס"ד ואח"כ מה"ד סבר רב: (ו) תוס' ד"ה ר' יוחנן וכו' דכיון דלאייתי קרבן בראייה: (ז) בא"ד מתני' בראיית פנים אבל בראיית קרבן יש לו: (ח) בא"ד לא יראו פני ריקם אפילו כל שהוא: (ט) בא"ד דלא מקבלינן מיניה טפי משום בל תוסיף וכו' אם ירצה דהא לא פטר וכו' דלא פליג ר' יוחנן וכו' יש לו שיעור היינו יש לו שיעור למטה כדאיתא בירושלמי וכו' שיעור להבאתו:

גליון הש"ס

גמרא כל היכא דאתא. כעין זה שבת דף כ ע"א ועיין בתוספות שם ד"ה אלא אי אתמר:

הגהות מהר"ב רנשבורג

א] גמרא אף אתם בחנם. נ"ב עי' טורי אבן:

תורה אור השלם

א) אֶת חַג הַמַּצּוֹת תִּשְׁמֹר שִׁבְעַת יָמִים תֹּאכַל מַצּוֹת כַּאֲשֶׁר צִוִּיתִךָ לְמוֹעֵד חֹדֶשׁ הָאָבִיב כִּי בוֹ יָצָאתָ מִמִּצְרָיִם וְלֹא יֵרָאוּ פָנַי רֵיקָם: [שמות כג, טו]

ב) שָׁלוֹשׁ פְּעָמִים בַּשָּׁנָה יֵרָאֶה כָל זְכוּרְךָ אֶת פְּנֵי יְיָ אֱלֹהֶיךָ בַּמָּקוֹם אֲשֶׁר יִבְחָר בְּחַג הַמַּצּוֹת וּבְחַג הַשָּׁבֻעוֹת וּבְחַג הַסֻּכּוֹת וְלֹא יֵרָאֶה אֶת פְּנֵי יְיָ רֵיקָם: [דברים טז, טז]

ג) הֹקַר רַגְלְךָ מִבֵּית רֵעֶךָ פֶּן יִשְׂבָּעֲךָ וּשְׂנֵאֶךָ: [משלי כה, יז]

ד) אָבוֹא בֵיתְךָ בְעוֹלוֹת אֲשַׁלֵּם לְךָ נְדָרָי: [תהלים סו, יג]

ליקוטי רש"י

והראיון. מפרש בגמ' דחגיגה (דף ז.) דכל כמה דבעי לאתחזויי בעזרה ברגל מיתחזי ומייתי קרבן עולת ראיה וגם הקרבן אין שיעורא לדמים אם מרובה אם מועט מן התורה אבל חכמים אמרו הראיה מעה כסף והחגיגה שתי כסף [חולין קלז:]. ולא יראו פני ריקם. כשתבואו לראות פני ברגלים הביאו לי עולות (חגיגה ז) [שמות כג, טו]. הוקר רגלך. כשם שאם מלאת דבש והוא מתוק לחכך אתה צריך שלא תאכל ממנו פן תשבענו והקאתו כך הוקר רגלך מבית רעך אע"פ שהוא מקרבן מנע מלבא שם יום יום פן ישבעך וישנא אותך. ולענין מדרשו אל תהי רגיל לחטוא שוגג ולהביא תמיד חטאות ואשמות לבית ה' שנקרא רע לישראל דכתי' זה דודי וזה רעי [משלי כה, יז]. אבא ביתך. בבנותך בית המקדש נשלם נדרינו שנדרנו בגולה [תהילים סו, יג]. האידנא. עכשיו [סוכה יח.].

A further qualification:

כָּל הֵיכָא דְּאָתָא וְאַיְיתֵי – Furthermore, **whenever one comes** into the Courtyard on the subsequent days of the festival **and brings** an offering, **כּוּלֵּי עָלְמָא לֹא פְּלִיגֵי דִּמְקַבְּלִינַן מִינֵּיהּ** – **everyone agrees that we accept** it **from him.**[14] **כִּי פְּלִיגֵי** – **Where do they disagree?** **דְּאָתָא וְלֹא אַיְיתֵי** – **Where he comes** into the Courtyard on the subsequent days of the festival **and does not bring** an offering. **דְּרַבִּי יוֹחָנָן סָבַר** – **R' Yochanan maintains** that **רְאִיַּית פָּנִים בַּעֲזָרָה** – the mitzvah is simply **appearing in the Courtyard;** **דְּכָל אֵימַת דְּאָתֵי לֹא צָרִיךְ לְאַתּוּיֵי** – **thus, whenever one comes** into the Courtyard **he need not bring** an offering. **רֵישׁ לָקִישׁ אָמַר** – But **Reish Lakish says** that **רְאִיַּית פָּנִים בְּקָרְבָּן** – the mitzvah is **appearing** in the Courtyard **with an offering;** **דְּכָל אֵימַת דְּאָתֵי צָרִיךְ לְאַתּוּיֵי** – **thus, whenever one comes** into the Courtyard **he must bring** an offering.

R' Yochanan's view is challenged:

אֵיתִיבֵיהּ רֵישׁ לָקִישׁ לְרַבִּי יוֹחָנָן – **Reish Lakish challenged R' Yochanan** on the basis of the following verse: **"וְלֹא־יֵרָאוּ פָנַי רֵיקָם"** – ***they shall not appear before Me empty-handed.***[15] The Torah commands us not to appear in the Temple without an offering![16] – ? –

R' Yochanan answers:

אָמַר לֵיהּ – **He said to [Reish Lakish]:** **בְּעִיקַּר הָרֶגֶל** – That verse refers **to the main part** (i.e. the first day) **of the festival.** Only then is one required to bring an offering every time he appears in the Temple, but not on subsequent days.

Another challenge to R' Yochanan based on the same verse:

אֵיתִיבֵיהּ – **[Reish Lakish] challenged [R' Yochanan]** from the following, extensive Baraisa: **"וְלֹא־יֵרָאוּ פָנַי רֵיקָם"** – The Torah's commandment: ***THEY SHALL NOT APPEAR BEFORE ME EMPTY-HANDED,*** **בִּזְבָחִים** – is fulfilled **BY** bringing **[OFFERINGS] THAT ARE SLAUGHTERED,** i.e. animals.[17]

The Baraisa proves this assertion:

אַתָּה אוֹמֵר בִּזְבָחִים – **YOU SAY** that the obligation is fulfilled only **WITH [OFFERINGS] THAT ARE SLAUGHTERED,** i.e. animals, **אוֹ אֵינוֹ** – **OR** perhaps this is **NOT SO;** **אֶלָּא בְּעוֹפוֹת וּמְנָחוֹת** – **RATHER,** it can be fulfilled even **WITH BIRDS AND MEAL OFFERINGS?** **וְדִין הוּא** – **HOWEVER, LOGIC DICTATES** that animals are required, **נֶאֶמְרָה חֲגִיגָה לְהֶדְיוֹט** – for **THE *CHAGIGAH* OFFERING WAS PRESCRIBED** by the Torah **FOR THE ORDINARY PERSON** on the festivals, **וְנֶאֶמְרָה רְאִיָּיה לַגָּבוֹהַּ** – **AND THE *RE'IYAH* OFFERING WAS PRESCRIBED** by the Torah **FOR THE MOST HIGH** on the festivals.[18] An analogy may be drawn between these offerings,[19] from which we can infer that **מַה חֲגִיגָה הָאֲמוּרָה לְהֶדְיוֹט זְבָחִים** – **JUST AS THE *CHAGIGAH* PRESCRIBED FOR THE ORDINARY PERSON** must consist of **[OFFERINGS] THAT ARE SLAUGHTERED,** i.e. animals,[20] **אַף רְאִיָּיה הָאֲמוּרָה לַגָּבוֹהַּ זְבָחִים** – **SO TOO, THE *RE'IYAH* PRESCRIBED FOR THE MOST HIGH** must consist of **[OFFERINGS] THAT ARE SLAUGHTERED,** i.e. animals.

The Baraisa introduces another point:

וּמַה הֵן זְבָחִים – **AND WHAT ARE THESE [OFFERINGS] THAT ARE SLAUGHTERED?** I.e. to which sacrificial class do the *re'iyah* offerings belong? **עוֹלוֹת** – They are ***OLAH* OFFERINGS.**

This point is proved:

אַתָּה אוֹמֵר עוֹלוֹת – **YOU SAY** that they are ***OLAH* OFFERINGS,** **אוֹ אֵינוֹ** – **OR** perhaps this is **NOT SO,** **אֶלָּא שְׁלָמִים** – **RATHER,** they are ***SHELAMIM.*** **וְדִין הוּא** – **HOWEVER, LOGIC DICTATES** that they are *olah* offerings, **נֶאֶמְרָה חֲגִיגָה לְהֶדְיוֹט** – for **THE *CHAGIGAH* WAS PRESCRIBED** by the Torah **FOR THE ORDINARY PERSON** on the festivals, **וְנֶאֶמְרָה רְאִיָּיה לַגָּבוֹהַּ** – **AND THE *RE'IYAH* WAS PRESCRIBED** by the Torah **FOR THE MOST HIGH** on the festivals. The analogy between these offerings teaches that **מַה חֲגִיגָה הָאֲמוּרָה לְהֶדְיוֹט** – **JUST AS THE *CHAGIGAH* PRESCRIBED FOR THE ORDINARY PERSON** **בָּרָאוּי לוֹ** – consists **OF [AN OFFERING] THAT IS FITTING FOR HIM,** i.e. a *shelamim,* which is eaten by man, **אַף רְאִיָּיה הָאֲמוּרָה לַגָּבוֹהַּ** – **SO TOO, THE *RE'IYAH* PRESCRIBED FOR THE MOST HIGH** **בָּרָאוּי לוֹ** – must consist **OF [AN OFFERING] THAT IS FITTING FOR *HIM,*** i.e. an *olah,* which is burned on the Altar. **וְכֵן בְּדִין** – **AND THIS IS REASONABLE,** **שֶׁלֹּא יְהֵא שׁוּלְחָנְךָ מָלֵא** – **BECAUSE YOUR TABLE SHOULD NOT BE FULL** **וְשׁוּלְחַן רַבְּךָ רֵיקָם** – **WHILE YOUR MASTER'S TABLE IS EMPTY.** This Baraisa appears to support Reish Lakish's view that one must bring an *olas re'iyah* every time he visits the Temple on a festival.[21] – ? –

R' Yochanan answers:

אָמַר לֵיהּ – **He said to [Reish Lakish]:** **בְּעִיקַּר הָרֶגֶל** – Here too, the reference is only **to the main part** (i.e. the first day) **of the festival.**[22]

A third challenge to R' Yochanan:

אֵיתִיבֵיהּ – **[Reish Lakish] challenged [R' Yochanan]** from the following Baraisa: **רַבִּי יוֹסֵי בְּרַבִּי יְהוּדָה אוֹמֵר** – **R' YOSE THE SON OF R' YEHUDAH SAYS:** **שָׁלֹשׁ רְגָלִים בַּשָּׁנָה** – There are **THREE FESTIVALS IN THE YEAR** **נִצְטַוּוּ יִשְׂרָאֵל לַעֲלוֹת בָּרֶגֶל** – when **THE JEWS ARE COMMANDED TO ASCEND** to the Temple in Jerusalem

NOTES

14. Although, according to R' Yochanan, he was not obligated to bring the offering, he is nevertheless allowed to do so. This is not considered a violation of the commandment בַּל תּוֹסִיף, *do not add,* which forbids one to increase the requirements set by the Torah [e.g. wearing tefillin with five compartments instead of four] (*Meiri;* see note 31; see also *Tosafos* ד"ה רבי יוחנן).

15. *Exodus* 23:15. This is one of the sources for the mitzvah of offering the *olas re'iyah.*

16. [See *Siach Yitzchak,* who explains why Reish Lakish reasoned that although this verse was certainly known by R' Yochanan, it would nevertheless refute R' Yochanan's view.]

17. I.e. the *re'iyah* must be an animal offering and not a bird offering or a *minchah* (whose main ingredient is flour).

The Baraisa's word זְבָחִים literally means *things that are slaughtered with a knife* (i.e. through *shechitah*). Thus, it denotes only animals, which are killed by *shechitah,* as opposed to bird offerings, which are killed through the process known as מְלִיקָה, *melikah* [in which the Kohen severs the bird's neck with his fingernail] (*Rashi;* cf. *Rambam, Hil. Chagigah* 1:1 with *Kesef Mishneh*).

18. By stating *they shall not appear before* **Me** *empty-handed,* the Torah implies that the required sacrifice [the *re'iyah* offering] serves to fulfill God's "needs" (*Rashi*).

19. Both are obligatory offerings that pilgrims bring on the festivals: One is for human consumption and the other is for consumption on the Altar.

20. This law is derived from the verse (*Exodus* 23:18): וְלֹא־יָלִין חֵלֶב־חַגִּי עַד־בֹּקֶר, *the fat of My chagigah shall not be left overnight until morning,* rather, it must be put on the Altar before daybreak. Evidently, the *chagigah* has fat that is burned on the Altar [thus, it must be an animal, and not a bird, for birds have no fat burned on the Altar] (*Rashi;* see below, 10b; cf. *Rambam* ibid.; see also *Rashash* in the name of *Tos. Yom Tov*).

21. The Baraisa's final words, "your table should not be full while your Master's table is empty," imply that *every* day of the festival, when the pilgrim's table is presumably laden with the meat of *shalmei simchah,* he is obligated to reciprocate and provide the Altar with an *olas re'iyah* whenever he visits the Temple (*Siach Yitzchak;* see *Chidushei R' Akiva Eiger;* cf. *Meiri*).

22. R' Yochanan interprets the statement, "your table should not be full while your Master's table is empty," as referring only to the *first* day of the festival, when the *shalmei chagigah* is offered. It does not refer to the following days, when one may bring *shalmei simchah;* see *Siach Yitzchak* for the reason.

אין לו שיעור לא למעלה ולא למטה. הדר פריך **והבכורים** ירושלמי רבי ברכיה בעי למה לא תנינן עפר לסוטה אפר פרה רוק יבמה דם לצפור של מצורע א"ר יוסי לא איתינן במתני' אלא לדברים שהוא מוסיף עליהן ויש בעשייתן מצוה ואלו אע"פ שמוסיף עליהן אין בעשייתן מצוה. **גמילות** חסדים. בירושלמי הדא דאמא בגופו אבל בממונו יש לו שיעור וביקור חולים דאין לו שיעור כדאיתא בנדרים (דף לט:) הוי בכלל גמילות חסדים: **כסבורין** אנו לומר דיש לו שיעור למטה. וסבירא ליה כאידך תנא בירושלמי דחשיב פאה דיש לה שיעור למטה:

רבי יוחנן אמר ראיית פנים בעזרה. דכיון דלראייה (ו) בראייה הדא זימנא מיפטר בכך אם ירצה או יביא כמו שירצה אבל ראיית פנים בקרבן יש לו שיעור דסבירא ליה לרבי יוחנן מעה כסף ושתי כסף דאורייתא והכי איתא בירושלמי דמסכת פאה מתני' בראייה (ז) אבל בקרבן יש לו שיעור דא"ר יוחנן מעה כסף שתי כסף דאורייתא ועוד אמר במכילתין רבי יוחנן כדעתיה דאמר כל השיעורים הלכה למשה מסיני ואמר מעה כסף ושתי כסף דאורייתא וריש לקיש דמוקי לה בראיית פנים בקרבן סבירא ליה כר' (ג) יהושע דאמר מעה כסף שתי כסף דרבנן וכן אמר התם לא יראו פני (ח) כל שהוא אבל חכמים נתנו להם שיעור מעה כסף שתי כסף ומיהו הש"ס שלנו לא נחית להכי אלא להך לישנא קמא משמע דבעי למימר דמתניתין איירי אף במועד הלכך לא מצי לאוקמי בראיית קרבן דהא לא מיחייב כלל להביא אבל בראיית פנים מיחייב לבוא הדא זימנא ומשם (זה) והלכה אין לו שיעור וריש לקיש אמר דמתני' נמי בראיית פנים בקרבן דמיחייב להביא ומ"מ לריך לומר דסבירא ליה כרבי יהושע דלפירשתי כדי שלא יהא שיעור כלל ולאידך לישנא דאתא ולאייתי בו ביום קאמר דלא מקבלינן (ט) משום כל תוסיף כיון דכבר נפיק אבל למחר וליומא אוחרא מצי להביא אם ירצה והא לא פטר ליה קרא מה אני בחנם רק בחיובא אבל אי מייתי שפיר מקבלינן וכן משמע לישנא דלעיל דאתא ולא אייתי בשאר יומי ולא פליג רבי יוחנן רק דלא מיחייב לאתויי אבל אי מייתי מקבלינן שפיר וריש לקיש לא איתותב אלא משום דמיחייב ולא מחייב ליה קרא ולא דמי האי יש לו שיעור להההיא דירושלמי דהתם מלמטה מיירי (ד) (ודחי) הקרבן אבל הכא קיימינן שיעור בהבאתו ואם נבוא להשוותם יחד הא לקרבן יש לו שיעור למטה כדאיתא בירושלמי וה"נ דין הוא שיש לו שיעור בהבאתו אי בעי מייתי אי בעי לא מייתי מיניה אי לא ומיהו לפי לשון הירושלמי לא ידענא היכי מוקי לה מתני' בראיית פנים בעזרה ולא בקרבן משום שיש לה שיעור כרבי יוחנן ולא חשיב פאה שיש לה שיעור למטה ומה דאיבעי לייש לייש למתני' כדברי הכל אף כתנא דאמר פאה אין לה שיעור לא למעלה ולא למטה ומתוקמא בראיית פנים לחוד לרבי יוחנן כן נראה לי הפירוש דהך שמעתתא: מביאין

הפאה. לא נתנה בו תורה שיעור (ד) ואע"פ שאין לפאה שיעור נתנו בו חכמים שיעור אחד מששים: **ובן הבכורים.** ולקמת מרלאשית כל פרי האדמה (דברים כו) ולא נאמר כמה: **והראיון.** לקמן מפרש: **אמר רבי יוחנן כסבורין היינו לפרש.** הא דאין לו שיעור דקתני הכל: **אין להן שיעור למעלה.** שיכול כמה שירצה: **אבל למטה יש לו שיעור.** שלא לפחות ממעה כסף כמו ששנינו במשנתינו והיינו סבורין דשיעור דאורייתא הוא: **עד שבא ר' אושעיא ברבי ולימד.** ברבי גדול בדורו: **ולימד שאין לו שיעור לא למטה ולא למעלה.** מן התורה: **אבל חכמים כו'.** כלומר שיעור מעה כסף ושתי כסף האמור במשנתינו בראייה ובחגיגה מדברי חכמים הוא. **אבל אמרו חכמים גרסינן: מאי הראיון.** ולא תנא הראייה דליהוי משמע דמי עולה דאלו הראייה ליעו דמים משמע אלא במלות ראיית פנים: **רבי יוחנן אמר ראיית פנים בעזרה.** כמה פעמים שהוא חפץ בא ומראה עצמו בעזרה ואין לריך להביא קרבן בכל ראייה וראייה: **ראיית פנים בקרבן.** ולריך להביא קרבן על כל פעם ופעם: **בעיקר רגל.** ביו"ט ראשון: **בזבחים.** לריך להביא קרבן בהמה הזבוחים בסכין ולא עולת העוף שהיא נמלקת: **נאמרה חגיגה ברגל.** למאכל הדיוט: **ונאמרה ראייה לגבוה.** דהא לא יראו פני דכתיב משמע לגורכי אני שואל: **מה חגיגה האמורה להדיוט זבחים.** של בהמה דכתיב לא ילין חלב חגי עד בקר (שמות כג) במידי דאית ליה חלב הקרב לגבוה קאמר: **ואין נראין חצאין.** מפרש לקמן: (ה) **בחטאות ואשמות.** שלא תחטא ותזקק להביא חטאת ואשם: **מבית רעך.** מבית אוהבך הקב"ה שקרא ישראל רעים שנאמר למען אחי ורעי (תהלים קכב): **סבר רב יוסף למימר כו'.** דאי לאו הכי מאי אין נראין חצאין דיליף מכלל זכורך אי שלא יהיו חציין עולין מזכורך נפקא שהרי כל הזכרים בכלל זכורך: א"ל

מתני' **א** הפאה **ב** והבכורים **ג** והראיון **ד** וגמילות חסדים **ה** ותלמוד תורה א"ר יוחנן כסבורין אנו לומר הראיון אין לו שיעור למעלה אבל יש לו שיעור למטה עד שבא ר' אושעיא ברבי ולימד הראיון **ו** אין לו שיעור לא למעלה ולא למטה **ז** אבל (א) חכמים אומרים הראייה מעה כסף והחגיגה שתי כסף מאי הראיון רבי יוחנן אמר ראיית פנים בעזרה וריש לקיש אמר ראיית פנים בקרבן **ח** בעיקר הרגל כולי עלמא לא פליגי דראיית פנים בקרבן כי פליגי בשאר ימות הרגל כל היכא דאתא ואייתי כולי עלמא לא פליגי דמקבלינן מיניה כי פליגי דאתא ולא אייתי דר' יוחנן סבר ראיית פנים בעזרה דכל אימת דאתי לא צריך לאתויי ריש לקיש אמר ראיית פנים בקרבן דכל אימת דאתי צריך לאתויי איתיביה ריש לקיש לרבי יוחנן **א)** ולא יראו פני ריקם אמר ליה בעיקר הרגל איתיביה ולא יראו פני ריקם בזבחים אתה אומר בזבחים או אינו אלא בעופות ומנחות ודין הוא נאמרה חגיגה להדיוט ונאמרה ראייה לגבוה מה חגיגה האמורה להדיוט זבחים אף ראייה האמורה לגבוה זבחים ומה הן זבחים **ט** עולות אתה אומר עולות או אינו אלא שלמים ודין הוא נאמרה חגיגה להדיוט ונאמרה ראייה לגבוה מה חגיגה האמורה להדיוט בראוי לו אף ראייה האמורה לגבוה בראוי לו **י** וכן בדין שלא יהא שולחנך מלא ושולחן רבך ריקם א"ל בעיקר הרגל איתיביה (ג) ר' יוסי בר' יהודה אומר שלש רגלים בשנה נצטוו ישראל לעלות ברגל בחג המצות ובחג השבועות ובחג הסוכות ואין נראין חצאין משום שנאמר **ב)** כל זכורך ואין נראין ריקנים משום שנאמר ולא יראו פני ריקם א"ל בעיקר הרגל איתיביה ר' יוחנן לריש לקיש (ג) יראה יראה מה אני בחנם **יא** אף אתם בחנם **כ** אלא **ל** כל היכא דאתא ולא אייתי דכולי עלמא לא פליגי דעייל ומתחזי ונפיק כי פליגי דאתא ואייתי רבי יוחנן דאמר ראיית פנים בעזרה הוא דאין לה לקרבן יש לה שיעור וריש לקיש אמר **מ** ראיית פנים בקרבן **נ** דאפילו קרבן נמי אין לו שיעור איתיביה **ג)** הוקר רגלך מבית רעך התם בחטאות ואשמות כדרבי לוי דרבי לוי רמי כתיב הוקר רגלך מבית רעך וכתיב **ד)** אבא ביתך בעולות לא קשיא כאן בחטאות ואשמות כאן בעולות ושלמים תניא נמי הכי הוקר רגלך מבית רעך בחטאות ואשמות הכתוב מדבר אתה אומר בחטאות ואשמות או אינו אלא בעולות ושלמים כשהוא אומר אבוא ביתך בעולות אשלם לך נדרי הרי עולות ושלמים אמור הא מה אני מקיים הוקר רגלך מבית רעך בחטאות ואשמות הכתוב מדבר: ואין נראין חצאין כו': סבר רב יוסף למימר מאן דאית ליה עשרה בנים לא ליסקו האידנא חמשה ולמחר חמשה א"ל

רש"י (המשך): אין שיעורה למים אם מרובה אם מועט מן התורה אבל חכמים אמרו הראייה מעה כסף והחגיגה שתי כסף [חולין קלז:]. **ולא יראו פני ריקם.** כשתבואו לראות פני ברגלים הביאו לי עולות (חגיגה ז) [שמות כג, טו]. **הוקר רגלך.** כשם שאם מלאת דבש ויהא מתוק לחכך לריך שלא תאכל ממנו פן תשבענו והקאתו כך הוקר רגלך מבית רעך אע"פ שהוא מקרבך מנע מלבא שם יוס יוס פן ישבעך ושנאך אותך. ולענין מדרשו אל תהי רגיל לחטוא שוגג ולהביא תמיד חטאות ואשמות לבית ה' שנקרא רע לישראל דכתיב רעך ורע אביך. אביך זה דודי וזה רעי [משלי כה, יז]. **אבא ביתך.** בנותך בית המקדש נשלם נדרינו שנדרנו בגולה [תהלים סו, יג]. **האידנא.** עכשיו [סוכה יח.].

הזהר בעצמך ואל תחטא בכל יום ולהביא חטאת ואשם וכדר' לוי דאמר כתוב אחד אומר אבוא ביתך בעולות וכתוב אחד אומר הוקר רגלך מבית רעך ומשני לא קשיא הא בעולות ושלמים אבוא ביתך והא דכתב הוקר רגלך בחטאות ואשמות. תניא נמי

חשק שלמה על ר"ח א) דברי רבינו אלו אינם עולים לפי סוגיית הגמ' ואולי דגירסא אחרת היה לו וצ"ע.

מסורת הש"ס

א) [פאה פ"א מ"א], ב) [ע' תוספות ב"ב קנד: ד"ה ברם ותוספות בכורות ד: ד"ה אלא], ג) [ע"ל אושעיה], ד) [צ"ל ודמי].

הגהות הב"ח

(א) גמ' אבל אמרו חכמים הראייה: (ב) שם בעיקר הרגל איתיביה ר"ל לר"י ר' יוסי בר' יהודה: (ג) שם איתיביה ר' יוחנן לריש לקיש יראה יראה מה אני: (ד) רש"י ד"ה הפאה וכו' אע"פ שאין לפאה שיעור חכמים נתנו בו שיעור: (ה) רש"י ד"ה ואין נראין וכו' לקמן הס"ד ואח"כ מה"ד בחטאות ואשמות. ההחלת הרש"י מכלל זכורך הס"ד ואח"כ מה"ד מבית רעך וכו' ואחי וריעי הס"ד ואח"כ מה"ד בחטאות וכו' ואלו הס"ד ואח"כ מה"ד סבר רב: (ו) תוס' ד"ה ר' יוחנן וכו' דכיון דלאייתי קרבן בראייה: (ז) באד"ה מתני' בראייה פנים אבל בקרבן יש לו: (ח) באד"ה וכן פני ריקס אפילו כל שהוא: (ט) באד"ה דלא מקבלינן מיניה מפני משום בל תוסיף וכו' אם ירצה דהא לא פטר ליה ר' יוחנן וכו' יש לו שיעור למטה כדאיתא בירושלמי וכו' שיעור להבאתו:

גליון הש"ס

גמרא כל היכא דאתא. כעין זה שבת דף ג ע"א ועיין בתוספות שם ד"ה אלא אי אתמר:

הגהות מהר"ב רנשבורג

א] גמרא אף אתם בחנם. נ"ב ע' טורי אבן:

תורה אור השלם

א) אֶת חַג הַמַּצּוֹת תִּשְׁמֹר שִׁבְעַת יָמִים תֹּאכַל מַצּוֹת כַּאֲשֶׁר צִוִּיתִךָ לְמוֹעֵד חֹדֶשׁ הָאָבִיב כִּי בוֹ יָצָאתָ מִמִּצְרָיִם וְלֹא יֵרָאוּ פָנַי רֵיקָם: [שמות כג, טו]

ב) שָׁלוֹשׁ פְּעָמִים בַּשָּׁנָה יֵרָאֶה כָל זְכוּרְךָ אֶת פְּנֵי יְיָ אֱלֹהֶיךָ בַּמָּקוֹם אֲשֶׁר יִבְחָר בְּחַג הַמַּצּוֹת וּבְחַג הַשָּׁבֻעוֹת וּבְחַג הַסֻּכּוֹת וְלֹא יֵרָאֶה אֶת פְּנֵי יְיָ רֵיקָם: [דברים טז, טז]

ג) הֹקַר רַגְלְךָ מִבֵּית רֵעֶךָ פֶּן יִשְׂבָּעֲךָ וּשְׂנֵאֶךָ: [משלי כה, יז]

ד) אָבוֹא בֵיתְךָ בְעוֹלוֹת אֲשַׁלֵּם לְךָ נְדָרָי: [תהלים סו, יג]

ליקוטי רש"י

והראיון. מפרש בגמ' דחגיגה (דף ז) דלל כמה דבעי למחזי בעזרה ברגל מיחזי ומייתי קרבן עולת ראייה וגם הקרבן

עין משפט נר מצוה

כז א מיי' פ"א מהל' מתנות עניים הלכה טו סמג לאוין רפד:
כח ב מיי' פ"ב מהל' בכורים הלכה יז סמג עשין קלג:
כט ג מיי' פ"א מהלכות חגיגה הלכה ב סמג עשין רכח:
ל ד מיי' פי"ד מהלכות אבל הלכה א:
לא ה מיי' פ"א מהל' ת"ת הלכה י טוש"ע י"ד סי' רמו סעיף ג:
לב ו ז מיי' פ"א מהל' חגיגה הלכה ב:
לג ח ט מיי' שם הל' א:
לד י כ מיי' שם הל' ב ופ"ב שם הלכה ו:

רבינו חננאל

דברים שאין להם שיעור הפאה והבכורים והראיון כו'. א"ר יוחנן בא ר' אושעיה ברבי ולימד הראיון אין לו שיעור לא למעלה ולא למטה. אבל חכמים אומרים הראיה מעה כסף וחגיגה שתי כסף. מאי הראיון ר' יוחנן אמר ראיית פנים בעזרה כלומר ביאתו ויציאתו בעזרה כמה פעמים אין לה שיעור. ר"ל אמר ראיית פנים בקרבן. ואמרינן בעיקר הרגל כלומר בתחלת הרגל בעת בואו להקביל פנים בעזרה דברי הכל ראיית [פנים] בקרבן כי פליגי בשאר ימות הרגל וכל עידן דמייתי ועייל כ"ע לא פליגי דמקבלין מיניה כי פליגי היכא דאתא בשאר ימות הרגל ולא אייתי ר' יוחנן אומר עייל דלא צריך לאתויי כל זמן דעייל ור' שמעון בן לקיש [אומר] לא עייל אלא אי מייתי קרבן בהדיה. ומותיב ר"ל והכתיב ולא יראו פני ריקם. ופריק ר' יוחנן ההוא בעיקר הרגל כי קאמרינן דלא צריך היכא דאייתי בעיקר הרגל ולא אייתי בשאר ימות הרגל. איתיביה לא יראו פני ריקם בזבחים אתה אומר בזבחים או אינו אלא בעופות ובמנחות ודין הוא נאמרה חגיגה להדיוט ונאמרה ראייה לגבוה כו' ופריק רבי יוחנן ההיא בעיקר הרגל וכן בהא דר' יוסי ב"ר יהודה והדר ר' יוחנן ומותיב ליה לר"ל כתיב יראה וקרינן יראה מה אני בחנם אף אתם בחנם. ופרקינן אלא לעולם בעו לאתויי דהא כתיב ולא יראו פני ריקם א) וכל היכא דאתא ולא אייתי אע"ג דעבר כ"ע לא פליגי דעייל בעזרה ומתחזי ונפיק כי פליגי דאתא ואייתי בעיקר הרגל. ר' יוחנן אומר תוב לא מייתי דראיית פנים בעזרה הוא דאין לו שיעור וכל אימת דאתי עייל אבל ראיית קרבן יש לה שיעור וכיון דאייתי אי מייתי אחריתי לא מקבלינן מיניה ומותיב ר' יוחנן והכתיב הוקר רגלך מבית רעך כלומר אל תרבה להראות לו פניך ופריק ר"ל התם בחטאות ואשמות כלומר

FOR THE FESTIVAL: בְּחַג הַמַּצּוֹת – ON THE FESTIVAL OF MATZOS, וּבְחַג הַשָּׁבוּעוֹת – ON THE FESTIVAL OF SHAVUOS וּבְחַג הַסּוּכּוֹת – AND ON THE FESTIVAL OF SUCCOS. וְאֵין נִרְאִין חֲצָאִין – BUT THEY SHOULD NOT APPEAR IN GROUPS,[23] מִשּׁוּם שֶׁנֶּאֱמַר ,,כָּל־זְכוּרְךָ" – FOR IT IS STATED: *ALL YOUR MENFOLK.*[24] וְאֵין נִרְאִין רֵיקָנִים – AND THEY SHOULD NOT APPEAR EMPTY-HANDED, מִשּׁוּם שֶׁנֶּאֱמַר ,,וְלֹא־יֵרָאוּ פָנַי רֵיקָם" – FOR IT IS STATED: *AND THEY SHALL NOT APPEAR BEFORE ME EMPTY-HANDED.*[25] This, too, supports Reish Lakish's view that one may not appear without an offering. – ? –

R' Yochanan answers:

אָמַר לֵיהּ – He responded to [Reish Lakish]: **בְּעִיקַּר הָרֶגֶל** – This Baraisa too **refers to the main part** (i.e. the first day) **of the festival.**[26]

The opinion of Reish Lakish is challenged:

אֵיתִיבֵיהּ רַבִּי יוֹחָנָן לְרֵישׁ לָקִישׁ – R' Yochanan challenged Reish Lakish from the verse: *All your menfolk shall be seen before the Master, Hashem.*[27] ,,יֵרָאֶה" ,,יִרְאֶה" – The pronounced form means ***[all your menfolk] shall be seen*** by God, but the written form could mean ***[all your menfolk] shall see*** God.[28] An analogy may be drawn between these two readings, which teaches that **מָה אֲנִי בְּחִנָּם – just as I** [God] see you **with nothing,** i.e. God does not offer a sacrifice when He sees us, **אַף אַתֶּם בְּחִנָּם – so too, you** may see Me **with nothing,** i.e. you need not offer a sacrifice. Thus, there are times when one may visit the Temple without an offering, contrary to the view of Reish Lakish. – ? –

In light of this problem, the Gemara revises its understanding of the dispute between R' Yochanan and Reish Lakish:

אֶלָּא – Rather, the dispute is as follows: **כָּל הֵיכָא דְּאָתָא וְלָא אַיְיתֵי – Whenever one comes** to the Temple **and does not bring** an offering with him, **דְּכוּלֵּי עָלְמָא לָא פְּלִיגֵי דְּעָיֵיל וּמִתְחֲזֵי וְנָפִיק – everyone agrees that he may enter** the Courtyard, **be seen and leave.**[29] **כִּי פְּלִיגֵי – Where do they disagree?** **דְּאָתָא וְאַיְיתֵי – Where one comes** to the Temple **and *does* bring** an offering with him. Is the offering accepted? **רַבִּי יוֹחָנָן דְּאָמַר רְאִיַּית פָּנִים בָּעֲזָרָה – R' Yochanan, who says** that the Mishnah cited above ("These are things that have no measure, etc.") refers to **appearance in the Courtyard,** **רְאִיַּית פָּנִים הוּא דְּאֵין לָהּ שִׁיעוּר** – maintains that it is only **appearance** in the Courtyard **that has no measure,**[30] **הָא לְקָרְבָּן יֵשׁ לָהּ שִׁיעוּר – but the offering does have a measure.** That is, a pilgrim may bring only one *olas re'iyah;* further offerings are not accepted.[31] **וְרֵישׁ לָקִישׁ אָמַר רְאִיַּית פָּנִים בְּקָרְבָּן – And Reish Lakish,** who **says** that that Mishnah refers to **appearance** in the Courtyard ***with* an offering,** **דַּאֲפִילּוּ קָרְבָּן נָמֵי אֵין לוֹ שִׁיעוּר** – maintains **that even the offering has no measure.** Thus, one may bring an *olas re'iyah* every time he appears in the Courtyard.[32]

This interpretation of Reish Lakish's view is also challenged: **אֵיתִיבֵיהּ – [R' Yochanan] challenged him** on the basis of the following verse: ,,הֹקַר רַגְלְךָ מִבֵּית רֵעֶךָ" – ***Let your foot be scarce in the House of your Beloved*** (i.e. the Temple).[33] The verse exhorts us to *avoid* bringing sacrifices. – ? –

The Gemara answers:

הָתָם בְּחַטָּאוֹת וַאֲשָׁמוֹת – There the reference is **to *chatas* and *asham* offerings,** which are brought by one who has sinned. The

NOTES

23. Literally: halves. This law is explained below.

24. *Exodus* 23:17.

25. The Baraisa appears to be merely repeating the verse. It must therefore be interpreted as teaching that one may *never* appear before Hashem empty-handed; rather, one must bring an *olas re'iyah* whenever one appears in the Temple on any day of the festival, as Reish Lakish maintains (*Siach Yitzchak*).

26. According to R' Yochanan, the Baraisa requires an *olas re'iyah* only on the first day, and not on the days that follow. Nevertheless, it is not merely repeating the verse, because it means that one is *forbidden* to appear before Hashem on the first day without an offering. On the basis of the verse alone, one might have thought that if a pilgrim lacks an offering, he should appear in the Temple anyway, because the mitzvah of appearing overrides the prohibition of appearing empty-handed, in accordance with the rule: עֲשֵׂה דוֹחֶה לֹא תַעֲשֶׂה, *a positive commandment overrides a negative commandment.* The Baraisa therefore teaches that this rule does not apply here, because the offering is essential for the fulfillment of the mitzvah; without the offering, the mitzvah does not apply and only the prohibition remains (*Turei Even* and *Meromei Sadeh,* based on *Rambam, Hil. Chagigah* 1:1; cf. *Siach Yitzchak* and *Sfas Emes,* who give other interpretations of the Gemara's answer).

27. *Exodus* 34:23. This is one of the verses that contain the *re'iyah* commandment.

28. The simplest vowelization of the word יראה as it is written in the Torah would be יִרְאֶה, in which case the verse would mean that "all your menfolk shall see the face of the Master" (i.e. the pilgrim will see the Divine Presence). However, the word is pronounced יֵרָאֶה, signifying that "all your menfolk shall be seen by the face of the Master" (i.e. the Master [God] will see the pilgrim). The verse thus establishes an analogy between God's seeing and the pilgrim's seeing (*Rashi* to 2a ד"ה יראה יראה).

29. Even according to Reish Lakish a pilgrim does not have to bring an offering each time he visits the Temple; rather, after the first visit (even on the first day), the offering is optional. See *Tosafos* ד"ה ר' יוחנן.

30. I.e. one may appear as often as he pleases, and each time he is credited with a mitzvah.

31. Since he is obligated to bring only one *olas re'iyah,* an additional offering would violate the prohibition of בַּל תּוֹסִיף, *do not add [to the mitzvos]* (see *Meiri; Rashi* to 8b ד"ה חוזר ומקריב; see *Tosafos* ד"ה ר' יוחנן regarding sacrifices brought on *different* days). [See also *Tal LeYisrael* (cited by *Yalkut Yeshayahu* on *Tosafos* ibid.) for an explanation of why an extra offering violates this prohibition, whereas an extra appearance does not.]

Although one can designate an animal as an *olah* on a voluntary basis, he did not do so in this case; instead, he designated it to be an *olas re'iyah.* Since it cannot become an *olas re'iyah,* it remains nonsacred [and is subject to the ban against bringing nonsacred things into the Temple Courtyard] (*Chazon Ish, Orach Chaim* 129 'ד"ה חגיגה ד' א).

32. In the previous version of the dispute, both R' Yochanan and Reish Lakish agreed that one *may* bring an *olas re'iyah* every time he visits the Temple; the question was whether this is obligatory. In the current version, they agree that it is not obligatory; the question is whether it is permitted.

Thus, the only obligatory offering is the very first one of the festival. All further offerings [if they are brought on the same day] are either optional or forbidden (see *Tosafos;* cf. *Turei Even*, who has a different approach to the entire *sugya*).

[According to the revised version of the dispute, the discussion in the Gemara above between R' Yochanan and Reish Lakish is meaningless. Evidently, those statements were not made by R' Yochanan and Reish Lakish themselves; rather, they were attributed to R' Yochanan and Reish Lakish by the authors of the Gemara based on their original understanding of the dispute (see *Tosafos* to *Bava Basra* 154b ד"ה ברם; *Siach Yitzchak*).]

33. *Proverbs* 25:17. The term רֵעֶךָ, *your beloved,* can denote God, for we find that Scripture (*Psalms* 122:8) likens the relationship between God and Israel to one of רֵעִים, *beloved friends* (*Rashi;* cf. *Maharsha*). [The verse's plain meaning, however, is that one should not overstay one's welcome in a friend's house (see *Ben Yehoyada;* see also *Maharsha*).]

The verse could have said הֹקַר עַצְמְךָ מִבֵּית רֵעֶךָ, *Let yourself be scarce in the House of your Beloved.* Instead, it uses the word רַגְלְךָ to allude to the רְגָלִים, *festivals,* thus teaching us that when we visit the Temple on the festivals we should minimize the number of sacrifices we offer there (*Maharsha*). This certainly does not apply to purely voluntary offerings, which may be offered in abundance; it does, however, call for a limit on offerings of an obligatory nature, such as the *olas re'iyah* (*Meromei Sadeh*). Consequently, after a pilgrim has offered his first, mandatory *olas re'iyah,* he should not offer any more. This contradicts Reish Lakish, who deems the bringing of each extra *olas re'iyah* to be a mitzvah.

הפאה [א] והבכורים [ב] והראיון [ג] וגמילות חסדים [ד] ותלמוד תורה [ה]: א"ר יוחנן כסבורין אנו לומר הראיון אין לו שיעור למעלה אבל יש לו שיעור למטה עד שבא ר' אושעיא ברבי ולימד הראיון [ו] אין לו שיעור לא למעלה ולא למטה [ז] אבל (א) חכמים אומרים הראייה מעה כסף והחגיגה שתי כסף מאי הראיון רבי יוחנן אמר ראיית פנים בעזרה וריש לקיש אמר ראיית פנים בקרבן [ח] בעיקר הרגל כולי עלמא לא פליגי דראיית פנים בקרבן כי פליגי בשאר ימות הרגל כל היכא דאתא ואייתי כולי עלמא לא פליגי דמקבלינן מיניה כי פליגי דאתא ולא אייתי דר' יוחנן סבר ראיית פנים בעזרה דכל אימת דאתי לא צריך לאתויי וריש לקיש אמר ראיית פנים בקרבן דכל אימת דאתי צריך לאתויי איתיביה ריש לקיש לרבי יוחנן א) ולא יראו פני ריקם אמר ליה בעיקר הרגל איתיביה ולא יראו פני ריקם בזבחים אתה אומר בזבחים או אינו אלא בעופות ומנחות ודין הוא נאמרה חגיגה להדיוט ונאמרה ראייה לגבוה מה חגיגה האמורה להדיוט זבחים אף ראייה האמורה לגבוה זבחים ומה הן זבחים [ט] עולות אתה אומר עולות או אינו אלא שלמים ודין הוא נאמרה חגיגה להדיוט ונאמרה ראייה לגבוה מה חגיגה האמורה להדיוט בראוי לו אף ראייה האמורה לגבוה בראוי לו [י] וכן בדין שלא יהא שולחנך מלא ושולחן רבך ריקם א"ל בעיקר הרגל איתיביה (ב) ר' יוסי בר' יהודה אומר שלש רגלים בשנה נצטוו ישראל לעלות ברגל בחג המצות ובחג השבועות ובחג הסוכות ואין נראין חצאין משום שנאמר ב) כל זכורך ואין נראין ריקנים משום שנאמר ולא יראו פני ריקם א"ל בעיקר הרגל איתיביה ר' יוחנן לריש לקיש (ג) יראה יראה מה אני בחנם א] אף אתם בחנם [כ] אלא [ל] כל היכא דאתא ולא אייתי דכולי עלמא לא פליגי דעייל ומתחזי ונפיק כי פליגי דאתא ואייתי רבי יוחנן דאמר ראיית פנים בעזרה הוא דאין לה שיעור הא לקרבן יש לה שיעור וריש לקיש אמר ראיית פנים בקרבן [מ] דאפילו קרבן נמי אין לו שיעור איתיביה ג) הוקר רגלך מבית רעך התם בחטאות ואשמות כדרבי לוי דרבי לוי רמי כתיב הוקר רגלך מבית רעך וכתיב ד) אבא ביתך בעולות לא קשיא כאן בחטאות ואשמות כאן בעולות ושלמים תניא נמי הכי הוקר רגלך מבית רעך בחטאות ואשמות הכתוב מדבר אתה אומר בחטאות ואשמות או אינו אלא בעולות ושלמים כשהוא אומר אבוא ביתך בעולות אשלם לך נדרי הרי עולות ושלמים אמור הא מה אני מקיים הוקר רגלך מבית רעך בחטאות ואשמות הכתוב מדבר: ואין נראין חצאין כו': סבר רב יוסף למימר מאן דאית ליה עשרה בנים לא ליסקו האידנא חמשה ולמחר חמשה א"ל

רש"י

הפאה. לא נתנה בו תורה שיעור (ד) ואע"פ שאין לפאה שיעור נתנו בו חכמים שיעור אחת מששים: והבכורים. דכתיב מראשית כל פרי האדמה (דברים כו) ולא נאמר כמה: והראיון. לקמן מפרש: אמר רבי יוחנן כסבורין היינו לפרש. האי אין לו שיעור דקתני הכא: אין להן שיעור למעלה. שיכול כמה שירצה: אבל למטה יש לו שיעור. שלא לפחות ממעה כסף כמו ששנינו במשנתינו והיינו סבורין דשיעור דאורייתא הוא: עד שבא ר' אושעיא ברבי ולימד. ברבי גדול בדורו: ולימד שאין לו שיעור לא למטה ולא למעלה. מן התורה: אבל חכמים כו'. כלומר שיעור מעה כסף ושתי כסף האמור במשנתינו בראייה ובחגיגה מדברי חכמים הוא. אבל אמרו חכמים גרסינן: מאי הראיון. ולא תנא הראייה דליהוי משמע דמי עולה דאלו השתא לאו בדמים משמע אלא במצות ראיית פנים: רבי יוחנן אמר ראיית פנים בעזרה. כמה פעמים שהוא חפץ בא ומראה עצמו בעזרה ואין צריך להביא קרבן בכל ראייה וראייה: ראיית פנים בקרבן. וצריך להביא קרבן על כל פעם ופעם: בעיקר רגל. ביו"ט ראשון: בזבחים. צריך להביא קרבן בהמה הזבוחים בסכין ולא עולת העוף שהיא נמלקת: נאמרה חגיגה ברגל. למאכל הדיוט: ונאמרה ראייה לגבוה. דהא לא יראו פני דכתיב משמע לגורי אני שואל: מה חגיגה האמורה להדיוט זבחים. של בהמה דכתיב לא ילין חלב חגי עד בקר (שמות כג) במידי דאית ליה חלב הקרב לגבוה קאמר: ואין נראין חצאין. מפרש לקמן: (ה) בחטאות ואשמות. שלא תחטא ותזקק להביא חטאת ואשם: מבית רעך. מבית אוהבך הקב"ה שקרא ישראל רעים שנאמר למען אחי ורעי (תהלים קכב): סבר רב יוסף למימר כו'. דאי לאו הכי מאי אין נראין חצאין דיליף מכל זכורך אי שלא יהיו חציין עולין מזכורך נפקא שהרי כל הזכרים בכלל זכורך:

א"ל

תוספות

והבכורים אין לו שיעור לא למעלה ולא למטה. הדר פריך בירושלמי רבי ברכיה בעי למה לא תנינן עפר לסוטה אפר פרה רוק יבמה דם צפור של מצורע א"ר יוסי לא אייתינן במתני' אלא דברים שהוא מוסיף עליהן ויש בעשייתן מצוה ואלו אע"פ שמוסיף עליהן אין בעשייתן מצוה:

גמילות חסדים. בירושלמי הדא תימא בגופו אבל בממונו יש לו שיעור וביקור חולים דאין לו שיעור כדאיתא בנדרים (דף לט:) הוי בכלל גמילות חסדים:

כסבורין אנו לומר דיש לו שיעור למטה. וסבירא ליה כאידך תנא בירושלמי דחשיב פאה דיש לה שיעור למטה:

רבי יוחנן אמר ראיית פנים בעזרה. דכיון דלאייתי (ו) בראייה הדא זימנא מיפטר בכך אם ירצה אז יביא כמו שירצה אבל ראיית פנים בקרבן יש לו שיעור דסבירא ליה לרבי יוחנן מעה כסף ושתי כסף דאורייתא והכי איתא בירושלמי דמסכת פאה מתני' בראייה (ז) אבל בקרבן יש לו שיעור דא"ר יוחנן מעה כסף שתי כסף דאורייתא ועוד אמר במכילתין רבי יוחנן כדעתיה דאמר כל השיעורים הלכה למשה מסיני ואמר מעה כסף ושתי כסף דאורייתא וריש לקיש דמוקי לה בראיית פנים בקרבן סבירא ליה כר' (ג) יהושע דאמר מעה כסף שתי כסף דרבנן וכן אמר התם לא יראו פני (ח) כל שהוא אבל חכמים נתנו להם שיעור מעה כסף שתי כסף ומיהו הש"ס שלנו לא נחית להכי אלא להך לישנא קמא משמע דבעי למימר דמתניתין מיירי אף במועד הלכך לא מצי לאוקמי בראיית קרבן דלא מחייב כלל להביא אבל בראיית פנים מחייב לבוא הדא זימנא ומשם (זה) והלאה אין לו שיעור וריש לקיש אמר דמתני' נמי בראיית פנים בקרבן דמיחייב להביא ומ"מ צריך לומר דסבירא ליה כרבי יהושע כדפירשתי כדי שלא יהא שיעור כלל ולאידך לישנא דאתא ואייתי בו ביום קאמר דלא מקבלינן (ט) משום בל תוסיף כיון דכבר נפיק אבל למחר וליומא אוחרא מצי להביא אם ירצה והא לא פטר ליה קרא מה אני בחנם רק בחיובא אבל אי מייתי שפיר מקבלינן וכן משמע לישנא דלעיל דאתא ולא אייתי בשאר יומי ולא פליג רבי יוחנן רק דלא מיחייב לאתויי אבל אי מייתי מקבלינן שפיר וריש לקיש לא איתותב אלא משום דמיחייב ולא מחייב ליה קרא ולא דמי האי יש לו שיעור להאי דירושלמי דהתם מלמטה מיירי (ל) ודאי הקרבן אבל הכא קיימינן שיעור בהבאתו ואם נכון להשוותם יחד הא לקרבן יש לו שיעור למטה כדאיתא בירושלמי וה"נ דין הוא שיש לו שיעור בהבאתו אי בעי מייתי אי מקבלינן מיניה או לא ומיהו לפי לשון הירושלמי לא ידענא היכי מוקי לה מתני' בראיית פנים בעזרה ולא בקרבן משום שיש לה שיעור כרבי יוחנן והא חשיב פאה שיש לה שיעור למטה ושמא דלא איבעי ליישבו למתני' כדברי הכל אף כתנא דאמר פאה אין לה שיעור לא למעלה ולא למטה ומתוקמא בראיית פנים לחוד לרבי יוחנן כן נראה לי הפירוש הכך שמעתתא:

מביאין

עין משפט נר מצוה

כז א מיי' פ"א מהל' מתנות עניים הלכה טו סמג לאוין רפד:
כח ב מיי' פ"ב מהל' בכורים הלכה יז סמג עשין קלח:
כט ג מיי' פ"א מהלכות חגיגה הלכה ב סמג עשין רכה:
ל ד מיי' פי"ד מהלכות אבל הלכה א:
לא ה מיי' פ"א מהל' ת"ת הלכה י טוש"ע י"ד סי' רמו סעיף ג:
לב ו ז מיי' פ"א מהל' חגיגה הלכה ב:
לג ח ט מיי' שם הל' א:
לד י כ מיי' שם הל' ב ופ"ב שם הלכה ו:

רבינו חננאל

דברים שאין להם שיעור הפאה והבכורים והראיון כו'. א"ר יוחנן בא ר' אושעיה ברבי ולימד הראיון אין לו שיעור לא למעלה ולא למטה. אבל חכמים אומרים הראיה מעה כסף והגיגה שתי כסף. מאי הראיון ר' יוחנן אמר ראיית פנים בעזרה כלומר ביאתו ויציאתו בעזרה כמה פעמים אין לה שיעור. ר"ל אמר ראיית פנים בקרבן. ואמרינן בעיקר הרגל כלומר בתחלת הרגל בעת בואו להקביל פנים בעזרה דברי הכל ראיית [פנים] בקרבן כי פליגי בשאר ימות הרגל וכל עידן דמייתי ועייל כ"ע לא פליגי דמקבלין מיניה כי פליגי היכא דאתא בשאר ימות הרגל ולא אייתי ר' יוחנן אומר עייל דלא צריך לאתויי כל זמן דעייל ור' שמעון בן לקיש [אומר] לא עייל אלא אי מייתי קרבן בהדיה. ומותיב ר"ל והכתיב ולא יראו פני ריקם. ופריק ר' יוחנן ההוא בעיקר הרגל כי קאמרינן דלא צריך היכא דאייתי בעיקר הרגל ולא אייתי בשאר ימות הרגל. איתיביה לא יראו פני ריקם בזבחים אתה אומר בזבחים או אינו אלא בעופות ובמנחות ודין הוא נאמרה חגיגה להדיוט ונאמרה ראיה לגבוה כו' ופריק רבי יוחנן ההיא בעיקר הרגל וכן בהא דר' יוסי ב"ר יהודה והדר ר' יוחנן ומותיב ליה לר"ל כתיב יראה וקרינן יראה מה אני בחנם אף אתם בחנם. ופרקינן אלא לעולם בעו לאתויי דהא כתיב ולא יראו פני ריקם א) וכל היכא דאתא ולא אייתי אע"ג דעבר כ"ע לא פליגי דעייל בעזרה ומתחזי ונפיק כי פליגי דאתא ואייתי בעיקר הרגל. ר' יוחנן אומר תוב לא מייתי דראיית פנים בעזרה הוא דאין לו שיעור וכל אימת דאתי עייל אבל ראיית קרבן יש לה שיעור וכיון דאייתי אי מייתי אחריתי לא מקבלינן מיניה ומותיב ר' יוחנן והכתיב הוקר רגלך מבית רעך כלומר אל תרבה להראות לו פניך ופריק ר"ל התם בחטאות ואשמות כלומר נמי

חשק שלמה על ר"ח א) דברי רבינו אלו אינם עולים לפי סוגיית הגמ' ואולי דגירסא אחרת היה לו וצ"ע.

מסורת הש"ס

א) [גילה כ:], ב) [עי' תוספות ב"ב קנד: ד"ה ברם ותוספות בכורות ד: ד"ה אלא], ג) [צ"ל אושעיא], ד) [צ"ל ודמי].

הגהות הב"ח

(א) גמ' אבל אמרו חכמים הראייה: (ב) שם בעיקר הרגל איתיביה ר"ל לר"י ר' יוסי בר' יהודה: (ג) שם איתיביה ר' יוחנן לריש לקיש יֵרָאֶה יִרְאֶה מה אני: (ד) רש"י ד"ה הפאה וכו' אע"פ שיש לפאה שיעור חכמים נתנו בו שיעור: (ה) רש"י ד"ה ואין נראין וכו' לקמן הס"ד ואח"כ מה"ד מבית רעך וכו' אחי ורעי הס"ד ואח"כ מה"ד בחטאות וכו' ואשם הס"ד ואח"כ מה"ד סבר רב: (ו) תוס' ד"ה ר' יוחנן וכו' דכיון דלאייתי קרבן בראייה: (ז) בא"ד מתני' בראיית פנים אבל בראיית קרבן יש לו: (ח) בא"ד לא יראו פני ריקם אפילו כל שהוא: (ט) בא"ד דלא מקבלינן מיניה טפי משום בל תוסיף וכו' אם ירצה דהא לא פטר וכו' דלא פליג ר' יוחנן וכו' יש לו שיעור היינו יש לו שיעור למטה כדאיתא בירושלמי וכו' שיעור להבאתו:

גליון הש"ס

גמרא כל היכא דאתא. כעין זה שבת דף ג ע"א ועיין בתוספות שם ד"ה אלא אי אמר:

הגהות מהר"ב רנשבורג

א] גמרא אף אתם בחנם. נ"ב עי' טורי אבן:

תורה אור השלם

א) אֶת חַג הַמַּצּוֹת תִּשְׁמֹר שִׁבְעַת יָמִים תֹּאכַל מַצּוֹת כַּאֲשֶׁר צִוִּיתִךָ לְמוֹעֵד חֹדֶשׁ הָאָבִיב כִּי בוֹ יָצָאתָ מִמִּצְרָיִם וְלֹא יֵרָאוּ פָנַי רֵיקָם: [שמות כג, טו]

ב) שָׁלוֹשׁ פְּעָמִים בַּשָּׁנָה יֵרָאֶה כָל זְכוּרְךָ אֶת פְּנֵי יְיָ אֱלֹהֶיךָ בַּמָּקוֹם אֲשֶׁר יִבְחָר בְּחַג הַמַּצּוֹת וּבְחַג הַשָּׁבֻעוֹת וּבְחַג הַסֻּכּוֹת וְלֹא יֵרָאֶה אֶת פְּנֵי יְיָ רֵיקָם: [דברים טז, טז]

ג) הֹקַר רַגְלְךָ מִבֵּית רֵעֶךָ פֶּן יִשְׂבָּעֲךָ וּשְׂנֵאֶךָ: [משלי כה, יז]

ד) אָבוֹא בֵיתְךָ בְעוֹלוֹת אֲשַׁלֵּם לְךָ נְדָרָי: [תהלים סו, יג]

ליקוטי רש"י

והראיון. מפרש בגמ' דחגיגה (דף ז.) דכל כמה דבעי לאתחזויי ומיתי בעזרה ברגל מיתחזי ומייתי קרבן עולת ראיה וגם הקרבן אין שיעורה לדמים אם מרובה אם מעוטה [פאה פ"א מ"א]. ולא יראו פני ריקם. כשתבואו לראות פני ברגלים הביאו לי עולות (חגיגה ז.) [שמות כג, טו]. הוקר רגלך. כשם שאם מלאכת ... והזהר בעצמך ואל תחטא בכל יום ולהביא חטאת ואשם וכדר' לוי דאמר כתוב אחד אומר אבוא ביתך בעולות וכתוב אחד אומר הוקר רגלך מבית רעך ... פן ישבעך וישנא אותך ... אבא ביתך. בכנותך בית המקדש נשלם נדרים שנדרנו בגולה [תהלים סו, יג].

האידנא. עכשיו [סוכה יח.].

verse thus means that one should not sin and become liable to bring such offerings. But as far as other offerings are concerned, one may bring as many as he likes.

This interpretation of the verse is corroborated:
כְּדְרַבִּי לֵוִי – It **accords with R' Levi's** teaching, **דְּרַבִּי לֵוִי רָמֵי** – **for R' Levi raised** the following **contradiction: כְּתִיב ,,הֹקַר רַגְלְךָ מִבֵּית רֵעֶךָ"** – In one verse **it is written:** ***Let your foot be scarce in the House of your Beloved,*** **וּכְתִיב ,,אָבוֹא בֵיתְךָ בְעוֹלוֹת"** – **but** in another verse **it is written:** ***I will come to Your House with olah offerings.***[34] **לֹא קַשְׁיָא** – And R' Levi said that **there is no contradiction** between these verses, **כָּאן בְּחַטָּאוֹת וַאֲשָׁמוֹת** – because **here,** in the first verse, the reference is **to** ***chatas*** **and** ***asham*** **offerings, כָּאן בְּעוֹלוֹת וּשְׁלָמִים** – whereas **here,** in the second verse, the reference is **to** ***olah*** **and** ***shelamim*** **offerings.**[35]

A Baraisa also makes this point:
תַּנְיָא נַמִּי הָכִי – **This was also taught in a Baraisa: ,,הֹקַר רַגְלְךָ מִבֵּית רֵעֶךָ"** – When Scripture states: *LET YOUR FOOT BE SCARCE IN THE HOUSE OF YOUR BELOVED,* **בְּחַטָּאוֹת וַאֲשָׁמוֹת הַכָּתוּב מְדַבֵּר** – it is OF *CHATAS* AND *ASHAM* OFFERINGS that THE VERSE SPEAKS. **אַתָּה אוֹמֵר בְּחַטָּאוֹת וַאֲשָׁמוֹת** – Now, YOU SAY that it refers TO *CHATAS* AND *ASHAM* OFFERINGS. **אוֹ אֵינוֹ** – OR PERHAPS this is not so; **אֶלָּא בְּעוֹלוֹת וּשְׁלָמִים** – RATHER, it refers TO *OLAH* AND *SHELAMIM* OFFERINGS? This cannot be true, **כְּשֶׁהוּא אוֹמֵר ,,אָבוֹא בֵיתְךָ בְעוֹלוֹת אֲשַׁלֵּם לְךָ נְדָרָי"** – because WHEN IT SAYS: *I WILL COME TO YOUR HOUSE WITH OLAH OFFERINGS, I WILL PAY YOU MY VOWS,* **הֲרֵי עוֹלוֹת וּשְׁלָמִים אָמוּר** – BEHOLD, *OLAH* AND *SHELAMIM* OFFERINGS ARE MENTIONED in a positive sense. **הָא מָה אֲנִי מְקַיֵּים ,,הֹקַר רַגְלְךָ מִבֵּית רֵעֶךָ"** – WHAT, THEN, SHALL I ESTABLISH as the subject of the verse: *LET YOUR FOOT BE SCARCE IN THE HOUSE OF YOUR BELOVED?* **בְּחַטָּאוֹת וַאֲשָׁמוֹת הַכָּתוּב מְדַבֵּר** – It must be OF *CHATAS* AND *ASHAM* OFFERINGS that THE VERSE SPEAKS.

It was stated in one of the preceding Baraisos:
וְאֵין נִרְאִין חֲצָאִין כו' – THEY SHOULD NOT APPEAR IN GROUPS, **etc.** [for it is stated: *all your menfolk*].

The Gemara proposes an explanation of this ruling:
סָבַר רַב יוֹסֵף לְמֵימַר – **Rav Yosef considered saying** that it means: **מַאן דְּאִית לֵיהּ עֲשָׂרָה בָּנִים** – **One who has ten sons** **לֹא לִיסְקוּ הָאִידָּנָא חֲמִשָּׁה** – **should not one day take up** only **five** to the Temple, **וּלְמָחָר חֲמִשָּׁה** – **and the next day** take up the other **five.** Rather, he should take them all on the same day.[36]

NOTES

34. *Psalms* 66:13. By stating "I will come to your House," the psalmist implies a reference to the *olas re'iyah,* which is brought when one visits the Temple (*Meromei Sadeh*). The verse thus indicates that one may offer more than one *olas re'iyah.*

35. [I.e. the *olas re'iyah* and *shalmei chagigah.*] This is how Reish Lakish would resolve the contradiction. R' Yochanan, however, can interpret both verses as referring to the *olas re'iyah.* One verse (*I will come to Your house with olah offerings*) speaks of bringing offerings on different days. The other verse (*Let your foot be scarce* etc.) refers to the same day, when extra *olas re'iyah* offerings are forbidden (see *Tosafos;* cf. *Turei Even*).

36. The law inferred by the Baraisa from כָּל־זְכוּרְךָ, *all your menfolk,* cannot be simply that one must bring all his sons to the Temple, and not leave any at home for the entire festival. If that were the Baraisa's point, it would not have needed to mention the word כָּל, *all.* The term זְכוּרְךָ, *your menfolk,* suffices on its own to include every male in the basic obligation. Therefore, Rav Yosef interprets the Baraisa as teaching a more novel point – namely, that one must bring all his sons to the Temple together (*Rashi*).

הפאה א והבכורים ב והראיון ג וגמילות חסדים ד ותלמוד תורה. א"ר יוחנן כסבורין אנו לומר הראיון אין לו שיעור למעלה אבל יש לו שיעור למטה עד שבא ר' אושעיא ברבי ולימד הראיון אין לו שיעור לא למעלה ולא למטה אבל (א) חכמים אומרים הראייה מעה כסף והחגיגה שתי כסף מאי הראיון רבי יוחנן אמר ראיית פנים בעזרה וריש לקיש אמר ראיית פנים בקרבן ה בעיקר הרגל כולי עלמא לא פליגי דראיית פנים בקרבן כי פליגי בשאר ימות הרגל כל היכא דאתא ואייתי כולי עלמא לא פליגי דמקבלינן מיניה כי פליגי דאתא ולא אייתי דר' יוחנן סבר ראיית פנים בעזרה דכל אימת דאתי לא צריך לאתויי ריש לקיש אמר ראיית פנים בקרבן דכל אימת דאתי צריך לאתויי איתיביה ריש לקיש לרבי יוחנן א ולא יראו פני ריקם אמר ליה בעיקר הרגל איתיביה ולא יראו פני ריקם בזבחים אתה אומר בזבחים או אינו אלא בעופות ומנחות ודין הוא נאמרה חגיגה להדיוט ונאמרה ראייה לגבוה מה חגיגה האמורה להדיוט זבחים אף ראייה האמורה לגבוה זבחים ומה הן זבחים ט עולות אתה אומר עולות או אינו אלא שלמים ודין הוא נאמרה חגיגה להדיוט ונאמרה ראייה לגבוה מה חגיגה האמורה להדיוט בראוי לו אף ראייה האמורה לגבוה בראוי לו י וכן בדין שלא יהא שולחנך מלא ושולחן רבך ריקם א"ל בעיקר הרגל איתיביה (ב) ר' יוסי בר' יהודה אומר שלש רגלים בשנה נצטוו ישראל לעלות ברגל בחג המצות ובחג השבועות ובחג הסוכות ואין נראין חצאין ואין נראין ריקנים משום שנאמר ב כל זכורך ואין נראין ריקנים משום שנאמר ולא יראו פני ריקם א"ל בעיקר הרגל איתיביה ר' יוחנן לריש לקיש (ג) יראה יראה מה אני בחנם אף אתם בחנם א] אלא כל היכא דאתא ולא אייתי דכולי עלמא לא פליגי דעייל ומתחזי ונפיק כי פליגי דאתא ואייתי רבי יוחנן דאמר ראיית פנים בעזרה הוא דאין לה שיעור הא לקרבן יש לה שיעור וריש לקיש אמר ראיית פנים בקרבן דאפילו קרבן נמי אין לו שיעור איתיביה ג הוקר רגלך מבית רעך התם בחטאות ואשמות כדרבי לוי דרבי לוי רמי כתיב הוקר רגלך מבית רעך וכתיב ד אבוא ביתך בעולות לא קשיא כאן בחטאות ואשמות כאן בעולות ושלמים תניא נמי הכי הוקר רגלך מבית רעך בחטאות ואשמות הכתוב מדבר אתה אומר בחטאות ואשמות או אינו אלא בעולות ושלמים כשהוא אומר אבוא ביתך בעולות אשלם לך נדרי הרי עולות ושלמים אמור הא מה אני מקיים הוקר רגלך מבית רעך בחטאות ואשמות הכתוב מדבר: ואין נראין חצאין כו': סבר רב יוסף למימר מאן דאית ליה עשרה בנים לא ליסקו האידנא חמשה ולמחר חמשה א"ל

רש"י

הפאה. לא נתנה בו תורה שיעור (ד) ואע"פ שאין לפאה שיעור נתנו בו חכמים שיעור אחד מששים: וכן הבכורים. ולקחת מראשית כל פרי האדמה (דברים כו) ולא נאמר כמה: והראיון. לקמן מפרש: אמר רבי יוחנן כסבורין היינו לפרש. האי אין לו שיעור דקתני הכא: אין להן שיעור למעלה. שיביא כמה שירצה: אבל למטה יש לו שיעור. שלא לפחות ממעה כסף כמו ששנינו במשנתינו והיינו סבורין דשיעור דאורייתא הוא: עד שבא ר' אושעיא ברבי ולימד. ברבי גדול בדורו: ולימד שאין לו שיעור לא למטה ולא למעלה. מן התורה: אבל חכמים כו'. כלומר שיעור מעה כסף ושתי כסף האמור במשנתינו בראייה ובחגיגה מדברי חכמים הוא. אבל אמרו חכמים גרסינן: מאי הראיון. ולא תנא הראייה דליהוי משמע דמי עולה דאלו הכי השתא לאו בדמים משמע אלא במצות ראיית פנים: רבי יוחנן אמר ראיית פנים בעזרה. כמה פעמים שהוא חפץ בא ומראה עצמו בעזרה ואין צריך להביא קרבן בכל ראייה וראייה: ראיית פנים בקרבן. וצריך להביא קרבן על כל פעם ופעם: בעיקר רגל. ביו"ט ראשון: בזבחים. צריך להביא קרבן בהמה הזובחים בסכין ולא עולת העוף שהיא נמלקת: נאמרה חגיגה ברגל. למאכל הדיוט: ונאמרה ראייה לגבוה. דהא לא יראו פני דכתיב משמע לצורכי אני שואל: מה חגיגה האמורה להדיוט זבחים. של בהמה דכתיב לא ילין חלב חגי עד בקר (שמות כג) במידי דאית ליה חלב הקרב לגבוה קאמר: ואין נראין חצאין. מפרש לקמן: (ה) בחטאות ואשמות. שלא תחטא ותזקק להביא חטאת ואשם: מבית רעך. מבית אוהבך הקב"ה שקרא ישראל רעים שנאמר למען אחי ורעי (תהלים קכב): סבר רב יוסף למימר כו'. דאי לאו הכי מאי אין נראין חצאין דיליף מבכל זכורך אי שלא יהיו חציין עולין מזכורך נפקא שהרי כל הזכרים בכלל זכורך: א"ל

תוספות

והבכורים אין לו שיעור לא למעלה ולא למטה. הדר פריך בירושלמי רבי ברכיה בעי למה לא תנינן עפר לסוטה ואפר פרה רוק יבמה דם לצפור של מצורע א"ר יוסי לא איתינן במתני' אלא דברים שהוא מוסיף עליהן ויש בעשייתן מצוה ואלו אע"פ שמוסיף עליהן אין בעשייתן מצוה:

גמילות חסדים. בירושלמי הדא דתימא בגופו אבל בממונו יש לו שיעור וביקור חולים דאין לו שיעור כדאיתא בנדרים (דף לט:) הוי בכלל גמילות חסדים:

כסבורין אנו לומר דיש לו שיעור למטה. וסבירא ליה לאידך תנא בירושלמי דחשיב פאה דיש לה שיעור למטה:

רבי יוחנן אמר ראיית פנים בעזרה. דכיון דלאייתי (ו) בראייה הדא זימנא מיפטר בכך אם ירצה או יביא כמו שירצה אבל בראיית פנים בקרבן יש לו שיעור דסבירא ליה לרבי יוחנן מעה כסף ושתי כסף דאורייתא והכי איתא בירושלמי דמסכת פאה מתני' בראייה (ז) אבל בקרבן יש לו שיעור דא"ר יוחנן מעה כסף שתי כסף דאורייתא ועוד אמר במכילתין רבי יוחנן לטעמיה דאמר כל השיעורים הלכה למשה מסיני ואמר מעה כסף ושתי כסף דאורייתא וריש לקיש דמוקי לה בראיית פנים בקרבן סבירא ליה כר' (ג) יהושע דאמר מעה כסף שתי כסף דרבנן וכן אמר התם לא יראו פני (ח) כל שהוא אבל חכמים נתנו להם שיעור מעה כסף ושתי כסף ומיהו הש"ס שלנו לא נחית להכי אלא להך לישנא קמא משמע דבעי למימר דמתניתין איירי אף במועד הלכך לא מצי לאוקמי בראיית קרבן דאז לא מיחייב כלל להביא אבל בראיית פנים מיחייב לבוא חדא זימנא ומשם (זה) והלכה אין לו שיעור וריש לקיש אמר דמתני' נמי בראיית פנים בקרבן דמיחייב להביא ומ"מ צריך לומר דסבירא ליה כרבי יהושע כדפירשתי כדי שלא יהא שיעור כלל ולאידך לישנא דאתא ואייתי בו ביום קאמר דלא מקבלינן (ט) משום בל תוסיף כיון דכבר נפיק אבל למחר וליומא אוחרא מצי להביא אם ירצה והא לא פטר ליה קרא מה אני בחנם רק בחיובא אבל אי מייתי שפיר מקבלינן וכן משמע לישנא דלעיל דאתא ולא אייתי בשאר יומי ולא פליג רבי יוחנן רק דלא מיחייב לאתויי אבל אי מייתי מקבלינן שפיר וריש לקיש לא איתותב אלא משום דמיחייב ולא מחייב ליה קרא ולא דמי האי יש לו שיעור להאי דירושלמי דהתם מלמטה מיירי (ד ודמי) הקרבן אבל הכא קיימינן שיעור בהבאתו ואם נבוא להשוותם יחד הא לקרבן יש לו שיעור למטה כדאיתא בירושלמי וה"נ דין הוא שיש לו שיעור בהבאתו אי בעי מייתי אי מקבלינן מיניה או לא ומיהו לפי לשון הירושלמי לא ידענא היכי מוקי לה מתני' בראיית פנים בעזרה ולא בקרבן משום שיש לה שיעור כרבי יוחנן והא חשיב פאה שיש לה שיעור למטה ושמא דאיבעי לייתו למתני' כדברי הכל אף כתנא דאמר פאה אין לה שיעור לא למעלה ולא למטה ומתוקמא בראיית פנים לחוד לרבי יוחנן כן נראה לי הפירוש דהך שמעתתא:

מביאין

רבינו חננאל

דברים שאין להם שיעור הפאה והבכורים והראיון כו'. א"ר יוחנן בא ר' אושעיה ברבי ולימד הראיון אין לו שיעור לא למעלה ולא למטה. אבל חכמים אומרים הראיה מעה כסף וחגיגה שתי כסף. מאי הראיון ר' יוחנן אמר ראיית פנים בעזרה כלומר ביאתו ויציאתו בעזרה כמה פעמים אין לה שיעור. ר"ל אמר ראיית פנים בקרבן. ואמרינן בעיקר הרגל כלומר בתחלת הרגל בעת בואו להקביל פנים בעזרה דברי הכל ראיית [פנים] בקרבן כי פליגי בשאר ימות הרגל וכל עידן דמייתי ועייל כ"ע לא פליגי דמקבלין מיניה כי פליגי היכא דאתא בשאר ימות הרגל ולא אייתי ר' יוחנן אומר עייל דלא צריך לאתויי כל זמן דעייל ור' שמעון בן לקיש [אומר] לא עייל אלא אי מייתי קרבן בהדיה. ומותיב ר"ל והכתיב ולא יראו פני ריקם. ופריק ר' יוחנן ההוא בעיקר הרגל כי קאמרינן דלא צריך היכא דאייתי בעיקר הרגל ולא אייתי בשאר ימות הרגל. איתיביה לא יראו פני ריקם בזבחים אתה אומר בזבחים או אינו אלא בעופות ובמנחות ודין הוא נאמרה חגיגה להדיוט ונאמרה ראייה לגבוה כו' ופריק רבי יוחנן ההיא בעיקר הרגל וכן בהא דר' יוסי ב"ר יהודה והדר ר' יוחנן ומותיב ליה לר"ל כתיב יראה וקרינן יראה מה אני בחנם אף אתם בחנם. ופרקינן אלא לעולם בעו לאתויי דהא כתיב ולא יראו פני ריקם א) וכל היכא דאתא ולא אייתי אע"ג דעבר כ"ע לא פליגי דעייל בעזרה ומתחזי ונפיק כי פליגי דאתא ואייתי בעיקר הרגל. ר' יוחנן אומר תוב לא מייתי דראיית פנים בעזרה הוא דאין לו שיעור וכל אימת דאתי עייל אבל ראיית קרבן יש לה שיעור וכיון דאייתי אי מייתי אחריתי לא מקבלינן מיניה ומותיב ר' יוחנן והכתיב הוקר רגלך מבית רעך כלומר אל תרבה להראות לו פניך ופריק ר"ל התם בחטאות ואשמות כלומר הזהר בעצמך ואל תחטא בכל יום ולהביא חטאת ואשם וכדר' לוי דאמר כתוב אחד אומר הוקר רגלך מבית רעך ומשני לא קשיא הא בעולות ושלמים אבוא ביתך בעולות והא דכתב הוקר רגלך בחטאות ואשמות. תניא נמי

עין משפט נר מצוה

כז א מיי' פ"א מהל' מתנות עניים הלכה טו סמג לאוין רפד:
כח ב מיי' פ"ב מהל' בכורים הלכה ח סמג עשין קלו:
כט ג מיי' פ"א מהלכות חגיגה הלכה ב סמג עשין רכח:
ל ד מיי' פי"ד מהלכות אבל הלכה א:
לא ה מיי' פ"א מהל' ת"ת הלכה ו' טוש"ע י"ד סי' רמו סעיף ג:
לב ו ז מיי' פ"א מהל' חגיגה הלכה ב:
לג ח ט מיי' שם הל' א:
לד י כ מיי' שם הל' ב ופ"ב שם הלכה ו:

מסורת הש"ס

א) [ביצה כ:], ב) [עי' תוספות ב"ב קנד: ד"ה ברם ותוספות בכורות ד: ד"ה אלא], ג) [צ"ל אושעיא], ד) [צ"ל ודמי].

הגהות הב"ח

(א) גמ' אבל אמרו חכמים הראייה: (ב) שם בעיקר הרגל איתיביה ר"ל לר"י ר' יוסי בר' יהודה: (ג) שם איתיביה ר' יוחנן לריש לקיש יִרְאֶה יֵרָאֶה מה אני: (ד) רש"י ד"ה הפאה וכו' אע"פ שיש לפאה שיעור חכמים נתנו בו שיעור: (ה) רש"י ד"ה ואין נראין וכו' לקמן הס"ד ואח"כ מה"ד מבית רעך וכו' אחי ורעי הס"ד ואח"כ מה"ד בחטאות וכו' ואשם הס"ד ואח"כ מה"ד סבר רב: (ו) תום' ד"ה ר' יוחנן וכו' דכיון דאייתי קרבן בראייה: (ז) בא"ד מתני' בראיית פנים אבל בראיית קרבן יש לו: (ח) בא"ד לא יראו פני ריקם אפילו כל שהוא: (ט) בא"ד דלא מקבלינן מיניה טפי משום בל תוסיף וכו' אם ירצה דהא לא פטר וכו' דלא פליג ר' יוחנן וכו' יש לו שיעור היינו יש לו שיעור למטה כדאיתא בירושלמי וכו' שיעור להבאתו:

גליון הש"ס

גמרא כל היכא דאתא. כעין זה שבת דף ג ע"א ועיין בתוספות שם ד"ה אלא אי אתמר:

הגהות מהר"ב רנשבורג

א] גמרא אף אתם בחנם. נ"ב עי' טורי אבן:

תורה אור השלם

א) אֶת חַג הַמַּצּוֹת תִּשְׁמֹר שִׁבְעַת יָמִים תֹּאכַל מַצּוֹת כַּאֲשֶׁר צִוִּיתִךָ לְמוֹעֵד חֹדֶשׁ הָאָבִיב כִּי בוֹ יָצָאתָ מִמִּצְרָיִם וְלֹא יֵרָאוּ פָנַי רֵיקָם: [שמות כג, טו]
ב) שָׁלוֹשׁ פְּעָמִים בַּשָּׁנָה יֵרָאֶה כָל זְכוּרְךָ אֶת פְּנֵי יְיָ אֱלֹהֶיךָ בַּמָּקוֹם אֲשֶׁר יִבְחָר בְּחַג הַמַּצּוֹת וּבְחַג הַשָּׁבֻעוֹת וּבְחַג הַסֻּכּוֹת וְלֹא יֵרָאֶה אֶת פְּנֵי יְיָ רֵיקָם: [דברים טז, טז]
ג) הֹקַר רַגְלְךָ מִבֵּית רֵעֶךָ פֶּן יִשְׂבָּעֲךָ וּשְׂנֵאֶךָ: [משלי כה, יז]
ד) אָבוֹא בֵיתְךָ בְעוֹלוֹת אֲשַׁלֵּם לְךָ נְדָרָי: [תהלים סו, יג]

ליקוטי רש"י

והראיון. מפרש בגמ' דהכא (דף ז.) דכל כמה דבעי לאתחזויי בעזרה ברגל מיתחזי ומייתי קרבן עולת ראייה וגם בקרבן אין שיעור לגדולים אבל מן התורה אין לו שיעור למטה אם מוטע מן התורה אבל חכמים אמרו הראיה מעה כסף והחגיגה שתי כסף [חולין קלז:]. ולא יראו פני ריקם. כשתבואו לראות פני ברגלים הביאו לי עולות (חגיגה ז) [שמות כג, טו]. הוקר רגלך. כשם שאם מלאת דבש שלא תאכל ממנו פן תשבענו והקאתו כך הוקר רגלך מבית רעך אע"פ שהוא מקרבך מנע מלבא שם יום יום פן ישבעך ושנאך אותך. ולענין מדרשו אל תהי רגיל לחטוא שוגג ולהביא תמיד חטאות ואשמות לבית ה' שנקרא רע לישראל כדכתיב רעך ורע אביך אל תעזוב ורעי [משלי כה, יז]. אבא ביתך. כבנותך בית המקדש נשלם נדרינו שנדרנו בגולה [תהלים סו, יג]. האידנא. עכשיו [סוכה יח.].

חשק שלמה על ר"ח

א) דברי רבינו אלו אינם עולים לפי סוגית הגמ' ואולי דגירסא אחרת היה לו וצ"ע.

עין משפט
נר מצוה

לה א מיי' פ"ב מהל' חגיגה הלכה י:
לו ב מיי' שם הלכה ח סמג עשין רכט:
לז ג ד מיי' שם פ"א הלכה ח ט:
לח ה מיי' שם הלכה י:
לט ו ז מיי' שם הלכה ח:
מ ח מיי' שם פ"ב הלכה ח סמג עשין רכט:
מא ט מיי' שם הלכה י:
מב י מיי' שם הל' ח:

רבינו חננאל

נמי הכי כשנויא דריש לקיש. ואין נראין חצאין פי' כל מי שאינו יכול לעלות בכלל ישראל כולו. כגון המקמץ והמצרף נחשת והבורסקי מפני שריחו רע ומואסין אותו פטורין מן הראייה שנאמר כל זכורך מי שיכול לעלות עם כל זכורך: מתני' עולות במועד באות מן החולין כו' ושלמים מן המעשר מעשר שני שאע"פ שהוכנו מעות מעשר שני לשמחת הרגל. שלמים לשמחת הרגל הן באין ומותר תריצנה למתניתין הכי חסורי מחסרא והכי קתני עולות ונדרים ונדבות במועד הן באות אבל לא ביו"ט ועולת ראייה באה אפי' ביו"ט וכשהיא באה אינה באה אלא מן החולין ושלמי שמחה באין אף מן המעשר ממעות מעשר שני וחגיגת יו"ט הראשון של פסח בש"א מן החולין ובה"א מן המעשר. תניא נמי הכי עולות נדרים ונדבות במועד באות ביו"ט אינן באות כו' אסיקנא קסבר ב"ש חגיגת יו"ט הראשון היא מן התורה.

א"ל אביי פשיטא הי מינייהו משוית להו פושעים והי מינייהו משוית להו זריזין אלא קרא למאי אתא לכדאחרים דתניא [א] אחרים אומרים המקמץ והמצרף נחשת והבורסי פטורין מן הראיה שנאמר [א] כל זכורך מי שיכול לעלות עם כל זכורך יצאו אלו שאין יכולין לעלות עם כל זכורך: **מתני'** עולות במועד באות מן החולין והשלמים מן המעשר יום טוב הראשון של פסח ב"ש אומרים מן החולין ובית הלל אומרים מן המעשר [א] ישראל יוצאין ידי חובתן בנדרים ונדבות ובמעשר בהמה והכהנים בחטאות ואשמות ובבכור ובחזה ושוק אבל לא בעופות ולא במנחות: **גמ'** אלא עולות במועד הוא דבאות מן החולין הא ביום טוב מן המעשר אמאי [ג] דבר שבחובה היא [ג] וכל דבר שבחובה אינו בא אלא מן החולין וכי תימא הא קא משמע לן דעולות במועד באות ביום טוב אינן באות כמאן כבית שמאי דתנן [ד] בית שמאי אומרים מביאין שלמים ואין סומכין עליהן אבל לא עולות ובית הלל אומרים [ג] מביאין שלמים ועולות [ד] וסומכין עליהן חסורי מיחסרא והכי קתני [ה] עולות נדרים ונדבות במועד באות [ו] ביום טוב אינן באות [ז] ועולת ראייה באה אפילו ביו"ט [א] וכשהיא באה [ח] אינה באה אלא מן החולין [ט] ושלמי שמחה באין אף מן המעשר וחגיגת יום טוב הראשון של פסח בית שמאי אומרים מן החולין ובית הלל אומרים מן המעשר תניא נמי הכי עולות נדרים ונדבות במועד באות ביום טוב אינן באות ועולת ראייה באה אפי' ביום טוב [ב] וכשהיא באה אינה באה אלא מן החולין ושלמי שמחה באין אף מן המעשר וחגיגת יום טוב הראשון של פסח בית שמאי אומרים מן החולין ובית הלל אומרים מן המעשר מאי שנא חגיגת יום טוב הראשון של פסח אמר רב אשי הא קא משמע לן חגיגת חמשה עשר אין חגיגת ארבעה עשר לא אלמא

מביאין שלמים ואין סומכין עליהם. דסבירא להו כשמאי דנס דאמר לקמן (דף יח.) שלא לסמוך ביום טוב והלל אומר לסמוך אבל מעולות לא מצינו פלוגתא דפליגו בה הלל ושמאי ואמרינן בפרק קמא דשבת (דף טו. ושם) דלא נחלקו רק בשלשה דברים ומההיא דסמיכה פריך ומשני לה שפיר אלא התלמידים קבלו מרבם אף עולות (ג) ולא נחלקו בהא וההיא דפרק שני דביצה (דף כ:) מעשה באחד מתלמידי הלל שהביא עולתו בעזרה כו' ואמר לו אחד מתלמידי שמאי מה זו סמיכה הוא הדין דמצי למימר מה זו עולה שהם אומרים שלא להביא אלא לא הבין שהיה עולה אבל (ג) הסמיכה שראה לפניו הקפיד והא דלא הקפיד כמו כן בהלל עצמו בעובדא דמייתי לעיל מינה דשמא לא ראו הסמיכה ועוד שמא לא היו מוחין אלא לתלמידיו שהיו חולקין אבל הלל חלק עם רבם ואין בידם למחות:

עולות נדרים ונדבות במועד באות ולא ביו"ט. דהא בית הלל מודו דאין קריבין ביו"ט והא דקאמרי' בפ"ק דביצה (דף יט. ושם) השוחט עולת נדבה ביו"ט לוקה דאמר לך מני ב"ש היא ולא מוקי לה כב"ה דנהי דאיסורא איכא לאו ליכא כיון דאית ליה מתוך דקאמרינן התם וכן אמרינן התם פ' שני דביצה (דף יט.) בגמרא דהאי משנה אמר רשב"א לא נחלקו ב"ש וב"ה על עולות שאינם של יו"ט שאין קריבין [והא] דהתם לא פריך על עולה דאמר מחלוקת ב"ש וב"ה בשלמי חגיגה לסמוך וכו' מברייתא דתני בה פלוגתא על שלמים שאינן של יו"ט כו' ולא אקשי ליה ממתניתין דהכא (ד) כי היכי דמתרצי לה עולות נדרים ונדבות במועד באות ביו"ט לא היינו טעמא דעדיפא ליה לאקשויי מברייתא דמתני בהדיא ולא ע"י דיוקא וחסורי מיחסרא והכי קתני והא דלא מייתי להו נדרים ונדבות לעולה דאמר לב"ה אין קריבין נדרים ונדבות משום דנפיק בהו משום שלמי שמחה כדאמרינן בסמוך דאיכא לאוקמי שכבר קרב שמחה כדינו והרב רבי אלחנן והר"י מתרץ דלא אמר בסמוך דנפיק בשלמי שמחה בנדרים אלא היינו היכא שהקריבום משום שמחה אבל הביאום לשם נדרים לא נפיק רק משום הקדישם:

אלמא

א"ל אביי. האי נמי לא תיבעי לך קרא דבלאו קרא נמי פשיטא מאחר שחייב את כולן אנא ידענא דכל אחד צריך לזרז את עצמו דהיאך יאמר הכתוב לאלו הוו זריזין ולאלו הוו עצלין: **אלא קרא לכדאחרים.** והיינו נמי אין נראין לחכמים דמי שאינו ראוי לעלות אלא בחבורה מועטת כגון אלו שיעשו חבורה לעצמן כך נראה בעיני וחביריי מפרשין דלאו אין נראין לחכמים אתא אביי לפרושי אלא למימרא דקרא לאו להכי אתא וקשיא לי סוף סוף הא דאין נראין לחכמים מאי קאמר תנא ועוד שיטת הש"ס כל היכא דאיכא סבר פלוני למימר הכי ואמר ליה פלוני הכי ההיא מילתא גופא דהוה מצי למימר קמא מתרץ בתרא ואמר ליה דלא תפרשיה הכי אלא הכי: **מתני' עולות במועד באות מן החולין.** משמע השתא עולות ראייה הבאות בחולו של מועד באות מן החולין ולא ממעות מעשר שני דקיי"ל כל דבר שבחובה אינו בא אלא מן החולין במסכת מנחות (דף פב.) ולקמן נמי בגמרא (דף ח.) תניא מסת מלמד שאדם מביא חובתו מן החולין וגמ' פריך אמאי נקט דוקא של מועד כי מייתי לה ביום טוב נמי מן החולין בעי לאתויי: **ושלמים מן המעשר.** בגמרא מפרש שלמי שמחה דרבינהו קרא בכל מילי: **ויו"ט הראשון של פסח.** בגמרא מפרש מאי היא ומאי שנא פסח דנקט: **ישראל יוצאין ידי חובתן.** משום שמחה בכל ענין שיש להן בשר לשובע ואין זקוקין לזבוח שלמים לשם כך: **בנדרים ונדבות.** שהתנדבו כל השנה וכשעולין לירושלים ברגל מביאין אותן ומקריבין אימוריהן והבשר נאכל לבעלים יוצאין בהן משום שמחה משום דבעי למיתני סיפא והכהנים בחטאות וכו' נקט ברישא ישראל: **והכהנים.** שבאו להן חטאות ברגל חטאות ואשמות שהיו עולי רגלים מחוייבין ויש להן בשר לשובע יוצאין בהן משום שמחה ואין צריכין להביא שלמים לשם שמחה אלא בזמן שאין להן בשר לשובע: **יוצאין בחזה ושוק.** המורמים להן משלמי עולי רגלים: **אבל לא בעופות.** בחטאת העוף שאין שובע אלא בבשר בהמה וגמ' יליף לה: **גמ' הא.** אם הביאן ביום טוב יביאם מן המעשר אם ירצה בתמיה: **וכי תימא.** האי דנקט במועד משום דאגב אורחיה קא משמע לן מילתא אחריתי דאין עולת ראייה קריבה ביום טוב ואף על פי שהיא חובת הרגל הואיל ויש לה תשלומין למחר: **מביאין שלמים.** ביום טוב לפי שיש בהם צורך אוכל הדיוט: **ואין סומכין עליהן.** שהסמיכה שבות היא שמשתמש בבעלי חיים ותנן אלו הן משום שבות לא עולין באילן ולא רוכבין על גבי בהמה (ביצה דף לו:): **אבל לא עולות.** אין מביאין כלל דסבירא להו לב"ש לכם (שמות יב) ולא לגבוה חוץ מתמידין ומוספין שזמנן קבוע וכל שזמנן קבוע כתיב בהו במועדו ואפילו בשבת וכל שכן ביו"ט: **וסומכין עליהן.** כיון דמותר להביאן לא גזרו שבות לבטל סמיכתן: **ביו"ט אינן באות.** ואפי' לב"ה סבירא ליה לתנא דמתני' דנדרים ונדבות אין קריבין ביו"ט וכי שרו ב"ה בעולת ראייה ושלמי חגיגה אע"פ שיש להן תשלומין עיקר מצותן ביום ראשון דכתיב וחגותם אותו (ויקרא כג) ביום ראשון משמע: **וכשהיא באה אינה באה אלא מן החולין.** והכא לא מצו לאיפלוגי ולמימר טופל מעות מעשר עמהן דכי אישתרי טפילה בחגיגה הוא דאישתרי (א) לקמן מניין שאם רצה לערב כו' גבי שלמים יש אדם שיש לו אוכלין מרובין ונכסין מועטים ואי אפשר להביא אכילות כולן מן החולין אבל עולה למה טופלה יביא במעה כסף: **אף מן המעשר.** דלאו דבר שבחובה הוא במקום שיש בשר והרי יש לו מעות מעשר שני שיש לו להוציא בירושלים ויקנה בהם שלמים ורבי קרא לקמן כל מיני שמחות לשמחה: **וחגיגת יום טוב הראשון.** שהוא ודאי דבר שבחובה אפי' יש לו בשר הרבה דילפינן לקמן מוחגותם אותו וגו' ולקמיה פריך מאי שנא פסח דנקט: **וב"ה אומרים כו'.** לקמן פריך הא ודאי דבר שבחובה היא ומוקי לה בטופל: **חגיגת י"ד לא.** כלומר להכי נקט פסח לפי שיש ערב פסח חגיגה אחרת כשהיתה חבורת פסח מרובה היו מביאין עמו חגיגה כדי שיהא פסח נאכל על השובע ואשמעינן מתניתין דחגיגת יו"ט עצמו הוא דאינה באה אלא מן החולין אבל חגיגת ארבעה עשר באה אף מן המעשר:

אמר

מסורת הש"ס

א) לעיל ד., ב) [עי' תוספות לקמן ח. ד"ה אמאי], ג) [לקמן ח. פסחים עא. ביצה יט: מנחות פב.], ד) ביצה יט. ולקמן יז. מגילה ה ע"א.

הגהות הב"ח

(א) רש"י ד"ה וכשהיא באה וכו' דאישתרי כדתניא לקמן: (ב) תוס' ד"ה מביאין וכו' קבלו מרבם אף עולות ונחלקו בה בההוא דפ' שני כצ"ל ותיבת ולא נמחק: (ג) בא"ד אבל על הסמיכה: (ד) ד"ה עולות וכו' ולא אקשי ליה ממתניתין דהכא לבתר דמתרצים לה וכו' ולא ממתניתין ע"י דיוקא וכו' והר"י מתרץ וכו' שמחה בנדרים ונדבות [אלא] היכא שהקריבום:

הגהות הגר"א

[א ב] גמרא אפילו ביו"ט וכשהן באין אינן באין אלא כו'. כצ"ל:

תורה אור השלם

א) שָׁלוֹשׁ פְּעָמִים בַּשָּׁנָה יֵרָאֶה כָל זְכוּרְךָ אֶת פְּנֵי יְיָ אֱלֹהֶיךָ בַּמָּקוֹם אֲשֶׁר יִבְחָר בְּחַג הַמַּצּוֹת וּבְחַג הַשָּׁבֻעוֹת וּבְחַג הַסֻּכּוֹת וְלֹא יֵרָאֶה אֶת פְּנֵי יְיָ רֵיקָם: [דברים טז, טז]

ליקוטי רש"י

המקמץ. מפרש במסכת כתובות (עז.) המקמץ בידו צואת כלבים ואומר אני כי לתקן בהן עורות שקורין קורדוו"ן שמעבדין אותן בצואת כלבים [לעיל ד.]. צואת כלבים, לא ידעתי מה צורך בה אבל באשכנז ראיתי שורין בהם הבגדים לפני כבוסן יום או יומים [כתובות עז. ועיי"ש בגליון]. לא אתפרש מה צורך [בה] אבל בארץ אשכנז ראה רבי שורין בהן את הבגדים לפני כבוסם יום או יומים ומכריח למרחוק [רש"י מה"ק כתובות שם]. **והמצרף נחשת.** שמלרפו במקום שחופרין אותו מן הקרקע כדמפרש במסכת כתובות (שם) וכל אלו ריחן רע ואין יכולין לעלות עם חביריהם [לעיל שם]. **וכל דבר שבחובה אינו בא אלא מן החולין.** כדתניא בסיפרי וזבחת פסח כו' עד צאן ובקר והלא אין פסח בא אלא מן הכבשים ומן העזים אם כן למה נאמר בקר להקיש כל הבא מצאן ובקר לפסח מה פסח דבר שהוא חובה ואינו בא אלא מן החולין אף כאן שהוא חובה ואינו בא אלא מן החולין. דבר שיש בו חובה אינו בא אלא מן החולין, כלומר משלו ולא ממה שהוא מחויב ועומד [פסחים ע.]. ולא ממעות מעשר שני ולא מנדרים ונדבות

מחויב ועומד כהן [ביצה יט.] **מביאין שלמים.** ביום טוב שכן אכילת הדיוט [לקמן יז.]. ביום טוב לפי שיש בהן אכילת אדם [ביצה יט.]. [illegible] **ואין סומכין** עליהן. [illegible] **אבל לא עולות.** [illegible] ובית הלל אומרים מביאין שלמים ועולות. [illegible]

This explanation is rejected:

אָמַר לֵיהּ אַבַּיֵי – **Abaye said to [Rav Yosef]:** פְּשִׁיטָא – That is **obvious!** הֵי מִינַּיְיהוּ מְשַׁוֵּית לְהוּ פּוֹשְׁעִים – **Which of them** [the ten sons] **will you make negligent,** וְהֵי מִינַּיְיהוּ מְשַׁוֵּית לְהוּ זְרִיזִין – **and which of them will you make diligent?**[1]

Abaye therefore suggests a different explanation:

אֶלָּא קְרָא לְמַאי אֲתָא – **But,** then, **what** law **does the verse come to** teach?[2] לְכִדְאֲחֵרִים – It serves **to teach that which the "Others"** stated, דְּתַנְיָא – **for it was taught in a Baraisa:** אֲחֵרִים אוֹמְרִים – OTHERS SAY: הַמְקַמֵּץ – ONE WHO GATHERS dog's excrement, וְהַמְצָרֵף נְחֹשֶׁת – ONE WHO SMELTS COPPER וְהַבּוֹרְסִי – AND A TANNER[3] פְּטוּרִין מִן הָרְאִיָּיה – ARE NOT OBLIGATED IN THE mitzvah OF APPEARING in the Temple during the festivals, שֶׁנֶּאֱמַר ,,כָּל־זְכוּרְךָ" – FOR IT IS STATED: *ALL YOUR MENFOLK,* מִי שֶׁיָּכוֹל לַעֲלוֹת עִם כָּל זְכוּרְךָ – from which it is derived that only ONE WHO IS ABLE TO ASCEND WITH ALL YOUR MENFOLK is obligated in this mitzvah. יָצְאוּ אֵלּוּ שֶׁאֵין יְכוֹלִין לַעֲלוֹת עִם כָּל זְכוּרְךָ – EXCLUDED, then, ARE THESE men, WHO CANNOT ASCEND WITH ALL YOUR MENFOLK, because their repulsive odor bars them from the company of others.[4]

Mishnah This Mishnah discusses whether the private festival offerings (*olas re'iyah, shalmei chagigah* and *shalmei simchah*) may be purchased with money that had been used to redeem *maaser sheni*:[5]

עוֹלוֹת בַּמּוֹעֵד – ***Olah* offerings** (i.e. *olos re'iyah*)[6] brought **on Chol HaMoed**[7] בָּאוֹת מִן הַחוּלִּין – must **come from unconsecrated property;** that is, they may not be purchased with money used to redeem *maaser sheni.*[8]

וְהַשְּׁלָמִים מִן הַמַּעֲשֵׂר – **However, the *shelamim* offerings** (i.e. *shalmei simchah*) may come **from *maaser* sheni.**[9]

The next segment deals with the *shalmei chagigah*:

יוֹם טוֹב הָרִאשׁוֹן שֶׁל פֶּסַח – The *shalmei chagigah* brought on **the first festival day of Pesach,**[10] בֵּית שַׁמַּאי אוֹמְרִים – **Beis Shammai say** that מִן הַחוּלִּין – it must come **from unconsecrated property;** וּבֵית הִלֵּל אוֹמְרִים – **but Beis Hillel** say that מִן הַמַּעֲשֵׂר – it may come **from *maaser* sheni.**[11]

The Mishnah lists offerings that may be used to fulfill the mitzvah of rejoicing on the festivals:[12]

יִשְׂרָאֵל יוֹצְאִין יְדֵי חוֹבָתָן – **Yisraelim** (i.e. non-Kohanim) can **fulfill their obligation** of rejoicing on the festivals

NOTES

1. Every person obligated to ascend to Jerusalem is personally responsible to arrive there in a timely fashion. No one (not even a father) has the authority to tell another to come late. This is a matter of logic, for which no verse is required (*Rashi*).

2. That is, what law does the *Baraisa* infer from the verse? (*Rashi;* see *Siach Yitzchak,* who explains the Gemara's wording; cf. the alternative approach cited by *Rashi*).

3. A foul odor clings to people engaged in these occupations. See 4a with note 20.

4. By stating "*all* your menfolk," the Torah teaches that a pilgrim is obligated in the mitzvah only if he is able to join all the other pilgrims. It thus exempts from the mitzvah those who cannot join the masses, but would have to form their own small groups because no one else wants to be near them. This is what the Baraisa means when it says "they should not appear in groups," i.e. those who are confined to isolated groups are not obligated to fulfill the mitzvah of appearing in the Temple (*Rashi;* see 4a note 20).

5. [*Maaser sheni* (second tithe) is a tithe that must be separated from the year's harvest in the first, second, fourth and fifth years of the seven-year *shemittah* cycle. The Torah commands that *maaser sheni* be eaten in Jerusalem; alternatively, it may be exchanged for money, which is taken to Jerusalem and used to buy food to be eaten there. The sanctity of the *maaser sheni* is transferred to the money.]

There is a rule which states: כָּל דָּבָר שֶׁבְּחוֹבָה אֵינוֹ בָא אֶלָּא מִן הַחוּלִּין, *any mandatory [offering] may come only from unconsecrated property* (Mishnah, *Menachos* 82a; see also below, 8a). That is, if one is obligated to bring an offering, the item he designates for it must be previously unconsecrated; furthermore, the money he uses to buy that item must be unconsecrated. Thus, for example, money that had been used to redeem *maaser sheni,* which possesses a degree of sanctity, may not be used in the purchase of a mandatory offering. Our Mishnah discusses how this law relates to the *olas re'iyah, shalmei chagigah* and *shalmei simchah.*

6. The Gemara assumes that this term refers to the *olas re'iyah* (see *Rashi*).

7. [The festivals of Pesach and Succos begin and end with holy days (יוֹם טוֹב, *Yom Tov*), during which most forms of labor are forbidden. The intermediate days, which are subject to fewer restrictions, are known as חוֹל הַמּוֹעֵד, *Chol HaMoed,* literally: the ordinary part of the festival.]

8. As explained in note 5, *maaser sheni* money may not be used to buy mandatory offerings, such as the *olas re'iyah.*

The Mishnah's ruling is also true in the case of *olas re'iyah* offerings brought on Yom Tov. The Gemara explains why the Mishnah specifies Chol HaMoed (*Rashi*).

[According to *Tosafos* (printed on 8a ד"ה אמאי) there is another reason why one may not use *maaser sheni* money to purchase an *olas re'iyah*: The Torah stipulates that *maaser sheni* money be used only to buy items that are eaten; this excludes *olah* offerings, which are consumed completely on the Altar (*Sifri* on *Deuteronomy* 14:26; see also *Maaser Sheni* 1:7). From *Rashi* (ד"ה וכשהיא באה), though, it appears that this law does not apply to the *olas re'iyah* (see *Siach Yitzchak* on *Rashi* ibid. for possible explanations; cf. *Sfas Emes* ד"ה בגמ' הא ביו"ט).]

9. The mitzvah of rejoicing on the festival can be fulfilled by eating any sacrificial meat to the point of satiety (see 8a note 21 for the Scriptural basis). Hence, there is no obligation to purchase *shalmei simchah* specifically for this purpose unless one lacks adequate sacrificial meat from other sources. A pilgrim who has *maaser sheni* money may consequently buy a [nonmandatory] *shelamim* with it, and then use that *shelamim* to serve as his *shalmei simchah* (see *Rashi* ד"ה אף מן המעשר; see also *Rashi* to *Pesachim* 70a ד"ה יוצא בה). [It is permissible to use *maaser sheni* money to buy a nonmandatory *shelamim* (*Zevachim* 50a; see also *Maaser Sheni* 1:3,4). The rule requiring offerings to originate from unconsecrated sources applies only to mandatory offerings.]

10. The dispute that follows pertains to the *shalmei chagigah* of all festivals, including Shavuos and Succos. The Gemara (7b-8a) explains why Pesach is singled out (*Rashi*). [The Mishnah mentions the first day of the festival because that is when the *chagigah* should ideally be offered.]

11. The *shalmei chagigah* is always mandatory [as opposed to the *shalmei simchah*] (see *Rashi* below ד"ה וחגיגת). Hence, the Gemara asks (below, 8a) how Beis Hillel can rule that the *shalmei chagigah* may be bought with *maaser sheni* money. This runs counter to the rule requiring mandatory sacrifices to be brought from nonsacred sources! The Gemara explains that Beis Hillel allow only *some* of the money used to buy the *shalmei chagigah* to originate from *maaser sheni* (see Gemara ibid. for the Scriptural source of this law and for a basic dispute regarding its application). [In this respect the *shalmei chagigah* stands in contrast to both the *olas re'iyah,* which may not be bought with any *maaser sheni* money (see note 29), and to the *shalmei simchah,* whose entire purchase may be made with *maaser sheni* money.]

12. One fulfills the mitzvah of rejoicing on the festivals by eating sacrificial meat until he is satisfied (see note 9). The meat of most sacrifices suffices for this purpose, as the Mishnah proceeds to explain.

א"ל אביי פשיטא הי מינייהו משוית להו
פושעים והי מינייהו משוית להו זריזין אלא
קרא למאי אתא לכדאחרים דתניא [א] אחרים
אומרים המקמץ והמצרף נחשת והבורסי
פטורין מן הראייה שנאמר [א] כל זכורך מי
שיכול לעלות עם כל זכורך יצאו אלו שאין
יכולין לעלות עם כל זכורך: **מתני'** עולות
במועד באות מן החולין והשלמים מן המעשר
יום טוב הראשון של פסח ב"ש אומרים מן
החולין ובית הלל אומרים מן המעשר
[א] ישראל יוצאין ידי חובתן בנדרים ונדבות
ובמעשר בהמה והכהנים בחטאות ואשמות
ובבכור ובחזה ושוק אבל לא בעופות ולא
במנחות: **גמ'** אלא עולות במועד הוא
דבאות מן החולין הא ביום טוב מן המעשר
אמאי [ג] דבר שבחובה היא [ב] וכל דבר
שבחובה אינו בא אלא מן החולין וכי תימא
הא קא משמע לן דעולות במועד באות
ביום טוב אינן באות כמאן כבית שמאי
דתנן [ד] בית שמאי אומרים מביאין שלמים
ואין סומכין עליהן אבל לא עולות ובית
הלל אומרים [ג] מביאין שלמים ועולות [ה] וסומכין
עליהן חסורי מיחסרא והכי קתני [ו] עולות
נדרים ונדבות במועד באות [ז] ביום טוב אינן
באות [ז] ועולת ראייה באה אפילו ביו"ט [א]
וכשהיא באה [ח] אינה באה אלא מן
החולין [ט] ושלמי שמחה באין אף מן המעשר
וחגיגת יום טוב הראשון של פסח בית
שמאי אומרים מן החולין ובית הלל אומרים
[י] מן המעשר תניא נמי הכי עולות נדרים
ונדבות במועד באות ביום טוב אינן באות
ועולת ראייה באה אפי' ביום טוב [בן] וכשהיא
באה אינה באה אלא מן החולין ושלמי
שמחה באין אף מן המעשר וחגיגת יום
טוב הראשון של פסח בית שמאי אומרים
מן החולין ובית הלל אומרים מן המעשר
מאי שנא חגיגת יום טוב הראשון של
פסח אמר רב אשי הא קא משמע לן חגיגת
חמשה עשר אין חגיגת ארבעה עשר לא
אלמא

רש"י

א"ל אביי. האי נמי לא תיבעי לך קרא דבלאו קרא נמי פשיטא מאחר שחייב את כולן אלא ידענא דכל אחד צריך לגרו את עצמו דהיכן יאמר האב לאלו הוו זריזין ולאלו הוו עצלנין: **אלא קרא לכדאחרים.** והיינו נמי אין נראין לחלאין דמי שאינו ראוי לעלות אלא בחבורה מועטת כגון אלו שיעשו חבורה לעצמן כך נראה בעיני ומבירי מפרשין דלאו אין נראין לחלאין אתא אביי לפרושי אלא למימרא דקרא לאו להכי אתא וקשיא לי סוף סוף הא דאין נראין חלאין מאי קאמר תנא ועוד שיטת הש"ס כל היכא דליכא סבר פלוני למימר הכי ואמר ליה פלוני הכי ההיא מילתא גופא דהוה מצי למימר קמא מתרץ בתרא ואמר ליה דלא תפרשיה הכי אלא הכי: **מתני' עולות במועד באות מן החולין.** משמע השתא עולות ראייה הבאות בחולו של מועד באות מן החולין ולא ממעות מעשר שני דקיי"ל כל דבר שבחובה אינו בא אלא מן החולין במסכת מנחות (דף פב.) ולקמן נמי בגמרא (דף ח.) תניא מסת מלמד שאדם מביא חובתו מן החולין ובגמ' פריך אמאי נקט חולו של מועד כי מייתי לה ביום טוב נמי מן החולין בעי לאתויי: **ושלמים מן המעשר.** בגמרא מפרש שלמי שמחה דרבינהו קרא בכל מילי: **ויו"ט הראשון של פסח.** בגמרא מפרש מאי היא ומאי שנא פסח דנקט: **ישראל יוצאין ידי חובתן.** משום שמחה בכל ענין שיש להן בשר לשובע ואין זקוקין לזבוח שלמים לשם כך: **בנדרים ונדבות.** שהתנדבו כל השנה וכשעולין לירושלים ברגל מביאין אותן ומקריבין אימוריהן והבשר נאכל לבעלים יוצאין בהן משום שמחה משום דבעי למיתני סיפא והכהנים בחטאות וכו' נקט ברישא ישראל: **והכהנים.** שבאו להן חטאות ברגל חטאות ואשמות שהיו עולי רגלים מחוייבין ויש להן בשר לשובע יוצאין בהן משום שמחה ואין צריכין להביא שלמים לשם שמחה אלא בזמן שאין להן בשר לשובע: **יוצאין בחזה ושוק.** המורמים להן משלמי עולי רגלים: **אבל לא בעופות.** בחטאת העוף שאין שובע אלא בבשר בהמה ובגמ' יליף לה: **גמ' הא.** אם הביאן ביום טוב יביאם מן המעשר אם ירצה בתמיה: **וכי תימא.** האי דנקט במועד משום דאגב אורחיה קא משמע לן מילתא אחריתי דאין עולת ראייה קריבה ביום טוב ואף על פי שהיא חובת הרגל הואיל ויש לה תשלומין למחר: **מביאין שלמים.** ביום טוב לפי שיש בהם לורך מאכל הדיוט: **ואין סומכין עליהן.** שהסמיכה שבות היא שמשתמש בבעלי חיים ותנן אלו הן משום שבות לא עולין באילן ולא רוכבין על גבי בהמה (ביצה דף לו:): **אבל לא עולות.** אין מביאין כלל דסבירא להו לב"ש לכם (שמות יב) ולא לגבוה חוץ מתמידין ומוספין שזמנן קבוע וכל שזמנן קבוע כתיב בהו במועדו ואפילו בשבת וכל שכן ביו"ט: **וסומכין עליהן.** כיון דמותר להביאן לא גזרו שבות לבטל סמיכתן: **ביו"ט אינן באות.** ואפי' לב"ה סבירא ליה לתנא דמתני' דנדרים ונדבות אין קריבין ביו"ט וכי שרו ב"ה בעולת ראייה ושלמי חגיגה אע"פ שיש להן תשלומין עיקר מצותן ביום ראשון דכתיב ותחוגתם אותו (ויקרא כג) ביום ראשון משמע: **וכשהיא באה אינה באה אלא מן החולין.** והכא לא מצו לאיפלוגי ולמימר טופל מעות מעשר עמהן דכי אישתרי טפילה בחגיגה הוא דאישתרי (א) לקמן מניין שאם רצה לערב כו' גבי שלמים יש אדם שיש לו אוכלין מרובין ונכסין מועטים ואי אפשר להביא אכילות כולן מן החולין אבל עולה למה טופלה יביא במעה כסף: **אף מן המעשר.** דלאו דבר שבחובה הוא במקום שיש בשר והרי יש לו מעות מעשר שני שיש לו להוציא בירושלים ויקנה בהם שלמים ורבי קרא לקמן כל מיני שמחות לשמחה: **וחגיגת יום טוב הראשון.** שהוא ודאי דבר שבחובה אפי' יש לו בשר הרבה דילפינן לקמן ותחוגתם אותו וגו' ולקמיה פריך מאי שנא פסח דנקט: **וב"ה אומרים כו'.** לקמן פריך הא ודאי דבר שבחובה היא ומוקי לה בטופל: **חגיגת י"ד לא.** כלומר להכי נקט פסח לפי שיש ערב פסח חגיגה אחרת כשהיתה חבורת פסח מרובה היו מביאין עמו חגיגה כדי שיהא פסח נאכל על השובע ואשמעינן מתניתין דחגיגת יו"ט עצמו הוא דאינה באה אלא מן החולין אבל חגיגת ארבעה עשר באה אף מן המעשר:
אמר

תוספות

מביאין שלמים ואין סומכין עליהם. דסבירא להו כשמאי דבס דאמר לקמן (דף יז.) שלא לסמוך ביום טוב והלל אומר לסמוך אבל מעולות לא מצינו פלוגתא דפליגי בה הלל ושמאי ואמרינן בפרק קמא דשבת (דף טו. ושם) דלא נחלקו רק בשלשה דברים ומההיא דסמיכה פריך ומשני לה שפיר אלא התלמידים קבלו מרבם אף עולות (ב) ולא נחלקו בהא ובההיא דפרק שני דבילה (דף כ:) מעשה באחד מתלמידי הלל שהביא עולתו בעזרה כו' ואמר לו אחד מתלמידי שמאי מה זו סמיכה הוא הדין דמצי למימר מה זו עולה שהם אומרים שלא להביא אלא לא הבין שהיא עולה אבל (ג) הסמיכה שראה לפניו הקפיד והא דלא הקפיד כמו כן בהלל עצמו בעובדא דמייתי לעיל מינה דשמא לא ראו הסמיכה ועוד שמא לא היו מוחין אלא לתלמידיו שהיו חולקין אבל הלל חלק עם רבם ואין בידם למחות:

עולות ונדרים ונדבות במועד באות ולא ביו"ט. דאף בית הלל מודו דאין קריבין ביו"ט והא דקאמרי' בפ"ק דבילה (דף יב. ושם) השוחט עולת נדבה ביו"ט לוקה דאמר לך מני ב"ש היא ולא מוקי לה כב"ה דנהי דאיסורא איכא לאו ליכא כיון דאית ליה מתוך כדקאמרינן התם וכן אמרינן התם פ' שני דבילה (דף יט.) בגמרא דהאי משנה אמר רשב"א לא נחלקו ב"ש וב"ה על עולות שאינם של יו"ט שאין קריבין [והא] דהתם כי פריך על עולה דאמר מחלוקת ב"ש וב"ה בשלמי חגיגה לסמוך וכו' מברייתא דתני בה פלוגתא על שלמים שאינן של יו"ט כו' ולא אקשי ליה ממתניתין דהכא (ד) כי היכי דמתרלי לה עולות נדרים ונדבות במועד באות ביו"ט לא היינו טעמא דעדיפא ליה לאקשויי מברייתא דמתני בהדיא ולא ע"י דיוקא וחסורי מיחסרא והכי קתני והא דלא מייתי להו נדרים ונדבות לעולה דאמר לב"ה אין קריבין נדרים ונדבות משום דנפיק בהו משום שלמי שמחה כדאמרינן בסמוך דאיכא לאוקמי שכבר קרב שמחה כדינו והרב רבי אלחנן והר"י מתרץ דלא אמר בסמוך דנפיק בשלמי שמחה בנדרים אלא היינו היכא שהקריבום משום שמחה אבל הביאום לשם נדרים לא נפיק רק משום הקדישם:
אלמא

עין משפט נר מצוה

לה א מיי' פ"ג מהל' חגיגה הלכה י:
לו ב מיי' שם הלכה ח סמג עשין רכט:
לז ג ד מיי' שם פ"א הלכה ח ט:
לח ה מיי' שם הלכה י:
לט ו ז מיי' שם הלכה ח:
מ ח מיי' שם פ"ב הלכה ח סמג עשין רכט:
מא ט מיי' שם הלכה י:
מב י מיי' שם הל' ח:

רבינו חננאל

נמי הכי כשנויא דריש לקיש. ואין נראין חצאין פי' כל מי שאינו יכול לעלות בכלל ישראל כולו. כגון המקמץ והמצרף נחשת והבורסי מפני שריחו רע ומואסין אותו פטורין מן הראייה שנאמר כל זכורך מי שיכול לעלות עם כל זכורך: מתני' עולות במועד באות מן החולין כו' ושלמים מן המעשר שני שאע"פ שהוכנו מעות מעשר שני לשמחת הרגל. שלמים לשמחת הרגל הן באין ומותר תריצנה למתניתין הכי חסורי מחסרא והכי קתני עולות נדרים ונדבות במועד הן באות אבל לא ביו"ט ועולת ראייה באה אפי' ביו"ט וכשהיא באה אינה באה אלא מן החולין ושלמי שמחה באין אף מן המעות מעשר שני וחגיגת יו"ט הראשון של פסח בש"א מן החולין ובה"א מן המעשר. תניא נמי הכי עולות נדרים ונדבות במועד באות ביו"ט אינן באות כו' אסיקנא קסבר ב"ש חגיגת יו"ט הראשון היא מן התורה.

מסורת הש"ס

א) לעיל ד., ב) [ע' תוספות לקמן ח. ד"ה מאתן], ג) לקמן ח. פסחים עא. ביצה יט: מנחות פב., ד) ביצה יט. ולקמן יז. מגילה ה ע"א,

הגהות הב"ח

(א) רש"י ד"ה וכשהיא באה וכו' דלאשתרי כדתניא לקמן: (ב) תוס' ד"ה מביאין וכו' קבלו מרבם אף עולות ונחלקו בה בההוא דפ' שני כצ"ל ותיבת ולא נמחק: (ג) בא"ד אבל על הסמיכה: (ד) ד"ה עולות וכו' ולא אקשי ליה ממתניתין דהכא לבתר דמתרצים לה וכו' ממתניתין ע"י דיוקא וכו' והר"י מתרץ וכו' שמחה בנדרים ונדבות [אלא] היכא שהקריבום:

הגהות הגר"א

[א] בן בגמרא אפילו ביו"ט וכשהן באין אינן באין אלא כו'. כצ"ל:

תורה אור השלם

א) שָׁלוֹשׁ פְּעָמִים בַּשָּׁנָה יֵרָאֶה כָל זְכוּרְךָ אֶת פְּנֵי יְיָ אֱלֹהֶיךָ בַּמָּקוֹם אֲשֶׁר יִבְחָר בְּחַג הַמַּצּוֹת וּבְחַג הַשָּׁבֻעוֹת וּבְחַג הַסֻּכּוֹת וְלֹא יֵרָאֶה אֶת פְּנֵי יְיָ רֵיקָם: [דברים טז, טז]

ליקוטי רש"י

המקמץ. מפרש במסכת כתובות (עז.) המקמץ בידו צואת כלבים ואומר אני כי לתקן בהן עורות שקורין קורדווי"ן שמעבדין אותן בצואת כלבים [לעיל ד.]. צואת כלבים, לא ידעתי מה צורך בה אבל באשכנז ראיתי שנותנין בהם הבגדים לפני כבוסן יום או יומים [כתובות עז. ועיי"ש בגליון]. לא אתפרש מה צורך [בה] אבל באשכנז ראיתי שנותנין בהן את הבגדים לפני כבוסן יום או יומים ומסריח מלמחוק [רש"י מה"ק כתובות שם]. והמצרף נחשת. שמלרפין במקום שחופרין אותו מן הקרקע כדמפרש במסכת כתובות (שם) וכל אלו ריחן רע ואין יכולין לעלות עם חבריהם [לעיל שם]. וכל דבר שבחובה אינו בא אלא מן החולין. כדתניא בספרי וזבחת פסח כו' עד צאן ובקר והלא אין פסח בא אלא מן הכבשים ומן העזים אם כן למה נאמר בקר להקיש כל הבא מן הצאן ומן הבקר לפסח מה פסח דבר שהוא חובה ואינו בא אלא מן החולין אף כל שהוא חובה אינו בא אלא מן החולין. דבר שיש בו חובה אינו בא אלא מן החולין, כגון משלם ועומד [פסחים שם]. ולא ממעות מעשר שני ומנדרים ונדבות שהוא מחויב ועומד בהן [ביצה יט:]. **מביאין שלמים.** ביום טוב שהן אכילת הדיוט [לקמן יז.]. ביום טוב לפי שיש בהן אכילת אדם [ביצה יט.]. שהן מאכל אדם ביום טוב וכתיב אך אשר יאכל לכל נפש (שמות יב) [מגילה ה.]. **ואין סומכין עליהן.** כדאמרינן (לעיל טז.) אלא סומך עליהן מערב יום טוב ושוחטן ביום טוב דלא בעינן תכף לסמיכה שחיטה [לקמן שם]. שהסמיכה אסורה משום שבות שבכל כחו היה סומך והוי ליה משתמש בבעלי חיים בהמה (ביצה לו:) [ביצה שם]. שהסמיכה שבות היא דתנן (ביצה לו:) אלו הן משום שבות לא רוכבין על גבי בהמה ועל אלו שיקריבו ביום טוב יסמכו מאתמול דלית להו לבית שמאי תכף לסמיכה שחיטה [מגילה שם]. **אבל לא עולות.** לפי שאין באומן שיכול להביא לאחר יום טוב דכתיב הוא לבדו יעשה לכם (שמות יב) לכם ולא לגבוה [לקמן שם]. אין מביאין עולות חוץ מתמידין ומוספין שהן קרבן צבור וזמנן קבוע אבל עולת יחיד לא יביא לפי שאין בה אכילה להדיוט וכתיב (שמות יב) יעשה לכם ולא לגבוה [ביצה שם]. **ובית הלל אומרים מביאין שלמים ועולות.** ומה אני מקיים לכם לכם ולא לנכרים [מגילה שם].

בִּנְדָרִים וּנְדָבוֹת וּבְמַעְשַׂר בְּהֵמָה – **with** the meat of ***nedarim, nedavos***[13] **and *maaser beheimah,***[14] וְהַכֹּהֲנִים – **and Kohanim** can fulfill their obligation בְּחַטָּאוֹת וַאֲשָׁמוֹת וּבִבְכוֹר וּבְחָזֶה וָשׁוֹק – **with** the meat of ***chatas* and *asham* offerings,**[15] **the *bechor* offering**[16] **and the breast and thigh** of *shelamim* offerings as well.[17] אֲבָל לֹא בְעוֹפוֹת וְלֹא בִמְנָחוֹת – **However,** the obligation of rejoicing cannot be fulfilled **with bird** offerings **or *minchah*** offerings.[18]

Gemara The Gemara challenges the Mishnah's opening statement, "*Olah* offerings (i.e. *olos re'iyah*) brought on Chol HaMoed must come from unconsecrated property":

אֶלָּא עוֹלוֹת בְּמוֹעֵד הוּא דְּבָאוֹת מִן הַחוּלִּין – **But** can the Mishnah mean that only ***olos*** brought **on Chol HaMoed** must **come from unconsecrated property,** הָא בְּיוֹם טוֹב מִן הַמַּעֲשֵׂר – **whereas *olos*** brought **on Yom Tov** may come **from *maaser*** *sheni*!? אַמַּאי – **Why** should this be so? דָּבָר שֶׁבְּחוֹבָה הִיא – **It** [the *olas re'iyah*] **is a mandatory [offering],** וְכָל דָּבָר שֶׁבְּחוֹבָה אֵינוֹ בָא אֶלָּא מִן הַחוּלִּין – **and** the rule is that **any mandatory [offering] may come only from unconsecrated property!**[19]

The Gemara suggests a solution of this problem which it immediately rejects:

וְכִי תֵּימָא – **Now, you could argue** that הָא קָא מַשְׁמַע לָן – **this** (i.e. the Mishnah's mention of Chol HaMoed) **teaches us** דְּעוֹלוֹת בַּמּוֹעֵד בָּאוֹת – **that *olos re'iyah* are brought on Chol HaMoed** בְּיוֹם טוֹב אֵינָן בָּאוֹת – and **are not brought on Yom Tov** at all![20] However, that cannot be the Mishnah's intent, כְּמַאן – **for according to whom** is it forbidden to bring an *olas re'iyah* on Yom Tov? כְּבֵית שַׁמַּאי – It is forbidden only **according to Beis Shammai,** דִּתְנַן – **as we learned in a Mishnah:**[21] בֵּית שַׁמַּאי אוֹמְרִים – BEIS SHAMMAI SAY: מְבִיאִין שְׁלָמִים – WE MAY BRING *SHELAMIM* OFFERINGS on Yom Tov,[22] וְאֵין סוֹמְכִין עֲלֵיהֶן – BUT WE MAY NOT PERFORM *SEMICHAH* ON THEM.[23] אֲבָל לֹא עוֹלוֹת – HOWEVER, we may NOT bring *OLAH* OFFERINGS.[24] וּבֵית הִלֵּל אוֹמְרִים – BUT BEIS HILLEL SAY: מְבִיאִין שְׁלָמִים וְעוֹלוֹת – WE MAY BRING both *SHELAMIM* AND *OLAH* OFFERINGS on Yom Tov, וְסוֹמְכִין עֲלֵיהֶן – AND WE MAY PERFORM *SEMICHAH* ON THEM.[25] It is unlikely that our Mishnah would follow an opinion of Beis Shammai that is disputed by Beis Hillel.[26] Thus, the difficulty remains: Why did

NOTES

13. [*Nedarim* and *nedavos* are offerings that a person voluntarily vows to bring. The difference between them is as follows: In the case of a *neder,* the vower declares, "It is hereby incumbent upon me to bring a sacrifice." He fulfills his vow by later designating a specific animal as the sacrifice and offering it. In the case of a *nedavah,* the vower declares, "This animal is a sacrifice," designating from the very start the particular animal he wishes to offer.]

When the people ascend to Jerusalem for the pilgrimage festivals, they bring any offerings they had pledged earlier in the year. [It is a mitzvah to fulfill all one's sacrificial commitments by the end of the first festival after the commitments take effect (*Rosh Hashanah* 4b).] One can vow to bring either an *olah* or a *shelamim.* In the case of a *shelamim,* its *emurin* (certain fats and organs) are burned on the Altar, and its meat is eaten by the owner [with the breast and right thigh being awarded to the Kohanim]. The Mishnah teaches here that the meat of a vowed *shelamim* can be used to fulfill the mitzvah of rejoicing on the festivals (*Rashi*).

14. It is a Biblical obligation to separate a tenth of the cattle, sheep and goats born to one's herds and flocks each year. The animals separated for this purpose, known as מַעְשַׂר בְּהֵמָה, *maaser beheimah* (the animal tithe), are brought as offerings in the Temple and their meat is eaten by the owner and his guests in Jerusalem. The Mishnah teaches that this offering too may be used for the mitzvah of rejoicing.

These rulings apply not only to Yisraelim but to Kohanim as well. The Mishnah mentioned Yisraelim by way of contrast to its next clause which refers exclusively to Kohanim (*Rashi*).

15. For the atonement of certain sins, the transgressor is obligated to bring a *chatas* or *asham* offering. The *emurin* of these sacrifices are burned on the Altar and their meat is eaten by the Kohanim in the Temple Courtyard. Kohanim may fulfill the mitzvah of rejoicing on the festival with the meat of *chatas* and *asham* offerings that had been brought by pilgrims (*Rashi*). [*Siach Yitzchak* adds that they could also use the meat of the *chatas* that belongs to the communal *mussaf* offering for this purpose.]

16. A *bechor* (firstborn) is the firstborn offspring of a cow, sheep or goat. It must be given to a Kohen, who offers it as a sacrifice and eats its meat.

17. Although the meat of a *shelamim* is eaten by the owner, he must give its breast and right thigh to a Kohen. Kohanim can fulfill the mitzvah of rejoicing by eating these sections of *shelamim* offerings that had been brought by pilgrims (*Rashi*).

18. [*Minchah* offerings consist primarily of flour.] The Gemara (8a-b) derives from Scripture that since neither a *minchah* nor the meat of birds is truly satisfying, it cannot be used to fulfill the mitzvah of rejoicing (see *Rashi*).

19. See notes 5 and 8.

20. Perhaps the Mishnah's words "on Chol HaMoed" are not related to the next words "from unconsecrated property." Rather, they teach that the *olas re'iyah* may not be offered on Yom Tov at all, regardless of the source of its funding (*Rashi*). The rationale for this prohibition is given in note 24.

21. Below, 17a; *Beitzah* 19a.

22. This refers to the *shalmei chagigah* (see *Beitzah* ibid; see, however, below, 17a note 6). Although *melachah* (labor) is generally forbidden on Yom Tov, the Torah permits certain *melachos* (e.g. slaughtering) for the sake of food preparation (*Exodus* 12:16). Therefore, Beis Shammai permit the offering of *shelamim* on Yom Tov, since its meat is eaten by man (*Rashi*).

23. The preliminary procedure of most private sacrifices includes סְמִיכָה, *semichah* [leaning] (see *Leviticus* 3:2), in which the owner places both his hands on the head of the animal and leans down on it with all his might. On Yom Tov, however, when it is Rabbinically forbidden to make use of animals (*Beitzah* 36b), Beis Shammai prohibit *semichah,* since the owner thereby uses the animal to support his weight (*Rashi*). [Instead, he should perform *semichah* the day before Yom Tov. In Beis Shammai's opinion, *semichah* need not be done on the day the animal is slaughtered (*Rashi* to 17a ד״ה ואין סומכין, based on *Beitzah* 20a; see *Sfas Emes;* see also 16b note 30 for further elaboration).]

24. Beis Shammai prohibit the offering of an *olah* on Yom Tov, even if it is the obligatory *olas re'iyah,* and certainly if it is a self-imposed *neder* or *nedavah.* In their opinion, the Torah's permit to do certain *melachos* involving food on Yom Tov pertains only to the preparation of food for human consumption; it does not extend to sacrifices consumed on the Altar (see *Rashi*). Hence, although Beis Shammai permit on Yom Tov the offering of certain *shelamim,* which are eaten by man, they prohibit *olos,* which are burned entirely on the Altar.

The preceding does not refer to sacrifices that must be offered on a particular day, e.g. the *tamid* (which is brought twice every day of the year) and the *mussaf* offerings (which are brought each day of the festivals and Rosh Chodesh). Regarding such sacrifices the Torah states בְּמוֹעֲדוֹ, *in its set time,* to teach that they are offered even on the Sabbath, and certainly on Yom Tov (*Rashi*). This dispensation, however, does not apply to the *olas re'iyah,* because it is not essential to offer the *olas re'iyah* on Yom Tov; the offering is still valid even if postponed until Chol HaMoed (*Rashi* ד״ה וכי תימא).

25. According to Beis Hillel, the *olas re'iyah* may be offered on Yom Tov, although it is consumed entirely on the Altar (see *Rashi* to *Megillah* 5a ד״ה וב״ה אומרים). Furthermore, Beis Hillel maintain that if a sacrifice may be offered on Yom Tov, the Rabbinic ban against using animals was not applied to nullify its *semichah* (*Rashi*). [In Beis Hillel's opinion, *semichah* must be done immediately before the animal's slaughter, and cannot be advanced to the preceding day (see *Beitzah* 20a). Hence, they permit *semichah* on sacrifices brought on Yom Tov since otherwise there would be no opportunity to perform this mitzvah (see the sources cited in note 23).]

26. See 6b note 18.

א"ל אביי פשיטא הי מינייהו משוית להו פושעים והי מינייהו משוית להו זריזין אלא קרא למאי אתא לכדאחרים דתניא א) אחרים אומרים המקמץ והמצרף נחשת והבורסי פטורין מן הראייה שנאמר א) כל זכורך מי שיכול לעלות עם כל זכורך יצאו אלו שאין יכולין לעלות עם כל זכורך: **מתני'** עולות במועד באות מן החולין והשלמים מן המעשר יום טוב הראשון של פסח ב"ש אומרים מן החולין ובית הלל אומרים מן המעשר א ישראל יוצאין ידי חובתן בנדרים ונדבות ובמעשר בהמה והכהנים בחטאות ואשמות ובבכור ובחזה ושוק אבל לא בעופות ולא במנחות: **גמ'** אלא עולות במועד הוא דבאות מן החולין הא ביום טוב מן המעשר אמאי ב) דבר שבחובה היא ג) וכל דבר שבחובה אינו בא אלא מן החולין וכי תימא הא קא משמע לן דעולות במועד באות ביום טוב אינן באות כמאן כבית שמאי דתנן ד) בית שמאי אומרים מביאין שלמים ואין סומכין עליהן אבל לא עולות ובית הלל אומרים ג מביאין שלמים ועולות ד וסומכין עליהן חסורי מיחסרא והכי קתני ה עולות נדרים ונדבות במועד באות ו ביום טוב אינן באות ז ועולת ראייה באה אפילו ביו"ט [א] וכשהיא באה ח אינה באה אלא מן החולין ט ושלמי שמחה באין אף מן המעשר וחגיגת יום טוב הראשון של פסח בית שמאי אומרים מן החולין ובית הלל אומרים י מן המעשר תניא נמי הכי עולות נדרים ונדבות במועד באות ביום טוב אינן באות ועולת ראייה באה אפי' ביום טוב [ב] וכשהיא באה אינה באה אלא מן החולין ושלמי שמחה באין אף מן המעשר וחגיגת יום טוב הראשון של פסח בית שמאי אומרים מן החולין ובית הלל אומרים מן המעשר מאי שנא חגיגת יום טוב הראשון של פסח אמר רב אשי הא קא משמע לן חגיגת חמשה עשר אין חגיגת ארבעה עשר לא אלמא

מביאין שלמים ואין סומכין עליהם. דקסבירא להו כשמאי דאמר לקמן (דף יח.) שלא לסמוך ביום טוב והלל אומר לסמוך אבל מעולות לא מצינו פלוגתא דפליגו בה הלל ושמאי ואמרינן בפרק קמא דשבת (דף טו. ושם) דלא נחלקו רק בשלשה דברים ומההיא דסמיכה פריך ומשני לה שפיר אלא התלמידים קבלו מרבם אף עולות (ב) ולא נחלקו בהא ובההיא דפרק שני דביצה (דף כ:) מעשה באחד מתלמידי הלל שהביא עולתו בעזרה כו' ואמר לו אחד מתלמידי שמאי מה זו סמיכה הוא הדין דמצי למימר מה זו עולה שהם אומרים שלא להביא אלא לא הבין שהיה עולה אבל (ג) הסמיכה שראה לפניו הקפיד והא דלא הקפיד כמו כן בהלל עצמו בעובדא דמייתי לעיל מינה דשמא לא ראו הסמיכה ועוד שמא לא היו מוחין אלא לתלמידיו שהיו חולקין אבל הלל חלק עם רבם ואין בידם למחות:

עולות נדרים ונדבות במועד באות ולא ביו"ט. דאף בית הלל מודו דאין קריבין ביו"ט והא דקאמר' בפ"ק דביצה (דף יט. ושם) השוחט עולת נדבה ביו"ט לוקה דאמר לך מני ב"ש היא ולא מוקי לה כב"ה דנהי דלאיסורא איכא לאו ליכא כיון דלית ליה מתוך דקאמרינן התם וכן אמרינן התם פ' שני דביצה (דף יט.) בגמרא דהאי משנה אמר רשב"א לא נחלקו ב"ש וב"ה על עולות שאינם של יו"ט שאין קריבין [והא] דהכא כי פליג על עולה לאמר מחלוקת ב"ש וב"ה בשלמי חגיגה לסמוך וכו' מברייתא דתני בה פלוגתא על שלמים שאינן של יו"ט כו' ולא קשי ליה ממתניתין דהכא (ד) כי היכי דמתרצי לה עולות נדרים ונדבות במועד באות ביו"ט לא היינו טעמא דעדיפא ליה לאקשויי מברייתא דמתני בהדיא ולא ע"י דיוקא וחסורי מיחסרא והכי קתני והא דלא מייתי להו נדרים ונדבות לעולה דאמר לב"ה אין קריבין נדרים ונדבות משום דנפיק בהו משום שלמי שמחה כדאמרינן בסמוך דאיכא לאוקמי שכבר קרב שמחה כדינו והרב רבי אלחנן והר"י מתרץ דלא אמר בסמוך דנפיק בשלמי שמחה בנדרים אלא היינו היכא שהקריבום משום שמחה אבל הביאום לשם נדרים לא נפיק רק משום הקדישם: אלמא

א"ל אביי. האי נמי לא תיבעי לך קרא דבלאו קרא נמי פשיטא מאחר שחייב את כולן אנא ידענא דכל אחד צריך לזרז את עצמו דהיאך יאמר האב לאלו הוו זריזין ולאלו הוו עצלין: **אלא קרא לכדאחרים.** והיינו נמי אין נראין לחלאין דמי שאינו ראוי לעלות אלא בחבורה מועטת כגון אלו שיעשו חבורה לעצמן כך נראה בעיני וחביריי מפרשין דלאו אין נראין לחלאין אתא אביי לפרושי אלא למימרא דקרא לאו להכי אתא וקשיא לי סוף סוף הא דאין נראין חלאין מאי קאמר תנא ועוד שיטת הש"ס כל היכא דאיכא סבר פלוני למימר הכי ואמר ליה פלוני הכי ההיא מילתא גופא דהוה מצי למימר קמא מתרץ בתרא ואמר ליה דלא תפרשיה הכי אלא הכי: **מתני'** עולות במועד באות מן החולין. משמע השתא עולות ראייה הבאות בחולו של מועד באות מן החולין ולא ממעות מעשר שני דקיי"ל כל דבר שבחובה אינו בא אלא מן החולין במסכת מנחות (דף פב.) ולקמן נמי בגמרא (דף ח.) תניא מסת מלמד שאדם מביא חובתו מן החולין ובגמ' פריך אמאי נקט חולו של מועד כי מייתי לה ביום טוב נמי מן החולין בעי לאתויי: **ושלמים מן המעשר.** בגמרא מפרש שלמי שמחה דרבינהו קרא בכל מילי: **ויו"ט הראשון של פסח.** בגמרא מפרש מאי היא ומאי שנא פסח דנקט: **ישראל יוצאין ידי חובתן.** משום שמחה בכל ענין שיש להן בשר לשובע ואין זקוקין לזבוח שלמים לשם כך: **בנדרים ונדבות.** שהתנדבו כל השנה וכשעולין לירושלים ברגל מביאין אותן ומקריבין אימוריהן והבשר נאכל לבעלים יוצאין בהן משום שמחה משום דבעי למיתני סיפא והכהנים בחטאות וכו' נקט ברישא ישראל: **והכהנים.** שבאו להן חטאות ברגל חטאות ואשמות שהיו עולי רגלים מחוייבין ויש להן בשר לשובע יוצאין בהן משום שמחה ואין צריכין להביא שלמים לשם שמחה אלא בזמן שאין להן בשר לשובע: **יוצאין בחזה ושוק.** המורמים להן משלמי עולי רגלים: **אבל לא בעופות.** בחטאת העוף שאין שובע אלא בבשר בהמה וגמ' יליף לה: **גמ' הא.** אם הביאן ביום טוב יביאם מן המעשר אם ירצה בתמיה: **וכי תימא.** האי דנקט במועד משום דאגב אורחיה קא משמע לן מילתא אחריתי דאין עולת ראייה קריבה ביום טוב ואף על פי שהיא חובת הרגל הואיל ויש לה תשלומין למחר: **מביאין שלמים.** ביום טוב לפי שיש בהם צורך אוכל הדיוט: **ואין סומכין עליהן.** שהסמיכה שבות היא שמשתמש בבעלי חיים ותנן אלו הן משום שבות לא עולין באילן ולא רוכבין על גבי בהמה (ביצה דף לו:): **אבל לא עולות.** אין מביאין כלל דסבירא להו לב"ש לכם (שמות יב) ולא לגבוה חוץ מתמידין ומוספין שזמנן קבוע וכל שזמנו קבוע כתיב בהו במועדו ואפילו בשבת וכל שכן ביו"ט: **וסומכין עליהן.** כיון דמותר להביאן לא גזרו שבות לבטל סמיכתן: **ביו"ט אינן באות.** ואפי' לב"ה סבירא ליה לתנא דמתני' דנדרים ונדבות אין קריבין ביו"ט וכי שרו ב"ה בעולת ראייה ושלמי חגיגה אע"פ שיש להן תשלומין עיקר מצותן ביום ראשון דכתיב (ויקרא כג) ביום ראשון משמע: **וכשהיא באה אינה באה אלא מן החולין.** והכא לא מצו לאיפלוגי ולמימר טופל מעות מעשר עמהן דכי איצטריך טפילה בחגיגה הוא דאיצטריך (א) לקמן מניין שאם רצה לערב כו' גבי שלמים יש אדם שיש לו אוכלין מרובין ונכסין מועטים ואי אפשר להביא אכילות כולן מן החולין אבל עולה למה טופלה יביא במעה כסף: **אף מן המעשר.** דלאו דבר שבחובה הוא במקום שיש בשר והרי יש לו מעות מעשר שני שיש לו להוציא בירושלים ויקנה בהם שלמים ורבי קרא לקמן כל מיני שמחות לשמחה: **וחגיגת יום טוב הראשון.** שהוא ודאי דבר שבחובה אפי' יש לו בשר הרבה דילפינן לקמן מוחגותם אותו וגו' ולקמיה פריך מאי שנא פסח דנקט: **וב"ה אומרים כו'.** לקמן פריך הא ודאי דבר שבחובה היא ומוקי לה בטופל: **חגיגת י"ד לא.** כלומר להכי נקט פסח לפי שיש ערב פסח חגיגה אחרת כשהיתה חבורת פסח מרובה היו מביאין עמו חגיגה כדי שיהא פסח נאכל על השובע ואשמעינן מתניתין דחגיגת יו"ט עצמו הוא דאינה באה אלא מן החולין אבל חגיגת ארבעה עשר באה אף מן המעשר: אמר

עין משפט
נר מצוה

לה א מיי' פ"ב מהל' חגיגה הלכה י:
לו ב מיי' שם הלכה ח סמג עשין רכט:
לז ג ד מיי' שם פ"א הלכה ח ט:
לח ה מיי' שם הלכה י:
לט ו ז מיי' שם הלכה ח:
מ ח מיי' שם פ"ב הלכה ח סמג עשין רכט:
מא ט מיי' שם הלכה י:
מב י מיי' שם הל' ח:

רבינו חננאל

נמי הכי כשנויא דריש לקיש. ואין נראין חצאין פי' כל מי שאינו יכול לעלות בכלל ישראל כולו. כגון המקמץ והמצרף נחשת והבורסקי מפני שריחו רע ומאסין אותו פטורין מן הראייה שנאמר כל זכורך מי שיכול לעלות עם כל זכורך: מתני' עולות במועד באות מן החולין כו' ושלמים מן המעשר מעשר שני שאע"פ שהוכנו מעות מעשר שני לשמחת הרגל. שלמים לשמחת הרגל הן באין ומותר תריצנא למתניתין הכי חסורי מחסרא והכי קתני עולות נדרים ונדבות במועד הן באות אבל לא ביו"ט ועולת ראייה באה אפי' ביו"ט וכשהיא באה אינה באה אלא מן החולין ושלמי שמחה באין אף מן המעשר שני וחגיגת יו"ט הראשון של פסח בש"א מן החולין ובה"א מן המעשר. תניא נמי הכי עולות נדרים ונדבות במועד באות ביו"ט אינן באות כו' אסיקנא דקסבר ב"ש חגיגת יו"ט הראשון היא מן התורה.

מסורת הש"ס

א) לעיל ד., ב) [עי' תוספות לקמן ח. ד"ה אמאי], ג) [לקמן ח. פסחים עא. ביצה יט: מנחות פב.], ד) ביצה יט. ולקמן יז. מגילה ה ע"א.

הגהות הב"ח

(א) רש"י ד"ה וכשהיא כו' דאיצטריך לקמן: (ב) תוס' ד"ה מביאין וכו' קבלו מרבם אף עולות ולא נחלקו בה בההיא דפ' שני כצ"ל ותיבת ולא נמחק: (ג) בא"ד אבל על הסמיכה: (ד) ד"ה עולות וכו' ולא קשיא ליה ממתניתין דהכא דאיכא לאוקמי וכו' ולא ממתניתין ע"י דיוקא וכו' והר"י מתרץ וכו' שמחה בנדרים ונדבות [אלא] היכא שהקריבום:

הגהות הגר"א

[א] בגמרא אפילו ביו"ט וכשהן באין אינן באין אלא כו'. כצ"ל:

תורה אור השלם

א) שָׁלוֹשׁ פְּעָמִים בַּשָּׁנָה יֵרָאֶה כָל זְכוּרְךָ אֶת פְּנֵי יְיָ אֱלֹהֶיךָ בַּמָּקוֹם אֲשֶׁר יִבְחָר בְּחַג הַמַּצּוֹת וּבְחַג הַשָּׁבֻעוֹת וּבְחַג הַסֻּכּוֹת וְלֹא יֵרָאֶה אֶת פְּנֵי יְיָ רֵיקָם: [דברים טז, טז]

ליקוטי רש"י

המקמץ. מפרש במסכת כתובות (עז.) המקמץ בידו צואת כלבים ואומר אני לא לקחן הבן עורות שקורין קודרו"ן שמעבדין אותן בצואת כלבים [לעיל ד.]. צואת כלבים, לא ידעתי מה צורך בה אבל באשכנז ראיתי שורין בהם הבגדים לפני כובסן יום או יומים [כתובות עז. ועי' רש"י בגליון]. [הא] לא אפשרש מה צורך בה אבל באשכנז ראיתי שורין בהן את הבגדים לפני כובסן יום או יומים ומסריח למרחוק [רש"י מה"ק כתובות שם]. והמצרף נחשת. שמלרפו ממקום שחופרין אותו מן הקרקע כדמפרש במסכת כתובות (שם) וכל אלו ריחן רע ואין יכולין לעלות עם חביריהם [לעיל שם]. וכל דבר שבחובה אינו בא אלא מן החולין. כדתניא בספרי חבחת פסח כו' עד לאתן ובקר והלא אין פסח בא אלא מן הכבשים ומן העזים אם כן למה נאמר בקר להקיש כל הבא מלאן ובקר לפסח מה פסח דבר שהוא חובה ואינו בא אלא מן החולין אף כל שהוא חובה ואינו בא אלא מן החולין. דבר שיש בו חובה אינו בא אלא מן החולין, כלומר משלו ולא ממעות מעשר שני וכולן ועומד [פסחים ע.] ולא ממעות מעשר שני לא מנדרים ונדבות אלו.

our Mishnah specify Chol HaMoed?

The Gemara explains the Mishnah:

חסורי מיחסרא והכי קתני – It as as if [the Mishnah] is missing words, and this is what **it is** really **teaching:** עולות נדרים ונדבות – ***OLOS*** that are ***NEDARIM*** **OR** ***NEDAVOS*** (i.e. *olos* that a person had vowed to bring) במועד באות – **ARE BROUGHT ON CHOL HAMOED,** ביום טוב אינן באות – and **ARE NOT BROUGHT ON YOM TOV.**[27] ועולת ראיה באה אפילו ביום טוב – **BUT THE** ***OLAS RE'IYAH*** **IS BROUGHT EVEN ON YOM TOV.**[28] וכשהיא באה – **HOWEVER, WHEN IT IS BROUGHT,** אינה באה אלא מן החולין – **IT MAY COME ONLY FROM UNCONSECRATED PROPERTY.**[29] ושלמי שמחה באין אף מן המעשר – ***SHALMEI SIMCHAH,*** on the other hand, **MAY COME FROM** ***MAASER*** *sheni.*[30] וחגיגת יום טוב הראשון של פסח – Regarding **THE** ***CHAGIGAH*** **OF THE FIRST YOM TOV OF PESACH,** בית שמאי אומרים – **BEIS SHAMMAI SAY** that מן החולין – it must come **FROM UNCONSECRATED PROPERTY;** ובית הלל אומרים – **BUT BEIS HILLEL SAY** that מן המעשר – it may come **FROM** ***MAASER*** *sheni.*[31]

A Baraisa is cited in support of this reading:

תניא נמי הכי – This was also taught in a Baraisa: עולות נדרים ונדבות – ***OLOS*** that are ***NEDARIM*** **OR** ***NEDAVOS*** במועד באות – **ARE BROUGHT ON CHOL HAMOED,** ביום טוב אינן באות – and **ARE NOT BROUGHT ON YOM TOV.** ועולת ראיה באה אפילו ביום טוב – **BUT THE** ***OLAS RE'IYAH*** **IS BROUGHT EVEN ON YOM TOV.** וכשהיא באה – **HOWEVER, WHEN IT IS BROUGHT,** אינה באה אלא מן החולין – **IT MAY COME ONLY FROM UNCONSECRATED PROPERTY.** ושלמי שמחה באין אף מן המעשר – ***SHALMEI SIMCHAH,*** on the other hand, **MAY COME FROM** ***MAASER*** *sheni.* וחגיגת יום טוב הראשון של פסח – Regarding **THE** ***CHAGIGAH*** **OF THE FIRST YOM TOV OF PESACH,** בית שמאי אומרים – **BEIS SHAMMAI SAY** that מן החולין – it must come **FROM UNCONSECRATED PROPERTY;** ובית הלל אומרים – **BUT BEIS HILLEL SAY** that מן המעשר – it may come **FROM** ***MAASER*** *sheni.*

Our Mishnah and the preceding Baraisa recorded the dispute between Beis Shammai and Beis Hillel – as to whether the *chagigah* may be bought with *maaser sheni* money – only in the context of Pesach. The Gemara asks why Pesach was singled out:

מאי שנא חגיגת יום טוב הראשון של פסח – What is different about the ***chagigah*** **of the first festival day of Pesach?** Surely the same law applies on the other festivals as well!

The Gemara answers:

אמר רב אשי – Rav Ashi said: הא קא משמע לן – **This** is what **it is teaching us:** חגיגת חמשה עשר אין – **The** ***chagigah*** **of the fifteenth** of Nissan (i.e. the first day of Pesach) – **yes!** it must come from unconsecrated property;[32] חגיגת ארבעה עשר לא – but **the** ***chagigah*** **of the fourteenth** of Nissan (i.e. the day before Pesach) – **no!** it need not come from unconsecrated property.[33]

NOTES

27. The Tanna of our Mishnah holds that even Beis Hillel forbid the offering of *nedarim* and *nedavos* on Yom Tov (see *Beitzah* 19a-b, where Beis Hillel's opinion of this matter is disputed; see also *Chazon Ish* 129:2). Although Beis Hillel permit the *olas re'iyah* and *shalmei chagigah* on Yom Tov, that is only because those offerings should ideally be offered on the first day of the festival, as a Baraisa below (9a) derives from *Leviticus* 23:41 (*Rashi* with *Siach Yitzchak;* see, however, *Sfas Emes* and *Rashash;* see also *Meromei Sadeh*). But in the case of *nedarim* and *nedavos,* which are not assigned to any particular day at all, Beis Hillel agree that offering them on Yom Tov is forbidden.

The Mishnah forbids not just *olos,* but also *shelamim* which are brought as *nedarim* and *nedavos* (*Rashi,* according to *Siach Yitzchak* and *Meromei Sadeh;* cf. *Tosafos* with *Maharsha; Meiri*). See next note.

In summary, there are three categories with respect to the question of offering sacrifices on Yom Tov: (a) Sacrifices that must be brought on a specific day (e.g. the *tamid* and *mussaf*); these may be offered even on the Sabbath and certainly on Yom Tov. (b) Sacrifices that should ideally be brought on a certain day but can be postponed (e.g. the *olas re'iyah* and *shalmei chagigah*); in this case Beis Hillel permit both *olos* and *shelamim,* but Beis Shammai permit only *shelamim.* (b) Sacrifices not associated with any particular day (e.g. *nedarim* and *nedavos*) may not be offered on Yom Tov, whether they are *olos* or *shelamim,* even according to Beis Hillel.

28. As Beis Hillel maintain. [With respect to the issue of bringing sacrifices on Yom Tov, the Mishnah only has to mention the *olas re'iyah.* Offering *shalmei chagigah* is certainly permitted on Yom Tov, and so is offering *shalmei simchah* (*Rashi* to *Beitzah* 19a ד״ה ועל שלמים; see also *Tosafos* here סד״ה עולות).]

29. That is, *all* the money used to buy the *olas re'iyah* must be unconsecrated. This is in contrast to the *shalmei chagigah,* for which Beis Hillel permit a combination of *maaser sheni* and unconsecrated money (see note 11 and Gemara below, 8a). The *shalmei chagigah* is treated leniently in this regard because a poor person might not be able to afford enough of these offerings to feed all the members of his household if he uses unconsecrated funds alone; therefore, he is allowed to use *maaser sheni* money as well. But in the case of the *olas re'iyah,* which need be worth only a single *ma'ah* [as Beis Hillel state in the Mishnah, 2a], there is no reason to allow the use of any *maaser sheni* money (*Rashi*).

Hagahos HaGra changes the text to the plural form: וּכְשֶׁהֵן בָּאִין אֵינָן בָּאִין אֶלָּא מִן הַחוּלִּין, *however, when they are brought, they are brought only from unconsecrated property.* According to this reading, the Baraisa means that *all* the offerings mentioned thus far – the *olas re'iyah,* as well as *olos* that are *nedarim* and *nedavos* – may not be purchased with *maaser sheni* money (see *Tosafos* printed on 8a ד״ה אמאי and *Tosafos* to *Bava Kamma* 62b ד״ה מי קתני).

30. See note 9.

31. See notes 10 and 11.

32. This is relevant to the opinions of both Beis Shammai and Beis Hillel, for even Beis Hillel agree that *some* of the money used to buy *shalmei chagigah* must be unconsecrated [as explained above, note 11] (*Siach Yitzchak;* see, however, *Rabbeinu Chananel*).

33. In addition to the *chagigah* prescribed for every pilgrimage festival, Pesach has an extra *chagigah* known as חֲגִיגַת י״ד, *the chagigah of the fourteenth* [of Nissan]. This sacrifice is brought only under a particular set of circumstances. If a large number of people eat the *pesach* offering together, each receives a small portion that would not completely satisfy him. It is preferable, though, that the *pesach* bring one to a sense of full satiation (see *Rashi* to *Pesachim* 69b ד״ה ובמועט and 70a ibid. ד״ה על השבע; see also *Rambam, Hil. Korban Pesach* 8:3 with *Kesef Mishneh*). Therefore, they offer a *chagigah* on the fourteenth of Nissan and eat it before the *pesach* so that the *pesach* brings them to full satiation (*Rashi;* cf. *Tosafos* to 70a ד״ה לאו חובה). [If the group is small, it is not necessary to bring the *chagigah,* because each person's portion of the *pesach* itself suffices to satisfy him (see *Pesachim* 69b).]

By specifying the first day of Pesach, the Mishnah and Baraisa seek to imply that only the regular *chagigah,* which is brought on that day, need be purchased [at least partially] with unconsecrated property; but the additional *chagigah,* which is offered on the previous day, may be bought [entirely] with *maaser sheni* money (*Rashi*). The reason for this leniency is given below, 8a.

Having concluded that "the *chagigah* of the fourteenth" may be purchased with *maaser sheni* money, the Gemara gives the reason for this leniency:

אַלְמָא קָסָבַר – Evidently, [the Tanna][1] **maintains that** חֲגִיגַת אַרְבָּעָה עָשָׂר לָאו דְּאוֹרַיְיתָא – the obligation to bring **"the *chagigah* of the fourteenth" is not Biblical.**[2]

The Gemara quotes from a Baraisa cited above (7b):

אָמַר מַר – The master said in the Baraisa: בֵּית הִלֵּל אוֹמְרִים מִן הַמַּעֲשֵׂר – BEIS HILLEL SAY that the *shalmei chagigah* may come FROM *MAASER sheni.*

This ruling is questioned:

אַמַּאי – Why should this be so? דָּבָר שֶׁבְּחוֹבָה הוּא – But **it** [the *shalmei chagigah*] **is a mandatory [offering],** וְכָל דָּבָר שֶׁבְּחוֹבָה אֵינוֹ בָא אֶלָּא מִן הַחוּלִּין – **and any mandatory offering may come only from unconsecrated property!**

The Gemara answers:

אָמַר עוּלָּא – Ulla said: בְּטוֹפֵל – Beis Hillel refer to a case **where one supplements** the money used to buy the *shalmei chagigah* with some *maaser sheni* money.[3]

Amoraim disagree about the application of this law:

חִזְקִיָּה אָמַר – Chizkiyah says: טוֹפְלִין בְּהֵמָה לִבְהֵמָה – **We may supplement an animal** bought with unconsecrated money **with** another **animal** bought with *maaser sheni* money;[4] וְאֵין טוֹפְלִין מָעוֹת לְמָעוֹת – **however, we may not supplement** unconsecrated **money with** *maaser sheni* **money** to purchase a single animal.[5]

וְרַבִּי יוֹחָנָן אָמַר – But R' Yochanan says: טוֹפְלִין מָעוֹת לְמָעוֹת – **We may supplement** unconsecrated **money with** *maaser sheni* **money** in the purchase of a single offering; וְאֵין טוֹפְלִין בְּהֵמָה לִבְהֵמָה – **but we may not supplement an animal** bought with unconsecrated money **with** another **animal** bought with *maaser sheni* money.[6]

The Gemara presents Tannaic support for each of these opinions:

תַּנְיָא כְּוָותֵיהּ דְּחִזְקִיָּה – **It was taught in** one **Baraisa in accordance with Chizkiyah** תַּנְיָא כְּוָותֵיהּ דְּרַבִּי יוֹחָנָן – **and it was taught in** another **Baraisa in accordance with R' Yochanan.**

The Baraisa that corroborates R' Yochanan's view:

תַּנְיָא כְּוָותֵיהּ דְּרַבִּי יוֹחָנָן – **It was taught in** one **Baraisa in accordance with R' Yochanan,** as follows: "מִסַּת" – When the Torah states: *MISAS* (i.e. unconsecrated),[7] מְלַמֵּד שֶׁאָדָם מֵבִיא חוֹבָתוֹ מִן הַחוּלִּין – IT TEACHES THAT A MAN must BRING HIS MANDATORY [OFFERING] FROM UNCONSECRATED PROPERTY. וּמִנַּיִן שֶׁאִם רָצָה לְעָרֵב מְעָרֵב – AND FROM WHERE do we know THAT IF HE WANTS TO MIX unconsecrated and consecrated money to buy a mandatory offering, HE MAY indeed MIX such monies? תַּלְמוּד לוֹמַר "כַּאֲשֶׁר יְבָרֶכְךָ ה' אֱלֹהֶיךָ" – THE TORAH THEREFORE STATES in that same verse: *AS HASHEM, YOUR GOD, WILL BLESS YOU.*[8]

The Baraisa that corroborates Chizkiyah's view:

תַּנְיָא כְּוָותֵיהּ דְּחִזְקִיָּה – **It was taught in** another **Baraisa in accordance with Chizkiyah** as follows: "מִסַּת" – When the Torah states: *MISAS* (i.e. unconsecrated),[9] מְלַמֵּד שֶׁאָדָם מֵבִיא חוֹבָתוֹ מִן הַחוּלִּין – IT TEACHES THAT A MAN must BRING HIS MANDATORY [OFFERING] FROM UNCONSECRATED PROPERTY.

The Baraisa cites a dispute that concerns this rule:

בֵּית שַׁמַּאי אוֹמְרִים – BEIS SHAMMAI SAY: יוֹם רִאשׁוֹן מִן הַחוּלִּין – Offerings brought on THE FIRST DAY of a festival (i.e. *shalmei chagigah*) must come FROM UNCONSECRATED PROPERTY,[10]

NOTES

1. I.e. the Tanna of our Mishnah and the Tanna of the Baraisa, from which the Gemara derived this law.

2. That is, even in the circumstances outlined above (7b note 33), Biblical law does not absolutely require "the *chagigah* of the fourteenth." It is merely an optional mitzvah (*Meromei Sadeh,* citing the opinions of *Rashi* [*Pesachim* 69b-70b] and *Rambam* [*Hil. Korban Pesach* 10:13]; cf. *Tosafos* to *Pesachim* 70a ד״ה לאו, who maintain that it is a Rabbinic obligation; see also *Tosafos* here).

Since this offering is not mandatory according to Biblical law, it is not subject to the rule requiring mandatory offerings to stem from unconsecrated sources.

3. Beis Hillel derive from the Torah (see below) that in certain cases *some* of the funds used in the purchase of a mandatory offering may be *maaser sheni* money. As has already been explained, this leniency is limited to the *shalmei chagigah* (see 7b note 11).

4. If a person has many people eating at his table, for whom one animal would not suffice, he brings several animals for his *shalmei chagigah* (Mishnah below, 8b). Chizkiyah holds that one of these animals must be purchased entirely with unconsecrated money and the others may be bought entirely with *maaser sheni* money. Although all of them fall under the classification of the mandatory *shalmei chagigah* (see *Chazon Ish* §129), he technically fulfills his obligation with the first one alone, which must indeed be purchased with unconsecrated funds. The subsequent offerings may then be purchased with *maaser sheni* money (*Rashi*).

5. That is, one may not purchase a single large animal for his *shalmei chagigah,* using a mixture of unconsecrated and consecrated [*maaser sheni*] money (*Rashi*). Since this is the animal through which he fulfills his basic obligation, it must be bought with unconsecrated property alone.

6. R' Yochanan rules that if one buys several animals for the *shalmei chagigah,* since all of them would fall under the classification of the mandatory *shalmei chagigah,* none of them may be purchased entirely with *maaser sheni* money. However, he may purchase a single large animal with a mixture of consecrated and unconsecrated funds. [The amount of unconsecrated money must be at least two silver *maos,* for that is the minimum value of the *chagigah* according to Beis Hillel, as stated in the Mishnah on 2a (see *Chazon Ish* 129:7 and *Aruch HaShulchan HeAsid, Hil. Chagigah* 199:7).]

Chizkiyah and R' Yochanan agree that the Torah permits the use of some *maaser sheni* money in the purchase of *shalmei chagigah.* Each Amora, however, limits this permit to the circumstance he considers more reasonable. Chizkiyah deems it more reasonable to have one animal purchased entirely with unconsecrated money (for the fulfillment of the basic obligation) and further animals purchased entirely with *maaser sheni* money. R' Yochanan, on the other hand, regards it preferable to use both consecrated and unconsecrated funds to purchase a single large animal, since in that case every piece eaten will stem at least in part from unconsecrated funds (*Rashi;* see *Tosafos*).

7. *Deuteronomy* 16:10. The verse reads: וְעָשִׂיתָ חַג שָׁבֻעוֹת לַה' אֱלֹהֶיךָ מִסַּת נִדְבַת יָדְךָ אֲשֶׁר תִּתֵּן כַּאֲשֶׁר יְבָרֶכְךָ ה' אֱלֹהֶיךָ, *You shall observe the Festival of Shavuos for Hashem, your God, with the tribute (misas) of your voluntary offerings, which you shall give, as Hashem, your God, will bless you.* The word מִסַּת, *misas,* translated here as "tribute," specifically carries the connotation of tribute from an unconsecrated source, as the Gemara demonstrates below.

From the context it is evident that the verse refers to *shalmei simchah* (*Rashi* ad loc.). However, its use of the word חַג alludes to the *shalmei chagigah,* and the term לַה' serves to include the *olas re'iyah* (*Siach Yitzchak*).

8. This term includes *all* the things with which Hashem will bless you [even *maaser sheni*] (*Rashi*).

By using the word לְעָרֵב, *to mix,* the Baraisa demonstrates that it refers to the combination of monies, because monies can truly be mixed together, whereas animals are always distinct entities (*Rashi*). Since the Baraisa specifies combining monies [i.e. using both consecrated and unconsecrated funds to purchase a single animal], it evidently permits only this method and forbids combining animals [i.e. purchasing the first animal entirely with unconsecrated money and all other animals entirely with consecrated money] (*Rashi* to 8b ד״ה לא פליגי). This accords with the opinion of R' Yochanan.

9. See note 7.

10. Beis Shammai prohibit the use of *maaser sheni* money, even in combination with unconsecrated funds, in the purchase of *any* mandatory offering [including the *shalmei chagigah*] (*Rashi*).

אלמא קסבר [א] חגיגת ארבעה עשר לאו דאורייתא אמר מר בית הלל אומרים מן המעשר אמאי דבר שבחובה הוא [ב] וכל דבר שבחובה אינו בא אלא מן החולין אמר עולא [ג] בטופל חזקיה אמר טופלין בהמה לבהמה ואין טופלין מעות למעות ורבי יוחנן אמר [ד] טופלין מעות למעות ואין טופלין בהמה לבהמה תניא כוותיה דחזקיה תניא כוותיה דרבי יוחנן תניא כוותיה דרבי יוחנן (א) מסת מלמד שאדם מביא חובתו מן החולין ומנין שאם רצה לערב מערב ת"ל (א) כאשר יברכך ה' אלהיך תניא כוותיה דחזקיה מסת מלמד שאדם מביא חובתו מן החולין בית שמאי אומרים יום ראשון מן החולין מכאן ואילך מן המעשר ובית הלל אומרים [ה] אכילה ראשונה מן החולין מכאן ואילך מן המעשר ושאר כל ימות הפסח [ו] אדם יוצא ידי חובתו במעשר בהמה ביום טוב מ"ט לא אמר רב אשי [ז] דלמא אתי לעשורי ביו"ט ואי אפשר לעשר ביום טוב משום סקרתא מאי משמע דהאי מסת לישנא דחולין הוא דכתיב (ב) וישם המלך אחשורוש מס על הארץ: ישראל יוצאין ידי חובתן בנדרים ונדבות: ת"ר (ג) ושמחת בחגך לרבות כל מיני שמחות לשמחה מכאן אמרו חכמים [ח] ישראל יוצאין ידי חובתן בנדרים ונדבות ובמעשר בהמה והכהנים בחטאת ואשם ובבכור ובחזה ושוק יכול אף בעופות ובמנחות ת"ל ושמחת בחגך מי

רש"י

אמר מר ובית הלל אומרים אף מן המעשר. והלא דבר שבחובה הוא: **בטופל.** מחבר מעשר עם החולין ומביא ופליגי אמוראי כיצד טופלין: **חזקיה אמר בהמה לבהמה.** אם יש לו אוכלין הרבה ואין להן סיפוק בבהמה אחת יביא אחת לחגיגה מן החולין והשאר מן המעשר ואע"פ שכולן הבאות ביום ראשון שם חגיגה עליהן כבר יצא ידי חובה בראשונה מן החולין: **ואין טופלין מעות למעות.** לקנות בהמה גדולה ורבי יוחנן אמר איפכא למר אתחזי ליה שפיר טפי יציאת ידי חובתו מן החולין כשמביא בהמה שלמה מן החולין ולמר אתחזי ליה שפיר טפי כשחולין מעורבין עם כל אכילותיו ולקמן יליף לה מקראי למותר להיות טופל: **מסת.** בשבועות כתיב ועשית חג שבועות לה' אלהיך מסת נדבת ידך ולקמן מפרש מסת לשון חולין: **מערב.** אין לשון זה טופל אלא במעות שקונה בהן בהמה לשתי בהמות זו ניכרת לעצמה וזו ניכרת לעצמה: **אשר יברכך.** מכל אשר יברכך: **יום ראשון.** שהוא לשם חגיגה יהו מן החולין וליה להו לב"ש טפילה בדבר שבחובה: **מכאן ואילך.** שאינן אלא שמחה דאילו בחגיגה כתיב ותחוגגו אותו יום אחד ותו לא אף מן המעשר: **אכילה ראשונה.** השתא סלקא דעתך בהמה לעצמה ויליאנה על שלחן ראשון: **מכאן ואילך.** אפילו בו ביום: **ושאר כל ימות הפסח.** שאינן אלא לשמחה אדם יוצא במעשר בהמה אם יש לו וכל שכן שקונה שלמים במעות מעשר שני: **ביו"ט מאי טעמא לא.** נפיק במעשר בהמה בשאר אכילות חוץ מן הראשונה כי היכי דשרו במעשר שני: **משום סקרתא.** שלובעו דתנן בבכורות (דף נח:) היוצא בעשירי סוקרו בסיקרא ואומר הרי זה מעשר והוא לבע אדום שלובעין בו תריסין: **ושמחת.** כל השמחות במשמע דלא בעי מיניה אלא שמחה ואמר מר [ה] אין שמחה אלא בבשר והאי בשר הוא:

יצאו

תוספות

אלמא קסבר חגיגת ארבעה עשר לאו דאורייתא. ואין להקשות דתניא בפ' אלו דברים בפסחים (דף ע. ושם) לא ילין מן הבשר לימד על חגיגת י"ד שנאכלת לשני ימים ולילה אחד כו' אלמא סבירא ליה דהוי דאורייתא ועוד אשכחן תנא התם דאינה נאכלת אלא ליום ולילה אחד משמע דאית ליה דאורייתא אלא פליג אאידך תנא [דאמר שני ימים ולילה] ויש לומר דסבר כתנא דמתני' פרק אלו דברים (שם דף סט:) דתנן אימתי מביאין עמו חגיגה בזמן שבא בחול בטהרה ובמועט בזמן שבא בשבת במרובה או בטומאה אין מביאין א"כ משמע דלאו חובה דפעמים לא אתיא כדקאמר רב אשי התם בגמרא:

אמאי דבר שבחובה הוא. אומר הר"ר אלחנן הוא הדין דהוה מצי להקשות עולה היא ואינה נאכלת ואין נותנין דמי מעשר רק בדבר הנאכל והכי מלינו בסיפרי פרשת עשר תעשר בכל אשר תאוה נפשך יכול בעבדים כו' יכול ליקח בהמה למשתה בנו וכו' הרי אתה דן כו' אי מה להלן עולה ושלמים אף כאן תלמוד לומר ואכלת ושמחת שמחה שיש בה אכילה יצאו עולות שאינן נאכלות ויש להקשות דאמר בפ"ק דחולין (דף כג. ושם) בשמעתתא דכמשפט איצטריך כמשפט בעולת העוף לומר שאינה באה אלא מן החולין תיפוק ליה דעולה היא ומיהו הא לא קושיא הוא דהתם [י] נמי פריך (א) ביום מביום ומשני כדי נסבא והוא הדין דמצי לפרוכי עולה היא ולישני הכי אבל הר"ר אלחנן מפרש דכתיב והקריבו דהוי חלוק שמע מינה דמוליא מכלל שאר עולות ולייתי ממעשר אע"ג דאינה נאכלת ומיהו תימה היא דמגילה (דף ח.) דאמר אין בין נדרים ונדבות כו' שהקשה הר"ר יעקב מאורלינ"ש ליתני נמי שהנדרים אינם באים אלא מן החולין דהוה ליה חובה ונדבות אף ממעשר [ח] והיה מתרץ הר"ר אלחנן דמיירי בעולה דבלאו הכי אינה באה [ט] (ב) מן החולין שאינה נאכלת כדפרישית:

טופלין בהמה לבהמה. בהמה ראשונה מן החולין ואיך למעשר אבל מעות למעות להצטרף מעות חולין ומעות מעשר לקנות בהמה (ג) דמשמע ליה דהוי דבר שבחובה ממעשר לא וכל אחד ואחד לפי סברתו מיהו יש ליתן טעם במילתא דתרוייהו דחזקיה אמר אין טופלין מעות סברתו ניכר כיון שאפשר לו ליטפל בשתי בהמות הכי עדיף דסבירא ליה לחזקיה התם חולק לחובתו לשתי בהמות הלכך במעות לא איטפל ור' יוחנן אומר טופלין למעות כיון דרבייה קרא טפילה דשרי על כרחו הכי הוא דבשתי בהמות לא הוי דסבירא ליה לר' יוחנן אין אדם חולק חובתו לשתי בהמות וכן מלינו בירושלמי אמר רבי אילא בשם רבי אמי איתפלגון חזקיה ורבי יוחנן חזקיה אמר אדם חולק חובתו לשתי בהמות וכו':

מלמד שאדם מביא חובתו מן החולין. ובשילהי פרק התודה (מנחות דף פב.) מפקינן ליה מקרא אחרינא וגם בפרק דם החטאת (זבחים דף לח.) וי"ל דהכא איצטריך דסלקא דעתך אמינא כיון דכתיב אשר יברכך לטפלה דמעשר אימא כולי נמי לייתי מן המעשר:

ת"ל אשר יברכך. מיהו בירושלמי מפקינן ליה דכתיב מסת וכתיב לא תוכל שאתו (דברים יד) מה להלן מן המעשר כו' ר' אליעזר אמר נאמר כאן שמחה ונאמר להלן שמחה מה להלן מעשר אף כאן מעשר רבי עולא בר ישמעאל נאמר כאן מסת ונאמר להלן משאת מה להלן אחת עיקר והשאר טפל אף כאן: ה"ג **ושאר** כל ימות הפסח אדם יוצא ידי חובתו במעשר בהמה. אבל יש ספרים שכתוב בהן גירסא אחרת ואין לישנה:

משום סקרתא. הקשה הר"ר אלחנן תיפוק ליה דאין מקדישין ביו"ט (ד) וכדקאמר בפרק בתרא דבילה (דף לו:) וי"ל דשאני הכא דקדושה ועומדת כיון דחייב מן התורה לקדשו כדאמרינן בפרק בתרא דבכורות (דף נח.) הלכך לא שייך ביה שום איסור והר"י תירץ דלביעה דנקט לפי שהוא איסור דאורייתא הלכך גזרו בה אבל מקדיש דלא הוי רק דרבנן לא גזור וכן משמע התם (בילה דף לו:) גבי אין רוכבין על גבי בהמה ומוקי לה משום תחומין לימא קסבר תחומין דאורייתא אלא גזרה שמא יחתוך זמורה משמע דמשום איסור דרבנן לא גזרו ורבי אלחנן היה רוצה לתרץ דלהקדיש לא קאמר דהא אמרינן בפרק שואל (שבת דף קמח:) מקדיש אדם חגיגתו ביו"ט ופסחו בשבת א"כ הכא נמי מלי להקדיש כיון דנפיק בה ידי שלמי שמחה אך אין הר"י מודה לו כיון דלא אתי אלא משום שלמי שמחה דאם לא כן בדין דנדרים ונדבות נמי ליקדשן כיון דנפיק משום שמחה ומכל הני שינויי לא יתכן בבכורות פרק בתרא (דף נח.) אמאי נקט סקרתא ולא נקט מקדישין דהתם לא שייך גזרה אלא (ה) שינוי ראשון דקדושים ועומדין יתכן התם והכא ולא דמי להגבהת תרומות ומעשרות דאסור משום מתקן דהכא לא מתקן הוא דבלאו הכי שרי למיכל קודם שיעשר בהמותיו:

וישם המלך אחשורוש מס. אבל יהיו לך למס ועבדוך (דברים כ) וכן ויהי למס עובד (בראשית מט) לא מייתי דהני לאו מעות משתמעין (ו) אלא לשון עבדות בעלמא: **ושמחת** בחגך לרבות מיני שמחות לשמחה. גבי חג הסוכות כתיב ודרשינן ליה מהדר כתביה כיון דכתבי' גבי עצרת ופסח ילפינן מיניה בהיקש וכן מלא רבי אלחנן בסיפרי דמעצרת הוא דרשינן לה דכתיב וזכרת כי עבד היית בארץ מצרים לימד כל שנוהג בעצרת נוהג בפסח וחג או אינו כל שנוהג בפסח וחג נוהג בעצרת תלמוד לומר אלה אלה נוהגין בעצרת כו':

מי

מסורת הש"ס

א) [פסחים סט:], ב) [לעיל ז: וש"נ], ג) [ע' תוספות זבחים ג. ד"ה אם עלו], ד) [בכורות דף נח.], ה) [פסחים קט.], ו) [שייך לעיל ז:], ז) [דף כב.], ח) [ע' תוספות מגילה ח. ד"ה אין בין ותוספות ב"ק סב: ד"ה מי קתני ותוספות תענית יג: ד"ה מאי], ט) אלא.

הגהות הב"ח

(א) תוס' ד"ה אמאי וכו' הא לאו קושיא הוא דהתם נמי פריך ליה הכי ומשני כדי נסבא וכו': (ב) בא"ד אלא מן החולין כיון שאינה נאכלת כפרישית: (ג) ד"ה טופלין וכו' משמע ליה לחזקיה דהוי דבר שבחובה ממעשר לא ור' יוחנן משמע ליה שיהא חולין מעורב עם כל אכילותיו וכל אחד ואחד לפי סברתו וכו' לחזקיה דאמר אין טופלין מעות למעות ניכר סברתו וכו': (ד) ד"ה משום וכו' דאין מקדישין ביום טוב כדאמרינן בפ' בתרא: (ה) בא"ד ולא נקט מקדישין דהתם לא שייך גזירה אלא שינויא קמא דקדושה ועומדת יתכן התם: (ו) ד"ה וישם וכו' משתמעין מיניה אלא:

תורה אור השלם

א) וְעָשִׂיתָ חַג שָׁבֻעוֹת לַייָ אֱלֹהֶיךָ מִסַּת נִדְבַת יָדְךָ אֲשֶׁר תִּתֵּן כַּאֲשֶׁר יְבָרֶכְךָ יְיָ אֱלֹהֶיךָ: [דברים טז, י]

ב) וַיָּשֶׂם הַמֶּלֶךְ אֲחַשְׁוֵרוֹשׁ מַס עַל הָאָרֶץ וְאִיֵּי הַיָּם: [אסתר י, א]

ג) וְשָׂמַחְתָּ בְּחַגֶּךָ אַתָּה וּבִנְךָ וּבִתֶּךָ וְעַבְדְּךָ וַאֲמָתֶךָ וְהַלֵּוִי וְהַגֵּר וְהַיָּתוֹם וְהָאַלְמָנָה אֲשֶׁר בִּשְׁעָרֶיךָ: [דברים טז, יד]

ליקוטי רש"י

מסת. די. כאשר יברכך ה' אלהיך. הכל לפי הברכה הבא שלמי שמחה וקרא קרואים לאכול [דברים טז, י]. סקרתא. צבע אדום שצובעין העשירי [בכורות נח.]. ... [לעיל ג.]. לרבות כל מיני שמחות. של בשר לשמחה מדלא כתיב והבאת שלמים ואכלת שם ושמחת ומיהו פשיטא לן דלכל זמן שבית המקדש קיים אין שמחה אלא בבשר שנאמר (דברים כז) וזבחת שלמים ואכלת שם ושמחת והאי קרא בהר גרזים כתיב ולא בשלמי שמחת יום טוב כתיב דשמחת יום טוב אם יש לו בכורות ומעשר בהמה אין צריך להביא שלמים [ביצה יט:]. ישראל יוצאין ידי חובתן בנדרים ונדבות כו'. אע"פ שמחוייב ועומד הוא [פסחים ע.].

עין משפט נר מצוה

מג א מיי' פ"י מהלכות קרבן פסח הלכה יג ופ"ב מהלכות חגיגה הלכה י:

מד ב ג ד ה מיי' פ"ב מהל' חגיגה הל' ח:

מה ו ז מיי' שם הל' ט:

מו ח מיי' שם הלכה י:

רבינו חננאל

אבל חגיגת ארבעה עשר אינה מן התורה. ובה"א מן המעשר ומקשינן אמאי והא חגיגת ט"ו ודאי היא מן התורה וכל דבר שבא מן החובה אינו בא אלא מן החולין. ופריק עולא בטופל מעשר שני לחולין א). ובאו חזקי' ור' יוחנן לפרש דבריו חזקיה אמר טופלין בהמה לבהמה פי' טופלין בהמה של חגיגה עם בהמות אחרות של מעות מעשר שני או של נדרים ונדבות ומפורש בתלמוד ארץ ישראל שזה שטופל הוא ממעשר שני אבל ביו"ט לא פי' חיישינן משום סקרתא מפני שבשעה שמונה ומעשר סוקר העשירי בסיקרא ואין סוקרין ביו"ט. ואין טופלין מעות למעות פי' אין מוסיפין על מעות של חגיגה מעות של נדרים שעליו או מעות מעשר שני ומביא בהמה שמינה או פר גדול. ור' יוחנן אמר טופלין מעות למעות ואין טופלין בהמה לבהמה. תניא כוותיה דר' יוחנן מסת מלמד שאדם מביא חובתו מן החולין ומנא לן שאם רצה לערב מערב ת"ל כאשר יברכך ה' אלהיך אפילו שוורים כלומר מוסיף מעות על מעות החגיגה. תניא כוותיה דחזקיה מסת מלמד שאדם מביא מן החולין בש"א יום ראשון מן החולין מיכן ואילך מן המעשר ובה"א אכילה ראשונה מן החולין מיכן ואילך מן המעשר. פי' אכילה ראשונה בהמה ראשונה שאתה אוכל בחג לא תהא אלא מן החולין ושאר כל ימות הפסח אדם יוצא י"ח במעשר בהמה. אבל ביו"ט לא דלמא אתי לעשורי ואי אפשר לעשר ביו"ט משום סיקרא שסוקר את הבהמה שנמצא כצבוע ביו"ט. ומסת מנא לן דלישנא דחולין הוא ואמרינן מסת מלשון מס כדכתיב וישם המלך אחשורוש מס על הארץ: מתני' ישראל יוצאין י"ח בנדרים ובמעשר וכו'. ת"ר ושמחת בחגך לרבות כל מיני שמחות לשמחה מיכן אמרו ישראל יוצאין י"ח בנדרים ונדבות ובמעשר בהמה והכהנים בחטאת ואשם ובבכור ובחזה ושוק יכול אף במנחות ובעופות תלמוד לומר ושמחת בחגך. מי

חשק שלמה על ר"ח

א) בגמ' ליתא זה וכן משמע מדברי רבינו בסמוך דהוליך להביא זה מהירושלמי דהטפלה הוא ממע"ש ודו"ק.

מִכָּאן וְאֵילָךְ מִן הַמַּעֲשֵׂר – whereas offerings brought **FROM HERE AND ON** (i.e. *shalmei simchah*)[11] may come **FROM *MAASER* sheni.**[12] **וּבֵית הִלֵּל אוֹמְרִים** – **HOWEVER, BEIS HILLEL SAY:** **אֲכִילָה רִאשׁוֹנָה מִן הַחוּלִּין** – **THE FIRST CONSUMPTION** (i.e. the first *shalmei chagigah* brought on the festival) must come **FROM UNCONSECRATED PROPERTY,** **מִכָּאן וְאֵילָךְ מִן הַמַּעֲשֵׂר** – whereas consumption **FROM HERE AND ON** (i.e. any additional *shalmei chagigah,* even if they are brought on the first day) may come from ***MAASER*** *sheni;*[13] **וּשְׁאָר כָּל יְמוֹת הַפֶּסַח** – **AND ALL THE REMAINING DAYS OF PESACH**[14] **אָדָם יוֹצֵא יְדֵי חוֹבָתוֹ בְּמַעֲשַׂר בְּהֵמָה** – **A MAN MAY FULFILL HIS OBLIGATION** of rejoicing even **WITH *MAASER BEHEIMAH.***[15]

Beis Hillel implied in the last Baraisa that *maaser beheimah* may be used only after the first day of the festival, and not on Yom Tov itself. The Gemara therefore asks:

בְּיוֹם טוֹב מַאי טַעְמָא לֹא – **What is the reason** one may **not** use *maaser beheimah* on **Yom Tov?**[16]

The Gemara answers:

אָמַר רַב אַשִׁי – **Rav Ashi said:** **דִּלְמָא אָתֵי לְעַשּׂוּרֵי בְּיוֹם טוֹב** – This is a precautionary measure enacted **lest one come to separate *maaser*** *beheimah* **on Yom Tov,** **וְאִי אֶפְשָׁר לְעַשֵּׂר בְּיוֹם טוֹב** – **and it is impossible to separate *maaser*** *beheimah* **on Yom Tov** **מִשּׁוּם סִקְרָתָא** – **because** the process includes the application **of red dye** to the designated animal, which is forbidden on Yom Tov.[17]

The Baraisos quoted above interpreted the word *misas* as denoting "unconsecrated property." The Gemara gives the source for this interpretation:

מַאי מַשְׁמַע דְּהַאי ,,מִסַּת״ – **What indicates that this** word *misas* **לִישָּׁנָא דְּחוּלִּין הוּא** – **is an expression of "unconsecrated property"?** **דִּכְתִיב** – **For it is written:**[18] **,,וַיָּשֶׂם הַמֶּלֶךְ אֲחַשְׁוֵרוֹשׁ מַס עַל־הָאָרֶץ״** – ***King Achashverosh levied a tax*** (*mas*) ***on the*** *[inhabitants of the]* ***land.***[19]

The Mishnah (7b) stated:

יִשְׂרָאֵל יוֹצְאִין יְדֵי חוֹבָתָן בִּנְדָרִים וּנְדָבוֹת – **YISRAELIM FULFILL THEIR OBLIGATION** of rejoicing on the festivals with the meat **OF *NEDARIM* AND *NEDAVOS*** etc.

A Baraisa provides the Scriptural source:

תָּנוּ רַבָּנָן – **The Rabbis taught in a Baraisa:** **,,וְשָׂמַחְתָּ בְּחַגֶּךָ״** – The verse: ***YOU SHALL REJOICE ON YOUR FESTIVAL***[20] **לְרַבּוֹת כָּל מִינֵי שְׂמָחוֹת לְשִׂמְחָה** – serves **TO INCLUDE ALL KINDS OF REJOICING WITH RESPECT TO** the mitzvah of **REJOICING** on the festivals.[21] **מִכָּאן אָמְרוּ חֲכָמִים** – **BASED ON THIS** verse **THE SAGES SAID:** **יִשְׂרָאֵל יוֹצְאִין יְדֵי חוֹבָתָן** – **YISRAELIM** can **FULFILL THEIR OBLIGATION** of rejoicing on the festivals **בִּנְדָרִים וּנְדָבוֹת וּבְמַעֲשַׂר בְּהֵמָה** – **WITH** the meat of ***NEDARIM, NEDAVOS* AND *MAASER BEHEIMAH.*** **וְהַכֹּהֲנִים** – **AND THE KOHANIM** can fulfill their obligation **בְּחַטָּאת וְאָשָׁם וּבִבְכוֹר וּבְחָזֶה וָשׁוֹק** – **WITH** the meat of **A *CHATAS, ASHAM, BECHOR,* AND THE BREAST AND THIGH** of a *shelamim.*[22] **יָכוֹל אַף בְּעוֹפוֹת וּבִמְנָחוֹת** – **IT COULD HAVE BEEN** thought that one can fulfill his obligation **EVEN WITH BIRD OFFERINGS AND *MINCHAH* OFFERINGS.** **תַּלְמוּד לוֹמַר ,,וְשָׂמַחְתָּ בְּחַגֶּךָ״** – **THE TORAH THEREFORE STATES: *YOU SHALL REJOICE ON YOUR FESTIVAL*** (*b'chagecha,* which shares the same root as *chagigah*) to teach that the offering must be of the same type as

---

NOTES

11. The expression "from here and on" (i.e. after the first day) must refer to *shalmei simchah,* because the *shalmei chagigah* may be brought for only one day (*Rashi*).

We derive that the mitzvah of bringing the *chagigah* lasts only one day from the verse (*Leviticus* 23:41): וְחַגֹּתֶם אֹתוֹ, *You shall celebrate it* [singular, i.e. one day] (*Rashi,* from Gemara below, 9a). [Ideally, one should bring it on the first day of the festival, but if he failed to do so, he may bring it on a subsequent day. In either case, the mitzvah is observed for no more than one day.]

12. As explained above, 7b note 9.

13. The Gemara currently interprets "the first consumption" as denoting the entire first animal that is served as *shalmei chagigah* (*Rashi;* see *Rashi* to 8b ד״ה והא קתני). Thus, the Baraisa means that this first *chagigah* must be purchased entirely with unconsecrated money, and not with any *maaser sheni* money at all. Any subsequent offerings, however, may be purchased with only *maaser sheni* money. This is consistent with the opinion of Chizkiyah. [A different interpretation of the Baraisa is given in the Gemara below, 8b.]

14. Or Succos, which also lasts more than one day.

15. After the first day of the festival, when he only has to bring *shalmei simchah,* he may fulfill that obligation with a *maaser beheimah* offering if he has one (see 7b notes 9 and 14). And it is certainly permissible to use *maaser sheni* money to buy *shalmei simchah* (*Rashi;* see *Siach Yitzchak* and *Meromei Sadeh*).

16. Beis Hillel ruled that only the first *shalmei chagigah* of the first day (i.e. the offering through which the obligation is fulfilled) must originate from an unconsecrated source, whereas any supplementary *shalmei chagigah* – even if offered on the first day – may be purchased entirely with *maaser sheni* money. The Gemara argues here that since Beis Hillel permit *maaser sheni* money to be used for supplementary *shalmei chagigah,* they should also permit *maaser beheimah* to be used for this purpose (*Rashi*).

Rashi could also have explained the Gemara as asking why Beis Hillel rule that *maaser beheimah* may be used as *shalmei simchah* only after the first day of the festival. Let it be offered as *shalmei simchah* on Yom Tov as well (*Sfas Emes*).

17. *Maaser beheimah* is designated by gathering all the newborn animals into a pen that has an opening large enough for only one animal to pass through at a time. The owner counts the animals as they exit, marking every tenth animal with red dye and declaring, "This one is *maaser*" (Mishnah, *Bechoros* 58b). Dyeing is one of the categories of labor (*melachos*) forbidden on the Sabbath and Yom Tov (Mishnah, *Shabbos* 73a; see *Tosafos* ד״ה משום).

18. *Esther* 10:1.

19. In this context, the word מַס, *mas,* evidently refers to the payment of [taxes which would only be collected from] unconsecrated goods or money. Thus, מִסַּת, *misas,* which shares the same root as מַס, *mas,* also carries this meaning.

The word מַס appears in the Torah as well, e.g. יִהְיוּ לְךָ לָמַס וַעֲבָדוּךָ, *they shall be a tribute for you and serve you* (*Deuteronomy* 20:11); וַיְהִי לְמַס־עֹבֵד, *he became an indentured laborer* (*Genesis* 49:15). The Gemara does not cite those verses because they speak of tribute in the form of physical servitude, whereas the verse from *Esther* refers to monetary payment (*Tosafos*).

20. *Deuteronomy* 16:14.

21. The commandment וְשָׂמַחְתָּ, *you shall rejoice,* simply requires us to rejoice; it does not stipulate any particular method that must be used to attain the required state of joy (*Rashi;* cf. *Tosafos;* see *Siach Yitzchak*). However, when the Temple is standing, the obligation must be fulfilled by eating sacrificial foods. This is derived from the verse (*Deuteronomy* 27:7, regarding the ceremony at Mt. Gerizim and Mt. Eival): וְזָבַחְתָּ שְׁלָמִים וְאָכַלְתָּ שָּׁם וְשָׂמַחְתָּ לִפְנֵי ה׳ אֱלֹהֶיךָ, *you shall sacrifice shelamim, eat [them] there and rejoice before Hashem, your God,* which demonstrates that the way to attain joy is consumption of sacrifices. Although that verse was stated in a different context, this is presumably the required manner of rejoicing on the festivals as well (see *Rashi* to *Beitzah* 19b ד״ה מביא אדם; *Tosafos* to 8b ד״ה מי שחגיגה and to *Pesachim* 109a ד״ה וזבחת). The Baraisa cited here proceeds to list which sacrifices are eligible for this purpose and which are not.

22. See Mishnah 7b with notes 13-17.

אלמא קסבר [א]חגיגת ארבעה עשר לאו דאורייתא אמר מר בית הלל אומרים מן המעשר אמאי דבר שבחובה הוא [ב]וכל דבר שבחובה אינו בא אלא מן החולין אמר עולא [ג]בטופל חזקיה אמר טופלין בהמה לבהמה ואין טופלין מעות למעות ורבי יוחנן אמר [ד]טופלין מעות למעות ואין טופלין בהמה לבהמה תניא כוותיה דחזקיה תניא כוותיה דרבי יוחנן תניא כוותיה דרבי יוחנן א) מסת [ג]מלמד שאדם מביא חובתו מן החולין ומנין שאם רצה לערב מערב ת"ל א) כאשר יברכך ה' אלהיך תניא כוותיה דחזקיה מסת מלמד שאדם מביא חובתו מן החולין בית שמאי אומרים יום ראשון מן החולין מכאן ואילך מן המעשר ובית הלל אומרים [ה]אכילה ראשונה מן החולין מכאן ואילך מן המעשר ושאר כל ימות הפסח [ו]אדם יוצא ידי חובתו במעשר בהמה ביום טוב מ"ט לא אמר רב אשי [ז]דלמא אתי לעשורי ביו"ט [ד]ואי אפשר לעשר ביום טוב משום סקרתא מאי משמע דהאי מסת לישנא דחולין הוא דכתיב ב) וישם המלך אחשורוש מס על הארץ: ישראל יוצאין ידי חובתן בנדרים ונדבות: ת"ר ג) ושמחת בחגך לרבות כל מיני שמחות לשמחה מכאן אמרו חכמים [ח]ישראל יוצאין ידי חובתן בנדרים ונדבות ובמעשר בהמה והכהנים בחטאת ואשם ובבכור ובחזה ושוק יכול אף בעופות ובמנחות ת"ל ושמחת בחגך מי

רש"י

אמר מר ובית הלל אומרים אף מן המעשר. והלא דבר שבחובה הוא: **בטופל.** מחבר מעשר עם החולין ומביא ופליגי אמוראי כיצד טופלין: **חזקיה אמר בהמה לבהמה.** אם יש לו אוכלין הרבה ואין להן סיפוק בבהמה אחת יביא אחת לחגיגה מן החולין והשאר מן המעשר ואע"פ שכולן הבאות ביום ראשון שם חגיגה עליהן כבר יצא ידי חובה בראשונה מן החולין: **ואין טופלין מעות למעות.** לקנות בהמה גדולה ורבי יוחנן אמר איפכא למר אתחזי ליה שפיר טפי יציאת ידי חובתו מן החולין כשמביא בהמה שלמה מן החולין ולמר אתחזי ליה שפיר טפי כשחולין מעורבין עם כל אכילותיו ולקמן יליף לה מקראי דמותר להיות טופל: **מסת.** בשבועות כתיב ועשית חג שבועות לה' אלהיך מסת נדבת ידך ולקמן מפרש מסת לשון חולין: **מערב.** אין לשון זה נופל אלא במעות שקונה בהן בהמה דשתי בהמות זו ניכרת לעצמה וזו ניכרת לעצמה: **אשר יברכך.** מכל אשר יברכך: **יום ראשון.** שהוא לשם חגיגה יהו מן החולין וליית להו לב"ש טפילה בדבר שבחובה: **מכאן ואילך.** שאינו אלא שמחה דאילו בחגיגה כתיב וחגותם אותו יום אחד ותו לא אף מן המעשר: **אכילה ראשונה.** השתא סלקא דעתך בהמה לעצמה ויביאנה על שלחן ראשון: **מכאן ואילך.** אפילו בו ביום: **ושאר כל ימות הפסח.** שאינן אלא לשמחה אדם יוצא במעשר בהמה אם יש לו וכל שכן שקונה שלמים במעות מעשר שני: **ביו"ט מאי טעמא לא.** נפיק במעשר בהמה בשאר אכילות חוץ מן הראשונה כי היכי דשרו במעשר שני: **משום סקרתא.** שלובעו דתנן בבכורות (דף נח:) היוצא בעשירי סוקרו בסיקרא ואומר הרי זה מעשר והוא לבע אדום שלובעין בו תריסין: **ושמחת.** כל השמחות במשמע דלא בעי מיניה אלא שמחה ואמר מר [ט]אין שמחה אלא בבשר והאי בשר הוא: יצאו

תוספות

אלמא קסבר חגיגת ארבעה עשר לאו דאורייתא. וא"ת ולהקשות דתניא בפ' אלו דברים בפסחים (דף ע. ושם) לא ילין מן הבשר לימד על חגיגת י"ד שנאכלת לשני ימים ולילה אחד כו' אלמא סבירא ליה דהוי דאורייתא ועוד השתא תנא התם דאינה נאכלת אלא ליום ולילה אחד משמע דאית ליה דאורייתא אבל פליג אאידך תנא [דאמר שני ימים ולילה] ויש לומר דסבר כתנא דמתני' פרק אלו דברים (שם דף סט:) דתנן אימתי מביאין עמו חגיגה בזמן שבא בחול בטהרה ובמועט בזמן שבא בשבת במרובה או בטומאה אין מביאין א"כ משמע דלאו חובה דפעמים לא אתיא כדקאמר רב אשי התם בגמרא:

[ה] **אמאי** דבר שבחובה הוא. אומר הר"ר אלחנן הוה מצי להקשות עולה היא ואינה נאכלת ואין נותנין דמי מעשר רק בדבר הנאכל והכי אמרינן בסיפרי פרשת עשר תעשר בכל אשר תאוה נפשך יכול בעבדים כו' יכול ליקח בהמה למשתה בנו וכו' הרי אתה דן כו' לא מה להלן עולה ושלמים אף כאן תלמוד לומר ואכלת ושמחת שמחה שיש בה אכילה יצאו עולות שאינן נאכלות ויש להקשות דאמר בפ"ק דחולין (דף כג. ושם) בשמעתא דכמשפט איצטריך כמשפט בעולת העוף לומר שאינה באה אלא מן החולין תיפוק ליה דעולה היא ומיהו הא לא קושיא הוא דהתם [ו] נמי פריך (א) ביום מביום וכו' ונפקא ומשני כדי נסבא והוא הדין דמצי למיפרך עולה היא וליישני הכי אבל הר"ר אלחנן מפרש דכתיב והקריבו דהוי חלוק שמע מינה דמוציא מכלל שאר עולות ולייתי ממעשר אע"ג דאינה נאכלת ומיהו תימה היא דמגילה (דף ח.) דאמר אין בין נדרים ונדבות כו' שהקשה הר"ר יעקב מאורליינ"ש ליתני נמי שהנדרים אינם באים אלא מן החולין דהוה ליה חובה ונדבות אף ממעשר [ח] והיה מתרץ הר"ר אלחנן דמיירי בעולה דבלאו הכי אינה באה [ט] (ב) מן החולין שאינה נאכלת כדפרישית:

טופלין בהמה לבהמה. בהמה ראשונה מן החולין ואינך למעשר אבל מעות למעות להצטרף מעות חולין ומעות מעשר לקנות בהמה (ג) דמשמע ליה דהוי דבר שבחובה ממעשר לא וכל אחד ואחד לפי סברתו מיהו יש ליתן טעם במילתא דתרוייהו דחזקיה אמר אין טופלין מעות סברתו ניכר כיון שאפשר לו ליטפל בשתי בהמות הכי עדיף דסבירא ליה לחזקיה התם חולק לחובתו לשתי בהמות הלכך במעות לא איטפל ור' יוחנן אומר טופלין למעות כיון דרבייה קרא טפילה דשרי על כרחו הכי הוא דבשתי בהמות לא הוי דסבירא ליה לר' יוחנן אין אדם חולק חובתו לשתי בהמות וכן מלינו בירושלמי אמר רבי אילא בשם רבי אמי איפלגון חזקיה ורבי יוחנן חזקיה אמר אדם חולק חובתו לשתי בהמות וכו':

מלמד שאדם מביא חובתו מן החולין. ובשילהי פרק התודה (מנחות דף פב.) מפקינן ליה מקרא אחרינא וגם בפרק דם החטאת (זבחים דף נח.) וי"ל דהכא איצטריך דסלקא דעתך אמינא כיון דכתיב אשר יברכך לטפלה דמעשר אימא כולי נמי לייתי מן המעשר:

ת"ל אשר יברכך. מיהו בירושלמי מפקינן ליה דכתיב מסת וכתיב לא תוכל שאתו (דברים יד) מה להלן מן המעשר כו' ר' אליעזר אמר נאמר כאן שמחה ונאמר להלן שמחה מה להלן מעשר אף כאן מעשר רבי עולא בר ישמעאל נאמר כאן מסת ונאמר להלן ותרב משאת מה להלן אחת עיקר והשאר טפל אף כאן: ה"ג **ושאר** כל ימות הפסח אדם יוצא ידי חובתו במעשר בהמה. אבל יש ספרים שכתוב בהן גירסא אחרת ואין לישבה:

משום סקרתא. הקשה הר"ר אלחנן תיפוק ליה דאין מקדישין ביו"ט (ד) וכדקאמר בפרק בתרא דבילה (דף לו:) וי"ל דשאני הכא דקדושה ועומדת כיון דחייב מן התורה לקדשו כדאמרינן בפרק בתרא דבכורות (דף נח.) הלכך לא שייך ביה שום איסור והר"י תירץ דלביעה דנקט לפי שהוא איסור דאורייתא הלכך גזרו בה אבל מקדיש דלא הוי רק דרבנן לא גזור וכן משמע התם (ביצה דף לו:) גבי אין רוכבין על גבי בהמה ומוקי לה משום תחומין לימא קסבר תחומין דאורייתא אלא גזרה שמא יחתוך זמורה משמע דמשום איסור דרבנן לא גזרו ורבי אלחנן היה רוצה לתרץ להקדיש לא קאמר דהא אמרינן בפרק שואל (שבת דף קמח:) מקדיש אדם חגיגתו ביו"ט ופסחו בשבת א"כ הכא נמי כיון דנפיק בה ידי שלמי שמחה מצי להקדיש אך אין הר"י מודה לו כיון דלא אתי עיקר משום שלמי שמחה דאם לא כן בדין דנדרים ונדבות נמי ליקדשן כיון דנפיק משום שמחה ומכל הני שינויי לא יתכן בבכורות פרק בתרא (דף נח.) אמאי נקט סקרתא ולא נקט מקדישין דהתם לא שייך גזרה אלא (ה) שינוי ראשון דקדושים ועומדין יתכן התם והכא ולא דמי להגבהת תרומות ומעשרות דאסור משום מתקן דהכא לא מתקן הוא דבלאו הכי שרי למיכל קודם שיעשר בהמותיו:

וישם המלך אחשורוש מס. אבל יהיו לך למס ועבדוך (דברים כ) וכן ויהי למס עובד (בראשית מט) לא מייתי דהני לאו מעות משתמעין (ו) אלא לשון עבדות בעלמא: **ושמחת** בחגך לרבות מיני שמחות לשמחה. גבי חג הסוכות כתיב ודרשינן ליה מהדר כתביה הכא כיון דכתבי' גבי עצרת ופסח ילפינן מיניה בהיקש וכן מלא רבי אלחנן בסיפרי דמעצרת הוא דרשינן לה דכתיב וזכרת כי עבד היית בארץ מצרים לימד כל שנוהג בעצרת נוהג בפסח וחג או אינו כל שנוהג בפסח וחג נוהג בעצרת תלמוד לומר אלה אלה נוהגין בעצרת כו':

מי

וזבחת שלמים ואכלת שם ושמחת [לעיל ג.]. **לרבות כל מיני שמחות.** של בשר לשמחה מדלא כתיב והבאת שלמים ואכלת שם ושמחת ומיהו פשיטא לן דכל זמן שבית המקדש קיים אין שמחה אלא בבשר שנאמר (דברים כז) וזבחת שלמים ואכלת שם ושמחת והאי קרא בהר גריזים כתיב ולא בשלמי שמחה יום טוב כתיב דשמחת יום טוב אם יש לו בכורות ומעשר בהמה אין צריך להביא שלמים [ביצה יט:]. **ישראל יוצאין ידי חובתן בנדרים ונדבות כו'.** אע"פ שמחויב ועומד הוא [פסחים ע.].

מסורת הש"ס

א) [פסחים סט:], ב) [לעיל ז: וש"נ], ג) [עי' תוספות זבחים נ. ד"ה אם על], ד) [בכורות דף נח.], ה) [פסחים קט.], ו) [שייך לעיל ז:], ז) [דף כג.], ח) [עי' תוספות מגילה ח. ד"ה אין בין ותוספות ב"ק סב: ד"ה מי קתני ותוספות תענית יג: ד"ה מאי], ט) אלא.

הגהות הב"ח

(א) תוס' ד"ה אמאי וכו' הא לאו קושיא הוא דהתם נמי פריך ידו הימנית מדרבה בר בר חנה נפקא ומשני כדי נסבא והוא הדין דמצי למימר מן החולין עולה היא ולשני הכי אבל הר"ר אלחנן מפרש דקד"א מדכתיב והקריבו דהוי: (ב) בא"ד אינה באה אלא מן החולין כיון שאינה נאכלת כדפרי': (ג) ד"ה טופלין וכו' משמע ליה לחזקיה דהוי דבר שבחובה ממעשר לא ור' יוחנן משמע ליה שיהא חולין מעורב עם כל אכילותיו וכל אחד ואחד לפי סברתו וכו' דחזקיה דאמר אין טופלין מעות למעות סברתו ניכר דכיון וכו' דסבירא ליה לחזקיה אדם חולק חובתו וכו' ור' יוחנן אומר טופלין מעות למעות דכיון דרבייה: (ד) ד"ה משום וכו' דאין מקדישין ביום טוב כדתנן בפ' בתרא: (ה) בא"ד ולא נקט מקדישין דהתם לא שייך גזרה אלא שינויא קמא דקדושה ועומדת יתכן התם: (ו) ד"ה וישם וכו' משתמעינן מיניה אלא:

תורה אור השלם

א) וְעָשִׂיתָ חַג שָׁבֻעוֹת לַיְיָ אֱלֹהֶיךָ מִסַּת נִדְבַת יָדְךָ אֲשֶׁר תִּתֵּן כַּאֲשֶׁר יְבָרֶכְךָ יְיָ אֱלֹהֶיךָ: [דברים טז, י]

ב) וַיָּשֶׂם הַמֶּלֶךְ אֲחַשְׁוֵרוֹשׁ מַס עַל הָאָרֶץ וְאִיֵּי הַיָּם: [אסתר י, א]

ג) וְשָׂמַחְתָּ בְּחַגֶּךָ אַתָּה וּבִנְךָ וּבִתֶּךָ וְעַבְדְּךָ וַאֲמָתֶךָ וְהַלֵּוִי וְהַגֵּר וְהַיָּתוֹם וְהָאַלְמָנָה אֲשֶׁר בִּשְׁעָרֶיךָ: [דברים טז, יד]

ליקוטי רש"י

מסת. די. כאשר יברכך ה' אלהיך. הכל לפי הברכה הבא שלמי שמחה וקדש קרואים לאכול [דברים טז, י]. **סקרתא.** בלע"ז מלו"א שלובעין העשירי [בכורות נח.]. סיקרא שקורין מיל"א שהשבט לבוע בסיקרא והיה מונה א' ב' ג' ד' וכשהיה יוצא עשירי סוקרו בסקרא עד שיהא ניכר ואסור לצבוע בי"ט דא"כ מלאכה הוא [שם מכת"י]. **ת"ר ושמחת בחגך לרבות וכו'.** חייב בשמחה לשמוח בחג דכתיב ושמחת בחגך [דברים טז] ואמרינן לקמן [דף ח.] שמחה בשלמים לאכול את הבשר ויליפין לה [פסחים דף קט.].

עין משפט נר מצוה

מג א מיי' פ"י מהלכות קרבן פסח הלכה יג ופ"ב מהלכות חגיגה הלכה י:

מד ב ג ד ה מיי' פ"ב מהל' חגיגה הל' ח:

מה ו ז מיי' שם הל' ט:

מו ח מיי' שם הלכה י:

רבינו חננאל

אבל חגיגת ארבעה עשר אינה מן התורה. ובה"א מן המעשר ומקשינן אמאי והא חגיגת ט"ו וודאי היא מן התורה וכל דבר שבא מן החובה אינו בא אלא מן החולין. ופריק עולא בטופל מעשר שני לחולין א). ובאו חזקי' ור' יוחנן לפרש דבריו חזקיה אמר טופלין בהמה לבהמה פי' טופלין בהמה של חגיגה עם בהמות אחרות של מעות מעשר שני או של נדרים ונדבות ומפורש בתלמוד ארץ ישראל שזה שטופל הוא ממעשר שני אבל ביו"ט לא פי' חיישינן משום סקרתא מפני שבשבעה שמונה ומעשר סוקר העשירי בסיקרא ואין סוקרין ביו"ט. ואין טופלין מעות למעות פי' אין מוסיפין על מעות של חגיגה מעות של נדרים שעליו או מעות מעשר שני ומביא בהמה שמינה או פר גדול. ור' יוחנן אמר טופלין מעות למעות ואין טופלין בהמה לבהמה. תניא כוותיה דר' יוחנן מסת מלמד שאדם מביא חובתו מן החולין ומנא לן שאם רצה לערב מערב ת"ל כאשר יברכך ה' אלהיך אפילו שוורים כלומר מוסיף מעות על מעות החגיגה. תניא כוותיה דחזקיה מסת מלמד שאדם מביא מן החולין בש"א יום ראשון מן החולין מיכן ואילך מן המעשר ובה"א אכילה ראשונה מן החולין מיכן ואילך מן המעשר. פי' אכילה ראשונה בהמה ראשונה שאתה אוכל בחג לא תהא אלא מן החולין ושאר כל ימות הפסח אדם יוצא י"ח במעשר בהמה. אבל ביו"ט לא דלמא אתי לעשורי ואי אפשר לעשר ביו"ט משום סיקרא שסוקר על הבהמה שנמצא כצובע ביו"ט. ומסת מנא לן דלישנא דחולין הוא ואמרינן מסת מלשון מס כמו דכתיב וישם המלך אחשורוש מס על הארץ: מתני' ישראל יוצאין י"ח בנדרים ונדבות כו'. ת"ר ושמחת בחגך לרבות כל מיני שמחות לשמחה מיכן אמרו ישראל יוצאין י"ח בנדרים ונדבות ובמעשר בהמה. והכהנים בחטאת ואשם ובבכור ובחזה ושוק יכול אף במנחות ובעופות תלמוד לומר ושמחת בחגך. מי

חשק שלמה על ר"ח

א) נ"ב: ליתא זה וכן משמע מדברי רבינו בסמוך הטופלין להביא זה מהירושלמי דהטפילה הוא ממע"ש וד"ק.

עין משפט נר מצוה

מז א מיי' פ"א מהל' חגיגה הלכה א:
מח ב מיי' שם פ"ב הלכה י:
מט ג מיי' פ"ז מהל' יו"ט הלכה טו ופ"י מהל' אישות הלכה יד סמג לאוין עה טוש"ע א"ח סימן תקמו סעיף א ב וטור ש"ע א"ה סי' סד סעיף ו:
נ ד מיי' פ"א מהלכות חגיגה הלכה יא:
נא ה מיי' פ"ב שם הלכה ח:
נב ו ז מיי' שם הל' ז:

מי שחגיגה באה מהם [א]יצאו אלו שאין
חגיגה באה מהם רב אשי אמר מושמחת
נפקא [ב]יצאו אלו שאין בהן שמחה ורב אשי
האי בחגך מאי עביד ליה ההוא לכדרב
דניאל בר קטינא דאמר רב דניאל בר קטינא
אמר רב (א) מניין [ג]שאין נושאין נשים במועד
שנאמר (א) ושמחת בחגך ולא באשתך:
מתני' [ד]מי שיש לו אוכלים מרובים ונכסים
מועטים מביא שלמים מרובים ועולות
מועטות נכסים מרובים ואוכלין מועטין
מביא עולות מרובות ושלמים מועטין זה
וזה מועט על זה נאמר מעה כסף שתי
כסף זה וזה מרובים על זה נאמר (ב) איש
כמתנת ידו כברכת ה' אלהיך אשר נתן לך:
גמ' שלמים מרובים מהיכא מייתי הא לית
ליה אמר רב חסדא טופל ומביא פר גדול
א"ל רב ששת הרי אמרו טופלין בהמה
לבהמה מאי קאמר ליה אילימא הכי קאמר
ליה הרי אמרו טופלין בהמה לבהמה אבל
לא מעות למעות ולימא ליה אין טופלין
מעות למעות אלא הכי אמר ליה הרי אמרו
אף טופלין בהמה לבהמה כמאן דלא כחזקיה
ודלא כרבי יוחנן וכי תימא אמוראי הוא
דפליגי מתנייתא לא פליגי והא קתני אכילה
ראשונה מן החולין מאי אכילה ראשונה
[ה]שיעור דמי אכילה ראשונה מן החולין אמר
עולא אמר ריש לקיש הפריש עשר בהמות
לחגיגתו הקריב חמש ביום טוב ראשון
חוזר ומקריב חמש ביום טוב שני רבי
יוחנן אמר [ו]כיון שפסק שוב אינו מקריב
אמר ר' אבא ולא פליגי כאן בסתם כאן
במפרש האי סתם היכי דמי אילימא דליכא
שהות ביום לקרב [ז]האי דלא אקרבינהו
(א) דליכא שהות ביום ואלא דלית ליה אוכלין
האי דלא אקרבינהו דלית ליה אוכלין לא
צריכא דאיכא שהות ביום ואית ליה אוכלין
(ג מבדקמא) לא אקרבינהו שמע מינה שיורי
שיירינהו והכי נמי מסתברא דכי אתא רבין
אמר ר' יוחנן הפריש עשר בהמות לחגיגתו
הקריב חמש ביום טוב ראשון חוזר
ומקריב חמש ביום טוב שני קשיין אהדדי
אלא לאו שמע מינה כאן בסתם כאן
במפרש ש"מ איתמר נמי אמר רב שמן בר אבא אמר רבי יוחנן
לא

יצאו אלו שאין חגיגה באה מהן. דחגיגה חלב כתיב בה לא ילין חלב חגי וגו' (שמות כג): מתני' אוכלין מרובין. בני בית רבים מביא שלמים רבים שלמי חגיגה רבים לפי האוכלים ועולת ראייה מועטת: עולות מרובות. דכתיב איש כמתנת ידו: גמ' טופל. מעות חולין ומעשר יחד: אילימא הכי קאמר ליה הרי אמרו בהמה לבהמה (ב) מעות למעות לא. כחזקיה: לימא ליה הרי אמרו אין טופלין מעות למעות. כיון דלמיסר טפילת מעות אתא ושמעינן לחזקיה בהדיא דאין טופלין היכי שביק מילתא בהדיא ומותיב מדיוקא: אלא אף טופלין קאמר ליה. דשמעינן לרב חסדא דקאמר בטופל ומביא פר גדול דוקא מעות למעות אבל בהמה לבהמה לא ואמר ליה איהו הרי אמרו אף טופלין בהמה לבהמה כמאן וכו': וכי תימא אמוראי הוא דפליגי. חזקיה ורבי יוחנן הוא דפליגי בבהמה ובמעות: אבל מתנייתא. דאייתינן לעיל תניא כוותיה דמר ודמר: לא פליגי. במעות אלא בבהמה דהך דקתני אם רצה לערב הוא דקאמר מעות דוקא אבל אידך מתניתא ס"ל בין מעות בין בהמה ורב ששת כברייתא בתרייתא סבירא ליה: והא קתני אכילה ראשונה מן החולין. וקא סלקא דעתך דסעודה הבאה ראשונה על השולחן בעי כולה מחולין: דמי אכילה ראשונה. כלומר אכילה ראשונה סתמא קתני דאית ליה בין בהמה עצמה בין מעות שיעור אכילה ראשונה: חוזר ומקריב חמש ביום טוב שני. ולא אמרינן עובר הוא בבל תוסיף (ג) ורחמנא אמר וחגותם אותו חד יומא ותו לא דהנך נמי דחד יומא הוא ושני תשלומין דראשון: בסתם. אם הפרישן סתם אינו חוזר ומקריבן כדמפרש ואזיל: כאן במפרש. דאמר בהדיא ליום ראשון אני מפריש את כולן חוזר ומקריבן שאינו אלא תשלומי ראשון: האי סתם. דאמרת אסור להקריבן היכי דמי: משום דלא הוה ליה שהות הוא. ומסתמא ליום ראשון הפרישן: שיורי שייר. שהיה בדעתו לחוג שני ימים: ה"נ מסתברא. דמודה ר' יוחנן בדמפרש: איתמר נמי. דהיכא דמוכח מילתא דלא היה בדעתו לחוג שני ימים מודה ר"י:
לא

מי שחגיגה באה מהם. פרש"י דכתיב לא ילין חלב חגי ומיהו לקמן (דף י:) לא מפקינן ליה לפי המסקנא אלא מגזירה שוה דמדבר מדבר ושמא מכל מקום משמעות המקרא משמע חגיגה ולקמן מפקינן ליה ממדבר מדבר שמא אלשון דויחוגו קא סמיך דמשמע חגיגה דלאי ממדבר הוה אמינא עולה ושלמים באה מהם וליכא למימר אם כן לא יהו באים שלמי שמחה ממעשר רק על ידי טפילה כמו חגיגה דהא בספרי ילפינן ליה מגזירה שוה דכתיב בו שם במעשר וגם בהתודה (מנחות פב.) מדכר גזרה שוה שם שם לשלמים הקשה ה"ר אלחנן ליגף שמחה מהר עיבל דכתיב (דברים כז) וזבחת שלמים ומינה ממעטינן עופות ומנחות וכן דריש רבי יהודה בן בתירה בפסחים (דף קט.) ועוד אמאי לא מוקמינן קרא בבשר חולין דמיקרי שפיר שמחה ותירץ דודאי ילפינן מהר עיבל מה שמחה להלן שלמים אף כאן שלמים ובירושלמי איכא אבל לא בעופות ומנחות דכתיב וזבח בהר עיבל:

בחגך ולא באשתך. ומ"ק דמפיק לה מדרשה ושמחת בחגך מי שחגיגה וכו' י"ל דמרויהו שמעינן מינה דליכתוב בחג ומיהו מליונו למימר דפליג עליה ולא משמע ליה (ד) והא דאין נושאים נשים במועד מוקי טעמא כדלקמן דהכא:

מי שיש לו אוכלין מרובין. בירושלמי אמרינן עני וידו רחבה קורא אני עליו איש כמתנת ידו עשיר וידו מעוטה על זה נאמר כברכת ה' אלהיך עני וידו מעוטה על זה נאמר מעה כסף שתי כסף אין פחות ממעה כסף ואין פחות משתי כסף:

חוזר ומקריב (ג) הוא ביו"ט שני. פרש"י ואינו עובר משום בל תוסיף דרחמנא אמר וחגותם אותו חג חד יומא והוא חוגג שני ימים דהוה ליה תשלומין דראשון אבל בסתם אסור כדמפרש ואזיל ולא שייך לאקשויי כיון דלא הוי חזי בראשון איך הוה חזי בשני הואיל ושמעינן ליה לר' יוחנן בסמוך תשלומין דראשון דהוה חזי בראשון קרינן ביה הואיל ואיכא שם הרבה כהנים שיקריבו אותן בבת אחת ומיהו ר"ח פירש בענין אחר וזהו לשונו אמר ריש לקיש הפריש עשרה בהמות לחגיגתו הקריב חמשה ביו"ט ראשון מקריב חמשה ביו"ט אחרון ואע"ג דאין מקריבין נדרים ונדבות ביו"ט הואיל והללו תחילת הפרשתן לחגיגה היתה מותר להקריבן ביום טוב ורבי יוחנן אמר כיון שפסק שוב אינו חוזר ומקריב ומביא א"ר אבא ולא פליגי כאן בסתם כאן במפרש הא דר' יוחנן כגון שהפרישן סתם והקריב ויש לו שהות ביום לשחוט השאר וגם יש לו אוכלים ולא שחטן שיורי שיירינהו ונעשו כנדרים ונדבות שלא מחמת יום טוב שאין קרבין ודריש לקיש כגון שפירש שאלו הנשארים יקריבם ביום טוב אחרון כגון זה מותר הכי נמי מסתברא דכי אתא רבין אמר רבי יוחנן הפריש עשרה בהמות לחגיגתו הקריב חמשה וכו' חוזר ומקריב וכו' קשיא אהדדי כו' אלא לאו כו' איתמר נמי אמר רב שמן בר אבא אמר רבי יוחנן לא שנו דכיון שפסק [שוב אינו מקריב] אלא שלא גמר היום דאמרינן שיורי שיירינהו ונעשו נדרים ונדבות אבל גמר היום חוזר ומקריב כך פירש רבינו חננאל וראייה לדבריו מדבריו מדמכילתין היו לפניו (ה) עשרה בהמות הקריב חמשה ביום טוב ראשון והמותר מהו שידחה יום טוב האחרון רבי קריספא אומר איתפלגון ר' יוחנן וריש לקיש חד אומר דוחה וחד אומר אינו דוחה ולא ידעינן מאן אמר [דא ומאן אמר דא] אמר רבי זירא נפרש מליהון דרבנן מן מליהון דרבי יוחנן דו אמר טופל מעות למעות דו אמר דוחה ריש לקיש דו אמר אדם טופל בהמה לבהמה ואין אדם טופל מעות למעות דו אמר אינו דוחה אמר רב שמן בר אבא בשם ר' יוחנן לעולם הוא מוסיף והולך ודוחה יום טוב עד שיאמר אין עוד בדעתו להוסיף משמע דלענין דחיית יום טוב מיירי:
זה

רבינו חננאל

מי שחגיגה באה מהן יצאו אלו שאין חגיגה באה מהן רב אשי אמר מושמחת מי שיש בהן שמחה יצאו עופות ומנחות שאין בהם שמחה. והאי בחגך מיבעי ליה לכדרב דאמר ושמחת בחגך ולא באשתך: [מתני'] מי שיש לו אוכלין מרובין ונכסים מועטין מביא שלמים מרובין ועולות מועטין כו'. פי' מי שיש לו בני אדם מרובין וכולן רוצים לאכול בשר במועד ואין לו בהמות אלא מעט אמר רב חסדא טופל ומביא פר גדול. א"ל רב ששת הרי אמרו טופלין בהמה לבהמה ואתינן למידק מאי אמר רב ששת וכי תימא הכי קאמר ליה לרב חסדא אמאי אמרת טופלין מעות למעות חגיגה וקונה פר גדול מכלל שאין טופל בהמה לבהמה הרי אמרו אף טופלין בהמה לבהמה ומקשינן כמאן אמר רב ששת ההיא סברא לא כחזקיה ולא כרבי יוחנן דהא אין אחד מהן אומר טופלין בהמה לבהמה ומעות למעות וכי תימא דחזקיה ור' יוחנן הוא דפליגי אבל מתניתא לא פליגי והוא דאמר כהני מתנייתא והקתני אכילה ראשונה מן החולין כלומר הבהמה הראשונה שיאכל בתחלה תהיה מן החולין. לאו מכלל שטופלין בהמה לבהמה ואין טופלין מעות וקונה בהמה אחת. מאי אכילה ראשונה דקתני בעינן ממעות חגיגה כדי שיעור אכילה ראשונה ממעות חולין א"ר שמעון בן לקיש הפריש עשר בהמות לחגיגתו הקריב חמש ליו"ט ראשון חוזר ומקריב חמש ליו"ט האחרון של חג ואע"ג שאין מקריבין נדרים ונדבות במועד הואיל והללו תחלת הפרשתן לחגיגה היתה באה מותר להקריבם ביו"ט ור' יוחנן אמר כיון שפסק שוב אינו מקריב א"ר אבא ולא פליגי כאן בסתם כאן במפרש הא דר' יוחנן כגון שהפרישן בסתם והקריב מהן חמש. ואיכא שהות ביום לשחוט השאר וגם יש לו בני אדם שצריכין לאכלם וכיון שלא שחטם שיירי שיירינהו ונעשו כנדרים ונדבות שלא מחמת יו"ט שאינן קריבין ביו"ט. וריש לקיש כגון שפירש ואמר שאלו הנשארים אקריבם ביו"ט האחרון כגון זה מותר הכי נמי מסתברא דכי אתא רבין

מסורת הש"ס

א) מו"ק ח:, ב) [נ"ל מדבקמא], ג) [נ"ל חמש].

הגהות הב"ח

(א) גמ' האי דלא אקרבינהו משום דליכא שהות ביום ואלא דלית ליה אוכלין לימא האי דלא אקרבינהו משום דלית ליה: (ב) רש"י ד"ה אילימא וכו' לבהמה אבל מעות: (ג) ד"ה חוזר וכו' דרחמנא אמר וכו' דשני תשלומין: (ד) תוס' ד"ה בחגך וכו' ולא משמע ליה בחגך ולא באשתך והא דאין: (ה) ד"ה חוזר וכו' היו לפניו עשר בהמות והקריב חמש ביום טוב הראשון המותר מהו שידחה לי"ט וכו' דר' יוחנן דאמר אדם טופל מעות למעות ואין אדם טופל בהמה לבהמה הוא דהוא אמר דוחה וריש לקיש דאומר אדם וכו' מעות למעות הוא דהוא אומר אינו דוחה:

תורה אור השלם

א) וְשָׂמַחְתָּ בְּחַגֶּךָ אַתָּה וּבִנְךָ וּבִתֶּךָ וְעַבְדְּךָ וַאֲמָתֶךָ וְהַלֵּוִי וְהַגֵּר וְהַיָּתוֹם וְהָאַלְמָנָה אֲשֶׁר בִּשְׁעָרֶיךָ: [דברים טז, יד]

ב) אִישׁ כְּמַתְּנַת יָדוֹ כְּבִרְכַּת יְיָ אֱלֹהֶיךָ אֲשֶׁר נָתַן לָךְ: [דברים טז, יז]

מִי שֶׁחֲגִיגָה בָּאָה מֵהֶם – ONE FROM WHICH THE *CHAGIGAH* CAN BE BROUGHT, i.e. an animal offering. יָצְאוּ אֵלּוּ שֶׁאֵין חֲגִיגָה בָּאָה מֵהֶם – EXCLUDED, then, ARE THESE offerings (i.e. bird and *minchah* offerings), FROM WHICH THE *CHAGIGAH* CANNOT BE BROUGHT.[1]

The Gemara records a different basis for excluding bird and *minchah* offerings from being used for the mitzvah of rejoicing: רַב אַשִׁי אָמַר – **Rav Ashi said:** מִ,,וְשָׂמַחְתָּ" נַפְקָא – **It emerges from** the very expression *You shall rejoice.* יָצְאוּ אֵלּוּ שֶׁאֵין בָּהֶן שִׂמְחָה – **Excluded is** the consumption of **these** offerings (i.e. bird and *minchah* offerings), **in which there is no joy.**[2]

The Gemara asks:

וְרַב אַשִׁי הַאי ,,בְּחַגֶּךָ" מַאי עָבִיד לֵיהּ – **And what does Rav Ashi do with** the term ***b'chagecha*** (*on your festival*)?[3]

The Gemara answers:

הַהוּא לְכִדְרַב דָּנִיאֵל בַּר קְטִינָא – **That** word **is necessary for Rav Daniel bar Katina's** teaching, דְּאָמַר רַב דָּנִיאֵל בַּר קְטִינָא אָמַר רַב – **for Rav Daniel bar Katina said in the name of Rav:** מִנַּיִין שֶׁאֵין נוֹשְׂאִין נָשִׁים בַּמּוֹעֵד – **From where** do we know **that we may not take wives on Chol HaMoed?** שֶׁנֶּאֱמַר ,,וְשָׂמַחְתָּ בְּחַגֶּךָ" – **Because it is stated:** ***You shall rejoice on your festival.*** By stressing "on your festival," the verse implies that your rejoicing should be only on account of the festival, וְלֹא בְּאִשְׁתְּךָ – **and not on account of your** new **wife.**[4]

Mishnah

The Mishnah continues to discuss the purchase of *olos re'iyah* and *shalmei chagigah*:

מִי שֶׁיֵּשׁ לוֹ אוֹכְלִים מְרוּבִּים וּנְכָסִים מוּעָטִים – **One who has many dependents**[5] **but few possessions** מֵבִיא שְׁלָמִים מְרוּבִּים – **should bring many *shelamim*** (i.e. *shalmei chagigah*) וְעוֹלוֹת מוּעָטוֹת – **and few *olos*** (i.e. *olos re'iyah*).[6] נְכָסִים מְרוּבִּים וְאוֹכְלִין מוּעָטִין – One who has **many possessions but few dependents** מֵבִיא עוֹלוֹת מְרוּבּוֹת וּשְׁלָמִים מוּעָטִין – **should bring many *olos* and few *shelamim.***[7] זֶה וָזֶה מוּעָט – One who has **few** of both **this** [dependents] **and this** [possessions], עַל זֶה נֶאֱמַר – **concerning such** a person **it is stated:** מָעָה כֶּסֶף שְׁתֵּי כֶסֶף – "The *olas re'iyah* must be worth at least one **silver *ma'ah* and** the *shalmei chagigah* must be worth at least **two silver** *maos.*"[8] זֶה וָזֶה מְרוּבִּים – One who has **many** of both **this** [dependents] **and this** [possessions], עַל זֶה נֶאֱמַר – **concerning such** a person **it is stated:** ,,אִישׁ כְּמַתְּנַת יָדוֹ כְּבִרְכַּת ה' אֱלֹהֶיךָ אֲשֶׁר נָתַן־לָךְ" – ***Everyone according to what he can give, according to the blessing that Hashem, your God, gives you.***[9]

Gemara

The Mishnah stated: שְׁלָמִים מְרוּבִּים – One who has many dependents and few possessions should bring MANY *SHELAMIM.*

The Gemara asks:

מֵהֵיכָא מַיְיתֵי – **From where shall he bring them?** הָא לֵית לֵיהּ – **But he does not have** sufficient resources to afford many offerings![10]

The Gemara answers:

אָמַר רַב חִסְדָּא – **Rav Chisda said:** טוֹפֵל וּמֵבִיא פַּר גָּדוֹל – **He may supplement** his resources with *maaser sheni* money **and bring a large bull.**[11]

This ruling is challenged:

אָמַר לֵיהּ רַב שֵׁשֶׁת – **Rav Sheishess said to [Rav Chisda]:** הֲרֵי אָמְרוּ טוֹפְלִין בְּהֵמָה לִבְהֵמָה – **Behold [the Sages] said** that **we may**

NOTES

1. The *chagigah* must be an animal, as derived from the verse (*Exodus* 23:18): וְלֹא־יָלִין חֵלֶב־חַגִּי עַד־בֹּקֶר, *the fat of My chagigah shall not be left overnight until morning* [rather, it must be put on the Altar before daybreak]. This indicates that the *chagigah* has fat that is burned on the Altar, which is true only in the case of animal offerings, and not bird or *minchah* offerings (*Rashi;* see Gemara below, 10b, and see *Tosafos* here).

By using the word בְּחַגֶּךָ, *b'chagecha* – which shares the same root as חֲגִיגָה, *chagigah* – in connection with the *shalmei simchah,* the Torah links these two types of offerings. Hence, as is the case with the *chagigah,* only animals may be used for the *shalmei simchah.*

2. The meat of birds and the cakes of *minchah* offerings are not fully satisfying, as is the meat of animals.

[Amoraim generally lack the authority to argue with a Mishnah or Baraisa. Rav Ashi, however, is not violating this rule, because he agrees with the Baraisa's law; he only disputes the source from which it is derived (*Siach Yitzchak,* who also suggests another approach).]

3. Since Rav Ashi did not use בְּחַגֶּךָ, *b'chagecha,* to exclude bird and *minchah* offerings, he must explain why the Torah added this word.

4. The verse teaches that it is forbidden to get married on Chol HaMoed, lest the joy of taking a wife eclipse the joy of the festival (see *Moed Katan* 8b; *Rambam, Hil. Yom Tov* 7:16 with *Lechem Mishneh*). [Other reasons for the prohibition are given in *Moed Katan* ibid.]

The marital bond is established in two stages: (a) *erusin* (or *kiddushin*), which renders the couple legally married; (b) *nisuin,* which allows them to live together. Only *nisuin* is forbidden on Chol HaMoed. *Erusin* is permitted, as stated in *Moed Katan* 18b.

The Tanna of the Baraisa, who derived a different law from בְּחַגֶּךָ, *b'chagecha,* either maintains that the prohibition against marriage on Chol HaMoed can also be inferred from this word, or else he derives this prohibition from one of the other reasons stated in *Moed Katan* 8b (see *Tosafos*).

5. Literally: those who eat. This refers to the members of his household (*Rashi*), all of whom wish to partake of his *shalmei chagigah* (*Rabbeinu Chananel*).

6. If someone has a large household, but his resources are few, he should buy enough *chagigah* offerings to feed all his dependents and purchase only a small *olas re'iyah* (*Rashi*). [Since his financial means are limited, he need spend only the minimum required for the *olas re'iyah* – i.e. one silver *ma'ah,* as Beis Hillel ruled in the Mishnah on 2a. With regard to the *chagigah,* however, the minimum (i.e. two silver *maos*) does not suffice, because he must furnish enough meat for all his dependents.]

7. Since he can afford to do so, he should bring many *olos re'iyah,* for it is written (*Deuteronomy* 16:17): אִישׁ כְּמַתְּנַת יָדוֹ, *Everyone according to what he can give* (*Rashi;* cf. *Maharsha*). [This verse refers to both the *olas re'iyah* and the *shalmei chagigah* (*Rashi* ad loc.; see *Maharsha;* cf. *Siach Yitzchak* ד"ה במשנה and *Turei Even*).]

It would be wrong for this person to offer many *shalmei chagigah,* because he lacks a sufficient number of dependents to eat them. There is a prohibition against offering a sacrifice whose meat will not be eaten within the prescribed time [which, in the case of a *shelamim,* is two days and the intervening night] (*Meiri*). He should rather devote his resources to *olos re'iyah,* which are burned entirely on the Altar.

8. [This is the statement of Beis Hillel (Mishnah, 2a), whom the halachah follows.] This person does not have to buy many *olos re'iyah* because his resources are limited. As far as the *shalmei chagigah* is concerned, he is not allowed to buy many of them (even if he could afford to), since there are not enough members of his household to finish them all. In a case of this nature, it suffices to spend the absolute minimums required by law.

9. *Deuteronomy* 16:17. See sources cited in note 7.

10. [When the Mishnah says "few possessions," it refers even to one who can afford no more than the bare minimum. This is evident from the Mishnah's third clause, which states that one who has few dependents and "few possessions" need spend only one *ma'ah* for the *olas re'iyah* and two *maos* for the *shalmei chagigah.* (Cf. *Siach Yitzchak.*)]

11. Although mandatory offerings must generally be purchased with unconsecrated funds (above, 7b-8a), we learned above (8a) that *some* of the money used to buy a *chagigah* may be consecrated, i.e. money that had been used to redeem *maaser sheni.* There are two ways in which the *maaser sheni* money could be added: (a) "combining monies" – i.e. using a mixture of consecrated and unconsecrated funds to buy each *chagigah,*

עין משפט
נר מצוה

מז א מיי' פ"א מהל' חגיגה הלכה א:
מח ב מיי' שם פ"ב הלכה י:
מט ג מיי' פ"ז מהל' יו"ט הלכה טז ופ"י מהל' אישות הלכה יד סמג לאוין עה טוש"ע א"ח סימן תקמו סעיף א ב וטור ש"ע א"ה סי' סד סעיף ו:
נ ד מיי' פ"א מהלכות חגיגה הלכה יא:
נא ה מיי' פ"ב שם הלכה ח:
נב ו ז מיי' שם הל' ז:

רבינו חננאל

מי שחגיגה באה מהן יצאו אלו שאין חגיגה באה מהן רב אשי אמר מושמחת מי שיש בהן שמחה יצאו עופות ומנחות שאין בהן שמחה. והאי בחגך מיבעי ליה לכדרב דאמר ושמחת בחגך ולא באשתך: [מתני'] מי שיש לו אוכלין מרובין ונכסים מועטין מביא שלמים מרובין ועולות מועטין כו'. פי' מי שיש לו בני אדם מרובין וכולן רוצים לאכול בשר במועד ואין לו בהמות אלא מעט אמר רב חסדא טופל ומביא פר גדול. א"ל רב ששת הרי אמרו טופלין בהמה לבהמה ואתינן למידק מאי אמר רב ששת וכי תימא הכי קאמר ליה לרב חסדא אמאי אמרת טופלין מעות למעות חגיגה וקונה פר גדול מכלל שאין טופל בהמה לבהמה הרי אמרו אף טופלין בהמה לבהמה ומקשינן כמאן אמר רב ששת ההיא סברא לא כחזקיה ולא כרבי יוחנן דהא אין אחד מהן אומר טופלין בהמה לבהמה ומעות למעות וכי תימא דחזקיה ור' יוחנן הוא דפליגי אבל מתניתא לא פליגי הוא דאמר כהני מתנייתא והקתני אכילה ראשונה מן החולין כלומר הבהמה הראשונה שיאכל בתחלה תהיה מן החולין. לאו מכלל שטופלין בהמה לבהמה ואין טופלין מעות וקונה בהמה אחת. מאי אכילה ראשונה דקתני בענין ממעות חגיגה כדי שיעור אכילה ראשונה ממעות חולין א"ר שמעון בן לקיש הפריש עשר בהמות לחגיגתו הקריב חמש ליו"ט ראשון חוזר ומקריב חמש ליו"ט האחרון של חג ואע"ג שאין מקריבין נדרים ונדבות במועד הואיל והללו תחלת הפרשתן לחגיגה היתה באה מותר להקריבם ביו"ט ור' יוחנן אמר כיון שפסק שוב אינו מקריב א"ר אבא ולא פליגי כאן בסתם כאן במפרש הא דר' יוחנן כגון שהפרישן סתם והקריב מהן חמש. ואיכא שהות ביום לשחוט השאר וגם יש לו בני אדם שצריכין לאכלם וכיון שלא שחטם שיורי שיירינהו ונעשו כנדרים ונדבות שלא מחמת יו"ט שאינן קריבין ביו"ט. וריש לקיש כגון שפירש ואמר שאלו הנשארים אקריבם ביו"ט האחרון כגון זה מותר הכי נמי מסתברא דכי אתא רבין

מי שחגיגה באה מהם [א] יצאו אלו שאין חגיגה באה מהם רב אשי אמר מושמחת נפקא [ב] יצאו אלו שאין בהן שמחה ורב אשי האי בחגך מאי עביד ליה ההוא לכדרב דניאל בר קטינא דאמר רב דניאל בר קטינא אמר רב [ג] מניין שאין נושאין נשים במועד שנאמר א) ושמחת בחגך ולא באשתך: **מתני'** [ד] מי שיש לו אוכלים מרובים ונכסים מועטים מביא שלמים מרובים ועולות מועטות נכסים מרובים ואוכלין מועטין מביא עולות מרובות ושלמים מועטין זה וזה מועט על זה נאמר מעה כסף שתי כסף זה וזה מרובים על זה נאמר ב) איש כמתנת ידו כברכת ה' אלהיך אשר נתן לך: **גמ'** שלמים מרובים מהיכא מייתי הא לית ליה אמר רב חסדא טופל ומביא פר גדול א"ל רב ששת הרי אמרו טופלין בהמה לבהמה מאי קאמר ליה אילימא הכי קאמר ליה הרי אמרו טופלין בהמה לבהמה אבל לא מעות למעות ולימא ליה אין טופלין מעות למעות אלא הכי אמר ליה הרי אמרו אף טופלין בהמה לבהמה כמאן דלא כחזקיה ודלא כרבי יוחנן וכי תימא אמוראי הוא דפליגי מתנייתא לא פליגי והא קתני אכילה ראשונה מן החולין מאי אכילה ראשונה [ה] שיעור דמי אכילה ראשונה מן החולין אמר עולא אמר ריש לקיש הפריש עשר בהמות לחגיגתו הקריב חמש ביום טוב ראשון חוזר ומקריב חמש ביום טוב שני רבי יוחנן אמר [ו] כיון שפסק שוב אינו מקריב אמר ר' אבא ולא פליגי כאן בסתם כאן במפרש האי סתם היכי דמי אילימא דליכא שהות ביום לקרב [ז] האי דלא אקרבינהו (א) דליכא שהות ביום ואלא דלית ליה אוכלין האי דלא אקרבינהו דלית ליה אוכלין לא צריכא דאיכא שהות ביום ואית ליה אוכלין ([ג] מבדקמא) לא אקרבינהו שמע מינה שיורי שיירינהו והכי נמי מסתברא דכי אתא רבין אמר ר' יוחנן הפריש עשר בהמות לחגיגתו הקריב חמש ביום טוב ראשון חוזר ומקריב חמש ביום טוב שני קשיין אהדדי אלא לאו שמע מינה כאן בסתם כאן במפרש ש"מ איתמר נמי אמר רב שמן בר אבא אמר רבי יוחנן לא

יצאו אלו שאין חגיגה באה מהן. דחגיגה חלב כתיב בה לא ילין חלב חגי וגו' (שמות כג): **מתני'** אוכלין מרובין. בני בית רבים מביא שלמים רבים שלמי חגיגה רבים לפי האוכלים ועולת ראייה מועטת: עולות מרובות. דכתיב איש כמתנת ידו: **גמ'** טופל. מעות חולין ומעשר יחד: אילימא הכי קאמר ליה הרי אמרו בהמה לבהמה (ב) מעות למעות לא. כחזקיה: לימא ליה הרי אמרו אין טופלין מעות למעות. כיון דלמיסר טפילת מעות אתא ושמעינן לחזקיה בהדיא דאין טופלין היכי שביק מילתא בהדיא ומותיב מדיוקא: אלא אף טופלין קאמר ליה. דשמעינן לרב חסדא דקאמר בטופל ומביא פר גדול דוקא מעות למעות אבל בהמה לבהמה לא ואמר ליה איהו הרי אמרו אף טופלין בהמה לבהמה כמאן וכו': וכי תימא אמוראי הוא דפליגי. חזקיה ורבי יוחנן הוא דפליגי בבהמה ובמעות: אבל מתנייתא. דאייתינן לעיל תניא כוותיה דמר ודמר: לא פליגי. במעות אלא בבהמה דהך דקתני אם רצה לערב הוא דקאמר מעות דוקא אבל אידך מתניתא ס"ל בין מעות בין בהמה ורב ששת כברייתא בתרייתא סבירא ליה: והא קתני אכילה ראשונה מן החולין. וקא סלקא דעתך דסעודה הבאה ראשונה על השולחן בעי כולה מחולין: דמי אכילה ראשונה. כלומר אכילה ראשונה סתמא קתני דאית ליה בין בהמה עצמה בין מעות שיעור אכילה ראשונה: חוזר ומקריב חמש ביום טוב שני. ולא אמרינן עובר הוא בבל תוסיף (ג) ורחמנא אמר וחגותם אותו חד יומא ותו לא דהנך נמי דחד יומא הוא ושני תשלומין דראשון: בסתם. אם הפרישן סתם אינו חוזר ומקריבן כדמפרש ואזיל: כאן במפרש. דאמר בהדיא ליום ראשון אני מפריש את כולן חוזר ומקריבן שאינו אלא תשלומי ראשון: האי סתם. דאמרת אסור להקריבן היכי דמי: משום דלא הוה ליה שהות הוא. ומסתמא ליום ראשון הפרישן: שיורי שייר. שהיה בדעתו לחוג שני ימים: ה"נ מסתברא. דמודה ר' יוחנן בדמפרש: איתמר נמי. דהיכא דמוכח מילתא דלא היה בדעתו לחוג שני ימים מודה ר"י:
לא

מי שחגיגה באה מהם. פרש"י דכתיב לא ילין חלב חגי ומיהו לקמן (דף י:) לא מפקינן ליה לפי המסקנא אלא מגזירה שוה דמדבר מדבר ושמא מכל מקום משמעות המקרא משמע חגיגה ולקמן מפקינן ליה ממדבר מדבר שמא אלשון דיוחגו קא סמיך דמשמע חגיגה דאי ממדבר הוה אמינא עולה ושלמים באה מהם וליכא למימר אם כן לא יהו באים שלמי שמחה ממעשר רק על ידי טפילה כמו חגיגה דהא בספרי ילפינן ליה מגזירה שוה דכתיב בו שם במעשר וגם בהתודה (מנחות פב.) מדכר גזרה שוה שם שם לשלמים הקשה ה"ר אלחנן וליוף שמחה מהר עיבל דכתיב (דברים כז) וזבחת שלמים ומינה ממעטינן עופות ומנחות וכן דריש רבי יהודה בן בתירא בפסחים (דף קט.) ועוד אמאי לא מוקמינן קרא בבשר חולין דמיקרי שפיר שמחה ומיהו דוחקי לא ילפינן מהר עיבל מה שמחה דלהלן שלמים אף כאן שלמים ובירושלמי איכא אבל לא בעופות ומנחות דכתיב זבח בהר עיבל:

בחגך ולא באשתך. ומ"ק דמפיק לה מדרשה ושמחת בחגך מי שחגיגה וכו' י"ל דמרוייהו שמעינן מינה דליכתוב בחג ומיהו מליגו למימר דפליג עליה ולא משמע ליה (ד) והא דאין נושאים נשים במועד מוקי טעמא כלידך דהתם:

מי שיש לו אוכלין מרובין. בירושלמי אמרינן עני וידו רחבה קורא אני עליו איש כמתנת ידו עשיר וידו מעוטה על זה נאמר כברכת ה' אלהיך עני וידו מעוטה על זה נאמר מעה כסף שתי כסף אין פחות ממעה כסף ואין פחות משתי כסף:

חוזר ומקריב ([ג] הוא) ביו"ט שני. פרש"י ואינו עובר משום בל תוסיף דרחמנא אמר וחגותם אותו חג חד יומא והוא מוגג שני ימים דהוה ליה תשלומין דראשון ואזיל אבל בסתם אסור כדמפרש ואזיל ולא שייך לאקשויי כיון דלא הוי חזי בראשון איך הוה חזי בשני הואיל ושמעינן ליה לר' יוחנן בסמוך תשלומין דראשון דהוה חזי בראשון קרינן ביה הואיל ואיכא שם הרבה כהנים שיקריבו אותן בבת אחת ומיהו ר"ח פירש בענין אחר וזהו לשונו אמר ריש לקיש הפריש עשרה בהמות לחגיגתו הקריב חמשה ביו"ט ראשון מקריב חמשה ביו"ט אחרון ואע"ג דאין מקריבין נדרים ונדבות ביו"ט הואיל והללו תחילת הפרשתן לחגיגה היתה מותר להקריבן ביום טוב ורבי יוחנן אמר כיון שפסק שוב אינו חוזר ומקריב ומביא א"ר אבא ולא פליגי כאן בסתם כאן במפרש הא דר' יוחנן כגון שהפרישן סתם והקריב ויש לו שהות ביום לשחוט השאר וגם יש לו אוכלים ולא שחטן שיורי שיירינהו ונעשו כנדרים ונדבות שלא מחמת יום טוב שאין קרבין ודריש לקיש כגון שפירש שאלו הנשארים יקריבם ביום טוב אחרון כגון זה מותר הכי נמי מסתברא דכי אתא רבין אמר רבי יוחנן הפריש עשרה בהמות לחגיגתו הקריב חמשה וכו' חוזר ומקריב וכו' קשיא אהדדי כו' אלא לאו כו' איתמר נמי אמר רב שמן בר אבא אמר רבי יוחנן לא שנו דכיון שפסק [שוב אינו מקריב] אלא שלא גמר היום דאמרינן שיורי שיירינהו ונעשו נדרים ונדבות אבל גמר היום חוזר ומקריב כך פירש רבינו חננאל וראייה לדבריו משמע בירושלמי דמכילתין היו לפניו (ה) עשרה בהמות הקריב חמשה ביום טוב ראשון והמותר מהו שידחה יום טוב האחרון רבי קריספא אומר איתפלגון ר' יוחנן וריש לקיש חד אומר דוחה וחד אומר אינו דוחה ולא ידעינן מאן אמר [דא ומאן אמר דא] אמר רבי זירא נפרש מליהון דרבנן מן מליהון דרבי יוחנן דו אמר טופל מעות למעות דו אמר דוחה ריש לקיש דו אמר אדם טופל מעות למעות ואין אדם טופל בהמה לבהמה דו אמר אינו דוחה אמר רב שמן בר אבא בשם ר' יוחנן לעולם הוא מוסיף והולך ודוחה יום טוב עד שיאמר אין עוד בדעתו להוסיף משמע דלענין דחיית יום טוב מיירי:
זה

מסורת הש"ס

א) מו"ק ח:, ב) [נ"ל מדבקמא], ג) [נ"ל ממש].

הגהות הב"ח

(א) גמ' האי דלא אקרבינהו משום דליכא שהות ביום ואלא דלית ליה אוכלין לימא האי דלא אקרבינהו משום דלית ליה: (ב) רש"י ד"ה אילימא וכו' לבהמה אבל מעות: (ג) ד"ה חוזר וכו' דרחמנא אמר וכו' דשני תשלומין: (ד) תוס' ד"ה בחגך וכו' ולא משמע ליה בחגך ולא באשתך והא דאין: (ה) ד"ה חוזר וכו' היו לפניו עשר בהמות והקריב חמש ביום טוב הראשון המותר מהו שידחה לי"ט וכו' דר' יוחנן דאמר אדם טופל מעות למעות ואין אדם טופל בהמה לבהמה הוא דהוא אמר דוחה וריש לקיש דאומר אדם וכו' מעות למעות הוא דהוא אומר אינו דוחה:

תורה אור השלם

א) וְשָׂמַחְתָּ בְּחַגֶּךָ אַתָּה וּבִנְךָ וּבִתֶּךָ וְעַבְדְּךָ וַאֲמָתֶךָ וְהַלֵּוִי וְהַגֵּר וְהַיָּתוֹם וְהָאַלְמָנָה אֲשֶׁר בִּשְׁעָרֶיךָ: [דברים טז, יד]
ב) אִישׁ כְּמַתְּנַת יָדוֹ כְּבִרְכַּת יְיָ אֱלֹהֶיךָ אֲשֶׁר נָתַן לָךְ: [דברים טז, יז]

supplement an animal bought with unconsecrated money **with** another **animal** bought with *maaser sheni* money.[12]

The Gemara attempts to explain Rav Sheishess' point:

מַאי קָאָמַר לֵיהּ – What was [Rav Sheishess] saying to [Rav Chisda]? אִילֵימָא הָכִי קָאָמַר לֵיהּ – Perhaps we could **argue** that **this** is what **he was saying to him: הֲרֵי אָמְרוּ טוֹפְלִין בְּהֵמָה לִבְהֵמָה – Behold, they said** that **we may supplement an animal** bought with unconsecrated money **with** another **animal** bought with consecrated [*maaser sheni*] money; **אֲבָל לֹא מָעוֹת לְמָעוֹת – however,** we may **not** supplement unconsecrated **money with** consecrated **money** to buy a single animal.[13] **וְלֵימָא לֵיהּ – However,** this interpretation of Rav Sheishess' statement is untenable, for then **he should have said** explicitly **to [Rav Chisda]: אֵין טוֹפְלִין מָעוֹת לְמָעוֹת – We may not** supplement unconsecrated **money with** consecrated **money** to buy a single animal.[14] **– ? –**

The Gemara explains Rav Sheishess' statement:

אֶלָּא הָכִי אָמַר לֵיהּ – Rather, this is what **he was saying to him: הֲרֵי אָמְרוּ אַף טוֹפְלִין בְּהֵמָה לִבְהֵמָה – Behold, they said** that **we may *also* supplement an animal** bought with unconsecrated money **with** another **animal** bought with consecrated money.[15]

The Gemara challenges this interpretation as well:

כְּמַאן – According to whom is such an opinion valid? **דְּלָא כְּחִזְקִיָּה וּדְלָא כְּרַבִּי יוֹחָנָן –** It is valid **neither according to Chizkiyah nor according to R' Yochanan!**[16] **וְכִי תֵּימָא אָמוֹרָאֵי הוּא דִּפְלִיגֵי – And if you say that it is** only **the Amoraim** [Chizkiyah and R' Yochanan] **who disagree, מַתְנְיָיתָא לֹא פְּלִיגֵי –** but **the Baraisos do not disagree,**[17] that is not so! **וְהָא קָתָנֵי – Why, it was taught** in the second Baraisa: **אֲכִילָה רִאשׁוֹנָה מִן הַחוּלִּין – THE FIRST CONSUMPTION** of *shalmei chagigah* on the festival must come **FROM UNCONSECRATED PROPERTY.**[18]

The Gemara resolves the problem by reinterpreting the Baraisa:

מַאי אֲכִילָה רִאשׁוֹנָה – What is meant by **"the first consumption"? שִׁיעוּר דְּמֵי אֲכִילָה רִאשׁוֹנָה מִן הַחוּלִּין –** It means that **the amount of the *value* of the first consumption** must come **from unconsecrated money.**[19]

The Mishnah mentioned that in certain circumstances one should bring several *chagigah* offerings. The Gemara discusses whether multiple *chagigah* offerings may be offered over a period of more than one day:[20]

אָמַר עוּלָּא אָמַר רֵישׁ לָקִישׁ – Ulla said in the name of Reish Lakish: הִפְרִישׁ עֶשֶׂר בְּהֵמוֹת לַחֲגִיגָתוֹ – If **one designated ten animals for his *shalmei chagigah*, הִקְרִיב חָמֵשׁ בְּיוֹם טוֹב רִאשׁוֹן –** and **he offered five** of them **on the first day of the festival,**[21] **חוֹזֵר וּמַקְרִיב חָמֵשׁ בְּיוֹם טוֹב שֵׁנִי – he may go back and offer** the remaining **five on the second day of the festival.**[22]

NOTES

even the first one of the festival; (b) "combining animals" — i.e. purchasing the first *chagigah* entirely with unconsecrated funds and any additional ones entirely with consecrated funds. The Gemara stated (ibid.) that Chizkiyah allows only "combining animals" and R' Yochanan permits only "combining monies." In our Gemara, Rav Chisda clearly agrees with R' Yochanan, for he states that *maaser sheni* money may be combined with unconsecrated funds to buy a single bull, which is the method of "combining monies."

12. I.e. the method of "combining animals." The Gemara will clarify the intent of Rav Sheishess' statement.

13. According to this interpretation, Rav Sheishess specified that "combining animals" is permitted in order to imply that "combining monies" is forbidden (as Chizkiyah holds). Thus, the point of his remark to Rav Chisda was that Rav Chisda's proposed method ("combining monies") is unlawful.

14. If Rav Sheishess intended to prohibit "combining monies," he surely would have said so explicitly, instead of merely alluding to it by way of implication (*Rashi*).

15. That is, Rav Sheishess permits both methods — "combining monies" and "combining animals." Rav Chisda, however, who said "He may supplement [his resources with *maaser sheni* money] and bring a large bull," implied that only this method ("combining monies") is permitted whereas "combining animals" is forbidden. Thus, in response to Rav Chisda, who permitted only "combining monies," Rav Sheishess remarked that "combining animals" is also allowed (*Rashi*).

16. In the dispute between Chizkiyah and R' Yochanan, each Amora permitted only one of the two methods and banned the other. Thus, Rav Sheishess, who permits *both* methods, disagrees with both of those Amoraim.

17. That is to say, only Chizkiyah and R' Yochanan disagree with regard to *both* "combining monies" and "combining animals" (i.e. each of these two methods is permitted by one Amora and forbidden by the other). But the two Baraisos cited above (8a; one in support of Chizkiyah and the other in support of R' Yochanan) do not necessarily disagree about both methods. The first Baraisa (*If he wants to mix [monies] he may do so*) clearly permits "combining monies" and forbids "combining animals." However, the second Baraisa (*The first consumption must come [entirely] from unconsecrated property*) — although it was originally understood (8a) as allowing only "combining animals" — could alternatively be interpreted as allowing both methods, as the Gemara will demonstrate below. If so, the Baraisos disagree only with regard to "combining animals"; they concur that "combining monies" is permitted (*Rashi;* cf. *Tos. Rid, Turei Even* and *Hagahos R' Elazar Moshe Horowitz;* see also *Meromei Sadeh* and *Rashash*).

According to this new interpretation of the second Baraisa, it would provide the basis for Rav Sheishess' view that both methods are permitted (*Rashi*). [However, before showing how that Baraisa can be interpreted as permitting both methods, the Gemara first argues that its text indicates otherwise.]

18. The Gemara currently understands the Baraisa to mean that the first meal of the festival [i.e. the first *chagigah,* through which one fulfills his mitzvah obligation] must be purchased *entirely* with unconsecrated money (*Rashi*). Hence, contrary to the Gemara's previous suggestion, this Baraisa *prohibits* "combining monies," in which a mixture of consecrated and unconsecrated funds is used to buy the first offering.

19. The first *chagigah* of the festival may in fact be purchased with a mixture of unconsecrated and consecrated funds ("combining monies"), provided that the portion of unconsecrated funds corresponds to the portion of the animal needed for the first consumption. [Thus, at least two *maos* of the purchase money, which is the minimum value of the *chagigah,* must be unconsecrated, and the rest may come from *maaser sheni* (*Chazon Ish* 129:7; see *Aruch HaShulchan HeAsid* 199:7, who elaborates on this).]

The Gemara's point is that the Baraisa carries *two* meanings. When it says "the first consumption must come from unconsecrated property, from here and on (i.e. further consumptions) may come from *maaser sheni,*" it could mean: (a) The *entire* first animal must be purchased with unconsecrated funds and any additional animals may be purchased entirely with *maaser sheni* money ("combining animals"). Alternatively, it could mean: (b) The *portion* of the first animal that provides the first consumption must be from unconsecrated funds and the remainder of that very animal may be from *maaser sheni* ("combining monies"). Since the Baraisa's words carry both connotations, and it does not clarify which one is meant, it evidently permits both methods (*Rashi*). This is the view of Rav Sheishess, as explained above.

[The various opinions may be summarized as follows: (a) R' Yochanan, Rav Chisda and the first Baraisa permit only "combining monies." (b) Chizkiyah and the second Baraisa (original interpretation) permit only "combining animals." (c) Rav Sheishess and the second Baraisa (revised interpretation) allow both methods.]

20. There is no question that if one did not bring any of his *chagigah* offerings on the first day of the festival, he may bring them all on another day (see Mishnah 9a). The Gemara refers here to one who had already brought some of his offerings on one day of the festival (either the first day or some other day), and now seeks to bring the remainder on a subsequent day. Thus, he would be offering the *chagigah* for a *total* of more than one day.

21. Literally: the first Yom Tov.

22. [Although יוֹם טוֹב שֵׁנִי literally means the second Yom Tov, i.e. the last day of the festival, here it also refers to any day that follows the first

עין משפט
נר מצוה

מז א מיי' פ"א מהל' חגיגה הלכה ח:
מח ב מיי' שם פ"ב הלכה י:
מט ג מיי' פ"ז מהל' יו"ט הלכה טו ופ"י מהל' אישות הלכה יד סמג לאוין עה טוש"ע א"ה סימן תקמו סעיף א ג וטור ש"ע א"ח סי' תקמו סעיף ו:
נ ד מיי' פ"א מהלכות חגיגה הלכה ט:
נא ה מיי' פ"ב שם הלכה ח:
נב ו ז מיי' שם הל' ז:

מי שחגיגה באה מהם. פרש"י דכתיב לא ילין חלב חגי ומיהו לקמן (דף י:) לא מפקינן ליה לפי המסקנא אלא מגזירה שוה דמדבר מדבר ושמא מכל מקום משמעות המקרא משמע חגיגה ולקמן מפקינן ליה ממדבר מדבר שמא אלשון דיחוגו קא סמיך דמשמע חגיגה דלאו ממדבר הוה אמינא עולה ושלמים באה מהם וליכא למימר אם כן לא יהו באים שלמי שמחה ממעשר רק על ידי טפילה כמו חגיגה דהא בספרי ילפינן ליה מגזירה שוה דכתיב בו שם במעשר וגם בהבודה (מנחות פב.) מדכר גזרה שוה שם שם לשלמים הקשה ה"ר אלחנן ליגף שמחה מהר עיבל דכתיב (דברים כז) וזבחת שלמים ומינה ממעטינן עופות ומנחות וכן דריש רבי יהודה בן בתירה בפסחים (דף קט.) ועוד אמאי לא מוקמינן קרא בבשר חולין דמיקרי שפיר שמחה ותירץ דודאי ילפינן מהר עיבל מה שמחה דלהלן שלמים אף כאן שלמים ובירושלמי איכא אבל לא בעופות ומנחות דכתיב זבח בהר עיבל:

בחגך ולא באשתך. ות"ק דמפיק לה מדרשה ושמחת בחגך מי שחגיגה וכו' י"ל דתרוייהו שמעינן מינה דליכתוב בחג ומיהו מלינו למימר דפליג עליה ולא משמע ליה (ד) והא דאין נושאים נשים במועד מוקי טעמא כאידך דהתם:

מי שיש לו אוכלין מרובין. בירושלמי אמרינן עני וידו רחבה קורא אני עליו איש כמתנת ידו עשיר וידו מעוטה על זה נאמר כברכת ה' אלהיך עני וידו מעוטה על זה נאמר מעה כסף שתי כסף אין פחות ממעה כסף ואין פחות משתי כסף:

חוזר ומקריב (ג) הוא) ביו"ט שני. פרש"י ואינו עובר משום בל תוסיף דרחמנא אמר וחגותם אותו חג חד יומא והוא חוגג שני ימים דהוה ליה תשלומין דראשון אבל בסתם אסור כדמפרש ואזיל ולא שייך לאקשויי כיון דלא הוי חזי בראשון איך הוה חזי בשני הואיל ושמעינן ליה לר' יוחנן בסמוך תשלומין דראשון דהוה חזי בראשון קרינן ביה הואיל ואיכא שם הרבה כהנים שיקריבו אותן בבת אחת ומיהו ר"ח פירש בענין אחר וזהו לשונו אמר ריש לקיש הפריש עשרה בהמות לחגיגתו הקריב חמשה ביו"ט ראשון מקריב חמשה ביו"ט אחרון ואע"ג דאין מקריבין נדרים ונדבות ביו"ט הואיל והללו תחילת הפרשתן לחגיגה היתה מותר להקריבן ביום טוב ורבי יוחנן אמר כיון שפסק שוב

מי שחגיגה באה מהן יצאו אלו שאין חגיגה באה מהן רב אשי אמר משמחת מי שיש בהן שמחה יצאו עופות ומנחות שאין בהם שמחה. והאי בחגך מיבעי ליה לכדרב דאמר ושמחת בחגך ולא באשתך: [מתני'] מי שיש לו אוכלין מרובין ונכסים מועטין מביא שלמים מרובין ועולות מועטין כו'. פי' מי שיש לו בני אדם מרובין וכולן רוצים לאכול בשר במועד ואין לו בהמות אלא מעט אמר רב חסדא טופל ומביא פר גדול. א"ל רב ששת הרי אמרו טופלין בהמה לבהמה ואתינן למידק מאי אמר רב ששת וכי תימא הכי קאמר ליה לרב חסדא אמאי אמרת טופלין מעות למעות חגיגה וקונה פר גדול מכלל שאין טופל אף טופלין בהמה לבהמה ומקשינן כמאן אמר רב ששת ההיא סברא לא כחזקיה ולא כרבי יוחנן דהא אין אחד מהן אומר טופלין בהמה לבהמה ומעות למעות וכי תימא דחזקיה ור' יוחנן הוא דפליגי אבל מתניתא לא פליגי והא דאמר כהני מתנייתא והקתני אכילה ראשונה מן החולין כלומר הבהמה הראשונה שיאכל בתחלה תהיה מן החולין. לאו מכלל שטופלין בהמה לבהמה ואין טופלין מעות וקונה בהמה אחת. מאי אכילה ראשונה דקתני בעינן ממעות חגיגה כדי שיעור אכילה ראשונה ממעות חולין א"ר שמעון בן לקיש הפריש עשר בהמות לחגיגתו הקריב חמש ליו"ט ראשון חוזר ומקריב חמש ליו"ט האחרון של חג ואע"ג שאין מקריבין נדרים ונדבות במועד הואיל והללו תחלת הפרשתן לחגיגה היתה באה מותר להקריבם ביו"ט ור' יוחנן אמר כיון שפסק שוב אינו מקריב א"ר אבא ולא פליגי כאן בסתם כאן במפרש הא דר' יוחנן כגון שהפרישן סתם והקריב מהן חמש. ואיכא שהות ביום לשחוט השאר וגם יש לו בני אדם שצריכין לאכלם וכיון שלא שחטם שיורי שיירינהו ונעשו כנדרים ונדבות שלא מחמת יו"ט שאין קריבין ביו"ט. וריש לקיש כגון שפירש ואמר שאלו הנשארים אקריבם ביו"ט האחרון כגון זה מותר הכי נמי מסתברא דכי אתא רבין

מי שחגיגה באה מהם [א] יצאו אלו שאין חגיגה באה מהם רב אשי אמר מושמחת נפקא [ב] יצאו אלו שאין בהן שמחה ורב אשי האי בחגך מאי עביד ליה ההוא לכדרב דניאל בר קטינא דאמר רב דניאל בר קטינא אמר רב [ה] מניין [ג] שאין נושאין נשים במועד שנאמר [א] ושמחת בחגך ולא באשתך: **מתני'** [ד] מי שיש לו אוכלים מרובים ונכסים מועטים מביא שלמים מרובים ועולות מועטות נכסים מרובים ואוכלין מועטין מביא עולות מרובות ושלמים מועטין זה וזה מועט על זה נאמר מעה כסף שתי כסף זה וזה מרובים על זה נאמר [ב] איש כמתנת ידו כברכת ה' אלהיך אשר נתן לך: **גמ'** שלמים מרובים מהיכא מייתי הא לית ליה אמר רב חסדא טופל ומביא פר גדול א"ל רב ששת הרי אמרו טופלין בהמה לבהמה מאי קאמר ליה אילימא הכי קאמר ליה הרי אמרו טופלין בהמה לבהמה אבל לא מעות למעות ולימא ליה אין טופלין מעות למעות אלא הכי אמר ליה הרי אמרו אף טופלין בהמה לבהמה כמאן דלא כחזקיה ודלא כרבי יוחנן וכי תימא אמוראי הוא דפליגי מתנייתא לא פליגי והא קתני אכילה ראשונה מן החולין מאי אכילה ראשונה [ה] שיעור דמי אכילה ראשונה מן החולין אמר עולא אמר ריש לקיש הפריש עשר בהמות לחגיגתו הקריב חמש ביום טוב ראשון חוזר ומקריב חמש ביום טוב שני רבי יוחנן אמר [ו] כיון שפסק שוב אינו מקריב אמר ר' אבא ולא פליגי כאן בסתם כאן במפרש האי סתם היכי דמי אילימא דליכא שהות ביום לקרב [ז] האי דלא אקרבינהו (א) דליכא שהות ביום ואלא דלית ליה אוכלין האי דלא אקרבינהו דלית ליה אוכלין לא צריכא דאיכא שהות ביום ואית ליה אוכלין (ג) מבדקמא) לא אקרבינהו שמע מינה שיורי שיירינהו והכי נמי מסתברא דכי אתא רבין אמר ר' יוחנן הפריש עשר בהמות לחגיגתו הקריב חמש ביום טוב ראשון חוזר ומקריב חמש ביום טוב שני קשיין אהדדי אלא לאו שמע מינה כאן בסתם כאן במפרש ש"מ איתמר נמי אמר רב שמן בר אבא אמר רבי יוחנן לא

יצאו אלו שאין חגיגה באה מהן. דחגיגה חלב כתיב בה לא ילין חלב חגי וגו' (שמות כג): **מתני'** אוכלין מרובין. בני בית רבים מביא שלמים רבים שלמי חגיגה רבים לפי האוכלים ועולת ראיה מועטת: עולות מרובות. דכתיב איש כמתנת ידו: **גמ'** טופל. מעות חולין ומעשר יחד: **אילימא** הכי קאמר ליה הרי אמרו בהמה לבהמה (ג) מעות למעות לא. כחזקיה: לימא ליה הרי אמרו אין טופלין מעות למעות. כיון דלמיסר טפילת מעות אתא ושמעינן לחזקיה בהדיא דאין טופלין היכי שביק מילתא בהדיא ומותיב מדיוקא: **אלא אף** טופלין קאמר ליה. דשמעינן לרב חסדא דקאמר בטופל ומביא פר גדול דוקא מעות למעות אבל בהמה לבהמה לא ואמר ליה איהו הרי אמרו אף טופלין בהמה לבהמה כמאן וכו': וכי תימא אמוראי הוא דפליגי. חזקיה ורבי יוחנן הוא דפליגי בבהמה ובמעות: **אבל** מתנייתא. דלאיתינן לעיל תניא כוותיה דמר ודמר: **לא פליגי.** במעות אלא בבהמה דהך דקתני אם רצה לערב הוא דקאמר מעות דוקא אבל אידך מתניתא ס"ל בין מעות בין בהמה ורב ששת כברייתא בתרייתא סבירא ליה: **והא קתני אכילה** ראשונה מן החולין. וקא סלקא דעתך לסעודה הבאה ראשונה על השולחן בעי כולה מחולין: **דמי** אכילה ראשונה. כלומר אכילה ראשונה סתמא קתני דאית ליה בין בהמה עלמה בין מעות שיעור אכילה ראשונה: **חוזר ומקריב חמש** ביום טוב שני. ולא אמרינן עובר הוא בבל תוסיף (ג) ורחמנא אמר וחגותם אותו חד יומא ותו לא דהנך נמי דחד יומא הוא ושני תשלומין דראשון: **בסתם.** אם הפרישן סתם אינו חוזר ומקריבן כדמפרש ואזיל: **כאן במפרש.** דאמר בהדיא ליום ראשון אני מפריש את כולן חוזר ומקריבן שאינו אלא תשלומי ראשון: **האי סתם.** דאמרת אסור להקריבן היכי דמי: **משום** דלא הוה ליה שהות הוא. ומסתמא ליום ראשון הפרישן: **שיורי שייר.** שהיה בדעתו לחוג שני ימים: **ה"נ** מסתברא. דמודה ר' יוחנן בדמפרש: **איתמר נמי.** דהיכא דמוכח מילתא דלא היה בדעתו לחוג שני ימים מודה ר"י:
לא

אינו חוזר ומקריב ומביא א"ר אבא ולא פליגי כאן בסתם כאן במפרש הא דר' יוחנן כגון שהפרישן סתם והקריב ויש לו שהות ביום לשחוט השאר וגם יש לו אוכלים ולא שחטן שיורי שיירינהו ונעשו כנדרים ונדבות שלא מחמת יום טוב שאין קריבין ודריש לקיש כגון שפירש שאלו הנשארים יקריבם ביום טוב אחרון כגון זה מותר הכי נמי מסתברא דכי אתא רבין אמר רבי יוחנן הפריש עשרה בהמות לחגיגתו הקריב חמשה וכו' חוזר ומקריב וכו' קשיא אהדדי כו' אלא לאו כו' איתמר נמי אמר רב שמן בר אבא אמר רבי יוחנן לא שנו דכיון שפסק [שוב אינו מקריב] אלא שלא גמר היום דאמרינן שיורי שיירינהו ונעשו נדרים ונדבות אבל גמר היום חוזר ומקריב כך פירש רבינו חננאל וראייה לדבריו משמע בירושלמי דמכילתין היו לפניו (ה) עשרה בהמות הקריב חמשה ביום טוב ראשון והמותר מהו שידחה יום טוב האחרון רבי קריספא אומר איתפלגון ר' יוחנן וריש לקיש חד אומר דוחה וחד אומר אינו דוחה ולא ידעינן מאן אמר [דא ומאן אמר דא] אמר רבי זירא נפשך מליהון דרבנן מליהון דרבי יוחנן דו אמר אדם טופל בהמה לבהמה ואין אדם טופל מעות למעות דו אמר דוחה ריש לקיש דו אמר אדם טופל בהמה לבהמה ומעות למעות דו אמר אינו דוחה אמר רב שמן בר אבא בשם ר' יוחנן לעולם הוא מוסיף והולך ודוחה יום טוב עד שיאמר אין עוד בדעתו להוסיף משמע דלענין דחיית יום טוב מיירי:
זה

א) מו"ק ח:, ב) [נ"ל מדבקמא], ג) [נ"ל ממש].

הגהות הב"ח

(א) גמ' האי דלא אקרבינהו משום דליכא שהות ביום ואלא דלית ליה אוכלין האי דלא אקרבינהו משום דלית ליה: (ב) רש"י ד"ה אילימא וכו' לבהמה אבל מעות: (ג) ד"ה חוזר וכו' דרחמנא אמר וכו' דשני תשלומין: (ד) תוס' ד"ה בחגך וכו' ולא בלשתך והא דאין: (ה) ד"ה חוזר וכו' היו לפניו עשר בהמות והקריב חמש ביום טוב הראשון המותר מהו שידחה י"ט וכו' דר' יוחנן דאמר אדם טופל בהמה למעות ואין אדם טופל בהמה לבהמה הוא דאמר דוחה וריש לקיש דאמר אדם טופל למעות ואין אדם טופל בהמה לבהמה הוא דאמר דוחה ולא דוחה:

תורה אור השלם

א) וְשָׂמַחְתָּ בְּחַגֶּךָ אַתָּה וּבִנְךָ וּבִתֶּךָ וְעַבְדְּךָ וַאֲמָתֶךָ וְהַלֵּוִי וְהַגֵּר וְהַיָּתוֹם וְהָאַלְמָנָה אֲשֶׁר בִּשְׁעָרֶיךָ: [דברים טז, יד]

ב) אִישׁ כְּמַתְּנַת יָדוֹ כְּבִרְכַּת יְיָ אֱלֹהֶיךָ אֲשֶׁר נָתַן לָךְ: [דברים טז, יז]

A different statement regarding this issue: רַבִּי יוֹחָנָן אָמַר – **R' Yochanan says:** כֵּיוָן שֶׁפָּסַק שׁוּב אֵינוֹ מַקְרִיב – **Once he ceased** offering the animals, **he may not offer** any more.[23]

The two statements are reconciled: אָמַר רַבִּי אַבָּא – **R' Abba said:** וְלֹא פְּלִיגֵי – **But they do not disagree.** כָּאן בִּסְתָם – **Here** [R' Yochanan's ruling that the remaining sacrifices may not be offered on the second day] the reference is **to** one who designated the animals **without specifying** that they would be offered on the first day;[24] כָּאן בִּמְפָרֵשׁ – whereas **here** [Reish Lakish's ruling that they may be offered on the second day] the reference is **to one who did specify** that they would be offered on the first day.[25]

The Gemara seeks to clarify R' Abba's explanation of R' Yochanan's statement: הַאי סְתָם – **This** case of one who designated the animals **without specifying** (where the law is that they may not be offered on the second day), הֵיכִי דָּמֵי – **what are the** exact **circumstances?** אִילֵימָא דְּלֵיכָּא שְׁהוּת בַּיּוֹם לְקָרֵב – **If we say that there was no time** left **in the** first **day to offer** the remaining sacrifices, we surely assume that he did in fact intend to bring them all on the first day, הַאי דְּלָא אַקְרְבִינְהוּ דְּלֵיכָּא שְׁהוּת בַּיּוֹם – and the only reason **that he did not bring** all of **them** then **was that there was no time left in the day** for him to do so.[26] וְאֶלָּא דְּלֵית לֵיהּ אוֹכְלִין – **Rather,** the case must be **that he did not have** enough **people to eat** all his offerings on the first day. But in that case too, we surely assume that he intended to bring them all on the first day, הַאי דְּלָא אַקְרְבִינְהוּ דְּלֵית לֵיהּ אוֹכְלִין – and the only reason **that he did not offer them** then **was that he did not have** enough **people to eat** them at that time![27]

The Gemara isolates the circumstances in which R' Abba's explanation applies: לֹא צְרִיכָא – **It is warranted only** in a case דְּאִיכָּא שְׁהוּת בַּיּוֹם – **where there was** enough **time left in the** first **day** to bring all the offerings, וְאִית לֵיהּ אוֹכְלִין – **and he** also **had** enough **people to eat** them on that day. (מבדקמא) [מִדְּבְקַמָּא] לֹא אַקְרְבִינְהוּ – In such circumstances, **since he did not offer** all of **them on the first** day, שְׁמַע מִינָּהּ שִׁיּוּרֵי שַׁיְּירִינְהוּ – **it is evident** that **he** deliberately **left them over** for the second day.[28]

The Gemara proves that R' Yochanan's ruling (viz. that it is forbidden to bring the remaining sacrifices on the second day) was stated only where the sacrifices were not designated specifically for the first day:

וְהָכִי נַמִּי מִסְתַּבְּרָא – **And this** explanation **also** is **logical,** for it provides the solution to a contradiction. דְּכִי אֲתָא רָבִין אָמַר רַבִּי יוֹחָנָן – **For when Ravin came** from Eretz Yisrael to Babylonia **he said in the name of R' Yochanan:** הִפְרִישׁ עֶשֶׂר בְּהֵמוֹת לַחֲגִיגָתוֹ – **If one designated ten animals for his** ***chagigah,*** הִקְרִיב חָמֵשׁ בְּיוֹם טוֹב רִאשׁוֹן – **and he offered five** of them **on the first day of the festival,** חוֹזֵר וּמַקְרִיב חָמֵשׁ בְּיוֹם טוֹב שֵׁנִי – **he may go back and offer** the remaining **five on the second day of the festival.** קַשְׁיָין אַהֲדָדֵי – Thus, **they** [two statements by R' Yochanan] **contradict one another,** for, as recorded above, R' Yochanan rules in this very case that it is forbidden to bring the remaining sacrifices on the second day! אֶלָּא לָאו שְׁמַע מִינָּהּ – **Rather, is it not evident** that כָּאן בִּסְתָם – **here** [R' Yochanan's ruling that it is forbidden to bring any offerings on the second day] the reference is **to** one who designated the animals **without specifying** that they would be offered on the first day; כָּאן בִּמְפָרֵשׁ – whereas **here** [R' Yochanan's ruling that this is permitted] the reference is **to one who did specify** that they would be offered on the first day. שְׁמַע מִינָּהּ – Indeed, one can **infer** this distinction **from it** [the difference between R' Yochanan's two statements].[29]

It was stated above that R' Yochanan forbids bringing the remaining sacrifices only where the owner could have brought them on the first day (there was enough time left in the day, etc.), but he chose not to. The Gemara cites evidence for this point: אִיתְּמַר נַמִּי – **It was also stated:** אָמַר רַב שֶׁמֶן בַּר אַבָּא אָמַר רַבִּי יוֹחָנָן – **Rav Shemen bar Abba said in the name of R' Yochanan:**

NOTES

(*Meiri;* see *Turei Even;* cf. *Rabbeinu Chananel,* who explains the entire passage differently).]

It might have been thought that since the Torah states: וְחַגֹּתֶם אֹתוֹ, *You shall celebrate it* [singular, i.e. one day] (*Leviticus* 23:41; see below, 9a), a person who has several *chagigah* offerings must bring them all on the same day. Should he bring some on one day and some on another, he would violate the prohibition of בַּל תּוֹסִיף, *do not add,* which forbids increasing the limits of the mitzvos [for whereas the Torah appointed only one day for bringing the *chagigah,* this person added a second day]. To correct this notion, the Gemara teaches that one may bring his *chagigah* offerings for more than a single day. This is permitted because he is not assumed to be treating the second day as an opportunity in its own right to bring the *chagigah* (in which case he would violate בַּל תּוֹסִיף, *do not add*); rather, he presumably intended to bring all his offerings on the first day, and is now using the second day merely as an opportunity to fulfill his first-day obligation (*Rashi*).

23. Any offerings that remain after the first day may not be offered on the second day.

This means that they may not be offered as *shalmei chagigah;* they should, however, be offered as regular *shelamim,* similar to *nedarim* and *nedavos* (*Turei Even*).

24. When he designated the animals as *shalmei chagigah,* he did not say that he intends to offer them on the first day of the festival (*Meiri*). [In this case, we cannot assume that his original intent was to offer them all on the first day and that he is bringing them on the next day only to compensate for his failure to offer them the day before. Rather, we must consider the possibility that he is leaving some over for the second day because he regards it as a time in its own right for offering the *shalmei chagigah.* That would be a violation of בַּל תּוֹסִיף, *do not add.*]

25. He said explicitly that he is designating them all to be offered on the first day. In that case, if any remain after the first day, he may bring them on the next day, because it is clear that he is using the second day only as a substitute for the first (*Rashi*).

26. [Since he presumably intended to offer them all on the first day, and it was only circumstances that prevented him from doing so], he is evidently using the second day as a substitute for the first, which is permitted.

27. See previous note.

28. Since he could have brought them all on the first day, but chose not to do so, he evidently regards the second day as a time in its own right for offering the *chagigah,* and not just a substitute for the first day. Thus, his intent was to bring his *chagigah* offerings over a period of two days [whereas the Torah appointed only one day] (*Rashi*). This constitutes a violation of בַּל תּוֹסִיף, *do not add.*

The Gemara refers here to one who designated the offerings without specifying (סְתָם) that he would bring them on the first day. If he designated them explicitly (מְפָרֵשׁ) for the first day, there is no question that he regards the first day as primary and the second day only as a substitute. Hence, even if he could have brought all his sacrifices on the first day, he may still bring any remaining sacrifices on the second day.

It emerges that R' Yochanan's ruling – namely, that it is forbidden to bring the remaining sacrifices on the second day – applies only where both of these two conditions are met: (a) The offerings were not explicitly designated for the first day; and (b) they could have been offered on the first day.

29. See *Siach Yitzchak,* who explains why the Gemara see this as a proof to the distinction between one who specifies and one who does not, and not to the distinction mentioned above (between one who had time to bring all the offerings and one who did not).

לֹא שָׁנוּ – They did not teach that one who had offered some of his *chagigah* offerings on one day is forbidden to bring the rest the next day[1] אֶלָּא שֶׁלֹּא גָּמַר **– except where he had not finished,** אֲבָל גָּמַר חוֹזֵר וּמַקְרִיב **– but if he had finished, he may go back and bring** the rest on the next day.

R' Yochanan's statement is explained:

מַאי גָּמַר **– What** is the meaning of **"finished"?**[2] אִילֵימָא גָּמַר קָרְבְּנוֹתָיו **– Shall we say** it means that **he had finished** bringing **all his offerings** on the first day? מַאי מַקְרִיב **– But if so, what** offerings **does he bring** the next day? אֶלָּא שֶׁלֹּא גָּמַר הַיּוֹם **– Rather,** R' Yochanan means that **where the *day* had not finished** (i.e. the first day had not yet ended when he stopped bringing his sacrifices), then he is forbidden to bring the rest on the next day. אֲבָל גָּמַר הַיּוֹם **– But** if **the day had finished** before he had a chance to bring all his offerings, חוֹזֵר וּמַקְרִיב **– he may go back and bring** the rest on the next day.[3]

Mishnah The *shalmei chagigah* should optimally be offered on the first day of the festival. The following Mishnah discusses the law of one who did not do so:

מִי שֶׁלֹּא חָג בְּיוֹם טוֹב הָרִאשׁוֹן שֶׁל חָג **– Someone who did not offer the *chagigah* on the first Yom Tov of Succos**[4] חוֹגֵג אֶת כָּל הָרֶגֶל **– may offer the *chagigah*** any day **throughout the festival,**[5] וְיוֹם טוֹב הָאַחֲרוֹן שֶׁל חָג **– and** even **on the last Yom Tov of Succos** [Shemini Atzeres].[6] עָבַר הָרֶגֶל וְלֹא חָג **– If the** entire **festival**[7] **passed and he did not offer the *chagigah*,** אֵינוֹ חַיָּיב בְּאַחֲרָיוּתוֹ **– he is not responsible for it,**[8] i.e. he can no longer bring the *chagigah* for that festival. עַל זֶה נֶאֱמַר **– Concerning this** situation **it is stated:** "מְעֻוָּת לֹא־יוּכַל לִתְקֹן וְחֶסְרוֹן לֹא־יוּכַל לְהִמָּנוֹת" **– *A crooked thing cannot be straightened, and a lack cannot be counted.***[9]

Another illustration of this verse:

רַבִּי שִׁמְעוֹן בֶּן מְנַסְיָא אוֹמֵר **– R' Shimon ben Menasya says:** אֵיזֶהוּ מְעֻוָּת שֶׁאֵינוֹ יָכוֹל לְהִתָּקֵן **– What is "a crooked thing that cannot be straightened"?** זֶה הַבָּא עַל הָעֶרְוָה **– This refers to one who cohabited with an *ervah*** וְהוֹלִיד מִמֶּנָּה מַמְזֵר **– and begat a *mamzer* through her.**[10] אִם תֹּאמַר בְּגוֹנֵב וְגוֹזֵל **– If you say** that the verse refers **to one who steals or robs,**[11] that cannot be its meaning, יָכוֹל הוּא לְהַחֲזִירוֹ וִיתַקֵּן **– because he is able to make**

NOTES

1. R' Yochanan is qualifying a Baraisa (quoted in the Gemara below) which states: אוֹתוֹ אַתָּה חוֹגֵג וְאִי אַתָּה חוֹגֵג כָּל שִׁבְעָה, *You shall celebrate it* [a single day] *by bringing the chagigah; and you shall not celebrate all seven days by bringing the chagigah*. That is, the mitzvah is to bring the *chagigah* on only one day and no more (*Rashi*). In practical terms, this means that if a person has several *chagigah* offerings and he brought some on one day (either the first day of the festival or another day), he may not bring the remainder on a subsequent day (see above, 8b note 22).

2. The verb גָּמַר, *finished,* does not have a subject. It thus could mean either "*he* finished" (referring to the owner) or "*it* finished" (referring to the day).

3. R' Yochanan's statement thus supports the Gemara's assertion in his name (above, 8b) that where the owner did not have enough time to bring all his *chagigah* offerings on the first day (or he did not have enough people to eat them), he is permitted to bring the remaining ones on a subsequent day.

4. In Mishnaic usage, the word חָג refers exclusively to Succos. However, the laws of this Mishnah apply to the other festivals as well. The reason why it specifies Succos is to teach the point stated in note 6 (see *Meleches Shlomoh*).

5. The Torah states (*Leviticus* 23:41): וְחַגֹּתֶם אֹתוֹ חַג לַה׳ שִׁבְעַת יָמִים בַּשָּׁנָה, *You shall celebrate it* [Succos] *by bringing the chagigah, as a festival for Hashem, for a seven-day period each year*. From the word אֹתוֹ, *it* (singular), we derive that there is only one day for bringing the *chagigah,* which is ideally the first day of the festival. The Torah then added שִׁבְעַת יָמִים, *a seven-day period,* to teach that if one did not bring the *chagigah* on the first day of Succos, he may offer it on any other of the festival's seven days. This law is extended by way of analogy to Pesach as well, since it too lasts seven days (*Rashi* below, 17a ד״ה מה חג המצות). [Regarding Shavuos, see the Gemara on 17a.]

Although the verse speaks only of the *chagigah,* the law of the *olas re'iyah* is derived from it (*Tosafos* to 2a ד״ה תשלומין; *Rambam, Hil. Chagigah* 1:4). [*Shalmei simchah,* on the other hand, are obligatory on each day of the festival in its own right (*Tosefta* 1:5,8; Mishnah *Succah* 42b; see *Tosafos* to 6b ד״ה יש בשמחה with *Rashash, Hagahos Ben Aryeh* and *Chazon Ish* 129:6 to 6b).]

6. Succos, like Pesach, begins and ends with a Yom Tov day (in which most labors are forbidden), with the intermediate days being Chol HaMoed. The final Yom Tov day of Succos is the eighth day, Shemini Atzeres. We shall learn (below, 17a) that Shemini Atzeres is treated as an independent festival in several respects. Nevertheless, if necessary, one can bring the Succos *chagigah* even on Shemini Atzeres and thereby compensate for his failure to bring it on the first day of Succos (*Rashi*). [The Gemara shows how this law is derived from Scripture.]

7. Including the last Yom Tov of the festival [Shemini Atzeres] (*Meromei Sadeh;* cf. *Turei Even*).

8. This term means that if an animal designated as an offering dies or is lost, the owner is not obligated to replace it. In the case of the *chagigah,* if it dies or is lost, the owner has to replace it only during the festival and not after the festival has ended. This is because the mitzvah of *chagigah* does not apply after the festival. For the same reason, it is impossible to bring a *chagigah* after the festival even as compensation for the primary obligation.

[If an animal has been designated as a *chagigah* before or during the festival, and the owner failed to offer it by the festival's end, he must bring it as a form of voluntary offering [*nedavah*] (*Turei Even*).]

9. *Ecclesiastes* 1:15. [*Turei Even* and *Meromei Sadeh* infer from the Mishnah's language (עַל זֶה נֶאֱמַר) that according to the Tanna Kamma the verse refers exclusively to this case of one who did not bring a *chagigah* during the festival. They explain why this mitzvah is different from any other mitzvah that is limited to a certain time. See, however, the Baraisa cited below, 9b, and the following note, last paragraph.]

10. An *ervah* is a woman with whom cohabitation is forbidden and punishable by *kares*. These include the wife of another man, a *niddah* and certain relatives, as listed in *Leviticus* ch. 18 (*Rambam, Hil. Ishus* 1:5; see *Turei Even* below, 9b ד״ה זה הבא; cf. *Meromei Sadeh*). The product of a union with such a woman (with the exception of a *niddah*) is a *mamzer,* who is severely restricted with regard to whom he may marry (*Rambam, Hil. Isurei Biah* 15:1).

One who introduces a *mamzer* into the Jewish people has a tangible reminder of his transgression. Consequently, his sin cannot be undone through repentance [as long as the *mamzer* is still alive] (*Rashi;* see *Rashi* to *Yevamos* 22b ד״ה השתא מיהת and *Siach Yitzchak* here; see also 9b note 27). However, *Maharal* (*Nesivos Olam, Nesiv HaTeshuvah* ch. 5) argues strongly that repentance is always effective. In his view, our Mishnah means only that if the perpetrator does *not* repent, a sin that produces a tangible, lasting result is punished more severely than one that does not have such an effect.

The transgression of cohabitation with an *ervah* is cited only as an example. The same applies to any sin that has an outcome that cannot be reversed (*Meiri;* see, however, *Tosafos*).

R' Shimon ben Menasya accepts the Tanna Kamma's explanation of the verse; he is merely adding to it (*Meiri;* cf. *Turei Even* and *Meromei Sadeh*). *Tos. Yom Tov* explains that the first part of the verse refers to sins of commission (*A crooked thing cannot be straightened*) while the second clause indicates sins of omission (*a lack cannot be counted*). The latter is exemplified by the Tanna Kamma's case of one who failed to bring the *chagigah.* R' Shimon ben Menasya illustrates the first clause.

11. [I.e. you might argue that if the stolen article has been lost or destroyed, making actual restitution impossible, the sin cannot be obliterated.]

לא שנו אלא שלא גמר אבל גמר חוזר ומקריב מאי גמר אילימא גמר קרבנותיו מאי מקריב אלא שלא גמר היום אבל גמר היום חוזר ומקריב: **מתני'** מי שלא חג ביו"ט הראשון של חג חוגג את כל הרגל ויו"ט האחרון של חג עבר הרגל ולא חג אינו חייב באחריותו על זה נאמר מעוות לא יוכל לתקון וחסרון לא יוכל להמנות ר' שמעון בן מנסיא אומר איזהו מעוות שאינו יכול להתקן זה הבא על הערוה והוליד ממנה ממזר א"ת בגונב וגוזל יכול הוא להחזירו ויתקן ר"ש בן יוחי אומר אין קורין מעוות אלא למי שהיה מתוקן בתחילה ונתעוות ואי זה זה תלמיד חכם הפורש מן התורה: **גמ'** מנהני מילי אמר רבי יוחנן משום רבי ישמעאל נאמר עצרת בשביעי של פסח ונאמר עצרת בשמיני של חג מה להלן לתשלומין אף כאן לתשלומין מופנה דאי לאו מופנה איכא למיפרך מה לשביעי של פסח שכן אינו חלוק משלפניו תאמר בשמיני של חג שחלוק משלפניו לאיי אפנויי מופנה מכדי מאי עצרת עצור בעשיית מלאכה הכתיב לא תעשה מלאכה עצרת דכתב רחמנא למה לי אלא שמע מינה לאפנויי ותנא מייתי לה מהכא דתניא וחגותם אותו חג לה' שבעת ימים יכול יהא חוגג והולך כל שבעה ת"ל אותו אותו אתה חוגג ואי אתה חוגג כל שבעה אם כן למה נאמר שבעה לתשלומין ומנין שאם לא חג יו"ט הראשון של חג שחוגג והולך את כל הרגל ויום טוב האחרון ת"ל בחדש השביעי תחגו אותו אי בחדש השביעי יכול יהא חוגג והולך החדש כולו ת"ל אותו אותו אתה חוגג ואי אתה חוגג חוצה לו ומאי תשלומין ר' יוחנן אמר תשלומין לראשון ור' אושעיא אמר תשלומין זה לזה מאי בינייהו א"ר זירא חיגר ביום ראשון ונתפשט ביום שני איכא בינייהו רבי יוחנן אמר תשלומין לראשון כיון דלא חזי בראשון לא חזי בשני ור' אושעיא אמר תשלומין זה לזה אע"ג דלא חזי בראשון חזי בשני ומי א"ר יוחנן הכי והאמר חזקיה נטמא ביום מביא בלילה אינו מביא ורבי יוחנן אמר אף בלילה נמי מביא א"ר ירמיה שאני טומאה דיש לה תשלומין בפסח שני מתקיף לה רב פפא הניחא למאן דאמר פסח

רש"י

לא שנו. הא דתניא לקמן אותו אתה חוגג ולא יותר אלא שלא גמר היום: **אבל גמר היום.** ולא היה לו שהות להקריב כל חגיגות שנדרים: **מתני' מי שלא חג.** שלא הביא חגיגתו ביום הראשון של חג: **ויו"ט האחרון של חג.** חוגג שמיני עצרת ואע"ג דרגל בפני עצמו הוא הוי תשלומין לראשון: **והוליד ממזר.** שהניח פסולין בישראל ויהא זכרון (א) לפיכך אין עונותיו נמחקין בתשובה: **יכול להחזיר.** דמי גניבתו וגזלתו לבעלים: **ויתקן.** ויהא מתוקן מן החטא: **מעוות.** מקולקל: **גמ' מנהני מילי.** די"ט האחרון של חג הסוכות תשלומין לקרבנות החג ליחידים: **עצרת בשביעי של פסח.** בפרשת כל הבכור ששת ימים תאכל מצות וביום השביעי עצרת (דברים טז): **מה לשביעי של פסח.** תשלומין לראשון שהרי אינו חלוק משלפניו שמיני עצרת חלוק משלפניו לענין פז"ר קש"ב: **מופנה.** ולריכה גזירה שוה זו שתהא מופנה דמו לא פרכינן עליה מידי דכל גזירה שוה מופנה למידין ואין משיבין: **לאיי.** באמת: **הא כתיב לא תעשה מלאכה.** בההוא קרא גופיה וביום השביעי עצרת לה' אלהיך לא תעשה מלאכה: **ותנא מייתי לה מהכא.** משום דר' יוחנן דגמר לה כדאמרינן לעיל אמורא הוא נקט הכא האי לישנא: **כל שבעה.** כל יום ויום: **בחדש השביעי.** כל ימי החג האמור בחדש השביעי: **יכול יהא חוגג והולך כל החדש.** איזה יום שירצה לתשלומי החג אם לא הקריב בחג: **ת"ל אותו.** בספיה דקרא תרי אותו כתיב ביה: **מאי תשלומין.** כילד הן תשלומין: (ב) **כולן תשלומין לראשון.** שהרי יום אחד עשה הכתוב עיקר בכולן דכתיב אותו ושלאחריו עשה תשלומין לו: **כולן תשלומין זה לזה.** אין לך יום בהם שאין חובתו תלויה בו בעצמו למי שלא נראה בימים שלפניו (ג) יום ראשון שהוא נראה להביא עיקר לדידיה וימיו שלאחריו תשלומין לו: **חיגר.** אינו ראוי לראות כדאמרינן במתני': **נטמא ביום.** בכריתות (דף ט.) תנן נזיר מביא קרבן אחד על טומאות הרבה ואמר חזקיה נטמא ביום ח' שהוא ראוי להביא קרבנות ולהתחיל מנין נזירותיו וימים שמנה קודם טומאה בטלין כמו שנא' וביום השמיני יביא שתי תורים או שני בני וגו' והזיר לה' כל ימי נזרו וגו' והימים הראשונים יפלו כי טמא נזרו (במדבר ו): **מביא.** קרבן על הטומאה השנית שכבר נתחייב בקרבן הטומאה והתחילה שניה והרי זו טומאה אחרת אבל נטמא בליל שמיני אינו מביא אלא קרבן אחד דכיון דלא יצא מטומאה הראשונה לשעה שהיא ראויה להביא עליה קרבן לא נתחייב בקרבן הראשון ואין לו תשלומין: **ורבי יוחנן אמר.** הואיל וטבל לטומאתו ראשונה והעריב שמשו נתחייב בקרבן ואף על פי שאין לילה ראוי לקרבן אלמא אף על גב דלא ראוי לקרבן יש לו תשלומין: **שאני טומאה.** קרבן הנדחה מפני הטומאה ולפיכך יש לו תשלומין ואף על גב דלא נראה להביא: **הואיל ויש לה תשלומין.** (ד) כגון אלו בפסח שני שהרי מי שלא נראה בראשון יש לו תשלומין אבל הנדחה מפני דבר אחר לא מלינו לו תשלומין אלא אם כן נראה להביא: **הניחא למאן דאמר כו'.** פלוגתא היא במסכת פסחים בפרק מי שהיה טמא (דף צג.):

תוספות

זה הבא על הערוה. דטפי בושתו ניכר שהממזר נראה לעולם אבל שאר עבירות רואה וגזלן אין עדיו לפניו:

נאמר עצרת בפסח. ובירושלמי יליף לה ר' יוחנן בשם ר' ישמעאל נאמר חמשה עשר בפסח ונאמר חמשה עשר בחג מה להלן [יו"ט אחרון תשלומין לראשון אף כאן י"ט אחרון תשלומין לראשון] ותו ליכא למיפרך כדפריך בהש"ס שלנו דהא גזרה שוה גמורה (ה) כדילפינן מינה בסוכה בפ' הישן (דף כז.) ועוד יהודה בר ספרא בשם רבי אושעיא דריש התם וחגותם אותו חג לה' שבעת ימים וכי שבעה הם והלא שמנה הם אלא יצא שבת [מהם] הרי ז' ר' יוסי בעי וכי מכאן למדנו שאין חגיגה דוחה שבת והלא ממקום אחר התיב רבי יוחנן אחוי דרב ספרא והתניא אף בפסח כן מעתה לא תהא שבת הרי [ששה] הגע עצמך שחל י"ט ראשון ואחרון בשבת [לא מהם שני ימים] הרי כאן ששה אתא יהודה בר ספרא בשם ר' אושעיא וחגותם אותו חג לה' שבעת ימים (ו) לא תהא שבת שכבר למדנו שאין חגיגה דוחה שבת ומה ת"ל תחגוהו לרבות יו"ט האחרון לתשלומין לראשון וכל אותן דרשות אינן בכאן אך בפרק אלו דברים (פסחים דף ע:) מייתי להאיך דיהודה ספרא ופריך עלה ההיא דחל יו"ט הראשון והאחרון בשבת הרי כאן ששה ולא מייתי תחגוהו:

תשלומין זה לזה. והאיך דלקמן (דף י.) דילפינן תשלומין לחג השבועות מחג המצות כל ז' לא מסתבר למימר תשלומין זה לזה כיון דחול גמור הוא:

כיון דלא חזי בראשון תו לא חזי בשני. ול"ע אם היה פשוט בראשון וחגר בשני מי אמרינן כיון דחיובא עליה רמיא בראשון תו לא פקע מיניה אע"ג דהשתא לא חזי או דלמא כיון (ז) דתשלומין זה לזה לר' אושעיא לא מיחייב ומיהו כיון דהשתא לאו בר חיובא הוא לא מלי מייתי ליה הואיל ואינו בביאה לא הוי בהבאה:

נטמא ביום מביא. גבי נזיר שנטמא קאי דע"כ לא פליגי רבי ור' יוסי בר יהודה (נזיר דף יח.) (ח) בנטמא בשמיני שכן יצא לשעה הראויה להביא קרבן אבל בליל שמיני דלא חזי לקרבן לא ורבי יוסי בר יהודה דנקט נטמא בשביעי לאו משום הבאת קרבן הוא אלא דחשיב ליה כמה טומאות בשביעי:

שאני טומאה הואיל ויש לה תשלומין בפסח שני. היה קשה למורי א"כ סבירא ליה לר' יוחנן נטמא ביום ראשון וחזי בשני מייתי חגיגה אם כן לימא לעיל ריש מכילתין לאתויי טמא בראשון ונטהר בשני ויש לומר דאין הכי נמי אלא משום דלרב פפא דבסמוך לא מצי למימר הכי נקט מילתא דשוי לתרוייהו:

עין משפט נר מצוה

נג א מיי' פ"א מהלכות חגיגה הלכה ד:
נד ב מיי' שם הלכה ז:
נה ג מיי' שם הלכה ו:
נו ד מיי' שם הלכה ד ופ"ב הלכה ה:
נז ה מיי' שם פ"ב הלכה ה:

רבינו חננאל

רבין א"ר יוחנן הפריש עשר בהמות לחגיגתו הקריב חמש ביום טוב ראשון חוזר ומקריב חמש ביו"ט האחרון. קשיין אהדדי אלא לאו ש"מ כאן בסתם כאן במפרש ש"מ אתמר נמי משמיה דר' יוחנן לא שנו כיון שפסק שוב אינו מקריב אלא שלא גמר היום דאמרינן מדלא אקריב שיורי שיירינהו לזמן אחר ונעשו כדין נדרים ונדבות. אבל גמר היום חוזר ומקריב: מתני' מי שלא חג ביו"ט הראשון חוגג והולך את כל הרגל כולו ויו"ט האחרון וגמרינן להו לתשלומין מדכתיב בחג וחגותם אותו חג לה' שבעת ימים בשנה חקת עולם וכתיב בחג המצות ובחג השבועות ובחג הסוכות אשתכח דאתקש להו כולהו להדדי. התינח הני יום שמיני של חג מנא ליה. א"ר יוחנן גמרינן ליה בג"ש נאמרה עצרת בשביעי של פסח. ונאמרה עצרת בשמיני של חג. מה שביעי של פסח יש לו תשלומין אף שמיני עצרת דחג יש לו תשלומין ואמרינן האי עצרת צריך להיות מופנה ומפורש במס' נדה פרק המפלת שצריך להיות מופנה כדי שתדין ממנו זה הדין שכל ג"ש שהיא מופנה בשני צדדין למידין ואין משיבין. ואע"פ שיש לה פרכא אין משיבין. ואם אינה זו העצרת כתובה בה מופנה. איכא למפרך מה לשביעי של פסח שכן אין חלוק מלפניו פי' כולן שבעת ימי הפסח קרבן אחד לכולן. קרבן של יום ראשון הוא קרבן לכל הימים. אבל שמנת ימי החג. יום הראשון י"ג פרים. ויום השני י"ב פרים הולכין ומתמעטין וביום השמיני פר אחד הנה חלוקים הן זה מזה. ואמרינן לאיי אפנויי מופנה כו'. ותנא מייתי ליה מהכא דתניא וחגותם אותו חג לה' שבעת ימים וגו' יכול יהא חוגג והולך כל שבעה ת"ל אותו. אותו כלומר יום ראשון אתה חוגג ואי אתה חוגג כל ד'. א"כ למה נאמר שבעה לתשלומין זה לזה. פירוש ר' יוחנן סבר מי שנתחייב לחגיגה ביום הראשון ולא חג משלם כל שאר ימות החג ואם לא נתחייב בראשון כגון שהיה חולה וכיוצא בו שאינו מתחייב בחגיגה אע"ג דאתפח בשני פטור הוא. ור' אושעיא סבר כיון דאתפח בשני חייב לשלם בשאר הימים וכן כל ימות החג תשלומין זה לזה. א"ר זירא חיגר ביום ראשון ונתפשט בשני איכא [illegible]

מסורת הש"ס

א) [לקמן יז.] מגילה כ. ר"ה ד: מגילה ה. [יומא ג.], ב) יבמות כב., ג) [בעל ב. ערכין ג:], ד) [פסחים פ.], ה) [כריתות ח.], ו) [פסחים צג.], ז) [illegible]

הגהות הב"ח

(א) רש"י ד"ה והוליד ממזר וכו' זכרון לעונו לפיכך: (ב) ד"ה מאי תשלומין כילד הן תשלומין הס"ד [illegible] (ג) ד"ה כולן תשלומין זה וכו' [illegible] (ד) ד"ה הואיל ויש לה תשלומין [illegible] (ה) תוס' ד"ה נאמר וכו' [illegible] (ו) [illegible] (ז) ד"ה כיון וכו' [illegible] (ח) ד"ה נטמא וכו' [illegible]

תורה אור השלם

א) מְעֻוָּת לֹא יוּכַל לִתְקֹן וְחֶסְרוֹן לֹא יוּכַל לְהִמָּנוֹת: [קהלת א, טו]
ב) שֵׁשֶׁת יָמִים תֹּאכַל מַצּוֹת וּבַיּוֹם הַשְּׁבִיעִי עֲצֶרֶת לַיְיָ אֱלֹהֶיךָ לֹא תַעֲשֶׂה מְלָאכָה: [דברים טז, ח]
ג) וְחַגֹּתֶם אֹתוֹ חַג לַייָ שִׁבְעַת יָמִים בַּשָּׁנָה חֻקַּת עוֹלָם לְדֹרֹתֵיכֶם בַּחֹדֶשׁ הַשְּׁבִיעִי תָּחֹגּוּ אֹתוֹ: [ויקרא כג, מא]

ליקוטי רש"י

מעוות. [illegible] ורבותינו פירשו על הבא על הערוה והוליד ממזר [illegible] ת"ח הפורש מן התורה [illegible] [קהלת א, טו]. **שבעה לתשלומין.** [illegible] [לקמן יז.].

[illegible]

חשק שלמה על ר"ח [illegible]

restitution and thus **make** the matter **straight.**[12]

A different approach to the verse:

רַבִּי שִׁמְעוֹן בֶּן יוֹחַי אוֹמֵר – R' Shimon ben Yochai says: אֵין קוֹרִין מְעֻוָּת אֶלָּא לְמִי שֶׁהָיָה מְתוּקָּן בַּתְּחִילָּה וְנִתְעַוֵּות – One is not called "crooked" unless he was straight at first and then **became crooked. וְאֵי זֶה – And who is this? זֶה תַּלְמִיד חָכָם הַפּוֹרֵשׁ מִן הַתּוֹרָה – This is a Torah scholar who forsakes the Torah.**[13]

Gemara

The Mishnah taught that the *chagigah* of Succos can be brought even on the last day of the festival, i.e. Shemini Atzeres. The Gemara provides the source for this law:

מְנָהָנֵי מִילֵּי – From where is this law derived? **אָמַר רַבִּי יוֹחָנָן מִשּׁוּם רַבִּי יִשְׁמָעֵאל – R' Yochanan said in the name of R' Yishmael: נֶאֱמַר ,,עֲצֶרֶת" בַּשְּׁבִיעִי שֶׁל פֶּסַח –** The word ***atzeres***[14] **is stated in reference to the seventh** day **of Pesach,**[15] **וְנֶאֱמַר ,,עֲצֶרֶת" בִּשְׁמִינִי שֶׁל חַג – and** the word ***atzeres*** is also **stated in reference to the eighth** day **of Succos.**[16] A link (*gezeirah shavah*) is thus established between these dates, from which we can infer: **מָה לְהַלָּן לְתַשְׁלוּמִין – Just as** the day mentioned **there** [the seventh of Pesach] can be used **for compensation** (i.e. one can bring the *chagigah* on that day to compensate for having failed to bring it on the first day of the festival),[17] **אַף כָּאן לְתַשְׁלוּמִין –** so **too** the day discussed **here** [the eighth of Succos] can be used **for compensation.**

The Gemara elaborates on this *gezeirah shavah:*

מוּפְנֶה – The word *atzeres* must be **free** to establish this *gezeirah shavah,* **דְּאִי לָאו מוּפְנֶה – for if it is not free, אִיכָּא לְמִיפְרַךְ – there are** grounds **for refuting** the derivation, as follows: **מָה לַשְּׁבִיעִי שֶׁל פֶּסַח – What** comparison can you make **to the seventh** day **of Pesach, שֶׁכֵּן אֵינוֹ חָלוּק מִשֶּׁלְּפָנָיו – which is not distinct from** the festival **that precedes it? תֹּאמַר בִּשְׁמִינִי שֶׁל חַג – Can you say** that its laws necessarily apply **to the eighth** day **of Succos, שֶׁחָלוּק מִשֶּׁלְּפָנָיו – which *is* distinct from** the festival **that precedes it?**[18]

The Gemara responds:

לָאֵיי אַפְנוּיֵי מוּפְנֶה – Indeed, the word *atzeres* is **certainly free** to establish the *gezeirah shavah.* **מִכְּדִי – Now,** let us see: **מַאי עֲצֶרֶת – What is** the meaning of ***atzeres?*** **עָצוּר בַּעֲשִׂיַּית מְלָאכָה – Refrain** (*atzor*) **from performing labor. הָכְתִיב ,,לֹא תַעֲשֶׂה מְלָאכָה" – But it is written** in that very verse: ***you shall not perform labor.***[19] **,,עֲצֶרֶת" דִּכְתַב רַחֲמָנָא לָמָּה לִי –** Thus, the word ***atzeres* that the Merciful One wrote** in the Torah, **why do I need** it? **אֶלָּא שְׁמַע מִינָּהּ לְאַפְנוּיֵי – Rather, learn from this** that we are **to treat** the word *atzeres* **as free** for the purpose of establishing the *gezeirah shavah.*[20]

The Gemara provides a different source for the aforementioned law (namely, that if necessary the *chagigah* of Succos can be brought even on Shemini Atzeres):

וְתַנָּא מַיְיתֵי לָהּ מֵהָכָא – But a Tanna[21] **derives it from the following** source, **דְּתַנְיָא – for it was taught in a Baraisa: ,,וְחַגֹּתֶם אֹתוֹ חַג לַה׳ שִׁבְעַת יָמִים" –** [Scripture states regarding Succos:] ***YOU SHALL CELEBRATE IT BY BRINGING THE CHAGIGAH, AS A FESTIVAL FOR HASHEM, FOR A SEVEN-DAY PERIOD.***[22] **יָכוֹל יְהֵא חוֹגֵג וְהוֹלֵךְ כָּל שִׁבְעָה –** On the basis of these words, **IT MIGHT HAVE** been thought that **ONE CONTINUES BRINGING THE *CHAGIGAH* ALL SEVEN** days of the festival.[23] **תַּלְמוּד לוֹמַר – THE TORAH THEREFORE STATES: ,,אֹתוֹ" –** *You shall celebrate* ***IT*** (singular) *by bringing the chagigah,* which implies that **אוֹתוֹ אַתָּה חוֹגֵג –** only ***IT*** (i.e. one day) **SHALL YOU CELEBRATE BY BRINGING THE *CHAGIGAH,* וְאִי אַתָּה חוֹגֵג כָּל שִׁבְעָה – AND YOU SHALL NOT**

NOTES

12. Even if the thief can only pay the monetary value of the stolen article [because the item itself has been lost or destroyed], he will still have his sin erased (*Rashi;* see *Siach Yitzchak*).

13. It cannot be assumed that one who engaged in an illicit relationship was initially straight; perhaps, until then, he simply did not have an opportunity to commit the sin (see *Iyun Yaakov;* see also *Maharsha* to 9b ד״ה אין אומרים). Only a person who studied Torah and abided by its laws and precepts, and afterward went astray, can be described as one who was originally straight and then became crooked.

His departure from the Torah is impossible to rectify for although he can always return to his studies and practices, the time he lost is irretrievable (*Chidushin* on *Ein Yaakov;* see also *Maharal* ibid.; cf. *Ben Yehoyada*).

Others explain that R' Shimon ben Yochai's statement reflects his teaching in *Kiddushin* (40b): "Even if one was absolutely righteous all his days but he rebelled against God at the last moment [of his life] he loses his earlier [good deeds]." This is clearly a loss that cannot be made up (*Yalkut HaMeiri,* cited by *Yalkut Yeshayahu*).

14. עֲצֶרֶת, literally: restraining, refers to Yom Tov, when we are restrained from doing work, as stated in the Gemara below.

15. *Deuteronomy* 16:8.

16. *Leviticus* 23:36, *Numbers* 29:35.

17. For the seventh day of Pesach is not separate from the rest of the festival (*Rashi;* see *Meromei Sadeh*).

18. A *gezeirah shavah* is irrefutable only if the common word upon which it is based is "free," i.e. it is superfluous according to the plain sense of the context (see note 20). If the common word is not free, the *gezeirah shavah* is valid only as long as there is no logical reason to differentiate between the subjects linked by the common term. In our case, it can be argued that the seventh day of Pesach, inasmuch as it is part of the festival of Pesach, may certainly be used as an opportunity to bring the *chagigah* of that festival. This is in contrast to the eighth day of Succos [Shemini Atzeres], which is an independent festival in several respects (see below, 17a). Hence, unless the term establishing the *gezeirah shavah* is free, the fact that the *chagigah* can be brought on the seventh day of Pesach does not necessarily mean that it can also be brought on the eighth day of Succos.

19. *Deuteronomy* 16:8. The relevant section reads: וּבַיּוֹם הַשְּׁבִיעִי עֲצֶרֶת לַה׳ אֱלֹהֶיךָ לֹא תַעֲשֶׂה מְלָאכָה, *and on the seventh day is an "atzeres" to Hashem, your God, you shall not perform any labor* (*Rashi*).

20. According to the majority opinion (*Niddah* 22b-23a), a *gezeirah shavah* is irrefutable only if the word on which it is based is free in *both* of the contexts that it serves to link. This is indeed the case here. The Gemara has explained why עֲצֶרֶת, *atzeres,* is free in connection with the seventh day of Pesach. For the same reason it is also free in connection with the eighth day of Succos, because it is written (*Leviticus* 23:36, *Numbers* 29:35): עֲצֶרֶת...כָּל־מְלֶאכֶת עֲבֹדָה לֹא תַעֲשׂוּ, *"atzeres" . . . you shall not do any laborious work* (*Rabbeinu Chananel, Meiri, Siach Yitzchak, Rashash, Cheshek Shlomo*). [It should be noted, though, that R' Yishmael, to whom this statement is attributed, subscribes to the view that only one of the *gezeirah shavah's* two words must be free to render it irrefutable (*Cheshek Shlomo*).]

21. The Gemara says "a Tanna" in contrast to the Amora R' Yochanan who presented the source that is recorded above (*Rashi;* see *Siach Yitzchak*).

22. *Leviticus* 23:41. The entire verse reads: וְחַגֹּתֶם אֹתוֹ חַג לַה׳ שִׁבְעַת יָמִים בַּשָּׁנָה חֻקַּת עוֹלָם לְדֹרֹתֵיכֶם בַּחֹדֶשׁ הַשְּׁבִיעִי תָּחֹגּוּ אֹתוֹ, *You shall celebrate it by bringing the chagigah, as a festival for Hashem, for a seven-day period in the year, an eternal decree for your generations; in the seventh month shall you celebrate it by bringing the chagigah.* [The verb לָחוֹג, usually translated "to celebrate," is understood here in the specific sense of celebrating a day (or other period) by bringing the *shalmei chagigah* at that time (see below, 10b).]

23. That is, another *chagigah* must be brought on each day of the festival (*Rashi*).

מסורת הש"ס

א) [לקמן יז.], ב) לקמן ז: מגילה ה. [יומא ג.], ג) [לעיל ג.], ד) [פסחים ס.], ה) [כריתות ח.], ו) [פסחים צג.], ז) [ע' מהרש"א ותוס' יו"ט ועי' תוס' ב"ב פח. ד"ה אפשר ממלא ספק גדול למהרש"א ז"ל דבגל של רבינו הירון].

עין משפט נר מצוה

נג א מיי' פ"א מהלכות חגיגה הלכה ד:
נד ב מיי' שם הלכה ו:
נה ג מיי' שם הלכה ז:
נו ד מיי' שם הלכה ד ופ"ב הלכה ה:
נז ה מיי' שם פ"ב הלכה ה:

לא שנו אלא שלא גמר אבל גמר חוזר ומקריב. מאי גמר? אילימא גמר קרבנותיו, מאי מקריב? אלא שלא גמר היום, אבל גמר היום חוזר ומקריב: **מתני'** מי שלא חג ביו"ט הראשון של חג חוגג את כל הרגל ויו"ט האחרון של חג. עבר הרגל ולא חג אינו חייב באחריותו. על זה נאמר מעוות לא יוכל לתקן וחסרון לא יוכל להמנות. ר' שמעון בן מנסיא אומר איזהו מעוות שאינו יכול להתקן זה הבא על הערוה והוליד ממנה ממזר. א"ת בגונב וגוזל יכול הוא להחזירו ויתקן. ר"ש בן יוחי אומר אין קורין מעוות אלא למי שהיה מתוקן בתחילה ונתעוות ואי זה זה תלמיד חכם הפורש מן התורה: **גמ'** מנהני מילי אמר רבי יוחנן משום רבי ישמעאל נאמר עצרת בשביעי של פסח ונאמר עצרת בשמיני של חג מה להלן לתשלומין אף כאן לתשלומין. מופנה דאי לאו מופנה איכא למיפרך מה לשביעי של פסח שכן אינו חלוק משלפניו תאמר בשמיני של חג שחלוק משלפניו לאיי אפנויי מופנה מכדי מאי עצרת עצור בעשיית מלאכה הכתיב לא תעשה מלאכה עצרת דכתב רחמנא למה לי אלא שמע מינה לאפנויי. ותנא מייתי לה מהכא דתניא וחגותם אותו חג לה' שבעת ימים יכול יהא חוגג והולך כל שבעה ת"ל אותו אותו אתה חוגג ואי אתה חוגג כל שבעה אם כן למה נאמר שבעה לתשלומין ומנין שאם לא חג יו"ט הראשון של חג שחוגג והולך את כל הרגל ויום טוב האחרון ת"ל בחדש השביעי תחגו אותו אי בחדש השביעי יכול יהא חוגג והולך החדש כולו ת"ל אותו אותו אתה חוגג ואי אתה חוגג חוצה לו ומאי תשלומין ר' יוחנן אמר תשלומין לראשון ור' אושעיא אמר תשלומין זה לזה מאי בינייהו א"ר זירא חיגר ביום ראשון ונתפשט ביום שני איכא בינייהו רבי יוחנן אמר תשלומין לראשון כיון דלא חזי בראשון לא חזי בשני ור' אושעיא אמר תשלומין זה לזה אע"ג דלא חזי בראשון חזי בשני ומי א"ר יוחנן הכי והאמר חזקיה נטמא ביום מביא בלילה אינו מביא ורבי יוחנן אמר אף בלילה נמי מביא א"ר ירמיה שאני טומאה דיש לה תשלומין בפסח שני מתקיף לה רב פפא הניחא למאן דאמר פסח

רש"י

לא שנו. הא דתניא לקמן אותו אתה חוגג ולא יותר אלא שלא גמר היום: **אבל גמר היום.** הכל חוזר ומקריב שהוא חוגג ולא יותר: **מתני' מי שלא חג.** שלא הביא חגיגתו ביום הראשון של חג: **ויו"ט האחרון של חג.** חוגג שמיני עצרת ואע"ג דרגל בפני עצמו הוא הוי תשלומין לראשון: **והוליד ממזר.** שהביא פסולין בישראל והיה זכרון (א) לפיכך אין עונותיו נמחקין בתשובה: **יכול להחזיר.** דמי גניבתו וגזלתו לבעלים: **ויתקן.** והא מתוקן מן החטא: **מעוות.** מקולקל: **גמ' מנהני מילי.** דיו"ט האחרון של חג הסוכות תשלומין לקרבנות החג ליחידים: **עצרת בשביעי של פסח.** בפרשת כל הבכור ששת ימים תאכל מצות וביום השביעי עצרת (דברים טז): **מה לשביעי של פסח.** תשלומין לראשון שהרי אינו חלוק משלפניו שמיני עצרת חלוק משלפניו לענין פז"ר קש"ב: **מופנה.** וצריכה גזירה שוה זו שתהא מופנה דמו לא פרכינן עליה מידי דכל גזירה שוה מופנה למידין ואין משיבין: **לאיי.** באמת: **הא כתיב לא תעשה מלאכה.** בההוא קרא גופיה וביום השביעי עצרת לה' אלהיך לא תעשה מלאכה: **ותנא מייתי לה מהכא.** משום דר' יוחנן דגמר לה כדאמרינן לעיל אמורא הוא נקט הכא הכי לישנא: **כל שבעה.** כל יום ויום: **בחדש השביעי.** כל ימי החג האמור בחדש השביעי: **יכול יהא חוגג והולך כל החדש.** איזה יום שירצה לתשלומי החג אם לא הקריב בחג: **ת"ל אותו.** בסיפיה דקרא תרי אותו כתיב ביה: **מאי תשלומין.** לאיזה הן תשלומין: (ב) **כולן תשלומין לראשון.** שהרי יום אחד עשה הכתוב עיקר בכולן דכתיב אותו ושלאחריו עשה תשלומין לו: **כולן תשלומין זה לזה.** אין לך יום בהם שאין חובתו תלויה בו בעצמו למי שלא נראה בימים שלפניו (ג) יום ראשון שהוא נראה להביא עיקר לדידיה וימיו שלאחריו תשלומין לו: **חיגר.** אינו ראוי לראות כדאמרינן במתני': **נטמא ביום.** בכריתות (דף ט.) תנן נזיר מביא קרבן אחד על טומאות הרבה ואמר חזקיה נטמא ביום ח' שהוא ראוי להביא קרבנות ולהתחיל מנין נזירותיו וימים שמנה קודם טומאה בטלין כמו שנא' וביום השמיני יביא שתי תורים או שני בני וגו' והזיר לה' כל ימי נזרו וגו' והימים הראשונים יפלו כי טמא נזרו (במדבר ו): **מביא.** קרבן על הטומאה השנית שכבר נתחייב בקרבן הטומאה והתחילה שניה והרי זו טומאה אחרת אבל נטמא בליל שמיני אינו מביא אלא קרבן אחד דכיון דלא יצא מטומאה הראשונה לשעה שהיא ראויה להביא עליה קרבן לא נתחייב בקרבן הראשון ואין לו תשלומין: **ורבי יוחנן אמר.** הואיל וטבל לטומאתו ראשונה והעריב שמשו נתחייב בקרבן ואף על פי שאין לילה ראוי לקרבן אלמא אף על גב דלא ראוי לקרבן יש לו תשלומין: **שאני טומאה.** קרבן הנדחה מפני הטומאה ולפיכך יש לו תשלומין ואף על גב דלא נראה להביא: **הואיל ויש לה תשלומין.** (ד) כגון אלו בפסח שני שהרי מי שלא נראה בראשון יש לו תשלומין אבל הנדחה מפני דבר אחר לא מצינו לו תשלומין אלא אם כן נראה להביא: **הניחא למאן דאמר כו'.** פלוגתא היא במסכת פסחים בפרק מי שהיה טמא (דף צג.):

תוספות

זה הבא על הערוה. דטפי בושתו ניכר שהממזר נראה לעולם אבל שאר עבירות רולם וגולן אין עדיו לפניו: **נאמר עצרת בפסח.** ובירושלמי יליף לה ר' יוחנן בשם ר' ישמעאל נאמר חמשה עשר בפסח ונאמר חמשה עשר בחג מה להלן [יו"ט אחרון תשלומין לראשון] אף כאן יו"ט אחרון תשלומין לראשון] ותו ליכא למיפרך כדפריך בהש"ס שלנו דהא גזירה שוה גמורה (ה) כדילפינן מינה בסוכה בפ' הישן (דף כז.) ועוד יהודה בר ספרא בשם רבי אושעיא דריש התם וחגותם אותו חג לה' שבעת ימים וכי שבעה הם והלא שמנה הם אלא יצא שבת [מהם] הרי ז' ר' יוסי בעי וכי מכאן למדו שאין חגיגה דוחה שבת והלא ממקום אחר השיב רבי יוחנן אחוי דרב ספרא והתניא אף בפסח כן מעתה לא מהן שבת הרי [ששה] הגע עצמך שחל יו"ט ראשון ואחרון בשבת [לא מהם שני ימים] הרי כאן ששה אתא יהודה בר ספרא בשם ר' אושעיא וחגותם אותו חג לה' שבעת ימים (ו) לא מהן שבת שכבר למדו שאין חגיגה דוחה שבת ומה ת"ל תחגוהו לרבות יו"ט האחרון לתשלומין לראשון וכל אותן דרשות אינן בכאן אך בפרק אלו דברים (פסחים דף ע:) מייתי להא דיהודה בר ספרא ופריך עלה והא היכא דחל יו"ט הראשון והאחרון בשבת הרי כאן ששה ולא מייתי תחגוהו: **תשלומין זה לזה.** והיא לקמן (דף יז.) דילפינן תשלומין לחג השבועות מחג המצות כל ז' לא מסתבר למימר תשלומין זה לזה כיון דחול גמור הוא: **כיון דלא חזי בראשון תו לא חזי בשני.** וא"ת אם היה פשוט בראשון והגר בשני מי אמרינן כיון דמיחייב עליה רמיא בראשון תו לא פקע מיניה אע"ג דהשתא לא חזי או דלמא כיון (ז) דתשלומין זה לזה לר' אושעיא לא מיחייב ומיהו כיון דהשתא לאו בר חיובא הוא לא מצי מייתי ליה הואיל ואינו בביאה לא הוי בהבאה: **נטמא ביום מביא.** גבי נזיר שנטמא קאי דע"כ לא פליגי רבי ור' יוסי בר יהודה (נזיר דף יח.) (ח) בנטמא בשמיני שכן יצא לשעה הראויה להביא קרבן אבל בליל שמיני דלא חזי לקרבן לא ורבי יוסי בר יהודה דנקט נטמא בשביעי לאו משום הבאת קרבן הוא אלא דחשיב ליה כמה טומאות בשביעי: **שאני טומאה הואיל ויש לה תשלומין בפסח שני.** היה קשה למורי א"כ סבירא ליה לר' יוחנן נטמא ביום ראשון וחזי בשני מייתי חגיגה אם כן לימא לעיל ריש מכילתין לאתויי טמא בראשון ונטהר בשני ויש לומר דאין הכי נמי אלא משום דלרב פפא דבסמוך לא מצי למימר הכי נקט מילתא דשוי לתרוייהו:

הגהות הב"ח

(א) רש"י ד"ה והוליד ממזר וכו' זכרון לעונו לפיכך: (ב) ד"ה מאי תשלומין כולן הן תשלומין הס"ד ואח"כ מה"ד הנ"ה ומאן דאמר תשלומין לראשון דריש מאותו לראשון וחגותם אותו ומ"ד תשלומין זה לזה דריש מאותו דסיפיה כלומר האי אותו נופל בשבעה דכולן ראוין לו ע"כ הס"ד: (ג) ד"ה כולן וכו' בימים שלפניו יום ראשון וכו' תשלומין לו ר' תשלומין זה לזה הס"ד: (ד) ד"ה שאני הד"א הואיל ויש לה תשלומין כגון אלו נטמא בפסח ראשון מביא בפסח שני: (ה) תוס' ד"ה נאמר וכו' גזירה היא כדילפינן וכו' אלא לא שבת מהם הרי ז': (ו) בא"ד מה שבעת ימים וכי ולא מ' אלא לא מהן שבת: (ז) ד"ה כיון וכו' או דלמא כיון דהשתא לאו בר חיובא הוא לא מצי מייתי ליה הואיל ואינו בביאה לא הוי בהבאה ומיהו לר' אושעיא כיון דתשלומין זה לזה לא מחייב הס"ד: (ח) בא"ד דנטמא בשמיני שכן יצא לשעה הראויה וכו' כמה טומאות בשביעי:

תורה אור השלם

א) מְעֻוָּת לֹא יוּכַל לִתְקֹן וְחֶסְרוֹן לֹא יוּכַל לְהִמָּנוֹת: [קהלת א, טו]

ב) שֵׁשֶׁת יָמִים תֹּאכַל מַצּוֹת וּבַיּוֹם הַשְּׁבִיעִי עֲצֶרֶת לַייָ אֱלֹהֶיךָ לֹא תַעֲשֶׂה מְלָאכָה: [דברים טז, ח]

ג) וְחַגֹּתֶם אֹתוֹ חַג לַייָ שִׁבְעַת יָמִים בַּשָּׁנָה חֻקַּת עוֹלָם לְדֹרֹתֵיכֶם בַּחֹדֶשׁ הַשְּׁבִיעִי תָּחֹגּוּ אֹתוֹ: [ויקרא כג, מא]

ליקוטי רש"י

מעוות. בחייו לא יוכל לתקון משמת מי שטרח בערב שבת יאכל בשבת ורבותינו פירשו על הבא על הערוה והוליד ממזר או על ת"ח הפורש מן התורה שהיה ישר מתחילתו ונתעוות [קהלת א, טו]. **שבעה לתשלומין.** וה"ה לחג המצות שהרי אף הוא שבעת ימים [לקמן יז.]. **רבי יוחנן אמר.** הימים של רגל תשלומין של ראשון הן ואינן תשלומין זה לזה [פסחים פ.]. **תשלומין לראשון.** מי שמחויב בראשון ולא הביא יביא באחד משאר הימים ומי שאינו מחויב אינו צריך תשלומין [לעיל ב.]. למי שהוא ראוי ומחויב בראשון להקריב ולא הקריב מקריב [והולך] כל שבעה ומי שלא נראה בראשון שוב אינו חייב דהא כולן אינן תשלומין אלא לראשון [ערכין ב:]. **תשלומין זה לזה.** קסבר החובה מוטלת על כל אחד מן שאר הימים ולא על הראשון לבדו הלכך אף מי שפטור בראשון ונראה בשני חייב להביא ואם לא יביא בו ביום יביא למחר [לעיל שם]. בפ"ק דחגיגה (דף ט.) דהא דקתני התם חוגג והולך את כל הרגל משום דכל שבעת הימים תשלומין זה לזה שני לראשון ושלישי לשני אלמא כל חד וחד חשיב באפי נפשיה דהא אית להו תשלומין ואיכא למימר דמאן דלא חזי בראשון וחזי בשני חייב [ערכין שם]. **נטמא ביום.** נטמא נזיר ביום ח' שראוי לקרבן מביא ב' קרבנות. **בלילה.** בליל ח'. **אינו מביא.** דלענין קרבן טומאה אריכתא היא דלילה מחוסר זמן [כריתות ח.]. לפי שעדיין לא הגיע יום שמיני [שהיא] שעה הראויה להביא בה קרבן [נזיר יח:].

רבינו חננאל

רבין א"ר יוחנן הפריש עשר בהמות לחגיגתו הקריב חמש ביום טוב ראשון חוזר ומקריב חמש ביו"ט האחרון. קשיין אהדדי אלא לאו ש"מ כאן בסתם כאן במפרש ש"מ. אתמר נמי משמיה דר' יוחנן לא שנו כיון שפסק שוב אינו מקריב אלא שלא גמר היום דאמרינן מדלא אקריב שיורי שיירינהו לזמן אחר ונעשו כדין נדרים ונדבות. אבל גמר היום חוזר ומקריב: מתני' מי שלא חגג ביו"ט הראשון חוגג והולך את כל הרגל כולו ויו"ט האחרון וגמרינן לה בגמ' שנאמר עצרת בשביעי של פסח ונאמרה עצרת בשמיני של חג. מה שביעי של פסח יש לו תשלומין אף עצרת דחג יש לו תשלומין ואמרינן האי עצרת צריך להיות מופנה ומפורש במס' נדה פרק המפלת שצריך להיות מופנה כדי שהדרין ממנו זה הדין שכל ג"ש שהיא מופנה בשני צדדין למידין ואין משיבין. ואע"פ שיש לה פרכא אין משיבין. ואם אינה זו העצרת כתובה בה מופנה. איכא למפרך מה לשביעי של פסח שכן אין חלוק מלפניו פי' כולן שבעת ימי הפסח קרבן אחד לכולן. קרבן של יום ראשון הוא קרבן לכל הימים. אבל שמונת ימי החג. יום הראשון י"ג פרים. ויום השני י"ב פרים הולכין ומתמעטין וביום השמיני פר אחד הנה חלוקים הן זה מזה. ואמרינן לאיי אפנויי מופנה כו'. ותנא מייתי ליה מהכא וחגותם אותו חג לה' שבעת ימים וגו' יכול יהא חוגג והולך כל שבעה ת"ל אותו. כלומר יום ראשון אתה חוגג ואי אתה חוגג כל ז'. א"כ למה נאמר שבעה תשלומין זה לזה. פירוש ר' יוחנן סבר מי שנתחייב לחגיגה ביום הראשון ולא חג משלם כל שאר ימות החג ואם לא נתחייב בראשון כגון שהיה חולה וכיוצא בו שאינו מתחייב בחגיגה אע"ג דאתפח בשני פטור הוא. ור' אושעיא סבר כיון דאתפח בשני חייב לשלם בשאר הימים וכן כל ימות החג תשלומין הן זה לזה. א"ר זירא חיגר ביום ראשון ונתפשט בשני איכא בינייהו. ר' יוחנן סבר פטור כיון דלא חזי בראשון לא חזי בשני. ור' אושעיא סבר ג) ולא יתכן זה שחלקו לו חזקי' ור' יוחנן כשנטמא בלילה להעמידה בזב ונכוחים הן למבין. ומקשינן מי א"ר יוחנן הכי והאמר חזקיה נטמא ביום מביא. פי' נזיר שנטמא טומאת מת ועוד נטמא ביום שמיני לטומאתו הראשונה טומאת מת אחרת מביא ב' קרבנות נטמא בלילה אינו מביא. ר' יוחנן אמר אף בלילה נמי מביא והאי נזיר בליל שמיני שלו לא חזי לאתויי קרבן וקא"ר יוחנן חייב להביא קרבן אחר בתשלום ח' ימים לטהרתו. ואע"פ שלא נתחייב בעת טומאתו. ופירק ר' ירמיה שאני טומאה הואיל ואית לה תשלומין בפסח שני פירוש הלא מי שנטמא לילי י"ד בניסן או מקודם לכן לא נתחייב עדיין להקריב בפסח בעת טומאתו ואעפ"כ נתחייב באותו פסח להשלימה בי"ד באייר בפסח שני כך זה הנזיר וזה שאמרנו דמיירי בנזיר מפורש בכריתות פ' ארבעה מחוסרי כפרה בגמרא ונזיר שנטמא טומאות הרבה. ואוקימנא התם לר' יוסי ב"ר יהודה. ודלא כר' דתניא וקדש את ראשו ביום ההוא ביום הבאת קרבנותיו דברי רבי הכי התם כיון דא' ר' נזירות דטהרה עד שמיני לא חיילא עליה אי דנטמא בשביעי ונטמא בשביעי אחר כולה טומאה אריכתא היא וליכא הכא טומאות הרבה. ואי דנטמא בשמיני שלו חוזר ונטמא בשמיני אחר

חשק שלמה על ר"ח א) נראה דחסר כאן וצ"ל שבעה לתשלומין [illegible]

CELEBRATE ALL SEVEN days BY BRINGING THE *CHAGIGAH.*[24] אם כֵּן לָמָּה נֶאֱמַר ,,שִׁבְעָה׳׳ – IF SO, WHY IS IT STATED: *SEVEN?* לְתַשְׁלוּמִין – To teach that the other days may be used FOR COMPENSATION, i.e. to compensate for one's failure to offer the *chagigah* on the first day.[25] וּמִנַּיִן שֶׁאִם לֹא חָג יוֹם טוֹב הָרִאשׁוֹן שֶׁל חַג – AND FROM WHERE do we know THAT IF ONE DID NOT BRING THE *CHAGIGAH* ON THE FIRST YOM TOV OF SUCCOS שֶׁחוֹגֵג וְהוֹלֵךְ אֶת כָּל הָרֶגֶל וְיוֹם טוֹב הָאַחֲרוֹן – THAT HE CAN CONTINUE BRINGING THE *CHAGIGAH* THE ENTIRE FESTIVAL, AND even on THE LAST FESTIVAL DAY (i.e. the eighth day, Shemini Atzeres)? תַּלְמוּד לוֹמַר – THE TORAH THEREFORE STATES: ,,בַּחֹדֶשׁ הַשְּׁבִיעִי תָּחֹגּוּ אֹתוֹ׳׳ – *IN THE SEVENTH MONTH YOU SHALL CELEBRATE IT BY BRINGING THE CHAGIGAH.* Through mentioning the "month," the Torah indicates that even *after* the seven days of Succos (i.e. on Shemini Atzeres) it is still possible to offer the *chagigah.* אִי ,,בַּחֹדֶשׁ הַשְּׁבִיעִי׳׳ – However, IF this phrase, *IN THE SEVENTH MONTH,* defines the time when the *chagigah* may be offered, יָכוֹל יְהֵא חוֹגֵג וְהוֹלֵךְ הַחֹדֶשׁ כּוּלּוֹ – IT MIGHT HAVE BEEN thought that ONE CAN CONTINUE BRINGING THE *CHAGIGAH* THE ENTIRE MONTH.[26] תַּלְמוּד לוֹמַר ,,אֹתוֹ׳׳ – THE TORAH THEREFORE STATES: *IT,*[27] which indicates that אוֹתוֹ אַתָּה חוֹגֵג – only *IT* (i.e. the festival itself) SHALL YOU CELEBRATE BY BRINGING THE *CHAGIGAH,* וְאִי אַתָּה חוֹגֵג חוּצָה לוֹ – AND YOU SHALL NOT CELEBRATE the period BEYOND IT BY BRINGING THE *CHAGIGAH.*[28]

The days of Succos that follow the first day are described in the previous Baraisa as opportunities "for compensation." The Gemara cites a dispute about this:

וּמַאי תַּשְׁלוּמִין – **And what is** the meaning of **compensation?** רַבִּי יוֹחָנָן אָמַר – **R' Yochanan says:** תַּשְׁלוּמִין לָרִאשׁוֹן – It means that each day can be used as **compensation for the first** day of the festival.[29] וְרַבִּי אוֹשַׁעְיָא אָמַר – **But R' Oshaya says:** תַּשְׁלוּמִין זֶה לָזֶה – It means that **each** day can be used as **compensation for** any **other** day.[30]

The Gemara illustrates the difference between these opinions:

מַאי בֵּינַיְיהוּ – **What is** the difference **between them?** אָמַר רַבִּי זֵירָא – **R' Zeira said:** חִיגֵּר בְּיוֹם רִאשׁוֹן וְנִתְפַּשֵּׁט בְּיוֹם שֵׁנִי – The case of **one who was lame on the first day** of the festival **and** whose leg **became healed on the second day** אִיכָּא בֵּינַיְיהוּ – **is** an example of the difference **between them.**[31] רַבִּי יוֹחָנָן אָמַר – **R' Yochanan says** that תַּשְׁלוּמִין לָרִאשׁוֹן – each day can be used as **compensation** only **for the first** day of the festival. כֵּיוָן דְּלָא חֲזֵי בְּרִאשׁוֹן לָא חֲזֵי בְּשֵׁנִי – Therefore, **since [this person] was not eligible** to bring the *chagigah* **on the first day, he is not eligible** to bring it **on the second** day either. וְרַבִּי אוֹשַׁעְיָא אָמַר – **And R' Oshaya says** that תַּשְׁלוּמִין זֶה לָזֶה – **each** day can be used as **compensation for** any **other** day. אַף עַל גַּב דְּלָא חֲזֵי בְּרִאשׁוֹן – Therefore, **even though he was not eligible on the first** day, חֲזֵי בְּשֵׁנִי – **he is** nevertheless **eligible on the second day.**

The Gemara stated that according to R' Yochanan if a person was lame on the first day of the festival and subsequently recovers, he does not bring the *chagigah.* This position, however, is appparently contradicted by another of R' Yochanan's teachings:

וּמִי אָמַר רַבִּי יוֹחָנָן הָכִי – **And did R' Yochanan** really **say this?** וְהָאָמַר חִזְקִיָּה – **But Chizkiyah has said** [regarding a *nazir* who became *tamei* and underwent the seven-day purification process and then became *tamei* again on the eighth day]:[32] נִטְמָא בַּיּוֹם – If **he became *tamei*** again **in the daytime** of the eighth day, מֵבִיא – **he does bring** the offerings for the first *tumah;*[33] בַּלַּיְלָה – but if he became *tamei* **at night** (i.e. the night between the seventh and eighth days), אֵינוֹ מֵבִיא – **he does not bring** the offerings for the first *tumah.*[34] וְרַבִּי יוֹחָנָן אָמַר – **However, R' Yochanan says:** אַף בַּלַּיְלָה נַמִּי מֵבִיא – **Even** if he

NOTES

24. The one day designated for the *chagigah* is presumably the first of the festival, since that is the first opportunity for its sacrifice.

25. Ideally, one should bring the *chagigah* on the first day of the festival. One who did not do so may make amends by bringing it on any of the remaining days, as stated in our Mishnah.

26. That is, one might conclude that if one did not bring the *chagigah* during the festival, he may compensate for that failure by bringing it on any subsequent day [of the month of Tishrei] that he chooses (*Rashi*).

27. This refers to the word אתו, *it,* that appears at the *end* of the verse [see note 22] (*Rashi*). [The first occurrence of this word (*you shall celebrate "it" as a festival . . . a seven-day period*) denotes the first day of the festival as opposed to its other days, whereas the second occurrence (*in the seventh month shall you celebrate "it"*) refers to the entire festival in contrast to the rest of the month.]

28. Thus, "the seventh month" serves only to include Shemini Atzeres, which, although not one of the first seven days of the festival, nevertheless belongs to the festival.

[The Gemara in *Pesachim* (70b) explains why the Torah states "a seven-day period" when in fact on Succos there are eight days on which the *chagigah* can be brought. See also *Turei Even* here.]

29. By saying אתו, *it,* the Torah designated a single day as the primary time for bringing the *chagigah.* The later days are only opportunities to make amends for one's failure to bring the *chagigah* on that appointed day (*Rashi*). R' Yochanan maintains that the day designated by the Torah is always the first day of the festival. Hence, if one must bring the *chagigah* on a subsequent day, he is using that day only as a substitute for the first.

30. According to this view, each day of the festival is potentially subject to the *chagigah* obligation in its own right, and not merely as a substitute for the first day. This means that if one was not eligible to offer the *chagigah* on the first day but became eligible on a subsequent day (e.g. he was lame on the first day and recovered on the second), his obligation to bring the *chagigah* is transferred to the day he becomes eligible. Should he then fail to bring the offering on *his* first day, he may use one of the following days as an opportunity to make amends for that failure. In this sense, any day of the festival can substitute for any one of the previous days (*Rashi*).

31. A lame man is exempt from the obligation to bring the *olas re'iyah* and *shalmei chagigah* (Mishnah, 2a).

32. A *nazir* is one who has undertaken a vow of *nezirus,* which forbids him to eat or drink the produce of the grapevine, cut the hair of his head or become *tamei* from a corpse. The term of *nezirus* is ordinarily thirty days, unless the *nazir* specifies a longer period. At the conclusion of his term, the *nazir* brings certain offerings. Should he become *tamei* from a corpse during his term, the *nazir* forfeits all the days of *nezirus* that he already observed. He must undergo the seven-day process of purification from corpse *tumah* and on the eighth day he brings a special set of offerings. He then begins his term anew (see *Numbers* ch. 6).

If a *nazir* contracted corpse *tumah* during his term, began the seven-day purification process, and then became *tamei* a second time before the process ended, he must start the process all over again. However, since he was effectively subject to a single uninterrupted state of *tumah,* he brings only one set of offerings at the end of the second purification process. If he became *tamei* on the eighth day (during the daytime), he brings *two* sets of offerings when he is finally purified, since he was already obligated to bring the offerings for the first *tumah* before the second *tumah* began (*Rashi;* cf. *Rambam, Hil. Nezirus* 6:15). The following dispute pertains to a *nazir* who became *tamei* again on the night of the eighth day, i.e. the night between the seventh and eighth days.

[Some commentators maintain that the following dispute does not refer to a *nazir* at all; see *Meiri* at length, *Cheshek Shlomo* and *Sfas Emes.*]

33. That is, upon completing the second purification process, he must bring the offerings for the first *tumah,* besides the offerings for the second *tumah.*

34. Sacrifices are not offered at night. Thus, a sacrificial obligation does not take effect until the morning the sacrifice is due and not the night before [לַיְלָה מְחוּסַּר זְמַן]. In our case, this means that if the *nazir* became

לא שנו אלא שלא גמר אבל גמר חוזר ומקריב מאי גמר אילימא גמר קרבנותיו מאי מקריב אלא שלא גמר היום אבל גמר היום חוזר ומקריב: **מתני׳** [א] מי שלא חג ביו״ט הראשון של חג חוגג את כל הרגל ויו״ט האחרון של חג [ב] עבר הרגל ולא חג אינו חייב באחריותו על זה נאמר [א] מעוות לא יוכל לתקון וחסרון לא יוכל להמנות ר׳ שמעון בן מנסיא אומר [ג] איזהו מעוות שאינו יכול להתקן זה הבא על הערוה והוליד ממנה ממזר א״ת בגונב וגוזל יכול הוא להחזירו ויתקן ר״ש בן יוחי אומר אין קורין מעוות אלא למי שהיה מתוקן בתחילה ונתעוות ואי זה זה תלמיד חכם הפורש מן התורה: **גמ׳** מנהני מילי אמר רבי יוחנן משום רבי ישמעאל נאמר עצרת בשביעי של פסח ונאמר עצרת בשמיני של חג מה להלן לתשלומין אף כאן לתשלומין מופנה דאי לאו מופנה איכא למיפרך מה לשביעי של פסח שכן אינו חלוק משלפניו תאמר בשמיני של חג שחלוק משלפניו לאיי אפנויי מופנה מכדי מאי עצרת עצור בעשיית מלאכה הכתיב [ב] לא תעשה מלאכה עצרת דכתב רחמנא למה לי אלא שמע מינה לאפנויי ותנא מייתי לה מהכא דתניא [ג] וחגותם אותו חג לה׳ שבעת ימים יכול יהא חוגג והולך כל שבעה ת״ל אותו אותו אתה חוגג ואי אתה חוגג כל שבעה אם כן למה נאמר שבעה לתשלומין ומנין [ד] שאם לא חג יו״ט הראשון של חג שחוגג והולך את כל הרגל ויום טוב האחרון ת״ל [ג] בחדש השביעי תחגו אותו אי בחדש השביעי יכול יהא חוגג והולך החדש כולו ת״ל אותו אותו אתה חוגג ואי אתה חוגג חוצה לו ומאי תשלומין ר׳ יוחנן אמר [ד] תשלומין לראשון ור׳ אושעיא אמר תשלומין זה לזה מאי בינייהו א״ר זירא חיגר ביום ראשון ונתפשט ביום שני איכא בינייהו רבי יוחנן אמר תשלומין לראשון [ה] כיון דלא חזי בראשון לא חזי בשני ור׳ אושעיא אמר תשלומין זה לזה אע״ג דלא חזי בראשון חזי בשני ומי א״ר יוחנן הכי והאמר חזקיה [ו] נטמא ביום מביא בלילה אינו מביא ורבי יוחנן אמר אף בלילה נמי מביא א״ר ירמיה שאני טומאה דיש לה תשלומין בפסח שני מתקיף לה רב פפא הניחא למאן דאמר [ו] פסח

רש״י

לא שנו. הא דתניא לקמן אותו אתה חוגג ולא יותר אלא שלא גמר היום: **אבל גמר היום.** ולא היה לו שהות להקריב כל חגיגות שהפריש: **מתני׳ מי שלא חג.** שלא הביא חגיגתו ביום הראשון של חג: **ויו״ט האחרון של חג.** חוגג שמיני עצרת ואע״ג דרגל בפני עצמו הוא הוי תשלומין לראשון: **והוליד ממזר.** שהביא פסולין בישראל ויהא זכרון (א) לפיכך אין עונותיו נמחקין בתשובה: **יכול להחזיר.** דמי גניבתו וגזלתו לבעלים: **ויתקן.** ויהא מתוקן מן החטא: **מעוות.** מקולקל: **גמ׳ מנהני מילי.** די״ט האחרון של חג הסוכות תשלומין לקרבנות החג ליחידים: **עצרת בשביעי של פסח.** בפרשת כל הבכור ששת ימים תאכל מצות וביום השביעי עצרת (דברים טז): **מה לשביעי של פסח.** תשלומין לראשון שהרי אינו חלוק משלפניו שמיני עצרת חלוק משלפניו לענין פז״ר קש״ב: **מופנה.** וצריכה גזירה שוה זו שתהא מופנה דתו לא פרכינן עליה מידי דכל גזירה שוה מופנה למידין ואין משיבין: **לאיי.** באמת: **הא כתיב לא תעשה מלאכה.** בההוא קרא גופיה וביום השביעי עצרת לה׳ אלהיך לא תעשה מלאכה: **ותנא מייתי לה מהכא.** משום דר׳ יוחנן דגמר לה כדאמרינן לעיל אמורא הוא נקט הכא האי לישנא: **כל שבעה.** כל יום ויום: **בחדש השביעי.** כל ימי החג האמור בחדש השביעי: **יכול יהא חוגג והולך כל החדש.** איזה יום שירצה לתשלומי החג אם לא הקריב בחג: **ת״ל אותו.** בסיפיה דקרא תרי אותו כתיב ביה: **מאי תשלומין.** כיצד הן תשלומין: (ב) **כולן תשלומין לראשון.** שהרי יום אחד עשה הכתוב עיקר בכולן דכתיב אותו ושלאחריו עשה תשלומין לו: **כולן תשלומין זה לזה.** אין לך יום בהם שאין חובתו תלויה בו בעצמו למי שלא נראה בימים שלפניו (ג) יום ראשון שהוא נראה להביא עיקר לדידיה וימים שלאחריו תשלומין לו: **חיגר.** אינו ראוי לראות כדאמרינן במתני׳: **נטמא ביום.** בכריתות (דף ט.) תנן נזיר מביא קרבן אחד על טומאות הרבה ואמר חזקיה נטמא ביום ח׳ שהוא ראוי להביא קרבנות ולהתחיל מנין נזירותו וימים שמנה קודם טומאה בטלין כמו שנא׳ וביום השמיני יביא שתי תורים או שני בני יונה וגו׳ והזיר לה׳ את ימי נזרו וגו׳ והימים הראשונים יפלו כי טמא נזרו (במדבר ו): **מביא.** קרבן על הטומאה השנית שכבר נתחייב בקרבן הטומאה והתחילה שניה והרי זו טומאה אחרת אבל נטמא בליל שמיני אינו מביא אלא קרבן אחד דכיון דלא יצא מטומאה הראשונה לשעה שהיא ראויה להביא עליה קרבן לא נתחייב בקרבן הראשון ואין לו תשלומין: **ורבי יוחנן אמר.** הואיל וטבל לטומאתו ראשונה והעריב שמשו נתחייב בקרבן ואף על פי שאין לילה ראוי לקרבן אלמא אף על גב דלא ראוי לקרבן יש לו תשלומין: **שאני טומאה.** קרבן הנדחה מפני הטומאה ולפיכך יש לו תשלומין ואף על גב דלא נראה להביא: **הואיל ויש לה תשלומין.** (ד) כגון אלו בפסח שני שהרי מי שלא נראה בראשון יש לו תשלומין אבל הנדחה מפני דבר אחר לא מצינו לו תשלומין אלא אם כן נראה להביא: **הניחא למאן דאמר כו׳.** פלוגתא היא במסכת פסחים בפרק מי שהיה טמא (דף צג.):

אלא

תוספות

זה הבא על הערוה. דטפי בושתו ניכר שהממזר נראה לעולם אבל שאר עבירות רואה י) וגזלן אין עדיו לפניו:

נאמר עצרת בפסח. ובירושלמי יליף לה ר׳ יוחנן בשם ר׳ ישמעאל נאמר חמשה עשר בפסח ונאמר חמשה עשר בחג מה להלן [יו״ט אחרון תשלומין לראשון אף כאן י״ט אחרון תשלומין לראשון] ותו ליכא למיפרך כדפריך בהש״ס שלנו דהא גזרה שוה גמורה (ה) כדילפינן מינה בסוכה בפ׳ הישן (דף כז.) ועוד יהודה בר ספרא בשם רבי אושעיא דריש התם וחגותם אותו חג לה׳ שבעת ימים וכי שבעה הם והלא שמנה הם אלא יצא שבת [מהם] הרי ז׳ ר׳ יוסי בעי וכי מכאן למדנו שאין חגיגה דוחה שבת והלא ממקום אחר התיב רבי יוחנן אחוי דרב ספרא והתניא אף בפסח כן מעתה לא מהן שבת הרי [ששה] הגע עלמך שחל י״ט ראשון ואחרון בשבת [לא מהם שני ימים] הרי כאן ששה אתא יהודה בר ספרא בשם ר׳ אושעיא וחגותם אותו חג לה׳ שבעת ימים (ו) לא מהן שבת שכבר למדנו שאין חגיגה דוחה שבת ומה ת״ל תחגוהו לרבות יו״ט האחרון לתשלומין לראשון וכל אותן דרשות אינן בכאן אך בפרק אלו דברים (פסחים דף ע:) מייתי להאי דיהודה ספרא ופריך עלה ההיא דחל יו״ט הראשון והאחרון בשבת הרי כאן ששה ולא מייתי תחגוהו:

תשלומין זה לזה. והיא דלקמן (דף י.) דילפינן תשלומין לחג השבועות מחג המצות כל ז׳ לא מסתבר למימר תשלומין זה לזה כיון דחול גמור הוא:

כיון דלא חזי בראשון תו לא חזי בשני. וא״ע אם היה פשוט בראשון וחגר בשני מי אמרינן כיון דחיובא עליה רמיא בראשון תו לא פקע מיניה אע״ג דהשתא לא חזי או דלמא כיון (ז) דתשלומין זה לזה לר׳ אושעיא לא מיחייב ומיהו כיון דהשתא לאו בר חיובא הוא לא מצי מייתי ליה הואיל ואינו בביאה לא הוי בהבאה:

נטמא ביום מביא. גבי נזיר שנטמא קאי דע״כ לא פליגי רבי ור׳ יוסי בר יהודה (נזיר דף יח.) (ח) בנטמא בשמיני שכן יצא לשעה הראויה להביא קרבן אבל בליל שמיני דלא חזי לקרבן לא ורבי יוסי בר יהודה דנקט נטמא בשביעי לאו משום הבאת קרבן הוא אלא דחשיב ליה כמה טומאות בשביעי:

שאני טומאה הואיל ויש לה תשלומין בפסח שני. היה קשה למורי ה״ר א״כ סבירא ליה לר׳ יוחנן נטמא ביום ראשון וחזי בשני מייתי חגיגה אם כן לימא לעיל ריש מכילתין לאתויי טמא בראשון ונטהר בשני ויש לומר דאין הכי נמי אלא משום דלרב פפא דבסמוך לא מצי למימר הכי נקט מילתא דשוי לתרוייהו:

שני

עין משפט נר מצוה

נג א מיי׳ פ״א מהלכות חגיגה הלכה ז:
נד ב מיי׳ שם הלכה ו:
נה ג מיי׳ שם הלכה ז:
נו ד מיי׳ שם הלכה ד ופ״ב הלכה ה:
נז ה מיי׳ שם פ״ב הלכה ה:

מסורת הש״ס

א) [לקמן ח.] ביצה כ. ר״ה ד: מגילה ה. [יומא ג.], ב) יבמות כב. [לעיל ב. ערכין ב:], ג) [פסחים פ.], ד) [כריתות ח.], ה) [פסחים צג.], ו) [ע׳ מהרש״א ותוס׳ יו״ט וער׳ תוס׳ ב״ב פט: ד״ה מפשר תמלא מעד גדול למהרש״א ז״ל דנגאל של רבים אירו].

הגהות הב״ח

(א) רש״י ד״ה והוליד ממזר וכו׳ וזכרון לעונו לפיכך: (ב) ד״ה מאי תשלומין כיצד הן תשלומין הס״ד ואח״כ מה״ד הנ״ה ומאן דאמר תשלומין לראשון דריש מאותו דראשון וחגותם אותו ומ״ד תשלומין זה לזה דריש מאותו דסיפיה שבעת ימים תחגו אותו כלומר האי אותו נופל בשבעה דכולן ראוין לו ע״כ הס״ד: (ג) ד״ה כולן תשלומין וכו׳ בימים שלפניו דיום ראשון וכו׳ תשלומין זה לזה הס״ד: (ד) ד״ה שאני וכו׳ הס״ד עם ד״ה הואיל ויש לה תשלומין כגון אלו נטמאת בפסח ראשון מביא בפסח שני: (ה) תוס׳ ד״ה נאמר וכו׳ גמורה היא כדילפינן וכו׳ אלא לא שבת מהם הרי ז׳: (ו) בא״ד שבעת ימים וכי ז׳ הם והלא ח׳ הם לא מהן שבת: (ז) ד״ה כיון וכו׳ דהשתא לאו בר חיובא הוא לא מצי מייתי ליה הואיל ואינו בביאה לא הוי בהבאה וכו׳: (ח) ד״ה נטמא וכו׳ מביא שכן יצא לשעה הראויה להביא וכו׳ כמה טומאות בשביעי:

תורה אור השלם

א) מְעֻוָּת לֹא יוּכַל לִתְקֹן וְחֶסְרוֹן לֹא יוּכַל לְהִמָּנוֹת: [קהלת א, טו]

ב) שֵׁשֶׁת יָמִים תֹּאכַל מַצּוֹת וּבַיּוֹם הַשְּׁבִיעִי עֲצֶרֶת לַייָ אֱלֹהֶיךָ לֹא תַעֲשֶׂה מְלָאכָה: [דברים טז, ח]

ג) וְחַגֹּתֶם אֹתוֹ חַג לַייָ שִׁבְעַת יָמִים בַּשָּׁנָה חֻקַּת עוֹלָם לְדֹרֹתֵיכֶם בַּחֹדֶשׁ הַשְּׁבִיעִי תָּחֹגּוּ אֹתוֹ: [ויקרא כג, מא]

ליקוטי רש״י

מעוות. כשהוא לא יוכל לתקון משמת מי שעוות בערב שבת ... על הבא על הערוה והוליד ממזר על ת״ח הפורש מן התורה שהיה מתחילתו ונתעוות [קהלת א, טו]. **שבעה לתשלומין.** וה״ה לחג המצות שהרי אף הוא שבעת ימים [לקמן יז.]. **רבי יוחנן אמר.** הימים של רגל תשלומין של ראשון הן ואינן תשלומין זה לזה [פסחים פ.]. **תשלומין לראשון.** מי שמחויב בראשון ולא הביא יביא באחד משאר הימים ומי שאינו מחויב אינו צריך תשלומין [לעיל ב.]. למי שהוא ומחויב בראשון להקריב ולא הקריב מקריב [והולך] כל שבעה ומי שלא נראה בראשון שוב אינו חייב דהא כולן אינן תשלומין אלא לראשון [ערכין ב:]. **תשלומין זה לזה.** קסבר החובה מוטלת על כל אחד מן שאר הימים ולא על הראשון לבדו הלכך אף מי שפטור בראשון ונראה בשני חייב להביא ואם לא יביא בו ביום יביא למחר [לעיל שם]. בפ״ק דחגיגה (דף ט.) דהא קתני התם חוגג והולך את כל הרגל משום דכל שבעת הימים תשלומין זה לזה שני לראשון ושלישי לשני אלמא כל חד וחד חשיב נפשיה דהא אית להו תשלומין ואיכא למימר דמאן דלא חזי בראשון וחזי בשני חייב [ערכין שם]. **נטמא ביום.** נטמא נזיר ביום ח׳ שראוי לקרבן מביא ב׳ קרבנות. **בלילה.** בליל ח׳. **אינו מביא.** דלענין קרבן טומאה אריכתא היא דלילה מחוסר זמן [כריתות ח.]. לפי שעדיין לא הגיע יום שמיני [שהיא] שעה הראויה להביא בה קרבן [נזיר יח:].

רבינו חננאל

רבין א״ר יוחנן הפריש עשר בהמות לחגיגתו הקריב חמש ביום טוב ראשון חוזר ומקריב חמש ביו״ט האחרון. קשיין אהדדי אלא לאו ש״מ כאן בסתם כאן במפרש ש״מ אתמר נמי משמיה דר׳ יוחנן לא שנו כיון שפסק שוב אינו מקריב אלא שלא גמר היום אבל גמר היום מדלא אקריב שיורי שיירינהו לזמן אחר ונעשו כדין נדרים ונדבות. אבל גמר היום חוזר ומקריב: מתני׳ מי שלא חגג ביו״ט הראשון חוגג והולך את כל הרגל כולו ויו״ט האחרון וגמרינן להו לתשלומין מדכתיב בחג וחגותם אותו חג לה׳ שבעת ימים בשנה חקת עולם וכתיב בחג המצות ובחג השבועות ובחג הסוכו׳ אשתכח דאתקש להו כולהו להדדי. התינח הני יום שמיני של חג מנא ליה. א״ר יוחנן גמרינן ליה בג״ש נאמרה עצרת בשביעי של פסח. ונאמרה עצרת בשמיני של חג. מה שביעי של פסח יש לו תשלומין אף שמיני דחג יש לו תשלומין ואמרינן האי עצרת צריך להיות מופנה ומפורש במס׳ נדה פרק המפלת שצריך להיות מופנה כדי שתדון ממנו זה הדין שכל ג״ש שהיא מופנה בשני צדדין למידין ואין משיבין. ואע״פ שיש לה פרכא אין משיבין. ואם אינה זו העצרת כתובה בה מופנה. איכא למפרך מה לשביעי של פסח שכן אין חלוק מלפניו פי׳ כולן שבעת ימי הפסח קרבן אחד לכולן. קרבן של יום ראשון הוא קרבן לכל הימים. אבל שמונת ימי החג. יום הראשון י״ג פרים. ויום השני י״ב פרים הולכין ומתמעטין וביום השמיני פר אחד הנה חלוקים זה מזה. ואמרינן לאיי אפנויי מופנה כו׳. ותנא מייתי ליה מהכא וחגותם אותו חג לה׳ שבעת ימים וגו׳ יכול יהא חוגג והולך כל שבעה ת״ל אותו. אותו כלומר יום ראשון אתה חוגג ואי אתה חוגג כל ד׳. א״כ למה נאמר שבעה א) תשלומין זה לזה. פירוש ר׳ יוחנן סבר מי שנתחייב לחגיגה ביום הראשון ולא חג משלם כל שאר ימות החג ואם לא נתחייב בראשון כגון שהיה חולה וכיוצא בו שאינו מתחייב בחגיגה אע״ג דאתפח בשני פטור הוא. ור׳ אושעיא סבר כיון דאתפח בשני חייב לשלם בשאר הימים וכן כל ימות החג תשלומין הן זה לזה. א״ר זירא חיגר ביום ראשון ונתפשט בשני איכא בינייהו. ר׳ יוחנן סבר פטור כיון דלא חזי בראשון לא חזי בשני. ור׳ אושעיא סבר ג) ולא יתכן זה שחלקו לו חזקי׳ ור׳ יוחנן כשנטמא בלילה להעמידה בזב ונכוחים הן למבין. ומקשינן מי א״ר יוחנן הכי והאמר חזקיה נטמא ביום מביא. פי׳ נזיר שנטמא ביום שמיני לטומאתו הראשונה טומאת מת ועוד נטמא טומאת מת אחרת מביא ב׳ קרבנות נטמא בלילה אינו מביא. ר׳ יוחנן אמר אף בלילה נמי מביא והאי נזיר בליל שמיני שלו לא חזי לאתויי קרבן וקא״ר יוחנן חייב להביא קרבן אחר בתשלום ח׳ ימים לטהרתו. ואע״פ שלא נתחייב בעת טומאתו. ופירק ר׳ ירמיה שאני טומאה הואיל ואית לה תשלומין בפסח שני פירוש הלא מי שנטמא לילי י״ד בניסן או מקודם לכן לא נתחייב עדיין להקריב בפסח בעת טומאתו ואעפ״כ נתחייב באותו פסח להשלימה בי״ד באייר בפסח שני כך זה הנזיר וזה שאמרנו דמיירי בנזיר מפורש בכריתות פ׳ ארבעה מחוסרי כפרה בגמרא ונזיר שנטמא טומאות הרבה ואוקימנא התם לר׳ יוסי ב״ר יהודה. ודלא כר׳ דתניא וקדש את ראשו ביום ההוא ביום הבאת קרבנותיו דברי רבי ר׳ יוסי בר״י אומר ביום תגלחתו. דאי ר׳ לא משתכחת לה נזיר שנטמא טומאות הרבה להיפטר בקרבן אחד ופריך הכי התם כיון דא׳ ר׳ נזירות דטהרה עד שמיני לא חיילא עליה אי דנטמא בשביעי וחזר ונטמא בשביעי אחר כולה טומאה אריכתא היא וליה הכא טומאות הרבה. ואי דנטמא בשמיני שלו וחזר ונטמא בשמיני אחר

אחר

חשק שלמה על ר״ח א) נראה דחסר כאן וצ״ל שבעה לתשלומין מאי תשלומין ר״י אמר תשלומין לראשון ור״א אומר תשלומין זה לזה וכו׳. ב) ליטו מוכן ואולי צ״ל סבר דחייב בשני ומקשינן מי אמר ר״י הכי והאמר חזקיה נטמא ביום מביא. לא יתכן וכו׳ ונכוחים הם למבין אלא הכי פירושו נזיר שנטמא וכו׳.

became *tamei* **at night, he still brings** the offerings for the first *tumah*.[35] – ? –

The Gemara resolves the contradiction:

אָמַר רַבִּי יִרְמְיָה – **R' Yirmiyah said:** **שָׁאנֵי טוּמְאָה דְּיֵשׁ לָהּ תַּשְׁלוּמִין בְּפֶסַח שֵׁנִי** – ***Tumah* is different, for** we find that **it is subject to compensation in the case of the second Pesach.**[36]

This solution is challenged:

מַתְקִיף לָהּ רַב פָּפָּא – **Rav Pappa objected to it** as follows: **הָנִיחָא לְמַאן דְּאָמַר** – **That is understandable according to the one who says** that **פֶּסַח**

NOTES

tamei again during the night (following the seventh day), his first *tumah* did not effect a sacrificial obligation before the onset of the second *tumah*. He is consequently viewed, with respect to his sacrificial obligation, as though he were subject to a single uninterrupted state of *tumah*. Thus, upon completing the second purification process, he is liable to bring only one set of offerings (*Rashi* here with *Rashi* to *Kereisos* 8a ד״ה בליל ח׳).

35. Once the *nazir* has completed his purification process at the end of the seventh day, the time for his sacrificial obligation has technically begun. Although the obligation does not actually take effect then (because sacrifices may not be offered at night), R' Yochanan nevertheless requires the *nazir* to compensate for the missed opportunity by bringing his sacrifices at the next available time. This means that when he completes the second purification process, he brings two sets of offerings: one for the first *tumah* and one for the second *tumah*. Thus, we see that according to R' Yochanan even someone who was not eligible for a sacrificial obligation during its primary time can still be subject to the law of compensation (see *Rashi*). The same should therefore apply in the case of the lame person. Despite his inability to bring the *chagigah* at the time of the obligation (i.e. the first day of the festival), he should still have to bring the *chagigah* when he does become eligible. This contradicts the position attributed to R' Yochanan in the Gemara above – namely, that one who was lame on the first day of the festival does not bring the *chagigah* even after he recovers.

[The Gemara evidently holds that although a lame person does not have to bring the *chagigah*, it is not as if the obligation does not pertain to him at all. Rather, the obligation does apply to him (as it does to all Jewish males) but he is exempted from it (see *Siach Yitzchak*).]

36. People who were *tamei*, and therefore ineligible to offer the *pesach* on the fourteenth of Nissan, are given a second date – the fourteenth of Iyar – when they can offer it (*Numbers* 9:9-13). This alternate date is called Pesach Sheni, the Second Pesach.

Our Gemara derives from this law that any sacrificial obligation that could not be fulfilled on account of *tumah* is subject to compensation at a later date. In our case, the *nazir* was prevented from bringing his offerings on the eighth day (during the daytime) only because of his *tumah* at that time. Therefore, he too should be required to compensate for that missed opportunity by bringing his offerings when he finally becomes pure. The preceding, however, applies only to ineligibility on account of *tumah*, and not some other disqualifying factor, such as that of one who was lame on the first day of the festival. There we say that since he was ineligible at the primary time of obligation, he is not subject to the requirement of compensation (see *Rashi*).

[According to this argument, if a man was *tamei* on the first day of the festival, but was purified on a subsequent day, he would have to bring the *chagigah* after he becomes pure, even according to R' Yochanan (see *Tosafos*).]

לא שנו אלא שלא גמר אבל גמר חוזר ומקריב מאי גמר אילימא גמר קרבנותיו מאי מקריב אלא שלא גמר היום אבל גמר היום חוזר ומקריב: **מתני׳** [א] מי שלא חג ביו"ט הראשון של חג חוגג את כל הרגל ויו"ט האחרון של חג [ב] עבר הרגל ולא חג אינו חייב באחריותו על זה נאמר [א] מעוות לא יוכל לתקון וחסרון לא יוכל להמנות ר' שמעון בן מנסייא אומר [ג] איזהו מעוות שאינו יכול להתקן זה הבא על הערוה והוליד ממנה ממזר א"ת בגונב וגוזל יכול הוא להחזירו ויתקן ר"ש בן יוחי אומר אין קורין מעוות אלא למי שהיה מתוקן בתחילה ונתעוות ואי זה זה תלמיד חכם הפורש מן התורה: **גמ׳** מנהני מילי אמר רבי יוחנן משום רבי ישמעאל נאמר עצרת בשביעי של פסח ונאמר עצרת בשמיני של חג מה להלן לתשלומין אף כאן לתשלומין מופנה דאי לאו מופנה איכא למיפרך מה לשביעי של פסח שכן אינו חלוק משלפניו תאמר בשמיני של חג שחלוק משלפניו לאיי אפנויי מופנה מכדי מאי עצרת עצור בעשיית מלאכה הכתיב [ב] לא תעשה מלאכה עצרת דכתב רחמנא למה לי אלא שמע מינה לאפנויי ותנא מייתי לה מהכא דתניא [ג] וחגותם אותו חג לה' שבעת ימים יכול יהא חוגג והולך כל שבעה ת"ל אותו אותו אתה חוגג ואי אתה חוגג כל שבעה אם כן למה נאמר שבעה לתשלומין ומנין [ג] שאם לא חג יו"ט הראשון של חג שחוגג והולך את כל הרגל ויום טוב האחרון ת"ל [ג] בחדש השביעי תחגו אותו אי בחדש השביעי יכול יהא חוגג והולך החדש כולו ת"ל אותו אותו אתה חוגג ואי אתה חוגג חוצה לו ומאי תשלומין ר' יוחנן אמר [ד] תשלומין לראשון ור' אושעיא אמר תשלומין זה לזה מאי בינייהו א"ר זירא חיגר ביום ראשון ונתפשט ביום שני איכא בינייהו רבי יוחנן אמר תשלומין לראשון [ד] כיון דלא חזי בראשון לא חזי בשני ור' אושעיא אמר תשלומין זה לזה אע"ג דלא חזי בראשון חזי בשני ומי א"ר יוחנן הכי והאמר חזקיה [ה] נטמא ביום מביא בלילה אינו מביא ורבי יוחנן אמר אף בלילה נמי מביא א"ר ירמיה שאני טומאה דיש לה תשלומין בפסח שני מתקיף לה רב פפא הניחא למאן דאמר [ו] פסח

רש"י

לא שנו. הא דתניא לקמן אותו אתה חוגג ולא יותר אלא שלא גמר היום: **אבל גמר היום.** ולא היה לו שהות להקריב כל חגיגות שהפריש: **מתני׳ מי שלא חג.** שלא הביא חגיגתו ביום הראשון של חג: **ויו"ט האחרון של חג.** חוגג שמיני עצרת ואע"ג דרגל בפני עצמו הוא הוי תשלומין לראשון: **והוליד ממזר.** שהביא פסולין בישראל ויהא זכרון (א) לפיכך אין עונותיו נמחקין בתשובה: **יכול להחזיר.** דמי גניבתו וגזלתו לבעלים: **ויתקן.** ויהא מתוקן מן החטא: **מעוות.** מקולקל: **גמ׳ מנהני מילי.** די"ט האחרון של חג הסוכות תשלומין לקרבנות החג ליחידים: **עצרת בשביעי של פסח.** בפרשת כל הבכור ששת ימים תאכל מצות וביום השביעי עצרת (דברים טז): **מה לשביעי של פסח.** תשלומין לראשון שהרי אינו חלוק משלפניו שמיני עצרת חלוק משלפניו לענין פז"ר קש"ב: **מופנה.** וצריכה גזירה שוה זו שתהא מופנה דתו לא פרכינן עליה מידי דכל גזירה שוה מופנה למידין ואין משיבין: **לאיי.** באמת: **הא כתיב לא תעשה מלאכה.** בההוא קרא גופיה וביום השביעי עצרת לה' אלהיך לא תעשה מלאכה: **ותנא מייתי לה מהכא.** משום דר' יוחנן דגמר לה כדאמרינן לעיל אמורא הוא נקט הכא האי לישנא: **כל שבעה.** כל יום ויום: **בחדש השביעי.** כל ימי החג האמור בחדש השביעי: **יכול יהא חוגג והולך כל החדש.** איזה יום שירצה לתשלומי החג אם לא הקריב בחג: **ת"ל אותו.** בסיפיה דקרא תרי אותו כתיב ביה: **מאי תשלומין.** כילד הן תשלומין: (ב) **כולן תשלומין לראשון.** שהרי יום אחד עשה הכתוב עיקר בכולן דכתיב אותו ושלאחריו עשה תשלומין לו: **כולן תשלומין זה לזה.** אין לך יום בהם שאין חובתו תלויה בו בעצמו למי שלא נראה בימים שלפניו (ג) יום ראשון שהוא נראה להביא עיקר לדידיה וימים שלאחריו תשלומין לו: **חיגר.** אינו ראוי לראות כדאמרינן במתני׳: **נטמא ביום.** בכריתות (דף ט.) תנן נזיר מביא קרבן אחד על טומאות הרבה ואמר חזקיה נטמא ביום ח' שהוא ראוי להביא קרבנות והתחיל מנין נזירותו וימים שמנה קודם טומאה בטלין כמו שנא' וביום השמיני יביא שתי תורים או שני בני יונה והזיר לה' את ימי נזרו וגו' והימים הראשונים יפלו כי טמא נזרו (במדבר ו): **מביא.** קרבן על הטומאה השנית שכבר נתחייב בקרבן הטומאה והתחילה שניה והרי זו טומאה אחרת אבל נטמא בליל שמיני אינו מביא אלא קרבן אחד דכיון דלא יצא מטומאה הראשונה לשעה שהיא ראויה להביא עליה קרבן לא נתחייב בקרבן הראשון ואין לו תשלומין: **ורבי יוחנן אמר.** הואיל וטבל לטומאתו ראשונה והעריב שמשו נתחייב בקרבן ואף על פי שאין לילה ראוי לקרבן אלמא אף על גב דלא ראוי לקרבן יש לו תשלומין: **שאני טומאה.** קרבן הנדחה מפני הטומאה ולפיכך יש לו תשלומין ואף על גב דלא נראה להביא: **הואיל ויש לה תשלומין.** (ד) כגון אלו בפסח שני שהרי מי שלא נראה בראשון יש לו תשלומין אבל הנדחה מפני דבר אחר לא מצינו לו תשלומין אלא אם כן נראה להביא: **הניחא למאן דאמר כו׳.** פלוגתא היא במסכת פסחים בפרק מי שהיה טמא (דף צג.): אלא

תוספות

זה הבא על הערוה. דטפי בושתו ניכר שהממזר נראה לעולם אבל שאר עבירות רואה (ז) וגזלן אין עדיו לפניו:

נאמר עצרת בפסח. ובירושלמי יליף לה ר' יוחנן בשם ר' ישמעאל נאמר חמשה עשר בפסח ונאמר חמשה עשר בחג מה להלן [יו"ט אחרון תשלומין לראשון אף כאן יו"ט אחרון תשלומין לראשון] ומו ליכא למיפרך כדפריך בהש"ס שלנו דהא גזירה שוה גמורה (ה) כדלייפינן מינה בסוכה בפ' הישן (דף כז.) ועוד יהודה בר ספרא בשם רבי אושעיא דריש התם וחגותם אותו חג לה' שבעת ימים וכי שבעה הם והלא שמנה הם אלא צא שבת [מהם] הרי ז' ר' יוסי בעי וכי מכאן למדנו שאין חגיגה דוחה שבת והלא ממקום אחר התיב רבי יוחנן אחוי דרבי ספרא והתניא אף בפסח כן מעתה צא מהן שבת הרי [ששה] הגע עצמך שחל י"ט ראשון והאחרון בשבת [צא מהם שני ימים] הרי כאן ששה אתא יהודה בר ספרא בשם ר' אושעיא וחגותם אותו חג לה' שבעת ימים (ו) צא מהן שבת שכבר למדנו שאין חגיגה דוחה שבת ומה ת"ל תחגוהו לרבות יו"ט האחרון לתשלומין לראשון וכל אותן דרשות אינן בכאן אך בפרק אלו דברים (פסחים דף ע:) מייתי להא דיהודה בר ספרא ופריך עלה והא דחל יו"ט הראשון והאחרון בשבת הרי כאן ששה ולא מייתי מתחגוהו:

תשלומין זה לזה. והא דלקמן (דף י.) דילפינן תשלומין לחג השבועות מחג המצות כל ז' לא מסתבר למימר תשלומין זה לזה כיון דחול גמור הוא:

כיון דלא חזי בראשון תו לא חזי בשני. וצ"ע אם היה פשוט בראשון וחגר בשני מי אמרינן כיון דחיובא עליה רמיא בראשון תו לא פקע מיניה אע"ג דהשתא לא חזי או דלמא כיון (ז) דתשלומין זה לזה לר' אושעיא לא מיחייב ומיהו כיון דהשתא לאו בר חיובא הוא לא מצי מייתי ליה הואיל ואינו בביאה לא הוי בהבאה:

נטמא ביום מביא. גבי נזיר שנטמא קאי דע"כ לא פליגי רבי ור' יוסי בר יהודה (נזיר דף יח.) (ח) בנטמא בשמיני שכן יצא לשעה הראויה להביא קרבן אבל בליל שמיני דלא חזי לקרבן לא ורבי יוסי בר יהודה דנקט נטמא בשביעי לאו משום הבאת קרבן הוא אלא דחשיב ליה כמה טומאות בשביעי:

שאני טומאה הואיל ויש לה תשלומין בפסח שני. היה קשה למורי ה"ר סבירא ליה לר' יוחנן נטמא ביום ראשון וחזי בשני מייתי חגיגה אם כן לימא לעיל ריש מכילתין לאתויי טמא בראשון ונטהר בשני ויש לומר דאין הכי נמי אלא דלא מצי למימר הכי נקט מילתא דשו לתרוייהו.

עין משפט נר מצוה

נג א מיי' פ"א מהלכות חגיגה הלכה ד:
נד ב מיי' שם הלכה ו:
נה ג מיי' שם הלכה ה:
נו ד מיי' שם הלכה ד ופ"ב הלכה ב:
נז ה מיי' שם פ"ב הלכה ה:

רבינו חננאל

רבין א"ר יוחנן הפריש עשר בהמות לחגיגתו הקריב חמש ביום טוב ראשון חוזר ומקריב חמש ביו"ט האחרון. קשיין אהדדי אלא לאו ש"מ כאן בסתם כאן במפרש ש"מ אתמר נמי משמיה דר' יוחנן לא שנו כיון שפסק שוב אינו מקריב אלא שלא גמר היום דאמרינן מדלא אקריב שיורי שיירינהו לזמן אחר ונעשו כדין נדרים ונדבות. אבל גמר היום חוזר ומקריב: מתני' מי שלא חג ביו"ט הראשון חוגג והולך את כל הרגל כולו ויו"ט האחרון וגמרינן להו לתשלומין מדכתיב בחג וחגותם אותו חג לה' שבעת ימים בשנה חקת עולם וכתיב בחג המצות ובחג השבועות ובחג הסוכות אשתכח דאתקוש להו כולהו להדדי. התינח הני יום שמיני של חג מנא ליה. א"ר יוחנן גמרינן ליה בג"ש נאמרה עצרת בשביעי של פסח. ונאמרה עצרת בשמיני של חג. מה שביעי של פסח יש לו תשלומין אף עצרת דחג יש לו תשלומין ואמרינן האי עצרת צריך להיות מופנה ומפורש במס' נדה פרק המפלת שצריך להיות מופנה כדי שתדין ממנו זה הדין שכל ג"ש שהיא מופנה בשני צדדין למידין ואין משיבין. ואע"פ שיש לה פרכא אין משיבין. ואם אינה זו העצרת כתובה בה מופנה. איכא למפרך מה לשביעי של פסח שכן אינו חלוק מלפניו פי' כולן שבעת ימי הפסח קרבן אחד לכולן. קרבן של יום ראשון הוא קרבן לכל הימים. אבל שמונת ימי החג. יום הראשון י"ג פרים. ויום השני י"ב פרים הולכין ומתמעטין וביום השמיני פר אחד הנה חלוקים הן זה מזה. ואמרינן לאיי אפנויי מופנה כו'. ותנא מייתי ליה מהכא וחגותם אותו חג לה' שבעת ימים וגו' יכול יהא חוגג והולך כל שבעה ת"ל אותו. אותו כלומר יום ראשון אתה חוגג ואי אתה חוגג כל ז'. א"כ למה נאמר שבעה (א) תשלומין הן לזה. פירוש ר' יוחנן סבר מי שנתחייב לחגיגה ביום הראשון ולא חג משלם כל שאר ימות החג ואם לא נתחייב בראשון כגון שהיה חולה וכיוצא בו שאינו נתחייב בחגיגה אע"ג דאתפח בשני פטור הוא. ור' אושעיא סבר כיון דאתפח בשני חייב לשלם בשאר הימים וכן כל ימות החג תשלומין הן זה לזה. א"ר זירא חיגר ביום ראשון ונתפשט בשני איכא בינייהו. ר' יוחנן סבר פטור כיון דלא חזי בראשון לא חזי בשני. ור' אושעיא סבר (ב) ולא יתכן זה שחלקו לו חזקי' ור' יוחנן כשנטמא בלילה להעמידה בזב ונכוחים הן למבין. ומקשינן מי א"ר יוחנן הכי והאמר חזקיה נטמא ביום מביא. פי' נזיר שנטמא טומאת מת ועוד נטמא ביום שמיני לטומאתו הראשונה טומאת מת אחרת מביא ב' קרבנות נטמא בלילה אינו מביא. ר' יוחנן אמר אף בלילה נמי מביא והאי נזיר בליל שמיני שלו לא חזי לאתויי קרבן וקא"ר יוחנן חייב להביא קרבן אחר בתשלום ח' ימים לטהרתו. ואע"פ שלא נתחייב בעת טומאתו. ופירק ר' ירמיה שאני טומאה הואיל ואית לה תשלומין בפסח שני פירוש הלא מי שנטמא לילי י"ד בניסן או מקודם לכן לא נתחייב עדיין להקריב בפסח בעת טומאתו ואעפ"כ נתחייב באותו פסח להשלימה בי"ד באייר בפסח שני כך זה הנזיר וזה שאמרנו דמיירי בנזיר מפורש בכריתות פ' ארבעה מחוסרי כפרה בגמרא ונזיר שנטמא טומאות הרבה. ואוקימנא התם לר' יוסי ב"ר יהודה. ודלא כר' דתניא וקדש את ראשו ביום ההוא ביום הבאת קרבנותיו דברי רבי ר' יוסי בר"י אומר ביום תגלחתו. דאי ר' לא משתכחת לה נזיר שנטמא טומאות הרבה להיפטר בקרבן אחד ופריש הכי התם כיון דא' ר' נזירות דטהרה עד שמיני לא חיילא עליה אי דנטמא בשביעי וחזר ונטמא בשביעי אחר כולה טומאה אריכתא היא ולית הכא טומאות הרבה. ואי דנטמא בשמיני שלו וחזר ונטמא בשמיני אחר

מסורת הש"ס

א) [לקמן יז.] ביצה כ. ר"ה ד. מגילה ה. [יומא ג.], ב) יבמות כב. [לעיל ב. ערכין ג:], ג) [פסחים פ.], ד) [כריתות ח.], ו) [פסחים צג.], ז) [ע' מהרש"א ותוס' יו"ט ועי' תוס' ב"ב פח: ד"ה אפשר מתלא ספק גדול למהרש"א ז"ל דגגלו של רבים אירון].

הגהות הב"ח

(א) רש"י ד"ה והוליד ממזר וכו' וזכרון לעונו לפיכך: (ב) ד"ה מאי תשלומין כילד הן תשלומין הס"ד ואח"כ מה"ד הג"ה ומתן דלאמר תשלומין לראשון דריש מאותו לראשון ותגותם אותו ומ"ד תשלומין זה לזה דריש מאותו דסיפיה כלומר האי אותו נופל בשבעה דכולן ראוין לו ע"כ הס"ד: (ג) ד"ה כולן תשלומין וכו' בימים שלפניו דיום ראשון וכו' תשלומין זה לזה הס"ד: (ד) ד"ה שאני הד"א עם ד"ה הואיל ויש לה תשלומין כגון אלו נטמא בפסח ראשון מביא בפסח שני: (ה) תוס' ד"ה נאמר וכו' גמורה היא כדילפינן וכו' אלא לא שבת מהם הרי ז': (ו) באיד הא לה' שבעת ימים וכי ז' והלא ח' הם אלא לא מהן שבת: (ז) ד"ה כיון וכו' דהשתא לא חזי או דלמא כיון דהשתא לאו בר חיובא הוא לא מצי מייתי ליה ואינו בביאה לא הוי בהבאה. (ח) ד"ה נטמא וכו' בנטמאים בשמיני שכן יצא בשעה הראויה וכו' כמה טומאות בשביעי:

תורה אור השלם

א) מְעֻוָּת לֹא יוּכַל לִתְקֹן וְחֶסְרוֹן לֹא יוּכַל לְהִמָּנוֹת: [קהלת א, טו]

ב) שֵׁשֶׁת יָמִים תֹּאכַל מַצּוֹת וּבַיּוֹם הַשְּׁבִיעִי עֲצֶרֶת לַייָ אֱלֹהֶיךָ לֹא תַעֲשֶׂה מְלָאכָה: [דברים טז, ח]

ג) וְחַגֹּתֶם אֹתוֹ חַג לַייָ שִׁבְעַת יָמִים בַּשָּׁנָה חֻקַּת עוֹלָם לְדֹרֹתֵיכֶם בַּחֹדֶשׁ הַשְּׁבִיעִי תָּחֹגּוּ אֹתוֹ: [ויקרא כג, מא]

ליקוטי רש"י

מעוות. כמיו לא יוכל לתקון משמת מי שטרח בערב שבת יאכל בשבת ורבותינו פירשו על הבא על הערוה והוליד ממזר או על ת"ח הפורש מן התורה שהיה ישר מתחילתו ונתעוות [קהלת א, טו]. **שבעה לתשלומין.** וה"ה לחג המצות שהרי אף הוא שבעת ימים [לקמן יז.]. **רבי יוחנן אמר.** הימים של רגל תשלומין של ראשון הן ואינן תשלומין זה לזה [פסחים פ.]. **תשלומין לראשון.** מי שמחויב בראשון ולא הביא יביא באחד משאר הימים ומי שאינו מחויב אינו צריך תשלומין [לעיל ב.]. למי שהוא ראוי ומחוייב בראשון להקריב ולא הקריב מקריב [והולך] כל שבעה ומי שלא נראה בראשון שוב אינו חייב דהא כולן אינן תשלומין אלא לראשון [ערכין ב:]. **תשלומין זה לזה.** קסבר החובה מוטלת על כל אחד מן שאר הימים ולא על הראשון לבדו הלכך אף מי שפטור בראשון ונראה בשני חייב להביא ואם לא יביא בו ביום יביא למחר [לעיל שם]. בפ"ק דחגיגה (דף ט.) דהא דקתני התם חוגג והולך את כל הרגל משום דלכל שבעת הימים תשלומין זה לזה שני לראשון ושלישי לשני אלמא כל חד וחד חשיב באפי נפשיה דהא אית להו תשלומין ואיכא למימר דמאן דלא חזי בראשון וחזי בשני חייב [ערכין שם]. **נטמא ביום.** נטמא נזיר ביום ח' שראוי לקרבן מביא ב' קרבנות. **בלילה.** בליל ח'. **אינו מביא.** דלענין קרבן טומאה אריכתא היא דלילה מחוסר זמן [כריתות ח.]. לפי שעדיין לא הגיע יום שמיני [שהיא] שעה הראויה להביא בה קרבן [נזיר יח:].

חשק שלמה על ר"ח א) נראה דחסר כאן וצ"ל שבעה לתשלומין מאי תשלומין ר"י אמר תשלומין לראשון ור"א אמר תשלומין זה לזה וכו'. ב) [illegible]

עין משפט נר מצוה

נח א מיי' פ"ה מהל' קרבן פסח הלכה א סמג עשין רכד:
נט ב מיי' פ"ג מהלכות מחוסרי כפרה הלכה ה:
ס ג מיי' שם הלכה ד:
סא ד מיי' פ"ג מהלכות תפלה הלכה ח טור ש"ע א"ח סי' קח ס"ג:

מסורת הש"ס

א) [פסחים צג.], ב) [יומא כט: נזיר יח: זבחים יב. מנחות ק. כריתות ח.], ג) [כריתות ח.], ד) ברכות כו., ה) נראה דר"ל דר"ח מן עובד אלהים לאשר גימטריה ק"א ור"ח מן לא עבדו גימטריה מאה. העתק ממילואי גרשפות, ו) [תוספ' פרק א], ז) [עירובין מו:], ח) עיין ברא"ש ברכות פ"ד סי' ב' ובתר"י ד"ה טעה ולא התפלל ונראה שדברי תוספות ברכות כו. ד"ה טעה מסרים שם ועיין ביומא פז: ד"ה והאמר רב, ט) נראה שצ"ל דעולה בגימטריה שלו ה', י) [ויש פ' יג לדעת מוהר"ק בעגונותיו סומכתא דעל ליבי דסוסיא דכתיב בה כרח בהדיה], כ) [צ"ל ביבמות מט.].

שני תשלומין דראשון הוא אלא למ"ד א) א שני רגל בפני עצמו הוא מאי איכא למימר אלא אמר רב פפא קסבר רבי יוחנן ב) לילה אינו מחוסר זמן ומי א"ר יוחנן הכי ג) והאמר רבי יוחנן ב ראה אחת בלילה ושתים ביום מביא שתים בלילה ואחת ביום אינו מביא ואי ס"ד קסבר רבי יוחנן לילה אינו מחוסר זמן אפילו שתים בלילה ואחת ביום מביא כי קא"ר יוחנן לדברי האומר ג לילה מחוסר זמן לדברי האומר פשיטא שתים ביום ואחת בלילה אצטריכא ליה סלקא דעתך אמינא כאתקפתא דרב שישא בריה דרב אידי קמ"ל כדרב יוסף: עבר הרגל ולא חג אינו חייב באחריותו ועל זה נאמר מעוות לא יוכל לתקון וחסרון לא יוכל להימנות: א"ל בר הי הי להלל האי להימנות להמלאות מיבעי ליה אלא זה שמנוהו חביריו לדבר מצוה והוא לא נמנה עמהן ד) תניא נמי הכי מעוות לא יוכל לתקון זה שביטל ק"ש של שחרית או קריאת שמע של ערבית ד או שביטל תפלה של שחרית או תפלה של ערבית וחסרון לא יוכל להימנות זה שנמנו חביריו לדבר מצוה והוא לא נמנה עמהן א"ל בר הי הי להלל מאי דכתיב א) ושבתם וראיתם בין צדיק לרשע בין עובד אלהים לאשר לא עבדו היינו צדיק היינו עובד אלהים היינו רשע היינו אשר לא עבדו א"ל עבדו ולא עבדו תרוייהו צדיקי גמורי נינהו ואינו דומה שונה פרקו ה) מאה פעמים לשונה פרקו מאה ואחד א"ל ומשום חד זימנא קרי ליה לא עבדו א"ל אין צא ולמד משוק של חמרין עשרה פרסי בזוזא חד עשר פרסי בתרי זוזי א"ל אליהו לבר הי הי וא"ל לר' אלעזר מאי דכתיב ב) הנה צרפתיך ולא בכסף בחרתיך בכור עוני מלמד שחזר הקב"ה על כל מדות טובות ליתן לישראל ולא מצא אלא עניות אמר שמואל ואיתימא רב יוסף היינו דאמרי אינשי יאה עניותא ליהודאי כי ברזא סומקא לסוסיא חיורא: ר' שמעון בן מנסיא אומר אי זה הוא מעוות לא יוכל לתקון זה הבא על הערוה והוליד ממנה ממזר וכו': הוליד אין לא הוליד לא והא תניא ו) רבי שמעון בן מנסיא אומר גונב אדם אפשר שיחזיר גנבו ויתקן גוזל אדם אפשר שיחזיר גזלו ויתקן אבל הבא על אשת איש ואסרה לבעלה נטרד מן העולם והלך לו רבי שמעון בן יוחי אומר אין אומר בקרו גמל בקרו חזיר אלא בקרו טלה ואי זה זה תלמיד חכם שפירש מן התורה רבי יהודה בן לקיש אמר כל תלמיד חכם שפירש מן התורה עליו הכתוב אומר ג) כצפור נודדת מן קנה כן איש נודד ממקומו ואומר ד) מה מצאו אבותיכם בי עול כי רחקו מעלי לא קשיא כאן באחותו פנויה כאן באשת איש ואי בעית אימא הא והא באשת איש ולא קשיא כאן באונס

כאן ברצון

רש"י

אלא למ"ד רגל בפני עצמו. ועכשיו אין לך לתלות טעמו של רבי יוחנן בהואיל ויש לטומאה תשלומין לשני: קסבר ר' יוחנן. אין חסרון זמן במי שהגיע לילו להקריב קרבנותיו מחר הלכך מחוייב הוא בקרבן אלא שהלילה מעכבו מלהביא אבל חגר ביום ראשון אין עליו שום חובת ראייה לפיכך אין לו עליו תשלומין: ומי א"ר יוחנן. אין לילה מחוסר זמן והא"ר יוחנן ראה אחת בלילה זב שספר שבעה נקיים כמשפטו וטבל והעריב שמשו וחזר וראה אחת בלילה ושתים למחר: מביא. קרבן על טומאה שניה זו לבד מן הקרבן שיביא על הראשונה ויביא שני קרבנות כשיטהר הואיל ולא ראה השניה עד שיצא לשעה שהיא ראויה להביא קרבן יש לו תשלומין ואף על השניה יביא אע"פ שתחילתה בתוך זמן קרבן הראשונה לא אמרינן חדא טומאה היא ופי' רב יוסף את הטעם במס' כריתות לפי שהראייה ראשונה של זב אינה אלא כקרי בעלמא וכי חזי אינך למחר מצטרפת בהדייהו ה"נ אע"פ שהיתה ראייה ראשונה בתוך זמן קרבן ראשון כי הדר חזי אינך למחר מצטרפין בהדייהו: ואי סלקא דעתך לילה אין מחוסר זמן. אפילו ראה שלשתן בלילה זה כבר יצא מזמן ראשון ושתי זיבות הן אי לאו דסבירא ליה לילה מחוסר זמן הלכך אם ראה שתים בלילה הויא לה זיבה אריכתא: כי א"ר יוחנן. ההיא לדברי האומר לילה מחוסר זמן אמרה אבל לדידיה סבירא ליה אפילו ראה כולן בלילה מביא: לדברי האומר פשיטא. אי אמרת בשלמא טעמא דנפשיה קאמר אשמעינן ביה דסבירא ליה לילה מחוסר זמן אלא אי לדברי האומר כו' קאמר מאי אשמעינן בה: מהו דתימא כאתקפתא דרב שישא. דאתקיף בכריתות על הטעם שנתן רב יוסף על הדבר כמו שפירשתי למעלה תדע דהא ראייה ראשונה של כל הזבים קרי בעלמא הוא וכי הדר חזי תרתי מצטרפין בהדייהו ה"נ לא שנא ומתקיף לה רב שישא מי דמי התם כולהו בזמן חיובא חזינהו הכא לאו בזמן חיובא דהאי קרבן חזייה: להמלאות מיבעי ליה. אבל חסרון נופל לשון מילוי שחסר מצוה אחת לא יתמלא עוד חסרון זה משחסר: שמינוהו חביריו לדבר מצוה. שאמרו לו בא עמנו ולא הלך נמצא שחסר עצמו מאותו מנין לא יוכל לימנות עוד באותו מנין שכבר עשו את המצוה: היינו צדיק היינו עובד אלהים. מי הוא צדיק ומי הוא עובד אלהים הלא אחד הוא: אינו דומה שונה פרקו כו'. אע"פ ששניהן צדיקים לא עבדוהו בשוה שזה עבדו יותר: עשרה פרסי. ישכיר לך אדם חמורו בזוז אחד שכבר נהגו כן ואם תאמר לו לילך פרסה יותר ישאלך שני זוזים: צרפתיך ולא בכסף. ולא באש כמו שצורפים הכסף באש אלא בחרתיך בכור עוני לצורפו בו כור הוא החרס שצורפין בו: גנב אדם. גניבה אפשר שיחזירנה ויתקן: נטרד מן העולם. אין לו עוד תשובה לפי שעשה דבר שאין לו רפואה: אין אומר בקרו גמל. זה לקרבן כלומר מי שהוא מעוות מתחילתו אין זה מעוות: אלא בקרו טלה. זה לקרבן שמא נפל בו מום ונתקלקל כך לשון קלקול נופל באדם שהיה טוב מתחילה: אחותו פנויה. הוליד אין לא הוליד לא: באשת איש. בלא הוליד נמי יש זכרון לעונו שאסרה על בעלה לא שנא אחותו ולא שנא נכרית: באונס. לא אסרה על בעלה לפיכך הוליד אין לא הוליד לא:

תוספות

שני תשלומין דראשון הוא. היינו ר' נתן אלא למ"ד שני רגל בפני עצמו הוא היינו רבי ואע"ג דלית ליה תנא דמסייע ליה פריך שפיר דמסתמא לא פליג ארבי דהכא דקי"ל ז) הלכה כרבי מחבירו אבל לא מסתברא למימר דבעי ליישבה ככולי עלמא: או תפלה של ערבית. אפילו כמ"ד תפלת ערבית חובה ואפילו למ"ד רשות בחנם אין לנו לבטלה אם לא ע"י אונס קצת וכן משמע ההיא דתפלת השחר (ברכות דף כו.) שכח ולא התפלל ערבית מתפלל שחרית שתים וכן (שם דף ל:) אם שכח ולא הזכיר של ר"ח בלילה אין מחזירין אותו לפי שאין מקדשין החדש בלילה הא מקדשין מחזירין ולא מחלק כלל בין למ"ד רשות או בין למ"ד חובה דמשמע דליכא מאן דפליג והא דשבת (דף ט: ושם) אי שרא ליה הימייניה לא מטרחינן ליה וכן בירושלמי אי עלה למטתו לא ירד היינו אונס קצת ולא כפי' ה"ג שפירש דאף למ"ד רשות אי שויה עליה חובה הוא כחובה והא ליתא דמי לא עסקינן בהכי שכבר התפלל בשאר לילות ואם היינו מפרשים שויה עליה חובה באותה לילה יתכן ההיא דטעה ולא התפלל ר"ח בלילה ובברכות הארכתי ח) והבלתי ההיא דאמרו (יומא דף פז: ושם) דתפלת נעילה פוטרת של ערבית: בר הי הי להלל. יש מפרשים שגר היה והיינו בן אברהם ושרה שנתוסף ה"א בשמן וכן בג ט) בג כדולה הגמרא עולה ה':
כברזא סומקא. רצועה ודומה לו מעיקרא משכה והשתא אברזא (ב"ק דף סו:) ובב"ר י) יאי עניותא לברתיה דיעקב כערקתא סומקתא לסוסיא חוורא:
כאן באחותו פנויה. משמע לישנא דפסיקא ליה דיש ממזר מחייבי כריתות מדנקט כ) אחותו טפי מכל שאר עריות והיינו כשמעון התימני (נ) בקדושין בפרק האומר (דף סח) [עי' קדושין עד:]
אפילו

רבינו חננאל

אחר. כיון דנטמא בשעה שהוא ראוי להביא בה קרבן חייב בו על כל אחת ואחת אם ש"מ דלא כר' (אליעזר) ומקשה רב פפא אפירוקא דר' ירמיה הניחא לר' נתן דסבר שני תשלומי דראשון הוא איכא לשנויי כדשנינן. אלא לר' דסבר פסח שני רגל בפני עצמו הוא. מאי אית לך למימר דברי ר' ור' נתן מפורשין בפסחים פרק מי שהיה טמא או בדרך רחוקה בתחלתו. (ופריק שאני טומאה דאית לה תשלומין בפסח שני). ונדחה דברי ר' ירמיה ומשני לילי שמיני [שאני דהרי] לאו זמן חיובא הוא ואמרינן עליה כי כבר נטמא בעת שנתחייב בה קרבן לפיכך משלימין בעת טהרתו. ומקשינן עליה רב פפא ומי סבר ר' יוחנן לילה אין מחוסר זמן. והא"ר יוחנן בכריתות סוף פרק ראשון זב אם ראה ראייה אחת בלילה ושתים ביום שמיני שלו מביא קרבן אחר. שתים בלילה ואחת ביום מביא קרבן אחר. ואי ס"ד ר' יוחנן אמר לילה אינו מחוסר זמן אפילו שתים בלילה לילי שמיני ואחת ביום יביא דהא אמרת לר' יוחנן לילי שמיני כיום שמיני הוא ואמרינן כי אמר ר' יוחנן שתים בלילה ואחת ביום אינו מביא לדברי האומר לילה מחוסר זמן ואמרינן הא מאי אתא ר' יוחנן לאשמעינן. ופריק איצטריך למימר לך ראה ראייה אחת בלילה ושתים ביום מביא. מהו דתימא כיון דלילה מחוסר זמן הוא לא תצטרף הראשונה שראה בלילה בהדיה שתים ביום כאתקפתא דרב שישא בריה דרב אידי התם כיון דלאו בזמן חיובא חזיה לא תצטרף. אתא ר' יוחנן לאשמעינן כרב יוסף דאמר תדע דאע"ג דלאו בזמן חיובא חזייה לראשונה מצטרפא דהא ראייה ראשונה של זב שכבת זרע בעלמא הוא וכדחזי אחרנייתא מצטרפא בהדייהו. והא דרב שישא ודרב יוסף מיפרשא בכריתות סוף פרק ראשון ואיפכא התם: עבר הרגל ולא חג אינו חייב באחריותו על זה נאמר מעוות לא יוכל לתקן וגו' זה שנמנו חביריו לדבר מצוה ולא נמנה עמהם. תניא נמי הכי מעוות לא יוכל לתקן זה שביטל ק"ש של שחרית או של ערבית. וחסרון לא יוכל להמנות זה שנמנו חביריו לדבר מצוה ולא נמנה הוא עמהם. א"ל בר הי הי להלל כתיב ושבתם וראיתם בין צדיק לרשע בין עובד אלהים לאשר לא עבדו היינו צדיק היינו עובד אלהים. א"ל הין. (א"ל) תרוייהו צדיקי נינהו. מיהו צדיק השונה פרקו ק' פעמים ועובד אלהים להשונה פרקו ק"א פעמים. ומשום פעם אחת יתירה היינו נקרא צדיק עובד אלהים. א"ל הין. ואתה למד דבר זה משכירות בהמות י' פרסי משכיר בזוזא. ואם הן י"א פרסי בתרתי זוזי. א' אליהו לבר הי הי מאי דכתיב הנה צרפתיך ולא בכסף בחרתיך בכור עוני. חיזר הקב"ה על כל המדות ולא מצא נאה לישראל כעניות כדי שיהא לבם שבור וכוונתם לשמים ועיניהם תלויות לרחמיו וחסדיו. והיינו דאמרי אינשי יאי מסכנותא לישראל כברזא סומקא לסוסיא חוורא [illegible]

תורה אור השלם

א) וְשַׁבְתֶּם וּרְאִיתֶם בֵּין צַדִּיק לְרָשָׁע בֵּין עֹבֵד אֱלֹהִים לַאֲשֶׁר לֹא עֲבָדוֹ: [מלאכי ג, יח]
ב) הִנֵּה צְרַפְתִּיךָ וְלֹא בְכָסֶף בְּחַרְתִּיךָ בְּכוּר עֹנִי: [ישעיה מח, י]
ג) כְּצִפּוֹר נוֹדֶדֶת מִן קִנָּהּ כֵּן אִישׁ נוֹדֵד מִמְּקוֹמוֹ: [משלי כז, ח]
ד) כֹּה אָמַר יְיָ מַה מָּצְאוּ אֲבוֹתֵיכֶם בִּי עָוֶל כִּי רָחֲקוּ מֵעָלָי וַיֵּלְכוּ אַחֲרֵי הַהֶבֶל וַיֶּהְבָּלוּ: [ירמיה ב, ה]

ליקוטי רש"י

שני תשלומין דראשון הוא. ונתן דלא אמר מילתא כראשון לא מיחייב בשני. רגל בפני עצמו הוא. ואית ליה חיובא לאנפי נפשיה ואפי' לאותן שלא אמר בראשון [פסחים צג.]. לילה אינו מחוסר זמן. דהלילה הולך אחר היום וכו' [illegible] אלא שאין עבודת לילה כשירה [מנחות ק.]. [illegible] [נזיר יח:]. [illegible] [זבחים יב.]. לילה מחוסר זמן. [illegible] (ויקרא ז) ביום צותו [כריתות ז:]. וחסרון לא יוכל להימנות. זה שחיסר עצמו ממנין הכשרים לא יוכל להמנות עמהם בקבול שכרם [קהלת א, טו]. ולא בכסף. ולא ע"י אור של גיהנם כצורף הכסף באור. בחרתיך. בחרתי לך כור עוני כנגד אור כור הוא כלי שמתיכין בו כסף וזהב [ישעיה מח, י]. נודדת מן קנה. שהולכת ומטלטלת כן האיש הנודד ממקומו ת"ח הנודד מן התלמוד מלחזור על גרסתו [משלי כז, ח].

[מכאן שייך לדף י.]

היתר נדרים פורחין באויר. העולם שאין להן מקרא מן התורה על מה שיסמכו [שיש היתר לנדרים] [נזיר סב.]. כי יפליא. יפריש בפיו [ויקרא כז, ב]. יפריש [במדבר ו, ב]. אחת הפלאה לאיסור. שלא לבטל את הנדר כשאין בו חרטה. ואחת הפלאה להיתר. כשיש בו חרטה [נזיר שם]. נשבעתי וחזרתי בי. והיינו אשר נשבעתי באפי מפני כעסי נשבעתי ומתחרט אני [סנהדרין קי:]. לא יחל דברו. כמו לא יחלל דברו לא יעשה דברו חולין [במדבר ל, ג]. אין אחד. מכל אלו שבמשנתנו היו [illegible]

שֵׁנִי תַּשְׁלוּמִין דְּרִאשׁוֹן הוּא – **the Second Pesach is a substitute for the First** Pesach. אֶלָּא לְמַאן דְּאָמַר שֵׁנִי רֶגֶל בִּפְנֵי עַצְמוֹ הוּא – **But according to the one who says that the Second** Pesach **is a festival in its own right,** which carries its own *pesach* obligation,[1] מַאי אִיכָּא לְמֵימַר – **what is there to say?**[2]

The Gemara therefore gives a different solution of the contradiction between the teachings of R' Yochanan:

אֶלָּא אָמַר רַב פָּפָּא – **Rather, Rav Pappa said,** קָסָבַר רַבִּי יוֹחָנָן לַיְלָה אֵינוֹ מְחוּסַּר זְמַן – **R' Yochanan maintains** that a sacrificial obligation at **night is not premature,** i.e. a sacrificial obligation takes effect the night before the sacrifice is due, although the sacrifice cannot actually be offered at night.[3]

This solution is also challenged:

וּמִי אָמַר רַבִּי יוֹחָנָן הָכִי – **And did R' Yochanan say this,** namely, that sacrificial obligations begin at night? וְהָאָמַר רַבִּי יוֹחָנָן – **But R' Yochanan has said** [regarding a *zav* who counted seven "clean" days, and then experienced further emissions on the eighth day before he brought his offerings]:[4] רָאָה אַחַת בַּלַּיְלָה וּשְׁתַּיִם בַּיּוֹם – **If he saw one** emission **at night** (i.e. the night between the seventh and eighth days) **and two** emissions **the** following **day,** מֵבִיא – **he must bring** offerings for the second *tumas zivah* in addition to the offerings for the first *tumas zivah.*[5] שְׁתַּיִם בַּלַּיְלָה וְאַחַת בַּיּוֹם – But if he saw **two** emissions **at night and one the** following **day,** אֵינוֹ מֵבִיא – **he does not bring** a second set of offerings.[6] וְאִי סָלְקָא דַּעְתָּךְ קָסָבַר רַבִּי יוֹחָנָן לַיְלָה אֵינוֹ מְחוּסַּר זְמַן – **Now, if you should think** that **R' Yochanan maintains** that a sacrificial obligation at **night is not premature,** אֲפִילוּ שְׁתַּיִם בַּלַּיְלָה וְאַחַת בַּיּוֹם מֵבִיא – then **even** if he had **two** emissions **at night and one during the day, he should** still **bring** a second set of offerings.[7]

The Gemara answers:

כִּי קָאָמַר רַבִּי יוֹחָנָן – **In what context did R' Yochanan say** this ruling about a *zav*? לְדִבְרֵי הָאוֹמֵר לַיְלָה מְחוּסַּר זְמַן – He said it only **in accordance with the opinion of the one who says** that a sacrificial obligation at **night *is* premature.**[8]

The Gemara is not satisfied with this answer:

לְדִבְרֵי הָאוֹמֵר פְּשִׁיטָא – But **according to the opinion of the one who says** "[a sacrificial obligation] at night is premature," **it is obvious** that another sacrifice is not needed![9]

The Gemara explains why R' Yochanan's ruling is not obvious:

שְׁתַּיִם בַּיּוֹם וְאַחַת בַּלַּיְלָה אִצְטְרִיכָא לֵיהּ – In the case where the *zav* had **two emissions during the day and one during the night, it was necessary for [R' Yochanan]** to teach that although the first emission occurred at night the second *tumah* does not overlap the

NOTES

1. The Gemara in *Pesachim* (93a) records a Tannaic dispute about the second *pesach* offering: Rebbi maintains that it is an independent obligation, whereas R' Nassan deems it a substitute for the first *pesach.* One practical consequence of this dispute occurs in the case of one who converted to Judaism between the First Pesach and the Second Pesach. According to Rebbi, he must bring the second *pesach* offering, because it is an obligation in its own right, which became incumbent on him after he converted. R' Nassan, on the other hand, maintains that since he was not liable to bring the first *pesach* he is not required to bring the second *pesach* either.

2. According to this opinion, we have no basis to attribute to R' Yochanan the reasoning proposed above – namely, that an obligation which cannot be fulfilled due to *tumah* is subject to compensation (*Rashi;* see *Siach Yitzchak*).

[The Gemara could have answered by saying that R' Yochanan follows the view of R' Nassan, who holds that the second *pesach* is indeed a substitute for the first. This answer, however, is not proposed, because the halachah follows Rebbi, not R' Nassan (*Tosafos*).]

3. If a person is required to bring a sacrifice on a particular day, the obligation takes effect at the beginning of the night before [since, in halachah, that is when the day begins]. Although he cannot bring the sacrifice at night, that is only a technical factor which prevents the sacrificial obligation from being realized in practice; it does not delay the onset of the obligation. Therefore, in our case of the *nazir* who must bring *tumah* offerings on his eighth day, he actually became obligated the night before. He was thus subject to the obligation to bring the first *tumah* offerings before he contracted the second *tumah.* Although this obligation cannot be fulfilled immediately, it must nevertheless be fulfilled at the next opportunity. This cannot be compared to the case of a lame person on the first day of the festival, who is not obligated to bring the *chagigah* at all. Hence, even after he recovers, he is not required to bring the offering (*Rashi*).

4. A *zav* is a man who experiences an emission similar but not identical to a seminal discharge (see *Leviticus* 15:1-15; *Niddah* 35b). After one such emission, he assumes *tumah* to the same degree as a בַּעַל קֶרִי, *baal keri,* i.e. one who experienced a regular seminal emission (*Zavim* 1:1). Like a *baal keri,* he immerses himself in a *mikveh* and becomes *tahor* at nightfall (*Leviticus* ibid. v.16). If he experiences a second emission on the same or following day, he assumes a higher degree of *tumah* (*tumas zivah*). He counts seven "clean" days (i.e. days in which he is free from emission), immerses himself on the seventh day and becomes *tahor* at nightfall. A *zav* who experiences three emissions within a three-day period must bring a special offering after becoming *tahor* through the aforementioned process (see *Rambam, Hil. Mechusrei Kapparah* 2:1,6-8).

The statement that follows in the Gemara refers to a *zav* who had three emissions within a three-day period, counted seven "clean" days and immersed himself in a *mikveh* on the seventh day as required. However, before bringing his sacrifices on the eighth day, he began to experience another series of emissions.

5. When he is purified from the second state of *tumas zivah,* he brings two sets of offerings. Since he was already eligible to bring the offerings for the first *tumah* before entering the second *tumah,* they are two separate periods of *tumah,* each requiring its own set of sacrifices. Although the first emission of the second series took place at night (before he was eligible to bring the offerings for the first *tumah*), the two states of *tumah* do not overlap, because it is the second emission that legally renders him a *zav,* and that emission did not happen until the daytime [see note 11 for further explanation] (*Rashi*).

6. In this case, the second *tumas zivah* began at nighttime, before he was eligible to bring the offerings for the first *tumah.* Therefore, he is viewed as having undergone a single uninterrupted state of *tumah,* which warrants only one set of offerings.

[This ruling by R' Yochanan apparently contradicts his ruling above (9a) that a *nazir* who becomes *tamei* for a second time during the night before the eighth day brings *two* sets of offerings. It is difficult to understand why the Gemara did not pose this contradiction directly, as in fact it does in *Kereisos* 8a. See *Hagahos R' Elazar Moshe Horowitz* for a solution to this problem; see also *Siach Yitzchak.*]

7. According to this view, the sacrificial obligation for the first *tumas zivah* took effect at the beginning of the night before the eighth day. Therefore, even if he had all three emissions that night, the two states of *tumah* would be separate, and he would have to bring a set of sacrifices for each one. Thus, by requiring only one set of sacrifices, R' Yochanan shows that in his opinion לַיְלָה מְחוּסַּר זְמַן, *[a sacrificial obligation at] night is premature,* in which case the two incidents of *tumas zivah* overlap, merging into a single uninterrupted state of *tumah* (*Rashi*).

8. In point of fact, R' Yochanan holds that a sacrificial obligation takes effect the night before the sacrifice is due [לַיְלָה אֵינוֹ מְחוּסַּר זְמַן]. R' Yochanan himself would therefore rule that even if the *zav* saw all three emissions at night, he would still bring two sets of offerings. Instead, however, he stated that only one set of offerings is required (if at least two emissions occur at night), because he wished to define the law according to the opinion that a sacrificial obligation does *not* take effect at night [לַיְלָה מְחוּסַּר זְמַן] (*Rashi*).

9. If R' Yochanan were stating his own view, his statement would not be obvious, because he would then be informing us that in his opinion לַיְלָה מְחוּסַּר זְמַן, *[a sacrificial obligation at] night is premature.* But if this is not actually his opinion, rather he is merely teaching the practical result that it would yield in our case, his statement is unnecessary (*Rashi*). [For it is obvious that, according to this view, the *zav* was subject to one extended state of *tumah,* which warrants a single set of offerings (see note 6).]

שני תשלומין דראשון הוא אלא למ"ד א) א שני רגל בפני עצמו הוא מאי איכא למימר אלא אמר רב פפא קסבר רבי יוחנן ב) לילה אינו מחוסר זמן ומי א"ר יוחנן הכי ג) והאמר רבי יוחנן ב ראה אחת בלילה ושתים ביום מביא שתים בלילה ואחת ביום אינו מביא ואי ס"ד קסבר רבי יוחנן לילה אינו מחוסר זמן אפילו שתים בלילה ואחת ביום מביא כי קא"ר יוחנן לדברי האומר ג לילה מחוסר זמן לדברי האומר פשיטא שתים ביום ואחת בלילה אצטריכא ליה סלקא דעתך אמינא כאתקפתא דרב שישא בריה דרב אידי קמ"ל כדרב יוסף: עבר הרגל ולא חג אינו חייב באחריותו ועל זה נאמר מעוות לא יוכל לתקון וחסרון לא יוכל להימנות: א"ל בר הי הי להלל האי להימנות להמלאות מיבעי ליה אלא זה שמנוהו חביריו לדבר מצוה והוא לא נמנה עמהן ד) תניא נמי הכי מעוות לא יוכל לתקון זה שביטל ק"ש של שחרית או קריאת שמע של ערבית או ד שביטל תפלה של שחרית או תפלה של ערבית וחסרון לא יוכל להימנות זה שנמנו חביריו לדבר מצוה והוא לא נמנה עמהן א"ל בר הי הי להלל מאי דכתיב א) ושבתם וראיתם בין צדיק לרשע בין עובד אלהים לאשר לא עבדו היינו צדיק היינו עובד אלהים היינו רשע היינו אשר לא עבדו א"ל עבדו ולא עבדו תרוייהו צדיקי גמורי נינהו ואינו דומה שונה פרקו ה) מאה פעמים לשונה פרקו מאה ואחד א"ל ומשום חד זימנא קרי ליה לא עבדו א"ל אין צא ולמד משוק של חמרין עשרה פרסי בזוזא חד עשר פרסי בתרי זוזי א"ל אליהו לבר הי הי וא"ל לר' אלעזר מאי דכתיב ב) הנה צרפתיך ולא בכסף בחרתיך בכור עוני מלמד שחזר הקב"ה על כל מדות טובות ליתן לישראל ולא מצא אלא עניות אמר שמואל ואיתימא רב יוסף היינו דאמרי אינשי יאה עניותא ליהודאי כי ברזא סומקא לסוסיא חיורא: ר' שמעון בן מנסיא אומר אי זה הוא מעוות לא יוכל לתקון זה הבא על הערוה והוליד ממנה ממזר וכו': הוליד אין לא הוליד לא והא תניא ו) רבי שמעון בן מנסיא אומר גונב אדם אפשר שיחזיר גנבו ויתקן גוזל אדם אפשר שיחזיר גזלו ויתקן אבל הבא על אשת איש ואסרה לבעלה נטרד מן העולם והלך לו רבי שמעון בן יוחי אומר אין אומר בקרו גמל בקרו חזיר אלא בקרו טלה ואי זה זה תלמיד חכם שפירש מן התורה רבי יהודה בן לקיש אמר כל תלמיד חכם שפירש מן התורה עליו הכתוב אומר ג) כצפור נודדת מן קנה כן איש נודד ממקומו ואומר ד) מה מצאו אבותיכם בי עול כי רחקו מעלי לא קשיא כאן באחותו פנויה כאן באשת איש ואי בעית אימא הא והא באשת איש ולא קשיא כאן באונס כאן ברצון

רש"י

אלא למ"ד רגל בפני עצמו. ועכשיו אין לך לתלות טעמו של רבי יוחנן בהואיל ויש לטומאה תשלומין לשני: קסבר ר' יוחנן. אין חסרון זמן במי שהגיע לילו להקריב קרבנותיו מחר הלכך מחוייב הוא בקרבן אלא שהלילה מעכבו מלהביא אבל חגר ביום ראשון אין עליו שום חובת ראייה לפיכך אין לו עליו תשלומין: ומי א"ר יוחנן. אין לילה מחוסר זמן והא"ר יוחנן ראה אחת בלילה זב שספר שבעה נקיים כמשפטו וטבל והעריב שמשו וחזר וראה אחת בלילה ושתים למחר: מביא. קרבן על טומאה שניה זו לבד מן הקרבן שיביא על הראשונה ויביא שני קרבנות כשיטהר הואיל ולא ראה השניה עד שילא לשעה שהיא ראויה להביא קרבן יש לו תשלומין ואף על השניה יביא אע"פ שתחילתה בתוך זמן קרבן הראשונה לא אמרינן חדא טומאה היא ופי' רב יוסף את הטעם במס' כריתות לפי שהראייה ראשונה של זב אינה אלא כקרי בעלמא וכי חזי אינך למחר מצטרפת בהדייהו ה"נ אע"פ שהיתה ראייה ראשונה בתוך קרבן ראשון כי הדר חזי אינך למחר מצטרפין בהדייהו: ואי סלקא דעתך לילה אין מחוסר זמן. אפילו ראה שלשתן בלילה זה כבר יצא מזמן ראשון ושתי זיבות הן אי לאו דסבירא ליה לילה מחוסר זמן הלכך אם ראה שתים בלילה הויא לה זיבה אריכתא: כי א"ר יוחנן. ההיא לדברי האומר לילה מחוסר זמן אמרה אבל לדידיה סבירא ליה אפילו ראה כולן בלילה מביא: לדברי האומר פשיטא. אי אמרת בשלמא טעמא דנפשיה קאמר אשמעינן ביה דסבירא ליה לילה מחוסר זמן אלא אי לדברי האומר כו' קאמר מאי אשמעינן בה: מהו דתימא כאתקפתא דרב שישא. דאתקיף בכריתות על הטעם שנתן רב יוסף על הדבר כמו שפירשתי למעלה מדע דהא ראייה ראשונה של כל הזבים קרי בעלמא הוא וכי הדר חזי תרתי מצטרפי בהדייהו ה"נ לא שנא ומתקיף לה רב שישא מי דמי התם כולהו בזמן חיובא חזינהו הכא לאו בזמן חיובא דהאי קרבן חזייה: להמלאות מיבעי ליה. אלא חסרון נופל לשון מילוי שחסר מלוה אחת לא יתמלא עוד חסרון זה משחסר: שמינוהו חביריו לדבר מצוה. שאמרו לו בא עמנו ולא הלך נמצא שחסר עצמו מאותו מנין לא יוכל לימנות עוד באותו מנין שכבר עשו את המצוה: היינו צדיק היינו עובד אלהים. מי הוא לדיק ומי הוא עובד אלהים הלא אחד הוא: אינו דומה שונה פרקו כו'. אע"פ ששניהן לדיקים לא עבדוהו בשוה שזה עבדו יותר: עשרה פרסי. ישכיר לך אדם חמורו בזוז אחד שכבר נהגו כן ואם תאמר לו לילך פרסה יותר ישאלך שני זוזים: צרפתיך ולא בכסף. ולא באש כמו שצורפים הכסף באש אלא בחרתיך בכור עוני לצורפו בו כור הוא החרס שצורפין בו: גנב אדם. גניבה אפשר שיחזירנה ויתקן: נטרד מן העולם. אין לו עוד תשובה לפי שעשה דבר שאין לו רפואה: אין אומר בקרו גמל. זה לקרבן כלומר מי שהוא מעוות מתחילתו אין זה מעוות: אלא בקרו טלה. זה לקרבן שמא נפל בו מום ונתקלקל כך לשון קלקול נופל באדם שהיה טוב מתחילה: אחותו פנויה. הוליד אין לא הוליד לא: באשת איש. בלא הוליד נמי יש זכרון לעונו שאסרה על בעלה לא שנא אחותו ולא שנא נכרית: באונס. לא אסרה על בעלה לפיכך הוליד אין לא הוליד לא:

תוספות

שני תשלומין דראשון הוא. היינו ר' נתן אלא למ"ד שני רגל בפני עצמו הוא היינו רבי ואע"ג דאית ליה תנא דמסייע ליה פריך שפיר דמסתמא לא פליג ארבי דהתם דקי"ל ו) הלכה כרבי מחבירו אבל לא מסתברא למימר דבעי לישנה ככולי עלמא: או תפלה של ערבית. אתיא כמ"ד תפלת ערבית חובה ואפילו למ"ד רשות בחנם אין לנו לבטלה אם לא ע"י אונס קצת וכן משמע ההיא דתפלת השחר (ברכות דף כו.) שכח ולא התפלל ערבית מתפלל שחרית שתים וכן (שם דף ל:) אם שכח ולא הזכיר של ר"ח בלילה אין מחזירין אותו לפי שאין מקדשין החדש בלילה הא מקדשין מחזירין ולא מחלק כלל בין למ"ד רשות או בין למ"ד חובה דמשמע דליכא מאן דפליג וההיא דשבת (דף ט: ושם) אי שרא ליה הימייניה לא מטרחינן ליה וכן בירושלמי אי עלה למטתו לא ירד היינו אונס קצת ולא כפי' ה"ג שפירש' דאף למ"ד רשות אי שויה עליה חובה הויא כחובה והא ליתא דמי לא עסקינן בהכי שכבר התפלל בשאר לילות ואם היינו מפרשים שויה עליה חובה באותה לילה יתכן ההיא דטעה ולא התפלל ר"ח בלילה ובברכות הארכתי ח) והבאתי ההיא דאמרו (יומא דף פז: ושם) דתפלת נעילה פוטרת של ערבית: בר הי הי להלל. יש מפרשים שגר היה והיינו בן אברהם ושרה שנתוסף ה"א בשמן וכן בג ט) בג דכולה הגמרא עולה ה':

כברזא סומקא. רצועה ודומה לו מעיקרא משכא והשתא אברזא (ב"ק דף סו:) ובב"ר י) יש יאי עניותא לברתיה דיעקב כערקתא סומקתא לסוסיא חיורא:

כאן באחותו פנויה. משמע לישנא דפסיקא ליה דיש ממזר מחייבי כריתות מדנקט כ) אחותו טפי מכל שאר עריות והיינו כשמעון התימני (ל) בקדושין בפרק האומר) (דף סח):

[עי' קדושין עד:]

עין משפט נר מצוה

נח א מיי' פ"ה מהל' קרבן פסח הלכה א סמג עשין רכד:

נט ב מיי' פ"ג מהלכות מחוסרי כפרה הלכה ה:

ס ג מיי' שם הלכה ב:

סא ד מיי' פ"ג מהלכות תפלה הלכה ט טור ש"ע א"ח סי' קח ס"ז:

רבינו חננאל

אחר. כיון דנטמא בשעה שהוא ראוי להביא בה קרבן חייב על כל אחת ואחת אלא ש"מ דלא כר' (אליעזר) ומקשה רב פפא אפירוקא דר' ירמיה הניחא לר' נתן דסבר פסח שני תשלומי דראשון הוא אלא לר' דסבר פסח שני רגל בפני עצמו הוא. מאי איכא למימר דברי ר' ור' נתן מפורשין בפסחים פרק מי שהיה טמא או בדרך רחוקה בתחלתו. (ופריק שאני טומאה דאית לה תשלומין בפסח שני). ונדחה דברי ר' ירמיה ומשני לילי שמיני [שאני דהוי] כאלו נטמא יום שמיני שלו ואמרינן עליה כי כבר בא יום שנתחייב בה קרבן לפיכך משלימין בעת טהרתן. ומקשינן עליה דרב פפא ומי סבר ר' יוחנן לילה אין מחוסר זמן. והא"ר יוחנן בכריתות סוף פרק ראשון בן זכר שראה ראיה אחת בלילה ושתים ביום שמיני שלו מביא קרבן אחר. שתים בלילה ואחת ביום שמיני שלו אינו מביא קרבן אחר. ואי ס"ד דר' יוחנן אמר לילה אינו מחוסר זמן אפילו שתים בלילי שמיני ואחת ביום יביא דהא אמרת לר' יוחנן לילי שמיני כיום שמיני הוא ופריק רב פפא כי אמר ר' יוחנן שתים בלילה ואחת ביום אינו מביא לדברי האומר לילה מחוסר זמן ואמרינן הא פשיטא היא מאי אתא ר' יוחנן לאשמעינן. ופריק איצטריך למימר לן ראה ראיה אחת בלילה ושתים ביום מביא. מהו דתימא כיון דלילה מחוסר זמן הוא לא לצטרף הראשונה שראה בלילה בהדיה שתים שראה ביום כאתקפתא דרב שישא בריה דרב אידי כלומר כיון דלאו בזמן חיובא הוא לא תצטרף. אתא ר' יוחנן לאשמעינן כרב יוסף דאמר תדע דאע"ג דלאו בזמן חיובא חזייה לראשונה מצטרפא דהא ראייה ראשונה של זב שכבת זרע בעלמא הוא וכהדדי אחרונייתא מצטרפא בהדייהו. אתא דרב שישא ודרב יוסף מיפרשא בכריתות סוף פרק ראשון ואפכא התם. עבר הרגל ולא חגג אינו חייב באחריותו על זה נאמר מעוות לא יוכל לתקן וגו' זה שנמנו חביריו לדבר מצוה ולא נמנה עמהם. תניא נמי הכי מעוות לא יוכל לתקן זה שבטל ק"ש של שחרית או של ערבית. וחסרון לא יוכל להמנות זה שנמנו חביריו לדבר מצוה ולא נמנה עמהם. א"ל בר הי הי להלל כתיב ושבתם וראיתם בין צדיק לרשע בין עובד אלהים לאשר לא עבדו היינו צדיק היינו עובד אלהים. א"ל הין. (א"ל) תרוייהו צדיקי גמורי נינהו. ואינו דומה השונה פרקו ק' פעמים ועובד אלהים להשונה פרקו ק"א פעמים. ומשום פעם אחת יתירה היינו נקרא צדיק עובד אלהים. א"ל הין. ואתה למד דבר זה משכירות בהמות י' פרסי משכיר בזוזא. ואם הן י"א פרסי בתרתי זוזי. א' אליהו לבר הי הי מאי דכתיב הנה צרפתיך ולא בכסף בחרתיך בכור עוני. חיזר הקב"ה על כל המדות ולא מצא נאה לישראל כעניות כדי שיהא לבם שבור וכוונתם לשמים ועיניהם תלויות לרחמיו וחסדיו. והיינו דאמרי אינשי יאה עניותא לישראל כברזא סומקא לסוסיא חוורא שגלוי וידוע לפני הקב"ה כשמרבין עושר בועטין בו שנאמר וישמן ישורון ויבעט וגו'. כרבם כן חטאו לי כבודם בקלון אמיר. הנני מחליף כבודם שהוא עושר. אחליף אותו בעניות שהוא קלון. ר' שמעון בן מנסיא אומר מעוות לא יוכל לתקון זה הבא על הערוה והוליד בן וכו' איני והא איהו דתני כיוצא בו שבא על אשת איש ואסרה על בעלה אין לו תקנה ואע"פ שלא הוליד. ופרקי' לא קשיא מתני' באחותו פנויה וכיוצא בה שאין בביאתו אוסרה על אחרים ויש לו תקנה בתשובה. אלא אם הוליד ממנה בן כי הוא ממזר לעולם אין לו תקנה. ועוד

מסורת הש"ס

א) [פסחים צג.], ב) [יומא כט: נזיר יח: זבחים יב. מנחות ק. כריתות ח.], ג) [כריתות ח.], ד) ברכות כו., ה) נראה דל"ל דר"ח אין עובד אלהים לאשר לא עבדו גימטריא ק"א [illegible], ו) [תוספ' פרק א], ז) [עירובין מג:], ח) [illegible], ט) נראה שצ"ל דעולה הגימטריא שלו ה', י) [illegible], כ) [illegible], ל) [צ"ל ביבמות מט.]

תורה אור השלם

א) וְשַׁבְתֶּם וּרְאִיתֶם בֵּין צַדִּיק לְרָשָׁע בֵּין עֹבֵד אֱלֹהִים לַאֲשֶׁר לֹא עֲבָדוֹ: [מלאכי ג, יח]

ב) הִנֵּה צְרַפְתִּיךָ וְלֹא בְכָסֶף בְּחַרְתִּיךָ בְּכוּר עֹנִי: [ישעיה מח, י]

ג) כְּצִפּוֹר נוֹדֶדֶת מִן קִנָּהּ כֵּן אִישׁ נוֹדֵד מִמְּקוֹמוֹ: [משלי כז, ח]

ד) כֹּה אָמַר יְיָ מַה מָּצְאוּ אֲבוֹתֵיכֶם בִּי עָוֶל כִּי רָחֲקוּ מֵעָלָי וַיֵּלְכוּ אַחֲרֵי הַהֶבֶל וַיֶּהְבָּלוּ: [ירמיה ב, ה]

ליקוטי רש"י

שני תשלומין דראשון הוא. ומאן דלא מיחייב בראשון לא מיחייב בשני. רגל בפני עצמו הוא. ואית ליה חובה לגופיה ומיחייב ביה מאן דלא איחזי בראשון [פסחים צג.]. לילה אינו מחוסר זמן. [illegible] [מנחות ק.]. [illegible] ממנו [מעילה יג.]. לילה מחוסר זמן. [illegible] [זבחים יב.]. קרבן הוא דכתיב (ויקרא ז) ביום [כריתות ז:]. וחסרון לא יוכל להימנות. [illegible] [קהלת א, טו]. ולא בכסף. [illegible] בחרתיך. [illegible] [ישעיה מח, י]. נודדת מן קנה. [illegible] [משלי כז, ח].

[מכאן שייך לדף י.]

היתר נדרים פורחין באויר. העולם שאין להן מקרא מן התורה על מה שיסמכו [שיש היתר לנדרים] [illegible] כי יפליא. יפריש בפיו [ויקרא כז, ב]. יפריש [במדבר ו, ב]. אחת הפלאה לאיסור. שלא לבטל את הנדר [illegible] הפלאה להיתר. כשיש בו חרטה [נזיר שם]. נשבעתי וחזרתי בי. והיינו אשר נשבעתי באפי מפני [illegible] אלי [סנהדרין קי:]. לא יחל דברו. כמו לא יחלל דברו לא יעשה דברו חולין [במדבר ל, ג]. אין אחד. [illegible] שנים מהלכים בדרך כו' אינו נזיר [נזיר לד.]. אין אחד מהם נזיר. שנים שיושבין ולאו אחד לא [illegible] נזיר ואמר חבירו הריני נזיר שאין זה נזיר [עירובין פב.]. שנים יושבין ואחד עובר זה אומר פלוני העובר [illegible] נזיר ואמר אחד הריני נזיר אם כמותו הוא שהוא נזיר וחבירו אומר הריני נזיר אם כמותו הוא שאינו [illegible] לנזירות ונמצא כאחד מהם ואמר ר' טרפון אין אחד מהן נזיר שעל הספק אמר דבריו תחילה ואין זו [illegible] (ויקרא כז) יפרש משמע [סנהדרין כה.]. שנים שהיו עומדים ואמר אחד הריני נזיר אם זה איש פלוני [illegible] הריני נזיר אם אינו הוא אין אחד מהם נזיר הואיל ובשעת הנדר לא היה ברור לאחד מהן [נדרים יט:]. [illegible] לשם נזירות אלא תלו נזירותן בזה שבא כנגדן ולא היה פיו ולבו שוין להכי אין אחד מהם נזיר [שם כא.]. אלא להפלאה. שיהא נדרו מפורש על הואי ולא כתולה ספק אי נזיר אותו הבא כנגדו [עירובין שם]. שיהא מברר דבריו ואמר הריני נזיר ולא יהא תולה נזירותו בדבר אחר [נזיר לב:]. דבעינן בשעת שנדר שיהא יודע אי הוי נזיר [נדרים יט:].

first *tumah*.[10] סַלְקָא דַעְתָּךְ אָמֵינָא בְּאַתְקַפְתָּא דְרַב שִׁישָׁא בְּרֵיהּ דְּרַב אִידִי – For **you might have thought to say** that this ruling is incorrect **in light of the challenge** to it raised **by Rav Shisha the son of Rav Idi.**[11] קָא מַשְׁמַע לָן כִּדְרַב יוֹסֵף – [R' Yochanan] **therefore teaches us** that it is correct **in light of** the explanation given **by Rav Yosef.**[12]

The Gemara quotes from the Mishnah:

עָבַר הָרֶגֶל וְלֹא חָג – IF THE FESTIVAL PASSED AND ONE DID NOT OFFER THE *CHAGIGAH*, אֵינוֹ חַיָּיב בְּאַחֲרָיוּתוֹ – HE IS NOT RESPONSIBLE FOR IT, i.e. he can no longer bring the *chagigah* for that festival. וְעַל זֶה נֶאֱמַר – CONCERNING THIS situation IT IS STATED: "מְעֻוָּת לֹא־יוּכַל לִתְקֹן וְחֶסְרוֹן לֹא־יוּכַל לְהִמָּנוֹת" – *A CROOKED THING CANNOT BE STRAIGHTENED, AND A LACK CANNOT BE COUNTED.*

A difficulty is raised with the verse:

אָמַר לֵיהּ בַּר הֵי הֵי לְהִלֵּל – **Bar Hei Hei**[13] **said to Hillel:** הַאי "לְהִמָּנוֹת" לְהִמָּלְאוֹת מִיבָּעֵי לֵיהּ – **This** expression **"be counted" should have been "be filled"!**[14] אֶלָּא זֶה שֶׁמְּנָאוּהוּ חֲבֵירָיו לִדְבַר מִצְוָה – **Rather,** the verse said "counted" to allude to **one whose friends counted him** with themselves **for the purpose of** doing a **mitzvah** together, וְהוּא לֹא נִמְנָה עִמָּהֶן – **but he would not be counted with them.**[15]

A Baraisa is cited in support of this interpretation:

תַּנְיָא נַמִּי הָכִי – **This was also taught in a Baraisa:** "מְעֻוָּת לֹא־יוּכַל לִתְקֹן" – *A CROOKED THING CANNOT BE STRAIGHTENED:* זֶה שֶׁבִּיטֵּל קְרִיאַת שְׁמַע שֶׁל שַׁחֲרִית – THIS REFERS TO ONE WHO OMITTED THE READING OF THE MORNING *SHEMA* אוֹ קְרִיאַת שְׁמַע שֶׁל עַרְבִית – OR THE READING OF THE EVENING *SHEMA*,[16] אוֹ שֶׁבִּיטֵּל תְּפִלָּה שֶׁל שַׁחֲרִית – OR ONE WHO OMITTED THE MORNING PRAYER אוֹ תְּפִלָּה שֶׁל עַרְבִית – OR THE EVENING PRAYER.[17] "וְחֶסְרוֹן לֹא־יוּכַל לְהִמָּנוֹת" – *AND A LACK CANNOT BE COUNTED:* זֶה שֶׁנִּמְנוּ חֲבֵירָיו לִדְבַר מִצְוָה – THIS REFERS TO ONE WHOSE FRIENDS WERE COUNTED TO perform A MITZVAH וְהוּא לֹא נִמְנָה עִמָּהֶן – BUT HE WAS NOT COUNTED WITH THEM.

The Gemara records another exchange between Bar Hei Hei and Hillel:

אָמַר לֵיהּ בַּר הֵי הֵי לְהִלֵּל – **Bar Hei Hei said to Hillel:** מַאי דִּכְתִיב – **What is** the meaning of **that which is written:** "וְשַׁבְתֶּם וּרְאִיתֶם בֵּין צַדִּיק לְרָשָׁע בֵּין עֹבֵד אֱלֹהִים לַאֲשֶׁר לֹא עֲבָדוֹ" – ***You will return and see the difference between a righteous person and a wicked person, between one who serves God and one who does not serve Him?***[18] The verse appears to be repeating itself. "צַדִּיק" הַיְינוּ "עֹבֵד אֱלֹהִים" – ***A righteous person* is the same as *one who serves God,*** "רָשָׁע" הַיְינוּ "אֲשֶׁר לֹא עֲבָדוֹ" – **and *a wicked person* is the same as *one who does not serve Him!*** אָמַר לֵיהּ – **[Hillel] answered [Bar Hei Hei]:** "עֲבָדוֹ" וְ"לֹא עֲבָדוֹ" – ***One who serves [God]* and *one who does not serve Him*** תַּרְוַיְיהוּ צַדִּיקֵי גְּמוּרֵי נִינְהוּ – **are both completely righteous.** וְאֵינוֹ דּוֹמֶה שׁוֹנֶה פִּרְקוֹ מֵאָה פְּעָמִים – **Nevertheless, there is no comparison between one who recites his passage one hundred times,** לְשׁוֹנֶה פִּרְקוֹ מֵאָה וְאֶחָד – **and one who recites his passage one hundred and one times.**[19] אָמַר לֵיהּ – **[Bar**

NOTES

10. I.e. it does not overlap even according to the opinion that the first sacrificial obligation fails to take effect until the morning [לַיְלָה מְחוּסַּר זְמַן].

11. R' Yochanan ruled in this case (one emission at night, two the next day) that the *zav* brings two sets of offerings. This ruling, however, requires explanation, for since the emissions began at night, the second *tumah* began before he became obligated to bring the sacrifices for the first *tumah* [according to the premise of this teaching, that a sacrificial obligation does not take effect until the morning the sacrifice is due]. Therefore, the *zav* should be viewed as having been subject to one continuous *tumah,* which warrants only one set of offerings. The Gemara in *Kereisos* (8a) quotes Rav Yosef who explains R' Yochanan's ruling by noting that any *zav* who experiences just one emission has the status of a mere *baal keri.* [Although a *zav's* emission is somewhat different from the *baal keri's* regular seminal emission, he is nevertheless subject to the same laws as a *baal keri*, after only one emission (*Niddah* 35a).] Nevertheless, when he has a second emission, the first emission combines with the second to render him a full-fledged *zav.* Thus, in R' Yochanan's case, where the second and third emissions occurred during the daytime, the first emission can also combine with them, and it is not until the daytime that the *tumas zivah* actually begins. It emerges, then, that the second *tumas zivah* began *after* he became obligated to offer his first set of sacrifices, in which case he is viewed as having been subject to two separate states of *tumah.*

The Gemara in *Kereisos* then quotes Rav Shisha the son of Rav Idi who disputes Rav Yosef's explanation. Rav Shisha argues that it is only in the case of a regular *zav* that his first emission combines with his second emission. This cannot be compared to R' Yochanan's case, where the first emission occurred during a period of liability for a prior *tumah* [which possibly renders it incapable of combining with subsequent emissions to create another sacrificial obligation] (*Rashi*).

12. That is, he teaches that Rav Yosef's reasoning is not refuted by the argument of Rav Shisha (see previous note; see also *Meiri*).

13. Some explain that this Tanna was a convert to Judaism. He was therefore given the name "Bar Hei Hei" (son of Hei Hei) to signify his new status as a son of Abraham and Sarah, both of whom had a letter ה, *hei,* added to their names (*Tosafos;* see *Tos. Yom Tov* to *Avos* 5:22).

14. One rectifies a lack by filling it, rather than by counting it. The verse's point seems to be that one who is lacking a mitzvah (i.e. he failed to perform it) will never have his lack filled (*Rashi*).

15. A group of people who were going to perform a mitzvah invited him to join them but he refused. The verb "counted" is appropriate here since he did not want to be *counted* as a member of the group. According to this interpretation, the verse means that one who misses an opportunity to do a mitzvah with a group has suffered an irreplaceable loss (*Rashi*). For although he can do the mitzvah by himself, he would have accomplished more by doing it with others (*Meromei Sadeh;* see also *Ben Yehoyada*).

16. The *Shema* must be recited twice each day, once in the morning and once in the evening. One who misses a recitation can never compensate for his loss.

17. When used in a specific sense, the term תְּפִלָּה (literally: prayer) denotes the Prayer of nineteen blessings, which is also referred to as the *Amidah* or *Shemoneh Esrei.* It is recited each morning, afternoon and evening. [The Baraisa could also have mentioned the *Amidah* of the afternoon. It preferred, however, to mention only the morning and evening *Amidahs* to strike a stylistic balance with the *Shema,* which is recited only in the morning and evening (*Maharsha;* see there and *Iyun Yaakov* for other explanations).]

The Gemara in *Berachos* (26a) qualifies the Baraisa as referring only to one who deliberately omitted the *Amidah.* If the omission was unintentional, the loss can be made up by reciting the next *Amidah* twice (see *Pnei Yehoshua* there).

There is a dispute whether the evening *Amidah* is mandatory or optional (see *Berachos* 27b). The Baraisa, however, is consistent with either view, because even if the evening *Amidah* is optional, it may not be omitted except where its recitation would cause some hardship (*Tosafos;* cf. *Sfas Emes*).

[See *Maharal* (*Nesivos Olam, Nesiv HaTeshuvah,* ch. 5) who explains why the Baraisa specified the *Shema* and *Amidah* as opposed to any other mitzvah that must be done by a certain time.]

18. *Malachi* 3:18, referring to the Great Day of Judgment.

19. Although they are both righteous, they did not serve God equally; the one who reviews his studies an extra time shows greater devotion (*Rashi*).

These numbers are alluded to by the verse itself. The initial letters of the words עֹבֵד אֱלֹהִים לַאֲשֶׁר have a total numerical value of 101 [ע = 70; א = 1; ל = 30], whereas the initial letters of the words לֹא עֲבָדוֹ amount to 100 [ל = 30; ע = 70] (*Maharsha; Shelah,* cited by *Yalkut Yeshayahu*).

Reciting one's studies one hundred and one times ensures that they will not be forgotten (see *Iyun Yaakov, Ahavas Eisan, Ben Yehoyada;* see

שני תשלומין דראשון הוא אלא למ"ד (א) שני רגל בפני עצמו הוא מאי איכא למימר אלא אמר רב פפא קסבר רבי יוחנן (ב) לילה אינו מחוסר זמן ומי א"ר יוחנן הכי (ג) והאמר רבי יוחנן (ד) ראה אחת בלילה ושתים ביום מביא שתים בלילה ואחת ביום אינו מביא ואי ס"ד קסבר רבי יוחנן לילה אינו מחוסר זמן אפילו שתים בלילה ואחת ביום מביא כי קא"ר יוחנן לדברי האומר לילה מחוסר זמן לדברי האומר פשיטא שתים ביום ואחת בלילה אצטריכא ליה סלקא דעתך אמינא כאתקפתא דרב שישא בריה דרב אידי קמ"ל כדרב יוסף: עבר הרגל ולא חג אינו חייב באחריותו ועל זה נאמר מעוות לא יוכל לתקון וחסרון לא יוכל להימנות: א"ל בר הי הי להלל האי להימנות להמלאות מיבעי ליה אלא זה שמנוהו חביריו לדבר מצוה והוא לא נמנה עמהן (ה) תניא נמי הכי מעוות לא יוכל לתקון זה שביטל ק"ש של שחרית או קריאת שמע של ערבית או שביטל תפלה של שחרית או תפלה של ערבית וחסרון לא יוכל להימנות זה שנמנו חביריו לדבר מצוה והוא לא נמנה עמהן א"ל בר הי הי להלל מאי דכתיב (א) ושבתם וראיתם בין צדיק לרשע בין עובד אלהים לאשר לא עבדו היינו צדיק היינו עובד אלהים היינו רשע היינו אשר לא עבדו א"ל עבדו ולא עבדו תרוייהו צדיקי גמורי נינהו ואינו דומה שונה פרקו (ו) מאה פעמים לשונה פרקו מאה ואחד א"ל ומשום חד זימנא קרי ליה לא עבדו א"ל אין צא ולמד משוק של חמרין עשרה פרסי בזוזא חד עשר פרסי בתרי זוזי א"ל אליהו לבר הי הי וא"ל לר' אלעזר מאי דכתיב (ב) הנה צרפתיך ולא בכסף בחרתיך בכור עוני מלמד שחזר הקב"ה על כל מדות טובות ליתן לישראל ולא מצא אלא עניות אמר שמואל ואיתימא רב יוסף היינו דאמרי אינשי יאה עניותא ליהודאי כי ברזא סומקא לסוסיא חיורא: ר' שמעון בן מנסיא אומר אי זה הוא מעוות לא יוכל לתקון זה הבא על הערוה והוליד ממנה ממזר וכו': הוליד אין לא הוליד לא והא תניא (ז) רבי שמעון בן מנסיא אומר גונב אדם גנבו ויתקן גוזל אדם אפשר שיחזיר גזלו ויתקן אבל הבא על אשת איש ואסרה לבעלה נטרד מן העולם והלך לו רבי שמעון בן יוחי אומר אין אומר בקרו גמל בקרו חזיר אלא בקרו טלה ואי זה זה תלמיד חכם שפירש מן התורה רבי יהודה בן לקיש אמר כל תלמיד חכם שפירש מן התורה עליו הכתוב אומר (ג) כצפור נודדת מן קנה כן איש נודד ממקומו ואומר (ד) מה מצאו אבותיכם בי עול כי רחקו מעלי לא קשיא כאן באחותו פנויה כאן באשת איש ואי בעית אימא הא והא באשת איש ולא קשיא כאן באונס כאן ברצון

אלא למ"ד רגל בפני עצמו. ועכשיו אין לך לתלות טעמו של רבי יוחנן בהואיל ויש לטומאה תשלומין לשני: קסבר ר' יוחנן. אין חסרון זמן במי שהגיע לילו להקריב קרבנותיו מחר הלכך מחוייב הוא בקרבן אלא שהלילה מעכבו מלהביאה אבל חגר ביום ראשון אין עליו שום חובת ראייה לפיכך אין לו עליו תשלומין: ומי א"ר יוחנן. אין לילה מחוסר זמן והא"ר יוחנן [...]

[...] אשמעינן ביה דסבירא לילה מחוסר זמן אלא אי לדברי האומר כו' קאמר מאי אשמעינן בה: מהו דתימא כאתקפתא דרב שישא. דאתקיף בכריתות על הטעם שנתן רב יוסף על הדבר כמו שפירשתי למעלה תדע דהא ראייה ראשונה של כל הזבים קרי בעלמא הוא וכי הדר חזי תרתי מצטרפין בהדייהו ה"נ לא שנא ומתקיף לה רב שישא מי דמי התם כולהו בזמן חיובא חזינהו הכא לאו בזמן חיובא דהאי קרבן חזייה: להמלאות מיבעי ליה. אלא חסרון נופל לשון מילוי שחסר מצוה אחת לא יתמלא עוד חסרון זה משחסר: שמינוהו חביריו לדבר מצוה. שאמרו לו בא עמנו ולא הלך נמצא שחסר עצמו מאותו מנין לא יוכל לימנות עוד באותו מנין שכבר עשו את המצוה: היינו צדיק היינו עובד אלהים. מי הוא צדיק ומי הוא עובד אלהים הלא אחד הוא: אינו דומה שונה פרקו כו'. אע"פ ששניהן צדיקים לא עבדוהו בשוה שזה עבדו יותר: עשרה פרסי. ישכיר לך אדם חמורו בזוז אחד שכבר נהגו כן ואם תאמר לו לילך פרסה יותר ישאלך שני זוזים: צרפתיך ולא בכסף. ולא באש כמו שצורפים הכסף באש אלא בחרתיך בכור עוני לצורפו בו כור הוא החרס שצורפין בו: גנב אדם. גניבה אפשר שיחזירנה ויתקן: נטרד מן העולם. אין לו עוד תשובה לפי שעשה דבר שאין לו רפואה: אין אומר בקרו גמל. זה לקרבן כלומר מי שהוא מעוות מתחילתו אין זה מעוות: אלא בקרו טלה. זה לקרבן שמא נפל בו מום ונתקלקל כך לשון קלקול נופל באדם שהיה טוב מתחילה: אחותו פנויה. הוליד אין לא הוליד לא: באשת איש. בלא הוליד נמי יש זכרון לעונו שאסרה על בעלה לא שנא אחותו ולא שנא נכרית: באונס. לא אסרה על בעלה לפיכך הוליד אין לא הוליד לא:

שני תשלומין דראשון הוא. היינו ר' נתן אלא למ"ד שני רגל בפני עצמו הוא היינו רבי ואע"ג דלית ליה תנא דמסייע ליה פריך שפיר דמסתמא לא פליג ארבי דהכא דקי"ל הלכה כרבי מחבירו אבל לא מסתברא למימר דבעי לישבה ככולי עלמא: או תפלה של ערבית. אפילו למ"ד תפלת ערבית רשות [...]

עין משפט
נר מצוה

נח א מיי' פ"ה מהל' קרבן פסח הלכה א סמג עשין רנד:

נט ב מיי' פ"ג מהלכות מחוסרי כפרה הלכה ה:

ס ג מיי' שם הלכה ד:

סא ד מיי' פ"ג מהלכות תפלה הלכה ח טור ש"ע א"ח סי' קח ס"ז:

תורה אור השלם

א) וְשַׁבְתֶּם וּרְאִיתֶם בֵּין צַדִּיק לְרָשָׁע בֵּין עֹבֵד אֱלֹהִים לַאֲשֶׁר לֹא עֲבָדוֹ: [מלאכי ג, יח]

ב) הִנֵּה צְרַפְתִּיךָ וְלֹא בְכָסֶף בְּחַרְתִּיךָ בְּכוּר עֹנִי: [ישעיה מח, י]

ג) כְּצִפּוֹר נוֹדֶדֶת מִן קִנָּהּ כֵּן אִישׁ נוֹדֵד מִמְּקוֹמוֹ: [משלי כז, ח]

ד) כֹּה אָמַר יְיָ מַה מָּצְאוּ אֲבוֹתֵיכֶם בִּי עָוֶל כִּי רָחֲקוּ מֵעָלָי וַיֵּלְכוּ אַחֲרֵי הַהֶבֶל וַיֶּהְבָּלוּ: [ירמיה ב, ה]

Hei Hei] said to [Hillel]: וּמִשּׁוּם חַד זִימְנָא קָרֵי לֵיהּ ,,לֹא עֲבָדוֹ" – **And because** he failed to review his studies that **one** extra **time, he is called** ***one who does not serve [God]?*** אָמַר לֵיהּ – **[Hillel] responded to him:** אִין – **Yes!** צֵא וּלְמַד מִשּׁוּק שֶׁל חַמָּרִין – **Go out and learn** this **from the market of donkey drivers,** עֲשָׂרָה פַּרְסֵי בְּזוּזָא – where a journey of **ten** ***parsahs*** costs **one** ***zuz,*** חַד עֲשַׂר פַּרְסֵי בִּתְרֵי זוּזֵי – but a journey of **eleven** ***parsahs*** costs **two** ***zuzim*!**[20]

Another teaching received by Bar Hei Hei:

וְאָמְרֵי אָמַר לֵיהּ אֵלִיָּהוּ לְבַר הֵי הֵי – **Elijah**[21] **said to Bar Hei Hei,** לָהּ לְרַבִּי אֶלְעָזָר – **and some say** that Elijah said it **to R' Elazar:** מַאי דִּכְתִיב – **What is** the meaning of **that which is written:** ,,הִנֵּה צְרַפְתִּיךָ וְלֹא בְכָסֶף בְּחַרְתִּיךָ בְּכוּר עֹנִי" – ***Behold, I refine you, but not with*** *[fire as one smelts]* ***silver; I have chosen for you the crucible of poverty?***[22] מְלַמֵּד שֶׁחָזַר הַקָּדוֹשׁ בָּרוּךְ הוּא עַל כָּל מִדּוֹת טוֹבוֹת לִיתֵּן לְיִשְׂרָאֵל – **[This verse] teaches that the Holy One, Blessed is He, reviewed all the good circumstances** that might be fitting **to give Israel,** וְלֹא מָצָא אֶלָּא עֲנִיּוּת – **and he found only poverty.**[23]

This teaching is illustrated:

אָמַר שְׁמוּאֵל וְאִיתֵימָא רַב יוֹסֵף – **Shmuel, and others say it was Rav Yosef, commented:** הַיְינוּ דְּאָמְרֵי אִינְשֵׁי – **This is** reflected in the proverb **that people say:** יָאָה עֲנִיּוּתָא לִיהוּדָאֵי – **Poverty is becoming to the Jewish people** כִּי בַּרְזָא סוּמָּקָא לְסוּסְיָא חִיוָּרָא – **like a red strap to a white horse.**[24]

The Mishnah stated:

אֵי זֶה – רַבִּי שִׁמְעוֹן בֶּן מְנַסְיָא אוֹמֵר – R' SHIMON BEN MENASYA SAYS: הוּא ,,מְעֻוָּת לֹא־יוּכַל לִתְקֹן" – WHAT IS A "CROOKED THING" THAT "CANNOT BE STRAIGHTENED"? זֶה הַבָּא עַל הָעֶרְוָה וְהוֹלִיד מִמֶּנָּה מַמְזֵר וכו' – THIS REFERS TO ONE WHO COHABITED WITH AN *ERVAH* AND BEGAT A *MAMZER* THROUGH HER **etc.**

The Gemara draws an inference from this statement:

הוֹלִיד אִין – R' Shimon ben Menasya implies that if **he begat** a *mamzer,* the sin is **indeed** irreparable; לֹא הוֹלִיד לֹא – but if **he did not beget** a *mamzer,* it is **not** irreparable. וְהָא תַּנְיָא – **But it was taught in a Baraisa** to the contrary: רַבִּי שִׁמְעוֹן בֶּן מְנַסְיָא אוֹמֵר – R' SHIMON BEN MENASYA SAYS: גּוֹנֵב אָדָם – IF A MAN STEALS, אֶפְשָׁר שֶׁיַּחֲזִיר גְּנֵבוֹ וִיתַקֵּן – IT IS POSSIBLE FOR HIM TO RETURN THE STOLEN ARTICLE AND thereby CORRECT his misdeed. גּוֹזֵל אָדָם – IF A MAN ROBS,[25] אֶפְשָׁר שֶׁיַּחֲזִיר גְּזֵלוֹ וִיתַקֵּן – IT IS POSSIBLE FOR HIM TO RETURN THE ROBBED ARTICLE AND thereby CORRECT his misdeed. אֲבָל הַבָּא עַל אֵשֶׁת אִישׁ וַאֲסָרָהּ לְבַעְלָהּ – BUT IF ONE COHABITS WITH THE WIFE OF another MAN AND thus RENDERS HER FORBIDDEN TO HER HUSBAND,[26] נִטְרַד מִן הָעוֹלָם וְהָלַךְ לוֹ – HE IS BANISHED FROM THE WORLD AND GOES AWAY.[27] אֵין אוֹמֵר – רַבִּי שִׁמְעוֹן בֶּן יוֹחַי אוֹמֵר – R' SHIMON BEN YOCHAI SAYS: בַּקְּרוּ גָמָל בַּקְּרוּ חֲזִיר – ONE DOES NOT SAY, "EXAMINE A CAMEL" OR "EXAMINE A PIG"; אֶלָּא בַּקְּרוּ טָלֶה – RATHER, one says, "EXAMINE A LAMB." That is, only an animal that can be used as a sacrifice (e.g. a lamb), and not one that is ineligible in any event (e.g. a camel or pig), is examined for disqualifying blemishes. Similarly, only a person who was initially straight can be said to have become "crooked." וְאֵי זֶה – AND WHO IS THIS? זֶה תַּלְמִיד חָכָם שֶׁפֵּירַשׁ מִן הַתּוֹרָה – THIS IS A TORAH SCHOLAR WHO FORSAKES THE TORAH. רַבִּי יְהוּדָה בֶּן לָקִישׁ אָמַר – R' YEHUDAH BEN LAKISH SAID: כָּל תַּלְמִיד חָכָם שֶׁפֵּירַשׁ מִן הַתּוֹרָה – ANY TORAH SCHOLAR WHO FORSAKES THE TORAH, עָלָיו הַכָּתוּב אוֹמֵר – REGARDING HIM SCRIPTURE SAYS: ,,כְּצִפּוֹר נוֹדֶדֶת מִן־קִנָּהּ כֵּן־אִישׁ נוֹדֵד מִמְּקוֹמוֹ" – *LIKE A BIRD WANDERING FROM ITS NEST, SO IS A MAN WHO WANDERS FROM HIS PLACE.*[28] וְאוֹמֵר – AND [ANOTHER VERSE] SAYS:

NOTES

also *Mishnah Berurah* 114:41, citing Responsa of *Chasam Sofer, Orach Chaim* §20).

Some other commentators maintain that one hundred repetitions suffice to prevent the passage from being forgotten. In their view, the Gemara's point is that one who reviews his studies one hundred times is possibly seeking only to avoid the aggravation of forgetting what he has already learned. But if he repeats his studies an extra time, he is evidently motivated by a love of Torah, which is a true expression of serving God (*Rif* on *Ein Yaakov*; see also *Anaf Yosef* and *Meromei Sadeh.* This seems to be Rashi's opinion as well – see ד"ה עשרה פרסי).

20. People would hire the services of a donkey driver to transport their merchandise from one place to another. Ten *parsahs* is the standard distance covered by a donkey driver in one day. Hence, if he is hired to travel eleven *parsahs* in one day, in which case he will have to go faster than usual, he will charge a disproportionate amount (*Maharsha*).

21. Elijah the prophet never died; Scripture states that he ascended to heaven in a whirlwind (*II Kings* 2:11). The Talmud records numerous instances in which he appeared to righteous people in later generations.

22. *Isaiah* 48:10. God tells the Jewish people that He will inflict suffering on them to purify them from character flaws. However, He will not purify them with fire [of Gehinnom (*Rashi* ad loc.)], as one smelts silver; rather, He will impose upon them the afflictions of poverty (*Rashi;* cf. *Maharsha*).

23. Poverty has the capacity to bring man closer to God. It breaks his rebellious spirit and directs his heart to Heaven, inducing him to seek God's mercy and kindness (*Rabbeinu Chananel;* see also *Maharsha, Iyun Yaakov* and *Ahavas Eisan*).

The Gemara refers to one who can provide his family with their minimal needs, albeit with difficulty. Poverty of greater severity distances man from the Almighty, as stated in *Eruvin* (41b): "The exactions of poverty cause a person to violate his own will and the will of his Creator." King Solomon writes (*Proverbs* 30:8,9): *Give me neither poverty nor wealth, but allot me my daily bread. Lest I be sated and deny [You], and say, "Who is Hashem?", and lest I become impoverished and steal and take the name of my God [in a vain oath of innocence]* (*Eitz Yosef*).

24. The scarlet color of the band emphasizes the whiteness of the horse. Likewise, poverty brings out the "whiteness" of the Jewish people, meaning that it purifies them from sin, as in the verse (*Isaiah* 1:18): אִם־יִהְיוּ חֲטָאֵיכֶם כַּשָּׁנִים כַּשֶּׁלֶג יַלְבִּינוּ, *If your sins are like scarlet, they will become white as snow* (*Iyun Yaakov*).

In an alternative explanation, *Maharsha* observes that the beauty of a white horse stands out without any embellishment. Thus, the point of the maxim is that just as a white horse does not require any special adornment of gold or silver (but suffices with its simple leather strap), so too the Jewish people are beautiful without material riches, for their true beauty is attained through adherence to the Torah (*Maharsha*). [For other explanations, see *Eitz Yosef, Meromei Sadeh* et al.]

25. [The distinction between גְּנֵיבָה, *geneivah* (theft) and גְּזֵילָה, *gezeilah* (robbery), is that *geneivah* is done without the victim's knowledge whereas *gezeilah* is done openly and with force. There are halachic differences between these two types of theft.]

26. If a married woman willingly commits adultery, she becomes forbidden to her husband (*Numbers* 5:13 and *Sotah* 28a; see also 10a note 1).

27. I.e. he will descend to Gehinnom and not be released quickly (see *Maharsha*).

Repentance is not [completely] effective for such a sin, because it produced a result that cannot be undone (*Rashi;* cf. *Maharal,* cited in 9a note 10). If, however, he performs the steps of repentance that *are* within his power, he will enjoy a portion in the World to Come (*Meiri* on the Mishnah).

28. *Proverbs* 27:8. The words of Torah that ring out in a study hall are likened to the chirping of a bird. [For this reason, one who was afflicted with *tzaraas* must offer a bird, to signify that his sin of uttering gossip can be remedied by uttering words of Torah (see *Arachin* 16b).] The verse thus alludes to a scholar who forsakes the speech of the study hall and replaces it with the speech of idle matters (*Maharsha*). Scripture compares him to a bird that has left its natural habitat. Similarly, a Jew who ceases to study Torah abandons the environment that nurtures and sustains him, as it is written (*Deuteronomy* 30:20): כִּי הוּא חַיֶּיךָ וְאֹרֶךְ יָמֶיךָ, *for it is your life and the length of your days* (see *Berachos* 61b).

שני תשלומין דראשון הוא אלא למ"ד א) שני רגל בפני עצמו הוא מאי איכא למימר אלא אמר רב פפא קסבר רבי יוחנן ב) לילה אינו מחוסר זמן ומי א"ר יוחנן הכי ג) והאמר רבי יוחנן ד) ראה אחת בלילה ושתים ביום מביא שתים בלילה ואחת ביום אינו מביא ואי ס"ד קסבר רבי יוחנן לילה אינו מחוסר זמן אפילו שתים בלילה ואחת ביום מביא כי קא"ר יוחנן לדברי האומר ה) לילה מחוסר זמן לדברי האומר פשיטא שתים ביום ואחת בלילה אצטריכא ליה סלקא דעתך אמינא כאתקפתא דרב שישא בריה דרב אידי קמ"ל כדרב יוסף: עבר הרגל ולא חג אינו חייב באחריותו ועל זה נאמר מעוות לא יוכל לתקון וחסרון לא יוכל להימנות: א"ל בר הי הי להלל האי להימנות להמלאות מיבעי ליה אלא זה שמנוהו חביריו לדבר מצוה והוא לא נמנה עמהן ו) תניא נמי הכי מעוות לא יוכל לתקון זה שביטל ק"ש של שחרית או קריאת שמע של ערבית או ז) שביטל תפלה של שחרית או תפלה של ערבית וחסרון לא יוכל להימנות זה שנמנו חביריו לדבר מצוה והוא לא נמנה עמהן א"ל בר הי הי להלל מאי דכתיב א) ושבתם וראיתם בין צדיק לרשע בין עובד אלהים לאשר לא עבדו היינו צדיק היינו עובד אלהים היינו רשע היינו אשר לא עבדו א"ל עבדו ולא עבדו תרוייהו צדיקי גמורי נינהו ואינו דומה שונה פרקו ח) מאה פעמים לשונה פרקו מאה ואחד א"ל ומשום חד זימנא קרי ליה לא עבדו א"ל אין צא ולמד משוק של חמרין עשרה פרסי בזוזא חד עשר פרסי בתרי זוזי א"ל אליהו לבר הי הי וא"ל לר' אלעזר מאי דכתיב ב) הנה צרפתיך ולא בכסף בחרתיך בכור עוני מלמד שחזר הקב"ה על כל מדות טובות ליתן לישראל ולא מצא אלא עניות אמר שמואל ואיתימא רב יוסף היינו דאמרי אינשי יאה עניותא ליהודאי כי ברזא סומקא לסוסיא חוורא: ר' שמעון בן מנסיא אומר אי זה הוא מעוות לא יוכל לתקן זה הבא על הערוה והוליד ממנה ממזר וכו': הוליד אין לא הוליד לא והא תניא ט) רבי שמעון בן מנסיא אומר גונב אדם אפשר שיחזיר גנבו ויתקן גוזל אדם אפשר שיחזיר גזלו ויתקן אבל הבא על אשת איש ואסרה לבעלה נטרד מן העולם והלך לו רבי שמעון בן יוחי אומר אין אומר בקרו גמל בקרו חזיר אלא בקרו טלה ואי זה זה תלמיד חכם שפירש מן התורה רבי יהודה בן לקיש אמר כל תלמיד חכם שפירש מן התורה עליו הכתוב אומר ג) כצפור נודדת מן קנה כן איש נודד ממקומו ואומר ד) מה מצאו אבותיכם בי עול כי רחקו מעלי לא קשיא כאן באחותו פנויה כאן באשת איש ואי בעית אימא הא והא באשת איש ולא קשיא כאן באונס

רש"י

אלא למ"ד רגל בפני עצמו. ועכשיו אין לך לתלות טעמו של רבי יוחנן בהואיל ויש לטומאה תשלומין לשני: קסבר ר' יוחנן. אין חסרון זמן במי שהגיע לילו להקריב קרבנותיו מחר הלכך מחוייב הוא בקרבן אלא שהלילה מעכבו מלהביאה אבל חגר ביום ראשון אין עליו שום חובת ראייה לפיכך אין לו עליו תשלומין: ומי א"ר יוחנן. לילה אין מחוסר זמן והא"ר יוחנן ראה אחת בלילה זב וספר שבעה נקיים כמשפטו וטבל והעריב שמשו וחזר וראה אחת בלילה ושתים למחר: מביא. קרבן על טומאה שניה זו לבד מן הקרבן שיביא על הראשונה ויביא שני קרבנות כשיטהר הואיל ולא ראה השניה עד שילא לשעה שהיא ראויה להביא קרבן יש לו תשלומין ואף על השניה יביא אע"פ שתחילתה בתוך זמן קרבן הראשונה לא אמרינן חדא טומאה היא ופי' רב יוסף את הטעם במס' כריתות לפי שהראייה ראשונה של זב אינה אלא כקרי בעלמא וכי חזי אינך למחר מצטרפת בהדייהו ה"נ אע"פ שהיתה ראייה ראשונה בתוך קרבן ראשון כי הדר חזי אינך למחר מצטרפין בהדייהו: ואי סלקא דעתך לילה אין מחוסר זמן. אפילו ראה שלשתן בלילה זה כבר יצא מזמן ראשון ושתי זיבות הן אי לאו דסבירא ליה לילה מחוסר זמן הלכך אם ראה שתים בלילה הויא לה זיבה אריכתא: כי א"ר יוחנן. ההיא לדברי האומר לילה מחוסר זמן אמרה אבל לדידיה סבירא ליה אפילו ראה כולן בלילה מביא: לדברי האומר פשיטא. אי אמרת בשלמא טעמא דנפשיה קאמר אשמעינן ביה דסבירא לילה מחוסר זמן אלא אי לדברי האומר כו' קאמר מאי אשמעינן בה: מהו דתימא כאתקפתא דרב שישא. דאתקיף בכריתות על הטעם שנתן רב יוסף על הדבר כמו שפירשתי למעלה תדע דהא ראייה ראשונה של כל הזבים קרי בעלמא הוא וכי הדר חזי תרתי מצטרפין בהדייהו ה"נ לא שנא ומתקיף לה רב שישא מי דמי התם כולהו בזמן חיובא חזינהו הכא לאו בזמן חיובא דהאי קרבן חזייה: להמלאות מיבעי ליה. אבל חסרון נופל לשון מילוי שחסר מלוה אחת לא יתמלא עוד חסרון זה משחסר: שמינוהו חביריו לדבר מצוה. שאמרו לו בא עמנו ולא הלך נמלא שחסר עצמו מאותו מנין לא יוכל לימנות עוד באותו מנין שכבר עשו את המלוה: היינו צדיק היינו עובד אלהים. מי הוא לדיק ומי הוא עובד אלהים הלא אחד הוא: אינו דומה שונה פרקו כו'. אע"פ ששניהן לדיקים לא עבדוהו בשוה שזה עבדו יותר: עשרה פרסי. ישכיר לך אדם חמורו בזוז אחד שכבר נהגו כן ואם תאמר לו לילך פרסה יותר ישאלך שני זוזים: צרפתיך ולא בכסף. ולא באש כמו שצורפים הכסף באש אלא בחרתיך בכור עוני לצורפו בו כור הוא החרס שצורפין בו: גנב אדם. גניבה אפשר שיחזירנה ויתקן: נטרד מן העולם. אין לו עוד תשובה לפי שעשה דבר שאין לו רפואה: אין אומר בקרו גמל. זה לקרבן כלומר מי שהוא מעוות מתחילתו אין זה מעוות: אלא בקרו טלה. זה לקרבן שמא נפל בו מום ונתקלקל כך לשון קלקול נופל באדם שהיה טוב מתחילה: אחותו פנויה. הוליד אין לא הוליד לא: באשת איש. בלא הוליד נמי שיש זכרון לעונו שאסרה על בעלה: באונס. לא אסרה על בעלה לפיכך הוליד אין לא הוליד לא: ברצון

תוספות

שני תשלומין דראשון הוא. היינו ר' נתן אלא למ"ד שני רגל בפני עצמו הוא היינו רבי ואע"ג דאית ליה תנא דמסייע ליה פריך שפיר דמסתמא לא פליג אדרבי דהתם דקי"ל הלכה כרבי מחבירו אבל לא מסתברא למימר דבעי לישבה ככולי עלמא: או תפלה של ערבית. אתיא כמ"ד תפלת ערבית חובה ואפילו למ"ד רשות בחנם אין לנו לבטלה אם לא ע"י אונס קצת וכן משמע ההיא דתפלת השחר (ברכות דף כו.) שכח ולא התפלל ערבית מתפלל שחרית שתים וכן (שם דף ל:) אם שכח ולא הזכיר של ר"ח בלילה אין מחזירין אותו לפי שאין מקדשין החדש בלילה הא מקדשין מחזירין ולא מחלק כלל בין למ"ד רשות או בין למ"ד חובה דמשמע דליכא מאן דפליג וההיא דשבת (דף ט: ושם) אי שרא ליה הימייניה לא מטרחינן ליה וכן בירושלמי אי עלה למטתו לא ירד היינו אונס קצת ולא כפי' ה"ג שפירש' דאף למ"ד רשות אי שויה עליה חובה הויא כחובה והא ליתא דמי לא עסקינן בהכי שכבר התפלל בשאר לילות ואם היינו מפרשים שויה עליה חובה באותה לילה יתכן ההיא דטעה ולא התפלל ר"ח בלילה ובברכות הארכתי ס) והבאתי ההיא דאמרו (יומא דף פז: ושם) דתפלת נעילה פוטרת של ערבית: בר הי הי להלל. יש מפרשים שגר היה והיינו בן אברהם ושרה שנתוסף ה"א בשמן וכן בג ע) בג דכולה הגמרא עולה ה': כברזא סומקא. רצועה ודומה לו מעיקרא משכא והשתא אברזא (ב"ק דף סו:) ובב"ר י) יש יאי עניותא לברתיה דיעקב כערקתא סומקתא לסוסיא חיורא: כאן באחותו פנויה. משמע לישנא דפסיקא ליה דיש ממזר מחייבי כריתות מדנקט פ) אחותו טפי מכל שאר עריות והיינו כשמעון התימני (צ) בקדושין בפרק האומר) (דף סח) [עי' קדושין עד:]

אפילו

עין משפט נר מצוה

נח א מיי' פ"ה מהל' קרבן פסח הלכה א סמג עשין כמד:
נט ב מיי' פ"ג מהלכות מחוסרי כפרה הלכה ה:
ס ג מיי' שם הלכה ד:
סא ד מיי' פ"ג מהלכות תפלה הלכה ח טור ש"ע א"ח סי' קח ס"ז:

רבינו חננאל

אחר. כיון דנטמא בשעה שהוא ראוי להביא בה קרבן חייב על כל אחת ואחת אלא ש"מ דלא כר' (אליעזר) ומקשה רב פפא אפירוקא דר' ירמיה הניחא לר' נתן דסבר פסח שני תשלומי דראשון הוא איכא לשנויי כדשנינן. אלא לר' דסבר פסח שני רגל בפני עצמו הוא. מאי אית לך למימר דברי ר' ור' נתן מפורשין בפסחים פרק מי שהיה טמא או בדרך רחוקה בתחלתו. (ופריק שאני טומאה דאית לה תשלומין בפסח שני). ונדחה דברי ר' ירמיה ומשני לילי שמיני [שאני דהוי] כאילו נטמא יום שמיני שלו ואמרינן עליה כי כבר נטמא בעת שמשלימין בעת שהתחן. ומקשינן עליה דרב פפא ומי סבר ר' יוחנן לילה אין מחוסר זמן. והא"ר יוחנן בכריתות סוף פרק ראשון זב אם ראה ראייה אחת בלילה ושתים ביום שמיני שלו מביא קרבן אחר. שתים בלילה ואחת ביום שמיני שלו אינו מביא קרבן אחר. ואי ס"ד דר' יוחנן אמר לילה אינו מחוסר זמן אפילו שתים בלילה ואחת ביום יביא דהא אמרת לר' יוחנן לילי שמיני כיום שמיני הוא ופריק רב פפא כי אמר ר' יוחנן שתים בלילה ואחת ביום אינו מביא לדברי האומר לילה מחוסר זמן ואמרינן פשוטה היא מאי אתא ר' יוחנן לאשמעינן. ופריק איצטריך למימר לו ראה ראייה אחת בלילה ושתים ביום מביא. מהו דתימא כיון דלילה מחוסר זמן הוא לא תצטרף הראשונה שראה בלילה בהדיה שתים שראה ביום כאתקפתא דרב שישא בריה דרב אידי התם כיון דלאו בזמן חיובא הוא לא תצטרף. אתא ר' יוחנן לאשמעינן כרב יוסף דאמר תדע דאע"ג דלאו בזמן חזייה לראשונה מצטרפא דהא ראייה ראשונה של זב שכבת זרע בעלמא הוא וכדחזי אחרנייתא מצטרפא בהדיה. והא דרב שישא ודרב יוסף מיפרשא בכריתות סוף פרק ראשון ואיפכא התם: עבר הרגל ולא חג אינו חייב באחריותו ועל זה נאמר מעוות לא יוכל לתקן וגו' זה שנמנו חביריו לדבר מצוה ולא נמנה עמהם. תניא נמי הכי מעוות לא יוכל לתקן זה שביטל ק"ש של שחרית או של ערבית. וחסרון לא יוכל להמנות זה שנמנו חביריו לדבר מצוה ולא נמנה הוא עמהם. א"ל בר הי הי להלל כתיב ושבתם וראיתם בין צדיק לרשע בין עובד אלהים לאשר לא עבדו. צדיקי גמורי נינהו. מיהו צדיק השונה פרקו ק' פעמים ועובד אלהים לשונה פרקו ק"א פעמים. ומשום פעם אחת יתירה היינו נקרא צדיק עובד אלהים. א"ל הין. (א"ל) תרוייהו צדיקי נינהו. א"ל הין. ואתה למד דבר זה משכירות בהמות י' פרסי משכיר בזוזא. ואם הן י"א פרסי בתרי זוזי. א' אליהו לבר הי הי מאי דכתיב הנה צרפתיך ולא בכסף בחרתיך בכור עוני. חזר הקב"ה על כל המדות ולא מצא נאה לישראל כעניות כדי שיהא לבם שבור וכוונתם לשמים ועיניהם תלויות לרחמיו וחסדיו. והיינו דאמרי אינשי יאי מסכנותא לישראל כברזא סומקא לסוסיא חוורא שלא ידיעו לפני הקב"ה כשמברכן עושר בועטין בו שנאמר וישמן ישורון ויבעט וגו'. כרבם כן חטאו לי כבודם בקלון אמיר. הנה החליף כבודם שהוא עושר. אחליף אותם בעניות שהוא קלון: ר' שמעון בן מנסיא אומר מעוות לא יוכל לתקן זה הבא על הערוה והוליד בן וכו' איני והא איהו דתני כיון שבא על אשת חבירו ואסרה על בעלה אין לו תקנה ופרקי' לא קשיא מתני' באחותו פנויה וכיוצא בה שאין ביאתו אוסרה על אחרים ויש לו תקנה. אלא אם הוליד ממנה בן כי הוא ממזר לעולם אין לו תקנה.

ועוד

מסורת הש"ס

א) [פסחים צג.], ב) [יומא כט: נזיר יח: זבחים יב. מנחות ק. כריתות ח.], ג) [כריתות ח.], ד) ברכות כו., ה) נראה דר"ל דר"מ מן עובד אלהים לאשר עבדו גימטריא ק"א ור"ת מן לא עבדו גימטריא' מאה. העתק מחלופי גרסאות, ו) [תוספ' פרק א], ז) [עירובין מו:], ח) עיין ברא"ש ברכות פ"ד סי' ב' ובתרו"ש ד"ה בגמ' טעה ולא התפלל ונראה שדברי תוספות ברכות כו. ד"ה טעה מספרים שם וערובים ביומא שם ד"ה והאמר רב, ט) נראה שצ"ל דעולה הגימטריא שלו ה', י) [ריש פ' בתוקוני ולמ"ד שמיני פ' יג איכ' בזה"ל בעוקמיה סומקתא דעל ליבי דסוסיה חיורא ע"ש], כ) ר"ל דכתיב בה כרת בהדיא, ל) [צ"ל ביבמות מט.]

תורה אור השלם

א) וְשַׁבְתֶּם וּרְאִיתֶם בֵּין צַדִּיק לְרָשָׁע בֵּין עֹבֵד אֱלֹהִים לַאֲשֶׁר לֹא עֲבָדוֹ: [מלאכי ג, יח]
ב) הִנֵּה צְרַפְתִּיךָ וְלֹא בְכָסֶף בְּחַרְתִּיךָ בְּכוּר עֹנִי: [ישעיה מח, י]
ג) כְּצִפּוֹר נוֹדֶדֶת מִן קִנָּהּ כֵּן אִישׁ נוֹדֵד מִמְּקוֹמוֹ: [משלי כז, ח]
ד) כֹּה אָמַר יְיָ מַה מָּצְאוּ אֲבוֹתֵיכֶם בִּי עָוֶל כִּי רָחֲקוּ מֵעָלָי וַיֵּלְכוּ אַחֲרֵי הַהֶבֶל וַיֶּהְבָּלוּ: [ירמיה ב, ה]

ליקוטי רש"י

שני תשלומין דראשון הוא. ומאן דלא איחזי בראשון לא מיחייב בשני. רגל בפני עצמו הוא. ואית ליה חובא לנפשיה וחייב אפילו למאן דלא חזי בראשון [פסחים צג.]. לילה אינו מחוסר זמן. הלילה הולך אחר היום וכו' דזמנו הוא אלא שאין עבודת לילה כשירה [מנחות ק.]. דאם נטמא בליל שמיני הוה כנטמא ביום שמיני דנטמא בשעה שראויה להביא קרבן אע"ג דמיבעי ליה לאיתויה הוי מחוסר זמן. ואע"ג דלא חזי לילה להקרבה הואיל וחזי למחר שיהיה ראוי [זבחים יב.]. לילה מחוסר זמן. קרבן הוא דכתיב (ויקרא ז) ביום צוותו [כריתות ח.]. וחסרון לא יוכל להימנות. שחיסר עצמו ממנין הכשרים לא יוכל להמנות עמהם בקבול שכרם [קהלת א, טו]. ולא בכסף. ולא ע"י אור של גיהנם כצורף הכסף באור. בחרתיך. בחנתי אותך בכור עוני כנגד אור כור של כלי שמתך בו כסף וזהב [ישעיה מח, י]. נודדת מן קנה. שהולכת ומטלטלת כן איש הנודד ממקומו מ"מ למחזור מלומר על גרשכו [משלי כז, ח].

[מכאן שייך לדף י.]

היתר נדרים פורחין באויר. שאין להן מקרא מן התורה על מה שיסמכו [נזיר סב.]. כי יפליא. יפריש בפיו [ויקרא כז, ב]. יפליא [במדבר ו, ב]. אחת הפלאה לאיסור. [illegible] ואחת הפלאה להיתר. [illegible] לא יחל דברו. [illegible] אין אחד מהם נזיר. [illegible] שלא ניתנה נזירות אלא להפלאה. [illegible]

,,מַה־מָּצְאוּ אֲבוֹתֵיכֶם בִּי עָוֶל כִּי רָחֲקוּ מֵעָלַי'' – *Thus said Hashem:* ***WHAT WRONG DID YOUR FOREFATHERS FIND IN ME, THAT THEY DISTANCED THEMSELVES FROM ME?***[29]

In this Baraisa, R' Shimon ben Menasya states that the illicit union itself, even if it does not result in the birth of a *mamzer,* is "a crooked thing that cannot be straightened." Why, then, did he add in our Mishnah that a *mamzer* is born?

The Gemara answers:

לֹא קַשְׁיָא – There is no difficulty. כָּאן בַּאֲחוֹתוֹ פְּנוּיָה – Here, in our Mishnah, the reference is **to** one who cohabited with **his unmarried sister.**[30] Since this sin does not cause a woman to become forbidden to her husband, it is reparable through repentance unless it resulted in the birth of a *mamzer.* **כָּאן בְּאֵשֶׁת אִישׁ** – But **here,** in the Baraisa, the reference is **to a married woman,** in which case the sin causes irreparable harm, by rendering her forbidden to her husband, even if no *mamzer* is born.

An alternative answer:

וְאִי בָּעֵית אֵימָא – And if you prefer, say that **הָא וְהָא בְּאֵשֶׁת אִישׁ** – both **this** [the Mishnah] **and that** [the Baraisa] **refer to a married woman, וְלֹא קַשְׁיָא – and** yet **there is no contradiction** between them, **כָּאן** – because **here,** in the Mishnah,

NOTES

29. *Jeremiah* 2:5. Only one who was previously close to God can be said to subsequently distance himself. The verse refers specifically to a former Torah scholar, as borne out by another verse in that passage (v. 8): *those who had grasped the Torah did not know Me* (*Maharsha*). [See *Yalkut Yeshayahu* who explains what this verse adds to the one already quoted by the Baraisa.]

30. The penalty for cohabitation with one's sister is *kares* and any resulting offspring is a *mamzer* (see 9a note 10).

בְּאוֹנֶס – the reference is **to** cohabitation that took place **against** her **will,** כָּאן בְּרָצוֹן – whereas **here,** in the Baraisa, the reference is **to** cohabitation that took place **with** her **consent.**[1]

A third answer:

וְאִיבָּעֵית אֵימָא – **And if you prefer, say** הָא וְהָא בְּאוֹנֶס – both **this** [the Mishnah] **and that** [the Baraisa] refer **to** cohabitation with a married woman **against** her **will** וְלֹא קַשְׁיָא – **and** yet **there is no contradiction** between them, כָּאן בְּאֵשֶׁת כֹּהֵן – because **here,** in the Baraisa, the reference is **to the wife of a Kohen;** כָּאן בְּאֵשֶׁת יִשְׂרָאֵל – whereas **here,** in the Mishnah, the reference is **to the wife of a Yisrael** (i.e. a non-Kohen).[2]

Having touched on the matter of a scholar who forsakes the Torah, the Gemara cites a related teaching:

"וְלַיּוֹצֵא וְלַבָּא אֵין־שָׁלוֹם" – Scripture states: ***and to one who goes or comes there is no peace.***[3] אָמַר רַב – **Rav said** that this verse can be interpreted as follows: כֵּיוָן שֶׁיּוֹצֵא אָדָם מִדְּבַר הֲלָכָה לִדְבַר מִקְרָא – **Once a man goes from the study of halachah** (i.e. Mishnah) **to the study of Scripture,** שׁוּב אֵין לוֹ שָׁלוֹם – **he will no longer enjoy peace.**[4] וּשְׁמוּאֵל אָמַר – **And Shmuel said:** זֶה הַפּוֹרֵשׁ מִתַּלְמוּד לְמִשְׁנָה – **This** is so even in the case of **one who goes from** the study of **Talmud to** the study of **Mishnah.**[5] וְרַבִּי יוֹחָנָן אָמַר – **And R' Yochanan said:** אֲפִילּוּ מִשַּׁ״ס לְשַׁ״ס – It is so **even** in the case of one who goes **from** the study of one **Talmud to** the study of another **Talmud.**[6]

Mishnah

Only part of the Law revealed to Moses at Sinai was written [תּוֹרָה שֶׁבִּכְתָב, *written Torah,* i.e. Scripture]. The rest was taught orally [תּוֹרָה שֶׁבְּעַל פֶּה, *Oral Torah*], and was subsequently codified in the Mishnah and Talmud.

Some mitzvos of the Torah, such as circumcision and refraining from labor on the Sabbath, are clearly commanded in Scripture, while their detailed laws and applications are left for the Oral Law. Other precepts of the Torah, such as the obligation to bring the *chagigah* offering, are known only through oral tradition, by means of which God conveyed to Moses the detailed implications of Scriptural allusions.

Our Mishnah brings examples of these Torah precepts to which Scripture alludes only vaguely, and which would not be known without the Oral Law.[7]

הֶיתֵּר נְדָרִים פּוֹרְחִין בָּאֲוִיר – The laws regarding **the release from vows hover in the air,** וְאֵין לָהֶם עַל מַה שֶּׁיִּסְמֹכוּ – in that **they have no** real Scriptural **support.**[8] הִלְכוֹת שַׁבָּת – **The laws of the Sabbath,** חֲגִיגוֹת – **of the *chagigah* offerings** וְהַמְּעִילוֹת – **and of *me'ilah***[9] הֲרֵי הֵם כַּהֲרָרִים הַתְּלוּיִן בְּשַׂעֲרָה – **are like mountains suspended by a hair,** שֶׁהֵן מִקְרָא מוּעָט וַהֲלָכוֹת מְרוּבּוֹת – **for there are few Scriptural references, yet numerous laws.**[10] הַדִּינִין – **Monetary law,** וְהָעֲבוֹדוֹת – the regulations governing **the [sacrificial] services,** הַטְּהָרוֹת וְהַטֻּמְאוֹת – the law of **purity and contamination,** וַעֲרָיוֹת – **and illicit sexual relations** יֵשׁ לָהֶן עַל מַה שֶּׁיִּסְמֹכוּ – **have** real Scriptural **support.** וְהֵן הֵן גּוּפֵי תוֹרָה – **And they are the fundamentals of the Torah.**[11]

Gemara

The Mishnah stated that the laws regarding the release of vows "hover in the air," without sufficient Scriptural support. The Gemara quotes a Baraisa, which disagrees and maintains that there is Scriptural support for this concept:[12]

תַּנְיָא – **It was taught in a Baraisa:** רַבִּי אֱלִיעֶזֶר אוֹמֵר – **R'**

NOTES

1. A married woman who committed adultery becomes forbidden to her husband only if she consented to the act. If she was forcibly violated, she remains permitted to her husband (see *Yevamos* 56b and *Kesubos* 51b), in which case, the sin has no tangible effect unless it results in the birth of a *mamzer.*

2. The Gemara (ibid.) derives from the Torah that the wife of a Kohen who cohabited with another man becomes forbidden to her husband even if she was violated against her will (see *Rashi*).

3. *Zechariah* 8:10. [According to its plain meaning, the verse describes the dismal conditions that prevailed in Eretz Yisrael before the building of the Second Temple.] Our Gemara, continuing the theme introduced above (9b), interprets it as referring to one who abandons [a facet of] Torah study and engages in another matter (*Rashi;* see *Maharsha*).

4. Because he will have no success in reaching halachic decisions. The halachah cannot be derived from Scripture, since there are many cryptic verses in the Torah that require the Mishnah (i.e. the Oral Law) for their elucidation (*Rashi*).

5. Talmud (or Gemara) means analysis of the Mishnah. It involves providing reasons for the Mishnah's rulings and solutions of contradictions between Mishnahs. If one abandoned this field of study, and focused instead on the plain text of the Mishnah, he will not succeed in determining the halachah. This is because the Talmudic analysis of the Mishnah often results in limiting Mishnahs to specific circumstances [הָכָא בְּמַאי עַסְקִינַן], emending their text [חַסּוּרֵי מִחַסְּרָא] or attributing them to Tannaim whose opinions are not accepted in halachah (*Rashi*).

6. That is, he abandons the Talmud *Yerushalmi* and studies the Talmud *Bavli* instead. The Gemara in *Sanhedrin* (24a) interprets the verse: בְּמַחֲשַׁכִּים הוֹשִׁבַנִי כְּמֵתֵי עוֹלָם, *He placed me in darkness like the eternally dead* (*Lamentations* 3:6), as alluding to the Talmud *Bavli,* which is "dark" in the sense that its teachings are deep and not readily understood (*Rashi*).

Alternatively, the Talmud *Bavli* is described as "dark" because the Amoraim of Talmud *Bavli* did not yield to one another (see *Sanhedrin* ibid.), and thus its analysis is sometimes inconclusive (*Rashi* ibid. ד״ה במחשכים; see also *Rashi* to *Bava Metzia* 85a ד״ה דלא נטרידיה with *Maharsha*).

Tos. Rid takes the opposite approach. He understands the Gemara as referring to one who abandons the Talmud *Bavli* for the sake of the *Yerushalmi.* Since the *Bavli* provides greater explanation than the *Yerushalmi,* a student might switch to the *Yerushalmi* because he wishes to study more superficially.

Tosafos suggest that our Gemara refers to one who switches from either Talmud to the other. If a student abandons either Talmud before understanding it, he will lack the clarity required to reach valid halachic decisions (see also *Meromei Sadeh*).

7. This Mishnah appears here since one of the precepts it enumerates is the law of the *chagigah* offering (*Meiri*).

8. The law is that a single expert (יָחִיד מוּמְחֶה) or a panel of three laymen are empowered to release a person's vow, by determining a circumstance which, had it been fully considered by the vower, would have prevented him from declaring this vow (see *Nedarim* 21b and 77b). Only scant allusion to this law may be found in Scripture, and there is not sufficient support for it. Its main support is the oral tradition handed down to the Sages (*Rashi*).

9. The prohibition of using consecrated objects for secular purposes.

10. These branches of Torah law include certain regulations – which will be identified in the Gemara – which find but slight Scriptural support, like mountains suspended by a hair (*Rashi;* cf. *Tosafos* to 10b ד״ה מעילות).

11. The Gemara will question the implication that only these latter branches of Torah law, and not the former, are fundamentals of the Torah (*Rashi*).

12. See *Rabbeinu Chananel.*

באונס כאן ברצון ואיבעית אימא הא והא באונס ול"ק כאן באשת כהן כאן באשת ישראל א) וליוצא ולבא אין שלום אמר רב ב) כיון שיוצא אדם מדבר הלכה לדבר מקרא שוב אין לו שלום ושמואל אמר זה הפורש מתלמוד למשנה ור' יוחנן אמר אפילו מש"ס לש"ס: **מתני'** ג) היתר נדרים פורחין באויר ואין להם על מה שיסמכו הלכות שבת חגיגות והמעילות הרי הם כהררים התלוין בשערה שהן מקרא מועט והלכות מרובות הדינין והעבודות הטהרות והטמאות ועריות יש להן על מה שיסמכו והן הן גופי תורה: **גמ'** תניא רבי אליעזר אומר יש להם על מה שיסמכו שנאמר כי יפליא כי יפליא שתי פעמים אחת הפלאה לאיסור ואחת הפלאה להיתר רבי יהושע אומר יש להם על מה שיסמכו שנאמר אשר נשבעתי באפי נשבעתי וחזרתי בי ר' יצחק אומר יש להם על מה שיסמכו שנאמר כל נדיב לבו חנניה בן אחי רבי יהושע אומר יש להם על מה שיסמכו שנאמר נשבעתי ואקיימה לשמור משפטי צדקך אמר רב יהודה אמר שמואל אי הואי התם אמרי להו דידי עדיפא מדידכו שנאמר לא יחל דברו הוא אינו מוחל אבל אחרים מוחלין לו אמר רבא לכולהו אית להו פירכא לבר מדשמואל דלית ליה פירכא דאי מדר' אליעזר דלמא כדרבי יהודה שאמר משום ר' טרפון דתניא רבי יהודה אומר משום רבי טרפון לעולם אין אחד מהם נזיר שלא ניתנה נזירות אלא להפלאה אי מדר' יהושע דלמא הכי קאמר באפי נשבעתי ולא הדרנא בי אי מדרבי יצחק דלמא לאפוקי מדשמואל ט) דאמר שמואל גמר בלבו צריך שיוציא בשפתיו והא קמ"ל דאע"ג דלא הוציא בשפתיו אי מדחנניה בן אחי רבי יהושע דלמא כרב גידל אמר רב י) דאמר רב גידל אמר רב מנין שנשבעין לקיים את המצוה שנאמר נשבעתי ואקיימה לשמור משפטי צדקך אלא דשמואל לית ליה פירכא אמר רבא ואיתימא רב נחמן בר יצחק היינו דאמרי אינשי כ) טבא חדא פלפלתא חריפתא ממלי צנא דקרי: הלכות שבת: מיכתב כתיבן לא צריכא ל) לכדר' אבא דאמר רבי אבא מ) החופר גומא בשבת ואין צריך אלא לעפרה פטור עליה כמאן כרבי שמעון דאמר נ) מלאכה שאינה צריכה לגופה פטור עליה אפילו תימא לרבי יהודה התם מתקן הכא מקלקל הוא מאי כהררין התלויין בשערה מלאכת

רש"י

ברצון. אסרה על בעלה: **אשת כהן.** אפילו באונס אסורה לבעלה בכתובות (דף נא:) והיא לא נתפשה אסורה הא נתפשה מותרת ואי זו זו אשת ישראל ומדכתיב היא מיעוטא הוי לומר יש לך אחרת שאע"פ שנתפשה אסורה ואי זו זו אשת כהן: **וליוצא ולבא אין שלום.** מקרא הוא בזכריה ודרשוהו כאן ליוצא מן התורה ובא לו לדברים אחרים: **שיוצא אדם מדבר הלכה לדבר מקרא שוב אין לו שלום.** שאין הוראה מדבר מקרא שהמשנה מפרשת סתימת התורה: **מתלמוד למשנה.** אם שמש את החכמים שהן מדקדקין ליתן טעם משניות להבין המשניות הסותרות זו את זו ולמצוא טעם לפטור ולחובה לאיסור ולהיתר שהמשנה זו קרוי תלמוד ואם יצא מהן ונתן עסקו לגירסת המשניות שוב אין לו שלום בדבר הוראה שאין הוראה נכונה בדבר משנה שכמה משניות יש שאין דבריהן מכוונין ותירצום בני הש"ס הכא במאי עסקינן חסורי מחסרא הא מני רבי פלוני היא ואין הלכה כמותו: **אפילו מש"ס לש"ס.** מש"ס ירושלמי לש"ס בבלי שהוא עמוק כדאמרינן בסנהדרין (דף כד.) במחשכים הושיבני כמתי עולם זו הש"ס של בבל: **מתני' היתר נדרים פורחים באויר.** התרת נדרים שאמרו חכמים שהחכם מתיר את הנדר מעט רמז יש במקרא ואין על מה לסמוך אלא שכן מסור לחכמים בתורה שבעל פה: **הלכות שבת והלכות חגיגה הלכות מעילות.** יש בהן הלכות שהן תלויות ברמז מקרא מועט: **כהררין התלוים.** בשערות ראש: **והעבודות.** הלכות עבודת קרבן: **והעריות.** ערוה: **הן הן גופי תורה.** בגמרא פריך אטו הנך לאו גופי תורה נינהו: **גמ' כי יפליא שתי פעמים.** אחד בערכין ואחד בנזיר כי יפליא נדר בערכך כי יפליא לנדור נדר נזיר: **אחת הפלאה לאיסור.** כוליה הפלאה לשון פירוש כתרגומו (א) ארי יפריש ולמה כתב הפלאה בשניהן אחת כשפירש ונדר ואסר עצמו בנדר ואחת שחוזר ומפרש לפני החכם ואומר כן נדרתי ולדעת כן נדרתי אבל לדעת כן לא נדרתי והרי הוא בא לידי חרטה ומתוך כך בא לידי היתר: **נשבעתי באפי.** מדקאמר באפי משמע יכול אני לישאל עליו לפי שמחמת אפי ולא מדעת מיושבת נשבעתי יש ללמוד מכאן שהמושלא פתח לנדרו לאמר לא לדעת כן נדרתי שיקרני דבר זה שאני רואה הבא לי ע"י נדרי מתירין לו: **כל נדיב לבו הביאו.** אם עודנו לבו נודבו עליו יביאו ואם מתחרט יתירו לו: **נשבעתי ואקיימה לשמור משפטי צדקך.** מדקאמר ואקיימה מכלל דאם רצה שלא לקיים מתירין לו: **אי מדרבי אליעזר.** דדריש הפלאה יתירתא: **דלמא.** לכדרבי טרפון אתא: **אין אחד מהן נזיר.** ב' שהיו יושבין ובא אחד לפניהם ואמר אחד הריני נזיר שזה הבא אלמוני נזיר הוא וחברו אומר הריני נזיר שאינו נזיר ולבסוף נמצא כאחד מהן אין אחד מהן נזיר לפי שלא ניתנה נזירות להיות נזיר בתליה ובספק אלא בהפלאה ודעת מפורשת: **גמר בלבו.** שבועה או נדר או הקדש: **שנשבעין לקיים המצוה.** כלומר מצוה שיהא אדם נשבע לקיים מצוה כדי שיזהר ויזרז לקיימה: **פלפלתא.** גרעין אחד של פלפל: **מיכתב כתיבן.** טובא אזהרות כתיבי בשבת מאי מקרא מועט דקאמר מתניתין: **לא נצרכא כו'.** דבר זה וכיוצא בו רמז מועט יש לו ללמוד מן התורה: **חופר גומא.** בונה בנין הוא ואם אינו צריך לה אלא ליטול את העפר אף על פי שהבנין בנוי אינו חייב משום בונה: **שאינה צריכה לגופה.** כגון (ג) זה שאינו צריך לבנין זה ורבי שמעון אמר מלאכה גבי מוציא את המת במטה לקוברו בשבת (שבת דף צג:) וקאמר רבי שמעון פוטר על הוצאתו [illegible]: **אפילו תימא לר' יהודה.** [illegible] מתקן הוא והאי חופר גומא מקלקל הוא את מה שמקלקל [illegible]: **ומאי כהררין:** דקאמר במתניתין משמע שיש קצת רמז מן התורה ללמד זה ומהו הרמז:

תוספות

אפילו מש"ס לש"ס. מש"ס ירושלמי לש"ס בבלי כדפירש רש"י וכן אמר בירושלמי במחשכים הושיבני כמתי עולם אלו ש"ס הבבלי וכן (רב כהנא) דהוה בעי לישתכח מיניה ש"ס הבבלי ומיהו אפילו איפכא י"ל והכי פירושו שפירש מזה ועדיין לא הבין בזה שמתוך כך לא יעלה בידו הלכה ברורה: **דלמא** כרבי יהודה. משמע דחשיב ליה פירכא מה שמצריך הכתוב לדרשה אחריתי ואילו בפ"ק דמגילה (דף ז.) גבי אסתר ברוח הקדש נאמרה קאמר שמואל משום דכתיב קיימו וקבלו קיימו למעלה מה שקבלו למטה וקאמר הש"ס דלית ליה פירכא ואילו בשבת בפ' ר' עקיבא (דף פח. ושם) דרשינן מיניה קיימו מה שקבלו כבר דקבלו התורה ברצון בימי אחשורוש ואמר הר"י דלאו קושיא היא דהתם מפיק לה מדשני לה בדבוריה דליכתוב קיימו וקיימו או קבלו וקבלו אלא ודאי תרתי שמע מינה: **באפי** נשבעתי ולא הדרנא בי. והקשה הר"ר אלחנן דעל כרחך קרא בהכי מיירי מדכתיב נשבעתי באפי אם יבואון אל מנוחתי ודרשינן מינה (ג) גבי דור המדבר שלא באו לארץ ותירץ לו הר"י דהאי קרא לאו בביאת ארץ משתעי אלא בחלק לעולם הבא (ד) ומלינו תנא ל) דאמר בחלק (סנהדרין דף קי:) דור המדבר יש להם חלק לעוה"ב א"כ איכא למידרש והדרנא בי: **לאפוקי** מדשמואל דאמר שמואל גמר בלבו צריך שיוציא בשפתיו. לאו משום דלית ליה לשמואל גמר בלבו דהא קרא כתיב אלא מוקי לקדשים (ה) (שהביאו) בעזרה הוא דכתיב האי קרא וגבי קדשים כתיב וכל נדיב לב עולות (דה"ב כט) ושמואל מודה לה שפיר ומקשי מינה לשמואל מהאי קרא ומשני לה פרק ג' דשבועות (דף כו: ושם) וכי תימא ניליף מינה משום דהוה ליה תרומה ר"ל תרומת מלאכת המשכן כתיב ביה כל נדיב לבו וקדשים שני כתובים הבאין כאחד ואין מלמדים: **לקיים** מצות. דצריך להזכיר שם שמים כדי לזרוזי נפשיה: **לשמואל** לית ליה פירכא. והא דדרשינן פ"ג דנדרים (דף טו:) אבל מיחל הוא חפצי שמים התם מדברו נפקי ליה: **לכדרבי** אבא. ה"ה לשאר מקלקלים דפטורין הוה מצי למימר אלא רבותא קמ"ל דאע"ג דצריך לעפר מיפטר כיון דלא צריך לגומא:

עין משפט נר מצוה

סב א מיי' פ"ב מהל' שבועות הלכה י ופ"ב מהלכות נדרים הלכה ב טוש"ע י"ד סי' רי סעיף א וסי' רלט סעיף א:
סג ב מיי' פי"א מהלכות שבועות הלכה ג:
סד ג מיי' פ"א מהל' שבת הלכה יז:

רבינו חננאל

ועוד אם אנס אשת איש ישראל לא אסרה על בעלה ואם הוליד בן אין לו תקנה אבל אשת כהן אפילו אנסה אסרה על בעלה. רשב"י אין נקרא מעוות אלא מי שהיה מתוקן ונתעוות ואיזה זה ת"ח שפירש מן התורה. אין אומרים בקרו גמל בקרו חזיר אלא בקרו טלה שעיקרו כשר וטהור. כך ת"ח שפירש. וליוצא ולבא אין שלום מן הצר. אמר רב כיון שאדם יוצא מדבר הלכה אין לו שלום. ושמואל אמר זה היוצא מן התלמוד למשנה. ור' יוחנן אמר אפילו יוצא מתלמוד בבלי לתלמוד א"י אין שלום שאין דרכיהן אחת: **ירושלמי** ר' הונא ור' ירמיה בשם שמואל מצאנו שויתר הקב"ה על ע"ז וג"ע וש"ד ועל עזיבת התורה לא ויתר. שנא' על מה אבדה הארץ וגו' ויאמר ה' על עזבם את תורתי וגו'. נמנו וגמרו התלמוד קודם למעשה הדא דאת אמר בשיש מי שיעשה אבל אין שם מי שיעשה המעשה קודם. כי הא דאמר לון ר' אלעזר לר' חייא ולר' יוסי ולר' אמי אן הויתון יומא דין אמרין ליה אזלינן לגמול חסד. אמר לון ולא הוה אחרינין למגמל הדא חסד. אמרו ליה מגור הוה. כלומר אכסנאי הוה: **[מתני']** התרת נדרים פורחים באויר ואין להם על מה שיסמכו. תניא ר' אליעזר אומר יש להן. כלומר יש לו ראיה מן התורה שיש לו רשות להתיר נדרים ואינם כעופות הפורחות באויר כאשר שנינו במשנתנו. מנא לן שנא' כי יפליא ב' פעמים אחת הפלאה לאיסור ואחת הפלאה להיתר ר' יהושע אומר מהכא אשר נשבעתי באפי וחזרתי ש"מ שיש היתר לשבועות כו' ודחינן להני כולהו דלמא ההפלאה היתירה לרבוי הא אתאי דתניא ר' יהודה אומר משום ר"ט אין אחד מהן נזיר. לפי שלא נתנה נזירות אלא להפלאה כדכתיב (שמות ח) (והפליתי ביום ההוא. כלומר דבר הידוע בודאי ובבירור כך תהיה ההפלאה שמתחייב בה הוא ור' יהושע נמי דלמא לחזוקה לשבועה קאמר אשר נשבעתי באפי מרוב הכעס שהכעיסוני יחרה אפי בהן ואינו להקל כדרך חרטה. והא דר' יצחק נמי אפקוה מכל נדיב לב דלמא הדבר תלוי בלב וכל דבר שאינו בכוון לב כמי שאינו הוא. דלמא האי קרא לכדשמואל הוא דאתא דאמר גמר בלבו צריך להוציא בשפתיו שאע"פ שכל המצות תלויות בהסכמת לב כדכתיב למען תפש את ישראל בלבם. שבועה ואיסור אינו תלויה אלא במבטא שפתים. והא דחנניה בן אחי ר' יהושע דדייק מנשבעתי ואקיימה. מכלל

מסורת הש"ס

א) [סנהדרין לח. לע"ק], ב) [נזיר סב.], ג) [שם], ד) סנהדרין קי., ה) [עי' תוס' ב"ב עד. ד"ה ועכשיו], ו) כרכות לב., ז) [יומא פה: מגילה ז.], ח) נזיר לד. סב. סנהדרין כה. עירובין פב. [נדרים יט: כח.], ט) שבועות כו:, י) [נדרים ח: תמורה ג:], כ) יומא פה: מגילה ז., ל) [נ"ל אלא לכדרבי אבא], מ) שבת עג: כילה ח., נ) [שבת עג: וש"נ], ס) [ויבמות נו:, ע) [וכן בסנהדרין כד.], פ) [נ"ל רבי זירא ב"מ פה.], צ) [באבות דר"נ פ' לו אמר ר' יהושע בעלמא כן ע"ש].

הגהות הב"ח

(א) רש"י ד"ה אחת הפלאה וכו' כתרגומו ארי יפרש: (ב) ד"ה שאינה צריכה לגופה כגון מלאכה זאת שאינו: (ג) תוס' ד"ה באפי וכו' ודרשינן מיניה לדור המדבר כצ"ל ותיבת גבי נמחק: (ד) בא"ד לעולם הבא ומדע דהא מלינו תנא וכו' א"כ צריך למידרש והדרנא בי. נ"ב והכי איתא התם להדיא דר"א דאמר יש להם חלק לעוה"ב דריש נשבעתי וחזרתי בי: (ה) ד"ה לאפוקי וכו' אלא מוקי לה לקדשים דבעזרה הוא דכתיב האי קרא גבי קדשים וכל נדיב לב עולות וכו' ומשני לה הכי פ' ג' דשבועות וקאמר התם ונילף מינה וכו' דכתיב ביה כל נדיב לב הביאו וקדשים. נ"ב וצריך לפרש הא דקאמר הכא לאפוקי מדשמואל משמע דקרא דכל נדיב לב יליף אף בחולין ולאפוקי מדשמואל דאמר [דלא משמע מיניה אלא קדשים]:

תורה אור השלם

א) כִּי לִפְנֵי הַיָּמִים הָהֵם שְׂכַר הָאָדָם לֹא נִהְיָה וּשְׂכַר הַבְּהֵמָה אֵינֶנָּה וְלַיּוֹצֵא וְלַבָּא אֵין שָׁלוֹם מִן הַצָּר וַאֲשַׁלַּח אֶת כָּל הָאָדָם אִישׁ בְּרֵעֵהוּ: [זכריה ח, י]
ב) דַּבֵּר אֶל בְּנֵי יִשְׂרָאֵל וְאָמַרְתָּ אֲלֵהֶם אִישׁ כִּי יַפְלִא נֶדֶר בְּעֶרְכְּךָ נְפָשֹׁת לַיְיָ: [ויקרא כז, ב]
ג) דַּבֵּר אֶל בְּנֵי יִשְׂרָאֵל וְאָמַרְתָּ אֲלֵהֶם אִישׁ אוֹ אִשָּׁה כִּי יַפְלִא לִנְדֹּר נֶדֶר נָזִיר לְהַזִּיר לַיְיָ: [במדבר ו, ב]
ד) אֲשֶׁר נִשְׁבַּעְתִּי בְאַפִּי אִם יְבֹאוּן אֶל מְנוּחָתִי: [תהלים צה, יא]
ה) וַיָּבֹאוּ הָאֲנָשִׁים עַל הַנָּשִׁים כֹּל נְדִיב לֵב הֵבִיאוּ חָח וָנֶזֶם וְטַבַּעַת וְכוּמָז כָּל כְּלִי זָהָב וְכָל אִישׁ אֲשֶׁר הֵנִיף תְּנוּפַת זָהָב לַיְיָ: [שמות לה, כב]
ו) נִשְׁבַּעְתִּי וָאֲקַיֵּמָה לִשְׁמֹר מִשְׁפְּטֵי צִדְקֶךָ: [תהלים קיט, קו]
ז) אִישׁ כִּי יִדֹּר נֶדֶר לַיְיָ אוֹ הִשָּׁבַע שְׁבֻעָה לֶאְסֹר אִסָּר עַל נַפְשׁוֹ לֹא יַחֵל דְּבָרוֹ כְּכָל הַיֹּצֵא מִפִּיו יַעֲשֶׂה: [במדבר ל, ג]

ליקוטי רש"י

[תחילת הפירוש נדפס בדף ט:] **צריך שיוציא בשפתיו.** ואם לא הוציא בשפתיו אינה שבועה [שבועות כו:]. **לקיים את המצוה.** כדי שלא יוכל לחזור בו שנאמר נשבעתי ואקיימה וגו' [תמורה ג:]. **שנאמר נשבעתי ואקיימה כו'.** [הא] קא משמע לן דשרי ליה לאינש לישבע כדי לזרז עצמו לקיים את המצוה [נדרים ח.]. **צנא.** סל [חולין נז:]. **דקרי.** דלועין גדולות [מגילה יב:]. **אלא לעפרה.** לכסות צואה [שבת צג:]. **מלאכה שאינה צריכה לגופה.** [illegible]

שיש דרך שלא לקיים דלמא כרב גידל אמר רב ולהודיע כי הנשבע לקיים מצוה שבועה חלה עליו שנאמר נשבעתי ואקיימה לשמור משפטי צדקך. מכלל שיש שבועה אחרת שאינו חייב לקיימה כגון הנשבע לבטל את המצוה. אבל הא דאמר שמואל לא יחל דברו [illegible] אלא ודאי הא דשמואל לית ליה פירכא: ירושלמי [illegible]

ELIEZER SAYS: יֵשׁ לָהֶם עַל מַה שֶּׁיִּסְמֹכוּ – **THEY** [the laws regarding release from vows] **HAVE** real Scriptural **SUPPORT,** שֶׁנֶּאֱמַר ,,כִּי יַפְלִא" ,,כִּי יַפְלִא" שְׁתֵּי פְעָמִים – **FOR IT IS STATED** in regard to various types of vows: ***IF [A MAN] SHALL CLEARLY UTTER,***[13] and, again: ***IF [A MAN OR WOMAN] SHALL CLEARLY UTTER;***[14] thus, the phrase *shall clearly utter* appears in Scripture **TWICE:** אַחַת הַפְלָאָה לְאִיסּוּר וְאַחַת הַפְלָאָה לְהֶיתֵּר – **ONE CLEAR UTTERANCE TO FORBID AND ONE CLEAR UTTERANCE TO PERMIT.**[15]

The Baraisa continues, with other Tannaim offering other Scriptural sources for the concept of the release of vows:

רַבִּי יְהוֹשֻׁעַ אוֹמֵר – **R' YEHOSHUA SAYS:** יֵשׁ לָהֶם עַל מַה שֶּׁיִּסְמֹכוּ – **THEY HAVE** real Scriptural **SUPPORT,** שֶׁנֶּאֱמַר ,,אֲשֶׁר־נִשְׁבַּעְתִּי בְאַפִּי" – **FOR IT IS STATED:** ***THEREFORE I HAVE SWORN IN MY WRATH*** *that they shall not come to my resting place.*[16] בְּאַפִּי נִשְׁבַּעְתִּי וְחָזַרְתִּי בִּי – The verse implies that ***"I have sworn in my wrath"*** **and** therefore can **retract.**[17] רַבִּי יִצְחָק אוֹמֵר – **R' YITZCHAK SAYS:** יֵשׁ לָהֶם עַל מַה שֶּׁיִּסְמֹכוּ – **THEY HAVE** real Scriptural **SUPPORT,** שֶׁנֶּאֱמַר ,,כֹּל נְדִיב לִבּוֹ" – **FOR IT IS STATED:**[18] ***ALL WHO HAD A WILLING HEART*** *brought.*[19] חֲנַנְיָה בֶּן אֲחִי רַבִּי יְהוֹשֻׁעַ אוֹמֵר – **CHANANYAH THE NEPHEW OF R' YEHOSHUA SAYS:** יֵשׁ לָהֶם עַל מַה שֶּׁיִּסְמֹכוּ – **THEY HAVE** real Scriptural **SUPPORT,** שֶׁנֶּאֱמַר ,,נִשְׁבַּעְתִּי וָאֲקַיֵּמָה לִשְׁמֹר מִשְׁפְּטֵי צִדְקֶךָ" – **FOR IT IS STATED:**[20] ***I HAVE SWORN, AND I WILL FULFILL, TO KEEP YOUR RIGHTEOUS ORDINANCES.***[21]

An Amora offers a different source for this concept:

אָמַר רַב יְהוּדָה אָמַר שְׁמוּאֵל – **Rav Yehudah said in the name of Shmuel:** אִי הֲוַאי הָתָם אָמְרִי לְהוּ – **If I would have been there** when those Tannaim presented their sources, **I would have said to them:** דִּידִי עֲדִיפָא מִדִּידְכוּ – **Mine is better than yours,** שֶׁנֶּאֱמַר ,,לֹא יַחֵל דְּבָרוֹ" – **for it is stated:**[22] ***He shall not profane his word*** [i.e. his vow].[23] הוּא אֵינוֹ מוֹחֵל – The verse implies that **he** [the one who took the vow] **may not profane** it, אֲבָל אֲחֵרִים מוֹחֲלִין לוֹ – **but others may "profane,"** i.e. annul, his vow **for him.**

Rava analyzes these sources:

אָמַר רָבָא – **Rava commented:** לְכוּלְהוּ אִית לְהוּ פִּירְכָא – **All** the aforementioned sources **have a flaw,** לְבַר מִדִּשְׁמוּאֵל דְּלֵית לֵיהּ פִּירְכָא – **except for Shmuel's, which has no flaw.**

Rava proceeds to demonstrate the flaw in each of the sources adduced by the Tannaim of the Baraisa:

דְּאִי מִדְּרַבִּי אֱלִיעֶזֶר – **For if** we derive this concept **from R' Eliezer's** source, which is based on the otherwise superfluous expression *shall clearly utter,* it may be objected: דִּלְמָא כִּדְרַבִּי יְהוּדָה שֶׁאָמַר מִשּׁוּם רַבִּי טַרְפוֹן – **Perhaps** that expression is not superfluous at all, but rather should be expounded **as R' Yehudah said in the name of R' Tarfon.** דְּתַנְיָא – **For it was taught in a Baraisa:** A man said, "I am hereby a *nazir* if the man approaching is a *nazir,*" and his fellow responded, "I am hereby a *nazir* if he is not a *nazir.*"[24] It would seem that the man that is proven correct should become a *nazir.* Nevertheless, רַבִּי יְהוּדָה אוֹמֵר מִשּׁוּם רַבִּי טַרְפוֹן – **R' YEHUDAH SAYS IN THE NAME OF R' TARFON:** לְעוֹלָם אֵין אֶחָד מֵהֶם נָזִיר – **IN FACT, NEITHER OF THEM IS A *NAZIR,*** שֶׁלֹּא נִיתְּנָה נְזִירוּת אֶלָּא לְהַפְלָאָה – **FOR** the law of ***NEZIRUS*** **WAS NOT GIVEN EXCEPT** when it takes effect **BY CLEAR UTTERANCE** that leaves no doubt.[25]

Rava continues:

אִי מִדְּרַבִּי יְהוֹשֻׁעַ – And **if** we derive it **from R' Yehoshua's** source, which is based on the verse: *Therefore I have sworn in my wrath that they shall not come to my resting place,* דִּלְמָא הָכִי קָאָמַר – it can be objected that **perhaps this is what** the verse **means:** בְּאַפִּי נִשְׁבַּעְתִּי וְלֹא הֲדַרְנָא בִּי – **I have sworn in My wrath, and I did not retract.**[26]

NOTES

13. *Leviticus* 27:2. The verse opens the passage describing the class of vows known as *arachin,* in which a person pledges his value, or the value of someone else, to the Temple treasury. The laws regarding *arachin* are elaborated in the tractate of that name.

14. *Numbers* 6:2. The verse introduces the section which describes the laws of *nezirus,* a specific type of vow in which the vower undertakes to refrain from consuming grapes or any grape derivative, from cutting the hair of his head and from rendering himself *tamei* with the *tumah* of a human corpse.

15. The word יַפְלִיא, *shall clearly utter,* denotes explication. By twice using this expression in the context of vowing, the Torah indicates that a person undertaking a vow is called upon to explain himself twice: once upon vowing [when he articulates the terms of the vow], and again when he seeks to be released from the vow, when he elaborates before the sage what the vow was, what his intentions were when he undertook it, and by which means he was led to regret his vow, thus giving the sage the means of annulling it (*Rashi*).

16. *Psalms* 95:11. This passage refers to the generation of the Exodus from Egypt, whom God swore not to bring in to the land of Israel.

17. Although God did not, in fact, retract this vow – for the generation of the Exodus indeed died out in the wilderness and did not enter into the land of Israel – nonetheless, the language of the verse implies that a vow uttered "in wrath" differs from an ordinary vow in that, not having been uttered in a calm frame of mind, it can be annulled. [Obviously, such concepts cannot be applied literally when speaking of God; as elsewhere, the prophet, when speaking of the Divinity, makes allegorical use of human concepts.] Likewise, any vow can be annulled if it can be established that when the person undertook the vow his frame of mind was such that he did not foresee certain subsequent events which, had he foreseen them, would have kept him from making the vow (*Rashi,* as understood by *Siach Yitzchak*).

Alternatively, when the verse states that God vowed not to bring the generation of the Exodus into His "resting place," it refers – not to the land of Israel but, rather – to the World to Come. And this vow, according to R' Yehoshua, actually was annulled, for he maintains that the generation of the Exodus eventually did merit a share in the World to Come; see *Sanhedrin* 110b where different views are recorded regarding whether the generation of the Exodus merited a share in the World to Come (*Tosafos*).

18. *Exodus* 35:5.

19. [The verse speaks of the donations that were brought by the people for the construction of the Tabernacle.] R' Yitzchak sees in this verse an implication that even someone who had vowed to bring a donation was only required to put his vow into effect if his heart remained willing; otherwise, he could be released from his vow (*Rashi*).

20. *Psalms* 119:106.

21. It should be obvious that, having sworn, he will keep his vow; by stating this explicitly, the verse implies that if he did not want to keep the vow he could be released from it (*Rashi*).

22. *Numbers* 30:3.

23. See *Hagahos R' Yaakov Emden* and *Rashash.*

24. The first man believes that the passerby is a *nazir.* To emphasize his point he declares that he accepts upon himself a vow of *nezirus* if indeed he is correct. The second man is convinced that the person is not a *nazir,* and he too vows *nezirus* if he is right (*Rashi*).

25. The Torah's use of the expression *shall clearly utter* indicates that where the implication of the declaration is unclear at the time it is made, such as where it is made conditional upon some undetermined fact, it is ineffective. Therefore, although, for example, it is later discovered that the passerby was a *nazir,* the first vower does not become a *nazir,* because his vow was not a "clear utterance" (*Rashi;* see also *Rashi* to *Sanhedrin* 25a).

26. [I.e. perhaps the verse is simply recounting that, as a result of the severity of His wrath, God swore not to bring the generation of the Exodus into the land of Israel, a vow which He indeed upheld. It does not mean to imply that oaths that are taken in anger can be annulled.]

Alternatively, the verse means that God, in His wrath, swore not to allow the generation of the Exodus a share in the World to Come, and He kept this oath. Accordingly, the Gemara is here adopting the view that the generation of the Exodus did not merit a portion in the World to Come (see above, note 17; *Tosafos*).

באונם כאן ברצון ואיבעית אימא הא והא באונם ול"ק כאן באשת כהן כאן באשת ישראל וליוצא ולבא אין שלום אמר רב כיון שיוצא אדם מדבר הלכה לדבר מקרא שוב אין לו שלום ושמואל אמר זה הפורש מתלמוד למשנה ור' יוחנן אמר אפילו מש"ס לש"ס: **מתני'** היתר נדרים פורחין באויר ואין להם על מה שיסמכו הלכות שבת חגיגות והמעילות הרי הם כהררים התלוין בשערה שהן מקרא מועט והלכות מרובות הדינין והעבודות הטהרות והטמאות ועריות יש להן על מה שיסמכו והן הן גופי תורה: **גמ'** תניא רבי אליעזר אומר יש להם על מה שיסמכו שנאמר כי יפליא כי יפליא שתי פעמים אחת הפלאה לאיסור ואחת הפלאה להיתר רבי יהושע אומר יש להם על מה שיסמכו שנאמר אשר נשבעתי באפי באפי נשבעתי וחזרתי בי ר' יצחק אומר יש להם על מה שיסמכו שנאמר כל נדיב לבו חנניה בן אחי רבי יהושע אומר יש להם על מה שיסמכו שנאמר נשבעתי ואקיימה לשמור משפטי צדקך אמר רב יהודה אמר שמואל אי הואי התם אמרי להו דידי עדיפא מדידכו שנאמר לא יחל דברו הוא אינו מוחל אבל אחרים מוחלין לו אמר רבא לכולהו אית להו פירכא לבר מדשמואל דלית ליה פירכא דאי מדר' אליעזר דלמא כדרבי יהודה שאמר משום ר' טרפון דתניא רבי יהודה אומר משום רבי טרפון לעולם אין אחד מהם נזיר שלא ניתנה נזירות אלא להפלאה אי מדר' יהושע דלמא הכי קאמר באפי נשבעתי ולא הדרנא בי אי מדרבי יצחק דלמא לאפוקי מדשמואל דאמר שמואל גמר בלבו צריך שיוציא בשפתיו והא קמ"ל דאע"ג דלא הוציא בשפתיו אי מדחנניה בן אחי רבי יהושע דלמא כרב גידל אמר רב דאמר רב גידל אמר רב מנין שנשבעין לקיים את המצוה שנאמר נשבעתי ואקיימה לשמור משפטי צדקך אלא דשמואל לית ליה פירכא אמר רבא ואיתימא רב נחמן בר יצחק היינו דאמרי אינשי טבא חדא פלפלתא חריפתא ממלי צנא דקרי: הלכות שבת: מיכתב כתיבן לא צריכא לכדר' אבא דאמר רבי אבא החופר גומא בשבת ואין צריך אלא לעפרה פטור עליה כמאן כרבי שמעון דאמר מלאכה שאינה צריכה לגופה פטור עליה אפילו תימא לרבי יהודה התם מתקן הכא מקלקל הוא מאי כהררין התלויין בשערה מלאכת

רש"י

ברצון. אסורה על בעלה: **אשת כהן.** אפילו באונס אסורה לבעלה בכתובות (דף נא:) והיא לא נתפסה אסורה הא נתפסה מותרת ואי זו זו אשת ישראל ומדכתיב היא מיעוטא הוי לומר יש לך אחרת שאע"פ שנתפסה אסורה ואי זו זו אשת כהן: **וליוצא ולבא אין שלום.** מקרא הוא בזכריה ודרשוהו כאן ליוצא מן התורה ובא לו לדברים אחרים: **שיוצא אדם מדבר הלכה לדבר מקרא שוב אין לו שלום.** שאין הוראה מדבר מקרא שהמשנה מפרשת סתימת התורה: **מתלמוד למשנה.** אם שמש את החכמים שהן מדקדקין ליתן טעם משניות להבין המשניות הסותרות זו את זו ולמצוא טעם לפטור ולחובה לאיסור ולהיתר שהמשנה זו קרוי תלמוד ואם יצא מהן ונתן עסקו לגירסת המשניות שוב אין לו שלום בדבר הוראה שאין הוראה נכונה בדבר משנה שכמה משניות יש שאין דבריהן מכוונין ותירצום בני הש"ס הכא במאי עסקינן חסורי מחסרא הא מני רבי פלוני היא ואין הלכה כמותו: **אפילו מש"ס לש"ס.** מש"ס ירושלמי לש"ס בבלי שהוא עמוק כדאמרינן בסנהדרין (דף כד.) במחשכים הושיבני כמתי עולם זו הש"ס של בבל: **מתני' היתר נדרים פורחים באויר.** התרת נדרים שאמרו חכמים שהחכם מתיר את הנדר מעט רמז יש במקרא ואין על מה לסמוך אלא שכן מסור לחכמים בתורה שבעל פה: **הלכות שבת והלכות חגיגה הלכות מעילות.** יש בהן הלכות שהן תלויות ברמז מקרא מועט: **כהררין התלוים.** בשערות ראש: **והעבודות.** הלכות עבודת קרבן: **והעריות.** ערוה: **הן הן גופי תורה.** בגמרא פריך אטו הנך לאו גופי תורה נינהו: **גמ' כי יפליא שתי פעמים.** אחד בערכין ואחד בנזיר כי יפליא נדר בערכך כי יפליא לנדור נדר נזיר: **אחת הפלאה לאיסור.** כוליה הפלאה לשון פירוש כתרגומו (א) ארי יפריש ולמה כתב הפלאה בשניהן אחת כשפירש ונדר ואסר עצמו בנדר ואחת שחוזר ומפרש לפני החכם ואומר כן נדרתי ולדעת כן נדרתי אבל לדעת כן לא נדרתי והרי הוא בא לידי חרטה ומתוך כך בא לידי היתר: **נשבעתי באפי.** מדקאמר באפי משמע יכול אני לישאל עליו לפי שמחמת אפי ולא מדעת מיושבת נשבעתי יש ללמוד מכאן שהמוצא פתח לנדרו לאמר לא לדעת כן נדרתי שיקרני דבר זה שאני רואה הבא לי ע"י נדרי מתירין לו: **כל נדיב לבו הביאו.** אם עודנו לבו נודבו עליו יביאו ואם מתחרט יתירו לו: **נשבעתי ואקיימה לשמור משפטי צדקך.** מדקאמר ואקיימה מכלל דאם רצה שלא לקיים מתירין לו: **אי מדרבי אליעזר.** דדריש הפלאה יתירתא: **דלמא.** לכדרבי טרפון אתא: **אין אחד מהן נזיר.** ב' שהיו יושבין ובא אחד לפניהם ואמר אחד הריני נזיר שזה הבא פלוני הוא וחבירו אומר הריני נזיר שאינו פלוני ולבסוף נמצא כדברי אחד מהן אין אחד מהן נזיר לפי שלא ניתנה נזירות להיות נזיר בתלייה ובספק אלא בהפלאה ודאית מפורשת: **גמר בלבו.** שבועה או נדר או הקדש: **שנשבעין לקיים המצוה.** כלומר מצוה שיהא אדם נשבע לקיים מצוה כדי שיזרז עצמו ויזדרז לקיימה: **פלפלתא.** גרעין אחד של פלפל: **מיכתב כתיבן.** טובא אזהרות כתיבי בשבת מאי מקרא מועט דקאמר מתניתין: **לא נצרכא כו'.** דבר זה וכיוצא בו רמז מועט יש לו ללמוד מן התורה: **חופר גומא.** בונה בנין הוא ואם אינו צריך לה אלא ליטול את העפר אף על פי שהבנין בגוי אינו חייב משום בונה: **שאינה צריכה לגופה.** כגון (ג) זה שאינו צריך לבנין זה ורבי שמעון אמר מלאכה גבי מוציא את המת במטה לקוברו בשבת (שבת דף צג:) וקאמר רבי שמעון פטור על הוצאה זו שבגרונו לא היתה צריכה בזה אלא לו היה צריך לה: **אפילו תימא לר' יהודה.** דפליג עליה מודה בהך גומא דלאו התם הקובר את המת מתקן הוא והאי חופר גומא מקלקל הוא את הקרקע: **ומאי כהררין.** דקאמר מתניתין דמשמע שיש קצת רמז מן התורה ללמד זה ומהו הרמז:

תוספות

אפילו מש"ס לש"ס. מש"ס ירושלמי לש"ס בבלי כדפירש רש"י וכן אמר בירושלמי במחשכים הושיבני כמתי עולם אלו ש"ס הבבלי וכן (רב כהנא) דהוה לייט דלישתכח מיניה ש"ס הבבלי ומיהו אפילו איפכא י"ל והכי פירושו שפירש מזה ועדיין לא הבין בזה שמתוך כך לא יעלה בידו הלכה ברורה: **דלמא** כרבי יהודה. משמע דחשיב ליה פירכא מה שמצריך הכתוב לדרשה אחריתי ואילו בפ"ק דמגילה (דף ז.) גבי אסתר ברוח הקדש נאמרה קאמר שמואל משום דכתיב קיימו וקבלו קיימו למעלה מה שקבלו למטה וקאמר הש"ס דלית ליה פירכא ואילו בשבת בפ' ר' עקיבא (דף פח. ושם) דרשינן מיניה קיימו מה שקבלו כבר דקבלו התורה ברצון בימי אחשורוש ואמר הר"י דלאו קושיא היא דהתם מפיק לה מדשני לה בדבוריה דליכתוב קיימו וקיימו או קבלו וקבלו אלא ודאי תרתי שמע מינה: **באפי** נשבעתי ולא הדרנא בי. והקשה הר"ר אלחנן דעל כרחך קרא בהכי מידריש מדכתיב נשבעתי באפי אם יבואון אל מנוחתי ודרשינן מינה (ג) גבי דור המדבר שלא באו לארץ ותירץ לו הר"י דהאי קרא לאו בביאת ארץ משתעי אלא בחלק לעולם הבא (ד) ומלינו תנא דאמר בחלק (סנהדרין דף קי:) דור המדבר יש להם חלק לעוה"ב א"כ איכא למידרש והדרנא בי: **לאפוקי** מדשמואל דאמר שמואל גמר בלבו צריך שיוציא בשפתיו. לאו משום דלית ליה לשמואל גמר בלבו דהא קרא כתיב אלא מוקי לקדשים (ה) (שהביאו) בעזרה הוא דכתיב האי קרא וגבי קדשים כתיב וכל נדיב לב עולות (דה"ב כט) ושמואל מודה לה שפיר ומקשי מינה לשמואל מהאי קרא ומשני לה פרק ג' דשבועות (דף כו: ושם) וכי תימא ניליף מינה משום דהוה ליה תרומה ר"ל תרומת מלאכת המשכן כתיב ביה כל נדיב לבו וקדשים שני כתובים הבאין כאחד ואין מלמדים: **לקיים** מצות. דצריך להזכיר שם שמים כדי לזרוזי נפשיה: **לשמואל** לית ליה פירכא. והא דדרשינן פ"ב דנדרים (דף טו:) אבל מיחל הוא חפצי שמים התם מדברו נפקי ליה: **לכדרבי** אבא. ה"ה לשאר מקלקלים דפטורין הוה מצי למימר אלא רבותא קמ"ל דאע"ג דצריך לעפר מיפטר כיון דלא צריך לגומא: מלאכת

Rava continues:

אִי מִדְּרַבִּי יִצְחָק – And **if** we derive it **from R' Yitzchak's** source, which is based on the verse: *All who had a willing heart* . . ., **דִּלְמָא לְאַפּוּקֵי מִדִּשְׁמוּאֵל** – it can be objected that **perhaps** the verse comes **to exclude** this case **from** the rule **of Shmuel. דְּאָמַר שְׁמוּאֵל** – **For Shmuel said: גָּמַר בְּלִבּוֹ** – **If one resolved in his mind** to swear or to make a vow **צָרִיךְ שֶׁיּוֹצִיא בִּשְׂפָתָיו** – **he must utter** the oath or vow **with his lips;** otherwise his resolve is not binding.[27] **וְהָא קָא מַשְׁמַע לָן** – **And this** verse **teaches us דְּאַף עַל גַּב דְּלָא הוֹצִיא בִּשְׂפָתָיו** – **that even though one did not utter** the vow to donate something to the Temple **with his lips,** nevertheless his resolve is binding.[28]

Rava continues:

אִי מִדַּחֲנַנְיָה בֶּן אֲחִי רַבִּי יְהוֹשֻׁעַ – **If** we derive it **from** the source **of Chananyah the nephew of R' Yehoshua,** which is based on the verse: *I have sworn, and I will fulfill, to keep Your righteous ordinances,* **דִּלְמָא כְּרַב גִּידֵּל אָמַר רַב** – it can be objected that **perhaps** the verse is to be explained **as Rav Gidel said in the name of Rav. דְּאָמַר רַב גִּידֵּל אָמַר רַב** – **For Rav Gidel said in the name of Rav: מִנַּיִן שֶׁנִּשְׁבָּעִין לְקַיֵּים אֶת הַמִּצְוָה** – **From whence** do we derive **that we vow to fulfill a mitzvah?**[29] **שֶׁנֶּאֱמַר** – **For it is stated: ,,נִשְׁבַּעְתִּי וָאֲקַיֵּמָה לִשְׁמוֹר מִשְׁפְּטֵי צִדְקֶךָ״** – ***I have sworn, and I will fulfill, to keep Your righteous ordinances.***[30]

Rava concludes:

אֶלָּא דִּשְׁמוּאֵל לֵית לֵיהּ פִּירְכָא – **But Shmuel's source,** which derives from the verse: *He shall not profane his word,* **has no flaw.**

This leads to the following observation:

אָמַר רָבָא וְאִיתֵּימָא רַב נַחְמָן בַּר יִצְחָק – **Rava, and some say it was Rav Nachman bar Yitzchak, said: הַיְינוּ דְּאָמְרֵי אִינְשֵׁי** – **This is** an example of **the popular saying: טָבָא חֲדָא פִּלְפַּלְתָּא חֲרִיפְתָּא** – **One sharp pepper is better מִמְּלֵי צַנָּא דְּקָרֵי** – **than a basketful of melons.**[31]

The Mishnah said:

הִלְכוֹת שַׁבָּת – THE LAWS OF SHABBOS . . . [are like mountains suspended by a hair].

The Gemara asks:

מִיכְתַּב כְּתִיבָן – **But** admonitions against violating the Sabbath **are written** numerous times in Scripture, and are not "suspended by a hair" as the Mishnah states! – ? –

The Gemara answers:

לָא צְרִיכָא לִכְדְרַבִּי אַבָּא – The Mishnah's statement that the laws of Sabbath are "suspended by a hair" **is necessary for** cases similar to the case **of R' Abba. דְּאָמַר רַבִּי אַבָּא** – **For R' Abba said: הַחוֹפֵר גּוּמָא בְּשַׁבָּת וְאֵין צָרִיךְ אֶלָּא לַעֲפָרָהּ** – **One who digs a hole** in the floor of his house or courtyard[32] **on the Sabbath but requires only its earth,**[33] not the hole itself, **פָּטוּר עָלֶיהָ** – **is exempt** from liability **for [the act].**[34] The principle upon which this ruling is based, which the Gemara will immediately elucidate, is not explicit in Scripture but is, rather, "suspended by a hair," i.e. based on mere Scriptural allusion.

The Gemara seeks to elucidate the principle behind this ruling:

כְּמַאן – **With whose opinion does this accord? כְּרַבִּי שִׁמְעוֹן דְּאָמַר מְלָאכָה שֶׁאֵינָהּ צְרִיכָה לְגוּפָהּ פָּטוּר עָלֶיהָ** – Apparently **with that of R' Shimon, who said that** one who performs **a** forbidden **labor not needed for its defined purpose is not liable for it.**[35]

The Gemara rejects this conclusion:

אֲפִילּוּ תֵּימָא לְרַבִּי יְהוּדָה – **You can even say** that R' Abba's ruling accords **with R' Yehudah's** view. **הָתָם מְתַקֵּן** – **For there,** in the case where R' Yehudah considers one liable for performing a labor not needed for its defined purpose,[36] at least **[the person] rectifies** something;[37] **הָכָא מְקַלְקֵל הוּא** – but **here,** in R' Abba's case, **he is ruining** his house or his courtyard by making this hole.

NOTES

27. This is derived from the verse (*Leviticus* 5:4): *Or if a person swears by uttering with [his]* ***lips*** . . .

28. I.e. the verse teaches that vows in which one undertakes to give a donation to the Sanctuary are an exception to Shmuel's rule, and are binding even if they are not uttered out loud (*Tosafos,* from *Shavuos* 26b).

29. I.e. that it is meritorious to vow to fulfill a mitzvah, in order to encourage oneself to perform it with alacrity and zeal (*Rashi; Ran* to *Nedarim* 8a; *Shulchan Aruch, Yoreh Deah* 203:6; cf. *Tosafos* and *Rosh* to *Nedarim* ibid.; *Rambam, Hil. Shevuos* 11:3).

30. [Rishonim debate whether such an oath has any legal force (e.g. would one incur lashes for violating it); see *Ramban* to *Numbers* 30:3; *Baal HaMaor* and *Milchamos* to *Shevuos,* fol. 12b; *Tosafos, Rosh* and *Ran* to *Nedarim* ibid.; *Ketzos HaChoshen* 73:5.]

31. A pepper is small and yet it is sharper than all other condiments. Similarly, Shmuel who is only an Amora is sharper here with his proof than all the Tannaim who disagree with him (*Aruch* ערך פלפל).

32. [See *Rashi* here ד״ה אפילו תימא לר׳ יהודה, and to *Shabbos* 73b ד״ה מקלקל הוא.]

33. E.g. to cover filth (*Rashi* to *Shabbos* ibid.).

34. [That is, he is not considered to have performed an act of "building," one of the thirty-nine *melachos* that are forbidden on the Sabbath. Digging a hole on the Sabbath in one's house, when it serves a constructive purpose, is considered an act of building (see *Rashi* ד״ה חופר; *Rashi* to *Sabbath* 73b ד״ה פטור עליה and to *Beitzah* 8a ד״ה והא; *Sabbath* 104b).]

35. Throughout the Talmud, R' Shimon and R' Yehudah debate the level of intent and design necessary for labor to be prohibited on the Sabbath. One facet of this dispute concerns whether or not one is liable for performing a labor not needed for its defined purpose. R' Yehudah maintains that one is liable even if he did not perform the *melachah* for the creative purpose inherent in the labor itself, but rather, for example, to rectify an undesirable condition. However, according to R' Shimon, to be liable, a labor must directly contribute to the achievement of a creative or productive goal.

For example: In the Mishnah in *Shabbos* (93b), R' Yehudah and R' Shimon debate the liability of a person who carries a corpse out of his house on the Sabbath for burial. In that case he does not transport the corpse because it is needed in the public domain; he desires only to remove the corpse from his premises. In fact, he would have preferred not having to take this action at all; he is merely resolving the problem presented by having a corpse in his house. Thus, he is not considered to have performed the *melachah* (*transferring*) for its defined, creative purpose; therefore, according to R' Shimon, he is exempt, whereas according to R' Yehudah he is liable nonetheless. In contrast, someone who transfers an item from a private to a public domain because it is needed in the public domain has achieved the defined purpose of the *melachah* of transferring, namely, having the item in the place where it is needed, and he is liable according to all views (see *Rashi* here and to *Shabbos* ibid.).

The Gemara suggests that the reason R' Abba exempts the digger of the hole is that he did not need the hole. Consequently, he cannot be said to have performed the *melachah* of "building" for the creative purpose inherent in the labor itself (because he would have preferred not to have to do this act of "building" – *Tosafos* below, 10b ד״ה מלאכה, in explanation of *Rashi*). Understood this way, R' Abba's ruling perforce follows the view of R' Shimon.

[It should be noted that *Tosafos* (10b ד״ה מלאכה and to *Shabbos* 94a ד״ה רבי שמעון פוטר) adopt a different definition of מְלָאכָה שֶׁאֵינָהּ צְרִיכָה לְגוּפָהּ, *a labor not needed for its defined purpose* (for an elaboration of the view of *Tosafos,* see the General Introduction to our edition of Tractate *Shabbos*). In our discussion, however, we have used the approach of *Rashi.*]

36. E.g. in the case where one removed a corpse from one's house.

37. Although removing the corpse from one's house does not achieve the defined purpose of the *melachah* of transferring, it is at least a constructive act, since it rectifies the undesirable situation of having a corpse in one's house. He is therefore liable according to R' Yehudah since, in the final analysis, he has performed an act which is a *melachah*.

מסורת הש"ס

א) [סנהדרין לח. לע"ק], ב) [נזיר סב.], ג) [שם], ד) סנהדרין קי:, ה) [ע' תוס' ב"ב עד. ד"ה ועכשיו], ו) ברכות לב., ז) [יומא פה: מגילה ז.], ח) נזיר לד. סב. סנהדרין כה. עירובין פב. [נדרים יט: כח.], ט) שבועות כו:, י) [נדרים ח: תמורה ג:], כ) יומא פה: מגילה ז., ל) [נ"ל אלא לכדרבי אבא], מ) שבת עג: בילה ח., נ) [שבת עג: וש"נ], ס) [ויבמות נו:], ע) [וכן בסנהדרין כד.], פ) [נ"ל רבי זירא ב"מ פה.], צ) [באבות דר"נ פ' לו אמר ר' יהושע בעצמו כן ע"ש].

באונס כאן ברצון ואיבעית אימא הא והא באונס ול"ק כאן באשת כהן כאן באשת ישראל א) וליוצא ולבא אין שלום אמר רב ב) כיון שיוצא אדם מדבר הלכה לדבר מקרא שוב אין לו שלום ושמואל אמר זה הפורש מתלמוד למשנה ור' יוחנן אמר אפילו מש"ס לש"ס: **מתני'** ג) היתר נדרים פורחין באויר ואין להם על מה שיסמכו הלכות שבת חגיגות והמעילות הרי הם כהררים התלוין בשערה שהן מקרא מועט והלכות מרובות הדינין והעבודות הטהרות והטמאות ועריות יש להן על מה שיסמכו והן הן גופי תורה: **גמ'** תניא ד) רבי אליעזר אומר יש להם על מה שיסמכו שנאמר ב) כי יפלא ג) כי יפליא שתי פעמים אחת הפלאה לאיסור ואחת הפלאה להיתר רבי יהושע אומר יש להם על מה שיסמכו שנאמר ד) אשר נשבעתי באפי ה) נשבעתי וחזרתי בי ר' יצחק אומר יש להם על מה שיסמכו שנאמר ה) כל נדיב לבו חנניה בן אחי רבי יהושע אומר יש להם על מה שיסמכו שנאמר ו) נשבעתי ואקיימה לשמור משפטי צדקך אמר רב יהודה אמר שמואל אי הואי התם אמרי להו דידי עדיפא מדידכו שנאמר ז) לא יחל דברו ו) הוא אינו מוחל אבל אחרים מוחלין לו אמר רבא ז) לכולהו אית להו פירכא לבר מדשמואל דלית ליה פירכא דאי מדר' אליעזר דלמא כדרבי יהודה שאמר משום ר' טרפון דתניא רבי יהודה אומר משום רבי טרפון ח) לעולם אין אחד מהם נזיר שלא ניתנה נזירות אלא להפלאה אי מדר' יהושע דלמא הכי קאמר באפי נשבעתי ולא הדרנא בי אי מדרבי יצחק דלמא לאפוקי מדשמואל ט) דאמר שמואל א גמר בלבו צריך שיוציא בשפתיו והא קמ"ל דאע"ג דלא הוציא בשפתיו אי מדחנניה בן אחי רבי יהושע דלמא כרב גידל אמר רב י) דאמר רב גידל אמר רב ב מנין שנשבעין לקיים את המצוה שנאמר נשבעתי ואקיימה לשמור משפטי צדקך אלא דשמואל לית ליה פירכא אמר רבא ואיתימא רב נחמן בר יצחק היינו דאמרי אינשי כ) טבא חדא פלפלתא חריפתא ממלי צנא דקרי: הלכות שבת: מיכתב כתיבן לא צריכא ל) לכדר' אבא דאמר רבי אבא מ) החופר ג גומא בשבת ואין צריך אלא לעפרה פטור עליה כמאן כרבי שמעון דאמר נ) מלאכה שאינה צריכה לגופה פטור עליה אפילו תימא לרבי יהודה התם מתקן הכא מקלקל הוא מאי כהררין התלויין בשערה

ברצון. אסורה על בעלה: **אשת כהן.** אפילו באונס אסורה לבעלה בכתובות (דף נא:) והיא לא נתפסה אסורה הא נתפסה מותרת ולאו זו אף אשת ישראל ומדכתיב היא מיעוטא הוי לומר יש לך אחרת שאע"פ שנתפסה אסורה ולאו זו אשת כהן: **וליוצא ולבא אין שלום.** מקרא הוא בזכריה ודרשוה כאן ליוצא מן התורה ובא לו לדברים אחרים: **שיוצא אדם מדבר הלכה לדבר מקרא שוב אין לו שלום.** שאין הוראה מדבר מקרא שהמשנה מפרשת סתימת התורה: **מתלמוד למשנה.** אם שמש את החכמים שהן מדקדקין ליתן טעם משניות להבין המשניות הסותרות זו את זו ולמצוא טעם לפטור ולחובה לאיסור ולהיתר שהמשנה זו קרוי תלמוד ואם יצא מהן ונתן עסקו לגירסת המשניות שוב אין לו שלום בדבר הוראה שאין הוראה נכונה בדבר משנה שהמה משניות יש שאין דבריהן מכוונין ותירוצו בני הש"ס הכא במאי עסקינן חסורי מחסרא הא מני רבי פלוני היא ואין הלכה כמותו: **אפילו מש"ס לש"ס.** מש"ס ירושלמי לש"ס בבלי שהוא עמוק כדאמרינן בסנהדרין (דף כד.) במחשכים הושיבני כמתי עולם זה הש"ס של בבל: **מתני' היתר נדרים פורחין באויר.** התרת נדרים שאמרו חכמים שהחכם מתיר את הנדר מעט רמז יש במקרא ואין על מה לסמוך אלא שכן מסור לחכמים בתורה שבעל פה: **הלכות שבת והלכות חגיגה הלכות מעילות.** יש בהן הלכות שהן תלויות ברמז מקרא מועט: **כהררין התלויים.** בשערות ראש: **והעבודות.** הלכות עבודת קרבן: **והעריות.** ערוה: **הן הן גופי תורה.** בגמרא פריך אטו הנך לאו גופי תורה ניניהו: **גמ' כי יפליא שתי פעמים.** אחד בערכין ואחד בנזיר כי יפליא נדר בערכך כי יפליא לנדור נדר נזיר: **אחת הפלאה לאיסור.** כולה הפלאה לשון פירוש כתרגומו (א) ארי יפריש ולמה כתב הפלאה בשניהן אחת כשפירש ונדר ואסר עצמו בנדר ואחת שחוזר ומפרש לפני החכם ואומר כן נדרתי ולדעת כן נדרתי אבל לדעת כן לא נדרתי והרי הוא בא לידי חרטה ומתוך כך בא לידי היתר: **נשבעתי באפי.** מדקאמר באפי משמע יכול אני לישאל עליו לפי שמחמת אפי ולא מדעת מיושבת נשבעתי יש ללמוד מכאן שהמותא פתח לנדרו לאמר לא לדעת כן נדרתי שיקרני דבר זה שאני רואה הבא לי ע"י נדרי מתירין לו: **כל נדיב לבו הביאו.** אם עודנו לבו נודבו עליו יביאו ואם מתחרט יתירו לו: **נשבעתי ואקיימה לשמור משפטי צדקך.** מדקאמר ואקיימה מכלל דאם רצה שלא לקיים מתירין לו: **אי מדרבי אליעזר.** דדריש הפלאה יתירתא: **דלמא.** לכדרבי טרפון אתא: **אין אחד מהן נזיר.** ג' שהיו יושבין ובא אחד לפניהם ואמר אחד הריני נזיר שזה הבא אלמוני נזיר הוא וחברו אומר הריני נזיר שאינו נזיר ולבסוף נמצא כאחד מהן אין אחד מהן נזיר לפי שלא ניתנה נזירות להיות נזיר בתלייה ובספק אלא בהפלאה ודאית מפורשת: **גמר בלבו.** שבועה או נדר או הקדש: **שנשבעין לקיים המצוה.** כלומר מצוה שיהא אדם נשבע לקיים מצוה כדי שימהר ויזדרז לקיימה: **פלפלתא.** גרעין אחד של פלפל: **מיכתב כתיבן.** טובא אזהרות כתיבי בשבת מאי מקרא מועט דקאמר מתניתין: **לא נצרכא כו'.** דבר זה וכיוצא בו רמז מועט יש לו ללמוד מן התורה: **חופר גומא.** בונה בנין הוא ואם אינו צריך לה אלא ליטול את העפר אף על פי שהבנין בנוי אינו חייב משום בונה: **שאינה צריכה לגופה.** כגון (ב) זה שאינו צריך לבנין זה ורבי שמעון אמר מילתיה גבי מוציא את המת במטה לקוברו בשבת (שבת דף לג:) וקאמר רבי שמעון פטור על הוצאה זו שברצונו לא היתה באה אליו ולא היה צריך לה: **אפילו תימא לר' יהודה.** דפליג עליה מודה בהך גומא דאלו התם הקובר את המת מתקן הוא והאי חופר גומא מקלקל הוא את חצרו: **ומאי כהררין.** דקאמר במתניתין דמשמע שיש קצת רמז מן התורה ללמד זה ומהו הרמז:

מלאכת

אפילו מש"ס לש"ס. מש"ס ירושלמי לש"ס בבלי כדפירש רש"י ס) וכן אמר בירושלמי במחשכים הושיבני כמתי עולם אלו ש"ס הבבלי וכן (ע) רב כהנא דהוה לייט לשתכחת מיניה ש"ס הבבלי ומיהו אפילו איפכא י"ל והכי פירושו שפירש מזה ועדיין לא הבין בזה שמתוך כך לא עלה בידו הלכה ברורה:

דלמא כרבי יהודה. משמע דחשיב ליה פירכא מה שמצריך הכתוב לדרשה אחריתי ואילו בפ"ק דמגילה (דף ז.) גבי אסתר ברוח הקדש נאמרה קאמר שמואל משום דכתיב קימו וקבלו קיימו למעלה מה שקבלו למטה וקאמר הש"ס דלית ליה פירכא ואילו בשבת בפ' ר' עקיבא (דף פח. ושם) דרשינן מיניה קיימו מה שקבלו כבר דקבלו התורה ברצון בימי אחשורוש ואמר הר"י דלאו קושיא היא דהתם מפיק לה מדשני לה בדבוריה דליכתוב קיימו וקיימו או קבלו וקבלו אלא ודאי תרתי שמע מינה:

באפי נשבעתי ולא הדרנא בי. והקשה הר"ר אלחנן דעל כרחך קרא בהכי מידריש מדכתיב נשבעתי באפי אם יבואון אל מנוחתי ודרשינן מינה (ג) גבי דור המדבר שלא באו לארץ ותירץ לו הר"י דהאי קרא לאו בביאת ארץ משתעי אלא מחלק לעולם הבא (ד) ומלינו תנא פ) דאמר בחלק (סנהדרין דף קי:) דור המדבר יש להם חלק לעוה"ב א"כ איכא למידרש והדרנא בי:

לאפוקי מדשמואל דאמר שמואל גמר בלבו צריך שיוציא בשפתיו. לאו משום דלית ליה לשמואל גמר בלבו דהא קרא כתיב אלא מוקי לקדשים (ה) (שהביאו) בעזרה הוא דכתיב האי קרא וגבי קדשים כתיב וכל נדיב לב עולות (דה"ב כט) ושמואל מודה לה שפיר ומקשי מינה לשמואל מהאי קרא ומשני לה פרק ג' דשבועות (דף כו: ושם) וכי תימא נילוף מינה משום דהוה ליה תרומה ר"ל תרומת מלאכת המשכן כתיב ביה כל נדיב לבו וקדשים שני כתובים הבאין כאחד ואין מלמדים:

לקיים מצות. דלריך להזכיר שם שמים כדי לזרוזי נפשיה:

לשמואל לית ליה פירכא. והא דדרשינן פ"ב דנדרים (דף טו:) אבל מיחל הוא חפצי שמים התם מדברו נפקי ליה:

לכדרבי אבא. ה"ה לשאר מקלקלים דפטורין הוה מצי למימר אלא רבותא קמ"ל דאע"ג דלריך לעפר מיפטר כיון דלא לריך לגומא:

מלאכת

עין משפט נר מצוה

סב א מיי' פ"ב מהל' שבועות הלכה י ופ"ב מהלכות נדרים הלכה ב טוש"ע י"ד סי' רי סעיף א וסי' רלט סעיף א:

סג ב מיי' פי"א מהלכות שבועות הלכה ג:

סד ג מיי' פ"א מהל' שבת הלכה יז:

רבינו חננאל

ועוד אם אנס אשת איש ישראל לא אסרה על בעלה ואם הוליד בן אין לו תקנה אבל אשת כהן אפילו אנסה אסרה על בעלה. רשב"י אין נקרא מעוות אלא מי שהיה מתוקן ונתעוות ואיזה זה ת"ח שפירש מן התורה. אין אומרים בקרו גמל בקרו חזיר אלא בקרו טלה שעיקרו כשר וטהור. כך ת"ח שפירש. וליוצא ולבא אין שלום מן הצר. אמר רב כיון שאדם יוצא מדבר הלכה אין לו שלום. ושמואל אמר זה היוצא מן התלמוד למשנה. ור' יוחנן אמר אפילו יוצא מתלמוד בבלי לתלמוד א"י אין שלום שאין דרכיהן אחת: **ירושלמי** ר' הונא ור' ירמיה בשם שמואל מצאנו שויתר הקב"ה על ע"ז וג"ע וש"ד ועל עזיבת התורה לא ויתר. שנא' על מה אבדה הארץ וגו' ויאמר ה' על עזבם את תורתי וגו'. נמנו וגמרו התלמוד קודם למעשה הדא דאת אמר בשיש מי שיעשה אבל אין שם מי שיעשה המעשה קודם. כי הא דאמר לון ר' אלעזר לר' חייא ולר' יוסי ולר' אמי אן הויתון יומא דין אמרין ליה אזלינן לגמול חסד. אמר לון ולא הוה אחרינין למגמל הדא חסד. אמרו ליה מגור הוה. כלומר אכסנאי הוה: [מתני'] התרת נדרים פורחים באויר ואין להם על מה שיסמכו. תניא ר' אליעזר אומר יש להן. כלומר יש לו ראיה מן התורה שיש לו רשות להתיר נדרים ואינם כעופות הפורחות באויר כאשר שנינו במשנתנו. מנא לן שנא' כי יפליא ב' פעמים אחת הפלאה לאיסור ואחת הפלאה להיתר ר' יהושע אומר מהכא אשר נשבעתי באפי וחזרתי ש"מ שיש היתר לשבועות כו' ודחינן להני כולהו דלמא ההפלאה היתירה לרבויי הא אתאי דתניא ר' יהודה אומר משום ר"ט אין אחד מהן נזיר. לפי שלא נתנה נזירות אלא להפלאה כדכתיב (שמות ח) (והפליתי ביום ההוא. כלומר דבר הידוע בודאי ובבירור כך תהיה ההפלאה שמתחייב בה הוא ור' יהושע נמי דלמא לחזוקה לשבועה קאמר אשר נשבעתי באפי מרוב הכעס שהכעיסוני יחרה אפי בהן ואינו להקל כדרך חרטה. והא דר' יצחק נמי אפקוה מכל נדיב לב דאלמא הדבר תלוי בלב וכל דבר שאינו בכוון לב כמי שאינו הוא. דלמא האי קרא לכדשמואל הוא דאתא דאמר גמר בלבו להוציא בשפתיו שאע"פ שכל המצות תלויות בהסכמת לב כדכתיב למען תפש את ישראל בלבם. שבועה ואיסור אינו תלויה אלא במבטא שפתים. והא דחנניה בן אחי ר' יהושע דדייק מנשבעתי ואקיימה.

הגהות הב"ח

(א) רש"י ד"ה אחת הפלאה וכו' כתרגומו ארי יפרש: (ב) ד"ה שאינה לריכה לגופה כגון מלאכה זאת שאינו: (ג) תוס' ד"ה באפי וכו' ודרשינן מיניה לדור המדבר כל"ל ותיבת גבי נמחק: (ד) בא"ד לעולם הבא ותדע דהא מלינו תנא וכו' א"כ לריך למידרש והדרנא בי. נ"ב והכי איתא התם להדיא דר"א דאמר יש להם חלק לעוה"ב דריש נשבעתי וחזרתי בי: (ה) ד"ה לאפוקי וכו' אלא מוקי לה לקדשים דבעזרה הוא דכתיב האי קרא גבי קדשים וכל נדיב לב עולות וכו' ומשני לה הכי פ' ג' דשבועות וקאמר התם ונילף מינה וכו' דכתיב ביה כל נדיב לב הביאו וקדשים. נ"ב ולריך לפרש הא דקאמר הכא לאפוקי מדשמואל משמע דקרא דכל נדיב לב יליף אף בחולין ולאפוקי מדשמואל דאמר [דלא משמע מיניה אלא קדשים]:

תורה אור השלם

א) כִּי לִפְנֵי הַיָּמִים הָהֵם שְׂכַר הָאָדָם לֹא נִהְיָה וּשְׂכַר הַבְּהֵמָה אֵינֶנָּה וְלַיּוֹצֵא וְלַבָּא אֵין שָׁלוֹם מִן הַצָּר וַאֲשַׁלַּח אֶת כָּל הָאָדָם אִישׁ בְּרֵעֵהוּ: [זכריה ח, י]

ב) דַּבֵּר אֶל בְּנֵי יִשְׂרָאֵל וְאָמַרְתָּ אֲלֵהֶם אִישׁ כִּי יַפְלִא נֶדֶר בְּעֶרְכְּךָ נְפָשֹׁת לַיי: [ויקרא כז, ב]

ג) דַּבֵּר אֶל בְּנֵי יִשְׂרָאֵל וְאָמַרְתָּ אֲלֵהֶם אִישׁ אוֹ אִשָּׁה כִּי יַפְלִא לִנְדֹּר נֶדֶר נָזִיר לְהַזִּיר לַיי: [במדבר ו, ב]

ד) אֲשֶׁר נִשְׁבַּעְתִּי בְאַפִּי אִם יְבֹאוּן אֶל מְנוּחָתִי: [תהלים צה, יא]

ה) וַיָּבֹאוּ הָאֲנָשִׁים עַל הַנָּשִׁים כֹּל נְדִיב לֵב הֵבִיאוּ חָח וָנֶזֶם וְטַבַּעַת וְכוּמָז כָּל כְּלִי זָהָב וְכָל אִישׁ אֲשֶׁר הֵנִיף תְּנוּפַת זָהָב לַיי: [שמות לה, כב]

ו) נִשְׁבַּעְתִּי וָאֲקַיֵּמָה לִשְׁמֹר מִשְׁפְּטֵי צִדְקֶךָ: [תהלים קיט, קו]

ז) אִישׁ כִּי יִדֹּר נֶדֶר לַיי אוֹ הִשָּׁבַע שְׁבֻעָה לֶאְסֹר אִסָּר עַל נַפְשׁוֹ לֹא יַחֵל דְּבָרוֹ כְּכָל הַיֹּצֵא מִפִּיו יַעֲשֶׂה: [במדבר ל, ג]

ליקוטי רש"י

[תחלת הפירוש נדפס בדף ט:] **צריך שיוציא בשפתיו.** ואם לא הוציא בשפתיו אינה שבועה [שבועות כו:]. **לקיים את המצוה.** [illegible] שלא יוכל לחזור בו שנאמר נשבעתי ואקיימה וגו' [תמורה ג:]. **שנאמר נשבעתי ואקיימה כו'.** [illegible] [נדרים ח.]. **צנא.** סל [חולין נז:]. **דקרי.** דלעין גדולות [מגילה יב.]. **אלא לעפרה.** לכסות צואה [שבת עג:]. **מלאכה שאינה צריכה לגופה.** [illegible]

Such an act of ruination cannot be considered an act of "building" since building, by definition, must be constructive; therefore, in this case even R' Yehudah agrees that he is exempt.[38]

It is this principle – that the distinction between an act of "building" and an innocuous act, or an act of ruining, is defined by one's intent in doing that act – that the Mishnah describes as being "like mountains suspended by a hair," meaning that it is not explicit in Scripture, but is merely alluded to by it. As the Gemara now explains:

מַאי כַּהֲרָרִין הַתְּלוּיִין בְּשַׂעֲרָה – **What** does the Mishnah mean by: **"LIKE MOUNTAINS SUSPENDED BY A HAIR"**; what Scriptural allusion is there for this principle?

NOTES

38. Since he has no need for this hole he is not considered to be engaged in an act of "building" but, on the contrary, in an act of ruining the floor of his home or courtyard (see *Rashi* below, 10b ד״ה מלאכת מחשבת and to *Beitzah* 8a ד״ה פטור; *Chazon Ish, Orach Chaim* 51:16; cf. *Ramban* to *Shabbos* 106a; see also *Tosafos* ד״ה לכדרבי אבא).

מסורת הש"ס

א) [סנהדרין לח. לע"ק], ב) [נזיר סב.], ג) [שם], ד) סנהדרין קי., ה) [עי' תוס' ב"ב עד. ד"ה ועבשים], ו) ברכות ח., ז) יומא פה: מגילה ז., ח) נזיר לד. סב. סנהדרין כה. ערכין ט:, ט) [נדרים יט: כח.], ש) שבועות כו:, י) [נדרים ו: תמורה ג.], כ) יומא פה: מגילה ז., ל) [ע"ל אלא לכדרבי אבא], מ) שבת עג: ביצה ח., נ) [שבת עג: וש"נ], ס) [כריתות טו:], ע) [כ"ן בסנהדרין כד.], פ) [ע"ל רבי זירא ב"מ פה.], צ) [בהגהות דר"ע ס"ל אמר ר' יהושע בעצמו כו' ע"ש].

באונס כאן ברצון ואיבעית אימא הא והא באונס ול"ק כאן באשת כהן כאן באשת ישראל א) וליוצא ולבא אין שלום אמר רב א) כיון שיוצא אדם מדבר הלכה לדבר מקרא שוב אין לו שלום ושמואל אמר זה הפורש מתלמוד למשנה ור' יוחנן אמר אפילו מש"ס לש"ס: **מתני'** ב) היתר נדרים פורחין באויר ואין להם על מה שיסמכו הלכות שבת חגיגות והמעילות הרי הם כהררים התלוין בשערה שהן מקרא מועט והלכות מרובות הדינין והעבודות הטהרות והטמאות ועריות יש להן על מה שיסמכו והן הן גופי תורה: **גמ'** תניא ג) רבי אליעזר אומר יש להם על מה שיסמכו שנאמר ד) כי יפליא כי יפליא שתי פעמים אחת הפלאה לאיסור ואחת הפלאה להיתר רבי יהושע אומר יש להם על מה שיסמכו שנאמר ה) אשר נשבעתי באפי ה) באפי נשבעתי וחזרתי בי ר' יצחק אומר יש להם על מה שיסמכו שנאמר ו) כל נדיב לבו חנניה בן אחי רבי יהושע אומר יש להם על מה שיסמכו שנאמר ז) נשבעתי ואקיימה לשמור משפטי צדקך אמר רב יהודה אמר שמואל אי הואי התם אמרי להו דידי עדיפא מדידכו שנאמר ח) לא יחל דברו ח) הוא אינו מוחל אבל אחרים מוחלין לו אמר רבא ט) לכולהו אית להו פירכא לבר מדשמואל דלית ליה פירכא דאי מדר' אליעזר דלמא כדרבי יהודה דאמר משום ר' טרפון דתניא רבי יהודה אומר משום רבי טרפון ט) לעולם אין אחד מהם נזיר לפי שלא ניתנה נזירות אלא להפלאה אי מדר' יהושע דלמא הכי קאמר באפי נשבעתי ולא הדרנא בי אי מדרבי יצחק דלמא לאפוקי מדשמואל י) דאמר שמואל א) גמר בלבו צריך שיוציא בשפתיו והא קמ"ל דאע"ג דלא הוציא בשפתיו אי מדחנניה בן אחי רבי יהושע דלמא כרב גידל אמר רב י) דאמר רב גידל אמר רב ב) מנין שנשבעין לקיים את המצוה שנאמר נשבעתי ואקיימה לשמור משפטי צדקך אלא דשמואל לית ליה פירכא אמר רבא ואיתימא רב נחמן בר יצחק היינו דאמרי אינשי כ) טבא חדא פלפלתא חריפתא ממלי צנא דקרי: הלכות שבת: מיכתב כתיבן לא צריכא ל) לכדר' אבא דאמר רבי אבא מ) החופר ג) גומא בשבת ואין צריך אלא לעפרה פטור עליה כמאן כרבי שמעון דאמר נ) מלאכה שאינה צריכה לגופה פטור עליה אפילו תימא לרבי יהודה התם מתקן הכא מקלקל הוא מאי כהררין התלויין בשערה

מלאכת

רש"י

ברצון. אסרה על בעלה: **אשת כהן.** אפילו באונס אסורה לבעלה בכתובות (דף נא: ס) והיא לא נתפשה אסורה הא נתפשה מותרת ואי זו זו אשת ישראל ומדכתיב היא מיעוטא הוי לומר יש לך אחרת שאע"פ שנתפשה אסורה ואי זו זו אשת כהן: **וליוצא ולבא אין שלום.** מקרא הוא בזכריה ודרשוהו כאן ליוצא מן התורה ובא לו לדברים אחרים: **שיוצא אדם מדבר הלכה לדבר מקרא שוב אין לו שלום.** שאין הוראה מדבר מקרא שהמשנה מפרשת סתימת התורה: **מתלמוד למשנה.** אם שמש את החכמים שהן מדקדקין ליתן טעם משניות להבין המשניות הסותרות זו את זו ולמצוא טעם לפטור ולחובה לאיסור ולהיתר שהמשנה זו קרוי תלמוד ואם יצא מהן ונתן עסקו לגירסת המשניות שוב אין לו שלום בדבר הוראה שאין הוראה נכונה בדבר משנה שכמה משניות יש שאין דבריהן מכוונין ותירצום בני הש"ס הכא במאי עסקינן חסורי מחסרא הא מני רבי פלוני היא ואין הלכה כמותו: **אפילו מש"ס לש"ס.** מש"ס ירושלמי לש"ס בבלי שהוא עמוק כדאמרינן בסנהדרין (דף כד.) במחשכים הושיבני כמתי עולם זו הש"ס של בבל: **מתני' היתר נדרים פורחים באויר.** התרת נדרים שאמרו חכמים שהחכם מתיר את הנדר מעט רמז יש במקרא ואין על מה לסמוך אלא שכן מסור לחכמים בתורה שבעל פה: **הלכות שבת והלכות חגיגה הלכות מעילות.** יש בהן הלכות שהן תלויות ברמז מקרא מועט: **כהררין התלוים.** בשערות ראש: **והעבודות.** הלכות עבודת קרבן: **והעריות.** ערוה: **הן הן גופי תורה.** בגמרא פריך אטו הנך לאו גופי תורה נינהו: **גמ' כי יפליא שתי פעמים.** אחד בערכין ואחד בנזיר כי יפליא נדר בערכך כי יפליא לנדור נדר נזיר: **אחת הפלאה לאיסור.** כוליה הפלאה לשון פירוש כתרגומו (א) ארי יפריש ולמה כתב הפלאה בשניהן אחת כשפירש ונדר ואסר עצמו בנדר ואחת שחוזר ומפרש לפני החכם ואומר כן נדרתי ולדעת כן נדרתי אבל לדעת כן לא נדרתי והרי הוא בא לידי חרטה ומתוך כך בא לידי היתר: **נשבעתי באפי.** מדקאמר באפי משמע יכול אני לישאל עליו לפי שמחמת אפי ולא מדעת מיושבת נשבעתי יש ללמוד מכאן שהמוצא פתח לנדרו לאמר לא לדעת כן נדרתי שיקרני דבר זה שאני רואה הבא לי ע"י נדרי מתירין לו: **כל נדיב לבו הביאו.** אם עודנו לבו נודבו עליו יביאו ואם מתחרט יתירו לו: **נשבעתי ואקיימה לשמור משפטי צדקך.** מדקאמר ואקיימה מכלל דאם רצה שלא לקיים מתירין לו: **אי מדרבי אליעזר.** דדריש הפלאה יתירתא: **דלמא.** לכדרבי טרפון אתא: **אין אחד מהן נזיר.** ב' שהיו יושבין ובא אחד לפניהם ואמר אחד הריני נזיר שזה הבא אצלנו נזיר הוא וחברו אומר הריני נזיר שאינו נזיר ולבסוף נמצא כאחד מהן אין אחד מהן נזיר לפי שלא ניתנה נזירות להיות נזיר בתלייה ובספק אלא בהפלאה ודאית מפורשת: **גמר בלבו.** שבועה או נדר או הקדש: **שנשבעין לקיים המצוה.** כלומר מצוה שיהא אדם נשבע לקיים מצוה כדי שיתהר ויזדרז לקיימה: **פלפלתא.** גרעין אחד של פלפל: **מיכתב כתיבן.** טובא אזהרות כתיבי בשבת מאי מקרא מועט דקאמר מתניתין: **לא נצרכא כו'.** דבר זה וכיוצא בו רמז מועט יש לו ללמוד מן התורה: **חופר גומא.** בונה בנין הוא ואם אינו צריך לה אלא ליטול את העפר אף על פי שהבנין בנוי אינו חייב משום בונה: **שאינה צריכה לגופה.** כגון (ב) זה שאינו צריך לבנין זה ורבי שמעון אמר מילתיה גבי מוציא את המת במטה לקוברו בשבת (שבת דף צג:) וקאמר רבי שמעון פטור על הוצאה זו שברצונו לא היתה באה אליו ולא היה צריך לה: **אפילו תימא לר' יהודה.** דפליג עליה מודה בהך גומא דאלו התם הקובר את המת מתקן הוא והאי חופר גומא מקלקל הוא את חצרו: **ומאי כהררין.** דקאמר במתניתין דמשמע שיש קצת רמז מן התורה ללמד זה ומהו הרמז:

מלאכת

תוספות

אפילו מש"ס לש"ס. מש"ס ירושלמי לש"ס בבלי כדפירש רש"י ע) וכן אמר בירושלמי במחשכים הושיבני כמתי עולם אלו ש"ס הבבלי וכן (פ) רב כהנא) דהוה ליים דלישתכח מיניה ש"ס הבבלי ומיהו אפילו איפכא י"ל והכי פירושו שפירש מזה ועדיין לא הבין בזה שמתוך כך לא יעלה בידו הלכה ברורה: **דלמא** כרבי יהודה. משמע דחשיב ליה פירכא מה שמצריך הכתוב לדרשה אחריתי ואילו בפ"ק דמגילה (דף ז.) גבי אסתר ברוח הקדש נאמרה קאמר שמואל משום דכתיב קיימו וקבלו קיימו למעלה מה שקבלו למטה וקאמר הש"ס דלית ליה פירכא ואילו בשבת בפ' ר' עקיבא (דף פח. ושם) דרשינן מיניה קיימו מה שקבלו כבר דקבלו התורה ברצון בימי אחשורוש ואמר הר"י דלאו קושיא היא דהתם מפיק לה מדשני לה בדבוריה דליכתוב קיימו וקיימו או קבלו וקבלו אלא ודאי תרתי שמע מינה: **באפי** נשבעתי ולא הדרנא בי. והקשה הר"ר אלחנן דעל כרחך קרא בהכי מידרים מדכתיב נשבעתי באפי אם יבואון אל מנוחתי ודרשינן מינה (ג) גבי דור המדבר שלא באו לארץ ותירץ לו הר"י דהאי קרא לאו בביאת ארץ משתעי אלא בחלק לעולם הבא (ד) ומצינו תנא צ) דאמר בחלק (סנהדרין דף קי:) דור המדבר יש להם חלק לעוה"ב א"כ איכא למידרש והדרנא בי: **לאפוקי** מדשמואל דאמר שמואל גמר בלבו צריך שיוציא בשפתיו. לאו משום דלית ליה לשמואל גמר בלבו דהא קרא כתיב אלא מוקי לקדשים (ה) (שהביאו) בעזרה הוא דכתיב האי קרא וגבי קדשים כתיב וכל נדיב לב עולות (דה"ב כט) ושמואל מודה לה שפיר ומקשי מינה לשמואל מהאי קרא ומשני לה פרק ג' דשבועות (דף כו: ושם) וכי תימא ניליף מינה משום דהוה ליה תרומה ר"ל תרומת מלאכת המשכן כתיב ביה כל נדיב לבו וקדשים שני כתובים הבאין כאחד ואין מלמדים: **לקיים** מצות. דצריך להזכיר שם שמים כדי לזרוזי נפשיה: **לשמואל** לית ליה פירכא. והא דדרשינן פ"ב דנדרים (דף טו:) אבל מיחל הוא חפצי שמים התם מדברו נפקי ליה: **לכדרבי** אבא. ה"ה לשאר מקלקלים דפטורין הוה מצי למימר אלא רבותא קמ"ל דאע"ג דצריך לעפר מיפטר כיון דלא צריך לגומא:

מלאכת

עין משפט נר מצוה

סב א מיי' פ"ג מהל' שבועות הלכה י ופ"ג מהלכות נדרים הלכה ב טוש"ע י"ד סי' רי סעיף א וסי' רלט סעיף א:
סג ב מיי' פ"א מהלכות שבועות הלכה ג:
סד ג מיי' פ"א מהל' שבת הלכה יז:

רבינו חננאל

ועוד אם אנס אשת איש ישראל לא אסרה על בעלה ואם הוליד בן הרי אין לו תקנה אבל אשת כהן אפילו אנסה אסורה על בעלה. רשב"י אין נקרא מעוות אלא מי שהיה מתוקן ונתעוות ואיזה זה ת"ח שפירש מן התורה. אין אומרים בקרו גמל בקרו חזיר אלא בקרו טלה שעיקרו כשר וטהור. כך ת"ח שפירש. וליוצא ולבא אין שלום מן הצר. אמר רב כיון שאדם יוצא מדבר הלכה אין לו שלום. ושמואל אמר זה היוצא מן התלמוד למשנה. ור' יוחנן אמר אפילו יוצא מתלמוד בבלי לתלמוד א"י אין שלום שאין דרכיהן אחת: ירושלמי ר' הונא ור' ירמיה בשם שמואל מצאנו שויתר הקב"ה על ע"ז וג"ע וש"ד ועל עזיבת התורה לא ויתר. שנא' על מה אבדה הארץ וגו' ויאמר ה' על עזבם את תורתי וגו'. נמנו וגמרו התלמוד קודם למעשה הדא דאת אמר בשיש מי שיעשה אבל אין שם מי שיעשה המעשה קודם. כי הא דאמר לון ר' אלעזר לר' חייא ולר' יוסי ולר' אמי אן הויתון יומא דין אמרין ליה אזלינן לגמול חסד. אמר לון ולא הוה אתריכון למגמל הדא חסד. אמרו ליה מגור הוה. כלומר אכסנאי הוה: [מתני'] התרת נדרים פורחים באויר ואין להם על מה שיסמכו. תניא ר' אליעזר אומר יש להן. כלומר יש לו ראיה מן התורה שיש לו רשות להתיר נדרים ואינם כעופות הפורחות באויר כאשר שנינו במשנתנו. מנא לן שנא' כי יפליא ב' פעמים אחת הפלאה לאיסור ואחת הפלאה להיתר ר' יהושע אומר מהכא אשר נשבעתי באפי וחזרתי ש"מ שיש היתר לשבועות כו' ודחינן להני כולהו דלמא ההפלאה היתירה לרבוי הא אתאי דתניא ר' יהודה אומר משום ר"ט אין אחד מהן נזיר. לפי שלא נתנה נזירות אלא להפלאה כדכתיב (שמות ח) (והפליתי ביום ההוא. כלומר דבר הידוע בודאי ובבירור כך תהיה ההפלאה שמתחייב בה הוא ור' יהושע נמי דלמא לחזוקה לשבועה דקאמר אשר נשבעתי באפי מרוב הכעס שהכעיסוני יחזה אפי בהן ואינו להקל כדרך חרטה. והא דר' יצחק נמי אפקוה מכל נדיב לב דלאו דלמא הדבר תלוי בלב וכל דבר שאינו בכוון לב כמי שאינו הוא. דלמא האי קרא לכדשמואל הוא דאתא דאמר גמר בלבו צריך להוציא בשפתיו שאע"פ שכל המצות תלויות בהסכמת לב כדכתיב למען תפוש את ישראל בלבם. שבועה ואיסור אינו תלויה אלא במבטא שפתים. והא דחנניה בן אחי ר' יהושע דדייק מנשבעתי ואקיימה. מכלל

הגהות הב"ח

(א) רש"י ד"ה אחת הפלאה וכו' כתרגומו ארי יפריש: (ב) ד"ה שאינה צריכה לגופה כגון מלאכה זאת שאינו: (ג) תוס' ד"ה באפי וכו' ודרשינן מינה לדור המדבר כצ"ל ותיבת גבי נמחק: (ד) בא"ד לעולם הבא ותדע דהא מלינו תנא דאמר בחלק: (ה) ד"ה לאפוקי וכו' מוקי לה לקדשים וכו' דכתיב ביה כל נדיב לב הביאו וקדשים:

תורה אור השלם

א) כִּי לִפְנֵי הַיָּמִים הָהֵם שְׂכַר הָאָדָם לֹא נִהְיָה וּשְׂכַר הַבְּהֵמָה אֵינֶנָּה וְלַיּוֹצֵא וְלַבָּא אֵין שָׁלוֹם מִן הַצָּר וַאֲשַׁלַּח אֶת כָּל הָאָדָם אִישׁ בְּרֵעֵהוּ: [זכריה ח, י]

ב) דַּבֵּר אֶל בְּנֵי יִשְׂרָאֵל וְאָמַרְתָּ אֲלֵהֶם אִישׁ כִּי יַפְלִא נֶדֶר בְּעֶרְכְּךָ נְפָשֹׁת לַייָ: [ויקרא כז, ב]

ג) דַּבֵּר אֶל בְּנֵי יִשְׂרָאֵל וְאָמַרְתָּ אֲלֵהֶם אִישׁ אוֹ אִשָּׁה כִּי יַפְלִא לִנְדֹּר נֶדֶר נָזִיר לְהַזִּיר לַייָ: [במדבר ו, ב]

ד) אֲשֶׁר נִשְׁבַּעְתִּי בְאַפִּי אִם יְבֹאוּן אֶל מְנוּחָתִי: [תהלים צה, יא]

ה) וַיָּבֹאוּ הָאֲנָשִׁים עַל הַנָּשִׁים כֹּל נְדִיב לֵב הֵבִיאוּ חָח וָנֶזֶם וְטַבַּעַת וְכוּמָז כָּל כְּלִי זָהָב וְכָל אִישׁ אֲשֶׁר הֵנִיף תְּנוּפַת זָהָב לַייָ: [שמות לה, כב]

ו) נִשְׁבַּעְתִּי וָאֲקַיֵּמָה לִשְׁמֹר מִשְׁפְּטֵי צִדְקֶךָ: [תהלים קיט, קו]

ז) אִישׁ כִּי יִדֹּר נֶדֶר לַייָ אוֹ הִשָּׁבַע שְׁבֻעָה לֶאְסֹר אִסָּר עַל נַפְשׁוֹ לֹא יַחֵל דְּבָרוֹ כְּכָל הַיֹּצֵא מִפִּיו יַעֲשֶׂה: [במדבר ל, ג]

ליקוטי רש"י

[תחילת הפירוש נדפס בדף ט:] **צריך שיוציא בשפתיו.** ואם לא הוציאה בשפתיו אינה שבועה [שבועות כו:]. **לקיים את המצוה.** כדי שלא יוכל לחזור בו שנאמר נשבעתי ואקיימה וגו' [תמורה ג.]. **שנאמר נשבעתי ואקיימה כו'.** [הא] קא משמע לן דשרי ליה לאינש לישבע כדי לזרז עצמו לקיים את המצוה [נדרים ח.]. **צנא.** סל [חולין נז.]. **דקרי.** דלועין גדולות [מגילה יב.]. **אלא לעפרה.** לכסות צואה [שבת עג:]. **מלאכה שאינה צריכה לגופה.** שברצונו לא תעשה ואינו צריך לעיקר (תכלתה) [תכליתה] וכו' ופלוגתייהו בהמצניע (שבת דף צג:) גבי מוציא המת במטה חייב ואף על גב דהוצאת המת לא ניחא ליה ביה ור"ש פוטר [שבת יב.]. וכל מלאכה שאינה צריכה (לגופה) אלא לסלקה מעליו הוי מלאכה שאינה צריכה לגופה דברצונו לא באה לו ולא היה צריך לה הלכך לאו מלאכת מחשבת היא לר' שמעון [שם צג:]. **אפי' תימא לרבי יהודה.** בפרק המצניע (שבת דף צג:) גבי מוציא את המת במטה. כמו מוציא את המת לקוברו אינו צריך לגופה דהוצאה ולא למת אלא לפנות ביתו והוצאה ... צריך לתקן זה במקום אחר [שבת עג:]. **הכא מקלקל הוא.** ואין כאן משום בנין בבית ... לא חזיא אבל אם היה צריך לה חייב משום בונה. מקלקל הוא. את ביתו [שבת עג:]. דכיון דלאו לעפרה ולא לגומא אינו בונה ולא חורש אלא מקלקל וכל המקלקלים פטורים [ביצה ח.].

שיש דרך שלא לקיים דלמא כדרב גידל אמר רב ולהודיע כי הנשבע לקיים מצוה שבועה חלה עליו שנאמר נשבעתי ואקיימה לשמור משפטי צדקך. מכלל שיש שבועה אחרת שאינו חייב לקיימה כגון הנשבע לבטל את המצוה. הא דאמר שמואל לא יחל דברו. ודייק מכדי כתיב ככל היוצא מפיו יעשה הוה ליה למכתב ולא יעבור. לא יחל דברו למה לי אלא ללמד שכגון זה יש לו חילול והוא לא יחל לעצמו. אבל אחרים מחילין לו. האי מלתא דשמואל לית בה פרכא. ורבינא דהוא בתרא הודה להא דשמואל: **ירושלמי** רבי מניתיה לרב להתיר נדרים ולראות כתמי דדמך ר' בעא מר"ג בריה למנוייה נמי בראיית מומי בכורות. א"ל איני מוסיף לך על מה שנתן לך זקנים לדברים יחידים והוא שיהא ראוי לכל הדברים כהדא ריב"ל מני לתלמידוי. והוה מצטער על יכול ממנותיה וימניניה לדברים יחידים. כלומר לשאר דברים דגמיר להו הדא אמרה הראוי לכל הדברים לדברים יחידים ושאינו בקי בכל הדברים אין ממנין אותו אפילו לדברים יחידים. ר' יהודה נשיאה בחוצה לארץ לר' חייא בר אבא וכתב להו הרי שלחנו אליכם אדם גדול. ומה היא גדולתו שאינו בוש לומר לא שמעתי להתעטף בפילונס ולהתיר נדרים ופשטוה מותר במקום שאין טלית: הלכות שבת. ומקשינן הלכות שבת שאסור במלאכה. ופרקינן צריכא להלכות להא דאשכחן דאתעבידנא מלאכה דהוא פטור עליה. כדר' אבא

א מלאכת מחשבת אסרה תורה ומלאכת
מחשבת לא כתיבא: חגיגות: מיכתב כתיבן
לא צריכא לכדאמר ליה רב פפא לאביי
ממאי דהאי וחגותם אותו חג לה' זביחה
דלמא חוגו חגא קאמר רחמנא אלא מעתה
דכתיב א) ויחוגו לי במדבר הכי נמי דחוגו
חגא הוא וכי תימא הכי נמי והכתיב ב) ויאמר
משה גם אתה תתן בידינו זבחים ועולות
דלמא הכי קאמר רחמנא אכלו ושתו וחוגו
חגא קמאי לא סלקא דעתך דכתיב ג) ולא ילין
חלב חגי עד בקר ואי סלקא דעתך דחוגא
(א) הוא תרבא לחגא אית ליה ודלמא הכי
קאמר רחמנא חלב הבא בזמן חג לא ילין
אלא מעתה הבא בזמן חג הוא דלא ילין הא
דכל השנה כולה ילין ד) כל הלילה עד הבקר
כתיב דלמא אי מהתם הוה אמינא ההוא
לעשה כתב רחמנא האי ללאו ללאו כתב
קרא אחרינא ה) ולא ילין מן הבשר אשר
תזבח בערב ביום הראשון לבקר ודלמא
לעבור עליו בשני לאוין ועשה אלא אתיא
מדבר מדבר כתיב הכא ויחוגו לי במדבר
וכתיב התם ו) הזבחים ומנחה הגשתם לי
במדבר מה להלן זבחים אף כאן זבחים ומאי
כהררין התלויין בשערה ז דברי תורה מדברי
קבלה לא ילפינן: מעילות: מיכתב כתיבן
אמר רמי בר חמא לא נצרכא אלא לכדתנן
ג השליח שעשה שליחותו בעל הבית מעל
לא עשה שליחותו שליח מעל וכי עשה
שליחותו אמאי מעל וכי זה חוטא וזה מתחייב
היינו כהררין התלויין בשערה אמר רבא ומאי
קושיא דלמא שאני מעילה דילפא חטא
חטא מתרומה מה התם ד שלוחו של אדם
כמותו אף כאן שלוחו של אדם כמותו אלא
אמר רבא לא נצרכא אלא לכדתניא ה נזכר
בעל הבית ולא נזכר שליח שליח מעל שליח
עניא מאי קא עביד היינו כהררין התלויין
בשערה אמר רב אשי מאי קושיא דלמא
מידי דהוה אמוציא מעות הקדש לחולין אלא
אמר רב אשי לא נצרכא אלא לכדתנן ו נטל
אבן או קורה של הקדש הרי זה לא מעל
נתנה לחבירו הוא מעל וחבירו לא מעל מכדי
מישקל שקלה מה לי הוא ומה לי חבירו
היינו כהררין התלויין בשערה ומאי קושיא
דלמא כדשמואל דאמר שמואל ח הכא

רש"י

מלאכת מחשבת. שהמחשבה חשבה בדעתו ונתכוון לה וזה לא נתכוון לה לבנין זה לפיכך פטור וזהו רמז מועט דאילו מלאכת מחשבת בשבת לא כתיבא אלא במשכן הוא דכתיב ולפי שסמך בפרשת ויקהל פרשת שבת לפרשת משכן אנו למדין מלאכת מחשבת לשבת: מיכתב כתיבן. כדאמרינן לעיל מוחגותם אותו: חוגו חגא. להרבות שמחה: דלמא הכי קאמר רחמנא אכלו ושתו וחוגו חגא קמאי. והאי זבחים דקרא לאו שלמים נינהו אלא וזבחת בשר לאכול: חלב הבא בזמן החג. אם באת להקריב קרבנות נדרך ברגל לא ילינו חוץ למזבח בעלות השחר: הא כל השנה ילינו. בתמיה: עד הבקר כתיב. היא העולה על מוקדה על המזבח כל הלילה עד הבקר מכאן אנו למדין שמעלה כל הלילה אברים ופדרים של קרבנות שנשחטו היום אבל לא מעלות השחר ולמעלה דנפסלו בלינה: ומאי כהררין התלויין. גזרה שוה ראייה גדולה היא: דברי תורה מקבלה לא ילפינן. הלכך רמז בעלמא (ב): השליח שעשה שליחותו. בעל הבית שהיו בידו מעות הקדש ונתחלפו במעותיו ונתנן בשוגג לשליח ואמר לו קח לי מהם חלוק או טלית אם עשה שליחותו בעל הבית מעל וזהו כהררין שיש לתמוה ולומר וכי שליח זה חטא שהוציא מעות הקדש ובעל הבית מתחייב קרן וחומש ולהביא אשם מעילות והרי ידוע לנו בכל הש"ס שאין שליח לדבר עבירה שיהא שולח מתחייב על ידי שלוחו: מעילה ילפינן חטא חטא מתרומה. לכמה דברים נאמר בתורת כהנים נאמר במעילה וחטאה בשגגה מקדשי ה' (ויקרא ה) ונאמר בתרומה ולא תשאו עליו חטא (במדבר יח) מה התם שלוחו כמותו דכתיב כן תרימו גם אתם (שם) ואמר מר גם אתם לרבות שלוחכם: נזכר בעל הבית כו'. ברייתא היא בפ' בתרא דמעילה והכי גרסינן לכדתניא נזכר בעל הבית שהן של הקדש עד שלא יגיע שליח אצל חנוני ולא נזכר שליח והוציאן השליח חייב: שליח עניא מאי עבד. נהי דבעל הבית פטור דכיון דנזכר אנן סהדי דתו לא ניחא ליה בשליחותיה דהאיך ומהשתא לאו שלוחו הוא ומיהא שליח מאי עביד: מידי דהוה. אשאר כל מוציאין מעות הקדש לחולין בשוגג שימעלו אף זה בשוגג הוציאן דכיון שביטל המשלח שליחותו הוה ליה איהו מוציא: הוא מעל. דכיון שנתנם לו הוציאן מיד הקדש לחולין: וחברו לא מעל. בכל שיעשה הוא בה דהא דידיה היא ועליה דהאיך לשלומי להקדש כדכתיב ואשר חטא מן הקדש ישלם (ויקרא ה):
דכל

תוספות

מלאכת מחשבת אסרה תורה. פרש"י שאינה צריכה לגופה במין מלאכה זאת שברצונו לא היה בנין זה בעולם ולא יתכן דאם כן בכל מלאכות נמי כגון סותר ע"מ לבנות במקומו למה מיחייב (ג) דהא לא ניחא ליה שהיה הבנין בעולם וכן בקורע ע"מ לתפור ג"כ לא ניחא ליה בקרע זה מעולם וקורע הכא באבלו או מחמת טרדא וקורע בחמתו למרמי אימתיה (ד) לכן נראה להר"י לפרש שאינו צריך לעיקר שורש האיסור כגון הכא שאינו צריך לגומא שהיא המלאכה וכן מוציא מת במטה והרבה דחשיב פ' המצניע (שבת דף צג:) ולא דמו למלאכת המשכן שהיו צריכים לעיקר המלאכה מכבה משום לורך הפחמין ולידת תחשים וחלזון וכן כולם כיוצא בהן ט):
חוגו חגא. י"מ לשון מחולות כמו יחוגו וינועו כשכור (תהלים קז):
בזמן חג הוא דלא ילין (והתניא) וכו'. כי מוקמינן קרא בחגיגה לא שייך לאקשויי בחגיגה הוא דלא ילין הא כל שאר קרבנות ילין הא כתיב כל הלילה עד הבקר ומוקמינן לה לכל העולין על המזבח דהא איכא למימר דלא הוה מוקמינן קרא רק לעולה שהביא כולה כליל כמו עולה אבל שאר קרבנות כגון שלמים וחגיגות שאינם כליל לא:
ולא ילין מן הבשר. ואף על גב דמוקמינן לקרא בפרק אלו דברים (פסחים דף עא. ושם) בחגיגה שנאכלת לשני ימים ולילה אחד ועוד דבשר כתיב דמשמע אכילת אדם מ"מ מפקינן מיניה תרתי מדכתיב ביום הראשון לבקר ולא כתיב ביום השלישי:
לעבור עליו בשני לאוין. ואע"ג דאמרינן בעלמא י) כל היכא דאיכא למידרש דרשינן ולא מוקמינן בלאוי יתירי הכא שאני שאין להעמידו בקרבן חדש שלא מצינו כיוצא בו בתורה ודומה לו כמו שמצינו בריש יבמות (דף ז.) דמוקמינן לא יגלה בשומרת יבם של אביו בלאו יתירא ולא מוקמינן ליה באנוסת אביו:
ויחוגו לי במדבר. ולא ילין חלב חגי אתא ללמד על ג"ש דמיירי בחגיגה ולא בשאר קרבנות:
מעילות מכתב כתיבי וכו' (ה) כ) מקרא מועט והלכות מרובות. מתוך פרש"י משמע שהוא פירוש התלויין בשערה שיש בו הלכות מרובות תלויין ברמז מקרא מועט כהר התלוי בשער הראש וקשה למורי מאי פריך בגמרא מעילות מכתב כתיבי ודאי כתיבי אבל יש בהן הלכות הרבה והיינו מקרא מועט והלכות מרובות ומיהו לפי מה שפירש רש"י תלויות ברמז משמע דסבירא ליה דבהדיא לא כתיבי אך גבי שבת פירש מיכתב כתיבי פי' טובא אזהרות כתיבי בשבת מאי מקרא מועט דקאמר מתני' והכי לא אפשר לי לפרש גבי מעילות וגם משמע דבהדיא קאמר דכתיבי ונראה להר"ר אלחנן לפרש דמילתא באפי נפשיה היא מקרא מועט וקאי לאהלות ויש בהן מקרא מועט אבל ההלכות מרובות ובכמה ספרים יש ריוח בין מקרא מועט אדלעיל א"כ משמע דמילתא באפי נפשיה הוא אך בתוספתא (פ"א) תנא מקרא מועט והלכות מרובות כהררין התלויין בשערה ואין להם על מה שיסמכו מכאן היה אומר רבי יהושע צבתא בצבתא ר"ל מקרא מועט ותולה ברמז מועט דמשמע כדפירש רש"י ופירש כדפרש"י על הא דקאמר מקרא מועט שברמזו נתנו:
נתנה לחברו מעל. ולא דמי להא דנתנה לחנוני דלא מעל דהתם מיירי במזיד ואין מתחלל וחנוני דלא מעל עד שיוציא התם משום דלא עבד מעשה:
משקל שקלה מה לי הוא מה לי חברו. יש תימה דודאי שינה הרבה כיון שנתנה לחברו יש לו למעול משום טובת הנאה של שאלה כדאמרינן פרק השואל (ב"מ דף צו.) המשאיל קורדום של הקדש מעל לפי טובת הנאה של חברו וחברו מותר לבקע בו לכתחלה אבל כי לא נתנה אלא מתנה מנה לכום וי"ל דהכא מיירי שמתכוין להוציא מרשות הקדש ובמנחות (דף קא.) פירשתי:

עין משפט נר מצוה

סה א מיי' פ"א מהל' שבת הלכה ט:
סו ב מיי' פ"ז מהלכות מעילה הלכה א:
סז ג מיי' פ"ד מהלכות תרומות הלכה א טוש"ע י"ד סי' שלא סעיף כט:
סח ד מיי' פ"ז מהלכות מעילה הלכה ה:
סט ה מיי' שם פ"ו הלכה ז:

רבינו חננאל

החופר גומא ואין כוונתו לגומא אלא ליטול העפר לכסות לו צואה וכיוצא בה פטור עליה שנמצא מקלקל לגבי הגומא. דתנן כל המקלקלין פטורין. והן כמו הרים תלויין כחוט השערה. שאין כח בשערה להחזיק ההר אלא נראה כתלוי ועומד באויר. כן הלכות הללו דאי מדאורייתא כל מלאכה אסורה ובבאה ההלכה פירשא מלאכת מחשבת כלומר אינו חייב במלאכה עד שיתכוין לעשות אותה מלאכה: ירושלמי כתיב ועליהן ככל הדברים מקרא ומשנה ותלמוד הכל נאמרו לו למשה מסיני. אין מורין לא מן ההלכות ולא מן התוספתות ולא מן האגדות אלא מן התלמוד. ר' חנניא בשם שמואל אמר אין למידין מן ההוראה ולא מן המעשה בההוא דאיכא מאן דפליג אבל בהאי דלא פליג עביד: חגיגות מנא לן דהקרבת זבח היא. דלמא הקפה דרך סיבוב הוא כדכתיב יחוגו וינועו כשכור. ודחינן טובא ודברים פשוטין הן. ואסיקנא אלא בג"ש גמיר לה אתיא מדבר מדבר כתיב הכא ויחוגו לי במדבר. וכתיב הזבחים ומנחה הגשתם לי במדבר. אי הכי אמאי תנינן כהררים תלויין בשערה הן. ופרקינן דדברי תורה מדברי קבלה לא ילפינן. מעילות נמי אוקימנא בהא נזכר בעל הבית ולא נזכר השליח. השליח מעל. שליח מי הוות ליה ידיעא דאינון מעות של הקדש דלמעול. בשלמא מוציא מעות הקדש לחולין אמרינן הות ליה למידק וכיון דלא דק מעל. אבל שליח מי איכא למימר הכי.
היינו

תורה אור השלם

א) וְאַחַר בָּאוּ מֹשֶׁה וְאַהֲרֹן וַיֹּאמְרוּ אֶל פַּרְעֹה כֹּה אָמַר יְיָ אֱלֹהֵי יִשְׂרָאֵל שַׁלַּח אֶת עַמִּי וְיָחֹגּוּ לִי בַּמִּדְבָּר: [שמות ה, א]
ב) וַיֹּאמֶר מֹשֶׁה גַּם אַתָּה תִּתֵּן בְּיָדֵנוּ זְבָחִים וְעֹלֹת וְעָשִׂינוּ לַייָ אֱלֹהֵינוּ: [שמות י, כה]
ג) לֹא תִזְבַּח עַל חָמֵץ דַּם זִבְחִי וְלֹא יָלִין חֵלֶב חַגִּי עַד בֹּקֶר: [שמות כג, יח]
ד) צַו אֶת אַהֲרֹן וְאֶת בָּנָיו לֵאמֹר זֹאת תּוֹרַת הָעֹלָה הִוא הָעֹלָה עַל מוֹקְדָה עַל הַמִּזְבֵּחַ כָּל הַלַּיְלָה עַד הַבֹּקֶר וְאֵשׁ הַמִּזְבֵּחַ תּוּקַד בּוֹ: [ויקרא ו, ב]
ה) וְלֹא יֵרָאֶה לְךָ שְׂאֹר בְּכָל גְּבֻלְךָ שִׁבְעַת יָמִים וְלֹא יָלִין מִן הַבָּשָׂר אֲשֶׁר תִּזְבַּח בָּעֶרֶב בַּיּוֹם הָרִאשׁוֹן לַבֹּקֶר: [דברים טז, ד]
ו) הַזְּבָחִים וּמִנְחָה הִגַּשְׁתֶּם לִי בַמִּדְבָּר אַרְבָּעִים שָׁנָה בֵּית יִשְׂרָאֵל: [עמוס ה, כה]

מסורת הש"ס

א) [ביצה יג: וש"נ], ב) [ב"ק כ: נדה כג.], ג) קדושין מב: נדרים נד. מעילה כ. כתובות לח:, ד) [ברכות לד: וש"נ], ה) מעילה כא. קדושין נ., ו) מעילה יט: ב"ק כ: ב"מ לט:, ז) מ"ש דכי נטל הוא דלא מעל ומ"ש כי נתנה לחבירו דמעל. רש"י במעילה שם, ח) [מעילה כ.], ט) וע"ע תוס' שבת לד. ד"ה ר' שמעון], י) [פסחים כד:], כ) [שייך לעיל ע"א במשנה], ל) [בד"ה אע"ג].

הגהות הב"ח

(א) גמ' ואי סלקא דעתך דחוגא חגא הוא תרבא: (ב) רש"י ד"ה דברי תורה וכו' בעלמא הוא הס"ד: (ג) תוס' ד"ה מלאכת וכו' פרש"י כגון מלאכה זאת וכו' ע"מ לבנות במקומו למה מחייב והלא ניחא ליה שלא היה הבנין בעולם וכן בקורע יריעה שנפל בה דרנא ע"מ לתפור ברצונו לא היה נופל בה וכן תופר בגד קרוע גם כן לא ניחא ליה בקרע זה מעולם וקורע באבלו כצ"ל ותיבת הכא נמחק: (ד) בא"ד למרמי אימתיה דחייב התם צריך למלאכה שיהא בעולם ואין לומר דלא ניחא ליה שיצטרך למרמי אימתיה דאם כן מפיס מורסא לעשות לה פה יהא פטור דודאי טוב היה דלא היתה מורסא לכן נראה להר"י: (ה) ד"ה [מעילות] מכתב וכו' ומאי מקרא מועט:

ליקוטי רש"י

מלאכת מחשבת אסרה תורה. שנתכוין לכך אלא ששגג בשבת כסבור שהיום חול או מלאכה זו מותרת אבל כי לא נתכוין פטור מחטאת [עירובין כ:]. מלאכת מחשבת שהיא מלאכת אומנות אסרה תורה שנסמכה פרשת שבת למלאכת המשכן בויקהל והתם מלאכת מחשבת כתיב [ביצה יג:]. שנתכוין לעשות מלאכה אלא כסבור שהיום חול או סבור שמלאכה זו מותרת [ב"ק כו:]. שנסמכה [פרשת] שבת לפרשת [מלאכת] המשכן בויקהל [ומאי מלאכת] מחשבת שהעושה אותה מתכוין למלאכה גמורה אלא ששגג בשבת או סבור שמלאכה זו מותרת וזה [שאין] שיעור זה חשוב בעיניו אינו מתכוין למלאכה [זבחים מז.]. שחשב ונתכוון למלאכה זו עצמה [כריתות יט:]. גם אתה תתן. לא דייך שמקננו ילך עמנו אלא גם אתה תתן [שמות י, כה]. ולא ילין חלב חגי. חוץ למזבח. עד בקר. יכול אף על המערכה יפסל בלינה תלמוד לומר (ויקרא ו ב) על מוקדה על המזבח כל הלילה. ולא ילין, אין לינה אלא בעמוד השחר שנאמר עד בקר אבל כל הלילה יכול להעלותו מן הרצפה למזבח [שם כג, יח]. תרבא. חלב [שבת קלג:]. ולא ילין מן הבשר אשר תזבח בערב ביום הראשון לבקר. אזהרה למותיר בפסח דורות...

The Gemara answers:

מְלֶאכֶת מַחֲשֶׁבֶת אָסְרָה תּוֹרָה – In regard to *melachah* on the Sabbath **the Torah forbade** only **calculated labor, וּמְלֶאכֶת מַחֲשֶׁבֶת לֹא כְּתִיבָא** – **and** the condition of **calculated labor is not written** explicitly in the Torah in regard to the Sabbath.[1]

The Mishnah continued:

חֲגִיגוֹת – [The laws of] . . . **THE *CHAGIGAH* OFFERINGS** . . . [are like mountains suspended by a hair].

The Gemara asks:

מִיכְתַּב כְּתִיבָן – But these laws **are written** explicitly in Scripture, which states:[2] *And you shall celebrate it as a festival for Hashem!*[3] – ? –

The Gemara answers:

לֹא צְרִיכָא – Despite this seemingly explicit verse, the Mishnah's statement that the laws of the *chagigah* offerings are "suspended by a hair" – and would not be known without the oral tradition of the Sages – **is necessary,** for the following reason: **לִכְדְאָמַר לֵיהּ רַב פָּפָּא לְאַבַּיֵי** – **As Rav Pappa said to Abaye: מִמַּאי דְּהַאי ,,וְחַגֹּתֶם אֹתוֹ חַג לַה׳" זְבִיחָה** – **From where** do we know **that** in **this** expression: ***And you shall celebrate it as a festival for Hashem,*** the root חג is cognate with חֲגִיגָה, and refers to the **slaughter** of the *chagigah* offering? **דִּלְמָא חוֹגוּ חַגָּא קָאָמַר רַחֲמָנָא** – **Perhaps** it has no such implication, and simply means to celebrate; and **the Merciful One,** in this verse, **is** simply **saying to** greatly **celebrate the** Succos **festival!**[4] – ? –

The Gemara seeks to answer Rav Pappa's question by proving that the root חג does, indeed, denote the *chagigah* offering:

אֶלָּא מֵעַתָּה – **But if so** – that it does not refer to the *chagigah* offering – **דִּכְתִיב ,,וְיָחֹגּוּ לִי בַּמִּדְבָּר"** – then consider **that which is written** in the following verse: *And afterwards Moshe and Aaron came and they said to Pharaoh: Thus said Hashem the God of Israel, "Send out My nation **and they will celebrate** (וְיָחֹגּוּ) **unto Me in the Wilderness.**"*[5] **הָכִי נַמִּי דְּחוֹגוּ חַגָּא הוּא** – Would you say that **it, too,** means simply **to celebrate a festival,** without the accompaniment of *chagigah* offerings? **וְכִי תֵּימָא הָכִי נַמִּי** – **And if you will say that this is** indeed **so, וְהָכְתִיב** – **but** consider that **it is written: ,,וַיֹּאמֶר מֹשֶׁה גַּם־אַתָּה תִּתֵּן בְּיָדֵנוּ זְבָחִים וְעֹלֹת"** – ***And Moses said [to Pharaoh], "Even you will place in our hands feast offerings*** (זְבָחִים) ***and burnt offerings.***"[6] It emerges from this verse that the celebration of which Moses spoke was to include *chagigah* offerings; it follows that when Moses said *"and they will celebrate unto Me in the Wilderness,"* the words *and they will celebrate* (וְיָחֹגּוּ) denoted the bringing of *chagigah* offerings.

The Gemara rejects the proof:

דִּלְמָא הָכִי קָאָמַר רַחֲמָנָא – **Perhaps** the celebration of which he spoke did not include *chagigah* offerings. As for Moses' telling Pharaoh that he would supply them with feast offerings, **this is what the Merciful One is saying** in the verse: **אִכְלוּ וּשְׁתוּ וְחוֹגוּ חַגָּא קַמַּאי** – **Eat and drink and celebrate a festival before Me!**[7] – ? –

The Gemara seeks another proof that the root חג denotes a *chagigah* offering:

לֹא סָלְקָא דַּעְתָּךְ – **Let it not enter your mind** to say this.[8] **דִּכְתִיב ,,וְלֹא־יָלִין חֵלֶב־חַגִּי עַד־בֹּקֶר"** – **For it is written:**[9] ***nor may the fat of my festival*** (חַגִּי) ***remain overnight until morning.*** Now this verse makes sense if *my festival* (חַגִּי) here means a *chagigah* offering; a *chagigah,* like any other animal offering, has fat that must be burned on the Altar.[10] **וְאִי סָלְקָא דַּעְתָּךְ דְּחוּגָא [חַגָּא] הוּא** – **But if you assume** that it means **celebrating a festival,**[11] **תַּרְבָּא לְחַגָּא אִית לֵיהּ** – **does a festival** then **have fat?** Clearly, then, the root חג denotes the *chagigah* offering!

The Gemara objects to this proof:

וְדִלְמָא הָכִי קָאָמַר רַחֲמָנָא – **But perhaps this is what the Merciful One means to say: חֵלֶב הַבָּא בִּזְמַן חַג לֹא יָלִין** – **The fat** of any voluntary offerings **that** happen to be **brought at the time of the festival shall not remain overnight.** That is, the Torah is issuing a general injunction against leaving sacrificial fat unburned overnight during a festival, without any reference to the *chagigah* offering. – ? –

The Gemara deflects the objection:

אֶלָּא מֵעַתָּה – **But according to this** interpretation, **הַבָּא בִּזְמַן חַג הוּא דְּלֹא יָלִין** – can the verse be implying that only fat **that is brought during a festival is not to be left overnight; הָא דְּכָל הַשָּׁנָה כּוּלָּהּ יָלִין** – **but** fat **of** sacrifices that are offered **throughout** the remainder of **the entire year may remain overnight,** into the morning, without being placed on the Altar? **,,כָּל־הַלַּיְלָה עַד־הַבֹּקֶר" כְּתִיב** – But this is untenable, for **it is written:**[12] *This is the law of the burnt offering: It is the burnt offering [that stays] on the flame, on the Altar,* ***all night until the morning . . .*** Since the

NOTES

1. The Torah (*Exodus* ch. 35) juxtaposes the prohibition of doing labor [מְלָאכָה] on the Sabbath with the instructions for building the Tabernacle. Since it is stated (ibid. v. 33) that those who built the Tabernacle performed *calculated labor* [מְלֶאכֶת מַחֲשֶׁבֶת], we learn that in regard to the Sabbath one is liable to punishment only for the performance of calculated labor.

[In the present context this means that whether or not one defines the act of digging a hole as an act of "building" depends on what one's intent was when digging it;] thus, since in the case at hand he did not intend to create a hole [but merely to extract the earth], he is exempt. Since this principle is not made explicit in the Torah, but is merely alluded to by the juxtaposition of these two passages, the Mishnah describes it as "mountains suspended by a hair" (*Rashi;* see *Rashash*).

2. *Leviticus* 23:41.

3. The Gemara earlier (9a) [taking the root of the words וְחַגֹּתֶם (*and you shall celebrate*) and חַג (*a festival*) to be cognate with חֲגִיגָה, *chagigah*] understands this verse as referring to the *chagigah* offering (*Rashi*).

4. See *Rashi.*

Tosafos suggest that Rav Pappa is proposing to translate the word חַג as *dance* (for a similar usage see *Psalms* 107:27), so that the verse means to enjoin the people to dance for the seven days of Succos.

The answer to Rav Pappa's question will emerge from the ensuing discussion in the Gemara, from which will also emerge the reason why the law of the *chagigah* offering would not be known without the authority of the oral tradition, justifying the Mishnah's description of it as "mountains suspended by a hair."

5. *Exodus* 5:1.

6. Ibid. 10:25.

[Although the term זְבָחִים can refer to all types of offerings (see *Rashi* to *Succah* 49b ד״ה נבחר לה׳ מזבח), the Gemara assumes here that it refers to *shelamim,* i.e. to festive *chagigah* offerings, presumably because separate mention of burnt offerings is made in the verse.]

7. I.e. perhaps the word זְבָחִים in this context does not refer to *shelamim* at all, but merely to the slaughter of ordinary meat. And what Moses said to Pharaoh was that God had commanded that the Jews celebrate a festival in the Wilderness accompanied by festive eating and drinking, for which purpose Pharaoh would supply them with animals. Understood this way, the verse makes no mention of *shelamim* offerings and no proof can be brought from here regarding the meaning of the root חג.

8. That חג does not denote a *chagigah* offering.

9. Ibid. 23:18.

10. Thus the verse means to require that the fats of the *chagigah* offering (and, by extension, of all offerings) be placed on the Altar to be burned before the dawn of the day following its slaughter (see *Pesachim* 71a; *Tosafos* ad loc. ד״ה מנין; see also *Mishneh LaMelech, Hil. Korban Pesach* 1:7).

11. Emendation follows *Bach.*

12. *Leviticus* 6:2.

א) *מלאכת מחשבת אסרה תורה ומלאכת מחשבת לא כתיבא: חגיגות: מיכתב כתיבן לא צריכא לכדאמר ליה רב פפא לאביי ממאי דהאי וחגותם אותו חג לה' זביחה דלמא חוגו חגא קאמר רחמנא אלא מעתה דכתיב א) ויחוגו לי במדבר הכי נמי דחוגו חגא הוא וכי תימא הכי נמי והכתיב ב) ויאמר משה גם אתה תתן בידינו זבחים ועולות דלמא הכי קאמר רחמנא אכלו ושתו וחוגו חגא קמאי לא סלקא דעתך דכתיב ג) ולא ילין חלב חגי עד בקר ואי סלקא דעתך דחוגא (א) הוא תרבא לחגא אית ליה ודלמא הכי קאמר רחמנא חלב הבא בזמן חג לא ילין אלא מעתה הבא בזמן חג הוא דלא ילין הא דכל השנה כולה ילין ד) כל הלילה עד הבקר כתיב דלמא אי מההוא הוה אמינא ההוא לעשה כתב רחמנא האי ללאו ללאו כתב קרא אחרינא ה) ולא ילין מן הבשר אשר תזבח בערב ביום הראשון לבקר ודלמא לעבור עליו בשני לאוין ועשה אלא אתיא מדבר מדבר כתיב הכא ויחוגו לי במדבר וכתיב התם ו) הזבחים ומנחה הגשתם לי במדבר מה להלן זבחים אף כאן זבחים ומאי כהררין התלויין בשערה ג) דברי תורה מדברי קבלה לא ילפינן: מעילות: מיכתב כתיבן אמר רמי בר חמא לא נצרכא אלא לכדתנן ה השליח שעשה שליחותו בעל הבית מעל לא עשה שליחותו שליח מעל וכי זה חוטא וזה מתחייב היינו כהררין התלויין בשערה אמר רבא ומאי קושיא דלמא שאני מעילה דילפא חטא חטא מתרומה מה התם ד) שלוחו של אדם כמותו אף כאן שלוחו של אדם כמותו אלא אמר רבא לא נצרכא אלא לכדתניא ה) ו נזכר בעל הבית ולא נזכר שליח שליח מעל שליח עניא מאי קא עביד היינו כהררין התלויין בשערה אמר רב אשי מאי קושיא דלמא מידי דהוה אמוציא מעות הקדש לחולין אלא אמר רב אשי לא נצרכא אלא לכדתנן ז נטל אבן או קורה של הקדש הרי זה לא מעל נתנה לחבירו הוא מעל וחבירו לא מעל מכדי מישקל שקלה מה לי הוא ז) ומה לי חבירו היינו כהררין התלויין בשערה ומאי קושיא דלמא כדשמואל דאמר שמואל ח) ה הבא

רש"י

מלאכת מחשבת. שהמחשבה חשבה בדעתו ונתכוון לה וזה לא נתכוון לה לבנין זה לפיכך פטור וזהו רמז מועט דאילו מלאכת מחשבת בשבת לא כתיבא אלא במשכן הוא דכתיב ולפי שסמך בפרשת ויקהל פרשת שבת לפרשת משכן אנו למדין מלאכת מחשבת לשבת: מיכתב כתיבן. כדאמרינן לעיל מוחגותם אותו: חוגו חגא. להרבות שמחה: דלמא הכי קאמר רחמנא אכלו ושתו וחוגו חגא קמאי. והאי זבחים דקרא לאו שלמים נינהו אלא זבחת בשר לאכול: חלב הבא בזמן החג. אם באת להקריב קרבנות נדרים ברגל לא ילינו חוץ למזבח בעלות השחר: הא כל השנה ילינו. בתמיה: עד הבקר כתיב. היא העולה על מוקדה על המזבח כל הלילה עד הבקר מכאן אנו למדין שמעלה כל הלילה אברים ופדרים של קרבנות שנשחטו היום אבל לא מעלות השחר ולמעלה דנפסלו בלינה: ומאי כהררין התלויין. גזרה שוה דאייה גדולה היא: דברי תורה מקבלה לא ילפינן. הלכך רמז בעלמא (ג): השליח שעשה שליחותו. בעל הבית שהיו בידו מעות הקדש ונתחלפו במעותיו ונתנן בשוגג לשליח ואמר לו קח לי מהם חלוק או טלית אם עשה שליחותו בעל הבית מעל והיינו כהררין שיש לתמוה ולומר וכי שליח זה חטא שהוציא מעות הקדש ובעל הבית מתחייב קרן וחומש והביא אשם מעילות והרי ידוע לנו בכל הש"ס שאין שליח לדבר עבירה שיהא שולח מתחייב על ידי שלוחו: מעילה ילפינן חטא חטא מתרומה. לכמה דבריה נאמר בתורת כהנים נאמר במעילה וחטאה בשגגה מקדשי ה' (ויקרא ה) ונאמר בתרומה ולא תשאו עליו חטא (במדבר יח) מה התם שלוחו כמותו דכתיב כן תרימו גם אתם (שם) ואמר מר גם אתם לרבות שלוחכם: נזכר בעל הבית כו'. ברייתא היא בפ' בתרא דמעילה והכי גרסינן לכדתניא נזכר בעל הבית שהן של הקדש עד שלא יגיע שליח אצל חנוני ולא נזכר שליח והוליכן השליח חייב: שליח עניא מאי עביד. נהי דבעל הבית פטור דכיון דנזכר אנן סהדי דתו לא ניחא ליה בשליחותיה דהאיך ומהשתא לאו שלוחו הוא ומיהא שליח מאי עביד: מידי דהוה. אשאר כל מוציאין מעות הקדש לחולין בשוגג שימעלו אף זה בשוגג הוליכן דכיון שביטל המשלח שליחותו הוה ליה איהו מוציא: הוא מעל. דכיון שנתנם לו הוציאן מיד הקדש לחולין: וחברו לא מעל. בכל שיעשה הוא בה דהא דידיה היא ועליה דהאיך לשלומי להקדש כדכתיב ואשר חטא מן הקדש ישלם (ויקרא ה):

דכל

תוספות

מלאכת מחשבת אסרה תורה. פרש"י שאינה צריכה לגופה במנין מלאכה זאת שברצונו לא היה בנין זה בעולם ולא יתכן דאם כן בכל מלאכות נמי כגון סותר ע"מ לבנות במקומו למה מיחייב (ג) דהא לא ניחא ליה שהיה הבנין בעולם וכן בקורע ע"מ לתפור ג"כ לא ניחא ליה בקרע זה מעולם וקורע הבגד בכעסו או מחמת טרדא וקורע במתו לתרמי אימתיה (ד) לכן נראה להר"י לפרש שאינו צריך לעיקר שורש האיסור כגון הכא שאינו צריך לגומא שהיא המלאכה וכן מוציא מת במטה והרבה דחשיב פ' המצניע (שבת דף לג.) ולא דמו למלאכת המשכן שהיו צריכים לעיקר המלאכה מכבה משום צורך הפחמין וצידת תחשים וחלזון וכן כולם כיוצא בהן ט): חוגו חגא. י"מ לשון מחולות כמו יחוגו וינועו כשכור (תהלים קז): בזמן חג הוא דלא ילין (והתניא) וכו'. כי מוקמינן קרא בחגיגה לא שייך לאקשויי בחגיגה הוא דלא ילין הא כל שאר קרבנות ילין הא כתיב כל הלילה עד הבקר ומוקמינן לה לכל העולין על המזבח דהא איכא למימר דלא הוה מוקמינן קרא רק לעולה שהיא כולה כליל כמו עולה אבל שאר קרבנות כגון שלמים וחגיגות שאינם כליל לא: ולא ילין מן הבשר. ואף על גב דמוקמינן לקרא בפרק אלו דברים (פסחים דף עא. ושם) בחגיגה שנאכלת לשני ימים ולילה אחד ועוד דבשר כתיב דמשמע אכילת אדם מ"מ מפקינן מיניה תרתי מדכתיב ביום הראשון לבקר ולא כתיב ביום השלישי: לעבור עליו בשני לאוין. ואע"ג דאמרינן בעלמא (ה) כל היכא דאיכא למידרש דרשינן ולא מוקמינן בלאוי יתירי הכא שאני שאין להעמידו בקרבן חדש שלא מצינו כיוצא בו בתורה ודומה לו כמו שמצינו בריש יבמות (דף ד.) דמוקמינן לא יגלה בשומרת יבם של אביו בלאו יתירא ולא מוקמינן ליה באנוסת אביו: ויחוגו לי במדבר. ולא ילין חלב חגי אתא ללמד על ג"ש דמיירי בחגיגה ולא בשאר קרבנות: מעילות מכתב כתיבי וכו' (ה) מקרא מועט והלכות מרובות. מתוך פרש"י משמע שהוא פירוש התלויין בשערה שיש בו הלכות מרובות תלויין ברמז מקרא מועט כהר התלוי בשיער הראש וקשה למורי מאי פריך בגמרא מעילות מכתב כתיבי ודאי כתיבי אבל יש בהן הלכות הרבה והיינו מקרא מועט והלכות מרובות ומיהו לפי מה שפירש רש"י תלויות ברמז משמע דסבירא ליה דהדיא לא כתיבי אך גבי שבת פירש מיכתב כתיבי פי' טובא אזהרות כתיבי בשבת מאי מקרא מועט דקאמר מתני' והכי לא אפשר לי לפרש גבי מעילות וגם משמע דהדיא קאמר דכתיבי ונראה להר"ר אלחנן לפרש דמילתא באפי נפשיה היא מקרא מועט וקאי לאהלות ויש בהן מקרא מועט אבל ההלכות מרובות ובכמה ספרים יש ריוח בין מקרא מועט להלכות מרובות א"כ משמע אדלעיל דמילתא באפי נפשיה הוא אך בתוספתא (פ"א) תנא מקרא מועט והלכות מרובות כהררין התלויין בשערה ואין להם על מה שיסמכו מכאן היה אומר רבי יהושע צבתר בצבתר ר"ל מקרא מועט ותולה ברמז מועט דמשמע כדפירש רש"י ופירש כדפרש"י על הא דקאמר מקרא מועט שברמז נתנו: נתנה לחברו מעל. ולא דמי להיא דנתנה לחנוני דלא מעל דהתם מיירי במזיד ואין מתחלל וחנוני דלא מעל עד שיוציא התם משום דלא עבד מעשה:

משקל שקלה מה לי הוא מה לי חברו. יש תימה דודאי שינה הרבה כיון שנתנה לחברו יש לו למעול משום טובת הנאה של שאלה כדאמרינן פרק השואל (ב"מ דף נט.) המשאיל קורדום של הקדש מעל לפי טובת הנאה של חברו וחברו מותר לבקע בו לכתחלה אבל כי לא נתנה אכתי לא נהנה ממנה כלום וי"ל דהכא מיירי שמתכוין להוציא מרשות הקדש ובמנחות (דף קא.) פירשתי:

עין משפט נר מצוה

סה א מיי' פ"א מהל' שבת הלכה ט:
סו ב מיי' פ"ז מהלכות מעילה הלכה א:
סז ג מיי' פ"ד מהלכות תרומות הלכה א טוש"ע י"ד סי' שלא סעיף כט:
סח ד מיי' פ"ז מהלכות מעילה הלכה ה:
סט ה מיי' שם פ"ו הלכה ז:

רבינו חננאל

החופר גומא ואין כוונתו לגומא אלא ליטול העפר לכסות לו צואה וכיוצא בה פטור עליה שנמצא מקלקל לגבי הגומא. דתנן כל המקלקלין פטורין. והן כמו הרים תלויין כחוט השערה. שאין כח בשערה להחזיק ההר אלא נראה כתלוי ועומד באויר. כן הלכות הללו דאי מדאורייתא כל מלאכה אסורה ובבאה ההלכה פירשה מלאכת מחשבת כלומר אינו חייב במלאכה עד שיתכוין לעשות אותה מלאכה: ירושלמי כתיב ועליהן ככל הדברים מקרא ומשנה ותלמוד הכל נאמרו לו למשה מסיני. אין מורין לא מן ההלכות ולא מן התוספתות ולא מן האגדות אלא מן התלמוד. ר' חנניא בשם שמואל אמר אין למידין מן ההוראה ולא מן המעשה בההוא דאיכא מאן דפליג אבל בהאי דלא פליג עביד: חגיגות מנא לן דהקרבת זבח היא. דלמא הקפה דרך סיבוב הוא כדכתיב יחוגו וינועו כשכור. ודחינן טובא ודברים פשוטין הן. ואסיקנא אלא בג"ש גמיר לה אתיא מדבר מדבר כתיב הכא ויחוגו לי במדבר. וכתיב הזבחים ומנחה הגשתם לי במדבר. אי הכי אמאי תנינן כהררים תלויין בשערה הן. ופרקינן דדברי תורה מדברי קבלה לא ילפינן. מעילות נמי אוקימנא בהא נזכר בעל הבית ולא נזכר השליח. השליח מעל. שליח מי הוות ליה ידיעא דאינון מעות של הקדש דלמעול. בשלמא מוציא מעות הקדש לחולין אמרינן הוה ליה למידק וכיון דלא דק מעל. אבל שליח מי איכא למימר הכי. היינו

תורה אור השלם

א) וְאַחַר בָּאוּ מֹשֶׁה וְאַהֲרֹן וַיֹּאמְרוּ אֶל פַּרְעֹה כֹּה אָמַר יְיָ אֱלֹהֵי יִשְׂרָאֵל שַׁלַּח אֶת עַמִּי וְיָחֹגּוּ לִי בַּמִּדְבָּר: [שמות ה, א]

ב) וַיֹּאמֶר מֹשֶׁה גַּם אַתָּה תִּתֵּן בְּיָדֵנוּ זְבָחִים וְעֹלֹת וְעָשִׂינוּ לַייָ אֱלֹהֵינוּ: [שמות י, כה]

ג) לֹא תִזְבַּח עַל חָמֵץ דַּם זִבְחִי וְלֹא יָלִין חֵלֶב חַגִּי עַד בֹּקֶר: [שמות כג, יח]

ד) צַו אֶת אַהֲרֹן וְאֶת בָּנָיו לֵאמֹר זֹאת תּוֹרַת הָעֹלָה הִוא הָעֹלָה עַל מוֹקְדָה עַל הַמִּזְבֵּחַ כָּל הַלַּיְלָה עַד הַבֹּקֶר וְאֵשׁ הַמִּזְבֵּחַ תּוּקַד בּוֹ: [ויקרא ו, ב]

ה) וְלֹא יֵרָאֶה לְךָ שְׂאֹר בְּכָל גְּבֻלְךָ שִׁבְעַת יָמִים וְלֹא יָלִין מִן הַבָּשָׂר אֲשֶׁר תִּזְבַּח בָּעֶרֶב בַּיּוֹם הָרִאשׁוֹן לַבֹּקֶר: [דברים טז, ד]

ו) הַזְּבָחִים וּמִנְחָה הִגַּשְׁתֶּם לִי בַמִּדְבָּר אַרְבָּעִים שָׁנָה בֵּית יִשְׂרָאֵל: [עמוס ה, כה]

מסורת הש"ס

א) [בילה יג: וש"נ], ב) [ב"ק ב: נדה כג.], ג) קדושין מב: נדרים עב. מעילה כ. כתובות לח:, ד) [ברכות לד: וש"נ], ה) מעילה כא. קדושין נ., ו) מעילה יט: ב"ק כ: ב"מ לט:, ז) מ"ש דכי נטל הוא דלא מעל ומ"ש כי נתנה לחבירו דמעל. רש"י במעילה שם, ח) [מעילה כ.], ט) וע"ע תוס' שבת לד. ד"ה ר' שמעון], י) [פסחים כד:], כ) [שייך לעיל ע"א במשנה], ל) [בד"ה לע"ג].

הגהות הב"ח

(א) גמ' ואי סלקא דעתך דחוגא חגא הוא תרבא: (ב) רש"י ד"ה דברי תורה וכו' בעלמא הוא הס"ד: (ג) תוס' ד"ה מלאכת וכו' פרש"י כגון מלאכה זאת וכו' ע"מ לבנות במקומו למה מחייב והלא ניחא ליה שלא היה הבנין בעולם וכן בקורע יריעה שנפל בה דרנא ע"מ לתפור ברצונו לא היה נופל בה וכן תופר בגד קרוע גם כן לא ניחא ליה בקרע זה מעולם וקורע באבלו כצ"ל ותיבת הבגד נמחק: (ד) בא"ד לתרמי אימתיה דמחייב התם צריך למלאכה שיהא בעולם ואין לומר דלא ניחא ליה שיצטרך לתרמי אימתיה דאם כן מפים מורסא לעשות לה פה יהא פטור דודאי טוב היה דלא היתה מורסא לכן נראה להר"י: (ה) ד"ה [מעילות] מכתב וכו' ומאי מקרא מועט:

ליקוטי רש"י

מלאכת מחשבת אסרה תורה. שנתכוון לכך אלא ששגג בשבת כסבור שהיום חול או מלאכה זו מותרת אבל כי לא נתכוון פטור מחטאת [עירובין כ:]. מלאכת מחשבת שהיא מלאכה אומנות אסרה תורה שנסמכה פרשת שבת למלאכת המשכן בויקהל והתם מלאכת מחשבת כתיב [ביצה יג:]. שנתכוון לעשות מלאכה אלא כסבור שהיום חול או סבור שמלאכה זו מותרת [ב"ק כו:]. שנסמכה [פרשת] שבת לפרשת [מלאכת] המשכן בויקהל [ומאי] מלאכת[ו] מחשבת שהעושה אותה מתכוין למלאכה גמורה אלא ששגג בשבת או סבור שמלאכה זו מותרת וזה [שאין] שיעור זה חשוב בעיניו אינו מתכוין למלאכה [זבחים מז.]. שחשב ונתכוון למלאכה זו עצמה [כריתות יט:]. גם אתה תתן. לא דייך שמקננו ילך עמנו אלא גם אתה תתן [שמות י, כה]. ולא ילין חלב חגי. חוץ למזבח. עד בקר. יכול אף על המערכה יפסל בלינה תלמוד לומר (ויקרא ו ב) על מוקדה על המזבח כל הלילה. ולא ילין, אין לינה אלא בעמוד השחר שנאמר עד בקר אבל כל הלילה יכול להעלותו מן הרצפה למזבח [שם כג, יח].

תרבא. חלב [שבת קלג:]. ולא ילין מן הבשר אשר תזבח בערב ביום הראשון לבקר. אזהרה למותיר בפסח דורות לפי שלא נאמר אלא בפסח מצרים ויום ראשון האמור כאן הוא י"ד בניסן כמה דאת אמר (שמות יב) אך ביום הראשון תשביתו שאור מבתיכם ולפי שנסתלק הכתוב מעניינו של פסח והתחיל לדבר בחקות שבעת ימים כגון שבעת ימים תאכל עליו מצות ולא יראה לך שאור בכל גבולך הוצרך לפרש באיזו זביחה הוא מזהיר שאם כתב ולא ילין מן הבשר אשר תזבח בערב לבקר [...] שלמים הנשחטים כל שבעה כולן בבל תותירו ואין נאכלין אלא ליום ולילה לכך כתב בערב ביום הראשון, דבר אחר בחגיגת י"ד הכתוב מדבר ולמד עליה שנאכלת לשני ימים והראשון האמור כאן ביום טוב הראשון הכתוב מדבר וכן משמעות המקרא [...] זובח בערב לא ילין ביום טוב הראשון עד בקרו של שני אבל נאכלת היא בארבעה עשר ובחמשה עשר וכך היא שנויה במסכת פסחים (דף עא:) [דברים טז ד]. הזבחים ומנחה. וכי לזבחים ומנחות רצוני והלא במדבר לא דברתי את אבותיכם להקריב [...] אמרתי אדם כי יקריב (ויקרא א) כשירצה להקריב ואומר ויעשו בני ישראל את הפסח במועדו (במדבר ט) מגיד שלא עשו ישראל במדבר אלא אותו פסח לבדו [עמוס ה, כה]. מדברי קבלה. נביאים וכתובים [ב"ק ב:]. בעל הבית מעל. ומביא קרבן [...] עשה שליחותו. גבי הקדש קאי שהיו אלו מעות הקדש וטעה כסבור שהן של חולין ומסרו לשליח ליקח בהן טלית בהן חלוק וקנה בהן טלית שליח מעל ולא השולח שבדבר זה אינו שלוחו [קידושין מב:]. אלא שינה ממה שאמר לו בעל הבית [מעילה כ.]. חטא חטא מתרומה. לרוב דברים היא למודה מתרומה במסכת מעילה (דף יח:) כתיב הכא וחטאה בשגגה מקדשי ה' וכתיב בתרומה באוכלה בשוגג ולא ישאו עליו חטא. שלוחו של אדם כמותו. דגמרינן (קדושין דף מא:) מפסח דכתיב ושחטו [...] קהל וגו' [מנחות צג:]. שלוחו של ישראל כמותו ילפינן בפסחים מושחטו כל קהל עדת ישראל וכי כל הקהל שוחטין אלא מכאן ששלוחו של אדם כמותו [שם]. אף כאן שלוחו של אדם כמותו. יתחייב שולחו ולא השליח [קידושין שם]. נזכר ב[...] נזכר שליח שליח מעל. דכיון שנזכר בעה"ב דה"ל מזיד פטור ממעילה אבל השליח דשוגג הוא מעל והיינו דאמר במס' חגיגה האי דמעל השליח היינו כהררין התלויין בשערה דשליח עניא מאי קא עביד הא לא עביד אלא שליחותיה דבעה"ב [...] הבית פטור דכיון שנזכר לא שגגה היא גביה ושליח חייב שהוציא מעות הקדש לחולין ואילו לא נזכר בעל הבית הוה רמיא מעילה עליה דאיתרבי שליח למעול שולחו על ידו כריש פירקין (לעיל דף מב:) אבל השתא דאיפטר בעה"ב רמיא מעילה אשלי[...] כולה דאין שליח לדבר עבירה והעושה הוא מתחייב [קידושין נ.]. נטל אבן או קורה. מפרש במסכת מעילה דבגזבר עסקינן. לא מעל. דמעיקרא נמי ברשותיה הוי כי השתא ולא שינוי הוא. נתנה לחבירו. קנייה חבירו דגזבר יש לו רשות ליתן [...] לחולין מעל [ב"ק כ:]. הוציאה לחולין שקנאה חבירו במתנתו והוא ישלם להקדש [ב"מ צט:]. הנותן מעל שהוציאה לחולין. מה לי הוא ומה לי חבירו. דכי נטלה הוא דלא מעל ומ"ש כי נתנה לחברו דמעל [מעילה כ.].

Torah explicitly requires that a burnt offering be burnt by morning – not only on a festival but the whole year round – it follows that when the Torah stated that the *fat of my festival* must be burned by morning it did not mean "fat that is offered on a festival." Rather, the word *my festival* (חַגִּי) must denote the *chagigah* offering, and the Torah is simply stating that, just like a burned offering, the sacrificial fats of a *chagigah* offering must be burned by morning.[13] This proves that the root חג indeed denotes a *chagigah!*

The Gemara continues to object to this proof:

דִּלְמָא – Perhaps *the fat of my festival* means "fat that is offered on a festival," after all. And the verse that requires that a burnt offering be burned by morning, not only on a festival but the whole year round, poses no difficulty. **אִי מֵהַהוּא הֲוָה אָמֵינָא הַהוּא לַעֲשֵׂה – For I would say**[14] **that that verse,** which requires (not only on a festival but the whole year round) that sacrificial parts be burned by morning, has the force only of **a positive commandment. כָּתַב רַחֲמָנָא הַאי לְלַאו – The Merciful One** therefore **wrote this** other verse, demanding that *the fat of my festival* not be left until morning, to indicate that during a festival – but not during the rest of the year – this prohibition acquires the force of **a negative commandment** as well.[15] Thus there is no proof that חג denotes the *chagigah* offering. – ? –

This Gemara seeks to deflect this objection:

לְלַאו – Is it tenable that the verse serves only **to** give the prohibition the force of **a negative commandment? כָּתַב קְרָא אַחֲרִינָא – But another verse is** already **written** that serves that purpose: "וְלֹא־יָלִין מִן־הַבָּשָׂר אֲשֶׁר תִּזְבַּח בָּעֶרֶב בַּיּוֹם הָרִאשׁוֹן לַבֹּקֶר" ***– Nor shall any of the flesh that you slaughtered on the afternoon before the first day remain overnight until the morning!***[16]

The Gemara counters:

וְדִלְמָא לַעֲבוֹר עָלָיו בִּשְׁנֵי לָאוִין וַעֲשֵׂה – Perhaps by requiring that *the fat of my festival* be burned by morning the Torah wishes to indicate that on a festival this prohibition has the force of **two negative commandments and a positive commandment.** Thus, there is still no proof that the root חג denotes the *chagigah* offering, and Rav Pappa's question remains in force! – ? –

The Gemara answers Rav Pappa's question:

אֶלָּא אַתְיָא "מִדְבָּר" "מִדְבָּר" – Rather, we **derive it** from a *gezeirah shavah* which connects the words ***wilderness*** and ***wilderness*** in the following verses: **כְּתִיב הָכָא "וְיָחֹגּוּ לִי בַּמִּדְבָּר" – It is written here:**[17] ***and they will celebrate*** (וְיָחֹגּוּ) ***unto Me in the Wilderness;*** **וּכְתִיב הָתָם "הַזְּבָחִים וּמִנְחָה הִגַּשְׁתֶּם־לִי בַּמִּדְבָּר" – and it is written there:**[18] ***Did you bring unto Me offerings and meal offerings in the Wilderness?*** **מָה לְהַלָּן זְבָחִים – Just as there,** in the latter verse, it speaks explicitly of **offerings, אַף כָּאן זְבָחִים – so too, here,** in the former verse, it speaks of **offerings.** This, ultimately, is the foundation for our understanding that the root חג refers to the *chagigah* offerings and, consequently, that the verse: *And you shall celebrate it as a festival for Hashem,* refers to the *chagigah* offerings.

Returning to our Mishnah, the Gemara now asks:

וּמַאי כַּהֲרָרִין הַתְּלוּיִין בְּשַׂעֲרָה – And what, then, does the Mishnah mean when it says that the laws of the *chagigah* offerings are **"like mountains suspended by a hair"?** After all, they seem to rest on the firm foundation of a *gezeirah shavah!*

The Gemara answers:

דִּבְרֵי תוֹרָה מִדִּבְרֵי קַבָּלָה לֹא יַלְפִינַן – Because, in general, **we do not derive words of Torah** law **from the words of the Prophets.**[19]

The Mishnah continued:

מְעִילוֹת – [The laws of ...] ***ME'ILAH*** ... [are like mountains suspended by a hair].[20]

The Gemara asks:

מִיכְתַּב כְּתִיבָן – But these laws **are written** explicitly in Scripture![21] – ? –

The Gemara attempts to resolve this difficulty by identifying some aspect of *me'ilah* law that would not be evident without an oral tradition, and which could therefore be described as "like mountains suspended by a hair":

אָמַר רָמִי בַּר חָמָא – Rami bar Chama said: לֹא נִצְרְכָא אֶלָּא לִכְדִתְנַן – The Mishnah's depiction of *me'ilah* law as being "suspended by a hair" **is necessary only for** the case **which we learned in the** following **Mishnah,**[22] concerning an agent who was sent to make a purchase with consecrated money:[23] **הַשָּׁלִיחַ שֶׁעָשָׂה שְׁלִיחוּתוֹ בַּעַל הַבַּיִת מָעַל – IF THE AGENT** faithfully **EXECUTED HIS AGENCY,** then **THE SENDER**[24] is the one who **IS GUILTY OF**

NOTES

13. [Had the Torah not stated this explicitly I might have thought that the requirement of being offered by morning is limited to burnt offerings, which are unique in that not only their fat but also their meat is burnt on the Altar. The Torah therefore finds it necessary to indicate that the same is true of the fat of a *chagigah* offering, even though its meat is not burnt on the Altar at all (see *Tosafos;* cf. *Turei Even*). Once the Torah informs us that this is true of the *chagigah,* we infer that the same is true of all other sacrifices as well (see *Tosafos* here and to *Pesachim* 71a, cited in note 10).]

14. [See *Sfas Emes.*]

15. *Maharsha;* cf. *Siach Yitzchak.*

16. *Deuteronomy* 16:4. The verse speaks of the *chagigah* offering that was slaughtered on the eve of Pesach, along with the *pesach* offering (see *Pesachim* 71a-b).

[The plain meaning of the verse would seem to be that the meat of this *chagigah* can be eaten only until daybreak. This, however, is not true; the meat of the *chagigah* is eaten until nightfall of the day after its slaughter. Rather, the verse refers separately to the meat of the *chagigah* (which is eaten), and its fat (which is burnt on the Altar), as follows: The meat of the *chagigah* must be consumed by nightfall of the day after its slaughter (see *Pesachim* 71b where this aspect of the verse is elaborated), and the fats of the *chagigah* must be offered on the Altar by the daybreak of the morning which follows its slaughter (*Tosafos;* see also *Tosafos* to *Pesachim* ibid. ד״ה והאיך).]

17. *Exodus* 5:1.

18. *Amos* 5:25.

19. Matters of Torah law are not derived from the Books of the Prophets or the Writings (נְבִיאִים וּכְתוּבִים), because it is assumed that all Torah laws have sources in the *Chumash* (i.e. the five books of Moses) itself (see *Megillah* 2b-3a). Consequently, since this *gezeirah shavah* is predicated on a verse from the Book of *Amos,* rather than out of the *Chumash,* it cannot form the legal basis for the fact that the word חג denotes the *chagigah* offering. Ultimately this is known only from the oral tradition of the Sages.

[For explanations as to why the Books of the Prophets and Writings are called דִּבְרֵי קַבָּלָה, see *Rashi* to *Chullin* 137a ד״ה תורת משה; *Tos. Rabbeinu Peretz* to *Bava Kamma* 2b;. cf. *Rashi* to *Taanis* 15a ד״ה ובקבלה.]

20. [The act of illegally using consecrated property for mundane purposes is known as *me'ilah.* One who commits this act unintentionally is required to pay the Temple the value of the benefit he derived, plus a penalty of one fifth. In addition, he is required to bring a special offering, known as an אָשָׁם מְעִילוֹת, to atone for his transgression.]

21. [The penalty for *me'ilah* is stated in *Leviticus* 5:15-16. As for the location of the Scriptural warning against *me'ilah* (a punishable offense always requires two verses – one verse as an אַזְהָרָה, a *Scriptural warning* against committing the offense, and another stating the punishment), see *Sanhedrin* 84a; *Rambam, Hil. Me'ilah* 1:3; *Raavad* ibid.]

22. *Me'ilah* 20a.

23. The Mishnah speaks of someone who gave an agent money and asked him to buy a certain item, but did not realize that the coins he provided were consecrated.

24. Literally, "the master of the house."

סה א מיי' פ"א מהל' שבת הלכה ט:
סו ב מיי' פ"ו מהלכות מעילה הלכה א:
סז ג מיי' פ"ד מהלכות תרומות הלכה א טוש"ע י"ד סי' שלא סעיף כט:
סח ד מיי' פ"ז מהלכות מעילה הלכה ה:
סט ה מיי' שם פ"ו הלכה ז:

(א) *מלאכת מחשבת אסרה תורה ומלאכת מחשבת לא כתיבא: חגיגות: מיכתב כתיבן לא צריכא לכדאמר ליה רב פפא לאביי ממאי דהאי וחגותם אותו חג לה' זביחה דלמא חוגו חגא קאמר רחמנא אלא מעתה דכתיב א) ויחוגו לי במדבר הכי נמי דחוגו חגא הוא וכי תימא הכי נמי והכתיב ב) ויאמר משה גם אתה תתן בידינו זבחים ועולות דלמא הכי קאמר רחמנא אכלו ושתו וחוגו חגא קמאי לא סלקא דעתך דכתיב ג) ולא ילין חלב חגי עד בקר ואי סלקא דעתך דחוגא (א) הוא תרבא לחגא אית ליה ודלמא הכי קאמר רחמנא חלב הבא בזמן חג לא ילין אלא מעתה הבא בזמן חג הוא דלא ילין הא דכל השנה כולה ילין ד) כל הלילה עד הבקר כתיב דלמא אי מההוא הוה אמינא ההוא לעשה כתב רחמנא האי ללאו ללאו כתב קרא אחרינא ה) ולא ילין מן הבשר אשר תזבח בערב ביום הראשון לבקר ודלמא לעבור עליו בשני לאוין ועשה אלא אתיא מדבר מדבר כתיב הכא ויחוגו לי במדבר וכתיב התם ו) הזבחים ומנחה הגשתם לי במדבר מה להלן זבחים אף כאן זבחים ומאי כהררין התלויין בשערה ב) דברי תורה מדברי קבלה לא ילפינן: מעילות: מיכתב כתיבן אמר רמי בר חמא לא נצרכא אלא לכדתנן ג) השליח שעשה שליחותו בעל הבית מעל לא עשה שליחותו שליח מעל וכי זה חוטא וזה מתחייב היינו כהררין התלויין בשערה אמר רבא ומאי קושיא דלמא שאני מעילה דילפא חטא חטא מתרומה מה התם ד) שלוחו של אדם כמותו אף כאן שלוחו של אדם כמותו אלא אמר רבא לא נצרכא אלא לכדתניא ה) נזכר בעל הבית ולא נזכר שליח שליח מעל עניא מאי קא עביד היינו כהררין התלויין בשערה אמר רב אשי מאי קושיא דלמא מידי דהוה אמוציא מעות הקדש לחולין אלא אמר רב אשי לא נצרכא אלא לכדתנן ו) נטל אבן או קורה של הקדש הרי זה לא מעל נתנה לחבירו הוא מעל וחבירו לא מעל מכדי מישקל שקלה מה לי הוא ז) ומה לי חבירו היינו כהררין התלויין בשערה ומאי קושיא דלמא כדשמואל דאמר שמואל ח) הבא

רש"י

מלאכת מחשבת. שהמחשבה חשבה בדעתו ונתכוון לה וזה לא נתכוון לה לבנין זה לפיכך פטור וזהו רמז מועט דאילו מלאכת מחשבת בשבת לא כתיבא אלא במשכן הוא דכתיב ולפי שסמך פרשת ויקהל פרשת שבת לפרשת משכן אנו למדין מלאכת מחשבת לשבת: **מיכתב כתיבן.** כדאמרינן לעיל מוחגותם אותו: **חוגו חגא.** להרבות שמחה: **דלמא הכי קאמר רחמנא אכלו ושתו וחוגו חגא קמאי.** והאי זבחים דקרא לאו שלמים נינהו אלא עולות וזבחים בשר לאכול: **חלב הבא בזמן החג.** אם באת להקריב קרבנות נדרים ברגל לא ילינו חוץ למזבח בעלות השחר: **הא כל השנה ילינו.** בתמיה: **עד הבקר כתיב.** היא העולה על מוקדה על המזבח כל הלילה עד הבקר מכאן אנו למדין שמעלה כל הלילה אברים ופדרים של קרבנות שנשחטו היום אבל לא מעלות השחר ולמעלה דנפסלו בלינה: **ומאי כהררין התלויין.** גזרה שוה ראייה גדולה היא: **דברי תורה מקבלה לא ילפינן.** הלכך רמז בעלמא (ב): **השליח שעשה שליחותו.** בעל הבית שהיו בידו מעות הקדש ונתחלפו במעותיו ונתנן בשוגג לשליח ואמר לו קח לי מהם חלוק או טלית אם עשה שליחותו בעל הבית מעל וזהו כהררין שיש לתמוה ולומר וכי שליח זה חטא שהוציא מעות הקדש ובעל הבית מתחייב קרבן וחומש ולהביא אשם מעילות והרי ידוע לנו בכל הש"ס שאין שליח לדבר עבירה שיהא שולח מתחייב על ידי שלוחו: **מעילה ילפינן חטא חטא מתרומה.** לכמה דברים נאמר בתורת כהנים נאמר במעילה וחטאה בשגגה מקדשי ה' (ויקרא ה) ונאמר בתרומה ולא תשאו עליו חטא (במדבר יח) מה התם שלוחו כמותו דכתיב כן תרימו גם אתם (שם) ואמר מר גם אתם לרבות שלוחכם: **נזכר בעל הבית כו'.** ברייתא היא בפ' בתרא דמעילה והכי גרסינן לכדתניא נזכר בעל הבית שהן של הקדש עד שלא יגיע שליח אצל חנוני ולא נזכר שליח והוציאן השליח חייב: **שליח עניא מאי עבד.** נהי דבעל הבית פטור דכיון דנזכר אנן סהדי דתו לא ניחא ליה בשליחותיה דהאיך ומהשתא לאו שלוחו הוא ומיהא שליח מאי עביד: **מידי דהוה.** אשאר כל מוציאין מעות הקדש לחולין בשוגג שימעלו אף זה בשוגג הוציאן דכיון שביטל המשלח שליחותו הוה ליה איהו מוציא: **הוא מעל.** דכיון שנתנס לו הוציאן מיד הקדש לחולין: **וחברו לא מעל.** בכל שיעשה הוא בה דהא דידיה היא ועליה דהאיך לשלומי להקדש כדכתיב ואשר חטא מן הקדש ישלם (ויקרא ה): דכל

תוספות

מלאכת מחשבת אסרה תורה. פרש"י שאינה צריכה לגופה במין מלאכה זאת שבגרו לא היה בנין זה בעולם ולא יתכן דאם כן בכל מלאכות נמי כגון סותר ע"מ לבנות במקומו למה מיחייב (ג) דהא לא ניחא ליה שהיה הבנין בעולם וכן בקורע ע"מ לתפור ג"כ לא ניחא ליה בקרע זה בעולם וקורע הבא להכלו או ממחת טרלא וקורע בחמתו למרמי אימתיה (ד) לכן נראה להר"י לפרש שאינו צריך לעיקר שורש האיסור כגון הכא שאינו צריך לגומא שהיא המלאכה וכן מוליא מת במטה והרבה דחשיב פ' המלניע (שבת דף צג:) ולא דמו למלאכת המשכן שהיו צריכים לעיקר המלאכה מכבה משום לוכך הפחמין ולידת תחשים וחלזון וכן כולם כיולא בהן ט): **חוגו** חגא. י"מ לשון מחולות כמו יחוגו וינועו כשכור (תהלים קז): **בזמן** חג הוא דלא ילין (והתניא) וכו'. כי מוקמינן קרא בחגיגה לא שייך לאקשויי בחגיגה הוא דלא ילין הא כל שאר קרבנות ילין הא כתיב כל הלילה עד הבקר ומוקמינן לה לכל העולין על המזבח דהא איכא למימר דלא הוה מוקמינן קרא רק לעולה שהביא כולה כליל כמו עולה אבל שאר קרבנות כגון שלמים וחגיגות שאינם כליל לא: **ולא** ילין מן הבשר. ואף על גב דמוקמינן לקרא בפרק אלו דברים (פסחים דף עא. ושם) בחגיגה שנאכלת לשני ימים ולילה אחד ועוד דבשר כתיב דמשמע אכילת אדם מ"מ מפקינן מיניה תרתי מדכתיב ביום הראשון לבקר ולא כתיב ביום השלישי: **לעבור** עליו בשני לאוין. ואע"ג דאמרינן בעלמא י) כל היכא דאיכא למידרש דרשינן ולא מוקמינן בלאוי יתירי הכא שאני שאין להעמידו בקרבן חדש שלא מלינו כיולא בו בתורה ודומה לו כמו שמלינו בריש יבמות (דף ד.) דמוקמינן לא יגלה בשומרת יבם של אביו בלאו יתירא ולא מוקמינן ליה באנוסת אביו: **ויחוגו** לי במדבר. ולא ילין חלב חגי אתא ללמד על ג"ש דמיירי בחגיגה ולא בשאר קרבנות: **מעילות** מכתב כתיבי וכו' (ה) כ) מקרא מועט והלכות מרובות. מתוך פרש"י משמע שהוא פירוש התלויין בשערה שיש בו הלכות מרובות תלויין ברמז מקרא מועט כהר התלוי בשיער הראש וקשה למורי מאי פריך בגמרא מעילות מכתב כתיבי ודאי כתיבי אבל יש בהן הלכות הרבה והיינו מקרא מועט והלכות מרובות ומיהו לפי מה שפירש רש"י תלויות ברמז משמע דסבירא ליה דבהדיא לא כתיבי אך גבי שבת פירש מיכתב כתיבי פי' טובא אזהרות כתיבי בשבת מאי מקרא מועט דקאמר מתני' והכי לא אפשר לי לפרש גבי מעילות וגם משמע דבהדיא קאמר דכתיבי ונראה להר"ר אלחנן לפרש דמילתא באפי נפשיה היא מקרא מועט וקאי לאהלות ויש בהן מקרא מועט אבל ההלכות מרובות ובכמה ספרים יש ריוח בין מקרא מועט אדלעיל א"כ משמע דמילתא באפי נפשיה הוא אך בתוספתא (פ"א) תנא מקרא מועט והלכות מרובות כהררין התלויין בשערה ואין להם על מה שיסמכו מכאן היה אומר רבי יהושע צבת בצבת ר"ל מקרא מועט ותולה ברמז מועט דמשמע כדפירש רש"י ופירש כדפרש"י על הא דקאמר מקרא מועט שברמז נתנו: **נתנה** לחברו מעל. ולא דמי להא דנתנה לחנוני דלא מעל דהתם מיירי במזיד ואין מתחלל וחנוני דלא מעל עד שיוציא התם משום דלא עבד מעשה:

משקל שקלה מה לי הוא מה לי חברו. יש תימה דודאי שינה הרבה כיון שנתנה לחברו יש לו למעול משום טובת הנאה של שאלה כדאמרינן פרק השואל (ב"מ דף צט.) המשאיל קורדום של הקדש מעל לפי טובת הנאה של חברו וחברו מותר לבקע בו לכתחלה אבל כי לא נתנה אלא נהנה ממנה כלום וי"ל דהכא מיירי שמתכוין להוציא מרשות הקדש ובמנחות (דף קא.) פירשתי:

רבינו חננאל

החופר גומא ואין כוונתו לגומא אלא ליטול העפר לכסות לו צואה וכיוצא בה פטור עליה שנמצא מקלקל לגבי הגומא. דתנן כל המקלקלין פטורין. והן כמו הרים תלויין כחוט השערה. שאין כח בשערה להחזיק הרים אלא נראה כתלוי ועומד באויר. כן הלכות הללו דאי מדאורייתא כל מלאכה אסורה ובבאה ההלכה פירשא מלאכת מחשבת כלומר אינו חייב במלאכה עד שיתכוין לעשות אותה מלאכה: ירושלמי כתיב ועליהן ככל הדברים מקרא ומשנה ותלמוד הכל נאמרו לו למשה מסיני. אין מורין לא מן ההלכות ולא מן התוספתות ולא מן האגדות אלא מן התלמוד. ר' חנניא בשם שמואל אמר אין למידין מן ההוראה ולא מן המעשה בההוא דאיכא מאן דפליג אבל בהאי דלא פליג עביד: חגיגות מנא לן דהקרבה זבח היא. דלמא הקפה דרך סיבוב הוא כדכתיב יחוגו וינועו כשכור. ודחינן טובא ודברים פשוטין הן. ואסיקנא בג"ש גמיר לה אתיא מדבר מדבר כתיב הכא ויחוגו לי במדבר. וכתיב הזבחים ומנחה הגשתם לי במדבר. אי הכי אמאי תנינן כהררים תלוין בשערה הן. ופרקינן דברי תורה מדברי קבלה לא ילפינן. מעילות נמי אוקימנא בהא נזכר בעל הבית ולא נזכר השליח. השליח מעל. שליח מי הוות ליה דידיעא דאינון מעות של הקדש דלמעול. ובשלמא מוציא מעות הקדש לחולין אמרינן הוה ליה למידק וכיון דלא דק מעל. אבל שליח מי איכא למימר הכי. היינו

תורה אור השלם

א) וְאַחַר בָּאוּ מֹשֶׁה וְאַהֲרֹן וַיֹּאמְרוּ אֶל פַּרְעֹה כֹּה אָמַר יְיָ אֱלֹהֵי יִשְׂרָאֵל שַׁלַּח אֶת עַמִּי וְיָחֹגּוּ לִי בַּמִּדְבָּר: [שמות ה, א]
ב) וַיֹּאמֶר מֹשֶׁה גַּם אַתָּה תִּתֵּן בְּיָדֵנוּ זְבָחִים וְעֹלֹת וְעָשִׂינוּ לַייָ אֱלֹהֵינוּ: [שמות י, כה]
ג) לֹא תִזְבַּח עַל חָמֵץ דַּם זִבְחִי וְלֹא יָלִין חֵלֶב חַגִּי עַד בֹּקֶר: [שמות כג, יח]
ד) צַו אֶת אַהֲרֹן וְאֶת בָּנָיו לֵאמֹר זֹאת תּוֹרַת הָעֹלָה הִוא הָעֹלָה עַל מוֹקְדָה עַל הַמִּזְבֵּחַ כָּל הַלַּיְלָה עַד הַבֹּקֶר וְאֵשׁ הַמִּזְבֵּחַ תּוּקַד בּוֹ: [ויקרא ו, ב]
ה) וְלֹא יֵרָאֶה לְךָ שְׂאֹר בְּכָל גְּבֻלְךָ שִׁבְעַת יָמִים וְלֹא יָלִין מִן הַבָּשָׂר אֲשֶׁר תִּזְבַּח בָּעֶרֶב בַּיּוֹם הָרִאשׁוֹן לַבֹּקֶר: [דברים טז, ד]
ו) הַזְּבָחִים וּמִנְחָה הִגַּשְׁתֶּם לִי בַמִּדְבָּר אַרְבָּעִים שָׁנָה בֵּית יִשְׂרָאֵל: [עמוס ה, כה]

מסורת הש"ס

א) [ביצה יג: וש"נ], ב) [ב"ק ב: נדה כג.], ג) קדושין מב: נדרים לב. מעילה כא. כתובות לח., ד) [ברכות לד: וש"נ], ה) מעילה כא. קדושין ב., ו) מעילה יט: ב"ק כ:, ז) וע"ש דכי נטל הוא דלא מעל וש"מ כי נתנה לחבירו דמעל. רש"ל, ח) [מעילה שם], ט) [ב"ק ב:], י) [שבת לד. ד"ה ר' שמעון], כ) [פסחים כד:], ל) [שייך לעיל ע"א במשנה], מ) [בד"ה אע"ג].

הגהות הב"ח

(א) גמ' ואי סלקא דעתך דחוגא חגא הוא תרבא: (ב) רש"י ד"ה דברי תורה וכו' רמז בעלמא הוא הס"ד: (ג) תוס' ד"ה מלאכת וכו' פרש"י כגון מלאכה וכו' ולא נתכוון לבנות במקומו למה מחייב והלא ניחא ליה שלא היה הבנין בעולם וכן בקורע ע"מ לתפור גבי קורע ע"מ לתפור ולא ניחא ליה בקרע זה בעולם וקורע בחמתו למרמי אימתיה נמצא הכל נמחק: (ד) בא"ד למרמי אימתיה דהיה התם צריך למלאכה שיהא כך בעולם ואין לומר דלא ניחא ליה שיתקנו למרמי אימתיה דאם כן מפיס מורסא לעשות לה פה יהא פטור דודאי טוב היה לו דלא היתה מורסא לכן נראה להר"י: (ה) ד"ה מעילות מכתב וכו' ומאי מקרא מועט:

ליקוטי רש"י

מלאכת מחשבת אסרה תורה. שמתכוון לכך אלא שגגה בשבת כסבור שהיום חול או מלאכה זו מותרת אבל כי לא נתכוון פטור מהמלאכת [עירובין כ:]. מלאכת מחשבת שהיא מלאכת אומנות אסרה תורה שנסמכה פרשת שבת למלאכת המשכן בויקהל והתם מלאכת מחשבת כתיב [ביצה יג:]. שמתכוין לעשות מלאכה אלא כסבור שהיום חול או סבור מלאכה זו מותרת [ב"ק כו:]. שנסמכה [פרשת] שבת לפרשת [מלאכת] המשכן בויקהל [ואתי] מלאכת מחשבת שהמשכן גמורה אלא שגגה בשבת או סבור מלאכה זו מותרת תלמוד שיעור זה חשוב כעניינו אינו מתכוין למלאכה [זבחים מז.]. שחשב ונתכוון למלאכה זו והיא עושה אותה [כריתות יט:]. גם אתה תתן. לא דיין שמקננו ילך עמנו אלא גם אתה תתן משלך [שמות י, כה]. ולא ילין חלב חגי. חוץ למזבח. עד בקר. יכול אף על המערכה יפסל בלינה תלמוד לומר על מוקדה על המזבח כל הלילה. ולא ילין אלא בעמוד השחר עומד עד בקר. [אבל] על כל הלילה יכול להעלות למזבח [שם כג, יח].

תרבא. חלב [שבת קלג:]. ולא ילין מן הבשר אשר תזבח בערב ביום הראשון לבקר. אזהרה למותר בפסח דורות לפי שלא נאמר אלא בפסח מצרים ויום ראשון האמור כאן הוא י"ד בניסן כמה דאת אמר (שמות יב) אך ביום הראשון תשביתו שאור מבתיכם ולפי שנסתלק הכתוב מעניינו של פסח והתחיל לדבר בחקות שבעת ימים [illegible]

שלמים הנשחטים כל שבעה כולן בבל תותירו ואינן נאכלין אלא ליום ולילה לכך כתב בערב ביום הראשון, דבר אחר בחגיגת י"ד הכתוב מדבר ולמד עליה שנאכלת לשני ימים והראשון האמור כאן ביום טוב הראשון הכתוב מדבר וכן משמעות המקרא [illegible] תזבח בערב לא ילין ביום טוב הראשון עד בקרו של שני אבל נאכלת היא בארבעה עשר ובחמשה עשר וכך היא שנויה במסכת פסחים (דף עא.) [דברים טז ד]. הזבחים ומנחה. וכי לזבחים ומנחות רצוני [illegible]

ME'ILAH.[25] לֹא עָשָׂה שְׁלִיחוּתוֹ שָׁלִיחַ מָעַל – If, however, THE AGENT DID NOT faithfully EXECUTE HIS AGENCY, then THE AGENT is the one who IS GUILTY OF *ME'ILAH.*[26] וְכִי עָשָׂה שְׁלִיחוּתוֹ אַמַּאי מָעַל – Now, **when he** faithfully **executed his agency, why is [the sender] guilty of *me'ilah*?** וְכִי זֶה חוֹטֵא וְזֶה מִתְחַיֵּיב – **Can one** person **sin and another be liable** for it?[27] Since this ruling flouts the rule – known throughout the Talmud – that there is no agency to commit a transgression, הַיְינוּ כַּהֲרָרִין הַתְּלוּיִין בְּשַׂעֲרָה – **that** is why the Mishnah describes *me'ilah* law as being **"like mountains suspended by a hair."**[28]

Rava objects to this explanation:

אָמַר רָבָא – **Rava said:** וּמַאי קוּשְׁיָא – **What is the difficulty** with this ruling? דִּלְמָא שָׁאנֵי מְעִילָה – **Perhaps *me'ilah* is different** from other transgressions, דְּיָלְפָא ,,חֵטְא" ,,חֵטְא" מִתְּרוּמָה – **for we expound** a *gezeirah shavah* between the Scriptural words ***sin, sin*** to derive the law of *me'ilah* **from** that of ***terumah:***[29] מַה הָתָם שְׁלוּחוֹ שֶׁל אָדָם כְּמוֹתוֹ – **Just as there,** regarding *terumah,* the Torah considers **a person's agent** to be **like himself,**[30] אַף כָּאן שְׁלוּחוֹ שֶׁל אָדָם כְּמוֹתוֹ – **so** too, **here,** regarding *me'ilah,* the Torah considers **a person's agent** to be **like himself.**[31] – ? –

Having rejected Rami bar Chama's approach, Rava offers his own explanation of why the Mishnah describes *me'ilah* law as being "like mountains suspended by a hair":

אֶלָּא אָמַר רָבָא – **Rather, said Rava,** לֹא נִצְרְכָא אֶלָּא לִכְדִתְנְיָא – the Mishnah's depiction of *me'ilah* law as being "suspended by a hair" **is necessary only for** the case **which we learned in the** following **Baraisa,** regarding someone who inadvertently gave his agent consecrated money to spend in the market place: נִזְכַּר בַּעַל הַבַּיִת וְלֹא נִזְכַּר שָׁלִיחַ – If before the agent reached the market THE SENDER REMEMBERED that the funds he was carrying were consecrated, BUT THE AGENT DID NOT REMEMBER (i.e. was not aware) that the funds were consecrated, שָׁלִיחַ מָעַל – then THE AGENT IS GUILTY OF *ME'ILAH* when he spends them, and the sender is not liable for this transgression.[32] שָׁלִיחַ עַנְיָא מַאי קָא עָבִיד – Now in this case **what did the poor agent do** that he should be liable?[33] הַיְינוּ כַּהֲרָרִין הַתְּלוּיִין בְּשַׂעֲרָה – Since this ruling is counterintuitive, **that** is why the Mishnah describes it as being **"like mountains suspended by a hair."**

Rav Ashi objects to this explanation:

אָמַר רַב אַשִׁי – **Rav Ashi said:** מַאי קוּשְׁיָא – **What is the difficulty** with this ruling? דִּלְמָא מִידֵי דַּהֲוָה אַמּוֹצִיא מְעוֹת הֶקְדֵּשׁ לְחוּלִּין – **Perhaps** it is **just like in** the case of any person **who** inadvertently **removes consecrated coins** from the sacred domain **to a secular domain.**[34]

Rav Ashi offers a different explanation of why the Mishnah describes *me'ilah* law as being "like mountains suspended by a hair":

אֶלָּא אָמַר רַב אַשִׁי – **Rather, Rav Ashi said,** לֹא נִצְרְכָא אֶלָּא לִכְדִתְנַן – the Mishnah's depiction of *me'ilah* law as being "suspended by a hair" **is necessary only for** the case **which we learned in the** following **Mishnah:**[35] נָטַל אֶבֶן אוֹ קוֹרָה שֶׁל הֶקְדֵּשׁ – If HE TOOK A STONE OR A BEAM FROM THE TEMPLE TREASURY, הֲרֵי זֶה לֹא מָעַל – HE IS NOT GUILTY OF *ME'ILAH.*[36] נְתָנָהּ לַחֲבֵירוֹ – But if HE subsequently GAVE IT TO HIS FELLOW, הוּא מָעַל וַחֲבֵירוֹ לֹא מָעַל – HE IS GUILTY OF *ME'ILAH*[37] AND HIS FELLOW IS NOT GUILTY OF *ME'ILAH.*[38]

NOTES

25. Since the agent did as he was told, the principle of agency dictates that his act of purchase is attributed to the sender. The sender thus bears the responsibility for *me'ilah,* and he is therefore the one who must bring the *me'ilah* offering [אָשָׁם מְעִילוֹת] (see *Rashi*).

26. For example, he was asked to buy a cloak and instead he purchased a shawl (see *Rashi* here and to *Kiddushin* 42b).

Since the agent was never commissioned to spend the money on the items that he bought, when he made the purchase he was not acting as the sender's agent, and the sender is therefore not culpable (see *Rashi* here and to *Kiddushin* 42b).

27. The Gemara's question is based on the rule (elaborated in *Kiddushin* 42b and elsewhere) that there can be no agency to commit an act of transgression; i.e. a person commissioned to commit a transgression is not considered to be acting as an agent of the principal. Consequently, if the agent indeed carries out the transgression, he is responsible for the misdeed, not the principal who appointed him. Thus, in the case at hand, even if the agent faithfully executed his agency, it should be the agent, and not the sender, who is liable (see *Rashi*)!

[Many Rishonim find difficulty with the Gemara's question here, since the reason why agency does not operate in matters of transgression does not seem to apply in the case of *me'ilah.* As the Gemara states in *Kiddushin* (ibid.), the reason a principal is not liable for the transgression of his agent is that the agent should not have listened to him; we in effect tell the agent: You ought to have obeyed the words of the Master (i.e. God), not the words of the disciple (i.e. the sender). This argument, however, seems inapplicable in this case, since liability for *me'ilah* comes about only when one commits the sin *inadvertently.* (If one purposely uses consecrated funds for mundane purposes, he is not required to bring the *me'ilah* offering, nor to pay the one-fifth penalty.) It therefore seems implausible to argue that the agent "should not have listened" to the sender's directive to spend the money, for he was presumably unaware that this would involve a sin. See *Tosafos* and *Ritva* to *Kiddushin* 42b, who provide various resolutions for this problem; see also *Sfas Emes* here.]

28. [The Gemara implies that there is some tenuous rationale for this law, which is compared to a hair; this is the case in the explanations which follow as well.]

29. A *gezeirah shavah* links the laws of *me'ilah* and of *terumah* on the basis of Scripture's use of the term חֵטְא, *sin,* in both these contexts (see *Leviticus* 5:15 and 18:32; see *Rashi;* cf. *Rashi* to *Pesachim* 33a, who cites *Leviticus* 22:9). This *gezeirah shavah,* which is mentioned widely throughout the Talmud, in fact serves as the source for many of the particulars of the *me'ilah* laws (*Rashi*).

30. See *Kiddushin* 41b for the Biblical source for this.

31. The agent's spending of the money is attributed to the sender, in that the sender bears responsibility for the sin.

Since the fact that the sender bears responsibility for his agent's *me'ilah* is based on this *gezeirah shavah,* there is no basis to characterize *me'ilah* law, on this account, as being "like mountains suspended by a hair" (see *Rashi*).

32. For we can assume that once the sender realized that the money was consecrated he no longer wished for the agent to act on his behalf; consequently, the agency is no longer in force and the former agent is liable for the *me'ilah* that he commits (*Rashi;* cf. *Rashi* to *Kiddushin* 50a).

33. Granted that the sender is not liable, since the agency is no longer in force; but what of the agent? What did he do [to make himself more culpable in this case than in a case where the sender did not remember that the money was sacred]? (*Rashi*). After all, from his perspective, he is only executing the instructions of the sender (*Rashi* to *Me'ilah* 21a ד״ה ורמינהו)!

34. Although the agent did not know that the coins were sacred, he is no different than any person who inadvertently spent sacred money, and who is liable on that account. [Although if the sender did not remember that the coins were sacred the agent is not liable, that is only because so long as the agency is in force the *me'ilah* transgression is attributed to him;] but once the sender voids the agency then the *me'ilah* must be attributed to the erstwhile agent (*Rashi*).

35. *Me'ilah* 19b.

36. [The mere taking does not constitute *me'ilah;* the Gemara will shortly clarify why this is so.]

37. Since the other party is acquiring the gift of the beam or stone, the giver has effectively removed it from the Temple treasury's domain, thereby misappropriating it. He must therefore pay restitution to the Temple treasury (*Rashi*).

38. Since the person who gave it to him, by virtue of having committed an act of *me'ilah,* causes the sacred object to leave the possession of the Temple treasury, thus losing its sacred status, and to become the property of the person to whom he gave it (*Rashi*). [In general, an act of *me'ilah,* when done unintentionally, causes the sacred item to leave the possession of the Temple treasury and to lose its sacred status (see *Kiddushin* 54b; see there for another view, as well; for exceptions to this rule see *Me'ilah* 19b).]

עין משפט נר מצוה

נה א מיי' פ"א מהל' שבת הלכה ח:
נו ב מיי' פ"ו מהלכות מעילה הלכה א:
נז ג מיי' פ"ד מהלכות תרומות הלכה א טוש"ע י"ד סי' שלא סעיף כט:
נח ד מיי' פ"ז מהלכות מעילה הלכה ה:
נט ה מיי' שם פ"ו הלכה ז:

רבינו חננאל

החופר גומא ואין כוונתו לגומא אלא ליטול העפר לצורך לו וכיוצא בה פטור עליה שנמצא מקלקל לגבי הגומא. דתנן כל המקלקלין פטורין והן כמו הררים תלוין בשערה. שאין כח בשערה להחזיק ההר אלא נראה כתלוי ועומד באויר. כן הלכות הללו דאי מדאורייתא כל מלאכה אסורה ובבאה הלכה פירשה מלאכת מחשבת כלומר אינו חייב במלאכה עד שיתכוין לעשות אותה מלאכה: ירושלמי כתיב ועליהן ככל הדברים מקרא ומשנה ותלמוד הכל נאמרו לו למשה מסיני. אין מורין לא מן ההלכות ולא מן התוספתות ולא מן האגדות אלא מן התלמוד. ר' חנינא בשם שמואל אמר אין למידין מן ההוראה ולא מן המעשה בההוא דאיכא מאן דפליג אבל בהאי דלא פליג עביד: חגיגות מנא לן דהקרבת זבח היא. דלמא הקפה דרך סיבוב הוא כדכתיב יחוגו וינועו כשכור. ודחינן טובא ודברים פשוטין הן. ואסיקנא אלא בג"ש גמיר לה אתיא מדבר מדבר כתיב הכא ויחוגו לי במדבר. וכתיב הזבחים ומנחה הגשתם לי במדבר. אי הכי אמאי תנינן כהררים תלוין בשערה הן. ופרקינן דדברי תורה מדברי קבלה לא ילפינן. מעילות נמי אוקימנא בהא נזכר בעל הבית ולא נזכר השליח. השליח מעל. שליח מאי הוה ליה ידיעא דאינון מעות של הקדש דמעול. בשלמא מוציא מעות הקדש לחולין אמרינן הוה ליה למידק וכיון דלא דק מעל. אבל שליח מאי איכא למימר הכי. היינו

תורה אור השלם

א) ואחר באו משה ואהרן ויאמרו אל פרעה כה אמר יי אלהי ישראל שלח את עמי ויחגו לי במדבר: [שמות ה, א]
ב) ויאמר משה גם אתה תתן בידנו זבחים ועלת ועשינו ליי אלהינו: [שמות י, כה]
ג) לא תזבח על חמץ דם זבחי ולא ילין חלב חגי עד בקר: [שמות כג, יח]
ד) צו את אהרן ואת בניו לאמר זאת תורת העלה הוא העלה על מוקדה על המזבח כל הלילה עד הבקר ואש המזבח תוקד בו: [ויקרא ו, ב]
ה) ולא יראה לך שאר בכל גבלך שבעת ימים ולא ילין מן הבשר אשר תזבח בערב ביום הראשון לבקר: [דברים טז, ד]
ו) הזבחים ומנחה הגשתם לי במדבר ארבעים שנה בית ישראל: [עמוס ה, כה]

גמרא

[א] מלאכת מחשבת אסרה תורה ומלאכת מחשבת לא כתיבא: חגיגות: מיכתב כתיבן לא צריכא לכדאמר ליה רב פפא לאביי ממאי דהאי וחגותם אותו חג לה' זביחה דלמא חוגו חגא קאמר רחמנא אלא מעתה דכתיב א) ויחוגו לי במדבר הכי נמי דחוגו חגא הוא וכי תימא הכי נמי והכתיב ב) ויאמר משה גם אתה תתן בידינו זבחים ועולות דלמא הכי קאמר רחמנא אכלו ושתו וחוגו חגא קמאי לא סלקא דעתך דכתיב ג) ולא ילין חלב חגי עד בקר ואי סלקא דעתך דחוגא (א) הוא תרבא לחגא אית ליה ודלמא הכי קאמר רחמנא חלב הבא בזמן חג לא ילין אלא מעתה הבא בזמן חג הוא דלא ילין הא דכל השנה כולה ילין ד) כל הלילה עד הבקר כתיב דלמא אי מההוא הוה אמינא ההוא לעשה כתב רחמנא האי ללאו ללאו כתב קרא אחרינא ה) ולא ילין מן הבשר אשר תזבח בערב ביום הראשון לבקר ודלמא לעבור עליו בשני לאוין ועשה אלא אתיא מדבר מדבר כתיב הכא ויחוגו לי במדבר וכתיב התם ו) הזבחים ומנחה הגשתם לי במדבר מה להלן זבחים אף כאן זבחים ומאי כהררין התלויין בשערה ז) דברי תורה מדברי קבלה לא ילפינן: מעילות: מיכתב כתיבן אמר רמי בר חמא לא נצרכא אלא לכדתנן ג) השליח שעשה שליחותו בעל הבית מעל לא עשה שליחותו השליח מעל וכי עשה שליחותו אמאי מעל וכי זה חוטא וזה מתחייב היינו כהררין התלויין בשערה אמר רבא ומאי קושיא דלמא שאני מעילה דילפא חטא חטא מתרומה מה התם ז) שלוחו של אדם כמותו אף כאן שלוחו של אדם כמותו אלא אמר רבא לא נצרכא אלא לכדתניא ח) ד נזכר בעל הבית ולא נזכר שליח שליח מעל שליח עניא מאי קא עביד היינו כהררין התלויין בשערה אמר רב אשי מאי קושיא דלמא מידי דהוה אמוציא מעות הקדש לחולין אלא אמר רב אשי לא נצרכא אלא לכדתנן י) נטל אבן או קורה של הקדש הרי זה לא מעל נתנה לחבירו הוא מעל וחבירו לא מעל מכדי מישקל שקלה מה לי הוא י) ומה לי חבירו היינו כהררין התלויין בשערה ומאי קושיא דלמא כדשמואל דאמר שמואל ה) ה הכא

רש"י

מלאכת מחשבת. שהמחשבה חשבה ונתכוון לה וזה לא נתכוון לה לבנין זה לפיכך פטור וזהו רמז מועט דאילו מלאכת מחשבת בשבת לא כתיבא אלא במשכן הוא דכתיב ולפי שסמך בפרשת ויקהל פרשת שבת לפרשת משכן אנו למדין מלאכת מחשבת לשבת: מיכתב כתיבן. כדאמרינן לעיל מוחגותם אותו: חוגו חגא. להרבות שמחה: דלמא הכי קאמר רחמנא אכלו ושתו וחוגו חגא קמאי. והאי זבחים דקרא לאו שלמים נינהו אלא חובות בשר לאכול: חלב הבא בזמן החג. אם באת להקריב קרבנות נדרים ברגל לא ילינו חוץ למזבח בעלות השחר: הא כל השנה ילינו. בתמיה: עד הבקר כתיב. היא העולה על מוקדה על המזבח כל הלילה עד הבקר מכאן אנו למדין שמעלה כל הלילה אברים ופדרים של קרבנות שנשחטו היום אבל לא מעלות השחר ולמעלה דנפסלו בלינה: ומאי כהררין התלויין. גזרה שוה ראייה גדולה היא: דברי תורה מקבלה לא ילפינן. הלכך רמז בעלמא (ב): השליח שעשה שליחותו. בעל הבית שהיו בידו מעות הקדש ונתחלפו במעותיו ונתנן בשוגג לשליח ואמר לו קח לי מהם חלוק או טלית אם עשה שליחותו בעל הבית מעל וזהו כהררין שיש לתמוה ולומר וכי שליח זה חטא שהוציא מעות הקדש ובעל הבית מתחייב קרבן וחומש ולהביא אשם מעילות והרי ידוע לנו בכל הש"ס שאין שליח לדבר עבירה שיהא שולח מתחייב על ידי שלוחו: מעילה ילפינן חטא חטא מתרומה. לכמה דברים נאמר בתורת כהנים נאמר במעילה וחטאה בשגגה מקדשי ה' (ויקרא ה) ונאמר בתרומה ולא תשאו עליו חטא (במדבר יח) מה התם שלוחו כמותו דכתיב כן תרימו גם אתם (שם) ואמר מר גם אתם לרבות שלוחכם: נזכר בעל הבית כו'. ברייתא היא בפ' בתרא דמעילה והכי גרסינן לכדתניא נזכר בעל הבית שהן של הקדש עד שלא יגיע שליח אצל חנוני ולא נזכר שליח והוציאן השליח חייב: שליח עניא מאי עבד. נהי דבעל הבית פטור דכיון דנזכר אנן סהדי דתו לא ניחא ליה בשליחותיה דהאיך ומהשתא לאו שלוחו הוא ומיהא שליח מאי עביד: מידי דהוה. אשאר כל מוציאין מעות הקדש לחולין בשוגג שימעלו אף זה בשוגג הוציאן דכיון שביטל המשלח שליחותו הוה ליה איהו מוציא: הוא מעל. דכיון שנתנם לו הוציאן מיד הקדש לחולין: וחברו לא מעל. בכל שיעשה הוא בה דהא דידיה היא ועליה דהאיך לשלומי להקדש כדכתיב ואשר חטא מן הקדש ישלם (ויקרא ה):

תוספות

מלאכת מחשבת אסרה תורה. פרש"י שאינה צריכה לגופה כמין מלאכה זאת שברצונו לא היה בנין זה בעולם ולא יתכן דאם כן בכל מלאכות נמי כגון סותר ע"מ לבנות במקומו למה מיחייב (ג) דהא לא ניחא ליה שהיה הבנין בעולם וכן קורע ע"מ לתפור ג"כ לא ניחא ליה בקרע זה מעולם וקורע הבא באבלו או מחמת טרדא וקורע בחמתו למרמי אימתיה (ד) לכן נראה להר"י לפרש שאינו צריך לעיקר שורש האיסור כגון הכא שאינו צריך לגומא שהיא המלאכה וכן מוציא מת במטה והרבה דחשיב פ' המצניע (שבת דף צג:) ולא דמו למלאכת המשכן שהיו צריכים לעיקר המלאכה מכבה משום צורך הפחמין ולידת תחשים וחלזון וכן כולם כיוצא בהן [ט]: חוגו חגא. י"מ לשון מחולות כמו יחוגו וינועו כשכור (תהלים קז): בזמן חג הוא דלא ילין (והתניא) וכו'. כי מוקמינן קרא בחגיגה לא שייך לאקשויי בחגיגה הוא דלא ילין הא כל שאר קרבנות ילין הא כתיב כל הלילה עד הבקר ומוקמינן לה לכל העולין על המזבח דהא איכא למימר דלא הוה מוקמינן קרא רק לעולה שהיא כולה כליל כמו עולה אבל שאר קרבנות כגון שלמים וחגיגות שאינם כליל לא: ולא ילין מן הבשר. ואף על גב דמוקמינן לקרא בפרק אלו דברים (פסחים דף עא. ושם) בחגיגה שנאכלת לשני ימים ולילה אחד ועוד דבשר כתיב דמשמע אכילת אדם מ"מ מפקינן מיניה תרתי מדכתיב ביום הראשון לבקר ולא כתיב ביום השלישי: לעבור עליו בשני לאוין. ואע"ג דאמרינן בעלמא [י] כל היכא דאיכא למידרש דרשינן ולא מוקמינן בלאוי יתירי הכא שאני שאין להעמידו בקרבן חדש שלא מצינו כיוצא בו בתורה ודומה לו כמו שמצינו בריש יבמות (דף ד.) דמוקמינן לא יגלה בשומרת יבם של אביו בלאו יתירא ולא מוקמינן ליה באנוסת אביו: ויחוגו לי במדבר. ולא ילין חלב חגי אתא ללמד על ג"ש דמיירי בחגיגה ולא בשאר קרבנות: מעילות מכתב כתיבי וכו' (ה) [כ] מקרא מועט והלכות מרובות. מתוך פרש"י משמע שהוא פירוש התלויין בשערה שיש בו הלכות מרובות תלויין ברמז מקרא מועט כהר התלוי בשיער הראש וקשה למורי מאי פריך בגמרא מעילות מכתב כתיבי ודאי כתיבי אבל יש בהן הלכות הרבה והיינו מקרא מועט והלכות מרובות ומיהו לפי מה שפירש רש"י תלויות ברמז משמע דסבירא ליה דבהדיא לא כתיבי אך גבי שבת פירש מיכתב כתיבי פי' טובא אזהרות כתיבי בשבת מאי מקרא מועט דקאמר מתני' והכי לא אפשר לי לפרש גבי מעילות וגם משמע דבהדיא קאמר דכתיבי ונראה להר"ר אלחנן לפרש דמילתא באפי נפשיה היא מקרא מועט וקאי לאהלות ויש בהן מקרא מועט אבל ההלכות מרובות וכמה ספרים יש ריוח בין מקרא מועט אדלעיל א"כ משמע דמילתא באפי נפשיה הוא אך בתוספתא (פ"א) תנא מקרא מועט והלכות מרובות כהררין התלויין בשערה ואין להם על מה שיסמכו מכאן היה אומר רבי יהושע צבתר בצבתר ר"ל מקרא מועט ותולה ברמז מועט דמשמע כדפירש רש"י ופירש כדפרש"י על הא דקאמר מקרא מועט שברמז נתנו: נתנה לחבירו מעל. ולא דמי להניח דנתנה לחנוני דלא מעל דהתם איירי במזיד ואין מתחלל וחנוני לא מעל עד שיוציא התם משום דלא עבד מעשה: משקל שקלה מה לי הוא מה לי חברו. יש תימה דודאי שינה הרבה כיון שנתנה לחבירו יש לו למעול משום טובת הנאה של שאלה כדאמרינן פרק השואל (ב"מ דף צט.) המשאיל קורדום של הקדש מעל לפי טובת הנאה של חברו וחברו מותר לבקע בו לכתחלה אבל כאן נתנה ... (דף קא.) פירשתי:

מסורת הש"ס

א) [ביצה יג: וש"נ], ב) [ב"ק ב. נדה כב.], ג) קדושין מב: נדרים נד. מעילה כ. כתובות לה., ד) [ברכות לד: וש"נ], ה) מעילה כא. קדושין ג., ו) מעילה יט: ב"ק כ: ב"מ מג:, ז) מ"ש דכי נטל הוא דלא מעל ומ"ש כי נתנה לחבירו דמעל. רש"י במעילה שם, ח) [מעילה כ.], ט) [וע"ע תוס' שבת לד. ד"ה ר' שמעון], י) [פסחים כד:], כ) [שייך לעיל ע"א במשנה], ל) [נד"א לע"ג].

הגהות הב"ח

(א) גמ' אי סלקא דעתך דחוגא חגא הוא תרבא: (ב) רש"י ד"ה דברי תורה וכו' בעלמא הוא הס"ד: (ג) תוס' ד"ה מלאכת וכו' פרש"י כגון מלאכה זאת וכו' ע"מ לבנות במקומו למה מחייב והלא ניחא ליה שלא היה הבנין בעולם וכן קורע ע"מ לתפור ... וקורע באבלו כ"ל ומיהת הכא נמחק: (ד) בא"ד למרמי אימתיה ... לכן נראה להר"י: (ה) ד"ה [מעילות] מכתב וכו' ומאי מקרא מועט.

ליקוטי רש"י

[illegible]

מִכְּדֵי מִישְׁקַל שָׁקְלָהּ – **Now,** let us consider. **He has taken it** [the stone or beam] in either case; מַה לִּי הוּא וּמַה לִּי חֲבֵירוֹ – **what** difference does it make **to me whether he** takes it for himself **or whether his friend** takes it?[39] הַיְינוּ כַּהֲרָרִין הַתְּלוּיִין בְּשַׂעֲרָה – Since this ruling is counterintuitive, **that** is why the Mishnah describes *me'ilah* law as being **"like mountains suspended by a hair."**

The Gemara objects to this explanation:

וּמַאי קוּשְׁיָא – **And what is the difficulty** with this ruling? דִּלְמָא כִּדְשְׁמוּאֵל – **Perhaps it is as Shmuel** explained it. דְּאָמַר שְׁמוּאֵל – **For Shmuel said:** הָכָא – **Here** in this Mishnah

NOTES

39. *Me'ilah* is committed by appropriating sacred property from the Temple's domain. Therefore, what difference does it make, asks Rav Ashi, whether he takes the property for himself or subsequently gives it to his friend? Since he picks it up in order to appropriate it, he has removed the object from the sacred domain, and he should be liable for *me'ilah* (see *Rashi* to *Me'ilah* 20a and *Tosafos* ad loc. ד״ה מאי שנא with *Shitah Mekubetzes* there; *Raavad, Hil. Me'ilah* 6:8; cf. *Rambam, Hil. Me'ilah* 6:7, with *Kesef Mishneh*).

בְּגִזְבָּר הַמְּסוּרוֹת לוֹ אַבְנֵי בִנְיָן עָסְקִינַן – **we are referring to a Temple treasurer to whom building stones have been entrusted.** דְּכָל הֵיכָא דְּמַנְּחָה – **For wherever they rested,** even prior to his appropriating them, בִּרְשׁוּתָא דִידֵיהּ מַנְּחָה – **they rested in his possession.**[1]

Conceding this point, the Gemara continues:

אֶלָּא מְסֵיפָא – **Rather,** the aspect of *me'ilah* law that is "like mountains suspended from a hair" can be sought **from the end of** that same **Mishnah,** which continues: בְּנָאָהּ בְּתוֹךְ בֵּיתוֹ – If, instead of giving the object away, [THE TREASURER] BUILT IT INTO HIS own HOUSE, הֲרֵי זֶה לֹא מָעַל עַד שֶׁיָּדוּר תַּחְתֶּיהָ בְּשָׁוֶה פְּרוּטָה – HE DOES NOT THEREBY COMMIT *ME'ILAH* UNTIL HE DWELLS BENEATH IT the value of A PERUTAH'S WORTH.[2] מִכְּדִי – **Now,** let us consider: שְׁנוּיֵי שַׁנְיֵיהּ – By building it into his house **he has changed it;**[3] מַה לִּי דָּר וּמַה לִּי לֹא דָר – **what** difference, then, should it make **to me whether he dwells** beneath it **or does not dwell** beneath it? Regardless, he has performed an illegal act of appropriation! הַיְינוּ כַּהֲרָרִין הַתְּלוּיִין בְּשַׂעֲרָה – The logic of the Mishnah's distinction is therefore somewhat tenuous; and **that** is why the Mishnah describes *me'ilah* law as being **"like mountains suspended by a hair."**

This explanation, too, is rejected:

וּמַאי קוּשְׁיָא – **What is difficult** with this ruling? דִּלְמָא (ל)כִּדְרַב[4] – For **perhaps** that Mishnah should be understood **as Rav** explained it! דְּאָמַר רַב – **For Rav said:** כְּגוֹן שֶׁהֱנִיחָהּ עַל פִּי אֲרוּבָּה – The ruling of that Mishnah is true only **provided he** merely **placed it on top of an opening in the roof** to close it up, but did not affix it to the structure.[5] אִי דָּר בֵּיהּ אִין – Therefore, **if he dwells in it,** i.e. if he dwells under the beam or stone, then **yes,** he is guilty of *me'ilah,* since he has derived benefit from a sacred object. לֹא דָר בֵּיהּ לֹא – But if **he did not dwell in it** then **no,** he is not guilty of *me'ilah.*

The Gemara concludes:

אֶלָּא לְעוֹלָם כִּדְרָבָא – **Rather, in truth,** it is **as Rava** suggested earlier, on the previous *amud,* that the aspect of *me'ilah* law that is "like mountains suspended by a hair" is the ruling that if the sender became aware that the money he gave the agent was sacred then it is the agent who is guilty of *me'ilah.* וּדְקָא קַשְׁיָא לָךְ – **And as for your objection** that this ruling is eminently logical, מִידֵי דַּהֲוָה אַמּוֹצִיא מְעוֹת הֶקְדֵּשׁ לְחוּלִּין – for it is **just like in an** ordinary case of someone **who** inadvertently **removes consecrated coins** from the sacred domain **to a secular domain,** there is actually an important distinction between these cases: הָתָם מֵידַע יָדַע דְּאִיכָּא זוּזֵי דְהֶקְדֵּשׁ – For **there,** where someone inadvertently appropriated sacred property, **he was** at least **aware that there were sacred coins** in his possession, although he did not realize that the coins that he was holding in his hand were they. אִיבְּעֵי לֵיהּ לְעִיּוּנֵי – **He,** therefore, **should have scrutinized** his actions more closely, and he is culpable for not having done so. הָכָא מִי יָדַע – But **here, did [the agent] know** that there were sacred coins in the sender's possession at all? There is certainly no reason to think so; and yet he is liable for *me'ilah!* הַיְינוּ כַּהֲרָרִין הַתְּלוּיִין בְּשַׂעֲרָה – **And that** is why the Mishnah describes *me'ilah* law as being **"like mountains suspended by a hair."**[6]

The Mishnah continued:

מִקְרָא מוּעָט וַהֲלָכוֹת מְרוּבּוֹת – ... FOR THERE ARE FEW SCRIPTURAL REFERENCES, YET there are NUMEROUS LAWS.

The Gemara cites a Baraisa which speaks of other areas of halachah that can be similarly characterized:

תָּנָא – **It was taught in a Baraisa:** נְגָעִים וְאֳהָלוֹת מִקְרָא מוּעָט וַהֲלָכוֹת מְרוּבּוֹת – The laws governing *NEGAIM* AND *OHOLOS*[7] have FEW SCRIPTURAL REFERENCES, YET there are NUMEROUS LAWS.

The Gemara questions this:

נְגָעִים מִקְרָא מוּעָט – Does ***negaim*** law have only **few Scriptural references?** נְגָעִים מִקְרָא מְרוּבֶּה הוּא – Why, **it has many Scriptural references!**[8]

The Gemara answers:

אָמַר רַב פָּפָּא הָכִי קָאָמַר – **Rav Pappa said: This is what [the Baraisa] means to say:** נְגָעִים מִקְרָא מְרוּבֶּה וַהֲלָכוֹת מוּעָטוֹת – The laws of ***negaim*** have **many Scriptural references yet the laws are** actually **few;**[9] אֳהָלוֹת מִקְרָא מוּעָט וַהֲלָכוֹת מְרוּבּוֹת – conversely, the laws governing ***oholos* have few Scriptural references, yet** there are **numerous laws.**

The Gemara continues:

וּמַאי נַפְקָא מִינָּהּ – **Now what** practical **difference** does this make?

The Gemara explains:

אִי מִסְתַּפְּקָא לָךְ מִילְּתָא בִּנְגָעִים – It indicates that **if you are in doubt concerning a matter of *negaim*** law, עַיֵּין בִּקְרָאֵי – the

NOTES

1. Were a person other than the treasurer to pick up the stone or beam he would indeed commit *me'ilah,* since his act of lifting the object removes the object from the Temple domain to his own domain, thus effecting a transfer. The treasurer's lifting of the object, however, does not effect any transfer; since the consecrated object is *already* in his domain, as it was entrusted to his care, his domain and that of the Temple are indistinguishable. Only if he gives the beam or the stone to someone else does he commit *me'ilah;* for in that case his giving it to someone else changes the domain of the object. The transfer of the object to another domain is an act of *me'ilah,* and removes the consecrated status of the object. The treasurer is the one guilty of *me'ilah,* since he is the one that removed it to another domain. The recipient is not guilty of *me'ilah* by subsequently using the object, since it has already become unconsecrated (see *Rashi* here, to *Me'ilah* 20a and to *Bava Metzia* 99b; see also *Rashi* to *Bava Kamma* 20b).

2. *Me'ilah* can be committed in one of two ways: (a) by performing an act of acquisition to property that removes it from the Temple's domain; (b) by deriving a *perutah's* worth of benefit from it (*Ritva* to *Bava Metzia* ibid.; see *Me'ilah* 18a-b). In this case, since – for reasons the Gemara will shortly explain – no act of acquisition is being done, *me'ilah* does not take place until and unless he dwells beneath it, thus deriving benefit from it.

3. By chiseling the stone or cutting the beam to size, or, for that matter, by cementing it into his home, he has caused a physical change in the object and has thereby effected a transfer (see *Rashi* here, to *Bava Kamma* 20b, and to *Me'ilah* 20a; cf. *Tosafos* to *Bava Kamma* ibid.).

[Causing a physical change in an object in one's domain is an act of acquisition; see *Bava Kamma* 95a and 100b.]

4. Emendation follows a *Rashash.*

5. Since he has not affixed the object to the structure, but can remove it whenever he wishes, he is not considered to have physically altered it (see *Rashi* loc. cit.; cf. *Tosafos* to *Bava Kamma* ibid.).

6. The Mishnah describes this aspect of *me'ilah* law as "a mountain suspended by a hair" since – if not for the oral tradition of the Sages – it would rest on no firmer basis than the dubious analogy between someone who was aware that he had sacred money in his possession, and accidentally spent it, and an agent who was given money to spend and was completely unaware that the sender had sacred money in his possession at all. The former act is inadvertent [ascribable to forgetfulness or thoughtlessness]; but the latter is more like an act due to circumstances beyond one's control, for which one normally bears no liability (*Rashi;* see also *Meromei Sadeh*).

7. *Negaim* refers to the laws of *tzaraas* affliction. *Oholos* refers to the complex laws describing how corpse *tumah* can be conveyed by a roof.

8. The laws of *negaim* are laid out at length in *Leviticus,* Chapters 13 and 14.

9. [The ratio of Scriptural material to the amount of law involved is relatively high.]

מסורת הש"ם

א) [ב"ק כ: ע"ש מעילה כ.], ב) סנהדרין עט. פז:, ג) [קידושין לו:] זבחים יג., ד) זבחים [ז.] יד: כד: [עירובין קד. פסחים סה: יומא כז. מנחות י.], ה) עירובין ד. יד: פסחים קט. יומא לא., ו) [עי' פסחים קט.], ז) [נזיר נג.], ח) [צ"ל אלא לבתו], ט) [צ"ל דמעל], י) [מעילה יט:], כ) [כתובות לד: ע"ש], ל) [צ"ל והדוה בנדתה], מ) [עי' תוס' יומא עח. ד"ה מכאן ותוס' יבמות מז: ד"ה במקום], נ) בתורת כהנים פרשה יא, ס) ע"ש רש"י ותוס', ע) [ב"ב ק: ושם ד"ה והכוכין], פ) [תענית אסתר], צ) [בסליחות שלפנינו ליתא], ק) [ועי' תוס' פסחים קט: ד"ה ברום], ר) [ונדה בד"ה אי בהם תירלו דהכא אסמכתא הוא דשעורין הלכה למשה מסיני].

רבינו חננאל

היינו דתנן מעילות כהררין תלויין בשערה. הדינין דכתב רחמנא ונתת נפש תחת נפש ואמור רבנן ממון. עבודות זו הולכת הדם. טהרות שיעור מי מקוה דלא כתב שיעורו בתורה. ושיערו חכמים אמה על אמה ברום שלש הן מ' סאה. טמאות טומאת שרץ ששיערו חכמים בכעדשה. ר' יוסי אומר כזנב הלטאה. עריות בתו מאנוסתו דלא

הגהות הב"ח

(א) רש"י ד"ה במים וכו' לאו מים חיים בעו ומאי במים:

תורה אור השלם

א) וְאִם אָסוֹן יִהְיֶה וְנָתַתָּה נֶפֶשׁ תַּחַת נָפֶשׁ: [שמות כא, כג]

ב) וְשָׁחַט אֶת בֶּן הַבָּקָר לִפְנֵי יְיָ וְהִקְרִיבוּ בְּנֵי אַהֲרֹן הַכֹּהֲנִים אֶת הַדָּם וְזָרְקוּ אֶת הַדָּם עַל הַמִּזְבֵּחַ סָבִיב אֲשֶׁר פֶּתַח אֹהֶל מוֹעֵד: [ויקרא א, ה]

ג) וְהַקֶּרֶב וְהַכְּרָעַיִם יִרְחַץ בַּמָּיִם וְהִקְרִיב הַכֹּהֵן אֶת הַכֹּל וְהִקְטִיר הַמִּזְבֵּחָה עֹלָה הוּא אִשֵּׁה רֵיחַ נִיחֹחַ לַייָ: [ויקרא א, יג]

ד) וְאִישׁ כִּי תֵצֵא מִמֶּנּוּ שִׁכְבַת זָרַע וְרָחַץ בַּמַּיִם אֶת כָּל בְּשָׂרוֹ וְטָמֵא עַד הָעָרֶב: [ויקרא טו, טז]

ה) אֵלֶּה הַטְּמֵאִים לָכֶם בְּכָל הַשָּׁרֶץ כָּל הַנֹּגֵעַ בָּהֶם בְּמֹתָם יִטְמָא עַד הָעָרֶב: [ויקרא יא, לא]

ו) וְכֹל אֲשֶׁר יִפֹּל עָלָיו מֵהֶם בְּמֹתָם יִטְמָא מִכָּל כְּלִי עֵץ אוֹ בֶגֶד אוֹ עוֹר אוֹ שָׂק כָּל כְּלִי אֲשֶׁר יֵעָשֶׂה מְלָאכָה בָּהֶם בַּמַּיִם יוּבָא וְטָמֵא עַד הָעֶרֶב וְטָהֵר: [ויקרא יא, לב]

גמרא

בגזבר המסורות לו אבני בנין עסקינן דכל היכא דמנחה ברשותא דידיה מנחה אלא מסיפא בנאה בתוך ביתו הרי זה לא מעל עד שידור תחתיה בשוה פרוטה מכדי שנויי שנייה מה לי דר ומה לי לא דר היינו כהררין התלויין בשערה ומאי קושיא דלמא לכדרב דאמר רב כגון שהניחה על פי ארובה אי דר ביה אין לא דר ביה לא אלא לעולם כדרבא ודקא קשיא לך מידי דהוה אמוציא מעות הקדש לחולין התם מידע ידע דאיכא זוזי דהקדש איבעי ליה לעיוני הכא מי ידע היינו כהררין התלויין בשערה: מקרא מועט והלכות מרובות: תנא נגעים ואהלות מקרא מועט והלכות מרובות נגעים מקרא מרובה הוא אמר רב פפא הכי קאמר נגעים מקרא מרובה והלכות מועטות אהלות מקרא מועט והלכות מרובות ומאי נפקא מינה אי מסתפקא לך מילתא בנגעים עיין בקראי ואי מסתפקא לך מילתא באהלות עיין במתניתין: דינין: מיכתב כתיבן לא נצרכא אלא לכדרבי דתניא רבי אומר נפש תחת נפש ממון אתה אומר ממון או אינו אלא נפש ממש נאמרה נתינה למטה ונאמרה נתינה למעלה מה להלן ממון אף כאן ממון: עבודות: מיכתב כתיבן לא נצרכא אלא להולכת הדם דתניא והקריבו זו קבלת הדם ואפקה רחמנא בלשון הולכה דכתיב והקריב הכהן את הכל והקטיר המזבחה ואמר מר זו הולכת אברים לכבש למימרא דהולכה לא תפקה מכלל קבלה: טהרות: מיכתב כתיבן לא נצרכא אלא לשיעור מקוה דלא כתיבא דתניא ורחץ (את בשרו) במים במי מקוה את כל בשרו מים שכל גופו עולה בהן וכמה הן אמה על אמה ברום שלש אמות ושיערו חכמים מי מקוה ארבעים סאה: טמאות: מיכתב כתיבן לא נצרכא אלא לכעדשה מן השרץ דלא כתיבא דתניא בהם יכול בכולן תלמוד לומר מהם יכול במקצתן ת"ל בהם הא כיצד עד שיגיע במקצתו שהוא ככולו שיערו חכמים בכעדשה שכן חומט תחלתו בכעדשה רבי יוסי בר' יהודה אומר כזנב הלטאה: עריות: מיכתב כתיבן לא נצרכא לבתו

רש"י

דכל היכא דמנחה. אפילו מקמי הכי ברשותיה מנחה הלכך כל כמה שנטלה לא שנייה מידי דתיפוק מידא דהקדש: שנויי שנייה. כשקבעה בבנין וקנייה בשנוי שמתחלה וקובעה: שהניחה ע"פ ארובה. לפסוק הארובה וכל שעה שירלה נוטלה ולא שנייה מידי: כדרבא. נזכר בעל הבית כו': היינו כהררין התלויין בשערה. בסמיכה מועטת מדמינן לה למוציא מעות הקדש לחולין שהרי קרוב הוא לאונס יותר מן השוגג: דינין מיכתב כתיבן. מפורשין יפה ומתניתין קתני יש להן סמיכה משמע שאינן מפורשין: לא נצרכא כו'. כלומר יש בהן דברים שאינן מפורשין בפירוש כגון זה וכיוצא בה: דכתיב נפש תחת נפש. אם אסון יהיה שמתה האשה יתן ממון דמי האשה ליורשיה שאין עליה חיוב מיתה שלא נתכוון לה אלא לחברו נתכוון דכתיב וכי ינצו אנשים יחדיו קסבר רבי נתכוון להרוג את זה והרג את זה פטור ממיתה ומשלם ממון: נתינה למעלה. לענין דמי וולדות כתיב ונתן בפלילים (שמות כא): נתינה למטה. ונתתה נפש תחת נפש ממון ומאי נינהו דמי הנפש: והקריבו זו קבלת הדם. אע"פ שהוא לשון הולכה אינה אלא קבלה שהרי לאחר שחיטה נכתבה ואין הולכה אלא אם כן קיבל הדם: והקריב הכהן את הכל. גבי אברים כתיב והקרב והכרעים ירחץ במים והקריב הכהן את הכל והקטיר המזבחה: זו הולכת אברים לכבש. דאילו הקטרה בהדיא כתיב בקרא והקטיר המזבחה: לא תפקיה מכלל קבלה. לכל דבריה ואע"ג שהיא עבודה שאפשר לבטלה שאם רצה שוחט בצד המזבח וזורק היכא דלא בטלה עבודה היא ומפגלין את הקרבן במחשבתה וצריכה כהן ובגדי כהונה ופוסל בה אונן ויושב וערל: במים. נקודתו בפתח משמע מים המיוחדים לאפוקי שאובין ומיהו מים חיים לא צריך מדלכתיב בזב מים חיים (ויקרא טו) מכלל דשאר טמאין לאו מים חיים בעו (א) ומיהו במים המיוחדין במקוה אע"פ שהן גשמים: בהם. כל הנוגע בהם: מהם. כל אשר יפול עליו מהם במותם יטמא: חומט. אומר אני שהוא מין שרץ שקורין לימג"א הגדל בקליפה ההולכת ומעגלת תמיד כל כמה שגדל ותחילת הנילר כקליפה של עדשה היא: כזנב הלטאה. לפי שמפרכסת לאחר שנחתכה והיינו מקצתו שהוא ככולו שיש בו חיות: לבתו

תוספות

בגזבר המסורות לו. ואפילו למ"ד שליחות יד אין צריכה חסרון הכא שאני דכל היכא דאיתא בי גזא דמלכא קאי: עד שידור תחתיה בשוה פרוטה. ולא נפקא לחולין רק אותה פרוטה וכן גרסינן בערכין (דף כא. ושם) וכיון דדר ביה נפיק (ביה) שכר לחולין וגם רש"י פירש כן דדוקא שכר ולא כולא ביתא וכן פי' הר"י ההיא דהמשאיל קרדום של הקדש לחברו בקע בו וחזר חברו ובקע בו כולן מעלו והיכי דמי הא תנן אין מועל אחר מועל אלא בהמה וכלי שרת אלא ודאי בגזבר המסורות לו קרדומות של הקדש ולא מכוין להוציאן לחולין רק כנגד בקיעה לפיכך כולן מעלו ובקדושין פ"ב (דף נה. בד"ה אין) ובמנחות פרק המנחות והנסכים (דף קא. בד"ה אע"ג) פירשתי: לא נצרכא אלא לכדרבי דתניא ונתתה נפש תחת נפש ממון. ורבי יוחנן דאמר חייבי מיתות שוגגין פטורין מן התשלומין מוקי לה לאידך דרבי דתניא ונתת עין תחת עין דלא פליג אסתם משנה דהכא: והקריבו זו קבלת הדם. ובהולכה לא מוקמינן ליה כפשטא דקרא דהא בתר שחיטה כתיב וקבלה היה מיד והיינו עבודה ראשונה כך פרש"י אך לא משמע לי דהכי נמי וזרקו כתיב בתריה והולכה מקמי זריקה הוי מיד לאפוקי קבלה דהולכה בינתיים ועוד קשה לר"י דאמרי' שילהי פ"ק דזבחים (דף יג.) והקריבו זו קבלה אתה אומר זו קבלה או אינו אלא זריקה כשהוא אומר וזרקו הרי זריקה אמור משמע דהוה מוקמינן לה בזריקה אי לאו דכתיב קרא ואע"ג דלא בתר שחיטה הויא ומיהו י"ל דלא ניחא ליה לאוקמי קרא בהולכה לפי שאינה עבודה חשובה שאפשר לבטלה ויכול לשחוט בראשו של מזבח: לא נצרכא אלא לשיעור מקוה. לא הוה מצי למימר [לבעלה] דלא כתיב כדפירש בה"ג דלא נפקא לן אלא בק"ו דהשתא לטהרות כתיב ורחץ לבעלה דכרת לא כ"ש דהא לאו מילתא היא דמהאי ק"ו לא מצי נפיק דק"ו פריכא הוא דהא כמה חלילות וכוונה דבפרק ב' דחולין (דף לא.) מלינו לטהרות ולא לבעלה אלא מהאי קרא נפקא דכתיב (ויקרא טו) (ותהי נדתה עליו ואחר תטהר) בנדתה תהא עד שתבא במים כדדריש ר"ע בפ"ו דשבת (דף סד:) וכן פר"ת דמהתם נפקא לן טבילת נדה הלכך הוה ליה כמו כתובה: במי מקוה. פרש"י נקודתו בפתח לאשמועינן מים המיוחדים לאפוקי מים שאובין ולא יתכן דהא מים שאובין לאו מהכא נפקא אלא מאך מעין ובור מקוה מים וגו' (ויקרא יא) ודרשינן בת"כ מה מעין בידי שמים אף מקוה בידי שמים ועוד היכי משמע מקוה לאפוקי שאובין הא עיקר קרא משמע שאובין אי לאו דסמכיה למעין כדפי' ונראה לפרש מי מקוה היינו אשבורן כדאמרינן מעין מטהר בזוחלין מקוה באשבורן (שבת דף סה:): אמה על אמה. שאדם מחזיק אמה בעובי עם מלבושים וכן מוכח בשמעתין דכוכין בפ' הפירות (ב"ב דף קא.) שאינו מחזיק עם עובי הארון כ"א אמה והשתא יתכן דלא תקשה היכי טבל אמתא באמתא: ברום ג' אמות. ואע"ג שאדם מחזיק ד' אמות קומה כדמוכח בשמעתין דכוכין דאורך הכוך ד' אמות קומת האדם אינו אלא ג' אמות לבד הראש ומצי להרכין את ראשו מן הצד והא דנקט ד' אמות משום עובי לידי הארון ואע"ג דמצינו בפ"ק דב"ב (דף ג:) גבי היזק ראייה שיעור ראייה ד' אמות היינו שיכול להגביה עצמו על ראשי אצבעותיו עד שיגיע ד' אמות וכן מוכח בעובדא דבני המן בתרגום של מגילת אסתר שנסדר על פי המדרש שגובה קומתן ג' אמות לבד הראש דקחשיב ואזיל על רום חמשים אמות לפי תליית כל העשרה והיו נהרגים כבר קודם התלייה וכן משמעי קרא בשושן הבירה הרגו היהודים ואבד חמש מאות איש ואת עשרת בני המן משמע שבכלל הריגה היו וגם הפייט יסד בסליחה אדם בקום איש בשלש אמות והכרעים (וחמישית) אויר מגולה: הא כיצד. פי' אוזה הגמרא דמייתי עלה האי קושיא ממיך הכהל מוקמינן כוליה קרא בחד עניינא ואילו בפ' דם הנדה (דף ע.) אמר כתיב בהם בכולן וכתיב מהם במקצתן לא קשיא כאן בלח כאן ביבש אלמא בתרי ענייני מיירי קרא ושמא תרתי שמעינן מינה ולמורי נראה תרי קראי כתיבי כל הנוגע בהם במותם מהם במותם אשר יפול מהם אל תוכו ולא טמאתו בהם:

עין משפט נר מצוה

ע א מיי' פ"ו מהלכות מעילה הלכה ח:

עא ב מיי' פ"א מהלכות מקואות הלכה ג סמג עשין רמח טוש"ע י"ד סי' רא סעיף א:

עב ג מיי' שם פ"ד הלכה א סמג שם טוש"ע י"ד סי' קלא סעיף א וסי' רא סעיף א:

עג ד מיי' פ"ד מהלכות שאר אבות הטומאה הלכה ג סמג עשין רמו:

ליקוטי רש"י

בגזבר המסורות לו וכו'. [לשמור] אותו אבן או אותו קורה עסקינן דכי נטלו הוא עדיין ברשותו הם וברשות הקדש נינהו כמתחלה אבל כי נתנה לחברו הרי שינהו מרשות הקדש לחול ומעל [מעילה כ.]. דבלאו הכי נמי ברשותו הוה מנחא הלכך לא מעל בהגבהתו [ב"מ צט:]. בנאה. גוזר בתוך ביתו לא מעל כו'. שהניחה על פי ארובה. ולא קבעה בבנין דלא הוי שינוי הלכך לא מעל עד שידור תחתיה [illegible]

[illegible]

best procedure is to **inquire into the** relevant **verses,** since these laws are laid out at length in Scripture itself. **וְאִי מִסְתַּפְּקָא לָךְ מִילְּתָא בְּאָהֳלוֹת – Whereas if you are in doubt concerning a matter of *oholos* law, עַיֵּין בְּמַתְנִיתִין** – the best procedure is to **inquire into the Mishnah,** where these laws are discussed at length, rather than in Scripture, where they are discussed only briefly.

The Mishnah continued:
דִּינִין – Monetary law [. . . has real Scriptural support].

The language of the Mishnah implies that the monetary laws of the Torah are only "supported" by Scripture, rather than being altogether explicit.[10] Which leads the Gemara to ask:
מִיכְתַּב כְּתִיבָן – But **they** [the monetary laws of the Torah] **are written** explicitly in Scripture! – ? –

The Gemara answers:
לֹא נִצְרְכָא אֶלָּא לְכִדְרַבִּי – While much of monetary law is, indeed, explicit in the Torah, yet the Mishnah's characterization of it having only "real support" in Scripture **is necessary only for** cases such as the following teaching **of Rebbi. דְּתַנְיָא – For it was taught in a Baraisa: רַבִּי אוֹמֵר – REBBI SAYS: ,,נֶפֶשׁ תַּחַת נָפֶשׁ'' –** When the verse states:[11] *And you shall award* ***A LIFE FOR A LIFE,*** **מָמוֹן** – it refers to **MONETARY COMPENSATION.**[12]

Rebbi gives the basis for this interpretation:
אַתָּה אוֹמֵר מָמוֹן – Now, **YOU SAY** the verse refers to **MONETARY COMPENSATION; אוֹ אֵינוֹ אֶלָּא נֶפֶשׁ מַמָּשׁ – BUT** perhaps that is **NOT SO; RATHER,** perhaps it means **LITERALLY "A LIFE,"** i.e. the murderer is executed. To this we may answer: **נֶאֶמְרָה נְתִינָה לְמַטָּה – IT IS STATED "GIVING" BELOW,** in the verse under discussion, **וְנֶאֶמְרָה נְתִינָה לְמַעְלָה – AND IT IS STATED "GIVING" ABOVE,** in the previous verse.[13] This establishes a link between these verses, from which we derive: **מָה לְהַלָּן מָמוֹן – JUST AS THERE,** in the previous verse, the reference is to **MONETARY COMPENSATION, אַף כָּאן מָמוֹן – SO HERE TOO,** in the verse at hand, the reference is to **MONETARY COMPENSATION.**[14]

The Mishnah continued:
עֲבוֹדוֹת – THE sacrificial **SERVICES** . . . [have real Scriptural support].

The Gemara asks:
מִיכְתַּב כְּתִיבָן – But they are written explicitly in Scripture! – ? –

The Gemara answers:
לֹא נִצְרְכָא אֶלָּא לְהוֹלָכַת הַדָּם – While much of sacrificial law is indeed explicit in Scripture, yet the Mishnah's characterization of it as having no more than "real support" **is necessary only for** laws such as that regarding **the conveying of the** sacrificial **blood** to the Altar, as follows: **דְּתַנְיָא – For it was taught in a Baraisa: ,,וְהִקְרִיבוּ'' –** When the verse states:[15] ***THEY SHALL BRING*** *the blood,* **זוֹ קַבָּלַת הַדָּם – THIS** refers to **RECEIVING THE BLOOD** in a sacred vessel.[16] **וְאַפְּקָה רַחֲמָנָא בִּלְשׁוֹן הוֹלָכָה – Now** in this instance **the Merciful One denoted** the act of receiving the blood **with an expression** (viz. *they shall bring*) normally reserved **for conveying, דִּכְתִיב – as it is written:**[17] ***,,וְהִקְרִיב הַכֹּהֵן אֶת־הַכֹּל וְהִקְטִיר הַמִּזְבֵּחָה'' – He shall bring it all . . . and cause it to go up in smoke on the Altar;***[18] **וְאָמַר מַר – and the master said: זוֹ הוֹלָכַת אֵבָרִים לַכֶּבֶשׁ – This** (*he shall bring it all*) refers to the act of **conveying the limbs** of the sacrifice **to the ramp** of the Altar.[19] Thus, we see that the verb *bring* in a sacrificial context ordinarily signifies conveying something to the Altar. Yet the Torah uses this same expression to denote receiving the blood, **לְמֵימְרָא דְּהוֹלָכָה לֹא תִּפְּקָה מִכְּלַל קַבָּלָה – in order to teach that** the service of **conveying** the blood **should not be excluded from** the rules that apply to **receiving** the blood.[20] Although this derivation is based on Scripture, it is certainly not explicit, and the Mishnah thus speaks of sacrificial law as having no more than "real Scriptural support."

The Mishnah continued:
טָהֳרוֹת – [The laws of] **PURITY**[21] . . . [have real Scriptural support].

NOTES

10. Although the Mishnah states that monetary law has "real Scriptural support" – rather than being "like mountains suspended by a hair" – it falls short of characterizing it as being explicit in Scripture (*Rashi*).

11. *Exodus* 21:23. The Baraisa discusses this verse, which deals with a case in which two men were fighting with intent to kill each other, and a woman bystander was inadvertently struck and killed by a blow one of the combatants had intended for his opponent. The Rabbis maintain that the intent that the combatant had to kill his opponent is sufficient to consider the killing of the woman "intentional," and the killer is himself killed. The Baraisa now records Rebbi's opinion.

12. Rebbi maintains that the woman's killing cannot legally be considered "intentional," and the Torah cannot have meant that the killer be put to death. Rather, the phrase must refer to monetary damages; i.e. he must give to the woman's heirs the "value" of her life, determined by how much she would have fetched if sold as a maidservant.

13. Ibid. v. 22. The Torah there speaks of a case in which the woman did not die from the combatant's blow, but suffered a miscarriage because of it. The Torah rules: *and he shall give by order of judges,* i.e. he shall pay monetary compensation for causing the woman to miscarry.

14. Since this law is not explicit, but is derived by way of a *gezeirah shavah,* the Mishnah speaks of it as having real Scriptural support, without being actually explicit in Scripture.

15. *Leviticus* 1:5. וְשָׁחַט אֶת־בֶּן הַבָּקָר לִפְנֵי ה׳ וְהִקְרִיבוּ בְּנֵי אַהֲרֹן הַכֹּהֲנִים אֶת־הַדָּם וְזָרְקוּ אֶת־הַדָּם . . ., *He shall slaughter the bull before Hashem; the sons of Aaron, the Kohanim, shall bring the blood and throw the blood . . .*

16. Although the word וְהִקְרִיבוּ generally denotes conveyance (as the Baraisa goes on to prove) – so that the expression וְהִקְרִיבוּ . . . אֶת־הַדָּם, . . . *shall bring the blood* etc., ought to be understood to mean that the Kohanim shall convey the blood of the sacrifice to the Altar – this cannot be the verse's real intent, since this expression occurs immediately after the verse's mention of the slaughter of the animal (see previous note), and it is obvious that after slaughter – and before being conveyed to the Altar – the blood must be received in a vessel. Clearly, then, in this context וְהִקְרִיבוּ refers to the service of receiving the blood in a sacred vessel (*Rashi;* cf. *Tosafos* to *Yoma* 27a ד״ה והקריבו; see also *Shitah Mekubetzes* and *Taharas HaKodesh* to *Zevachim* 4a).

17. Ibid. v. 13.

18. The reference here is to an *olah* whose limbs are burned on the Altar. [In the case of all other sacrifices, only the אֵימוּרִין, *sacrificial parts,* are burned there.] These limbs are brought to the ramp from where they are taken and put onto the Altar.

19. It clearly cannot refer to the actual burning of the limbs on the Altar, since the verse goes on to state: *and he will burn it on the Altar* (*Rashi*).

20. That is, all of the stringencies that apply to the other services involving the blood of the sacrifice (viz. its slaughter, the receiving of its blood in a sacred vessel, and the application of the blood to the Altar) apply to the service of conveying the blood to the Altar, as well. The novelty in this stems from the fact that the act of conveying the blood – unlike the other three blood-services – is dispensable; for if the sacrifice is slaughtered next to the Altar, its blood may be applied directly from that spot without being conveyed to the Altar at all (see *Zevachim* 13a). The verse at hand therefore is required, to inform us that nevertheless, whenever the blood is conveyed to the Altar the act of conveyance is considered a full-fledged service, and all of the laws that pertain to the other blood-services pertain to it as well. Thus, for example, it must be conveyed by a Kohen wearing his priestly vestments, who is standing (i.e. walking erect), rather than sitting; nor may that Kohen be an *onein* (i.e. someone who suffered the loss of an immediate relative that same day) or uncircumcised; and the conveyer must take care not to invalidate this service by any improper intent (*Rashi*).

21. I.e. the laws of purification from a state of *tumah.*

בגזבר המסורות לו אבני בנין עסקינן דכל היכא דמנחה ברשותא דידיה מנחה אלא מסיפא *בנאה בתוך ביתו הרי זה לא מעל עד שידור תחתיה בשוה פרוטה מכדי שנויי שנייה מה לי דר ומה לי לא דר היינו כהררין התלויין בשערה ומאי קושיא דלמא לכדרב דאמר רב א) כגון שהניחה על פי ארובה אי דר ביה אין לא דר ביה לא אלא לעולם כדרבא ודקא קשיא לך מידי דהוה אמוציא מעות הקדש לחולין התם מידע ידע דאיכא זוזי דהקדש איבעי ליה לעיוני הכא מי ידע היינו כהררין התלויין בשערה: מקרא מועט והלכות מרובות: תנא נגעים ואהלות מקרא מועט והלכות מרובות נגעים מקרא מועט נגעים מקרא מרובה הוא אמר רב פפא הכי קאמר נגעים מקרא מרובה והלכות מועטות אהלות מקרא מועט והלכות מרובות ומאי נפקא מינה אי מסתפקא לך מילתא בנגעים עיין בקראי ואי מסתפקא לך מילתא באהלות עיין במתניתין: דינין: מיכתב כתיבן לא נצרכא אלא לכדרבי דתניא ב) רבי אומר א) נפש תחת נפש ממון אתה אומר ממון או אינו אלא נפש ממש נאמרה נתינה למטה ונאמרה נתינה למעלה מה להלן ממון אף כאן ממון: עבודות: מיכתב כתיבן לא נצרכא אלא להולכת הדם דתניא ג) ב) והקריבו זו קבלת הדם ואפקה רחמנא בלשון הולכה דכתיב ג) והקריב הכהן את הכל והקטיר המזבחה ואמר מר ד) זו הולכת אברים לכבש למימרא דהולכה לא תפקה מכלל קבלה: טהרות: מיכתב כתיבן לא נצרכא אלא לשיעור מקוה דלא כתיבא דתניא ה) ד) ורחץ (את ו) בשרו) במים ב במי מקוה את כל בשרו ג מים שכל גופו עולה בהן וכמה הן אמה על אמה ברום שלש אמות ושיערו חכמים מי מקוה ארבעים סאה: טמאות: מיכתב כתיבן לא נצרכא אלא לכעדשה מן השרץ דלא כתיבא דתניא ז) ה) בהם יכול בכולן תלמוד לומר ו) מהם יכול במקצתן ת"ל בהם הא כיצד עד שיגיע במקצתו שהוא ככולו ד שיערו חכמים בכעדשה שכן חומט תחלתו בכעדשה רבי יוסי בר' יהודה אומר כזנב הלטאה: עריות: מיכתב כתיבן לא נצרכא ח) לבתו

רש"י

דכל היכא דמנחה. אפילו מקמי הכי ברשותיה מנחה הלכך כל כמה שנטלה לא שנייה מידי דמיפוק מידא דהקדש: **שנויי שנייה.** כשקבעה בבנין וקנייה בשנוי שמפתחה וקובעה: **שהניחה ע"פ ארובה.** לפקוק הארובה וכל שעה שירצה נוטלה ולא שנייה מידי: **כדרבא.** נזכר בעל הבית כו': **היינו כהררין התלויין בשערה.** בסמיכה מועטת מדמינן לה למוציא מעות הקדש לחולין שהרי קרוב הוא לאונס יותר מן השוגג: **דינין מיכתב כתיבן.** מפורשין יפה ומתניתין קתני יש להן סמיכה משמע שאינן מפורשין: **לא נצרכא כו'.** כלומר יש בהן דברים שאינן מפורשין בפירוש כגון זה וכיוצא בה: **דכתיב נפש תחת נפש.** אם אסון יהיה שהמתה האשה יתן ממון דמי האשה ליורשיה שאין עליה חיוב מיתה שלא נתכוון לה אלא לחברו נתכוון דכתיב וכי ינצו אנשים יחדיו וקסבר רבי נתכוון להרוג את זה והרג את זה פטור ממיתה ומשלם ממון: **נתינה למעלה.** לענין דמי וולדות כתיב ונתן בפלילים (שמות כא): **נתינה למטה.** ונתתה נפש תחת נפש ממון ומאי נפש דמי הנפש: **והקריבו זו קבלת הדם.** אע"פ שהוא לשון הולכה אינה אלא קבלה שהרי לאחר שחיטה נכתבה ואין הולכה אלא אם כן קיבל הדם: **והקריב הכהן את הכל.** גבי אברים כתיב והקרב והכרעים ירחץ במים והקריב הכהן את הכל והקטיר המזבחה: **זו הולכת אברים לכבש.** דאילו הקטרה בהדיא כתיב בקרא והקטיר המזבחה: **לא תפקיה מכלל קבלה.** לכל דבריה ואע"ג שהיא עבודה שאפשר לבטלה שאם רצה שוחט בצד המזבח וזורק הילכך לא בטלה עבודה היא ומפגלין את הקרבן במחשבתה וצריכה כהן ובגדי כהונה ופוסל בה אונן ויושב וערל: **במים.** נקודתו בפתח משמע מים המיוחדים לאפוקי שאובין ומיהו מים חיים לא צריך מדכתיב בזב מים חיים (ויקרא טו) מכלל דשאר טמאין לאו מים חיים בעו (א) ומיהו במים המיוחדין במקוה אע"פ שהן גשמים: **בהם.** כל הנוגע בהם: **מהם.** כל אשר יפול עליו מהם במותם יטמא: **חומט.** אומר אני שהוא מין שרץ שקורין לימג"א הגדל בקליפה ההולכת ומעגלת תמיד כל כמה שגדל ותחילת הנילר כקליפה של עדשה היא: **כזנב הלטאה.** לפי שמפרכסת לאחר שנחתכה והיינו מקצתו שהוא ככולו שיש בו חיות:

תוספות

בגזבר המסורות לו. ואפילו למ"ד שליחות יד אין צריכה חסרון הכא שאני דכל היכא דליתא בי גזא דמלכא קאי: **עד שידור תחתיה בשוה פרוטה.** ולא נפקא לחולין רק אותה פרוטה וכן גרסינן בערכין (דף כא. ושם) וכיון ט) דדר ביה נפיק (ביה) שכר לחולין וגם רש"י פירש כן דדוקא שכר ולא כולא ביתא וכן פי' הר"י ההיא דהמשאיל קרדום של הקדש לחברו בקע בו וחזר חברו ובקע בו כולן מעלו והיכי דמי הא תנן י) אין מועל אחר מועל אלא בהמה וכלי שרת אלא ודאי בגזבר המסורות לו קרדומות של הקדש ולא מכוין להוציאן לחולין רק כנגד בקועה לפיכך כולן מעלו ובקדושין פ"ב (דף נה. בד"ה אין) ובמנחות פרק המנחות והנסכים (דף קא. בד"ה אע"ג) פירשתי: **לא נצרכא אלא לכדרבי דתניא ונתתה נפש תחת נפש ממון.** ורבי יוחנן דאמר כ) חייבי מיתות שוגגין פטורין מן התשלומין מוקי לה לאידך דרבי דתניא ונתת עין תחת עין דלא פליג אסתם משנה דהכא: **והקריבו זו קבלת הדם.** ובהולכה לא מוקמינן ליה כפשטא דקרא דהא בתר שחיטה כתיב וקבלה היה מיד והיינו עבודה ראשונה כך פרש"י אך לא משמע לי דהכי נמי וזרקו כתיב בתריה והולכה מקמי זריקה הוי מיד לאפוקי קבלה דהולכה בינתיים ועוד קשה לר"י דאמרי' שילהי פ"ק דזבחים (דף יג.) והקריבו זו קבלה אתה אומר זו קבלה או אינו אלא זריקה כשהוא אומר וזרקו הרי זריקה אמור משמע דהוה מוקמינן לה בזריקה אי לאו דכתיב קרא ואע"ג דלא בתר שחיטה הויא ומיהו י"ל דלא ניחא ליה לאוקמי קרא בהולכה לפי שאינה עבודה חשובה שאפשר לבטלה ויכול לשחוט בראשו של מזבח: **לא נצרכא אלא לשיעור מקוה.** לא הוה מצי למימר [לבעלה] דלא כתיב כדפירש בה"ג דלא נפקא לן אלא בק"ו דהשתא לטהרות כתיב ורחץ לבעלה דכרת לא כ"ש דהא לאו מילתא היא דמהאי ק"ו לא מצי נפיק דק"ו פריכא הוא דהא כמה אכילות וכוונה דבפרק ב' דחולין (דף לא.) מלינו לטהרות ולא לבעלה אלא מהאי קרא נפקא דכתיב (ויקרא טו) (ל) ותהי נדתה עליו ואחר תטהר) בנדתה תהא עד שתבא במים כדדריש ר"ע בפ"ו דשבת (דף סד:) וכן מ) פר"ת דמהתם נפקא לן טבילת נדה הלכך הוה ליה כמו כתובה: **במי מקוה.** פרש"י נקודתו בפתח לאשמועינן מים המיוחדים לאפוקי מים שאובין ולא יתכן דהא מים שאובין לאו מהכא נפקא אלא מאך מעין ובור מקוה מים וגו' (ויקרא יא) ודרשינן בת"כ מה מעין בידי שמים אף מקוה בידי שמים ועוד היכי משמע מקוה לאפוקי שאובין הא עיקר קרא משמע שאובין אי לאו דסמכיה למעין כדפי' ונראה לפרש מי מקוה היינו אשבורן כדאמרינן נ) מעין מטהר בזוחלין מקוה באשבורן (שבת דף סה:): **אמה על אמה.** שאדם מחזיק אמה בעובי עם מלבושים וכן מוכח בשמעתין דכוכין בפ' הפירות (ב"ב דף קא.) שאינו מחזיק עם עובי הארון כ"א אמה והשתא יתכן דלא תקשה היכי טבל אמתא באמתא: **ברום ג' אמות.** ואע"ג שאדם מחזיק ד' אמות קומה כדמוכח בשמעתין דכוכין ע) דאורך הכוך ד' אמות קומת האדם אינו אלא ג' אמות לבד הראש ומצי להרכין את ראשו מן הצד והא דנקט ד' אמות משום עובי לידי הארון ואע"ג דמלינו בפ"ק דב"ב (דף ג:) גבי היזק ראייה שיעור ראייה ד' אמות היינו שיכול להגביה עצמו על ראשי אצבעותיו עד שיליך ד' אמות וכן מוכח בעובדא דבני המן בתרגום של מגילת אסתר שנסדר על פי המדרש שגובה קומתן ג' אמות לבד הראש דקחשיב ואזיל על רום חמשים אמות לפי תליית כל העשרה והיו נהרגים כבר קודם התלייה וכן משמעי קרא בשושן הבירה הרגו היהודים ואבד חמש מאות איש ואת עשרת בני המן משמע שבכלל הבירה היו [illegible] פ) אדם בקום איש בשלש אמות והרביעית (ג) ותמישית) אויר מגולה ק): **הא כיצד.** פי' איזה מהם [illegible] הקשה הר"א ממיץ דהכא מוקמינן כוליה קרא בחד ענינא [illegible] (נדה נז.) [illegible] ולמורי נראה דהני תרי קראי כתיבי כל הנוגע בהם במותם [illegible] מהם אשר יפול מהם אל תוכו ולא תטמאו בהם:

עין משפט נר מצוה

ע א מיי' פ"ו מהלכות מעילה הלכה ח:

עא ב מיי' פ"א מהלכות מקואות הלכה ב סמג עשין רמח טוש"ע י"ד סי' רא סעיף א:

עב ג מיי' שם פ"ד הלכה א סמג שם טוש"ע י"ד סי' קצח סעיף א וסי' רא סעיף א:

עג ד מיי' פ"ד מהלכות שאר אבות הטומאה הלכה ב סמג עשין רמו:

מסורת הש"ס

א) [ב"ק כ: ע"ש מעילה כ.], ב) סנהדרין עט. פז:, ג) קידושין לו: זבחים יג., ד) זבחים [ז.] כד: [עירובין קד. פסחים קט.], ה) עירובין ד: יד: פסחים קט. יומא לא. [ע' מנחות יט.], [illegible]

רבינו חננאל

היינו דתנן מעילות כהררין תלויין בשערה. הדינין דכתב רחמנא ונתת נפש תחת נפש ואמור רבנן ממון. עבודות זו הולכת הדם. טהרות שיעור מי מקוה דלא כתב שיעורו בתורה. ושיערו חכמים אמה על אמה ברום שלש אמות הן מ' סאה. טמאות טומאת שרץ ששיערו חכמים בכעדשה. ר' יוסי אומר כזנב הלטאה. עריות בתו מאנוסתו דלא

הגהות הב"ח

(א) רש"י ד"ה במים וכו' לאו מים חיים בעו ומאי במים:

תורה אור השלם

א) וְאִם אָסוֹן יִהְיֶה וְנָתַתָּה נֶפֶשׁ תַּחַת נָפֶשׁ: [שמות כא, כג]

ב) וְשָׁחַט אֶת בֶּן הַבָּקָר לִפְנֵי יְיָ וְהִקְרִיבוּ בְּנֵי אַהֲרֹן הַכֹּהֲנִים אֶת הַדָּם וְזָרְקוּ אֶת הַדָּם עַל הַמִּזְבֵּחַ סָבִיב אֲשֶׁר פֶּתַח אֹהֶל מוֹעֵד: [ויקרא א, ה]

ג) וְהַקֶּרֶב וְהַכְּרָעַיִם יִרְחַץ בַּמָּיִם וְהִקְרִיב הַכֹּהֵן אֶת הַכֹּל וְהִקְטִיר הַמִּזְבֵּחָה עֹלָה הוּא אִשֵּׁה רֵיחַ נִיחֹחַ לַייָ: [ויקרא א, יג]

ד) וְאִישׁ כִּי תֵצֵא מִמֶּנּוּ שִׁכְבַת זָרַע וְרָחַץ בַּמַּיִם אֶת כָּל בְּשָׂרוֹ וְטָמֵא עַד הָעָרֶב: [ויקרא טו, טז]

ה) אֵלֶּה הַטְּמֵאִים לָכֶם בְּכָל הַשָּׁרֶץ כָּל הַנֹּגֵעַ בָּהֶם בְּמֹתָם יִטְמָא עַד הָעָרֶב: [ויקרא יא, לא]

ו) וְכֹל אֲשֶׁר יִפֹּל עָלָיו מֵהֶם בְּמֹתָם יִטְמָא מִכָּל כְּלִי עֵץ אוֹ בֶגֶד אוֹ עוֹר אוֹ שָׂק כָּל כְּלִי אֲשֶׁר יֵעָשֶׂה מְלָאכָה בָּהֶם בַּמַּיִם יוּבָא וְטָמֵא עַד הָעֶרֶב וְטָהֵר: [ויקרא יא, לב]

ליקוטי רש"י

בגזבר המסורות לו וכו'. [illegible] אבני בנין. [illegible] בנאה. גזבר בתוך ביתו לא מעל [illegible] שהניחה על פי ארובה. [illegible] נפש תחת נפש. [illegible] והקריבו. [illegible] זו הולכת אברים. [illegible] במי מקוה. [illegible] חומט. [illegible]

[illegible]

The Gemara asks:

מִיכְתַּב כְּתִיבָן – But they [the laws of purification] **are written** explicitly in Scripture! – ? –

The Gemara answers:

לֹא נִצְרְכָא אֶלָּא לְשִׁיעוּר מִקְוֶה – While much of the law of purification is indeed explicit in Scripture, yet the Mishnah's characterization of it having no more than "real support" from Scripture **is necessary only for** laws such as that regarding **the** minimum required **measure of a *mikveh*, דְּלָא כְּתִיבָא** – something **which is not written** explicitly in the Torah. **דְּתַנְיָא – For it was taught in a Baraisa:** "וְרָחַץ (את בשרו) בַּמַּיִם", – The verse states:[22] *AND HE SHALL IMMERSE IN THE WATER . . .* **בְּמֵי מִקְוֶה** – This teaches that the immersion must be IN GATHERED WATER.[23] "אֶת־כָּל־בְּשָׂרוֹ", – The verse continues: *HIS ENTIRE FLESH;* **מַיִם שֶׁכָּל גּוּפוֹ עוֹלֶה בָּהֶן** – this teaches that he must immerse in an amount of WATER SUFFICIENT FOR HIS WHOLE BODY TO ENTER at one time.[24] **וְכַמָּה הֵן** – AND HOW MUCH water IS THIS? **אַמָּה עַל אַמָּה בְּרוּם שָׁלֹשׁ אַמּוֹת** – The volume of AN *AMAH* BY AN *AMAH* BY THE HEIGHT OF THREE *AMOS*, i.e. three cubic *amos* of water.[25] **וְשִׁיעֲרוּ חֲכָמִים מֵי מִקְוֶה אַרְבָּעִים סְאָה** – AND accordingly THE SAGES MEASURED THE WATER IN A *MIKVEH* TO BE at least FORTY *SE'AH*.[26] This quantity is not explicit in Scripture; the Mishnah thus describes the laws of purification as having no more than real support from Scripture.

The Mishnah continued:

טְמֵאוֹת – [The laws of] . . . CONTAMINATION . . . [have real Scriptural support].

The Gemara asks:

מִיכְתַּב כְּתִיבָן – But they are written explicitly in Scripture! – ? –

The Gemara answers:

לֹא נִצְרְכָא אֶלָּא לְכַעֲדָשָׁה מִן הַשֶּׁרֶץ – While much of the law of *tumah* contamination is indeed explicit in Scripture, yet the Mishnah's characterization of it having no more than "real support" from Scripture **is necessary only for** laws such as that **a lentil-sized** piece **of a *sheretz*** conveys *tumah* contamination, **דְּלָא כְּתִיבָא** – something **which is not written** explicitly in the Torah. **דְּתַנְיָא – For it was taught in a Baraisa:** "בָּהֶם", – The Torah states with regard to *sheratzim*: *WITH THEM.*[27] **יָכוֹל בְּכוּלָּן** – IT MIGHT HAVE BEEN thought that this verse means that *tumah* is contracted only if one touches them IN THEIR COMPLETE STATE. **תַּלְמוּד לוֹמַר "מֵהֶם",** – [THE TORAH] THEREFORE STATES: *WITH THEM,* to teach that one contracts *tumah* from even a part of them.[28] **יָכוֹל בְּמִקְצָתָן** – Now, if the Torah had only stated *from them,* IT MIGHT HAVE BEEN thought that one contracts *tumah* from even A minute PART of the *sheretz*. **תַּלְמוּד לוֹמַר "בָּהֶם",** – [THE TORAH] THEREFORE STATES: *WITH THEM,* to teach that a minute part does not contaminate. **הָא כֵּיצַד** – HOW SO? How are these seemingly contradictory teachings to be reconciled? **עַד שֶׁיִּגַּע בְּמִקְצָתוֹ שֶׁהוּא כְּכוּלּוֹ** – By positing that a person does not contract *tumah* UNLESS HE TOUCHES A PART of the carcass THAT IS EQUIVALENT TO ITS WHOLE,[29] **שִׁיעֲרוּ חֲכָמִים בְּכַעֲדָשָׁה** – and THE RABBIS ASSESSED this to be a piece that is THE SIZE OF A LENTIL, **שֶׁכֵּן חוֹמֶט תְּחִלָּתוֹ בְּכַעֲדָשָׁה** – FOR THE *CHOMET*[30] IS THE SIZE OF A LENTIL AT THE BEGINNING OF ITS EXISTENCE.[31] **רַבִּי יוֹסֵי בְּרַבִּי יְהוּדָה אוֹמֵר** – However, R' YOSE THE SON OF R' YEHUDAH SAYS: **כִּזְנַב הַלְּטָאָה** – The size of THE TAIL OF A LIZARD.[32]

This quantity is not explicit in the Torah; the Mishnah thus describes the laws of *tumah* contamination as having no more than real support in Scripture.

NOTES

22. *Leviticus* 15:16. (The words in parentheses should be omitted; see *Pesachim* 109a.) The verse refers to one who became *tamei* by experiencing a seminal discharge. The verse states that he must immerse himself in water (i.e. a *mikveh*) in order to become *tahor.*

23. I.e. water that was gathered together by natural means (such as rainwater runoff), rather than water that was drawn into a vessel (מַיִם שְׁאוּבִין, *mayim sheuvin*) and then poured into the *mikveh*. This is alluded to in the Torah's use of the expression בַּמַּיִם, *in "the" water,* rather than בְּמַיִם, *in water.* "The water" implies specific water – i.e. water that is already gathered prior to its need for use as *mikveh* water [i.e. water that has gathered naturally]. This is in contrast to "any water" – that is, water which could have been gathered only now, to address the present need for a *tamei's* immersion (*Rashi;* cf. *Tosafos;* cf. also *Rashi* to *Eruvin* 4b ד״ה במים במי מקוה; see also *Rashbam* to *Pesachim* 109a, and *Hagahos Mitzpeh Eisan* here).

[The verse cannot, however, be construed in an even more limiting fashion, so as to require immersion in springwater, for since the Torah explicitly requires a *zav* (i.e. a man who experienced a genital emission, similar – but not identical – to a seminal emission) to immerse himself in springwater (see *Leviticus* 15:13), it implies that people who have contracted other types of *tumah* need not immerse themselves in springwater, but may suffice themselves with an ordinary *mikveh* of rainwater (*Rashi*).]

24. The expression *his entire flesh* indicates that the entire body must be immersed at one time (see *Rashbam* to *Pesachim* 109a). [Thus, a *mikveh* must contain enough water to completely cover the average person.]

25. The width of the average person with his clothing and with his arms loose at his sides is one *amah,* and his height (excluding his head) is three *amos* (see *Tosafos* here and to *Pesachim* 109b; cf. *Rashbam, Bava Basra* 100b ד״ה והכוכין ארבע אמות ארכן and *Ramban* there). Thus, if the average person were to immerse himself in a tall cuboid one *amah* by one *amah* in width filled with water to a height of three amos, the water would rise and cover the top of his head because of the displacement caused by his body (ibid.).

[*Teshuvos Tashbatz* I:129 asserts that the thickness of the average person is also an *amah,* if we measure the point at which the belly protrudes. See, however, *Lechem V'Simlah* 201, *Simlah* §3, who presents a different reason for the requirement that the *mikveh* measure an *amah* by an *amah.*]

26. For three cubic *amos* will hold forty *se'ah* of water. See *Rashi,* and *Rashbam* to *Pesachim* 109b.

27. *Leviticus* 11:31. In the preceding verses, the Torah names eight creeping creatures – known as *sheratzim* (sing. *sheretz*) – whose carcasses transmit *tumah*. It then states: אֵלֶּה הַטְּמֵאִים לָכֶם בְּכָל־הַשָּׁרֶץ כָּל־הַנֹּגֵעַ בָּהֶם בְּמֹתָם יִטְמָא עַד־הָעָרֶב, *These are the ones that are tamei for you among the creeping creatures; whoever has contact with them when they are dead shall be tamei until the evening.* The phrase נֹגֵעַ בָּהֶם, "has contact with *them,*" suggests that contact must be made with the complete carcass of one of these creatures.

28. Ibid. v. 32. The verse reads: וְכֹל אֲשֶׁר־יִפֹּל עָלָיו מֵהֶם בְּמֹתָם יִטְמָא, *And anything upon which there falls from them when they are dead becomes tamei.* Here the Torah speaks of מֵהֶם, "*from* them," suggesting that even part of the carcass of one of these creatures contaminates.

29. The combination of these two verses teaches that only a portion of a *sheretz* that is significant enough to be considered in some respect like a whole carcass contaminates. A minute part does not. The Baraisa now defines what is a significant part.

30. This is one of the creeping creatures mentioned in *Leviticus* 11:30. *Rashi* (here and to *Leviticus* ibid.) defines it as a type of snail.

31. The smallest newborn *chomet* is the size of a lentil. Accordingly, the Rabbis taught that any *part* of the carcass of a *sheretz* that is at least the size of a lentil contaminates, since it is comparable to the complete carcass of a tiny *chomet.* But if the part is smaller than a lentil, it does not contaminate. [The critical measure, the size of a lentil, applies uniformly to all the eight creatures, even though their minimum viable sizes may vary from species to species.] See *Meromei Sadeh.*

32. [A lizard (לְטָאָה) is one of the eight *sheratzim* that convey *tumah* (see *Rashi* to *Leviticus* ibid. and to *Chullin* 122a).] The tail of a lizard, even after being cut off, continues to thrash about; thus, it is a part of a *sheretz* that is like the whole in that it has independent life force, and it is therefore, according to R' Yehudah, the standard by which the size of a piece of a *sheretz* is measured to determine whether or not it can convey *tumah* (see *Rashi; Raavad* to *Sifra, Shemini, Parshah* 5 ch. 7).

בגזבר המסורות לו אבני בנין עסקינן דכל היכא דמנחה ברשותא דידיה מנחה אלא מסיפא *בנאה בתוך ביתו הרי זה לא מעל עד שידור תחתיה בשוה פרוטה מכדי שנויי שנייה מה לי דר ומה לי לא דר היינו כהררין התלויין בשערה ומאי קושיא דלמא לכדרב דאמר רב א) כגון שהניחה על פי ארובה אי דר ביה אין לא דר ביה לא אלא לעולם כדרבא ודקא קשיא לך מידי דהוה אמוציא מעות הקדש לחולין התם מידע ידע דאיכא זוזי דהקדש איבעי ליה לעיוני הכא מי ידע היינו כהררין התלויין בשערה: מקרא מועט והלכות מרובות: תנא נגעים ואהלות מקרא מועט והלכות מרובות נגעים מקרא מועט נגעים מקרא מרובה הוא אמר רב פפא הכי קאמר נגעים מקרא מרובה והלכות מועטות אהלות מקרא מועט והלכות מרובות ומאי נפקא מינה אי מסתפקא לך מילתא בנגעים עיין בקראי ואי מסתפקא לך מילתא באהלות עיין במתניתין: דינין: מיכתב כתיבן לא נצרכא אלא לכדרבי דתניא ג) רבי אומר א) נפש תחת נפש ממון אתה אומר ממון או אינו אלא נפש ממש נאמרה נתינה למטה ונאמרה נתינה למעלה מה להלן ממון אף כאן ממון: עבודות: מיכתב כתיבן לא נצרכא אלא להולכת הדם דתניא ב) והקריבו זו קבלת הדם ואפקה רחמנא בלשון הולכה דכתיב ג) והקריב הכהן את הכל והקטיר המזבחה ואמר מר ד) זו הולכת אברים לכבש למימרא דהולכה לא תפקה מכלל קבלה: טהרות: מיכתב כתיבן לא נצרכא אלא לשיעור מקוה דלא כתיבא דתניא ה) ד) ורחץ (את ו) בשרו) במים ב במי מקוה את כל בשרו ג מים שכל גופו עולה בהן וכמה הן אמה על אמה ברום שלש אמות ושיערו חכמים מי מקוה ארבעים סאה: טמאות: מיכתב כתיבן לא נצרכא אלא לכעדשה מן השרץ דלא כתיבא דתניא ז) ה) בהם יכול בכולן תלמוד לומר ו) מהם יכול במקצתן ת"ל בהם הא כיצד עד שיגיע במקצתו שהוא ככולו ד שיערו חכמים בכעדשה שכן חומט תחלתו בכעדשה רבי יוסי בר' יהודה אומר כזנב הלטאה: עריות: מיכתב כתיבן לא נצרכא ח) לבתו

רש"י

דכל היכא דמנחה. אפילו מקמי הכי ברשותיה מנחה הלכך כל כמה שנטלה לא שנייה מידי דתיפוק מידא דהקדש: שנויי שנייה. כשקבעה בבנין וקנייה בשנוי שמסתתה וקובעה: שהניחה ע"פ ארובה. לפקוק הארובה וכל שעה שירצה נוטלה ולא שנייה מידי: כדרבא. נזכר בעל הבית כו': היינו כהררין התלויין בשערה. בסמיכה מועטת מדמינן לה למוציא מעות הקדש לחולין שהרי קרוב הוא לאונס יותר מן השוגג: דינין מיכתב כתיבן. מפורשין יפה ומתניתין קתני יש להן סמיכה משמע שאינן מפורשין: לא נצרכא כו'. כלומר יש בהן דברים שאינן מפורשין בפירוש כגון זה וכיוצא בו: דכתיב נפש תחת נפש. אם אסון יהיה שמתה האשה יתן ממון דמי האשה ליורשיה שאין עליה חיוב מיתה שלא נתכוון לה אלא לחברו נתכוון דכתיב וכי ינצו אנשים יחדיו קסבר רבי נתכוון להרוג את זה והרג את זה פטור ממיתה ומשלם ממון: נתינה למעלה. לענין דמי וולדות כתיב ונתן בפלילים (שמות כא): נתינה למטה. ונתתה נפש תחת נפש ממון ומאי נפש דמי הנפש: והקריבו זו קבלת הדם. אע"פ שהוא לשון הולכה אינה אלא קבלה שהרי לאחר שחיטה נכתבה ואין הולכה אלא אם כן קיבל הדם: והקריב הכהן את הכל. גבי אברים כתיב והקרב והכרעים ירחץ במים והקריב הכהן את הכל והקטיר המזבחה: זו הולכת אברים לכבש. דאילו הקטרה בהדיא כתיב בקרא והקטיר המזבחה: לא תפקיה מכלל קבלה. לכל דבריה ואע"ג שהיא עבודה שאפשר לבטלה שאם רצה שוחט בצד המזבח וזורק היכא דלא בטלה עבודה היא ומפגלין את הקרבן במחשבתה וצריכה כהן ובגדי כהונה ופוסל בה אונן ויושב וערל: במים. נקודתו בפתח משמע מים המיוחדים לאפוקי שאובין ומיהו מים חיים לא צריך מדכתיב בזב מים חיים (ויקרא טו) מכלל דשאר טמאין לאו מים חיים בעו (א) ומיהו במים המיוחדין במקוה אע"פ שהן גשמים: בהם. כל הנוגע בהם: מהם. כל אשר יפול עליו מהם במותם יטמא: חומט. אומר אני שהוא מין שרץ שקורין לימג"א הגדל בקליפה ההולכת ומעגלת תמיד כל מה שגדל ותחילת הנילד כקליפה של עדשה היא: כזנב הלטאה. לפי שמפרכסת לאחר שנחתכה והיינו מקצתו שהוא ככולו שיש בו חיות: לבתו

תוספות

בגזבר המסורות לו. ואפילו למ"ד שליחות יד אין צריכה חסרון הכא שאני דכל היכא דאיתא בי גזא דמלכא קאי: עד שידור תחתיה בשוה פרוטה. ולא נפקא לחולין רק אותה פרוטה וכן גרסינן בערכין (דף כ. ושם) וכיון ט) דדר ביה נפיק (ביה) שכר לחולין וגם רש"י פירש כן לדווקא שכר ולא כולא ביתא וכן פי' הר"י הסיה דהמשאיל קרדום של הקדש לחברו בקע בו וחזר חברו ובקע בו כולן מעלו והיכי דמי הא תנן י) אין מועל אחר מועל אלא בהמה וכלי שרת אלא ודאי בגזבר המסורות לו קרדומות של הקדש ולא מכוין להוציאן לחולין רק כנגד בקועה לפיכך כולן מעלו ובקדושין פ"ב (דף נה. בד"ה אין) ובמנחות פרק המנחות והנסכים (דף סד. בד"ה אע"ג) פירשתי: לא נצרכא אלא לכדרבי דתניא ונתתה נפש תחת נפש ממון. ורבי יוחנן דאמר כ) חייבי מיתות שוגגין פטורין מן התשלומין מוקי לה לאידך דרבי דתניא ונתת עין תחת עין דלא פליג אסתם משנה דהכא: והקריבו זו קבלת הדם. והולכה לא מוקמינן ליה כפשטא דקרא דהא בתר שחיטה כתיב וקבלה היא מיד והיינו עבודה ראשונה כך פרש"י והא לא משמע לי דהכי נמי וזרקו כתיב בתריה והולכה מקמי זריקה הוי מיד לאפוקי קבלה דהולכה בינתיים ועוד קשה לר"י דאמרי' שילהי פ"ק דזבחים (דף יג.) והקריבו זו קבלה אתה אומר זו קבלה או אינו אלא זריקה כשהוא אומר וזרקו הרי זריקה אמור משמע דהוה מוקמינן לה בזריקה אי לאו דכתיב קרא ואע"ג דלא בתר שחיטה הוא ומיהו י"ל דלא ניחא ליה לאוקמי קרא בהולכה לפי שאינה עבודה חשובה שאפשר לבטלה ויכול לשחוט בראשו של מזבח: לא נצרכא אלא לשיעור מקוה. לא הוה מצי למימר [לבעלה] דלא כתיב כדפירש בה"ג דלא נפקא לן אלא בק"ו דהשתא לטהרות כתיב ורחץ לבעלה דכרת לא כ"ש דהא לאו מילתא היא דמהאי ק"ו לא מצי נפיק דק"ו פריכא הוא דהא כמה חלילות וכוונה דבפרק ב' דחולין (דף לא.) מצינו לטהרות ולא לבעלה אלא מהאי קרא נפקא לן דכתיב (ויקרא טו) ל) ותהי נדתה עליו (ואחר תטהר) בנדתה תהא עד שתבא במים כדדריש ר"ע בפ"ו דשבת (דף סד:) וכן מ) פר"ת דמהתם נפקא לן טבילת נדה הלכך הוה ליה כמו כתובה: במי מקוה. פרש"י נקודתו בפתח לאשמועינן מים המיוחדים לאפוקי מים שאובין ולא יתכן דהא מים שאובין לאו מהכא נפקא אלא מאך מעין ובור מקוה מים וגו' (ויקרא יא) ודרשינן בת"כ מה מעין בידי שמים אף מקוה בידי שמים ועוד היכי משמע מקוה לאפוקי שאובין הא עיקר קרא משמע שאובין אי לאו דסמכיה למעין כדפי' ונראה לפרש מי מקוה היינו אשבורן כדאמרינן נ) מעין מטהר בזוחלין מקוה באשבורן (שבת דף סה: ס)): אמה על אמה. שאדם מחזיק אמה בעובי עם מלבושים וכן מוכח בשמעתין דכולכן בפ' הפירות (ב"ב דף קא.) שאינו מחזיק עם עובי הארון כ"א אמה והשתא יתכן דלא תקשה היכי טבל אמתא באמתא: ברום ג' אמות. ואע"ג שאדם מחזיק ד' אמות קומה כדמוכח בשמעתין דכולכן ע) דאורך הגוף ד' אמות קומת האדם אינו אלא ג' אמות לבד הראש ומצי להרכין את ראשו מן הצד והא דנקט ד' אמות משום עובי לידי הארון ואע"ג דמצינו בפ"ק דב"ב (דף ג:) גבי היזק ראייה שיעור ראייה ד' אמות היינו שיכול להגביה עצמו על ראשי אצבעותיו עד שילין ד' אמות וכן מוכח בעובדא דבני המן בתרגום של מגילת אסתר שנסדר על פי המדרש שגובה קומתן ג' אמות לבד הראש דקחשיב ואזיל על רום חמשים אמות לפי תליית כל העשרה והיו נהרגים כבר קודם התלייה וכן משמעי קרא בשושן הבירה הרגו היהודים ואבד חמש מאות איש ואת עשרת בני המן משמע שבכלל הריגה היו וגם הפייט יסד בסליחה פ) אדם בקום איש בשלש אמות והרביעית (צ) וחמישית) אויר מגולה ק): הא כיצד. פי' איזה מהם שהוא כהם הקשה הר"ר אליעזר ממיץ דהכא מוקמינן כוליה קרא בחד ענינא ואילו בפ' דם הנדה (נדה נו.) אמר כתיב בהם בכולן וכתיב מהם במקצתן לא קשיא כאן בלח כאן ביבש אלמא בתרי ענייני מיירי קרא ושמא תרתי שמעינן מינה ולמורי נראה תרי קראי כתיבי כל הנוגע בהם במותם מהם אשר יפול מהם אל תוכו ואל תטמאו בהם ר):

מסורת הש"ס

א) [ב"ק כ: מעילה כ.], ב) סנהדרין עט., ג) [קידושין נז:] זבחים יג., ד) זבחים קד. [illegible]

תורה אור השלם

א) וְאִם אָסוֹן יִהְיֶה וְנָתַתָּה נֶפֶשׁ תַּחַת נָפֶשׁ: [שמות כא, כג]

ב) וְשָׁחַט אֶת בֶּן הַבָּקָר לִפְנֵי יְיָ וְהִקְרִיבוּ בְּנֵי אַהֲרֹן הַכֹּהֲנִים אֶת הַדָּם וְזָרְקוּ אֶת הַדָּם עַל הַמִּזְבֵּחַ סָבִיב אֲשֶׁר פֶּתַח אֹהֶל מוֹעֵד: [ויקרא א, ה]

ג) וְהַקֶּרֶב וְהַכְּרָעַיִם יִרְחַץ בַּמָּיִם וְהִקְרִיב הַכֹּהֵן אֶת הַכֹּל וְהִקְטִיר הַמִּזְבֵּחָה עֹלָה הוּא אִשֵּׁה רֵיחַ נִיחֹחַ לַייָ: [ויקרא א, יג]

ד) וְאִישׁ כִּי תֵצֵא מִמֶּנּוּ שִׁכְבַת זָרַע וְרָחַץ בַּמַּיִם אֶת כָּל בְּשָׂרוֹ וְטָמֵא עַד הָעָרֶב: [ויקרא טו, טז]

ה) אֵלֶּה הַטְּמֵאִים לָכֶם בְּכָל הַשָּׁרֶץ כָּל הַנֹּגֵעַ בָּהֶם בְּמֹתָם יִטְמָא עַד הָעָרֶב: [ויקרא יא, לא]

ו) וְכֹל אֲשֶׁר יִפֹּל עָלָיו מֵהֶם בְּמֹתָם יִטְמָא מִכָּל כְּלִי עֵץ אוֹ בֶגֶד אוֹ עוֹר אוֹ שָׂק כָּל כְּלִי אֲשֶׁר יֵעָשֶׂה מְלָאכָה בָּהֶם בַּמַּיִם יוּבָא וְטָמֵא עַד הָעֶרֶב וְטָהֵר: [ויקרא יא, לב]

רבינו חננאל

היינו דתנן מעילות כהררין תלויין בשערה. הדינין דכתב רחמנא ונתת נפש תחת נפש ואמור רבנן ממון. עבודות זו הולכת הדם. טהרות שיעור מי מקוה דלא כתב שיעורו בתורה. ושיערו חכמים אמה על אמה ברום שלש אמות שהן מ' סאה. טמאות טומאת שרץ ששיערו חכמים בכעדשה. ר' יוסי אומר כזנב הלטאה. עריות בתו מאנוסתו דלא [illegible]

הגהות הב"ח

(א) רש"י ד"ה במים וכו' לאו מים חיים בעו ומאי במים:

עין משפט נר מצוה

עא א מיי' פ"ו מהלכות מעילה הלכה ח:

עב ב מיי' פ"ה מהלכות מקואות הלכה ב סמג עשין רמח טוש"ע י"ד סי' רא סעיף א:

עג ג מיי' שם פ"ד הלכה א סמג שם טוש"ע י"ד סי' קצח סעיף א וסי' רא סעיף א:

עד ד מיי' פ"ד מהלכות שאר אבות הטומאה הלכה ב סמג עשין רמו:

ליקוטי רש"י

בגזבר המסורות לו וכו'. [illegible] נפש תחת נפש. רבותינו חולקין בדבר יש אומרים נפש ממש ויש אומרים ממון אבל לא נפש ממש שהמתכוין להרוג את זה והרג את זה פטור ממיתה ומשלם ליורשיו דמיו כמו שהיה נמכר בשוק [שמות כא, כג]. [illegible]

[עירובין ד:]. אמה על אמה וכו'. צריך שיהא הכלי מלא מים שיטבול בו האדם ושיערו חכמים דהיינו ארבעים סאה [רשב"ם שם:]. בהם. אלה הטמאים לכם בכל השרץ כל הנוגע בהם במותם וגו' (ויקרא יא) [נזיר נב.]. [illegible]

The Mishnah continued:

עֲרָיוֹת – [The laws of] . . . ILLICIT SEXUAL RELATIONSHIPS [have real Scriptural support].

The Gemara asks:

מִיכְתַּב כְּתִיבָן – **But they** [the laws of illicit sexual relationships] **are written** explicitly in Scripture! – ? –

The Gemara answers:

לֹא נִצְרְכָא [אֶלָּא] – While much of this law is indeed explicit in Scripture, yet the Mishnah's characterization of it having no more than "real support" from Scripture **is necessary only**[33]

NOTES

33. Emendation follows *Mesoras HaShas*.

גמרא

בגזבר המסורות לו אבני בנין עסקינן דכל
היכא דמנחה ברשותא דידיה מנחה אלא
מסיפא *בנאה בתוך ביתו הרי זה לא מעל
עד שידור תחתיה בשוה פרוטה מכדי שנויי
שנייה מה לי דר ומה לי לא דר היינו כהררין
התלויין בשערה ומאי קושיא דלמא לכדרב
דאמר רב ט) כגון שהניחה על פי ארובה אי דר
ביה אין לא דר ביה לא אלא לעולם כדרבא
ודקא קשיא לך מידי דהוה אמוציא מעות
הקדש לחולין התם מידע ידע דאיכא זוזי
דהקדש איבעי ליה לעיוני הכא מי ידע
היינו כהררין התלויין בשערה: מקרא מועט
והלכות מרובות: תנא נגעים ואהלות
מקרא מועט והלכות מרובות נגעים מקרא
מועט נגעים מקרא מרובה הוא אמר רב
פפא הכי קאמר נגעים מקרא מרובה והלכות
מועטות אהלות מקרא מועט והלכות מרובות
ומאי נפקא מינה אי מסתפקא לך מילתא
בנגעים עיין בקראי ואי מסתפקא לך מילתא
באהלות עיין במתניתין: דינין: מיכתב
כתיבן לא נצרכא אלא לכדרבי דתניא
ל) רבי אומר א) נפש תחת נפש ממון אתה אומר
ממון או אינו אלא נפש ממש נאמרה נתינה
למטה ונאמרה נתינה למעלה מה להלן
ממון אף כאן ממון: עבודות: מיכתב
כתיבן לא נצרכא אלא להולכת הדם דתניא
ב) והקריבו זו קבלת הדם ואפקה רחמנא
בלשון הולכה דכתיב ג) והקריב הכהן את
הכל והקטיר המזבחה ואמר מר ד) זו הולכת
אברים לכבש למימרא דהולכה לא תפקה
מכלל קבלה: טהרות: מיכתב כתיבן לא
נצרכא אלא לשיעור מקוה דלא כתיבא
דתניא ה) ד) ורחץ (את ו) בשרו) במים ב במי
מקוה את כל בשרו ג מים שכל גופו עולה
בהן וכמה הן אמה על אמה ברום שלש
אמות ושיערו חכמים מי מקוה ארבעים
סאה: טמאות: מיכתב כתיבן לא נצרכא
אלא לכעדשה מן השרץ דלא כתיבא דתניא
ה) בהם יכול בכולן תלמוד לומר ו) מהם יכול
במקצתן ת"ל בהם הא כיצד עד שיגע
במקצתו שהוא ככולו ד שיערו חכמים
בכעדשה שכן חומט תחלתו בכעדשה
רבי יוסי בר' יהודה אומר כזנב הלטאה:
עריות: מיכתב כתיבן לא נצרכא ס)
לבתו

רש"י

דכל היכא דמנחה. אפילו מקמי הכי ברשותיה מנחה הלכך כל כמה שנטלה לא שנייה מידי דתיפוק מידא דהקדש: שנויי שנייה. כשקבעה בבנין וקנייה בשנוי שמסתתה וקובעה: שהניחה ע"פ ארובה. לפקוק הארובה וכל שעה שירצה נוטלה ולא שנייה מידי: כדרבא. נזכר בעל הבית כו': היינו כהררין התלויין בשערה. בסמיכה מועטת מדמינן לה למוציא מעות הקדש לחולין שהרי קרוב הוא לאונס יותר מן השוגג: דינין מיכתב כתיבן. מפורשין יפה ומתניתין קתני יש להן סמיכה משמע שאינן מפורשין: לא נצרכא כו'. כלומר יש כאן דברים שאינן מפורשין בפירוש כגון זה וכיוצא בה: דכתיב נפש תחת נפש. אם אסון יהיה שמתה האשה יתן ממון דמי האשה ליורשיה שאין עליה חיוב מיתה שלא נתכוון לה אלא לחברו נתכוון דכתיב וכי ינצו אנשים יחדיו קסבר רבי נתכוון להרוג את זה והרג את זה פטור ממיתה ומשלם ממון: נתינה למעלה. לענין דמי וולדות כתיב ונתן בפלילים (שמות כא): נתינה למטה. ונתתה נפש תחת נפש ממון ומאי נפש דמי הנפש: והקריבו זו קבלת הדם. אע"פ שהוא לשון הולכה אינה אלא קבלה שהרי לאחר שחיטה נכתבה ואין הולכה אלא אם כן קיבל הדם: והקריב הכהן את הכל. גבי אברים כתיב והקרב והכרעים ירחץ במים והקריב הכהן את הכל והקטיר המזבחה: זו הולכת אברים לכבש. דאילו הקטרה בהדיא כתיב בקרא והקטיר המזבחה: לא תפקיה מכלל קבלה. לכל דבריה ואע"ג שהיא עבודה שאפשר לבטלה שאם רצה שוחט בצד המזבח וזורק היכא דלא בטלה עבודה היא ומפגלין את הקרבן במחשבתה וצריכה כהן ובגדי כהונה ופוסל בה אונן ויושב וערל: במים. נקודתו בפתח משמע מים המיוחדים לאפוקי שאובין ומיהו מים חיים לא צריך מדכתיב בזב מים חיים (ויקרא טו) מכלל דשאר טמאין לאו מים חיים בעו (א) ומיהו במים המיוחדין במקוה אע"פ שהן גשמים: בהם. כל הנוגע בהם: מהם. כל אשר יפול עליו מהם במותם יטמא: חומט. אומר אני שהוא מין שרץ שקורין לימג"א הגדל בקליפה ההולכת ומעגלת תמיד כל כמה שגדל ותחילת היצירה כקליפה של עדשה היא: כזנב הלטאה. לפי שמתפרכסת לאחר שנחתכה והיינו מקצתו שהוא ככולו שיש בו חיות: לבתו

תוספות

בגזבר המסורות לו. ואפילו למ"ד שליחות יד אין צריכה חסרון הכא שאני דכל היכא דאיתא בי גזא דמלכא קאי:

עד שידור תחתיה בשוה פרוטה. ולא נפקא לחולין רק אותה פרוטה וכן גרסינן בערכין (דף כא. ושם) וכיון ט) דדר ביה נפיק (ביה) שכר לחולין וגם רש"י פירש כן דדוקא שכר ולא כולא ביתא וכן פי' הר"י ההיא דהמשאיל קרדום של הקדש לחברו בקע בו וחזר חברו ובקע בו כולן מעלו והיכי דמי הא תנן י) אין מועל אחר מועל אלא בהמה וכלי שרת אלא ודאי בגזבר המסורות לו קרדומות של הקדש ולא מכוין להוציאן לחולין רק כנגד בקועה לפיכך כולן מעלו ובקדושין פ"ב (דף נה. בד"ה אין) ובמנחות פרק המנחות והנסכים (דף קא. בד"ה אע"ג) פירשתי:

לא נצרכא אלא לכדרבי דתניא ונתתה נפש תחת נפש ממון. ורבי יוחנן דאמר כ) חייבי מיתות שוגגין פטורין מן התשלומין מוקי לה לאידך דרבי דתניא ונתת עין תחת עין דלא פליג אסתם משנה דהכא:

והקריבו זו קבלת הדם. ובהולכה לא מוקמינן ליה כפשטא דקרא דהא בתר שחיטה כתיב וקבלה היא מיד והיינו עבודה ראשונה כך פרש"י אך לא משמע לי דהכי נמי וזרקו כתיב בתריה והולכה מקמי זריקה הוי מיד לאפוקי קבלה דהולכה בינתיים ועוד קשה לר"י דאמרי' שילהי פ"ק דזבחים (דף יג.) והקריבו זו קבלה אתה אומר זו קבלה או אינו אלא זריקה כשהוא אומר וזרקו הרי זריקה אמור משמע דהוה מוקמינן לה בזריקה אי לאו דכתיב קרא ואע"ג דלא בתר שחיטה הויא ומיהו י"ל דלא ניחא ליה לאוקמי קרא בהולכה לפי שאינה עבודה חשובה שאפשר לבטלה ויכול לשחוט בראשו של מזבח:

לא נצרכא אלא לשיעור מקוה. לא הוה מצי למימר [לבעלה] דלא כתיב כדפירש בה"ג דלא נפקא לן אלא בק"ו דהשתא לטהרות כתיב ורחץ לבעלה דכרת לא כ"ש דהא לאו מילתא היא דמהאי ק"ו לא מצי נפיק דק"ו פריכא הוא דהא כמה חלילות וכוונה דבפרק ב' דחולין (דף לא.) מלינו לטהרות ולא לבעלה אלא מהאי קרא נפקא דכתיב (ויקרא טו) (ל) ותהי נדתה עליו ואחר תטהר) בנדתה תהא עד שתבא במים כדדריש ר"ע בפ"ו דשבת (דף סד:) וכן מ) פר"ת דמהתם נפקא לן טבילת נדה הלכך הוה ליה כמו כתובה:

במי מקוה. פרש"י נקודתו בפתח לאשמועינן מים המיוחדים לאפוקי שאובין ולא יתכן דהא מים שאובין לאו מהכא נפקא אלא מאך מעין ובור מקוה מים וגו' (ויקרא יא) ודרשינן בת"כ מה מעין בידי שמים אף מקוה בידי שמים ועוד היכי משמע מקוה לאפוקי שאובין הא עיקר קרא משמע שאובין אי לאו דסמכיה למעין כדפי' ונראה לפרש מי מקוה היינו אשבורן כדאמרינן נ) מעין מטהר בזוחלין מקוה באשבורן (שבת דף סה:):

אמה על אמה. שאדם מחזיק אמה בעובי עם מלבושים וכן מוכח בשמעתין דכוכין בפ' הפירות (ב"ב דף קא.) שאינו מחזיק עם עובי הארון כ"א אמה והשתא יתכן דלא תקשה היכי טבל אמתא באמתא:

ברום ג' אמות. ואע"ג שאדם מחזיק ד' אמות קומה כדמוכח בשמעתין דכוכין ע) דאורך הכוך ד' אמות קומת האדם אינו אלא ג' אמות לבד הראש ומצי להרכין את ראשו מן הצד והא דנקט ד' אמות משום עובי לידי הארון ואע"ג דמצינו בפ"ק דב"ב (דף ג:) גבי היזק ראייה שיעור ראייה ד' אמות היינו שיכול להגביה עצמו על ראשי אצבעותיו עד שיליך ד' אמות וכן מוכח בעובדא דבני המן בתרגום של מגילת אסתר שנסדר על פי המדרש שגובה קומתן ג' אמות לבד הראש דקחשיב ואזיל על רום חמשים אמות לפי תליית כל העשרה והיו נהרגים כבר קודם התלייה וכן משמעי קרא בשושן הבירה הרגו היהודים ואבד חמש מאות איש ואת עשרת בני המן משמע שבכלל הריגה היו וגם הפייט יסד בסליחה פ) אדם בקום איש בשלש אמות והרביעית (ל) וחמישית) אויר מגולה ק):

הא כיצד. פי' איזה מהם שהוא כהם הקשה הר"ר אליעזר ממיץ דהכא מוקמינן כוליה קרא בחד עניינא ואילו בפ' דם הנדה (נדה ע.) אמר כתיב בהם בכולן וכתיב מהם במקצתן לא קשיא כאן בלח כאן ביבש אלמא בתרי ענייני איירי קרא ושמא תרתי שמעינן מיניה ולמורי נראה תרי קראי כתיבי כל הנוגע בהם במותם מהם במותם אשר יפול מהם אל תוכו ואל תטמאו בהם ר):

מסורת הש"ס

א) [ב"ק כ: ע"ש מעילה כ.], ב) סנהדרין עט. פז:, ג) [קידושין לו:] זבחים יג., ד) זבחים [ד.] יד:, ה) [עירובין קד.] פסחים סה: יומא לא: מנחות י., ו) עירובין ד: יד: פסחים קט. יומא לא., ז) [ע' פסחים קט.], ח) [נזיר נב: ע"ש], ט) [ל"ל אלא לבתו], י) [ל"ל דמעיל], כ) [מעילה יט:], ל) [כתובות לד: ע"ש], מ) [ל"ל והדוה בנדתה], נ) [ע' תוס' יומא עח. ד"ה מכאן ותוס' יבמות מז: ד"ה במקום], ס) בתורת כהנים פרשה יא, ע) ע"ש רש"י ותוס', פ) [ב"ב ק: וגם ד"ה והכוכין], צ) [תענית אסתר], ק) [בסליחות שלפניו לימ"ל], ר) [וע"ע תוס' פסחים קט: ד"ה ברום], ש) [ונראה בד"ה אי בהם מילתא דהכא אסמכתא הוא דשיעורין הלכה למשה מסיני].

עין משפט נר מצוה

ע א מיי' פ"ו מהלכות מעילה הלכה ח:

עא ב מיי' פ"א מהלכות מקואות הלכה ב סמג עשין רמח טוש"ע י"ד סי' רא סעיף א:

עב ג מיי' שם פ"ד הלכה א סמג שם טוש"ע י"ד סי' קצא סעיף א וסי' רא סעיף א:

עג ד מיי' פ"ד מהלכות שאר אבות הטומאה הלכה ב סמג עשין רמו:

רבינו חננאל

היינו דתנן מעילות כהררין תלויין בשערה. הדינין דכתב רחמנא ונתת נפש תחת נפש ואמור רבנן ממון. עבודות זו הולכת הדם. טהרות שיעור מי מקוה דלא כתב שיעורו בתורה. ושיערו חכמים אמה על אמה ברום שלש הן מ' סאה. טמאות טומאת שרץ שיעורו חכמים בכעדשה. ר' יוסי אומר כזנב הלטאה. עריות בתו מאנוסתו דלא

הגהות הב"ח

(א) רש"י ד"ה במים וכו' לאו מים חיים בעו ומאי במים:

תורה אור השלם

א) וְאִם אָסוֹן יִהְיֶה וְנָתַתָּה נֶפֶשׁ תַּחַת נָפֶשׁ: [שמות כא, כג]

ב) וְשָׁחַט אֶת בֶּן הַבָּקָר לִפְנֵי יְיָ וְהִקְרִיבוּ בְּנֵי אַהֲרֹן הַכֹּהֲנִים אֶת הַדָּם וְזָרְקוּ אֶת הַדָּם עַל הַמִּזְבֵּחַ סָבִיב אֲשֶׁר פֶּתַח אֹהֶל מוֹעֵד: [ויקרא א, ה]

ג) וְהַקֶּרֶב וְהַכְּרָעַיִם יִרְחַץ בַּמָּיִם וְהִקְרִיב הַכֹּהֵן אֶת הַכֹּל וְהִקְטִיר הַמִּזְבֵּחָה עֹלָה הוּא אִשֵּׁה רֵיחַ נִיחֹחַ לַייָ: [ויקרא א, יג]

ד) וְאִישׁ כִּי תֵצֵא מִמֶּנּוּ שִׁכְבַת זָרַע וְרָחַץ בַּמַּיִם אֶת כָּל בְּשָׂרוֹ וְטָמֵא עַד הָעָרֶב: [ויקרא טו, טז]

ה) אֵלֶּה הַטְּמֵאִים לָכֶם בְּכָל הַשָּׁרֶץ כָּל הַנֹּגֵעַ בָּהֶם בְּמֹתָם יִטְמָא עַד הָעָרֶב: [ויקרא יא, לא]

ו) וְכֹל אֲשֶׁר יִפֹּל עָלָיו מֵהֶם בְּמֹתָם יִטְמָא מִכָּל כְּלִי עֵץ אוֹ בֶגֶד אוֹ עוֹר אוֹ שָׂק כָּל כְּלִי אֲשֶׁר יֵעָשֶׂה מְלָאכָה בָּהֶם בַּמַּיִם יוּבָא וְטָמֵא עַד הָעֶרֶב וְטָהֵר: [ויקרא יא, לב]

ליקוטי רש"י

בגזבר המסורות לו. וכו'. [לשמור] אותו אבן או אותו קורה עסקינן דכי נטלו הוא עדיין ברשותו הם ונכנסו הקדש ניוחו כמתחלה אבל כי נתנה לחברו הרי שינוי רשות הקדש לחול ומעל [מעילה כ.]. דכלאו הכי נמי ברשותו הוה מנחא הלכך לא מעל בהגבהה [ב"מ צט:]. בנאה. גזבר בתוך ביתו לא מעל כו'. שהניחה על פי ארובה. ולא קבעה בבנין דלא הוי שינוי הלכך לא מעל עד שידור [ב"ק כ:]. כשהיא שלימה שלא [מתקנה ולא] בנאה כלום אלא הנחה בעלמא הוא דעבד בה הלכך לא מעל עד שידור תחתיה בשוה פרוטה (ל"ל) כגון שסתם פי ארובה והיה פירות תחת הארובה ועכשיו נהנה ממנו [הכסף] שאין הגשמים יורדים עליהם [וכיון] שהגיע עליהן בשוה פרוטה מעל [מעילה שם]. נפש תחת נפש. רבותינו חולקין בדבר יש אומרים נפש ממש ויש אומרים ממון אבל לא נפש ממש שהמתכוין להרוג את זה והרג את זה פטור ממיתה ומשלם ליורשיו דמיו כמו שהיה נמכר בשוק [שמות כא, כג]. במתכוין להרוג את זה והרג את זה ומיחייב ליה רבי ממון ורבנן פטרי. נתינה למעלה. גבי נוגף אשה הרה ונתן בפלילים (שמות כא) דמי ולדות [סנהדרין פז:]. גבי ולד יהיה אסון ונתן בפלילים (שמות כא) דמי ולדות [שם עט.]. והקריבו. זו קבלה שהיא עבודה ראשונה ומשמעו לשון קריבה [זבחים יג.]. בני אהרן [ויקרא א, ה]. ושחט את בן הבקר והקריבו בני אהרן הכהנים את הדם זו קבלת הדם וללמד שאין צריך לקבלו בכהן [זבחים יג.]. שהיא עבודה ראשונה [שם ד.]. זו הולכת אברים. דגבייהו כתיב האי קרא והקרב והכרעים וגו' [פסחים סה.]. במים במי מקוה. המכונסין משמע ואף על גב דלאו חיים מדלא כתיב חיים [עירובין ד:]. משמע מים מחוברין יחדיו [שם יד:]. מים המיוחדים שנקוו מתחלה מעלמן מדלא כתב במים למעוטי שאובין דאזיל השתא ומייתי וטביל. כל בשרו. מדלא כתב בשרו משמע שכל גופו עולה בהן שאינו נראה אלא כולו מכוסה בהן [רשב"ם פסחים קט.]. משמע כל בשרו כאחד [עירובין ד:]. אמה על אמה וכו'. צריך שיהא הכלי מלא מים שיטבול בו האדם ושיערו חכמים דהיינו ארבעים סאה [רשב"ם שם:]. בהם. אלה הטמאים לכם בכל השרץ כל הנוגע בהם במותם וגו' (ויקרא יא) [נזיר נב.]. בשרצים כתיב (ויקרא יא) כל הנוגע בהם [נדה נו.]. יכול בכולן. דכי נגע בכולם יהא טמא אבל לא במקצתו. תלמוד לומר מהם. וכל אשר יפול עליו מהם במותם כו'. שיערו חכמים. שמגע עדשה יטמא שהוא כעדשה שוה ככולו [נזיר שם]. חומט. לימצ"א שתחלת ברייתו בכעדשה צא ובדוק בתיק שלה שגדל והולך עמה תחלתו כעדשה ממש הוא בשוליו [חולין קכב.]. [מכאן שייך לע"ב] אתיא הנה הנה. לאיסורא אתיא זמה זמה לשריפה דבתו מאשתו וכן בת בתו ובת בנו ילפא מערות אשה ובתה לא תגלה והרי בתו מאשתו בכלל בת אשתו אבל בתו מאנוסתו לא משתמעא דכתיב ערות אשה ולשון אישות דעל ידי קידושין משמע וגלי רחמנא בבת בתו ובת בנו מאנוסתו דהאי קרא ערות בת בנך או בת בתך והכא לשון אישות לא כתיב ואכתי בתו לא כתיב הכא וילפינן בג"ש כתיב הכא בקרא דאנוסה כי ערותך הנה וכתיב בקרא אחרינא דאישות שארה הנה מה התם בתו כבת בתו אף כאן בתו כבת בתו [יבמות ג.]. כתיב (ויקרא יח) בבת בנו ובבת בתו ערות בת בנך או בת בתך וגו' כי ערותך הנה וכתיב (שם) בבת אשתו שארה הנה זימה היא מה באשתו בתה כבת בתה דכתיב (שם) ערות אשה ובתה וגו' אף כאן חייב על בתו כעל בת בתו ומן קל וחומר לא מייתיה דאין עונשין מן הדין אבל גזרה שוה הוי כאילו מפורש בו דהא להכי דרשה איכתיב הנה יתירא [סנהדרין נא.]. כתיב באשתו (ויקרא יח) ערות אשה ובתה לא תגלה דמשמע בתה ממנו ובתה מאחר סיפיה דקרא שארה הנה זמה היא וכתיב (שם) ערות בת בנך או בת בתך ובאנוסה כתיב דהא בת בתו מאשתו נפקא לו מקרא דלעיל ערות אשה ובתה ובתו (לא כתיבא באנוסתו) [מאנוסתו לא כתיבא] אלא אתיא הנה הנה מאשתו כתיב באשתו שארה הנה זמה היא וכתיב באנוסתו כי ערותך הנה מה התם כתיבא בתו דכתיב אשה ובתה אף כאן נמי באנוסה עשה בתו כבת בתו ואו"מ קל וחומר הוא אין מזהירין מן הדין [כריתות ה.]. אתיא זמה זמה. לשריפה כתיב הכא בבתו זמה היא וכתיב בשריפה זמה היא בשריפה זמה היא (ויקרא כ) באש ישרפו מה להלן שריפה אף כאן שריפה ובתו מאנוסתו הא ילפינן מהנה הנה מבת אשתו [יבמות שם.]. לידון בשריפה כתיב הכא זמה היא וכתיב (ויקרא כ) באש ישרפו וגו' [סנהדרין נא.]. (כי יקח איש את) [ואיש אשר יקח את] אשה ואת אמה זמה היא (ויקרא כ) [כריתות שם]. אתיא הנה הנה אתיא זמה זמה. מעיקרא מייתינן לה בהנה הנה והדר בזמה זמה כתיב הכא (ויקרא יח) כי ערותך הנה וכתיב בשאר אשתו (שם) שארה הנה מה להלן זמה אף כאן זמה עמו ובתר דאייתינן זמה לשאר דידיה ילפינן בה שריפה בזמה זמה מה נאמר כאן (שם) זמה ונאמר להלן (שם כ) בשריפה זמה מה להלן שריפה אף כאן שריפה [סנהדרין עה:].

עין משפט
נר מצוה

א א מיי' פ"ד מהלכות יסודי התורה הלכה י:
ב ב מיי' שם הלכה יא:
ג ג מיי' פ"ט מהלכות מלכים הלכה ב ג:
ד ד מיי' שם הלכה ה:
ה ה מיי' פכ"ב מהלכות איסורי ביאה הלכה יז:

לבתו מאנוסתו דלא כתיבא [א]דאמר רבא אמר לי ר' יצחק בר אבדימי אתיא הנה הנה אתיא זימה זימה: הן הן גופי תורה: הני אין הנך לא אלא אימא הן והן גופי תורה:

הדרן עלך הכל חייבין

אין דורשין בעריות בשלשה ולא במעשה בראשית בשנים ולא במרכבה ביחיד אלא אם כן היה חכם ומבין מדעתו כל המסתכל בארבעה דברים רתוי לו כאילו לא בא לעולם [ב]מה למעלה מה למטה מה לפנים ומה לאחור [ג]וכל שלא חס על כבוד קונו רתוי לו שלא בא לעולם: **גמ'** אמרת ברישא ולא במרכבה ביחיד והדר אמרת אלא אם כן היה חכם ומבין מדעתו הכי קאמר אין דורשין בעריות לשלשה ולא [א]במעשה בראשית לשנים ולא [ב]במרכבה ליחיד אלא אם כן היה חכם ומבין מדעתו: אין דורשין בעריות בשלשה: מ"ט אילימא משום דכתיב [א]איש איש אל כל שאר בשרו איש איש תרי שאר בשרו חד ואמר רחמנא לא תקרבו לגלות ערוה אלא מעתה דכתיב [ב]איש איש כי יקלל אלהיו [ג]איש איש אשר יתן מזרעו למולך הכי נמי אלא הנהו מיבעי ליה [ג]לרבות את הנכרים שמוזהרין על ברכת השם ועל ע"ז כישראל האי נמי מיבעי ליה [ד]לרבות את הנכרים [ד]שמוזהרין על העריות כישראל אלא מדכתיב [ד]ושמרתם את משמרתי ושמרתם תרי משמרתי חד ואמר רחמנא לבלתי עשות מחקות התועבות אלא מעתה דכתיב [ה]ושמרתם את השבת [ו]ושמרתם את המצות [ז]ושמרתם את משמרת הקדש הכי נמי אלא אמר רב אשי מאי אין דורשין בעריות בשלשה [ה]אין דורשין בסתרי עריות ([ט]בשלשה) מ"ט סברא הוא בי תרי כי יתבי קמי רביהו חד שקיל וטרי בהדי רביה ואידך מצלי אודניה לגמרא תלתא חד שקיל וטרי בהדי רביה והנך תרי שקלו וטרו בהדי הדדי ולא ידעי מאי קאמר רביהו ואתו למישרי איסורא בעריות אי הכי כל התורה נמי עריות שאני [י]דאמר מר גזל ועריות נפשו מחמדתן ומתאוה להם אי הכי גזל נמי עריות בין בפניו בין שלא בפניו נפיש יצריה גזל בפניו נפיש יצריה שלא בפניו לא נפיש יצריה: ולא במעשה בראשית בשנים: מנא הני מילי דתנו רבנן [ח]כי שאל נא לימים ראשונים יחיד שואל ואין שנים שואלין יכול ישאל אדם קודם שנברא העולם ת"ל [ח]למן היום אשר ברא אלהים אדם על הארץ יכול לא ישאל אדם משש ימי בראשית ת"ל לימים ראשונים אשר היו לפניך יכול ישאל אדם מה למעלה ומה למטה מה לפנים ומה לאחור ת"ל [ח]ולמקצה השמים ועד קצה השמים מלמקצה השמים ועד קצה השמים אתה שואל ואין אתה שואל מה למעלה מה למטה מה לפנים מה לאחור השתא

רש"י

לבתו מאנוסתו דלא כתיבא. דאילו בתו מאשתו כתיבא ערות אשה ובתה וגו' (ויקרא יח) משמע בין שהבת ממנו בין מאיש אחר וכתיב קרא אחרינא ערות בת בנך או בת בתך וגו' ומוקמינן לה ביבמות (דף מז.) בבתו מאנוסתו מדלא אסר הכתוב בת בתה של אשה זו אלא בבת הבת שנולדה הימנו ובהאי קרא דאנוסה בת בתו ובת בנו כתיב בתו לא כתיב וא"ת ק"ו הוא אין מזהירין מן הדין ° ואין עונשין מדין ק"ו דיני ממונות ומלות עשה והלכות עבודה ופסולי קדשים אתה למד בק"ו אבל לא אזהרות ועונשין ומקראי נפקא לן במס' מכות (דף ה:) ומהיכן נפקא לן לבתו מאנוסתו: **אמר רבא אמר לי ר' יצחק בר אבדימי אתיא הנה הנה.** לאיסורא אתיא זימה זימה לשריפה כתיב בנישואין שארה הנה זימה היא וכתיב באנוסין כי ערותך הנה מה (א) האמור בנישואין עשה הכתוב בתה כבת בנה וכבת בנו אף באנוסין עשה הכתוב בתו כבת בנו וכבת בנה וכן אתיא זימה זימה לשריפה מאחר שלמדת שהאנוסה מנשואה ובנשואה כתיב זימה היא כמה דכתיב באנוסה דמי וחזור ולמוד בה שריפה מאיש אשר יקח את אשה ואת אמה זימה היא באש ישרפו אותו ואתהן (ויקרא כ): **הני אין הנך לא.** הני דמיפרשי הוו גופי תורה הנך דלא מיפרשי כולי האי לאו גופי תורה בתמיה: **הן והן.** אלו ואלו:

הדרן עלך הכל חייבין

אין דורשין. **בשלשה.** שנים והוא: **בשנים.** אחד והוא: **ביחיד.** אין שם אלא הוא לבדו וגמ' מפרש לה: **ארבעה דברים.** הני דמפרש ואזיל: **מה למעלה.** מרקיע שעל ראשי החיות: **ומה למטה.** מהן: **ומה לפנים.** חוץ למחיצת הרקיע למזרח: **ומה לאחור.** למערב: **תוספות.** אינו יכול להיות מה שפירש המורה מה לפנים חוץ למחיצת הרקיע ומה לאחור למערב מדפריך בגמ' בשלמא מה למעלה ומה למטה ומה לאחור לחי אלא לפנים מה דהוה הוה אלמא מה לפנים קודם לעולם הוא ועוד בתוספתא (ב) מה לפנים ומה לאחור מה היה ומה עתיד להיות ע"כ תוס': **כל שלא חס על כבוד קונו.** בגמ' מפרש מאי היא: **רתוי לו.** טוב ויפה היה לו אם לא בא לעולם ואומר אני שהוא לשון רחמנות כלומר מרוחם (ג) הוא אם לא בא לעולם ודוגמתו בתורת כהנים אל אלעזר ואל איתמר בניו הנותרים (ויקרא י) ראויין היו לישרף אלא שריחם הכתוב לאהרן: **גמ' אמרת ולא במרכבה ביחיד.** וכיון דיחידי הוא ואינו שומע מפי הרב על כרחך מדעתו הוא מבין וקאמרת ליה והדר אמרת אלא אם כן היה חכם ומבין מדעתו: **לשלשה.** לבד מן הדורש: **לא במעשה בראשית לשנים.** וכ"ש לשלשה: **ולא במרכבה ליחיד.** לתלמיד יחיד: **אלא אם כן היה חכם ומבין מדעתו.** שלא יצטרך לשאול לרב כשיסתפק לו דלאו אורח ארעא לפרושא בהדיא: **ואמר רחמנא לא תקרבו לגלות ערוה.** לא תקרבו שלשתכם זה אצל זה לגלות טעמי פרשת עריות: **בסתרי עריות.** שאינן מפורשות כגון בתו מאנוסתו ואם חמיו ואם חמותו דנפקי במס' סנהדרין (דף עה.) מדרשא: **שקיל וטרי.** נושא ונותן בהלכה עם רבו: **מצלי אודניה.** מטה אזנו ושומע דבריהן והן שומעין את דברי הרב אבל כשהן שלשה שקלי וטרו הנך תרי זה עם זה ולא שמעו מאי דאמר רבן ואתו למישרי איסורא בעריות על ידי שלא שמעו מפי הרב כשדרש בו איסור: **דאמר מר גזל ועריות כו'.** במתניתין בתרייתא דמסכת מכות (דף כג:): **בפניו.** כשהוא רואה לפניו שיכול לגזול: **מנא הני מילי.** דאין שנים שואלין במעשה בראשית: **יכול ישאל אדם.** מה היה קודם שנברא העולם: **יכול לא ידרוש ולא ישאל בששת ימי בראשית.** דהא למן בריית אדם הוא דיהיב רשותא והוא בערב שבת נברא: **תלמוד לומר לימים ראשונים.** מיום ראשון:

תוספות

לבתו מאנוסתו. ההיא דערות בת בנך מוקמינן לה בריש נושאין על האנוסה (יבמות מז.) דמשמע הא בת בנה דידה גלי באנוסתו ואידך דאשה ובתה לא תגלה בנישואין דכתיב בה שאר: **דאמר** רבא אמר לי רב יצחק בר אבדימי. תרי הוו פי' בפ"ק דיבמות (דף ג. ושם) ובפרק כל הבשר (חולין דף קי. [ז] ושם):

הדרן עלך הכל חייבין

אין דורשין. במעשה בראשית. פי' ר"ת הוא שם מ"ב אותיות היוצא מבראשית ומפסוק של אחריו: **יכול** ישאל מה למעלה מה למטה. [ח] משמע הכא דלפנים ולאחור הוי מה שיש אחורי הכיפה מזרח ומערב והוא הדין לצפון ודרום ואילו לקמן (דף טז.) בפירוש משמע מה שהיה קודם שנברא העולם ומה שיהיה לאחר כך דקאמר בשלמא מה למעלה מה למטה ומה לאחור שפיר אלא לפנים אמאי מה דהוה הוה רבי יוחנן ורבי אלעזר אמרי משל למלך שבנה פלטרין על גבי אשפה כו' והכי תניא בתוספתא (פ"ב) מה שהיה ומה שעתיד להיות וי"ל דאיכא למימר הכי ואיכא למימר הכי:

רבינו חננאל

כתיבא. ורבנן אסקוה מדרשא זמה זמה. וכולהון יש להן אסמכתא' מן התורה בין היתר נדרים בין הלכות שבת בין חגיגות ומעילות כולהן הן גופי תורה:

הדרן עלך הכל חייבין

פ"ב אין דורשין בעריות בשלשה כו' הרב וב' תלמידים אין דורשין בעריות. מנא לן אי נימא מדכתיב איש איש אל כל שאר בשרו ודרשינן איש איש הרי תרי שאר בשרו חד הרי ג' ואמרה רחמנא לא תקרבו לגלות ערוה. אלא מעתה איש איש כי יקלל אלהיו הכי נמי דלא דרשינן ביה בתרי ודחינן תוב תנינן ולא במרכבה ביחיד דמשמע דאפילו הרב לבדו אסור וקתני סיפא אלא אם היה חכם מבין מדעתו ופירשה רב אשי הכי אין דורשין בעריות בשלשה ומאי ניהו סתרי עריות כגון הנראה ונשיקה ואזהרה ועונש א) לדבר הנשכב וכן כמה שנים יהיה ויתחייב השוכב עמו וכיוצא בהן האחד נושא ונותן בהדי רביה והשנים נושאין ונותנין זה עם זה. ואין מקשיבין לדברי הרב. וכיון שהנפש מתאוה להן אין מדקדקין היטב ובאין להתיר האיסור. לפיכך לא התירו לדרוש בסתרי עריות כגון אלו אלא לשנים בלבד. שאפילו אחד מהן נושא ונותן עם הרב השני מטה אוזן ומקשיב ונמצא העיקר שמור בלב שניהן. אבל הא דתנן ולא במעשה בראשית בשנים מדרש זה הפסוק נשנית. דת"ר כי שאל נא לימים ראשונים מדלא אמר שאלו אלא שאל בלשון יחיד. ש"מ שהיחיד שואל ולא יתר מכן שאין שואלין יכול ישאל אדם מה קודם שנברא העולם. ת"ל לימים ראשונים משש ימי בראשית. יכול לא ישאל מה היה באלו ששת ימי בראשית. ת"ל למן היום אשר ברא אלהים אדם על הארץ. מיום שנברא אדם יש רשות לישאל אדם ולכן אסור לישאל בוהן. יכול ישאל אדם מה למעלה מן הרקיע ומה למטה מן הארץ ומה לפנים ומה לאחור

חשק שלמה על ר"ח
א) אולי צ"ל אמר הנשכב או צ"ל הנשכב.

מסורת הש"ס

א) יבמות ג. סנהדרין נא. עה: כריתות ה ע"ל, ב) [תמיד לב.], ג) [קדושין מ.], ד) [סנהדרין עז:], ה) [נ"ל לשלשה], ו) מכות כג:, ז) [וע"ע תוס' מנחות נג. ד"ה כל ותוס' ב"ב סז. ד"ה מי כלון ותוס' כתובות ו. ד"ה לאמר ותוס' יבמות ג. ד"ה דלאמר ותוס' חולין קי. ד"ה אילמא], ח) [ועי' תוס' מגילה כה: ד"ה מה לפנים].

הגהות הב"ח

(א) רש"י ד"ה אמר רבא וכו' מה הנה האמור בנשואין: (ב) רש"י ד"ה תוספות תני מה לפנים וכו' בתוספתא: (ג) ד"ה רתוי וכו' מרוחם היה אם לא:

גליון הש"ס

רש"י ד"ה לבתו מאנוסתו וכו' ואין עונשין מדין ק"ו ד"ה. עיין ב"ק דף ב ע"ב תוס' ד"ה לא זה ושם דף ו ע"ב תוס' ד"ה ועדים:

תורה אור השלם

א) אִישׁ אִישׁ אֶל כָּל שְׁאֵר בְּשָׂרוֹ לֹא תִקְרְבוּ לְגַלּוֹת עֶרְוָה אֲנִי יְיָ: [ויקרא יח, ו]

ב) וְאֶל בְּנֵי יִשְׂרָאֵל תְּדַבֵּר לֵאמֹר אִישׁ אִישׁ כִּי יְקַלֵּל אֱלֹהָיו וְנָשָׂא חֶטְאוֹ: [ויקרא כד, טו]

ג) וְאֶל בְּנֵי יִשְׂרָאֵל תֹּאמַר אִישׁ אִישׁ מִבְּנֵי יִשְׂרָאֵל וּמִן הַגֵּר הַגָּר בְּיִשְׂרָאֵל אֲשֶׁר יִתֵּן מִזַּרְעוֹ לַמֹּלֶךְ מוֹת יוּמָת עַם הָאָרֶץ יִרְגְּמֻהוּ בָאָבֶן: [ויקרא כ, ב]

ד) וּשְׁמַרְתֶּם אֶת מִשְׁמַרְתִּי לְבִלְתִּי עֲשׂוֹת מֵחֻקּוֹת הַתּוֹעֵבֹת אֲשֶׁר נַעֲשׂוּ לִפְנֵיכֶם וְלֹא תִטַּמְּאוּ בָּהֶם אֲנִי יְיָ אֱלֹהֵיכֶם: [ויקרא יח, ל]

ה) וּשְׁמַרְתֶּם אֶת הַשַּׁבָּת כִּי קֹדֶשׁ הִוא לָכֶם מְחַלְלֶיהָ מוֹת יוּמָת כִּי כָּל הָעֹשֶׂה בָהּ מְלָאכָה וְנִכְרְתָה הַנֶּפֶשׁ הַהִוא מִקֶּרֶב עַמֶּיהָ: [שמות לא, יד]

ו) וּשְׁמַרְתֶּם אֶת הַמַּצּוֹת כִּי בְּעֶצֶם הַיּוֹם הַזֶּה הוֹצֵאתִי אֶת צִבְאוֹתֵיכֶם מֵאֶרֶץ מִצְרָיִם וּשְׁמַרְתֶּם אֶת הַיּוֹם הַזֶּה לְדֹרֹתֵיכֶם חֻקַּת עוֹלָם: [שמות יב, יז]

ז) וּשְׁמַרְתֶּם אֵת מִשְׁמֶרֶת הַקֹּדֶשׁ וְאֵת מִשְׁמֶרֶת הַמִּזְבֵּחַ וְלֹא יִהְיֶה עוֹד קֶצֶף עַל בְּנֵי יִשְׂרָאֵל: [במדבר יח, ה]

ח) כִּי שְׁאַל נָא לְיָמִים רִאשֹׁנִים אֲשֶׁר הָיוּ לְפָנֶיךָ לְמִן הַיּוֹם אֲשֶׁר בָּרָא אֱלֹהִים אָדָם עַל הָאָרֶץ וּלְמִקְצֵה הַשָּׁמַיִם וְעַד קְצֵה הַשָּׁמָיִם הֲנִהְיָה כַּדָּבָר הַגָּדוֹל הַזֶּה אוֹ הֲנִשְׁמַע כָּמֹהוּ: [דברים ד, לב]

ליקוטי רש"י

[illegible]

לְבִתּוֹ מֵאֲנוּסָתוֹ – **for** laws such as that of the prohibition of incest with **his daughter** who was the offspring **of his rape victim,**[1] **דְּלֹא כְּתִיבָא** – **which is not written** explicitly in the Torah. **דְּאָמַר רָבָא** – **For Rava said:** **אָמַר לִי רַבִּי יִצְחָק בַּר אַבְדִּימִי** – **Rav Yitzchak bar Avdimi told me:** **אַתְיָא "הֵנָּה" "הֵנָּה" אַתְיָא "זִמָּה" "זִמָּה"** – **It is derived** through a *gezeirah shavah* using the words ***"heinnah," "heinnah"*** that it is forbidden for a father to cohabit with his illegitimate daughter, and **it is derived** through a *gezeirah shavah* using the words ***"zimmah," "zimmah"*** that the penalty for this violation is death by burning.[2] Although this derivation is based on Scripture, it is not explicit, and the Mishnah speaks of illicit sexual relations as having no more than "real Scriptural support."

The Mishnah concludes:

הֵן הֵן גּוּפֵי תוֹרָה – AND THEY ARE THE FUNDAMENTALS OF THE TORAH.[3]

The Gemara asks:

הָנֵי אֵין – Is it possible that only **these** latter laws **are** fundamentals of the Torah, **הָנָךְ לֹא** – while **those** former laws, being less explicit in Scripture, are **not?** Of course not! **אֶלָּא אֵימָא הֵן וְהֵן גּוּפֵי תוֹרָה** – **Rather, say:** Both **these and those are fundamentals of the Torah.**

הדרן עלך הכל חייבין

WE SHALL RETURN TO YOU, HAKOL CHAYAVIN

NOTES

1. I.e his illegitimate daughter. [Rape is mentioned only as an example of a case in which a child might be born out of wedlock.]

Scripture states (*Leviticus* 18:17): עֶרְוַת אִשָּׁה וּבִתָּהּ לֹא תְגַלֵּה אֶת־בַּת־בְּנָהּ וְאֶת־בַּת־בִּתָּהּ לֹא תִקַּח לְגַלּוֹת עֶרְוָתָהּ שַׁאֲרָה הֵנָּה זִמָּה הִוא, *The nakedness of a woman and her daughter you shall not uncover; you shall not take her son's daughter or her daughter's daughter to uncover her nakedness – they are (heinnah) close relatives, it is a sinful counsel (zimmah).* By using the verb אִשָּׁה, which connotes marriage [אישות], the verse indicates that we are speaking of a lawfully wedded wife (*Rashi* to *Yevamos* 3a ד״ה אתיא הנה). This verse indicates that it is forbidden to cohabit with one's wife's daughter and granddaughter, even if they are not his own offspring (i.e. his wife had these children by some other man).

Elsewhere Scripture states (*Leviticus* 18:10): עֶרְוַת בַּת־בִּנְךָ אוֹ בַת־בִּתְּךָ לֹא תְגַלֶּה עֶרְוָתָן כִּי עֶרְוָתְךָ הֵנָּה, *The nakedness of your son's daughter or your daughter's daughter – you shall not uncover their nakedness; for they are (heinnah) your own shame.* Now this verse cannot be speaking of his granddaughter by his wife, since such a woman would anyway be forbidden to him – even if she were not his own granddaughter – on account of being a granddaughter of his wife. Rather, it refers to a case where he fathered a child out of wedlock (e.g. through rape) and that child subsequently gave birth to a daughter. The verse forbids him to cohabit with his granddaughter, even though she is not the granddaughter of his wife.

Although this verse makes no mention of a prohibition to cohabit with his illegitimate daughter herself (only with his illegitimate granddaughter), this is derived from a *gezeirah shavah,* as the Gemara proceeds to explain (*Rashi*).

[Even though simple *kal vachomer* logic would seem to dictate that if someone is forbidden under pain of burning from cohabiting with his granddaughter, he is surely so forbidden in regard to his daughter, the Gemara elsewhere (*Makos* 5b) establishes a principle that *kal vachomer* reasoning may not be employed to derive a negative commandment or punishment. Rather, a *kal vachomer* may be used to derive monetary obligations, or positive commandments, or the requirements of the Temple service, or invalidations of sacrifices (*Rashi;* see also *Gilyon HaShas* and the sources cited there). A *gezeirah shavah,* however, has the force of an explicit verse and may be used to derive even negative commandments and punishments (*Rashi* to *Sanhedrin* 73a ד״ה הקישא הוא; *Ramban, Sefer HaMitzvos, shoresh* 2; cf. *Rambam,* ibid., end of *shoresh* 14).]

2. The word *heinnah* (*they are*), is stated in *Leviticus* 18:17 (regarding one's wife's daughter and granddaughter), and the same word is stated in *Leviticus* 18:10 (regarding one's illegitimate granddaughter). Just as in *Leviticus* 18:17 the prohibition applies not only to a wife's granddaughter but also to a wife's daughter (as the verse states explicitly), so too in *Leviticus* 18:10 the prohibition applies not only to the granddaughter but to the daughter as well. It is therefore clear that the Torah prohibits a father to cohabit with his illegitimate daughter.

As far as the penalty is concerned, Scripture states (*Leviticus* 20:14): וְאִישׁ אֲשֶׁר יִקַּח אֶת־אִשָּׁה וְאֶת־אִמָּהּ זִמָּה הִוא בָּאֵשׁ יִשְׂרְפוּ אֹתוֹ וְאֶתְהֶן ..., *A man who shall take a woman and her mother, it is a sinful counsel (zimmah); they shall burn him and them in fire . . .* The term *zimmah* is also used in *Leviticus* 18:17 in the previously cited verse, forbidding one's wife's daughter or granddaughter. And since *Leviticus* 18:10, which deals with one's own daughter and granddaughter, is linked to *Leviticus* 18:17 by its own *gezeirah shavah* (*heinnah, heinnah*), it is as if that verse (18:10) also contained the word *zimmah,* so that we can derive (from *Leviticus* 20:14 to *Leviticus* 18:10) that the penalty for a father cohabiting with his daughter or granddaughter is also burning (*Rashi;* cf. *Rashi* to *Yevamos* 3a; see *Menachem Meishiv Nefesh* here).

3. The Gemara at this point assumes that the reference is to the last group of laws enumerated in the Mishnah, which are characterized as having "real Scriptural support."

לבתו מאנוסתו דלא כתיבא. דאילו בתו מאשתו כתיבא ערות אשה ובתה וגו' (ויקרא יח) משמע בין שהבת ממנו בין מאיש אחר וכתיב קרא אחרינא ערות בת בנך או בת בתך וגו' ומוקמינן לה ביבמות (דף צז.) בבתו מאנוסתו מדלא אסר הכתוב בת בתה של אשה זו אלא בבת הבת שנולדה הימנו ובהאי קרא דאנוסה בת בתו ובת בנו כתיב בתו לא כתיב וא"ת ק"ו הוא אין מזהירין מן הדין ° ואין עונשין מדין ק"ו דיני ממונות ומצות עשה והלכות עבודה ופסולי קדשים אתה למד בק"ו אבל לא אזהרות ועונשין ומקרא נפקא לן במס' מכות (דף ה:)

א א מיי' פ"ד מהלכות יסודי התורה הלכה י:
ב ב מיי' שם הלכה יא:
ג ג מיי' פ"ט מהלכות מלכים הלכה ב ג:
ד ד מיי' שם הלכה ה:
ה ה מיי' פכ"ב מהלכות איסורי ביאה הלכה יח:

לבתו מאנוסתו דלא כתיבא א) דאמר רבא אמר לי ר' יצחק בר אבדימי אתיא הנה הנה אתיא זימה זימה: הן הן גופי תורה: הני אין הנך לא אלא אימא הן והן גופי תורה:

הדרן עלך הכל חייבין

אין דורשין בעריות בשלשה ולא במעשה בראשית בשנים ולא במרכבה ביחיד אלא אם כן היה חכם ומבין מדעתו כל המסתכל בארבעה דברים רתוי לו כאילו לא בא לעולם ב) מה למעלה מה למטה מה לפנים ומה לאחור ג) וכל שלא חס על כבוד קונו רתוי לו שלא בא לעולם: **גמ'** אמרת ברישא ולא במרכבה ביחיד והדר אמרת אלא אם כן היה חכם ומבין מדעתו הכי קאמר אין דורשין בעריות לשלשה ולא א במעשה בראשית לשנים ולא ב במרכבה ליחיד אלא אם כן היה חכם ומבין מדעתו: אין דורשין בעריות בשלשה: מ"ט אילימא משום דכתיב א) איש איש אל כל שאר בשרו איש איש תרי שאר בשרו חד ואמר רחמנא לא תקרבו לגלות ערוה אלא מעתה דכתיב ב) איש איש כי יקלל אלהיו ג) איש איש אשר יתן מזרעו למולך הכי נמי אלא הנהו מיבעי ליה ג לרבות את הנכרים שמוזהרין על ברכת השם ועל ע"ז כישראל האי נמי מיבעי ליה ד) לרבות את הנכרים ד שמוזהרין על העריות כישראל אלא מדכתיב ד) ושמרתם את משמרתי ושמרתם תרי משמרתי חד ואמר רחמנא לבלתי עשות מחקות התועבות אלא מעתה דכתיב ה) ושמרתם את השבת ו) ושמרתם את המצות ז) ושמרתם את משמרת הקדש הכי נמי אלא אמר רב אשי מאי אין דורשין בעריות (ה) בשלשה) מ"ט סברא הוא בי תרי כי יתבי קמי רבייהו חד שקיל וטרי בהדי רביה ואידך מצלי אודניה לגמרא תלתא חד שקיל וטרי בהדי רביה והנך תרי שקלו וטרו בהדי הדדי ולא ידעי מאי קאמר רבייהו ואתו למישרי איסורא בעריות אי הכי כל התורה נמי עריות שאני ו) דאמר מר גזל ועריות נפשו של אדם מתאוה להן ומחמדתן אי הכי גזל נמי עריות בין בפניו בין שלא בפניו נפיש יצריה גזל בפניו נפיש יצריה שלא בפניו לא נפיש יצריה: ולא במעשה בראשית בשנים: מנא הני מילי דתנו רבנן ח) כי שאל נא לימים ראשונים יחיד שואל ואין שנים שואלין יכול ישאל אדם קודם שנברא העולם ת"ל למן היום אשר ברא אלהים אדם על הארץ יכול לא ישאל אדם משש ימי בראשית ת"ל לימים ראשונים אשר היו לפניך יכול ישאל אדם מה למעלה מה למטה מה לפנים ומה לאחור ת"ל ח) ולמקצה השמים ועד קצה השמים מלמקצה השמים ועד קצה השמים אתה שואל ואין אתה שואל מה למעלה מה למטה מה לפנים מה לאחור השתא

ומהיכן נפקא לן לבתו מאנוסתו: **אמר רבא אמר לי ר' יצחק בר אבדימי אתיא הנה הנה.** לאיסורא אתיא זימה זימה לשריפה כתיב בנישואין שארה הנה זימה היא וכתיב באונסין כי ערותך הנה מה (א) האמור בנישואין עשה הכתוב בתה כבת בתה וכבת בנה אף באונסין עשה הכתוב בתו כבת בתו וכבת בנו לאיסורא זימה זימה לשריפה מאחר שלמדת אנוסה מנשואה ונשואה כתיב זימה היא כמה דכתיב באנוסה דמי וחוזר ולמוד בה שריפה מאיש אשר יקח את אשה ואת אמה זימה היא באש ישרפו אותו ואתהן (ויקרא כ): **הני אין הנך לא.** הני דמיפרשי הוו גופי תורה הנך דלא מיפרשי כולי האי לאו גופי תורה בתמיה: **הן והן.** אלו ואלו:

הדרן עלך הכל חייבין

אין דורשין. בשלשה. שנים והוא: **בשנים.** אחד והוא: **ביחיד.** אין שם אלא הוא לבדו והוא מפרש לה: **ארבעה דברים.** הני דמפרש ואזיל: **מה למעלה.** מרקיע שעל ראשי החיות: **ומה למטה.** מהן: **ומה לפנים.** חוץ למחיצת הרקיע למזרח: **ומה לאחור.** למערב: **תוספות.** אינו יכול להיות מה שפירש המורה מה לפנים חוץ למחיצת הרקיע ומה לאחור למערב מדפריך בגמ' בשלמא מה למעלה ומה למטה ומה לאחור לחיי אלא לפנים מה דהוה הוה אלמא מה לפנים קודם לעולם הוא ועוד בתוספתא (ב) מה לפנים ומה לאחור מה היה ומה עתיד להיות ע"כ תוס': **כל שלא חס על כבוד קונו.** בגמ' מפרש מאי היא: **רתוי לו.** טוב ויפה היה לו אם לא בא לעולם ודוגמתו ואומר אני שהוא לשון רחמנות כלומר מרוחם (ג) הוא אם לא בא לעולם ודוגמתו בתורת כהנים אל אלעזר ואל איתמר בניו הנותרים (ויקרא י) ראויין היו לישרף אלא שריחם הכתוב להרכן: **גמ' אמרת ולא במרכבה ביחיד.** וכיון דליחיד הוא ולא שומע מפי הרב על כרחך מדעתו הוא מבין וקאמרת ליה והדר אמרת אלא אם כן היה חכם ומבין מדעתו: **לשלשה.** לבד מן הדורש: **לא במעשה בראשית לשנים.** וכ"ש לשלשה: **ולא במרכבה ליחיד.** לתלמיד יחיד: **אלא אם כן היה חכם ומבין מדעתו.** שלא יצטרך לשאול לרב כשיסתפק לו דלאו אורח ארעא לפרושא בהדיא: **ואמר רחמנא לא תקרבו לגלות ערוה.** לא תקרבו שלשתכם זה אצל זה לגלות טעמי פרשת עריות: **בסתרי עריות.** שאינן מפורשות כגון בתו מאנוסתו ואם חמיו ואם חמותו דנפקי במס' סנהדרין (דף עה.) מדרשא: **שקיל וטרי.** נושא ונותן בהלכה עם רבו: **מצלי אודניה.** מטה אזנו ושומע דבריהן והן שומעין את דברי הרב אבל כשהן שלשה שקלי וטרו הנך תרי זה עם זה ולא שמעו מאי דאמר רבן ואתו למישרי איסורא בעריות על ידי שלא שמעו מפי הרב כשדרש בו איסור: **דאמר מר גזל ועריות כו'.** במתניתין בתרייתא דמסכת מכות (דף כג:): **בפניו.** כשהוא רואה לפניו שיכול לגזול: **מנא הני מילי.** דאין שנים שואלין במעשה בראשית: **יכול ישאל אדם.** מה היה קודם שנברא העולם: **יכול לא ידרוש ולא ישאל בששת ימי בראשית.** דהא למן בריית אדם הוא דיהיב רשותא והוא בערב שבת נברא: **תלמוד לומר לימים ראשונים.** מיום ראשון: והשתא

לבתו מאנוסתו. ההיא דערות בת בנך מוקמינן לה בריש נושאין על האנוסה (יבמות צז.) דמשמע הא בת בנה דידה גלי באנוסתו ואידך דאשה ובתה לא תגלה בנישואין דכתיב בה שאר: **דאמר** רבא אמר לי רב יצחק בר אבדימי. תרי הוו פי' בפ"ק דיבמות (דף ג. ושם) ובפרק כל הבשר (חולין דף קי. ז) ושם):

הדרן עלך הכל חייבין

אין דורשין. במעשה בראשית. פי' ר"ת הוא שם מ"ב אותיות היוצא מבראשית ומפסוק של אחריו: **יכול** ישאל מה למעלה מה למטה. ח) משמע הכא דלפנים ולאחור הוי מה שיש אחורי הכיפה מזרח ומערב והוא הדין לצפון ודרום ואילו לקמן (דף טז.) בפירוש משמע מה שהיה קודם שנברא העולם ומה שיהיה לאחר כך דקאמר בשלמא מה למעלה מה למטה ומה לאחור שפיר אלא לפנים אמאי מה דהוה הוה רבי יוחנן ורבי אלעזר אמרי משל למלך שבנה פלטרין על גבי אשפה כו' והכי תניא בתוספתא (פ"ב) מה שהיה ומה שעתיד להיות וי"ל דאיכא למימר הכי ואיכא למימר הכי:

מסוף

רבינו חננאל

כתיבא. ורבנן אסקוה מדרשא זמה זמה. וכולהון יש להן אסמכתא מן התורה בין היתר נדרים בין הלכות שבת בין חגיגות ומעילות כולן הן גופי תורה:

הדרן עלך הכל חייבין

פ"ב אין דורשין בעריות בשלשה כו'. ש"מ כי הרב וב' תלמידים אין דורשין בעריות. מנא לן אי נימא מדכתיב איש איש אל כל שאר בשרו ודרשינן איש איש הרי תרי שאר בשרו חד הרי ג' ואמרה רחמנא לא תקרבו לגלות ערוה. אלא מעתה איש איש כי יקלל אלהיו הכי נמי דלא דרשינן ביה בתרי ודחינן תוב תנינן ולא במרכבה ביחיד דמשמע דאפילו הרב לבדו אסור וקתני סיפא אלא אם היה חכם מבין מדעתו ופירשה רב אשי הכי אין דורשין בעריות בשלשה ולא מפני ניחוש בסתרי עריות כגון הערוה נשיקה ואזהרה וענוש א) לדבר הנשכב וכן כמה שנים יהיה ויתחייב השוכב עמו וכיוצא בהן האחד נושא ונותן בהדי רביה והשנים נושאין ונותנין זה עם זה. ואין מקשיבין לדברי הרב. וכיון שהנפש מתאוה להן אין מדקדקין היטב ובאין להתיר האיסור. לפיכך לא התירו לדרוש בסתרי עריות כגון אלו אלא אחד מהן נושא ונותן עם הרב השני מטה אזנו ומקשיב ומוצא העיקר שמור בלב שניהן. אבל הא דתנן ולא במעשה בראשית בשנים מדרש זה הפסוק נשנית: דת"ר כי שאל נא לימים ראשונים מדלא אמר שאלו אלא אמר שאל בלשון יחיד. ש"מ שהיחיד שואל ולא יתר מכן ואין שואלין יכול ישאל אדם מה היה קודם שנברא העולם. ת"ל לימים ראשונים משש ימי בראשית ולמטה. יכול לא ישאל מה היה בששת ימי בראשית. ת"ל למן היום אשר ברא אלהים אדם על הארץ. מיום שנברא אדם יש רשות לישאל אדם מה היה קודם לכן אסור לישאל בהן. יכול ישאל אדם מה למעלה מן הרקיע ומה למטה מן הארץ ומה לפנים ומה לאחור

חשק שלמה על ר"ח

א) אולי צ"ל לזכר הנשכב או צ"ל להשכב.

א) יבמות צז. סנהדרין נא. עה: עו: כריתות ה ע"א, ב) [תמיד לב.], ג) [קדושין מ.], ד) [סנהדרין עו:], ה) [נ"ל לשלשה], ו) מכות כג: [וע"ע תוס' מנחות נג: ד"ה רב חסדא ותוס' ב"ב סו: ד"ה מי כלון ותוס' כתובות ט. ד"ה אמר ותוס' יבמות ג. ד"ה דאמר ותוס' חולין קי. ד"ה איכא], ח) [ועי' תוס' מגילה כה: ד"ה מה לפנים].

הגהות הב"ח

(א) רש"י ד"ה אמר רבא וכו' מה הנה האמור בנישואין: (ב) רש"י ד"ה תוספות וכו' בתוספתא מה לפנים: (ג) ד"ה רתוי וכו' מרוחם היה אם לא:

גליון הש"ס

רש"י ד"ה לבתו מאנוסתו וכו' ואין עונשין מדין ד"ס. עיין לקמן דף כ ע"א תוס' ד"ה ולא ושם ד ע"ב תוס' ד"ה ועדים:

תורה אור השלם

א) איש איש אל כל שאר בשרו לא תקרבו לגלות ערוה אני יי: [ויקרא יח, ו]
ב) ואל בני ישראל תדבר לאמר איש איש כי יקלל אלהיו ונשא חטאו: [ויקרא כד, טו]
ג) ואל בני ישראל תאמר איש איש מבני ישראל ומן הגר הגר בישראל אשר יתן מזרעו למלך מות יומת עם הארץ ירגמהו באבן: [ויקרא כ, ב]
ד) ושמרתם את משמרתי לבלתי עשות מחקות התועבת אשר נעשו לפניכם ולא תטמאו בהם אני יי אלהיכם: [ויקרא יח, ל]
ה) ושמרתם את השבת כי קדש הוא לכם מחלליה מות יומת כי כל העשה בה מלאכה ונכרתה הנפש ההוא מקרב עמיה: [שמות לא, יד]
ו) ושמרתם את המצות כי בעצם היום הזה הוצאתי את צבאותיכם מארץ מצרים ושמרתם את היום הזה לדרתיכם חקת עולם: [שמות יב, יז]
ז) ושמרתם את משמרת הקדש ואת משמרת המזבח ולא יהיה עוד קצף על בני ישראל: [במדבר יח, ה]
ח) כי שאל נא לימים ראשנים אשר היו לפניך למן היום אשר ברא אלהים אדם על הארץ ולמקצה השמים ועד קצה השמים הנהיה כדבר הגדול הזה או הנשמע כמהו: [דברים ד, לב]

ליקוטי רש"י

[תחילת הפירוש נדפס בע"א] **במעשה בראשית וכו' במרכבה.** סתרי תורה שנתנו בלחש [ישעיה ג, ג]. **המסתכל בארבעה וכו'.** התם (לקמן בחגיגה טז.) מפרש טעמא אין רצונו של מלך שיזכירו שמו על אשפה וכו' [מגילה כה.]. **ושמרתם את משמרתי.** להזהיר בית דין על כך [ויקרא יח, ל]. **ושמרתם את המצות.** שלא יבאו לידי חמוץ מכאן אמרו [illegible] ... המצות כך אין מחמיצין את המצוה אלא אם באה לידך עשה אותה מיד [שמות יב, יז]. **לימים ראשונים.** על ימים ראשונים. **ולמקצה השמים.** וגם שאל לכל הברואים אשר מקצה אל קצה [illegible] ... **אחור וקדם צרתני.** פני ואחורי. **כפך.** אלכפך ולדויך דישטרוי"ט בלעז [תהלים קלט, ה]. **אחור וקדם.** שתי צורות לו פרצופין (ברכות דף סא.) [illegible] ... השמים כלומר עומד בארץ וראשו מגיע השמימה. ולמקצה השמים. מקצה לקצה. **ומיעטו.** קוממיות, שתי קומות של אדם הראשון כדאמרינן בחגיגה (דף יב.) שמיעטו הקדוש ברוך הוא [illegible] ... **אידי ואידי חד שיעורא. ולמקצה השמים, וגם שאל לכל הברואים אשר מקצה אל קצה** זהו פשוטו. ומדרשו מלמד על קומתו של אדם שהיתה מן הארץ [illegible] ... **והוא השיעור עצמו אשר מקצה אל קצה** [דברים ד, לב]. **תהו ובהו.** תהו לשון תמה ושממון שאדם תוהה ומשתומם על בהו שבה. תהו, אישטורדישו"ן בלע"ז. בהו, לשון רקות ולדו [בראשית א, ב]. **בראשית ברא.** אין המקרא הזה אומר [illegible] ... [illegible] ... **וירא אלהים את האור כי טוב.** ויבדל, אף בזה אנו צריכים לדברי אגדה [illegible] ... **אמרו צדיק כי טוב.** למי שהוא צדיק כי טוב עשה [ישעיה ג, י]. **ה' בחכמה יסד** [illegible] ... **מכין הרים בכחו.** [illegible] ... **ירופפו.** [illegible] ... **גוער בים.** [illegible] ... **אני אל שדי.** שאני כדאי לברך שהברכות שלי [בראשית לה, יא]. **שנאמר בראשית וכו'.** [illegible] ... **וכל הנהרות החריב.** [illegible] ... **ואגודתו.** קבוצת בריותיו ד"א קבוצת הישרים היא היתה יסוד הארץ לתקנת השמים שבשבילם הכל קיים [עמוס ט, ו].

Chapter Two

Mishnah The last Mishnah of the previous chapter mentioned the subject of forbidden unions among other subjects treated by the Torah. The following Mishnah singles out this topic regarding a limitation on the number of students that may be taught this topic at any one time.[1] The Mishnah then discusses similar limitations for two other exceptional topics:

אֵין דּוֹרְשִׁין בַּעֲרָיוֹת בִּשְׁלֹשָׁה – The laws of **forbidden unions may not be expounded among three** people,[2] **וְלֹא בְּמַעֲשֵׂה בְרֵאשִׁית בִּשְׁנַיִם** – **nor** may ***Maaseh Bereishis***[3] be expounded **between two** people,[4] **וְלֹא בַמֶּרְכָּבָה בְּיָחִיד** – **nor** may *Maaseh Merkavah*[5] be expounded **by** even **one** person, **אֶלָּא אִם כֵּן הָיָה חָכָם וּמֵבִין מִדַּעְתּוֹ** – **unless [that person] was a scholar who could arrive at an understanding** of the issues **on his own.**[6]

The Mishnah warns against inappropriate fields of inquiry and irreverence towards God:

כָּל הַמִּסְתַּכֵּל בְּאַרְבָּעָה דְּבָרִים – **Whoever scrutinizes** the following **four things, רָתוּי לוֹ כְּאִילוּ לֹא בָּא לָעוֹלָם** – **it would have been better for him had he never come into the world: מַה לְּמַעְלָה מַה לְּמַטָּה** – **What is above, what is below,**[7] **מַה לְּפָנִים וּמַה לְּאָחוֹר** – **what is before and what is after.**[8] **וְכָל שֶׁלֹּא חָס עַל כְּבוֹד קוֹנוֹ** – **And whoever has no heed for the honor of his Creator, רָתוּי לוֹ שֶׁלֹּא בָּא לָעוֹלָם** – **it would have been better for him had he never come into the world.**[9]

NOTES

1. *Meiri;* see *Rambam;* see below, note 27.

2. [The Gemara below initially understands this to mean that] one may not teach this subject *within* a group of three, i.e. one teacher and two students (*Rashi*).

3. Literally: the Account of Creation. See below, note 33, for a discussion of this term.

4. I.e. one teacher and one student (*Rashi*).

5. Literally: the Account of the Chariot. See below, note 33, for a discussion of this term.

6. [Initially, the Gemara will understand this line to say that an ordinary] person may not delve into this subject on his own. However, the Gemara will explain these three rules in our Mishnah along other lines (*Rashi*). *Rambam* states that the words חָכָם וּמֵבִין מִדַּעְתּוֹ indicate two requirements: (a) The person must be a *scholar,* i.e. learned in the prerequisite fields of study; and (b) he must be able to *understand on his own,* i.e. he must have a quick comprehension. He must have a mind that can facilely grasp an issue upon receiving a subtle hint (*Moreh Nevuchim* 1:33).

7. *Rashi* printed in the Vilna edition of our Gemara explains: What is above the expanse over the heads of the *Chayos* and what is below them. However, *Rashi* printed in *Ein Yaakov* says that "what is below" refers to what is below the earth (see also *Rambam* in his commentary to this Mishnah). This latter explanation would seem to be the more reasonable one because the Gemara on 13a describes the earth as being below the *Chayos* and states explicitly that one may delve into concepts that are associated with the earth. Furthermore, *Rashi* himself defines "what is below" differently on 16a. There he writes that this phrase should be understood in the light of a Baraisa on 12b, which lists all the items upon which the world stands, as it were. "What is below" refers to what is below the "arms of God," the ultimate support of all Creation (see *Rashash*). [*Yerushalmi* (2:1) teaches that "what is below" refers to what is below "the depths."]

Of course, the terms מַה לְּמַעְלָה מַה לְּמַטָּה, *what is above, what is below,* are metaphoric. It would not be possible, in spatial terms, to look at what is above the expanse over the *Chayos,* since these are all spiritual entities and are beyond physical dimensions. What then do these terms mean?

Meiri explains that "what is above" refers to what is above the limit of human comprehension. *Meiri* defines the boundary between the intelligible and the unintelligible as follows: A person who wishes to understand a specific idea [as opposed to simply repeating the words he is told] must be able to get some "picture" of it in his mind; he must be able to turn it around and to dissect it. Beyond the limits of human comprehension one can no longer envision an idea nor appreciate its elements. Intellectual investigations of such matters is, *Meiri* comments, fruitless and foolish.

Rambam compares the investigation of matters that are beyond one's comprehension to trying to read writing that is extremely tiny or to make out the details of a minuscule illustration. When one strains his eyes in this attempt, he will not only have prevented himself from deciphering the writing or illustration, but he will also have rendered himself unable to see things that he previously could have seen without much effort. In a similar fashion, when a person attempts to comprehend something that he is constitutionally unable to comprehend, he will not merely fail in the attempt; he will also dull his intellect until he will not be able to penetrate concepts that used to yield to him easily.

Rambam comments that this injury to oneself, among others, is alluded to in the verse (*Proverbs* 25:16): *When you find honey, eat what is sufficient for you, lest you be satiated and vomit it up.* Honey is a sweet and nourishing food, but if one overindulges in it, it will induce regurgitation. The verse does not say that one will grow sick of the honey, but that one will regurgitate it. Despite the loftiness and importance of profound spiritual insights and despite their utility in leading a person to perfection, if one does not observe his limits and take care with these ideas, they will affect him detrimentally (*Moreh Nevuchim* 1:32, cited here in part by *Rabbeinu Avraham min HaHar;* see also below, 14b note 29).

8. I.e. what is before the eastern confine of the expanse [of the universe] and what is after its western confine (*Rashi*). In the Mishnah's metaphor, the universe, horizontally, as a circle. "Before" and "after" represent what is beyond the eastern half and the western half of this circle. Thus, what is beyond the northern and southern confines is also included in the terms "before" and "after" (see *Tosafos* and *Rashash;* see also *Rashi* to *Pesachim* 12b ד״ה בי קרנתא קאי).

Tosafos (ד״ה יכול and in a gloss printed in our editions of *Rashi*) raise a difficulty with *Rashi's* explanation: The Gemara below (16a) indicates that "what is before" refers to time and not space. Thus, "what is before" refers to what existed in the past, prior to Creation, and "what is after" refers to the future, subsequent to the end of the world (see *Rabbeinu Yehonasan MiLunel*). Furthermore, the *Tosefta* (2:3) paraphrases "what is before and what is after" (מַה לְּפָנִים וּמַה לְּאָחוֹר) as "what was and what is destined to be" (מַה הָיָה וּמַה עָתִיד לִהְיוֹת).

[Possibly, *Rashi* offered the spatial interpretation of before and after only according to the Gemara's initial understanding of the terms. However, once the Gemara will have finished identifying the Scriptural sources for "what is below" and "what is after," the Gemara will understand these terms to mean "what was and what is destined to be."]

Maharal explains that what is above, below, before and after refers to matters that are beyond the framework of creation. For example, one cannot ask why man was created with two legs and not three; the answer to that question and all such questions are beyond our universe's framework. One can only ponder the advantages of being two legged within the given circumstances of our world (see *Sifri, Haazinu* §2).

9. *Rambam* (*Commentary*) explains that these two warnings correspond to the last two fields of study mentioned above: *Whoever scrutinizes . . . what is above, what is below,* etc., corresponds to *Maaseh Bereishis* and *whoever has no heed for the honor of his Creator* corresponds to *Maaseh Merkavah.* In both cases, the Mishnah gravely cautions a person not to explore these topics without first attaining all the proper prerequisites (see below, 13a).

Rambam goes on to say that כְּבוֹד קוֹנוֹ, *the honor of his Creator,* is an expression for a person's intellect, for God's honor is manifested in a person's intellect. [The intellect is the means we have to gain a perception of God and Godliness.] If a person forces himself to contemplate matters that are too profound for him, he will undoubtedly

עין משפט
נר מצוה

א א מיי' פ"ד מהלכות יסודי התורה הלכה י:
ב ב מיי' שם הלכה יא:
ג ג מיי' פ"ט מהלכות מלכים הלכה ג ג:
ד ד מיי' שם הלכה ה:
ה ה מיי' פכ"ב מהלכות איסורי ביאה הלכה יז:

לבתו מאנוסתו דלא כתיבא [א] דאמר רבא אמר לי ר' יצחק בר אבדימי אתיא הנה הנה אתיא זימה זימה: הן הן גופי תורה: הני אין הנך לא אלא אימא הן והן גופי תורה:

הדרן עלך הכל חייבין

אין דורשין בעריות בשלשה ולא במעשה בראשית בשנים ולא במרכבה ביחיד אלא אם כן היה חכם ומבין מדעתו כל המסתכל בארבעה דברים רתוי לו כאילו לא בא לעולם [ג] מה למעלה מה למטה מה לפנים ומה לאחור [ד] וכל שלא חס על כבוד קונו רתוי לו שלא בא לעולם: **גמ'** אמרת ברישא ולא במרכבה ביחיד והדר אמרת אלא אם כן היה חכם ומבין מדעתו הכי קאמר אין דורשין בעריות לשלשה ולא [א] במעשה בראשית לשנים ולא [ב] במרכבה ליחיד אלא אם כן היה חכם ומבין מדעתו: אין דורשין בעריות בשלשה: מ"ט אילימא משום דכתיב (א) איש איש אל כל שאר בשרו איש איש תרי שאר בשרו חד ואמר רחמנא לא תקרבו לגלות ערוה אלא מעתה דכתיב (ב) איש איש כי יקלל אלהיו (ג) איש איש אשר יתן מזרעו למולך הכי נמי אלא הנהו מיבעי ליה [ג] לרבות את הנכרים שמוזהרין על ברכת השם ועל ע"ז כישראל האי נמי מיבעי ליה [ד] לרבות את הנכרים [ה] שמוזהרין על העריות כישראל אלא מדכתיב (ד) ושמרתם את משמרתי ושמרתם תרי משמרתי חד ואמר רחמנא לבלתי עשות מחקות התועבות אלא מעתה דכתיב (ה) ושמרתם את השבת (ו) ושמרתם את המצות (ז) ושמרתם את משמרת הקדש הכי נמי אלא אמר רב אשי מאי אין דורשין בעריות בשלשה [ה] אין דורשין בסתרי עריות ([ט] בשלשה) מ"ט סברא הוא כי תרי כי יתבי קמי רביהו חד שקיל וטרי בהדי רביה ואידך מצלי אודניה לגמרא תלתא חד שקיל וטרי בהדי רביה והנך תרי שקלו וטרו בהדי הדדי ולא ידעי מאי קאמר רביהו ואתו למישרי איסורא בעריות אי הכי כל התורה נמי עריות שאני [ו] דאמר מר גזל ועריות נפשו מחמדתן ומתאוה להם אי הכי גזל נמי עריות בין בפניו בין שלא בפניו נפיש יצריה גזל בפניו נפיש יצריה שלא בפניו לא נפיש יצריה: ולא במעשה בראשית בשנים: מנא הני מילי דתנו רבנן (ח) כי שאל נא לימים ראשונים יחיד שואל ואין שנים שואלין יכול ישאל אדם קודם שנברא העולם ת"ל למן היום אשר ברא אלהים אדם על הארץ יכול לא ישאל אדם מששת ימי בראשית ת"ל לימים ראשונים אשר היו לפניך יכול ישאל אדם מה למעלה מה למטה מה לפנים ומה לאחור ת"ל [ח] ולמקצה השמים ועד קצה השמים מלמקצה השמים ועד קצה השמים אתה שואל ואין אתה שואל מה למעלה מה למטה מה לפנים מה לאחור השתא

רש"י

לבתו מאנוסתו דלא כתיבא. דאילו בתו מאשתו כתיבא ערות אשה ובתה וגו' (ויקרא יח) משמע בין שהבת ממנו בין מאיש אחר וכתיב קרא אחרינא ערות בת בנך או בת בתך וגו' ומוקמינן לה ביבמות (דף כב.) בבתו מאנוסתו מדלא אסר הכתוב בת בתה של אשה זו אלא בבת הבת שנולדה הימנו והאי קרא לאנוסה בת בתו ובת בנו כתיב בתו לא כתיב וא"ת ק"ו הוא אין מזהירין מן הדין * ואין עונשין מדין ק"ו דיני ממונות ומלות עשה והלכות עבודה ופסולי קדשים אתה למד בק"ו אבל לא אזהרות ועונשין ומקראי נפקא לן במס' מכות (דף ה:) ומהיכן נפקא לן לבתו מאנוסתו: אמר רבא אמר לי ר' יצחק בר אבדימי אתיא הנה הנה. לאיסורא אתיא זימה זימה לשריפה כתיב בנישואין שארה הנה זימה היא וכתיב באונסין כי ערותך הנה מה (א) האמור בנישואין עשה הכתוב בתה כבת בנה וכבת בתה אף באונסין עשה הכתוב בתו כבת בתו וכבת בנו אתיא זימה זימה לשריפה מאחר שלמדת אנוסה מנשואה ובנשואה כתיב זימה היא כמה דכתיב באנוסה דמי וחזור ולמוד בה שריפה מאיש אשר יקח את אשה ואת אמה זימה היא באש ישרפו אותו ואתהן (ויקרא כ): הני אין הנך לא. הני דמיפרשי הוו גופי תורה הנך דלא מיפרשי כולי האי לאו גופי תורה בתמיה: הן והן. אלו ואלו:

הדרן עלך הכל חייבין

אין דורשין. בשלשה. שנים והוא: בשנים. אחד והוא: ביחיד. אין שם אלא הוא לבדו ובגמ' מפרש לה: ארבעה דברים. הכי דמפרש ואזיל: מה למעלה. מרקיע שעל ראשי החיות: ומה למטה. מהן: ומה לפנים. חוץ למחילת הרקיע למזרח: ומה לאחור. למערב: תוספות. אינו יכול להיות מה שפירש המורה מה לפנים חוץ למחילת הרקיע ומה לאחור למערב מדפריך בגמ' בשלמא מה למעלה ומה למטה ומה לאחור לחי אלא לפנים מה דהוה הוה אלמא מה לפנים קודם לעולם הוא ועוד בתוספתא (ג) מה לפנים ומה לאחור מה היה ומה עתיד להיות ע"כ תוס': כל שלא חס על כבוד קונו. בגמ' מפרש מאי היא: רתוי לו. טוב ויפה היה לו אם לא בא לעולם ואני אומר שהוא לשון רחמנות כלומר מרוחם (ג) הוא אם לא בא לעולם ודוגמתו בתורת כהנים אל אלעזר ואל איתמר בניו הנותרים (ויקרא י) ראוין היו לישרף אלא שריחם הכתוב עליהן: גמ' אמרת ולא במרכבה ביחיד. וכיון דליחידי הוא ואינו שומע מפי הרב על כרחך מדעתו הוא מבין וקאסרת ליה והדר אמרת אלא אם כן היה חכם ומבין מדעתו: לשלשה. לבד מן הדורש: לא במעשה בראשית לשנים. וכ"ש לשלשה: ולא במרכבה ליחיד. לתלמיד יחיד: אלא אם כן היה חכם ומבין מדעתו. שלא יצטרך לשאול לרב כשיסתפק לו דלאו אורח ארעא לפרושה בהדיא: ואמר רחמנא לא תקרבו לגלות ערוה. לא תקרבו שלשתכם זה אצל זה לגלות טעמי פרשת עריות: בסתרי עריות. שאינן מפורשות כגון בתו מאנוסתו ואם חמיו ואם חמותו דנפקי במס' סנהדרין (דף עה.) מדרשא: שקיל וטרי. נושא ונותן בהלכה עם רבו: מצלי אודניה. מטה אזנו ושומע לדברי הרב אבל כשהן שלשה שקלי וטרו הנך תרי זה עם זה ולא שמעו מאי דאמר רבן ואתו למישרי איסורא בעריות על ידי שלא שמעו מפי הרב כשדרש בו איסור: דאמר מר גזל ועריות כו'. במתניתין בתרייתא דמסכת מכות (דף כג:): בפניו. כשהוא רואה לפניו שיכול לגזול: מנא הני מילי. דאין שנים שואלין במעשה בראשית: יכול ישאל אדם. מה היה קודם שנברא העולם: יכול לא ידרוש ולא ישאל בששת ימי בראשית. דהא למן בריית אדם הוא דיהיב רשותא והוא בערב שבת נברא: תלמוד לומר לימים ראשונים. מיום ראשון: והשתא

תוספות

לבתו מאנוסתו. הכא לערות בת בנך מוקמינן לה בריש נושאין על האנוסה (יבמות צז.) דמשמע הא בת בנה דידה גלי באנוסתו ואידך דאשה ובתה לא מגלה בנישואין דכתיב בה שאר: **דאמר** רבא אמר לי רב יצחק בר אבדימי. תרי הוו פי' בפ"ק דיבמות (דף ג. וסם) ובפרק כל הבשר (חולין דף קי.) וסם:

אין דורשין. במעשה בראשית. פי' ר"ת הוא שם מ"ב אותיות היוצא מבראשית ומפסוק של אחריו: **יכול** ישאל מה למעלה מה למטה. [ט] משמע הכל לפנים ולאחור הוי מה שיש אחורי הכיפה מזרח ומערב והוא הדין לצפון ודרום ואילו לקמן (דף טז.) בפירוש משמע מה שהיה קודם שנברא העולם ומה שיהיה לאחר כך דקאמר בשלמא מה למעלה מה למטה ומה לאחור שפיר אלא לפנים אמאי מה דהוה הוה רבי יוחנן ורבי אלעזר אמרי משל למלך שבנה פלטרין על גבי אשפה כו' והכי תניא בתוספתא (פ"ב) מה שהיה ומה שעתיד להיות וי"ל דאיכא למימר הכי ואיכא למימר הכי: מסוף

רבינו חננאל

כתיבא. ורבנן אסקוה מדרשא זמה זמה. וכולהון יש להן אסמכתו' מן התורה בין היתר נדרים בין הלכות שבת בין חגיגות ומעילות כולן הן גופי תורה:

הדרן עלך הכל חייבין

פ"ב אין דורשין בעריות בשלשה כו'. ש"מ כי הרב וב' תלמידים אין דורשין בעריות. מנא לן אי נימא מדכתיב איש איש אל כל שאר בשרו ודרשינן איש איש הרי תרי שאר בשרו חד הרי ג' ואמרה רחמנא לא תקרבו לגלות ערוה. אלא מעתה איש איש כי יקלל אלהיו הכי נמי דלא דרשינן ביה בתרי ודחינן תוב תנינן ולא במרכבה ביחיד דמשמע דאפילו הרב לבדו אסור וקתני סיפא אלא אם היה חכם מבין מדעתו ופירשה רב אשי הכי אין דורשין בעריות בשלשה ומאי ניהו סתרי עריות כגון העראה ונשיקה ואזהרה ועונש (א) לדבר הנשכב וכן כמה שנים יהיה ויתחייב השוכב עמו וכיוצא בהן האחד נושא ונותן בהדי רביה והשנים נושאין ונותנין זה עם זה. ואין מקשיבין לדברי הרב. וכיון שהנפש מתאוה להן אין מדקדקין היטב ובאין להתיר האיסור. לפיכך לא התירו לדרוש בסתרי עריות כגון אלו אלא לשנים בלבד. שאפילו אחד מהן נושא ונותן עם הרב השני מטה אוזן ומקשיב ונמצא העיקר שמור בלב שניהן. אבל הא דתנן ולא במעשה בראשית בשנים ממדרש זה הפסוק נשנית: דת"ר כי שאל נא לימים ראשונים מדלא אמר שאלו אלא שאל בלשון יחיד. ש"מ שהיחיד שואל ולא יתר מיכן שאין שואלין יכול ישאל אדם מה היה קודם שנברא העולם. ת"ל לימים ראשונים משש ימי בראשית ולמטה. יכול לא ישאל מה היה באלו ששת ימי בראשית. ת"ל למן היום אשר ברא אלהים אדם על הארץ. מיום שנברא אדם יש רשות לישאל אבל מקודם לכן אסור לישאל בהן. יכול ישאל אדם מה למעלה מן הרקיע ומה למטה מן הארץ ומה לפנים ומה לאחור

חשק שלמה על ר"ח

א) אולי צ"ל לזכר הנשכב או צ"ל להנשכב.

מסורת הש"ס

א) יבמות ג. סנהדרין נא. עה: פז: כריתות ה ע"א, ב) [תמיד לב.], ג) [קדושין מ.], ד) [סנהדרין נו:], ה) [צ"ל לשלשה], ו) מכות כג:, ז) [וע"ע תוס' מנחות לג. ד"ה רב חסדא ותוס' ב"ב פז. ד"ה מי כלן ותוס' כתובות נו. ד"ה אמר ותוס' יבמות ג. ד"ה דאמר ובחולין קי. ד"ה איכא], ח) [ועי' תוס' מגילה כה: ד"ה מה לפנים].

הגהות הב"ח

(א) רש"י ד"ה אמר רבא וכו' מה הנה האמור בנשואין: (ב) רש"י ד"ה תוספות וכו' בתוספתא תני מה לפנים: (ג) ד"ה רתוי וכו' מרוחם היה אם לא:

גליון הש"ס

רש"י ד"ה לבתו מאנוסתו וכו' ואין עונשין מדין ק"ו ד"ס. עיין ב"ק דף ב ע"א תוס' ד"ה ולא זה וסם ד ע"ב תוס' ד"ה ועדים:

תורה אור השלם

א) אִישׁ אִישׁ אֶל כָּל שְׁאֵר בְּשָׂרוֹ לֹא תִקְרְבוּ לְגַלּוֹת עֶרְוָה אֲנִי יְיָ: [ויקרא יח, ו]

ב) וְאֶל בְּנֵי יִשְׂרָאֵל תְּדַבֵּר לֵאמֹר אִישׁ אִישׁ כִּי יְקַלֵּל אֱלֹהָיו וְנָשָׂא חֶטְאוֹ: [ויקרא כד, טו]

ג) וְאֶל בְּנֵי יִשְׂרָאֵל תֹּאמַר אִישׁ אִישׁ מִבְּנֵי יִשְׂרָאֵל וּמִן הַגֵּר הַגָּר בְּיִשְׂרָאֵל אֲשֶׁר יִתֵּן מִזַּרְעוֹ לַמֹּלֶךְ מוֹת יוּמָת עַם הָאָרֶץ יִרְגְּמֻהוּ בָאָבֶן: [ויקרא כ, ב]

ד) וּשְׁמַרְתֶּם אֶת מִשְׁמַרְתִּי לְבִלְתִּי עֲשׂוֹת מֵחֻקּוֹת הַתּוֹעֵבֹת אֲשֶׁר נַעֲשׂוּ לִפְנֵיכֶם וְלֹא תִטַּמְּאוּ בָּהֶם אֲנִי יְיָ אֱלֹהֵיכֶם: [ויקרא יח, ל]

ה) וּשְׁמַרְתֶּם אֶת הַשַּׁבָּת כִּי קֹדֶשׁ הִוא לָכֶם מְחַלְלֶיהָ מוֹת יוּמָת כִּי כָּל הָעֹשֶׂה בָהּ מְלָאכָה וְנִכְרְתָה הַנֶּפֶשׁ הַהִוא מִקֶּרֶב עַמֶּיהָ: [שמות לא, יד]

ו) וּשְׁמַרְתֶּם אֶת הַמַּצּוֹת כִּי בְּעֶצֶם הַיּוֹם הַזֶּה הוֹצֵאתִי אֶת צִבְאוֹתֵיכֶם מֵאֶרֶץ מִצְרָיִם וּשְׁמַרְתֶּם אֶת הַיּוֹם הַזֶּה לְדֹרֹתֵיכֶם חֻקַּת עוֹלָם: [שמות יב, יז]

ז) וּשְׁמַרְתֶּם אֵת מִשְׁמֶרֶת הַקֹּדֶשׁ וְאֵת מִשְׁמֶרֶת הַמִּזְבֵּחַ וְלֹא יִהְיֶה עוֹד קֶצֶף עַל בְּנֵי יִשְׂרָאֵל: [במדבר יח, ה]

ח) כִּי שְׁאַל נָא לְיָמִים רִאשֹׁנִים אֲשֶׁר הָיוּ לְפָנֶיךָ לְמִן הַיּוֹם אֲשֶׁר בָּרָא אֱלֹהִים אָדָם עַל הָאָרֶץ וּלְמִקְצֵה הַשָּׁמַיִם וְעַד קְצֵה הַשָּׁמָיִם הֲנִהְיָה כַּדָּבָר הַגָּדוֹל הַזֶּה אוֹ הֲנִשְׁמַע כָּמֹהוּ: [דברים ד, לב]

ליקוטי רש"י

[תחילת הפירוש נדפס בע"א] **במעשה בראשית וכו' במרכבה.** סתרי תורה שנתנו בלחש [ישעיה ג, ג]. **המסתכל בארבעה וכו'.** הכא (לקמן בחגיגה טו.) מפרש טעמא אין רצונו של מלך שיזכירו שמו על אשפה וכו' [מגילה כה.]. **ושמרתם את משמרתי.** להוסיף בית דין על כך [ויקרא יח, ל]. **ושמרתם את המצות.** שלא יבאו לידי חמוץ מכאן אמרו תפח תלטוש בצונן רבי יאשיה אומר אל תהי קורא את המצות אלא את המצוות כדרך שאין מחמיצין את המצות כך אין מחמיצין את המצוה אלא אם באה לידך עשה אותה מיד [שמות יב, יז]. **לימים ראשונים.** על ימים ראשונים. **ולמקצה השמים.** וגם שאל לכל הברואים אשר מקצה אל קצה זהו פשוטו. ומדרשו מלמד על קומתו של אדם שהיתה מן הארץ עד השמים והוא השיעור עצמו אשר מקצה אל קצה [דברים ד, לב]. [מכאן שייך לדף יב.] **אחור וקדם צרתני.** פני ואחורי. **כפך.** אכפך ורלוייך דישטרוי"ט בלעז [תהילים קלט, ה]. **אחור וקדם.** שתי צורות דו פרצופין (ברכות דף סא:). **על הארץ.** ולמקצה השמים כלומר עומד בארץ וראשו מגיע השמימה. ולמקצה השמים. מקצה לקצה. **מסוף העולם ועד סופו היה.** ארכו [סנהדרין לח:]. **ומיעטו.** קוממיות, שתי קומות של אדם הראשון כדאמרינן בחגיגה (דף יב.) שמיעטו הקדוש ברוך הוא והעמידו על מאה אמה שנאמר ותשת עלי כפך כף בגימטריא הכי הוי [שם ק.]. **אידי ואידי חד שיעורא.** ולמקצה השמים, וגם שאל לכל הברואים אשר מקצה אל קצה זהו פשוטו. ומדרשו מלמד על קומתו של **אדם שהיתה מן הארץ עד השמים** והוא השיעור עצמו אשר מקצה אל קצה [דברים ד, לב]. **תהו ובהו.** תהו לשון תמה ושממון שאדם תוהה ומשתומם על בהו שבה. תהו, אישטורדישו"ן בלע"ז. בהו, לשון רקות ולדו [בראשית א, ב]. **בראשית ברא.** אין המקרא הזה אומר אלא דורשני כמו שדרשוהו רבותינו ז"ל בשביל התורה שנקראת ראשית דרכו (משלי ח כב) ובשביל ישראל שנקראו ראשית תבואתו (ירמיה ב) ואם באת לפרשו כפשוטו כך פרשהו בראשית בריית שמים וארץ והארץ היתה תהו ובהו וחשך ויאמר אלהים יהי אור ולא בא המקרא להורות סדר הבריאה לומר שאלו קדמו שאם בא להורות כך היה לו לכתוב בראשונה ברא את השמים וגו' שאין לך ראשית במקרא שאינו דבוק לתיבה שלאחריו כמו בראשית ממלכת יהויקים (שם כו) ראשית ממלכתו (בראשית י) ראשית דגנך אף כאן אתה אומר בראשית ברא אלהים וגו' כמו בראשית ברוא ודומה לו תחלת דבר ה' בהושע (הושע א) כלומר תחלת דבורו של הקב"ה בהושע ויאמר ה' אל הושע וגו' ואם תאמר להורות בא שאלו תחלה נבראו ופירושו בראשית הכל ברא אלו ויש לך מקראות שמקצרים לשונם וממעטים תיבה אחת כמו כי לא סגר דלתי בטני (איוב ג) ולא פירש מי הסוגר וכמו ישא את חיל דמשק (ישעיה ח) ולא פירש מי ישאנו וכמו אם יחרוש בבקרים (עמוס ו) ולא פירש אם יחרוש אדם בבקרים וכמו מגיד מראשית אחרית מגיד מראשית דבר אחרית דבר א"כ תמה על עצמך שהרי המים קדמו שהרי כתיב ורוח אלהים מרחפת על פני המים ועדיין לא גלה המקרא בריית המים מתי היתה הא למדת שקדמו המים לארץ ועוד שהשמים מאש ומים נבראו ע"כ לא לימד המקרא סדר המוקדמים והמאוחרים כלום [שם שם, א]. **על פני תהום.** על פני המים שעל הארץ. **ורוח אלהים מרחפת.** כסא הכבוד עומד באויר ומרחף על פני המים ברוח פיו של הקב"ה ובמאמרו כיונה המרחפת על הקן אקוביטי"ר בלע"ז [שם שם, ב]. **יום אחד.** לפי סדר לשון הפרשה היה לו לכתוב יום ראשון כמו שכתוב בשאר הימים שני שלישי רביעי למה כתב אחד לפי שהיה הקב"ה יחיד בעולמו שלא נבראו המלאכים עד יום שני כך מפורש בבראשית רבה (ג ח) [שם שם ה]. **קו תהו.** משפט של משקלות של דין מורכן כמו (דברים כה) אבן שלמה [ישעיה לד, יא]. **וירא אלהים את האור כי טוב.** ויבדל, אף בזה אנו צריכים לדברי אגדה ראהו שאינו כדאי להשתמש בו רשעים והבדילו לצדיקים לעתיד לבא ולפי פשוטו כך פרשהו ראהו כי טוב ואין נאה לו ולחשך שיהיו משתמשין בערבוביא וקבע לזה תחומו ביום ולזה תחומו בלילה [בראשית א, ד]. ראה בדעתו להתקיים האור של עולם בשביל הצדיק שהוא טוב [יומא לח:]. **אמרו צדיק כי טוב.** למי שהוא צדיק כי טוב עשה [ישעיה ג, י]. **ה' בחכמה יסד ארץ.** התורה והיא התבונה והיא הדעת ואחר שכל העולם נברא בהם לכך [משלי ג, יט]. **מכין הרים בכחו.** שמצמיח ההרים שהם קשים בכחו ומזמן ומכין בהן מזונות ומכין מטר כדכתיב (לקמן קמז) המכין לארץ מטר המצמיח הרים. **ונאזר בגבורה.** לפי שבא להזכיר גבורת גשמים אמר נאזר בגבורה [תהילים סה, ז]. **ירופפו.** כשברא והקריסם היו רופפים וגער בהם ועמדו ביובש ובחוזק. **ויתמהו.** תוהה ועולה (ס"א כאדם תוהה ועומד) במקום אחד [איוב כו, יא]. **כי מעולם המה.** שאמרת לו ביום אכלך ממנו מות תמות (בראשית ב) ונתת לו יום משלך שהוא אלף שנים [תהילים כה, ו]. **אני אל שדי.** שאני כדאי לברך שהברכות שלי [בראשית לה, יא]. **גוער בים.** כמשמעו ודוגמא הוא כלפי העכו"ם שנמשלו למים כענין שנאמר לאומים כשאון מים כבירים ישאון. וכו' [נחום א, ד]. **שנאמר בראשית וכו'.** אלמא שמים קדים [תמיד לב.]. **וכל הנהרות החריב.** כאן ניבא שעתיד הקב"ה להמליך את נבוכדנצר (ירמיה כה) בימי יהויקים ויתן את אשור ואת כל הארצות לחרב למדך שכלם נבראו ביום ראשון [שם ב, ד]. **ואגודתו.** קבוצת בריותיו ד"א קבוצות הישרים היא היתה יסוד הארץ לתקנת השמים שבשבילם הכל קיים [עמוס ט, ו].

Gemara The Gemara examines the first part of the Mishnah:

וְלֹא אָמַרְתְּ בְּרֵישָׁא – **You say in the beginning** of the Mishnah: בַּמֶּרְכָּבָה בְּיָחִיד – NOR may *Maaseh MERKAVAH* be expounded BY even ONE person. Now, clearly if a person is capable of expounding upon *Maaseh Merkavah* all by himself, he must already be an extremely perceptive scholar; **וַהֲדַר אָמַרְתְּ** – **yet afterward you say:** אֶלָּא אִם כֵּן הָיָה חָכָם וּמֵבִין מִדַּעְתּוֹ – UNLESS [THAT PERSON] WAS A SCHOLAR WHO COULD ARRIVE AT AN UNDERSTANDING of the issues ON HIS OWN. Thus, such a scholar is permitted to expound *Maaseh Merkavah* by himself; but anyone who could expound it by himself is by definition such a scholar and you have already prohibited him from doing so! – ? –

The Gemara explains:

הָכִי קָאָמַר – **This is what [the Mishnah] means to say:** **אֵין דּוֹרְשִׁין בַּעֲרָיוֹת לִשְׁלֹשָׁה** – **One may not expound upon** the laws of **forbidden unions *to* three** other people,[10] **וְלֹא בְּמַעֲשֵׂה בְרֵאשִׁית לִשְׁנַיִם** – **nor** may one expound **upon *Maaseh Bereishis to* two** other people,[11] **וְלֹא בַּמֶּרְכָּבָה לְיָחִיד** – **nor** may one expound **upon *Maaseh Merkavah to* one** other person, **אֶלָּא אִם כֵּן הָיָה חָכָם וּמֵבִין מִדַּעְתּוֹ** – **unless [that person] was a scholar who could arrive at an understanding** of the issues **on his own.**[12]

The Gemara cites the first line of the Mishnah:

אֵין דּוֹרְשִׁין בַּעֲרָיוֹת בִּשְׁלֹשָׁה – ONE MAY NOT EXPOUND UPON the laws of FORBIDDEN UNIONS IN a class of THREE students.[13]

The Gemara discusses one possible source for this rule:

מַאי טַעְמָא – **What is the reason** for this restriction? **אִילֵימָא מִשּׁוּם דִּכְתִיב** – **If you will say** it is **because of that which is written:**[14] "אִישׁ אִישׁ אֶל־כָּל־שְׁאֵר בְּשָׂרוֹ" – ***Any man*** (literally: a man, a man) *shall not approach* ***his close relative*** *to reveal nakedness,* which could be expounded as follows: "אִישׁ אִישׁ" תְּרֵי, "שְׁאֵר בְּשָׂרוֹ" חַד – ***A man, a man*** refers to **two** people; ***his close relative*** refers to **one** more, for a total of three; **וְאָמַר רַחֲמָנָא** "לֹא תִקְרְבוּ לְגַלּוֹת עֶרְוָה" – **and the Merciful One said** addressing these three people: ***Do not approach*** *[together]* ***to reveal*** *[the explanations of the passage of]* ***nakedness.***[15] **אֶלָּא מֵעַתָּה דִּכְתִיב** – **But** if we **now** apply this style of exposition to similar verses, such as **that which is written:** "אִישׁ אִישׁ כִּי־יְקַלֵּל אֱלֹהָיו" – ***A man, a man if he blasphemes his God;***[16] "אִישׁ אִישׁ . . . אֲשֶׁר יִתֵּן מִזַּרְעוֹ לַמֹּלֶךְ" – ***A man, a man . . . who gives of his seed to Molech;***[17] **הָכִי נַמִּי** – would you say that **this** conclusion applies there **as well,** and that these verses refer to two people acting together. Certainly not! For the penalty for blasphemy or for giving a child to Molech unquestionably applies even to someone who acts alone.[18] **אֶלָּא הַנְהוּ מִיבָּעֵי לֵיהּ לְרַבּוֹת אֶת הַנָּכְרִים** – **Rather, [the occurrences]** of *a man, a man* in these verses **are needed to include gentiles** – **שֶׁמּוּזְהָרִין עַל בִּרְכַּת הַשֵּׁם וְעַל עֲבוֹדָה זָרָה כְּיִשְׂרָאֵל** – to teach **that they** too **are warned against "blessing"** (i.e. blaspheming) **the** Divine **Name**[19] **and against idolatry, just like Israelites.** **הַאי נַמִּי מִיבָּעֵי לֵיהּ לְרַבּוֹת אֶת הַנָּכְרִים** – **By the same token, this** occurrence of *a man, a man* in the verse, *A man, a man shall not approach his close relative,* is needed to include gentiles, **שֶׁמּוּזְהָרִין עַל הָעֲרָיוֹת כְּיִשְׂרָאֵל** – to teach **that they** too **are warned against forbidden unions just like Israelites.**[20] Thus, the verse cannot be used to teach the restriction against expounding on forbidden unions to a group of three.

The Gemara considers another source for the rule that three people may not study the laws of forbidden unions:

אֶלָּא מִדִּכְתִיב – **Rather,** it is derived **from that which is written:** "וּשְׁמַרְתֶּם אֶת־מִשְׁמַרְתִּי" – ***And you shall observe my safeguard.***[21] "וּשְׁמַרְתֶּם" תְּרֵי, "מִשְׁמַרְתִּי" חַד – ***And you***[22] ***shall observe*** refers to **two** people; ***my safeguard*** refers to **one,** for a total of three. **וְאָמַר רַחֲמָנָא** "לְבִלְתִּי עֲשׂוֹת מֵחֻקּוֹת הַתּוֹעֵבֹת" – **And**

NOTES

drive himself to a degree of derangement. He will then be vulnerable to his basest desires. He could become so controlled by his animalistic urges that he would become something of an animal himself. [At that point, it would certainly have been better for him had he never come into existence.] These are the consequences of failing to appreciate how precious a gift the intellect is.

[*Rashi* discusses the unusual word רָתוּי that appears twice in our Mishnah. His first explanation is reflected in our translation: *It would have been better [or preferable] for him.* His second explanation relates רָתוּי to the word רִיתָה, *had mercy* (see *Toras Kohanim, Shemini, perek* 1:2, in the edition published with *Rabbeinu Hillel's* commentary, and *Anaf Hillel* §24). Thus, the sense of the Mishnah is: *It would have been compassionate for his sake had he never come into the world* (and incurred God's wrath). *Rambam* (ibid.) comments that "coming into the world" means "being a part of humanity"; this person would have been better off as a member of one of the species of the animal kingdom (cf. *Rabbeinu Chananel* to 16a).]

10. The teacher may not expound (even) to three students (*Rashi*) and certainly not to more (see *Rambam's Commentary to the Mishnah;* Kafich ed., note 1).

11. And certainly not three [or more] (*Rashi*). The secrets of *Maaseh Bereishis* must be passed only from one individual to another individual (*Meiri*). If there are two students, we are concerned that one student may delude himself to think he understands a point when he does not just because the other, brighter student does. This is a common syndrome among students. Moreover, the teacher himself may think that both understand what he has taught when he sees that one of them does. [However, it is vital that even the weaker student understand the teachings of *Maaseh Bereishis* accurately, for if he does not] he will come to err in these issues and it would then have been better had he never been created (*Rabbeinu Yehonasan MiLunel*).

12. He must be a perceptive scholar so that he will not have to inquire of his teacher concerning points he missed. Such inquiries are to be avoided since it is not respectful [towards God] to articulate these teachings explicitly (*Rashi*). *Rambam* (*Commentary*) states that there are certain concepts that are chiseled into the souls of the spiritually accomplished, but when the attempt is made to put these concepts into words or to strike an analogy that would convey them, the meaning is subtly altered and lost. Thus, they cannot be transmitted unless the student is capable of taking the germ of an idea and logically developing it himself into its full form.

13. [The Gemara above interpreted the Mishnah's words בִּשְׁלֹשָׁה, בִּשְׁנַיִם, בְּיָחִיד (*among three, between two, by one*), as if they were written לִשְׁלֹשָׁה, לִשְׁנַיִם, לְיָחִיד (*to three, to two, to one*). Since the Gemara here cites this line with the original wording, בִּשְׁלֹשָׁה, the word is retranslated here to reflect the Gemara's current understanding.]

14. *Leviticus* 18:6.

15. [When you are a group of three (or more) students you are forbidden to approach a teacher to delve into the laws of forbidden unions (see *Zeicher Chagigah* cited in *Yalkut Yeshayahu*).]

16. Ibid. 24:15.

17. Ibid. 20:2.

18. *Rosh Mashbir,* cited in *Yalkut Yeshayahu;* cf. *Turei Even.*

19. [The term "bless" is used throughout the Talmud as a euphemism for "curse" in reference to blasphemy. This device is also used in Scripture (see, for example, *I Kings* ch. 21; see also *Sifra* to *Leviticus* 24:11). The notion of "cursing" God is considered so unspeakable that the Talmud refers to it only in euphemism.]

20. The Gemara in *Sanhedrin* (56a and 57b) derives that gentiles are forbidden to engage in blasphemy and forbidden unions from a different verse (*Genesis* 2:16). Indeed, that verse is the source for all the seven Noahide commandments (see *Sanhedrin* 56b). The Gemara there states that the verses beginning *A man, a man* are expounded to include gentiles in more specific laws of blasphemy and forbidden unions.

21. *Leviticus* 18:30. This verse comes at the end of a long list of prohibited unions, including incest, adultery, sodomy and bestiality.

22. Which is in the plural.

לבתו מאנוסתו דלא כתיבא (א) דאמר רבא אמר לי ר' יצחק בר אבדימי אתיא הנה הנה אתיא זמה זמה: הן הן גופי תורה: הני אין הנך לא אלא אימא הן והן גופי תורה:

הדרן עלך הכל חייבין

אין דורשין בעריות בשלשה ולא במעשה בראשית בשנים ולא במרכבה ביחיד אלא אם כן היה חכם ומבין מדעתו כל המסתכל בארבעה דברים רתוי לו כאילו לא בא לעולם (ג) מה למעלה מה למטה מה לפנים ומה לאחור (ד) וכל שלא חס על כבוד קונו רתוי לו שלא בא לעולם: **גמ'** אמרת ברישא ולא במרכבה ביחיד והדר אמרת אלא אם כן היה חכם ומבין מדעתו הכי קאמר אין דורשין בעריות לשלשה ולא (א)במעשה בראשית לשנים ולא (ב)במרכבה ליחיד אלא אם כן היה חכם ומבין מדעתו: אין דורשין בעריות בשלשה: מ"ט אילימא משום דכתיב (א) איש איש אל כל שאר בשרו איש איש תרי שאר בשרו חד ואמר רחמנא לא תקרבו לגלות ערוה אלא מעתה דכתיב (ב) איש איש כי יקלל אלהיו (ג) איש איש אשר יתן מזרעו למולך הכי נמי אלא הנהו מיבעי ליה (ג)לרבות את הנכרים שמוזהרין על ברכת השם ועל ע"ז כישראל האי נמי מיבעי ליה (ד)לרבות את הנכרים (ד)שמוזהרין על העריות כישראל אלא מדכתיב (ה) ושמרתם את משמרתי ושמרתם תרי משמרתי חד ואמר רחמנא לבלתי עשות מחקות התועבות אלא מעתה דכתיב (ה) ושמרתם את השבת (ו) ושמרתם את המצות (ז) ושמרתם את משמרת הקדש הכי נמי אלא אמר רב אשי מאי אין דורשין (ה)אין דורשין בסתרי עריות (ו)בשלשה) מ"ט סברא הוא בי תרי כי יתבי קמי רבייהו חד שקיל וטרי בהדי רביה ואידך מצלי אודניה לגמרא תלתא חד שקיל וטרי בהדי רביה והנך תרי שקלו וטרו בהדי הדדי ולא ידעי מאי קאמר רבייהו ואתו למישרי איסורא בעריות אי הכי כל התורה נמי עריות שאני (ז)דאמר מר גזל ועריות נפשו של אדם מחמדתן ומתאוה להם אי הכי גזל נמי עריות בין בפניו בין שלא בפניו נפיש יצריה גזל בפניו נפיש יצריה שלא בפניו לא נפיש יצריה: ולא במעשה בראשית בשנים: מנא הני מילי דתנו רבנן (ח) כי שאל נא לימים ראשונים יחיד שואל ואין שנים שואלין יכול ישאל אדם קודם שנברא העולם ת"ל (ח) למן היום אשר ברא אלהים אדם על הארץ יכול לא ישאל אדם משש ימי בראשית ת"ל לימים ראשונים אשר היו לפניך יכול ישאל אדם מה למעלה ומה למטה מה לפנים ומה לאחור ת"ל (ח) ולמקצה השמים ועד קצה השמים מלמקצה השמים ועד קצה השמים אתה שואל ואין אתה שואל מה לפנים מה לאחור השתא

רש"י

לבתו מאנוסתו דלא כתיבא. דאילו בתו מאשתו כתיבא ערות אשה ובתה וגו' (ויקרא יח) משמע בין שהבת ממנו בין מאיש אחר וכתיב קרא אחרינא ערות בת בנך או בת בתך וגו' ומוקמינן לה ביבמות (דף ג.) בבתו מאנוסתו מדלא אסר הכתוב בת בתה של אשה זו אלא בבת הבת שנולדה הימנו והאי קרא דאנוסה בת בתו ובת בנו כתיב בתו לא כתיב וא"ת ק"ו הוא אין מזהירין מן הדין * ואין עונשין מדין ק"ו דיני ממונות ומלות עשה והלכות עבודה ופסולי קדשים אתה למד בק"ו אבל לא אזהרות ועונשין ומקראי נפקא לן במס' מכות (דף ה:) ומהיכן נפקא לן לבתו מאנוסתו: **אמר רבא אמר לי ר' יצחק בר אבדימי אתיא הנה הנה.** לאיסורא אתיא זמה זמה לשריפה כתיב בנישואין שארה הנה זמה היא וכתיב באונסין כי ערותך הנה מה (א) האמור בנישואין עשה הכתוב בתה כבת בתה וכבת בנה אף באונסין עשה הכתוב בתו כבת בתו וכבת בנו אתיא זמה זמה לשריפה מאחר שלמדת אנוסה מנשואה ובנשואה כתיב זמה היא כמה דכתיב באנוסה דמי וחזור ולמוד בה שריפה מאיש אשר יקח את אשה ואת אמה זמה היא באש ישרפו אותו ואתהן (ויקרא כ): **הני אין הנך לא.** הני דמיפרשי הוו גופי תורה הנך דלא מיפרשי כולי האי לאו גופי תורה בתמיה: **הן והן.** אלו ואלו:

הדרן עלך הכל חייבין

אין דורשין. **בשלשה.** שנים והוא: **בשנים.** אחד והוא: **ביחיד.** אין שם אלא הוא לבדו ובגמ' מפרש לה: **ארבעה דברים.** הני דמפרש ואזיל: **מה למעלה.** מרקיע שעל ראשי החיות: **ומה למטה.** מהן: **ומה לפנים.** חוץ למחילת הרקיע למזרח: **ומה לאחור.** למערב: **תוספות.** אינו יכול להיות מה שפירש המורה מה לפנים חוץ למחילת הרקיע ומה לאחור למערב דמדריך בגמ' בשלמא מה למעלה מה למטה ומה לאחור לחוי אלא לפנים מה דהוה הוה אלמא מה לפנים קודם לעולם הוא ועוד בתוספתא (ב) מה לפנים ומה לאחור מה היה ומה עתיד להיות ע"כ תוס': **כל שלא חס על כבוד קונו.** בגמ' מפרש מאי היא: **רתוי לו.** טוב ויפה היה לו אם לא בא לעולם ואומר אני שהוא לשון רחמנות כלומר מרוחם (ג) הוא לו אם לא בא לעולם ודוגמתו בתורת כהנים לא נאמר ואלו לא איתמר בניו הנותרים (ויקרא י) רתויין היו לישרף אלא שריפה הכתוב לאהרן: **גמ' אמרת ולא במרכבה ביחיד.** וכיון דיחידי הוא ואינו שומע מפי הרב על כרחך מדעתו הוא מבין וקאמרת ליה והדר אמרת אלא אם כן היה חכם ומבין מדעתו: **לשלשה.** לבד מן הדורש: **לא במעשה בראשית לשנים.** וכ"ש לשלשה: **ולא במרכבה ליחיד.** לתלמיד יחיד: **אלא אם כן היה חכם ומבין מדעתו.** שלא יצטרך לשאול לרב כשיסתפק לו דלאו אורח ארעא לפרושא בהדיא: **ואמר רחמנא לא תקרבו לגלות ערוה.** לא תקרבו שלשתכם זה אצל זה לגלות טעמי פרשת עריות: **בסתרי עריות.** שאינן מפורשות כגון בתו מאנוסתו ואם חמיו ואם חמותו דנפקי במס' סנהדרין (דף עה.) מדרשא: **שקיל וטרי.** נושא ונותן בהלכה עם רבו: **מצלי אודניה.** מטה אזנו ושומע דבריהן והן שומעין את דברי הרב אבל כשהן שלשה שקלי וטרו הנך תרי זה עם זה ולא שמעו מאי דאמר רבן ואתו למישרי איסורא בעריות על ידי שלא שמעו מפי הרב כשדרש בו איסור: **דאמר מר גזל ועריות כו'.** במתניתין בתרייתא דמסכת מכות (דף כג:): **בפניו.** כשהוא רואה לפניו שיכול לגזול: **מנא הני מילי.** דאין שנים שואלין במעשה בראשית: **יכול ישאל אדם.** מה היה קודם שנברא העולם: **יכול לא ידרוש ולא ישאל בששת ימי בראשית.** דהא למן בריית אדם הוא דיהיב רשותא והוא בערב שבת נברא: **תלמוד לומר לימים ראשונים.** מיום ראשון: **והשתא**

תוספות

לבתו מאנוסתו. הסיא לערות בת בנך מוקמינן לה בריש נושאין על האנוסה (יבמות צז.) דמשמע הא בת בנה דידה גלי באנוסתו ואידך דאשה ובתה לא תגלה בנישואין דכתיב בה שאר: **דאמר רבא אמר לי רב יצחק בר אבדימי.** תרי הוו פי' בפ"ק דיבמות (דף ג. ושם) ובפרק כל הבשר (חולין דף קי. ושם):

הדרן עלך הכל חייבין

אין דורשין. **במעשה בראשית.** פי' ר"ת הוא שם מ"ב אותיות היוצא מבראשית ומפסוק של אחריו: **יכול ישאל מה למעלה מה למטה.** (ח) משמע הכל לפנים ולאחור הוי מה שיש אחורי הכיפה מזרח ומערב והוא הדין לפון ודרום ואילו לקמן (דף טז.) בפירוש משמע מה שהיה קודם שנברא העולם ומה שיהיה לאחר כך דקאמר בשלמא מה למעלה מה למטה ומה לאחור שפיר אלא לפנים אמאי מה דהוה הוה ורבי יוחנן ורבי אלעזר אמרי משל למלך שבנה פלטרין על גבי אשפה כו' והכי תניא בתוספתא (פ"ב) מה שהיה ומה שעתיד להיות וי"ל דאיכא למימר הכי ואיכא למימר הכי:

עין משפט נר מצוה

א א מיי' פ"ד מהלכות יסודי התורה הלכה י':
ב ב מיי' שם הלכה יא:
ג ג מיי' פ"ט מהלכות מלכים הלכה ב ג:
ד ד מיי' שם הלכה ה:
ה ה מיי' פכ"ב מהלכות איסורי ביאה הלכה יח:

רבינו חננאל

כתיבא. ורבנן אסקוה מדרשא זמה זמה. וכולהון יש להן אסמכתא מן התורה בין היתר נדרים בין הלכות שבת בין חגיגות ומעילות כולן הן גופי תורה:

הדרן עלך הכל חייבין

פ"ב אין דורשין בעריות בשלשה כו'. ש"מ כי הרב וב' תלמידים אין דורשין בעריות. מנא לן אי נימא מכתיב איש איש אל כל שאר בשרו ודרשינן איש איש הרי ג' תרי שאר בשרו חד הרי ג' ואמרה רחמנא לא תקרבו לגלות ערוה. אלא מעתה איש איש כי יקלל אלהיו הכי נמי דלא דרשינן ביה בתרי ודחינן תוב תנינן ולא במרכבה ביחיד דמשמע דאפילו הרב לבדו אסור וקתני סיפא אלא אם היה חכם מבין מדעתו ופירשה רב אשי הכי אין דורשין בעריות בשלשה ומאי ניהו סתרי עריות כגון הערואה תשיקה והזהרה וענוש (א) לדבר הנשכב וכן כמה שנים יהיה ויחזיב השוכב עמו וכיוצא בהן האחד נושא ונותן בהדי רביה והשנים נושאין ונותנין זה עם זה. ואין מקשיבין לדברי הרב. וכיון שהנפש מתאוה להן אין מדקדקין היטב ובאין להתיר האיסור. לפיכך לא התירו לדרוש בסתרי עריות כגון אלו אלא לשנים בלבד. שאפילו אחד מהן נושא ונותן עם הרב השני שומע מפי הרב ומקשיב ותמצא העיקר שמור בלב שניהן. אבל הא דתנן ולא במעשה בראשית בשנים מדרש זה הפסוק נשנית: דת"ר כי שאל נא לימים ראשונים שאלו לא נאמר אלא שאל בלשון יחיד. ש"מ שהיחיד שואל ולא יתר מיכן שאין שואלין יכול ישאל אדם מה היה קודם שנברא העולם. ת"ל לימים ראשונים משששת ימי בראשית ולמטה. יכול לא ישאל מה היה באלו ששת ימי בראשית. ת"ל למן היום אשר ברא אלהים אדם על הארץ. מיום שנברא אדם יש רשות לישראל אבל מקודם לכן אסור לישאל בהן. יכול ישאל אדם מה למעלה מן הרקיע ומה למטה מן הארץ ומה לפנים ומה לאחור

חשק שלמה על ר"ח

(א) אולי צ"ל לזכר הנשכב או צ"ל להנשכב.

מסורת הש"ס

(א) יבמות ג. סנהדרין נא. עה: פז: כריתות ה ע"א, (ב) [תמיד לב.], (ג) [קדושין מ.], (ד) [סנהדרין ט:], (ה) [נ"ל לשלשה], (ו) מכות כג:, (ז) [ועי"ע תוס' מנחות לג. ד"ה רב חסדא ותוס' ב"ב פז. ד"ה מי כאן ותוס' כתובות נו. ד"ה אמר ותוס' יבמות ג. ד"ה דאמר ובחולין קי. ד"ה איכא], (ח) [ועי' תוס' מגילה כה: ד"ה מה לפנים].

הגהות הב"ח

(א) רש"י ד"ה אמר רבא וכו' מה הנה האמור בנשואין: (ב) רש"י ד"ה תוספות וכו' בתוספתא תני מה לפנים: (ג) ד"ה רתוי וכו' מרוחם היה אם לא:

גליון הש"ס

רש"י ד"ה לבתו מאנוסתו וכו' ואין עונשין מדין ק"ו ד"מ. עיין ב"ק דף ב ע"א תוס' ד"ה ולא זה וכו' ושם ד ע"ב תוס' ד"ה ועדים:

תורה אור השלם

א) אִישׁ אִישׁ אֶל כָּל שְׁאֵר בְּשָׂרוֹ לֹא תִקְרְבוּ לְגַלּוֹת עֶרְוָה אֲנִי יְיָ: [ויקרא יח, ו]

ב) וְאֶל בְּנֵי יִשְׂרָאֵל תְּדַבֵּר לֵאמֹר אִישׁ אִישׁ כִּי יְקַלֵּל אֱלֹהָיו וְנָשָׂא חֶטְאוֹ: [ויקרא כד, טו]

ג) וְאֶל בְּנֵי יִשְׂרָאֵל תֹּאמַר אִישׁ אִישׁ מִבְּנֵי יִשְׂרָאֵל וּמִן הַגֵּר הַגָּר בְּיִשְׂרָאֵל אֲשֶׁר יִתֵּן מִזַּרְעוֹ לַמֹּלֶךְ מוֹת יוּמָת עַם הָאָרֶץ יִרְגְּמֻהוּ בָאָבֶן: [ויקרא כ, ב]

ד) וּשְׁמַרְתֶּם אֶת מִשְׁמַרְתִּי לְבִלְתִּי עֲשׂוֹת מֵחֻקּוֹת הַתּוֹעֵבֹת אֲשֶׁר נַעֲשׂוּ לִפְנֵיכֶם וְלֹא תִטַּמְּאוּ בָּהֶם אֲנִי יְיָ אֱלֹהֵיכֶם: [ויקרא יח, ל]

ה) וּשְׁמַרְתֶּם אֶת הַשַּׁבָּת כִּי קֹדֶשׁ הִוא לָכֶם מְחַלְלֶיהָ מוֹת יוּמָת כִּי כָּל הָעֹשֶׂה בָהּ מְלָאכָה וְנִכְרְתָה הַנֶּפֶשׁ הַהִוא מִקֶּרֶב עַמֶּיהָ: [שמות לא, יד]

ו) וּשְׁמַרְתֶּם אֶת הַמַּצּוֹת כִּי בְּעֶצֶם הַיּוֹם הַזֶּה הוֹצֵאתִי אֶת צִבְאוֹתֵיכֶם מֵאֶרֶץ מִצְרָיִם וּשְׁמַרְתֶּם אֶת הַיּוֹם הַזֶּה לְדֹרֹתֵיכֶם חֻקַּת עוֹלָם: [שמות יב, יז]

ז) וּשְׁמַרְתֶּם אֵת מִשְׁמֶרֶת הַקֹּדֶשׁ וְאֵת מִשְׁמֶרֶת הַמִּזְבֵּחַ וְלֹא יִהְיֶה עוֹד קֶצֶף עַל בְּנֵי יִשְׂרָאֵל: [במדבר יח, ה]

ח) כִּי שְׁאַל נָא לְיָמִים רִאשֹׁנִים אֲשֶׁר הָיוּ לְפָנֶיךָ לְמִן הַיּוֹם אֲשֶׁר בָּרָא אֱלֹהִים אָדָם עַל הָאָרֶץ וּלְמִקְצֵה הַשָּׁמַיִם וְעַד קְצֵה הַשָּׁמָיִם הֲנִהְיָה כַּדָּבָר הַגָּדוֹל הַזֶּה אוֹ הֲנִשְׁמַע כָּמֹהוּ: [דברים ד, לב]

ליקוטי רש"י

[תחילת הפירוש נדפס בע"א] **במעשה בראשית וכו' במרכבה.** סתרי תורה שנתנו בלחש [ישעיה ג, ג]. **המסתכל בארבעה וכו'.** הכס (לקמן בחגיגה טז.) מפרש טעמא אין רלונו של מלך שיזכירו שמו על אשפה וכו' [מגילה כה.]. **ושמרתם את משמרתי.** להזהיר בית דין על כך [ויקרא יח, ל]. **ושמרתם את המצות.** שלא יבאו לידי חמוץ מכאן אמרו תפח תלטוש בצונן רבי יאשיה אומר אל תהי קורא את המצות אלא את המצות כדרך שאין מחמיצין את המצות כך אין מחמיצין את המצוה אלא אם באה לידך עשה אותה מיד [שמות יב, יז]. **לימים ראשונים.** על ימים ראשונים. **ולמקצה השמים.** וגם שאל לכל הברואים אשר מקצה אל קצה זהו פשוטו. ומדרשו מלמד על קומתו של אדם שהיתה מן הארץ עד השמים והוא השיעור עלמו אשר מקצה אל קצה [דברים ד, לב]. [מכאן שייך לדף יב.] **אחור וקדם צרתני.** פני ואחורי. **כפך.** אכפך ולדוייך דישטריי"ט בלעז [תהילים קלט, ה]. **אחור וקדם.** שתי צורות דו פרלופין (ברכות דף סא.). **על הארץ.** ולמקצה השמים כלומר עומד בארץ וראשו מגיע השמימה. ולמקצה השמים. מקצה לקצה. **מסוף העולם ועד סופו היה.** ארכו [סנהדרין לח:]. **ומיעטו.** קוממיות, שתי קומות של אדם הראשון כדאמרינן בחגיגה (דף יב.) שמיעטו הקדוש ברוך הוא והעמידו על מאה אמה שנאמר ותשת עלי כפך כף בגימטריא הכי הוי [שם ק.]. **אידי ואידי חד שיעורא.** ולמקצה השמים, וגם שאל לכל הברואים אשר מקצה אל קצה זהו פשוטו. ומדרשו מלמד על קומתו של אדם שהיתה מן הארץ עד השמים והוא השיעור עצמו אשר מקצה אל קצה [דברים ד, לב]. **תהו ובהו.** תהו לשון תמה ושממון שאדם תוהה ומשתומם על בהו שבה. תהו, אישטורדישו"ן בלע"ז. בהו, לשון רקות ולדו [בראשית א, ב]. **בראשית ברא.** אין המקרא הזה אומר אלא דורשני כמו שדרשוהו רבותינו ז"ל בשביל התורה שנקראת ראשית דרכו (משלי ח כב) ובשביל ישראל שנקראו ראשית תבואתו (ירמיה ב) ואם באת לפרשו כפשוטו כך פרשהו בראשית בריאת שמים וארץ והארץ היתה תהו ובהו וחשך ויאמר אלהים יהי אור ולא בא המקרא להורות סדר הבריאה לומר שאלו קדמו שאם בא להורות כך היה לו לכתוב בראשונה ברא את השמים וגו' שאין לך ראשית במקרא שאינו דבוק לתיבה שלאחריו כמו בראשית ממלכת יהויקים (שם כו) ראשית ממלכתו (בראשית י) ראשית דגנך (דברים יח) אף כאן אתה אומר בראשית ברא אלהים וגו' כמו בראשית ברוא ודומה לו תחלת דבר ה' בהושע (הושע א) כלומר תחלת דבורו של הקב"ה בהושע ויאמר ה' אל הושע וגו' ואם תאמר להורות בא שאלו תחלה נבראו ופירושו בראשית הכל ברא אלו ויש לך מקראות שמקצרים לשונם וממעטים תיבה אחת כמו כי לא סגר דלתי בטני (איוב ג) ולא פירש מי הסוגר וכמו ישא את חיל דמשק (ישעיה ח) ולא פירש מי ישאנו וכמו אם יחרוש בבקרים (עמוס ו) ולא פירש אם יחרוש אדם בבקרים וכמו מגיד מראשית אחרית (ישעיה מו) ולא פירש מגיד מראשית דבר אחרית דבר א"כ תמה על עצמך שהרי המים קדמו שהרי כתיב ורוח אלהים מרחפת על פני המים ועדיין לא גלה המקרא בריית המים מתי היתה הא למדת שקדמו המים לארץ ועוד שהשמים מאש ומים נבראו ע"כ לא לימד המקרא סדר המוקדמים והמאוחרים כלום [שם שם, א]. **על פני תהום.** על פני המים שעל הארץ. **ורוח אלהים מרחפת.** כסא הכבוד עומד באויר ומרחף על פני המים ברוח פיו של הקב"ה ובמאמרו כיונה המרחפת על הקן אקובטי"ר בלע"ז [שם שם, ב]. **יום אחד.** לפי סדר לשון הפרשה היה לו לכתוב יום ראשון כמו שכתוב בשאר הימים שני שלישי רביעי למה כתב אחד לפי שהיה הקב"ה יחיד בעולמו שלא נבראו המלאכים עד יום שני כך מפורש בבראשית רבה (ג ח) [שם שם ה]. **קו תהו.** משפט של שממה. **ואבני בהו.** משקלות של דין חורבן כמו (דברים כה) אבן שלמה [ישעיה לד, יא]. **וירא אלהים את האור כי טוב.** ויבדל, אף בזה אנו צריכים לדברי אגדה ראהו שאינו כדאי להשתמש בו רשעים והבדילו לצדיקים לעתיד לבא ולפי פשוטו כך פרשהו ראהו כי טוב ואין נאה לו ולחשך שיהיו משתמשין בערבוביא וקבע לזה תחומו ביום ולזה תחומו בלילה [בראשית א, ד]. **אמרו צדיק כי טוב.** אמרו שהוא לדיק כי טוב עשה [ישעיה ג, י]. **ה' בחכמה יסד ארץ.** ע"פ התורה והיא התבונה והיא הדעת ואחר שכל העולם נברא בהם לכך [משלי ג, יט]. **מכין הרים בכחו.** שמלמיח ההרים שהם קשים כנחו ומזמן ומכין בהן מזונות ומכין מטר לכדכתיב (לקמן קמו) המכין לארץ מטר המלמיח הרים. **נאזר בגבורה.** לפי שבא להזכיר גבורת גשמים אמר נאזר בגבורה [תהילים סה, ז]. **ירופפו.** כשבראם והקרישם היו רופפים וגער בהם ועמדו ביושב ובחוזק. **ויתמהו.** תוהה ועולה (ס"א כאדם תוהה ועומד) במקום אחד [איוב כו, יא]. **כי מעולם המה.** מימות אדם הראשון שאמרת לו ביום אכלך ממנו מות תמות (בראשית ב) ונתת לו יום משלך שהוא אלף שנים [תהילים כה, ו]. **אני אל שדי.** שאני כדאי לברך שהברכות שלי [בראשית לה, יא]. **גוער בים.** כמשמעו ודוגמא הוא כלפי העכו"ם שנמשלו למים כענין שנאמר (ישעיה יז) לאומים כשאון מים כבירים ישאון. **וכל הנהרות החריב.** כאן ניבא שעתיד הקב"ה להמליך את נבוכדנצר (ירמיה כה) בימי יהויקים ויתן את אשור ואת כל הארצות לחרב [נחום א, ד]. **שנאמר בראשית וכו'.** אלמא שמים קדים [תמיד לב.]. **ביום עשות ה'.** למדך שכלם נבראו ביום ראשון [שם ב, ד]. **ואגודתו.** קבולת בריותיו ד"א קבולות הישרים היא היתה יסוד הארץ לתקנת השמים שבשבילם הכל קיים [עמוס ט, ו].

the Merciful One said regarding these three: [*They are*] ***not to be involved in*** [*the study of*] ***the abominable practices*** listed earlier in the passage of forbidden unions. Hence, three people together may not study the laws of this passage.

The Gemara rejects this source as well:

"אֶלָּא מֵעַתָּה דִּכְתִיב ,,וּשְׁמַרְתֶּם אֶת־הַשַּׁבָּת – **But now,** if we apply this style of exposition to **that which is written:** ***And you*** (plural) ***shall observe the Sabbath,***[23] "וּשְׁמַרְתֶּם אֶת־הַמַּצּוֹת,, – ***And you*** (plural) ***shall safeguard the matzos,***[24] וּשְׁמַרְתֶּם אֵת מִשְׁמֶרֶת,, "הַקֹּדֶשׁ – ***And you*** (plural) ***shall safeguard the charge of the Holy,***[25] הָכִי נַמִּי – you say that **this** conclusion applies there **as well,** and that these verses refer to pairs of people. Certainly not! For even an individual is required to observe the Sabbath, avoid *chametz* on Pesach and prevent unauthorized use of the Tabernacle.[26]

The Gemara offers a final source:

אֶלָּא אָמַר רַב אַשִׁי – **Rather, Rav Ashi said:** מַאי אֵין דּוֹרְשִׁין בַּעֲרָיוֹת בִּשְׁלֹשָׁה – **What** does the Mishnah mean when it says: ONE MAY NOT EXPOUND UPON FORBIDDEN UNIONS IN a class of THREE students? It means that אֵין דּוֹרְשִׁין בְּסִתְרֵי עֲרָיוֹת בִּשְׁלֹשָׁה – **one may not expound upon the hidden details of forbidden unions in** a class of **three.**[27] מַאי טַעְמָא – **What is the reason?** סְבָרָא הוּא – **It is** simply **logic:** בֵּי תְּרֵי כִּי יָתְבֵי קַמֵּי רַבַּיְיהוּ – **When two** students **sit before their teacher,** it typically happens that חַד שָׁקִיל וְטָרֵי בַּהֲדֵי רַבֵּיהּ – **one converses back and forth with his teacher** regarding a specific point וְאִידָךְ מַצְלֵי אוּדְנֵיהּ לִגְמָרָא – **while the other inclines his ear to** their **Talmudic discussion.**[28] תְּלָתָא – However, if there are **three** students, חַד שָׁקִיל וְטָרֵי בַּהֲדֵי רַבֵּיהּ – **one converses back and forth with his teacher** וְהָנָךְ תְּרֵי שָׁקְלוּ וְטָרוּ בַּהֲדֵי הֲדָדֵי – **while these** other **two converse back and forth with each other.**[29] וְלֹא יָדְעֵי מַאי קָאָמַר רַבַּיְיהוּ – **Consequently, [these two] will not know what their teacher is saying** וְאָתוּ לְמִישְׁרֵי אִיסּוּרָא בַּעֲרָיוֹת – **and,** because of their ignorance, **they may come** one day **to permit that which is prohibited among forbidden unions.**[30]

The Gemara challenges this rationale:

אִי הָכִי – **If so,** then the rule that one should not teach to three students should apply to כָּל הַתּוֹרָה נַמִּי – **the entire Torah as well:** We would not want inattentive students to later permit any type of prohibition!

The Gemara explains:

עֲרָיוֹת שַׁאנֵי – By their very nature, **forbidden unions are different,** דְּאָמַר מַר – **for the master said:**[31] גָּזֵל וַעֲרָיוֹת נַפְשׁוֹ שֶׁל אָדָם מִתְאַוָּה לָהֶם וּמְחַמַּדְתָּן – **Theft and forbidden unions are [sins] that a person covets and desires.** Thus, unless these prohibitions are made clear to him, a person's desires may lead him astray and he may permit the prohibited.[32]

The Gemara asks further:

אִי הָכִי גָּזֵל נַמִּי – **If so,** then the rule not to teach to three should also apply to the laws of **theft!**

The Gemara sets forth a distinction:

עֲרָיוֹת בֵּין בְּפָנָיו בֵּין שֶׁלֹּא בְּפָנָיו נָפִישׁ יִצְרֵיהּ – Regarding **forbidden unions, [a person's] urges are intense whether** the object of his desire is **in front of him or whether it is not in front of him.** גָּזֵל בְּפָנָיו נָפִישׁ יִצְרֵיהּ – However, in regard to **theft, [a person's] urges are intense** only when the opportunity to steal is right **in front of him;** שֶׁלֹּא בְּפָנָיו לֹא נָפִישׁ יִצְרֵיהּ – when that opportunity is **not in front of him, his urges are not intense.** There is thus a more compelling reason to make sure that a person has the laws of forbidden unions clear in his mind. Accordingly, the rule against teaching three students applies to the topic of forbidden unions but not to other matters.

The Gemara cites the next part of the Mishnah:

וְלֹא בְּמַעֲשֵׂה בְרֵאשִׁית בִּשְׁנַיִם – NOR may one expound UPON *MAASEH BEREISHIS* IN a class of TWO students.[33]

NOTES

23. *Exodus* 31:14.

24. Ibid. 12:17.

25. *Numbers* 18:5.

26. We must therefore conclude that this is an invalid form of exposition; rather, it is normal usage for the Torah to speak in the second person plural. Accordingly, the same is true for the verse regarding forbidden unions (see *Turei Even*). We are thus left without a source for our Mishnah's rule that one may not teach three or more students the laws of forbidden unions.

27. These hidden details are incestuous unions that are not written explicitly in a verse. For example, a man may not cohabit with his illegitimate daughter (see definition and discussion above, at the end of the previous chapter) nor with his father-in-law's mother nor with his mother-in-law's mother (see *Sanhedrin* 75a-76a). These prohibitions are all derived through expositions (*Rashi;* see *Rabbeinu Chananel*).

Tos. Rid dissents from *Rashi's* explanation. *Tos. Rid* asserts that a person who informs the general population of [forbidden unions and] the sources for them is to be commended! Rather, סִתְרֵי עֲרָיוֹת should be understood closer to its literal meaning: *secrets of forbidden unions.* The phrase refers to narrow leniencies in these laws that should be kept secret from the ignorant, lest they misconstrue them and permit that which is forbidden. For this reason, a teacher may not expound these leniencies to more than two students, as the Gemara continues to explain. (We do find elsewhere that there are certain halachic leniencies that should not be publicized to prevent confusion – see *Pesachim* 50a, *Kiddushin* 39a and *Nedarim* 23b.)

Maharsha explains that סִתְרֵי עֲרָיוֹת refers to the esoteric rationales for forbidden unions (which would make this topic similar to the topics of *Maaseh Bereishis* and *Maaseh Merkavah*). Such teachings are dangerous in that one may permit a forbidden act based on the belief that the esoteric rationale does not apply in that case.

[As regards the reading בִּשְׁלֹשָׁה, see note 13. See also *Mesoras HaShas* and *Dikdukei Soferim.*]

28. Consequently, both students will hear what the teacher has to say (*Rashi*).

29. That is, the teacher will explain the underpinnings of an issue to the one student, pointing out specific cases that are prohibited, while the two other students pay no attention to him (*R' Yehonasan of MiLunel*).

30. [They will think that they studied all the laws of forbidden unions but] they will not know that their teacher taught that this specific case was forbidden (*Rashi*).

31. Mishnah, *Makkos* 23b.

32. Because of his overwhelming physical urges, he will not be precise in deciding what should be forbidden (*Rabbeinu Chananel*) or he will be driven to search out any possible leniency (*R' Yehonasan MiLunel*). Since he did not hear his teacher prohibit a specific case clearly, he is vulnerable to error (*Meiri*).

33. For the next four and a half *blatt,* the Gemara presents many Aggadic teachings related to the subjects of *Maaseh Bereishis* and *Maaseh Merkavah.* These terms are generally held to refer to some kind of esoteric or even mystic wisdom, but the commentators offer several explanations of their exact definitions.

Literally, *Maaseh Bereishis* means *Account of Creation* and *Maaseh Merkavah* means *Account of the Chariot.* If we are to be guided by the topics discussed below in the Gemara, *Maaseh Bereishis* pertains to the account of the world's creation recorded in the first chapter of *Genesis,* and *Maaseh Merkavah* pertains to a prophetic vision of the glory of God recorded in the first chapter of *Ezekiel.* This vision is called the *Account of the Chariot* because it describes four angelic beings bearing a throne that is in some sense a vehicle for God's glory. In our Mishnah's usage, *Maaseh Bereishis* and *Maaseh Merkavah* are the names of Baraisos that discuss these issues (*Rashi* to 13a ד״ה מעשה המרכבה ומעשה בראשית; see also *Rashi* to *Berachos* 51a ד״ה אימתי; see *Rav Pe'alim* by *R' Avraham ben HaGra,* ע׳ מעשה בראשית). According to at least two traditional scholars of Rabbinical writings, when *Rashi* speaks of *Maaseh Bereishis,* he may be referring to the Baraisa which has been printed at the beginning of

לבתו מאנוסתו דלא כתיבא [א]דאמר רבא אמר לי ר' יצחק בר אבדימי אתיא הנה הנה אתיא זימה זימה: הן הן גופי תורה: הני אין הנך לא אלא אימא הן והן גופי תורה:

הדרן עלך הכל חייבין

אין דורשין בעריות בשלשה ולא במעשה בראשית בשנים ולא במרכבה ביחיד אלא אם כן היה חכם ומבין מדעתו כל המסתכל בארבעה דברים רתוי לו כאילו לא בא לעולם [ג]מה למעלה מה למטה מה לפנים ומה לאחור [ד]וכל שלא חס על כבוד קונו רתוי לו שלא בא לעולם: **גמ'** אמרת ברישא ולא במרכבה ביחיד והדר אמרת אלא אם כן היה חכם ומבין מדעתו הכי קאמר אין דורשין בעריות לשלשה ולא [א]במעשה בראשית לשנים ולא [ב]במרכבה ליחיד אלא אם כן היה חכם ומבין מדעתו: אין דורשין בעריות בשלשה: מ"ט אילימא משום דכתיב [א]איש איש אל כל שאר בשרו איש איש תרי שאר בשרו חד ואמר רחמנא לא תקרבו לגלות ערוה אלא מעתה דכתיב [ב]איש איש כי יקלל אלהיו [ג]איש איש אשר יתן מזרעו למולך הכי נמי אלא הנהו מיבעי ליה [ג]לרבות את הנכרים שמוזהרין על ברכת השם ועל ע"ז כישראל האי נמי מיבעי ליה [ד]לרבות את הנכרים [ד]שמוזהרין על העריות כישראל אלא מדכתיב [ד]ושמרתם את משמרתי ושמרתם תרי משמרתי חד ואמר רחמנא לבלתי עשות מחקות התועבות אלא מעתה דכתיב [ה]ושמרתם את השבת [ו]ושמרתם את המצות [ז]ושמרתם את משמרת הקדש הכי נמי אלא אמר רב אשי מאי אין דורשין בעריות בשלשה [ה]אין דורשין בסתרי עריות ([ט]בשלשה) מ"ט סברא הוא בי תרי כי יתבי קמי רבייהו חד שקיל וטרי בהדי רביה ואידך מצלי אודניה לגמרא תלתא חד שקיל וטרי בהדי רביה והנך תרי שקלו וטרו בהדי הדדי ולא ידעי מאי קאמר רבייהו ואתו למישרי איסורא בעריות אי הכי כל התורה נמי עריות שאני [ו]דאמר מר גזל ועריות נפשו מחמדתן ומתאוה להם אי הכי גזל נמי עריות בין בפניו בין שלא בפניו נפיש יצריה גזל בפניו נפיש יצריה שלא בפניו לא נפיש יצריה: ולא במעשה בראשית בשנים: מנא הני מילי דתנו רבנן [ח]כי שאל נא לימים ראשונים יחיד שואל ואין שנים שואלין יכול ישאל אדם קודם שנברא העולם ת"ל [ח]למן היום אשר ברא אלהים אדם על הארץ יכול לא ישאל אדם מששת ימי בראשית ת"ל לימים ראשונים אשר היו לפניך יכול ישאל אדם מה למעלה ומה למטה מה לפנים ומה לאחור ת"ל [ח]ולמקצה השמים ועד קצה השמים מלמקצה השמים ועד קצה השמים אתה שואל ואין אתה שואל מה למעלה מה למטה מה לפנים מה לאחור השתא

רש"י

לבתו מאנוסתו. ההיא דערות בת בנך מוקמינן לה בריש נושאין על האנוסה (יבמות מ.) דמשמע הא בת בנה דידה גלי באנוסתו ואידך דאשה ובתה לא תגלה בנישואין דכתיב בה שאר: **דאמר** רבא אמר לי רב יצחק בר אבדימי. תרי הוו פי' בפ"ק דיבמות (דף ג. וסס) ובפרק כל הבשר (חולין דף קי. [ז] וסס):

הדרן עלך הכל חייבין

אין דורשין. במעשה בראשית. פי' ר"ת הוא שם מ"ב אותיות היוצא מבראשית ומפסוק של אחריו: **יכול** ישאל מה למעלה מה למטה. [ח] משמע הכא דלפנים ולאחור הוי מה שיש אחורי הכיפה מזרח ומערב והוא הדין לפון ודרום ואילו לקמן (דף טז.) בפירוש משמע מה שהיה קודם שנברא העולם ומה שיהיה לאחר כך דקאמר בשלמא מה למעלה מה למטה ומה לאחור שפיר אלא לפנים אמאי מה דהוה הוה רבי יוחנן ורבי אלעזר אמרי משל למלך שבנה פלטרין על גבי אשפה כו' והכי תניא בתוספתא (פ"ב) מה שהיה ומה שעתיד להיות וי"ל דאיכא למימר הכי ואיכא למימר הכי: מסוף

לבתו מאנוסתו דלא כתיבא. דאילו בתו מאשתו כתיבא ערות אשה ובתה וגו' (ויקרא יח) משמע בין שהבת ממנו בין מאיש אחר וכתיב קרא אחרינא ערות בת בנך או בת בתך וגו' ומוקמינן לה ביבמות (דף ג.) בבתו מאנוסתו מדלא אסר הכתוב בת בתה של אשה זו אלא בבת הבת שנולדה הימנו והאי קרא דאנוסה בת בתו ובת בנו כתיב בתו לא כתיב וא"ת ק"ו הוא אין מזהירין מן הדין ° ואין עונשין מדין ק"ו דיני ממונות ומלות עשה והלכות עבודה ופסולי קדשים אתה למד בק"ו אבל לא אזהרות ועונשין ומקראי נפקא לן במס' מכות (דף ה:) ומהיכן נפקא לן לבתו מאנוסתו: אמר רבא אמר לי ר' יצחק בר אבדימי אתיא הנה הנה. לאיסורא אתיא זימה זימה לשריפה כתיב בנישואין שארה הנה זימה היא וכתיב באונסין כי ערותך הנה מה (א) האמור בנישואין עשה הכתוב בתה כבת בתה וכבת בנה אף באונסין עשה הכתוב בתו כבת בתו וכבת בנו אתיא זימה זימה לשריפה מאחר שלמדת אנוסה מנשואה ובנשואה כתיב זימה היא כמה דכתיב באנוסה דמי וחזור ולמוד בה שריפה מאיש אשר יקח את אשה ואת אמה זימה היא באש ישרפו אותו ואתהן (ויקרא כ): הני אין הנך לא. הני דמיפרשי הוו גופי תורה הנך דלא מיפרשי כולי האי לאו גופי תורה בתמיה: הן והן. אלו ואלו:

הדרן עלך הכל חייבין

אין דורשין. בשלשה. שנים והוא: בשנים. אחד והוא: ביחיד. אין שם אלא הוא לבדו ובגמ' מפרש לה: ארבעה דברים. הני דמפרש ואזיל: מה למעלה. מרקיע שעל ראשי החיות: ומה למטה. מהן: ומה לפנים. חוץ למחילת הרקיע למזרח: ומה לאחור. למערב: תוספות. אינו יכול להיות מה שפירש המורה מה לפנים חוץ למחילת הרקיע ומה לאחור למערב מדפריך בגמ' בשלמא מה למעלה ומה למטה ומה לאחור לחיי אלא לפנים מה דהוה הוה אלמא מה לפנים קודם לעולם הוא ועוד בתוספתא (ב) מה לפנים ומה לאחור מה היה ומה עתיד להיות ע"כ תוס': כל שלא חס על כבוד קונו. בגמ' מפרש מאי היא: רתוי הוא לו. טוב ויפה היה לו אם לא בא לעולם ואומר אני שהוא לשון רחמנות כלומר מרוחם (ג) הוא אם לא בא לעולם ודוגמתו בתורת כהנים אל אלעזר ואל איתמר בניו הנותרים (ויקרא י) ראויין היו לישרף אלא שריחם הכתוב לאהרן: גמ' אמרת ולא במרכבה ביחיד. וכיון דיחידי הוא ואינו שומע מפי הרב על כרחך מדעתו הוא מבין וקאסרת ליה והדר אמרת אלא אם כן היה חכם ומבין מדעתו: לשלשה. לבד מן הדורש: לא במעשה בראשית לשנים. וכ"ש לשלשה: ולא במרכבה ליחיד. לתלמיד יחיד: אלא אם כן היה חכם ומבין מדעתו. שלא יצטרך לשאול לרב כשיסתפק לו דלאו אורח ארעא לפרושא בהדיא: ואמר רחמנא לא תקרבו לגלות ערוה. לא תקרבו שלשתכם זה אצל זה לגלות טעמי פרשת עריות: בסתרי עריות. שאין מפורשות כגון בתו מאנוסתו ואם חמיו ואם חמותו דנפקי במס' סנהדרין (דף עה.) מדרשא: שקיל וטרי. נושא ונותן בהלכה עם רבו: מצלי אודניה. מטה אזנו ושומע דבריהן והן שומעין את דברי הרב אבל כשהן שלשה שקלי וטרו הנך תרי זה עם זה ולא שמעו מאי דאמר רבן ואתו למישרי איסורא בעריות על ידי שלא שמעו מפי הרב כשדרש בו איסור: דאמר מר גזל ועריות כו'. במתניתין בתרייתא דמסכת מכות (דף כג:): בפניו. כשהוא רואה לפניו שיכול לגזול: מנא הני מילי. דאין שנים שואלין במעשה בראשית: יכול ישאל אדם. מה היה קודם שנברא העולם: יכול לא ידרוש ולא ישאל בששת ימי בראשית. דהא למן בריית אדם הוא דיהיב רשותא והוא בערב שבת נברא: תלמוד לומר לימים ראשונים. מיום ראשון: והשתא

עין משפט נר מצוה

א א מיי' פ"ב מהלכות יסודי התורה הלכה י"ב:
ב ב מיי' שם הלכה י"א:
ג ג מיי' פ"ב מהלכות מלכים הלכה ג ב:
ד ד מיי' שם הלכה ה:
ה ה מיי' פכ"ב מהלכות איסורי ביאה הלכה יז:

רבינו חננאל

כתיבא. ורבנן אסקוה מדרשא זמה זמה. וכולהון יש להן אסמכתא מן התורה בין הני דאמרינן בין הלכות שבת בין חגיגות ומעילות כולן הן גופי תורה:

הדרן עלך הכל חייבין

פ"ב אין דורשין בעריות בשלשה כו'. ש"מ כי הרב וב' תלמידים אין דורשין בעריות. מנא לן אי נימא מדכתיב איש איש אל כל שאר בשרו ודרשינן איש איש הרי תרי שאר בשרו הרי ג' ואמרה רחמנא לא תקרבו לגלות ערוה. אלא מעתה איש איש כי יקלל אלהיו הכי נמי דלא דרשינן ביה בתרי ודחינן הוב תנינן ולא במרכבה ביחיד דמשמע דאפילו הרב לבדו אסור וקתני סיפא אלא אם היה חכם מבין מדעתו ופירשה רב אשי הכי אין דורשין בעריות בשלשה ומאי ניהו סתרי עריות כגון הערוה נשיקה ואזהרה ועונש (א) לדבר הנשכב וכן כמה שנים יהיו ויתחייב השוכב עמו וכיוצא בהן האחד נושא ונותן בהדי רביה והשנים נושאין ונותנין זה עם זה. ואין מקשיבין לדברי הרב. וכיון שנפשו מתאוה להן אין מדקדקין היטב ובאין להתיר האיסור. לפיכך לא התירו לדרוש בסתרי עריות כגון אלו אלא לשנים בלבד. שאפילו אחד מהן נושא ונותן עם הרב השני מטה אזנו ומשמע השמועה היטב ומבין ויעמוד שמור בלב שניהן. אבל הא דוגן ולא ראשונה דעשה בשנים זה הפסוק נשנית: דת"ר כי שאל נא לימים ראשונים מכלל שאלו אלא שאל לשון יחיד. ש"מ שהיחיד שואל ולא יותר מכאן שאין שואלין יכול ישאל אדם מה היה קודם שנברא העולם. ת"ל לימים ראשונים מששת ימי בראשית. יכול לא ישאל ששת ימי בראשית. ת"ל למן היום אשר ברא אלהים אדם יש רשות לישאל אבל מקודם לכן אסור לישאל בהן. יכול ישאל אדם מה למעלה מן הרקיע ומה למטה מן הארץ ומה לפנים ומה לאחור

חשק שלמה על ר"ח

א) אולי צ"ל לגבר הנשכב או צ"ל להנשכב.

מסורת הש"ס

א) יבמות ג. סנהדרין נא. עה: סו: כריתות ה ע"א, ב) [תמיד לב.], ג) [קדושין מ.], ד) [סנהדרין ע:], ה) [ג"ל לשלשה], ו) מכות כג: ז) [וע"ע תוס' מנחות מג. ד"ה כל חסלת ותוס' ב"ב סז. ד"ה מי כלון ותוס' ד"ה לאמר ותוס' יבמות ג. ד"ה לאמר וכו' ותוס' כתובות ט. ד"ה אילך], ח) [ועי' תוס' מגילה כה: ד"ה מה לפנים].

הגהות הב"ח

(א) רש"י ד"ה אמר רבא וכו' מה הנה האמור בנשואין: (ב) רש"י ד"ה תוספות וכו' בתוספתא תני מה לפנים: (ג) ד"ה רתוי וכו' מרוחם היה אם לא:

גליון הש"ס

רש"י ד"ה לבתו מאנוסתו וכו' ואין עונשין מדין ק"ו ד"ם. עיין ב"ק דף ב ע"ב תוס' ד"ה ולא זה וזה וסס ד ע"ב תוס' ד"ה ועדים:

תורה אור השלם

א) אִישׁ אִישׁ אֶל כָּל שְׁאֵר בְּשָׂרוֹ לֹא תִקְרְבוּ לְגַלּוֹת עֶרְוָה אֲנִי יְיָ: [ויקרא יח, ו]
ב) וְאֶל בְּנֵי יִשְׂרָאֵל תְּדַבֵּר לֵאמֹר אִישׁ אִישׁ כִּי יְקַלֵּל אֱלֹהָיו וְנָשָׂא חֶטְאוֹ: [ויקרא כד, טו]
ג) וְאֶל בְּנֵי יִשְׂרָאֵל תֹּאמַר אִישׁ אִישׁ מִבְּנֵי יִשְׂרָאֵל וּמִן הַגֵּר הַגָּר בְּיִשְׂרָאֵל אֲשֶׁר יִתֵּן מִזַּרְעוֹ לַמֹּלֶךְ מוֹת יוּמָת עַם הָאָרֶץ יִרְגְּמֻהוּ בָאָבֶן: [ויקרא כ, ב]
ד) וּשְׁמַרְתֶּם אֶת מִשְׁמַרְתִּי לְבִלְתִּי עֲשׂוֹת מֵחֻקּוֹת הַתּוֹעֵבֹת אֲשֶׁר נַעֲשׂוּ לִפְנֵיכֶם וְלֹא תִטַּמְּאוּ בָּהֶם אֲנִי יְיָ אֱלֹהֵיכֶם: [ויקרא יח, ל]
ה) וּשְׁמַרְתֶּם אֶת הַשַּׁבָּת כִּי קֹדֶשׁ הִוא לָכֶם מְחַלְלֶיהָ מוֹת יוּמָת כִּי כָּל הָעֹשֶׂה בָהּ מְלָאכָה וְנִכְרְתָה הַנֶּפֶשׁ הַהִוא מִקֶּרֶב עַמֶּיהָ: [שמות לא, יד]
ו) וּשְׁמַרְתֶּם אֶת הַמַּצּוֹת כִּי בְּעֶצֶם הַיּוֹם הַזֶּה הוֹצֵאתִי אֶת צִבְאוֹתֵיכֶם מֵאֶרֶץ מִצְרָיִם וּשְׁמַרְתֶּם אֶת הַיּוֹם הַזֶּה לְדֹרֹתֵיכֶם חֻקַּת עוֹלָם: [שמות יב, יז]
ז) וּשְׁמַרְתֶּם אֵת מִשְׁמֶרֶת הַקֹּדֶשׁ וְאֵת מִשְׁמֶרֶת הַמִּזְבֵּחַ וְלֹא יִהְיֶה עוֹד קֶצֶף עַל בְּנֵי יִשְׂרָאֵל: [במדבר יח, ה]
ח) כִּי שְׁאַל נָא לְיָמִים רִאשֹׁנִים אֲשֶׁר הָיוּ לְפָנֶיךָ לְמִן הַיּוֹם אֲשֶׁר בָּרָא אֱלֹהִים אָדָם עַל הָאָרֶץ וּלְמִקְצֵה הַשָּׁמַיִם וְעַד קְצֵה הַשָּׁמָיִם הֲנִהְיָה כַּדָּבָר הַגָּדוֹל הַזֶּה אוֹ הֲנִשְׁמַע כָּמֹהוּ: [דברים ד, לב]

ליקוטי רש"י

[תחילת הפירוש נדפס בע"א] **במעשה בראשית וכו' במרכבה.** סתרי תורה שנתנו בלחש [ישעיה ג, ג]. **המסתכל בארבעה וכו'.** הכא (לקמן בחגיגה טז.) מפרש טעמא אין רצונו של מלך שיזכירו שמו על אשפה וכו' [מגילה כה.]. **ושמרתם את משמרתי.** להזהיר בית דין על כך [ויקרא יח, ל]. **ושמרתם את המצות.** שלא יבאו לידי חמוץ מכאן אמרו תפח תלטוש בצונן רבי יאשיה אומר אל תהי קורא את המצות אלא את המצוות כדרך שאין מחמיצין את המצות כך אין מחמיצין את המצוה אלא אם באה לידך עשה אותה מיד [שמות יב, יז]. **לימים ראשונים.** על ימים ראשונים. **ולמקצה השמים.** וגם שאל לכל הברואים אשר מקצה אל קצה זהו פשוטו. ומדרשו מלמד על קומתו של אדם שהיתה מן הארץ עד השמים והוא השיעור עצמו אשר מקצה אל קצה [דברים ד, לב]. [מכאן שייך לדף יב.] **אחור וקדם צרתני.** פני ואחורי. **כפך.** אלפך ולדוייך דיסטרוי"ט בלעז [תהלים קלט, ה]. **אחור וקדם.** שתי צורות דו פרלופין (ברכות דף סא.). **על הארץ.** ולמקצה השמים כלומר עומד בארץ ולראשו מגיע השמימה. ולמקצה השמים. מקצה לקצה. מסוף העולם ועד סופו היה. ארכו [סנהדרין לח:]. **ומיעטו.** קוממיות, שתי קומות של אדם הראשון כדאמרינן בחגיגה (דף יב.) שמיעטו הקדוש ברוך הוא והעמידו על מאה אמה שנאמר ותשת עלי כפך כף בגימטריא הכי הוי [שם ק.]. **אידי ואידי חד שיעורא.** ולמקצה השמים, וגם שאל לכל הברואים אשר מקצה אל קצה זהו פשוטו. ומדרשו מלמד על קומתו של אדם שהיתה מן הארץ עד השמים **והוא השיעור עצמו אשר מקצה אל קצה** [דברים ד, לב]. **תהו ובהו.** תהו לשון תמה ושממון שאדם תוהה ומשתומם על בהו שבה. תהו, אישטורדישו"ן בלע"ז. בהו, לשון רקות וצדו [בראשית א, ב]. **בראשית ברא.** אין המקרא הזה אומר אלא דורשני כמו שדרשוהו רבותינו ז"ל בשביל התורה שנקראת ראשית דרכו (משלי ח כב) ובשביל ישראל שנקראו ראשית תבואתו (ירמיה ב) ואם באת לפרשו כפשוטו כך פרשהו בראשית בריאת שמים וארץ והארץ היתה תהו ובהו וחשך ויאמר אלהים יהי אור ולא בא המקרא להורות סדר הבריאה לומר שאלו קדמו שאם בא להורות כך היה לו לכתוב בראשונה ברא את השמים וגו' שאין לך ראשית במקרא שאינו דבוק לתיבה שלאחריו כמו בראשית ממלכת יהויקים (שם כו) ראשית ממלכתו (בראשית י) ראשית דגנך (דברים יח) אף כאן אתה אומר בראשית ברא אלהים וגו' כמו בראשית ברוא ודומה לו תחלת דבר ה' בהושע (הושע א) כלומר תחלת דבורו של הקב"ה בהושע ויאמר ה' אל הושע וגו' ואם תאמר להורות בא שאלו תחלה נבראו ופירושו בראשית הכל ברא אלו ויש לך מקראות שמקצרים לשונם וממעטים תיבה אחת כמו כי לא סגר דלתי בטני (איוב ג) ולא פירש מי הסוגר וכמו ישא את חיל דמשק (ישעיה ח) ולא פירש מי ישאנו וכמו אם יחרוש בבקרים (עמוס ו) ולא פירש אם יחרוש אדם בבקרים וכמו מגיד מראשית אחרית (ישעיה מו) ולא פירש

The Gemara inquires:

מְנָא הָנֵי מִילֵּי – From where do we know this? Why is it forbidden to expound *Maaseh Bereishis* to two people?

The Gemara replies:

דְּתָנוּ רַבָּנָן – For the Rabbis have taught in a Baraisa: "כִּי שְׁאַל־נָא לְיָמִים רִאשֹׁנִים" – The verse states:[34] ***FOR INQUIRE NOW REGARDING THE EARLY DAYS.*** The word "inquire" is in the singular. This teaches us that יָחִיד שׁוֹאֵל וְאֵין שְׁנַיִם שׁוֹאֲלִין – ONE PERSON MAY INQUIRE regarding *Maaseh Bereishis* BUT TWO PERSONS MAY NOT INQUIRE. יָכוֹל יִשְׁאַל אָדָם קוֹדֶם שֶׁנִּבְרָא הָעוֹלָם – ONE MIGHT THINK THAT A PERSON COULD INQUIRE about what existed BEFORE THE WORLD WAS CREATED: תַּלְמוּד לוֹמַר – THE TORAH THEREFORE TEACHES in the next part of this verse: "לְמִן־הַיּוֹם אֲשֶׁר בָּרָא אֱלֹהִים אָדָם עַל־הָאָרֶץ" – ***FROM THE DAY WHEN GOD CREATED MAN ON THE EARTH.*** An individual may inquire only back to the beginning. יָכוֹל לֹא יִשְׁאַל אָדָם מִשֵּׁשֶׁת יְמֵי בְרֵאשִׁית – ONE MIGHT then THINK that A PERSON MAY NOT INQUIRE[35] FROM the beginning of THE SIX DAYS OF CREATION, because the Torah restricted inquiry to the day man was created and that was on the sixth day. תַּלְמוּד לוֹמַר – THE TORAH THEREFORE TEACHES: "לְיָמִים רִאשֹׁנִים אֲשֶׁר־הָיוּ לְפָנֶיךָ" – *For inquire now* ***REGARDING THE EARLY DAYS THAT PRECEDED YOU.*** One is allowed to inquire even about the days that preceded man, beginning with the first day of Creation. יָכוֹל יִשְׁאַל אָדָם מַה לְּמַעְלָה וּמַה לְּמַטָּה מַה לְּפָנִים וּמַה לְּאָחוֹר – ONE MIGHT THINK THAT A PERSON MAY INQUIRE regarding WHAT IS ABOVE AND WHAT IS BELOW, WHAT IS BEFORE AND WHAT IS AFTER;[36] תַּלְמוּד לוֹמַר – THE TORAH THEREFORE TEACHES in the next part of the verse: "וּלְמִקְצֵה הַשָּׁמַיִם וְעַד־קְצֵה הַשָּׁמָיִם" – ***AND FROM ONE END OF HEAVEN TO THE OTHER END OF HEAVEN;*** "לְמִקְצֵה הַשָּׁמַיִם וְעַד־קְצֵה הַשָּׁמָיִם" – ***FROM ONE END OF HEAVEN TO THE OTHER END OF HEAVEN*** YOU MAY INQUIRE, וְאֵין אַתָּה שׁוֹאֵל מַה לְּמַעְלָה מַה לְּמַטָּה מַה לְּפָנִים מַה לְּאָחוֹר – BUT YOU MAY NOT INQUIRE regarding WHAT IS ABOVE, WHAT IS BELOW, WHAT IS BEFORE or WHAT IS AFTER.

NOTES

Batei Midrashos, vol. I ("*Seder Rabba DeBereishis DeMerkavah DeRabbi Yishmael*"; see *R' Shimon Moshe Choness* in his edition of *Rav Pe'alim, Tikkunim U'Miluyim* pp. 41-42 and *R' Shlomo Aharon Wertheimer* in his introduction to this Baraisa in *Batei Midrashos*). According to the esoteric Tannaic work *Heichalos,* the *Merkavah* is a vehicle one uses to reach the Heavenly chambers and to stand before the Throne of Glory.

Rambam maintains that *Maaseh Bereishis* is the wisdom of the natural world and *Maaseh Merkavah* is the wisdom of the metaphysical world. He also holds that these topics pertain to many of the themes of classical philosophy. This stand led, directly and indirectly, to historic conflicts in the lifetime of the *Yad Ramah* (see his *Kattab al-Rasail*), of *Ramban* (see *Iggeres Kena'os,* printed at the end of *Kovetz Teshuvos HaRambam,* Lipsia, and *Milchemes Hashem* by *R' Avraham ben HaRambam*) and of *Rashba* (see *Minchas Kena'os,* compiled by *R' Abba Mari HaYarchi*). There are other explanations of the term *Maaseh Merkavah* among the Rishonim (see *Rabbeinu Tam,* cited in *Tosafos* here and *Rashba,* cited in *HaKoseiv* to *Succah* 28a).

Probably, the most widely accepted opinion is that *Maaseh Bereishis* and *Maaseh Merkavah* pertain to the hidden wisdom of Kabbalah. *Ben Yehoyada* here cites a definition of *Maaseh Bereishis* and *Maaseh Merkavah* from the *Arizal,* but the explanation requires the understanding of certain Kabbalistic principles, the presentation of which is far beyond the scope of this elucidation.

In a fascinating and plainly written monograph, *R' Tzadok HaKohen of Lublin* discusses many of the central issues surrounding the study of *Maaseh Bereishis, Maaseh Merkavah* and *Kabbalah* (*Sefer HaZichronos* pp. 56-74, printed at the end of *Divrei Soferim*). He notes that *Maaseh Bereishis* and *Maaseh Merkavah* are studies that differ greatly in kind. *Maaseh Bereishis* is an intricate theoretical system that encompasses Heavenly chambers, supernal universe and Divine attributes, etc. *Maaseh Merkavah,* however, is an experiential perception of the Divine that cannot be described in words alone except to someone who has experienced it himself.

Using this principle, *R' Tzadok* resolves an obvious problem that might occur to anyone reading our Mishnah. There are currently over three thousand works of Kabbalah that have been published, almost all written by men of surpassing saintliness and scholarship; how could they all have ignored our Mishnah, which rules that one may not teach *Maaseh Bereishis* to more than one person or *Maaseh Merkavah* to even one who is not a perceptive scholar. A person who writes a book is equivalent to someone who speaks to a thousand people! *R' Tzadok* notes that the Rishonim were indeed extremely cautious in what they wrote on these issues; however, he says, one must find a rationale for the later generations. *R' Tzadok* explains that one may write down one's vision of *Maaseh Merkavah* because it will be nothing more than gibberish to someone who has never experienced the *Merkavah.* [He points out that *Ezekiel* himself wrote his Merkavah vision.] Furthermore, it is permitted to write *Maaseh Bereishis* or speak publicly about it to a listening audience, because the source of the prohibition is that two or more students may not inquire of their teacher regarding these topics (see below). When a person reads a book or listens quietly to a lecture, he is not inquiring at all. As a result, he says, these forms of dissemination would be permitted. (However, *R' Tzadok* notes, it would still be forbidden to teach *Maaseh Bereishis* in a discussion group.)

34. *Deuteronomy* 4:32. The Baraisa proceeds to expound the first part of this verse, which reads: כִּי שְׁאַל־נָא לְיָמִים רִאשֹׁנִים אֲשֶׁר־הָיוּ לְפָנֶיךָ לְמִן־הַיּוֹם אֲשֶׁר בָּרָא אֱלֹהִים אָדָם עַל־הָאָרֶץ וּלְמִקְצֵה הַשָּׁמַיִם וְעַד־קְצֵה הַשָּׁמָיִם, *For inquire now regarding the early days that preceded you, from the day when Hashem created man on the earth, and from one end of heaven to the other end of heaven.*

35. Or expound (*Rashi*).

36. See definitions above, notes 7 and 8.

The Gemara asks:

הַשְׁתָּא דְּנַפְקָא לֵיהּ מִ,,לְמִקְצֵה הַשָּׁמַיִם וְעַד־קְצֵה הַשָּׁמָיִם״ – Now that the Baraisa **has derived [a prohibition]** to inquire beyond the boundaries of the world **from** the verse ***from one end of heaven to the other end of heaven,*** **,,לְמִן־הַיּוֹם אֲשֶׁר בָּרָא אֱלֹהִים אָדָם עַל־הָאָרֶץ״ לָמָּה לִי – why do I** still **need** the beginning of that verse, ***from the day that God created man on earth?*** I no longer need it to prohibit inquiry into the period of time before the world was created: Once I know that inquiry is prohibited beyond the dimensions of this world, I know that inquiry is prohibited beyond the dimension of time as well.[1] – ? –

The Gemara concedes the point:[2]

כִּדְרַבִּי אֶלְעָזָר – In truth, the beginning of the verse is no longer needed for that purpose. Rather, it should be understood **as** expounded **by R' Elazar, דְּאָמַר רַבִּי אֶלְעָזָר – for R' Elazar said: אָדָם הָרִאשׁוֹן מִן הָאָרֶץ עַד לָרָקִיעַ – Adam, the first** man, reached **from the earth until the sky, שֶׁנֶּאֱמַר – as it says, ,,לְמִן־הַיּוֹם אֲשֶׁר בָּרָא אֱלֹהִים אָדָם עַל־הָאָרֶץ״** – ***from the day that God created Adam***[3] ***on earth*** *and unto the end of heaven.*[4] **וְכֵיוָן שֶׁסָּרַח – But once [Adam] soured,** i.e. he sinned, **הִנִּיחַ הַקָּדוֹשׁ בָּרוּךְ הוּא יָדָיו עָלָיו וּמִיעֲטוֹ – the Holy One, Blessed is He, placed His hand upon him and diminished him,**[5] **שֶׁנֶּאֱמַר – as it says** of his formation:[6] **,,אָחוֹר וָקֶדֶם צַרְתָּנִי וַתָּשֶׁת עָלַי כַּפֶּכָה״ – *Later and earlier You formed me and You placed Your palm upon me.***[7]

Another statement concerning Adam's size:

אָמַר רַב יְהוּדָה אָמַר רַב – Rav Yehudah said in the name of Rav: אָדָם הָרִאשׁוֹן מִסּוֹף הָעוֹלָם וְעַד סוֹפוֹ הָיָה – Adam, the first man, **reached from one end of the world to the other,**[8] **שֶׁנֶּאֱמַר – as it says: ,,לְמִן־הַיּוֹם אֲשֶׁר בָּרָא אֱלֹהִים אָדָם עַל־הָאָרֶץ וּלְמִקְצֵה הַשָּׁמַיִם וְעַד־קְצֵה הַשָּׁמָיִם״** – ***From the day that God created Adam on earth*** – ***and from one end of heaven to the other end of heaven.*** **כֵּיוָן שֶׁסָּרַח הִנִּיחַ הַקָּדוֹשׁ בָּרוּךְ הוּא יָדוֹ עָלָיו וּמִיעֲטוֹ – Once [Adam] soured,** however, **the Holy One, Blessed is He, placed His hand upon him and diminished him, שֶׁנֶּאֱמַר – as it says: ,,וַתָּשֶׁת עָלַי כַּפֶּכָה״** – ***and You placed Your palm upon me.***

The Gemara asks:

אִי הָכִי – If so, קָשׁוּ קְרָאֵי אַהֲדָדֵי – the verses contradict each other. The phrase, *on earth and unto the end of heaven,* indicates that Adam reached from the earth to the sky; but the latter part of that verse, *from one end of heaven to the other end of heaven,* indicates that Adam reached from one end of the world to the other. – ? –

The Gemara answers:

אִידִי וְאִידִי חַד שִׁיעוּרָא הוּא – This [the distance between the earth and the sky] **and that** [the distance between one end of the world and the other] **are the same measurement.**[9]

The Gemara commences a wide-ranging discussion of Creation:

וְאָמַר רַב יְהוּדָה אָמַר רַב – And Rav Yehudah said in the name of Rav: עֲשָׂרָה דְבָרִים נִבְרְאוּ בְּיוֹם רִאשׁוֹן וְאֵלּוּ הֵן – Ten things were created on the first day, and they are these: שָׁמַיִם וָאָרֶץ – (1,2) Heaven[10] **and earth, תֹּהוּ וָבֹהוּ – (3,4) *tohu* and *bohu,***[11] **אוֹר וָחֹשֶׁךְ – (5,6) light and darkness, רוּחַ וּמַיִם – (7,8) breath and water, מִדַּת יוֹם וּמִדַּת לָיְלָה – (9,10) the length of a day and**

NOTES

1. [Although the entire physical world exists within the confines of time, time itself is a creation of God (see *Radak* to *Isaiah* 48:13). If one asks what is before the earliest moment, he is really inquiring into aspects of the Divine that are, by definition, incomprehensible. Such inquiry is prohibited.]

2. The words *from one end of heaven to the other end of heaven* tell us that one may not inquire beyond any of the dimensions of the world, including time, and therefore the words *from the day that God created man on earth* are not needed to tell us about the prohibition to inquire beyond the dimensions of time. Rather, these words are needed for a different exposition.

3. The word אָדָם can refer either to "a man" (as we have translated it above) or to "Adam," the first man (as we translate it here).

4. That is, Adam was on the earth and he reached until the heavens (*Rashi*).

5. Until Adam was "only" one hundred *amos* tall (*Yalkut Shimoni, Torah* §827). Apparently, this detail appeared in *Rashi's* version of our Gemara (see *Rashi* to *Sanhedrin* 100a ד״ה קוממיות; see also *Rashbam* to *Bava Basra* 75a ד״ה כשתי קומות). Another Midrash states that Adam was reduced to a height of one thousand *amos* (*Osiyos DeRabbi Akiva* ד״ה א״ת ב״ש; *Yalkut Shimoni, Torah* §20). [The meaning of these measurements may be similar to the Gemara's statement in *Bava Basra* 58a that in death Adam's two heels appeared as two orbs of the sun in their radiance. That is, even after his sin, Adam was a spiritual giant the like of which is completely beyond our experience (see *Michtav MeEliyahu* II p. 137).] See note 9.

6. *Psalms* 139:5.

7. You formed me twice: once as a lofty creation and once as a lowly one (*Rashi;* cf. *Rashi* to *Sanhedrin* 38b ד״ה אחור וקדם).

8. When he lay down, his head reached to the eastern [extremity] and his feet reached to the western [extremity] (*Rashi*).

9. Like many of the Aggadic statements in the following pages, these measurements are not meant literally (see *Yad Ramah* to *Sanhedrin* 38b and *Magen Avos* of *Rashbatz,* cited by *Margaliyos HaYam* ad loc.; see also *Maharal, Be'er HaGolah; Be'er* §6 ד״ה אמנם). Rather, the Gemara refers to the measure of his mind. His mind was able to comprehend all that was from one end of heaven to the other and all that was between heaven and earth (*Magen Avos* ibid.). Other suggest that this means that Adam was a microcosm of all Creation. All the elements of heaven and earth, from the beginning of world history to its end, were contained within him (see *Michtav MeEliyahu* II p. 137). The two metaphors "from the earth to the sky" and "from one end of the world to the other end" are just different ways of expressing this same general concept.

Although these teachings are clearly analogies, the surface meanings of analogies should have a certain logic to them as well (see *Ibn Ezra* to *Proverbs* 26:7). A sage of the Talmud typically designs his analogy so that it is consistent with the factual assumptions of his target audience (*R' Moshe Chaim Luzzatto* in his *Maamar al Aggados Chazal,* printed at the beginning of *Ein Yaakov*). Accordingly, many commentators are puzzled by the Gemara's statement that the distance from the earth to the sky is the same as the distance from one end of the world to the other: If we envision the heavens as a sphere and the spot where Adam was created on the earth as the exact center of that sphere, then the distance from the earth to the sky is the radius of that sphere whereas the distance from one end of the sphere to the other is twice the radius (i.e. the diameter). How then could the Gemara say, in its surface meaning, that they are the identical distance?

Many Acharonim strive to explain this point (see *Mizrachi, Gur Aryeh* and *Sifsei Chachamim* to *Deuteronomy* 4:32). *R' Mordechai Yafeh* (*Levush HaOrah* loc. cit.) offers a relatively simple explanation: We should envision one sphere (the earth) exactly in the center of another much larger sphere (the heavens). Adam lay upon half the circumference of the inner sphere, reaching from east to west. If, for argument's sake, the earth has a circumference of 25,000 miles, then Adam extended for 12,500 miles. The outer sphere is much larger than the inner sphere, so that the distance from the surface of the inner sphere to the outer sphere is also 12,500 miles. Thus, the distance between the two spheres (from the earth to the heavens) is equal to the distance between east and west (from one end of the earth to the other).

10. Although the Torah appears to describe the creation of "the heavens" on the *second* day, the heavens had actually been created on the first day, but they were still in a state of flux. On the second day, at God's command, "*Let there be a firmament!*" they solidified, so to speak (*Rashi* to *Genesis* 1:6; see Gemara below).

11. The Gemara explains these terms allegorically below. In his commentary to *Genesis* 1:2, *Rashi* states that *tohu* connotes astonishment and

מסורת הש"ס

א) סנהדרין דף לח:, ב) [ילקוט איתא והעמידו על מאה אמה וכזה מבין מ"ש הרשב"ס ב"ב עה. ד"ה כשתי קומות וכו' ויותר מבואר ברש"י סנהדרין ק. ד"ה קוממיות ע"ש], ג) [יומא לח.], ד) [תמיד לב.], ה) [פסחים כב:], ו) כלומר שליש מת"ק שנה הכי הוי והן ועוד הוא שליש משתי שניס היתרים, ז) [ועי' תוס' פסחים לד. קיח: ד"ה מן], ח) עי' מהרש"א.

הגהות הב"ח

(א) גמ' על הארץ למה לי מיבעי ליה לכדרבי אלעזר וכו' מן הארץ ועד לרקיע היה שנאמר וכו' על הארץ ולמקצה השמים וכיון שסרח וכו' ומיעטו. נ"ב ס"א והעמידו על מאה אמה: (ב) שם יצא חשך לעולם שנאמר ישת: (ג) שם ויהי בקר יום רביעי אלא כדרבי אלעזר: (ד) שם שגנזו לצדיקים מיד שמח וכו' אדם צופה ורואה ומביט: (ה) שם שאמרתי לעולם די איכא דאמרי אמר ר"ל בשעה שברא הקב"ה את הים הגדול היה מרחיב: (ו) שם דלא משתלפי מהדדי מכל מקום קשו קראי: (ז) שם הייתי אומר שמים וארץ שמותן של הקב"ה: (ח) תוס' ד"ה מסוף וכו' מצינו שליש עולם הוי מים אוקיינוס:

ליקוטי רש"י

[תחילת הפירוש בדסם בדף יא:] השמים כסאי. אין צריך לבית המקדש שלכם [ישעיה סו, א]. דורש כל אתין שבתורה. לרבות [פסחים כב:]. אתין וגמין ריבויין [ב"ק מא:]. כל אתין גמין לרבות [בכורות ו:]. [מכאן שייך לעמוד ב] המרגיז ארץ. [illegible]

[illegible]

רש"י

והשתא דנפקא לן מן ולמקצה השמים. לאסור לשאול מה שיש חוץ למחילות ממילא נפקא לן לאסור לשאול בקודם שנברא דהיא היא מה שהיה קודם לברייתו הוא עכשיו חוץ למחילות הלכך למן היום אשר ברא אדם למה לי למעוטי מיניה קודם שנברא העולם: על הארץ ולמקצה השמים. על הארץ היה ומגיע לשמים: אחור וקדם צרתני. שתי פעמים יצרתני תחלה גבוה ולבסוף שפל: מסוף העולם ועד סופו. כשהיה שוכב היה ראשו למזרח ורגליו למערב: תהו ובהו. לקמן מפרש להו: מדת יום ומדת לילה. כ"ד שעות בין שניהם: ישת חשך סביבותיו. למדת שקו החשך מקיף את השמים: מפולמות. לשון ליחלוח: קו תהו ואבני בהו. למדת שהתהו קו והבהו אבנים: חכמה. יודע מה שלמד: תבונה. שהוא מבין דבר חדש מפלפול חכמתו: דעת. ישוב: כח. הוא כח הזרוע: גבורה. גבורת הלב: גערה. נזיפה כדאמרינן לקמן שגער בו ועמד: פקעיות. לומישי"ל בלע"ז: שנאמר הבונה בשמים מעלותיו. אלמא עלייה מיקרו: שרפרף. לרגליו וכסא לישב על כרחך הכסא עשוי תחלה ולפי גובה הכסא הוא מתקן השרפרף: אף ידי יסדה ארץ וגו'. מסיפיה דקרא יליף דכתיב יעמדו יחדו כשבראן ועשאן פקעיות כמו שאמרנו למעלה: וטרפן. עירבן: להקדיס

גמרא

והשתא דנפקא ליה מלמקצה השמים ועד קצה השמים למן היום אשר ברא אלהים אדם על הארץ למה לי (א) כדר' אלעזר דאמר רבי אלעזר אדם הראשון מן הארץ עד לרקיע שנאמר למן היום אשר ברא אלהים אדם על הארץ וכיון שסרח הניח הקב"ה ידיו עליו ומיעטו שנאמר א) אחור וקדם צרתני ותשת עלי כפכה אמר רב יהודה אמר רב ה) אדם הראשון מסוף העולם ועד סופו היה שנאמר למן היום אשר ברא אלהים אדם על הארץ ולמקצה השמים ועד קצה השמים כיון שסרח הניח הקב"ה ידו עליו ג) ומיעטו שנאמר ותשת עלי כפכה אי הכי קשו קראי אהדדי אידי ואידי חד שיעורא הוא ואמר רב יהודה אמר רב עשרה דברים נבראו ביום ראשון ואלו הן שמים וארץ תהו ובהו אור וחשך רוח ומים מדת יום ומדת לילה שמים וארץ דכתיב ב) בראשית ברא אלהים את השמים ואת הארץ תהו ובהו דכתיב ג) והארץ היתה תהו ובהו אור וחשך חשך דכתיב ג) וחשך על פני תהום אור דכתיב ד) ויאמר אלהים יהי אור רוח ומים דכתיב ג) ורוח אלהים מרחפת על פני המים מדת יום ומדת לילה דכתיב ה) ויהי ערב ויהי בקר יום אחד תנא תהו קו ירוק שמקיף את כל העולם כולו שממנו יצא חשך (ב) שנאמר ו) ישת חשך סתרו סביבותיו בהו אלו אבנים המפולמות המשוקעות בתהום שמהן יוצאין מים שנאמר ז) ונטה עליה קו תהו ואבני בהו ואור ביום ראשון איברי והכתיב ח) ויתן אותם אלהים ברקיע השמים וכתיב ט) ויהי ערב ויהי בקר יום רביעי (ג) כדר' אלעזר דא"ר אלעזר אור שברא הקב"ה ביום ראשון אדם צופה בו מסוף העולם ועד סופו כיון שנסתכל הקב"ה בדור המבול ובדור הפלגה וראה שמעשיהם מקולקלים עמד וגנזו מהן שנאמר י) וימנע מרשעים אורם ולמי גנזו לצדיקים לעתיד לבא שנאמר יא) וירא אלהים את האור כי טוב ואין טוב אלא צדיק שנאמר יב) אמרו צדיק כי טוב כיון שראה אור שגנזו לצדיקים (ד) שמח שנאמר יג) אור צדיקים ישמח כתנאי אור שברא הקב"ה ביום ראשון אדם צופה ומביט בו מסוף העולם ועד סופו דברי רבי יעקב וחכ"א הן הן מאורות שנבראו ביום ראשון ולא נתלו עד יום רביעי אמר רב זוטרא בר טוביא אמר רב בעשרה דברים נברא העולם בחכמה ובתבונה ובדעת ובכח ובגערה ובגבורה בצדק ובמשפט בחסד וברחמים בחכמה ובתבונה דכתיב יד) ה' בחכמה יסד ארץ כונן שמים בתבונה בדעת דכתיב טו) בדעתו תהומות נבקעו בכח וגבורה דכתיב טז) מכין הרים בכחו נאזר בגבורה בגערה דכתיב יז) עמודי שמים ירופפו ויתמהו מגערתו בצדק ומשפט דכתיב יח) צדק ומשפט מכון כסאך בחסד ורחמים דכתיב יט) זכר רחמיך ה' וחסדיך כי מעולם המה ואמר רב יהודה אמר רב בשעה שברא הקב"ה את העולם היה מרחיב והולך כשתי פקעיות של שתי עד שגער בו הקב"ה והעמידו שנאמר יז) עמודי שמים ירופפו ויתמהו מגערתו והיינו דאמר ר"ל מאי דכתיב כ) אני אל שדי אני הוא שאמרתי לעולם די (ה) אמר ר"ל בשעה שברא הקב"ה את הים היה מרחיב והולך עד שגער בו הקב"ה ויבשו שנאמר כא) גוער בים ויבשהו וכל הנהרות החריב ת"ר ז) ב"ש אומרים שמים נבראו תחלה ואח"כ נבראת הארץ שנאמר ב) בראשית ברא אלהים את השמים ואת הארץ וב"ה אומרים ארץ נבראת תחלה ואח"כ שמים שנאמר כב) ביום עשות ה' אלהים ארץ ושמים אמר להם ב"ה לב"ש לדבריכם אדם בונה עלייה ואח"כ בונה בית שנאמר כג) הבונה בשמים מעלותיו ואגודתו על ארץ יסדה אמר להם ב"ש לב"ה לדבריכם אדם עושה שרפרף ואח"כ עושה כסא שנאמר כד) כה אמר ה' השמים כסאי והארץ הדום רגלי וחכ"א זה וזה כאחת נבראו שנאמר כה) אף ידי יסדה ארץ וימיני טפחה שמים קורא אני אליהם יעמדו יחדו ואידך מאי יחדו דלא משתלפי מהדדי (ו) קשו קראי אהדדי אמר ר"ל כשנבראו ברא שמים ואח"כ ברא הארץ וכשנטה נטה הארץ ואחר כך נטה שמים מאי שמים א"ר יוסי בר חנינא ששם מים במתניתא תנא אש ומים מלמד שהביאן הקב"ה וטרפן זה בזה ועשה מהן רקיע שאל רבי ישמעאל את ר"ע כשהיו מהלכין בדרך א"ל אתה ששימשת את נחום איש גם זו כ"ב שנה ט) שהיה דורש כל אתין שבתורה מה היה דורש בהן א"ל אילו נאמר שמים וארץ הייתי אומר שמים (ז) שמו של הקב"ה עכשיו שנאמר את השמים ואת הארץ שמים ממש ארץ ממש

תוספות

מסוף העולם ועד סופו. מהלך ת"ק שנה (לקמן יג.) שנאמר שדי שאמר די שלא להרחיב יותר שנאמר אני אל שדי פרה ורבה אני שאמרתי די לעולם ותימה מנא לך הא שיש ת"ק שנה ולא יותר ולא פחות וי"ל דנפקא לן מן שדי בשדי יש ג' אותיות שי"ן דל"ת יו"ד קס י"ן ל"ת ו"ד הנעלם מן שדי ועולה ת"ק כך שמעתי מר' מנחם ברבי עזריאל וק"ש למ"ד פרק מי שהיה טמא (פסחים צד. ושם) כל העולם כולו תחת כוכב אחד עומד היכי קיימי כל הני כוכבים הנראין ברקיע וי"מ שעל ים אוקיינוס הן עומדין כדאמרינן בפרקי דר"א כל השיעורים לא נאמרו רק על שאר ימים אבל ים אוקיינוס כולו יודע מדתו אך במדרש אחר מצינו שליש (ח) ימים שאמר הוי בים אוקיינוס וכן יסד ה"ר בנימין ביוצר שלו זה הים שליש עולמו י) במאה וששים ושש ועוד סיימו וצריך למימר שאותו מדרש פליג אההיא דפסחים ומיהו יש להעמיד ההיא דהתם במזלות של גלגל אבל שאר כוכבים קטנים הם ולי נראה דיש ליישב כל אותן מדרשים שהם תלוין בכיפת הרקיע והוא גדול הרבה מן הארץ אם היה נמתח עליה זו מו לפי גבול הארץ בא ורואה אבל מתוח על הארץ כמין כיפה גבוה באמצע ושופע כפלי כפלים אם היה נמתח בקו הארץ אך היה קשה מדכתיב גבי סיסרא (שופטים ה) מן שמים נלחמו הכוכבים ממסלותם ומוכח מינה בנימוקי רש"י וכן איתא במדרש שאורך הכוכב מהלך ת"ק שנה כמן השמים ועד הארץ והשני היה בארץ והיכי היה יוצא באויר העולם כיון דכולו תחת כוכב אחד הוא עומד וי"ל שהם חולקין יחד אם לא נחלוק בין מזלות הגלגל לשאר מזלות:

אידי ואידי חד שיעורא הוא. ופליג אמאן דדריש בתמיד (דף לב.) למזרח ומערב לחוק טפי דלא לא מיתלא הכי אדם היכי הוה קם כיון דכתיב מקצה השמים ועד קצה השמים וי"ל שסובר שהיה כגן עדן על שנתמעט:

ישת חשך סתרו. מדכתיב סביבותיו סוכתו קדרים: ולמת

רבינו חננאל

ת"ל ולמקצה השמים ועד קצה השמים. שיעור מן קצה השמים ועד קצה שמים כשיעור מן הארץ עד לשמים ותרווייהו חדא שיעורא הוא. אמר רב יהודה (ג) [י'] דברים נבראו ביום ראשון. תהו ובהו. שמים וארץ. אור וחשך. רוח ומים. מדת יום ומדת לילה כו'. תנא תהו זה קו ירוק שמקיף כל העולם שממנו חושך יוצא. בהו אלו אבנים מפולמות המשוקעות בתהום שמהם מים יוצא שנאמר ונטה עליה קו תהו ואבני בוהו. וזה האור שנברא ביום ראשון היה בו זיהור שצופין בו ומביטין באורו מסוף העולם ועד סופו. וכיון שנסתכל ברשעים גנזו לצדיקים לעתיד לבא שנא' וימנע מרשעים אורם וכיון שגנזו שמח שנאמר אור צדיקים ישמח. ויש תנא חולק על זה ואומר זה האור נתלה ביום רביעי שנאמר יהי מאורות ברקיע השמים. ופי' יהי אותו האור שנברא ביום ראשון למאורות והן ב' המאורות. אמר רב בעשרה דברים נברא העולם. בחכמה בתבונה. בדעת. בכח. בגבורה. בגערה. בצדק. במשפט. בחסד. ברחמים. וכולהו מקראי. בחכמה ובתבונה שנאמר ה' בחכמה יסד ארץ כונן שמים בתבונה. בדעת כו'. זה שאמר [ר"י אמר רב דבשעה שברא הקב"ה את] העולם. עת שנברא היה מרחיב והולך כשתי פקעיות של שתי כו' עד שגער בו הקב"ה והעמידו שנאמר עמודי שמים ירופפו ויתמהו מגערתו. ר"ל אמר אני אל שדי אני שאמרתי לעולם דיי. כיוצא בו בים גוער בים ויבשהו אלו כולן מדרשות הן ואין מדקדקין עליהן להשוותן למה שהדעת מתקבלת מהן וכן חלוקת ב"ש וב"ה אלו אומרים שמים נבראו תחלה. ואלו אומרים ארץ נבראת תחלה. וכל אחד מביא ראיה לדבריו. וחכמים אומרים שניהם נבראו כאחד אף ידי יסדה ארץ וימיני טפחה שמים קורא אני עליהם יעמדו יחדו. קשו קראי אהדדי. ופריק ר"ל כשבראן ברא שמים ואח"כ הארץ כב"ש [וקשיא דהא דכתיב נוטה שמים על תוהו ותולה ארץ על בלימה הרי תחלה נטה שמים ואח"כ ארץ] כשנטה אותן נטה ארץ ואח"כ שמים כב"ה. וזהו שאמרו חכמים שניהן כאחת עמדו. (טרף) [מאי שמים שטרף] הקב"ה אש ומים ועשה מהן רקיע לפיכך נקראו שמים. אבל דברי נחום איש גם זו פירוש הוא שפירש. אמר אלו נאמר בראשית ברא אלהים שמים א) ואינן שמים דבר ידוע הייתי אומר שמים שם הן וכיון שנאמר את השמים נתברר לנו כי על השמים הידועים לנו הכתוב מדבר. וכיון שכתב את בשמים כתב נמי את בארץ. כי האת שכתב בארץ

חשק שלמה על ר"ח

א) אולי דל"ל שמים הייתי אומר שמים שם הן ואינן שמים דבר הידוע לנו וכיון שנאמר וכו'.

תורה אור השלם

א) אָחוֹר וָקֶדֶם צַרְתָּנִי וַתָּשֶׁת עָלַי כַּפֶּכָה: [תהלים קלט, ה] ב) בְּרֵאשִׁית בָּרָא אֱלֹהִים אֵת הַשָּׁמַיִם וְאֵת הָאָרֶץ: [בראשית א, א] ג) וְהָאָרֶץ הָיְתָה תֹהוּ וָבֹהוּ וְחֹשֶׁךְ עַל פְּנֵי תְהוֹם וְרוּחַ אֱלֹהִים מְרַחֶפֶת עַל פְּנֵי הַמָּיִם: [בראשית א, ב] ד) וַיֹּאמֶר אֱלֹהִים יְהִי אוֹר וַיְהִי אוֹר: [בראשית א, ג] ה) וַיִּקְרָא אֱלֹהִים לָאוֹר יוֹם וְלַחֹשֶׁךְ קָרָא לָיְלָה וַיְהִי עֶרֶב וַיְהִי בֹקֶר יוֹם אֶחָד: [בראשית א, ה] ו) יָשֶׁת חֹשֶׁךְ סִתְרוֹ סְבִיבוֹתָיו סֻכָּתוֹ חֶשְׁכַת מַיִם עָבֵי שְׁחָקִים: [תהלים יח, יב] ז) וִירֵשׁוּהָ קָאַת וְקִפּוֹד וְיַנְשׁוֹף וְעֹרֵב יִשְׁכְּנוּ בָהּ וְנָטָה עָלֶיהָ קַו תֹהוּ וְאַבְנֵי בֹהוּ: [ישעיה לד, יא] ח) וַיִּתֵּן אֹתָם אֱלֹהִים בִּרְקִיעַ הַשָּׁמָיִם לְהָאִיר עַל הָאָרֶץ: [בראשית א, יז] ט) וַיְהִי עֶרֶב וַיְהִי בֹקֶר יוֹם רְבִיעִי: [בראשית א, יט] י) וְיִמָּנַע מֵרְשָׁעִים אוֹרָם וּזְרוֹעַ רָמָה תִּשָּׁבֵר: [איוב לח, טו] יא) וַיַּרְא אֱלֹהִים אֶת הָאוֹר כִּי טוֹב וַיַּבְדֵּל אֱלֹהִים בֵּין הָאוֹר וּבֵין הַחֹשֶׁךְ: [בראשית א, ד] יב) אִמְרוּ צַדִּיק כִּי טוֹב כִּי פְרִי מַעַלְלֵיהֶם יֹאכֵלוּ: [ישעיה ג, י] יג) אוֹר צַדִּיקִים יִשְׂמָח וְנֵר רְשָׁעִים יִדְעָךְ: [משלי יג, ט] יד) יְיָ בְּחָכְמָה יָסַד אָרֶץ כּוֹנֵן שָׁמַיִם בִּתְבוּנָה: [משלי ג, יט] טו) בְּדַעְתּוֹ תְּהוֹמוֹת נִבְקָעוּ וּשְׁחָקִים יִרְעֲפוּ טָל: [משלי ג, כ] טז) מֵכִין הָרִים בְּכֹחוֹ נֶאְזָר בִּגְבוּרָה: [תהלים סה, ז] יז) עַמּוּדֵי שָׁמַיִם יְרוֹפָפוּ וְיִתְמְהוּ מִגַּעֲרָתוֹ: [איוב כו, יא] יח) צֶדֶק וּמִשְׁפָּט מְכוֹן כִּסְאֶךָ חֶסֶד וֶאֱמֶת יְקַדְּמוּ פָנֶיךָ: [תהלים פט, טו] יט) זְכֹר רַחֲמֶיךָ יְיָ וַחֲסָדֶיךָ כִּי מֵעוֹלָם הֵמָּה: [תהלים כה, ו] כ) וַיֹּאמֶר לוֹ אֱלֹהִים אֲנִי אֵל שַׁדַּי פְּרֵה וּרְבֵה גּוֹי וּקְהַל גּוֹיִם יִהְיֶה מִמֶּךָּ וּמְלָכִים מֵחֲלָצֶיךָ יֵצֵאוּ: [בראשית לה, יא] כא) גּוֹעֵר בַּיָּם וַיַּבְּשֵׁהוּ וְכָל הַנְּהָרוֹת הֶחֱרִיב אֻמְלַל בָּשָׁן וְכַרְמֶל וּפֶרַח לְבָנוֹן אֻמְלָל: [נחום א, ד] כב) אֵלֶּה תוֹלְדוֹת הַשָּׁמַיִם וְהָאָרֶץ בְּהִבָּרְאָם בְּיוֹם עֲשׂוֹת יְיָ אֱלֹהִים אֶרֶץ וְשָׁמָיִם: [בראשית ב, ד] כג) הַבּוֹנֶה בַשָּׁמַיִם מַעֲלוֹתָיו וַאֲגֻדָּתוֹ עַל אֶרֶץ יְסָדָהּ הַקֹּרֵא לְמֵי הַיָּם וַיִּשְׁפְּכֵם עַל פְּנֵי הָאָרֶץ יְיָ שְׁמוֹ: [עמוס ט, ו] כד) כֹּה אָמַר יְיָ הַשָּׁמַיִם כִּסְאִי וְהָאָרֶץ הֲדֹם רַגְלָי אֵי זֶה בַיִת אֲשֶׁר תִּבְנוּ לִי וְאֵי זֶה מָקוֹם מְנוּחָתִי: [ישעיה סו, א] כה) אַף יָדִי יָסְדָה אֶרֶץ וִימִינִי טִפְּחָה שָׁמָיִם קֹרֵא אֲנִי אֲלֵיהֶם יַעַמְדוּ יַחְדָּו: [ישעיה מח, יג]

[illegible]

the length of a night.[12]

The Gemara cites verses for all the created items mentioned above:

שָׁמַיִם וָאָרֶץ – **Heaven and earth** were created on the first day, דִּכְתִיב – **as it is written** in *Genesis:*[13] ,,בְּרֵאשִׁית בָּרָא אֱלֹהִים אֵת הַשָּׁמַיִם וְאֵת הָאָרֶץ" – ***In the beginning of [everything], God created heaven and earth.***[14] תֹּהוּ וָבֹהוּ – ***Tohu* and *bohu,*** דִּכְתִיב – **as it is written:**[15] ,,וְהָאָרֶץ הָיְתָה תֹהוּ וָבֹהוּ" – ***And the earth was tohu and bohu.*** אוֹר וְחֹשֶׁךְ – **Light and darkness** may be demonstrated as follows: חֹשֶׁךְ – **darkness,** דִּכְתִיב – **as it is written:**[16] ,,וְחֹשֶׁךְ עַל־פְּנֵי תְהוֹם" – ***and darkness was upon the surface of the deep;*** אוֹר – **light,** דִּכְתִיב – **as it is written:**[17] ,,וַיֹּאמֶר אֱלֹהִים יְהִי־אוֹר" – ***And God said, "Let there be light."*** רוּחַ וּמַיִם – **Breath and water,** דִּכְתִיב – **as it is written:**[18] ,,וְרוּחַ אֱלֹהִים מְרַחֶפֶת עַל־פְּנֵי הַמָּיִם" – ***and the breath of God hovered upon the surface of the waters.***[19] מִדַּת יוֹם וּמִדַּת לַיְלָה – **The length of a day and the length of a night,** דִּכְתִיב – **as it is written:**[20] ,,וַיְהִי־עֶרֶב וַיְהִי־בֹקֶר יוֹם אֶחָד" – ***And there was evening and there was morning, one day.***[21]

The Gemara cites a Baraisa that defines two of the terms mentioned above:

תָּנָא – **A Baraisa taught:** תֹּהוּ קַו יָרוֹק שֶׁמַּקִּיף אֶת כָּל הָעוֹלָם כּוּלּוֹ – ***"TOHU"* IS A GREEN LINE THAT ENCIRCLES THE ENTIRE WORLD,** שֶׁמִּמֶּנּוּ יָצָא חֹשֶׁךְ – and it is **FROM [THIS LINE] THAT DARKNESS EMERGES,** שֶׁנֶּאֱמַר – **AS IT SAYS:**[22] ,,יָשֶׁת חֹשֶׁךְ סִתְרוֹ סְבִיבוֹתָיו" – ***HE MADE DARKNESS HIS CONCEALMENT, AROUND IT.***[23] בֹּהוּ אֵלּוּ אֲבָנִים הַמְפוּלָמוֹת הַמְשׁוּקָּעוֹת בַּתְּהוֹם – ***"BOHU"* REFERS TO THE DAMP STONES SUNK IN THE DEEP,** שֶׁמֵּהֶן יוֹצְאִין מַיִם – and it is **FROM [THESE STONES] THAT WATER EMERGES,** שֶׁנֶּאֱמַר – **AS IT SAYS:**[24] ,,וְנָטָה עָלֶיהָ קַו־תֹהוּ וְאַבְנֵי־בֹהוּ" – ***AND HE SHALL EXTEND UPON IT THE LINE OF TOHU AND THE STONES OF BOHU.***[25]

The Gemara asks:

וְאוֹר בְּיוֹם רִאשׁוֹן אִיבְּרֵי – **And was light created on the first day?** וְהָכְתִיב – **But it is written:**[26] ,,וַיִּתֵּן אֹתָם אֱלֹהִים בִּרְקִיעַ הַשָּׁמַיִם" – ***And God set them** [the sun and the moon] **in the firmament of the heaven** to give light upon the earth,* וּכְתִיב ,,וַיְהִי־עֶרֶב וַיְהִי־בֹקֶר יוֹם רְבִיעִי" – **and it is written** in that passage,[27] ***And it was evening and it was morning, the fourth day.*** Thus, light, which radiates from the sun and is reflected off the moon, must have come into existence on the fourth day. – ? –

The Gemara explains:

כִּדְרַבִּי אֶלְעָזָר – The Baraisa's teaching above that light was created before the luminaries refers to a different kind of light and should be understood **in accordance with** the following teaching **of R' Elazar.** דְּאָמַר רַבִּי אֶלְעָזָר – **For R' Elazar said:** אוֹר שֶׁבָּרָא הַקָּדוֹשׁ בָּרוּךְ הוּא בְּיוֹם רִאשׁוֹן – Regarding the **light that the Holy One, Blessed is He, created on the first day:** אָדָם צוֹפֶה בּוֹ מִסּוֹף הָעוֹלָם וְעַד סוֹפוֹ – **Man could** use **it** to **survey** everything **from one end of the world to the other end of [the world].** כֵּיוָן שֶׁנִּסְתַּכֵּל הַקָּדוֹשׁ בָּרוּךְ הוּא בְּדוֹר הַמַּבּוּל וּבְדוֹר הַפְּלָגָה – **Once,** however, **the Holy One, Blessed is He, looked at the generation of the Flood and the generation of the Dispersion,** וְרָאָה שֶׁמַּעֲשֵׂיהֶם מְקוּלְקָלִים – **and He saw that their deeds were perverse,** עָמַד וּגְנָזוֹ מֵהֶן שֶׁנֶּאֱמַר – **He proceeded to hide it**

NOTES

bafflement whereas *bohu* indicates emptiness and desolation (see *Maasei Hashem, Maaseh Bereishis* ch. 3, for a summary of other explanations).

12. The lengths of day and night were established so that together they would always form one twenty-four-hour period (*Rashi*), although at times during the year the day is longer than night and at other times the night is longer than the day.

Maharsha explains that these ten things correspond to the basic substances, the defining characteristics and the purpose of our world. There are five substances: the four material elements of our physical world (earth, wind, fire and water) and the ethereal substance of Heaven (see *Ramban* to *Genesis* 1:1). The four defining characteristics are space, time, quantity and quality. Finally, the very purpose of Creation is symbolized by the "light." See *Maharsha* at length for an explanation of the ten parallels.

13. 1:1.

14. [It is well known that in the beginning of *Rashi's* commentary on the Torah, he states that this verse cannot be understood as we have translated it. The Torah, he argues, on the basis of grammar and logic, is not telling us the order of Creation. Rather, the first three verses form one long sentence: *In the beginning of God's creating the heavens and the earth – when the earth was bewilderment and void, with darkness over the surface of the deep, and the breath of God was hovering upon the surface of the waters – God said, "Let there be light," and there was light.* However, in our Gemara's *exposition* of this verse, it appears that the verse is being read in a way that differs from its meaning according to *Rashi.* The Gemara expounds the verse to teach us that heaven and earth were among the first creations. Thus, we have translated the verse to conform with this sense: *In the beginning of [everything], God created heaven and earth.* (It should also be noted that this translation agrees with *Ramban's* explanation ad loc.)]

15. *Genesis* 1:2.

16. Ibid.

17. Ibid. 1:3.

18. Ibid. 1:2.

19. [The translation of רוּחַ as *breath* follows *Rashi* in his commentary ad loc. The word רוּחַ is also used in the sense of spirit, soul and the like (see, for example, Gemara below).]

20. Ibid. 1:5.

21. All of the ten items are mentioned before the conclusion of this verse. Therefore, the Gemara derives that they were all created on the first day.

22. *Psalms* 18:12.

23. [This verse appears in a passage that discusses the heavens.] Thus, the line of darkness surrounds the heavens (*Rashi*). [This verse does not show that *tohu* is a line, but the next verse cited in the Baraisa does. Regarding the "greenness" of the line, see below, note 25.]

24. *Isaiah* 34:11.

25. The terms in this Baraisa demand interpretation. It is clear that the Baraisa is transmitting some hidden teachings – probably regarding *Maaseh Bereishis* – but it is not clear at all what these hidden meanings are.

We find that the *Zohar* presents esoteric teachings concerning the green line of *tohu* and the damp stones of *bohu* in at least three places: Vol. III 227a and 279a and *Tosefta* III 305b (see also *Tosefta* II 273b). Although a thorough exposition of these sources is far beyond the scope of this work, the general sense (based on the sources cited below) seems to be as follows: God wished to create man within a rather murky environment. If man were to have free will to choose between good and evil, man could not live on an enlightened plane in which evil was an insane and unthinkable choice. Man had to be "shielded" from God's light to such a degree that the choice of evil would seem to be a reasonable option. There are three filters or screens that serve this purpose: (1) *tohu,* (2) the darkness emerging from *tohu* and (3) *bohu* (see *Moreh Nevuchim* 3:9,11; there is also a fourth filter, see citations in the *Zohar*). The water emerging from the damp *bohu* stones – like springs bursting from rock – represents the diminished light that is allowed to reach our world and benefit it (*HaSulam, Parashas Bereishis,* pp. 33-34).

[According to *Nefesh HaChaim, Shaar* 3 and *Tanya, Shaar HaYichud VeHaEmunah,* man's very being would cease to exist if exposed to God's unfiltered Reality.]

The Gemara describes *tohu* as a קַו יָרוֹק, which we have translated as "a green line." It should be noted that the word יָרוֹק is sometimes used to denote other colors, such as yellow. Regarding the symbolism of the color יָרוֹק, see *Pardes Rimonim, Shaar HaGevanim* and *Ben Yehoyada.*

26. *Genesis* 1:17.

27. Ibid. 1:19.

והשתא דנפקא לן מן ולמקצה השמים ועד קצה השמים למן היום אשר ברא אלהים אדם על הארץ למה לי (א) כדר' אלעזר דאמר רבי אלעזר אדם הראשון מן הארץ עד לרקיע שנאמר למן היום אשר ברא אלהים אדם על הארץ וכיון שסרח הניח הקב"ה ידו עליו ומיעטו שנאמר א) אחור וקדם צרתני ותשת עלי כפכה אמר רב יהודה אמר רב ב) אדם הראשון מסוף העולם ועד סופו היה שנאמר למן היום אשר ברא אלהים אדם על הארץ ולמקצה השמים ועד קצה השמים כיון שסרח הניח הקב"ה ידו עליו ג) ומיעטו שנאמר ותשת עלי כפכה אי הכי קשו קראי אהדדי אידי ואידי חד שיעורא הוא ואמר רב יהודה אמר רב עשרה דברים נבראו ביום ראשון ואלו הן שמים וארץ תהו ובהו אור וחשך רוח ומים מדת יום ומדת לילה שמים וארץ דכתיב ב) בראשית ברא אלהים את השמים ואת הארץ תהו ובהו דכתיב ג) והארץ היתה תהו ובהו אור וחשך חשך דכתיב ג) וחשך על פני תהום אור דכתיב ד) ויאמר אלהים יהי אור רוח ומים דכתיב ג) ורוח אלהים מרחפת על פני המים מדת יום ומדת לילה דכתיב ה) ויהי ערב ויהי בקר יום אחד תנא תהו קו ירוק שמקיף את כל העולם כולו שממנו יצא חשך (ב) שנאמר ו) ישת חשך סתרו סביבותיו בהו אלו אבנים המפולמות המשוקעות בתהום שמהן יוצאין מים שנאמר ז) ונטה עליה קו תהו ואבני בהו ואור ביום ראשון איברי והכתיב ח) ויתן אותם אלהים ברקיע השמים וכתיב ט) ויהי ערב ויהי בקר יום רביעי (ג) כדר' אלעזר דא"ר אלעזר אור שברא הקב"ה ביום ראשון אדם צופה בו מסוף העולם ועד סופו כיון שנסתכל הקב"ה בדור המבול ובדור הפלגה וראה שמעשיהם מקולקלים עמד וגנזו מהן שנאמר י) וימנע מרשעים אורם ולמי גנזו לצדיקים לעתיד לבא שנאמר יא) וירא אלהים את האור כי טוב ואין טוב אלא צדיק שנאמר יב) אמרו צדיק כי טוב כיון שראה אור שגנזו לצדיקים (ד) שמח שנאמר יג) אור צדיקים ישמח כתנאי אור שברא הקב"ה ביום ראשון אדם צופה ומביט בו מסוף העולם ועד סופו דברי רבי יעקב וחכ"א הן הן מאורות שנבראו ביום ראשון ולא נתלו עד יום רביעי אמר רב זוטרא בר טוביא אמר רב בעשרה דברים נברא העולם בחכמה ובתבונה ובדעת ובכח ובגערה ובגבורה בצדק ובמשפט בחסד וברחמים בחכמה ובתבונה דכתיב יד) ה' בחכמה יסד ארץ כונן שמים בתבונה בדעת דכתיב טו) בדעתו תהומות נבקעו בכח וגבורה דכתיב טז) מכין הרים בכחו נאזר בגבורה בגערה דכתיב יז) עמודי שמים ירופפו ויתמהו מגערתו בצדק ומשפט דכתיב יח) צדק ומשפט מכון כסאך בחסד ורחמים דכתיב יט) זכור רחמיך ה' וחסדיך כי מעולם המה ואמר רב יהודה אמר רב בשעה שברא הקב"ה את העולם היה מרחיב והולך כשתי פקעיות של שתי עד שגער בו הקב"ה והעמידו שנאמר יז) עמודי שמים ירופפו ויתמהו מגערתו והיינו דאמר ר"ל מאי דכתיב כ) אני אל שדי אני הוא שאמרתי לעולם די אמר ר"ל בשעה שברא הקב"ה את הים היה מרחיב והולך עד שגער בו הקב"ה ויבשו שנאמר כא) גוער בים ויבשהו וכל הנהרות החריב ת"ר ב"ש אומרים שמים נבראו תחלה ואח"כ נבראת הארץ שנאמר ב) בראשית ברא אלהים את השמים ואת הארץ וב"ה אומרים ארץ נבראת תחלה ואח"כ שמים שנאמר כב) ביום עשות ה' אלהים ארץ ושמים אמר להם ב"ה לב"ש לדבריכם אדם בונה עלייה ואח"כ בונה בית שנאמר כג) הבונה בשמים מעלותיו ואגודתו על ארץ יסדה אמר להם ב"ש לב"ה לדבריכם אדם עושה שרפרף ואח"כ עושה כסא שנאמר כד) כה אמר ה' השמים כסאי והארץ הדום רגלי וחכ"א זה וזה כאחת נבראו שנאמר כה) אף ידי יסדה ארץ וימיני טפחה שמים קורא אני אליהם יעמדו יחדו ואידך מאי יחדו דלא משתלפי מהדדי (ו) קשו קראי אהדדי אמר ר"ל כשנבראו ברא שמים ואח"כ ברא הארץ וכשנטה נטה הארץ ואחר כך נטה שמים מאי שמים א"ר יוסי בר חנינא ששם מים במתניתא תנא אש ומים מלמד שהביאן הקב"ה וטרפן זה בזה ועשה מהן רקיע שאל רבי ישמעאל את ר"ע כשהיו מהלכין בדרך א"ל אתה ששימשת את נחום איש גם זו כ"ב שנה שהיה דורש כל אתין שבתורה את השמים ואת הארץ מה היה דורש בהן א"ל אילו נאמר שמים וארץ הייתי אומר שמים (ז) שמו של הקב"ה עכשיו שנאמר את השמים ואת הארץ שמים ממש ארץ ארץ ממש

רש"י

והשתא דנפקא לן מן ולמקצה השמים. לאסור לשאול מה שיש חוץ למחיצות ממילא נפקא לן דאסור לשאול בקודם שנברא דהיא היא מה שהיה קודם לברייתו הוא עכשיו חוץ למחיצתו הלכך למן היום אשר ברא אדם למה לי למעוטי מיניה קודם שנברא העולם: על הארץ ולמקצה השמים. על הארץ היה ומגיע לשמים: אחור וקדם צרתני. שתי פעמים יצרתני תחלה גבוה ולבסוף שפל: מסוף העולם ועד סופו. כשהיה שוכב היה ראשו למזרח ורגליו למערב: תהו ובהו. לקמן מפרש להו: מדת יום ומדת לילה. כ"ד שעות בין שניהם: ישת חשך סביבותיו. למדת שקו החשך מקיף את השמים: מפולמות. לשון ליחלוח: קו תהו ואבני בהו. למדת שסתהו קו והכהו אבנים: חכמה. יודע מה שלמד: תבונה. שהוא מבין דבר חדש מפלפול חכמתו: דעת. ישוב: כח. הוא כח הזרוע: גבורה. גבורת הלב: גערה. נזיפה כדאמרינן לקמן שגער בו ועמד: פקעיות. לומישי"ל בלע"ז: שנאמר הבונה בשמים מעלותיו. אלמא עלייה מיקרו: שרפרף. לרגליו וכסא לישב על כרחך הכסא עשוי תחלה ולפי גובה הכסא הוא מתקן השרפרף: אף ידי יסדה ארץ וגו'. מסיפיה דקרא יליף דכתיב יעמדו יחדו כשבראן ועשאן פקעיות כמו שאמרנו למעלה: וטרפן. עירבן: להקדיס

תוספות

מסוף העולם ועד סופו. מהלך ת"ק שנה (לקמן יג.) שנאמר שדי שאמר די שלא להרחיב יותר שנאמר אני אל שדי פרה ורבה אני שאמרתי די לעולם ותימה מנא לך הא שיש ת"ק שנה ולא יותר ולא פחות וי"ל דנפקא לן מן שדי בשדי יש ג' אותיות שי"ן דל"ת יו"ד קח י"ג ל"ת ו"ד הנעלם מן שדי ויעלה ת"ק כך שמעתי מר' מנחם ברבי עזריאל וצ"ע למ"ד פרק מי שהיה טמא (פסחים צד. ושם) כל העולם כולו תחת כוכב אחד עומד היכי קיימי כל הני כוכבים הנראין ברקיע וי"מ שעל יש אוקיינוס הן עומדין כדאמרינן בפרקי דר"א כל השיעורים לא נאמרו רק על שאר ימים אבל ים אוקיינוס בוראו יודע מדתו אך במדרש אחר מלינו שליש (ח) ימים שאמר הוי בים אוקיינוס וכן יסד ה"ר בנימין ביוצר שלו זה הים שליש עולמו י) במאה וששים ושש ועוד סיימו וצריך למימר שאותו מדרש פליג אההיא דפסחים ומיהו יש להעמיד ההיא דהתם במזלות של גלגל אבל שאר כוכבים קטנים הם ולי נראה דיש ליישב כל אותן מדרשים שהם תלוין בכיפת הרקיע והוא גדול הרבה מן הארץ אם היה נמתח עליה זו כנגד זו לפי גבול הארץ בא וראה אבל מתוח על הארץ כמין כיפה גבוה באמצע שתופס כפלי כפלים אם היה נמתח בקו הארץ אך היה קשה מדכתיב גבי סיסרא (שופטים ה) מן שמים נלחמו הכוכבים ממסלותם ומוכח מינה בנימוקי רש"י וכן איתא במדרש שאורך הכוכב מהלך ת"ק שנה כמן השמים ועד הארץ שהיה ראש אחד תחוב ברקיע והשני היה בארץ והיכי היה יוצא באויר העולם כיון דכולו תחת כוכב אחד הוא עומד וי"ל שהם חולקין יחד אם לא נחלוק בין מזלות הגלגל לשאר מזלות י):

אידי ואידי חד שיעורא הוא. ופליג אמאן דדריש בתמיד (דף לב.) דמזרח ומערב רחוק טפי דלא לא תימא הכי ח) אדם היכי הוה קם כיון דכתיב מקצה השמים ועד קצה השמים וי"ל שסובר שהיה כגן עדן עד שנתמעט: **ישת** חשך סתרו. מדכתיב סביבותיו סוכתו קדרים ואת

from them, as it says:[28] ״וְיִמָּנַע מֵרְשָׁעִים אוֹרָם״ – ***And light was withheld from the wicked.*** וּלְמִי גְּנָזוֹ – **And for whom did He hide [this light]?** לַצַּדִּיקִים לֶעָתִיד לָבֹא שֶׁנֶּאֱמַר – **For the righteous people in the future, as it says:**[29] ״וַיַּרְא אֱלֹהִים אֶת־הָאוֹר כִּי־טוֹב״ – ***God saw that the light was good;*** וְאֵין טוֹב אֶלָּא צַדִּיק – **and "good" refers to none other than a righteous person,** שֶׁנֶּאֱמַר ״אִמְרוּ צַדִּיק כִּי־טוֹב״ – **as it says: *Say of the righteous person that he is good.***[30] כֵּיוָן שֶׁרָאָה אוֹר שֶׁגְּנָזוֹ לַצַּדִּיקִים שָׂמַח – **Once the light saw that [God] had hidden it for the righteous, [the light] was gladdened,**[31] שֶׁנֶּאֱמַר ״אוֹר־צַדִּיקִים יִשְׂמָח״ – **as it says:**[32] ***The light of the righteous is gladdened.***[33]

The Gemara comments that this matter is actually in dispute:

כְּתַנָּאֵי – **This** way of understanding the light created on the first day **is** the subject of a dispute between **Tannaim:** אוֹר שֶׁבָּרָא הַקָּדוֹשׁ בָּרוּךְ הוּא בְּיוֹם רִאשׁוֹן – Regarding THE LIGHT THAT THE HOLY ONE, BLESSED IS HE, CREATED ON THE FIRST DAY – אָדָם צוֹפֶה וּמַבִּיט בּוֹ מִסּוֹף הָעוֹלָם וְעַד סוֹפוֹ – MAN COULD use IT to SURVEY AND OBSERVE everything FROM ONE END OF THE WORLD TO THE OTHER END OF [THE WORLD]. דִּבְרֵי רַבִּי יַעֲקֹב – THESE ARE THE WORDS OF R' YAAKOV. וַחֲכָמִים אוֹמְרִים – BUT THE SAGES SAY: הֵן מְאוֹרוֹת שֶׁנִּבְרְאוּ בְּיוֹם רִאשׁוֹן – The word "light" is used here in reference to the light of THE LUMINARIES THEMSELVES, WHICH WERE CREATED ON THE FIRST DAY וְלֹא נִתְלוּ עַד יוֹם רְבִיעִי – BUT WERE NOT SUSPENDED in space UNTIL THE FOURTH DAY.

The Gemara lists another set of ten things that are integral to Creation:

אָמַר רַב זוּטְרָא בַּר טוֹבִיָּא אָמַר רַב – **Rav Zutra bar Toviya said in the name of Rav:** בַּעֲשָׂרָה דְּבָרִים נִבְרָא הָעוֹלָם – **The world was created with ten things:** בְּחָכְמָה וּבִתְבוּנָה וּבְדַעַת – **(1) With wisdom and (2) with insight and (3) with understanding;** וּבְכֹחַ וּבִגְעָרָה וּבִגְבוּרָה – **and (4) with strength and (5) with rebuke and (6) with might;** בְּצֶדֶק וּבְמִשְׁפָּט – **(7) with righteousness and (8) with justice;** בְּחֶסֶד וּבְרַחֲמִים – **(9) with kindness and (10) with compassion.**[34]

The Gemara cites verses for the ten things listed:

בְּחָכְמָה וּבִתְבוּנָה – **With wisdom and with insight,** דִּכְתִיב – **as it is written:**[35] ״ה׳ בְּחָכְמָה יָסַד־אָרֶץ כּוֹנֵן שָׁמַיִם בִּתְבוּנָה״ – ***Hashem founded the earth with wisdom; He established the heavens with insight.*** בְּדַעַת – **With understanding,** דִּכְתִיב – **as it is written** in the very next verse: ״בְּדַעְתּוֹ תְּהוֹמוֹת נִבְקָעוּ״ – ***Through His understanding, the depths were***

NOTES

28. *Job* 38:15.

29. *Genesis* 1:4.

30. *Isaiah* 3:10. The verse in *Genesis* is thus interpreted: *God saw [fit that the primordial] light [should be reserved] for the sake of [the righteous person, who is called] good.*

31. [Translation follows *Mesillas Yesharim* ch. 1 ד״ה ואם תעמיק; see *Dikdukei Soferim.*]

32. *Proverbs* 13:9.

33. Any item in this world is sublimely elevated when it serves the needs of a spiritually perfect man. The Sages convey this idea by saying that the light reserved for the righteous is itself "happy" (see *Mesillas Yesharim* loc. cit.).

The Gemara's conclusion is thus that the light of the first day and the light of the fourth day were two very different kinds of light. The fourth day's light is the light of the sun, the moon and the stars, the light that illuminates our physical world. The light of the first day, however, was a spiritual light that revealed the contents of the entire universe before Man (see *Michtav MeEliyahu* II p. 91). This comprehensive perception of the world was denied to the wicked [since they would misuse and abuse it]. This light was concealed after the seven days of Creation (*Rashi* to *Genesis* 1:14, as explained by *Gur Aryeh* ad loc.; see *Isaiah* 30:26; cf. *Ramban* ad loc. who states that light was concealed after three days; see also *Tanna DeVei Eliyahu Zuta* ch. 21). This light will be restored when Jerusalem is rebuilt at the End of Days (see *Midrash Tehillim* §27).

[Although the phrase לַצַּדִּיקִים לֶעָתִיד לָבֹא, *for the righteous people in the future,* might be taken to indicate that the light is reserved for the World to Come or the Messianic Age or the like, that is not the intent here, according to many sources. The Midrash says that the light was hidden for those who toil in the study of *Torah SheBe'al Peh* by day and night (*Tanchuma, Noach* §3). The *Zohar* (II 148b-149a) states that whenever people exert themselves in the study of the Torah, a ray shines forth from that light and rests upon them (see also *Maharsha* here). *Geon Yaakov* cites the view that this light was hidden specifically in the Aggados of the Talmud (see *Zohar* I 31b and 203b regarding specific righteous men who enjoyed this light; cf. *Midrash Konein* p. 253 in *Otzar HaMidrashim*).

34. "Wisdom" is defined as the knowledge a person gains from what he learns. "Insight" is any detail he extracts from his wisdom through the machinations of his mind. "Understanding" is the reconciliation [of a topic's disparate elements, i.e. a complete mental picture of that topic]. "Strength" is physical strength; "might" is the might of the heart. "Rebuke" is a vociferous shout (*Rashi*).

Maharsha comments that these ten things appear to be the ten *sefiros* [sometimes translated as "Emanations"] that played a significant part in the Creation of the universe. According to the consensus of Kabbalistic masters, they are: (1) *Kesser;* (2) *Chochmah;* (3) *Binah;* (4) *Chesed;* (5) *Gevurah;* (6) *Tiferes;* (7) *Netzach;* (8) *Hod;* (9) *Yesod;* (10) *Malchus.* [They shall remain untranslated here.] For various reasons, *Daas* is sometimes counted instead of *Kesser* (see *Shomer Emunim HaKadmon* 1:67, citing *Otzeros Chaim* דרוש אבי״ע). The *sefiros Chochmah, Binah, Daas, Chesed* and *Gevurah* seem to correspond to the similarly named items mentioned in our Gemara. The correspondence of the remaining five *sefiros* (*Tiferes, Netzach, Hod, Yesod, Malchus*) is not explicit.

The *sefiros* are first mentioned in *Sefer Yetzirah,* the *Bahir* and the *Zohar*. They are also mentioned, sparsely, in various late Midrashim (see e.g. *Bamidbar Rabbah* 14:12). *Ramban* and *Rabbeinu Bachya* make several direct and indirect references to them in their works and the *sefiros* are the major theme of the classic Kabbalistic tome, *Shaarei Orah*, by *R' Yosef Gikatilia* (a contemporary of *Rashba*), and later of R' Moshe Cordevero's magnum opus, *Pardes Rimonim,* and still later of the collected teachings of the *Arizal.*

The topic of the ten *sefiros* is perhaps the archetypical example of an esoteric teaching that is susceptible to misinterpretation and distortion. The most important point that must be stated regarding the *sefiros* and that must be stated clearly is this: They are not God. God is an absolute Unity with no internal divisions or differentiation whatsoever. The Rishonim say that one who believes the *sefiros* are ten parts of God is comparable to one who believes in several gods (Responsa, *Rivash* §157; Responsa, *Rashbash* §189).

Furthermore, one is forbidden to pray to a *sefirah. Rabbeinu Bachya* to *Deuteronomy* 4:7 cites a *Sifri* [which is not extant] that teaches this explicitly. The verse states: *For which is a great nation that has a God Who is close to it, as is Hashem, our God, whenever we call to Him?* The *Sifri* expounds: אֵלָיו וְלֹא לְמִדּוֹתָיו, [we call] to Him, but not to His attributes. This *Sifri* is cited also in *Pardes Rimonim* 32:2. [For more on prayer and *sefiros,* see *Rivash* loc. cit., *Pardes Rimonim* §32 and Responsa, *Rav Pe'alim, Sod Yesharim* II §11].

Rashbash (loc. cit.) and *Maharalbach* (Responsa §75) are emphatic in their discouraging of speeches to the public regarding the *sefiros. Rashbash* points out the terrible confusion that could be wrought through these speeches. This confusion has not disappeared in our own generation. It is therefore worthwhile to say the minimum necessary to avoid misconceptions.

The *sefiros* have been described as "tools" God uses to direct the world and as "windows" through which we may gain some faint glimmer of a perception of Him (see *Pardes Rimonim, Shaar* 4 and 8:12; see *Shomer Emunim HaKadmon, Viku'ach Rishon* §25, §27, §62, §65, see also *R' Yosef Chaim* in his Responsa, *Rav Pealim, Sod Yesharim* II §5 and in his Responsa, *Torah Lishmah* §444).

Although much has been published and is available from reliable sources regarding the ten *sefiros,* any further discussion of this issue is beyond the scope of this elucidation.

35. *Proverbs* 3:19.

השתא דנפקא ליה מלמקצה השמים ועד קצה השמים למן היום אשר ברא אלהים אדם על הארץ למה לי (א) כדר' אלעזר דאמר רבי אלעזר אדם הראשון מן הארץ עד לרקיע שנאמר למן היום אשר ברא אלהים אדם על הארץ וכיון שסרח הניח הקב"ה ידיו עליו ומיעטו שנאמר א) אחור וקדם צרתני ותשת עלי כפכה אמר רב יהודה אמר רב ב) אדם הראשון מסוף העולם ועד סופו היה שנאמר למן היום אשר ברא אלהים אדם על הארץ ולמקצה השמים ועד קצה השמים כיון שסרח הניח הקב"ה ידו עליו ג) ומיעטו שנאמר ותשת עלי כפכה אי הכי קשו קראי אהדדי אידי ואידי חד שיעורא הוא ואמר רב יהודה אמר רב עשרה דברים נבראו ביום ראשון ואלו הן שמים וארץ תהו ובהו אור וחשך רוח ומים מדת יום ומדת לילה שמים וארץ דכתיב ב) בראשית ברא אלהים את השמים ואת הארץ תהו ובהו דכתיב ג) והארץ היתה תהו ובהו אור וחשך חשך דכתיב ג) וחשך על פני תהום אור דכתיב ד) ויאמר אלהים יהי אור רוח ומים דכתיב ג) ורוח אלהים מרחפת על פני המים מדת יום ומדת לילה דכתיב ה) ויהי ערב ויהי בקר יום אחד תנא תהו קו ירוק שמקיף את כל העולם כולו שממנו יצא חשך (ג) שנאמר ו) ישת חשך סתרו סביבותיו בהו אלו אבנים המפולמות המשוקעות בתהום שמהן יוצאין מים שנאמר ז) ונטה עליה קו תהו ואבני בהו ואור ביום ראשון והכתיב ח) ויתן אותם אלהים ברקיע השמים וכתיב ט) ויהי ערב ויהי בקר יום רביעי (ג) כדר' אלעזר דא"ר אלעזר אור שברא הקב"ה ביום ראשון אדם צופה בו מסוף העולם ועד סופו כיון שנסתכל הקב"ה בדור המבול ובדור הפלגה וראה שמעשיהם מקולקלים עמד וגנזו מהן שנאמר י) וימנע מרשעים אורם ולמי גנזו לצדיקים לעתיד לבא שנאמר יא) וירא אלהים את האור כי טוב ואין טוב אלא צדיק שנאמר יב) אמרו צדיק כי טוב כיון שראה אור שגנזו לצדיקים (ד) שמח שנאמר יג) אור צדיקים ישמח כתנאי אור שברא הקב"ה ביום ראשון אדם צופה ומביט בו מסוף העולם ועד סופו דברי רבי יעקב וחכ"א הן הן מאורות שנבראו ביום ראשון ולא נתלו עד יום רביעי אמר רב זוטרא בר טוביא אמר רב בעשרה דברים נברא העולם בחכמה ובתבונה ובדעת ובכח ובגערה ובגבורה בצדק ובמשפט בחסד וברחמים בחכמה ובתבונה דכתיב יד) ה' בחכמה יסד ארץ כונן שמים בתבונה בדעת דכתיב טו) בדעתו תהומות נבקעו בכח וגבורה דכתיב טז) מכין הרים בכחו נאזר בגבורה בגערה דכתיב יז) עמודי שמים ירופפו ויתמהו מגערתו בצדק ומשפט דכתיב יח) צדק ומשפט מכון כסאך בחסד ורחמים דכתיב יט) זכר רחמיך ה' וחסדיך כי מעולם המה ואמר רב יהודה אמר רב בשעה שברא הקב"ה את העולם היה מרחיב והולך כשתי פקעיות של שתי עד שגער בו הקב"ה והעמידו שנאמר יז) עמודי שמים ירופפו ויתמהו מגערתו והיינו דאמר ר"ל מאי דכתיב כ) אני אל שדי אני הוא שאמרתי לעולם די (ה) אמר ר"ל בשעה שברא הקב"ה את הים היה מרחיב והולך עד שגער בו הקב"ה ויבשו שנאמר כא) גוער בים ויבשהו וכל הנהרות החריב ת"ר ב"ש אומרים שמים נבראו תחלה ואח"כ נבראת הארץ שנאמר ב) בראשית ברא אלהים את השמים ואת הארץ וב"ה אומרים ארץ נבראת תחלה ואח"כ שמים שנאמר כב) ביום עשות ה' אלהים ארץ ושמים אמר להם ב"ה לב"ש לדבריכם אדם בונה עלייה ואח"כ בונה בית שנאמר כג) הבונה בשמים מעלותיו ואגודתו על ארץ יסדה אמר להם ב"ש לב"ה לדבריכם אדם עושה שרפרף ואח"כ עושה כסא שנאמר כד) כה אמר ה' השמים כסאי והארץ הדום רגלי וחכ"א זה וזה כאחת נבראו שנאמר כה) אף ידי יסדה ארץ וימיני טפחה שמים קורא אני אליהם יעמדו יחדו ואידך מאי יחדו דלא משתלפי מהדדי (ו) קשו קראי אהדדי כתיב בראשית ברא אלהים את השמים ואת הארץ וכתיב ביום עשות ה' אלהים ארץ ושמים אמר ר"ל כשנבראו ברא שמים ואח"כ ברא הארץ וכשנטה נטה הארץ ואחר כך נטה שמים מאי שמים א"ר יוסי בר חנינא ששם מים במתניתא תנא אש ומים מלמד שהביאן הקב"ה וטרפן זה בזה ועשה מהן רקיע שאל רבי ישמעאל את ר"ע כשהיו מהלכין בדרך א"ל אתה ששימשת את נחום איש גם זו כ"ב שנה ז) שהיה דורש כל אתין שבתורה את השמים ואת הארץ מה היה דורש בהן א"ל אילו נאמר שמים וארץ הייתי אומר שמים (ז) שמו של הקב"ה עכשיו שנאמר את השמים ואת הארץ שמים שמים ממש ארץ ארץ ממש

רש"י

והשתא דנפקא לן מן ולמקצה השמים. דאסור לשאול מה שיש חוץ למחיצות ממילא נפקא לן דאסור לשאול בקודם שנברא דהיא היא מה שהיה קודם לברייתו הוא עכשיו חוץ למחיצתו הלכך למן היום אשר ברא אדם למה לי למעוטי מיניה קודם שנברא העולם: על הארץ ולמקצה השמים. על הארץ היה ומגיע לשמים: אחור וקדם צרתני. שתי פעמים יצרתני תחלה גבוה ולבסוף שפל: מסוף העולם ועד סופו. כשהיה שוכב היה ראשו למזרח ורגליו למערב: תהו ובהו. לקמן מפרש להו: מדת יום ומדת לילה. כ"ד שעות בין שניהם: ישת חשך סביבותיו. למדת שקו החשך מקיף את השמים: מפולמות. לשון ליחלוח: קו תהו ואבני בהו. למדת שהתהו קו והבהו אבנים: חכמה. יודע מה שלמד: תבונה. שהוא מבין דבר חדש מפלפול חכמתו: דעת. רוח הקודש: כח. הוא כח הזרוע: גבורה. גבורת הלב: גערה. נזיפה כדאמרינן לקמן שגער בו ועמד: פקעיות. לומישי"ל בלע"ז: שנאמר הבונה בשמים מעלותיו. אלמא עלייה עיקרו: שרפרף. לרגליו וכסא לישב על כרחך הכסא עשוי תחלה ולפי גובה הכסא הוא מתקן השרפרף: אף ידי יסדה ארץ וגו'. מסיפיה דקרא יליף דכתיב יעמדו יחדו כשבראן ועשאן פקעיות כמו שאמרנו למעלה: וטרפן. עירבן: להקדים

תוספות

מסוף העולם ועד סופו. מהלך ת"ק שנה (לקמן יג.) שנאמר שדי שאמר די שלא להרחיב יותר שנאמר אני אל שדי פרה ורבה אני שאמרתי די לעולם ותימה מנא לך הא שיש ת"ק שנה ולא יותר ולא פחות וי"ל דנפקא לן מן שדי בשדי יש ג' אותיות שי"ן דל"ת יו"ד קם יי"ג ל"ת וי"ד הנעלם מן שדי ויעלה ת"ק כך שמעתי מר' מנחם ברבי עזריאל וצ"ע למ"ד פרק מי שהיה טמא (פסחים צד. ושם) כל העולם כולו תחת כוכב אחד עומד היכי קיימי כל הני כוכבים הנראין ברקיע וי"מ שעל ים אוקיינוס הן עומדין כדאמרינן בפרקי דר"א כל השיעורים לא נאמרו רק על שאר ימים אבל ים אוקיינוס בוראו יודע מדתו אך במדרש אחר מלינו שלים (ח) ימים שאמר הוי ביס אוקיינוס וכן יסד ה"ר בנימין ביוצר שלו זה הים שליש עולמו ו) במאה וששים ושש ועוד סיימו וצריך למימר שאותו מדרש פליג אההיא דפסחים ומיהו יש להעמיד ההיא דהתם במזלות של גלגל אבל שאר כוכבים קטנים הם ולי נראה דיש ליישב כל אותן מדרשים שהם תלוין בכיפת הרקיע והוא גדול הרבה מן הארץ אם היה נמתח עליה זו כזו לפי גבול הארץ בא ורואה אהל מתוח על הארץ כמין כיפה גבוה באמצע שתופס כפלי כפלים אם היה נמתח בקו הארץ אך היה קשה מדכתיב גבי סיסרא (שופטים ה) מן שמים נלחמו הכוכבים ממסלותם ומוכח מינה בנימוקי רש"י וכן איתא במדרש שאורך הכוכב מהלך ת"ק שנה כמן השמים ועד הארץ שהיה ראש אחד תחוב ברקיע והשני היה בארץ והיכי היה יוצא באויר העולם כיון דכולו תחת כוכב אחד הוא עומד וצ"ל שהם חולקין יחד אם לא נחלוק בין מזלות הגלגל לשאר מזלות ז):

אידי ואידי חד שיעורא הוא. ופליג אמאן דדריש בתמיד (דף לב.) דמזרח ומערב רחוק טפי דאי לא תימא הכי ח) אדם היכי הוה קם כיון דכתיב מקצה השמים ועד קצה השמים וי"ל שסובר שהיה בגן עדן עד שנתמעט: **ישת** חשך סתרו. מדכתיב סביבותיו סוכתו קדרים: ואת

תורה אור השלם

א) אָחוֹר וָקֶדֶם צַרְתָּנִי וַתָּשֶׁת עָלַי כַּפֶּכָה: [תהלים קלט, ה] ב) בְּרֵאשִׁית בָּרָא אֱלֹהִים אֵת הַשָּׁמַיִם וְאֵת הָאָרֶץ: [בראשית א, א] ג) וְהָאָרֶץ הָיְתָה תֹהוּ וָבֹהוּ וְחֹשֶׁךְ עַל פְּנֵי תְהוֹם וְרוּחַ אֱלֹהִים מְרַחֶפֶת עַל פְּנֵי הַמָּיִם: [בראשית א, ב] ד) וַיֹּאמֶר אֱלֹהִים יְהִי אוֹר וַיְהִי אוֹר: [בראשית א, ג] ה) וַיִּקְרָא אֱלֹהִים לָאוֹר יוֹם וְלַחֹשֶׁךְ קָרָא לָיְלָה וַיְהִי עֶרֶב וַיְהִי בֹקֶר יוֹם אֶחָד: [בראשית א, ה] ו) יָשֶׁת חֹשֶׁךְ סִתְרוֹ סְבִיבוֹתָיו סֻכָּתוֹ חֶשְׁכַת מַיִם עָבֵי שְׁחָקִים: [תהלים יח, יב] ז) וִירֵשׁוּהָ קָאַת וְקִפּוֹד וְיַנְשׁוֹף וְעֹרֵב יִשְׁכְּנוּ בָהּ וְנָטָה עָלֶיהָ קַו תֹהוּ וְאַבְנֵי בֹהוּ: [ישעיה לד, יא] ח) וַיִּתֵּן אֹתָם אֱלֹהִים בִּרְקִיעַ הַשָּׁמָיִם לְהָאִיר עַל הָאָרֶץ: [בראשית א, יז] ט) וַיְהִי עֶרֶב וַיְהִי בֹקֶר יוֹם רְבִיעִי: [בראשית א, יט] י) וְיִמָּנַע מֵרְשָׁעִים אוֹרָם וּזְרוֹעַ רָמָה תִּשָּׁבֵר: [איוב לח, טו] יא) וַיַּרְא אֱלֹהִים אֶת הָאוֹר כִּי טוֹב וַיַּבְדֵּל אֱלֹהִים בֵּין הָאוֹר וּבֵין הַחֹשֶׁךְ: [בראשית א, ד] יב) אִמְרוּ צַדִּיק כִּי טוֹב כִּי פְרִי מַעַלְלֵיהֶם יֹאכֵלוּ: [ישעיה ג, י] יג) אוֹר צַדִּיקִים יִשְׂמָח וְנֵר רְשָׁעִים יִדְעָךְ: [משלי יג, ט] יד) יְיָ בְּחָכְמָה יָסַד אָרֶץ כּוֹנֵן שָׁמַיִם בִּתְבוּנָה: [משלי ג, יט] טו) בְּדַעְתּוֹ תְּהוֹמוֹת נִבְקָעוּ וּשְׁחָקִים יִרְעֲפוּ טָל: [משלי ג, כ] טז) מֵכִין הָרִים בְּכֹחוֹ נֶאְזָר בִּגְבוּרָה: [תהלים סה, ז] יז) עַמּוּדֵי שָׁמַיִם יְרוֹפָפוּ וְיִתְמְהוּ מִגַּעֲרָתוֹ: [איוב כו, יא] יח) צֶדֶק וּמִשְׁפָּט מְכוֹן כִּסְאֶךָ חֶסֶד וֶאֱמֶת יְקַדְּמוּ פָנֶיךָ: [תהלים פט, טו] יט) זְכֹר רַחֲמֶיךָ יְיָ וַחֲסָדֶיךָ כִּי מֵעוֹלָם הֵמָּה: [תהלים כה, ו] כ) וַיֹּאמֶר לוֹ אֱלֹהִים אֲנִי אֵל שַׁדַּי פְּרֵה וּרְבֵה גּוֹי וּקְהַל גּוֹיִם יִהְיֶה מִמֶּךָּ וּמְלָכִים מֵחֲלָצֶיךָ יֵצֵאוּ: [בראשית לה, יא] כא) גּוֹעֵר בַּיָּם וַיַּבְּשֵׁהוּ וְכָל הַנְּהָרוֹת הֶחֱרִיב אֻמְלַל בָּשָׁן וְכַרְמֶל וּפֶרַח לְבָנוֹן אֻמְלָל: [נחום א, ד] כב) אֵלֶּה תוֹלְדוֹת הַשָּׁמַיִם וְהָאָרֶץ בְּהִבָּרְאָם בְּיוֹם עֲשׂוֹת יְיָ אֱלֹהִים אֶרֶץ וְשָׁמָיִם: [בראשית ב, ד] כג) הַבּוֹנֶה בַשָּׁמַיִם מַעֲלוֹתָו וַאֲגֻדָּתוֹ עַל אֶרֶץ יְסָדָהּ הַקֹּרֵא לְמֵי הַיָּם וַיִּשְׁפְּכֵם עַל פְּנֵי הָאָרֶץ יְיָ שְׁמוֹ: [עמוס ט, ו] כד) כֹּה אָמַר יְיָ הַשָּׁמַיִם כִּסְאִי וְהָאָרֶץ הֲדֹם רַגְלָי אֵי זֶה בַיִת אֲשֶׁר תִּבְנוּ לִי וְאֵי זֶה מָקוֹם מְנוּחָתִי: [ישעיה סו, א] כה) אַף יָדִי יָסְדָה אֶרֶץ וִימִינִי טִפְּחָה שָׁמָיִם קֹרֵא אֲנִי אֲלֵיהֶם יַעַמְדוּ יַחְדָּו: [ישעיה מח, יג]

cleaved. **בְּכֹחַ וּגְבוּרָה – With strength and with might, דִּכְתִיב – as it is written:**[36] **"מֵכִין הָרִים בְּכֹחוֹ נֶאְזָר בִּגְבוּרָה" –** ***Who sets mountains with His strength, Who is girded with might.*** **בִּגְעָרָה – With rebuke, דִּכְתִיב – as it is written:**[37] **"עַמּוּדֵי שָׁמַיִם יְרוֹפָפוּ וְיִתְמְהוּ מִגַּעֲרָתוֹ" –** ***The pillars of the heavens shudder and are astounded by His rebuke.***[38] **בְּצֶדֶק וּמִשְׁפָּט – With righteousness and justice, דִּכְתִיב – as it is written:**[39] **"צֶדֶק וּמִשְׁפָּט מְכוֹן כִּסְאֶךָ" –** ***Righteousness and justice are Your throne's foundation.*** **בְּחֶסֶד וְרַחֲמִים – With kindness and with compassion, דִּכְתִיב – as it is written:**[40] **"זְכֹר־רַחֲמֶיךָ ה׳ וַחֲסָדֶיךָ כִּי מֵעוֹלָם הֵמָּה" –** ***Remember Your compassion, Hashem, and Your kindness, for they are from time immemorial.***[41]

Another statement regarding Creation that discusses one of the ten items mentioned above:

וְאָמַר רַב יְהוּדָה אָמַר רַב – And Rav Yehudah said in the name of Rav: בְּשָׁעָה שֶׁבָּרָא הַקָּדוֹשׁ בָּרוּךְ הוּא אֶת הָעוֹלָם – When the Holy One, Blessed is He, created the world, הָיָה מַרְחִיב וְהוֹלֵךְ כִּשְׁתֵּי פְקָעִיּוֹת שֶׁל שְׁתִי – it was expanding continuously, like two unraveling balls of warp thread,[42] **עַד שֶׁגָּעַר בּוֹ הַקָּדוֹשׁ בָּרוּךְ הוּא וְהֶעֱמִידוֹ – until the Holy One, Blessed is He, rebuked [the world] and brought it to a standstill, שֶׁנֶּאֱמַר "עַמּוּדֵי שָׁמַיִם יְרוֹפָפוּ וְיִתְמְהוּ מִגַּעֲרָתוֹ" – as it says:**[43] ***The pillars of the heavens shudder and are astounded by His rebuke.***

A parallel statement by Reish Lakish:

וְהַיְינוּ דְּאָמַר רֵישׁ לָקִישׁ – And this bears out **what Reish Lakish said: מַאי דִּכְתִיב "אֲנִי אֵל שַׁדַּי" – What is** the meaning of **that which is written:**[44] *And God said to him, "I am El Shaddai?"* **אֲנִי הוּא שֶׁאָמַרְתִּי לָעוֹלָם דַּי – I am the One Who** (*sha*) **told the world, "Enough** (*dai*)."

Another, similar statement by Reish Lakish:

אָמַר רֵישׁ לָקִישׁ – Reish Lakish said: בְּשָׁעָה שֶׁבָּרָא הַקָּדוֹשׁ בָּרוּךְ הוּא אֶת הַיָּם – When the Holy One, Blessed is He, created the ocean, הָיָה מַרְחִיב וְהוֹלֵךְ – it was expanding continuously, עַד שֶׁגָּעַר בּוֹ הַקָּדוֹשׁ בָּרוּךְ הוּא וְיִבְּשׁוֹ – until the Holy One, Blessed is He, rebuked it and dried it, שֶׁנֶּאֱמַר "גּוֹעֵר בַּיָּם וַיַּבְּשֵׁהוּ וְכָל־הַנְּהָרוֹת הֶחֱרִיב" – as it says:[45] ***He rebukes the sea and makes it dry, and makes all the rivers parched.***

The Gemara cites a Baraisa that discusses whether heaven or earth was created first:[46]

תָּנוּ רַבָּנָן – The Rabbis taught in a Baraisa: בֵּית שַׁמַּאי אוֹמְרִים – BEIS SHAMMAI SAY: שָׁמַיִם נִבְרְאוּ תְּחִלָּה וְאַחַר כָּךְ נִבְרֵאת הָאָרֶץ – THE HEAVENS WERE CREATED FIRST, AND only **AFTERWARDS WAS THE EARTH CREATED, שֶׁנֶּאֱמַר "בְּרֵאשִׁית בָּרָא אֱלֹהִים אֵת הַשָּׁמַיִם וְאֵת הָאָרֶץ" – AS IT SAYS:**[47] ***IN THE BEGINNING OF [EVERYTHING] GOD CREATED THE HEAVENS AND THE EARTH.*** The heavens are mentioned before the earth. **וּבֵית הִלֵּל אוֹמְרִים – BUT BEIS HILLEL SAY: אֶרֶץ נִבְרֵאת תְּחִלָּה וְאַחַר כָּךְ שָׁמַיִם – THE EARTH WAS CREATED FIRST AND AFTERWARDS THE HEAVENS** were created, **שֶׁנֶּאֱמַר "בְּיוֹם עֲשׂוֹת ה׳ אֱלֹהִים אֶרֶץ וְשָׁמָיִם" – AS IT SAYS:**[48] ***ON THE DAY THAT HASHEM GOD MADE EARTH AND HEAVEN.*** Here, the earth is mentioned first. **אָמְר[וּ] לָהֶם בֵּית הִלֵּל לְבֵית שַׁמַּאי – BEIS HILLEL SAID TO BEIS SHAMMAI: לְדִבְרֵיכֶם – ACCORDING TO YOUR VIEW** of the Creation of the world, **אָדָם בּוֹנֶה עֲלִיָּיה וְאַחַר כָּךְ בּוֹנֶה בַּיִת – DOES A PERSON BUILD AN UPPER FLOOR AND THEN BUILD** the rest of **THE HOUSE** beneath it?! **שֶׁנֶּאֱמַר "הַבּוֹנֶה בַשָּׁמַיִם מַעֲלוֹתָיו וַאֲגֻדָּתוֹ עַל־אֶרֶץ יְסָדָהּ" –** For the heavens are like an upper floor to the world, **AS IT SAYS:**[49] ***WHO BUILT HIS UPPER STRATA IN THE HEAVENS AND FOUNDED HIS GROUP*** *[the living creatures]* ***UPON THE EARTH.*** Thus, the heavens are likened to an upper floor. **אָמְר[וּ] לָהֶם בֵּית שַׁמַּאי לְבֵית הִלֵּל – BEIS SHAMMAI REPLIED TO BEIS HILLEL: לְדִבְרֵיכֶם – ACCORDING TO YOUR VIEW** of the Creation of the world, **אָדָם עוֹשֶׂה שְׁרַפְרַף וְאַחַר כָּךְ עוֹשֶׂה כִּסֵּא – DOES A PERSON MAKE A FOOTSTOOL AND AFTERWARDS MAKE A** matching **CHAIR?! שֶׁנֶּאֱמַר – FOR [THE VERSE] SAYS:**[50] **"כֹּה אָמַר ה׳ הַשָּׁמַיִם כִּסְאִי וְהָאָרֶץ הֲדֹם רַגְלָי" –** ***THUS SAID HASHEM: HEAVEN IS MY THRONE AND THE EARTH IS MY FOOTSTOOL.***[51] **וַחֲכָמִים אוֹמְרִים – BUT THE SAGES SAY: זֶה וָזֶה כְּאַחַת נִבְרְאוּ – BOTH THIS AND THAT WERE CREATED SIMULTANEOUSLY, שֶׁנֶּאֱמַר "אַף־יָדִי יָסְדָה אֶרֶץ וִימִינִי טִפְּחָה שָׁמָיִם קֹרֵא אֲנִי אֲלֵיהֶם יַעַמְדוּ יַחְדָּו" – AS IT SAYS:**[52] ***ALSO, MY HAND HAS LAID THE FOUNDATION OF THE EARTH, AND MY RIGHT HAND HAS MEASURED OUT THE HEAVENS; I CALL TO THEM AND THEY STAND TOGETHER.***[53]

NOTES

36. *Psalms* 65:7.

37. *Job* 26:11.

38. [The Gemara below describes how this verse is related to Creation.]

39. *Psalms* 89:15.

40. Ibid. 25:6.

41. [See *Rabbeinu Bachya*, who states that the ten *sefiros* are all reflected to some extent in the first verse of the Torah.]

42. [The warp threads are those that are attached to a loom in straight parallel lines; the woof thread, in contrast, is passed back and forth between the warp threads (see *The Weaving Process,* Appendix to vol. II of *Shabbos,* Schottenstein ed.). The woof thread had to be somewhat thicker and stronger than the warp thread (see *Yoma* 77b) since the woof was handled more.]

These two balls of thread symbolize Heaven and earth (*Rashi* ד״ה אף ידי). There were two primordial materials, the "material" of Heaven and the material of the earth (see *Ramban* to *Genesis* 1:1).

43. *Job* 26:11.

44. *Genesis* 35:11.

45. *Nachum* 1:4.

46. As to the practical differences between these views, see *Tzlach* and *Ben Yehoyada,* as well as *Maharzu* and *Yefei To'ar* cited in *Yalkut Yeshayahu.*

47. *Genesis* 1:1.

48. Ibid. 2:4.

49. *Amos* 9:6.

50. *Isaiah* 66:1.

51. Certainly, a competent carpenter would first construct the chair and only afterward fashion the footstool, so that he could adjust the footstool according to the height of the chair (*Rashi*).

[According to Beis Shammai, the earth (i.e. the physical world) is merely an accessory to the heavens (i.e. the spiritual world) as a footstool is an accessory to a chair. According to Beis Hillel, the heavens are merely an extension of the earth, as the second floor of a house is an extension of the first floor.]

Simply put, Beis Shammai and Beis Hillel dispute what is of central importance in Creation. Beis Shammai contend that the foundation and purpose of the world is the Throne of the Glory of God and the angels on high [that can sing songs of praise that are untainted by sin]. Man plays but a minor part in the grand universe-wide celebration of God's glory. [Possibly, Beis Shammai follow their opinion in *Eruvin* 13b that it would have been better had man not been created at all (*Iyun Yaakov*).] However, Beis Hillel maintain that man is the very purpose of Creation. [Man alone is endowed with free will and thus man alone has the capacity to be saintly *by choice,* which is a higher level than that of the angels.] Thus, all of man's needs on earth were created first since they were needed for his use; only afterward were the heavens created, since their value was secondary in comparison to that of man (*Yefei To'ar* to *Bereishis Rabbah* 1:15).

Pirkei DeRabbi Eliezer ch. 19 reports that Beis Shammai and Beis Hillel debated this issue until the Divine Presence rested upon them and they reached a consensus: Heaven and earth were created at the same time. This is the opinion the Baraisa proceeds to cite in the name of "the Sages."

52. *Isaiah* 48:13.

53. The word "together" indicates that they were made at the same time. This is in consonance with the teaching above that when God created the world, the heavens and earth were expanding like two balls

מסורת הש"ס

א) סנהדרין דף לח:, ב) [ילקוט איתא והעמידו על מאה אמה וכזה מבין מ"ש הרשב"ם ב"ב עה. ד"ה בשתי קומות וכו' ויותר מבואר ברש"י סנהדרין ק. ד"ה קוממיות ע"ש], ג) [יומא לח.], ד) [תמיד לב.], ה) [פסחים כב:], ו) כלומר שלש מאות מהלך שנה הכי הוי הכך ועוד הוא שלש מאות שנים ביתרים, ז) [ועי' תוס' פסחים לד. ד"ה קוו], ח) עי' מהרש"א.

הגהות הב"ח

(א) גמ' על הארץ למה לי מיבעי ליה לכדרבי אלעזר וכו' מן הארץ וכו' על הארץ היה שנאמר וכו' על הארץ ולמקצה השמים וכיון שסרח וכו': (ב) ש"מ והעמידו על מאה אמה: (ג) שם ולא חשך לעולם שנאמר ישת: (ד) שם ויהי בקר יום רביעי אלא כדרבי אלעזר: (ד) שם שגנזו לצדיקים מיד שמח וכו' אדם צופה ורואה ומביט: (ה) שם שאמרתי לעולם די אילו דאמר ר"ל בשעה שברא הקב"ה את הים הגדול היה מרחיב: (ו) שם דלא משתלפי מהדדי מכל מקום קשו קראי: (ז) שם הייתי אומר שמים וארץ שמותיו של הקב"ה: (ח) תוס' ד"ה מסוף וכו' מצינו שלשים ימים הוא במקום אוקיינוס:

ליקוטי רש"י

[תחילת הפירוש נדפס בדף יא:] השמים כסאי. אין צריך לבית המקדש שלכם [ישעיה סו, א]. דורש כל אתין שבתורה. לרבות [פסחים כב:]. אתין וגמין ריבויין [ב"ק מא:]. [illegible]

רש"י

והשתא דנפקא לן מן ולמקצה השמים. דאסור לשאול מה שיש חוץ למחילות ממילא נפקא לן דאסור לשאול בקודם שנברא דהיא היא מה שהיה קודם לבריאה הוא עכשיו חוץ למחילתו הלכך למן היום אשר ברא אדם למה לי למעוטי מיניה קודם שנברא העולם: על הארץ ולמקצה השמים. על הארץ היה ומגיע לשמים: אחור וקדם צרתני. שתי פעמים יצרתני תחלה גבוה ולבסוף שפל: מסוף העולם ועד סופו. כשהיה שוכב היה ראשו למזרח ורגליו למערב: תהו ובהו. לקמן מפרש להו: מדת יום ומדת לילה. כ"ד שעות בין שניהם: ישת חשך סביבותיו. למדת שקו החשך מקיף את השמים: מפולמות. לשון ליחלוח: קו תהו ואבני בהו. למדת שהתהו קו והבהו אבנים: חכמה. יודע מה שלמד: תבונה. שהוא מבין דבר חדש מפלפול חכמתו: דעת. ישוב: כח. הוא כח הזרוע: גבורה. גבורת הלב: גערה. נזיפה כדאמרינן לקמן שגער בו ועמד: פקעיות. לומישי"ל בלע"ז: שנאמר הבונה בשמים מעלותיו. אלמא עלייה מיקרו: שרפרף. לרגליו וכסא לישב על כרחך הכסא עשוי תחלה ולפי גובה הכסא הוא מתקן השרפרף: אף ידי יסדה ארץ וגו'. מסיפיה דקרא יליף דכתיב יעמדו יחדו כשבראן ועשאן פקעיות כמו שאמרנו למעלה: וטרפן. עירבן: להקדים

תוספות

מסוף העולם ועד סופו. מהלך ת"ק שנה (לקמן יג.) שנאמר שדי שאמר די שלא להרחיב יותר שנאמר אני אל שדי פרה ורבה אני שאמרתי די לעולם ותימה מנא לך הא שיש ת"ק שנה ולא יותר ולא פחות וי"ל דנפקא לן מן שדי בשדי יש ג' אותיות שי"ן דל"ת יו"ד קח י"כ ל"ת ו"ד הנעלם מן שדי ויעלה ת"ק כך שמעתי מר' מנחם ברבי עזריאל וצ"ע למ"ד פרק מי שהיה טמא (פסחים צד. ושם) כל העולם כולו תחת כוכב אחד עומד תדע דהא כל הני כוכבים הנראין ברקיע וי"מ שעל ים אוקיינוס הן עומדין כדאמרינן בפרקי דר"א כל השיעורים לא נאמרו רק על שאר ימים אבל על אוקיינוס כולהו יודע מדתו אך במדרש אחר מצינו שלשים (ח) ימים שאמר הוי בים אוקיינוס וכן יסד ה"ר בנימין ביוצר שלו היא הים שלש עולמו (ט) כמאה וששים ושש ועוד סיימו וצריך למימר שאותו מדרש פליג אההיא דפסחים ומיהו יש להעמיד ההיא דהתם במזלות של גלגל אבל שאר כוכבים קטנים הם ולי נראה דיש ליישב כל אותן מדרשים שהם תלוין בכיפת הרקיע והוא גדול הרבה מן הארץ אם היה נמתח עליה זו כזו לפי גבול הארץ בא ורואה אבל מתוח על הארץ כמין כיפה גבוה באמצע שתופס כפלי כפלים אם היה נמתח בקו הארץ אך היה קשה מדכתיב גבי סיסרא (שופטים ה) מן שמים נלחמו הכוכבים ממסלותם ומוכח מינה בנימוקי רש"י וכן איתא במדרש שאורך הכוכב מהלך ת"ק שנה כמן השמים ועד הארץ שהיה ראש אחד תחוב ברקיע והשני היה בארץ והיכי היה יוצא באויר העולם כיון דכולו תחת כוכב אחד הוא עומד וצ"ל שהם חולקין יחד אם לא נחלוק בין מזלות הגלגל לשאר מזלות [י]:

אידי ואידי חד שיעורא הוא. ופליג אמאן דדריש בתמיד (דף לב.) למזרח ומערב רחוק טפי דאי לא תימא הכי [כ] אדם היכי הוה קם כיון דכתיב מקצה השמים ועד קצה השמים וי"ל שסובר שהיה בגן עדן עד שנתמעט: **ישת** חשך סתרו. מדכתיב סביבותיו סוכתו קדים: ולא

גמרא

השתא דנפקא ליה מלמקצה השמים ועד קצה השמים למן היום אשר ברא אלהים אדם על הארץ למה לי (א) כדר' אלעזר דאמר רבי אלעזר אדם הראשון מן הארץ עד לרקיע שנאמר למן היום אשר ברא אלהים אדם על הארץ וכיון שסרח הניח הקב"ה ידו עליו ומיעטו שנאמר א) אחור וקדם צרתני ותשת עלי כפכה אמר רב יהודה אמר רב ב) אדם הראשון מסוף העולם ועד סופו היה שנאמר למן היום אשר ברא אלהים אדם על הארץ ולמקצה השמים ועד קצה השמים כיון שסרח הניח הקב"ה ידו עליו ג) ומיעטו שנאמר ותשת עלי כפכה אי הכי קשו קראי אהדדי אידי ואידי חד שיעורא הוא ואמר רב יהודה אמר רב עשרה דברים נבראו ביום ראשון ואלו הן שמים וארץ תהו ובהו אור וחשך רוח ומים מדת יום ומדת לילה שמים וארץ דכתיב ב) בראשית ברא אלהים את השמים ואת הארץ תהו ובהו דכתיב ג) והארץ היתה תהו ובהו אור וחשך חשך דכתיב ג) וחשך על פני תהום אור דכתיב ד) ויאמר אלהים יהי אור רוח ומים דכתיב ג) ורוח אלהים מרחפת על פני המים מדת יום ומדת לילה דכתיב ה) ויהי ערב ויהי בקר יום אחד תנא תהו קו ירוק שמקיף את כל העולם כולו שממנו יצא חשך (ג) שנאמר ו) ישת חשך סתרו סביבותיו בהו אלו אבנים המפולמות המשוקעות בתהום שמהן יוצאין מים שנאמר ז) ונטה עליה קו תהו ואבני בהו ואור ביום ראשון איברי והכתיב ח) ויתן אותם אלהים ברקיע השמים וכתיב ט) ויהי ערב ויהי בקר יום רביעי (ג) כדר' אלעזר דא"ר אלעזר אור שברא הקב"ה ביום ראשון אדם צופה בו מסוף העולם ועד סופו כיון שנסתכל הקב"ה בדור המבול ובדור הפלגה וראה שמעשיהם מקולקלים עמד וגנזו מהן שנאמר י) וימנע מרשעים אורם ולמי גנזו לצדיקים לעתיד לבא שנאמר יא) וירא אלהים את האור כי טוב ואין טוב אלא צדיק שנאמר יב) אמרו צדיק כי טוב כיון שראה אור שגנזו לצדיקים (ד) שמח שנאמר יג) אור צדיקים ישמח כתנאי אור שברא הקב"ה ביום ראשון אדם צופה ומביט בו מסוף העולם ועד סופו דברי רבי יעקב וחכ"א הן הן מאורות שנבראו ביום ראשון ולא נתלו עד יום רביעי אמר רב זוטרא בר טוביא אמר רב בעשרה דברים נברא העולם בחכמה ובתבונה ובדעת ובכח ובגערה ובגבורה בצדק ובמשפט בחסד וברחמים בחכמה ובתבונה דכתיב יד) ה' בחכמה יסד ארץ כונן שמים בתבונה בדעת דכתיב טו) בדעתו תהומות נבקעו בכח וגבורה דכתיב טז) מכין הרים בכחו נאזר בגבורה בגערה דכתיב יז) עמודי שמים ירופפו ויתמהו מגערתו בצדק ומשפט דכתיב יח) צדק ומשפט מכון כסאך בחסד ורחמים דכתיב יט) זכר רחמיך ה' וחסדיך כי מעולם המה ואמר רב יהודה אמר רב בשעה שברא הקב"ה את העולם היה מרחיב והולך כשתי פקעיות של שתי עד שגער בו הקב"ה והעמידו שנאמר יז) עמודי שמים ירופפו ויתמהו מגערתו והיינו דאמר ר"ל מאי דכתיב כ) אני אל שדי אני הוא שאמרתי לעולם די (ה) אמר ר"ל בשעה שברא הקב"ה את הים היה מרחיב והולך עד שגער בו הקב"ה ויבשו שנאמר כא) גוער בים ויבשהו וכל הנהרות החריב ת"ר ב"ש אומרים שמים נבראו תחלה ואח"כ נבראת הארץ שנאמר ב) בראשית ברא אלהים את השמים ואת הארץ וב"ה אומרים ארץ נבראת תחלה ואח"כ שמים שנאמר כב) ביום עשות ה' אלהים ארץ ושמים אמר להם ב"ה לב"ש לדבריכם אדם בונה עלייה ואח"כ בונה בית שנאמר כג) הבונה בשמים מעלותיו ואגודתו על ארץ יסדה אמר להם ב"ש לב"ה לדבריכם אדם עושה שרפרף ואח"כ עושה כסא שנאמר כד) כה אמר ה' השמים כסאי והארץ הדום רגלי וחכ"א זה וזה כאחת נבראו שנאמר כה) אף ידי יסדה ארץ וימיני טפחה שמים קורא אני אליהם יעמדו יחדו ואידך מאי יחדו דלא משתלפי מהדדי (ו) קשו קראי אהדדי אמר ר"ל כשנבראו ברא שמים ואח"כ ברא הארץ וכשנטה נטה הארץ ואחר כך נטה שמים מאי שמים א"ר יוסי בר חנינא ששם מים במתניתא תנא אש ומים מלמד שהביאן הקב"ה וטרפן זה בזה ועשה מהן רקיע שאל רבי ישמעאל את ר"ע כשהיו מהלכין בדרך א"ל אתה ששימשת את נחום איש גם זו כ"ב שנה שהיה דורש כל אתין שבתורה מה היה דורש בהן א"ל אילו נאמר בראשית ברא אלהים שמים וארץ הייתי אומר שמים (ז) שמו של הקב"ה עכשיו שנאמר את השמים ואת הארץ שמים ממש ארץ ארץ ממש

רבינו חננאל

ת"ל ולמקצה השמים ועד קצה השמים. שיעור מן קצה השמים ועד קצה שמים כשיעור מן הארץ עד לשמים ותרווייהו חדא שיעורא הוא. אמר רב יהודה (ג) [י] דברים נבראו ביום ראשון. תוהו ובוהו. שמים וארץ. אור וחשך. רוח ומים. מדת יום ומדת לילה כו'. תנא תוהו זה קו ירוק שמקיף כל העולם שממנו חושך יוצא. בהו אלו אבנים המפולמות המשוקעות בתהום שמהם מים יוצא שנאמר ונטה עליה קו תוהו ואבני בוהו. וזה האור שנברא ביום ראשון היה בו זיהור שצופין בו ומביטין באורו מסוף העולם ועד סופו. וכיון שנסתכל ברשעים גנזו לצדיקים לעתיד לבא שנא' וימנע מרשעים אורם וכיון שנגנז שמח שנאמר אור צדיקים ישמח. ויש תנא חולק על זה ואומר זה האור נתלה ביום רביעי שנאמר יהי מאורות ברקיע השמים. ופי' יהי אותו האור שנברא ביום ראשון למאורות והן ב' המאורות. אמר רב בעשרה דברים נברא העולם. בחכמה. בתבונה. בדעת. בכח. בגבורה. בגערה. בצדק. במשפט. בחסד. ברחמים. וכולהו מקראי. בחכמה ובתבונה שנאמר ה' בחכמה יסד ארץ כונן שמים בתבונה. בדעת כו'. זה שאמר [ר"י אמר רב] דבשעה שברא הקב"ה [את] העולם. עת שנברא היה מרחיב והולך כשתי פקעיות של שתי עד שגער בו הקב"ה והעמידו שנאמר עמודי שמים ירופפו ויתמהו מגערתו. ר"ל אמר אני אל שדי אני שאמרתי לעולם די. כיוצא בו בים גוער בים ויבשהו אלו כולן מדרשות הן ואין מדקדקין עליהן להשוותן למה שהדעת מתקבלת מהן וכן חלוקת ב"ש וב"ה אלו אומרים שמים נבראו תחלה. ואלו אומרים ארץ נבראת תחלה. וכל אחד מביא ראיה לדבריו. וחכמים אומרים שניהם נבראו כאחד אף ידי יסדה ארץ וימיני טפחה שמים קורא אני עליהם יעמדו יחדו. קשו קראי אהדדי. ופריק ר"ל כשנבראו ברא שמים ואח"כ הארץ כב"ש [וקשיא דהא דכתיב נוטה שמים על תוהו ותולה ארץ על בלימה הרי תחלה נטה שמים ואח"כ ארץ] כשנטה אותן נטה ארץ ואח"כ שמים כב"ה. וזהו שאמרו חכמים שניהן כאחת עמדו. (טרף) [מאי שמים שטרף] הקב"ה אש ומים ועשה מהן רקיע לפיכך נקראו שמים. אבל דברי נחום איש גם זו פירוש הוא שפירש. אמר אלו נאמר בראשית ברא אלהים שמים (א) ואינן שמים דבר ידוע הייתי אומר שמים שם הן וכיון שנאמר את השמים שנתברר לנו כי על השמים הידועים לנו הכתוב מדבר. וכיון שכתב את בשמים כתב נמי את בארץ. כי האת שכתב בארץ

חשק שלמה על ר"ח

(א) אולי צ"ל שמים היינו לומר שמים שם הן ואינן שמים דבר הידוע וכיון שנאמר וכו'.

תורה אור השלם

א) אָחוֹר וָקֶדֶם צַרְתָּנִי וַתָּשֶׁת עָלַי כַּפֶּכָה: [תהלים קלט, ה] ב) בְּרֵאשִׁית בָּרָא אֱלֹהִים אֵת הַשָּׁמַיִם וְאֵת הָאָרֶץ: [בראשית א, א] ג) וְהָאָרֶץ הָיְתָה תֹהוּ וָבֹהוּ וְחֹשֶׁךְ עַל פְּנֵי תְהוֹם וְרוּחַ אֱלֹהִים מְרַחֶפֶת עַל פְּנֵי הַמָּיִם: [בראשית א, ב] ד) וַיֹּאמֶר אֱלֹהִים יְהִי אוֹר וַיְהִי אוֹר: [בראשית א, ג] ה) וַיִּקְרָא אֱלֹהִים לָאוֹר יוֹם וְלַחֹשֶׁךְ קָרָא לָיְלָה וַיְהִי עֶרֶב וַיְהִי בֹקֶר יוֹם אֶחָד: [בראשית א, ה] ו) יָשֶׁת חֹשֶׁךְ סִתְרוֹ סְבִיבוֹתָיו סֻכָּתוֹ חֶשְׁכַת מַיִם עָבֵי שְׁחָקִים: [תהלים יח, יב] ז) וִירֵשׁוּהָ קָאַת וְקִפּוֹד וְיַנְשׁוֹף וְעֹרֵב יִשְׁכְּנוּ בָהּ וְנָטָה עָלֶיהָ קַו תֹהוּ וְאַבְנֵי בֹהוּ: [ישעיה לד, יא] ח) וַיִּתֵּן אֹתָם אֱלֹהִים בִּרְקִיעַ הַשָּׁמָיִם לְהָאִיר עַל הָאָרֶץ: [בראשית א, יז] ט) וַיְהִי עֶרֶב וַיְהִי בֹקֶר יוֹם רְבִיעִי: [בראשית א, יט] י) וְיִמָּנַע מֵרְשָׁעִים אוֹרָם וּזְרוֹעַ רָמָה תִּשָּׁבֵר: [איוב לח, טו] יא) וַיַּרְא אֱלֹהִים אֶת הָאוֹר כִּי טוֹב וַיַּבְדֵּל אֱלֹהִים בֵּין הָאוֹר וּבֵין הַחֹשֶׁךְ: [בראשית א, ד] יב) אִמְרוּ צַדִּיק כִּי טוֹב כִּי פְרִי מַעַלְלֵיהֶם יֹאכֵלוּ: [ישעיה ג, י] יג) אוֹר צַדִּיקִים יִשְׂמָח וְנֵר רְשָׁעִים יִדְעָךְ: [משלי יג, ט] יד) יְיָ בְּחָכְמָה יָסַד אֶרֶץ כּוֹנֵן שָׁמַיִם בִּתְבוּנָה: [משלי ג, יט] טו) בְּדַעְתּוֹ תְּהוֹמוֹת נִבְקָעוּ וּשְׁחָקִים יִרְעֲפוּ טָל: [משלי ג, כ] טז) מֵכִין הָרִים בְּכֹחוֹ נֶאְזָר בִּגְבוּרָה: [תהלים סה, ז] יז) עַמּוּדֵי שָׁמַיִם יְרוֹפָפוּ וְיִתְמְהוּ מִגַּעֲרָתוֹ: [איוב כו, יא] יח) צֶדֶק וּמִשְׁפָּט מְכוֹן כִּסְאֶךָ חֶסֶד וֶאֱמֶת יְקַדְּמוּ פָנֶיךָ: [תהלים פט, טו] יט) זְכֹר רַחֲמֶיךָ יְיָ וַחֲסָדֶיךָ כִּי מֵעוֹלָם הֵמָּה: [תהלים כה, ו] כ) וַיֹּאמֶר לוֹ אֱלֹהִים אֲנִי אֵל שַׁדַּי פְּרֵה וּרְבֵה גּוֹי וּקְהַל גּוֹיִם יִהְיֶה מִמֶּךָּ וּמְלָכִים מֵחֲלָצֶיךָ יֵצֵאוּ: [בראשית לה, יא] כא) גּוֹעֵר בַּיָּם וַיַּבְּשֵׁהוּ וְכָל הַנְּהָרוֹת הֶחֱרִיב אֻמְלַל בָּשָׁן וְכַרְמֶל וּפֶרַח לְבָנוֹן אֻמְלָל: [נחום א, ד] כב) אֵלֶּה תוֹלְדוֹת הַשָּׁמַיִם וְהָאָרֶץ בְּהִבָּרְאָם בְּיוֹם עֲשׂוֹת יְיָ אֱלֹהִים אֶרֶץ וְשָׁמָיִם: [בראשית ב, ד] כג) הַבּוֹנֶה בַשָּׁמַיִם מַעֲלוֹתָו וַאֲגֻדָּתוֹ עַל אֶרֶץ יְסָדָהּ הַקֹּרֵא לְמֵי הַיָּם וַיִּשְׁפְּכֵם עַל פְּנֵי הָאָרֶץ יְיָ שְׁמוֹ: [עמוס ט, ו] כד) כֹּה אָמַר יְיָ הַשָּׁמַיִם כִּסְאִי וְהָאָרֶץ הֲדֹם רַגְלָי אֵי זֶה בַיִת אֲשֶׁר תִּבְנוּ לִי וְאֵי זֶה מָקוֹם מְנוּחָתִי: [ישעיה סו, א] כה) אַף יָדִי יָסְדָה אֶרֶץ וִימִינִי טִפְּחָה שָׁמָיִם קֹרֵא אֲנִי אֲלֵיהֶם יַעַמְדוּ יַחְדָּו: [ישעיה מח, יג]

[illegible]

The Gemara asks:

וְאִידָךְ מַאי ,,יַחְדָּו" – **And** according to **the other** views (Beis Shammai and Beis Hillel) **what does** this verse **mean** when it says that earth and heaven *stand **together***?

The Gemara answers:

דְּלָא מִשְׁתַּלְּפֵי מֵהֲדָדֵי – It means **that they will not slip away from each other,** i.e. they are integrated.[54]

The Gemara asks further:

קָשׁוּ קְרָאֵי אַהֲדָדֵי – **The verses** cited by Beis Shammai and Beis Hillel **contradict each other.** One implies that the earth was created first and the other implies that the heavens were created first. – ? –

The Gemara answers:

אָמַר רֵישׁ לָקִישׁ – **Reish Lakish said:** כְּשֶׁנִּבְרְאוּ בָּרָא שָׁמַיִם וְאַחַר כַּךְ בָּרָא הָאָרֶץ – **When they were created, [God] created the heavens and afterwards created the earth,** וּכְשֶׁנָּטָה נָטָה הָאָרֶץ וְאַחַר כַּךְ נָטָה שָׁמַיִם – **however, when [God] set** them in place, **He** first **set the earth and afterwards set the heavens.**[55]

The Gemara inquires:

מַאי שָׁמַיִם – **What is "Heaven"** (*shamayim*)?

The Gemara answers:

אָמַר רַבִּי יוֹסֵי בַּר חֲנִינָא – **R' Yose bar Chanina said:** שֶׁשָּׁם מַיִם – A place **where there is water** (*shesham mayim*).[56]

Another answer:

בְּמַתְנִיתָא תָּנָא – **In a Baraisa it was taught:** אֵשׁ וּמַיִם – *Shamayim* means FIRE AND WATER (*eish u'mayim*). מְלַמֵּד שֶׁהֱבִיאָן הַקָּדוֹשׁ בָּרוּךְ הוּא – THIS TEACHES us THAT THE HOLY ONE, BLESSED IS HE, BROUGHT THEM, וּטְרָפָן זֶה בָּזֶה – MIXED THEM TOGETHER, וְעָשָׂה מֵהֶן רָקִיעַ – AND FASHIONED FROM THEM THE heavenly FIRMAMENT.

The Gemara records a dialogue in which the first verse of the Torah is expounded:

שָׁאַל רַבִּי יִשְׁמָעֵאל אֶת רַבִּי עֲקִיבָא – **R' Yishmael inquired** the following **of R' Akiva** כְּשֶׁהָיוּ מְהַלְּכִין בַּדֶּרֶךְ – **as they were walking along the road:** אָמַר לֵיהּ – **[R' Yishmael] said to him:** אַתָּה שֶׁשִּׁימַּשְׁתָּ אֶת נַחוּם אִישׁ גַּם זוּ עֶשְׂרִים וּשְׁתַּיִם שָׁנָה – **You,** R' Akiva, **who studied for twenty-two years under Nachum Ish Gam Zu,**[57] שֶׁהָיָה דּוֹרֵשׁ כָּל אֶתִין שֶׁבַּתּוֹרָה – **who would expound every** occurrence of the word **ess** (אֶת) **written in the Torah** (i.e. he taught what each *ess* came to include),[58] ,,אֶת הַשָּׁמַיִם וְאֵת הָאָרֶץ" מָה הָיָה דּוֹרֵשׁ בָּהֶן – tell me: **What did [Nachum Ish Gam Zu] expound for [the occurrences of *ess*]** in the verse: *In the beginning of [everything], God created **the heavens and the earth*** (*ess hashamayim v'ess ha'aretz*)? אָמַר לֵיהּ – **[R' Akiva] said to [R' Yishmael]:** אִילוּ נֶאֱמַר שָׁמַיִם וָאָרֶץ – **If it would have said *heaven and earth*** without the two mentions of *ess,* הָיִיתִי אוֹמֵר – **I would have said** that the verse should be read as if שָׁמַיִם שְׁמוֹ שֶׁל הַקָּדוֹשׁ בָּרוּךְ הוּא – **"Heaven" is a name of the Holy One, Blessed is He,** i.e. *In the beginning of [everything] God-Heaven created* etc.[59] עַכְשָׁיו שֶׁנֶּאֱמַר – **But now that it says** ,,אֶת הַשָּׁמַיִם וְאֵת הָאָרֶץ" – ***"ess" the heavens and "ess" the earth,*** ,,שָׁמַיִם" שָׁמַיִם מַמָּשׁ ,,אֶרֶץ" אֶרֶץ מַמָּשׁ – **"heavens" means the actual heavens** and **"earth" means the actual earth.**[60]

NOTES

of thread, i.e. at the same time (*Rashi*).

54. It is impossible to have Heaven without the earth or the earth without Heaven (*Rabbeinu Bachya* to *Leviticus* 1:1).

Radak cites his father's view that when God created the heavens and earth from nothingness they were initially bound together. However, it is the heavens' nature to go higher and higher and the earth's nature to go lower and lower, so they parted from each other. At some point, God called to them and stopped them where they were, so that they should not continue in opposite directions indefinitely (*Commentary* to *Isaiah* 48:13).

55. There is a question whether Reish Lakish intends to reconcile the verses only according to Beis Shammai, who indeed maintain that the heavens were created first, or whether Reish Lakish represents a third position (see discussion in *Maharsha* and *Rosh Mashbir*).

If Reish Lakish means to resolve the contradiction only according to Beis Shammai, how would Beis Hillel (who hold the earth was created first) resolve it? *Maharsha* cites the *Yerushalmi* (*Chagigah* 2:1) that the verse, *In the beginning of [everything], God created the heavens and the earth,* is not really a challenge to Beis Hillel's view that the earth was created first: The following verse begins וְהָאָרֶץ הָיְתָה, *and the earth **was**,* implying that it already was in existence, prior to the heavens. (The reason the first verse mentions the heavens first is the same reason the heavens are usually mentioned first throughout Scripture: The heavens, more than the earth, prompt us to recognize God's involvement in this world and the greatness of His deeds.)

Alternatively, it is very possible that Beis Hillel does not view the phrase *In the beginning* to be a chronological description at all. Rather, they understand the verse as *Rashi* has explained in his commentary to the Torah (see above, note 14) that the verse is an introductory clause: *In the beginning of God's creating the heavens and the earth – when the earth was,* etc. In any case, Reish Lakish takes pains to resolve the verses only according to Beis Shammai since the resolution according to Beis Hillel is comparatively straightforward.

56. [Translation follows *Maharsha.*]

The Torah describes the completion of the heavens as follows (*Genesis* 1:6-8): *God said, "Let there be a firmament in the midst of the waters, and let it separate between water and water." So God made the firmament, and separated between the waters which were beneath the firmament and the waters which were above the firmament. And it was so. God called the firmament: "heavens." And there was evening and there was morning, a second day.* The Gemara's words, שֶׁשָּׁם מַיִם, *where there is water,* refers to the waters suspended *above* the firmament (*Maharsha*).

[Alternatively, the Gemara's text should be read: שֶׁשָּׂם מַיִם, *that He set water.*]

Rashi to *Genesis* 1:8 cites another explanation of the word: שָׂא מַיִם, *lift up the water. Ramban* ad loc. cites two more: שֶׁמַּיִם, *of water* (i.e. the heavens were formed from water), and שֵׁם מַיִם, *name of water* (i.e. the water was so transformed that it had to be renamed to accurately depict its new reality).

57. Nachum was from a place called Gimzo, not far from Lod (*Rabbeinu Chananel* to *Taanis* 21a, *Aruch* ע' גמזו, based on *II Chronicles* 28:18). However, he was popularly called Nachum Ish Gam Zu (literally: Nachum the man of this too) because so matter what befell him, he would respond, "*Gam zu letovah*" – *This too is for the best* (see *Taanis* ibid.). This exemplary trust in God displayed by Nachum was adopted by his disciple, R' Akiva, as well (see *Berachos* 60b-61a).

58. [The Hebrew word אֶת (or את) is usually untranslatable (see *Mishnah Berurah* 62:3).] Nachum Ish Gam Zu was among those who held that the word אֶת must always be expounded (see also *Bava Kamma* 41b).

R' Akiva was the disciple of Nachum Ish Gam Zu and R' Yishmael was the disciple of R' Nechunyah ben HaKanah. The two masters had distinct approaches in their exegeses of the Torah and the disciples followed in their footsteps (*Shevuos* 26a).

59. Similarly, "earth" would have been interpreted as a third name, thus rendering the verse, *In the beginning, God-heaven-earth created,* etc. (see *Rabbeinu Bachya* ad loc.; see Gemara below).

60. The word אֶת makes clear that the heavens and earth are the objects of the act of creation. They are created entities, not creators.

Ramban ad loc. states that the word אֶת is expounded here as cognate to the word אָתָא, *come,* and extends the meaning of a noun by referring to those things that *come* from it. Thus, the Midrash says that the word *ess* written concerning the heavens refers to the sun, moon, planets, and constellations, while the word *ess* written concerning the earth refers to trees, herbage, etc.

The two occurrences of *ess* thus transform the meaning of the verse from one extreme to the other. Instead of a three-faceted deity who created the basic heavens and earth, the Torah tells us that God in His absolute Unity created the heavens and the earth and all their myriad derivations.

והשתא דנפקא ליה מלמקצה השמים ועד קצה השמים למן היום אשר ברא אלהים אדם על הארץ למה לי (א) כדר' אלעזר דאמר רבי אלעזר אדם הראשון מן הארץ עד לרקיע שנאמר למן היום אשר ברא אלהים אדם על הארץ וכיון שסרח הניח הקב"ה ידיו עליו ומיעטו שנאמר א) אחור וקדם צרתני ותשת עלי כפכה אמר רב יהודה אמר רב א) אדם הראשון מסוף העולם ועד סופו היה שנאמר למן היום אשר ברא אלהים אדם על הארץ ולמקצה השמים ועד קצה השמים כיון שסרח הניח הקב"ה ידו עליו ג) ומיעטו שנאמר ותשת עלי כפכה אי הכי קשו קראי אהדדי אידי ואידי חד שיעורא הוא ואמר רב יהודה אמר רב עשרה דברים נבראו ביום ראשון ואלו הן שמים וארץ תהו ובהו אור וחשך רוח ומים מדת יום ומדת לילה שמים וארץ דכתיב ב) בראשית ברא אלהים את השמים ואת הארץ תהו ובהו דכתיב ג) והארץ היתה תהו ובהו אור וחשך חשך דכתיב ג) וחשך על פני תהום אור דכתיב ד) ויאמר אלהים יהי אור רוח ומים דכתיב ג) ורוח אלהים מרחפת על פני המים מדת יום ומדת לילה דכתיב ה) ויהי ערב ויהי בקר יום אחד תנא תהו קו ירוק שמקיף את כל העולם כולו שממנו יצא חשך (ג) שנאמר ו) ישת חשך סתרו סביבותיו בהו אלו אבנים המפולמות המשוקעות בתהום שמהן יוצאין מים שנאמר ז) ונטה עליה קו תהו ואבני בהו ואור ביום ראשון איברי והכתיב ח) ויתן אותם אלהים ברקיע השמים וכתיב ט) ויהי ערב ויהי בקר יום רביעי (ד) כדר' אלעזר דא"ר אלעזר אור שברא הקב"ה ביום ראשון אדם צופה בו מסוף העולם ועד סופו כיון שנסתכל הקב"ה בדור המבול ובדור הפלגה וראה שמעשיהם מקולקלים עמד וגנזו מהן שנאמר י) וימנע מרשעים אורם ולמי גנזו לצדיקים לעתיד לבא שנאמר יא) וירא אלהים את האור כי טוב ואין טוב אלא צדיק שנאמר יב) אמרו צדיק כי טוב כיון שראה אור שגנזו לצדיקים (ד) שמח שנאמר יג) אור צדיקים ישמח כתנאי אור שברא הקב"ה ביום ראשון אדם צופה ומביט בו מסוף העולם ועד סופו דברי רבי יעקב וחכ"א הן הן מאורות שנבראו ביום ראשון ולא נתלו עד יום רביעי אמר רב זוטרא בר טוביא אמר רב בעשרה דברים נברא העולם בחכמה ובתבונה ובדעת ובכח ובגערה ובגבורה בצדק ובמשפט בחסד וברחמים בחכמה ובתבונה דכתיב יד) ה' בחכמה יסד ארץ כונן שמים בתבונה בדעת דכתיב טו) בדעתו תהומות נבקעו בכח וגבורה דכתיב טז) מכין הרים בכחו נאזר בגבורה בגערה דכתיב יז) עמודי שמים ירופפו ויתמהו מגערתו בצדק ומשפט דכתיב יח) צדק ומשפט מכון כסאך בחסד ורחמים דכתיב יט) זכר רחמיך ה' וחסדיך כי מעולם המה ואמר רב יהודה אמר רב בשעה שברא הקב"ה את העולם היה מרחיב והולך כשתי פקעיות של שתי עד שגער בו הקב"ה והעמידו שנאמר יז) עמודי שמים ירופפו ויתמהו מגערתו והיינו דאמר ר"ל מאי דכתיב כ) אני אל שדי אני הוא שאמרתי לעולם די (ה) אמר ר"ל בשעה שברא הקב"ה את הים היה מרחיב והולך עד שגער בו הקב"ה ויבשו שנאמר כא) גוער בים ויבשהו וכל הנהרות החריב ת"ר ז) ב"ש אומרים שמים נבראו תחלה ואח"כ נבראת הארץ שנאמר ב) בראשית ברא אלהים את השמים ואת הארץ וב"ה אומרים ארץ נבראת תחלה ואח"כ שמים שנאמר כב) ביום עשות ה' אלהים ארץ ושמים אמר להם ב"ה לב"ש לדבריכם אדם בונה עלייה ואח"כ בונה בית שנאמר כג) הבונה בשמים מעלותיו ואגודתו על ארץ יסדה אמר להם ב"ש לב"ה לדבריכם אדם עושה שרפרף ואח"כ עושה כסא שנאמר כד) כה אמר ה' השמים כסאי והארץ הדום רגלי וחכ"א זה וזה כאחת נבראו שנאמר כה) אף ידי יסדה ארץ וימיני טפחה שמים קורא אני אליהם יעמדו יחדו ואידך מאי יחדו דלא משתלפי מהדדי (ו) קשו קראי אהדדי אמר ר"ל כשנבראו ברא שמים ואח"כ ברא הארץ וכשנטה נטה הארץ ואחר כך נטה שמים מאי שמים א"ר יוסי בר חנינא ששם מים במתניתא תנא אש ומים מלמד שהביאן הקב"ה וטרפן זה בזה ועשה מהן רקיע שאל רבי ישמעאל את ר"ע כשהיו מהלכין בדרך א"ל אתה ששימשת את נחום איש גם זו כ"ב שנה ח) שהיה דורש כל אתין שבתורה את השמים ואת הארץ מה היה דורש בהן א"ל אילו נאמר שמים וארץ הייתי אומר שמים (ז) שמו של הקב"ה עכשיו שנאמר את השמים ואת הארץ שמים שמים ממש ארץ ארץ ממש

רש"י

והשתא דנפקא לן מן ולמקצה השמים. לאסור לשאול מה שיש חוץ למחילות ממילא נפקא לן דאסור לשאול בקודם שנברא דהיא היא מה שהיה קודם לברייתו הוא עכשיו חוץ למחילתו הלכך למן היום אשר ברא אדם למה לי למעוטי מיניה קודם שנברא העולם: על הארץ ולמקצה השמים. על הארץ היה ומגיע לשמים: אחור וקדם צרתני. שתי פעמים יצרתני תחלה גבוה ולבסוף שפל: מסוף העולם ועד סופו. כשהיה שוכב היה ראשו למזרח ורגליו למערב: תהו ובהו. לקמן מפרש להו: מדת יום ומדת לילה. כ"ד שעות בין שניהם: ישת חשך סביבותיו. למדת שקו החשך מקיף את השמים: מפולמות. לשון ליחלוח: קו תהו ואבני בהו. למדת שהתהו קו והבהו אבנים: חכמה. יודע מה שלמד: תבונה. שהוא מבין דבר חדש מפלפול חכמתו: דעת. ישוב: כח. הוא כח הזרוע: גבורה. גבורת הלב: גערה. נזיפה כדאמרינן לקמן שגער בו ועמד: פקעיות. לומישי"ל בלע"ז: שנאמר הבונה בשמים מעלותיו. אלמא עלייה מיקרו: שרפרף. לרגליו וכסא לישב על כרחך הכסא עשוי תחלה ולפי גובה הכסא הוא מתקן השרפרף: אף ידי יסדה ארץ וגו'. מסיפיה דקרא יליף דכתיב יעמדו יחדו כשבראן ועשאן פקעיות כמו שאמרנו למעלה: וטרפן. עירבן: להקדיס

תוספות

מסוף העולם ועד סופו. מהלך ת"ק שנה (לקמן יג.) שנאמר שדי שאמר די שלא להרחיב יותר שנאמר אני אל שדי פרה ורבה אני שאמרתי די לעולם ותימה מנא לך הא שיש ת"ק שנה ולא יותר ולא פחות וי"ל דנפקא לן מן שדי בשדי יש ג' אותיות שי"ן דל"ת יו"ד קם י"ג ל"ת ו"ד הנעלם מן שדי ויעלה ת"ק כך שמעתי מר' מנחם ברבי עזריאל וצ"ע למ"ד פרק מי שהיה טמא (פסחים צד. ושם) כל העולם כולו תחת כוכב אחד עומד היכי קיימי כל הני כוכבים הנראין ברקיע וי"מ שעל ים אוקיינוס הן עומדין כדאמרינן בפרקי דר"א כל השיעורים לא נאמרו רק על שאר ימים אבל ים אוקיינוס בוראו יודע מדתו אך במדרש אחר מצינו שליש (ח) ימים שאמר הוי בים אוקיינוס וכן יסד ה"ר בנימין ביוצר שלו זה הים שליש עולמו ט) במאה וששים וששה ועוד סיימו וצריך למימר שאותו מדרש פליג אההיא דפסחים ומיהו יש להעמיד ההיא דהתם במזלות של גלגל אבל שאר כוכבים קטנים הם ולי נראה דיש לייסב כל אותן מדרשים שהם תלוין בכיפת הרקיע והוא גדול הרבה מן הארץ אם היה נמתח עליה זו כזו לפי גבול הארץ בא ורואה אבל מתוח על הארץ כמין כיפה גבוה באמצע שתופס כפלי כפלים אם היה נמתח בקו הארץ אך היה קשה מדכתיב גבי סיסרא (שופטים ה) מן שמים נלחמו הכוכבים ממסלותם ומוכח מינה בנימוקי רש"י וכן איתא במדרש שאורך הכוכב מהלך ת"ק שנה כמן השמים ועד הארץ שהיה ראשו אחד תחוב ברקיע והשני היה בארץ והיכי היה יוצא באויר העולם כיון דכולו תחת כוכב אחד הוא עומד וצ"ל שהם חולקין יחד אם לא נחלוק בין מזלות הגלגל לשאר מזלות י):

אידי ואידי חד שיעורא הוא. ופליג אמאן דדריש בתמיד (דף לב:) למזרח ומערב רחוק טפי דאי לא תימא הכי ט) אדם היכי הוה קם כיון דכתיב מקצה השמים ועד קצה השמים וי"ל שסובר שהיה בגן עדן עד שנתמעט: ישת חשך סתרו. מדכתיב סביבותיו סוכתו קדרים: ולא

רבינו חננאל

ת"ל ולמקצה השמים ועד קצה השמים. שיעור מן קצה השמים ועד קצה שמים כשיעור מן הארץ עד לשמים ותרווייהו חדא שיעורא הוא. אמר רב יהודה (ג) [י'] דברים נבראו ביום ראשון. תהו ובוהו. שמים וארץ. אור וחשך. רוח ומים. מדת יום ומדת לילה כו'. תנא תהו זה קו ירוק שמקיף כל העולם שממנו חושך יוצא. בהו אלו אבנים מפולמות המשוקעות בתהום שמהם מים יוצא שנאמר ונטה עליה קו תוהו ואבני בוהו. וזה האור שנברא ביום ראשון היה בו זיהור שצופין בו ומביטין באורו מסוף העולם ועד סופו. וכיון שנסתכל ברשעים גנזו לצדיקים לעתיד לבא שנא' וימנע מרשעים אורם וכיון שנגנז שמח שנאמר אור צדיקים ישמח. ויש האומר חולק על זה ואומר זה האור נתלה ביום רביעי שנאמר יהי מאורות ברקיע השמים. ופי' יהי אותו האור שנברא ביום ראשון למאורות והן ב' המאורות. אמר רב בעשרה דברים נברא העולם. בחכמה. בתבונה. בדעת. בכח. בגבורה. בגערה. בצדק. במשפט. בחסד. ברחמים. וכולהו מקראי. בחכמה ובתבונה שנאמר ה' בחכמה יסד ארץ כונן שמים בתבונה. בדעת כו'. זה שאמר [ר"י] אמר רב דבשעה שברא הקב"ה [את] העולם. עת שנברא היה מרחיב והולך כשתי פקעיות של שתי כו' עד שגער בו הקב"ה והעמידו שנאמר עמודי שמים ירופפו ויתמהו מגערתו. ר"ל אמר אני אל שדי אני שאמרתי לעולם די. כיוצא בו בים שנאמר גוער בים ויבשהו כו'. אלו כולן מדרשות הן ואין מדקדקין עליהן להשוותן למה שהדעת מתקבלת מהן וכן חלוקת ב"ש וב"ה אלו אומרים שמים נבראו תחלה. ואלו אומרים ארץ נבראת תחלה. וכל אחד מביא ראיה לדבריו. וחכמים אומרים שניהם נבראו כאחד אף ידי יסדה ארץ וימיני טפחה שמים קורא אני אליהם יעמדו יחדו. קשו קראי אהדדי. ופריק ר"ל כשבראן ברא שמים ואח"כ ארץ כו'. [וקשיא דהא כתיב נוטה שמים על תוהו ותולה ארץ על בלימה הרי תחלה נטה שמים ואח"כ ארץ] כשנטה אותן נטה ארץ ואח"כ שמים כבר"ה. וזהו שאמרו חכמים שניהן כאחת עמדו. (טרף) [מאי שמים שטרף] הקב"ה אש ומים ועשה מהן רקיע לפיכך נקראו שמים. אבל דברי נחום איש גם זו פירוש הוא שפירש. אמר אלו נאמר בראשית ברא אלהים שמים א) ואינן שמים דבר ידוע הייתי אומר שמים שם הן וכיון שנאמר את השמים שם נתברר לנו כי על השמים הידועים לנו הכתוב מדבר. וכיון שכתב את בשמים כתב נמי את בארץ. כי הוא שכתב בארץ

חשק שלמה על ר"ח

א) אולי צ"ל שמים שאינם דבר הידוע לנו וכיון שנאמר וכו'.

מסורת הש"ס

א) סנהדרין דף לח:, ב) [ילקוט איתא והעמידו על מאה אמה וזהו תכין מ"ש הרשב"ם ב"ב עה. ד"ה בשתי קומות וכו' ויותר מבואר ברש"י סנהדרין ק. ד"ה קוממיות ע"ש], ג) [יומא לח.], ד) [תמיד לב.], ה) [פסחים כב:], ו) כלומר שלש מת"ק שנה הכי הוי והן קצה ועד הוא שלש משפי שניס שימרים, ז) [ועי' תוס' פסחים לד. קיט: ד"ה מן], ח) עי' מהרש"א.

הגהות הב"ח

(א) גמ' על הארץ למה לי מיבעי ליה לכדרבי אלעזר וכו' מן הארץ ועד לרקיע היה שנאמר וכו' על הארץ ולמקצה השמים וכיון שסרח וכו' ומיעטו. נ"ב ס"א והעמידו על מאה אמה: (ב) שם יצא חשך לעולם שנאמר ישת: (ג) שם ויהי בקר יום רביעי אלא כדרבי אלעזר: (ד) שם שגנזו לצדיקים מיד שמח וכו' אדם צופה ורואה ומביט: (ה) שם שאמרתי לעולם די איכא דאמרי אמר ר"ל בשעה שברא הקב"ה את הים הגדול היה מרחיב: (ו) שם דלא משתלפי מהדדי מכל מקום קשו קראי: (ז) שם הייתי אומר שמים וארץ שמותן של הקב"ה: (ח) תוס' ד"ה מסוף וכו' מצינו ששליש עולם הוי מים אוקיינוס:

ליקוטי רש"י

[תחילת הפירוש נדפס בדף יא:] השמים כסאי. איני צריך לבית המקדש שלכם [ישעיה סו, א]. דורש כל אתין שבתורה. לרבות [פסחים כב:]. אתין וגמין ריבויין [ב"ק מא:]. כל אתין באין לרבות [בכורות ו:]. [מכאן שייך לע"ב] המרגיז ארץ. כהביטו אליה ותרעד [איוב ט, ו]. על הרים יעמדו. מי אוקיינוס גבוה מכל העולם עומד על ההרים וכן הוא אומר (עמוס ה, ט) הקורא למי הים וישפכם על פני הארץ אין שפיכה אלא מלמעלה למטה [תהלים קד, ו]. רוח סערה. העושה את דברו ושליחותו, ואמרו רבותינו שהדברים הללו היו תחילתם גנוזים בשמים ובא דוד והורידן לארץ לפי שהם מיני פורעניות ואין נאה להם להיות גנוזין במגוריו של הקב"ה [שם קמח, ח]. זרועות עולם. סיחון ועוג ומלכי כנען שהיו תקפו וגבורתו של עולם לפיכך על כרחם יתכלו רווחו וכחם אלא מפניו לעולם אימת הגבורה על הנמוך והוא שהכתם והגבורה שלו בעוזך [דברים לג, כז]. יצב גבולות עמים. קיימם ולא אבדם. למספר בני ישראל. בשביל מספר בני ישראל שעתידים לצאת מבני שם ולמספר שבעים נפש של בני ישראל שירדו למצרים הציב גבולות עמים שבעים לשון [שם לב, ח]. חצבה עמודיה שבעה. שבעת ימי בראשית. ד"א ז' ספרים שיש בתורה ויהי בנסוע הארון ספר לעצמו כמסכת שבת [משלי ט, א]. הן לה' אלהיך. הכל ואעפ"כ רק באבותיך חשק ה' מן הכל [דברים י, יד]. וילון. ואין נסתר ממממו, אילמלא ניתן ברקיע התחתון לא היה אדם נסתר מפניו מפני חמימותו שחמה ולבנה ברקיע השני כדאמרינן שבעה רקיעים הם וילון רקיע שחקים זבול מכון מעון ערבות ומונה להם כסדרן וילון אינו משמש כלום רקיע יש בו חמה ולבנה כוכבים ומזלות כו' [תהלים יט, ז]. מיכאל. שר הפנים [ישעיה סג, ט]. לשבתך עולמים. משנכנסה לא הוזרו הנמות ולא שרתה שכינה במקום אחר [מלכים א ח, יג]. יומם יצוה ה' חסדו. יגוה האור וילוה ה' חסדו לנו. ובלילה. כחשך הלרה. שירה עמי. תהא חנייתו בתוכנו שיר לשון תני' כדמתרגמי' ויתן ושרא זו למדני מתוך מסורת הגדולה שחבר את זה עם ויהי שירו חמש' ואלף (מ"א ה) באלפ"א בית"א של שתי תיבות המלוקים ופתרון למדו שאין זה לשון שיר ומדרש האגדה פותרו לשון שיר וכך הוא פותרו שכך ישראל אומרים להקב"ה זכרנו מה שעשית לנו במצרים מלוה אחת שלויתנו בוי' בערב פסח ושמרנוה ובלילה גאלתנו ושרנו לפניך את ההלל ועכשיו הרבה מלות אני שומרת ועל זאת אומרה לאל סלעי למה שכחתני וגו' [תהלים מב, ט]. יומם יצוה. דן חון ומלמד תורה. ובלילה שירה עמי. ובלילה נוהג שירו (למעלה) עמי למטה שאף דוד לא היה מנמנם אלא כשינת הסוס וכל הלילה מתעסק בשירות ותושבחות ובתורה כדאמרינן בריש מס' ברכות (דף ג:). חוט של חסד. טוען מינו בעיני הבריות. הפוסק מדברי תורה. מי שעוסק בתורה ופוסק על דברי שיחה בטלה [ע"ז ג:]. הקוטפים מלוח עלי שיח. בהיותם במדברות היו קוטפים להם מלוחים על אילנות היערים ואוכלי'. מלוח שם עשב הוא ובלשון ארמי נקרא קקו"לין ובלשון משנה מלוחים מלו"ש בלע"ז כאותה ששנינו (קדושין סו.) העלו מלוחים על שלחנות של זהב [איוב ל, ד]. מלוח. דברים למלוחים ועיקר, ל"א הנכתב בלוחות [ע"ז שם]. שיח. אילן כמו אחד השיחים (בראשית כ) [איוב שם].

תורה אור השלם

א) אָחוֹר וָקֶדֶם צַרְתָּנִי וַתָּשֶׁת עָלַי כַּפֶּכָה: [תהלים קלט, ה] ב) בְּרֵאשִׁית בָּרָא אֱלֹהִים אֵת הַשָּׁמַיִם וְאֵת הָאָרֶץ: [בראשית א, א] ג) וְהָאָרֶץ הָיְתָה תֹהוּ וָבֹהוּ וְחֹשֶׁךְ עַל פְּנֵי תְהוֹם וְרוּחַ אֱלֹהִים מְרַחֶפֶת עַל פְּנֵי הַמָּיִם: [בראשית א, ב] ד) וַיֹּאמֶר אֱלֹהִים יְהִי אוֹר וַיְהִי אוֹר: [בראשית א, ג] ה) וַיִּקְרָא אֱלֹהִים לָאוֹר יוֹם וְלַחֹשֶׁךְ קָרָא לָיְלָה וַיְהִי עֶרֶב וַיְהִי בֹקֶר יוֹם אֶחָד: [בראשית א, ה] ו) יָשֶׁת חֹשֶׁךְ סִתְרוֹ סְבִיבוֹתָיו סֻכָּתוֹ חֶשְׁכַת מַיִם עָבֵי שְׁחָקִים: [תהלים יח, יב] ז) וִירֵשׁוּהָ קָאַת וְקִפּוֹד וְיַנְשׁוֹף וְעֹרֵב יִשְׁכְּנוּ בָהּ וְנָטָה עָלֶיהָ קַו תֹהוּ וְאַבְנֵי בֹהוּ: [ישעיה לד, יא] ח) וַיִּתֵּן אֹתָם אֱלֹהִים בִּרְקִיעַ הַשָּׁמָיִם לְהָאִיר עַל הָאָרֶץ: [בראשית א, יז] ט) וַיְהִי עֶרֶב וַיְהִי בֹקֶר יוֹם רְבִיעִי: [בראשית א, יט] י) וְיִמָּנַע מֵרְשָׁעִים אוֹרָם וּזְרוֹעַ רָמָה תִּשָּׁבֵר: [איוב לח, טו] יא) וַיַּרְא אֱלֹהִים אֶת הָאוֹר כִּי טוֹב וַיַּבְדֵּל אֱלֹהִים בֵּין הָאוֹר וּבֵין הַחֹשֶׁךְ: [בראשית א, ד] יב) אִמְרוּ צַדִּיק כִּי טוֹב כִּי פְרִי מַעַלְלֵיהֶם יֹאכֵלוּ: [ישעיה ג, י] יג) אוֹר צַדִּיקִים יִשְׂמָח וְנֵר רְשָׁעִים יִדְעָךְ: [משלי יג, ט] יד) יְיָ בְּחָכְמָה יָסַד אָרֶץ כּוֹנֵן שָׁמַיִם בִּתְבוּנָה: [משלי ג, יט] טו) בְּדַעְתּוֹ תְּהוֹמוֹת נִבְקָעוּ וּשְׁחָקִים יִרְעֲפוּ טָל: [משלי ג, כ] טז) מֵכִין הָרִים בְּכֹחוֹ נֶאְזָר בִּגְבוּרָה: [תהלים סה, ז] יז) עַמּוּדֵי שָׁמַיִם יְרוֹפָפוּ וְיִתְמְהוּ מִגַּעֲרָתוֹ: [איוב כו, יא] יח) צֶדֶק וּמִשְׁפָּט מְכוֹן כִּסְאֶךָ חֶסֶד וֶאֱמֶת יְקַדְּמוּ פָנֶיךָ: [תהלים פט, טו] יט) זְכֹר רַחֲמֶיךָ יְיָ וַחֲסָדֶיךָ כִּי מֵעוֹלָם הֵמָּה: [תהלים כה, ו] כ) וַיֹּאמֶר לוֹ אֱלֹהִים אֲנִי אֵל שַׁדַּי פְּרֵה וּרְבֵה גּוֹי וּקְהַל גּוֹיִם יִהְיֶה מִמֶּךָּ וּמְלָכִים מֵחֲלָצֶיךָ יֵצֵאוּ: [בראשית לה, יא] כא) גּוֹעֵר בַּיָּם וַיַּבְּשֵׁהוּ וְכָל הַנְּהָרוֹת הֶחֱרִיב אֻמְלַל בָּשָׁן וְכַרְמֶל וּפֶרַח לְבָנוֹן אֻמְלָל: [נחום א, ד] כב) אֵלֶּה תוֹלְדוֹת הַשָּׁמַיִם וְהָאָרֶץ בְּהִבָּרְאָם בְּיוֹם עֲשׂוֹת יְיָ אֱלֹהִים אֶרֶץ וְשָׁמָיִם: [בראשית ב, ד] כג) הַבּוֹנֶה בַשָּׁמַיִם מַעֲלוֹתָו וַאֲגֻדָּתוֹ עַל אֶרֶץ יְסָדָהּ הַקֹּרֵא לְמֵי הַיָּם וַיִּשְׁפְּכֵם עַל פְּנֵי הָאָרֶץ יְיָ שְׁמוֹ: [עמוס ט, ו] כד) כֹּה אָמַר יְיָ הַשָּׁמַיִם כִּסְאִי וְהָאָרֶץ הֲדֹם רַגְלָי אֵי זֶה בַיִת אֲשֶׁר תִּבְנוּ לִי וְאֵי זֶה מָקוֹם מְנוּחָתִי: [ישעיה סו, א] כה) אַף יָדִי יָסְדָה אֶרֶץ וִימִינִי טִפְּחָה שָׁמָיִם קֹרֵא אֲנִי אֲלֵיהֶם יַעַמְדוּ יַחְדָּו: [ישעיה מח, יג]

ו א מיי' פ"ג מהלכות יסודי התורה הלכה א:

רבינו חננאל

אינו צריך לגופו. משל דר' ישמעאל הודיע שהקדים שבחה של ארץ לשבח השמים אבל לא בבריאה. תניא ר' יוסי אומר אוי לבריות שרואות ואינן יודעות כלומר הארץ עומדת על העמודים ועמודי הארץ הן על המים. והמים הן על ההרים. וההרים ברוח. והרוח בסערה וכולה מדרש פסוקים וסערה תלויה בזרועו של הקב"ה שנא' ומתחת זרועות עולם. פי' הדבר שהוא בעולם מתחת הכל תלוי בזרוע של הקב"ה. כי הגבורה היא הזרוע כדכתיב לך זרוע עם גבורה. ר' אלעזר אומר על עמוד אחד עומד העולם וצדיק שמו שנאמר וצדיק יסוד עולם זה שאמר ר"ל ז' רקיעין הן. וילון. רקיע. שחקים. זבול. מעון. מכון. ערבות. וכל אחד ואחד פירש מה הן משמשין. אלו כולן קבלה הן הל"מ. וקראי אסמכתא בעלמא הן. ואינם מדרשות. שאינם דברים הנאמרים מן הדעת כלל. אלא דברי קבלה הן. והערבות שהוא רקיע שביעי יש בו צדקה ומשפט. גנזי חיים וגנזי שלום גנזי ברכה נשמת הצדיקי' ונשמות העתידות להבראות. וטל שעתיד הקב"ה להחיות בו את המתים. וכולהו קראי צדק ומשפט שנאמר צדק ומשפט מכון כסאך. גנזי חיים שנאמר כי עמך מקור חיים. גנזי שלום שנאמר ויקרא לו ה' שלום. גנזי ברכה שנא' ישא ברכה מאת ה'. נשמתן של צדיקים שנא' והיתה נפש אדוני צרורה בצרור החיים את ה' אלהיך. רוחות ונשמות העתידו' להבראו' שנא' כי רוח מלפני יעטוף ונשמות אני עשיתי. וטל שעתיד להחיות בו מתים שנאמר גשם נדבות תניף אלהים וגו'. ולמעלה אופנים ושרפים וחיות הקודש ומלאכי השרת וכסא הכבוד ומלך רם ונשא שוכן עליהם. שנאמר סולו לרוכב בערבות ביה שמו. וחושך וערפל מקיפין אותו מבחוץ שנאמר ישת חשך סתרו וגו' ומבפנים אור שנאמר ונהורא עמיה שריה.

תוספות

ואת הארץ להקדים שמים לארץ. דאי לאו ואת הייתי אומר שניהם נבראו יחד והכתוב כתבם זה אחר זה שאי אפשר לכתוב שני שמות כאחד כדפירש רש"י והא דאמרי ב"ה לעיל ארץ נבראת תחלה דכתיב ביום עשות ה' וגו' ולא כתיב ואת התם דריש ליה מדשני קרא בסידריה להסמיך ארץ לעשיה ומיהו בנימוקי חומש פי' רש"י את השמים לרבות תולדותיהן ומדרש אחר הוא ופליג אהא דהכא: **נכנס** שחרית. פרש"י נכנס בתיקו וממילא האור יוצא ונראה ויוצא ערבית ומכסה האורה ומחשיך העולם והיה קשה למורי א"כ היאך נראים כוכבים בשמים (ס) מינה בלילה כיון שהם קבועים בשני כדמסיק ומיהו שמא נראים מתוכו כמו ע"י העננים אך רוב פעמים שהעננים מחשיכים אותו ומכסין אותו ונראה למורי לפרש איפכא נכנס שחרית בעולם וממנה אורה יוצא ויוצאת ערבית מן העולם [ומסתלק אורה] ולכך הכוכבים נראין: **כל** העוסק בתורה. אכתי לא קיים למילתיה דז' רקיעים שהתחיל לפרש: **אוצרות** שלג. יש ממנו שמוכן לפורענות (ע) ויש לטובה כדאמרינן בתענית (דף ג:) טבא תלגא לטורי כחמשה מטרי לארעא וכן כתיב כי כאשר ירד הגשם והשלג וכו' כי אם הרוה את הארץ וגו' (ישעיה נה): **דוד** ביקש והורידן לארץ. הקשה הרב ר' אלחנן הא כתיב (ישעיה נה) כי כאשר ירד הגשם והשלג מן השמים ותירץ דלכון שמן העננים יורד כיורד מן השמים ועוד י"ל דלא הוריד רק המוכנים לפורענות אבל המרוים את הארץ נשארו למעלה: **לא** יגור במגורך רע. אין זה מקרא אלא לא יגורך והכי דריש ליה: (בגמ' שבת קמט: וסנהדרין קג. איתא ספיר ע"ש) בן

רש"י

להקדים שמים לארץ. דאי לא כתיב את הוה אמינא כאחת נבראו אלא שאי אפשר לקרות שני שמות כאחת להכי כתב את להקדים: למי שאין דרכו להשכים והשכים. הכא נמי (ט) דקרא לשמים תחלה ה"ל ארץ אין דרכו להשכים ועוד שכל מעשה ארץ מתונים ומעשה שמים במהירות וזו השכימה עמה שנבראו כאחת לכך התחיל לספר מעשיה תחלה: יוצר הרים ובורא רוח. מה ענין זה אצל זה אלא ללמדך שההרים עומדין על הרוח: רוח סערה עושה דברו. דבר הרוח סערה עשאתו: ומתחת. כל היצירה: זרועות עולם. הסובלות אותו: נכנס שחרית. לתוך תיקו והאור נראה: ויוצא ערבית. מתיקו ומתפשט למטה מן האור והרי העולם חשוך וזהו חידושו (י) למעשה בראשית בכל יום: כדוק. יריעה טייל"א בלע"ז אלמא יש שמים שאין משמשין אלא תשמיש יריעה פרוסה: מעון. לשון מדור מקום שמלאכים דרין בו: וחשות. (כ) מפני כבודן של ישראל שמקלסין ביום: יומם יצוה ה' חסדו. יצוה למלאכים לשתוק כדי לעשות חסד לישראל: ובלילה שירה עמי. (ל) כרקיע עם שיר שלי שקילסוני ביום: ומנלן. למעון דאיקרי שמים: מכון. לשון אוצר של פורעניות כמה דאת אמר נכונו ללצים שפטים (משלי יט): שבו אוצרות שלג כו'. כל אלה לפורעניות: עליית אגלים. לשון (מ) עוגל של מים (חולין דף מא.) ולשון אגלי טל (איוב לח) ולשון אגן הסהר (שיר השירים ז) שמתחלפת ל' בנו"ן והם מים העומדים להלקות פירות: יפתח ה' לך את אוצרו הטוב. למדת שיש לו אוצר לפורענות: לא יגורך רע. לא יגור אצלך: ורוחות ונשמות. חדא היא ויש מפרשין רוח היא הנשמה העשויה בדמות הגוף נשמה נשימה אליינ"א בלע"ז: מכון כסאך. והכסא בערבות הוא כדמפסיק לקמן: וילבש צדקה. למדת שעמו צדקה שריא: ויקרא לו. קראה אלוה: רוח מלפני. אלמא לפניו הם: גשם נדבות תניף אלהים וגו'. (נ) והאי קרא במתן תורה כתיב שילחה נשמתן שנאמר נפשי יצאה בדברו (שיר השירים ה) והניף עליהן טל תחייתו שנאמר גשם נדבות תניף אלהים והאי קרא משתעי במתן תורה במזמור יקום אלהים יפוצו אויביו:

גמרא

את הארץ למה לי להקדים שמים לארץ א) והארץ היתה תהו ובהו מכדי בשמים אתחיל ברישא מאי שנא דקא חשיב מעשה ארץ תנא דבי ר' ישמעאל משל למלך בשר ודם שאמר לעבדיו השכימו לפתחי (א) השכים ומצא נשים ואנשים למי משבח למי שאין דרכו להשכים והשכים תניא ר' יוסי אומר אוי להם לבריות שרואות ואינן יודעות (ג) מה רואות עומדות ואין יודעות על מה הן עומדות הארץ על מה עומדת על העמודים שנאמר ב) המרגיז ארץ ממקומה ועמודיה יתפלצון עמודים על המים שנאמר ג) לרוקע הארץ על המים מים על ההרים שנאמר ד) על הרים יעמדו מים הרים ברוח שנאמר ה) כי הנה יוצר הרים ובורא רוח רוח בסערה שנאמר ו) רוח סערה עושה דברו סערה תלויה א) בזרועו של הקב"ה שנאמר ז) ומתחת זרועות עולם וחכ"א על י"ב עמודים עומדת שנאמר ח) יצב גבולות עמים למספר בני ישראל וי"א (ג) ז' עמודים שנאמר ט) חצבה עמודיה שבעה ר"א בן שמוע אומר על עמוד אחד וצדיק שמו שנאמר י) וצדיק יסוד עולם א"ר יהודה שני רקיעים הן שנאמר יא) הן לה' אלהיך השמים ושמי השמים ר"ל אמר ב) שבעה ואלו הן וילון רקיע שחקים זבול מעון מכון ערבות וילון אינו משמש כלום אלא נכנס שחרית ויוצא ערבית ומחדש בכל יום מעשה בראשית שנאמר יב) הנוטה כדוק שמים וימתחם כאהל לשבת רקיע שבו חמה ולבנה כוכבים ומזלות קבועין שנאמר יג) ויתן אותם אלהים ברקיע השמים שחקים שבו רחיים עומדות וטוחנות מן לצדיקים (ד) שנאמר יד) ויצו שחקים ממעל ודלתי שמים פתח וימטר עליהם מן לאכול וגו' זבול שבו ירושלים ובית המקדש ג) ומזבח בנוי ומיכאל השר הגדול עומד ומקריב עליו קרבן (ה) שנאמר טו) בנה בניתי בית זבול לך מכון לשבתך עולמים ומנלן דאיקרי שמים דכתיב טז) הבט משמים וראה מזבול קדשך ותפארתך מעון שבו כיתות של מלאכי השרת שאומרות שירה בלילה וחשות ביום מפני כבודן של ישראל שנאמר יז) יומם יצוה ה' חסדו ובלילה שירה עמי אמר ר"ל ד) כל העוסק בתורה בלילה הקב"ה מושך עליו חוט של חסד ביום שנאמר יומם יצוה ה' חסדו ומה טעם יומם יצוה ה' חסדו משום ובלילה שירה עמי ואיכא דאמרי אמר ר"ל כל העוסק בתורה ה) בעוה"ז שהוא דומה ללילה הקב"ה מושך עליו חוט של חסד לעוה"ב שהוא דומה ליום שנאמר יומם יצוה ה' חסדו ובלילה שירה עמי א"ר לוי ו) כל הפוסק מדברי תורה ועוסק בדברי שיחה מאכילין אותו גחלי רתמים שנאמר יח) הקוטפים מלוח עלי שיח ושרש רתמים לחמם ומנלן דאיקרי שמים שנאמר יט) השקיפה ממעון קדשך מן השמים מכון שבו אוצרות שלג ואוצרות ברד ועליית טללים רעים ועליית אגלים [א] וחדרה של סופה [וסערה] ומערה של קיטור (ו) ודלתותיהן אש שנאמר כ) יפתח ה' לך את אוצרו הטוב הני ברקיעא איתנהו הני בארעא איתנהו דכתיב כא) הללו את ה' מן הארץ תנינים וכל תהומות אש וברד שלג וקיטור רוח סערה עושה דברו אמר רב יהודה אמר רב דוד ביקש עליהם רחמים והורידן לארץ אמר לפניו רבש"ע כב) לא אל חפץ רשע אתה לא יגורך (במגורך) רע צדיק אתה ה' לא יגור במגורך רע ומנלן דאיקרי שמים דכתיב כג) ואתה תשמע השמים מכון שבתך ערבות שבו צדק משפט וצדקה גנזי חיים וגנזי שלום וגנזי ברכה ונשמתן של צדיקים ורוחות ונשמות שעתיד להיבראות וטל שעתיד הקב"ה להחיות בו מתים צדק ומשפט דכתיב כד) צדק ומשפט מכון כסאך צדקה דכתיב כה) וילבש צדקה כשרין גנזי חיים דכתיב כו) כי עמך מקור חיים וגנזי שלום דכתיב כז) ויקרא לו ה' שלום וגנזי ברכה דכתיב כח) ישא ברכה מאת ה' נשמתן של צדיקים דכתיב כט) והיתה נפש אדוני צרורה בצרור החיים את ה' אלהיך רוחות ונשמות שעתיד להיבראות דכתיב ל) כי רוח מלפני יעטוף ונשמות אני עשיתי ז) וטל שעתיד הקב"ה להחיות בו מתים דכתיב לא) גשם נדבות תניף אלהים נחלתך ונלאה אתה כוננתה שם אופנים ושרפים וחיות הקדש ומלאכי השרת וכסא הכבוד מלך אל חי רם ונשא שוכן עליהם (ז) בערבות שנאמר לב) סולו לרוכב בערבות ביה שמו ומנלן דאיקרי שמים (ח) אתיא רכיבה רכיבה כתיב הכא סולו לרוכב בערבות וכתיב התם לג) רוכב שמים בעזרך וחשך וענן וערפל מקיפין אותו שנאמר לד) ישת חשך סתרו סביבותיו סוכתו חשכת מים עבי שחקים ומי איכא חשוכא קמי שמיא והכתיב לה) הוא (ט) גלי) עמיקתא ומסתרתא ידע מה בחשוכא ונהורא עמיה שרי לא קשיא הא

תורה אור השלם

א) וְהָאָרֶץ הָיְתָה תֹהוּ וָבֹהוּ וְחֹשֶׁךְ עַל פְּנֵי תְהוֹם וְרוּחַ אֱלֹהִים מְרַחֶפֶת עַל פְּנֵי הַמָּיִם: [בראשית א, ב]
ב) הַמַּרְגִּיז אֶרֶץ מִמְּקוֹמָהּ וְעַמּוּדֶיהָ יִתְפַלָּצוּן: [איוב ט, ו]
ג) לְרֹקַע הָאָרֶץ עַל הַמָּיִם כִּי לְעוֹלָם חַסְדּוֹ: [תהלים קלו, ו]
ד) תְּהוֹם כַּלְּבוּשׁ כִּסִּיתוֹ עַל הָרִים יַעַמְדוּ מָיִם: [תהלים קד, ו]
ה) כִּי הִנֵּה יוֹצֵר הָרִים וּבֹרֵא רוּחַ וּמַגִּיד לְאָדָם מַה שֵּׂחוֹ עֹשֵׂה שַׁחַר עֵיפָה וְדֹרֵךְ עַל בָּמֳתֵי אָרֶץ יְיָ אֱלֹהֵי צְבָאוֹת שְׁמוֹ: [עמוס ד, יג]
ו) אֵשׁ וּבָרָד שֶׁלֶג וְקִיטוֹר רוּחַ סְעָרָה עֹשָׂה דְבָרוֹ: [תהלים קמח, ח]
ז) מְעֹנָה אֱלֹהֵי קֶדֶם וּמִתַּחַת זְרֹעֹת עוֹלָם וַיְגָרֶשׁ מִפָּנֶיךָ אוֹיֵב וַיֹּאמֶר הַשְׁמֵד: [דברים לג, כז]
ח) בְּהַנְחֵל עֶלְיוֹן גּוֹיִם בְּהַפְרִידוֹ בְּנֵי אָדָם יַצֵּב גְּבֻלֹת עַמִּים לְמִסְפַּר בְּנֵי יִשְׂרָאֵל: [דברים לב, ח]
ט) חָכְמוֹת בָּנְתָה בֵיתָהּ חָצְבָה עַמּוּדֶיהָ שִׁבְעָה: [משלי ט, א]
י) כַּעֲבוֹר סוּפָה וְאֵין רָשָׁע וְצַדִּיק יְסוֹד עוֹלָם: [משלי י, כה]
יא) הֵן לַייָ אֱלֹהֶיךָ הַשָּׁמַיִם וּשְׁמֵי הַשָּׁמָיִם הָאָרֶץ וְכָל אֲשֶׁר בָּהּ: [דברים י, יד]
יב) הַיֹּשֵׁב עַל חוּג הָאָרֶץ וְיֹשְׁבֶיהָ כַּחֲגָבִים הַנּוֹטֶה כַדֹּק שָׁמַיִם וַיִּמְתָּחֵם כָּאֹהֶל לָשָׁבֶת: [ישעיה מ, כב]
יג) וַיִּתֵּן אֹתָם אֱלֹהִים בִּרְקִיעַ הַשָּׁמָיִם לְהָאִיר עַל הָאָרֶץ: [בראשית א, יז]
יד) וַיְצַו שְׁחָקִים מִמָּעַל וְדַלְתֵי שָׁמַיִם פָּתָח: וַיַּמְטֵר עֲלֵיהֶם מָן לֶאֱכֹל וּדְגַן שָׁמַיִם נָתַן לָמוֹ: [תהלים עח, כג-כד]
טו) בָּנֹה בָנִיתִי בֵּית זְבֻל לָךְ מָכוֹן לְשִׁבְתְּךָ עוֹלָמִים: [מלכים א, ח, יג]
טז) הַבֵּט מִשָּׁמַיִם וּרְאֵה מִזְּבֻל קָדְשְׁךָ וְתִפְאַרְתֶּךָ אַיֵּה קִנְאָתְךָ וּגְבוּרֹתֶךָ הֲמוֹן מֵעֶיךָ וְרַחֲמֶיךָ אֵלַי הִתְאַפָּקוּ: [ישעיה סג, טו]
יז) יוֹמָם יְצַוֶּה יְיָ חַסְדּוֹ וּבַלַּיְלָה שִׁירוֹ עִמִּי תְּפִלָּה לְאֵל חַיָּי: [תהלים מב, ט]
יח) הַקֹּטְפִים מַלּוּחַ עֲלֵי שִׂיחַ וְשֹׁרֶשׁ רְתָמִים לַחְמָם: [איוב ל, ד]
יט) הַשְׁקִיפָה מִמְּעוֹן קָדְשְׁךָ מִן הַשָּׁמַיִם וּבָרֵךְ אֶת עַמְּךָ אֶת יִשְׂרָאֵל וְאֵת הָאֲדָמָה אֲשֶׁר נָתַתָּה לָנוּ כַּאֲשֶׁר נִשְׁבַּעְתָּ לַאֲבֹתֵינוּ אֶרֶץ זָבַת חָלָב וּדְבָשׁ: [דברים כו, טו]
כ) יִפְתַּח יְיָ לְךָ אֶת אוֹצָרוֹ הַטּוֹב [illegible] וּלְבָרֵךְ אֵת כָּל מַעֲשֵׂה יָדֶךָ וְהִלְוִיתָ גּוֹיִם רַבִּים וְאַתָּה לֹא תִלְוֶה: [דברים כח, יב]
כא) הַלְלוּ אֶת יְיָ מִן הָאָרֶץ תַּנִּינִים וְכָל תְּהֹמוֹת: אֵשׁ וּבָרָד שֶׁלֶג וְקִיטוֹר רוּחַ סְעָרָה עֹשָׂה דְבָרוֹ: [תהלים קמח, ז-ח]
כב) כִּי לֹא אֵל חָפֵץ רֶשַׁע אָתָּה לֹא יְגֻרְךָ רָע: [תהלים ה, ה]
כג) וְאַתָּה תִּשְׁמַע הַשָּׁמַיִם מְכוֹן שִׁבְתֶּךָ וְסָלַחְתָּ וְעָשִׂיתָ וְנָתַתָּ לָאִישׁ כְּכָל דְּרָכָיו אֲשֶׁר תֵּדַע אֶת לְבָבוֹ כִּי אַתָּה יָדַעְתָּ לְבַדְּךָ אֶת לְבַב כָּל בְּנֵי הָאָדָם: [מלכים א, ח, לט]
[illegible]

מסורת הש"ס

א) [פי' שכל תלוי בגבורות של הקב"ה והגבורה היא זרועו כדכתיב לך זרוע עם גבורה. ערוך ערך זרוע], ב) [מנחות קי. ע"ש תוס' ד"ה ומיכאל], [illegible]

הגהות הב"ח

[illegible]

הגהות הגר"א

[א] גמ' וחדרה של סופה ומערה של קיטור. כצ"ל:

ליקוטי רש"י

[תחילת הפירוש נדפס בע"א] השקיפה ממעון קדשך. עשינו מה שגזרת עלינו עשה אתה מה שעליך לעשות [illegible] [דברים כו, טו]. קיטור. העשן שמתמר ועולה [ברכות מג.]. תנינים. דגים גדולים. וברד. [illegible] שלג. [illegible] וקיטור. [illegible] רוח סערה. [illegible]

נאה להם להיות גנוזין כמגוריו של הקב"ה [תהלים קמח, ז ח]. לא אל חפץ רשע אתה. ולא תחפוץ ברשעה מן העולם. לא יגורך רע. לא יגור עמך רע [המשך בדף יג.].

R' Yishmael asks:

״אֶת הָאָרֶץ״ לָמָּה לִי – But, **why** then **do I need** the mention of *ess* in the verse ***the earth*** (*ess ha'aretz*)? Once the verse has the first *ess* (*In the beginning of [everything] God created ess the heavens*), I would know that *the earth* is not a Name of God. Why then do I need another mention of *ess*?

R' Akiva replies:

לְהַקְדִּים שָׁמַיִם לָאָרֶץ – Nachum Ish Gam Zu said that the second *ess* is there **to place** the creation of **the heavens before** that of **the earth.**[1]

The Gemara cites and examines the second verse in *Genesis*:

״וְהָאָרֶץ הָיְתָה תֹהוּ וָבֹהוּ״ – ***And the earth was tohu and bohu.*** **מִכְּדִי** – **Now,** let us see: **בַּשָּׁמַיִם אַתְחִיל בְּרֵישָׁא** – **[The Torah] began** its description of Creation by mentioning **the heavens prior** to the earth; **מַאי שְׁנָא דְּקָא חָשִׁיב מַעֲשֵׂה אֶרֶץ** – **why is it that** here in this verse **[the Torah] gives the account of the earth** before the account of the heavens?

The Gemara cites a Baraisa that explains this point:

תָּנָא דְּבֵי רַבִּי יִשְׁמָעֵאל – **A Baraisa was taught in the academy of R' Yishmael: מָשָׁל לְמֶלֶךְ בָּשָׂר וָדָם שֶׁאָמַר לַעֲבָדָיו** – THIS IS ANALOGOUS TO A FLESH AND BLOOD KING WHO TOLD HIS SERVANTS, **הַשְׁכִּימוּ לְפִתְחִי** – "COME EARLY tomorrow and meet me AT MY DOOR." **הִשְׁכִּים וּמָצָא נָשִׁים וַאֲנָשִׁים** – [THE KING] CAME EARLY the next morning AND FOUND both WOMEN AND MEN among the servants at his door. **לְמִי מְשַׁבֵּחַ** – TO WHOM DOES [THE KING] offer his PRAISE? **לְמִי שֶׁאֵין דַּרְכּוֹ לְהַשְׁכִּים וְהִשְׁכִּים** – TO THOSE THAT ARE NOT ACCUSTOMED TO COME EARLY AND nevertheless CAME EARLY on this occasion. The heavens are analogous to the male servants, who are accustomed to rise early in the morning to do the king's bidding, and the earth is analogous to the female servants who are not so accustomed.[2] Since despite the earth's natural sluggishness both the heavens and the earth achieved creation at the same time, the earth is deserving of praise. Accordingly, the Torah begins with the narrative of the earth.[3]

The Gemara cites a Baraisa that describes what is below the world:

תַּנְיָא – **It has been taught in a Baraisa: רַבִּי יוֹסֵי אוֹמֵר** – R' YOSE SAYS: **אוֹי לָהֶם לַבְּרִיּוֹת שֶׁרוֹאוֹת** – WOE TO THOSE PEOPLE WHO SEE **וְאֵינָן יוֹדְעוֹת מָה רוֹאוֹת** – BUT DO NOT REALIZE WHAT THEY ARE SEEING, **עוֹמְדוֹת וְאֵין יוֹדְעוֹת עַל מָה הֵן עוֹמְדוֹת** – WHO STAND BUT DO NOT REALIZE UPON WHAT THEY ARE STANDING![4] **הָאָרֶץ עַל מָה עוֹמֶדֶת** – THE EARTH – UPON WHAT DOES IT STAND? **עַל הָעַמּוּדִים** – UPON THE PILLARS,[5] **שֶׁנֶּאֱמַר ״הַמַּרְגִּיז אֶרֶץ מִמְּקוֹמָהּ וְעַמּוּדֶיהָ יִתְפַּלָּצוּן״** – AS IT SAYS:[6] ***WHO SHAKES THE EARTH FROM ITS PLACE, AND ITS PILLARS TREMBLE.*** **עַמּוּדִים עַל הַמַּיִם** – THE PILLARS stand UPON THE WATERS,[7] **שֶׁנֶּאֱמַר ״לְרֹקַע הָאָרֶץ עַל־הַמָּיִם״** – AS IT SAYS:[8] ***TO HIM WHO SPREAD OUT THE EARTH UPON THE WATERS.*** **מַיִם עַל הֶהָרִים** – THE WATERS stand UPON THE MOUNTAINS,[9] **שֶׁנֶּאֱמַר ״עַל־הָרִים יַעַמְדוּ־מָיִם״** – AS IT SAYS:[10] ***UPON THE MOUNTAINS, WATER STANDS.*** **הָרִים בְּרוּחַ** – THE MOUNTAINS stand UPON THE WIND,[11] **שֶׁנֶּאֱמַר ״כִּי הִנֵּה יוֹצֵר הָרִים וּבֹרֵא רוּחַ״** – AS IT SAYS:[12] ***FOR BEHOLD, HE FORMS MOUNTAINS AND***

NOTES

1. Had the verse said instead *God created 'ess' the heavens and the earth* [without the second *ess*], I would have said that the heavens and the earth were created at exactly the same time, but since it is impossible to pronounce two words at once, the Torah had to mention one before the other. Since though, in fact, the Torah does say *God created 'ess' the heavens and 'ess' the earth,* this indicates that the heavens were indeed created first (*Rashi*).

[Nachum Ish Gam Zu's method of exegesis that expounds every *ess* supports the view of Beis Shammai (see 12a) that the heavens were created before the earth. As noted above, R' Yishmael was a disciple of R' Nechunyah ben HaKanah, who had a different system of exegesis. According to the system of R' Yishmael and R' Nechunyah ben HaKanah, it is very possible that the verse should not be expounded this way. Indeed, the upcoming Gemara cites a Baraisa that "was taught in the academy of R' Yishmael" and this Baraisa indicates that the heavens and the earth were created *simultaneously.* Clearly, R' Yishmael does not expound *ess* to teach us that the heavens were created first. Possibly, he does not expound the word *ess* in any verse, similar to other Tannaim who do not expound it (see *Pesachim* 22b and *Sotah* 17a).

However, it seems from the Midrash (*Bereishis Rabbah* 1:14) that R' Yishmael expounds the occurrences of *ess* in this verse in a different way: The word *ess* written concerning *the heavens* is meant to include the auxiliary features of the heavens, such as the sun, moon and stars; the word *ess* written concerning *the earth* is meant to include auxiliary features such as trees, herbs and the Garden of Eden. Those opinions that hold the heavens were not created first (such as Beis Hillel) could expound the verse in this way as well (see *Tosafos*).]

2. By its very nature, the earth is sluggish compared to the heavens. The very fact that God called to the heavens first indicates that the earth is the slower of the two. Also, we see that the creation of the earth stretched out for much longer than the creation of the heavens [as described in the first chapter of *Genesis*] (*Rashi*).

3. [Possibly, the meaning of this Aggadah is as follows: The residents of the heavens – the angels – are spiritual entities who have no other desire than to do the will of God. Sin and falsehood are not impediments to their Divine service in the slightest. Indeed, sin and falsehood are incomprehensible ideas in the Heavenly realms. In contrast, the most spiritual residents of the earth – people – are material creatures who must cope with the body's needs and urges with every passing moment. Sin and falsehood are ubiquitous realities that hamper a person's every attempt to be virtuous. Thus, it is the nature of the heavens to "rise early" to do the King's bidding while it is the nature of the earth to falter. If despite the many obstacles, the righteous among men are able to emulate the angels and perform God's will with zeal, these residents of the earth are truly deserving of praise. Because of the dedication of these angelic men, the Torah begins its discussion of Creation with the narrative of the earth.]

4. [People see a vast and populous world, full of movement and interaction, but] they do not realize what actually maintains this world. They are not cognizant of the spiritual elements that enable the world and everything in it to exist (*Maharsha; Maharal, Be'er HaGolah, Be'er* 6).

5. These are the three pillars enumerated in *Pirkei Avos* 1:2: *The world stands upon three things – upon Torah study, upon the service [of God] and upon kind deeds.* If people forsake these pursuits, they topple the earth's pillars and bring the world to collapse (*Maharsha*).

6. *Job* 9:6.

7. "Water" here means the Torah. Water is often used as a symbol for the Torah (*Maharsha;* see *Isaiah* 55:1). [The proper performance of study, Divine service and kindness depends upon the definitions and frameworks established for them by the Torah. Not every "kindness" is a bona fide kindness. People may sometimes think that they are performing an act of kindness whereas they are actually doing quite the opposite. A "kindness" that defies the Torah's guidelines brings havoc upon the world, not stability.]

8. *Psalms* 136:6.

9. "The mountains" are the spiritual giants of each generation (*Maharsha, Maharal* loc. cit.; see *Rosh Hashanah* 11a and *Tanchuma,* Buber ed., *Bechukosai* §7). [The correct interpretation of the Torah is in the hands of the Torah luminaries. Once the Torah was sealed, questions that arose were not decided by prophetic revelation but by the halachic analysis of each generation's sages (see *Bava Metzia* 59b and *Temurah* 16a).]

10. Ibid. 104:6.

11. "*Ruach*" may be translated as "wind" or "spirit." When used in connection with *neshamah* and *nefesh, ruach* means spirit, specifically man's capacity for free choice between good and evil (*Michtav MeEliyahu* vol. IV p. 117; see below, note 59). The mountains stand upon the *ruach* in that the stability of the spiritual giants depends upon their constant battle to choose virtue over vice. Should they falter in this regard, they will fall and bring down with them everything standing above (see *Maharsha*).

12. *Amos* 4:13.

ו א מיי' פ"ג מהלכות יסודי התורה הלכה ח:

ואת הארץ להקדים שמים לארץ. דאי לאו ואת הייתי אומר שניהם נבראו יחד והכתוב כתבם זה אחר זה שאי אפשר לכתוב שני שמות כאחד כדפירש רש"י והא דאמרי ב"ה לעיל ארץ נבראת תחלה דכתיב ביום עשות ה' וגו' ולא כתיב ואת התם דריש ליה מדלא קרא בסידריה להסמיך ארץ לעשיה ומיהו בנימוקי חומש פי' רש"י את השמים לרבות תולדותיהן ומדרש אחר הוא ופליג אהא דהכא:

נכנס שחרית. פרש"י נכנס בתיקו ומתגלה האור יוצא ונראה ויוצא ערבית ומכסה האורה וממשיך העולם והיה קשה למורי א"כ היאך נראים כוכבים בשמים (פ) מינה בלילה כיון שהם קבועים בשני כדמסיק ומיהו שמא נראים מתוכו כמו ע"י העננים אך רוב פעמים שהעננים מחשיכים אותו ומכסין אותו ונראה למורי לפרש איפכא נכנס שחרית בעולם וממנה אורה יוצא ויוצאת ערבית מן העולם [ומסתלק אורה] ולכך הכוכבים נראין:

כל העוסק בתורה. אמאי לא סיים למילתיה דז' רקיעים שהתחיל לפרש:

אוצרות שלג. יש ממנו שמוכן (ע) לפורענות ויש לטובה כדאמרינן בתענית (דף ג:) עבא תלגא לטורי כחמשה מטרי לארעא וכן כתיב כי כאשר ירד הגשם והשלג וכו' כי אם הרוה את הארץ וגו':

דוד ביקש והורידן לארץ. הקשה הרב ר' אלחנן הא כתיב (ישעיה נה) כי כאשר ירד הגשם והשלג מן השמים ותירץ דכיון שמן העננים יורד נראות כיורד מן השמים ועוד י"ל דלא הורידן רק המוכנים לפורענות אבל המרוים את הארץ נשארו למעלה:

לא יגור במגורך רע. אין זה מקרא אלא לא יגורך וכן דריש ליה: (בגמ' שבת קמט: ובסנהדרין קג. איתא ספיר ע"ש)

להקדים שמים לארץ. דאי לא כתיב את הוה אמינא כאחת נבראו אלא שאי אפשר לקרות שני שמות כאחת ולהכי כתב את להקדים: למי שאין דרכו להשכים והשכים. הכא נמי (ע) דקרא לשמים תחלה ה"ל ארץ אין דרכו להשכים ועוד שכל מעשה ארץ מתונים ומעשה שמים במהירות וזו הסכימה עמה שנבראו כאחת לכך התחיל לספר מעשיה תחלה: יוצר הרים ובורא רוח. מה ענין זה אצל זה אלא ללמדך שההרים עומדין על הרוח: רוח סערה עושה דברו. דבר הרוח סערה עשאתו: ומתחת. כל היליה: זרועות עולם. הסובלות אותו: נכנס שחרית. לתוך תיקו והאור נראה: ויוצא ערבית. מתיקו ומתפשט למטה מן האור והרי העולם חשוך וזהו חידושו (י) למעשה בראשית בכל יום: כדוק. יריעה טיי"לא בלע"ז אלמא יש שמים שאין משמשין אלא תשמיש יריעה פרוסה: מעון. לשון מדור מקום שמלאכים דרין בו: וחשות. (כ) מפני כבודן של ישראל שמקלסין ביום: יומם יצוה ה' חסדו. יצוה למלאכים לשתוק כדי לעשות חסד לצריכים חסד והם התחתונים: ובלילה שירה עמי. (ל) ברקיע עם שיר שלי שקילסתי ביום: ומנלן. דמעון איקרי שמים: מכון. לשון אוצר של פורעניות כמה דאת אמר נכונו ללצים שפטים (משלי יט): שבו אוצרות שלג כו'. כל אלה לפורעניות: עליית אגלים. לשון (ׄ עוגל) של מים (חולין דף מח.) ולשון אגלי טל (איוב לח) ולשון אגן הסהר (שיר השירים ז) שמתחלפת ל' בנו"ן והם מים העומדים להלקות פירות: (מ) יפתח ה' לך את אוצרו הטוב. למדת שיש לו אוצר לפורענות: לא יגורך רע. לא יגור אצלך: ורוחות ונשמות. חלק היא ויש מפרשין רוח היא הנשמה העשויה בדמות הגוף נשמה נשימה אליינ"א בלע"ז: מכון כסאך. והכסא בערבות הוא כדמסיק לקמן: וילבש צדקה. למדת שעמנו צדקה שריון: ויקרא לו. קראה אלהו: רוח מלפני. אלמא לפניו הם: גשם נדבות תניף אלהים וגו'. (נ) והאי קרא במתן תורה כתיב שיצתה נשמתן שנאמר נפשי יצאה בדברו (שיר השירים ה) והניף עליהן טל תחייה שנאמר גשם נדבות תניף אלהים והאי קרא משתעי במתן תורה במזמור יקום אלהים יפוצו אויביו:

את הארץ למה לי להקדים שמים לארץ
א) והארץ היתה תהו ובהו מכדי בשמים
אתחיל ברישא מאי שנא דקא חשיב מעשה
ארץ תנא דבי ר' ישמעאל משל למלך בשר
ודם שאמר לעבדיו השכימו לפתחי (א) השכים
ומצא נשים ואנשים למי משבח למי שאין
דרכו להשכים והשכים תניא ר' יוסי אומר אוי
להם לבריות שרואות ואינן יודעות (ג) מה רואות
עומדות ואין יודעות על מה הן עומדות הארץ
על מה עומדת על העמודים שנאמר ב) המרגיז
ארץ ממקומה ועמודיה יתפלצון עמודים על
המים שנאמר ג) לרוקע הארץ על המים מים
על ההרים שנאמר ד) על הרים יעמדו מים
הרים ברוח שנאמר ה) כי הנה יוצר הרים ובורא
רוח רוח בסערה שנאמר ו) רוח סערה עושה
דברו סערה תלויה א) בזרועו של הקב"ה
שנאמר ז) ומתחת זרועות עולם וחכ"א על י"ב
עמודים עומדת שנאמר ח) יצב גבולות עמים
למספר בני ישראל וי"א (ג) ז' עמודים שנאמר
ט) חצבה עמודיה שבעה ר"א בן שמוע אומר
על עמוד אחד וצדיק שמו שנאמר י) וצדיק
יסוד עולם א"ר יהודה שני רקיעים הן שנאמר
יא) הן לה' אלהיך השמים ושמי השמים ר"ל
אמר א שבעה ואלו הן וילון רקיע שחקים זבול
מעון מכון ערבות וילון אינו משמש כלום
אלא נכנס שחרית ויוצא ערבית ומחדש בכל
יום מעשה בראשית שנאמר יב) הנוטה כדוק
שמים וימתחם כאהל לשבת רקיע שבו חמה
ולבנה כוכבים ומזלות קבועין שנאמר יג) ויתן
אותם אלהים ברקיע השמים שחקים שבו
רחיים עומדות וטוחנות מן לצדיקים (ד) שנאמר
יד) ויצו שחקים ממעל ודלתי שמים פתח וימטר
עליהם מן לאכול וגו' זבול שבו ירושלים ובית
המקדש ב) ומזבח בנוי ומיכאל השר הגדול עומד ומקריב עליו קרבן (ה) שנאמר
טו) בנה בניתי בית זבול לך מכון לשבתך עולמים ומנלן דאיקרי שמים דכתיב
טז) הבט משמים וראה מזבול קדשך ותפארתך מעון שבו כיתות של מלאכי
השרת שאומרות שירה בלילה וחשות ביום מפני כבודן של ישראל שנאמר
יז) יומם יצוה ה' חסדו ובלילה שירה עמי אמר ר"ל ג) כל העוסק בתורה בלילה
הקב"ה מושך עליו חוט של חסד ביום שנאמר יומם יצוה ה' חסדו ומה טעם
יומם יצוה ה' חסדו משום ובלילה שירה עמי ואיכא דאמרי אמר ר"ל כל
העוסק בתורה ד) בעוה"ז שהוא דומה ללילה הקב"ה מושך עליו חוט של חסד
לעוה"ב שהוא דומה ליום שנאמר יומם יצוה ה' חסדו ובלילה שירה עמי
א"ר לוי ה) כל הפוסק מדברי תורה ועוסק בדברי שיחה מאכילין אותו גחלי רתמים שנאמר יח) הקוטפים מלוח
ו) עלי שיח ושרש רתמים לחמם ומנלן דאיקרי שמים שנאמר יט) השקיפה ממעון קדשך מן השמים מכון שבו
אוצרות שלג ואוצרות ברד ועליית טללים רעים ועליית אגלים [א] וחדרה של סופה [וסערה] ומערה של קיטור
(ו) ודלתותיהן אש שנאמר כ) יפתח ה' לך את אוצרו הטוב הני ברקיעא איתנהו הני בארעא איתנהו דכתיב
כא) הללו את ה' מן הארץ תנינים וכל תהומות אש וברד שלג וקיטור רוח סערה עושה דברו אמר רב יהודה
אמר רב דוד ביקש עליהם רחמים והורידן לארץ אמר לפניו רבש"ע כב) לא אל חפץ רשע אתה לא יגורך
(במגורך) רע ז) צדיק אתה ה' לא יגור במגורך רע ומנלן דאיקרי שמים דכתיב כג) ואתה תשמע השמים מכון
שבתך ערבות שבו צדק משפט וצדקה גנזי חיים וגנזי שלום וגנזי ברכה ונשמתן של צדיקים ורוחות ונשמות
שעתיד להיבראות וטל שעתיד הקב"ה להחיות בו מתים צדק ומשפט דכתיב כד) צדק ומשפט מכון כסאך צדקה
דכתיב כה) וילבש צדקה כשרין גנזי חיים דכתיב כו) כי עמך מקור חיים וגנזי שלום דכתיב כז) ויקרא לו ה' שלום וגנזי
ברכה דכתיב כח) ישא ברכה מאת ה' נשמתן של צדיקים דכתיב כט) והיתה נפש אדוני צרורה בצרור החיים את ה'
אלהיך רוחות ונשמות שעתיד להיבראות דכתיב ל) כי רוח מלפני יעטוף ונשמות אני עשיתי ח) וטל שעתיד הקב"ה
להחיות בו מתים דכתיב לא) גשם נדבות תניף אלהים נחלתך ונלאה אתה כוננתה שם אופנים ושרפים וחיות הקדש
ומלאכי השרת וכסא הכבוד מלך אל חי רם ונשא שוכן עליהם (ז) בערבות שנאמר לב) סולו לרוכב בערבות ביה שמו
ומנלן דאיקרי שמים (ח) אתיא רכיבה רכיבה כתיב הכא סולו לרוכב בערבות וכתיב התם לג) רוכב שמים בעזרך
וחשך וענן וערפל מקיפין אותו שנאמר לד) ישת חשך סתרו סביבותיו סוכתו חשכת מים עבי שחקים ומי איכא
חשוכא קמי שמיא והכתיב לה) הוא (ט) גלי) עמיקתא ומסתרתא ידע מה בחשוכא ונהורא עמיה שרי לא קשיא הא

נאה להם להיות גנוזין במגוריו של הקב"ה [תהילים קמח, ז ח]. לא אל חפץ רשע אתה. ונאה לך שלא יגורך רע. לא יגור אצלך [שם ה, ה]. לא יגור עמך רע [סוטה מב.]. [המשך בדף יג.]

רבינו חננאל

אינו צריך לגופו. משל דר' ישמעאל הודיע שהקדים שבחה של ארץ לשבח השמים אבל לא בבריאה. תניא ר' יוסי אומר אוי לבריות שרואות ואינן יודעות כלומר הארץ עומדת על העמודים ועמודי הארץ הן על המים. והמים הן על ההרים. וההרים ברוח. והרוח בסערה וכולה תלויה בזרועו של הקב"ה שנא' ומתחת זרועות עולם. פי' הדבר שהוא בעולם מתחת הכל תלוי בגבורתו של הקב"ה. כי הגבורה היא הזרוע כדכתיב לך זרוע עם גבורה. ר' אלעזר אומר על עמוד אחד עומד העולם וצדיק שמו שנאמר וצדיק יסוד עולם זה שאמר ר"ל ז' רקיעין הן. וילון. רקיע. שחקים. זבול. מעון. מכון. ערבות. וכל אחד ואחד פירש מה הן משמשין. אלו כולן קבלה הן הל"מ. וקראי אסמכתא בעלמא הן. ואינם מדרשות. שאינם דברים הנאמרים מן הדעת כלל. אלא דברי קבלה הן. והערבות שהוא רקיע שביעי יש בו צדקה ומשפט. גנזי חיים גנזי שלום גנזי ברכה ונשמת הצדיקי' ונשמות העתידות להבראות. וטל שעתיד הקב"ה להחיות בו את המתים. וכולהו קראי צדק ומשפט שנאמר צדק ומשפט מכון כסאך. גנזי חיים שנאמר כי עמך מקור חיים. גנזי שלום שנאמר ויקרא לו ה' שלום. גנזי ברכה שנא' ישא ברכה מאת ה'. נשמתן של צדיקים שנא' והיתה נפש אדוני צרורה בצרור החיים את ה' אלהיך. רוחות ונשמות העתידי' להבראו' שנא' כי רוח מלפני יעטוף ונשמות אני עשיתי. וטל שעתיד להחיות בו מתים שנאמר גשם נדבות תניף אלהים וגו'. ולמעלה אופנים ושרפים וחיות הקודש ומלאכי השרת וכסא הכבוד ומלך רם ונשא שוכן עליהם. שנאמר סולו לרוכב בערבות ביה שמו. וחושך וערפל מקיפין אותו מבחוץ שנאמר ישת חשך סתרו וגו' ומבפנים אור שנאמר ונהורא עמיה שריה.

תורה אור השלם

א) וְהָאָרֶץ הָיְתָה תֹהוּ וָבֹהוּ וְחֹשֶׁךְ עַל פְּנֵי תְהוֹם וְרוּחַ אֱלֹהִים מְרַחֶפֶת עַל פְּנֵי הַמָּיִם: [בראשית א, ב]
ב) הַמַּרְגִּיז אֶרֶץ מִמְּקוֹמָהּ וְעַמּוּדֶיהָ יִתְפַּלָּצוּן: [איוב ט, ו]
ג) לְרֹקַע הָאָרֶץ עַל הַמָּיִם כִּי לְעוֹלָם חַסְדּוֹ: [תהלים קלו, ו]
ד) תְּהוֹם כַּלְּבוּשׁ כִּסִּיתוֹ עַל הָרִים יַעַמְדוּ מָיִם: [תהלים קד, ו]
ה) כִּי הִנֵּה יוֹצֵר הָרִים וּבֹרֵא רוּחַ וּמַגִּיד לְאָדָם מַה שֵּׂחוֹ עֹשֵׂה שַׁחַר עֵיפָה וְדֹרֵךְ עַל בָּמֳתֵי אָרֶץ יְיָ אֱלֹהֵי צְבָאוֹת שְׁמוֹ: [עמוס ד, יג]
ו) אֵשׁ וּבָרָד שֶׁלֶג וְקִיטוֹר רוּחַ סְעָרָה עֹשָׂה דְבָרוֹ: [תהלים קמח, ח]
ז) מְעֹנָה אֱלֹהֵי קֶדֶם וּמִתַּחַת זְרֹעֹת עוֹלָם וַיְגָרֶשׁ מִפָּנֶיךָ אוֹיֵב וַיֹּאמֶר הַשְׁמֵד: [דברים לג, כז]
ח) בְּהַנְחֵל עֶלְיוֹן גּוֹיִם בְּהַפְרִידוֹ בְּנֵי אָדָם יַצֵּב גְּבֻלֹת עַמִּים לְמִסְפַּר בְּנֵי יִשְׂרָאֵל: [דברים לב, ח]
ט) חָכְמוֹת בָּנְתָה בֵיתָהּ חָצְבָה עַמּוּדֶיהָ שִׁבְעָה: [משלי ט, א]
י) כַּעֲבוֹר סוּפָה וְאֵין רָשָׁע וְצַדִּיק יְסוֹד עוֹלָם: [משלי י, כה]
יא) הֵן לַייָ אֱלֹהֶיךָ הַשָּׁמַיִם וּשְׁמֵי הַשָּׁמָיִם הָאָרֶץ וְכָל אֲשֶׁר בָּהּ: [דברים י, יד]
יב) הַיֹּשֵׁב עַל חוּג הָאָרֶץ וְיֹשְׁבֶיהָ כַּחֲגָבִים הַנּוֹטֶה כַדֹּק שָׁמַיִם וַיִּמְתָּחֵם כָּאֹהֶל לָשָׁבֶת: [ישעיה מ, כב]
יג) וַיִּתֵּן אֹתָם אֱלֹהִים בִּרְקִיעַ הַשָּׁמָיִם לְהָאִיר עַל הָאָרֶץ: [בראשית א, יז]
יד) וַיְצַו שְׁחָקִים מִמָּעַל וְדַלְתֵי שָׁמַיִם פָּתָח: וַיַּמְטֵר עֲלֵיהֶם מָן לֶאֱכֹל וּדְגַן שָׁמַיִם נָתַן לָמוֹ: [תהלים עח, כג-כד]
טו) בָּנֹה בָנִיתִי בֵּית זְבֻל לָךְ מָכוֹן לְשִׁבְתְּךָ עוֹלָמִים: [מלכים א ח, יג]
טז) הַבֵּט מִשָּׁמַיִם וּרְאֵה מִזְּבֻל קָדְשְׁךָ וְתִפְאַרְתֶּךָ אַיֵּה קִנְאָתְךָ וּגְבוּרֹתֶךָ הֲמוֹן מֵעֶיךָ וְרַחֲמֶיךָ אֵלַי הִתְאַפָּקוּ: [ישעיה סג, טו]
יז) יוֹמָם יְצַוֶּה יְיָ חַסְדּוֹ וּבַלַּיְלָה שִׁירֹה עִמִּי תְּפִלָּה לְאֵל חַיָּי: [תהלים מב, ט]
יח) הַקֹּטְפִים מַלּוּחַ עֲלֵי שִׂיחַ וְשֹׁרֶשׁ רְתָמִים לַחְמָם: [איוב ל, ד]
יט) הַשְׁקִיפָה מִמְּעוֹן קָדְשְׁךָ מִן הַשָּׁמַיִם וּבָרֵךְ אֶת עַמְּךָ אֶת יִשְׂרָאֵל וְאֵת הָאֲדָמָה אֲשֶׁר נָתַתָּה לָנוּ כַּאֲשֶׁר נִשְׁבַּעְתָּ לַאֲבֹתֵינוּ אֶרֶץ זָבַת חָלָב וּדְבָשׁ: [דברים כו, טו]
כ) יִפְתַּח יְיָ לְךָ אֶת אוֹצָרוֹ הַטּוֹב אֶת הַשָּׁמַיִם לָתֵת מְטַר אַרְצְךָ בְּעִתּוֹ וּלְבָרֵךְ אֵת כָּל מַעֲשֵׂה יָדֶךָ וְהִלְוִיתָ גּוֹיִם רַבִּים וְאַתָּה לֹא תִלְוֶה: [דברים כח, יב]
כא) הַלְלוּ אֶת יְיָ מִן הָאָרֶץ תַּנִּינִים וְכָל תְּהֹמוֹת: [תהלים קמח, ז]
כב) כִּי לֹא אֵל חָפֵץ רֶשַׁע אָתָּה לֹא יְגֻרְךָ רָע: [תהלים ה, ה]
כג) וְאַתָּה תִּשְׁמַע הַשָּׁמַיִם מְכוֹן שִׁבְתֶּךָ וְסָלַחְתָּ וְעָשִׂיתָ וְנָתַתָּ לָאִישׁ כְּכָל דְּרָכָיו אֲשֶׁר תֵּדַע אֶת לְבָבוֹ כִּי אַתָּה יָדַעְתָּ לְבַדְּךָ אֶת לְבַב כָּל בְּנֵי הָאָדָם: [מלכים א ח, לט]
כד) צֶדֶק וּמִשְׁפָּט מְכוֹן כִּסְאֶךָ חֶסֶד וֶאֱמֶת יְקַדְּמוּ פָנֶיךָ: [תהלים פט, טו]
כה) וַיִּלְבַּשׁ צְדָקָה כַּשִּׁרְיָן וְכוֹבַע יְשׁוּעָה בְּרֹאשׁוֹ וַיִּלְבַּשׁ בִּגְדֵי נָקָם תִּלְבֹּשֶׁת וַיַּעַט כַּמְעִיל קִנְאָה: [ישעיה נט, יז]
כו) כִּי עִמְּךָ מְקוֹר חַיִּים בְּאוֹרְךָ נִרְאֶה אוֹר: [תהלים לו, י]
כז) וַיִּבֶן שָׁם גִּדְעוֹן מִזְבֵּחַ לַייָ וַיִּקְרָא לוֹ יְיָ שָׁלוֹם עַד הַיּוֹם הַזֶּה עוֹדֶנּוּ בְּעָפְרַת אֲבִי הָעֶזְרִי: [שופטים ו, כד]
כח) יִשָּׂא בְרָכָה מֵאֵת יְיָ וּצְדָקָה מֵאֱלֹהֵי יִשְׁעוֹ: [תהלים כד, ה]
כט) וַיָּקָם אָדָם לִרְדָפְךָ וּלְבַקֵּשׁ אֶת נַפְשֶׁךָ וְהָיְתָה נֶפֶשׁ אֲדֹנִי צְרוּרָה בִּצְרוֹר הַחַיִּים אֵת יְיָ אֱלֹהֶיךָ וְאֵת נֶפֶשׁ אֹיְבֶיךָ יְקַלְּעֶנָּה בְּתוֹךְ כַּף הַקָּלַע: [שמואל א כה, כט]
ל) כִּי לֹא לְעוֹלָם אָרִיב וְלֹא לָנֶצַח אֶקְּצוֹף כִּי רוּחַ מִלְּפָנַי יַעֲטוֹף וּנְשָׁמוֹת אֲנִי עָשִׂיתִי: [ישעיה נז, טז]
לא) גֶּשֶׁם נְדָבוֹת תָּנִיף אֱלֹהִים נַחֲלָתְךָ וְנִלְאָה אַתָּה כוֹנַנְתָּהּ: [תהלים סח, י]
לב) שִׁירוּ לֵאלֹהִים זַמְּרוּ שְׁמוֹ סֹלּוּ לָרֹכֵב בָּעֲרָבוֹת בְּיָהּ שְׁמוֹ וְעִלְזוּ לְפָנָיו: [תהלים סח, ה]
לג) אֵין כָּאֵל יְשֻׁרוּן רֹכֵב שָׁמַיִם בְּעֶזְרֶךָ וּבְגַאֲוָתוֹ שְׁחָקִים: [דברים לג, כו]
לד) יָשֶׁת חֹשֶׁךְ סִתְרוֹ סְבִיבוֹתָיו סֻכָּתוֹ חֶשְׁכַת מַיִם עָבֵי שְׁחָקִים: [תהלים יח, יב]
לה) הוּא גָּלֵא עַמִּיקָתָא וּמְסַתְּרָתָא יָדַע מָה בַחֲשׁוֹכָא וּנְהוֹרָא עִמֵּהּ שְׁרֵא: [דניאל ב, כב]

מסורת הש"ס

א) [פי' הכל תלוי בגבורות של הקב"ה והגבורה היא זרועו כדכתיב לך זרוע עם גבורה. ערוך ערך זרוע], ב) [מנחות קי. וע' תוס' שם ד"ה ומיכאל], ג) ע"ז ג:, ד) [פסחים ג: ב"מ פג:], ה) [ע' פרש"י בע"ז], ו) [שבת קמט: ע"ש סוטה מב. סנהדרין קג.], ח) [שבת פט:], ט) [צ"ל גלא], י) [עוגה איתא לפנינו וע"ש ברש"י].

הגהות הב"ח

הגהות הגר"א

[א] גמ' וחדרה של סופה ומערה של קיטור. כצ"ל:

ליקוטי רש"י

CREATES WIND.[13] רוּחַ בִּסְעָרָה – THE WIND stands UPON THE STORM,[14] שֶׁנֶּאֱמַר ,,רוּחַ סְעָרָה עֹשָׂה דְבָרוֹ" – AS IT SAYS:[15] *THE WIND, THE STORM DOES ITS BIDDING.* סְעָרָה תְּלוּיָה בִּזְרוֹעוֹ שֶׁל הַקָּדוֹשׁ בָּרוּךְ הוּא – THE STORM IS SUSPENDED FROM THE ARM OF THE HOLY ONE, BLESSED IS HE,[16] שֶׁנֶּאֱמַר ,,וּמִתַּחַת זְרֹעֹת עוֹלָם" – AS IT SAYS:[17] *AND FROM BENEATH ARE THE ARMS OF THE WORLD.*[18] וַחֲכָמִים אוֹמְרִים – AND THE SAGES SAY in regard to the pillars: עַל שְׁנֵים עָשָׂר עַמּוּדִים עוֹמֶדֶת – [THE EARTH] STANDS ON TWELVE PILLARS, שֶׁנֶּאֱמַר ,,יַצֵּב גְּבֻלֹת עַמִּים לְמִסְפַּר בְּנֵי יִשְׂרָאֵל" – AS IT SAYS:[19] *HE SET THE BORDERS OF THE NATIONS ACCORDING TO THE NUMBER OF THE CHILDREN OF ISRAEL,* i.e. the twelve tribes. וְיֵשׁ אוֹמְרִים – AND SOME SAY: שִׁבְעָה עַמּוּדִים – On SEVEN PILLARS, שֶׁנֶּאֱמַר ,,חָצְבָה עַמּוּדֶיהָ שִׁבְעָה" – AS IT SAYS:[20] *SHE CARVED OUT ITS SEVEN PILLARS.* רַבִּי אֶלְעָזָר בֶּן שַׁמּוּעַ אוֹמֵר – R' ELAZAR BEN SHAMUA SAYS: עַל עַמּוּד אֶחָד וְצַדִּיק שְׁמוֹ – ON ONE PILLAR, AND ITS NAME IS "RIGHTEOUS PERSON," שֶׁנֶּאֱמַר ,,וְצַדִּיק יְסוֹד עוֹלָם" – AS IT SAYS:[21] *AND "RIGHTEOUS PERSON" IS THE FOUNDATION OF THE WORLD.*[22]

Until this point, the Baraisa cited by the Gemara discussed what stands below our world. Now, the Gemara turns to what is above the world. It begins with a dispute regarding the number of heavens there are:

אָמַר רַב יְהוּדָה – **Rav Yehudah said:** שְׁנֵי רְקִיעִים הֵן – **There are two heavens,** שֶׁנֶּאֱמַר ,,הֵן לַה' אֱלֹהֶיךָ הַשָּׁמַיִם וּשְׁמֵי הַשָּׁמָיִם" – **as it says:**[23] ***Behold! To Hashem, your God, are the heavens and the heavens of the heavens.***[24] רֵישׁ לָקִישׁ אָמַר – **Reish Lakish says:** שִׁבְעָה – **There are seven heavens,** וְאֵלּוּ הֵן – **and they are [the following]:** וִילוֹן רָקִיעַ שְׁחָקִים זְבוּל – (1) **Curtain;** (2) **Sky;** (3) **Mills;** (4) **Residence;** מָעוֹן מָכוֹן עֲרָבוֹת – (5) **Abode;** (6) **Arsenal;** (7) **Plains.**[25]

Reish Lakish begins a lengthy explanation of the functions and the Scriptural sources for these seven heavens. The Gemara interrupts Reish Lakish's explanation in several places to clarify a point or to digress:

וִילוֹן אֵינוֹ מְשַׁמֵּשׁ כְּלוּם – The first heaven, **Curtain, serves no purpose** אֶלָּא נִכְנָס שַׁחֲרִית וְיוֹצֵא עַרְבִית – **except that it enters** its enclosure **in the morning and emerges** to cover the sky **in the evening** וּמְחַדֵּשׁ בְּכָל יוֹם מַעֲשֵׂה בְרֵאשִׁית – **and** thus **renews the work of Creation every day,**[26] שֶׁנֶּאֱמַר ,,הַנּוֹטֶה כַדֹּק שָׁמַיִם וַיִּמְתָּחֵם כָּאֹהֶל לָשָׁבֶת" – **as it says:**[27] ***Who spreads the heavens like a thin***

NOTES

13. Mountains and wind would seem to have little to do with each other; their juxtaposition in the verse is therefore expounded to teach us that the mountains stand upon the wind (*Rashi*). [In Kabbalistic terminology, בְּרִיאָה, *Beriah*, is one level closer to God than יְצִירָה, *Yetzirah*. Thus, the wind (ובורא רוח) is a step closer to the "arms of the Holy One" than the mountains (יוצר הרים).]

14. *Maharsha* explains that סְעָרָה, *se'arah* (storm), is associated with the Evil Inclination (he cites *Bava Basra* 16a where this term is used in this way). We find that the *se'arah* is a barrier between man and God (*Zohar* II 203a) that conceals God's light from man. Free will (*ruach*) is possible only because God's Infinite Light is concealed (*se'arah*) and the truth is not obvious to all. In our darkened environment, evil can seem to be a reasonable option.

15. *Psalms* 148:8.

16. Even man's battle with the Evil Inclination is dependent in part upon God's "arm," i.e. His assistance (*Maharsha*); if God did not come to aid of a person against the assaults of the Evil Inclination, that person would be unable to withstand its enticements (*Kiddushin* 30b). Rather, God stands by a person in accordance with his moral choices: If a person wishes to be virtuous, God will assist him; and if a person wishes to sin, the opportunity will be given him to do so (*Yoma* 38b).

17. *Deuteronomy* 33:27.

18. I.e. the "arms" (of God) that bear the world (*Rashi*). This is the point at which one may not inquire, "What is below?" One who asks what supports the arms of God has not shown the deference due to the honor of his Creator (*Rashi* to 16a ד"ה ומה למטה).

Maharal (loc. cit.) understands the theme of R' Yose's teaching somewhat differently. According to *Maharal*, a thing can exist only through its connection to God. R' Yose then explains how the earth, which is the thing most distant from the Divine, exists through a chain of connections to the Divine. The earth belongs to people, who stand upright like pillars. People of all nations associate with the People of the Torah (water), i.e. the Jewish nation. The Jewish nation cleaves to their Sages (the mountains) and the Sages are closer to God through *Ruach HaKodesh*, the holy spirit. The holy spirit, in turn, is a level below actual prophecy, which is signified by סְעָרָה, *the storm.* The "storm" is the first barrier a prophet must pass when attempting to receive a prophetic revelation (see *Ezekiel* 1:4). Prophecy is a more powerful and overpowering revelation than *Ruach HaKodesh*. [*Ruach* suggests a mild wind whereas *se'arah* is a powerful storm wind.] The power behind prophecy is symbolized by the "arm" of God. This is the ultimate connection to the Divine, and it enables the rest of Creation to exist.

19. *Deuteronomy* 32:8.

20. *Proverbs* 9:1.

21. Ibid. 10:25.

22. The Gemara in *Makkos* (24a) presents several teachings that shed light on the dispute in our Gemara regarding the number of pillars. The Gemara there states that although there are six hundred and thirteen mitzvos, it was sometimes practical for people to concentrate on a smaller number of ethical requirements that would serve as a basis for their total observance. David established eleven of these requirements; succeeding prophets found it necessary in their times to establish an even lesser number: Isaiah established six and Habakkuk established one. This one requirement is וְצַדִּיק בֶּאֱמוּנָתוֹ יִחְיֶה, *A righteous person will live because of his faith.*

Certainly, David and Isaiah agree that a person must have faith in addition to the ethical requirements they set forth. Thus, the twelve pillars of our Gemara are David's eleven requirements plus the one of faith. The seven pillars are Isaiah's six plus faith. The one pillar, named "Righteous Person," is faith alone (*Maharsha; cf. Rabbeinu Avraham min HaHar*). As mentioned above (note 5), R' Yose contends that the world stands on the three pillars of Torah study, service of God and kind deeds. These three categories encompass all the mitzvos of the Torah.

23. *Deuteronomy* 10:14.

24. "The heavens" is one and "the heavens of the heavens" is two.

25. *Ben Yehoyada* explains that Rav Yehudah and Reish Lakish do not really dispute that there are seven heavens. Rather, Rav Yehudah divides these seven into two groups: those that can be seen [the astronomical heavens] and those that cannot be seen [the spiritual heavens]. Reish Lakish, however, enumerates each one (see also *Peirush* to *Hil. Yesodei HaTorah* 3:1; *Aderes Eliyahu* to *Genesis* 1:1 ד"ה ואת הארץ).

Along the same lines, *Ramban* (to *Genesis* 1:8) states that the word שָׁמַיִם, *heavens,* is used in two different ways in the account of Creation. The first verse (*In the beginning [of everything] God created the heavens and the earth*) speaks of the supernal heavens, containing the angels and all the spiritual entities. The Torah does not go into any detail concerning these, but simply notes that they too are creations. The subsequent references to "heavens" are to the astronomic heavens. The creation of these is described to some extent.

[עֲרָבוֹת is translated as "Plains" based on *Midrash Shocher Tov* 68:3 and *Malbim* to *Psalms* 68:5. According to another, homiletic, view cited in *Midrash Shocher Tov* (114:2), עֲרָבוֹת could be translated "Sweetness." According to an opinion cited in *Ibn Ezra* to *Psalms* loc. cit., it should be translated "Wide Spaces."]

26. When the heaven called Curtain is "rolled up" in its container, the light [of the sun] is allowed to reach the earth; when Curtain is spread out between the [sun's] light and the earth, the earth becomes darkened. This act renews the work of Creation every day (*Rashi; cf. Tosafos*). Just as a distinction was made between light and darkness during the six days of Creation, so too God confirms that distinction each and every day (*Abudraham*, beginning of *Birchos Krias Shema*). According to *R' Yaakov Emden*, the word מְחַדֵּשׁ should not be translated as "renews" but as "makes something novel." Each day is novel in that there never was and there never will be such a day in the history of the world (*Siddur Beis Yaakov*, commentary to Psalm 19 in *Pesukei D'Zimrah*).

27. *Isaiah* 40:22.

עין משפט
נר מצוה

ו א מיי' פ"ג מהלכות יסודי התורה הלכה א:

רבינו חננאל

אינו צריך לגופו. משל דר' ישמעאל הודיע שהקדים שבחה של ארץ לשבח השמים אבל לא בבריאה. תניא ר' יוסי אומר אוי לבריות שרואות ואינן יודעות כלומר הארץ עומדת על העמודים ועמודי הארץ הן על המים. והמים הן על ההרים. וההרים ברוח. והרוח בסערה וכולה מדרש פסוקים וסערה תלויה בזרועו של הקב"ה שנא' ומתחת זרועות עולם. פי' הדבר שהוא בעולם מתחת הכל תלוי בזרוע בגבורתו של הקב"ה. כי הגבורה היא הזרוע כדכתיב לך זרוע עם גבורה. ר' אלעזר אומר על עמוד אחד עומד העולם וצדיק שמו שנאמר וצדיק יסוד עולם זה שאמר ר"ל ז' רקיעין הן. וילון. רקיע. שחקים. זבול. מעון. מכון. ערבות. וכל אחד ואחד פירש מה הן משמשין. אלו כולן קבלה הן הל"מ. וקראי אסמכתא בעלמא הן. ואינם מדרשות. שאינם דברים הנאמרים מן הדעת כלל. אלא דברי קבלה הן. והערבות שהוא רקיע שביעי יש בו צדקה ומשפט. גנזי חיים גנזי שלום גנזי ברכה ונשמת הצדיקי' ונשמות העתידות להבראות. וטל שעתיד הקב"ה להחיות בו את המתים. וכולהו קראי צדק ומשפט שנאמר צדק ומשפט מכון כסאך. גנזי חיים שנאמר כי עמך מקור חיים. גנזי שלום שנאמר ויקרא לו ה' שלום. גנזי ברכה שנא' ישא ברכה מאת ה'. נשמתן של צדיקים שנא' והיתה נפש אדוני צרורה בצרור החיים את ה' אלהיך. רוחות ונשמות העתידו' להבראו' שנא' כי רוח מלפני יעטוף ונשמות אני עשיתי. וטל שעתיד להחיות בו מתים שנאמר גשם נדבות תניף אלהים וגו'. ולמעלה אופנים ושרפים וחיות הקודש ומלאכי השרת וכסא הכבוד ומלך רם ונשא שוכן עליהם. שנאמר סולו לרוכב בערבות ביה שמו. וחושך וערפל מקיפין אותו מבחוץ שנאמר ישת חשך סתרו וגו' ומבפנים אור שנאמר ונהורא עמיה שריה.

תורה אור השלם

א) והארץ היתה תהו ובהו וחשך על פני תהום ורוח אלהים מרחפת על פני המים: [בראשית א, ב]
ב) המרגיז ארץ ממקומה ועמודיה יתפלצון: [איוב ט, ו]
ג) לרקע הארץ על המים כי לעולם חסדו: [תהלים קלו, ו]
ד) תהום כלבוש כסיתו על הרים יעמדו מים: [תהלים קד, ו]
ה) כי הנה יוצר הרים וברא רוח ומגיד לאדם מה שחו עשה שחר עיפה ודרך על במתי ארץ יי אלהי צבאות שמו: [עמוס ד, יג]
ו) אש וברד שלג וקיטור רוח סערה עשה דברו: [תהלים קמח, ח]
ז) מענה אלהי קדם ומתחת זרעת עולם ויגרש מפניך אויב ויאמר השמד: [דברים לג, כז]
ח) בהנחל עליון גוים בהפרידו בני אדם יצב גבלת עמים למספר בני ישראל: [דברים לב, ח]
ט) חכמות בנתה ביתה חצבה עמודיה שבעה: [משלי ט, א]
י) כעבור סופה ואין רשע וצדיק יסוד עולם: [משלי י, כה]
יא) הן ליי אלהיך השמים ושמי השמים הארץ וכל אשר בה: [דברים י, יד]
יב) הישב על חוג הארץ וישביה כחגבים הנוטה כדק שמים וימתחם כאהל לשבת: [ישעיה מ, כב]
יג) ויתן אתם אלהים ברקיע השמים להאיר על הארץ: [בראשית א, יז]
יד) ויצו שחקים ממעל ודלתי שמים פתח: וימטר עליהם מן לאכל ודגן שמים נתן למו: [תהלים עח, כג-כד]
טו) בנה בניתי בית זבל לך מכון לשבתך עולמים: [מלכים א ח, יג]
טז) הבט משמים וראה מזבל קדשך ותפארתך איה קנאתך וגבורתך המון מעיך ורחמיך אלי התאפקו: [ישעיה סג, טו]
יז) יומם יצוה יי חסדו ובלילה שירה עמי תפלה לאל חיי: [תהלים מב, ט]
יח) הקטפים מלוח עלי שיח ושרש רתמים לחמם: [איוב ל, ד]
יט) השקיפה ממעון קדשך מן השמים וברך את עמך את ישראל ואת האדמה אשר נתתה לנו כאשר נשבעת לאבתינו ארץ זבת חלב ודבש: [דברים כו, טו]
כ) יפתח יי לך את אוצרו הטוב את השמים לתת מטר ארצך בעתו ולברך את כל מעשה ידך והלוית גוים רבים ואתה לא תלוה: [דברים כח, יב]
כא) הללו את יי מן הארץ תנינים וכל תהמות: [תהלים קמח, ז]
כב) כי לא אל חפץ רשע אתה לא יגרך רע: [תהלים ה, ה]
כג) ואתה תשמע השמים מכון שבתך וסלחת ועשית ונתת לאיש ככל דרכיו אשר תדע את לבבו כי אתה ידעת לבדך את לבב כל בני האדם: [מלכים א ח, לט]
כד) צדק ומשפט מכון כסאך חסד ואמת יקדמו פניך: [תהלים פט, טו]
כה) וילבש צדקה כשרין וכובע ישועה בראשו וילבש בגדי נקם תלבשת ויעט כמעיל קנאה: [ישעיה נט, יז]
כו) כי עמך מקור חיים באורך נראה אור: [תהלים לו, י]
כז) ויבן שם גדעון מזבח ליי ויקרא לו יי שלום עד היום הזה עודנו בעפרת אבי העזרי: [שופטים ו, כד]
כח) ישא ברכה מאת יי וצדקה מאלהי ישעו: [תהלים כד, ה]
כט) ויקם אדם לרדפך ולבקש את נפשך והיתה נפש אדני צרורה בצרור החיים את יי אלהיך ואת נפש איביך יקלענה בתוך כף הקלע: [שמואל א כה, כט]
ל) כי לא לעולם אריב ולא לנצח אקצוף כי רוח מלפני יעטוף ונשמות אני עשיתי: [ישעיה נז, טז]
לא) גשם נדבות תניף אלהים נחלתך ונלאה אתה כוננתה: [תהלים סח, י]
לב) שירו לאלהים זמרו שמו סלו לרכב בערבות ביה שמו ועלזו לפניו: [תהלים סח, ה]
לג) אין כאל ישרון רכב שמים בעזרך ובגאותו שחקים: [דברים לג, כו]
לד) ישת חשך סתרו סביבותיו סכתו חשכת מים עבי שחקים: [תהלים יח, יב]
לה) הוא גלא עמיקתא ומסתרתא ידע מה בחשוכא ונהורא עמה שרא: [דניאל ב, כב]

ואת הארץ להקדים שמים לארץ. דאי לאו ואת הייתי אומר שניהם נבראו יחד והכתוב כתבם זה אחר זה שאי אפשר לכתוב שני שמות כאחד כדפירש רש"י והא דאמרי ב"ה לעיל ארץ נבראת תחלה דכתיב ביום עשות ה' וגו' ולא כתיב ואת התם דריש ליה מדשני קרא בסידריה להסמיך ארץ לעשיה ומיהו בנימוקי חומש פי' רש"י את השמים לרבות תולדותיהן ומדרש אחר הוא ופליג אהא דהכא: **נכנס** שחרית. פרש"י נכנס בתיקו וממילא האור יוצא ונראה ויוצא ערבית ומכסה האורה ומחשיך העולם והיה קשה למורי א"כ היאך נראים כוכבים בשמים (ס) מינה בלילה כיון שהם קבועים בשני כדמסיק ומיהו שמא נראים מתוכו כמו ע"י העננים אף רוב פעמים שהעננים מחשיכים אותו ומכסין אותו ונראה למורי לפרש איפכא נכנס שחרית בעולם וממנה אורה יוצא ויוצאת ערבית מן העולם [ומסתלק אורה] ולכך הכוכבים נראין: **כל** העוסק בתורה. אמתי לא סיים למילתיה דז' רקיעים: **אוצרות** שלג. יש לפרש שהתחיל לפרש שלג. יש ממנו מוכן לפורענות (ע) ויש לטובה כדאמרינן בתענית (דף ג:) טבא תלגא לטורי כחמשה מטרי לארעא וכן כתיב כי כאשר ירד הגשם והשלג וכו' כי אם הרוה את הארץ וגו' (ישעיה נה): **דוד** ביקש והורידן לארץ. הקשה הרב ר' אלחנן הא כתיב (ישעיה נה) כי כאשר ירד הגשם והשלג מן השמים ותירץ דלכן שמן העננים יורד כיורד מן השמים ועוד י"ל דלא הוריד רק המוכנים לפורענות אבל המרוה את הארץ נשארו למעלה: **לא** יגור במגורך רע. אין זה מקרא אלא לא יגורך והכי דריש ליה: (בגמ' שבת קמט: וכסנהדרין קג. איתא שפיר ע"ש)

להקדים שמים לארץ. דאי לא כתיב את הוה אמינא כאחת נבראו אלא שאי אפשר לקרות שני שמות כאחת להכי כתב את להקדים: למי שאין דרכו להשכים והשכים. הכא נמי (ט) דקרא לשמים תחלה ה"ל ארץ אין דרכו להשכים ועוד שכל מעשה ארץ מתוקנים ומעשה שמים במהירות וזו השכמה שמה שנבראו כאחת לכך התחיל לספר מעשיה תחלה: יוצר הרים ובורא רוח. מה ענין זה אצל זה אלא ללמדך שההרים עומדין על הרוח: רוח סערה עושה דברו. דבר הרוח סערה עשאתו: ומתחת. כל הילירה: זרועות עולם. הסובלות אותו: נכנס שחרית. לתוך תיקו והאור נראה: ויוצא ערבית. ומתפשט למטה מן האור והרי העולם חשוך והוא חידושו (י) למעשה בראשית בכל יום: כדוק. יריעה טיל"א בלע"ז אלמא יש שמים שאין משמשין אלא כשמים יריעה פרוסה: מעון. לשון מדור מקום שמלאכים דרין בו: וחשות. (כ) מפני כבודן של ישראל שמקלסין ביום: יומם יצוה ה' חסדו. יצוה למלאכים לשתוק כדי לעשות חסד לצריכים חסד והם התחתונים: ובלילה שירה עמי. (ל) ברקיע עם שיר שלי שקילסתי ביום: ומנלן. למעון דאיקרי שמים: מכון. לשון אוצר של פורעניות כמה דאת אמר נכונו ללצים שפטים (משלי יט): שבו אוצרות שלג כו'. כל אלה לפורעניות: עליית אגלים. לשון (י) עוגל של מים (חולין דף מה.) ולשון אגלי טל (איוב לח) ולשון אגן הסהר (שיר השירים ז) שמתחלפת ל' בנו"ן והם מים העומדים להלקות פירות: (מ) יפתח ה' לך את אוצרו הטוב. למדת שיש לו אוצר לפורענות: לא יגורך רע. לא יגור אצלך: ורוחות ונשמות. חדא היא ויש מפרשין רוח היא הנשמה העשויה בדמות הגוף נשמה נשימה אליינ"א בלע"ז: מכון כסאך. והכסא בערבות הוא כדמסיק לקמן: וילבש צדקה. למדת שעמו צדקה שרויה: ויקרא לו. קראהו אלוה: רוח מלפני. אלמא לפניו הם: גשם נדבות תניף אלהים וגו'. (נ) והאי קרא במתן תורה כתיב שילחה נשמתן שנאמר נפשי יצאה בדברו (שיר השירים ה) והניף עליהן טל תחייתו שנאמר גשם נדבות תניף אלהים והאי קרא משתעי במתן תורה במזמור יקום אלהים יפוצו אויביו:

את הארץ למה לי להקדים שמים לארץ א) והארץ היתה תהו ובהו מכדי בשמים אתחיל ברישא מאי שנא דקא חשיב מעשה ארץ תנא דבי ר' ישמעאל משל למלך בשר ודם שאמר לעבדיו השכימו לפתחי (א) השכים ומצא נשים ואנשים למי משבח למי שאין דרכו להשכים והשכים תניא ר' יוסי אומר אוי להם לבריות שרואות ואינן יודעות (ב) מה רואות עומדות ואין יודעות על מה הן עומדות הארץ על מה עומדת על העמודים שנאמר ב) המרגיז ארץ ממקומה ועמודיה יתפלצון עמודים על המים שנאמר ג) לרוקע הארץ על המים מים על ההרים שנאמר ד) על הרים יעמדו מים הרים ברוח שנאמר ה) כי הנה יוצר הרים ובורא רוח רוח בסערה שנאמר ו) רוח סערה עושה דברו סערה תלויה א בזרועו של הקב"ה שנאמר ז) ומתחת זרועות עולם וחכ"א על י"ב עמודים עומדת שנאמר ח) יצב גבולות עמים למספר בני ישראל וי"א (ג) ז' עמודים שנאמר ט) חצבה עמודיה שבעה ר"א בן שמוע אומר על עמוד אחד וצדיק שמו שנאמר י) וצדיק יסוד עולם א"ר יהודה שני רקיעים הן שנאמר יא) הן לה' אלהיך השמים ושמי השמים ר"ל אמר ב שבעה ואלו הן וילון רקיע שחקים זבול מעון מכון ערבות וילון אינו משמש כלום אלא נכנס שחרית ויוצא ערבית ומחדש בכל יום מעשה בראשית שנאמר יב) הנוטה כדוק שמים וימתחם כאהל לשבת רקיע שבו חמה ולבנה כוכבים ומזלות קבועין שנאמר יג) ויתן אותם אלהים ברקיע השמים שחקים שבו רחיים עומדות וטוחנות מן לצדיקים (ד) שנאמר יד) ויצו שחקים ממעל ודלתי שמים פתח וימטר עליהם מן לאכול וגו' זבול שבו ירושלים ובית המקדש ג ומזבח בנוי ומיכאל השר הגדול עומד ומקריב עליו קרבן (ה) שנאמר טו) בנה בניתי בית זבול לך מכון לשבתך עולמים ומנלן דאיקרי שמים דכתיב טז) הבט משמים וראה מזבול קדשך ותפארתך מעון שבו כיתות של מלאכי השרת שאומרות שירה בלילה וחשות ביום מפני כבודן של ישראל שנאמר יז) יומם יצוה ה' חסדו ובלילה שירה עמי אמר ר"ל כל העוסק בתורה בלילה הקב"ה מושך עליו חוט של חסד ביום שנאמר יומם יצוה ה' חסדו ומה טעם יומם יצוה ה' חסדו משום ובלילה שירה עמי ואיכא דאמרי אמר ר"ל כל העוסק בתורה ד בעוה"ז שהוא דומה ללילה הקב"ה מושך עליו חוט של חסד לעוה"ב שהוא דומה ליום שנאמר יומם יצוה ה' חסדו ובלילה שירה עמי א"ר לוי ה כל הפוסק מדברי תורה ועוסק בדברי שיחה מאכילין אותו גחלי רתמים שנאמר יח) הקוטפים מלוח עלי שיח ושרש רתמים לחמם ומנלן דאיקרי שמים שנאמר יט) השקיפה ממעון קדשך מן השמים מכון שבו אוצרות שלג ואוצרות ברד ועליית טללים רעים ועליית אגלים [א] וחדרה של סופה [וסערה] ומערה של קיטור (ו) ודלתותיהן אש שנאמר כ) יפתח ה' לך את אוצרו הטוב הני ברקיעא איתנהו הני בארעא איתנהו דכתיב כא) הללו את ה' מן הארץ תנינים וכל תהומות אש וברד שלג וקיטור רוח סערה עושה דברו אמר רב יהודה אמר רב דוד ביקש עליהם רחמים והורידן לארץ אמר לפניו רבש"ע כב) לא אל חפץ רשע אתה לא יגורך (במגורך) רע ו צדיק אתה ה' לא יגור במגורך רע ומנלן דאיקרי שמים דכתיב כג) ואתה תשמע השמים מכון שבתך ערבות שבו צדק משפט וצדקה גנזי חיים וגנזי שלום וגנזי ברכה ונשמתן של צדיקים ורוחות ונשמות שעתיד להיבראות וטל שעתיד הקב"ה להחיות בו מתים צדק ומשפט דכתיב כד) צדק ומשפט מכון כסאך צדקה דכתיב כה) וילבש צדקה כשרין גנזי חיים דכתיב כו) כי עמך מקור חיים וגנזי שלום דכתיב כז) ויקרא לו ה' שלום וגנזי ברכה דכתיב כח) ישא ברכה מאת ה' נשמתן של צדיקים דכתיב כט) והיתה נפש אדוני צרורה בצרור החיים את ה' אלהיך רוחות ונשמות שעתיד להיבראות דכתיב ל) כי רוח מלפני יעטוף ונשמות אני עשיתי ז וטל שעתיד הקב"ה להחיות בו מתים דכתיב לא) גשם נדבות תניף אלהים נחלתך ונלאה אתה כוננתה שם אופנים ושרפים וחיות הקדש ומלאכי השרת וכסא הכבוד מלך אל חי רם ונשא שוכן עליהם (ז) בערבות שנאמר לב) סולו לרוכב בערבות ביה שמו ומנלן דאיקרי שמים (ח) אתיא רכיבה רכיבה כתיב הכא סולו לרוכב בערבות וכתיב התם לג) רוכב שמים בעזרך וחשך וענן וערפל מקיפין אותו שנאמר לד) ישת חשך סתרו סביבותיו סוכתו חשכת מים עבי שחקים ומי איכא חשוכא קמי שמיא והכתיב לה) הוא (ט) גלי עמיקתא ומסתרתא ידע מה בחשוכא ונהורא עמיה שרי לא קשיא הא

מסורת הש"ס

א) [פי' הכל תלוי בגבורות של הקב"ה והגבורה היא זרועו כדכתיב לך זרוע עם גבורה. ערוך ערך זרוע], ב) [מנחות קי. וע' תוס' שם ד"ה ומיכאל], ג) ע"ז ג:, ד) [פסחים ב: ב"מ פג:], ה) ע"ז ג:, ו) [עי' פרש"י בע"ז], ז) [שבת קמט: ע"ש סוטה מב. סנהדרין קג. ע"ש], ח) [שבת פח:], ט) [צ"ל גלא], י) [עוגה איתא לפנינו וע"ש ברש"י].

הגהות הב"ח

(א) גמ' השכימו לפתחי למחר השכים: (ב) שם ואינן יודעות מה הן רואות ומים על ההרים וכו' וההרים על רוח וכו' ורוח בסערה: (ג) שם ויש אומרים על ז': (ד) שם וטוחנות מן לצדיקים לעתיד לבא שנאמר ויצו: (ה) שם ומקריב עליו קרבן בכל יום שנאמר בנה וכו' לשבתך עולמים מאי מקריב ומי תעלה על דעתך שיש לשם כבשים אלא מקריב נשמתן של צדיקים ומנלן דאיקרי שמים: (ו) שם ודלתותיהן אש (שנאמר יפתח וכו' הטוב) תא"מ ונ"ב ס"א פתח ה' אוצרו ויוציא כלי זעמו: (ז) שם רם ונשא שוכן עליהם שנאמר כצ"ל ותיבת בערבות נמחק: (ח) שם ומנלן דאיקרי שמים אמר ר' אבהו אתיא רכיבה: (ט) רש"י ד"ה למי שאין וכו' מדקרא לשמים: (י) ד"ה ויוצא ערבית וכו' חידושו של מעשה בראשית: (כ) ד"ה וחשות ביום מפני: (ל) ד"ה ובלילה שירו עמו שירו ברקיע: (מ) ד"ה (יפתח וכו' הטוב) תא"מ ונ"ב ס"א פתח ה' את אוצרו וגו': (נ) ד"ה גשם נדבות תניף אלהים וגו' במתן תורה כצ"ל ותיבות והאי קרא נמחק: (ס) תוס' ד"ה נכנס וכו' כוכבים בשמים בלילה כיון שהם קבועים ברקיע השני כצ"ל ותיבת מינה נמחק: (ע) ד"ה אוצרות וכו' לפורענות (ויש לטובה כדאמרינן) תא"מ ונ"ב ס"א היינו שלג מרובה היוצא בשטף מוכן לפורענות אבל שלג היורד בנחת לטובה כדאמרינן:

הגהות הגר"א

[א] גמ' וחדרה של סופה ומערה של קיטור. כצ"ל:

ליקוטי רש"י

[תחילת הפירוש נדפס בע"א] השקיפה ממעון קדשך. עשינו מה שגזרת עלינו עשה אתה מה שעליך לעשות שאמרת (ויקרא כו) אם בחקתי תלכו ונתתי גשמיכם בעתם [דברים כו, טו]. קיטור. העשן שמתמר ועולה [ברכות מג.]. תנינים. דגים גדולים. וברד. גלצ"א בלעז. שלג. נייף בלעז. וקיטור. ענן שואה שקורין ברואינ"ה בלעז. רוח סערה. העושה את דברו ושליחותו ואמרו רבותינו שהדברים הללו היו תחלתם גנוזים בשמים ובא דוד והורידן לארץ לפי שהם מיני פורעניות ואין נאה לכם להיות גנוזין במגוריו של הקב"ה [תהלים קמח, ח]. לא אל חפץ רשע אתה. ונאה לך לאבד הרשעה מן העולם. לא יגורך רע. לא יגור עמך רע [שם ה, ה]. [המשך בדף יג.]

curtain, and stretches them like a tent to dwell in.[28] רָקִיעַ – **Sky** is the heaven שֶׁבּוֹ חַמָּה וּלְבָנָה כּוֹכָבִים וּמַזָּלוֹת קְבוּעִין – **in which the sun, moon, stars and constellations are fixed,**[29] שֶׁנֶּאֱמַר ,,וַיִּתֵּן אֹתָם אֱלֹהִים בִּרְקִיעַ הַשָּׁמָיִם'' – **as it says:**[30] *And God made the two great luminaries, the greater luminary to dominate the day and the lesser luminary to dominate the night; and the stars.* ***And God set them in the sky of the heaven.*** שְׁחָקִים – **Mills** is the third heaven שֶׁבּוֹ רֵחַיִם עוֹמְדוֹת – **in which millstones stand** וְטוֹחֲנוֹת מָן לַצַּדִּיקִים – **and grind manna for the righteous,** שֶׁנֶּאֱמַר ,,וַיְצַו שְׁחָקִים מִמָּעַל וְדַלְתֵי שָׁמַיִם פָּתָח וַיַּמְטֵר עֲלֵיהֶם מָן לֶאֱכֹל וגו' '' – **as it says:**[31] ***He commanded the mills above, and opened the doors of heaven, and rained upon them manna to eat* etc.,** *and gave them heavenly grain.* זְבוּל – **Residence** is the fourth heaven שֶׁבּוֹ יְרוּשָׁלַיִם וּבֵית הַמִּקְדָּשׁ וּמִזְבֵּחַ בָּנוּי – **in which are** the Heavenly City of **Jerusalem, the Holy Temple and the built Altar** וּמִיכָאֵל הַשַּׂר הַגָּדוֹל עוֹמֵד וּמַקְרִיב עָלָיו קָרְבָּן – **and Michael the great prince stands and offers upon it an offering,**[32] שֶׁנֶּאֱמַר ,,בָּנֹה בָנִיתִי בֵּית זְבֻל לָךְ מָכוֹן לְשִׁבְתְּךָ עוֹלָמִים'' – **as it says:**[33] ***I have surely built a house of residence for You, the foundation for Your dwelling forever.***[34]

The Gemara inquires:

וּמִנָּלַן דְּאִיקְּרֵי שָׁמַיִם – **And from where do we know that [Residence] is called "a heaven"?**

The Gemara answers:

דִּכְתִיב ,,הַבֵּט מִשָּׁמַיִם וּרְאֵה – **As it is written:**[35] ***Look down from Heaven and see,*** מִזְּבֻל קָדְשְׁךָ וְתִפְאַרְתֶּךָ'' – ***from Your residence of holiness and splendor!***

The Gemara returns to Reish Lakish's enumeration of the heavens:

מָעוֹן – **Abode** is the fifth heaven שֶׁבּוֹ כִּיתּוֹת שֶׁל מַלְאֲכֵי הַשָּׁרֵת שֶׁאוֹמְרוֹת שִׁירָה בַּלַּיְלָה – **in which there are bands of ministering angels**[36] **who utter song at night,** וְחָשׁוֹת בַּיּוֹם מִפְּנֵי כְּבוֹדָן שֶׁל יִשְׂרָאֵל – **but keep silent during the day out of respect for the Jewish people,**[37] שֶׁנֶּאֱמַר ,,יוֹמָם יְצַוֶּה ה' חַסְדּוֹ וּבַלַּיְלָה שִׁירֹה עִמִּי'' – **as it says:**[38] ***In the day Hashem will command His lovingkindness and in the night His song is with me*** *[in heaven].*[39]

The Gemara digresses to cite a statement from Reish Lakish himself that interprets the above verse differently:

אָמַר רֵישׁ לָקִישׁ – **Reish Lakish said:** כָּל הָעוֹסֵק בַּתּוֹרָה בַּלַּיְלָה – **Whoever engages in Torah** study **at night,** הַקָּדוֹשׁ בָּרוּךְ הוּא מוֹשֵׁךְ עָלָיו חוּט שֶׁל חֶסֶד בַּיּוֹם – **the Holy One, Blessed is He, endows him with charm during the day,**[40] שֶׁנֶּאֱמַר ,,יוֹמָם יְצַוֶּה ה' חַסְדּוֹ'' – **as it says: *In the day, Hashem will command His charm.*** וּמַה טַּעַם ,,יוֹמָם יְצַוֶּה ה' חַסְדּוֹ'' – **And what is the reason** that ***In the day, Hashem will command His charm?*** מִשּׁוּם ,,וּבַלַּיְלָה שִׁירֹה עִמִּי'' – **Because, *in the night, His song*** *[of Torah]* ***was with me.***[41]

The Gemara presents a variant version of the above teaching:

וְאִיכָּא דְּאָמְרֵי – **But some say** the teaching is as follows: אָמַר רֵישׁ לָקִישׁ – **Reish Lakish said:** כָּל הָעוֹסֵק בַּתּוֹרָה בָּעוֹלָם הַזֶּה – **Whoever engages in Torah** study **in this world,** שֶׁהוּא דּוֹמֶה לְלַיְלָה – **which is likened to night,** הַקָּדוֹשׁ בָּרוּךְ הוּא מוֹשֵׁךְ עָלָיו חוּט שֶׁל חֶסֶד לָעוֹלָם הַבָּא – **the Holy One, Blessed is He, will endow him with charm in the World to Come,** שֶׁהוּא דּוֹמֶה לְיוֹם – **which is likened to day,** שֶׁנֶּאֱמַר ,,יוֹמָם יְצַוֶּה ה' חַסְדּוֹ וּבַלַּיְלָה שִׁירֹה עִמִּי'' – **as it says: *In the day, Hashem will command His charm because in the night His song*** *[of Torah]* ***was with me.***

A related teaching:

אָמַר רַבִּי לֵוִי – **R' Levi said:** כָּל הַפּוֹסֵק מִדִּבְרֵי תוֹרָה – **Whoever desists from words of Torah** וְעוֹסֵק בְּדִבְרֵי שִׂיחָה – **and engages in words of chatter,**[42] מַאֲכִילִין אוֹתוֹ גַּחֲלֵי רְתָמִים – **they will feed him** long-burning ***rosem*-wood coals,**[43] שֶׁנֶּאֱמַר ,,הַקֹּטְפִים

NOTES

28. We thus see that there is a heaven that functions as nothing but a spread-out cloth (*Rashi*).

29. The word כּוֹכָבִים refers to planets as well as stars (see *Shabbos* 156a with *Rashi*).

[It appears that some sources assumed the seven heavens are identical with the seven (perceived) orbits of the sun, moon and the planets Mercury, Venus, Mars, Jupiter and Saturn (see for example *Otzar HaGeonim, Peirushim* here; *Rambam, Hil. Yesodei HaTorah* 3:1 and *Moreh Nevuchim* 3:14; *R' Shlomo Ibn Gabirol* in *Keser Malchus* cited in *Responsa Chavos Yair* §219; *Tzlach*). This is odd because our Gemara states explicitly that the sun, moon and planets are all in the second heaven (see *Maharsha;* see also *Aderes Eliyahu* to *Genesis* 1:1 ד"ה ואת הארץ).]

30. *Genesis* 1:16-17.

31. *Psalms* 78:23-24.

32. See *Ein Yaakov* for an expanded version of this passage.

33. *I Kings* 8:13.

34. This declaration was uttered by Solomon during the dedication of the Temple.

35. *Isaiah* 63:15.

36. The word מָעוֹן connotes a living area: This heaven is where the angels dwell (*Rashi*).

37. The Jewish people offers praises to God during the day (*Rashi*) in the morning and afternoon prayers (*Maharsha*). [Were the angels to utter song during the day, their songs – emanating amidst absolute purity and holiness – would outshine those of the Jewish people trapped in a thoroughly material world. Still, it is precisely the praise of the lowly, corporeal humans that God desires: See the *piyut, Asher Eimasecha,* in the Mussaf service of Yom Kippur, and *Pachad Yitzchak, Yom KaKippurim* 9:4.]

38. *Psalms* 42:9.

39. During the day, God will command the angels to be silent so as to do a kindness to those who need it (the denizens of the lower world). During the night, the song sung by the angels is together with my human song, which I sang during the day (*Rashi*).

R' Moshe Chaim Luzzatto states that all the actions and interactions of Heaven take place through song (*Adir BaMarom,* cited in *Yalkut Yedios HaEmes,* I p. 355). *Heichalos Rabbasi* (ch. 24) teaches that after a person merits to enter the *Merkavah* and after he has ascended through all the Heavenly chambers and stands before the Throne of Glory, he is then given the privilege to sing a song before God.

40. Literally: draws a thread of grace over him. God makes him appear charming in the eyes of other people (*Rashi* to *Avodah Zarah* 3b ד"ה חוט). [In Reish Lakish's current exposition, חֶסֶד (in the word חַסְדּוֹ) is interpreted as a synonym for חֵן, *charm.* This usage appears in Scripture: See *Genesis* 39:21 and *Esther* 2:17.]

Maharsha (to *Avodah Zarah* 3b) explains this as follows: When a person stays up all night, he is generally irritable the next morning, and this is apparent in his look. However, when one stays up all night to learn Torah, he is blessed the next morning with a radiant countenance.

41. Reish Lakish's mentor, R' Yochanan, held that the "song of Torah" (רִנָּה שֶׁל תּוֹרָה) exists only at night (see *Vayikra Rabbah* 19:1). *Rambam* writes (*Hil. Talmud Torah* 3:13): Even though the mitzvah is to learn both day and night, a person gains most of his learning only at night. Therefore, he who wishes to attain the crown of the Torah should take care with all of his nights and not waste even one of them through sleep, food, drink, casual conversation or the like. Rather [he should engage] in the study of Torah and words of wisdom.

42. That is, he was already studying the Torah and he stopped to engage in trivial remarks (*Rashi* to *Avodah Zarah* 3b ד"ה הפוסק).

43. Coals made out of *rosem*-wood are especially dangerous, because long after they appear to be extinguished on the surface, they continue to burn within (*Rashi* to *Psalms* 120:4; see *Midrash Shocher Tov* ad loc. and *Bava Basra* 74b). [*Rosem*-wood coals are a fitting punishment for this person: After it appeared that the fire of his Evil Inclination had been completely extinguished as he was engaged in his Torah study, the fire flared up again through his chatter and demonstrated that it was still burning actively.]

For a discussion of the gravity of this sin, see *Michtav MeEliyahu* IV p. 90.

עין משפט נר מצוה

ו א מיי' פ"ג מהלכות יסודי התורה הלכה ד:

רבינו חננאל

אינו צריך לגופו. משל דר' ישמעאל הודיע שהקדים שבחה של ארץ לשבח השמים אבל לא בבריאה. תניא ר' יוסי אומר אוי לבריות שרואות ואינן יודעות כלומר הארץ עומדת על העמודים ועמודי הארץ הן על המים. והמים הן על ההרים. וההרים ברוח. והרוח בסערה וכולה מדרש פסוקים וסערה תלויה בזרועו של הקב"ה שנא' ומתחת זרועות עולם. פי' הדבר שהוא בעולם מתחת הכל תלוי בזרוע ובגבורתו של הקב"ה. כי הגבורה היא הזרוע כדכתיב לך זרוע עם גבורה. ר' אלעזר אומר על עמוד אחד עומד העולם וצדיק שמו שנאמר וצדיק יסוד עולם. ריש לקיש אמר ז' רקיעין הן. וילון. רקיע. שחקים. זבול. מעון. ערבות. מכון. וכל אחד ואחד פירש מה הן משמשין. אלו כולן קבלה הן הל"מ. וקראי אסמכתא בעלמא הן. ואינם מדרשות. שאינם דברים הנאמרים מן הדעת כלל. אלא דברי קבלה הן. והערבות שהוא רקיע שביעי יש בו צדקה ומשפט. גנזי חיים גנזי שלום גנזי ברכה ונשמת הצדיקים ונשמות העתידות להבראות. וטל שעתיד הקב"ה להחיות בו את המתים. וכולהו קרא צדק ומשפט שנאמר צדק ומשפט מכון כסאך. גנזי חיים שנאמר כי עמך מקור חיים. גנזי שלום שנאמר ויקרא לו ה' שלום. גנזי ברכה שנא' ישא ברכה מאת ה'. נשמתן של צדיקים שנא' והיתה נפש אדוני צרורה בצרור החיים את ה' אלהיך. רוחות ונשמות העתידין להבראות שנא' כי רוח מלפני יעטוף ונשמות אני עשיתי. וטל שעתיד להחיות בו מתים שנאמר גשם נדבות תניף אלהים וגו'. ולמעלה אופנים ושרפים וחיות הקודש ומלאכי השרת וכסא הכבוד ומלך רם ונשא שוכן עליהם. שנאמר סולו לרוכב בערבות ביה שמו. וחושך וענן וערפל מקיפין אותו מבחוץ שנאמר ישת חשך סתרו וגו' ומבפנים אור שנאמר ונהורא עמיה שריא.

ואת הארץ להקדים שמים לארץ. דאי לאו ואת הייתי אומר שניהם נבראו יחד והכתוב כתבם זה אחר זה שאי אפשר לכתוב שני שמות כאחד כדפירש רש"י והא דאמרי' ב"ה לעיל ארץ נבראת תחלה דכתיב ביום עשות ה' וגו' ולא כתיב ואת התם דריש ליה מדשני קרא בסידריה להסמיך ארץ לעשיה ומיהו בנימוקי חומש פי' רש"י את השמים לרבות תולדותיהן ומדרש אחר הוא ופליג אהא דהכא:

נכנס שחרית. פרש"י נכנס בתיקו ומתוך ממילא האור יוצא ונראה ויוצא ערבית ומכסה האורה ומחשיך העולם והיא קשה למורי א"כ היאך נראים כוכבים בשמים (ס) מינה בלילה כיון שהם קבועים בשני כדמסיק ומיהו שמא נראים מתוכו כמו ע"י העננים אך רוב פעמים שהעננים מחשיכים אותו ומכסין אותו ונראה למורי לפרש איפכא נכנס שחרית בעולם וממנה אורה יוצא ויוצאת ערבית מן העולם [ומסתלק אורה] ולכך הכוכבים נראין:

כל העוסק בתורה. אכתי לא סיים למילתיה דו' רקיעים שהתחיל לפרש: **אוצרות** שלג. יש ממנו שמוכן לפורענות (ע) ויש לטובה כדאמרינן בתענית (דף ג:) טבא תלגא לטורי כחמשה מטרי לארעא וכן כתיב כי כאשר ירד הגשם והשלג וגו' כי אם הרוה את הארץ וגו' (ישעיה נה): **דוד** ביקש והורידן לארץ. הקשה הרב ר' אלחנן הא כתיב (ישעיה נה) כי כאשר ירד הגשם והשלג מן השמים ותירץ דכיון שמן העננים יורד נראות כיורד מן השמים ועוד י"ל דלא הוריד רק המוכנים לפורענות אבל המרוים את הארץ נשארו למעלה:

לא יגור במגורך רע. אין זה מקרא אלא לא יגורך והכי דריש ליה: (בגמ' שבת קמט: ובסנהדרין קג. איתא ספיר ע"ש)

את הארץ למה לי להקדים שמים לארץ א) והארץ היתה תהו ובהו מכדי בשמים אתחיל ברישא מאי שנא דקא חשיב מעשה ארץ תנא דבי ר' ישמעאל משל למלך בשר ודם שאמר לעבדיו השכימו לפתחי (א) השכים ומצא נשים ואנשים למי משבח למי שאין דרכו להשכים והשכים תניא ר' יוסי אומר אוי להם לבריות שרואות ואינן יודעות (ג) מה רואות עומדות ואין יודעות על מה הן עומדות הארץ על מה עומדת על העמודים שנאמר ב) המרגיז ארץ ממקומה ועמודיה יתפלצון עמודים על המים שנאמר ג) לרוקע הארץ על המים מים על ההרים שנאמר ד) על הרים יעמדו מים הרים ברוח שנאמר ה) כי הנה יוצר הרים ובורא רוח רוח בסערה שנאמר ו) רוח סערה עושה דברו סערה תלויה ט) בזרועו של הקב"ה שנאמר ז) ומתחת זרועות עולם וחכ"א על י"ב עמודים עומדת שנאמר ח) יצב גבולות עמים למספר בני ישראל וי"א (ג) ז' עמודים שנאמר ט) חצבה עמודיה שבעה ר"א בן שמוע אומר על עמוד אחד וצדיק שמו שנאמר י) וצדיק יסוד עולם א"ר יהודה שני רקיעים הן שנאמר יא) הן לה' אלהיך השמים ושמי השמים ר"ל אמר א שבעה ואלו הן וילון רקיע שחקים זבול מעון ערבות מכון וילון אינו משמש כלום אלא נכנס שחרית ויוצא ערבית ומחדש בכל יום מעשה בראשית שנאמר יב) הנוטה כדוק שמים וימתחם כאהל לשבת רקיע שבו חמה ולבנה כוכבים ומזלות קבועין שנאמר יג) ויתן אותם אלהים ברקיע השמים שחקים שבו רחיים עומדות וטוחנות מן לצדיקים (ד) שנאמר יד) ויצו שחקים ממעל ודלתי שמים פתח וימטר עליהם מן לאכול וגו' זבול שבו ירושלים ובית המקדש ו) ומזבח בנוי ומיכאל השר הגדול עומד ומקריב עליו קרבן (ה) שנאמר טו) בנה בניתי בית זבול לך מכון לשבתך עולמים ומנלן דאיקרי שמים דכתיב טז) הבט משמים וראה מזבול קדשך ותפארתך מעון שבו כיתות של מלאכי השרת שאומרות שירה בלילה וחשות ביום מפני כבודן של ישראל שנאמר יז) יומם יצוה ה' חסדו ובלילה שירה עמי אמר ר"ל ג) כל העוסק בתורה בלילה הקב"ה מושך עליו חוט של חסד ביום שנאמר יומם יצוה ה' חסדו ומה טעם יומם יצוה ה' חסדו משום ובלילה שירה עמי ואיכא דאמרי אמר ר"ל כל העוסק בתורה ד) בעוה"ז שהוא דומה ללילה הקב"ה מושך עליו חוט של חסד לעוה"ב שהוא דומה ליום שנאמר יומם יצוה ה' חסדו ובלילה שירה עמי א"ר לוי ה) כל הפוסק מדברי תורה ועוסק בדברי שיחה מאכילין אותו גחלי רתמים שנאמר יח) הקוטפים מלוח ו) עלי שיח ושרש רתמים לחמם ומנלן דאיקרי שמים שנאמר יט) השקיפה ממעון קדשך מן השמים מכון שבו אוצרות שלג ואוצרות ברד ועליית טללים רעים ועליית אגלים [א] וחדרה של סופה [וסערה] ומערה של קיטור (ו) ודלתותיהן אש שנאמר כ) יפתח ה' לך את אוצרו הטוב הני ברקיעא איתנהו הני בארעא איתנהו דכתיב כא) הללו את ה' מן הארץ תנינים וכל תהומות אש וברד שלג וקיטור רוח סערה עושה דברו אמר רב יהודה אמר רב דוד ביקש עליהם רחמים והורידן לארץ אמר לפניו רבש"ע כב) לא אל חפץ רשע אתה לא יגורך (במגורך) רע ז) צדיק אתה ה' לא יגור במגורך רע ומנלן דאיקרי שמים דכתיב כג) ואתה תשמע השמים מכון שבתך ערבות שבו צדק משפט וצדקה גנזי חיים וגנזי שלום וגנזי ברכה ונשמתן של צדיקים ורוחות ונשמות שעתיד להיבראות וטל שעתיד הקב"ה להחיות בו מתים צדק ומשפט דכתיב כד) צדק ומשפט מכון כסאך צדקה דכתיב כה) וילבש צדקה כשרין גנזי חיים דכתיב כו) כי עמך מקור חיים וגנזי שלום דכתיב כז) ויקרא לו ה' שלום וגנזי ברכה דכתיב כח) ישא ברכה מאת ה' נשמתן של צדיקים דכתיב כט) והיתה נפש אדוני צרורה בצרור החיים את ה' אלהיך רוחות ונשמות שעתיד להיבראות דכתיב ל) כי רוח מלפני יעטוף ונשמות אני עשיתי ח) וטל שעתיד הקב"ה להחיות בו מתים דכתיב לא) גשם נדבות תניף אלהים נחלתך ונלאה אתה כוננתה שם אופנים ושרפים וחיות הקדש ומלאכי השרת וכסא הכבוד מלך אל חי רם ונשא שוכן עליהם (ז) בערבות שנאמר לב) סולו לרוכב בערבות ביה שמו ומנלן דאיקרי שמים (ח) אתיא רכיבה רכיבה כתיב הכא סולו לרוכב בערבות וכתיב התם לג) רוכב שמים בעזרך וחשך וענן וערפל מקיפין אותו שנאמר לד) ישת חשך סתרו סביבותיו סוכתו חשכת מים עבי שחקים ומי איכא חשוכא קמי שמיא והכתיב לה) הוא (ט) גלי) עמיקתא ומסתרתא ידע מה בחשוכא ונהורא עמיה שרי לא קשיא הא

להקדים שמים לארץ. דאי לא כתיב את הוה אמינא ארץ נבראת תחלה אלא שאי אפשר לקרות שני שמות כאחת כתב את להקדים: **למי** שאין דרכו להשכים והשכים. הכא נמי (ע) דקרא לשמים תחלה ה"ל ארץ אין דרכו להשכים ועוד שכל מעשה ארץ מתוקנים ומעשה שמים מתהירות וזו השכימה עמה שנבראו כאחת לכך התחיל לספר מעשיה תחלה: **יוצר** הרים ובורא רוח. מה ענין זה אצל זה אלא ללמדך שההרים עומדין על הרוח: **רוח** סערה עושה דברו. דבר הרוח סערה עשאתו: **ומתחת**. כל הלילה: **זרועות** עולם. הסובלות אותו: **נכנס** שחרית. לתוך תיקו והאור נראה: **ויוצא** ערבית. מתיקו ומתפשט למטה מן האור והוי העולם חשוך וזהו חידושו (י) למעשה בראשית בכל יום: **כדוק**. יריעה טייל"א בלע"ז אלמא יש שמים שאין משמשין אלא תשמיש יריעה פרוסה: **מעון**. לשון מדור מקום שמלאכים דרים בו: **וחשות**. (כ) מפני כבודן של ישראל שמקלסין ביום: **יומם** יצוה ה' חסדו. לכך מלאכים לשתוק כדי לעשות חסד לישראל והם משתחוים: **ובלילה** שירה עמי. (ל) ברקיע עם שיר שלי שקילסתי ביום: **ומנלן**. למעון דאיקרי שמים: **מכון**. לשון אוצר של פורעניות כמה דאת אמר נכונו ללצים שפטים (משלי יט) שבו אוצרות שלג כו'. כל אלה לפורעניות: **עליית** אגלים. לשון (*עוגל) של מים (חולין דף מא.) ולשון אגלי טל (איוב לח) ולשון אגן הסהר (שיר השירים ז) שמתמלאת לי' בנו"ן והם מים העומדים להלקות פירות: (מ) **יפתח** ה' לך את אוצרו הטוב. למדת שיש לו אוצר לפורענות: **לא** יגורך רע. לא יגור אצלך: **ורוחות** ונשמות. חדא היא ויש מפרשין רוח היא הנשמה העשויה בדמות הגוף נשמה נשימה אליינ"א בלע"ז: **מכון** כסאך. והכסא בערבות הוא כדמסיק לקמן: **וילבש** צדקה. לשון שריון: **ויקרא** לו. [illegible]: **רוח** מלפני. אלמא לפניו הם: **גשם** נדבות תניף אלהים וגו'. (נ) והאי קרא במתן תורה כתיב שיצתה נשמתן שנאמר נפשי יצאה בדברו (שיר השירים ה) והניף עליהן טל תחייתו שנאמר גשם נדבות תניף אלהים והאי קרא משתעי במתן תורה במזמור יקום אלהים יפוצו אויביו:

מְלוּחַ עֲלֵי־שִׂיחַ – as it says:[44] ***Those who uproot the Tablet-like** [words] **by way of** [engaging in] **chatter*** **"וְשֹׁרֶשׁ רְתָמִים לַחְמָם" –** ***eventually the root of rosem** [coals] **will be their meal.***[45]

The Gemara returns to the subject of the seven heavens. Reish Lakish stated above that Abode is the fifth heaven. The Gemara asks:

וּמְנָלַן דְּאִיקְּרֵי שָׁמַיִם – And from where do we know that [Abode] **is called a "heaven"?**

The Gemara answers:

שֶׁנֶּאֱמַר ,,הַשְׁקִיפָה מִמְּעוֹן קָדְשְׁךָ מִן־הַשָּׁמַיִם" – As it says:[46] ***Gaze down from Your holy abode, from the heavens.***

Reish Lakish continues:

מָכוֹן – The sixth heaven is Arsenal שֶׁבּוֹ אוֹצְרוֹת שֶׁלֶג וְאוֹצְרוֹת בָּרָד – in which are prepared various forms of tribulation:[47] **storehouses of snow, storehouses of hail,**[48] **וַעֲלִיַּית טְלָלִים רָעִים וַעֲלִיַּית אֲגָלִים – an attic full of destructive dews and an attic full of beads** of water,[49] **וְחַדְרָהּ שֶׁל סוּפָה [וּסְעָרָה] – a chamber of whirlwind**[50] **and storm וּמְעָרָה שֶׁל קִיטוֹר – and a cave of vapor. וְדַלְתוֹתֵיהֶן אֵשׁ – And the doors of** [all these rooms] **are fire שֶׁנֶּאֱמַר ,,יִפְתַּח ה' לְךָ אֶת־אוֹצָרוֹ הַטּוֹב" – as it says:**[51] ***Hashem shall open for you His storehouse of goodness.*** The implication is that there is another storehouse that is not of goodness but rather tribulation.[52]

The Gemara asks:

הָנֵי בִּרְקִיעָא אִיתְנְהוּ – Are these [items] **in heaven? בְּאַרְעָא אִיתְנְהוּ – These** [items] **are on earth! דִּכְתִיב – for it is written:**[53] **,,הַלְלוּ אֶת־ה' מִן־הָאָרֶץ –** ***Praise Hashem from the earth:*** **תַּנִּינִים וְכָל־תְּהֹמוֹת –** ***sea giants and all watery depths,*** **אֵשׁ וּבָרָד שֶׁלֶג וְקִיטוֹר –** ***fire and hail, snow and vapor,*** **רוּחַ סְעָרָה עֹשָׂה דְבָרוֹ" –** ***stormy wind fulfilling His word.***[54] **– ? –**

The Gemara answers:

אָמַר רַב יְהוּדָה אָמַר רַב – Rav Yehudah said in the name of Rav: דָּוִד בִּיקֵּשׁ עֲלֵיהֶם רַחֲמִים וְהוֹרִידָן לָאָרֶץ – David beseeched God for **compassion concerning these** items **and** succeeded in **bringing them down to earth. אָמַר לְפָנָיו – [David] said before [God]: רִבּוֹנוֹ שֶׁל עוֹלָם – Master of the universe, ,,לֹא אֵל־חָפֵץ רֶשַׁע אָתָּה –** ***You are not a God Who desires wickedness;*** **לֹא יְגֻרְךָ רָע" (בִּמְגוּרְךָ) –** ***evil does not dwell with You,***[55] which means: **צַדִּיק אַתָּה ה' – You, Hashem, are righteous;**[56] **לֹא יָגוּר בִּמְגוּרְךָ רָע –** therefore **an evil thing shall not be allowed in Your dwelling.**

The Gemara asks:

וּמְנָלַן דְּאִיקְּרֵי שָׁמַיִם – And from where do we know that [Arsenal] (*machon*) **is called a "heaven"?**

The Gemara answers:

דִּכְתִיב – As it is written: ,,וְאַתָּה תִּשְׁמַע הַשָּׁמַיִם מְכוֹן שִׁבְתֶּךָ" – ***May You hear from heaven, the foundation*** (*machon*) ***of Your habitation.***[57]

Reish Lakish continues:

עֲרָבוֹת – Plains is the seventh heaven[58] **שֶׁבּוֹ צֶדֶק מִשְׁפָּט וּצְדָקָה – in which are righteousness, justice and charity; גִּנְזֵי חַיִּים וְגִנְזֵי שָׁלוֹם וְגִנְזֵי בְרָכָה – treasuries of life, treasuries of peace and treasuries of blessing; וְנִשְׁמָתָן שֶׁל צַדִּיקִים – the souls of the righteous; וְרוּחוֹת וּנְשָׁמוֹת שֶׁעָתִיד לְהִיבָּרְאוֹת – the spirits and souls** of people **that are destined to be created;**[59] **וְטַל שֶׁעָתִיד הַקָּדוֹשׁ בָּרוּךְ הוּא לְהַחֲיוֹת בּוֹ מֵתִים – and the dew that the Holy One, Blessed is He, is destined to use to resurrect the dead.**[60] **צֶדֶק וּמִשְׁפָּט – Righteousness and justice, דִּכְתִיב – as it is written:**[61] **,,צֶדֶק וּמִשְׁפָּט מְכוֹן כִּסְאֶךָ" –** ***Righteousness and justice are Your throne's foundation.***[62] **צְדָקָה – Charity,**

NOTES

44. *Job* 30:4.

45. The translation reflects the homiletical interpretation of the verse. Its simple meaning is quite different: The verse appears in a passage describing the degradation of men whose base characters made them unwelcome in towns. These men therefore foraged for meals in the wilderness: *They would scrape moss from trees and rosem roots* (possibly juniper) *would be their food.*

46. *Deuteronomy* 26:15.

47. The word מָכוֹן connotes a storehouse of tribulations [that lie in wait for the wicked]. This usage is similar to the sense of the verb in *Proverbs* 19:29: נָכוֹנוּ לַלֵּצִים שְׁפָטִים, *Punishments loom for the scoffers* (*Rashi*). [See *Heichalos Rabbasi* 17:6 and 18:5 in *Otzar HaMidrashim* regarding the sixth of the seven Heavenly chambers.]

48. [Echoing the language of *Job* 38:22.]

49. Or basins of water. These are waters used to damage produce (*Rashi*).

50. [See *Job* 37:9.]

51. *Deuteronomy* 28:12.

52. *Rashi,* according to the version printed in the Vilna edition of the Gemara. *Ein Yaakov* has a different version of both the Gemara and *Rashi* that offers a more straightforward proof of the Gemara's point. According to this second version, the Gemara does not cite the verse in *Deuteronomy* but rather the verse in *Jeremiah* 50:25: פָּתַח ה' אֶת־אוֹצָרוֹ וַיּוֹצֵא אֶת־כְּלֵי זַעְמוֹ, *Hashem has opened up His arsenal and has taken out the weapons of His wrath.* Thus, the verse is a direct proof, not an indirect one, that God has a storehouse of tribulations. *Rashi* in *Ein Yaakov's* version cites this verse as well. *Hagahos HaBach* changes our Gemara and *Rashi* to conform with the *Ein Yaakov's* version. He does this elsewhere on our page as well.

53. *Psalms* 148:7-8.

54. The Psalm begins: *Praise Hashem from the heavens . . . His angels . . . His legions . . . sun and moon . . . all bright stars,* and then continues: *Praise Hashem from the earth . . . fire and hail, snow and vapor, stormy wind.* We therefore see that all these latter items are in the same category as the earth.

55. Ibid. 5:5.

56. [This phrase, צַדִּיק אַתָּה ה', *You Hashem are righteous,* which is of Scriptural origin (*Jeremiah* 12:1), is used here for reasons of style (*Maharshal* to *Shabbos* 149b).]

57. *I Kings* 8:39.

58. [The heaven closest to God, as it were.]

59. *Rashi* explains that the terms רוּחוֹת and נְשָׁמוֹת (*spirits* and *souls*) are [essentially] synonymous. *Rashi* cites an alternative explanation, however, that רוּחַ refers to the soul whose [spiritual] structure corresponds to man's body (see above, 12a note 34), whereas נְשָׁמָה is the breath (נְשִׁימָה) [of life, i.e. the spirit of holiness that God breathed into man (see *Genesis* 2:7 and *Michtav MeEliyahu* vol. I p. 72)]. The Midrash speaks of five names [i.e. parts or aspects] of the soul: (1) נֶפֶשׁ, *Nefesh;* (2) רוּחַ, *Ruach;* (3) נְשָׁמָה, *Neshamah;* (4) חַיָּה, *Chayah;* (5) יְחִידָה, *Yechidah* (*Bereishis Rabbah* 14:9; see *Michtav MeEliyahu,* I p. 117; III p. 216; V pp. 13, 381, 385).

In regard to the phrase שֶׁעָתִיד לְהִיבָּרְאוֹת, *[the spirits and souls] that are destined to be created:* This does not mean that a new soul is created *ex nihilo* whenever someone is born. Rather, *Ramban* writes, all souls were created from nothingness during the six days of Creation (*Responsa* of *Ramban* addressed to *Rabbeinu Yonah,* printed in *Kisvei Ramban,* Chavel ed. I p. 383 and in *Responsa of Rashba Attributed to Ramban* §284; see *Yevamos* 62a). Elsewhere, *Ramban* specifies that it was on the first day alone that God brought all things into existence from nothingness. Thereafter, He fashioned these materials into the parts of His world (*Commentary* to *Genesis* 1:26).

60. It is one of the fundamental beliefs of Judaism that God will bring many of those who have died back to life. By tradition, this resurrection of the dead will be accomplished somehow through a supernal "dew."

The Gemara in *Shabbos* (88b) states that with every single statement that emanated from the mouth of the Holy One, Blessed is He, at the giving of the Torah on Mt. Sinai, the souls of the Jewish people departed from their bodies, as it says (*Song of Songs* 5:6): *My soul departed as He spoke.* And after every statement, God resurrected them with the same dew He will use for the resurrection of the dead in the future.

61. *Psalms* 89:15.

62. And the Throne of Glory itself is in Plains, as the Gemara notes below (*Rashi*).

את הארץ למה לי להקדים שמים לארץ [א] והארץ היתה תהו ובהו מכדי בשמים אתחיל ברישא מאי שנא דקא חשיב מעשה ארץ תנא דבי ר' ישמעאל משל למלך בשר ודם שאמר לעבדיו השכימו לפתחי (א) השכים ומצא נשים ואנשים למי משבח למי שאין דרכו להשכים והשכים תניא ר' יוסי אומר אוי להם לבריות שרואות ואינן יודעות (ב) מה רואות עומדות ואין יודעות על מה הן עומדות הארץ על מה עומדת על העמודים שנאמר [ב] המרגיז ארץ ממקומה ועמודיה יתפלצון עמודים על המים שנאמר [ג] לרוקע הארץ על המים מים על ההרים שנאמר [ד] על הרים יעמדו מים הרים ברוח שנאמר [ה] כי הנה יוצר הרים ובורא רוח רוח בסערה שנאמר [ו] רוח סערה עושה דברו סערה תלויה [א] בזרועו של הקב"ה שנאמר [ז] ומתחת זרועות עולם וחכ"א על י"ב עמודים עומדת שנאמר [ח] יצב גבולות עמים למספר בני ישראל וי"א (ג) ז' עמודים שנאמר [ט] חצבה עמודיה שבעה ר"א בן שמוע אומר על עמוד אחד וצדיק שמו שנאמר [י] וצדיק יסוד עולם א"ר יהודה שני רקיעים הן שנאמר [יא] הן לה' אלהיך השמים ושמי השמים ר"ל אמר [א] שבעה ואלו הן וילון רקיע שחקים זבול מעון מכון ערבות וילון אינו משמש כלום אלא נכנס שחרית ויוצא ערבית ומחדש בכל יום מעשה בראשית שנאמר [יב] הנוטה כדוק שמים וימתחם כאהל לשבת רקיע שבו חמה ולבנה כוכבים ומזלות קבועין שנאמר [יג] ויתן אותם אלהים ברקיע השמים שחקים שבו רחיים עומדות וטוחנות מן לצדיקים (ד) שנאמר [יד] ויצו שחקים ממעל ודלתי שמים פתח וימטר עליהם מן לאכול וגו' זבול שבו ירושלים ובית המקדש [ב] ומזבח בנוי ומיכאל השר הגדול עומד ומקריב עליו קרבן (ה) שנאמר [טו] בנה בניתי בית זבול לך מכון לשבתך עולמים ומנלן דאיקרי שמים דכתיב [טז] הבט משמים וראה מזבול קדשך ותפארתך מעון שבו כיתות של מלאכי השרת שאומרות שירה בלילה וחשות ביום מפני כבודן של ישראל שנאמר [יז] יומם יצוה ה' חסדו ובלילה שירה עמי אמר ר"ל [ג] כל העוסק בתורה בלילה הקב"ה מושך עליו חוט של חסד ביום שנאמר יומם יצוה ה' חסדו ומה טעם יומם יצוה ה' חסדו משום ובלילה שירה עמי ואיכא דאמרי אמר ר"ל כל העוסק בתורה [ד] בעוה"ז שהוא דומה ללילה הקב"ה מושך עליו חוט של חסד לעוה"ב שהוא דומה ליום שנאמר יומם יצוה ה' חסדו ובלילה שירה עמי א"ר לוי [ה] כל הפוסק מדברי תורה ועוסק בדברי שיחה מאכילין אותו גחלי רתמים שנאמר [יח] הקוטפים מלוח עלי שיח ושרש רתמים לחמם ומנלן דאיקרי שמים שנאמר [יט] השקיפה ממעון קדשך מן השמים מכון שבו אוצרות שלג ואוצרות ברד ועליית טללים רעים ועליית אגלים [א] וחדרה של סופה [וסערה] ומערה של קיטור (ו) ודלתותיהן אש שנאמר [כ] יפתח ה' לך את אוצרו הטוב הני ברקיעא איתנהו הני בארעא איתנהו דכתיב [כא] הללו את ה' מן הארץ תנינים וכל תהומות אש וברד שלג וקיטור רוח סערה עושה דברו אמר רב יהודה אמר רב דוד ביקש עליהם רחמים והורידן לארץ אמר לפניו רבש"ע [כב] לא אל חפץ רשע אתה לא יגורך (במגורך) רע צדיק אתה ה' לא יגור במגורך רע ומנלן דאיקרי שמים דכתיב [כג] ואתה תשמע השמים מכון שבתך ערבות שבו צדק משפט וצדקה גנזי חיים וגנזי שלום וגנזי ברכה ונשמתן של צדיקים ורוחות ונשמות שעתיד להיבראות וטל שעתיד הקב"ה להחיות בו מתים צדק ומשפט דכתיב [כד] צדק ומשפט מכון כסאך צדקה דכתיב [כה] וילבש צדקה כשרין גנזי חיים דכתיב [כו] כי עמך מקור חיים וגנזי שלום דכתיב [כז] ויקרא לו ה' שלום וגנזי ברכה דכתיב [כח] ישא ברכה מאת ה' נשמתן של צדיקים דכתיב [כט] והיתה נפש אדוני צרורה בצרור החיים את ה' אלהיך רוחות ונשמות שעתיד להיבראות דכתיב [ל] כי רוח מלפני יעטוף ונשמות אני עשיתי [ו] וטל שעתיד הקב"ה להחיות בו מתים דכתיב [לא] גשם נדבות תניף אלהים נחלתך ונלאה אתה כוננתה שם אופנים ושרפים וחיות הקדש ומלאכי השרת וכסא הכבוד מלך אל חי רם ונשא שוכן עליהם (ז) בערבות שנאמר [לב] סולו לרוכב בערבות ביה שמו ומנלן דאיקרי שמים (ח) אתיא רכיבה רכיבה כתיב הכא סולו לרוכב בערבות וכתיב התם [לג] רוכב שמים בעזרך וחשך וענן וערפל מקיפין אותו שנאמר [לד] ישת חשך סתרו סביבותיו סוכתו חשכת מים עבי שחקים ומי איכא חשוכא קמי שמיא והכתיב [לה] הוא (ט) גלי עמיקתא ומסתרתא ידע מה בחשוכא ונהורא עמיה שרי לא קשיא הא

רש"י

להקדים שמים לארץ. דאי לא כתיב את הוה אמינא כאחת נבראו אלא שאי אפשר לקרות שני שמות כאחת להכי כתב את להקדים: למי שאין דרכו להשכים והשכים. הכא נמי (ט) דקרא לשמים תחלה ה"ל ארץ אין דרכו להשכים ועוד שכל מעשה ארץ מתונים ומעשה שמים במהירות וזו השכימה עמה שנבראו כאחת לכך התחיל לספר מעשיה תחלה: יוצר הרים ובורא רוח. מה ענין זה אצל זה אלא ללמדך שההרים עומדין על הרוח: רוח סערה עושה דברו. דבר הרוח סערה עשאתו: ומתחת. כל הילירה: זרועות עולם. הסובלות אותו: נכנס שחרית. לתוך תיקו והאור נראה: ויוצא ערבית. מתיקו ומתפשט למטה מן האור והרי העולם חשוך וזהו חידושו (י) למעשה בראשית בכל יום: כדוק. יריעה טייל"א בלע"ז אלמא יש שמים שאין משמשין אלא תשמיש יריעה פרוסה: מעון. לשון מדור מקום שמלאכים דרין בו: וחשות. (כ) מפני כבודן של ישראל שמקלסין ביום: יומם יצוה ה' חסדו. יצוה למלאכים לשתוק כדי לעשות חסד לבריכים חסד והם התחתונים: ובלילה שירה עמי. (ל) ברקיע עם שיר שלי שקילסתי ביום: ומנלן. למעון איקרי שמים: מכון. לשון אוצר של פורעניות כמה דאת אמר נכונו ללצים שפטים (משלי יט): שבו אוצרות שלג כו'. כל אלה לפורעניות: עליית אגלים. לשון (י) עוגל של מים (חולין דף מא.) ולשון אגלי טל (איוב לח) ולשון אגן הסהר (שיר השירים ז) שמתמלאת ל' בנו"ן והם מים העומדים להלקות פירות: (מ) יפתח ה' לך את אוצרו הטוב. למדת שיש לו אוצר לפורענות: לא יגורך רע. לא יגור אצלך: ורוחות ונשמות. חדא היא ויש מפרשין רוח היא הנשמה העשויה בדמות הגוף נשמה נשימה אליינ"א בלע"ז: מכון כסאך. והכסא בערבות הוא כדמסיק לקמן: וילבש צדקה. למדת שעמו לדקה שרויה: ויקרא לו. קראה אללו: רוח מלפני. אלמא לפניו הם: גשם נדבות תניף אלהים וגו'. (נ) והאי קרא במתן תורה כתיב שילתה נשמתן שנאמר נפשי יצאה בדברו (שיר השירים ה) והניף עליהן טל תחייתו שנאמר גשם נדבות תניף אלהים והאי קרא משתעי במתן תורה במזמור יקום אלהים יפוצו אויביו:

תוספות

ואת הארץ להקדים שמים לארץ. דאי לאו ואת הייתי אומר שניהם נבראו יחד והכתוב כתבם זה אחר זה שאי אפשר לכתוב שני שמות כאחד כדפירש רש"י והא דאמרי ב"ה לעיל ארץ נבראת תחלה דכתיב ביום עשות ה' וגו' ולא כתיב ואת התם דריש ליה מדשני קרא בסידריה להסמיך ארץ לעשיה ומיהו בנימוקי חומש פי' רש"י את השמים לרבות תולדותיהן ומדרש אחר הוא ופליג אהא דהכא: נכנס שחרית. פרש"י נכנס בתיקו וממילא האור יוצא ונראה ויוצא ערבית ומכסה האורה ומחשיך העולם והיה קשה למורי א"כ היאך נראים כוכבים בשמים (ס) מינה בלילה כיון שהם קבועים בשני כדמסיק ומיהו שמא נראים מתוכו כמו ע"י העננים אך רוב פעמים שהעננים מחשיכים אותו ומכסין אותו ונראה למורי לפרש איפכא נכנס שחרית בעולם וממנה אורה יוצא ויוצאת ערבית מן העולם [ומסתלק אורה] ולכך הכוכבים נראין: כל העוסק בתורה. אכתי לא סיים למילתיה דז' רקיעים שהתחיל לפרש: אוצרות שלג. יש ממנו שמוכן לפורענות (ע) ויש לטובה כדאמרינן בתענית (דף ג:) טבא תלגא לטורי כחמשה מטרי לארעא וכן כתיב כי כאשר ירד הגשם והשלג וכו' כי אם הרוה את הארץ וגו' (ישעיה נה): דוד ביקש והורידן לארץ. הקשה הרב ר' אלחנן הא כתיב (ישעיה נה) כי כאשר ירד הגשם והשלג מן השמים ותירץ דכיון שמן העננים יורד נראות כיורד מן השמים ועוד י"ל דלא הוריד רק המוכנים לפורענות אבל המרוים את הארץ נשארו למעלה: לא יגור במגורך רע. אין זה מקרא אלא לא יגורך והכי דריש ליה: (בגמ' שבת קמט: ובסנהדרין קג. איתא שפיר ע"ש) בן

עין משפט נר מצוה

ו א מיי' פ"ג מהלכות יסודי התורה הלכה א:

רבינו חננאל

אינו צריך לגופו. משל דר' ישמעאל הודיע שהקדים שבחה של ארץ לשבח השמים אבל לא בבריאה. תניא ר' יוסי אומר אוי לבריות שרואות ואינן יודעות כלומר הארץ עומדת על העמודים ועמודי הארץ הן על המים. המים הן על ההרים. וההרים ברוח. והרוח בסערה וכולה מדרש פסוקים וסערה תלויה בזרועו של הקב"ה שנא' ומתחת זרועות עולם. פי' הדבר שהוא בעולם מתחת הכל תלוי בזרוע בגבורתו של הקב"ה. כי הגבורה היא הזרוע כדכתיב לך זרוע עם גבורה. ר' אלעזר אומר על עמוד אחד עומד העולם וצדיק שמו שנאמר וצדיק יסוד עולם זה שאמר ר"ל ז' רקיעין הן. וילון. רקיע. שחקים. זבול. מעון. מכון. ערבות. וכל אחד ואחד פירש מה הן משמשין. אלו כולן קבלה הן הל"מ. וקראי אסמכתא בעלמא הן. ואינם מדרשות. שאינם דברים הנאמרים מן הדעת כלל. אלא דברי קבלה הן. והערבות שהוא רקיע שביעי יש בו צדקה ומשפט. גנזי חיים וגנזי שלום גנזי ברכה ונשמת הצדיקי' ונשמות העתידות להבראות. וטל שעתיד הקב"ה להחיות בו את המתים. וכולהו קראי צדק ומשפט שנאמר צדק ומשפט מכון כסאך. גנזי חיים שנאמר כי עמך מקור חיים. גנזי שלום שנאמר ויקרא לו ה' שלום. גנזי ברכה שנא' ישא ברכה מאת ה'. נשמתן של צדיקים שנא' והיתה נפש אדוני צרורה בצרור החיים את ה' אלהיך. רוחות ונשמות העתידי' להבראות שנא' כי רוח מלפני יעטוף ונשמות אני עשיתי. וטל שעתיד להחיות בו מתים שנאמר גשם נדבות תניף אלהים וגו'. ולמעלה אופנים ושרפים וחיות הקודש ומלאכי השרת וכסא הכבוד ומלך רם ונשא שוכן עליהם. שנאמר סולו לרוכב בערבות ביה שמו. וחושך וענן וערפל מקיפין אותו מבחוץ שנאמר ישת חשך סתרו וגו' ומבפנים אור שנאמר ונהורא עמיה שריה.

מסורת הש"ס

א) [פי' הכל תלוי בגבורות של הקב"ה והגבורה היא זרועו כדכתיב לך זרוע עם גבורה. ערוך ערך זרוע], ב) [מנחות קי. וע' תוס' שם ד"ה ומיכאל], ג) ע"ז ג:, ד) [פסחים ג: ב"מ פג:], ה) ע"ז ג:, ו) [ע' פרש"י בע"ז], ז) [שבת קמט: ע"ש סוטה מב. סנהדרין קג. ע"ש], ח) [שבת פח:], ט) [נ"ל גלא], י) [עוגה איתא לפנינו וע"ש ברש"י].

הגהות הב"ח

(א) גמ' השכימו לפתחי למחר השכים: (ב) שם ואינן יודעות מה הן רואות ומים על ההרים וכו' וההרים על רוח וכו' ורוח בסערה: (ג) שם וי"א אומרים על ז': (ד) שם וטוחנות מן לצדיקים לעתיד לבא שנאמר ויצו: (ה) שם ומקריב עליו קרבן בכל יום שנאמר בנה וכו' לשבתך עולמים מאי מקריב וכי תעלה על דעתך שיש לשם כבשים אלא מקריב נשמתן של צדיקים ומנלן דאיקרי שמים: (ו) שם ודלתותיהן אש (שנאמר יפתח וכו' הטוב) תא"מ ונ"ב ס"א פתח ה' את אוצרו ויוציא כלי זעמו: (ז) שם רם ונשא שוכן עליהם שנאמר כצ"ל ותיבת בערבות נמחק: (ח) שם ומנלן דאיקרי שמים אמר ר' אבהו אתיא רכיבה: (ט) רש"י ד"ה למי שאין וכו' מדקרא לשמים: (י) ד"ה ויוצא ערבית וכו' חידושו של מעשה בראשית: (כ) ד"ה וחשות ביום מפני: (ל) ד"ה ובלילה שירו עמו שירו ברקיע: (מ) ד"ה (יפתח וכו' הטוב) תא"מ ונ"ב ס"א פתח ה' את אוצרו וגו': (נ) ד"ה גשם נדבות תניף אלהים וגו' במתן תורה כצ"ל ותיבות והאי קרא נמחק: (ס) תוס' ד"ה נכנס וכו' כוכבים בשמים בלילה כיון שהם קבועים ברקיע השני כצ"ל ותיבת מינה נמחק: (ע) ד"ה אוצרות וכו' לפורענות (ויש לטובה כדאמרינן) תא"מ ונ"ב ס"א היינו שלג מרובה היוצא בשטף מוכן לפורענות אבל שלג היורד בנחת לטובה כדאמרינן:

הגהות הגר"א

[א] גמ' וחדרה של סופה ומערה של קיטור. כצ"ל:

ליקוטי רש"י

[תחילת הפירוש נדפס בע"א] השקיפה ממעון קדשך. עשינו מה שגזרת עלינו עשה אתה מה שעליך לעשות שאמרת (ויקרא כו) אם בחקתי תלכו ונתתי גשמיכם בעתם [דברים כו, טו]. קיטור. העשן שמתמר ועולה [ברכות מג.]. תנינים. דגים גדולים. וברד. גלל"א בלעז. שלג. נייף בלעז. וקיטור. ענין שואה שקורין ברואיי"ה בלעז. רוח סערה. העושה את דברו ושליחותו ואמרו רבותינו שהדברים הללו היו תחלתם גנוזים בשמים ובא דוד והורידן לארץ לפני שהם מיני פורעניות ואין נאה לך לאבד הרשעה מן העולם. [המשך בדף יג.]

תורה אור השלם

א) וְהָאָרֶץ הָיְתָה תֹהוּ וָבֹהוּ וְחֹשֶׁךְ עַל פְּנֵי תְהוֹם וְרוּחַ אֱלֹהִים מְרַחֶפֶת עַל פְּנֵי הַמָּיִם: [בראשית א, ב]
ב) הַמַּרְגִּיז אֶרֶץ מִמְּקוֹמָהּ וְעַמּוּדֶיהָ יִתְפַּלָּצוּן: [איוב ט, ו]
ג) לְרֹקַע הָאָרֶץ עַל הַמָּיִם כִּי לְעוֹלָם חַסְדּוֹ: [תהלים קלו, ו]
ד) תְּהוֹם כַּלְּבוּשׁ כִּסִּיתוֹ עַל הָרִים יַעַמְדוּ מָיִם: [תהלים קד, ו]
ה) כִּי הִנֵּה יוֹצֵר הָרִים וּבֹרֵא רוּחַ וּמַגִּיד לְאָדָם מַה שֵּׂחוֹ עֹשֵׂה שַׁחַר עֵיפָה וְדֹרֵךְ עַל בָּמֳתֵי אָרֶץ יְיָ אֱלֹהֵי צְבָאוֹת שְׁמוֹ: [עמוס ד, יג]
ו) אֵשׁ וּבָרָד שֶׁלֶג וְקִיטוֹר רוּחַ סְעָרָה עֹשָׂה דְבָרוֹ: [תהלים קמח, ח]
ז) מְעֹנָה אֱלֹהֵי קֶדֶם וּמִתַּחַת זְרֹעֹת עוֹלָם וַיְגָרֶשׁ מִפָּנֶיךָ אוֹיֵב וַיֹּאמֶר הַשְׁמֵד: [דברים לג, כז]
ח) בְּהַנְחֵל עֶלְיוֹן גּוֹיִם בְּהַפְרִידוֹ בְּנֵי אָדָם יַצֵּב גְּבֻלֹת עַמִּים לְמִסְפַּר בְּנֵי יִשְׂרָאֵל: [דברים לב, ח]
ט) חָכְמוֹת בָּנְתָה בֵיתָהּ חָצְבָה עַמּוּדֶיהָ שִׁבְעָה: [משלי ט, א]
י) כַּעֲבוֹר סוּפָה וְאֵין רָשָׁע וְצַדִּיק יְסוֹד עוֹלָם: [משלי י, כה]
יא) הֵן לַיְיָ אֱלֹהֶיךָ הַשָּׁמַיִם וּשְׁמֵי הַשָּׁמָיִם הָאָרֶץ וְכָל אֲשֶׁר בָּהּ: [דברים י, יד]
יב) הַיֹּשֵׁב עַל חוּג הָאָרֶץ וְיֹשְׁבֶיהָ כַּחֲגָבִים הַנּוֹטֶה כַדֹּק שָׁמַיִם וַיִּמְתָּחֵם כָּאֹהֶל לָשָׁבֶת: [ישעיה מ, כב]
יג) וַיִּתֵּן אֹתָם אֱלֹהִים בִּרְקִיעַ הַשָּׁמָיִם לְהָאִיר עַל הָאָרֶץ: [בראשית א, יז]
יד) וַיְצַו שְׁחָקִים מִמָּעַל וְדַלְתֵי שָׁמַיִם פָּתָח: וַיַּמְטֵר עֲלֵיהֶם מָן לֶאֱכֹל וּדְגַן שָׁמַיִם נָתַן לָמוֹ: [תהלים עח, כג-כד]
טו) בָּנֹה בָנִיתִי בֵּית זְבֻל לָךְ מָכוֹן לְשִׁבְתְּךָ עוֹלָמִים: [מלכים א ח, יג]
טז) הַבֵּט מִשָּׁמַיִם וּרְאֵה מִזְּבֻל קָדְשְׁךָ וְתִפְאַרְתֶּךָ אַיֵּה קִנְאָתְךָ וּגְבוּרֹתֶךָ הֲמוֹן מֵעֶיךָ וְרַחֲמֶיךָ אֵלַי הִתְאַפָּקוּ: [ישעיה סג, טו]
יז) יוֹמָם יְצַוֶּה יְיָ חַסְדּוֹ וּבַלַּיְלָה שִׁירֹה עִמִּי תְּפִלָּה לְאֵל חַיָּי: [תהלים מב, ט]
יח) הַקֹּטְפִים מַלּוּחַ עֲלֵי שִׂיחַ וְשֹׁרֶשׁ רְתָמִים לַחְמָם: [איוב ל, ד]
יט) הַשְׁקִיפָה מִמְּעוֹן קָדְשְׁךָ מִן הַשָּׁמַיִם וּבָרֵךְ אֶת עַמְּךָ אֶת יִשְׂרָאֵל וְאֵת הָאֲדָמָה אֲשֶׁר נָתַתָּה לָנוּ כַּאֲשֶׁר נִשְׁבַּעְתָּ לַאֲבֹתֵינוּ אֶרֶץ זָבַת חָלָב וּדְבָשׁ: [דברים כו, טו]
כ) יִפְתַּח יְיָ לְךָ אֶת אוֹצָרוֹ הַטּוֹב אֶת הַשָּׁמַיִם לָתֵת מְטַר אַרְצְךָ בְּעִתּוֹ וּלְבָרֵךְ אֵת כָּל מַעֲשֵׂה יָדֶךָ וְהִלְוִיתָ גּוֹיִם רַבִּים וְאַתָּה לֹא תִלְוֶה: [דברים כח, יב]
כא) הַלְלוּ אֶת יְיָ מִן הָאָרֶץ תַּנִּינִים וְכָל תְּהֹמוֹת: [תהלים קמח, ז]
כב) כִּי לֹא אֵל חָפֵץ רֶשַׁע אָתָּה לֹא יְגֻרְךָ רָע: [תהלים ה, ה]
כג) וְאַתָּה תִּשְׁמַע הַשָּׁמַיִם מְכוֹן שִׁבְתֶּךָ וְעָשִׂיתָ כְּכֹל אֲשֶׁר יִקְרָא אֵלֶיךָ הַנָּכְרִי: [מלכים א ח, מג]
כד) צֶדֶק וּמִשְׁפָּט מְכוֹן כִּסְאֶךָ חֶסֶד וֶאֱמֶת יְקַדְּמוּ פָנֶיךָ: [תהלים פט, טו]
כה) וַיִּלְבַּשׁ צְדָקָה כַּשִּׁרְיָן וְכוֹבַע יְשׁוּעָה בְּרֹאשׁוֹ: [ישעיה נט, יז]
כו) כִּי עִמְּךָ מְקוֹר חַיִּים בְּאוֹרְךָ נִרְאֶה אוֹר: [תהלים לו, י]
כז) וַיִּבֶן שָׁם גִּדְעוֹן מִזְבֵּחַ לַיְיָ וַיִּקְרָא לוֹ יְיָ שָׁלוֹם: [שופטים ו, כד]
כח) יִשָּׂא בְרָכָה מֵאֵת יְיָ וּצְדָקָה מֵאֱלֹהֵי יִשְׁעוֹ: [תהלים כד, ה]
כט) וַיָּקָם אָדָם לִרְדָפְךָ וּלְבַקֵּשׁ אֶת נַפְשֶׁךָ וְהָיְתָה נֶפֶשׁ אֲדֹנִי צְרוּרָה בִּצְרוֹר הַחַיִּים אֵת יְיָ אֱלֹהֶיךָ: [שמואל א כה, כט]
ל) כִּי לֹא לְעוֹלָם אָרִיב וְלֹא לָנֶצַח אֶקְּצוֹף כִּי רוּחַ מִלְּפָנַי יַעֲטוֹף וּנְשָׁמוֹת אֲנִי עָשִׂיתִי: [ישעיה נז, טז]
לא) גֶּשֶׁם נְדָבוֹת תָּנִיף אֱלֹהִים נַחֲלָתְךָ וְנִלְאָה אַתָּה כוֹנַנְתָּהּ: [תהלים סח, י]
לב) שִׁירוּ לֵאלֹהִים זַמְּרוּ שְׁמוֹ סֹלּוּ לָרֹכֵב בָּעֲרָבוֹת בְּיָהּ שְׁמוֹ וְעִלְזוּ לְפָנָיו: [תהלים סח, ה]
לג) אֵין כָּאֵל יְשֻׁרוּן רֹכֵב שָׁמַיִם בְּעֶזְרֶךָ וּבְגַאֲוָתוֹ שְׁחָקִים: [דברים לג, כו]
לד) יָשֶׁת חֹשֶׁךְ סִתְרוֹ סְבִיבוֹתָיו סֻכָּתוֹ חֶשְׁכַת מַיִם עָבֵי שְׁחָקִים: [תהלים יח, יב]
לה) הוּא גָּלֵא עַמִּיקָתָא וּמְסַתְּרָתָא יָדַע מָה בַחֲשׁוֹכָא וּנְהוֹרָא עִמֵּהּ שְׁרֵא: [דניאל ב, כב]

דִּכְתִיב – as it is written:[63] "וַיִּלְבַּשׁ צְדָקָה כַּשִּׁרְיָן" – ***He donned charity like armor.***[64] גִּנְזֵי חַיִּים – **Treasures of life,** דִּכְתִיב – **as it is written:**[65] "כִּי־עִמְּךָ מְקוֹר חַיִּים" – ***For with You is the source of life.***[66] וְגִנְזֵי שָׁלוֹם – **And treasures of peace,** דִּכְתִיב – **as it is written:**[67] "וַיִּקְרָא לוֹ ה' שָׁלוֹם" – ***Hashem called [for] peace [to be] near Him.***[68] וְגִנְזֵי בְרָכָה – **And treasures of blessing,** דִּכְתִיב – **as it is written:**[69] "יִשָּׂא בְרָכָה מֵאֵת ה'" – ***He will receive a blessing from with Hashem.***[70] נִשְׁמָתָן שֶׁל צַדִּיקִים – **The souls of the righteous,** דִּכְתִיב – **as it is written:**[71] "וְהָיְתָה נֶפֶשׁ אֲדֹנִי צְרוּרָה בִּצְרוֹר הַחַיִּים אֵת ה' אֱלֹהֶיךָ" – ***May my lord's soul be bound up in the bond of life, with Hashem, your God.***[72] רוּחוֹת וּנְשָׁמוֹת שֶׁעָתִיד לְהִיבָּרְאוֹת – **The spirits and souls** of the people **that are destined to be created,** דִּכְתִיב – **as it is written:**[73] "כִּי־רוּחַ מִלְּפָנַי יַעֲטוֹף וּנְשָׁמוֹת אֲנִי עָשִׂיתִי" – *For not forever will I contend, nor will I be eternally wrathful, **when the spirit that envelops [them] is from before Me, and I made their souls.***[74] וְטַל שֶׁעָתִיד הַקָּדוֹשׁ בָּרוּךְ הוּא לְהַחְיוֹת בּוֹ מֵתִים – **And the dew that the Holy One, Blessed is He, is destined to use to resurrect the dead,** דִּכְתִיב – **as it is written:**[75] "גֶּשֶׁם נְדָבוֹת תָּנִיף אֱלֹהִים נַחֲלָתְךָ וְנִלְאָה אַתָּה כוֹנַנְתָּהּ" – ***A generous rain did You lavish, O God,*** – ***when Your heritage was weary You established it firmly.***[76] שָׁם אוֹפַנִּים וּשְׂרָפִים וְחַיּוֹת הַקֹּדֶשׁ וּמַלְאֲכֵי הַשָּׁרֵת – **There** also in Plains, **are *Ophanim, Seraphim,* Holy *Chayos* and ministering angels,** וְכִסֵּא הַכָּבוֹד – **and the Throne of Glory.** מֶלֶךְ אֵל חַי רָם וְנִשָּׂא שׁוֹכֵן (בערבות) עֲלֵיהֶם – **The King, the living God – exalted and uplifted – rests** His Presence **upon them,**[77] שֶׁנֶּאֱמַר "סֹלּוּ לָרֹכֵב בָּעֲרָבוֹת בְּיָהּ שְׁמוֹ" – **as it says:**[78] ***extol Him Who rides upon Plains, with His Name Yah.***[79]

The Gemara asks:

וּמְנָלָן דְּאִיקְּרֵי שָׁמַיִם – **And from where do we know that [Plains] is called a "heaven"?**

The Gemara answers:

אַתְיָא רְכִיבָה רְכִיבָה – **This is derived** from a *gezeirah shavah* between the terms **riding** and **riding** in the following verses: כְּתִיב הָכָא "סֹלּוּ לָרֹכֵב בָּעֲרָבוֹת" – **It is written here** in the verse cited above: ***extol Him Who rides upon Plains.*** וּכְתִיב הָתָם "רֹכֵב שָׁמַיִם בְּעֶזְרֶךָ" – **And it is written there:**[80] ***He rides upon heaven to help you.***[81]

Reish Lakish concludes:

וְחֹשֶׁךְ וְעָנָן וַעֲרָפֶל מַקִּיפִין אוֹתוֹ – **And darkness, cloud and thick cloud surround Him,**[82] שֶׁנֶּאֱמַר "יָשֶׁת חֹשֶׁךְ סִתְרוֹ סְבִיבוֹתָיו סֻכָּתוֹ חֶשְׁכַת־מַיִם עָבֵי שְׁחָקִים" – **as it says:**[83] ***He made darkness His concealment, around Him His shelter*** – ***the darkness of water, the clouds of heaven.***[84]

The Gemara expresses wonder:

וּמִי אִיכָּא חֲשׁוֹכָא קַמֵּי שְׁמַיָּא – **And can there be** any kind of **darkness before Heaven?!** וְהָכְתִיב – **But it is written:**[85] "הוּא גָּלֵא עַמִּיקָתָא וּמְסַתְּרָתָא יָדַע מָה בַחֲשׁוֹכָא וּנְהוֹרָא עִמֵּהּ שְׁרֵא" – ***He reveals the deep and the mysterious,*** – ***He knows what is in the darkness,*** – ***and light dwells with Him.***

The Gemara reconciles the two verses:

לָא קַשְׁיָא – **This is not difficult:** הָא – **This** second verse, which says light dwells with Him, is speaking

NOTES

63. *Isaiah* 59:17.

64. The metaphor of charity as God's garment teaches us that charity exists in close proximity to God, so to speak (*Rashi*). In the context of our Gemara this means that charity's place is in the seventh heaven, Plains.

65. *Psalms* 36:10.

66. Several of the Gemara's proofs (including this one) that a particular item exists in Plains are based on a verse that describes that item as being *with* God or *near* God or *before* God. Since Plains is the heaven closest to God, all these items must be located there (see *Rashi*).

67. *Judges* 6:24.

68. See above, note 66. The plain meaning of the verse concerns an altar that Gideon built: *And [Gideon] called it, "Hashem [is the source of our] Peace."*

69. *Psalms* 24:5.

70. See above, note 66.

71. *I Samuel* 25:29.

72. See above, note 66. This was a blessing that Abigail, then the wife of Nabal, gave David.

73. *Isaiah* 57:16.

74. [The image is of a space in which spirits and souls exist before God prior to their being joined to a body.]

75. *Psalms* 68:10.

76. See above, note 60. [The proof that this dew exists in Plains seems to be from the context of this verse. Earlier (v. 5), the Psalmist declared: *Sing to God, make music [to] His Name; extol He Who rides upon Plains.* The following verses describe specific praises, including that of our verse. Perhaps all these specific praises relate to the heaven of Plains.]

77. The word בָּעֲרָבוֹת, *in Plains,* found here in the Vilna edition of our text is deleted by *Hagahos HaBach*. It is also absent from the *Ein Yaakov* version of our text and from *Rabbeinu Chananel.*]

78. *Psalms* 68:5.

79. God's "riding" upon Plains is a mataphor for His control over them (see note 81).

The *Gra* explains that the seven heavens are seven barriers between us and God, one above the other, that a person must pass through in his spiritual growth. They correspond to the eight verbs at the beginning of the יַעֲלֶה וְיָבֹא prayer said in the *Amidah* and in *Bircas HaMazon* on Rosh Chodesh and festivals (the last two verbs are counted as one). This explanation of the *Gra* is printed at the beginning of *Hilchos Rosh Chodesh* in *Shulchan Aruch* and is expanded upon by *R' E.E. Dessler* in *Michtav MeEliyahu* III pp. 110-113. Briefly, the seven barriers are as follows:

(1) A person must first *want* to grow spiritually; without this there can be no beginning. (2) A person must peel away the materialism that surrounds him; he must realize that material things are nothing but tools for the service of God. (3) A person must work hard at his spiritual aims, and continue even amidst suffering. The spiritual revelations he will enjoy will be commensurate with his efforts. (4) A person must serve God for the benefit of the Divine Presence, as it were, to enable Him to accomplish His will and bestow His blessings upon us. (5) A person must achieve complete purity of intent through unstinting dedication to God's service, a rare sort of dedication that is reminiscent of the service in Temple times. (6) A person must render his Divine service a permanent and stable part of himself. Through this he will be able to discern God's will at deeper and deeper levels and God, in turn, will listen to him. (7) Finally, a person must achieve an absolute connection with the Source of his very being.

80. *Deuteronomy* 33:26.

81. "Riding" in this context refers to control; a person riding a horse is distinct from the horse, above the horse and capable of directing the horse to go wherever he chooses. Similarly, God is beyond and distinct from the heavens, and in complete control of them and by extension of the entire creation (*Moreh Nevuchim* 1:70).

82. [The wording is apparently based on *Deuteronomy* 4:11.]

83. *Psalms* 18:12.

84. God's being "shrouded in darkness" is a metaphor for the inability of corporeal creatures such as ourselves to perceive Him with clarity (see *Moreh Nevuchim* 3:9).

85. *Daniel* 2:22.

הָא בְּבָתֵּי בָרָאי – בְּבָתֵּי גַוָּאֵי – **of the inner chambers,** whereas **[the first verse cited,]** which says darkness surrounds Him, is speaking **of the outer chambers.**[1]

In reference to Reish Lakish's description of the seven heavens, the Gemara adds:

וְאָמַר רַב אַחָא בַּר יַעֲקֹב – **And Rav Acha bar Yaakov said:** עוֹד רָקִיעַ אֶחָד יֵשׁ לְמַעְלָה מֵרָאשֵׁי הַחַיּוֹת – **There is one more heaven which is above the heads of the** ***Chayos,*** דִּכְתִיב ,,וּדְמוּת עַל־רָאשֵׁי הַחַיָּה רָקִיעַ כְּעֵין הַקֶּרַח הַנּוֹרָא" – **as it is written:**[2] ***There was a likeness of a heaven above the heads of the Chayah, like the color of the awesome ice,***[3] *spread out over their heads from above.*[4]

The Gemara issues a warning:

עַד כָּאן יֵשׁ לְךָ רְשׁוּת לְדַבֵּר – **Until this point, you are authorized to speak** about this general topic. מִכָּאן וְאֵילָךְ אֵין לְךָ רְשׁוּת לְדַבֵּר – **From here on you have no authority to speak** about this topic,[5] שֶׁכֵּן כָּתוּב בְּסֵפֶר בֶּן סִירָא – **for so it is written in the** ***Book of Ben Sira*****:**[6] בַּמּוּפְלָא מִמְּךָ אַל תִּדְרוֹשׁ – **Into that which is removed from you do not inquire,** וּבַמְכוּסֶּה מִמְּךָ אַל תַּחְקוֹר – **and into that which is shrouded from you, do not probe;**[7] בַּמֶּה שֶׁהוּרְשֵׁיתָ הִתְבּוֹנֵן – **that which you have been authorized** [to study], **contemplate;** אֵין לְךָ עֵסֶק בַּנִּסְתָּרוֹת – **you have no business** dealing **with esoterica.**[8]

The Gemara above described the seven heavens from the lowest heaven to the highest heaven. The Gemara now cites a Baraisa that discusses these heavens in terms of their "distance" from earth:

תַּנְיָא – **It has been taught in a Baraisa:** אָמַר רַבָּן יוֹחָנָן בֶּן זַכַּאי – R' YOCHANAN BEN ZAKKAI SAID: מַה תְּשׁוּבָה הֱשִׁיבַתּוּ בַּת קוֹל לְאוֹתוֹ רָשָׁע – WHAT REPLY DID THE HEAVENLY VOICE[9] GIVE TO THAT WICKED MAN (Nebuchadnezzar) בְּשָׁעָה שֶׁאָמַר ,,אֶעֱלֶה עַל־בָּמֳתֵי עָב אֶדַּמֶּה לְעֶלְיוֹן" – WHEN HE SAID,[10] *"I WILL ASCEND OVER THE TOPS OF THE CLOUDS; I WILL LIKEN MYSELF TO THE MOST HIGH"*? יָצְתָה בַּת קוֹל וְאָמְרָה לוֹ – A VOICE EMERGED from heaven AND TOLD HIM, רָשָׁע בֶּן רָשָׁע – WICKED MAN SON OF A WICKED MAN, בֶּן בְּנוֹ שֶׁל נִמְרוֹד הָרָשָׁע שֶׁהִמְרִיד כָּל הָעוֹלָם כּוּלּוֹ עָלָיו בְּמַלְכוּתוֹ – GRANDSON OF THE WICKED NIMROD[11] WHO CAUSED

NOTES

1. This Aggadic teaching parallels the first statement in the *Sefer HaBahir* (an early Kabbalistic work attributed to R' Nechunyah ben HaKanah). It is worthwhile to quote that statement in full as a means to better understand our Gemara:

R' Nechunyah ben HaKanah said: One verse states (Job 37:21-22): *But, now, they have never seen the light; it is brilliant in the heavens . . . [around God in awesome splendor]. But another verse states (Psalms* 18:12): *He made darkness His concealment. And [it is] also [written]* (ibid. 97:2): *Cloud and dense darkness surround Him. [These verses present] a difficulty! [Is God surrounded by brilliant light or dense darkness?] A third verse comes to reconcile them* (*Psalms* 139:12): *Even darkness is not dark to You; night shines like day; darkness and light are the same.*

Clearly, the dimensions of time and space do not apply to God Himself. We cannot take literally the assertion that God is relegated to the inner chambers, and excluded from the outer chambers. It would seem that these are metaphors for different perspectives. From our perspective, God is concealed in dense darkness. We live in a grossly material world that can withstand only a minuscule ray of God's light. Were the filters that obscure this light removed, we would be overwhelmed and nullified by the brilliance, losing any independent existence. That is all from our perspective, the perspective of the created. The perspective of the Creator is very different: As the *Bahir* says, the darkness is not dark to Him; it is the same brilliant light that existed before Creation. From God's vantage, all is as it was and will always be. When we look at God from our perspective, however, He is above the highest heaven, and His Divine Presence rests on certain places more than others (Eretz Yisrael, Jerusalem, the Holy of Holies) and at certain times more than at others (Yom Tov, the Sabbath, Yom Kippur). Of course, God's perspective is not one that we can comprehend at any depth and a person is cautioned emphatically not to think too deeply into it, lest he fall prey to heretical distortions. One can only be cognizant – for a moment – that to God our night shines like day and then we must swiftly return to our own benighted world (see *Nefesh HaChaim, Shaar* 3 and *Tanya, Shaar HaYichud VeHaEmunah*).

2. *Ezekiel* 1:22.

3. It evoked awe in the eyes of its observers on account of its extreme radiance and brightness (*Metzudas David* ad loc.).

4. See *Otzar HaGeonim, Peirushim,* as to why this heaven is not counted as an eighth heaven.

5. Anything beyond this point is in the category of "what is above" (*Rashi* to Mishnah) and therefore prohibited.

According to *Rambam* (*Commentary to Mishnah*), what is above, below, etc. all bear upon the topic of *Maaseh Bereishis.* [It therefore makes sense why the ultimate perception here is the *awesome ice* (*Ezekiel* 1:22) whereas the Gemara below says that the ultimate perception of *Maaseh Merkavah* is several verses later in the first chapter of *Ezekiel:* Our Gemara is speaking of the ultimate perception in *Maaseh Bereishis* and the Gemara below is speaking of the ultimate perception in *Maaseh Merkavah.*

6. Ben Sira was a writer who flourished at the beginning of the Second Temple era. [See *Chelkas Mechokeik* to *Even HaEzer* 1:8 and *Mishneh LaMelech, Hil. Ishus* 15:4, regarding his birth.] The *Book of Ben Sira,* a collection of proverbs, is one of the books of the Apocrypha. The Gemara quotes from this work in several places. [Many of the passages cited by the Gemara from the *Book of Ben Sira* do not appear in the Apocryphal *Ben Sira.* However, the original Hebrew version of the book was lost over the course of centuries (although parts have been rediscovered in the last century), and the version included in the Apocrypha is based on the Greek translation of the original by Ben Sira's grandson, who lived in Egypt. For further discussion of this matter, see *Binu Shenos Dor VaDor* by R' Nosson David Rabinowitz.] The Gemara in *Sanhedrin* 100b discusses whether the *Book of Ben Sira* is included among those books that should not be read because of certain objectionable passages (see Rishonim ad loc.).

7. There are some things that the Holy One, Blessed is He, did not wish to reveal to you and He purposely screened them from you (*Rashi*).

8. A person who stubbornly strives to study that which is not possible for him to understand will force himself into mental desolation. He is comparable to someone who strains his eyes to make out the details of something too bright or too tiny. After this futile exercise, his eyesight will be impaired somewhat, so that things he could have once seen clearly will not be clear to him now. The stubborn thinker not only fails to gain the insights he was after, but he blurs his thinking in general. Granted, if a person has been educated in the necessary disciplines, his intellectual horizon is much broader. He may approach and master concepts that are completely beyond the ken of a lesser scholar. However, there is always a final boundary, even for the most sophisticated thinker, since he is still human. Thus, there will always be a point at which someone exploring the mysteries of the Divine must show restraint and explore no further (see *Moreh Nevuchim* 1:32).

Of course, the Sages never intended to shut the door on intellectual inquiry completely; they did not halt the mind from the perceptions of which it *is* capable. Such anti-intellectual views are the imaginations of the ignorant and the idle, who love to reckon their own faults and foolishness as worth and wisdom. These fools look at the virtue and knowledge of others as a flaw and a religious failing, labeling darkness light and light darkness (ibid.).

9. Literally: the daughter of a voice. A בַּת קוֹל (*bas kol*) is a voice from Heaven that constitutes a level of Divine communication below that of actual prophecy. When Chaggai, Zechariah and Malachi (the last of the prophets) died in the early period of the Second Temple, the era of actual prophecy came to an end. Nonetheless, Divine messages continued to be received by the righteous in the form of a בַּת קוֹל (*Sanhedrin* 11a). According to some, the reason for this name is that the voice heard by the person is not the voice that emanates from Heaven but merely an echo of it (*Rav Saadia Gaon,* cited in *Otzar HaGeonim, Peirushim;* see *Tos. Yom Tov* to *Yevamos* 16:6 for another explanation).

10. *Isaiah* 14:14. (Nebuchadnezzar "said" this in his heart – ibid. v. 13.)

11. Not literally his grandson; rather, descended from Nimrod, who was the first king of Babylon as recorded in *Genesis* 10:10 (*Rashi* to *Pesachim* 94b). *Tosafos* here maintain that Nebuchadnezzar was not even a

עין משפט נר מצוה

ז א מיי' פ"ב מהלכות יסודי התורה הל' יב ופ"ד שם הלכה יג:
ח ב ג מיי' פ"ב שם הלכה יב:

רבינו חננאל

עד כאן יש לך רשות לדבר מיכן ואילך אסור. כתוב בספר בן סירא במופלא ממך אל תדרוש ובמכוסה ממך אל תחקור במה שהורשיתה התבונן אין לך עסק בנסתרות והדברים שנאמר מהלך ת"ק שנה דברי קבלה הן. הלא תראה שהן מועתקין מפי ריב"ז שהיה בימי הבית ולא נשאר לו דבר קטן ולא דבר גדול. אלא הכל קיבל בקבלה מרבו ומפורש בו דבר גדול מעשה מרכבה דבר קטן הוויות דאביי ורבא. ואין הדברים הללו באין משיקול הדעת ואין צריך להסתכל בהן שהמסתכל בהן בא בטירוף דעת שאי אפשר לומר יש שם מקום חלל מופנה ואף לא מלא שהכל מתחתיו הן שכשם שאין כח לומר כי קודם יצירת העולם היה חלל או מקום מלא או ריקם אלא אחר שנברא העולם נבראו שמים וארץ ואין יודע מה למעלה ומה למטה ולפיכך מנעו רבותינו להסתכל מה למעלה ומה למטה מה לפנים ומה לאחור. ויש בגבורותיו של הקב"ה לעשות כמה: ולא במרכבה ביחיד תני ר' חייא מוסרין ליחיד ראשי פרקים פי' פותחין לו ראשי דבריו והוא מבין מדעתו א) וזה לבו גם בו כר' אלעזר דאמר ליה ר' יוחנן רביה תא אגמרך מעשה מרכבה א"ל לא קשאי כלומר איני בן חמשים שנה כד נח נפשיה דרבי יוחנן אמר ליה ר' אסי תא אגמרך מעשה מרכבה א"ל אי זכאי גמירתא מרבי יוחנן. אין מוסרין דברי תורה אלא ליועץ וחכם חרשים ונבון לחש ואין מוסרין לעובד כוכבים שנאמר מגיד דבריו ליעקב חקיו ומשפטיו לישראל. אלא הא דתניא עד היכן מעשה מרכבה כו' וקיי"ל כלישנא בתרא עד וארא עד חשמל מסרינן ראשי פרקין כדאמרן מיכן ואילך לא מסרינן אלא אם היה חכם מבין מדעתו מאי חשמל אמר רב יהודה חיות אש ממללות במתניתא תנא חש מל כלומר ב' מלות

חשק שלמה על ר"ח

א) אולי צ"ל והוא שלא יהא לבו גם בו.

הגהות מהר"ב רנשבורג

אן גמ' ואמר רבי אמי אין מוסרין דברי תורה לעובד כוכבים. נ"ב עיין שו"ת באר שבע בסופו ומלך בשדה ... בן שם א"ל חנני' אם זה חכם הכל חכמים הן. נ"ב ...

בן בנו של נמרוד הרשע. לאו דוקא שהרי כוש ילד את נמרוד ולא מלינו אותו רשע מזרע כוש אלא על שם מעשיו שמלך גם הוא בשנער: **שבעים** שנה. לאו משום שלא היה קשיש יותר שהרי לא וחשוב מימות סנחריב שסמוך למפלתו גבי שליחות שלשלח בלאדן לחזקיהו מלינו שהיה סופר בביתו ומשם זכה למלכות כדאשכחן באגדות חלק (סנהדרין דף נו.) אלא אורחא דמילתא קא חשיב: **ורגלי** החיות כנגד כולם. יש מגיהין בקדושתא שיסד הקליר וחיות אשר הנה מרובעות לכסא כף רגל חמש מאות וחמש עשרה ומוחקים הוי"ו ואומרים כי כן עולה לפי חשבון שבכאן למנין ז' רקיעים (י) וח' אוירים הוא ט"ו פעמים ת"ק והיינו מנין ישרה ש"ר ת"ק וי"ה לסימנא (כ) שכן עולה ט"ו פעמים כך ומיהו בחנם מחקוהו שיסד דבריו ע"פ הירושלמי דהרואה א"ר לוי מארץ ועד לרקיע מהלך ת"ק שנה אמר ר' ברכיה ור' חלבו בש"ר (י) (בא) סמוקה גדול מזה רגל אחד (ח) כמנין ישר"ה ראה כמה (ג) גבוה מעולמו כו' משמע כמנין שיסד ת"ק ט"ו וכן היה דרכו שבכמה מקומות היה מניח שיטת הש"ס שלנו כדי לאחוז ° שיטת הש"ס ירושלמי שהוא היה תנא והוא היה ר"א ברבי שמעון דקרי עליה (ט) מכל אבקת רוכל תנא קרא קרובץ ופייטן (ויקרא רבה פ"ל) ובימיו מקדשים ע"פ הראייה שמעולם לא יסד רק קרובץ מיום (י) אחד): **אין** מוסרין דברי תורה לעובד כוכבים. היה קשה להר"ר אלחנן תיפוק ליה דעובד כוכבים העוסק בתורה חייב מיתה כדאמר בפ' ד' מיתות (סנהדרין דף נט. ושם) עובד כוכבים העוסק בתורה חייב מיתה והמלמדו עובר אלפני עור לא תתן מכשול וכי תימא (מ) בז' מלות דידהו דאינו חייב מיתה כדאמר הש"ס התם והא (י) מלוה איכא למוסרם להם ונפקא לן מהאי קרא אשר יעשה אותם האדם וחי בהם (ויקרא יח) כהן ולוי לא נאמר אלא אדם שאפילו עובד כוכבים ועוסק בתורה וכו' וי"ל דהכא מיירי אפילו היכא דאיכא עובד כוכבים אחר שרולה ללמדו דליכא לפני עור כדאמרינן בע"ז (דף ו:) המושיט כוס יין לנזיר עובר אלפני עור והני מילי דקאי אתרי עברא דנהרא שבלאו נתינתו אי אפשר להביאו אליו אבל אי לאו הכי אינו עובר אלפני עור הכא נמי אפילו במקום שעובד כוכבים אחר רולה ללמדו דליכא לפני עור מכל מקום אסור משום מגיד דבריו ליעקב וכו' (תהלים קמז) (ל):
והחיות

א) בבתי גואי הא בבתי בראי ואמר רב אחא בר יעקב עוד רקיע אחד יש למעלה מראשי החיות דכתיב א) ודמות על ראשי החיה רקיע כעין הקרח הנורא עד כאן יש לך רשות לדבר מכאן ואילך אין לך רשות לדבר שכן כתוב בספר בן סירא במופלא ממך אל תדרוש ובמכוסה ממך אל תחקור במה שהורשית התבונן אין לך עסק בנסתרות ב) תניא אמר רבן יוחנן בן זכאי מה תשובה השיבתו בת קול לאותו רשע בשעה שאמר ב) אעלה על במתי עב אדמה לעליון יצתה בת קול ואמרה לו רשע בן רשע בן בנו של נמרוד הרשע ג) שהמריד (א) כל העולם כולו עליו במלכותו כמה שנותיו של אדם שבעים שנה שנאמר ג) ימי שנותינו בהם שבעים שנה ואם בגבורות שמונים שנה והלא מן הארץ עד לרקיע מהלך חמש מאות שנה ועוביו של רקיע מהלך חמש מאות שנה וכן בין כל רקיע ורקיע למעלה מהן חיות הקדש (ב) רגלי החיות כנגד כולם קרסולי החיות כנגד כולן שוקי החיות כנגד כולן רכובי החיות כנגד כולן ירכי החיות כנגד כולן גופי החיות כנגד כולן צוארי החיות כנגד כולן ראשי החיות כנגד כולן קרני החיות כנגד כולן למעלה מהן כסא כבוד רגלי כסא הכבוד כנגד כולן כסא הכבוד כנגד כולן מלך אל חי וקים רם ונשא שוכן עליהם ואתה אמרת אעלה על במתי עב אדמה לעליון ד) אך אל שאול תורד אל ירכתי בור: ולא במרכבה ביחיד: תני רבי חייא אבל מוסרין לו ראשי פרקים אמר רבי זירא אין מוסרין ראשי פרקים אלא לאב ב"ד ולכל מי שלבו דואג בקרבו איכא דאמרי והוא שלבו דואג בקרבו אמר רבי אמי אין מוסרין סתרי תורה אלא למי שיש בו חמשה דברים ה) שר חמשים ונשוא פנים ויועץ וחכם חרשים ונבון לחש אן ואמר רבי אמי אין מוסרין דברי תורה לעובד כוכבים שנאמר ו) לא עשה כן לכל גוי ומשפטים בל ידעום א"ל רבי יוחנן לרבי אלעזר תא אגמרך במעשה המרכבה א"ל לא קשאי כי קשאי נח נפשיה דרבי יוחנן א"ל ר' אסי תא ואגמרך במעשה מרכבה א"ל אי זכאי גמירתא מר' יוחנן רבך רב יוסף הוה גמיר מעשה המרכבה סבי דפומבדיתא הוו תנו במעשה בראשית אמרו ליה ליגמור לן מר מעשה מרכבה אמר להו אגמרון לי מעשה בראשית (ג) בתר דאגמרוה אמרו ליה ליגמרן מר במעשה מרכבה אמר להו תנינא בהו ז) דבש וחלב תחת לשונך ד) דברים המתוקין מדבש וחלב יהו תחת לשונך ר' אבהו אמר מהכא ח) כבשים ללבושך (ד) דברים שהן כבשונו של עולם יהו תחת לבושך אמרו ליה תנינן בהו עד ט) ויאמר אלי בן אדם אמר להו הן הן מעשה המרכבה מיתיבי עד היכן מעשה המרכבה רבי אומר עד י) וארא (ה) בתרא ר' יצחק אומר עד החשמל עד וארא מגמרינן מכאן ואילך מסרינן ראשי פרקים איכא דאמרי עד וארא מסרינן ראשי פרקים מכאן ואילך אם הוא חכם מבין מדעתו אין אי לא לא ומי דרשינן בחשמל והא ההוא ינוקא דדריש בחשמל (ו) ונפקא נורא ואכלתיה שאני ינוקא דלאו מטי זימניה אמר רב יהודה ברם ז) זכור אותו האיש לטוב וחנניה בן חזקיה שמו אלמלא הוא נגנז ספר יחזקאל שהיו דבריו סותרין דברי תורה מה עשה העלו לו ג' מאות גרבי שמן וישב בעלייה ודרשו ת"ר מעשה בתינוק אחד שהיה קורא בבית רבו בספר יחזקאל והיה מבין בחשמל ויצאה אש מחשמל ושרפתו וביקשו לגנוז ספר (ז) יחזקאל בן אמר להם חנניה בן חזקיה אם זה חכם (ח) הכל חכמים הן מאי חשמל אמר רב יהודה

בבתי גואי. והולא עמיה שרא: **במופלא** ממך. במובדל ומופרש ממך שלא רלה הקב"ה לגלות לך: **לאותו** רשע. נבוכדנלר: **עליו.** לשון נקיה היא כלומר על עלמו ולא עליו: **רגלי** החיות. עוזי פרסותיהן: **קרסולי.** אסתוירש שקורין קבילי"א בלעז: **שוק.** הוא עלם המכוסה עם (ט) הרגל: **רכובי.** הוא עלם הירך הסמוך לשוק ויכך הוא עלם הקולית התקוע במתנים: **ראשי** פרקים. ראשי פרשיות שנה: **שלבו** דואג. ואינו מיקל את ראשו: **איכא** דאמרי והוא שלבו דואג בקרבו. תרתי בעינן: **סתרי** תורה. כגון מעשה המרכבה וספר יצירה ומעשה בראשית והיא בריימא: **יועץ** וחכם חרשים ונבון לחש. לקמן מפרש להו: **לא** קשאי. לא זקנתי ועיינן לבו דואג: **מעשה** המרכבה ומעשה בראשית. בריימות הן: **כבשונו** של עולם. סתרו של עולם כמו ריש' בכבשא (חולין דף לג:) בהדי כבשי דרחמנא למה לך (ברכות דף י.) ממאי ילאו כבושין (נסרת דף נג:): **תנינא** עד ויאמר אלי בן אדם. ככל שניו עד ויאמר אלי בן אדם עמוד על רגליך: **הן** הן מעשה המרכבה. אם עד כאן שניתם הרבה שניתם שאין מקראות הללו שהן וארא כעין החשמל וגו' כמראה הקשת וגו' (י) הם שהקפידו עליהם חכמים מלדורשם שהן מדברין בלורת שכינה ומראהו: **מיתיבי.** גרסינן ולא גרסינן ומי הוי מעשה המרכבה עד הכא: **עד** וארא. כעין החשמל ולא הוא בכלל: **עד** החשמל. עד התיבה הזו והיא בכלל לידרש: **עד** וארא מגמר גמרינן. כלומר הכי קאמר עד היכן מרכבה שנתנו לדרוש עד וארא או עד החשמל ומשם עד ויאמר הן הן מעשה מרכבה שהקפידו עליהן חכמים: **נגנז** ספר יחזקאל. שיש בסופו דברים בקרבנות שסותרין דברי תורה: **גרבי** שמן. להדליק: **והיה** מבין בחשמל. לדרוש מהו:
חיות

מסורת הש"ס

א) [לעיל ה:], ב) [פסחים צד.], ג) [עירובין נג.], ד) שבת יג. ע"ש מנחות מה., ה) ושלח את ידו ...

הגהות הב"ח

(א) גמ' שהמריד את כל העולם: (ב) שם ורגלי החיות וכו' וקרסולי וכו' ושוקי וכו' ורכובי וכו' וירכי וכו' וגופי וכו' ולוארי וכו' וקרני וכו' ולמעלה מהן כסא כבוד ורגלי וכו' ולמעלה מהן מלך: (ג) שם מעשה בראשית לאגמרוה בתר דאגמרו אמרו: (ד) שם כבשים ללבושך אל תקרי כבשים אלא כבושים דברים שהן כבושו: (ה) שם רבי אומר עד וארא כעין החשמל בתרא: ...

גליון הש"ס

תוס' ד"ה ורגלי וכו' שיטת הירושלמי שהוא היה תנא. נ"ל ...

תורה אור השלם

א) וּדְמוּת עַל רָאשֵׁי הַחַיָּה רָקִיעַ כְּעֵין הַקֶּרַח הַנּוֹרָא נָטוּי עַל רָאשֵׁיהֶם מִלְמָעְלָה: [יחזקאל א, כב] ב) אֶעֱלֶה עַל בָּמֳתֵי עָב אֶדַּמֶּה לְעֶלְיוֹן: [ישעיה יד, יד] ג) יְמֵי שְׁנוֹתֵינוּ בָהֶם שִׁבְעִים שָׁנָה וְאִם בִּגְבוּרֹת שְׁמוֹנִים שָׁנָה וְרָהְבָּם עָמָל וָאָוֶן כִּי גָז חִישׁ וַנָּעֻפָה: [תהלים צ, י] ד) אַךְ אֶל שְׁאוֹל תּוּרָד אֶל יַרְכְּתֵי בוֹר: [ישעיה יד, טו] ה) שַׂר חֲמִשִּׁים וּנְשׂוּא פָנִים וְיוֹעֵץ וַחֲכַם חֲרָשִׁים וּנְבוֹן לָחַשׁ: [ישעיה ג, ג] ו) לֹא עָשָׂה כֵן לְכָל גּוֹי וּמִשְׁפָּטִים בַּל יְדָעוּם הַלְלוּיָהּ: [תהלים קמז, כ] ז) נֹפֶת תִּטֹּפְנָה שִׂפְתוֹתַיִךְ כַּלָּה דְּבַשׁ וְחָלָב תַּחַת לְשׁוֹנֵךְ וְרֵיחַ שַׂלְמֹתַיִךְ כְּרֵיחַ לְבָנוֹן: [שיר השירים ד, יא] ח) כְּבָשִׂים לִלְבוּשֶׁךָ וּמְחִיר שָׂדֶה עַתּוּדִים: [משלי כז, כו] ט) וַיֹּאמֶר אֵלַי בֶּן אָדָם עֲמֹד עַל רַגְלֶיךָ וַאֲדַבֵּר אֹתָךְ: [יחזקאל ב, א] י) וָאֵרֶא כְּעֵין חַשְׁמַל כְּמַרְאֵה אֵשׁ בֵּית לָהּ סָבִיב מִמַּרְאֵה מָתְנָיו וּלְמָעְלָה וּמִמַּרְאֵה מָתְנָיו וּלְמַטָּה רָאִיתִי כְּמַרְאֵה אֵשׁ וְנֹגַהּ לוֹ סָבִיב: [יחזקאל א, כז]

ליקוטי רש"י

[שייך לדף יב:] ויקרא לו. ... [illegible] ... רוכב שמים. הוא אותו אלוה שבעזרך ... בראי. מבחוץ [יומא כא.]. אעלה על במתי עב. איני כדאי לדור עם בני אדם אעשה לי עב קטנה כאויר ... [illegible] ... גרבי. למאור ולמזונות. ודרשו. ... נבילה [שבת שם]. לנרות להדליק בלילה ...

THE ENTIRE WORLD TO REBEL AGAINST HIMSELF[12] **DURING HIS REIGN!** כַּמָּה שְׁנוֹתָיו שֶׁל אָדָם – **HOW MANY ARE THE YEARS OF A MAN?** שִׁבְעִים שָׁנָה – **SEVENTY YEARS,** שֶׁנֶּאֱמַר – **AS IT SAYS:**[13] ,,יְמֵי־שְׁנוֹתֵינוּ בָהֶם שִׁבְעִים שָׁנָה – ***THE DAYS OF OUR YEARS AMONG THEM ARE SEVENTY YEARS,*** וְאִם בִּגְבוּרֹת שְׁמוֹנִים שָׁנָה" – ***AND IF WITH MIGHT, EIGHTY YEARS.***[14] וַהֲלֹא מִן הָאָרֶץ עַד לְרָקִיעַ מַהֲלַךְ חָמֵשׁ מֵאוֹת שָׁנָה – **BUT BEHOLD! FROM THE EARTH UNTIL THE** first **HEAVEN IS A FIVE-HUNDRED-YEAR JOURNEY;** וְעוֹבְיוֹ שֶׁל רָקִיעַ מַהֲלַךְ חָמֵשׁ מֵאוֹת שָׁנָה – **AND THE THICKNESS OF A HEAVEN IS A FIVE-HUNDRED-YEAR JOURNEY;** וְכֵן בֵּין כָּל רָקִיעַ וְרָקִיעַ – **AND SO IT IS BETWEEN EACH OF THE HEAVENS.**[15] לְמַעְלָה מֵהֶן חַיּוֹת הַקֹּדֶשׁ – **ABOVE THEM ARE THE HOLY *CHAYOS*:**[16] רַגְלֵי הַחַיּוֹת כְּנֶגֶד כּוּלָּם – **THE FEET OF THE *CHAYOS* ARE EQUIVALENT TO ALL OF [THE ABOVE-MENTIONED SPANS];**[17] קַרְסוּלֵי הַחַיּוֹת כְּנֶגֶד כּוּלָּן – **THE ANKLES OF THE *CHAYOS* ARE EQUIVALENT TO ALL OF THEM;** שׁוֹקֵי הַחַיּוֹת כְּנֶגֶד כּוּלָּן – **THE LOWER PARTS OF THE LEGS OF THE *CHAYOS* ARE EQUIVALENT TO ALL OF THEM;** רְכוּבֵי הַחַיּוֹת כְּנֶגֶד כּוּלָּן – **THE MIDDLE PARTS OF THE LEGS OF THE *CHAYOS* ARE EQUIVALENT TO ALL OF THEM;** יַרְכֵי הַחַיּוֹת כְּנֶגֶד כּוּלָּן – **THE UPPER PARTS OF THE LEGS OF THE *CHAYOS* ARE EQUIVALENT TO ALL OF THEM;**[18] גּוּפֵי הַחַיּוֹת כְּנֶגֶד כּוּלָּן – **THE TORSOS OF THE *CHAYOS* ARE EQUIVALENT TO ALL OF THEM;** צַוְּארֵי הַחַיּוֹת כְּנֶגֶד כּוּלָּן – **THE NECKS OF THE *CHAYOS* ARE EQUIVALENT TO ALL OF THEM;** רָאשֵׁי הַחַיּוֹת כְּנֶגֶד כּוּלָּן – **THE HEADS OF THE *CHAYOS* ARE EQUIVALENT TO ALL OF THEM;** קַרְנֵי הַחַיּוֹת כְּנֶגֶד כּוּלָּן – and **THE HORNS OF THE *CHAYOS* ARE EQUIVALENT TO ALL OF THEM.** לְמַעְלָה מֵהֶן כִּסֵּא כָבוֹד – **ABOVE [THE *CHAYOS*] IS THE THRONE OF GLORY;** רַגְלֵי כִּסֵּא הַכָּבוֹד כְּנֶגֶד כּוּלָּן – **THE FEET OF THE THRONE OF GLORY ARE EQUIVALENT TO ALL OF THEM;** כִּסֵּא הַכָּבוֹד כְּנֶגֶד כּוּלָּן – **THE THRONE OF GLORY** itself **IS EQUIVALENT TO ALL OF THEM.**[19] מֶלֶךְ אֵל חַי וְקַיָּם רָם וְנִשָּׂא שׁוֹכֵן עֲלֵיהֶם – **THE KING, THE LIVING AND ENDURING GOD – EXALTED AND UPLIFTED – RESTS** His Presence **UPON THEM.** וְאַתָּה אָמַרְתָּ ,,אֶעֱלֶה עַל־בָּמֳתֵי עָב אֶדַּמֶּה לְעֶלְיוֹן" – **AND YOU SAID, *"I WILL ASCEND OVER THE TOPS OF THE CLOUDS; I WILL LIKEN MYSELF TO THE MOST HIGH!"*** אַךְ אֶל־שְׁאוֹל תּוּרָד אֶל־יַרְכְּתֵי־בוֹר – ***ONLY TO THE NETHERWORLD WILL YOU BE LOWERED, TO THE BOTTOM OF THE PIT!***[20]

The Gemara cites the next line of the Mishnah:

וְלֹא בַּמֶּרְכָּבָה בְּיָחִיד – **NOR** may one expound **UPON** ***Maaseh MERKAVAH*** **IN** a class of even **ONE** student unless that student was

NOTES

descendant of Nimrod in the genealogical sense. [Nimrod was the son of Cush the son of Ham (*Genesis* 10:6,8). Nebuchadnezzar hailed from the Chaldeans, a nation founded by Ashur (see *Radak* to *Isaiah* 23:13; cf. *Ramban* to *Genesis* 10:11). Ashur, in turn, was the son of Shem (*Genesis* 10:22).] Rather, *Tosafos* explain, Nebuchadnezzar is referred to as a descendant of Nimrod on account of his deeds: Both Nimrod and Nebuchadnezzar were [powerful] kings of Babylon; Nimrod attacked Abraham and Nebuchadnezzar attacked the Jewish nation (*Tosafos* in *Ein Yaakov*); Nimrod counseled his generation to build the Tower of Babel in order to ascend to Heaven and wage war against God and, as our Gemara notes, Nebuchadnezzar had a similar idea (*Maharsha;* see *Sanhedrin* 109a).

[*Ben Yehoyada* notes that the numerical value of נְבוּכַדְנֶצַּר, *Nebuchadnezzar,* is equal to that of בְּצֵל נִמְרוֹד, *in the shadow of Nimrod.*]

12. This is a euphemism. Instead of saying disrespectfully that Nimrod caused the world to rebel against Hashem [see the version of this statement that appears in *Pesachim* 94b] we say that he caused the world to rebel against himself (see *Rashi*).

13. *Psalms* 90:10.

14. [*Tosafos* comment that the verse describes typical life spans; Nebuchadnezzar himself lived much longer than eighty years (see *Sanhedrin* 96a). In any case, the Heavenly Voice's point remains just as valid.]

15. There are seven heavens, as noted above, with six spaces between them and one space from the earth to the first heaven. *Tosafos* (in their first explanation; see *Maharsha*) count an eighth space after the seventh heaven, for a total of fifteen units of five hundred years' distance. Now, the average person can walk ten *parsaos* each day. A five-hundred-year journey would thus come to some 1,825,000 *parsaos* (between 4,142,750 and 5,529,750 miles). A 7,500 year journey [15 x 500= 7,500] would come to 27,375,00 *parsaos* (from 62,141,250 to 82,946,250 miles).

16. Possibly the four *Chayos* who bear the Throne of Glory [as mentioned in Ezekiel's vision (ch. 1)] (*Maharsha,* based on *piyut* by R' Elazar HaKalir cited by *Tosafos*).

17. See *Maharsha.*

18. The legs of the *Chayos* are not divided into two parts like human legs (shin and thigh) but rather three parts like the legs of an ox: The lower part presumably contains the bone known as the metatarsus; the middle part contains the tibia; and the upper part contains the femur (see *Rashi* here; cf. *Rashi* to *Leviticus* 7:32).

19. [Assuming that the phrase כְּנֶגֶד כּוּלָּן, *equivalent to all of them,* consistently refers to the fifteen units of five-hundred-year distances (cf. *Michtav MeEliyahu* III p. 114), then there are the equivalent of twelve of these sets all together: (1) the original set of seven heavens and eight spaces: (2) the feet of the *Chayos;* (3) the ankles; (4) the lower legs; (5) the middle legs; (6) the upper legs; (7) the torsos; (8) the necks; (9) the heads; (10) the horns; (11) the feet of the Throne; (12) the Throne itself. Taken together, this is a journey of 90,000 years, or 328,500,000 *parsaos* (from approximately 745 million to almost one billion miles).

Rabbeinu Chananel writes: These matters, the five-hundred-year journeys etc. are clearly part of an [esoteric] tradition and not based on human reason (cf. *Moreh Nevuchim* 3:14). You can see that this Baraisa is quoted in the name of Rabban Yochanan ben Zakkai, who the Gemara says elsewhere (*Succah* 28a) was a master of *Maaseh Merkavah.* One need not analyze closely the [surface meaning] of our Gemara and one who does so can drive himself to mental distraction. In the same way that one cannot speak of a vacuum or a filled space before the creation of the world, so too one cannot speak of these things Above. For this reason, the Sages restrained one from asking what is above, below, before and after. [We need only know that] God has the ability to do whatever He wishes.

In regard to what the deeper meaning of this Baraisa might be, see next note.

20. *Isaiah* 14:14-15.

Michtav MeEliyahu (III pp. 113-114) explains that this Aggadic teaching is related to the principle underlying the Gemara above concerning the seven heavens (see 12b note 79). Each of the heavens is another higher spiritual level that we must attain before coming close to God. Our Baraisa teaches us that if a person were to attempt to achieve spiritual growth through *his own efforts,* without any assistance from God, it would take five hundred years of uninterrupted labor just to reach the first level, and that is true only if he never once fell backwards. The same is true for each and every level.

However, all that is required of us is a tiny amount of sincere effort (see *Shir HaShirim Rabbah* 5:2) and God will help accomplish the vast majority of the ascent. With God's assistance, a person can rise even above the seventh heaven, to the levels of the *Chayos* and beyond!

Nebuchadnezzar wanted the supremacy of Godliness and he wanted to achieve this through his own efforts: *I will ascend over the tops of the clouds; I will liken myself to the most High!* A Heavenly voice told him that the barriers before him are insurmountable without Divine assistance. Furthermore, the voice informed him that his aspirations towards the Divine were motivated by egotism. Nebuchadnezzar coveted for himself the glory of the Throne of Glory. "Your ego will not ascend," the voice called out, "Only to the netherworld will you be lowered, to the bottom of the pit!"

[Incidentally, *Tosafos* here is one of the main sources cited by scholars regarding the historical identification of R' Elazar HaKalir, author of many *piyutim. Tosafos* contend he was the Tanna R' Elazar the son of R' Shimon bar Yochai. *Rashba* (*Responsa,* I §469) cites the view that he was the Tanna R' Elazar ben Arach. Others suggest he lived much later: See *Responsa, Rabbeinu Gershom Meor HaGolah* §1; *Tosafos* to *Chullin* 109b ד״ה נדה; *Rosh, Berachos* 5:21 with *Maadanei Yom Tov; Responsa, Noda BiYehuda, Mahadura Tinyana, Orach Chaim* §113; *Sdei Chemed, Maareches Alef* §134; *Krovos LeTishah B'Av* from *R' Elazar HaKalir* ד״ה אאבין תשע מאות).]

ב בבתי גואי הא בבתי בראי ואמר רב אחא בר יעקב עוד רקיע אחד יש למעלה מראשי החיות דכתיב א) ודמות על ראשי החיה רקיע כעין הקרח הנורא עד כאן יש לך רשות לדבר מכאן ואילך אין לך רשות לדבר שכן כתוב בספר בן סירא במופלא ממך אל תדרוש ובמכוסה ממך אל תחקור במה שהורשית התבונן אין לך עסק בנסתרות ג תניא אמר רבן יוחנן בן זכאי מה תשובה השיבתו בת קול לאותו רשע בשעה שאמר ב) אעלה על במתי עב אדמה לעליון יצתה בת קול ואמרה לו רשע בן רשע בן בנו של נמרוד הרשע שהמריד (א) כל העולם כולו עליו במלכותו כמה שנותיו של אדם שבעים שנה שנאמר ג) ימי שנותינו בהם שבעים שנה ואם בגבורות שמונים שנה והלא מן הארץ עד לרקיע מהלך חמש מאות שנה ועוביו של רקיע מהלך חמש מאות שנה וכן בין כל רקיע ורקיע למעלה מהן חיות הקדש (ב) רגלי החיות כנגד כולם קרסולי החיות כנגד כולן שוקי החיות כנגד כולן רכובי החיות כנגד כולן ירכי החיות כנגד כולן גופי החיות כנגד כולן צוארי החיות כנגד כולן ראשי החיות כנגד כולן קרני החיות כנגד כולן למעלה מהן כסא כבוד רגלי כסא הכבוד כנגד כולן כסא הכבוד כנגד כולן מלך אל חי וקים רם ונשא שוכן עליהם ואתה אמרת אעלה על במתי עב אדמה לעליון ד) אך אל שאול תורד אל ירכתי בור: ולא במרכבה ביחיד: תני רבי חייא א אבל מוסרין לו ראשי פרקים אמר רבי זירא אין מוסרין ראשי פרקים אלא לאב ב"ד ולכל מי שלבו דואג בקרבו איכא דאמרי והוא שלבו דואג בקרבו אמר רבי אמי אין מוסרין סתרי תורה אלא למי שיש בו חמשה דברים ה) שר חמשים ונשוא פנים ויועץ וחכם חרשים ונבון לחש א] ואמר רבי אמי אין מוסרין דברי תורה לעובד כוכבים שנאמר ו) לא עשה כן לכל גוי ומשפטים בל ידעום א"ל רבי יוחנן לרבי אלעזר תא אגמרך במעשה המרכבה א"ל לא קשאי כי קש נח נפשיה דרבי יוחנן א"ל ר' אסי תא ואגמרך במעשה מרכבה א"ל אי זכאי גמירתא מר' יוחנן רבך רב יוסף הוה גמיר מעשה המרכבה סבי דפומבדיתא הוו תנו במעשה בראשית אמרו ליה ליגמור לן מר מעשה מרכבה אמר להו אגמרון לי מעשה בראשית (ג) בתר דאגמרון אמרו ליה ליגמרון מר במעשה מרכבה אמר להו תנינא בהו ז) דבש וחלב תחת לשונך ב דברים המתוקין מדבש וחלב יהו תחת לשונך ר' אבהו אמר מהכא ח) ג כבשים ללבושך (ד) דברים שהן כבשונו של עולם יהיו תחת לבושך אמרו ליה תנינן בהו עד ט) ויאמר אלי בן אדם אמר להו הן הן מעשה המרכבה מיתיבי עד היכן מעשה המרכבה רבי אומר עד י) וארא (ה) בתרא ר' יצחק אומר עד החשמל עד וארא מגמרינן מכאן ואילך מסרינן ראשי פרקים איכא דאמרי עד וארא מסרינן ראשי פרקים מכאן ואילך אם הוא חכם מבין מדעתו אין אי לא לא ומי דרשינן בחשמל והא ההוא ינוקא דדרש בחשמל (ו) ונפקא נורא ואכלתיה שאני ינוקא דלאו מטי זימניה אמר רב יהודה ברם ד זכור אותו האיש לטוב וחנניה בן חזקיה שמו אלמלא הוא נגנז ספר יחזקאל שהיו דבריו סותרין דברי תורה מה עשה העלו לו ג' מאות גרבי שמן וישב בעלייה ודרשו ת"ר מעשה בתינוק אחד שהיה קורא בבית רבו בספר יחזקאל והיה מבין בחשמל ויצאה אש מחשמל ושרפתו וביקשו לגנוז ספר יחזקאל (ז) ה אמר להם חנניה בן חזקיה אם זה חכם (ח) הכל חכמים הן מאי חשמל אמר רב יהודה

רש"י

בבתי גואי. והוראה עמיה שרא: במופלא ממך. במובדל ומופרש ממך שלא רצה הקב"ה לגלות לך: לאותו רשע. נבוכדנצר: עליו. לשון נקיה היא כלומר על עצמו ולא עלי: רגלי החיות. עובי פרסותיהן: קרסולי. אסטוירא שקורין קביליי"א בלעז: שוק. הוא עצם הנמכר עם (ט) הרגל: רכובי. הוא עצם הירך הסמוך לשוק ירך הוא עצם הקולית התקוע במתנים: ראשי פרקים. ראשי פרשיות שבה: שלבו דואג. ואינו מיקל את ראשו: איכא דאמרי והוא שלבו דואג בקרבו. תרתי בעינן: סתרי תורה. כגון מעשה המרכבה וספר יצירה ומעשה בראשית והיא ברייתא: יועץ וחכם חרשים ונבון לחש. לקמן מפרש להו: לא קשאי. לא זקנתי ובעינן לבו דואג: מעשה המרכבה ומעשה בראשית. ברייתות הן: כבשונו של עולם. סתרו של עולם כמו רישא בכבשא (חולין דף נג:) בהדי כבשי דרחמנא למה לך (ברכות דף י.) ממנו ילמדו כבושין (מכות דף כג:): תנינא עד ויאמר אלי בן אדם. כבר שנינו עד ויאמר אלי בן אדם עמוד על רגליך: הן הן מעשה המרכבה. אם עד כאן שניתם הרבה שניתם שהם מקראות הללו שהן וארא כעין החשמל וגו' כמראה הקשת וגו' (י) הם שהקפידו עליהם חכמים מלדורשם שהן מדברין בצורת שכינה ומראהו: מיתיבי. גרסינן ולא גרסינן ומי הוי מעשה המרכבה עד הכא: עד וארא. כעין החשמל ולא הוא בכלל: עד החשמל. עד היכא וארא והיא בכלל לדרוש: עד וארא מגמר גמרינן. כלומר הכי קאמר עד היכן מעשה מרכבה שנתנו לדרוש עד וארא או עד החשמל ומשם עד ויאמר אלי הן הן מעשה מרכבה שהקפידו עליהן חכמים: נגנז ספר יחזקאל. שיש בסופו דברים בקרבנות שסותרין דברי תורה: גרבי שמן. להדליק: והיה מבין בחשמל. לדרוש מהו:

תוספות

בן בנו של נמרוד הרשע. לאו דוקא שהרי כוש ילד את נמרוד ולא מצינו אותו רשע מזרע כוש אלא על שם מעשיו שמלך גם הוא בשנער ז): שבעים שנה. לאו משום שלא היה קשיש יותר שהרי לא חשוב מימות סנחריב שסמוך למפלתו גבי שליחות שלח בלאדן לחזקיהו מצינו שהיה סופר בביתו ומשם זכה למלכות כדאשכחן באגדות חלק (סנהדרין דף צו.) אלא אורחא דמילתא קא חשיב: ורגלי החיות כנגד כולם. יש מגיהין בקדושתא שיסד הקליר וחיות אשר הנה מרובעות לכסא כף רגל חמש מאות וחמש עשרה ומוחקים הוי"ו ואומרים כי כן עולה לפי חשבון שבכאן למנין ז' רקיעים י) וח' אוירים הוא ט"ו פעמים ת"ק והיינו מנין ישרה ש"ר ת"ק וי"ה לסימנא (כ) שכן עולה ט"ו פעמים כך ומיהו בחנם מחקוהו שיסד דבריו ע"פ הירושלמי דהרואה א"ר לוי מארץ ועד לרקיע מהלך ת"ק שנה אמר ר' ברכיה ור' חלבו בש"ר ז) (בא) סמוקה גדול מזה רגל אחד ח) כמנין ישר"ה ראה כמה (ל) גבוה מעולמו כו' משמע כמנין שיסד ת"ק ט"ו וכן היה דרכו שבכמה מקומות היה מניח שיטת הש"ס שלנו כדי לאחוז שיטת הש"ס ירושלמי שהוא היה תנא והוא היה ר"א ברבי שמעון דקרי עליה ט) מכל אבקת רוכל תנא קרא קרובן ופייטן (ויקרא רבה פ"ל) ובימיו מקדשים ע"פ הראייה שמעולם לא יסד רק קרובן מיוס (י) אחד): אין מוסרין דברי תורה לעובד כוכבים. היה קשה להר"ר אלחנן תיפוק ליה דעובד כוכבים העוסק בתורה חייב מיתה כדאמר בפ' ד' מיתות (סנהדרין דף נט. ושם) עובד כוכבים העוסק בתורה חייב מיתה והמלמדו עובר אלפני עור לא תתן מכשול וכי תימא (מ) בז' מצות דידהו דאינו חייב מיתה כדאמר הש"ס התם והא כ) מצוה איכא למוסרם להם ונפקא לן מהאי קרא אשר יעשה אותם האדם וחי בהם (ויקרא יח) כהן ולוי לא נאמר אלא אדם שאפילו עובד כוכבים ועוסק בתורה וכו' וי"ל דהכא מיירי אפילו היכא דליכא עובר אלפני עור כגון שיש עובד כוכבים אחר שרוצה ללמדו דליכא לפני עור כדאמרינן בע"ז (דף ו:) המושיט כוס יין לנזיר עובר אלפני עור והני מילי דקאי אתרי עברא דנהרא שבלאו נתינתו אי אפשר להביאו אליו אבל אי לאו הכי אינו עובר אלפני עור הכא נמי אפילו במקום שעובד כוכבים אחר רוצה ללמדו דליכא לפני עור מכל מקום אסור משום מגיד דבריו ליעקב וכו' (תהלים קמז) ל):

והחיות

עין משפט נר מצוה

ז א מיי' פ"ב מהלכות יסודי התורה הל' יב ופ"ד שם הלכה יא:
ח ב ג מיי' פ"ב שם הלכה יג:

רבינו חננאל

עד כאן יש לך רשות לדבר מיכן ואילך אסור. כתוב בספר בן סירא במופלא ממך אל תדרוש ובמכוסה ממך אל תחקור במה שהורשית התבונן אין לך עסק בנסתרות והדברים שנאמר מהלך ת"ק שנה דברי קבלה הן. הלא תראה שהן מתעתקין מפי ריב"ז שהיה בימי הבית ולא נשאר לו דבר קטן ולא דבר גדול. אלא הכל קיבל בקבלה מרבו ומפורש בו דבר גדול מעשה מרכבה דבר קטן הויות דאביי ורבא. ואין הדברים הללו באין משיקול הדעת ואין צריך להסתכל בהן שהמסתכל בהן בא בטירוף דעת שאי אפשר לומר כי שם מקום חלל מופנה ואף לא מלא שהכל מתחתיו הן שכשם שאין כח לומר כי קודם יצירת העולם היה חלל או מקום מלא או ריקם אלא אחר שנברא העולם ונבראו שמים וארץ ואין ידוע מה למעלה מה למטה ולפיכך מנעו רבותינו להסתכל מה למעלה ומה למטה מה לפנים ומה לאחור. ויש בגבורותיו של הקב"ה לעשות כמה: ולא במרכבה ביחיד תני ר' חייא מוסרין ליחיד ראשי פרקים פי' פותחין לו ראשי דבריו והוא מבין מדעתו א) וזה לבו גס בו כר' אלעזר דאמר ליה ר' יוחנן רביה תא אגמרך מעשה מרכבה א"ל לא קשאי כלומר איני בן חמשים שנה כד נח נפשיה דר' יוחנן אמר ליה ר' אסי תא אגמרך מעשה מרכבה א"ל אי זכאי מוסרין דברי תורה אלא ליועץ חכם חרשים ונבון לחש ואין מוסרין ד"ת לעובד כוכבים שנאמר מגיד דבריו ליעקב חקיו ומשפטיו לישראל. אלא הא דתניא עד היכן מעשה מרכבה כו' וקיי"ל כלישנא בתרא עד וארא ועד חשמל מסרינן ראשי פרקין כדאמרן מיכן ואילך לא מסרינן אלא אם היה חכם מבין מדעתו מאי חשמל אמר רב יהודה חיות אש ממללות במתניתא תנא חש מל כלומר כו' מלות

חשק שלמה על ר"ח

א) אולי צ"ל והוא שלא תהא לבו גס בו.

הגהות מהר"ב רנשבורג

א] גמ' ואמר רבי אמי אין מוסרין דברי תורה לעובד כוכבים. [illegible] בן שש אב"ד: אם זה חכם הכל חכמים הן. [illegible]

מסורת הש"ס

א) [לעיל ה:], ב) [פסחים צד.], ג) [עירובין נג.], ד) שבת יג. ע"ש מנחות מה., ה) [שם], ו) [עי' מהרש"א], ז) [לקמן יד.], ח) [עי' תוס' לעיל יב:], ט) [פסיקתא], י) [עי' תוס' ברכות], כ) [צ"ל ראשון], ל) ע"ז דף ו. מהרש"א.

הגהות הב"ח

(א) גמ' שהמריד את כל העולם: (ב) שם ורגלי החיות כנגד כולם וקרסולי וכו' ושוקי וכו' ורכובי וכו' וירכי וכו' וגופי וכו' וצוארי וכו' וראשי וכו' וקרני וכו' ולמעלה מהן כסא כבוד ורגלי וכו' וכסא הכבוד כנגד כולן ולמעלה מהן מלך: (ג) שם מעשה בראשית אגמרו להו בתר דאגמרונהו אמרו: (ד) שם כבשים ללבושך אל תקרי כבשים אלא כבושים דברים שהן כבשונו: (ה) שם רבי אומר עד וארא כעין חשמל בתרא: (ו) שם ונפקא נורא מחשמל ואכלתיה: (ז) שם אמר להם חנניה בן חזקיה: (ח) שם חכם הוא הכל חכמים: (ט) רש"י ד"ה שוק הוא עצם הנמכר עם הרגל הס"ד: (י) ד"ה הן הן וכו' הם שהקפידו: (כ) תוס' ד"ה ורגלי וכו' לסימנא שיש בו ט"ו פעמים ת"ק ומיהו בחנם מחקוהו: (ל) בא"ד ראה כמה הוא גבוה מעולמו וכו' כמנין שיסד ת"ק וט"ו וכן וכו' ופייטן ודרכן ובימיו היו מקדשין. נ"ב בויקרא רבה פרשה ל' כד דמך ר"א בר שמעון היה דורו קורא עליו מי זאת עולה כו' מהו מכל אבקת רוכל אלא דהוה קרי ותני ופייטן ודרכן: (מ) ד"ה אין מוסרין וכו' וכי תימא הכא בז' מצות:

גליון הש"ס

תוס' ד"ה ורגלי וכו' שיטת הירושלמי שהוא היה תנא. נ"ב וי"ל שהוא היה תנא כן הוא בערוך ערך כשר דברכות:

תורה אור השלם

א) ודמות על ראשי החיה רקיע כעין הקרח הנורא נטוי על ראשיהם מלמעלה: [יחזקאל א, כב] ב) אעלה על במתי עב אדמה לעליון: [ישעיה יד, יד] ג) ימי שנותינו בהם שבעים שנה ואם בגבורת שמונים שנה ורהבם עמל ואון כי גז חיש ונעפה: [תהלים צ, י] ד) אך אל שאול תורד אל ירכתי בור: [ישעיה יד, טו] ה) שר חמשים ונשוא פנים ויועץ וחכם חרשים ונבון לחש: [ישעיה ג, ג] ו) לא עשה כן לכל גוי ומשפטים בל ידעום הללויה: [תהלים קמז, כ] ז) נפת תטפנה שפתותיך כלה דבש וחלב תחת לשונך וריח שלמתיך כריח לבנון: [שיר השירים ד, יא] ח) כבשים ללבושך ומחיר שדה עתודים: [משלי כז, כו] ט) ויאמר אלי בן אדם עמד על רגליך ואדבר אתך: [יחזקאל ב, א] י) וארא כעין חשמל כמראה אש בית לה סביב ממראה מתניו ולמעלה וממראה מתניו ולמטה ראיתי כמראה אש ונגה לו סביב: [יחזקאל א, כז]

ליקוטי רש"י

[שייך לדף יב:] ויקרא לו. גדעון למזבח. ה' שלום. ה' הוא שלומנו [שופטים ו, כד]. כי רוח מלפני יעטוף. כאשר רוח [illegible]

a scholar who could arrive at an understanding of the issues on his own.

A qualification to the Mishnah:

תָּנֵי רַבִּי חִיָּיא – R' Chiya taught a Baraisa: אֲבָל מוֹסְרִין לוֹ רָאשֵׁי פְּרָקִים – HOWEVER, ONE MAY TRANSMIT TO HIM CHAPTER HEADINGS.[21]

The Gemara comments:

אָמַר רַבִּי זֵירָא – R' Zeira said: אֵין מוֹסְרִין רָאשֵׁי פְּרָקִים אֶלָּא לְאַב בֵּית דִּין – One may not transmit chapter headings except to the head of a Rabbinical court[22] **וּלְכָל מִי שֶׁלִּבּוֹ דּוֹאֵג בְּקִרְבּוֹ – and to anyone whose heart worries within him.**[23]

Another version of the above statement:

אִיכָּא דְּאָמְרֵי – Some say that R' Zeira said as follows: One may not transmit chapter headings except to the head of a Rabbinical court **וְהוּא שֶׁלִּבּוֹ דּוֹאֵג בְּקִרְבּוֹ – as long as [that head of a Rabbinical court] is one whose heart worries within him.**[24]

The Gemara presents a more general ruling:

אָמַר רַבִּי אַמִי – R' Ami said: אֵין מוֹסְרִין סִתְרֵי תוֹרָה אֶלָּא לְמִי שֶׁיֵּשׁ בּוֹ חֲמִשָּׁה דְּבָרִים – One may not transmit secrets of the Torah, such as *Maaseh Merkavah, Sefer Yetzirah* or *Maaseh Bereishis*[25] **except to someone with** the following **five attributes:**[26] **שַׂר חֲמִשִּׁים וּנְשׂוּא פָנִים – (1)** ***captain of fifty;*** (2) ***respected person;*** **וְיוֹעֵץ וַחֲכַם חֲרָשִׁים וּנְבוֹן לָחַשׁ – (3)** ***adviser;*** (4) ***teacher of the wise; and*** (5) ***comprehender of mysteries.***[27]

Another ruling of R' Ami regarding transmission of knowledge:

וְאָמַר רַבִּי אַמִי – And R' Ami said: אֵין מוֹסְרִין דִּבְרֵי תוֹרָה לְעוֹבֵד כּוֹכָבִים – One may not transmit words of Torah to an idolater, שֶׁנֶּאֱמַר – as it says:[28] **"לֹא עָשָׂה כֵן לְכָל־גּוֹי וּמִשְׁפָּטִים בַּל־יְדָעוּם"** – *He relates His word to Jacob, His statutes and laws to Israel.* ***He did not do so for any [other] nation; such laws – they shall not know them.***[29]

NOTES

21. "Chapter headings" are the [descriptive] headings of the different sections of *Maaseh Merkavah* (*Rashi*). These are clues or hints with which an astute student could grasp the concepts in greater detail (see *Rabbeinu Chananel*).

There is a fundamental disagreement among the commentators regarding R' Chiya's qualification. From the wording in our text, it seems that R' Chiya is qualifying the first half of the sentence, *nor may one expound upon Maaseh Merkavah to one student.* R' Chiya's point, then, is that although one may not expound at length to an average student, one may give him some hints. If this average student can develop these further, that is well, and if not, not. R' Chiya's implication is that if the student is already established as a perceptive scholar, however, one may expound to him at length and in detail (*Maharsha* ד״ה אלא לאב״ד; *Ben Yehoyada* to 14b ד״ה ולא כך שניתי; *Zeicher L'Chagigah,* cited in *Yalkut Yeshayahu*).

This is not *Rambam's* view. *Rambam* states explicitly in several places that one may give chapter headings only to a perceptive scholar (*Commentary* to our Mishnah; *Hil. Yesodei HaTorah* 2:12; *Moreh Nevuchim Preface,* 1:33). *Rambam* may have had the version of our text recorded in *Rabbeinu Chananel.* In this version, the word אֲבָל (*however*) is missing. Thus, the flow of our Gemara is as follows: The Mishnah states, *nor may one expound upon Maaseh Merkavah to one student unless he is a perceptive scholar.* R' Chiya then qualifies what may be expounded to a perceptive scholar. One may teach such a perceptive student only chapter headings; a lesser student may not be taught even this (see *Ikvei Aharon*). In summary: *Rambam* holds that a perceptive student may be given chapter headings; the other commentators hold that he may be given more. *Rambam* holds that a lesser student may be given nothing; the other commentators hold that he may be given chapter headings.

This dispute seems to be rooted in a fundamental question: Is it possible for a master to transmit his understanding of the *Merkavah* vision fully and thoroughly to a student? It appears from *Rambam's Commentary* to our Mishnah that one is limited to teaching *Maaseh Merkavah* through chapter headings because that is the most the subject matter will allow one to convey accurately (see also *Preface* to *Moreh Nevuchim* ד״ה ידע כי כאשר). The concepts are so abstract that a master cannot describe them fully; he can only induce his student to find the truths already embedded in his own soul. If a master attempts a thorough explanation, the master will inevitably distort these delicate ideas through overhandling. In other words, if an idea is part of *Maaseh Merkavah,* it can *only* be conveyed through "chapter headings."

However, the other commentators hold that it is possible for a master to transmit more than chapter headings to a student (see *R' Tzadok, Sefer HaZichronos* pp. 60-62). Although it is possible for a master to fully convey his *Merkavah* vision to an unsuitable student, he is prohibited from doing so. The student may, however, be given chapter headings.

[*Rambam* would allow them to be taught *Maaseh Bereishis,* however (*Hil. Yesodei HaTorah* 4:11), which would serve as an introduction of sorts to *Maaseh Merkavah* (see *Preface* to *Moreh Nevuchim* ד״ה וכבר). *R' Tzadok* would not dispute this point (see *Sefer HaZichronos,* p. 60).]

There seems to be a further level of obscurity (i.e. even more vague than "chapter headings") at which it is permitted to express these ideas to anyone. We find that the Scriptures, the Talmud, the Midrash and the Rishonim all make use of riddle-like metaphors and enigmatic parables to record these ideas. The cryptic language prevents all but the very few from understanding what is being said (see *Preface* to *Moreh Nevuchim* and *Ramban's Introduction* to his *Commentary on the Torah; Ramban, Derashah al Divrei Koheles, Kisvei Ramban,* Chavel ed. I p. 180).

22. I.e. a person that would be fitting to be appointed as the head of a Rabbinical court, not only someone who actually holds this position. The designation "head of a Rabbinical Court" indicates someone who could field a halachic inquiry on any topic (*Iyun Yaakov*).

23. He is not inclined to be frivolous (*Rashi*).

24. He must have both qualifications (*Rashi*). That is, he is someone who is both well versed in the "revealed" Torah and full of reverence for Heaven. Such a person may be given chapter headings (*Iyun Yaakov*) even if he is not a scholar who could arrive at an understanding of these mysteries on his own (*Maharsha*). According to *Rambam,* "heavy heart" refers to the qualities of humility and extremely settled thinking (*Moreh Nevuchim* 1:34).

25. *Rashi. Rashi* notes here that *Maaseh Bereishis* is a Baraisa (see above, 11b note 33).

26. Taken from the verse in *Isaiah* 3:3.

27. *Rashi* comments that the Gemara will explain these appellations below (14a). *Rambam* (loc. cit.) explains the last three as follows: An *adviser* is someone with a quick comprehension and a clever approach to dealing with issues that arise with other people. A person with these attributes could still be a shallow thinker, however, so he must also be a *comprehender of mysteries:* That is, he must by nature be an insightful thinker whose mind penetrates to the heart of a matter after hearing only a short and cleverly worded explanation. Even such a person could still be ignorant of the prerequisite studies, though, simply because he never bothered to apply himself to them. Therefore, he must also be a *teacher of the wise,* someone so erudite that others fall silent when he speaks. Someone who is missing any of these traits should not be taught secrets of the Torah.

28. *Psalms* 147:19-20.

29. *Meiri* here states that we are not allowed to transmit the secrets of the Torah to an idolater. Since he serves the stars and denies the very essence of belief in God, how can we teach him [these parts of the] Torah? By contrast, a non-Jew who studies the details of the seven Noahide laws, which are incumbent upon him, deserves the honors due a Kohen Gadol (*Sanhedrin* 59a). The study of the seven Noahide laws may lead him to study most of the precepts of the Torah (*Meiri* to *Sanhedrin* 59a; see *Responsa, Rama* §10).

Be'er Sheva asks why none of the Poskim cites our Gemara's prohibition in their works of halachah (*Be'er Mayim Chaim* §14, at the end of *Responsa, Be'er Sheva*). *R' Moshe Feinstein* answers that the *Rambam, Tur* and *Shulchan Aruch* all cite the prohibition not to teach one's Canaanite slave Torah and the extension of this prohibition to an idolater is an obvious conclusion (*Igros Moshe, Yoreh Deah* III §89; cf. *Responsa, Seridei Eish* II §90 and §92).

[For more sources on this general topic, see: *Sanhedrin* loc. cit.; *Avodah Zarah* 3a; *Sotah* 35b with *Maharatz Chayes; Zohar* III 73a; *Responsa, Rambam* §149, Blau ed.; *Igros HaRambam, Letter to R' Chisdai HaLevi; Shiltei HaGiborim* to *Avodah Zarah* 1:2; *Responsa, R'*

בבתי גואי הא בבתי בראי ואמר רב אחא בר יעקב עוד רקיע אחד יש למעלה מראשי החיות דכתיב ודמות על ראשי החיה רקיע כעין הקרח הנורא עד כאן יש לך רשות לדבר מכאן ואילך אין לך רשות לדבר שכן כתוב בספר בן סירא במופלא ממך אל תדרוש ובמכוסה ממך אל תחקור במה שהורשית התבונן אין לך עסק בנסתרות תניא אמר רבן יוחנן בן זכאי מה תשובה השיבתו בת קול לאותו רשע בשעה שאמר אעלה על במתי עב אדמה לעליון יצתה בת קול ואמרה לו רשע בן רשע בן בנו של נמרוד הרשע שהמריד כל העולם כולו עליו במלכותו כמה שנותיו של אדם שבעים שנה שנאמר ימי שנותינו בהם שבעים שנה ואם בגבורות שמונים שנה והלא מן הארץ עד לרקיע מהלך חמש מאות שנה ועוביו של רקיע מהלך חמש מאות שנה וכן בין כל רקיע ורקיע למעלה מהן חיות הקדש רגלי החיות כנגד כולם קרסולי החיות כנגד כולן שוקי החיות כנגד כולן ארכובי החיות כנגד כולן ירכי החיות כנגד כולן גופי החיות כנגד כולן צוארי החיות כנגד כולן ראשי החיות כנגד כולן קרני החיות כנגד כולן למעלה מהן כסא כבוד רגלי כסא הכבוד כנגד כולן כסא הכבוד כנגד כולן מלך אל חי וקים רם ונשא שוכן עליהם ואתה אמרת אעלה על במתי עב אדמה לעליון אך אל שאול תורד אל ירכתי בור: **ולא במרכבה ביחיד**: תני רבי חייא אבל מוסרין לו ראשי פרקים אמר רבי זירא אין מוסרין ראשי פרקים אלא לאב ב"ד ולכל מי שלבו דואג בקרבו איכא דאמרי והוא שלבו דואג בקרבו אמר רבי אמי אין מוסרין סתרי תורה אלא למי שיש בו חמשה דברים שר חמשים ונשוא פנים ויועץ וחכם חרשים ונבון לחש ואמר רבי אמי אין מוסרין דברי תורה לעובד כוכבים שנאמר לא עשה כן לכל גוי ומשפטים בל ידעום א"ל רבי יוחנן לרבי אלעזר תא אגמרך במעשה המרכבה א"ל לא קשאי כי קש נח נפשיה דרבי יוחנן א"ל ר' אסי תא ואגמרך במעשה מרכבה א"ל אי זכאי גמירתא מר' יוחנן רבך רב יוסף הוה גמיר מעשה המרכבה סבי דפומבדיתא הוו תנו במעשה בראשית אמרו ליה ליגמור לן מר מעשה מרכבה אמר להו אגמרון לי מעשה בראשית בתר דאגמרון אמרו ליה ליגמרון מר במעשה מרכבה אמר להו תנינא בהו דבש וחלב תחת לשונך דברים המתוקין מדבש וחלב יהו תחת לשונך ר' אבהו אמר מהכא כבשים ללבושך דברים שהן כבשונו של עולם יהיו תחת לבושך אמרו ליה תנינן בהו עד ויאמר אלי בן אדם אמר להו הן הן מעשה המרכבה מיתיבי עד היכן מעשה המרכבה רבי אומר עד וארא בתרא ר' יצחק אומר עד החשמל עד וארא מגמרינן מכאן ואילך מסרינן ראשי פרקים איכא דאמרי עד וארא מסרינן ראשי פרקים מכאן ואילך אם הוא חכם מבין מדעתו אין אי לא לא ומי דרשינן בחשמל והא ההוא ינוקא דדרש בחשמל ונפקא נורא ואכלתיה שאני ינוקא דלאו מטי זמניה אמר רב יהודה ברם זכור אותו האיש לטוב וחנניה בן חזקיה שמו אלמלא הוא נגנז ספר יחזקאל שהיו דבריו סותרין דברי תורה מה עשה העלו לו ג' מאות גרבי שמן וישב בעלייה ודרשו ת"ר מעשה בתינוק אחד שהיה קורא בבית רבו בספר יחזקאל והיה מבין בחשמל ויצאה אש מחשמל ושרפתו וביקשו לגנוז ספר יחזקאל (ז) אמר להם חנניה בן חזקיה אם זה חכם (ח) הכל חכמים הן מאי חשמל אמר רב יהודה

רש"י

בבתי גואי. ונהורא עמיה שריא: **במופלא ממך.** במובדל ומופרש ממך שלא רצה הקב"ה לגלות לך: **לאותו רשע.** נבוכדנצר: **עליו.** לשון נקיה היא כלומר על עצמו ולא עלי: **רגלי החיות.** עוקי פרסותיהן: **קרסולי.** אסטוירא שקורין קביליי"א בלעז: **שוק.** הוא עצם הנמכר עם (ט) הרגל: **רכובי.** הוא עצם הירך הסמוך לשוק ירך הוא עצם הקולית התקוע במתנים: **ראשי פרקים.** ראשי פרשיות שבה: **שלבו דואג.** ואינו מיקל את ראשו: **איכא דאמרי והוא שלבו דואג בקרבו.** תרתי בעינן: **סתרי תורה.** כגון מעשה המרכבה וספר יצירה ומעשה בראשית והיא ברייתא: **יועץ וחכם חרשים ונבון לחש.** לקמן מפרש להו: **לא קשאי.** לא זקנתי ועדיין לבי דואג: **מעשה המרכבה ומעשה בראשית.** ברייתות הן: **כבשונו של עולם.** סתרו של עולם כמו רישא בכבשא (חולין דף לג:) בהדי כבשי דרחמנא למה לך (ברכות דף י.) ממני יאלו כבושין (כתובות דף כו:): **תנינא עד ויאמר אלי בן אדם.** כבר שנינו עד ויאמר אלי בן אדם עמוד על רגליך: **הן הן מעשה המרכבה.** אם עד כאן שניתם הרבה שניתם שפני מקראות הללו שכן וארא כעין החשמל וגו' כמראה הקשת וגו' (י) הם שהקפידו עליהם חכמים מלדורשם שהן מדברין בצורת שכינה ומראהו: **מיתיבי.** גרסינן ולא גרסינן ומי הוי מעשה המרכבה עד הכא: **עד וארא.** כעין החשמל ולא הוא בכלל: **עד החשמל.** עד התיבה הזו והיא בכלל לידרש: **עד וארא מגמר גמרינן.** כלומר הכי קאמר עד היכן מעשה מרכבה שנתנו לדרוש עד וארא או עד החשמל ומשם עד ויאמר הן הן מעשה מרכבה שהקפידו עליהן חכמים: **נגנז ספר יחזקאל.** שיש בסופו דברים בקרבנות שסותרין דברי תורה: **גרבי שמן.** להדליק: **והיה מבין בחשמל.** לדרוש מהו: חיות

תוספות

בן בנו של נמרוד הרשע. לאו דוקא שהרי כוש ילד את נמרוד ולא מצינו אותו רשע מזרע כוש אלא על שם מעשיו שמלכו גם הוא בשנער: **שבעים שנה.** לאו משום שלא היה קשה יותר שהרי לא וחשוב מימות סנחריב שסמוך למפלתו גבי שליחות שלשת בלאדן לחזקיהו מצינו שהיה סופר בביתו ומשם זכה למלכות כדאשכחן באגדות חלק (סנהדרין דף צו.) אלא אורחא דמילתא קא חשיב: **ורגלי החיות כנגד כולם.** יש מגיהין בקדושתא שיסד הקליר וחיות אשר הנה מרובעות לכסא כף רגל חמש מאות וחמש עשרה ומותקים הוי"ו ואומרים כי כן עולה לפי חשבון שבכאן למנין ז' רקיעים ומ' חורים הוא ט"ו פעמים ת"ק והיינו מנין ישרה ש"ר ת"ק וי"ה לסימנא (כ) שכן עולה ט"ו פעמים ת"ק ומיהו בתוס מקומותו שיסד דבריו ע"פ הירושלמי דהרואה א"ר לוי מהלך ועד לרקיע מהלך ת"ק שנה אמר ר' ברכיה ור' חלבו בש"ר (כא) סמוקה גדול מזה רגל אחד כמנין ישר"ה ראה כמה (ל) גבוה מעולמו כו' משמע כמנין שיסד ת"ק ט"ו וכן היה דרכו שבכמה מקומות היה מניח שיטת הש"ס שלנו כדי לאחוז שיטת הש"ס ירושלמי שהוא היה תנא והוא היה ר"א ברבי שמעון דקרי עליה מכל אבקת רוכל תנא קרא קרובן ופייטן (ויקרא רבה פ"ל) ובימיו מקדשים ע"פ הראייה שמעולם לא יסד רק קרובן מיום (ז' אחד): **אין מוסרין דברי תורה לעובד כוכבים.** היא קשה להר"ר אלחנן תיפוק ליה דעובד כוכבים העוסק בתורה חייב מיתה כדאמר בפ' ד' מיתות (סנהדרין דף נט.) עובד כוכבים העוסק בתורה חייב מיתה והמלמדו עובר אלפני עור לא תתן מכשול וכי תימא (מ) בז' מצות דידהו דלאו ליה מיתה כדאמר התם והא מצוה הוא לאו למוסרם להם ונפקא לן מהאי קרא אשר יעשה אותם האדם וחי בהם (ויקרא יח) כהן ולוי לא נאמר אלא האדם שאפילו עובד כוכבים ועוסק בתורה וכו' וי"ל דהכא מיירי אפילו היכא דליכא לפני עור כגון שאחר שרוצה ללמדו דליכא לפני עור כדאמרינן בע"ז (דף ו:) המושיט כוס יין לנזיר עובר אלפני עור והני מילי דקאי אחרי עברא דנהרא שבלאו נתינתו אי אפשר להביאו אליו אבל אי לאו הכי אינו עובר אלפני עור הכא נמי אפילו במקום שעובד כוכבים אחר רוצה ללמדו דליכא לפני עור מכל מקום אסור משום מגיד דבריו ליעקב וכו' (תהלים קמז) (נ):

עין משפט נר מצוה

ז א מיי' פ"ב מהלכות יסודי התורה הל' יב ופ"ד שם הלכה יא:
ח ב ג מיי' פ"ג שם הלכה יב:

רבינו חננאל

עד כאן יש לך רשות לדבר מיכן ואילך אסור. כתוב בספר בן סירא במופלא ממך אל תדרוש ובמכוסה ממך אל תחקור במה שהרשיתה התבונן אין לך עסק בנסתרות והדברים שנאמר מהלך ת"ק שנה דברי קבלה הן. הלא תראה שהן מועתקין מפי ריב"ז שהיה בימי הבית ולא נשאר לו דבר קטן ולא דבר גדול. אלא הכל קיבל בקבלה מרבו ומפורש בו דבר גדול מעשה מרכבה דבר קטן הוויות דאביי ורבא. ואין הדברים הללו באין משיקול הדעת ואין צריך להסתכל בהן שהמסתכל בהן בא בטירוף דעת שאי אפשר לומר יש שם מקום חלל מופנה ואף לא מלא שהכל מתחתיו הן שכשם שאין כח לומר כי קודם יצירת העולם היה חלל או מקום מלא או ריקם אלא אחר שנברא העולם נבראו שמים וארץ ואין ידוע מה למעלה ומה למטה ולפיכך מנעו רבותינו להסתכל מה למעלה ומה למטה מה לפנים ומה לאחור. ויש בגבורתו של הקב"ה לעשות כמה: ולא במרכבה ביחיד תני ר' חייא מוסרין ליחיד ראשי פרקים פי' פותחין לו ראשי דבריו והוא מבין מדעתו (א) וזה לבו גס בו כר' אלעזר דאמר ליה ר' יוחנן רביה תא אגמרך מעשה מרכבה א"ל לא קשאי כלומר איני בן חמשים שנה כד נח נפשיה דרבי יוחנן אמר ליה רבי אסי תא אגמרך מעשה מרכבה א"ל אין מוסרין דברי תורה אלא ליועץ חכם חרשים ונבון לחש ואין מוסרין ד"ת לעובד כוכבים שנאמר מגיד דבריו ליעקב חקיו ומשפטיו לישראל. אלא הא דתניא עד היכן מעשה מרכבה כו' וקיי"ל כלישנא בתרא עד וארא ועד חשמל מסרינן ראשי פרקין כדאמרן מיכן ואילך לא מסרינן אלא אם היה חכם מבין מדעתו מאי חשמל אמר רב יהודה חיות אש ממללות במתניתא תנא חש מל כלומר ב' מלות

חשק שלמה על ר"ח

א) אולי צ"ל והוא שלא תהא לבו גס בו.

הגהות מהר"ב רנשבורג

א] **גמ' ואמר רבי אמי אין מוסרין דברי תורה לעובד כוכבים.** נ"ב עיין שו"ת באר שבע בסופו וחלק באר מים חיים סימן י"ד טעם למה השמיטו הפוסקים זה: **ב]** **שם א"ל חנני' אם זה חכם הכל חכמים הן.** נ"ב ר"ל אם זה הקטן חכם כל הקטנים חכמים לגדולים אין לחוש כדאמרינן לעיל שאני ינוקא דלא מטא זימנא עכ"ל מהרש"א בח"א:

מסורת הש"ס

א) [לעיל ה:], ב) [פסחים לד.], ג) [עירובין נג.], ד) שבת יג. ע"ש מנחות מה., ה) ושלח את ידו בישראל כמו שנמרוד שלח את ידו באברהם, ו) [עי' מהרש"א בח"א], ז) [נ"ל אבא], ח) [שם איתא אף עולפי החיות מהלך ת"ק שנה וחמש עשרה מנין ישרה ע"ש], ט) [בפסיקתא ועי' בהרא"ש ברכות פ"ה סי' כ"א], י) [נ"ל ראשון], כ) נ"א אמרינן התם דמצוה ללמדם ונפקא, ל) ועי' שמות רבה פרשה ל' במעשה דעקילס ואדריינוס.

הגהות הב"ח

(א) גמ' שהמריד את כל העולם: (ב) שם ורגלי החיות וכו' וקרסולי וכו' שוקי וכו' ורכובי וכו' ירכי וכו' וגופי וכו' צוארי וכו' וראשי וכו' קרני וכו' ולמעלה מהן כסא כבוד ורגלי וכו' וכסא הכבוד כנגד כולן ולמעלה מהן מלך: (ג) שם מעשה בראשית אגמרוה בתר דאגמרו' אמרו: (ד) שם כבשים ללבושך אל תקרי כבשים אלא כבושים דברים שהן כבשונו: (ה) שם רבי אומר עד וארא כעין חשמל בתרא: (ו) שם ונפיק נורא מחשמל ואכלתיה שאני ינוקא דלא מטי זימנא אילו אורח ארעא לדריש אמר רב יהודה אמר רב ברם זכור וכו' שאלמלא כו' מה עשה עלה לעלייה העלו לו לשם שלש מאות: (ז) שם אמר להם (חנניה בן חזקיה) תא"מ ונ"ב ס"א רשב"ג: (ח) שם אם זה חכם כולם חכמים: (ט) רש"י ד"ה שוק הוא עצם הנמכר עם הראש וכו': (י) ד"ה הן הן וכו' הם הם שהקפידו: (כ) תוס' ד"ה ורגלי וכו' לסימנא שיש בו ט"ו פעמים ת"ק ומיהו בתנס ותקותו: (ל) בא"ד ראה כמה הוא גבוה למעלה מעולמו וכו' כמנין שיסד ת"ק וט"ו וכן וכו' ופייטן ודרשן ובימיו היו מקדשין. נ"ב בויקרא רבה פרשה ל' כד דמך ר"א בר שמעון היה דורו קורא עליו מי זאת עולה כו' מהו מכל אבקת רוכל אלא דהוה קריי ותניי ופייטן ודרשן ובמדרש חזית בפסוק מי זאת עולה גרס קרובן: (מ) ד"ה אין מוסרין וכו' וכי תימא הכא בז' מלות וכו' וי"ל. נ"ב בספר עין יעקב תירצו תירוץ אחר וי"ל דהיינו קודם שניתנה תורה אבל לאחר שניתנה תורה והחזירה להם ילפינן מהאי קרא דאף ז' מלות אסור ללמדם:

גליון הש"ס

תוס' ד"ה ורגלי וכו' שיטת הירושלמי שהוא היה תנא. נ"ל ר"א שהוא היה תנא כן הוא ברא"ש בפ"ה דברכות:

תורה אור השלם

א) וּדְמוּת עַל רָאשֵׁי הַחַיָּה רָקִיעַ כְּעֵין הַקֶּרַח הַנּוֹרָא נָטוּי עַל רָאשֵׁיהֶם מִלְמָעְלָה: [יחזקאל א, כב] ב) אֶעֱלֶה עַל בָּמֳתֵי עָב אֶדַּמֶּה לְעֶלְיוֹן: [ישעיה יד, יד] ג) יְמֵי שְׁנוֹתֵינוּ בָהֶם שִׁבְעִים שָׁנָה וְאִם בִּגְבוּרֹת שְׁמוֹנִים שָׁנָה וְרָהְבָּם עָמָל וָאָוֶן כִּי גָז חִישׁ וַנָּעֻפָה: [תהלים צ, י] ד) אַךְ אֶל שְׁאוֹל תּוּרָד אֶל יַרְכְּתֵי בוֹר: [ישעיה יד, טו] ה) שַׂר חֲמִשִּׁים וּנְשׂוּא פָנִים וְיוֹעֵץ וַחֲכַם חֲרָשִׁים וּנְבוֹן לָחַשׁ: [ישעיה ג, ג] ו) לֹא עָשָׂה כֵן לְכָל גּוֹי וּמִשְׁפָּטִים בַּל יְדָעוּם הַלְלוּיָהּ: [תהלים קמז, כ] ז) נֹפֶת תִּטֹּפְנָה שִׂפְתוֹתַיִךְ כַּלָּה דְּבַשׁ וְחָלָב תַּחַת לְשׁוֹנֵךְ וְרֵיחַ שַׂלְמֹתַיִךְ כְּרֵיחַ לְבָנוֹן: [שיר השירים ד, יא] ח) כְּבָשִׂים לִלְבוּשֶׁךָ וּמְחִיר שָׂדֶה עַתּוּדִים: [משלי כז, כו] ט) וַיֹּאמֶר אֵלָי בֶּן אָדָם עֲמֹד עַל רַגְלֶיךָ וַאֲדַבֵּר אֹתָךְ: [יחזקאל ב, א] י) וָאֵרֶא כְּעֵין חַשְׁמַל כְּמַרְאֵה אֵשׁ בֵּית לָהּ סָבִיב מִמַּרְאֵה מָתְנָיו וּלְמָעְלָה וּמִמַּרְאֵה מָתְנָיו וּלְמַטָּה רָאִיתִי כְּמַרְאֵה אֵשׁ וְנֹגַהּ לוֹ סָבִיב: [יחזקאל א, כז]

ליקוטי רש"י

[שייך לדף יב:] **ויקרא לו.** גדעון למזבח. **ה' שלום.** ה' הוא שלומנו [שופטים ו, כב]. **כי רוח מלפני יעטוף.** כאשר רוח האדם שהוא מלפני שניתן בו מאתי יעטוף יודה ויכנע על מעלו כמו (איכה ב) העטופים ברעב בעטוף עולל (שם) והנשמות שאני עשיתי. כי רוח מלפני, כי זה משמש בלשון כאשר כמו כי תראה כי תבא כלומר כשרוחו נעטפת והוא נכנע אני מבטל ריבי וקצפי מעליו [ישעיה נז, טז]. **גשם נדבות.** גבי מתן תורה כתיב בספר תהלים [שבת פח:]. עוד זאת עשית לנו אם הוצרכנו לגשמים הניפות והטלת עלינו תמיד גשמי נדבה וברכה. **נחלתך ונלאה אתה כוננתה.** כשהיתה נחלת ארצך נלאה ולמאה למטר אתה כוננת אותה (מלאתי) נחלתך ונלאה הקרויה נחלתך והיא נלאה כלו' פעמים שהיא כך [תהלים סח, י]. **אופנים.** שם מכסא הכבוד עלמו [חולין צא:]. **כסא הכבוד.** ספיר הוא כסא הכבוד דכתיב כמראה אבן ספיר דמות כסא [שם פט.]. **סו...** לשון שבח וכן לא תסלה בכתם (איוב כ"ח) המסולאים בפז (איכה ד). **ביה שמו.** בשם י"ה שהוא לשון יראה כדמתרגמינן דח... עזי וזמרת יה (לקמן קי"ח) וכן כי יד על כס יה (שמות י"ז) בתרגום וכן כי ביה ה' (ישעיה כ"ו) הרי בכן מתפרקון במימ... דחילא ה' ותקיף עלמא אומר המשורר שבחו לפניו וגורו מפניו ועלזו והוא דוגמת האמור במקום אחר וגילו ברעדה (לעיל...) [תהלים סח, ה]. **חשכת מים.** שבעבי שחקים הם חשך אשר סביבותיו ושמא תאמר לפניו מן החשך אין אור תלמוד לומר מנ... אשר נגדו ומתוך מחילתו את עביו אשר סביבותיו בוקעים ועוברים ברד וגחלי אש [שם יח, יב]. **רוכב שמים.** הוא אותו אלוה שבעזרך [דברים לג, כו]. **הוא גלי עמיקתא.** גולה עמוקות. **ומסתרתא.** על שגלה לו עומק זה [דניאל ב, כב]. [עד כאן שייך לדף יב:] ...**גואי.** בפנים [מנחות מח.]. **בראי.** מבחוץ [יומא כא.]. **אעלה על במתי עב.** איני כדאי לדור עם בני אדם אעשה לי עב קטנה באויר ואשב בה יונתן תרגם אסק עלוי כל עממא [ישעיה יד, יד]. **בן בנו של נמרוד.** לאו דוקא בן בנו אלא כלומר מזרע נמרוד שהמריד. הסיא עלה לאנשי דור הפלגה לבנות מגדל להלחם בצבא השמים שהוא היה מלך בבבל כדכתיב (בראשית י) ותהי ראשית ממלכתו בבל [פסחים צד:]. **עליו.** כלפי מעלה אלא שכינו חכמים בלשונם [עירובין נג.]. **ימי שנותינו בהם שבעים שנ...** שנותינו אלה בעונותינו אלה ובעולמינו אלה שבעים שנה הם. **ואם בגבורות.** ואם הרבה גברו ימיו שמונים שנה הם [תהלים צ, י]. **יועץ.** יודע לעבר שנים ולקבוע חדשים. **וחכם חרשים.** שכשפותח בדברי תורה נעשו הכל כחרשים. **ונבון לחש.** ראוי למס... סתרי תורה שנתנו בלחש כגון מעשה בראשית ומעשה מרכבה [ישעיה ג, ג]. **תא. בא** [סנהדרין צו:]. **סבי דפומבדיתא.** רב יהודה ורב עינא [נדה כ:]. **החשמל.** כעין החשמל, חשמל מלאך ש... וכעין גוון שלו ראה מתוך האש וכך אמרו רבותינו מעשה בתינוק אחד שהיה מבין בחשמל ויצאה אש מחשמל ואכלתו ועוד אמרו כי המלה מורכבת באמרם מאי חשמל א"ר יהודה חיות אש ממללות במתניתא תנא עתים חשות ועתים... ממללות בשעה שהדבור יוצא מפי הקב"ה חשות ובשעה שאין הדבור יוצא מפי הקב"ה ממללות כלומ' משבחות ומהללות את השם ויתכן שיהא חשמל שם העין שהוא קרוב לעין האש כי אמר חשמל מתוך האש ואמר כעין חשמל כמראה אש בית לה סביב ממר... מתניו ולמעלה ואמר במראה השניה וממתניו ולמעלה כמראה זוהר כעין החשמל [יחזקאל א, ד]. **מטי.** הגיע [שם נג.]. **סותרין דברי תורה.** כגון נבילה וטרפה וגו' לא יאכלו הכהנים הא ישראל אוכלים, וכגון וכן תעשה בשבעה בחודש היכן נרמז קרבן ב... תורה [שבת יג:]. כגון כל הנך דאמרי' לעיל דקרי לפר דר"ח חטאת וכן אותן דלעיל [מנחות מה.]. **גרבי.** למאור ולמזונות. **ודרשו.** כדדרשינן להני קראי במנחות (דף מה.) דמשום דאשתרי מליקה בחטאת העוף גבייהו הוצרך להזהירם על מליקת חולין ש... נבילה [שבת שם]. לנרות להדליק בלילה ולדרשו [מנחות שם].

The Gemara relates an incident that demonstrates the reluctance of an Amora to study *Maaseh Merkavah:*

אָמַר לֵיהּ רַבִּי יוֹחָנָן לְרַבִּי אֶלְעָזָר – **R' Yochanan said to R' Elazar,** תָּא אַגְמְרָךְ בְּמַעֲשֵׂה הַמֶּרְכָּבָה – **"Come, I will teach you *Maaseh Merkavah.*"** אָמַר לֵיהּ – **[R' Elazar] said to [R' Yochanan],** לֹא קָשָׁאי – **"I am not old enough."**[30] כִּי קַשׁ – **When R' Elazar was old enough,** נָח נַפְשֵׁיהּ דְּרַבִּי יוֹחָנָן – **R' Yochanan had passed away.** אָמַר לֵיהּ רַבִּי אַסִּי – **Thereupon, R' Assi said to [R' Elazar],** תָּא וְאַגְמְרָךְ בְּמַעֲשֵׂה מֶרְכָּבָה – **"Come and I will teach you *Maaseh Merkavah.*"** אָמַר לֵיהּ – **[R' Elazar] said to him,** אִי זְכַאי – **"If I would have merited,** גְּמִירְתָא מֵרַבִּי יוֹחָנָן – **I would have learned it from R' Yochanan, your** רַבָּךְ – **teacher.** Thus, I am not disposed to learn it from you."[31]

An incident demonstrating the reluctance to teach *Maaseh Merkavah:*

רַב יוֹסֵף הֲוָה גְּמִיר מַעֲשֵׂה הַמֶּרְכָּבָה – **Rav Yosef was proficient in *Maaseh Merkavah*;** סָבֵי דְּפוּמְבְּדִיתָא הֲווּ תָּנוּ בְּמַעֲשֵׂה בְּרֵאשִׁית – **the Elders of Pumbedisa**[32] **had learned *Maaseh Bereishis.*** אָמְרוּ לֵיהּ – **[The Elders of Pumbedisa] said to [Rav Yosef],** לִיגְמוֹר לָן מַר מַעֲשֵׂה מֶרְכָּבָה – **"The master should** please **teach us *Maaseh Merkavah.*"**[33] אָמַר לְהוּ – **[Rav Yosef] said to them,** אַגְמְרוּן לִי מַעֲשֵׂה בְּרֵאשִׁית – **"You should** please **teach me *Maaseh Bereishis.*"**[34] בָּתַר דְּאַגְמְרוּן אָמְרוּ לֵיהּ – **After they** finished **teaching him *Maaseh Bereishis* they said to him,** לִיגְמְרוּן מַר בְּמַעֲשֵׂה מֶרְכָּבָה – **"Now the master should** please **teach us *Maaseh Merkavah.*"** אָמַר לְהוּ – **[Rav Yosef] said to them,** תָּנֵינָא בְּהוּ – **"We have learned in a Baraisa regarding these matters:** "דְּבַשׁ וְחָלָב תַּחַת לְשׁוֹנֵךְ" – *HONEY AND MILK ARE UNDER YOUR TONGUE;*[35] דְּבָרִים הַמְּתוּקִין מִדְּבַשׁ וְחָלָב יְהוּ תַּחַת לְשׁוֹנְךָ – THINGS THAT ARE AS SWEET AS HONEY AND MILK SHOULD REMAIN UNDER YOUR TONGUE.[36] Thus, I decline to teach you *Maaseh Merkavah.*"[37]

The Gemara interrupts the incident to record a different source for the Baraisa's teaching:

רַבִּי אַבָּהוּ אָמַר מֵהָכָא – **R' Abahu says** that the proof is **from [the following verse]:**[38] "כְּבָשִׂים לִלְבוּשֶׁךָ" – ***Let the lambs*** *(kevasim)* ***be your clothing*:** דְּבָרִים שֶׁהֵן כִּבְשׁוֹנוֹ שֶׁל עוֹלָם יְהוּ תַּחַת לְבוּשְׁךָ – **Things that are the mystery** *(kivshono)* **of the universe should remain under your clothes.**

The Gemara returns to the incident:

אָמְרוּ לֵיהּ – **[The Elders of Pumbedisa] said to [Rav Yosef],** תָּנֵינַן בְּהוּ עַד "וַיֹּאמֶר אֵלַי בֶּן־אָדָם" – **"We have** already **learned the Baraisos** of *Maaseh Merkavah* **until** the verse,[39] ***Then He said to me, "Son of man,*** *stand on your feet."* אָמַר לְהוּ – **[Rav Yosef] said to them,** "If you have learned that far, then you have learned a great deal, for הֵן הֵן מַעֲשֵׂה הַמֶּרְכָּבָה – **those** two verses at the end of the first passage of *Ezekiel* **are the very essence of *Maaseh Merkavah.*"**[40]

NOTES

Eliyahu Mizrachi §57; *Maharsha* here and to *Shabbos* 31a ד"ה אמר ליה מקרא; *Responsa, R' Akiva Eiger, Mahadura Kamma,* §41; *Sdei Chemed, Maareches HaGimmel, Pe'as HaSadeh* 6:5; *Igros Moshe, Orach Chaim* II 33:1, *Yoreh Deah* II §7 and §132, III §90, IV 38:10 and §41, *Even HaEzer* IV 26:3; *Minchas Yitzchak* III §98; *Tzitz Eliezer* XVI 55:11.]

30. I have not yet matured sufficiently to be considered one "whose heart worries within him," as is required (*Rashi*); I still sense within myself the churning of my nature and youthful proclivities (*Moreh Nevuchim* 1:34; see also *R' Avraham Min HaHar*). *Rabbeinu Chananel* explains R' Elazar's response more literally: "I am not old enough" means "I am not yet fifty years old." The Gemara above said that one may not transmit secrets of the Torah to someone who is not a *captain of fifty.* The Gemara below [14a] cites a view that understands *captain of fifty* to be an age requirement.

[There is a popular notion that one should not study Kabbalah until he is forty years old. The Mishnah in *Pirkei Avos* (5:31) states that forty is the age of בִּינָה, *insight,* and the Gemara in *Sotah* (22a-b) teaches that one should not rule on halachic issues until this age (under normal circumstances). However, we do not find a clear statement in the words of our Sages that forty is the age at which one may engage in esoteric studies (see, however, *Zohar* II 25a for a possible allusion).

One of the earliest well-known sources for this opinion is *Menoras HaMaor* (4:3:3:1). The *Shach* (*Yoreh Deah* 246:6) also cites such a view (based on the Mishnah in *Pirkei Avos*). However, *Sefer HaBris* (I 4:14) notes that most of the seminal Kabbalists passed away before they even reached this age, including the *Arizal* himself.

It should be noted that centuries earlier, a ban was pronounced by *Rashba, Rosh* and many others against those who learn or teach Greek philosophy before the age of twenty-five. Those who engaged in this practice were generally in Provence, in southern France, where it was held that those studies formed an integral part of *Maaseh Bereishis* and *Maaseh Merkavah* (see *Minchas Kenaos* compiled by *R' Abba Mari HaYarchi* at length).

Even if there is a specific age before which one may not engage in the secrets of the Torah, it seems likely that exceptions could be made for exceptional individuals (when there is no official ban in force). Thus we find that R' Yishmael ben Elisha, a Tanna who is one of the most prominent figures in the esoteric *Heichalos Rabbasi,* began his studies in these subjects when he was only thirteen years old (*Seder HaDoros* ערך ישמעאל בן אלישע כ"ג).]

31. *Maharsha* remarks: We see from this story, and the next, that some of the Sages distanced themselves from this field of study. Accordingly, *Maharsha* continues, our Gemara stands as a reproach to those who expend all their days, even in their youths, in Kabbalistic studies (see also *Responsa, Rama* §7; *Noda BiYehudah, Mahadura Kamma, Yoreh Deah* §74; cf. *R' Moshe Chaim Luzzatto* in *Derech Chochmah, Yalkut Yedios HaEmes,* pp. 279-281).

32. Rav Yehudah and Rav Eina (*Sanhedrin* 17b).

33. Individually. *Maaseh Merkavah* may not be taught to more than one person at a time (*Maharsha*).

34. [See *R' Tzadok* (*Sefer HaZichronos* p. 71) as to how Rav Yosef could be proficient in *Maaseh Merkavah* without being proficient in *Maaseh Bereishis.*]

35. *Song of Songs* 4:11.

36. [See below, end of 14b, regarding the parallels between esoteric wisdom and honey.]

37. Rav Yosef did not fool them, Heaven forbid. He simply realized that they did not have all the attributes required to study *Maaseh Merkavah.* Perhaps Rav Yehudah and Rav Eina were not yet old enough at that point or not yet worthy of being heads of Rabbinical courts. Rav Yosef was therefore obligated to keep his esoteric teachings under his tongue, until a student came along who had all the necessary requirements (*Otzar HaGeonim, Peirushim*).

38. *Proverbs* 27:26.

39. *Ezekiel* 2:1.

40. The two verses are (1:27,28): *And I saw the color of Chashmal, like the appearance of fire inside it all around, from the appearance of his loins and upward; and from the appearance of his loins and downward I saw something like the appearance of fire, and a brilliance surrounding it. Like the appearance of a rainbow that would be in the clouds on a rainy day, so was the appearance of the brilliance all around. That was the appearance of the likeness of the glory of Hashem! When I saw, I fell upon my face, and I heard a voice speaking.*

These two verses lie at the heart of the Sages' prohibition against expounding *Maaseh Merkavah,* since they speak of the "form" of the Divine Presence and its appearance (*Rashi*).

[*Rashi's* explanation would seem to indicate that the Sages' central concern in expounding *Maaseh Merkavah* to unprepared students is that the anthropomorphic descriptions would be taken in some literal sense. It should be noted that a major part of *Moreh Nevuchim* (which is *Rambam's* discussion of *Maaseh Bereishis* and *Maaseh Merkavah*) is devoted to clarifying this point, i.e. that God has no physical substance or form and that no adjective of our physical world could describe Him in any sense.]

The question arises: If the Elders of Pumbedisa had already learned *Maaseh Merkavah* until *Ezekiel* 2:1, what were they asking Rav Yosef to

ⁿ בבתי גואי הא בבתי בראי ואמר רב אחא בר יעקב עוד רקיע אחד יש למעלה מראשי החיות דכתיב א) ודמות על ראשי החיה רקיע כעין הקרח הנורא עד כאן יש לך רשות לדבר מכאן ואילך אין לך רשות לדבר שכן כתוב בספר בן סירא במופלא ממך אל תדרוש ובמכוסה ממך אל תחקור במה שהורשית התבונן אין לך עסק בנסתרות ג) תניא אמר רבן יוחנן בן זכאי מה תשובה השיבתו בת קול לאותו רשע בשעה שאמר ב) אעלה על במתי עב אדמה לעליון יצתה בת קול ואמרה לו רשע בן רשע בן בנו של נמרוד הרשע ג שהמריד (א) כל העולם כולו עליו במלכותו כמה שנותיו של אדם שבעים שנה שנאמר ג) ימי שנותינו בהם שבעים שנה ואם בגבורות שמונים שנה והלא מן הארץ עד לרקיע מהלך חמש מאות שנה ועוביו של רקיע מהלך חמש מאות שנה וכן בין כל רקיע ורקיע למעלה מהן חיות הקדש (ג) רגלי החיות כנגד כולם קרסולי החיות כנגד כולן שוקי החיות כנגד כולן רכובי החיות כנגד כולן ירכי החיות כנגד כולן גופי החיות כנגד כולן צוארי החיות כנגד כולן ראשי החיות כנגד כולן קרני החיות כנגד כולן למעלה מהן כסא כבוד רגלי כסא הכבוד כנגד כולן כסא הכבוד כנגד כולן מלך אל חי וקים רם ונשא שוכן עליהם ואתה אמרת אעלה על במתי עב אדמה לעליון ד) אך אל שאול תורד אל ירכתי בור: ולא במרכבה ביחיד: תני רבי חייא *אבל מוסרין לו ראשי פרקים אמר רבי זירא אין מוסרין ראשי פרקים אלא לאב ב"ד ולכל מי שלבו דואג בקרבו איכא דאמרי והוא שלבו דואג בקרבו אמר רבי אמי אין מוסרין סתרי תורה אלא למי שיש בו חמשה דברים ה) שר חמשים ונשוא פנים ויועץ וחכם חרשים ונבון לחש א] ואמר רבי אמי אין מוסרין דברי תורה לעובד כוכבים שנאמר ו) לא עשה כן לכל גוי ומשפטים בל ידעום א"ל רבי יוחנן לרבי אלעזר תא אגמרך במעשה המרכבה א"ל לא קשאי כי קש נח נפשיה דרבי יוחנן א"ל ר' אסי תא ואגמרך במעשה מרכבה א"ל אי זכאי גמירתא מר' יוחנן רבך רב יוסף הוה גמיר מעשה המרכבה סבי דפומבדיתא הוו תנו במעשה בראשית אמרו ליה ליגמור לן מר מעשה מרכבה אמר להו אגמרון לי מעשה בראשית (ג) בתר דאגמרון אמרו ליה ליגמרון מר במעשה מרכבה אמר להו תנינא בהו ז) דבש וחלב תחת לשונך ג דברים המתוקין מדבש וחלב יהו תחת לשונך ר' אבהו אמר מהכא ח) כבשים ללבושך (ד) דברים שהן כבשונו של עולם יהיו תחת לבושך אמרו ליה תנינן בהו עד ט) ויאמר אלי בן אדם אמר להו הן הן מעשה המרכבה מיתיבי עד היכן מעשה המרכבה רבי אומר עד י) וארא (ה) בתרא ר' יצחק אומר עד החשמל עד וארא מגמרינן מכאן ואילך מסרינן ראשי פרקים איכא דאמרי עד וארא מסרינן ראשי פרקים מכאן ואילך אם הוא חכם מבין מדעתו אין אי לא לא ומי דרשינן בחשמל והא ההוא ינוקא דדרש בחשמל (ו) ונפקא נורא ואכלתיה שאני ינוקא דלאו מטי זימניה אמר רב יהודה ברם ד) זכור אותו האיש לטוב וחנניה בן חזקיה שמו אלמלא הוא נגנז ספר יחזקאל שהיו דבריו סותרין דברי תורה מה עשה העלו לו ג' מאות גרבי שמן וישב בעלייה ודרשו ת"ר מעשה בתינוק אחד שהיה קורא בבית רבו בספר יחזקאל והיה מבין בחשמל ויצאה אש מחשמל ושרפתו וביקשו לגנוז ספר יחזקאל (ז) כ] אמר להם חנניה בן חזקיה אם זה חכם (ח) הכל חכמים הן מאי חשמל אמר רב יהודה

רש"י

בבתי גואי. ונהורא עמיה שרא: במופלא ממך. במובדל ומופרש ממך שלא רצה הקב"ה לגלות לך: לאותו רשע. נבוכדנצר: עליו. לשון נקיה היא כלומר על עצמו ולא עלי: רגלי החיות. עוקי פרסותיהן: קרסולי. אסתוירא שקורין קביליי"א בלעז: שוק. הוא עלם הנמכר עם (ט) הרגל: רכובי. הוא עלם הירך הסמוך לשוק ירך הוא עלם הקולית התקוע במתנים: ראשי פרקים. ראשי פרשיות שבה: שלבו דואג. ואינו מיקל את ראשו: איכא דאמרי והוא שלבו דואג בקרבו. תרתי בעינן: סתרי תורה. כגון מעשה המרכבה וספר יצירה ומעשה בראשית והיא ברייתא: יועץ וחכם חרשים ונבון לחש. לקמן מפרש להו: לא קשאי. לא זקנתי ובעינן לבו דואג: מעשה המרכבה ומעשה בראשית. ברייתות הן: כבשונו של עולם. סתרו של עולם כמו רישא בכבשא (חולין דף נג:) בהדי כבשי דרחמנא למה לך (ברכות דף י.) ממני יצאו כבושין (מכות דף כג:): תנינא עד ויאמר אלי בן אדם. כבר שנינו עד ויאמר אלי בן אדם עמוד על רגליך: הן הן מעשה המרכבה. אם עד כאן שניתם הרבה שניתם שסני מקראות הללו שהן וארא כעין החשמל וגו' כמראה הקשת וגו' (י) הם שהקפידו עליהם חכמים מלדורשם שהן מדברין בלורת שכינה ומראהו: מיתיבי. גרסינן ולא גרסינן ומי הוי מעשה המרכבה עד הכא: עד וארא. כעין החשמל ולא הוא בכלל: עד החשמל. עד התיבה הזו והיא בכלל לידרש: עד וארא מגמר גמרינן. כלומר הכי קאמר עד היכן מעשה מרכבה שנתנו לדרוש עד וארא או עד החשמל ומשם עד ויאמר הן הן מעשה מרכבה שהקפידו עליהן חכמים: נגנז ספר יחזקאל. שיש בסופו דברים בקרבנות שסותרין דברי תורה: גרבי שמן. להדליק: והיה מבין בחשמל. לדרוש מהו: חיות

תוספות

בן בנו של נמרוד הרשע. לאו דוקא שהרי כוש ילד את נמרוד ולא מצינו אותו רשע מזרע כוש אלא על שם מעשיו שמלך גם הוא בשנער (ח): שבעים שנה. לאו משום שלא היה קשיש יותר שהרי לא וחשוב מימות סנחריב שסמוך למפלתו גבי שליחות שסלח בלאדן לחזקיהו מצינו שהיה סופר בביתו ומשם זכה למלכות כדאשכחן באגדות חלק (סנהדרין דף צו.) אלא אורחא דמילתא קא חשיב: ורגלי החיות כנגד כולם. יש מגיהין בקדושתא שיסד הקליר וחיות אשר הנה מרובעות לכסא כף רגל חמש מאות וחמש עשרה ומוחקים הוי"ו ואומרים כי כן עולה לפי חשבון שבכאן למנין ז' רקיעים (י) ומ' אוירים הוא ט"ו פעמים ת"ק והיינו מנין ישרה ש"ר ת"ק וי"ה לסימנא (כ) שכן עולה ט"ו פעמים קך ומיהו בחנם מוחקים שיסד דבריו ע"פ הירושלמי דהרוצה א"ר לוי מארץ ועד לרקיע מהלך ת"ק שנה אמר ר' ברכיה ור' חלבו בש"ר (ל) (בא) סמוקה גדול מזה רגל אחד (מ) כמנין ישר"ה רצה כמה (נ) גבוה מעולמו כו' משמע כמנין שיסד ת"ק ט"ו וכן היה דרכו שבכמה מקומות היה מניח שיטת הש"ס שלנו כדי לאחוז * שיטת הש"ס ירושלמי שהוא היה תנא והוא היה ר"א ברבי שמעון דקרי עליה (ס) מכל אבקת רוכל תנא קרא קרובץ ופייטן (ויקרא רבה פ"ל) ובימיו מקדשים ע"פ הראייה שמעולם לא יסד רק קרובץ מיום (ע) (אחד): אין מוסרין דברי תורה לעובד כוכבים. היה קשה להר"ר אלחנן תיפוק ליה דעובד כוכבים העוסק בתורה חייב מיתה כדאמר בפ' ד' מיתות (סנהדרין דף נט. ושם) עובד כוכבים העוסק בתורה חייב מיתה והמלמדו עובר אלפני עור לא תתן מכשול וכי תימא (פ) בז' מצות דידהו דאינו חייב מיתה כדאמר התם והא (צ) מצוה איכא למוסרם להם ונפקא לן מהאי קרא אשר יעשה אותם האדם וחי בהם (ויקרא יח) כהן ולוי לא נאמר אלא אדם שאפילו עובד כוכבים ועוסק בתורה וכו' וי"ל דהכא מיירי אפילו היכא דליכא לפני עור כגון שהוא דליכא למלמדו לפני עור דאמרינן בע"ז (דף ו:) המושיט כוס יין לנזיר עובר אלפני עור והני מילי דקאי אתרי עברי דנהרא שבלאו נתינתו אי אפשר להביאו אליו אבל אי לאו הכי אינו עובר אלפני עור הכא נמי אפילו במקום שעובד כוכבים אחר רוצה ללמדו דליכא לפני עור מכל מקום אסור משום מגיד דבריו ליעקב וכו' (תהלים קמז) (ק):

עין משפט נר מצוה

ז א מיי' פ"ב מהלכות יסודי התורה הל' יב ופ"ד שם הלכה יא:
ח ב ג מיי' פ"ב שם הלכה יב:

רבינו חננאל

עד כאן יש לך רשות לדבר מיכן ואילך אסור. כתוב בספר בן סירא במופלא ממך אל תדרוש ובמכוסה ממך אל תחקור במה שהרשיתה התבונן אין לך עסק בנסתרות והדברים שנאמר מהלך ת"ק שנה דברי קבלה הן. הלא תראה שהן מועתקין מפי ריב"ז שהיה בימי הבית ולא נשאר לו דבר קטן ולא דבר גדול. אלא הכל קיבל בקבלה מרבו ומפורש בו דבר גדול מעשה מרכבה דבר קטן הוויות דאביי ורבא. ואין הדברים הללו באין משיקול הדעת ואין צריך להסתכל בהן שהמסתכל בהן בא בטירוף דעת שאי אפשר לומר יש שם מקום חלל מופנה ואף לא מלא שהכל מתחתיו הן שכשם שאין כח לומר כי קודם יצירת העולם היה חלל או מקום מלא או ריקם אלא אחר שנברא העולם נבראו שמים וארץ ואין ידוע מה למעלה ומה למטה ולפיכך מנעו רבותינו להסתכל מה למעלה ומה למטה מה לפנים ומה לאחור. ויש בגבורתו של הקב"ה לעשות כמה: ולא במרכבה ביחיד תני ר' חייא מוסרין ליחיד ראשי פרקים פי' פותחין לו ראשי דבריו והוא מבין מדעתו א) וזה לבו גס בו כר' אלעזר דאמר ליה ר' יוחנן רביה תא אגמרך מעשה מרכבה א"ל לא קשאי כלומר איני בן חמשים שנה כד נח נפשיה דרבי יוחנן אמר ליה רבי אסי תא אגמרך מעשה מרכבה א"ל אין מוסרין דברי תורה אלא ליועץ חכם חרשים ונבון לחש ואין מוסרין ד"ת לעובד כוכבים שנאמר מגיד דבריו ליעקב חקיו ומשפטיו לישראל. אלא הא דתניא עד היכן מעשה מרכבה כו' וקיי"ל כלישנא בתרא עד וארא ועד חשמל מסרינן ראשי פרקין כדאמרן מיכן ואילך לא מסרינן אלא אם היה חכם מבין מדעתו מאי חשמל אמר רב יהודה חיות אש ממללות במתניתא תנא חש מל כלומר ב' מלות

חשק שלמה על ר"ח

א) אולי צ"ל והוא שלא תהא לבו גס בו.

הגהות מהר"ב רנשבורג

א] גמ' ואמר רבי אמי אין מוסרין דברי תורה לעובד כוכבים. נ"ב עיין שו"ת באר שבע בסופו וחלק באר מים חיים סימן י"ד טעם למה השמיטו הפוסקים זה: ב] שם א"ל חנני' אם זה חכם הכל חכמים הן. נ"ב ר"ל אם זה הקטן חכם כל הקטנים חכמים לגדולים אין לחוש כדאמרינן לעיל שאני ינוקא דלא מטא זימנא עכ"ל מהרש"א במ"א:

גליון הש"ס

תוס' ד"ה ורגלי וכו' שיטת הירושלמי שהוא היה תנא. נ"ל וי"א שהוא היה תנא כן הוא בראב"ן בפ"ה דברכות:

תורה אור השלם

א) וּדְמוּת עַל רָאשֵׁי הַחַיָּה רָקִיעַ כְּעֵין הַקֶּרַח הַנּוֹרָא נָטוּי עַל רָאשֵׁיהֶם מִלְמָעְלָה: [יחזקאל א, כב] ב) אֶעֱלֶה עַל בָּמֳתֵי עָב אֶדַּמֶּה לְעֶלְיוֹן: [ישעיה יד, יד] ג) יְמֵי שְׁנוֹתֵינוּ בָהֶם שִׁבְעִים שָׁנָה וְאִם בִּגְבוּרֹת שְׁמוֹנִים שָׁנָה וְרָהְבָּם עָמָל וָאָוֶן כִּי גָז חִישׁ וַנָּעֻפָה: [תהלים צ, י] ד) אַךְ אֶל שְׁאוֹל תּוּרָד אֶל יַרְכְּתֵי בוֹר: [ישעיה יד, טו] ה) שַׂר חֲמִשִּׁים וּנְשׂוּא פָנִים וְיוֹעֵץ וַחֲכַם חֲרָשִׁים וּנְבוֹן לָחַשׁ: [ישעיה ג, ג] ו) לֹא עָשָׂה כֵן לְכָל גּוֹי וּמִשְׁפָּטִים בַּל יְדָעוּם הַלְלוּיָהּ: [תהלים קמז, כ] ז) נֹפֶת תִּטֹּפְנָה שִׂפְתוֹתַיִךְ כַּלָּה דְּבַשׁ וְחָלָב תַּחַת לְשׁוֹנֵךְ וְרֵיחַ שַׂלְמֹתַיִךְ כְּרֵיחַ לְבָנוֹן: [שיר השירים ד, יא] ח) כְּבָשִׂים לִלְבוּשֶׁךָ וּמְחִיר שָׂדֶה עַתּוּדִים: [משלי כז, כו] ט) וַיֹּאמֶר אֵלָי בֶּן אָדָם עֲמֹד עַל רַגְלֶיךָ וַאֲדַבֵּר אֹתָךְ: [יחזקאל ב, א] י) וָאֵרֶא כְּעֵין חַשְׁמַל כְּמַרְאֵה אֵשׁ בֵּית לָהּ סָבִיב מִמַּרְאֵה מָתְנָיו וּלְמָעְלָה וּמִמַּרְאֵה מָתְנָיו וּלְמַטָּה רָאִיתִי כְּמַרְאֵה אֵשׁ וְנֹגַהּ לוֹ סָבִיב: [יחזקאל א, כז]

Rav Yosef's definition of *Maaseh Merkavah* is challenged:

מֵיתִיבֵי – They challenged this from a Baraisa: עַד הֵיכָן מַעֲשֵׂה הַמֶּרְכָּבָה – UNTIL WHAT POINT in the Book of *Ezekiel* are the verses considered to be part of *MAASEH MERKAVAH?* – רַבִּי אוֹמֵר REBBI SAYS: עַד ,,וָאֵרֶא" בַּתְרָא – UNTIL, but not including, THE LAST occurrence of the term, *AND I SAW.*[41] רַבִּי יִצְחָק אוֹמֵר – R' YITZCHAK SAYS: עַד ,,הַחַשְׁמַל" – UNTIL and including the third word of that verse, *THE CHASHMAL.* According to both Rebbi and R' Yitzchak, though, most of the last two verses are *not* part of *Maaseh Merkavah.* – ? –

The Gemara explains the Baraisa in consonance with Rav Yosef's view:

עַד ,,וָאֵרֶא" מַגְמְרִינַן – **Until** the verse beginning ***And I saw*** or until *the Chashmal,* **one may teach** the verses normally; מִכָּאן וְאֵילָךְ מַסְרִינַן רָאשֵׁי פְּרָקִים – **from then on,** however, **one may** only **transmit chapter headings.**[42]

Another version of the above explanation:

אִיכָּא דְּאָמְרֵי – **There are some who say** that the Baraisa should be interpreted as follows: עַד ,,וָאֵרֶא" מָסְרִינַן רָאשֵׁי פְּרָקִים – **Until *And I saw*** or *the Chashmal,* **one may transmit chapter headings;** מִכָּאן וְאֵילָךְ – **from then on,** אִם הוּא חָכָם מֵבִין מִדַּעְתּוֹ אִין – **if [the student] is a scholar who will arrive at an understanding** of the issues **on his own, yes;** אִי לָא לָא – **but if not, no.**[43]

The Gemara asks:

וּמִי דָּרְשִׁינַן בְּ,,חַשְׁמַל" – **And are we allowed to expound** the word *Chashmal* at all? וְהָא הַהוּא יְנוּקָא דְּדָרֵשׁ בְּ,,חַשְׁמַל" – **But there was that youth**[44] **who expounded** the word ***Chashmal,*** וּנְפַקָא נוּרָא וְאַכַלְתֵּיהּ – **and a fire emerged** from *Chashmal*[45] **and consumed him! – ? –**

The Gemara responds:

שָׁאנֵי יְנוּקָא – **A youth is different,** דְּלָאו מָטֵי זִימְנֵיהּ – **for he has not yet reached his time,** i.e. he has not matured sufficiently for such studies.[46] However, one who does possess the requisite maturity is permitted to expound the word *Chashmal.*[47]

The Gemara records how the Book of *Ezekiel* escaped being restricted in its entirety:

אָמַר רַב יְהוּדָה – **Rav Yehudah said:** בְּרַם זָכוּר אוֹתוֹ הָאִישׁ לְטוֹב – **In truth, that man is to be remembered favorably,** וַחֲנַנְיָה בֶּן חִזְקִיָּה שְׁמוֹ – **and Chananyah ben Chizkiyah is his name;**[48] אִלְמָלֵא הוּא – **if not for him,** נִגְנַז סֵפֶר יְחֶזְקֵאל – **the Book of *Ezekiel* would have been concealed,**[49] שֶׁהָיוּ דְבָרָיו סוֹתְרִין דִּבְרֵי תוֹרָה – **because its words** seemingly **contradicted the words of the Torah.**[50] מֶה עָשָׂה – **What did [Chananyah ben Chizkiyah] do?** הֶעֱלוּ לוֹ שְׁלֹשׁ מֵאוֹת גַּרְבֵּי שֶׁמֶן – **They brought up to him three hundred barrels of oil**[51] וְיָשַׁב בַּעֲלִיָּיה וְדָרְשׁוֹ – **and he sat in an upper chamber**[52] **and expounded [the verses of *Ezekiel*]** so as to reconcile them with the Torah.[53]

NOTES

teach them? The vision of the *Merkavah* ends at the end of the first chapter!

Tos. Rid explains (see also *Maharsha*) that they had studied the words of the Baraisa but they did not comprehend its [deeper] meaning. They therefore wanted him to impart this to them. Rav Yosef replied that that is precisely what the Sages forbade.

41. Ibid. 1:27. This is in the next to the last verse of the chapter.

42. The Baraisa's question is different than we originally thought. The Baraisa is not asking what part of *Ezekiel's* vision is restricted, but rather what part may be expounded freely. The Baraisa answers that the entire passage up to the last two verses may be expounded normally. But from *And I saw,* or from after the word *Chashmal,* one may teach only chapter headings (*Rashi*).

43. In this interpretation, the Baraisa seeks to define how much of *Maaseh Merkavah* may at least be hinted at. Until the penultimate verse, one may give a student certain hints. However, from *And I saw* or from after *the Chashmal,* one may not transmit any hints whatsoever. If the student is capable of attaining these higher insights independently, then he will do so and if he is not so capable, he will not (see *Rabbeinu Chananel*).

The word וָאֵרֶא appears three times in Ezekiel's vision and signals the commencement of three different perceptions: The first occurrence begins the perception of the *Chayos* (verses 4-14); the second occurrence begins the perception of the *Ophanim* (verses 15-26); and the third occurrence begins the most sublime perception, [the details of] the likeness of a man above the *Chayos* (verses 27-28). The dispute is about the respective natures of all three perceptions: Can the perceptions of *Chayos* and *Ophanim* be taught straightforwardly [i.e. like *Maaseh Bereishis*] or only through hints [like *Maaseh Merkavah*]? Is the last perception different from other perceptions of *Maaseh Merkavah* in that it cannot be taught even through hints? The answers to these questions depend upon the two interpretations of this Baraisa: [According to the first interpretation, the perceptions of *Chayos* and *Ophanim* are included in the category of *Maaseh Bereishis* and may be taught normally, while the third perception is *Maaseh Merkavah* and may be taught only through hints; according to the second interpretation, all three perceptions are *Maaseh Merkavah,* but while the first two may be taught through hints, the last one may not be taught at all] (*Moreh Nevuchim* 3:5).

44. [Described below in a Baraisa.]

45. Text of our Gemara in *Ein Yaakov.*

46. And it is considered discourteous [towards Heaven] that he engage in them (version of our text in *Ein Yaakov*).

47. See above, note 30.

48. Chananyah ben Chizkiyah was the initial author of *Megillas Taanis,* a compilation of dates in the year on which fasting is prohibited. [Miraculous salvations occurred on these dates and they were declared minor festivals.] *Megillas Taanis* was the first non-Scriptural halachic work that was written down [for public consumption] (*Rashi* to *Eruvin* 62b ד״ה כגון מגילת תענית).

49. The Rabbis would have ruled that it should be withdrawn from Scripture and all extant copies should be hidden (see below, note 53).

50. Certain laws stated in *Ezekiel* apparently contradict the laws of the Torah. For example, we find in *Ezekiel* 44:31: *Any carcass* (*neveilah*) *or torn animal* (*tereifah*) *of fowl or livestock, the Kohanim may not eat.* The implication is that non-Kohanim may eat *neveilah* or *tereifah,* which is in contradiction to the Torah. Another example: *Ezekiel* 45:18 states that on the first day of the first month (Nissan) a bullock should be brought as a sacrifice, and in verse 20 it is stated that the same sacrifice shall be brought on the seventh of the month. The Torah mentions no such sacrifice on the seventh of Nissan (*Rashi* to *Shabbos* 13b ד״ה דברי תורה from *Menachos* 45a; *Rashi* here notes only the contradictions regarding sacrifices).

51. To maintain his lamp so he could continue his studies even at night (*Rashi* here and to *Menachos* 45a) and also as food (*Rashi* to *Shabbos* 13b).

We sometimes find that the number 300 is used hyperbolically (*Rashbam, Pesachim* 119a; see *Maharsha* to *Shabbos* 13b). At any rate, the story indicates that a prodigious amount of time and work was invested in trying to find solutions to the problems posed by the book of *Ezekiel.*

52. He secluded himself in an upper chamber because higher stories are more airy and therefore more conducive to serious study (see *Iyun Yaakov* to *Shabbos* 13b).

[This attic was the scene of a significant event in Jewish history. On one occasion a large contingent of the disciples of both Shammai and Hillel came to visit him and all the great scholars of the time were present. They then took the opportunity to enact various laws. In this gathering, Beis Shammai outnumbered Beis Hillel and they were able to pass eighteen measures over the objection of Beis Hillel. These are known as the שְׁמוֹנָה עָשָׂר דָּבָר, *the Eighteen Enactments* (see Mishnah, *Shabbos* 13b with *Commentary* of *Rambam*).]

53. The aforementioned prohibitions on *neveilah* and *tereifah* directed specifically to Kohanim are reconciled in *Menachos* 45a as follows: In truth, the prohibition applies to all Jews but it was necessary to repeat it

בבתי גואי הא בבתי בראי ואמר רב אחא בר יעקב עוד רקיע אחד יש למעלה מראשי החיות דכתיב ודמות על ראשי החיה רקיע כעין הקרח הנורא עד כאן יש לך רשות לדבר מכאן ואילך אין לך רשות לדבר שכן כתוב בספר בן סירא במופלא ממך אל תדרוש ובמכוסה ממך אל תחקור במה שהורשית התבונן אין לך עסק בנסתרות תניא אמר רבן יוחנן בן זכאי מה תשובה השיבתו בת קול לאותו רשע בשעה שאמר אעלה על במתי עב אדמה לעליון יצתה בת קול ואמרה לו רשע בן רשע בן בנו של נמרוד הרשע שהמריד כל העולם כולו עליו במלכותו כמה שנותיו של אדם שבעים שנה שנאמר ימי שנותינו בהם שבעים שנה ואם בגבורות שמונים שנה והלא מן הארץ עד לרקיע מהלך חמש מאות שנה ועוביו של רקיע מהלך חמש מאות שנה וכן בין כל רקיע ורקיע למעלה מהן חיות הקדש רגלי החיות כנגד כולם קרסולי החיות כנגד כולן שוקי החיות כנגד כולן ארכובי החיות כנגד כולן ירכי החיות כנגד כולן גופי החיות כנגד כולן צוארי החיות כנגד כולן ראשי החיות כנגד כולן קרני החיות כנגד כולן למעלה מהן כסא כבוד רגלי כסא הכבוד כנגד כולן כסא הכבוד כנגד כולן מלך אל חי וקים רם ונשא שוכן עליהם ואתה אמרת אעלה על במתי עב אדמה לעליון אך אל שאול תורד אל ירכתי בור: ולא במרכבה ביחיד: תני רבי חייא אבל מוסרין לו ראשי פרקים אמר רבי זירא אין מוסרין ראשי פרקים אלא לאב ב"ד ולכל מי שלבו דואג בקרבו איכא דאמרי והוא שלבו דואג בקרבו אמר רבי אמי אין מוסרין סתרי תורה אלא למי שיש בו חמשה דברים שר חמשים ונשוא פנים ויועץ וחכם חרשים ונבון לחש ואמר רבי אמי אין מוסרין דברי תורה לעובד כוכבים שנאמר לא עשה כן לכל גוי ומשפטים בל ידעום א"ל רבי יוחנן לרבי אלעזר תא אגמרך במעשה המרכבה א"ל לא קשאי כי קשאי נח נפשיה דרבי יוחנן א"ל ר' אסי תא ואגמרך במעשה מרכבה א"ל אי זכאי גמירתא מר' יוחנן רבך רב יוסף הוה גמיר מעשה המרכבה סבי דפומבדיתא הוו תנו במעשה בראשית אמרו ליה ליגמור לן מר מעשה מרכבה אמר להו אגמרון לי מעשה בראשית בתר דאגמרון אמרו ליה ליגמרן מר במעשה מרכבה אמר להו תנינא בהו דבש וחלב תחת לשונך דברים המתוקין מדבש וחלב יהו תחת לשונך ר' אבהו אמר מהכא כבשים ללבושך דברים שהן כבשונו של עולם יהו תחת לבושך אמרו ליה תנינן בהו עד ויאמר אלי בן אדם אמר להו הן הן מעשה המרכבה מיתיבי עד היכן מעשה המרכבה רבי אומר עד וארא בתרא ר' יצחק אומר עד החשמל עד וארא מסרינן ראשי פרקים איכא דאמרי עד וארא מסרינן ראשי פרקים מכאן ואילך מגמרינן מכאן ואילך מסרינן ראשי פרקים אין אי לא לא ומי דרשינן בחשמל והא ההוא ינוקא דדרש בחשמל ונפקא נורא ואכלתיה שאני ינוקא דלאו מטי זימניה אמר רב יהודה ברם זכור אותו האיש לטוב וחנניה בן חזקיה שמו אלמלא הוא נגנז ספר יחזקאל שהיו דבריו סותרין דברי תורה מה עשה העלו לו ג' מאות גרבי שמן וישב בעלייה ודרשו ת"ר מעשה בתינוק אחד שהיה קורא בבית רבו בספר יחזקאל והיה מבין בחשמל ויצאה אש מחשמל ושרפתו ובקשו לגנוז ספר יחזקאל אמר להם חנניה בן חזקיה אם זה חכם הכל חכמים הן מאי חשמל אמר רב יהודה

רש"י

בבתי גואי. והורא עמיה שרא: במופלא ממך שלא רצה הקב"ה לגלות לך: לאותו רשע. נבוכדנצר: עליו. לשון נקיה היא כלומר על עצמו ולא עלי: רגלי החיות. עובי פרסותיהן: קרסולי. אסתוורא שקורין קבילי"א בלעז: שוק. הוא עצם הנמכר עם הרגל: רכובי. הוא עצם הירך הסמוך לשוק ירך הוא עצם הקולית התקוע במתנים: ראשי פרקים. ראשי פרשיות שבה: שלבו דואג. ואינו מיקל את ראשו: איכא דאמרי והוא שלבו דואג בקרבו. תרתי בעינן: סתרי תורה. כגון מעשה המרכבה וספר יצירה ומעשה בראשית והיא ברייתא: יועץ וחכם חרשים ונבון לחש. לקמן מפרש להו: לא קשאי. לא זקנתי ובעינן לבו דואג: מעשה המרכבה ומעשה בראשית. ברייתות הן: כבשונו של עולם. סתרו של עולם כמו רישא בכבשא (חולין דף נג:) בהדי כבשי דרחמנא למה לך (ברכות דף י.) ממני יצאו כובשין (מכות דף כג:): תנינא עד ויאמר אלי בן אדם. כבר שנינו עד ויאמר אלי בן אדם עמוד על רגליך: הן הן מעשה המרכבה. אם עד כאן שניתם הרבה שניתם שמני מקראות הללו שהן וארא כעין החשמל וגו' כמראה הקשת וגו' (י) הם שהקפידו עליהם חכמים מלדורשם שהן מדברין בצורת שכינה ומראהו: מיתיבי. גרסינן ולא גרסינן ומי הוי מעשה המרכבה עד הכא: עד וארא. כעין החשמל ולא הוא בכלל: עד החשמל. עד התיבה הזו והיא בכלל לידרש: עד וארא מגמר גמרינן. כלומר הכי קאמר עד היכן מעשה מרכבה שנתנו לדרוש עד וארא או עד החשמל ומשם עד ויאמר הן הן מעשה מרכבה שהקפידו עליהן חכמים: נגנז ספר יחזקאל. שיש בסופו דברים בקרבנות שסותרין דברי תורה: גרבי שמן. להדליק: והיה מבין בחשמל. לדרוש מהו: חיות

תוספות

בן בנו של נמרוד הרשע. לאו דוקא שהרי כוש ילד את נמרוד ולא מצינו אותו רשע מזרע כוש אלא על שם מעשיו שמלך גם הוא כנמרוד: שבעים שנה. לאו משום שלא היה קשיש יותר שהרי לא וחשוב מימות סנחריב שסמוך למפלתו גבי שליחות ששלח בלאדן לחזקיהו מצינו שהיה סופר בביתו ומשם זכה למלכות כדאשכחן באגדות חלק (סנהדרין דף צו.) אלא אורחא דמילתא קא חשיב: ורגלי החיות כנגד כולם. יש מגיהין בקדושתא שיסד הקליר וחיות אשר הנה מרובעות לכסא כף רגל חמש מאות וחמש עשרה ומוחקים הוי"ו ואומרים כי כן עולה לפי חשבון שבכאן למנין ז' רקיעים ומ' אוריס הוא ט"ו פעמים ת"ק והיינו מנין ישרה ש"ר ת"ק וי"ה לסימנא (ג) שכן עולה ט"ו פעמים כך ומיהו בתנם מקומו שיסד דבריו ע"פ ירושלמי דברכות א"ר לוי מארץ ועד לרקיע מהלך ת"ק שנה אמר ר' ברכיה ור' חלבו בש"ר (בא) סמוקה גדול מזה רגל אחד כמנין ישר"ה ראה כמה (ג) גבוה מעולמו כו' משמע כמנין שיסד ת"ק ט"ו וכן היה דרכו שבכמה מקומות היה מניח שיטת הש"ס שלנו כדי לאחוז שיטת הש"ס ירושלמי שהוא תנא והוא היה כר' ברכי שמעון דקרי עליה מכל אבקת רוכל קרא קרובץ ופיוטן (ויקרא רבה פ"ל) ובימיו מקדשים בי"ש הרלייה שמעולם לא יסד רק קרובץ מיוס (אחד): אין מוסרין דברי תורה לעובד כוכבים. היה קשה להר"ר אלחנן תיפוק ליה דעובד כוכבים העוסק בתורה חייב מיתה כדאמר בפ' ד' מיתות (סנהדרין דף נט. ושם) עובד כוכבים העוסק בתורה חייב מיתה והמלמדו עובר לפני עור לא תתן מכשול וכי תימא (מ) בז' מצות דידהו דלאו חייב מיתה כדאמר הש"ס התם והא ז' מצוה איכא למוסרם להם ונפקא לן מהאי קרא אשר יעשה אותם האדם וחי בהם (ויקרא יח) כהן ולוי לא נאמר אלא אדם שאפילו עובד כוכבים ועוסק בתורה וכו' וי"ל דהכא מיירי אפילו היכא דליכא עובד כוכבים אחר שרוצה ללמדו דליכא לפני עור כדאמרינן בע"ז (דף ו:) המושיט כוס יין לנזיר עובר אלפני עור והני מילי דקאי אחרי עברא דנהרא שבלאו נתינתו אי אפשר להביאו אליו אבל אי לאו הכי אינו עובר אלפני עור הכא נמי אפילו במקום שעובד כוכבים אחר רוצה ללמדו דליכא לפני עור מכל מקום אסור משום מגיד דבריו ליעקב וכו' (תהלים קמז):

תורה אור השלם

א) וּדְמוּת עַל רָאשֵׁי הַחַיָּה רָקִיעַ כְּעֵין הַקֶּרַח הַנּוֹרָא נָטוּי עַל רָאשֵׁיהֶם מִלְמָעְלָה: [יחזקאל א, כב] ב) אֶעֱלֶה עַל בָּמֳתֵי עָב אֶדַּמֶּה לְעֶלְיוֹן: [ישעיה יד, יד] ג) יְמֵי שְׁנוֹתֵינוּ בָהֶם שִׁבְעִים שָׁנָה וְאִם בִּגְבוּרֹת שְׁמוֹנִים שָׁנָה וְרָהְבָּם עָמָל וָאָוֶן כִּי גָז חִישׁ וַנָּעֻפָה: [תהלים צ, י] ד) אַךְ אֶל שְׁאוֹל תּוּרָד אֶל יַרְכְּתֵי בוֹר: [ישעיה יד, טו] ה) שַׂר חֲמִשִּׁים וּנְשׂוּא פָנִים וְיוֹעֵץ וַחֲכַם חֲרָשִׁים וּנְבוֹן לָחַשׁ: [ישעיה ג, ג] ו) לֹא עָשָׂה כֵן לְכָל גּוֹי וּמִשְׁפָּטִים בַּל יְדָעוּם הַלְלוּיָהּ: [תהלים קמז, כ] ז) נֹפֶת תִּטֹּפְנָה שִׂפְתוֹתַיִךְ כַּלָּה דְּבַשׁ וְחָלָב תַּחַת לְשׁוֹנֵךְ וְרֵיחַ שַׂלְמֹתַיִךְ כְּרֵיחַ לְבָנוֹן: [שיר השירים ד, יא] ח) כְּבָשִׂים לִלְבוּשֶׁךָ וּמְחִיר שָׂדֶה עַתּוּדִים: [משלי כז, כו] ט) וַיֹּאמֶר אֵלַי בֶּן אָדָם עֲמֹד עַל רַגְלֶיךָ וַאֲדַבֵּר אֹתָךְ: [יחזקאל ב, א] י) וָאֵרֶא כְּעֵין חַשְׁמַל כְּמַרְאֵה אֵשׁ בֵּית לָהּ סָבִיב מִמַּרְאֵה מָתְנָיו וּלְמָעְלָה וּמִמַּרְאֵה מָתְנָיו וּלְמַטָּה רָאִיתִי כְּמַרְאֵה אֵשׁ וְנֹגַהּ לוֹ סָבִיב: [יחזקאל א, כז]

ליקוטי רש"י

[illegible]

מסורת הש"ס

א) [לעיל ה:], ב) [פסחים צד:], ג) [עירובין נג.], ד) שבת יג. ע"ש מנחות מה., ה) ושם לא ידו בישראל כמו שנמרוד שלה את העולם, ו) [ע' מהרש"א בח"א], ז) [ע' שם ד"ה אשכחן], ח) [שם איתא אף עלפי החיות מהלך ת"ק שנה וחמש עשרה מנין ישרה ע"ש], ט) [בפסיקתא וכו' בפרקי ר"א], י) [ע"ל ראשון], כ) מ"ל דאמרינן המס למנוע ללמדם ונפקא.

הגהות הב"ח

(א) גמ' שהמריד את כל העולם: (ב) שם ורגלי החיות וכו' וקרסולי וכו' ושוקי וכו' וכרובי וכו' וירכי וכו' וגופי וכו' וצוארי וכו' וראשי וכו' וקרני וכו' ולמעלה מהן כסא כבוד ורגלי וכו' וכסא הכבוד כנגד כולן ולמעלה מהן מלך: (ג) שם מעשה בראשית אמרו לדאגמרו אמרו: (ד) שם כבשים ללבושך אל תקרי כבשים אלא כבושים דברים שהן כבשונו: (ה) שם רבי אומר עד וארא כעין חשמל בתרא: (ו) שם ונפקא נורא מחשמל ואכלתיה: (ז) שם ממשה: (ח) שם הכל חכמים: (ט) רש"י ד"ה שוק הוא עצם הנמכר עם הרגל: (י) ד"ה הן הן וכו' והם שהקפידו: (כ) תוס' ד"ה רגלי וכו' לסימנא שיש כן ט"ו פעמים ת"ק ומיהו בתנם מקומו: (ל) באד"ה וכו' כמה הוא גבוה למעלה מעולמו וכו' כמנין שיסד וכו':

נליון הש"ס

תוס' ד"ה ורגלי וכו' הירושלמי שהוא היה תנא. נ"ב וי"ל שהוא היה תנא כו' בכת"ה דברכות:

עין משפט נר מצוה

ז א מיי' פ"ב מהלכות יסודי התורה הל' יב ופ"ד שם הלכה יג: ח ב ג מיי' פ"ב שם הלכה יב:

רבינו חננאל

עד כאן יש לך רשות לדבר מכאן ואילך אסור. כתוב בספר בן סירא במופלא ממך אל תדרוש ובמכוסה ממך אל תחקור במה שהורשית התבונן אין לך עסק בנסתרות והדברים שנאמר מהלך ת"ק שנה דברי קבלה הן. הלא תראה שהן מועתקין מפי רבי"ז שהיה בימי בית שני ולא נשאר לו דבר קטן ולא דבר גדול. אלא הכל קיבל בקבלה מרבו ומפורש בו דבר גדול מעשה מרכבה דבר קטן הוויות דאביי ורבא. ואין הדברים הללו באין משיקול הדעת ואין צריך להסתכל בהן שהמסתכל בהן בא בטירוף דעת שאי אפשר לומר יש שם מקום חלל מופנה ואף לא מלא שהכל מתחתיו הן שכשם שאין כח לומר כי קודם יצירת העולם היה חלל או מקום מלא או ריקם אלא אחר שנברא העולם נבראו שמים וארץ ואין ידוע מה למעלה מה למטה ולפיכך מנעו רבותינו להסתכל מה למעלה ומה למטה מה לפנים ומה לאחור. ויש בגבורותיו של הקב"ה לעשות כמה: ולא במרכבה ביחיד תני ר' חייא מוסרין ליחיד ראשי פרקים פי' פותחין לו ראשי דבריו והוא מבין מדעתו וזה לבו גם בו כר ר' אלעזר דאמר ליה ר' יוחנן רביה תא אגמרך מעשה מרכבה א"ל לא קשאי כלומר איני בן חמשים שנה כיון דנח נפשיה דרבי יוחנן אמר ליה רבי אסי תא אגמרך מעשה מרכבה א"ל אין מוסרין דברי תורה אלא ליועץ וחכם חרשים ונבון לחש ואין מוסרין ד"ת לעובד כוכבים שנאמר מגיד דבריו ליעקב חקיו ומשפטיו לישראל. אלא הא דתניא עד היכן מעשה מרכבה כו' וקיי"ל כלישנא בתרא עד וארא ועד חשמל מסרינן ראשי פרקין כדאמרן מכאן ואילך אין מוסרין אלא אם היה חכם מבין מדעתו מאי חשמל אמר רב יהודה חיות אש ממללות במתניתא תנא חש מל כלומר כו' מלות

חשק שלמה על ר"ח

א) אולי צ"ל והוא שלא ממה לבו גם בו.

הגהות מהר"ב רנשבורג

אין גמ' ואמר רבי אמי אין מוסרין דברי תורה לעובד כוכבים. נ"ב עיין טור"ח כאן שכתב בפסוקו ונלך בשם מיס חיים סימן יו"ד עיין זה השמיט הפוסקים: בן שם א"ל חנני' אם זה חכם הכל חכמים הם. נ"ב ר"ל אם זה הקטן חכם הכל הקטנים חכמים לגדולים אין לתמוה כדאמרינן לעיל שאני ינוקא דלא מטא זימניה עב"ל מהרש"א בח"א.

Chananyah ben Chizkiyah saves the Book of *Ezekiel* on another occasion:

תָּנוּ רַבָּנָן – The Rabbis taught in a Baraisa: מַעֲשֶׂה בְּתִינוֹק אֶחָד – There was once AN INCIDENT WITH ONE CHILD, שֶׁהָיָה קוֹרֵא בְּבֵית רַבּוֹ בְּסֵפֶר יְחֶזְקֵאל – WHO WAS READING his verses IN SCHOOL[54] IN THE BOOK OF *EZEKIEL*, וְהָיָה מֵבִין בְּ,,חַשְׁמַל'' – AND HE WAS CONTEMPLATING *CHASHMAL*,[55] וְיָצְאָה אֵשׁ מֵחַשְׁמַל וּשְׂרָפַתּוּ – AND A FIRE EMERGED FROM *CHASHMAL* AND BURNED HIM.[56] וּבִיקְּשׁוּ לִגְנוֹז סֵפֶר יְחֶזְקֵאל – IN RESPONSE to this tragedy, there were PEOPLE who SOUGHT TO CONCEAL THE BOOK OF *EZEKIEL*, so that it should not be the cause of more misfortune. אָמַר לָהֶם חֲנַנְיָה בֶּן חִזְקִיָּה – CHANANYAH BEN CHIZKIYAH SAID TO THEM, אִם זֶה חָכָם – "IF THIS child WAS A PRODIGY, הַכֹּל חֲכָמִים הֵן – ARE THEY ALL PRODIGIES?"[57]

The Gemara inquires:

מַאי ,,חַשְׁמַל'' – What is the meaning of the word **"*Chashmal*"? אָמַר רַב יְהוּדָה – Rav Yehudah said:**

NOTES

to the Kohanim because we find that the prohibition against *neveilah* is on occasion waived for Kohanim. That is in the case of a bird brought as a sin offering (חַטַּאת הָעוֹף). The special manner of its slaughter (known as מְלִיקָה) would normally render a bird *neveilah*. Nevertheless, Kohanim were permitted to eat from it. One might therefore assume that the prohibition against *neveilah* (and *tereifah*) does not apply to Kohanim. For this reason Ezekiel repeated it specifically to Kohanim (*Rashi* to *Shabbos* 13b). [The aforementioned verses concerning the unknown sacrifices are also expounded in the Gemara there.] See also *Malbim* to *Ezekiel* loc. cit.

It would normally be prohibited to conceal part of Scripture. The prophecies in Scripture were given to the generations to be written and one who withdraws them from circulation defies this aim. Furthermore, one is obligated to listen to the Prophets and, in a sense, one who conceals the written prophecy prevents others from doing so (see *Sanhedrin* 89a and *Megillah* 14a). Despite these concerns, the Sages had the authority to hide the Book of *Ezekiel:* If people would be confused by the seeming contradictions between *Ezekiel* and the Five Books of Moses they might come to deny one or both [as the word of God]. This danger outweighed the above concerns. Once Chananyah ben Chizkiyah resolved these contradictions and promulgated his solutions, however, the danger was defused and the obligation to maintain Scripture as it was remained (*Igros Moshe, Yoreh Deah* III §115; see *Chiddushei HaRan* to *Shabbos* 13b; see *Igros Moshe* ibid. in regard to why the Sages did not suppress the problematic verses and leave the rest of *Ezekiel* for public consumption).

54. Literally: in the house of his teacher.

55. To grasp what it is (*Rashi*).

56. It appears (from a comment made by *Malbim* in his commentary to *Ezekiel* 1:27) that the danger which lies in *Chashmal* relates to the image following it: The likeness of the man above the throne is divided between an upper part and a lower part. This perception could easily be distorted until it was thought to be a perception of dualism, the heretical belief in two deities, one of good and one of evil or one of light and one of darkness. This, the *Malbim* adds, was also Elisha ben Avuyah's error (see below, 14b-15a).

57. If this child was brilliant enough to comprehend the deeper meaning of *Chashmal*, are all children that brilliant? In regard to adults, however, the danger is not the same: Adults may be mature enough to contemplate *Chashmal* without harm (*Maharsha*).

עין משפט נר מצוה

ז א מיי' פ"ב מהלכות יסודי התורה הל' יב וסי"ד שם הלכה יא:
ח ב ג מיי' פ"ב שם הלכה יג:

בן בנו של נמרוד הרשע. לאו דוקא שהרי כוש ילד את נמרוד ולא מצינו אותו רשע מזרע כוש אלא על שם מעשיו שמלך גם הוא בשנער: **שבעים** שנה. לאו משום שלא היה קשיש יותר שהרי לא וחשוב מימות סנחריב שסמוך למפלתו גבי שליחות שלא בלאדן לחזקיהו מצינו שהיה סופר בביתו ומשם זכה למלכות כדאשכחן באגדות חלק (סנהדרין דף צו.) אלא אורחא דמילתא קא חשיב: **ורגלי** החיות כנגד כולם. יש מגיהין בקדושתא שיסד הקליר וחיות אשר הנה מרובעות לכסא כף רגל חמש מאות וחמש עשרה ומוחקים הוי"ו ואומרים כי כן עולה לפי חשבון שבכאן למנין ז' רקיעים ח' ואורים הוא ט"ו פעמים ת"ק והיינו מנין ישרה ש"ר ת"ק וי"ה לסימנא (כ) שכן עולה ט"ו פעמים כך ומיהו בתנס מתקוהו שיסד דבריו ע"פ הירושלמי דהרואה א"ר לוי מארץ ועד לרקיע מהלך ת"ק שנה אמר ר' ברכיה ור' חלבו בש"ר (בא) סמוקה גדול מזה רגל אחד כמנין ישר"ה ראה כמה (ג) גבוה מעולמו כו' משמע כמנין שיסד ת"ק ט"ו וכן היה דרכו שבכמה מקומות היה מניח שיטת הש"ס שלנו כדי לאחוז שיטת הש"ס ירושלמי שהוא היה תנא והוא היה ר"א ברבי שמעון דקרי עליה מכל אבקת רוכל תנא קרא קרובץ ופייטן (ויקרא רבה פ"ל) ובימיו מקדשים ע"פ הראייה שמעולם לא יסד רק קרובץ מיום (אחד): **אין** מוסרין דברי תורה לעובד כוכבים. היה קשה להר"ר אלחנן תיפוק ליה דעובד כוכבים העוסק בתורה חייב מיתה כדאמר בפ' ד' מיתות (סנהדרין דף נט. ושם) עובד כוכבים העוסק בתורה חייב מיתה והמלמדו עובר אלפני עור לא תתן מכשול וכי תימא (מ) בז' מצות דידהו דאינו חייב מיתה כדאמר הש"ס התם והא מצוה איכא למוסרם להם ונפקא לן מהאי קרא אשר יעשה אותם האדם וחי בהם (ויקרא יח) כהן ולוי לא נאמר אלא אדם שאפילו עובד כוכבים ועוסק בתורה וכו' וי"ל דהכא מיירי אפילו היכא דליכא עובד כוכבים אחר שרוצה ללמדו דליכא לפני עור כדאמרינן בע"ז (דף ו:) המושיט כוס יין לנזיר עובר אלפני עור והני מילי דקאי תרי עברי דנהרא שבלאו נתינתו אי אפשר להביאו אליו אבל אי לאו הכי אינו עובר אלפני עור הכא נמי אפילו במקום שעובד כוכבים אחר רוצה ללמדו דליכא לפני עור מגיד דבריו ליעקב וכו' (תהלים קמז):

רבינו חננאל

בבתי גואי הא בבתי בראי ואמר רב אחא בר יעקב עוד רקיע אחד יש למעלה מראשי החיות דכתיב ודמות על ראשי החיה רקיע כעין הקרח הנורא עד כאן יש לך רשות לדבר מכאן ואילך אין לך רשות לדבר שכן כתוב בספר בן סירא במופלא ממך אל תדרוש ובמכוסה ממך אל תחקור במה שהורשית התבונן אין לך עסק בנסתרות תניא אמר רבן יוחנן בן זכאי מה תשובה השיבתו בת קול לאותו רשע בשעה שאמר אעלה על במתי עב אדמה לעליון יצתה בת קול ואמרה לו רשע בן רשע בן בנו של נמרוד הרשע שהמריד כל העולם כולו עליו במלכותו כמה שנותיו של אדם שבעים שנה שנאמר ימי שנותינו בהם שבעים שנה ואם בגבורות שמונים שנה והלא מן הארץ עד לרקיע מהלך חמש מאות שנה ועוביו של רקיע מהלך חמש מאות שנה וכן בין כל רקיע ורקיע למעלה מהן חיות הקדש רגלי החיות כנגד כולם קרסולי החיות כנגד כולן שוקי החיות כנגד כולן רכובי החיות כנגד כולן ירכי החיות כנגד כולן גופי החיות כנגד כולן צוארי החיות כנגד כולן ראשי החיות כנגד כולן קרני החיות כנגד כולן למעלה מהן כסא כבוד רגלי כסא הכבוד כנגד כולן כסא הכבוד כנגד כולן מלך אל חי וקים רם ונשא שוכן עליהם ואתה אמרת אעלה על במתי עב אדמה לעליון אך אל שאול תורד אל ירכתי בור: ולא במרכבה ביחיד: תני רבי חייא אבל מוסרין לו ראשי פרקים אמר רבי זירא אין מוסרין ראשי פרקים אלא לאב ב"ד ולכל מי שלבו דואג בקרבו איכא דאמרי והוא שלבו דואג בקרבו אמר רבי אמי אין מוסרין סתרי תורה אלא למי שיש בו חמשה דברים שר חמשים ונשוא פנים ויועץ וחכם חרשים ונבון לחש ואמר רבי אמי אין מוסרין דברי תורה לעובד כוכבים שנאמר לא עשה כן לכל גוי ומשפטים בל ידעום א"ל רבי יוחנן לרבי אלעזר תא אגמרך במעשה המרכבה א"ל לא קשאי כי קש נח נפשיה דרבי יוחנן א"ל ר' אסי תא ואגמרך במעשה מרכבה א"ל אי זכאי גמירתא מר' יוחנן רבך רב יוסף הוה גמיר מעשה המרכבה סבי דפומבדיתא הוו תנו במעשה בראשית אמרו ליה ליגמור לן מר מעשה מרכבה אמר להו אגמרון לי מעשה בראשית בתר דאגמרון אמרו ליה ליגמרון מר במעשה מרכבה אמר להו תנינא בהו דבש וחלב תחת לשונך דברים המתוקין מדבש וחלב יהו תחת לשונך ר' אבהו אמר מהכא כבשים ללבושך דברים שהן כבשונו של עולם יהיו תחת לבושך אמרו ליה תנינן בהו עד ויאמר אלי בן אדם אמר להו הן הן מעשה המרכבה מיתיבי עד היכן מעשה המרכבה רבי אומר עד וארא בתרא ר' יצחק אומר עד החשמל עד וארא מגמרינן מכאן ואילך מסרינן ראשי פרקים איכא דאמרי עד וארא מסרינן ראשי פרקים מכאן ואילך אם הוא חכם מבין מדעתו אין אי לא לא ומי דרשינן בחשמל והא ההוא ינוקא דדרש בחשמל ונפקא נורא ואכלתיה שאני ינוקא דלאו מטי זימניה אמר רב יהודה ברם זכור אותו האיש לטוב וחנניה בן חזקיה שמו אלמלא הוא נגנז ספר יחזקאל שהיו דבריו סותרין דברי תורה מה עשה העלו לו ג' מאות גרבי שמן וישב בעלייה ודרשו ת"ר מעשה בתינוק אחד שהיה קורא בבית רבו בספר יחזקאל והיה מבין בחשמל ויצאה אש מחשמל ושרפתו וביקשו לגנוז ספר יחזקאל אמר להם חנניה בן חזקיה אם זה חכם הכל חכמים הן מאי חשמל אמר רב יהודה

רש"י

בבתי גואי. ונהורא עמיה שרא: במופלא ממך. במופלא ומופרש ממך שלא רצה הקב"ה לגלות לך: לאותו רשע. נבוכדנצר: עליו. לשון נקיה היא כלומר על עצמו ולא עלי: רגלי החיות. עוקי פרסותיהן: קרסולי. אשטירא שקורין קביליי"א בלעז: שוק. הוא עצם הנמכר עם הרגל: רכובי. הוא עצם הירך הסמוך לשוק ירך הוא עצם הקולית התקוע במתנים: ראשי פרקים. ראשי פרשיות שבה: שלבו דואג. ואינו מיקל את ראשו: איכא דאמרי והוא שלבו דואג בקרבו. תרתי בעינן: סתרי תורה. כגון מעשה המרכבה וספר יצירה ומעשה בראשית והיא ברייתא: יועץ וחכם חרשים ונבון לחש. לקמן מפרש להו: לא קשאי. לא זקנתי ועינן לגו לזוג: מעשה המרכבה ומעשה בראשית. ברייתות הן: כבשונו של עולם. סתרו של עולם כמו רישא בכבשא (חולין דף נג:) בהדי כבשי דרחמנא למה לך (ברכות דף י.) ממני ילאו כבושין (מכות דף כג:): תנינא עד ויאמר אלי בן אדם. ככר שנינו עד ויאמר אלי בן אדם עמוד על רגליך: הן הן מעשה המרכבה. אם עד כאן שונים הרבה שניהם שני מקראות הללו שכן וארא כעין החשמל וגו' כמראה הקשת וגו' הם שהקפידו עליהם חכמים מלדורשם שכן מדברין בצורת שכינה ומראהו: מיתיבי. גרסינן ולא גרסינן ומי הוי מעשה המרכבה עד הכא: עד וארא. כעין החשמל ולא הוא בכלל: עד החשמל. עד התיבה הזו והיא בכלל לידרש: עד וארא מגמר גמרינן. כלומר הכי קאמר עד היכן מעשה מרכבה שנתנו לדרוש עד וארא או עד החשמל ומשם עד ויאמר הן הן מעשה מרכבה שהקפידו עליהן חכמים: נגנז ספר יחזקאל. שיש בסופו דברים בקרבנות שסותרין דברי תורה: גרבי שמן. להדליק: והיה מבין בחשמל. לדרוש מהו:

תורה אור השלם

א) וּדְמוּת עַל רָאשֵׁי הַחַיָּה רָקִיעַ כְּעֵין הַקֶּרַח הַנּוֹרָא נָטוּי עַל רָאשֵׁיהֶם מִלְמָעְלָה: [יחזקאל א, כב] ב) אֶעֱלֶה עַל בָּמֳתֵי עָב אֶדַּמֶּה לְעֶלְיוֹן: [ישעיה יד, יד] ג) יְמֵי שְׁנוֹתֵינוּ בָהֶם שִׁבְעִים שָׁנָה וְאִם בִּגְבוּרֹת שְׁמוֹנִים שָׁנָה וְרָהְבָּם עָמָל וָאָוֶן כִּי גָז חִישׁ וַנָּעֻפָה: [תהלים צ, י] ד) אַךְ אֶל שְׁאוֹל תּוּרָד אֶל יַרְכְּתֵי בוֹר: [ישעיה יד, טו] ה) שַׂר חֲמִשִּׁים וּנְשׂוּא פָנִים וְיוֹעֵץ וַחֲכַם חֲרָשִׁים וּנְבוֹן לָחַשׁ: [ישעיה ג, ג] ו) לֹא עָשָׂה כֵן לְכָל גּוֹי וּמִשְׁפָּטִים בַּל יְדָעוּם הַלְלוּיָהּ: [תהלים קמז, כ] ז) נֹפֶת תִּטֹּפְנָה שִׂפְתוֹתַיִךְ כַּלָּה דְּבַשׁ וְחָלָב תַּחַת לְשׁוֹנֵךְ וְרֵיחַ שַׂלְמֹתַיִךְ כְּרֵיחַ לְבָנוֹן: [שיר השירים ד, יא] ח) כְּבָשִׂים לִלְבוּשֶׁךָ וּמְחִיר שָׂדֶה עַתּוּדִים: [משלי כז, כו] ט) וַיֹּאמֶר אֵלַי בֶּן אָדָם עֲמֹד עַל רַגְלֶיךָ וַאֲדַבֵּר אֹתָךְ: [יחזקאל ב, א] י) וָאֵרֶא כְּעֵין חַשְׁמַל כְּמַרְאֵה אֵשׁ בֵּית לָהּ סָבִיב מִמַּרְאֵה מָתְנָיו וּלְמָעְלָה וּמִמַּרְאֵה מָתְנָיו וּלְמַטָּה רָאִיתִי כְּמַרְאֵה אֵשׁ וְנֹגַהּ לוֹ סָבִיב: [יחזקאל א, כז]

ליקוטי רש"י

גליון הש"ס

הגהות הב"ח

הגהות מהר"ב רנשבורג

חשק שלמה על ר"ח

חיות אש ממללות במתניתא תנא עתים חשות עתים ממללות בשעה שהדיבור יוצא מפי הקב"ה חשות ובשעה שאין הדיבור יוצא מפי הקב"ה ממללות (א) והחיות רצוא ושוב כמראה הבזק מאי רצוא ושוב אמר רב יהודה כאור היוצא מפי הכבשן מאי כמראה הבזק אמר רבי יוסי בר חנינא כאור היוצא מבין החרסים (ב) וארא והנה רוח סערה באה מן הצפון ענן גדול ואש מתלקחת ונוגה לו סביב ומתוכה כעין החשמל מתוך האש להיכן אזל אמר רב יהודה אמר רב שהלך לכבוש את כל העולם כולו תחת נבוכדנצר הרשע וכל כך למה שלא יאמרו אומות העולם ביד אומה שפלה מסר הקב"ה את בניו אמר הקב"ה מי גרם לי שאהיה שמש לעובדי פסילים עונותיהן של ישראל הן גרמו לי (ג) וארא החיות והנה אופן אחד בארץ אצל החיות אמר ר' אלעזר מלאך אחד שהוא עומד בארץ וראשו מגיע אצל החיות במתניתא תנא סנדלפון שמו הגבוה מחברו מהלך חמש מאות שנה ועומד אחורי המרכבה וקושר כתרים לקונו איני והכתיב (ד) ברוך כבוד ה' ממקומו מכלל דמקומו ליכא דידע ליה דאמר שם אתגא ואזל ויתיב ברישיה אמר רבא כל שראה יחזקאל ראה ישעיה למה יחזקאל דומה לבן כפר שראה את המלך ולמה ישעיה דומה לבן כרך שראה את המלך אמר ריש לקיש מאי דכתיב (ה) אשירה לה' כי גאה גאה שירה למי שמתגאה על הגאים דאמר מר מלך שבחיות ארי מלך שבבהמות שור מלך שבעופות נשר ואדם מתגאה עליהן והקב"ה מתגאה על כולן ועל כל העולם כולו כתוב אחד אומר (ו) ודמות פניהם פני אדם ופני אריה אל הימין לארבעתם ופני שור מהשמאל לארבעתן וגו' וכתיב (ז) וארבעה פנים לאחד פני האחד פני הכרוב ופני השני פני אדם והשלישי פני אריה והרביעי פני נשר ואילו שור לא קא חשיב אמר ר"ל יחזקאל ביקש עליו רחמים והפכו לכרוב אמר לפניו רבש"ע קטיגור יעשה סניגור מאי כרוב אמר רבי אבהו כרביא שכן בבבל קורין לינוקא רביא א"ל רב פפא לאביי אלא מעתה דכתיב פני האחד פני הכרוב ופני השני פני אדם והשלישי פני אריה והרביעי פני נשר היינו פני כרוב היינו פני אדם אפי רברבי ואפי זוטרי כתוב אחד אומר (ח) שש כנפים שש כנפים לאחד וכתוב אחד אומר (ט) וארבעה פנים לאחת וארבע כנפים לאחת להם לא קשיא כאן בזמן שבהמ"ק קיים כאן בזמן שאין בית המקדש קיים כביכול שנתמעטו כנפי החיות הי מינייהו אימעוט אמר רב חננאל אמר רב אותן שאומרות שירה בהן כתיב הכא ובשתים יעופף וקרא זה אל זה ואמר וכתיב (י) התעיף עיניך בו ואיננו ורבנן אמרי אותן שמכסות בהן רגליהם שנאמר (כ) ורגליהם רגל ישרה ואי לאו דאימעוט מנא הוה ידע דלמא דאיגלאי וחזיא ליה דאי לא תימא הכי ודמות פניהם פני אדם הכי נמי דאימעוט אלא דאיגלאי וחזיא ליה הכא נמי דאיגלאי וחזיא ליה הכי השתא בשלמא אפיה אורח ארעא לגלויי קמיה רביה כרעיה לאו אורח ארעא לגלויי קמיה רביה כתוב אחד אומר (ל) אלף אלפין ישמשוניה ורבו רבבן קדמוהי יקומון וכתוב אחד אומר (מ) היש מספר לגדודיו לא קשיא כאן בזמן שבית המקדש קיים כאן בזמן שאין בהמ"ק קיים כביכול שנתמעטה פמליא של מעלה תניא רבי אומר משום אבא יוסי בן דוסאי אלף אלפין ישמשוניה מספר גדוד אחד ולגדודיו אין מספר ור' ירמיה בר אבא אמר אלף אלפין ישמשוניה לנהר דינור שנאמר נהר דינור נגד ונפק מן קדמוהי אלף אלפין ישמשוניה ורבו רבבן קדמוהי יקומון מהיכן נפיק מזיעתן של חיות ולהיכן שפיך אמר רב זוטרא בר טוביה אמר רב על ראש רשעים בגיהנם שנאמר (נ) הנה סערת ה' חמה יצאה וסער מתחולל על ראש רשעים יחול ורב אחא בר יעקב אמר על אשר קומטו שנאמר (ס) אשר קומטו ולא עת נהר יוצק יסודם תניא אמר רבי שמעון החסיד אלו תשע מאות ושבעים וארבע דורות שקומטו להיבראות קודם

חיות אש ממללות. אש יוצא מדיבורן: רצוא ושוב. מוציאות ראשן מתחת הרקיע הנטוי למעלה מראשיהן וחוזרות ומכניסות אותן ממורא השכינה במהירות כריצה ושיבה של להב היוצא מפי הבזק: הכבשן. ששורפין בו אבנים לסיד ובזק לשון שברי שברים הוא שהאור יוצא בין אבן לאבן כדתנן בעירובין (דף קד.) בוזקין מלח על גבי הכבש שלא יחליקו הכהנים: מבין החרסים. דרך מזקקי זהב לנקוב כלי חרס נקבים נקבים וכופין אותו על גבי גחלים שהזהב נתון בהן בתוך כתישת החרסים של לבנים על גבי חרס ולהב יוצא למעלה דרך נקבי הכלי והוא עשוי גוונים גוונים ותמיד יוצא ונכנס: מן הצפון. מבבל שהוא בצפון שנאמר מצפון תפתח הרעה (ירמיה א): מאי בעיא התם. למה הלכה לבבל: ראה ישעיה. כששרתה עליו רוח הקדש כמה שנאמר ואראה את ה' יושב על כסא רם ונשא וגו' (ישעיה ו) אלא שלא חש לפרש את הכל שהיה בן מלכים וגדל בפלטין ובן כרך הרואה את המלך אינו נבהל ואינו תמה ואינו חש לספר: מלך שבחיות ארי כו'. ואלו ארבעתן בכסא והוא למעלה מהן: קטיגור נעשה סניגור. אנו צריכין שיבקשו מרכבותך עלינו רחמים והשור קטיגור הוא: קטיגור שונא סניגור אוהב מליץ יושר: כרביא. פני תינוק: היינו פני כרוב היינו פני אדם. מה הן פני כרוב מה הן פני אדם וכי לא אחד הן: אפי רברבי ואפי זוטרי. האחד פני גדול והאחד פני קטן: כאן בזמן שבית המקדש קיים. בימי ישעיה היה המקדש קיים במכונו ובימי יחזקאל כבר הגיע זמן שיחרב ונתמעטה פמליא של מעלה: ובשתים יעופף. וסמיך ליה וקרא זה אל זה אלמא הנך ניינהו דאמרי בהו שירה שמקשקשות בקול כנפיהם ובהנך כתיב ואיננו גבי התעיף: [כאן בזמן שאין וכו']. בימי דניאל כבר חרב הבית: כביכול. אף כלפי מעלה שכינה החזקתו לומר כך כמו בבשר ודם שיכול לומר בו מיעוט: אלף אלפין. הוא מספר של כל גדוד וגדוד אבל אין מספר כמה גדודין יש: לנהר דינור. דהאי קרא נמי גבי נהר דינור כתיב: על אשר קומטו. על תתקע"ד דורות שהעביר מן העולם קודם מתן תורה ולא נבראו כדקתני לקמן ונתן בגיהנם ועליהם נופל שנאמר בהן נהר יוצק יסודם והיינו נהר דינור שמולך עליהם: קומטו להיבראות. נגזרו להיבראות לשון ותקמטני (איוב טז) לעד היה: קודם

והחיות רצוא ושוב. פר"ח לפי שהן מגהלים עוממות ודרכן לדמות לשאר שרפים ולהוציא להבה והגילוץ חוזר והיינו רצוא ושוב: שלא יאמרו ביד אומה שפלה מסר את בניו. והיינו כפי' דההיא דאמר בגיטין (דף נו:) כל המיצר לישראל נעשה ראש כלומר כבר נעשה ראש קודם שמיצר להם:

וקושר כתרים לקונו. מתפלתן של צדיקים הוא עושה עטרות: לבן כפר שראה (כ) המלך. שצריך לו להביא סימנים לאחרים קודם שיאמינוהו לפי שראהו שלא במקומו ואין דרכו להתראות שם וה"נ אמר יחזקאל שראהו על נהר כבר לפיכך נתמהו שומעיו:

כתוב אחד אומר שש כנפים וכתוב אחד אומר ארבע כנפים. ואע"ג שזה בחיות כתיב וזה בשרפים מ"מ מסתבר שגם החיות (ל) בשש כנפים כמו השרפים:

מזיעתן של חיות. ויוצאים ממנו מלאכים ואומרים שירה ומיד נטרדים (מ) והכי איתא במדרש (איכה ג) חדשים לבקרים שבורא מלאכים בכל יום ואומרים שירה ונטרדין להן כדאמר בסמוך משום שיש אות במלאכים הקבועים שממתינים זה לזה לומר שירה ואלו החדשים שאינם יודעים הדת ממהרין לשורר ונתחייבו כליה והיינו אשר תקנו ויסדו אנשי כנסת הגדולה ביוצר ונותנין רשות זה לזה קדושה כולם כאחד עונין ואומרים וגם למעלה יוצר משרתים ואשר משרתיו כולם עומדים ברום עולם כלומר בכל יום בורא חדשים ונטרדין אבל משרתיו קבועים ועומדין לעד: וטרדן

רבינו חננאל

הן עתים חשות עתים ממללות שיר בעוד שנאמר עוד וחזרה במקומו ועתים חשות כשהדבור יוצא מלפני הקב"ה והחיות רצוא ושוב כמראה הבזק. אינה הליכה וחזירה ממש אלא נראות הולכות וחוזרות כמראה הבזק כדכתיב מראיהן כלפידים כברקים ירוצצו כענין האש בעת שמתגברת השלהבת בכבשן נראת כיוצא וחוזרת בפי הכבשן. א"ר יוסי בר' חנינא כאור היוצא מבין החרסים. פי' כשסותמין פי הכבשן בחרסין ויש ביניהם נקבים לשון האש יוצא משם וזהו מראה הבזק. וארא והנה רוח סערה באה מן הצפון וגו' להיכא אזלא אמר רב לכבוש העולם תחת נבוכד נצר כו' וארא החיות והנה אופן אחד בארץ. ותני סנדלפון שמו וקושר כתרים לקונו. כבר פירשוהו בפירוש משביעו ... כתיב במקום שחלק לו הקב"ה להושיבו שם וחלילה שיש שם פרחת כל עיקר וראש וגוף כדרך הברואים אלא לקבל מלכותו כדרך שמזכירין בכל יום ישראל בתפלתם כתר יתנו לך המוני כו'. אמר רבה כל שראה יחזקאל ראה ישעיה. למה יחזקאל תמה מן המראה כי יחזקאל דומה לבן כפר שראה טכסיסי המלך וראה מרכבות וחיילות והתחיל תמה. אבל ישעיה לבן מדינה שרואה הטכסיסין הללו בכל יום לפיכך אינו תמה מהן. אשירה לה' כי גאה גאה שירו למי שמתגאה על הגאים כלומר מלך ע"ג המלכים ...

חשק שלמה על ר"ח

א) עי' בח"מ וכרש"י שם.

תורה אור השלם

א) וְהַחַיּוֹת רָצוֹא וָשׁוֹב כְּמַרְאֵה הַבָּזָק: [יחזקאל א, יד]

ב) וָאֵרֶא וְהִנֵּה רוּחַ סְעָרָה בָּאָה מִן הַצָּפוֹן עָנָן גָּדוֹל וְאֵשׁ מִתְלַקַּחַת וְנֹגַהּ לוֹ סָבִיב וּמִתּוֹכָהּ כְּעֵין הַחַשְׁמַל מִתּוֹךְ הָאֵשׁ: [יחזקאל א, ד]

ג) וָאֵרֶא הַחַיּוֹת וְהִנֵּה אוֹפַן אֶחָד בָּאָרֶץ אֵצֶל הַחַיּוֹת לְאַרְבַּעַת פָּנָיו:

ד) וַתִּשָּׂאֵנִי רוּחַ וָאֶשְׁמַע אַחֲרַי קוֹל רַעַשׁ גָּדוֹל בָּרוּךְ כְּבוֹד יְיָ מִמְּקוֹמוֹ: [יחזקאל ג, יב]

ה) אָשִׁירָה לַייָ כִּי גָאֹה גָּאָה סוּס וְרֹכְבוֹ רָמָה בַיָּם: [שמות טו, א]

ו) וּדְמוּת פְּנֵיהֶם פְּנֵי אָדָם וּפְנֵי אַרְיֵה אֶל הַיָּמִין לְאַרְבַּעְתָּם וּפְנֵי שׁוֹר מֵהַשְּׂמֹאול לְאַרְבַּעְתָּן וּפְנֵי נֶשֶׁר לְאַרְבַּעְתָּן: [יחזקאל א, י]

ז) וְאַרְבָּעָה פָנִים לְאֶחָד פְּנֵי הָאֶחָד פְּנֵי הַכְּרוּב וּפְנֵי הַשֵּׁנִי פְּנֵי אָדָם וְהַשְּׁלִשִׁי פְּנֵי אַרְיֵה וְהָרְבִיעִי פְּנֵי נָשֶׁר: [יחזקאל י, יד]

ח) שְׂרָפִים עֹמְדִים מִמַּעַל לוֹ שֵׁשׁ כְּנָפַיִם שֵׁשׁ כְּנָפַיִם לְאֶחָד בִּשְׁתַּיִם יְכַסֶּה פָנָיו וּבִשְׁתַּיִם יְכַסֶּה רַגְלָיו וּבִשְׁתַּיִם יְעוֹפֵף: וְקָרָא זֶה אֶל זֶה וְאָמַר קָדוֹשׁ קָדוֹשׁ קָדוֹשׁ יְיָ צְבָאוֹת מְלֹא כָל הָאָרֶץ כְּבוֹדוֹ: [ישעיה ו, ב-ג]

ט) וְאַרְבָּעָה פָנִים לְאֶחָת וְאַרְבַּע כְּנָפַיִם לְאַחַת לָהֶם: [יחזקאל א, ו]

י) הֲתָעִיף עֵינֶיךָ בּוֹ וְאֵינֶנּוּ כִּי עָשֹׂה יַעֲשֶׂה לּוֹ כְנָפַיִם כְּנֶשֶׁר וְעוּף הַשָּׁמָיִם: [משלי כג, ה]

כ) וְרַגְלֵיהֶם רֶגֶל יְשָׁרָה וְכַף רַגְלֵיהֶם כְּכַף רֶגֶל עֵגֶל וְנֹצְצִים כְּעֵין נְחֹשֶׁת קָלָל: [יחזקאל א, ז]

ל) נְהַר דִּי נוּר נָגֵד וְנָפֵק מִן קֳדָמוֹהִי אֶלֶף אַלְפִין יְשַׁמְּשׁוּנֵּהּ וְרִבּוֹ רִבְבָן קֳדָמוֹהִי יְקוּמוּן דִּינָא יְתִב וְסִפְרִין פְּתִיחוּ: [דניאל ז, י]

מ) הֲיֵשׁ מִסְפָּר לִגְדוּדָיו וְעַל מִי לֹא יָקוּם אוֹרֵהוּ: [איוב כה, ג]

נ) הִנֵּה סַעֲרַת יְיָ חֵמָה יָצְאָה וְסַעַר מִתְחוֹלֵל עַל רֹאשׁ רְשָׁעִים יָחוּל: [ירמיה כג, יט]

ס) אֲשֶׁר קֻמְּטוּ וְלֹא עֵת נָהָר יוּצַק יְסוֹדָם: [איוב כב, טז]

מסורת הש"ס

א) [פי' מש מל שתי מילין. הן. ערוך], ב) [קידושין ה. וש"נ], ג) סוכה ה:, ד) [עי' ברש"י יומא ג:], ה) ס"א חרסים, ו) [איוב כח], ז) [עי' תוס' חולין צא: ד"ה ברוך], ח) עי' אבות דרבי נתן פי"ב ד"ה ומניין שירלים וכו' ואת זה.

גליון הש"ס

תוס' ד"ה כתוב אחד אומר וכו'. בשש כנפים. עי' חולין צא ע"א תד"ה ברוך:

ליקוטי רש"י

ממללות. כלומר משבחות ומהללות את השם [יחזקאל א, ד]. רצוא ושוב כמראה הבזק. ...

חַיּוֹת אֵשׁ מְמַלְּלוֹת – *Chayos* speaking fire (*aish memalelos*).[1]

The Gemara cites another answer:

בְּמַתְנִיתָא תָּנָא – It was taught in a Baraisa: עִתִּים חָשׁוֹת עִתִּים מְמַלְּלוֹת – AT TIMES THEY STAND SILENT (*chashos*); AT TIMES THEY SPEAK (*memalelos*). **בְּשָׁעָה שֶׁהַדִּיבּוּר יוֹצֵא מִפִּי הַקָּדוֹשׁ בָּרוּךְ הוּא חָשׁוֹת –** WHILE A STATEMENT EMERGES FROM THE MOUTH OF THE HOLY ONE, BLESSED IS HE, THEY STAND SILENT. **וּבְשָׁעָה שֶׁאֵין הַדִּיבּוּר יוֹצֵא מִפִּי הַקָּדוֹשׁ בָּרוּךְ הוּא מְמַלְּלוֹת –** AND WHILE NO STATEMENT EMERGES FROM THE MOUTH OF THE HOLY ONE, BLESSED IS HE, THEY SPEAK.[2]

The Gemara begins to expound several verses in the first chapter of *Ezekiel:*[3]

"וְהַחַיּוֹת רָצוֹא וָשׁוֹב כְּמַרְאֵה הַבָּזָק" – *The Chayos ran to and fro like the appearance of the bazak.*[4] מַאי "רָצוֹא וָשׁוֹב" – What is meant by: *The Chayos* ***ran to and fro?***

The Gemara explains:

אָמַר רַב יְהוּדָה – Rav Yehudah said: It means the movement of the *Chayos* **כְּאוֹר הַיּוֹצֵא מִפִּי הַכִּבְשָׁן – was analogous to the flame that emerges from an opening in a** lime **furnace** and quickly retreats.[5]

The Gemara inquires:

מַאי "כְּמַרְאֵה הַבָּזָק" – What is the meaning of the end of that verse: ***like the appearance of the bazak?***

The Gemara explains:

אָמַר רַבִּי יוֹסֵי בַּר חֲנִינָא – R' Yose bar Chanina said: כְּאוֹר הַיּוֹצֵא מִבֵּין הַחֲרָסִים – Like the flame that emerges from between the shards (*bazak*) of an earthenware utensil.[6]

The Gemara turns to the beginning of the chapter:

"וָאֵרֶא וְהִנֵּה רוּחַ סְעָרָה בָּאָה מִן־הַצָּפוֹן" – *I saw, and behold! there was a stormy wind coming from the north* [Babylon],[7] **עָנָן גָּדוֹל וְאֵשׁ מִתְלַקַּחַת – *a great cloud with flashing fire* וְנֹגַהּ לוֹ סָבִיב – *and a brilliance surrounding it;* וּמִתּוֹכָהּ כְּעֵין הַחַשְׁמַל מִתּוֹךְ הָאֵשׁ" – *and from its midst, like the color of the Chashmal from the midst of the fire.***[8]

The Gemara inquires:

לְהֵיכָן אָזַל – To where did [the stormy wind] go from Babylon?[9]

The Gemara explains:

אָמַר רַב יְהוּדָה אָמַר רַב – Rav Yehudah said in the name of Rav: שֶׁהָלַךְ לִכְבּוֹשׁ אֶת כָּל הָעוֹלָם כּוּלּוֹ תַּחַת נְבוּכַדְנֶצַּר הָרָשָׁע – It went to conquer the entire world and place it **under** the rule of **the wicked Nebuchadnezzar.**[10] **וְכָל כָּךְ לָמָּה – And why was all this necessary? שֶׁלֹּא יֹאמְרוּ אוּמּוֹת הָעוֹלָם – So that the nations of the world should not say: בְּיַד אוּמָּה שְׁפָלָה מָסַר הַקָּדוֹשׁ בָּרוּךְ הוּא אֶת בָּנָיו –** It was **into the hand of a lowly nation that the Holy One, Blessed is He, delivered His children.**[11]

The Gemara records, allegorically, a complaint of God regarding the above:

אָמַר הַקָּדוֹשׁ בָּרוּךְ הוּא – The Holy One, Blessed is He, said: מִי גָּרַם לִי שֶׁאֶהְיֶה שַׁמָּשׁ לְעוֹבְדֵי פְסִילִים – What caused **Me to be an assistant to idol worshipers? עֲוֹנוֹתֵיהֶן שֶׁל יִשְׂרָאֵל הֵן גָּרְמוּ לִי – The iniquities of Israel, they caused Me.**

NOTES

1. When the Chayos speak, fire emerges from their words (*Rashi;* see *Rashi* in *Ein Yaakov*). Thus, *Chashmal* is a contraction of the words ***Cha**yos eish **mem**alelos*.

2. According to this interpretation, the word *Chashmal* is treated as if it were two words: חַשׁ, *chash* (silence), and מַל, *mal* (speaking) (*Rabbeinu Chananel*). *Rambam* (*Moreh Nevuchim* 3:7) cites this interpretation as well as another one: *Chash* means rushing and *mal* means stopped. *Rambam* notes that this word encompasses two diametrically opposed ideas. [Thus, *Chashmal* may be translated as *the Silent Speech*, or *the Rushing Standstill.*]

The perception of the *Chashmal* lies at or near the most advanced stage of Ezekiel's *Merkavah* vision. Presumably, it is a perception that is not given to be articulated in mere words, i.e. it lies beyond the realm of worldly description.

[In modern Hebrew, *chashmal* is the word used for "electricity." Electricity, though, has nothing to do with the meaning of the word *chashmal* in *Ezekiel.*]

3. The following Gemara expounds various verses in the first and tenth chapters of *Ezekiel.* As noted above, these chapters are Ezekiel's articulation of *Maaseh Merkavah.* Although an elucidation is offered for the rest of this *amud,* the purpose of these notes is certainly not to convey the concepts of *Maaseh Merkavah,* even if that were possible. Rather, the Gemara's teachings are explained according to the interpretation of works that are readily accessible to any person. Here, as with many Aggadic teachings, we must recognize that in our spiritual poverty, we are not equipped to even glimpse the inner meanings of these teachings.

4. *Ezekiel* 1:14.

5. [The Gemara above (13a) stated that there was a heaven above the heads of the *Chayos* which had the appearance of "the awesome ice."] The *Chayos* extend their heads beyond this heaven and quickly bring their heads back, out of their fear of the Divine Presence. This speedy back-and-forth movement is similar to the movement of a flame that flashes forth from the apertures of a furnace and instantly returns (*Rashi*). [Even in the simple meaning of the verse] there is no actual back-and-forth movement among the *Chayos;* rather, they appear as if they are doing so (*Rabbeinu Chananel*). On a deeper level, the words *ran to and fro* represent two levels: one a level of brilliant and dynamic perception, and the other a level of negation and submission. There are several views as to what these different levels are: See *Nefesh HaChaim* 3:2-3; *Keser Shem Tov* §121 and beginning of *Kedushas Levi.*

6. *Bazak* means "broken pieces" (see *Eruvin* 104a); in our context it refers to broken pieces of earthenware (*Rashi*).

Rashi explains this analogy as follows: When a goldsmith wishes to purify a quantity of gold, he builds a coal fire, places an earthenware shard upon the coals and a mound of pulverized brick upon this shard. He then places the gold within [the hollow of] this mound. The goldsmith then covers the coals and the shard, etc. with a dome made of earthenware. The earthenware dome has been made especially for this purpose and contains many holes. As the gold is purifying, flames shoot up through these holes. The flames appear in all different colors (see *Rav Saadiah Gaon* cited in *Otzar HaGeonim*). Thus, the simile of "the fire that emerges from an opening in a furnace" describes the darting of the flames. The simile of "the flame that emerges from between the shards" describes the varying colors of those flames (see *Rashi* here, and to *Ezekiel* 1:14; see *Turei Even*). [*Rashi's* comments here would suggest that the second simile describes not only the colors but the darting as well. See *Turei Even* on this point.]

[This might refer to the torrent of perceptions that swept over Ezekiel at this point in his *Merkavah* vision. The different colors may represent perceptions of different attributes of the Divine Presence.]

7. *Rashi;* see *Jeremiah* 1:14 and *Gittin* 6a.

8. *Ezekiel* 1:4.

9. *Rashi* seems to have a different reading here: מַאי בְּעֵיָא הָתָם, *What does it want there*? I.e. what is the storm doing in Babylon (see *Bach*). We followed the reading as it appears in the Gemara (and also concurs with that of *Rabbeinu Chananel*): לְהֵיכָן אָזַל, *Where did it go?*

10. [God desired that Nebuchadnezzar should rule the entire known world and He therefore enabled Nebuchadnezzar to conquer it. The stormy wind symbolizes Divine assistance.]

11. This is in line with the statement elsewhere (*Gittin* 56b) that "whoever persecutes Israel becomes a leader," i.e. in order that it not be said that the Jews were vanquished by a lowly and contemptible person, God arranges that whoever is destined to vanquish the Jews rises to greatness beforehand (*Tosafos*). Thus, shame is not added to the distress of the Jews, for there is nothing shameful in defeat at the hand of a powerful foe.

Iyun Yaakov (to *Gittin* 56b) suggests that the oppressor does God's work in bringing the Jews to repentance. Therefore, he is entitled to a reward (see also *Eitz Yosef* here).

[The Babylonians/Chaldeans were a particularly ignoble people; see *Isaiah* 23:13 with *Rashi.*]

חיות אש ממללות במתניתא תנא א) עתים חשות עתים ממללות בשעה שהדיבור יוצא מפי הקב"ה חשות ובשעה שאין הדיבור יוצא מפי הקב"ה ממללות א) והחיות רצוא ושוב כמראה הבזק מאי רצוא ושוב אמר רב יהודה כאור היוצא מפי הכבשן מאי כמראה הבזק אמר רבי יוסי בר חנינא כאור היוצא מבין החרסים ב) וארא והנה רוח סערה באה מן הצפון ענן גדול ואש מתלקחת ונוגה לו סביב ומתוכה כעין החשמל מתוך האש (א) להיכן אזל אמר רב יהודה אמר רב שהלך לכבוש את כל העולם כולו תחת נבוכדנצר הרשע וכל כך למה שלא יאמרו אומות העולם ביד אומה שפלה מסר הקב"ה את בניו אמר הקב"ה מי גרם לי שאהיה שמש לעובדי פסילים עונותיהן של ישראל הן גרמו לי ג) וארא החיות והנה אופן אחד בארץ אצל החיות אמר ר' אלעזר מלאך אחד שהוא עומד בארץ וראשו מגיע אצל החיות במתניתא תנא סנדלפון שמו (ב) הגבוה מחברו מהלך חמש מאות שנה ועומד אחורי המרכבה וקושר כתרים לקונו איני והכתיב ד) ברוך כבוד ה' ממקומו מכלל דמקומו ליכא דידע ליה (ג) דאמר שם אתגא ואזל ויתיב ברישיה אמר רבא כל שראה יחזקאל ראה ישעיה למה יחזקאל דומה לבן כפר שראה את המלך ולמה ישעיה דומה לבן כרך שראה את המלך אמר ריש לקיש מאי דכתיב (ד) ה) אשירה לה' כי גאה גאה שירה למי שמתגאה על הגאים דאמר מר מלך שבחיות ארי מלך שבבהמות שור מלך שבעופות נשר ואדם מתגאה עליהן והקב"ה מתגאה על כולן ועל כל העולם כולו כתוב אחד אומר ו) ודמות פניהם פני אדם ופני אריה אל הימין לארבעתם ופני שור מהשמאל לארבעתן וגו' וכתיב ז) וארבעה פנים לאחד פני האחד פני הכרוב ופני השני פני אדם והשלישי פני אריה והרביעי פני נשר ואילו שור לא קא חשיב (ה) אמר ר"ל ביקש עליו יחזקאל רחמים והפכו לכרוב אמר לפניו רבש"ע קטיגור יעשה סניגור מאי כרוב אמר רבי אבהו כרביא שכן בבבל קורין לינוקא רביא א"ל רב פפא לאביי אלא מעתה דכתיב פני האחד פני הכרוב ופני השני פני אדם והשלישי פני אריה והרביעי פני נשר היינו פני כרוב היינו פני אדם (ו) אפי רברבי ואפי זוטרי כתוב אחד אומר ח) שש כנפים שש כנפים לאחד וכתוב אחד אומר ט) וארבעה פנים לאחת וארבע כנפים לאחת להם לא קשיא כאן בזמן שבהמ"ק קיים כאן בזמן שאין בית המקדש קיים כביכול שנתמעטו כנפי החיות הי מינייהו אימעוט אמר רב חננאל אמר רב אותן שאומרות שירה בהן (ז) כתיב הכא ח) ובשתים יעופף וקרא זה אל זה ואמר וכתיב י) התעיף עיניך בו ואיננו ורבנן אמרי אותן שמכסות בהן רגליהם שנאמר כ) ורגליהם רגל ישרה ואי לאו דאימעוט מנא (ח) הוה ידע דלמא דאיגלאי וחזיא ליה דאי לא תימא הכי ו) ודמות פניהם פני אדם הכי נמי דאימעוט אלא דאיגלאי וחזיא ליה הכא נמי דאיגלאי וחזיא ליה הכי השתא (ט) בשלמא אפיה אורח ארעא לגלויי קמיה רביה כרעיה לאו אורח ארעא לגלויי קמיה רביה כתוב אחד אומר ל) אלף אלפין ישמשוניה ורבו רבבן קדמוהי יקומון וכתוב אחד אומר מ) היש מספר לגדודיו לא קשיא כאן בזמן שבית המקדש קיים כאן בזמן שאין בהמ"ק קיים כביכול שנתמעטה פמליא של מעלה תניא רבי אומר משום אבא יוסי בן דוסאי אלף אלפין ישמשוניה מספר גדוד אחד ולגדודיו אין מספר ור' ירמיה בר אבא אמר אלף אלפין ישמשוניה לנהר דינור שנאמר ל) נהר דינור נגד ונפק מן קדמוהי אלף אלפין ישמשוניה ורבו רבבן קדמוהי יקומון (י) מהיכן נפיק מזיעתן של חיות ולהיכן שפיך אמר רב זוטרא בר טוביה אמר רב על ראש רשעים בגיהנם שנאמר נ) הנה סערת ה' חמה יצאה וסער מתחולל על ראש רשעים יחול ורב אחא בר יעקב אמר על אשר קומטו שנאמר ס) אשר קומטו ולא עת נהר יוצק יסודם תניא אמר רבי שמעון החסיד אלו תשע מאות ושבעים וארבע דורות שקומטו להיבראות קודם

רש"י

חיות אש ממללות. אש יוצא מדיבורן: רצוא ושוב. מוציאות ראשן מתחת הרקיע הנטוי למעלה מראשיהן וחוזרות ומכניסות אותן ממורא השכינה במהירות כריצה ושיבה של להב היוצא מפי הבזק: הכבשן. ששורפין בו אבנים לסיד ובזק לשון שברי א) שברים הוא שהאור יוצא בין אבן לאבן כדתנן בעירובין (דף קד.) בוזקין מלח על גבי הכבש שלא יחליקו הכהנים: מבין החרסים. דרך מזקקי זהב לנקוב כלי חרס נקבים נקבים וכופין אותו על גבי גחלים שהזהב נתון בהן בתוך כתישת החרסים של לבנים על גבי חרס ולהב יוצא למעלה דרך נקבי הכלי והוא עשוי גוונים גוונים ותמיד יוצא ונכנס: מן הצפון. מכלל שהוא בצפון שנאמר מצפון תפתח הרעה (ירמיה א): מאי בעיא התם. למה הלכה לבבל: ראה ישעיה. כשסרתה עליו רוח הקדש כמה שנאמר ואראה את ה' יושב על כסא רם ונשא וגו' (ישעיה ו) אלא שלא בא לפרש את הכל שהיה בן מלכים וגדל בפלטין ובן כרך הרואה את המלך אינו נבהל ואינו תמה ואינו בא לספר: מלך שבחיות ארי כו'. ולפי ארבעתן בכנה והוא למעלה מהן: קטיגור נעשה סניגור. אנו צריכין שיבקשו מרכבותך עלינו רחמים והשור קטיגור הוא: קטיגור שונא סניגור אוהב מליץ יושר: כרביא. פני תינוק: היינו פני כרוב היינו פני אדם. מה הן פני כרוב מה הן פני אדם וכי לא אחד הן: אפי רברבי ואפי זוטרי. האחד פני גדול והאחד פני קטן: כאן בזמן שבית המקדש קיים. בימי ישעיה היה המקדש קיים במכונו ובימי יחזקאל כבר הגיע זמן שיחרב ונתמעטה פמליא של מעלה: ובשתים יעופף. וסמיך ליה וקרא זה אל זה אלמא הנך נינהו דאמרי בהו שירה שמקשקשות בקול כנפיהם והכא כתיב ואיננו גבי התעיף: [כאן בזמן שאין וכו']. בימי דניאל כבר חרב הבית: כביכול. אף כלפי לבא שכינה החזקנו לומר כך כמו בבשר ודם שיכול לומר בו מיעוט: אלף אלפין. הוא מספר של כל גדוד וגדוד אבל אין מספר כמה גדודים יש: לנהר דינור. דהאי קרא נמי גבי נהר דינור כתיב: על אשר קומטו. על תתקע"ד דורות שהעביר מן העולם קודם מתן תורה ולא בראן כדקתני לקמן ונתן בגיהנם ועליהם נופל שנאמר כאן ונהר יוצק יסודם והיינו נהר דינור שמולך עליהם: קומטו להיבראות. נגזרו להיבראות לשון ותקמטני לעד היה ז) קודם

תוספות

והחיות רצוא ושוב. פר"ח לפי שהן מגהלים עוממות ודלכן לדמות לשאר שרפים ולהוציא להבה והנילוץ חוזר והיינו רצוא ושוב: שלא יאמרו ביד אומה שפלה מסר את בניו. והיינו כפי' דהכיא דאמר בגיטין (דף ט:) כל המיצר לישראל נעשה ראש כלומר כבר נעשה ראש קודם שמיצר להם: וקושר כתרים לקונו. מתפלתן של צדיקים הוא עושה עטרות: לבן כפר שראה (כ) המלך. שצריך לו להביא סימנים לאחרים קודם שיאמינוהו לפי שראהו שלא במקומו ואין דרכו להתראות שם וה"נ אמר יחזקאל שראהו על נהר כבר לפיכך נתמהו שומעיו: כתוב אחד אומר שש כנפים וכתוב אחד אומר ארבע כנפים. ואע"ג שזה בחיות כתיב וזה בשרפים מ"מ מסתבר שגם החיות (ל) בשש כנפים כמו השרפים: מזיעתן של חיות. ונבראים ממנו מלאכים ואומרים שירה ומיד נטרדים (מ) והכי מלינו במדרש (איכה ג) חדשים לבקרים שבורא מלאכים בכל יום ואומרים שירה ונטרדין להן כדאמר בסמוך משום שיש אותן מלאכים הקבועים נ) שממתינים זה לזה לומר שירה ואלו החדשים שאינם יודעים הדת ממהרין לשורר ונמחין כליה והיינו אשר תקנו ויסדו אנשי כנסת הגדולה ביוצר ונותנין רשות זה לזה קדושה כולם כאחד עונין ואומרים וגם למעלה יוצר משרתים ואשר משרתיו כולם עומדים ברום עולם כלומר בכל יום בורא חדשים ונטרדין אבל משרתיו קבועים ועומדין לעד: וטרדן

רבינו חננאל

הן עתים חשות עתים ממללות שיר בעוד שנאמר עוז וחדוה במקומו ועתים חשות כשהדבור יוצא מלפני הקב"ה והחיות רצוא ושוב כמראה הבזק. אינה הליכה וחזירה ממש אלא נראות הולכות וחוזרות כמראה הבזק כדכתיב מראיהן כלפידים כברקים יוצאים כענין האש בעת שמתגברת השלהבת בכבשן נראת כיוצא וחוזרת בפי הכבשן. א"ר יוסי בר' חנינא כאור היוצא מבין החרסין. פי' כשסותמין פי הכבשן בחרסין ויש ביניהם נקבים ושלהבת יוצא משם וזהו מראה הבזק. וארא והנה רוח סערה באה מן הצפון וגו' להיכא אזלא אמר רב לכבוש העולם תחת נבוכדנצר כו' וארא החיות והנה אופן אחד בארץ. ותני במתניתא סנדלפון שמו וקושר כתרים לקונו. כבר פירשוהו בפירוש משבעו ואזיל ויתיב במקום שחלק לו הקב"ה להשיבו שם וחלילה שיש שם פדחת כל עיקר וראש וגוף כדרך הבריאים אלא לקבל מלכותו כדרך שמזכירין בכל יום ישראל בתפלתם כתר יתנו לך המוני כו'. אמר רבה כל שראה יחזקאל ראה ישעיה. למה יחזקאל תמה מן המראה כי יחזקאל דומה לבן כפר שראה טכסיסי המלך וראה מרכבות וחילות והתחיל לספר. אבל ישעיה לבן מדינה שרואה הטכסיסין הללו בכל יום לפיכך אינו תמה מהן. אשירה לה' כי גאה גאה שירו למי שמתגאה על הגאים כלומר מלך ע"ג המלכים שד' מלכים בעולם אדם בבני אדם אריה בחיות שור בבהמות נשר בעופות והקב"ה ישתבח שמו וכבודו למעלה מכולם. וארבעה פנים לאחד. פני האחד פני הכרוב וגו' א) תרגם יונתן ארבעה אפין לכל בריתא חדא. שיתין וארבעה אפין לארבעה ברייתא [וארבעה] גפין לכל אנפין שיתין וארבע גפין לברייתא חדא רנ"ו גפין לארבע ברייתא. וקיי"ל דכרוב פניו פני אדם ויש לו כנפים כשאר עופות. פני אדם הם גדולים ופני כרוב הם פחותים וכר' אבהו דאמר בבבל קורין לינוקא רביא פי' כגון רבה קשת. וזה שפירש יחזקאל במראה ראשונה שראה המרכבה פני שור מהשמאל לארבעתן ובמראה השניה אמר פני הכרוב לארבעתן ולא הזכיר פני שור כלל. א"ר שמעון בן לקיש יחזקאל בקש רחמים ונהפכו פני השור לפני כרוב ומקשינן וכי בקש יחזקאל להיות שני פני אדם ופרקינן פני אדם פנים גדולים ופני כרוב פנים פחותים ומקשינן ישעיה ראה שש כנפים שש כנפים לאחד ויחזקאל ראה

חשק שלמה על ר"ח

א) עי' בת"י וברש"י שם.

ליקוטי רש"י

ממללות. כלומר משבחות ומהללות את השם [יחזקאל א, ד]. רצוא ושוב כמראה הבזק. פירשו רבותינו רצוא ושוב כלהבת הכבשן שיוצאה תמיד מפי הכבשן וממהרות לחזור וליכנס כך כשמוציאות ראשן מתחת הרקיע הנטויה למעלה מהן כמו שמפורש בענין נרתעות מפני השכינה שלמעלה מן הרקיע וממהרות להשיב את ראשן. כמראה הבזק. דלאטנז"א בלע"ז וגוון אש להם כגוון אש היוצא מבין החרסין שמזקקין זהב ככור בתוכן והאש שיוצא' משם צבועה בגוונים (תוס' וי"מ הבזק לשון פיזור כמו שפרשוהו רבותינו כמראה הבזק ר"י אומר בשם ר' סימון בשם ר' לוי בן פרטא כזה שבוזק גפת בכירה כלומר שמפזר גפת שהוא פסולת הזיתים בכירה שהוא מתלהט במהרה ומעלה להב והלהב עולה ויורד חוזר פירוש רצוא ושוב ועוד יש בדבריהם בזק לשון פיזור בזק כמו עפרה והוא מרכי כלומר פזר וכן במשנה בוזקין מלח ע"ג הכבש בשביל שלא יחליקו ויש משמע בזק כמו ברק והוא לשון פתוח) [illegible]

מסורת הש"ס

א) [פי' עת מל שתי מילין ערוך], ב) [קידושין ה. וש"נ], ג) סוכה ה:, ד) [עי' כרש"י יומא ג.], ה) ב"מ תרסים, ו) [איוב טו], ז) [עי' תוס' חולין צב. ד"ה כרוך], ח) [עי' אבות דר' נתן פי"ב ד"ה ומעין שירשים וזה את זה].

הגהות הב"ח

(א) גמ' החשמל מתוך האש (להיכן אזל) תא"מ וה"ב מפרש"י נראה שגורם מאי בעיא התם: (ב) שם שמו וגבוה מחברו מהלך: (ג) שם דידע ליה (דאמר שם וכו' ברישיה) תא"מ וה"ב ס"א דקשר ליה לכתר ומשביע בשם המפורש ואזל תגא ויתיב בדוכתיה: (ד) שם מאי דכתיב שירו לה' כי גאה גאה שירו למי: (ה) שם לא קחשיב ליה אמר ר"ל וכו' רבש"ע אין קטיגור נעשה סניגור: (ו) שם היינו פני אדם וכתוב חד הוא חד אפי רברבי: (ז) שם דכתיב הכא ובשתים וכו' וקרא זה אל זה ואמר התם התעיף: (ח) שם מנא הוא ידע דלמא (דאיגלאי וחזיא ליה) תא"מ וה"ב ס"א דגלאי ואחזי ליה: (ט) שם הכי השתא בשלמא וכו' קמי רביה אלא כרעיה: (י) שם מהיכא נפיק מזיעתן של חיות: (כ) תוס' ד"ה לבן כפר וכו' [illegible] (ל) ד"ה כתוב וכו' שגם החיות יש להם שש: (מ) ד"ה מזיעתן וכו' ומיד נטרדין כדאמרינן בסמוך והכי מלינו וכו' ונטרדין להן ומשום שיש וכו' [illegible]

גליון הש"ס

תוס' ד"ה כתוב אחד אומר וכו'. בשש כנפים. עי' חולין צב ע"א תד"ה כרוך:

תורה אור השלם

א) וְהַחַיּוֹת רָצוֹא וָשׁוֹב כְּמַרְאֵה הַבָּזָק: [יחזקאל א, יד]

ב) וָאֵרֶא וְהִנֵּה רוּחַ סְעָרָה בָּאָה מִן הַצָּפוֹן עָנָן גָּדוֹל וְאֵשׁ מִתְלַקַּחַת וְנֹגַהּ לוֹ סָבִיב וּמִתּוֹכָהּ כְּעֵין הַחַשְׁמַל מִתּוֹךְ הָאֵשׁ: [יחזקאל א, ד]

ג) וָאֵרֶא הַחַיּוֹת וְהִנֵּה אוֹפַן אֶחָד בָּאָרֶץ אֵצֶל הַחַיּוֹת לְאַרְבַּעַת פָּנָיו: [יחזקאל א, טו]

ד) וַתִּשָּׂאֵנִי רוּחַ וָאֶשְׁמַע אַחֲרַי קוֹל רַעַשׁ גָּדוֹל בָּרוּךְ כְּבוֹד יְיָ מִמְּקוֹמוֹ: [יחזקאל ג, יב]

ה) וַתַּעַן לָהֶם מִרְיָם שִׁירוּ לַייָ כִּי גָאֹה גָּאָה סוּס וְרֹכְבוֹ רָמָה בַיָּם: [שמות טו, כא]

ו) וּדְמוּת פְּנֵיהֶם פְּנֵי אָדָם וּפְנֵי אַרְיֵה אֶל הַיָּמִין לְאַרְבַּעְתָּם וּפְנֵי שׁוֹר מֵהַשְּׂמֹאול לְאַרְבַּעְתָּן וּפְנֵי נֶשֶׁר לְאַרְבַּעְתָּן: [יחזקאל א, י]

ז) וְאַרְבָּעָה פָנִים לְאֶחָד פְּנֵי הָאֶחָד פְּנֵי הַכְּרוּב וּפְנֵי הַשֵּׁנִי פְּנֵי אָדָם וְהַשְּׁלִישִׁי פְּנֵי אַרְיֵה וְהָרְבִיעִי פְּנֵי נָשֶׁר: [יחזקאל י, יד]

ח) שְׂרָפִים עֹמְדִים מִמַּעַל לוֹ שֵׁשׁ כְּנָפַיִם שֵׁשׁ כְּנָפַיִם לְאֶחָד בִּשְׁתַּיִם יְכַסֶּה פָנָיו וּבִשְׁתַּיִם יְכַסֶּה רַגְלָיו וּבִשְׁתַּיִם יְעוֹפֵף: וְקָרָא זֶה אֶל זֶה וְאָמַר קָדוֹשׁ קָדוֹשׁ קָדוֹשׁ יְיָ צְבָאוֹת מְלֹא כָל הָאָרֶץ כְּבוֹדוֹ: [ישעיה ו, ב-ג]

ט) וְאַרְבָּעָה פָנִים לְאֶחָת וְאַרְבַּע כְּנָפַיִם לְאַחַת לָהֶם: [יחזקאל א, ו]

י) הֲתָעִיף עֵינֶיךָ בּוֹ וְאֵינֶנּוּ כִּי עָשֹׂה יַעֲשֶׂה לּוֹ כְנָפַיִם כְּנֶשֶׁר וְעוּף הַשָּׁמָיִם: [משלי כג, ה]

כ) וְרַגְלֵיהֶם רֶגֶל יְשָׁרָה וְכַף רַגְלֵיהֶם כְּכַף רֶגֶל עֵגֶל וְנֹצְצִים כְּעֵין נְחֹשֶׁת קָלָל: [יחזקאל א, ז]

ל) נְהַר דִּי נוּר נָגֵד וְנָפֵק מִן קֳדָמוֹהִי אֶלֶף אַלְפִין יְשַׁמְּשׁוּנֵּהּ וְרִבּוֹ רִבְבָן קֳדָמוֹהִי יְקוּמוּן דִּינָא יְתִב וְסִפְרִין פְּתִיחוּ: [דניאל ז, י]

מ) הֲיֵשׁ מִסְפָּר לִגְדוּדָיו וְעַל מִי לֹא יָקוּם אוֹרֵהוּ: [איוב כה, ג]

נ) הִנֵּה סַעֲרַת יְיָ חֵמָה יָצְאָה וְסַעַר מִתְחוֹלֵל עַל רֹאשׁ רְשָׁעִים יָחוּל: [ירמיה כג, יט]

ס) אֲשֶׁר קֻמְּטוּ וְלֹא עֵת נָהָר יוּצַק יְסוֹדָם: [איוב כב, טז]

The Gemara returns to *Ezekiel:*

וָאֵרֶא הַחַיּוֹת,, – *I saw the Chayos* – וְהִנֵּה אוֹפַן אֶחָד בָּאָרֶץ אֵצֶל הַחַיּוֹת" – *and behold! One Ophan was on the earth [but] with the Chayos.*[12] אָמַר רַבִּי אֶלְעָזָר – R' Elazar said: מַלְאָךְ אֶחָד שֶׁהוּא עוֹמֵד בָּאָרֶץ – This refers to **one** particular **angel who stands on the ground**[13] **וְרֹאשׁוֹ מַגִּיעַ אֵצֶל הַחַיּוֹת – while his head reaches into the heavens** until it is **with the *Chayos.***

A related Baraisa:

בְּמַתְנִיתָא תָּנָא – It was taught in a Baraisa: סַנְדַּלְפוֹן שְׁמוֹ – HIS NAME IS SANDALPHON,[14] and he is an angel **הַגָּבוֹהַּ מֵחֲבֵרוֹ מַהֲלַךְ חֲמֵשׁ מֵאוֹת שָׁנָה** – WHO IS TALLER THAN HIS COLLEAGUES[15] by A JOURNEY OF FIVE HUNDRED YEARS. **וְעוֹמֵד אֲחוֹרֵי הַמֶּרְכָּבָה** – AND HE STANDS BEHIND THE CHARIOT, **וְקוֹשֵׁר כְּתָרִים לְקוֹנוֹ** – AND WEAVES CROWNS FOR HIS MAKER.[16]

The Gemara questions this last statement:

אֵינִי – Is this indeed **so** that he weaves crowns for his Creator? This implies that he knows where to place the finished crown, **וְהָכְתִיב ,,בָּרוּךְ כְּבוֹד־ה׳ מִמְּקוֹמוֹ" – but it is written:**[17] ***Blessed is the glory of Hashem from His place.*** **מִכְּלָל דִּמְקוֹמוֹ לֵיכָּא דְּיָדַע לֵיהּ – This indicates that there is no one who can know His "place."**[18]

The Gemara responds:

דְּאָמַר שֵׁם אַתָּגָא – Sandalphon does not know God's "place"; **rather, he pronounces a** Holy **Name upon the crown,** **וְאָזִל וְיָתִיב בְּרֵישֵׁיהּ – and it goes** of its own **and sits upon His Head.**[19]

The vision of Ezekiel (Chapter 1) appears in a much shorter form in *Isaiah* Chapter 6.[20] The Gemara compares these two visions:

אָמַר רָבָא – Rava said: כָּל שֶׁרָאָה יְחֶזְקֵאל – Everything that Ezekiel saw, רָאָה יְשַׁעְיָה – Isaiah saw. לְמָה יְחֶזְקֵאל דּוֹמֶה – To what is Ezekiel comparable? לְבֶן כְּפַר שֶׁרָאָה אֶת הַמֶּלֶךְ – To a villager who saw the king. וּלְמָה יְשַׁעְיָה דּוֹמֶה – And to what is Isaiah comparable? לְבֶן כְּרָךְ שֶׁרָאָה אֶת הַמֶּלֶךְ – To a city dweller who saw the king.[21]

NOTES

12. *Ezekiel* 1:15.

13. The ground of the heavens (*Rashi* and *Mahari Kara* to *Ezekiel* loc. cit.).

14. "Sandalphon" is a "shoe-angel," so to speak (see *Zohar* III 281a). ["Sandal" means shoe in Hebrew (as it does in English) and -phon is a common suffix for angelic names. *Midrash Konein* (in *Otzar HaMidrashim*) refers to Sandalphon as a מְתוּרְגְּמָן, *an interpreter*.]

15. Translation reflects emendation of *Rashash.*

16. He weaves crowns out of the utterances of *Kedushah, Baruch Hu, Amen* and *Yehei Shmeih Rabbah* that the Jewish people express in their synagogues. He then binds the crown to an oath using the Ineffable Name and the crown ascends . . . From here the Sages said: Whoever omits *Kaddish, Barchu, Amen* or *Yehei Shmeih Rabbah* causes a diminishment of the crown (*Midrash Konein*; see *Tosafos*).

17. *Ezekiel* 3:12.

18. [If His "place" were knowable, the verse would have been more specific.]

19. *Hagahos HaBach* prefers *Ein Yaakov's* version of this last line: and the crown goes and sits in its [set] place. *Rabbeinu Chananel* is emphatic in reminding us that this is an anthropomorphism: God has no forehead, head or body in any physical sense; these features are appropriate to His creations, not to Him. Rather, the main idea behind this Aggadic teaching is the acceptance of God's kingship. Our Gemara's metaphor parallels that of the [Sephardic] *Kedushah* of Mussaf: כֶּתֶר יִתְּנוּ לְךָ, *A crown shall they present to You, the multitudes above together with Your people Israel, gathered below.*

[The liturgy continues: יַחַד כֻּלָּם קְדֻשָּׁה לְךָ יְשַׁלֵּשׁוּ, *Together all of them will thrice recite "Holy."* This recalls an analogy from the Midrash (*Vayikra Rabbah* 24:8): The citizens of a country once made three crowns for their king. What did the king do? He put one crown on his head and the other two on the heads of his children. Similarly, angels above crown God each day with three "Holys." What does He do? He puts one on His head and two on the heads of the Jewish people, as it says (*Leviticus* 20:7): *You shall make yourselves holy and you will be holy.*]

Rambam notes that the word מָקוֹם, *place,* has both a literal and a figurative meaning. Literally, it can refer to a specific spot on a table or a city or a country. Figuratively, it refers to a level of accomplishment or a person's stature. "Place" is used in this figurative sense when we say that the son of a departed Rabbi is worthy of assuming his place (*Moreh Nevuchim* 1:8).

[Accordingly, our Gemara should be understood as follows: The Baraisa taught that the angel Sandalphon weaves crowns for God. This seems to mean that Sandalphon is capable of fashioning a praise of God that fits Him perfectly. The Gemara then asks: But it is written, *Blessed be the Glory of Hashem from His place,* i.e. at His true level which is unknown. This implies that no one can really know His essential nature. How then can Sandalphon find a praise that fits? The Gemara answers that no one can know God's essential nature. Even an august angel such as Sandalphon can only fashion a praise that is appropriate according to the perception allowed him through the knowledge of a Divine Name. But all praises are grossly inadequate when applied to the Infinite One.]

20. The passage reads (*Isaiah* 6:1-4): *In the year of King Uzziah's death, I saw the Lord sitting upon a high and lofty throne, and its legs filled the Temple. Seraphim were standing above, at His service. Each one had six wings: with two it would cover its face, with two it would cover its legs, and with two it would fly. And one would call to another, "Holy, holy, holy is Hashem, Master of Legions; the whole world is filled with His glory." The doorposts moved many cubits at the sound of the calling, and the Temple became filled with smoke.*

21. Ezekiel's version of what he saw is much longer and richer in detail than Isaiah's version. *Rashi* (as understood according to *Maharsha*) explains that this difference derives from the difference between the prophets themselves. Isaiah grew up within a palace; his uncle, Amatziah, was one of the kings of Judah (*Megillah* 10b). He was thus familiar with the protocols and accouterments of royalty. Since human royalty on earth corresponds in its parts to the royalty of Heaven (*Berachos* 58a), Isaiah was not so overwhelmed and astonished by his vision that he felt compelled to disclose every detail. Ezekiel, however, was not as urbane. He hailed from a small town and was unaccustomed to seeing even human royalty. When Ezekiel was granted a vision of the royal Chariot of Heaven, he spared no detail in his amazed description.

Rambam suggests (*Moreh Nevuchim* 3:6) that Ezekiel, who lived two hundred years after Isaiah, may simply not have reached his predecessor's level of prophecy, and was startled by visions that Isaiah would have taken in stride. The Midrash calls Isaiah the greatest of the prophets (besides Moses) because other prophets were first apprentices to earlier prophets whereas Isaiah attained the capacity for prophecy directly from God (see *Vayikra Rabbah* 10:2 and *Devarim Rabbah* 2:4 with *Rashash*).

[Although all prophecies are messages from God, no two prophets would ever communicate their prophecies in precisely the same terms, even if given exactly the same message (*Sanhedrin* 89a). Generally, prophecy does not consist of dictated statements (with the major exception of the Torah). Rather, a prophet's soul is granted certain spiritual concepts. Each prophet has a unique set of qualities and characteristics; thus, the articulation of prophecy varied from prophet to prophet (see *Rambam, Hil. Yesodei HaTorah* 7:3; *Derech Hashem* 3:1:6, 3:3:6, 3:4:1,8, and 3:5:2,7).

Tosafos (*Ein Yaakov* version) explain that the difference between Isaiah and Ezekiel lay in their audiences and their environments. Isaiah's vision of the Heavenly Throne took place when the Temple stood, infused with the Divine Presence. There is nothing startling about meeting a king in his palace. Thus, Isaiah's audience did not demand a thorough description from him. Ezekiel, however, saw his vision in the Exile, on the Kevar River. This was equivalent to seeing the king in a little farm village. Most villagers would be incredulous of someone who claimed to have seen the king in their neighborhood, until he told them that he had seen So-and-so, his servants, and provided them with sufficient detail to support his claim. Ezekiel, speaking at the end of the Temple era to the Jews in exile, therefore had to be very specific in conveying his vision (see also *Zohar* II 20; *Moreh Nevuchim* loc. cit.; *Rabbeinu Avraham Min HaHar*).

חיות אש ממללות במתניתא תנא א) עתים חשות עתים ממללות בשעה שהדיבור יוצא מפי הקב"ה חשות ובשעה שאין הדיבור יוצא מפי הקב"ה ממללות א) והחיות רצוא ושוב כמראה הבזק מאי רצוא ושוב אמר רב יהודה כאור היוצא מפי הכבשן מאי כמראה הבזק אמר רבי יוסי בר חנינא כאור היוצא מבין החרסים ב) וארא והנה רוח סערה באה מן הצפון ענן גדול ואש מתלקחת ונוגה לו סביב ומתוכה כעין החשמל מתוך האש (א) להיכן אזל אמר רב יהודה אמר רב שהלך לכבוש את כל העולם כולו תחת נבוכדנצר הרשע וכל כך למה שלא יאמרו אומות העולם ביד אומה שפלה מסר הקב"ה את בניו אמר הקב"ה מי גרם לי שאהיה שמש לעובדי פסילים עונותיהן של ישראל הן גרמו לי ג) וארא החיות והנה אופן אחד בארץ אצל החיות אמר ר' אלעזר מלאך אחד שהוא עומד בארץ וראשו מגיע אצל החיות במתניתא תנא סנדלפון שמו (ב) הגבוה מחברו מהלך חמש מאות שנה ועומד אחורי המרכבה וקושר כתרים לקונו איני והכתיב ד) ברוך כבוד ה' ממקומו מכלל דמקומו ליכא דידע ליה (ג) דאמר שם אתגא ואזל ויתיב ברישיה אמר רבא כל שראה יחזקאל ראה ישעיה למה יחזקאל דומה לבן כפר שראה את המלך ולמה ישעיה דומה לבן כרך שראה את המלך אמר ריש לקיש מאי דכתיב (ד) ה) אשירה לה' כי גאה גאה שירה למי שמתגאה על הגאים דאמר מר מלך שבחיות ארי מלך שבבהמות שור מלך שבעופות נשר ואדם מתגאה עליהן והקב"ה מתגאה על כולן ועל כל העולם כולו כתוב אחד אומר ו) ודמות פניהם פני אדם ופני אריה אל הימין לארבעתם ופני שור מהשמאל לארבעתן וגו' וכתיב ז) וארבעה פנים לאחד פני האחד פני הכרוב ופני השני פני אדם והשלישי פני אריה והרביעי פני נשר ואילו שור לא קא חשיב (ה) אמר ר"ל יחזקאל ביקש עליו רחמים והפכו לכרוב אמר לפניו רבש"ע ד) קטיגור יעשה סניגור מאי כרוב אמר רבי אבהו ג) כרביא שכן בבבל קורין לינוקא רביא א"ל רב פפא לאביי אלא מעתה דכתיב פני האחד פני הכרוב ופני השני פני אדם והשלישי פני אריה והרביעי פני נשר היינו פני כרוב היינו פני אדם (ו) אפי רברבי ואפי זוטרי כתוב אחד אומר ח) שש כנפים שש כנפים לאחד וכתוב אחד אומר ט) וארבעה פנים לאחת וארבע כנפים לאחת להם לא קשיא כאן בזמן שבהמ"ק קיים כאן בזמן שאין בית המקדש קיים כביכול שנתמעטו כנפי החיות הי מינייהו אימעוט אמר רב חננאל אמר רב אותן שאומרות שירה בהן (ז) כתיב הכא ח) ובשתים יעופף וקרא זה אל זה ואמר וכתיב י) התעיף עיניך בו ואיננו ורבנן אמרי אותן שמכסות בהן רגליהם שנאמר כ) ורגליהם רגל ישרה ואי לאו דאימעוט מנא (ח) הוה ידע דלמא דאיגלאי וחזיא ליה דאי לא תימא הכי ו) ודמות פניהם פני אדם הכי נמי דאימעוט אלא דאיגלאי וחזיא ליה הכא נמי דאיגלאי וחזיא ליה הכי השתא (ט) בשלמא אפיה אורח ארעא לגלויי קמיה רביה כרעיה לאו אורח ארעא לגלויי קמיה רביה כתוב אחד אומר ל) אלף אלפין ישמשוניה ורבו רבבן קדמוהי יקומון וכתוב אחד אומר מ) היש מספר לגדודיו לא קשיא כאן בזמן שבית המקדש קיים כאן בזמן שאין בהמ"ק קיים ד) כביכול שנתמעטה פמליא של מעלה תניא רבי אומר משום אבא יוסי בן דוסאי אלף אלפין ישמשוניה מספר גדוד אחד ולגדודיו אין מספר ור' ירמיה בר אבא אמר אלף אלפין ישמשוניה לנהר דינור שנאמר ל) נהר דינור נגד ונפק מן קדמוהי אלף אלפין ישמשוניה ורבו רבבן קדמוהי יקומון (י) מהיכן נפיק מזיעתן של חיות ולהיכן שפיך אמר רב זוטרא בר טוביה אמר רב על ראש רשעים בגיהנם שנאמר נ) הנה סערת ה' חמה יצאה וסער מתחולל על ראש רשעים יחול ורב אחא בר יעקב אמר על אשר קומטו שנאמר ס) אשר קומטו ולא עת נהר יוצק יסודם תניא אמר רבי שמעון החסיד אלו תשע מאות ושבעים וארבע דורות שקומטו להיבראות קודם

רש"י

חיות אש ממללות. אש יולא מדיבורן: רצוא ושוב. מוליאות ראשן מתחת הרקיע הנטוי למעלה מראשיהן וחוזרות ומכניסות אותן ממוראת השכינה במהירות כרילה וסיבה של להב היולא מפי הבזק: הכבשן. שסורפין בו אבנים לסיד ובזק לשון שברי ה) שברים הוא שהאור יולא בין אבן לאבן כדתנן בעירובין (דף קד.) בוזקין מלח על גבי הכבש שלא יחליקו הכהנים: מבין החרסים. דרך מזקקי זהב לנקוב כלי חרס נקבים נקבים וכופין אותו על גבי גחלים שהזהב נתון בהן בתוך כתישת החרסים של לבנים על גבי חרס ולהב יולא למעלה דרך נקבי הכלי והוא עשוי גוונים גוונים ותמיד יולא ונכנס: מן הצפון. מבבל שהוא בלפון שנאמר מלפון תפתח הרעה (ירמיה א): מאי בעיא התם. למה הלכה לבבל: ראה ישעיה. כשסרתה עליו רוח הקדש כמה שנאמר ואראה את ה' יושב על כסא רם ונשא וגו' (ישעיה ו) אלא שלא חש לפרש את הכל שהיה בן מלכים וגדל בפלטין ובן כרך הרואה את המלך אינו נבהל ואינו תמה ואינו חש לספר: מלך שבחיות ארי כו'. ואלו ארבעתן בכסא והוא למעלה מהן: קטיגור נעשה סניגור. אנו לריכין שיבקשו מרכבותך עלינו רחמים והשור קטיגור הוא: קטיגור שונא סניגור אוהב מליץ יושר: כרביא. פני תינוק: היינו פני כרוב היינו פני אדם. מה הן פני כרוב מה הן פני אדם וכי לא אחד הן: אפי רברבי ואפי זוטרי. האחד פני גדול והאחד פני קטן: כאן בזמן שבית המקדש קיים. בימי ישעיה היה המקדש קיים במכונו ובימי יחזקאל כבר הגיע זמן שיחרב ונתמעטה פמליא של מעלה: ובשתים יעופף. וסמיך ליה וקרא זה אל זה אלמא הנך ניהו דאמרי בהו שירה שמקשקשות בקול כנפיהם ובהנך כתיב ואיננו גבי התעיף: [כאן בזמן שאין וכו']. בימי דניאל כבר חרב הבית: כביכול. אף כלפי נלח שכינה הוזקקנו לומר כך כמו בבשר ודם שיכול לומר בו מיעוט: אלף אלפין. הוא מספר של כל גדוד וגדוד אבל אין מספר כמה גדודין יש: לנהר דינור. דהאי קרא נמי גבי נהר דינור כתיב: על אשר קומטו. על תתקע"ד דורות שהעביר מן העולם קודם מתן תורה ולא ברלן כדקתני לקמן ונתנן בגיהנם ועליהם נופל שנאמר בהן ונהר יולק יסודם והיינו נהר דינור שמולק עליהם: קומטו להיבראות. נגזרו להיבראות לשון ותקמטני לעד היה ו):
קודם

תוספות

והחיות רצוא ושוב. פר"ח לפי שהן מגהלים עוממות ודרכן לדמות לשאר שרפים ולהוליך להבה והנילוך חוזר והיינו רצוא ושוב: שלא יאמרו ביד אומה שפלה מסר את בניו. והיינו כפי דהניא דאמר בגיטין (דף ע:) כל המיצר לישראל נעשה ראש כלומר כבר נעשה ראש קודם שמיצר להם:

וקושר כתרים לקונו. מתפללין של לדיקים הוא עושה עטרות: לבן כפר שראה (כ) המלך. שלריך לו להביא סימנים לאחרים קודם שיאמינוהו לפי שראהו שלא במקומו ואין דרכו לכו להתראות שם וה"נ אמר יחזקאל שראהו על נהר כבר לפיכך נתמהו שומעיו:

כתוב אחד אומר שש כנפים וכתוב אחד אומר ארבע כנפים. ואע"ג שזה בחיות כתיב וזה בשרפים מ"מ מסתבר שגם החיות (ל) * בשש כנפים כמו השרפים *:

מזיעתן של חיות. ויולאים ממנו מלאכים ואומרים שירה ומיד נטרדים (מ) והכי מלינו במדרש (איכה ג) חדשים לבקרים שבורא מלאכים בכל יום ואומרים שירה ונטרדין להן כדאמר בסמוך משום שיש אות במלאכים הקבועים ח) שממתינים זה לזה לומר שירה ואלו החדשים שאינם יודעים הדת ממהרין לשורר ונתחייבו כליה והיינו אשר תקנו ויסדו אנשי כנסת הגדולה ביולר ונותנין רשות זה לזה קדושה כולם כאחד עונין ואומרים וגם למעלה יולר משרתים ואשר משרתיו כולם עומדים ברום עולם כלומר בכל יום בורא חדשים ונטרדין אבל משרתיו קבועים ועומדין לעד:
וטרדן

רבינו חננאל

הן עתים חשות עתים ממללות שיר בעוז שנאמר עוז וחדוה במקומו ועתים חשות כשהדבור יוצא מלפני הקב"ה והחיות רצוא ושוב כמראה הבזק. אינה הליכה וחזירה ממש אלא נראות הולכות וחוזרות כמראה הבזק כדכתיב מראיהן כלפידים כברקים ירוצצו כענין האש בעת שמתגברת השלהבת בכבשן נראת כיוצא וחוזרת בפי הכבשן. א"ר יוסי בר' חנינא כאור היוצא מבין החרסין. פי' כשסותמין פי הכבשן בחרסין ויש ביניהם נקבים לשון האש יוצא משם וזהו מראה הבזק. וארא והנה רוח סערה באה מן הצפון וגו' להיכא אזלא אמר רב לכבש העולם תחת נבוכד נצר כו' וארא החיות והנה אופן אחד בארץ. ותני במתניתא סנדלפון שמו וקושר כתרים לקונו. כבר פירשוהו בפירוש משביעו ואזיל ויתיב במקום שחלק לו הקב"ה להושיבו שם וחלילה שיש שם פדחת כל עיקר וראש וגוף כדרך הבוראים אלא לקבל מלכותו כדרך שמזכירין בכל יום ישראל בתפלתם כתר יתנו לך המוני כו'. אמר רבה כל שראה יחזקאל ראה כמותו ישעיה. למה יחזקאל תמה מן המראה כי יחזקאל דומה לבן כפר שראה טכסיסי המלך וראה מרכבות וחיילות והתחיל תמה. אבל ישעיה לבן מדינה שרואה הטכסיסין הללו בכל יום לפיכך אינו תמה מהן. אשירה לה' כי גאה גאה שירו למי שמתגאה על הגאים כלומר מלך ע"ג המלכים שד' מלכים בעולם אדם בבני אדם אריה בחיות שור בבהמות נשר בעופות והקב"ה ישתבח שמו וכבודו למעלה מכולם. וארבעה פנים לאחד. פני האחד פני הכרוב וגו' הא א) תרגמא דשיתת עשר אנפין לכל ברייתא חדא. שיתין וארבעה אפין לארבעה ברייתא [וארבעה] גע'[ין] לכל אנפין שיתין וארבע גפין לברייתא חדא רנ"ו גפין לארבע ברייתא. וקיי"ל דכרוב פניו פני אדם ויש לו כנפים כשאר עופות. פני אדם הם גדולים ופני כרוב הם פחותים וכו' אבהו דאמר בבבל קורין לינוקא רביא פי' כגון רבה קשת. וזה שפירש יחזקאל במראה ראשונה שראה המרכבה פני שור מהשמאל לארבעתן ובמראה השניה אמר פני הכרוב לארבעתן ולא הזכיר פני שור כלל. א"ר שמעון בן לקיש יחזקאל בקש רחמים ונהפכו פני השור לפני כרוב ומקשינן כתיב כרוב והכתיב יחזקאל להיות שני פני אדם ופרקינן פני אדם פנים גדולים ופני כרוב פנים פחותים ומקשינן ישעיה ראה שש כנפים שש כנפים לאחד ויחזקאל ראה

חשק שלמה על ר"ח

א) עי' כמ"ש ורש"ש שם.

ליקוטי רש"י

ממללות. כלומר מדברות ומסללות את השם [יחזקאל א, ד]. רצוא ושוב כמראה הבזק. פירכם כבימיו רלוא ושוב ולהכת הכבשן

מסורת הש"ס

א) [פי' אש מל עתי מילין כן. ערוך], ב) [קידושין ה. וש"נ], ג) סוטה ה:, ד) [עי' ברש"י יומא ג:], ה) ס"א חרסים, ו) [איוב עז], ז) [עי' תוס' חולין לב. ד"ה ברוך], ח) [עי' תוס' אבות דרבי נתן פי"ב ד"ה ומניין שירלאים לא אם זה.

הגהות הב"ח

(א) גמ' החשמל מתוך האש (להיכן אזל) תא"מ ונ"ב מפרש"י נראה שגורם מאי בעיא התם: (ב) שם שמו וגבוה מחברו מהלך: (ג) שם ליכא דידע ליה דאמר שם וכו' כרישיה: תא"מ ונ"ב ס"א אלא דקאמר ליה כמתר ומשביע בשם המפורש ואזל מגל ויתיב בדוכתיה: (ד) שם מאי דכתיב שירו לה' כי גאה גאה שירה למי: (ה) שם אמר ר"ל וכו' רבש"ע אין קטיגור נעשה סניגור: (ו) שם היינו פני אדם וכרוב חד הוא ואפי רברבי: (ז) שם כתיב הכא ובשתים וכו' וכתיב התם התעיף: (ח) שם מנא הוה ידע דלמא (דאיגלאי) וחזיא ליה: תא"מ ונ"ב ס"א דגלאי ואחזי ליה: (ט) שם הכי השתא בשלמא וכו' קמי רביה אלא כרעיה: (י) שם מהיכא נפיק אמר ר' ירמיה בר אבא אמר רב מזיעתן של חיות: (כ) תוס' ד"ה לבן כפר שראה את המלך בכפר שלריך לו וכו' להתראות שם לכך הוא לומר לאחרי פ' ופי' משרתיו כדי שיאמינו לו וה"נ יחזקאל שראהו על נהר כבר לפיכך נתמהו שומעיו הולרך לפרש כל סדר המרכבה אבל ישעיה ראהו יושב על כסא רם ונשא לא הולרך לפרש והס"ד: (ל) ד"ה כתוב וכו' שגם החיות יש להם שש כנפים: (מ) ד"ה מזיעתן וכו' ומיד נטרדין כדאמרינן בסמוך והכי מלינו וכו' ונטרדין ומשום שיש וכו' לומר שירה כאחד כדכתיב וקרא זה אל זה ואמר גו' ואלו החדשים וכו' עונים ואומרים אבל אלו חדשים שנבראים בכל יום אין אומרים קדושה כסדר ונטרדין מיד ועליהם תקנו יולר משרתים:

גליון הש"ס

תוס' ד"ה כתוב אחד אומר וכו'. בשש כנפים. עי' חולין לב ע"א תד"ה כרוך:

תורה אור השלם

א) וְהַחַיּוֹת רָצוֹא וָשׁוֹב כְּמַרְאֵה הַבָּזָק: [יחזקאל א, יד]
ב) וָאֵרֶא וְהִנֵּה רוּחַ סְעָרָה בָּאָה מִן הַצָּפוֹן עָנָן גָּדוֹל וְאֵשׁ מִתְלַקַּחַת וְנֹגַהּ לוֹ סָבִיב וּמִתּוֹכָהּ כְּעֵין הַחַשְׁמַל מִתּוֹךְ הָאֵשׁ: [יחזקאל א, ד]
ג) וָאֵרֶא הַחַיּוֹת וְהִנֵּה אוֹפַן אֶחָד בָּאָרֶץ אֵצֶל הַחַיּוֹת לְאַרְבַּעַת פָּנָיו: [יחזקאל א, טו]
ד) וַתִּשָּׂאֵנִי רוּחַ וָאֶשְׁמַע אַחֲרַי קוֹל רַעַשׁ גָּדוֹל בָּרוּךְ כְּבוֹד יְיָ מִמְּקוֹמוֹ: [יחזקאל ג, יב]
ה) וַתַּעַן לָהֶם מִרְיָם שִׁירוּ לַייָ כִּי גָאֹה גָּאָה סוּס וְרֹכְבוֹ רָמָה בַיָּם: [שמות טו, כא]
ו) וּדְמוּת פְּנֵיהֶם פְּנֵי אָדָם וּפְנֵי אַרְיֵה אֶל הַיָּמִין לְאַרְבַּעְתָּם וּפְנֵי שׁוֹר מֵהַשְּׂמֹאול לְאַרְבַּעְתָּן וּפְנֵי נֶשֶׁר לְאַרְבַּעְתָּן: [יחזקאל א, י]
ז) וְאַרְבָּעָה פָנִים לְאֶחָד פְּנֵי הָאֶחָד פְּנֵי הַכְּרוּב וּפְנֵי הַשֵּׁנִי פְּנֵי אָדָם וְהַשְּׁלִישִׁי פְּנֵי אַרְיֵה וְהָרְבִיעִי פְּנֵי נָשֶׁר: [יחזקאל י, יד]
ח) שְׂרָפִים עֹמְדִים מִמַּעַל לוֹ שֵׁשׁ כְּנָפַיִם שֵׁשׁ כְּנָפַיִם לְאֶחָד בִּשְׁתַּיִם יְכַסֶּה פָנָיו וּבִשְׁתַּיִם יְכַסֶּה רַגְלָיו וּבִשְׁתַּיִם יְעוֹפֵף: וְקָרָא זֶה אֶל זֶה וְאָמַר קָדוֹשׁ קָדוֹשׁ קָדוֹשׁ יְיָ צְבָאוֹת מְלֹא כָל הָאָרֶץ כְּבוֹדוֹ: [ישעיה ו, ב-ג]
ט) וְאַרְבָּעָה פָנִים לְאֶחָת וְאַרְבַּע כְּנָפַיִם לְאַחַת לָהֶם: [יחזקאל א, ו]
י) הֲתָעִיף עֵינֶיךָ בּוֹ וְאֵינֶנּוּ כִּי עָשֹׂה יַעֲשֶׂה לּוֹ כְנָפַיִם כְּנֶשֶׁר יָעוּף הַשָּׁמָיִם: [משלי כג, ה]
כ) וְרַגְלֵיהֶם רֶגֶל יְשָׁרָה וְכַף רַגְלֵיהֶם כְּכַף רֶגֶל עֵגֶל וְנֹצְצִים כְּעֵין נְחֹשֶׁת קָלָל: [יחזקאל א, ז]
ל) נְהַר דִּי נוּר נָגֵד וְנָפֵק מִן קֳדָמוֹהִי אֶלֶף אַלְפִין יְשַׁמְּשׁוּנֵּהּ וְרִבּוֹ רִבְבָן קֳדָמוֹהִי יְקוּמוּן דִּינָא יְתִב וְסִפְרִין פְּתִיחוּ: [דניאל ז, י]
מ) הֲיֵשׁ מִסְפָּר לִגְדוּדָיו וְעַל מִי לֹא יָקוּם אוֹרֵהוּ: [איוב כה, ג]
נ) הִנֵּה סַעֲרַת יְיָ חֵמָה יָצְאָה וְסַעַר מִתְחוֹלֵל עַל רֹאשׁ רְשָׁעִים יָחוּל: [ירמיה כג, יט]
ס) אֲשֶׁר קֻמְּטוּ וְלֹא עֵת נָהָר יוּצַק יְסוֹדָם: [איוב כב, טז]

Before expounding the next verse, which deals with the four faces of the Chariot, the Gemara cites the following teaching regarding those faces:[22]

אָמַר רֵישׁ לָקִישׁ – Reish Lakish said: מַאי דִּכְתִיב – What is the meaning of **that which is written:**[23] "אָשִׁירָה לַה׳ כִּי־גָאֹה גָּאָה" – ***I shall sing** [a song] **to Hashem for He is exalted above the exalted?*** **שִׁירָה לְמִי שֶׁמִּתְגָּאֶה עַל הַגֵּאִים** – I shall sing **a song to He Who exalts Himself upon the exalted ones, דְּאָמַר מַר – for the master said: מֶלֶךְ שֶׁבַּחַיּוֹת אֲרִי – The king of the beasts is the lion; מֶלֶךְ שֶׁבַּבְּהֵמוֹת שׁוֹר – the king of the livestock is the ox; מֶלֶךְ שֶׁבָּעוֹפוֹת נֶשֶׁר – the king of the birds is the eagle; וְאָדָם מִתְגָּאֶה עֲלֵיהֶן – and man exalts himself upon them,**[24] **וְהַקָּדוֹשׁ בָּרוּךְ הוּא מִתְגָּאֶה עַל כּוּלָּן וְעַל כָּל הָעוֹלָם כּוּלּוֹ – and the Holy One, Blessed is He, exalts Himself upon all of them and upon the whole world in its entirety.**[25]

The Gemara contrasts two verses in *Ezekiel:*

כָּתוּב אֶחָד אוֹמֵר – One verse says:[26] "וּדְמוּת פְּנֵיהֶם פְּנֵי אָדָם – ***As for the likeness of their faces: There was a human face;*** וּפְנֵי אַרְיֵה אֶל־הַיָּמִין לְאַרְבַּעְתָּם – ***and a lion's face to the right for the four of them;*** וּפְנֵי־שׁוֹר מֵהַשְּׂמֹאול לְאַרְבַּעְתָּן וגו׳" – ***and an ox's face to the left for the four of them,* etc.** *and an eagle's face for the four of them.* **וּכְתִיב – But it is written** later in *Ezekiel:*[27] "וְאַרְבָּעָה פָנִים לְאֶחָד ***Each one had four faces:*** פְּנֵי הָאֶחָד פְּנֵי הַכְּרוּב ***– the one face, the face of the Keruv;*** וּפְנֵי הַשֵּׁנִי פְּנֵי אָדָם ***– the second face, the face of a human;*** וְהַשְּׁלִישִׁי פְּנֵי אַרְיֵה ***– the third, the face of a lion;*** וְהָרְבִיעִי פְּנֵי־נָשֶׁר" ***– and the fourth, the face of an eagle.*** **וְאִילּוּ שׁוֹר לֹא קָא חָשֵׁיב – However,** in this second list, **the ox is not enumerated. – ? –**

The Gemara reconciles the verses:

אָמַר רֵישׁ לָקִישׁ – Reish Lakish said: יְחֶזְקֵאל בִּיקֵּשׁ עָלָיו רַחֲמִים – Ezekiel beseeched God **for mercy regarding [the ox], וַהֲפָכוֹ לִכְרוּב – and,** in response to his prayers, God **transformed it into a *Keruv*. אָמַר לְפָנָיו – [Ezekiel] said before Him, רִבּוֹנוֹ שֶׁל עוֹלָם – "Master of the Universe,** is it possible that **קַטֵּיגוֹר יֵעָשֶׂה סַנֵּיגוֹר – a prosecutor can act as a defender?** Since the ox recalls the sin of the Golden Calf, it is inappropriate to be included among the faces of the Chariot."[28]

The Gemara defines a term:

מַאי כְּרוּב – What is the likeness of **a *Keruv*? אָמַר רַבִּי אַבָּהוּ – R' Abahu said: כְּרַבְיָא – Like a child** (*keravya*), **שֶׁכֵּן בְּבָבֶל קוֹרִין לִינוּקָא רַבְיָא – for in Babylonia, they call a youth "*ravya*."**[29]

The Gemara challenges this explanation:

אָמַר לֵיהּ רַב פָּפָּא לְאַבָּיֵי – Rav Pappa said to Abaye: אֶלָּא מֵעַתָּה דִּכְתִיב – But if so, we would have to apply this definition to **that which is written** in this verse: "פְּנֵי הָאֶחָד פְּנֵי הַכְּרוּב וּפְנֵי הַשֵּׁנִי פְּנֵי אָדָם ***– the one face, the face of the Keruv; the second face, the face of a man;*** וְהַשְּׁלִישִׁי פְּנֵי אַרְיֵה וְהָרְבִיעִי פְּנֵי־נָשֶׁר" ***– the third, the face of a lion; and the fourth, the face of an eagle.*** If a *Keruv* is a child, then **הַיְינוּ פְּנֵי כְּרוּב הַיְינוּ פְּנֵי אָדָם – "the face of a *Keruv*" and "the face of a man" are the very same thing! – ? –**

The Gemara answers:

אַפֵּי רַבְרְבֵי וְאַפֵּי זוּטְרֵי – They are not the same thing: "The face of a man" is **the face of an adult;** "the face of a *Keruv*" is **the face of a small** child.[30]

The Gemara notes an apparent discrepancy between the visions of Isaiah and Ezekiel:

כָּתוּב אֶחָד אוֹמֵר – One verse says:[31] "שֵׁשׁ כְּנָפַיִם שֵׁשׁ כְּנָפַיִם לְאֶחָד" – ***Each one had six wings:*** *with two it would cover its face, with two it would cover its legs, and with two it would fly, and one would call to another . . .* **וְכָתוּב אֶחָד אוֹמֵר – And one verse says:**[32] "וְאַרְבָּעָה פָנִים לְאֶחָת וְאַרְבַּע כְּנָפַיִם לְאַחַת לָהֶם" – ***Each one had four faces, and each one of them had four wings.*** Did the angels have six wings or four?

The Gemara explains:

לֹא קַשְׁיָא – This is not difficult: כָּאן בִּזְמַן שֶׁבֵּית הַמִּקְדָּשׁ קַיָּים – There, in *Isaiah,* he saw the vision **when the Temple** still **stood:** Thus, Isaiah saw six wings. **כָּאן בִּזְמַן שֶׁאֵין בֵּית הַמִּקְדָּשׁ קַיָּים – Here,** in *Ezekiel,* he saw his vision **when the Temple no**

NOTES

22. These four faces were the faces of: a person, a lion, an ox and an eagle (see *Ezekiel* 1:10, and Gemara below).

23. *Exodus* 15:1. See *Hagahos HaBach* for a variant reading; see also *Rashash.*

24. [These categories are understood to encompass all creatures on earth. They also represent the entire gamut of earthly forces.] *Ibn Ezra* cites an early statement that each of the flags of the four camps in the Sinai Desert contained a different one of these four images (*Commentary* to *Numbers* 2:2; cf. *Targum Yonasan* to *Numbers* 2:3,10,18,25).

25. God set the images of these four kings in His Chariot [see verses cited by the Gemara below], demonstrating that they are subservient to Him (*Rashi; Shemos Rabbah* 23:13). Since God rules over these four kings, who are the most powerful rulers of Creation, we may therefore deduce that God's kingship extends over the whole world in its entirety (see phrasing in *Shir HaShirim Rabbah* to verse 3:10; cf. *Turei Even*).

26. *Ezekiel* 1:10.

27. Ibid. 10:14. [The tenth chapter of *Ezekiel* contains a repetition of the *Merkavah* vision described in the first chapter, with slight variations.]

28. [A calf is a young ox.] The presence of the ox upon the *Merkavah*/Chariot is an ongoing reminder of the grave transgression committed by some members of the Jewish people at Mt. Sinai. This is especially so when we consider that the form of a calf was chosen precisely because the ox was one of the four faces of the *Merkavah:* The Jews in the desert were in dread of God's Attribute of Judgment, symbolized by the ox, and they therefore fashioned a Golden Calf to focus their service of God in a way that would spare them from the Attribute of Judgment. Tragically, it was their downfall instead (*Ramban* to *Exodus* 32:1). [In every generation] the Jewish nation requires that the *Merkavah* intercede on their behalf for God's compassion. However, if the ox remains as it is, it stands as an accuser of the Jews [and blocks Divine compassion] (*Rashi*). Thus, Ezekiel prayed that the prosecutor be transformed into an advocate and his prayer was accepted. [See below, note 29, regarding the symbolism of the *Keruv.*]

[*Rashi* in *Ein Yaakov* explains the word *kateigor* (prosecutor) as a contraction of קוֹרֵא תִּגָר, *korei tigar* (one who raises a complaint, or an argument), and *saneigor* (advocate) as a contraction of שׂוֹנֵא תִּגָר, *sonei tigar* (one who dislikes an argument).]

29. Thus the word כְּרוּב means "like a רוּב," i.e. like a child (*Ibn Ezra* to *Exodus* 25:18; see *Rashi* in *Ein Yaakov*). The face of the *Keruv* was therefore the face of a child (*Rashi*). [רוב is used to mean a youth in the Mishnah: See *Tamid* 1:1.]

30. Why did the ox become a child, specifically?

The liability for the Golden Calf hung over the heads of the Jewish people for centuries. But there is a view that the sin was atoned for completely at the destruction of the First Temple (*Eichah Rabbah* 2:3 with *Peirush Maharzu*). At this point, the repentance of the Jewish people was accepted and they became like new men, like a newborn infant in regard to their innocence (see *Responsa Chasam Sofer* VII §34 ד״ה והנה, and *Introduction* to *Shev Shmaatsa* אות ד׳ citing *Vayikra Rabbah* 30:3 (or *Midrash Tehillim* 102:3) where the phrase כְּקָטָן שֶׁנּוֹלַד is used in this sense). Thus in Ezekiel's time, close to the destruction, the ox became an infant to symbolize their successful repentance and the consequent forgiveness.

This also explains why in the first list, the order is man, lion, ox and eagle whereas in the second list the order is Cherub, man, lion and eagle. The Cherub, symbolizing the penitent, takes precedence before all the other images because the spiritual level reached by penitents cannot be reached by even the perfectly righteous who never sinned (*Chasam Sofer al HaTorah, Ki Sisa* ד״ה בפ׳ אין דורשין, citing *Berachos* 34b).

31. *Isaiah* 6:2-3.

32. *Ezekiel* 1:6.

רבינו חננאל

הן עתים חשות עתים ממללות שיר בעוז שנאמר עוז וחדוה במקומו ועתים חשות כשהדבור יוצא מלפני הקב"ה והחיות רצוא ושוב כמראה הבזק. אינה הליכה וחזירה ממש אלא נראות הולכות וחוזרות כמראה הבזק כדכתיב מראיהן כלפידים כברקים ירוצצו כענין האש בעת שמתגברת השלהבת בכבשן נראת כיוצא וחוזרת בפי הכבשן. א"ר יוסי בר' חנינא כאור היוצא מבין החרסין. פי' כשסותמין פי הכבשן בחרסין ויש ביניהם נקבים לשון האש יוצא משם וזהו מראה הבזק. וארא והנה רוח סערה באה מן הצפון וגו' להיכא אזלא אמר רב לכבש העולם תחת נבוכד נצר כו' וארא החיות והנה אופן אחד בארץ. ותני במתניתא סנדלפון שמו וקושר כתרים לקונו. כבר פירשוהו בפירוש משביעו ואזיל ויתיב במקום שחלק לו הקב"ה להושיבו שם וחלילה שיש שם פרחת כל עיקר וראש וגוף כדרך הברואים אלא לקבל מלכותו כדרך שמזכירין בכל יום ישראל בתפלתם כתר יתנו לך המוני כו'. אמר רבה כל שראה יחזקאל ראה כמותו ישעיה. למה יחזקאל תמה מן המראה כי יחזקאל דומה לבן כפר שראה טכסיסי המלך וראה מרכבות וחיילות והתחיל תמה. אבל ישעיה לבן מדינה שרואה הטכסיסין הללו בכל יום לפיכך אינו תמה מהן. אשירה לה' כי גאה גאה שירו למי שמתגאה על הגאים כלומר מלך ע"ג המלכים שד' מלכים בעולם אדם בבני אדם אריה בחיות שור בבהמות נשר בעופות והקב"ה ישתבח שמו וכבודו למעלה מכולם. וארבעה פנים לאחד. פני האחד פני הכרוב וגו' הא א) תרגמא דשיתת עשר אנפין לכל ברייתא חדא. שיתין וארבעה אפין לארבעה ברייתא [וארבעה] גפין לכל אנפי' שיתין וארבע גפין לברייתא חדא רנ"ו גפין לארבע ברייתא. וקיי"ל דכרוב פניו פני אדם ויש לו כנפים כשאר עופות. פני אדם הם גדולים ופני כרוב הם פחותים וכו' אבהו דאמר בבבל קורין לינוקא רביא פי' כגון רבה קשת. וזה שפירש יחזקאל במראה ראשונה שראה המרכבה פני שור מהשמאל לארבעתן ובמראה השניה אמר פני הכרוב לארבעתן ולא הזכיר פני שור כלל. א"ר שמעון בן לקיש יחזקאל בקש רחמים ונהפכו [שור לכרוב] ומקשינן [ביחזקאל] פני אדם ופרקינן פני אדם פנים גדולים ופני כרוב פנים פחותים ומקשינן ישעיה ראה שש כנפים לאחד ויחזקאל ראה

חשק שלמה על ר"ח
א) עי' בת"י ובת"א שם.

גמרא

חיות אש ממללות במתניתא תנא א) עתים חשות עתים ממללות בשעה שהדיבור יוצא מפי הקב"ה חשות ובשעה שאין הדיבור יוצא מפי הקב"ה ממללות א) והחיות רצוא ושוב כמראה הבזק מאי רצוא ושוב אמר רב יהודה כאור היוצא מפי הכבשן מאי כמראה הבזק אמר רבי יוסי בר חנינא כאור היוצא מבין החרסים ב) וארא והנה רוח סערה באה מן הצפון ענן גדול ואש מתלקחת ונוגה לו סביב ומתוכה כעין החשמל מתוך האש (א) להיכן אזל אמר רב יהודה אמר רב שהלך לכבוש את כל העולם כולו תחת נבוכדנצר הרשע וכל כך למה שלא יאמרו אומות העולם ביד אומה שפלה מסר הקב"ה את בניו אמר הקב"ה מי גרם לי שאהיה שמש לעובדי פסילים עונותיהן של ישראל הן גרמו לי ג) וארא החיות והנה אופן אחד בארץ אצל החיות אמר ר' אלעזר מלאך אחד שהוא עומד בארץ וראשו מגיע אצל החיות במתניתא תנא סנדלפון שמו (ג) הגבוה מחברו מהלך חמש מאות שנה ועומד אחורי המרכבה וקושר כתרים לקונו איני והכתיב ד) ברוך כבוד ה' ממקומו מכלל דמקומו ליכא דידע ליה (ג) דאמר שם אתגא ואזל ויתיב ברישיה אמר רבא כל שראה יחזקאל ראה ישעיה למה יחזקאל דומה לבן כפר שראה את המלך ולמה ישעיה דומה לבן כרך שראה את המלך אמר ריש לקיש מאי דכתיב (ד) ה) אשירה לה' כי גאה גאה שירה למי שמתגאה על הגאים דאמר מר מלך שבחיות ארי מלך שבבהמות שור מלך שבעופות נשר ואדם מתגאה עליהן והקב"ה מתגאה על כולן ועל כל העולם כולו כתוב אחד אומר ו) ודמות פניהם פני אדם ופני אריה אל הימין לארבעתם ופני שור מהשמאל לארבעתן וגו' וכתיב ז) וארבעה פנים לאחד פני האחד פני הכרוב ופני השני פני אדם והשלישי פני אריה והרביעי פני נשר ואילו שור לא קא חשיב (ה) אמר ר"ל יחזקאל ביקש עליו רחמים והפכו לכרוב אמר לפניו רבש"ע קטיגור יעשה סניגור מאי כרוב אמר רבי אבהו ג) כרביא שכן בבבל קורין לינוקא רביא א"ל רב פפא לאביי אלא מעתה דכתיב פני האחד פני הכרוב ופני השני פני אדם והשלישי פני אריה והרביעי פני נשר היינו פני כרוב היינו פני אדם (ו) אפי רברבי ואפי זוטרי כתוב אחד אומר ח) שש כנפים שש כנפים לאחד וכתוב אחד אומר ט) וארבעה פנים לאחת וארבע כנפים לאחת להם לא קשיא כאן בזמן שבהמ"ק קיים כאן בזמן שאין בית המקדש קיים כביכול שנתמעטו כנפי החיות הי מינייהו אימעוט אמר רב חננאל אמר רב אותן שאומרות שירה בהן (ז) כתיב הכא ובשתים יעופף וקרא זה אל זה ואמר וכתיב י) התעיף עיניך בו ואיננו ורבנן אמרי אותן שמכסות בהן רגליהם שנאמר כ) ורגליהם רגל ישרה ואי לאו דאימעוט מנא (ח) הוה ידע דלמא דאיגלאי וחזיא ליה דאי לא תימא הכי ו) ודמות פניהם פני אדם הכי נמי דאימעוט אלא דאיגלאי וחזיא ליה הכא נמי דאיגלאי וחזיא ליה הכי השתא (ט) בשלמא אפיה אורח ארעא לגלויי קמיה רביה כרעיה לאו אורח ארעא לגלויי קמיה רביה כתוב אחד אומר ל) אלף אלפין ישמשוניה ורבו רבבן קדמוהי יקומון וכתוב אחד אומר מ) היש מספר לגדודיו לא קשיא כאן בזמן שבית המקדש קיים כאן בזמן שאין בהמ"ק קיים כ) כביכול שנתמעטה פמליא של מעלה תניא רבי אומר משום אבא יוסי בן דוסאי אלף אלפין ישמשוניה מספר גדוד אחד ולגדודיו אין מספר ור' ירמיה בר אבא אמר אלף אלפין ישמשוניה לנהר דינור שנאמר ל) נהר דינור נגד ונפק מן קדמוהי אלף אלפין ישמשוניה ורבו רבבן קדמוהי יקומון (י) מהיכן נפיק מזיעתן של חיות ולהיכן שפיך אמר רב זוטרא בר טוביה אמר רב על ראש רשעים בגיהנם שנאמר נ) הנה סערת ה' חמה יצאה וסער מתחולל על ראש רשעים יחול ורב אחא בר יעקב אמר על אשר קומטו שנאמר ס) אשר קומטו ולא עת נהר יוצק יסודם תניא אמר רבי שמעון החסיד אלו תשע מאות ושבעים וארבע דורות שקומטו להיבראות קודם

רש"י

חיות אש ממללות. אש יוצא מדיבורן: רצוא ושוב. מוציאות ראשן מתחת הרקיע הנטוי למעלה מראשיהן וחוזרות ומכניסות אותן ממורא השכינה במהירות כרילה ושיבה של להב היוצא מפי הכבשן. הכבשן. שסורפין בו אבנים לסיד וכוק לשון שברי ה) שברים הוא שהאור יוצא בין אבן לאבן כדמתרגמינן בעירובין (דף קד.) בוחקין מלח על גבי הכבש שלא יחליקו הכהנים: מבין החרסים. דרך מזקקי זהב לנקוב כלי חרס נקבים נקבים וכופין אותו על גבי גחלים שהזהב נתון בהן בתוך כתישת החרסים של לבנים על גבי חרס והלהב יוצא למעלה דרך נקבי הכלי והוא עשוי גוונים גוונים ותמיד יוצא ונכנס: מן הצפון. מבבל שהוא בצפון שנאמר מצפון תפתח הרעה (ירמיה א): מאי בעיא התם. למה הלכה לבבל: ראה ישעיה. כשהשרה עליו רוח הקודש כמה שנאמר ואראה את ה' יושב על כסא רם ונשא וגו' (ישעיה ו) אלא שלא חש לפרש את הכל שהיה בן מלכים וגדל בפלטין ובן כרך הרואה את המלך אינו נבהל ואינו תמה ואינו חש לספר: מלך שבחיות ארי כו'. ואלו ארבעתן בכסא והוא למעלה מהן: קטיגור נעשה סניגור. אנו צריכין שיבקשו מרכבותן עלינו רחמים והשור קטיגור הוא: קטיגור שונא סניגור אוהב מליץ יושר: כרביא. פני תינוק: היינו פני כרוב היינו פני אדם. מה הן פני כרוב מה הן פני אדם וכי לא אחד הן: אפי רברבי ואפי זוטרי. האחד פני גדול והאחד פני קטן: כאן בזמן שבית המקדש קיים. בימי ישעיה היה המקדש קיים במכונו ובימי יחזקאל כבר הגיע זמן שיחרב ונתמעטה פמליא של מעלה: ובשתים יעופף. וסמיך ליה וקרא זה אל זה אלמא הנך נינהו דאמרי בהו שירה והנך שמקשקשות בקול כנפיהם והכנף כתיב ואיננו גבי התעיף: [כאן בזמן שאין וכו']. בימי דניאל כבר חרב הבית: כביכול. אף כלפי לבא שכינה החזקנו לומר כך כמו בבשר ודם שיכול לומר בו מיעוט: אלף אלפין. הוא מספר של כל גדוד וגדוד אבל אין מספר כמה גדודין יש: לנהר דינור. דהאי קרא נמי גבי נהר דינור כתיב: על אשר קומטו. על תתקע"ד דורות שהעביר מן העולם קודם מתן תורה ולא ברכן דלקמן לקחן ונתן בגיהנם ועליהם נופל שנאמר בהן נהר יוצק יסודם והיינו נהר דינור שמוצק עליהם: קומטו להיבראות. נגזרו להיבראות לשון ותקמטני לעד היה ו) קודם

תוספות

והחיות רצוא ושוב. פר"ח לפי שהן מגהלים עוממות ודרכן לדמות לשאר שרפים ולהוציא להבה והנילוץ חוזר והיינו רצוא ושוב: **שלא** יאמרו ביד אומה שפלה מסר את בניו. והיינו כפי' דההיא דאמר בגיטין (דף ז:) כל המיצר לישראל נעשה ראש כלומר כבר נעשה ראש קודם שמיצר להם:

וקושר כתרים לקונו. מתפללתן של צדיקים הוא עושה עטרות: **לבן** כפר שראה (כ) המלך. שצריך לו להביא סימנים לאחרים קודם שיאמינוהו לפי שראהו שלא במקומו ואין דרכו להתראות שם וה"נ אמר יחזקאל שראהו על נהר כבר לפיכך נתמהו שומעיו:

כתוב אחד אומר שש כנפים וכתוב אחד אומר ארבע כנפים. ואע"ג שזה בחיות כתיב וזה בשרפים מ"מ מסתבר שגם החיות (ל) בשש כנפים כמו השרפים ז):

מזיעתן של חיות. ויוצאים ממנו מלאכים ואומרים שירה ומיד נטרדים (מ) והכי אמרינן במדרש (איכה ג) חדשים לבקרים שבורא מלאכים בכל יום ואומרים שירה ונטרדין להן כדאמר בסמוך משום שיש אות במלאכים הקבועים ח) שממתינים זה לזה לומר שירה ואלו החדשים שאינם יודעים הדת ממהרין לשורר ונתחייבו כליה והיינו אשר תקנו ויסדו אנשי כנסת הגדולה ביוצר ונותנין רשות זה לזה להקדיש כולם כאחד עונין ואומרים וגם למעלה יוצר משרתים ואשר משרתיו כולם עומדים ברום עולם כלומר בכל יום בורא חדשים ונטרדין אבל משרתיו קבועים ועומדין לעד:

וטרדן

מסורת הש"ס

א) [פי' הם מל' שתי מלין עי' ערוך], ב) [קידושין ס. וש"נ], ג) סוכה ה:, ד) [עי' ברכ"י יומא ג:], ה) מ"ח חרסים, ו) [איוב טז], ז) [עי' תוס' חולין צא: ד"ה ברוך], ח) עי' אבות דר' נתן פי"ב ד"ה ומעניין שירלאים וה אם זה.

הגהות הב"ח

[illegible]

גליון הש"ס

תוס' ד"ה כתוב אחד אומר וכו'. בשש כנפים. עי' חולין לג ע"א תד"ה כרוך.

תורה אור השלם

א) והחיות רצוא ושוב כמראה הבזק: [יחזקאל א, יד]

ב) וארא והנה רוח סערה באה מן הצפון ענן גדול ואש מתלקחת ונגה לו סביב ומתוכה כעין החשמל מתוך האש: [יחזקאל א, ד]

ג) וארא החיות והנה אופן אחד בארץ אצל החיות לארבעת פניו:

ד) ותשאני רוח ואשמע אחרי קול רעש גדול ברוך כבוד ה' ממקומו: [יחזקאל ג, יב]

ה) אז ישיר משה ובני ישראל את השירה הזאת לה' ויאמרו לאמר אשירה לה' כי גאה גאה סוס ורכבו רמה בים: [שמות טו, א]

ו) ודמות פניהם פני אדם ופני אריה אל הימין לארבעתם ופני שור מהשמאול לארבעתן ופני נשר לארבעתן: [יחזקאל א, י]

ז) וארבעה פנים לאחד פני האחד פני הכרוב ופני השני פני אדם והשלישי פני אריה והרביעי פני נשר: [יחזקאל י, יד]

ח) שרפים עמדים ממעל לו שש כנפים שש כנפים לאחד בשתים יכסה פניו ובשתים יכסה רגליו ובשתים יעופף: וקרא זה אל זה ואמר קדוש קדוש קדוש ה' צבאות מלא כל הארץ כבודו: [ישעיה ו, ב-ג]

ט) וארבעה פנים לאחת וארבע כנפים לאחת להם: [יחזקאל א, ו]

י) התעיף עיניך בו ואיננו כי עשה יעשה לו כנפים כנשר יעוף השמים: [משלי כג, ה]

כ) ורגליהם רגל ישרה וכף רגליהם ככף רגל עגל ונצצים כעין נחשת קלל: [יחזקאל א, ז]

ל) נהר די נור נגד ונפק מן קדמוהי אלף אלפין ישמשונה ורבו רבבן קדמוהי יקומון דינא יתב וספרין פתיחו: [דניאל ז, י]

מ) היש מספר לגדודיו ועל מי לא יקום אורהו: [איוב כה, ג]

נ) הנה סערת ה' חמה יצאה וסער מתחולל על ראש רשעים יחול: [ירמיה כג, יט]

ס) אשר קמטו ולא עת נהר יוצק יסודם: [איוב כב, טז]

ליקוטי רש"י

ממללות. כלומר מדברות ומהללות את השם [יחזקאל א, ד]. רצוא ושוב כמראה הבזק. פירשו רבותינו [illegible]

[illegible]

longer stood as firmly as it had before; therefore כִּבְיָכוֹל שֶׁנִּתְמַעֲטוּ כַּנְפֵי הַחַיּוֹת – **the wings of the *Chayos* were reduced, as it were.**[33]

The Gemara inquires:

הֵי מִינַיְיהוּ אִימְעוּט – **Which of [the wings] were reduced?**[34]

The Gemara cites a dispute regarding this point:

אָמַר רַב חֲנַנְאֵל אָמַר רַב – **Rav Chananel said in the name of Rav:** אוֹתָן שֶׁאוֹמְרוֹת שִׁירָה בָּהֶן – **Those with which they utter song.** This may be derived from the following *gezeirah shavah:* כְּתִיב הָכָא – **It is written here** in *Isaiah:*[35] ,,וּבִשְׁתַּיִם יְעוֹפֵף וְקָרָא זֶה אֶל־זֶה וְאָמַר" – ***and with two it would fly*** *(ye'ofeif)*, ***and one would call to another and say,*** *"Holy, holy, holy . . .,"*[36] וּכְתִיב – **and it is written** in *Proverbs:*[37] ,,הֲתָעִיף עֵינֶיךָ בּוֹ וְאֵינֶנּוּ" – ***You cast*** *(hasa'if)* ***your eyes upon it and it is gone.*** The linkage between the two terms teaches us that it is the wings used for flying and song that disappeared just before the destruction of the Temple.[38]

A dissenting view:

וְרַבָּנָן אָמְרֵי – **But the Rabbis say:** The wings eliminated were אוֹתָן שֶׁמְּכַסּוֹת בָּהֶן רַגְלֵיהֶם – **those with which they cover their legs.** This may be deduced from another verse, שֶׁנֶּאֱמַר – **as it says:**[39] ,,וְרַגְלֵיהֶם רֶגֶל יְשָׁרָה" – ***Their legs were a straight leg.*** וְאִי לָאו דְּאִימְעוּט – **Now, if it was not [the wings covering the legs] that were reduced,** מְנָא הֲוָה יָדַע – **how would [Ezekiel] have known** what their legs look like? They were covered!

The Gemara rebuts the proof for the second view:

דִּלְמָא דְּאִיגַּלַּאי וְחַזְיָא לֵיהּ – **Perhaps [the legs] were** momentarily **revealed** behind the wings **and [Ezekiel] saw them.** Furthermore, this is logical, דְּאִי לֹא תֵּימָא הָכִי – **because if you do not say this,** then how could Ezekiel say,[40] ,,וּדְמוּת פְּנֵיהֶם פְּנֵי אָדָם" – ***As for the likeness of their faces: There was a human face?*** הָכִי נַמִּי דְּאִימְעוּט – Should we **then** conclude that **[the wings covering the face] were reduced as well?** That cannot be![41] אֶלָּא דְּאִיגַּלַּאי וְחַזְיָא לֵיהּ – **Rather,** we must say that **[the face] was** momentarily **revealed and [Ezekiel] saw it;** הָכָא נַמִּי דְּאִיגַּלַּאי וְחַזְיָא לֵיהּ – **here too, [the legs] were** momentarily **revealed and he saw them.**

The Gemara defends the proof:

בִּשְׁלָמָא אַפֵּיהּ אוֹרַח הָכִי הַשְׁתָּא – **Now, that** is not the same case! אַרְעָא לְגַלּוּיֵי קַמֵּיהּ רַבֵּיהּ – **It is well and fine** to say that the face was shown to Ezekiel, since **it is proper etiquette to uncover one's face before one's master.** However, כַּרְעֵיהּ לָאו אוֹרַח אַרְעָא לְגַלּוּיֵי קַמֵּיהּ רַבֵּיהּ – **it is not proper etiquette to uncover one's leg before one's master.** Thus, if Ezekiel saw the legs, the wings covering them must have disappeared.[42]

The Gemara notes another seeming contradiction between the two verses discussing angels:

כָּתוּב אֶחָד אוֹמֵר – **One verse says:**[43] ,,אֶלֶף אַלְפִין יְשַׁמְּשׁוּנֵּהּ וְרִבּוֹ רִבְבָן קָדָמוֹהִי יְקוּמוּן" – ***a thousand thousands were serving Him and a myriad myriads were standing before Him.***[44] וְכָתוּב אֶחָד אוֹמֵר – **And one verse says:**[45] ,,הֲיֵשׁ מִסְפָּר לִגְדוּדָיו" – ***Is there a number for His legions?*** The first verse defines a finite number for God's heavenly servants, whereas the second verse indicates they are without number. – ? –

The Gemara explains:

לֹא קַשְׁיָא – **This is not difficult:** כַּאן בִּזְמַן שֶׁבֵּית הַמִּקְדָּשׁ קַיָּים – **Here,** in the second verse, we are speaking of **when the Temple was standing,** whereas כַּאן בִּזְמַן שֶׁאֵין בֵּית הַמִּקְדָּשׁ קַיָּים – **there,** in the first verse, we are speaking of **when the Temple was no longer standing;**[46] therefore כִּבְיָכוֹל שֶׁנִּתְמַעֲטָה פַּמַּלְיָא שֶׁל מַעְלָה – **the members of the Heavenly Court were reduced, as it were.**[47]

NOTES

33. Isaiah's vision took place some two hundred years before that of Ezekiel, when the Temple stood with its spiritual grandeur intact; Ezekiel's vision took place just before the Temple's destruction, when the Divine Presence was leaving it and it was no more than an empty shell. At that point, the Heavenly legions [corresponding to spirituality on earth] were reduced (see *Rashi;* see above, note 21).

34. Each pair of wings was associated with a specific purpose. Which purpose was no longer necessary after the destruction of the Temple? (see *Maharsha*).

35. *Isaiah* 6:2-3.

36. Those were also the wings with which they would fly. The song of the angels emerged from the sound of their wings flapping (*Rashi*).

37. *Proverbs* 23:5.

38. [The song of the angels fell silent after the destruction of the Temple (see *Maharsha*).]

Tikkunei Zohar states (*Tikkun* §13 ד״ה תניינא בשיר) that the words בָּרוּךְ שֵׁם כְּבוֹד מַלְכוּתוֹ לְעוֹלָם וָעֶד (*Blessed is the Name of His glorious Kingship for all eternity*) were written on the six wings of each angel, one word on each wing. The words בָּרוּךְ שֵׁם were written on the two upper wings, כְּבוֹד מַלְכוּתוֹ on the middle wings and לְעוֹלָם וָעֶד on the lower wings. When the middle wings were reduced, כְּבוֹד מַלְכוּתוֹ, "His glorious Kingship," was reduced as well. We therefore pray in the Mussaf service of festivals, גַּלֵּה כְּבוֹד מַלְכוּתְךָ עָלֵינוּ, *reveal the glory of Your Kingship upon us,* through gathering the exiles, rebuilding the Temple and infusing it with Your Presence (the *Gra,* cited in *Otzar HaTefillos,* festival Mussaf; *Oheiv Yisrael, Vayeishev* ד״ה ויאמר וגו׳ הלא אחיך רועים בשכם cites this same idea in the name of *R' Elimelech of Lishensk* but differs with him and says that it was the last two words [לְעוֹלָם וָעֶד] that were omitted; see *Yalkut Yeshayahu;* see also *Michtav MeEliyahu* V pp. 283-284 and *Emes LeYaakov* to *Deuteronomy* 6:4).

[A gloss in the commentary of *Be'er Yitzchak* to *Aderes Eliyahu* (*Haazinu* 32:4) states that the six wings correspond to the Six Orders of the Mishnah (among other things) and after the destruction of the Temple only four remained as (a vital) part of the Oral Torah (*Moed, Nashim, Nezikin* and *Kodashim*) whereas two remained essentially in the written Torah (*Zeraim* and *Tohoros,* the two orders that, for the most part, do not have a corresponding Gemara).]

Tosafos point out that Isaiah was speaking of *Seraphim* whereas Ezekiel was speaking of *Chayos:* It would seem possible that *Seraphim* always have six wings and *Chayos* always have four. See *Yaaros Devash, Derush* §4 ד״ה ישתבח יוצר אדם who deals with this issue (and also describes what the practical difference is between a six-winged angel and a four-winged angel). *Tosafos* themselves state that it is reasonable to assume that *Seraphim* and *Chayos* have the same number of wings.

39. *Ezekiel* 1:7.

40. Ibid. 1:10.

41. Ezekiel saw four wings remaining, not two.

42. [*Rabbeinu Chananel* appears to have had in his version of the Gemara other questions and answers that do not appear in our text; see there.]

43. *Daniel* 7:10.

44. The first group served God and the second group simply stood there in His honor (*Maharsha*).

The Gemara below cites phrases from this passage below. The passage (vs. 2-3, 9-10) reads as follows: *Daniel began and exclaimed: I saw in my vision at night that behold! the four winds of heaven were stirring up the Great Sea. Four immense beasts came up from the sea, each different from the other . . . I watched as thrones were set up, and the One of Ancient Days sat. His garment was white as snow, and the hair of His head like clean wool; His throne was of fiery flames, its wheels blazing fire. A stream of fire was flowing forth from before Him, a thousand thousands were serving Him and a myriad myriads were standing before Him. The judgment was set, and the books were opened.*

45. *Job* 25:3.

46. In Daniel's time, the Temple had already been destroyed (*Rashi*).

47. [The word כִּבְיָכוֹל, which we have translated "as it were," is used as a disclaimer that the description presented could not be true in a literal sense and is not meant that way (see *Rashi* to *Yoma* 3b). Although it is often used in connection with physical descriptions of God, here it is

חיות אש ממללות במתניתא תנא (א) עתים חשות עתים ממללות בשעה שהדיבור יוצא מפי הקב"ה חשות ובשעה שאין הדיבור יוצא מפי הקב"ה ממללות (א) והחיות רצוא ושוב כמראה הבזק מאי רצוא ושוב אמר רב יהודה כאור היוצא מפי הכבשן מאי כמראה הבזק אמר רבי יוסי בר חנינא כאור היוצא מבין החרסים (ב) וארא והנה רוח סערה באה מן הצפון ענן גדול ואש מתלקחת ונוגה לו סביב ומתוכה כעין החשמל מתוך האש (א) להיכן אזל אמר רב יהודה אמר רב שהלך לכבוש את כל העולם כולו תחת נבוכדנצר הרשע וכל כך למה שלא יאמרו אומות העולם ביד אומה שפלה מסר הקב"ה את בניו אמר הקב"ה מי גרם לי שאהיה שמש לעובדי פסילים עונותיהן של ישראל הן גרמו לי (ג) וארא החיות והנה אופן אחד בארץ אצל החיות אמר ר' אלעזר מלאך אחד שהוא עומד בארץ וראשו מגיע אצל החיות במתניתא תנא סנדלפון שמו (ב) הגבוה מחברו מהלך חמש מאות שנה ועומד אחורי המרכבה וקושר כתרים לקונו איני והכתיב (ד) ברוך כבוד ה' ממקומו מכלל דמקומו ליכא דידע ליה (ג) דאמר שם אתגא ואזל ויתיב ברישיה אמר רבא כל שראה יחזקאל ראה ישעיה למה יחזקאל דומה לבן כפר שראה את המלך ולמה ישעיה דומה לבן כרך שראה את המלך אמר ריש לקיש מאי דכתיב (ד) (ה) אשירה לה' כי גאה גאה שירה למי שמתגאה על הגאים דאמר מר מלך שבחיות ארי מלך שבבהמות שור מלך שבעופות נשר ואדם מתגאה עליהן והקב"ה מתגאה על כולן ועל כל העולם כולו כתוב אחד אומר (ו) ודמות פניהם פני אדם ופני אריה אל הימין לארבעתם ופני שור מהשמאל לארבעתן וגו' וכתיב (ז) וארבעה פנים לאחד פני האחד פני הכרוב ופני השני פני אדם והשלישי פני אריה והרביעי פני נשר ואילו שור לא קא חשיב (ה) אמר ר"ל ביקש יחזקאל עליו רחמים והפכו לכרוב אמר לפניו רבש"ע (ב) קטיגור יעשה סניגור מאי כרוב אמר רבי אבהו (ג) כרביא שכן בבבל קורין לינוקא רביא א"ל רב פפא לאביי אלא מעתה דכתיב פני האחד פני הכרוב ופני השני פני אדם והשלישי פני אריה והרביעי פני נשר היינו פני כרוב היינו פני אדם (ו) אפי רברבי ואפי זוטרי כתוב אחד אומר (ח) שש כנפים לאחד וכתוב אחד אומר (ט) וארבעה פנים לאחת וארבע כנפים לאחת להם לא קשיא כאן בזמן שבהמ"ק קיים כאן בזמן שאין בית המקדש קיים כביכול שנתמעטו כנפי החיות הי מינייהו אימעוט אמר רב חננאל אמר רב אותן שאומרות שירה בהן (ז) כתיב הכא (ח) ובשתים יעופף וקרא זה אל זה ואמר וכתיב (י) התעיף עיניך בו ואיננו ורבנן אמרי אותן שמכסות בהן רגליהם שנאמר (כ) ורגליהם רגל ישרה ואי לאו דאימעוט מנא (ח) הוה ידע דלמא דאיגלאי וחזיא ליה דאי לא תימא הכי (י) ודמות פניהם פני אדם הכי נמי דאימעוט אלא דאיגלאי וחזיא ליה הכא נמי דאיגלאי וחזיא ליה הכי השתא (ט) בשלמא אפיה אורח ארעא לגלויי קמיה רביה כרעיה לאו אורח ארעא לגלויי קמיה רביה כתוב אחד אומר (ל) אלף אלפין ישמשוניה ורבו רבבן קדמוהי יקומון וכתוב אחד אומר (מ) היש מספר לגדודיו לא קשיא כאן בזמן שבית המקדש קיים כאן בזמן שאין בהמ"ק קיים (ד) כביכול שנתמעטה פמליא של מעלה תניא רבי אומר משום אבא יוסי בן דוסאי אלף אלפין ישמשוניה מספר גדוד אחד ולגדודיו אין מספר ור' ירמיה בר אבא אמר אלף אלפין ישמשוניה לנהר דינור שנאמר (נ) נהר דינור נגד ונפק מן קדמוהי אלף אלפין ישמשוניה ורבו רבבן קדמוהי יקומון (י) מהיכן נפיק מזיעתן של חיות ולהיכן שפיך אמר רב זוטרא בר טוביה אמר רב על ראש רשעים בגיהנם שנאמר (ס) הנה סערת ה' חמה יצאה וסער מתחולל על ראש רשעים יחול ורב אחא בר יעקב אמר על אשר קומטו שנאמר (ע) אשר קומטו ולא עת נהר יוצק יסודם תניא אמר רבי שמעון החסיד אלו תשע מאות ושבעים וארבע דורות שקומטו להיבראות קודם

רש"י

חיות אש ממללות. אש יוצא מדיבורן: רצוא ושוב. מוליכות ראשן מתחת הרקיע הנטוי למעלה מראשיהן וחוזרות ומכניסות אותן ממורא השכינה במהירות כזיקה ושיבה של להב היוצא מפי הכבשן. ששורפין בו אבנים לסיד ובזק לשון שברי (ה) שברים הוא שהאור יוצא בין אבן לאבן כדתנן בעירובין (דף קד.) בוזקין מלח על גבי הכבש שלא יחליקו הכהנים: מבין החרסים. דרך מזקקי זהב לנקוב כלי חרס נקבים נקבים וכופין אותו על גבי גחלים שהזהב נתון בהן בתוך כתישת החרסים של לבנים על גבי חרס והזהב יוצא למעלה דרך נקבי הכלי והוא עשוי גוונים גוונים ותמיד יוצא ונכנס: מן הצפון. שהוא מצפון שנאמר מצפון תפתח הרעה (ירמיה א): מאי בעיא התם. למה הלכה לבבל: ראה ישעיה. כשהשרה עליו רוח הקדש כמה שנאמר ואראה את ה' יושב על כסא רם ונשא וגו' (ישעיה ו) אלא שלא חש לפרש את הכל שהיה בן מלכים וגדל בפלטין וכן כרך הרואה את המלך אינו נבהל ואינו תמה ואינו חש לספר: מלך שבחיות ארי כו'. ואלו ארבעתן בכסא והוא למעלה מהן: קטיגור נעשה סניגור. אנו לריכין שיבקשו מרכבותן עלינו רחמים והשור קטיגור הוא: קטיגור שונא סניגור אוהב מליץ יושר: כרביא. פני תינוק: היינו פני כרוב היינו פני אדם. מה הן פני כרוב מה הן פני אדם וכי לא אחד הן: אפי רברבי ואפי זוטרי. האחד פני גדול והאחד פני קטן: כאן בזמן שבית המקדש קיים. בימי ישעיה היה המקדש קיים במכונו ובימי יחזקאל כבר הגיע זמן שיחרב ונתמעטה פמליא של מעלה: ובשתים יעופף. וסמיך ליה וקרא זה אל זה אלמא הנך ניהנו דאמרי בהו שירה שמקשקשות בקול כנפיהם ובהנך תרתי אומרים שירה: התעיף. [כאן בזמן שאין וכו']. בימי דניאל לאחר חורבן הבית: כביכול. אף כלפי לבא שכינה החזקנו לומר כך כמו בבשר ודם שיכול לומר בו מיעוט: אלף אלפין. הוא מספר של כל גדוד וגדוד אבל אין מספר כמה גדודין יש: לנהר דינור. דהאי קרא נמי גבי נהר דינור כתיב: על אשר קומטו. על תתקע"ד דורות שעביר מן העולם קודם מתן תורה ולא נבראו כדקתני לקמן ונתנן בגיהנם ועליהם נופל שנאמר בהן ונהר יוצק יסודם והיינו נהר דינור שמוצק עליהם: קומטו להיבראות. נגזרו להיבראות לשון ותקמטני לעד היה (ו): קודם

תוספות

והחיות רצוא ושוב. פר"ח לפי שהן מבהילים עוממות ודוכן לדמות לשאר שרפים ולהוציא להבה והניצוץ חוזר והיינו רצוא ושוב: שלא יאמרו ביד אומה שפלה מסר את בניו. והיינו כפי' דההיא דאמר בגיטין (דף נו:) כל המיצר לישראל נעשה ראש כלומר כבר נעשה ראש קודם שמיצר להם:

וקושר כתרים לקונו. מתפלתן של צדיקים הוא עושה עטרות: לבן כפר שראה (כ) המלך. שצריך לו להביא סימנים לאחרים קודם שיאמינוהו לפי שראהו שלא במקומו ואין דרכו להתראות שם וה"נ אמר יחזקאל שראהו על נהר כבר לפיכך נתמהו שומעיו:

כתוב אחד אומר שש כנפים וכתוב אחד אומר ארבע כנפים. ואע"ג שזה בחיות כתיב וזה בשרפים מ"מ מסתבר שגם החיות (ל) בשש כנפים כמו השרפים (ז):

מזיעתן של חיות. ויוצאים ממנו מלאכים ואומרים שירה ומיד נטרדים (מ) והכי מצינו במדרש (איכה ג) חדשים לבקרים שבורא מלאכים בכל יום ואומרים שירה ונטרדין להן כדאמר בסמוך משום שיש אות במלאכים הקבועים (ח) שממתינים זה לזה לומר שירה ואלו החדשים שאינם יודעים הדת ממהרין לשורר ונתחייבו כליה והיינו אשר תקנו ויסדו אנשי כנסת הגדולה ביוצר ונותנין רשות זה לזה קדושה כולם כאחד עונין ואומרים וגם למעלה ביוצר משרתים ואשר משרתיו כולם עומדים ברום עולם כלומר בכל יום בורא חדשים ונטרדין אבל משרתיו קבועים ועומדין לעד: וטרדן

רבינו חננאל

הן עתים חשות עתים ממללות שיר בעוז שנאמר עוז וחדוה במקומו ועתים חשות כשהדבור יוצא מלפני הקב"ה והחיות רצוא ושוב כמראה הבזק. אינה הליכה וחזירה ממש אלא נראות הולכות וחוזרות כמראה הבזק דכתיב מראיהן כלפידים כברקים ירוצצו כענין האש בעת שמתגברת השלהבת בכבשן נראת כיוצא וחוזרת בפי הכבשן. א"ר יוסי בר' חנינא כאור היוצא מבין החרסין. פי' כשסותמין פי הכבשן בחרסין ויש ביניהם נקבים לשון האש יוצא משם וזהו מראה הבזק. וארא והנה רוח סערה באה מן הצפון וגו' להיכא אזלא אמר רב לכבש העולם תחת נבוכד נצר כו' וארא החיות והנה אופן אחד בארץ. ותני במתניתא סנדלפון שמו וקושר כתרים לקונו. כבר פירשוהו בפירוש משביעו ואזיל ויתיב במקום שחלק לו הקב"ה להושיבו שם וחלילה שיש שם פרחת כל עיקר וראש וגוף כדרך הברואים אלא לקבל מלכותו כדרך שמזכירין בכל יום ישראל בתפלתם כתר יתנו לך המוני כו'. אמר רבה כל שראה יחזקאל ראה כמותו ישעיה. למה יחזקאל תמה מן המראה כי יחזקאל דומה לבן כפר שראה טכסיסי המלך וראה מרכבות וחיילות והתחיל תמה. אבל ישעיה לבן מדינה שרואה הטכסיסין הללו בכל יום לפיכך אינו תמה מהן. אשירה לה' כי גאה גאה שירו למי שמתגאה על הגאים כלומר מלך ע"ג המלכים שד' מלכים בעולם אדם בבני אדם אריה בחיות שור בבהמות נשר בעופות והקב"ה ישתבח שמו וכבודו למעלה מכולם. וארבעה פנים לאחד. פני האחד פני הכרוב וגו' הא א) תרגמא דשיתת עשר אנפין לכל ברייתא חדא. שיתין וארבעה אפין לארבעה ברייתא [וארבעה] גפין לכל אנפין שיתין וארבע גפין לברייתא חדא רנ"ו גפין לארבע ברייתא. וקיי"ל דכרוב פניו פני אדם ויש לו כנפים כשאר עופות. פני אדם הם גדולים ופני כרוב הם פחותים וכו' אבהו דאמר בבבל קורין לינוקא רביא ...

מסורת הש"ס

א) [פי' אש מל שתי מילין הן. ערוך], ב) [קידושין ה. וש"נ], ג) סוכה ה:, ד) [עי' ברש"י יומא ג:], ה) ס"א חרסים, ו) (איוב טז), ז) [עי' תוס' חולין נב. ד"ה ברוך], ח) עי' אבות דרבי נתן פי"ב ד"ה ומניין שיראים זה את זה.

הגהות הב"ח

(א) גמ' החשמל מתוך האש (להיכן אזל) תא"מ ונ"ב מפרש"י נראה שגורס מאי בעיא התם: (ב) שם שמו וגבוה מחברו מהלך: (ג) שם ליכא דידע ליה (דאמר שם וכו' ברישיה) תא"מ ונ"ב ס"א אלא דקשר ליה לכתר ומשביע בשם המפורש ואזל תגא ויתיב בדוכתיה: (ד) שם מאי דכתיב שירו לה' כי גאה גאה שירו למי: (ה) שם לא קחשיב ליה אמר ר"ל וכו' רבש"ע אין קטיגור נעשה סניגור: (ו) שם היינו פני אדם אדם וכרוב חד הוא אפי רברבי: (ז) שם דכתיב הכא ובשתים וכו' וכתיב התם התעיף: (ח) שם מנא הוא ידע דלמא (דאיגלאי וחזיא ליה) תא"מ ונ"ב ס"א דגלאי ואחוי ליה: (ט) שם הכי השתא התם בשלמא וכו' קמי רביה אלא כרעיה: (י) שם מהיכא נפיק אמר ר' ירמיה בר אבא אמר רב מזיעתן של חיות: (כ) תוס' ד"ה לבן כפר שראה את המלך בכפר שצריך לו וכו' להתראות שם לכך הוא לומר ראיתי פ' ופ' השרים עמו ופ' ופ' משרתיו כדי שיאמינו לו וה"נ יחזקאל שראה על נהר כבר לפיכך נתמהו שומעיו הוצרך לפרש כן סדר המרכבה אבל ישעיהו ראהו יושב על כסא רם ונשא לא הוצרך לפרש והס"ד: (ל) ד"ה כתוב וכו' שגם החיות יש להם שש כנפים: (מ) ד"ה מזיעתן וכו' ומיד נטרדין כדאמרינן בסמוך והכי מצינו וכו' ונטרדין להן ומשום שיש וכו' לומר שירה כאחד כדכתיב וקרא זה אל זה ואמר גו' ואלו החדשים וכו' עונים ...

תורה אור השלם

א) והחיות רצוא ושוב כמראה הבזק: [יחזקאל א, יד]

ב) וארא והנה רוח סערה באה מן הצפון ענן גדול ואש מתלקחת ונגה לו סביב ומתוכה כעין החשמל מתוך האש: [יחזקאל א, ד]

ג) וארא החיות והנה אופן אחד בארץ אצל החיות לארבעת פניו: [יחזקאל א, טו]

ד) ותשאני רוח ואשמע אחרי קול רעש גדול ברוך כבוד יי ממקומו: [יחזקאל ג, יב]

ה) אשירה ליי כי גאה גאה סוס ורכבו רמה בים: [שמות טו, א]

ו) ודמות פניהם פני אדם ופני אריה אל הימין לארבעתם ופני שור מהשמאול לארבעתן ופני נשר לארבעתן: [יחזקאל א, י]

ז) וארבעה פנים לאחד פני האחד פני הכרוב ופני השני פני אדם והשלישי פני אריה והרביעי פני נשר: [יחזקאל י, יד]

ח) שרפים עמדים ממעל לו שש כנפים שש כנפים לאחד בשתים יכסה פניו ובשתים יכסה רגליו ובשתים יעופף: וקרא זה אל זה ואמר קדוש קדוש קדוש יי צבאות מלא כל הארץ כבודו: [ישעיה ו, ב-ג]

ט) וארבעה פנים לאחת וארבע כנפים לאחת להם: [יחזקאל א, ו]

י) התעיף עיניך בו ואיננו כי עשה יעשה לו כנפים כנשר יעוף השמים: [משלי כג, ה]

כ) ורגליהם רגל ישרה וכף רגליהם ככף רגל עגל ונצצים כעין נחשת קלל: [יחזקאל א, ז]

ל) נהר די נור נגד ונפק מן קדמוהי אלף אלפין ישמשונה ורבו רבבן קדמוהי יקומון דינא יתב וספרין פתיחו: [דניאל ז, י]

מ) היש מספר לגדודיו ועל מי לא יקום אורהו: [איוב כה, ג]

נ) הנה סערת יי חמה יצאה וסער מתחולל על ראש רשעים יחול: [ירמיה כג, יט]

ס) אשר קמטו ולא עת נהר יוצק יסודם: [איוב כב, טז]

חשק שלמה על ר"ח

א) עי' בת"י וברש"י שם.

ליקוטי רש"י

ממללות. כלומר משבחות ומהללות את השם [יחזקאל א, ד]. רצוא ושוב כמראה הבזק. ...

The Gemara cites another answer:

תַּנְיָא – It has been taught in a Baraisa: רַבִּי אוֹמֵר מִשּׁוּם אַבָּא יוֹסֵי בֶּן דּוֹסַאי – REBBI SAYS IN THE NAME OF ABBA YOSE BEN DOSAI: ,,אֶלֶף אַלְפִין יְשַׁמְּשׁוּנֵּהּ" מִסְפַּר גְּדוּד אֶחָד – *A THOUSAND THOUSANDS WERE SERVING HIM* reflects THE NUMBER OF ONE LEGION; וְלִגְדוּדָיו אֵין מִסְפָּר – BUT THERE IS NO NUMBER THAT can describe HIS LEGIONS, i.e., they are without number.

Another answer:

וְרַבִּי יִרְמְיָה בַּר אַבָּא אָמַר – And R' Yirmiyah bar Abba said: ,,אֶלֶף אַלְפִין יְשַׁמְּשׁוּנֵּהּ" לִנְהַר דִּינוּר – ***A thousand thousands were serving Him*** **refers to** the angels by **the stream of fire,**[48] **שֶׁנֶּאֱמַר – as [the verse] says,** starting from the beginning: ,,נְהַר דִּי־נוּר נָגֵד וְנָפֵק מִן־קֳדָמוֹהִי אֶלֶף אַלְפִין יְשַׁמְּשׁוּנֵּהּ – ***A stream of fire was flowing forth from before Him, a thousand thousands were serving Him*** וְרִבּוֹ רִבְבָן קָדָמוֹהִי יְקוּמוּן" – ***and a myriad myriads were standing before Him.***

The Gemara discusses the "stream of fire":

מֵהֵיכָן נָפִיק – From where does it emerge? מִזֵּיעָתָן שֶׁל חַיּוֹת – From the perspiration of the ***Chayos*****. וּלְהֵיכָן שָׁפִיךְ – And to where does it empty? אָמַר רַב זוּטְרָא בַּר טוֹבִיָּה אָמַר רַב – Rav Zutra bar Toviyah said in the name of Rav: עַל רֹאשׁ רְשָׁעִים בַּגֵּיהִנֹּם – Upon the heads of the wicked in Gehinnom, שֶׁנֶּאֱמַר – as it says:**[49] ,,הִנֵּה סַעֲרַת ה׳ חֵמָה יָצְאָה וְסַעַר מִתְחוֹלֵל – ***Behold the storm of Hashem: a fury shall go forth; a tempest shall seek rest;*** עַל רֹאשׁ רְשָׁעִים יָחוּל" – ***it will rest upon the head of the wicked.***[50] **וְרַב אַחָא בַּר יַעֲקֹב אָמַר – But Rav Acha bar Yaakov says:** The stream of fire empties out **עַל אֲשֶׁר קוּמְטוּ – upon those who were ordained,**[51] **שֶׁנֶּאֱמַר – as it says:**[52] ,,אֲשֶׁר־קֻמְּטוּ וְלֹא־עֵת – ***Those who were ordained before [their] time,*** נָהָר יוּצַק יְסוֹדָם" – ***whose foundation was swept away by a river.***[53]

The Gemara cites a Baraisa that explains the verse's allusion to those "who were ordained":

תַּנְיָא – It has been taught in a Baraisa: אָמַר רַבִּי שִׁמְעוֹן הֶחָסִיד – R' SHIMON THE SAINTLY SAID: אֵלּוּ תְּשַׁע מֵאוֹת וְשִׁבְעִים וְאַרְבַּע דּוֹרוֹת שֶׁקּוּמְטוּ לְהִיבָּרְאוֹת – THESE ARE THE NINE HUNDRED AND SEVENTY-FOUR GENERATIONS THAT WERE ORDAINED ORIGINALLY TO BE CREATED,

NOTES

used regarding angels. Speaking precisely, one cannot say of angels, as one can say of people, that their numbers could be reduced. Thus, in making this statement about the hosts of the Divine Presence, the Gemara qualifies it with the phrase כִּבְיָכוֹל, as it were.]

48. [Sometimes translated as "the Dinur River."]

49. *Jeremiah* 23:19.

50. Part of the purification process of Gehinnom is for a person to recognize his failings and to gain an understanding of the sublime Godliness he could have attained but did not. However, a wicked person would normally be incapable of perceiving higher spiritual levels because of his very nature: He is a wicked person who has inculcated material aspirations into his very soul. To overcome this barrier, he is momentarily granted a perception of higher things, beyond his abilities, so that he can begin to have regrets and ultimately become purified. This artificial perception allows him only to attain a surface understanding of the sublime. He can see only the "perspiration" of the *Chayos* – their reactions, their labors and their enjoyment – but not the *Chayos* themselves – their own sublime perceptions of God. Nevertheless, this is enough to generate a torrent of bitterness that rushes down upon him like a stream of fire (*Michtav MeEliyahu* III pp. 233-234).

51. Translation follows *Rashi* here; cf. *Rashi* to *Job* 16:8. The Gemara below will explain this further.

52. *Job* 22:16.

53. As the Gemara says below, there were 974 generations of humanity who were supposed to have been created in earlier times, but who were not [because of their spiritual poverty]. They were placed in Gehinnom, where the stream of fire pours down upon them (*Rashi;* see 14a note 2).

קוֹדֶם שֶׁנִּבְרָא הָעוֹלָם וְלֹא נִבְרְאוּ – **BEFORE THE WORLD WAS CREATED, BUT** in the end **THEY WERE NOT CREATED.**[1] עָמַד הַקָּדוֹשׁ בָּרוּךְ הוּא וּשְׁתָלָן בְּכָל דּוֹר וָדוֹר – **THE HOLY ONE, BLESSED IS HE, PROCEEDED TO PLANT** some of **THEM IN EACH AND EVERY GENERATION,** וְהֵן הֵן עַזֵּי פָנִים שֶׁבַּדּוֹר – **AND THESE ARE THE BRAZEN-FACED PEOPLE IN THE GENERATION.**[2]

A different interpretation:

וְרַב נַחְמָן בַּר יִצְחָק אָמַר – **But Rav Nachman bar Yitzchak says:** ,,אֲשֶׁר־קֻמְּטוּ" לִבְרָכָה הוּא דִּכְתִיב – The verse beginning, *Asher kumtu* (*those who were cut down*),[3] **is written as a blessing:**[4] אֵלּוּ תַּלְמִידֵי חֲכָמִים שֶׁמְּקַמְּטִין עַצְמָן עַל דִּבְרֵי תוֹרָה בָּעוֹלָם הַזֶּה – **These are Torah scholars who cut down on their own** sleep so as to apply themselves **to words of Torah in this world.** הַקָּדוֹשׁ בָּרוּךְ הוּא מְגַלֶּה לָהֶם סוֹד לָעוֹלָם הַבָּא – **The Holy One, Blessed is He, will reveal secret matters to them in the World to Come,** שֶׁנֶּאֱמַר ,,נָהָר יוּצַק יְסוֹדָם" – **as it says:** ***their*** *[revealed]* ***secrets will be*** *[like]* ***a pouring river.***[5]

The Gemara above mentioned the thousands of angels that serve God near the stream of fire. Now the Gemara presents another teaching regarding angels and the stream of fire:

אֲמַר לֵיהּ שְׁמוּאֵל לְחִיָּיא בַּר רַב – **Shmuel said to Chiya bar Rav:** בַּר אַרְיָא – **Son of Torah!**[6] תָּא אֵימָא לָךְ מִילְּתָא – **Come, I will tell you one thing** מֵהָנֵי מִילֵּי מְעַלְּיוּתָא דַּהֲוָה אָמַר אֲבוּךְ – **from among those outstanding things that your father used to say:** כָּל יוֹמָא וְיוֹמָא נִבְרָאִין מַלְאֲכֵי הַשָּׁרֵת מִנְּהַר דִּינוּר – **Each and every day, ministering angels are created from the stream of fire,** וְאָמְרֵי שִׁירָה וּבָטְלֵי – **and they utter song and** then **cease to exist,** שֶׁנֶּאֱמַר ,,חֲדָשִׁים לַבְּקָרִים רַבָּה אֱמוּנָתֶךָ" – **as it says:**[7] ***They are new every morning, great is Your praise*** *[upon them]!*[8]

The Gemara notes a contrary description of how angels are created:

וּפְלִיגָא דְּרַבִּי שְׁמוּאֵל בַּר נַחְמָנִי – **But [Rav] disputes R' Shmuel bar Nachmani** on this point, דְּאָמַר רַבִּי שְׁמוּאֵל בַּר נַחְמָנִי אָמַר רַבִּי יוֹנָתָן – **for R' Shmuel bar Nachmani said in the name of R' Yonasan:** כָּל דִּיבּוּר וְדִיבּוּר שֶׁיּוֹצֵא מִפִּי הַקָּדוֹשׁ בָּרוּךְ הוּא נִבְרָא מִמֶּנּוּ מַלְאָךְ אֶחָד – **From each and every word that emerges from the mouth of the Holy One, Blessed is He, a single angel is created,** שֶׁנֶּאֱמַר ,,בִּדְבַר ה' שָׁמַיִם נַעֲשׂוּ וּבְרוּחַ פִּיו כָּל־צְבָאָם" – **as it says:**[9] ***By the word of Hashem the heavens were made, and by the breath of His mouth all their host.***[10]

The Gemara contrasts two anthropomorphisms:

כְּתוּב אֶחָד אוֹמֵר – In the Book of *Daniel,*[11] **one verse says** in an anthropomorphic description of God: ,,לְבוּשֵׁהּ כִּתְלַג חִוָּר – ***His garment was white as snow,*** וּשְׂעַר רֵאשֵׁהּ כַּעֲמַר נְקֵא" – ***and the hair of His head like clean wool.*** וּכְתִיב – **But it is written** in *Song of Songs:*[12] ,,קְוֻצּוֹתָיו תַּלְתַּלִּים שְׁחֹרוֹת כָּעוֹרֵב" – ***His locks are wavy, black as the raven.***[13] – ? –

NOTES

1. These 974 generations were necessary originally for the honor of the Torah. The Torah was worthy of being given to man at the culmination of a thousand generations, as it says (*Psalms* 105:8): *The Word He commanded at [the end of] a thousand generations.* In fact, the Torah was given at the end of only 26 generations, from Adam until Moses (see below). The preceding 974 generations that were ordained initially were not created, because the world could not have lasted that long without the Torah. Accordingly, God drove them out of His world (*Rashi;* see next note).

The twenty-six generations are: (1) Adam; (2) Seth; (3) Enosh; (4) Kenan; (5) Mahalalel; (6)Yered; (7) Enoch; (8) Methuselah; (9) Lamech; (10) Noah; (11) Shem; (12) Arpachshad; (13) Shelach; (14) Eber; (15) Peleg; (16) Reu; (17) Serug; (18) Nahor; (19) Terach; (20) Abraham; (21) Isaac; (22) Jacob; (23) Levi; (24) Kehath; (25) Amram; (26) Moses. These twenty-six generations spanned approximately two-and-a-half thousand years.

[The author of the *Tiferes Yisrael* commentary on the Mishnah offers an interesting theory that these 974 generations did exist in a physical sense, but not in fully human form: See *Drush Or HaChaim* §3 printed in the *Yachin U'Boaz* edition of the Mishnah after Tractate *Sanhedrin.*]

2. There are two versions of the Gemara's conclusion: (a) וּטְרָדָן, *and [God] drove them out [of His world];* or (b) וּשְׁתָלָן בְּכָל דּוֹר וָדוֹר, *and [God] planted [some of] them in each and every generation* (see *Ein Yaakov*). *Rashi* seems to have had the first version. The question arises according to this version: Where is the justice in consigning people to Gehinnom if they never even had the opportunity to sin? How could God take the 974 generations that were not created and place them in Gehinnom?

Tosafos explain that God did not place them directly in Gehinnom, but rather distributed them among later generations where they sinned, and thus deserved their lot in Gehinnom. (*Maharsha* explains *Rashi* among similar lines.) Accordingly, *Tosafos* note, the two versions essentially mean the same thing, but differ in their wording (see emendation of *Rashash* to *Tosafos*).

3. [The word קֻמְּטוּ, *kumtu,* could mean either "ordained" or "cut down." Above, *Rashi* explained that it means "ordained"; here it seems that it means "cut down."]

4. [The verse does not refer to the punishment of the wicked, but rather to the reward of the righteous.]

5. The verse thus reads as follows: *Those whose [hours of sleep] were cut down [by themselves so they could study more; in the World to Come which is] without time, their [revealed] secrets will be [like] a pouring river* (*Maharsha*). [The translation in our text reflects the emendation of *Hagahos HaBach.*]

Alternatively, the phrase וְלֹא־עֵת, *without time,* refers back to the beginning of the verse: *Those whose [hours of sleep] were cut down [so they could study at all hours] without [having to restrict themselves to one specific] time* (*Hagahos Melo HaRo'im*).

[If a person devotes his every available moment to the study of the Torah in this world, striving to the limit of his abilities, he will be rewarded in the World to Come with Torah perceptions that are beyond his reach in this world.]

6. See *Rashi* to *Gittin* 62a ד״ה בר אוריין, and to *Menachos* 53a ד״ה אי בר אוריין.

7. *Lamentations* 3:23.

8. After these angels utter song, they immediately return to the stream of fire. Not all angels cease to exist immediately after offering song; there are many angels – such as Gabriel and Michael – who are permanent residents of Heaven (*Eichah Rabbah* 3:8 with *Peirush Maharzu*) and they offer song on an ongoing basis. The permanent angels wait politely for their peers to begin singing (*Avos DeRabbi Nassan* 12:6) whereas the newly created angels rush forth to sing out of order and bring immediate destruction upon themselves. Both sets of angels are alluded to in the Morning Blessings of the *Shema.* The words, *All of them grant permission to one another . . . all of them as one proclaim . . . "Holy, holy, holy,"* etc. refer to the permanent angels. Earlier in the blessing, when God is praised as the יוֹצֵר מְשָׁרְתִים, *Fashioner of ministering angels,* the reference is to the angels who are created, quickly utter song and cease to exist (*Tosafos* – see version in *Ein Yaakov*).

9. *Psalms* 33:6.

10. Rav and R' Shmuel bar Nachmani dispute whether the angels are created from the stream of fire or from God's words (*Tosafos*), but they agree that new angels are created every day (*Maharsha;* see *Ben Yehoyada*).

11. *Daniel* 7:9.

12. *Song of Songs* 5:11.

13. Because of the vital importance of the point, *Rabbeinu Chananel* reminds us once again that God has no form or image whatsoever. He notes that our Gemara is actually a proof for this: If God did have an image, He would not appear as an elder at some times and as a youth at others, but rather as whatever the image is. One is compelled to conclude, therefore, that He Himself has no image; rather He allows His prophets to perceive a symbolic representation of Himself in their mind's eye as is necessary for the particular message being given to them (see above, 13b note 20). [Thus in the message given to Daniel – that God would judge the Four Kingdoms – the concept of Divine judgment is articulated graphically as an elderly judge.] *Rabbeinu Chananel* cites another view that the image seen by Daniel was simply an angel (see view

קודם שנברא העולם. נגזר עליהם להבראות להיות קודם מתן תורה לקיים מה שנאמר דבר צוה לאלף דור (תהלים קה) ראויה היתה תורה להינתן לסוף אלף דור וכשראה שאין העולם מתקיים בלא תורה עמד וטרדן ונתנה לסוף כ"ו דורות מאדם הראשון עד משה רבינו: רבה אמונתך. רבה תהלתך עליהן: (ח) כרסיה. משמע כסא אחד: כרסון רמיו. שני כסאות הוטלו נתקנו לישב עליהן: שכינה חול. להושיב אדם בלידו: כלך מדברותיך. חדל מדבריך עד שתגיע אצל נגעים ואהלות שהן הלכות עמוקות: קילל ישעיה את ישראל. כלומר נתנבא עליהן י"ח פורעניות: ירהבו. יתגאו:

קודם שנברא העולם ולא נבראו עמד הקב"ה ושתלן בכל דור ודור והן הן עזי פנים שבדור ורב נחמן בר יצחק אמר אשר קומטו לברכה הוא דכתיב אלו תלמידי חכמים שמקמטין (א) עצמן על דברי תורה בעולם הזה הקב"ה מגלה להם סוד לעולם הבא שנאמר א) נהר יוצק יסודם אמר ליה שמואל לחייא בר רב בר אריא תא אימא לך מילתא מהני מילי מעליותא דהוה אמר אבוך כל יומא ויומא נבראין מלאכי השרת מנהר דינור ואמרי שירה ובטלי שנאמר ב) חדשים לבקרים רבה אמונתך ופליגא דר' שמואל בר נחמני דאמר ר' שמואל בר נחמני אמר ר' יונתן כל דיבור ודיבור שיוצא מפי הקב"ה נברא ממנו מלאך אחד שנאמר ג) בדבר ה' שמים נעשו וברוח פיו כל צבאם כתוב אחד אומר ד) לבושיה כתלג חיור ושער (ג) רישיה) כעמר נקא וכתיב ה) קווצותיו תלתלים שחורות כעורב לא קשיא כאן בישיבה כאן במלחמה דאמר מר אין לך נאה בישיבה אלא זקן ואין לך נאה במלחמה אלא בחור כתוב אחד אומר ד) כרסיה שביבין דינור וכתוב אחד אומר ד) עד די כרסון רמיו ועתיק יומין יתיב לא קשיא אחד לו ואחד לדוד כדתניא אחד לו ואחד לדוד דברי ר' עקיבא אמר לו ר' יוסי הגלילי עקיבא עד מתי אתה עושה שכינה חול אלא אחד לדין ואחד לצדקה קיבלה מיניה או לא קיבלה מיניה ת"ש אחד לדין ואחד לצדקה דברי רבי עקיבא אמר לו ר"א בן עזריה עקיבא מה לך אצל הגדה כלך (ג) מדברותיך אצל נגעים ואהלות אלא אחד לכסא ואחד לשרפרף כסא לישב עליו שרפרף להדום רגליו שנאמר ו) השמים כסאי והארץ הדום רגלי כי אתא רב דימי אמר שמונה עשרה קללות קילל ישעיה את ישראל ולא נתקררה דעתו עד שאמר להם המקרא הזה ז) ירהבו הנער בזקן והנקלה בנכבד שמונה עשרה קללות מאי נינהו דכתיב ח) כי הנה האדון ה' צבאות מסיר מירושלם ומיהודה משען ומשענה כל משען לחם וכל משען מים גבור ואיש מלחמה שופט ונביא וקוסם וזקן שר חמשים ונשוא פנים ויועץ וחכם חרשים ונבון לחש ונתתי נערים שריהם ותעלולים ימשלו בם [א] וגו' משען אלו בעלי מקרא משענה אלו בעלי משנה כגון ר"י בן תימא וחביריו פליגו בה רב פפא ורבנן חד אמר שש מאות סדרי משנה וחד אמר שבע מאות סדרי משנה כל משען לחם אלו בעלי תלמוד שנאמר ט) לכו לחמו בלחמי ושתו ביין מסכתי וכל משען מים אלו בעלי אגדה י) שמושכין לבו של אדם כמים באגדה (ג) גבור זה בעל שמועות ואיש מלחמה זה שיודע לישא וליתן במלחמתה של תורה שופט זה דיין שדן דין אמת לאמיתו נביא כמשמעו קוסם זה מלך שנאמר כ) קסם על שפתי מלך (ד) זקן זה שראוי לישיבה שר חמשים אל תקרי שר חמשים אלא שר חומשין זה שיודע לישא וליתן בחמשה חומשי תורה דבר אחר שר חמשים כדרבי אבהו דאמר רבי אבהו מכאן שאין מעמידין מתורגמן על הצבור פחות מחמשים שנה ונשוא פנים זה שנושאין פנים לדורו בעבורו למעלה כגון רבי חנינא בן דוסא למטה כגון רבי אבהו בי קיסר יועץ ל) שיודע לעבר שנים ולקבוע חדשים וחכם זה תלמיד המחכים את רבותיו חרשים מ) בשעה שפותח בדברי תורה הכל נעשין כחרשין ונבון זה המבין דבר מתוך דבר לחש זה שראוי למסור לו דברי תורה שניתנה נ) בלחש ונתתי נערים שריהם מאי ונתתי נערים שריהם א"ר אלעזר אלו בני אדם שמנוערין מן המצות ותעלולים ימשלו בם אמר רב (פפא) בר יעקב (ה) תעלי בני תעלי ולא נתקררה דעתו עד שאמר להם ירהבו הנער בזקן (והנקלה בנכבד) אלו בני אדם שמנוערין מן המצות ירהבו במי שממולא במצות כרמון והנקלה בנכבד יבא מי שחמורות דומות עליו כקלות וירהבו במי שקלות דומות עליו כחמורות אמר רב קטינא ס) אפי' בשעת כשלונה של ירושלים לא פסקו מהם בעלי אמנה שנא' ע) כי יתפש איש באחיו בית אביו (לאמר) שמלה לך קצין תהיה לנו דברים שבני אדם מתכסין (ו) כשמלה ישנן תחת ידך פ) והמכשלה הזאת צ) מאי והמכשלה הזאת דברים שאין בני אדם עומדין עליהן אא"כ נכשל בהן ישנן תחת ידך ק) ישא ביום ההוא לאמר לא אהיה חובש ובביתי אין לחם ואין שמלה לא תשימוני קצין עם אין ישא אלא לשון שבועה שנאמר ר) לא תשא את שם ה' אלהיך (ז) לא אהיה חובש לא הייתי מחובשי בית המדרש ובביתי אין לחם ואין שמלה שאין בידי לא מקרא ולא משנה ולא גמרא ודלמא שאני התם דאי אמר להו גמירנא אמרי ליה אימא לן הוה ליה למימר גמר ושכח מאי לא אהיה חובש כלל איני והאמר רבא ש) לא חרבה ירושלים עד שפסקו ממנה בעלי אמנה שנאמר ת) שוטטו בחוצות ירושלם וראו נא ודעו ובקשו ברחובותיה אם תמצאו איש אם יש עושה משפט מבקש אמונה ואסלח לה לא קשיא הא

שש מאות סדרי משנה. היו בימיהן: לחם אלו בעלי הש"ס. שיש לסמוך על הוראתן כסמיכת לחם: בעל שמועות. ששמע הלכות פסוקות מרבותיו וסגורות בפיו: ראוי לישב בישיבה. וליטול ממנו עלה בכל דבר חכמה: כדרבי אבהו. להעמיד לפניו מתורגמן לדרוש ברבים: למעלה נושאין פנים בעבורו לדורו. שהכל ניזונין בזכותו כגון רבי חנינא בן דוסא כדאמרינן בעלמא (תענית דף כד:) כל העולם אינו ניזון אלא בשביל חנינא בני: למטה. מלכי האומות מכבדין אותן בשבילו כגון ר' אבהו שהיה חשוב בבית המלך כדאמרינן במסכת סנהדרין (דף יד.) דהוו נפקי אמהתא דבי קיסר לאפיה כו': שראוי למסור לו כו'. כגון אב"ד ולבו דואג בקרבו: תעלי. שועלים: כי יתפש איש באחיו. הכתוב היה מגנן לומר שלא היו יודעין להשיב לשואלים הלכה: שבני אדם מתכסין בהן. נחבאין שלא ישאלו להן לפי שאין בקיאין בהן: ישנן תחת ידך. כלומר אתה בקי בהן: אא"כ נכשל בהם. כשהתלמיד נכשל בשמועתו פעם ראשונה ושניה הוא נותן לב לעמוד על שמועתו: לא אהיה. איני רגיל להיות: דלמא. הכי נמי לאו משום דאנשי אמנה היו אלא דאי הוה אמר גמירנא הוו אמרי ליה אימא לן והוא לא הוה ידע:

תקופת

וטרדן. ואיכא למ"ד שתלן פרש"י לפי לשון ראשון נתן נשמתן בגיהנם ולא נבראו ותימה הוא וכי עביד דינא בלא דינא כי מה פשעו להיות בגיהנם ונראה לפרש וטרדן שלא נבראו ביחד כי אם מעט לכל דור ודור כדי שלא יחריבו העולם ושני הלשונות בירושלמי שוה אך הלשון משונה ולכך לא חש למתני איכא דאמרי לה בהאי לישנא (ט) כיון שאינו משנה לה רק חדא תיבה: **ופליג.** אר' שמואל בר נחמני. שהוא אומר שמלאכים נבראים בדבור המקום ולא מנהר דינור: **רבי** חנינא בן דוסא למעלה. שהיה בעל מעשים יותר מכל בני דורו:

ולמטה (י) בבית קיסר. ולאו משום שלא היה חשוב למעלה אלא משום שגם בדורו היו אנשי מעשה כמותו:

נענה

The Gemara reconciles the two verses:

לֹא קַשְׁיָא – This is not a difficulty: כָּאן בִּישִׁיבָה – Here in *Daniel,* where the hair is described as white, it is speaking **in the context of a Rabbinical academy;**[14] **כָּאן בְּמִלְחָמָה – there in** *Song of Songs,* where the hair is described as raven-black, the verse is speaking **in the context of a battle,**[15] **דְּאָמַר מַר – for the master said: אֵין לְךָ נָאֶה בִּישִׁיבָה אֶלָּא זָקֵן – You have nothing better in a Rabbinical academy than an elder, וְאֵין לְךָ נָאֶה בְּמִלְחָמָה אֶלָּא בָּחוּר – and you have nothing better in a battle than a youth.**[16]

The Gemara notes another seeming contradiction within the verse in *Daniel* just cited:[17]

כְּתוּב אֶחָד אוֹמֵר – One verse, i.e. the end of the verse, **says: "כָּרְסְיֵהּ שְׁבִיבִין דִּי־נוּר" – *His throne was of fiery flames.* וְכָתוּב אֶחָד אוֹמֵר – But one verse,** i.e. the beginning of the verse, **says: "עַד דִּי כָרְסָוָן רְמִיו וְעַתִּיק יוֹמִין יְתִב" – *I watched* as thrones were set up and the One of Ancient Days sat.** Is there one throne or more than one throne?[18]

The Gemara reconciles the citations:

לֹא קַשְׁיָא – This is not a difficulty: There were indeed two thrones, **אֶחָד לוֹ וְאֶחָד לְדָוִד – one for [God] and one for David, כִּדְתַנְיָא – as it has been taught in a Baraisa: אֶחָד לוֹ וְאֶחָד לְדָוִד – ONE** throne is **FOR [GOD] AND ONE FOR DAVID; דִּבְרֵי רַבִּי עֲקִיבָא – these are THE WORDS OF R' AKIVA.**[19] **אָמַר לוֹ רַבִּי יוֹסֵי הַגְּלִילִי – R' YOSE HAGLILI SAID TO HIM: עֲקִיבָא עַד מָתַי אַתָּה עוֹשֶׂה שְׁכִינָה חוֹל – AKIVA, HOW LONG WILL YOU MAKE THE DIVINE PRESENCE PROFANE?!**[20] **אֶלָּא אֶחָד לְדִין וְאֶחָד לִצְדָקָה – RATHER,** both thrones are for the Divine Presence: **ONE IS FOR** administering **JUSTICE AND ONE FOR** dispensing **CHARITY.**[21]

The Gemara asks:

קִיבְּלָהּ מִינֵּיהּ אוֹ לֹא קִיבְּלָהּ מִינֵּיהּ – Did [R' Akiva] accept [R' Yose HaGlili's opinion] from him or did he not accept it from him?

The Gemara answers:

תָּא שְׁמַע – Come, learn the following proof from another Baraisa: **אֶחָד לְדִין וְאֶחָד לִצְדָקָה – ONE** throne was **FOR** administering **JUSTICE AND ONE FOR** dispensing **CHARITY; דִּבְרֵי רַבִּי עֲקִיבָא – these are THE WORDS OF R' AKIVA.** Evidently, R' Akiva did accept R' Yose HaGlili's opinion.[22]

The Baraisa continues:

אָמַר לוֹ רַבִּי אֶלְעָזָר בֶּן עֲזַרְיָה – R' ELAZAR BEN AZARYAH SAID TO [R' AKIVA]: עֲקִיבָא מַה לְּךָ אֵצֶל הַגָּדָה – AKIVA, WHAT connection **HAVE YOU WITH AGGADAH? כְּלָךְ מִדַּבְּרוֹתֶיךָ אֵצֶל נְגָעִים וְאֹהָלוֹת – DESIST FROM YOUR COMMENTS UNTIL YOU REACH** the topics of ***NEGAIM* AND *OHOLOS*!**[23] **אֶלָּא אֶחָד לְכִסֵּא וְאֶחָד לְשַׁרְפְּרַף – RATHER, ONE** throne is **FOR** God's **CHAIR AND ONE FOR** His **FOOTSTOOL. כִּסֵּא לֵישֵׁב עָלָיו – THE CHAIR IS** for Him **TO SIT UPON, שַׁרְפְּרַף לַהֲדוֹם רַגְלָיו –** and **THE FOOTSTOOL IS** for Him **TO REST HIS FEET UPON, שֶׁנֶּאֱמַר "הַשָּׁמַיִם כִּסְאִי וְהָאָרֶץ הֲדֹם רַגְלָי" – AS IT SAYS:**[24] *Thus said Hashem:* ***THE HEAVEN IS MY THRONE AND THE EARTH IS MY FOOTSTOOL.***[25]

The Gemara above (13a) cited a verse from *Isaiah,* chapter 3. Now, the Gemara expounds the passage in which this verse appears:

כִּי אֲתָא רַב דִּימִי אָמַר – When Rav Dimi came to Babylonia from Eretz Yisrael, **he said: שְׁמוֹנֶה עֶשְׂרֵה קְלָלוֹת קִילֵּל יְשַׁעְיָה אֶת יִשְׂרָאֵל – Isaiah pronounced eighteen** different **maledictions upon the Jewish people,**[26] **וְלֹא נִתְקָרְרָה דַּעְתּוֹ עַד שֶׁאָמַר לָהֶם הַמִּקְרָא הַזֶּה – but he was not satisfied until he told them this verse:**[27] **"יִרְהֲבוּ הַנַּעַר בַּזָּקֵן וְהַנִּקְלֶה בַּנִּכְבָּד" –** *The people will be oppressed, man by man and man by his fellow;* ***they will domineer, the youngster over the elder and the base over the respectable.***

The Gemara elaborates:

שְׁמוֹנֶה עֶשְׂרֵה קְלָלוֹת מַאי נִינְהוּ – What are the eighteen maledictions? They are listed in the passage preceding the above verse, **דִּכְתִיב – as it is written:**[28] **"כִּי הִנֵּה הָאָדוֹן ה׳ צְבָאוֹת מֵסִיר**

NOTES

of *Rav Saadiah Gaon* and *Rav Hai Gaon* cited here in *Otzar HaGeonim, Peirushim*).

14. When, so to speak, God is like a Torah sage, imparting His wisdom to others (see *Rashi* ד״ה ראוי לישב). *Rabbeinu Chananel* explains that the verse is speaking of when God is sitting in judgment.

15. [When, so to speak, God is like a warrior destroying the enemy.]

The Gemara's distinction is indicated by the passages in which these verses appear: The passage in *Daniel* discusses the judgment of the Four Kingdoms who ruled over the Jewish people. God is thus depicted as a just judge. *Song of Songs,* however, is in large part about the Exodus from Egypt: In that time, God acted as a mighty warrior on behalf of the Jews, as described in the Song by the Sea in *Exodus* 15:1-19 (*Maharsha*).

16. [Elders are typically distinguished by wisdom and experience, whereas the young are known for their strength and energy. All of these qualities are desirable in both the study hall and the battlefield. However, wisdom and experience are more important in Torah study, while strength and energy are more important in combat.]

17. The full verse reads: *I watched as thrones were set up, and the One of Ancient Days sat. His garment was white as snow, and the hair of His head like clean wool; His throne was of fiery flames, its wheels blazing fire.*

18. The plural כָּרְסָוָן, *thrones,* implies that two thrones were set up to be sat upon; yet the end of the verse speaks of only one throne (*Rashi*). What is the meaning of the two thrones? There is only one Supreme Ruler!

19. The second throne was for the king that God appointed to carry out His will on earth (see *Yad Ramah* to *Sanhedrin* 38b).

20. How can you seat a flesh and blood king next to God? (*Rashi*). It is improper to expound an allusion to God as an allusion to one of His creations (for a related point, see *Yerushalmi Succah* 4:3 and Responsa, *Shaar Ephraim* §64-65).

[By saying "How long?" R' Yose HaGlili implies that R' Akiva had expounded an allusion to God as an allusion to one of His creations before. See *Margaliyos HaYam* to *Sanhedrin* 38b §32 for possible instances.]

21. In the context of the passage in *Daniel,* justice will be administered to the wicked nations who oppressed the Jewish people, and charity will be dispensed to the Jews themselves (see *Rashi* to *Daniel* 7:9).

22. *Turei Even* asks: If R' Akiva abandoned his original view (one for God and one for David) why did the Gemara cite this view above? See *Ben Yehoyada* for a possible explanation.

23. Aggadic teachings are not your forte. Concentrate instead on the legal aspects of the Torah, such as *Negaim* and *Oholos* – tractates that deal with the complex laws of ritual purity, in which you excel (*Rashi* here and to *Sanhedrin* 67b, end).

24. *Isaiah* 66:1.

25. Both a chair and a footstool support a person, but a chair supports the main body of a person while a footstool supports only his feet. This is a metaphor for God's glory: The glory of His Kingship is immensely more manifest in Heaven, where the Heavenly entities have a greater perception of God, than on earth, where perceptions of the Divine are far more limited (see *Yad Ramah* to *Sanhedrin* 38b).

26. Literally: Isaiah cursed the Jewish people with eighteen [different] curses. This means that he prophesied eighteen tribulations that would befall the Jewish people (*Rashi*).

Ben Yehoyada asks: Why are these tribulations singled out from among all the many tribulations mentioned in *Isaiah*? Why are only these eighteen considered curses? *Ben Yehoyada* answers that all the other tribulations prophesied by Isaiah have a caveat: If the Jews engage in the study of Torah, the merit of Torah study will prevent the actual imposition of those tribulations. However, the eighteen tribulations the Gemara discusses here involve the removal of Torah scholars and the cancellation of Torah study itself. These tribulations are deemed curses since there is nothing that can override them.

27. *Isaiah* 3:5. [See below, note 55, for an explanation of this unusual statement.]

28. Ibid. 3:1-4.

קודם שנברא העולם. נגזר עליהם להבראות להיות קודם מתן תורה לקיים מה שנאמר דבר צוה לאלף דור (תהלים קה) ראויה היתה תורה להינתן לסוף אלף דור וכשראה שאין העולם מתקיים בלא תורה עמד וטרדן ונתנה לסוף כ"ו דורות מאדם הראשון עד משה רבינו: רבה אמונתך. רבה תהלתך עליהן: (ח) כרסיה. משמע כסא אחד: כרסון רמיו. שני כסאות הוטלו נתקנו לישב עליהן: שכינה חול. להושיב אדם בצידו: כלך מדברותיך. חדל מדבריך עד שתגיע אצל נגעים ואהלות שהן הלכות עמוקות: קילל ישעיה את ישראל. כלומר נתנבא עליהן י"ח פורעניות: ירהבו. יתגאו:

קודם שנברא העולם ולא נבראו עמד הקב"ה ושתלן בכל דור ודור והן הן עזי פנים שבדור ורב נחמן בר יצחק אמר אשר קומטו לברכה הוא דכתיב אלו תלמידי חכמים שמקמטין (א) עצמן על דברי תורה בעולם הזה הקב"ה מגלה להם סוד לעולם הבא שנאמר א) נהר יוצק יסודם אמר ליה שמואל ט) לחייא בר רב בר אריא תא אימא לך מילתא מהני מילי מעליותא דהוה אמר אבוך כל יומא ויומא נבראין מלאכי השרת מנהר דינור ואמרי שירה ובטלי שנאמר ב) חדשים לבקרים רבה אמונתך ופליגא דר' שמואל בר נחמני דאמר ר' שמואל בר נחמני אמר ר' יונתן כל דיבור ודיבור שיוצא מפי הקב"ה נברא ממנו מלאך אחד שנאמר ג) בדבר ה' שמים נעשו וברוח פיו כל צבאם כתוב אחד אומר ד) לבושיה כתלג חיור ושער (י) רישיה) כעמר נקא וכתיב ה) קוצותיו תלתלים שחורות כעורב לא קשיא כאן בישיבה כאן במלחמה דאמר מר אין לך נאה בישיבה אלא זקן ואין לך נאה במלחמה אלא בחור כתוב אחד אומר ד) כרסיה שביבין דינור וכתוב אחד אומר ו) עד די כרסון רמיו ועתיק יומין יתיב לא קשיא אחד לו ואחד לדוד כדתניא ע) אחד לו ואחד לדוד דברי ר' עקיבא אמר לו ר' יוסי הגלילי עקיבא עד מתי אתה עושה שכינה חול אלא אחד לדין ואחד לצדקה קיבלה מיניה או לא קיבלה מיניה ת"ש אחד לדין ואחד לצדקה דברי רבי עקיבא אמר לו ר"א בן עזריה פ) עקיבא מה לך אצל הגדה כלך מ) מדברותיך (ב) אצל נגעים ואהלות אלא אחד לכסא ואחד לשרפרף כסא לישב עליו שרפרף להדום רגליו שנאמר ו) השמים כסאי והארץ הדום רגלי כי אתא רב דימי אמר שמונה עשרה קללות קילל ישעיה את ישראל ולא נתקררה דעתו עד שאמר להם המקרא הזה ז) ירהבו הנער בזקן והנקלה בנכבד שמונה עשרה קללות מאי נינהו דכתיב ח) כי הנה האדון ה' צבאות מסיר מירושלם ומיהודה משען ומשענה כל משען לחם וכל משען מים גבור ואיש מלחמה שופט ונביא וקוסם וזקן שר חמשים ונשוא פנים ויועץ וחכם חרשים ונבון לחש ונתתי נערים שריהם ותעלולים ימשלו בם [א] וגו' משען אלו בעלי מקרא משענה אלו בעלי משנה כגון ר"י בן תימא וחביריו פליגו בה רב פפא ורבנן חד אמר שש מאות סדרי משנה וחד אמר שבע מאות סדרי משנה כל משען לחם אלו בעלי תלמוד שנאמר ט) לכו לחמו בלחמי ושתו ביין מסכתי וכל משען מים אלו בעלי אגדה י) שמושכין לבו של אדם כמים באגדה (ג) גבור זה בעל שמועות ואיש מלחמה זה שיודע לישא וליתן במלחמתה של תורה שופט זה דיין שדן דין אמת לאמיתו נביא כמשמעו קוסם זה מלך שנאמר י) קסם על שפתי מלך (ד) זקן זה שראוי לישיבה שר חמשים אל תקרי שר חמשים אלא שר חומשין זה שיודע לישא וליתן בחמשה חומשי תורה דבר אחר שר חמשים כדרבי אבהו דאמר רבי אבהו מכאן שאין מעמידין מתורגמן על הצבור פחות מחמשים שנה ונשוא פנים זה שנושאין פנים לדורו בעבורו למעלה כגון רבי חנינא בן דוסא למטה כגון רבי אבהו בי קיסר יועץ שיודע לעבר שנים ולקבוע חדשים וחכם זה תלמיד המחכים את רבותיו חרשים פ) בשעה שפותח בדברי תורה הכל נעשין כחרשין ונבון זה המבין דבר מתוך דבר לחש זה שראוי למסור לו דברי תורה שניתנה י) בלחש ונתתי נערים שריהם מאי ונתתי נערים שריהם א"ר אלעזר אלו בני אדם שמנוערין מן המצות ותעלולים ימשלו בם אמר רב (י) (פפא) בר יעקב (ה) תעלי בני תעלי ולא נתקררה דעתו עד שאמר להם ירהבו הנער בזקן (והנקלה בנכבד) אלו בני אדם שמנוערין מן המצות ירהבו במי שממולא במצות כרמון והנקלה בנכבד יבא מי שחמורות דומות עליו כקלות וירהבו במי שקלות דומות עליו כחמורות אמר רב קטינא ע) אפי' בשעת כשלונה של ירושלים לא פסקו מהם בעלי אמנה שנא' כ) כי יתפש איש באחיו בית אביו (לאמר) שמלה לך קצין תהיה לנו דברים שבני אדם מתכסין (ו) כשמלה ישנן תחת ידך כ) והמכשלה הזאת ס) מאי והמכשלה הזאת דברים שאין בני אדם עומדין עליהן אא"כ נכשל בהן ישנן תחת ידך ל) ישא ביום ההוא לאמר לא אהיה חובש ובביתי אין לחם ואין שמלה לא תשימוני קצין עם אין ישא אלא לשון שבועה שנאמר מ) לא תשא את שם ה' אלהיך (ז) לא אהיה חובש לא הייתי מחובשי בית המדרש ובביתי אין לחם ואין שמלה שאין בידי לא מקרא ולא משנה ולא גמרא ודלמא שאני התם דאי אמר להו גמירנא אמרי ליה אימא לן הוה ליה למימר גמר ושכח מאי לא אהיה חובש כלל איני והאמר רבא נ) לא חרבה ירושלים עד שפסקו ממנה בעלי אמנה שנאמר נ) שוטטו בחוצות ירושלם וראו נא ודעו ובקשו ברחובותיה אם תמצאו איש אם יש עושה משפט מבקש אמונה ואסלח לה לא קשיא הא

רש"י

שש מאות סדרי משנה. היו בימיהן: לחם אלו בעלי הש"ס. שיש לסמוך על הוראתן כסמיכת לחם: בעל שמועות. ששמע הלכות פסוקות מרבותיו וסדורות בפיו: ראוי לישב בישיבה. וליטול ממנו עצה בכל דבר חכמה: כדרבי אבהו. להעמיד לפניו מתורגמן לדרוש ברבים: למעלה נושאין פנים בעבורו לדורו. שהכל ניזונין בזכותו כגון רבי חנינא בן דוסא כדאמרינן בעלמא (תענית דף כד:) כל העולם אינו ניזון אלא בשביל חנינא בני: למטה. מלכי האומות מכבדין אותן בשבילו כגון רבי אבהו שהיה חשוב בבית המלך כדאמרינן במסכת סנהדרין (דף יד.) דהוו נפקי אמהתא דבי קיסר לאפיה כו': שראוי למסור לו כו'. כגון אב"ד ולבו דואג בקרבו: תעלי. שועלים: כי יתפש איש באחיו. הכתוב היה מגנן לומר שלא היו יודעין להשיב לשואלים הלכה: שבני אדם מתכסין בהן. מתביישין שלא ישאלו להן לפי שאין בקיאין בהן: ישנן תחת ידך. כלומר אתה בקי בהן: אא"כ נכשל בהם. כשהתלמיד נכשל בשמועתו פעם ראשונה ושניה הוא נותן לב לעמוד על שמועתו: לא אהיה. איני רגיל להיות: דלמא. האי נמי לאו משום דלאו אנשי אמנה היו אלא דאי הוה אמר גמירנא הוו אמרי ליה אימא לן והוא לא הוה ידע:

תקופת

תוספות

וטורדן. ואיכא למ"ד ושתלן פרש"י לפי לשון ראשון נתן נשמתן בגיהנם ולא נבראו ותימה הוא וכי עביד דינא בלא דינא כי מה פשעו להיות בגיהנם ונראה לפרש וטורדן שלא נבראו ביחד כי אם מעט לכל דור ודור כדי שלא יחריבו העולם ושני הלשונות בירושלמי (ט) כיון שאינו משנה לה רק מדה שוה אך הלשון משונה ולכך לא חש למתני איכא דאמרי לה בהאי לישנא: ופליג אר' שמואל בר נחמני. שהוא אומר שמלאכים נבראים בדבור המקום ולא מנהר דינור: רבי חנינא בן דוסא למעלה. שהיה בעל מעשים יותר מכל בני דורו: ולמטה (י) בבית קיסר. ולאו משום שלא היה חשוב למעלה אלא משום שגם בדורו היו אנשי מעשה כמותו:

נענה

מסורת הש"ס

א) [ברכות יב.], ב) [צ"ל ראשון], ג) סנהדרין לח., ד) [עיין לקמן טו.], ה) [ע' פרש"י דסנהדרין לח: ד"ה מדברותיך], ו) [שבת סו.], ז) [סנהדרין סז.], ח) [גיטין סח. סוטה מו:], ט) [מיוחס וכ"א בילקוט], י) [שבת קיט:], כ) [שבת קיט: גיטין מג.], ל) [ברכות יח.], מ) [וכתובות יז.]

הגהות הב"ח

(א) גמ' שמקמטין את עצמן משנה על דברי תורה כו' מגלה להם סוד לעולם הבא: (ב) שם כלך מדברותיך ולך אצל נגעים: (ג) שם גבור זה בעל שמועות. נ"ב פ"א ד"ה זה המתגבר בילגו: (ד) שם קסם על שפתי מלך במשפט לא ימעל פיו וכן זה: (ה) שם אמר רב פפא בר יעקב אלו תעלי וכו' והנקלה בנכבד יבואו בני אדם וכו' כרמון מלי והנקלה: (ו) שם מתכסין כשמלה: (ז) שם ה' אלהיך לא אהיה חובש לא הייתי מחובשי בית המדרש: (ח) רש"י ד"ה כורסיה: (ט) תוס' ד"ה וטורדן וכו' בהאי לישנא ולהכא דאמרי לה בהאי לישנא כיון שאינו משנה רק מדה כצ"ל: (י) ד"ה ולמטה כגון רבי אבהו בבית קיסר:

הגהות הגר"א

[א] גמ' ותעלולים ימשלו בם. נ"ב ונגש העם איש באיש וכו' כצ"ל (והוא הי"ח כי וחכם חרשים נחשב לאחד וכן ונבון לחש וכן זקן ושר חמשים) נ"ל דכוונו לדרוש ולא לענין מנינא דלה"כ יו"ט הוון אף זולת קרא ונגש כו':

תורה אור השלם

א) אשר קמטו ולא עת נהר יוצק יסודם: [איוב כב, טז]

ב) חדשים לבקרים רבה אמונתך: [איכה ג, כג]

ג) בדבר יי שמים נעשו וברוח פיו כל צבאם: [תהלים לג, ו]

ד) חזה הוית עד די כרסון רמיו ועתיק יומין יתב לבושה כתלג חור ושער ראשה כעמר נקא כרסיה שביבין די נור גלגלוהי נור דלק: [דניאל ז, ט]

ה) ראשו כתם פז קוצותיו תלתלים שחרות כעורב: [שיר השירים ה, יא]

ו) כה אמר יי השמים כסאי והארץ הדם רגלי אי זה בית אשר תבנו לי ואי זה מקום מנוחתי: [ישעיה סו, א]

ז) ונגש העם איש באיש ואיש ברעהו ירהבו הנער בזקן והנקלה בנכבד: [ישעיה ג, ה]

ח) כי הנה האדון יי צבאות מסיר מירושלים ומיהודה משען ומשענה כל משען לחם וכל משען מים: גבור ואיש מלחמה שופט ונביא וקסם וזקן: שר חמשים ונשוא פנים ויועץ וחכם חרשים ונבון לחש: ונתתי נערים שריהם ותעלולים ימשלו בם: [ישעיה ג, א-ד]

ט) לכו לחמו בלחמי ושתו ביין מסכתי: [משלי ט, ה]

י) קסם על שפתי מלך במשפט לא ימעל פיו: [משלי טז, י]

כ) כי יתפש איש באחיו בית אביו שמלה לכה קצין תהיה לנו והמכשלה הזאת תחת ידך: [ישעיה ג, ו]

ל) ישא ביום ההוא לאמר לא אהיה חבש ובביתי אין לחם ואין שמלה לא תשימני קצין עם: [ישעיה ג, ז]

מ) לא תשא את שם יי אלהיך לשוא כי לא ינקה יי את אשר ישא את שמו לשוא: [שמות כ, ז]

נ) שוטטו בחוצות ירושלים וראו נא ודעו ובקשו ברחובותיה אם תמצאו איש אם יש עשה משפט מבקש אמונה ואסלח לה: [ירמיה ה, א]

רבינו חננאל

ארבע כנפים ופרקי' ישעיה שראה בזמן שהיה בהמ"ק קיים ראה שש כנפים אבל יחזקאל שראה אחר חורבן ארבע כנפים כביכול שנראה ליחזקאל כאלו נתמעטו מכנפי החיות שתים שתים ואמרינן הי מינייהו אימעוט אמר רב חננאל אמר רב אותן שאומר בהם ובשתים יעופף וקרא כלומר שמשוררות בהן כדכתיב התעיף עיניך בו ואיננו ורבנן פי' שאין כתוב בזה הענין בס' שלנו ורבנן באו לגלות דבר זה מדרך אחרת כי ישעיה ראה רגלים מכוסין ויחזקאל ראה רגלים מגולות עד שידע כי הן רגל ישרה ואמר אותן שהיו מכוסין רגליהן בהן הן שנתמעטו ודחינן ודלמא דגלו ואחוו ליה דאי לא תימא הכי אפיהון היכי חזא להו אלא דגלו ואחוו ליה רגליהן נמי דגלו ואחוו ליה ודחינן בשלמא אפיה אורח ארעא לגלויי קמיה רביה אלא כרעא מי אורח ארעא לגלויי קמיה רביה. א) וחוב פרכינן ודלמא במסנא אחוון ליה ב) והאי דקאמר ורגליהם רגל ישרה לא אחזוי במסנא מקום גבוה ונמוך ברגל אדם ואף אין בראשה אלכסון כראשי אצבעות רגלי אדם. וכי הכי מחזי במסנא. ועוד סייעינן לרבנן דאמרי כנפים שהיו מכסות בה רגליהן אימעוט וראו מגולות דאי ס"ד מיכסין הוו רגליהן ואפיהון בשלמא גליין אפיהון כי היכי דלחזינהו יחזקאל דאיכא תמן פני שור וליבעי עלייהו רחמי כריש לקיש אלא רגליהן למה להו לגלינהו אלא אימעיטו גפייהו ואתגליין רגליהון ופרכינן לעולם מיכסיין הוו ולא איגליין אלא לאחווי יחזקאל דקיימי רגל ישרה לכדריב"ח (ברכות י) ללמד שחייב אדם לכוון את רגליו בתפלתו שנאמר ורגליהן רגל ישרה. נהר דינור נגד ונפק מזיעת החיות ושפיך על ראש רשעים בגיהנם. אשר קומטו ולא עת אלו הרשעים שקומטו קודם שנברא העולם ושתלן הקב"ה בכל דור ודור. והן הן עזי פנים. רב נחמן בר יצחק אמר ברכה היא. אלו ת"ח שמקמטין עצמם משנה בעוה"ז על דברי תורה הקב"ה מגלה להן סוד לעוה"ב. כתוב אחד אומר לבושיה כתלג חיור ושער רישיה כעמר נקי וכתוב אחר אומר קוצותיו תלתלים שחורות כעורב. לי"ק כאן בישיבה פי' במושב הדין כזקן. שאין נאה בישיבה אלא זקן. וכן במלחמה אין נאה אלא בחור. יש מי שאומר מראות הללו כדרך חלום נראים כדכתיב אם יהיה נביאכם ה' במראה אליו אתודע בחלום אדבר בו וכתוב וביד הנביאים אדמה. להודיע שמראה לנביאים כעין דמות באוכמתא דליבא. אבל הקב"ה ישתבח שמו אין לו דמות. וזה הדבר מוכיח שאין שם דמות שאילו היה תמיד אחד או דמות בחור לעולם או דמות זקן לעולם אלא ללמדך שאין שם דמות כלל. אלא מה שמראה לנביאים כעין דמות מה שיישר לפניו. ויש מי שאמר מלאך הוא זה שנאמר בו ושער רישיה ושחורות כעורב: עד כרסון רמיו פשוטה אחד לכסא ואחד לשרפרף. י"ח קללות קילל ישעיה את ישראל ולא נתקררה דעתו עד שאמר להן ירהבו הנער בזקן והנקלה בנכבד. וחשבינן י"ח קללות הא דכתיב כי הנה האדון ה' צבאות מסיר מירושלים ומיהודה משען ומשענה וגו' ולא ת"ח סדרי משנה: לא אהיה חובש כלומר לא הייתי מחובשי בית המדרש. ובביתי אין לחם ואין שמלה. אין בידי לא מקרא ולא משנה ולא תלמוד. איני והא אמר רבה לא חרבה ירושלים עד שפסקו ממנה בעלי אמנה שנאמר אם יש עושה משפט מבקש אמנה. ומפרקינן

חשק שלמה על ר"ח א) מדברי רבינו הלו לא נראה שנאמר לפנינו לתא קושיות ופירוקו בגירסות ולפני רבינו היה בלשונות. ב) אולי צ"ל והייתי דקאמר ורגליהם רגל ישרה היינו דלא אחזי במסנא.

ליקוטי רש"י

פני האחד פני הכרוב. הם היו פני השור שנהפכו לכרוב [יחזקאל י, יד]. כרביא. מעשה עגלונים. [illegible] כרביא ילד [רשב"ם ב"ב צג.]. כלומר כרובים דומים לילדים [illegible] היינו פני כרוב היינו פני אדם [illegible] שש כנפים לאחד. [illegible] וארבעה פנים לאחת [יחזקאל א, ו]. כביכול. [illegible] רגל ישרה. רגליהם אין להם קפיצים [illegible] התעיף עיניך בו. [illegible] וכנשר יעוף [משלי כג, ה]. בשתים יעופף. [illegible] משמשים. [illegible] ובשתים יעופף [ישעיה ו, ב]. דינור. [illegible] פנים לאחת [illegible] קומטו ולא עת. [illegible] נהר יוצק יסודם. [illegible] [איוב כב, טז]. חדשים לבקרים. [illegible] רבה אמונתך. [illegible] [איכה ג, כג]. [המשך בע"ב]

מירושלם ומיהודה – ***For behold, the Lord, Hashem, Master of Legions, is removing from Jerusalem and from Judah*** מַשְׁעֵן וּמַשְׁעֵנָה – ***support and mainstay;*** כֹּל מִשְׁעַן לֶחֶם וְכֹל מִשְׁעַן מָיִם – ***every support of bread and every support of water;*** גִּבּוֹר וְאִישׁ מִלְחָמָה – ***hero and man of war;*** שׁוֹפֵט וְנָבִיא וְקֹסֵם וְזָקֵן – ***judge, prophet, diviner and elder;*** שַׂר־חֲמִשִּׁים וּנְשׂוּא פָנִים – ***captain of fifty and respected person;*** וְיוֹעֵץ וַחֲכַם חֲרָשִׁים וּנְבוֹן לָחַשׁ – ***adviser, scholar of scholars and comprehender of whispers.*** וְנָתַתִּי נְעָרִים שָׂרֵיהֶם – ***I shall make youngsters their leaders,*** "וְתַעֲלוּלִים יִמְשְׁלוּ־בָם וגו – ***and mockers will rule them,*** **etc.**[29]

The eighteen maledictions are derived as follows: "מַשְׁעֵן" אֵלּוּ בַּעֲלֵי מִקְרָא – (1) ***Support*** **refers to masters of the Scriptures;** "מַשְׁעֵנָה" אֵלּוּ בַּעֲלֵי מִשְׁנָה – (2) ***mainstay*** **refers to masters of the Mishnah,** כְּגוֹן רַבִּי יְהוּדָה בֶּן תֵּימָא וַחֲבֵירָיו – **such as R' Yehudah ben Teima and his colleagues.**

The Gemara notes by way of explanation:

פְּלִיגוּ בָהּ רַב פָּפָּא וְרַבָּנָן – **Rav Pappa and the Rabbis disputed [the extent of their mastery]** of the Mishnah: חַד אָמַר – **One said** that in the days of R' Yehudah ben Teima they had שֵׁשׁ מֵאוֹת סִדְרֵי מִשְׁנָה – **six hundred orders of the Mishnah** in contrast to the six orders of the Mishnah we have today; וְחַד אָמַר שְׁבַע מֵאוֹת סִדְרֵי מִשְׁנָה – **and** the other **one said** they **had seven hundred orders of the Mishnah.**[30]

The Gemara resumes its enumeration of the eighteen maledictions:

"כֹּל מִשְׁעַן־לֶחֶם" – (3) ***every support of bread*** אֵלּוּ בַּעֲלֵי תַלְמוּד – **refers to masters of the Talmud,**[31] שֶׁנֶּאֱמַר "לְכוּ לַחֲמוּ בְלַחֲמִי וּשְׁתוּ בְּיַיִן מָסָכְתִּי" – **as it says** in reference to the Talmud, ***Come and partake of my bread and drink of the wine that I have mixed;***[32] "וְכֹל מִשְׁעַן מָיִם" – (4) ***and every support of water*** אֵלּוּ בַּעֲלֵי אַגָּדָה שֶׁמּוֹשְׁכִין לִבּוֹ שֶׁל אָדָם כַּמַּיִם בְּאַגָּדָה – **refers to masters of Aggadah who draw a person's heart,** i.e. attention,[33] **as** a person draws **water, through** their **Aggadic teachings;**[34] "גִּבּוֹר" זֶה בַּעַל שְׁמוּעוֹת – (5) ***hero*** **refers to a master of halachic traditions;**[35] "וְאִישׁ מִלְחָמָה" זֶה שֶׁיּוֹדֵעַ לִישָּׂא וְלִיתֵּן בְּמִלְחַמְתָּהּ שֶׁל תּוֹרָה – (6) ***and man of war*** **refers to he who knows how to thrust and parry in the battle of Torah;**[36] "שׁוֹפֵט" זֶה דַּיָּין שֶׁדָּן דִּין אֱמֶת לַאֲמִיתּוֹ – (7) ***judge*** **refers to a judge who renders a judgment that is absolutely true;**[37] "נָבִיא" כְּמַשְׁמָעוֹ – (8) ***prophet*** **is meant in its literal sense;**[38] "קוֹסֵם" זֶה מֶלֶךְ – (9) ***diviner*** **refers to a king,** שֶׁנֶּאֱמַר "קֶסֶם עַל־שִׂפְתֵי־מֶלֶךְ" – **as it says:**[39] ***There is a divination on the lips of a king;*** *his mouth will not betray him in judgment.*[40] "זָקֵן" זֶה שֶׁרָאוּי לִישִׁיבָה – (10)

NOTES

29. The passage continues (vs. 5-8): *The people will be oppressed, man by man and man by his fellow; they will domineer, the youngster over the elder and the base over the respectable. When a man will grasp his relative, a member of his father's house, [saying,] "You have a garment! Become a benefactor for us; and let this obstacle [of poverty] be under [the control of] your hand!" – he will swear on that day, saying, "I cannot become a patron, for in my house there is neither bread nor garment. Do not make me a benefactor of the people!" [All this has come about] because Jerusalem has stumbled and Judah has fallen.*

30. There is a tradition among the Geonim that at Sinai God gave Moses six [or seven] hundred orders of the Mishnah [i.e. the Oral Law] and that those were passed down generation after generation until Hillel. At that juncture in history, a poverty of the spirit overcame the people and the glory of the Torah was diminished. [The students were unable to master hundreds of orders and so the teachings of the entire Oral Law were distilled into Six Orders.] From the time of Hillel and Shammai and on, there were only these Six Orders. Some three centuries later, R' Yehudah HaNasi redacted the final version of these Six Orders of the Mishnah [which we have today] (*Otzar HaGeonim, Teshuvos*).

What was contained in these lost orders? [Certainly, there were no additional mitzvos or major categories of halachah!] Rather, the earlier Mishnah was a comprehensive and detailed expansion of the Mishnah that we have. There are a vast number of laws that are only hinted at in our Mishnah and there are many occasions when a later authority derives what appears to be a novel rule, not specifically mentioned in earlier sources. Such laws and their like were stated explicitly in the comprehensive Mishnah (see *Iyun Yaakov; Responsa, Melamed LeHo'il* III §61).

In his seminal work on the development of the Mishnah, *Yesod HaMishnah VaArichasah* (pp. 16-17), *R' Reuven Margaliyos* takes a different approach. He too notes a change that took place in the era of Hillel and Shammai. Until their time, there were almost no longstanding disputes (see Mishnah below, 16a-b with *Tosafos* ד״ה יוסי). Any halachic doubts that arose were resolved by the Central Rabbinical Court. However, in the era of the academies of Hillel and Shammai, a Central Court could not be convened for various reasons. With some notable exceptions, this situation persisted for many years. During this period, individual Tannaim kept personal records of the decisions and disputes of previous generations, as well as their own rulings on the disputed points. Although the Oral Law was still studied orally, these personal records, called Mishnah, were consulted when there were doubts regarding a tradition. Each set of Mishnah, covering the six standard orders, reflected the final rulings of only one school. When R' Yehudah HaNasi was ultimately able to convene a Central Court, he set out to establish a Mishnah that would be accepted universally. He began with the six hundred orders of the Mishnah, i.e. the versions of the Mishnah collected from one hundred different schools. R' Yehudah HaNasi and his court redacted the final Six Orders based on these six hundred, deciding several issues themselves.

The greatness of R' Yehudah ben Teima and his colleagues is that they mastered all the disparate versions of a hundred schools of thought. [The alternate reading, "seven hundred orders," is probably related to an early seventh order of the Mishnah that has since been subsumed in the other six: See *Melamed LeHo'il* loc. cit. and *Yesod HaMishnah VaArichasah* ibid.]

31. Upon whose rulings one may rely as a person depends upon bread [to sustain himself] (*Rashi*).

32. *Proverbs* 9:5. This verse appears in a passage that describes the wisdom of the Torah as a wise and kindly woman. She prepares "meals" for the simple and invites them to gain understanding from her bounty.

33. The Gemara understands the word אַגָּדָה, *Aggadah,* as being cognate to אָגִיד, *drew out.*

34. [Aggadah includes inspirational narratives, poetic expositions of Scripture and the like. The comparison between drawing water and teaching Aggadah may be this: Just as when one draws water, once the water has begun to flow, it continues to flow on its own, so too when one teaches Aggadah, once one has gained the audience's attention, they will remain rapt until the end of the discourse.]

35. He heard halachic rulings from his masters and he is thoroughly versed in them. A hero (or more literally: a man of strength) can at any time or in any place perform a feat of strength as needed. Similarly, a master of halachic traditions can cite the appropriate ruling in any given situation (*Maharsha*).

36. A man of war does not have [nearly as many] halachic traditions as the "hero," but he can arrive at the correct conclusion through his brilliance (*Maharsha;* cf. *Anaf Yosef;* see Responsa, *Ri Migash* §102 where the relative merits of a master of Geonic halachic traditions and a master of the Talmud are discussed).

37. Literally: one who judges a true judgment to its truth. The double expression can be explained as follows: If witnesses are suspected of lying, a judge may not rely on their testimony without subjecting them to a thorough cross-examination. Only after the "truth" of the testimony has been established may the "true" judgment be rendered (*Tosafos* to *Megillah* 15b; cf. *Tosafos* to *Bava Basra* 8b; the *Gra* to *Mishlei* 22:12; see also *Tur, Choshen Mishpat* 1 with commentators and *Chasam Sofer*).

38. Prophecy ceased entirely [some decades after the destruction of the First Temple], thus the removal of the prophet can be understood literally. However, the removal of the judge cannot be taken literally; certainly the Jewish people would continue to have judges, but they would not be judges of the highest caliber (*Maharsha*).

39. *Proverbs* 16:10.

40. A king appears to divine the facts of a case, that is he seems to have a preternatural ability to know the details of any issue. This is actually

קודם שנברא העולם. נגזר עליהם להבראות להיות קודם מתן תורה לקיים מה שנאמר דבר צוה לאלף דור (תהלים קה) ראויה היתה תורה להינתן לסוף אלף דור וכשראה שאין העולם מתקיים בלא תורה עמד וטרדן ונתנה לסוף כ"ו דורות מאדם הראשון עד משה רבינו: רבה אמונתך. רבה תהלתך עליהן: (ח) כרסיה. משמע כסא אחד: כרסון רמיו. שני כסאות הוטלו נתקנו לישב עליהן: שכינה חול. להושיב אדם בצידו: כלך מדברותיך. חדל מדבריך עד שתגיע אצל נגעים ואהלות שהן הלכות עמוקות: קילל ישעיה את ישראל. כלומר נתנבא עליהן י"ח פורעניות: ירהבו. יתגאו: שש מאות סדרי משנה. היו בימיהן: לחם אלו בעלי הש"ס. שיש לסמוך על הוראתן כסמיכת לחם: בעל שמועות. ששמע הלכות פסוקות מרבותיו ושגורות בפיו: ראוי לישב בישיבה. וליטול ממנו עצה בכל דבר חכמה: כדרבי אבהו. להעמיד לפניו מתורגמן לדרוש ברבים: למעלה נושאין פנים בעבורו לדורו. שהכל ניזונין בזכותו כגון רבי חנינא בן דוסא כדאמרינן בעלמא (תענית דף כד:) כל העולם אינו ניזון אלא בשביל חנינא בני: למטה. מלכי האומות מכבדין אותן בשבילו כגון ר' אבהו שהיה חשוב בבית המלך כדאמרינן במסכת סנהדרין (דף יד.) דהוו נפקי אמהתא דבי קיסר לאפיה כו': שראוי למסור לו כו'. כגון אב"ד ולבו דואג בקרבו: תעלי. שועלים: כי יתפש איש באחיו. הכתוב היה מגנן לומר שלא היו יודעין להשיב לשואלים הלכה: שבני אדם מתכסין בהן. נחבאין שלא ישאלו להן לפי שאין בקיאין בהן: ישנן תחת ידך. כלומר אתה בקי בהן: אא"כ נכשל בהם. כשהתלמיד נכשל בשמועתו פעם ראשונה ושניה הוא נותן לב לעמוד על שמועתו: לא אהיה. איני רגיל להיות: דלמא. האי נמי לאו משום דאנשי אמנה היו אלא דאי הוה אמר גמירנא הוו אמרי ליה אימא לן והוא לא הוה ידע:

תקופת

קודם שנברא העולם ולא נבראו עמד הקב"ה ושתלן בכל דור ודור והן הן עזי פנים שבדור ורב נחמן בר יצחק אמר אשר קומטו לברכה הוא דכתיב אלו תלמידי חכמים שמקמטין (א) עצמן על דברי תורה בעולם הזה הקב"ה מגלה להם סוד לעולם הבא שנאמר א) נהר יוצק יסודם אמר ליה שמואל א) לחייא בר רב בר אריא תא אימא לך מילתא מהני מילי מעליותא דהוה אמר אבוך כל יומא ויומא נבראין מלאכי השרת מנהר דינור ואמרי שירה ובטלי שנאמר ב) חדשים לבקרים רבה אמונתך ופליגא דר' שמואל בר נחמני דאמר ר' שמואל בר נחמני אמר ר' יונתן כל דיבור ודיבור שיוצא מפי הקב"ה נברא ממנו מלאך אחד שנאמר ג) בדבר ה' שמים נעשו וברוח פיו כל צבאם כתוב אחד אומר ד) לבושיה כתלג חיור ושער (ג) רישיה) כעמר נקא וכתיב ה) קוצותיו תלתלים שחורות כעורב לא קשיא כאן בישיבה כאן במלחמה דאמר מר אין לך נאה בישיבה אלא זקן ואין לך נאה במלחמה אלא בחור כתוב אחד אומר ד) כרסיה שביבין דינור וכתוב אחד אומר ד) עד די כרסון רמיו ועתיק יומין יתיב לא קשיא אחד לו ואחד לדוד כדתניא ג) אחד לו ואחד לדוד דברי ר' עקיבא אמר לו ר' יוסי הגלילי עקיבא עד מתי אתה עושה שכינה חול אלא אחד לדין ואחד לצדקה קיבלה מיניה או לא קיבלה מיניה ת"ש אחד לדין ואחד לצדקה דברי רבי עקיבא אמר לו ר"א בן עזריה ד) עקיבא מה לך אצל הגדה כלך ה) מדברותיך (ב) אצל נגעים ואהלות אלא אחד לכסא ואחד לשרפרף כסא לישב עליו שרפרף להדום רגליו שנאמר ו) השמים כסאי והארץ הדום רגלי כי אתא רב דימי אמר שמונה עשרה קללות קילל ישעיה את ישראל ולא נתקררה דעתו עד שאמר להם המקרא הזה ז) ירהבו הנער בזקן והנקלה בנכבד שמונה עשרה קללות מאי נינהו דכתיב ח) כי הנה האדון ה' צבאות מסיר מירושלם ומיהודה משען ומשענה כל משען לחם וכל משען מים גבור ואיש מלחמה שופט ונביא וקוסם וזקן שר חמשים ונשוא פנים ויועץ וחכם חרשים ונבון לחש ונתתי נערים שריהם ותעלולים ימשלו בם [א] וגו' משען אלו בעלי מקרא משענה אלו בעלי משנה כגון ר"י בן תימא וחביריו פליגו בה רב פפא ורבנן חד אמר שש מאות סדרי משנה וחד אמר שבע מאות סדרי משנה כל משען לחם אלו בעלי תלמוד שנאמר ט) לכו לחמו בלחמי ושתו ביין מסכתי וכל משען מים אלו בעלי אגדה י) שמושכין לבו של אדם כמים באגדה (ג) גבור זה בעל שמועות ואיש מלחמה זה שיודע לישא וליתן במלחמתה של תורה שופט זה דיין שדן דין אמת לאמיתו נביא כמשמעו קוסם זה מלך שנאמר כ) קסם על שפתי מלך (ד) זקן זה שראוי לישיבה שר חמשים אל תקרי שר חמשים אלא שר חומשין זה שיודע לישא וליתן בחמשה חומשי תורה דבר אחר שר חמשים כדרבי אבהו דאמר רבי אבהו מכאן שאין מעמידין מתורגמן על הצבור פחות מחמשים שנה ונשוא פנים זה שנושאין פנים לדורו בעבורו למעלה כגון רבי חנינא בן דוסא למטה כגון רבי אבהו בי קיסר יועץ ל) שיודע לעבר שנים ולקבוע חדשים וחכם זה תלמיד המחכים את רבותיו חרשים מ) בשעה שפותח בדברי תורה הכל נעשין כחרשין ונבון זה המבין דבר מתוך דבר לחש זה שראוי למסור לו דברי תורה שניתנה נ) בלחש ונתתי נערים שריהם מאי ונתתי נערים שריהם א"ר אלעזר אלו בני אדם שמנוערין מן המצות ותעלולים ימשלו בם אמר רב ס) (פפא) בר יעקב (ה) תעלי בני תעלי ולא נתקררה דעתו עד שאמר להם ירהבו הנער בזקן (ו) (והנקלה בנכבד) אלו בני אדם שמנוערין מן המצות ירהבו במי שממולא במצות כרמון והנקלה בנכבד יבא מי שחמורות דומות עליו כקלות וירהבו במי שקלות דומות עליו כחמורות אמר רב קטינא ע) אפי' בשעת כשלונה של ירושלים לא פסקו מהם בעלי אמנה שנא' כ) כי יתפש איש באחיו בית אביו (לאמר) שמלה לך קצין תהיה לנו דברים שבני אדם מתכסין (ו) כשמלה ישנן תחת ידך והמכשלה הזאת מ) מאי והמכשלה הזאת דברים שאין בני אדם עומדין עליהן אא"כ נכשל בהן ישנן תחת ידך ל) ישא ביום ההוא לאמר לא אהיה חובש ובביתי אין לחם ואין שמלה לא תשימוני קצין עם אין ישא אלא לשון שבועה שנאמר מ) לא תשא את שם ה' אלהיך (ז) לא אהיה חובש לא הייתי מחובשי בית המדרש ובביתי אין לחם ואין שמלה שאין בידי לא מקרא ולא משנה ולא גמרא ודלמא שאני התם דאי אמר להו גמירנא אמרי ליה אימא לן ושכח מאי לא אהיה חובש לא אהיה חובש כלל איני והאמר רבא נ) לא חרבה ירושלים עד שפסקו ממנה בעלי אמנה שנאמר נ) שוטטו בחוצות ירושלם וראו נא ודעו ובקשו ברחובותיה אם תמצאו איש אם יש עושה משפט מבקש אמונה ואסלח לה לא קשיא הא

וטרדן. ואיכא למ"ד ושתלן פרש"י לפי לשון ראשון נתן נשמתן בגיהנם ולא נבראו ותימה הוא וכי עביד דינא בלא דינא כי מה פשעו להיות בגיהנם ונראה לפרש וטרדן שלא נבראו ביחד כי אם מעט לכל דור ודור כדי שלא יחריבו העולם ושני הלשונות בירושלמי שוה אך הלשון משונה ולכך לא חש למתני איכא דאמרי לה בהאי לישנא (ט) כיון שאינו משנה לה רק חדא תיבה: **ופליג** אר' שמואל בר נחמני. שהוא אומר שמלאכים נבראים בדבור המקום ולא מנהר דינור: **רבי** חנינא בן דוסא למעלה. שהיה בעל מעשים יותר מכל בני דורו: **ולמטה** (י) בבית קיסר. ולאו משום שלא היה חשוב למעלה אלא משום שגם בדורו היו אנשי מעשה כמותו:

נענה

ארבע כנפים ופרקי' ישעיה שראה בזמן שהיה בהמ"ק קיים ראה שש כנפים אבל יחזקאל שראה אחר חרבן ארבע כנפים כביכול שנראה ליחזקאל כאלו נתמעטו מכנפי החיות שתים ואמרינן הי מיניהו אימעוט אמר רב חננאל אמר רב אותן שאומר בהם ובשתים יעופף וקרא כלומר שמשוררות בהן כדכתיב התעיף עיניך בו ואיננו ורב פפי' שאין בזה [illegible] ורבנן באו לגלות דבר זה מדרך אחרת כי ישעיה ראה רגלים מכוסין ויחזקאל ראה רגלים מגולות עד שידע כי הן רגל ישרה ואמר אותן שהיו מכוסין רגליהן בהן הן שנתמעטו ודחינן ודלמא דגלו ואחזו ליה דאי לא תימא הכי אפיהו היכי חזא להו אלא דגלו ואחזו ליה רגליהן נמי דגלו ואחזו ליה ודחינן בשלמא אפיה אורח ארעא לגלויי קמיה רביה אלא כרעא מי אורח ארעא לגלויי קמיה רביה. ולאו א) ותוב פרכינן ודלמא במסנא אחזון ליה ב) והאי דקאמר ורגליהם רגל ישרה לא אתחזי במסנא מקום גבוה ונמוך ברגל אדם ואף אם בראשה אלכסון כראשי אצבעות רגלי אדם. וכי הכי מתחזי במסנא. ועוד סייעינן לרבנן דאמרי כנפים שהיו מכסות בהם רגליהן אימעטו וראו מגולות דאי ס"ד מיכסין הוו רגליהן ואפיהון בשלמא גליין אפיהון היכי דלחזינהו יחזקאל דאיכא תמן פני שור וליבעי עלייהו רחמי כריש לקיש אלא רגליהן למה להון לגלינהו אלא אימעוטו גפייהו ואתגליין רגליהון ופרכינן לעולם מיכסיין הוו ולא איגליין אלא לאחוויי יחזקאל דקיימי רגל ישרה לכדריב"ח (ברכות י) ללמד שחייב אדם לכוון את רגליו בתפלתו שנאמר ורגליהן רגל ישרה. נהר דינור נגד ונפק מזיעת החיות ושפיך על ראש רשעים בגיהנם. אשר קומטו בלא עת אלו הרשעים שקומטו קודם שנברא העולם ושתלן הקב"ה בכל דור ודור. והן הן עזי פנים. רב נחמן בר יצחק אמר ברכה היא. אלו ת"ח שמקמטין עצמם משנה בעוה"ז על דברי תורה הקב"ה מגלה להן סוד לעוה"ב. כתוב אחד אומר לבושיה כתלג חיור ושער רישיה כעמר נקי וכתוב אחד אומר קווצותיו תלתלים שחורות כעורב. ל"ק כאן בישיבה פי' במושב הדין בר זקן. שאין נאה בישיבה אלא זקן. וכן במלחמה אין נאה אלא בחור פי' יש מי שאומר מראות הללו כדרך חלום נראים כדכתיב אם יהיה נביאכם ה' במראה אליו אתודע בחלום אדבר בו וכתוב ביד הנביאים אדמה. להודיע שמראה לנביאים כעין דמות באומנא דליכא. אבל הקב"ה ישתבח שמו אין לו דמות. וזה הדבר מוכיח שאין שם דמות שאילו היה תמיד אחד או דמות בחור לעולם או דמות זקן לעולם אלא לומדך שאין שם דמות כלל. אלא מה שמראה לנביאים כעין

מסורת הש"ס

א) [ברכות יב.], ב) [צ"ל ראשה], ג) סנהדרין לח:, ד) [שם ע"ש סז:], ה) [עי' פרש"י דסנהדרין סז: ד"ה מדברותיך], ו) שבת פו., ז) [סנהדרין פז.], ח) [גיטין פח. סוטה מו: סנהדרין לח.], ט) [פי' בחשאי מפני השטן. ערוך ערך לחש], י) [צ"ל אחא וכ"א בילקוט ובע"י], כ) [מיותר וכ"א בילקוט], ל) [שבת קיט:], מ) [שבת קיט: גיטין מג.], נ) שבת קיט:, ס) [ברכות יז:], ע) [וכתובות יז.].

הגהות הב"ח

(א) גמ' שמקמטין את עצמן משנה על דברי תורה כו' מגלה להם סוד הנהר לעולם הבא: (ב) שם כלך מדברותיך ולך אצל נגעים: (ג) שם גבור זה בעל שמועות. נ"ב ס"א ד"א זה המתגבר ביצרו: (ד) שם קסם על שפתי מלך במשפט לא ימעל פיו זקן זה: (ה) שם אמר רב פפא בר יעקב אלו תעלי וכו' והנקלה בנכבד יבואו בני אדם וכו' במלות כרמון מאי והנקלה: (ו) שם מתכסין בהם כשמלה: (ז) שם ה' אלהיך מאי לא אהיה חובש לא אהיה מחובשי בית המדרש: (ח) רש"י ד"ה כורסיה: (ט) תוס' ד"ה וטרדן וכו' בהאי לישנא ואיכא דאמרי לה בהאי לישנא כיון שאינו משנה רק חדא כצ"ל: (י) ד"ה ולמטה כגון רבי אבהו בבית קיסר:

הגהות הגר"א

[א] גמ' ותעלולים ימשלו בם. נ"ב ונגש העם איש באיש ואיש ברעהו (והוא הי"ח כי וחכם חרשים נחשב לחד וכן ונבון לחש ומ"ש המהרש"א ז"ל דהוא לענין דרשה ולא לענין מנינא דא"כ י"ט הוין אף זולת קרא ונגש כו'):

תורה אור השלם

א) אֲשֶׁר קֻמְּטוּ וְלֹא עֵת נָהָר יוּצַק יְסוֹדָם: [איוב כב, טז]

ב) חֲדָשִׁים לַבְּקָרִים רַבָּה אֱמוּנָתֶךָ: [איכה ג, כג]

ג) בִּדְבַר יְיָ שָׁמַיִם נַעֲשׂוּ וּבְרוּחַ פִּיו כָּל צְבָאָם: [תהלים לג, ו]

ד) חָזֵה הֲוֵית עַד דִּי כָרְסָוָן רְמִיו וְעַתִּיק יוֹמִין יְתִב לְבוּשֵׁהּ כִּתְלַג חִוָּר וּשְׂעַר רֵאשֵׁהּ כַּעֲמַר נְקֵא כָּרְסְיֵהּ שְׁבִיבִין דִּי נוּר גַּלְגִּלּוֹהִי נוּר דָּלִק: [דניאל ז, ט]

ה) רֹאשׁוֹ כֶּתֶם פָּז קְוֻצּוֹתָיו תַּלְתַּלִּים שְׁחֹרוֹת כָּעוֹרֵב: [שיר השירים ה, יא]

ו) כֹּה אָמַר יְיָ הַשָּׁמַיִם כִּסְאִי וְהָאָרֶץ הֲדֹם רַגְלָי אֵי זֶה בַיִת אֲשֶׁר תִּבְנוּ לִי וְאֵי זֶה מָקוֹם מְנוּחָתִי: [ישעיה סו, א]

ז) וְנִגַּשׂ הָעָם אִישׁ בְּאִישׁ וְאִישׁ בְּרֵעֵהוּ יִרְהֲבוּ הַנַּעַר בַּזָּקֵן וְהַנִּקְלֶה בַּנִּכְבָּד: [ישעיה ג, ה] ח) כִּי הִנֵּה הָאָדוֹן יְיָ צְבָאוֹת מֵסִיר מִירוּשָׁלַיִם וּמִיהוּדָה מַשְׁעֵן וּמַשְׁעֵנָה כֹּל מִשְׁעַן לֶחֶם וְכֹל מִשְׁעַן מָיִם: גִּבּוֹר וְאִישׁ מִלְחָמָה שׁוֹפֵט וְנָבִיא וְקֹסֵם וְזָקֵן: שַׂר חֲמִשִּׁים וּנְשׂוּא פָנִים וְיוֹעֵץ וַחֲכַם חֲרָשִׁים וּנְבוֹן לָחַשׁ: וְנָתַתִּי נְעָרִים שָׂרֵיהֶם וְתַעֲלוּלִים יִמְשְׁלוּ בָם: [ישעיה ג, א-ד] ט) לְכוּ לַחֲמוּ בְלַחֲמִי וּשְׁתוּ בְּיַיִן מָסָכְתִּי: [משלי ט, ה] י) קֶסֶם עַל שִׂפְתֵי מֶלֶךְ בְּמִשְׁפָּט לֹא יִמְעַל פִּיו: [משלי טז, י] כ) כִּי יִתְפֹּשׂ אִישׁ בְּאָחִיו בֵּית אָבִיו שִׂמְלָה לְכָה קָצִין תִּהְיֶה לָּנוּ וְהַמַּכְשֵׁלָה הַזֹּאת תַּחַת יָדֶךָ: [ישעיה ג, ו] ל) יִשָּׂא בַיּוֹם הַהוּא לֵאמֹר לֹא אֶהְיֶה חֹבֵשׁ וּבְבֵיתִי אֵין לֶחֶם וְאֵין שִׂמְלָה לֹא תְשִׂימֻנִי קְצִין עָם: [ישעיה ג, ז] מ) לֹא תִשָּׂא אֶת שֵׁם יְיָ אֱלֹהֶיךָ לַשָּׁוְא כִּי לֹא יְנַקֶּה יְיָ אֵת אֲשֶׁר יִשָּׂא אֶת שְׁמוֹ לַשָּׁוְא: [שמות כ, ז] נ) שׁוֹטְטוּ בְּחוּצוֹת יְרוּשָׁלַיִם וּרְאוּ נָא וּדְעוּ וּבַקְשׁוּ בִרְחוֹבוֹתֶיהָ אִם תִּמְצְאוּ אִישׁ אִם יֵשׁ עֹשֶׂה מִשְׁפָּט מְבַקֵּשׁ אֱמוּנָה וְאֶסְלַח לָהּ: [ירמיה ה, א]

דמות מה שיישר לפניו. ויש מי שאמר מלאך הוא זה שנאמר בו ושער רישיה [illegible] ושחורות כעורב: עד כרסון רמיו פשוטה אחד לכסא ואחד לשרפרף. י"ח קללות קילל ישעיה את ישראל עד שאמר ירהבו הנער בזקן והנקלה בנכבד. [illegible] משען ומשענה [illegible] לא אהיה חובש לא הייתי מחובשי בית המדרש ובביתי אין לחם ואין שמלה לא מקרא ולא משנה ולא תלמוד. איני והאמר רבא לא חרבה ירושלים אלא עד שפסקו ממנה בעלי אמנה. [illegible]

חשק שלמה על ר"ח א) [illegible] ב) [illegible]

ליקוטי רש"י [illegible]

elder* refers to he who is suitable for** a position in **a Rabbinical academy.**[41] "שַׂר־חֲמִשִּׁים" – (11) ***captain of fifty; אַל תִּקְרֵי "שַׂר־חֲמִשִּׁים" אֶלָּא שַׂר חוּמָּשִׁין – **do not pronounce** it ***sar chamishim*** (captain of fifty) **but** rather ***sar chumashim*** (prince of the Pentateuch). זֶה שֶׁיּוֹדֵעַ לִישָּׂא וְלִיתֵּן בַּחֲמִשָּׁה חוּמְשֵׁי תוֹרָה – **This refers to he who knows how to thrust and parry in** scholarly discussions of **the Five Books of the Torah.**[42] דָּבָר אַחֵר – **Another explanation:** "שַׂר־חֲמִשִּׁים" כִּדְרַבִּי אַבָּהוּ – ***captain of fifty*** should be understood **in line with R' Abahu's teaching,** דְּאָמַר רַבִּי אַבָּהוּ – **for R' Abahu said** regarding this verse: מִכָּאן שֶׁאֵין מַעֲמִידִין מְתוּרְגְמָן עַל הַצִּבּוּר פָּחוֹת מֵחֲמִשִּׁים שָׁנָה – **From here we may derive that a spokesman**[43] **should not be appointed to serve a community if [the Rabbi speaking to them] is less than fifty years old;**[44] "וּנְשׂוּא פָנִים" – (12) ***respected person*** זֶה שֶׁנּוֹשְׂאִין פָּנִים לְדוֹרוֹ בַּעֲבוּרוֹ לְמַעְלָה – **refers to someone on whose behalf deference is shown to his generation above,** in Heaven,[45] כְּגוֹן רַבִּי חֲנִינָא בֶּן דּוֹסָא – **such as R' Chanina ben Dosa;**[46] לְמַטָּה – and *respected person* also refers to someone on whose behalf deference is shown to his generation **below,** on earth,[47] כְּגוֹן רַבִּי אַבָּהוּ בֵּי קֵיסָר – **such as R' Abahu at the palace of the caesar;**[48] "יוֹעֵץ" שֶׁיּוֹדֵעַ לְעַבֵּר שָׁנִים וְלִקְבּוֹעַ חֳדָשִׁים – (13) ***adviser*** means **that he knows how to intercalate** months into **years and to fix months;**[49] "וַחֲכַם" זֶה תַּלְמִיד הַמַּחְכִּים אֶת רַבּוֹתָיו – (14) ***and a scholar* refers to a student who makes his teachers wise;** "חֲרָשִׁים" בְּשָׁעָה שֶׁפּוֹתֵחַ בְּדִבְרֵי תוֹרָה – (15) ***of scholars*** *(charashim)* means **that when he begins discussing words of Torah,** הַכֹּל נַעֲשִׂין כְּחֵרְשִׁין – **everyone** in his presence **becomes like deaf-mutes** *(cheirshin)*;[50] "וּנְבוֹן" זֶה הַמֵּבִין דָּבָר מִתּוֹךְ דָּבָר – (16) ***comprehender* refers to he who deduces one fact from another fact;** "לָחַשׁ" זֶה שֶׁרָאוּי לִמְסוֹר לוֹ דִּבְרֵי תוֹרָה שֶׁנִּיתְּנָה בְּלַחַשׁ – (17) ***of whispers* refers to one to whom it is appropriate to transmit words of Torah that were passed down in a whisper;**[51] "וְנָתַתִּי נְעָרִים שָׂרֵיהֶם" – (18) ***I shall make youngsters their leaders,*** *and mockers will rule them.* מַאי "וְנָתַתִּי נְעָרִים שָׂרֵיהֶם" – **What is** meant by ***I shall make youngsters*** *(ne'arim)* ***their leaders?*** אָמַר רַבִּי אֶלְעָזָר – **R' Elazar said:** אֵלּוּ בְּנֵי אָדָם שֶׁמְּנוּעָרִין מִן הַמִּצְוֹת – **This refers to people who are empty** *(meno'arim)* **of mitzvos;** these shall be their leaders. "וְתַעֲלוּלִים יִמְשְׁלוּ־בָם" – ***and mockers*** *(sa'alulim)* ***will rule them.*** אָמַר רַב (פפא) [אַחָא] בַּר יַעֲקֹב – **Rav Acha bar Yaakov said:** These are תַּעֲלֵי בְּנֵי תַעֲלֵי – **foxes the sons of foxes** *(sa'alei bnei sa'alei).*[52]

The Gemara continues:

וְלֹא נִתְקָרְרָה דַּעְתּוֹ עַד שֶׁאָמַר לָהֶם – **But [Isaiah] was not satisfied** with the maledictions directed towards the Jewish people **until he had told them** this following verse:[53] "יִרְהֲבוּ הַנַּעַר בַּזָּקֵן" (והנקלה בנכבד) – ***They will domineer, the youngster*** *(hanaar)* ***over the elder:*** אֵלּוּ בְּנֵי אָדָם שֶׁמְּנוּעָרִין מִן הַמִּצְוֹת – **This refers to people who are empty** *(meno'arim)* **of mitzvos;** יִרְהֲבוּ בְּמִי שֶׁמְּמוּלָּא בְּמִצְוֹת כְּרִמּוֹן – **they will domineer over one who is as full of mitzvos as a pomegranate** is full of seeds. "וְהַנִּקְלֶה בַּנִּכְבָּד" – ***And the base*** *(vihanikleh)* ***over the respectable;*** יָבֹא מִי שֶׁחֲמוּרוֹת דּוֹמוֹת עָלָיו כְּקַלּוֹת – **a person to whom grave sins seem like light sins** *(kalos)*[54] **will come** וְיִרְהֲבוּ בְּמִי שֶׁקַּלּוֹת דּוֹמוֹת עָלָיו כַּחֲמוּרוֹת – **and domineer over someone to whom light sins seem as grave sins.**[55]

NOTES

because there are so many people who will act as informers in order to curry favor with him. Since his sources are well placed, the king will have an accurate picture of a case and *his mouth will not betray him in judgment* (see *Ralbag* and *Metzudos David* to *Proverbs* 16:10; cf. *Ibn Ezra* ad loc.).

41. He is someone from whom one may take counsel in any matter requiring wisdom (*Rashi*).

42. *Maharsha* explains that there is a difference between the aforementioned "masters of the Scripture" and this category. The masters of the Scripture are well versed in the text of all twenty-four books of the Torah, Prophets and Writings but do not necessarily have in-depth knowledge of any one section. The "princes of the Pentateuch," on the other hand, have a deep and penetrating understanding of the Five Books of the Torah, but are not as learned in the rest of Scripture.

Ben Yehoyada understands this category in a very different sense. He says that being able to thrust and parry in scholarly discussions of the Five Books of the Torah means that in halachic discussions he can cite a proof from the principles of one topic mentioned in the Torah to another unrelated topic, e.g. from the laws of damages to the laws of *tumah* and *taharah*.

43. Literally, *meturgeman* means "interpreter." A *meturgeman* assists a Sage delivering a Torah discourse to the community. Typically, the Sage sits and speaks a sentence, softly and in Hebrew, to the *meturgeman*. The *meturgeman* then amplifies his words to the assembled listeners, translating them into the vernacular (see *Rashi* to *Yoma* 20b ד״ה לא היה אמורא and to *Pesachim* 50b ד״ה מתורגמנין).

44. *Rashi* (see *Menachem Meishiv Nefesh*). Alternatively, the Gemara means that the *meturgeman* himself must be fifty years old: He must wait ten years until he begins the study of the Mishnah (see *Pirkei Avos* 5:21) and another forty years until he fully grasps his teachers' approach (*Chasam Sofer,* cited in *Yalkut Yeshayahu;* see *Avodah Zarah* 5b).

45. The whole world is sustained in his merit (*Rashi*).

46. The Gemara states (*Berachos* 17b) that (during the lifetime of R' Chanina ben Dosa), a Heavenly voice proclaimed each and every day: The entire world is sustained for the sake of Chanina, My son, while Chanina, My son, it is enough for him just a *kav* of carobs from Friday to Friday (see *Rashi* to *Chullin* 86a ד״ה חנינא). There was no greater man of [noble] deeds in the era of R' Chanina ben Dosa than he (*Tosafos*).

47. The non-Jewish kings honor the Jews for his sake (*Rashi*).

48. When R' Abahu would go from his academy to the palace of the caesar (to speak to him about communal matters), the matrons of the caesar's household would go out and sing: *Prince of his people! Leader of his nation! Radiant as a lit candle! May your arrival be blessed with peace* (*Sanhedrin* 14a with *Yad Ramah*).

When the Gemara says R' Abahu was esteemed below, that does not mean that he was not also esteemed Above. Rather, in his time, there were other people who were comparable to him in the nobility of their deeds (*Tosafos*).

49. I.e. he is wise in the technical calculations needed to determine whether a month should be made into a leap month by intercalating a thirtieth day, or whether a leap year should be made by intercalating a thirteenth month. One possessed of this technical wisdom is called "an adviser."

50. The word חרש can be vowelized in two ways. When vowelized חָרָשׁ (as in our verse), it means *a craftsman.* When vowelized חֵרֵשׁ, it means *a deaf-mute.* The Gemara homiletically interprets חָרָשׁ in our verse as חֵרֵשׁ, i.e. Torah scholars whose erudition silenced all others so that they became as speechless as deaf-mutes.

51. I.e. a head of a Rabbinical Court whose heart worries within him (*Rashi,* citing 13a).

52. I.e. weak, inferior men (see *Rashi* to *Isaiah* 3:4). Alternatively: Wicked men who are clever as foxes and are adept at presenting themselves publicly as righteous individuals. These can be far more harmful than people who do not conceal their wickedness (*Ben Yehoyada*).

[The Gemara uses a double expression, *foxes the sons of foxes,* based on the double *lamed* in the word וְתַעֲלוּלִים. The verse thus teaches that the most degenerate of all would rule over them – *Maharsha.*]

53. Which is a nineteenth malediction (see *Ben Yehoyada*).

54. That is, all sins seem trivial to him (*Maharsha*).

55. All sins seem grave to him (*Maharsha*).

Many of the commentators ask: How could the Gemara say that the Prophet Isaiah was not satisfied with the eighteen maledictions he pronounced upon the Jewish people until he added one more? Would Isaiah derive satisfaction, Heaven forbid, from cursing the Jewish people? There are many solutions offered to this problem; we will present two.

Maharsha: Isaiah derived satisfaction from the last malediction because the increase of brazenness inherent in the situation of an empty person

קודם שנברא העולם. נגזר עליהם להבראות להיות קודם מתן תורה לקיים מה שנאמר דבר צוה לאלף דור (תהלים קה) לאלף דור היתה תורה להינתן לסוף אלף דור וכשראה שאין העולם מתקיים בלא תורה עמד ועברן ונתנה לסוף כ"ו דורות מאדם הראשון עד משה רבינו: רבה אמונתך. רבה הבטחתך עליהן: (ס) כרסיה. משמע כסא אחד: כרסון רמיו. שני כסאות הוטלו נתקנו לישב עליהן: שכינה חול. להושיב אדם בצדו: כלך מדברותיך. חדל מדבריך עד שתגיע אצל נגעים ואהלות שהן הלכות עמוקות: קילל ישעיה את ישראל. כלומר נתמנבא עליהן י"ח פורעניות: ירהבו. יתגאו: שש מאות סדרי משנה. היו בימיהן: לחם אלו בעלי הש"ס. שיש לסמוך על הוראתן כסמיכת לחם: בעל שמועות. ששמע הלכות פסוקות מרבותיו וסגורות בפיו: ראוי לישב בישיבה. וליטול ממנו עצה בכל דבר חכמה: כדרבי אבהו. להעמיד לפניו מתורגמן לדרוש ברבים: למעלה נושאין פנים בעבורו לדורו. שהכל ניזונין בזכותו כגון רבי חנינא בן דוסא כדאמרינן בעלמא (תענית דף כד:) כל העולם אינו ניזון אלא בשביל חנינא בני: למטה. מלכי האומות מכבדין אותן בשבילו כגון ר' אבהו שהיה חשוב בבית המלך כדאמרינן במסכת סנהדרין (דף יד.) דהוו נפקי לאפיה מהמטא דבי קיסר כו': שראוי למסור לו כו'. כגון אב"ד ולבו דואג בקרבו: תעלי. שועלים: כי יתפש איש באחיו. הכתוב היה מגנן לומר שלא היו יודעין להשיב לשואלים הלכה: שבני אדם מתכסין בהן. נתכלמין שלא ישאלו להן לפי שאין בקיאין בהן: ישנן תחת ידך. כלומר אתה בקי בהן: אא"כ נכשל בהם. כשהתלמיד נכשל בשמועתו פעם ראשונה ושניה הוא נותן לבו לעמוד על שמועתו: לא אהיה. איני רגיל להיות: דלמא. האי נמי לאו משום דאנשי אמנה היו אלא דלאי הוה אמר גמירנא הוו אמרי ליה אימא לן והוא לא הוה ידע:

תקופת

וטרדן. ואיכא למ"ד ושתלן פרש"י לפי לשון ראשון נתן נשמתן בגיהנם ולא נבראו ותימה הוא וכי עביד דינא בלא דינא כי מה פשעו להיות בגיהנם ונראה לפרש וטורדן שלא נבראו ביחד כי אם מעט לכל דור ודור כדי שלא יחריבו העולם ושני הלשונות בירושלמי שוה אך הלשון משונה ולכך לא חש למתני איכא דאמרי לה בהאי לישנא (ט) כיון שאינו משנה לה רק מלה מיהא: **ופליג אר' שמואל בר נחמני.** שהוא אומר שמלאכים נבראים בדבור המקום ולא מנהר דינור: **רבי חנינא בן דוסא למעלה.** שהיה בעל מעשים יותר מכל בני דורו: **ולמטה** (י) בבית קיסר. ולאו משום שלא היה חשוב למעלה אלא משום שגם בדורו היו אנשי מעשה כמותו:

נענה

קודם שנברא העולם ולא נבראו עמד הקב"ה ושתלן בכל דור ודור והן הן עזי פנים שבדור ורב נחמן בר יצחק אמר אשר קומטו לברכה הוא דכתיב אלו תלמידי חכמים שמקמטין (א) עצמן על דברי תורה בעולם הזה הקב"ה מגלה להם סוד לעולם הבא שנאמר א) נהר יוצק יסודם אמר ליה שמואל לחייא בר רב בר אריא תא אימא לך מילתא מהני מילי מעליותא דהוה אמר אבוך כל יומא ויומא נבראין מלאכי השרת מנהר דינור ואמרי שירה ובטלי שנאמר ב) חדשים לבקרים רבה אמונתך ופליגא דר' שמואל בר נחמני דאמר ר' שמואל בר נחמני אמר ר' יונתן כל דיבור ודיבור שיוצא מפי הקב"ה נברא ממנו מלאך אחד שנאמר ג) בדבר ה' שמים נעשו וברוח פיו כל צבאם כתוב אחד אומר ד) לבושיה כתלג חיור ושער (רישיה) [רישיה] כעמר נקא וכתיב ה) קוצותיו תלתלים שחורות כעורב לא קשיא כאן בישיבה כאן במלחמה דאמר מר אין לך נאה בישיבה אלא זקן ואין לך נאה במלחמה אלא בחור כתוב אחד אומר ד) כרסיה שביבין דינור וכתוב אחד אומר ד) עד די כרסון רמיו ועתיק יומין יתיב לא קשיא אחד לו ואחד לדוד כדתניא אחד לו ואחד לדוד דברי ר' עקיבא אמר לו ר' יוסי הגלילי עקיבא עד מתי אתה עושה שכינה חול אלא אחד לדין ואחד לצדקה קיבלה מיניה או לא קיבלה מיניה ת"ש אחד לדין ואחד לצדקה דברי רבי עקיבא אמר לו ר"א בן עזריה עקיבא מה לך אצל הגדה כלך מדברותיך (ג) אצל נגעים ואהלות אלא אחד לכסא ואחד לשרפרף כסא לישב עליו שרפרף להדום רגליו שנאמר ו) השמים כסאי והארץ הדום רגלי כי אתא רב דימי אמר שמונה עשרה קללות קילל ישעיה את ישראל ולא נתקררה דעתו עד שאמר להם המקרא הזה ז) ירהבו הנער בזקן והנקלה בנכבד שמונה עשרה קללות מאי ניהו דכתיב ח) כי הנה האדון ה' צבאות מסיר מירושלם ומיהודה משען ומשענה כל משען לחם וכל משען מים גבור ואיש מלחמה שופט ונביא וקוסם וזקן שר חמשים ונשוא פנים ויועץ וחכם חרשים ונבון לחש ונתתי נערים שריהם ותעלולים ימשלו בם [א] וגו' משען אלו בעלי מקרא משענה אלו בעלי משנה כגון ר"י בן תימא וחביריו פליגו בה רב פפא ורבנן חד אמר שש מאות סדרי משנה וחד אמר שבע מאות סדרי משנה כל משען לחם אלו בעלי תלמוד שנאמר ט) לכו לחמו בלחמי ושתו ביין מסכתי וכל משען מים אלו בעלי אגדה שמושכין לבו של אדם כמים באגדה (ג) גבור זה בעל שמועות ואיש מלחמה זה שיודע לישא וליתן במלחמתה של תורה שופט זה דיין שדן דין אמת לאמיתו נביא כמשמעו קוסם זה מלך שנאמר י) קסם על שפתי מלך (ד) זקן זה שראוי לישיבה שר חמשים אל תקרי שר חמשים אלא שר חומשין זה שיודע לישא וליתן בחמשה חומשי תורה דבר אחר שר חמשים כדרבי אבהו דאמר רבי אבהו מכאן שאין מעמידין מתורגמן על הצבור פחות מחמשים שנה ונשוא פנים זה שנושאין פנים לדורו בעבורו למעלה כגון רבי חנינא בן דוסא למטה כגון רבי אבהו בי קיסר יועץ שיודע לעבר שנים ולקבוע חדשים וחכם זה תלמיד המחכים את רבותיו חרשים בשעה שפותח בדברי תורה הכל נעשין כחרשין ונבון זה המבין דבר מתוך דבר לחש זה שראוי למסור לו דברי תורה שניתנה בלחש ונתתי נערים שריהם מאי ונתתי נערים שריהם א"ר אלעזר אלו בני אדם שמנוערין מן המצות ותעלולים ימשלו בם אמר רב (פפא) בר יעקב (ה) תעלי בני תעלי ולא נתקררה דעתו עד שאמר להם ירהבו הנער בזקן (והנקלה בנכבד) אלו בני אדם שמנוערין מן המצות ירהבו במי שממולא במצות כרמון והנקלה בנכבד יבא מי שחמורות דומות עליו כקלות וירהבו במי שקלות דומות עליו כחמורות אמר רב קטינא אפי' בשעת כשלונה של ירושלים לא פסקו מהם בעלי אמנה שנא' כ) כי יתפש איש באחיו בית אביו (לאמר) שמלה לך קצין תהיה לנו דברים שבני אדם מתכסין (ו) כשמלה ישנן תחת ידך כ) והמכשלה הזאת מאי והמכשלה הזאת דברים שאין בני אדם עומדין עליהן אא"כ נכשל בהן ישנן תחת ידך ל) ישא ביום ההוא לאמר לא אהיה חובש ובביתי אין לחם ואין שמלה לא תשימוני קצין עם ישא אין ישא אלא לשון שבועה שנאמר מ) לא תשא את שם ה' אלהיך (ז) לא אהיה חובש לא הייתי מחובשי בית המדרש ובביתי אין לחם ואין שמלה שאין בידי לא מקרא ולא משנה ולא גמרא ודלמא שאני התם דאי אמר להו גמירנא אמרי ליה אימא לן הוה ליה למימר גמר ושכח מאי לא אהיה חובש כלל איני והאמר רבא לא חרבה ירושלים עד שפסקו ממנה בעלי אמנה שנאמר נ) שוטטו בחוצות ירושלם וראו נא ודעו ובקשו ברחובותיה אם תמצאו איש אם יש עושה משפט מבקש אמונה ואסלח לה לא קשיא הא

מסורת הש"ס

א) [ברכות יז.], ב) [נ"ל ראשה], ג) סנהדרין לח:, ד) [סס ע"ש סז:], ה) [עי' פרש"י לסנהדרין סז: ד"ה מדברותיך], ו) שבת פו, ז) [סנהדרין פו.], ח) [גיטין פח. סוטה מו: סנהדרין לח.], ט) [פי' כמשלא מפני השטן. ערוך ערך לחש], י) [נ"ל אחא וכ"ה בילקוט ובע"י], כ) [מיותר וכ"ה בילקוט], ל) [שבת קיט:], מ) [שבת קיט: גיטין מג.], נ) שבת קיט:, ס) [ברכות יז:], ע) [וככתובות יז.].

הגהות הב"ח

(א) גמ' שמקמטין את עצמן משינה על דברי תורה כו' מגלה להם סוד הנסתר לעולם הבא: (ב) שם כלך מדברותיך ולך אצל נגעים: (ג) שם גבור זה בעל שמועות. נ"ב ס"א ד"א זה המתגבר בילרו: (ד) שם קסם על שפתי מלך במשפט לא ימעל פיו זקן זה: (ה) שם אמר רב פפא בר יעקב אלו תעלי וכו' והנקלה בנכבד יבואו בני אדם וכו' במצות כרמון מאי והנקלה: (ו) שם מתכסין בהם כשמלה: (ז) שם ה' אלהיך מאי לא אהיה חובש לא אהיה מחובשי בית המדרש: (ח) רש"י ד"ה כורסיה: (ט) תוס' ד"ה וטרדן וכו' בהאי לישנא ואיכא דאמרי לה בהאי לישנא כיון שאינו משנה רק מלה כל"ל: (י) ד"ה ולמטה כגון רבי אבהו בבית קיסר:

הגהות הגר"א

[א] גמ' ותעלולים ימשלו בם. נ"ב ונגש העם איש באיש ואיש ברעהו (והוא הי"ח כי וחכם חרשים נחשב לחד וכן ונבון לחש ומ"ש המהרש"א ז"ל דהוא לענין דרשה ולא לענין מנינא דא"כ י"ט הוין אף זולת קרא ונגש כו'):

תורה אור השלם

א) אֲשֶׁר קֻמְּטוּ וְלֹא עֵת נָהָר יוּצַק יְסוֹדָם: [איוב כב, טז]

ב) חֲדָשִׁים לַבְּקָרִים רַבָּה אֱמוּנָתֶךָ: [איכה ג, כג]

ג) בִּדְבַר יְיָ שָׁמַיִם נַעֲשׂוּ וּבְרוּחַ פִּיו כָּל צְבָאָם: [תהלים לג, ו]

ד) חָזֵה הֲוֵית עַד דִּי כָרְסָוָן רְמִיו וְעַתִּיק יוֹמִין יְתִב לְבוּשֵׁהּ כִּתְלַג חִוָּר וּשְׂעַר רֵאשֵׁהּ כַּעֲמַר נְקֵא כָּרְסְיֵהּ שְׁבִיבִין דִּי נוּר גַּלְגִּלּוֹהִי נוּר דָּלִק: [דניאל ז, ט]

ה) רֹאשׁוֹ כֶּתֶם פָּז קְוֻצּוֹתָיו תַּלְתַּלִּים שְׁחֹרוֹת כָּעוֹרֵב: [שיר השירים ה, יא]

ו) כֹּה אָמַר יְיָ הַשָּׁמַיִם כִּסְאִי וְהָאָרֶץ הֲדֹם רַגְלָי אֵי זֶה בַיִת אֲשֶׁר תִּבְנוּ לִי וְאֵי זֶה מָקוֹם מְנוּחָתִי: [ישעיה סו, א]

ז) וְנִגַּשׂ הָעָם אִישׁ בְּאִישׁ וְאִישׁ בְּרֵעֵהוּ יִרְהֲבוּ הַנַּעַר בַּזָּקֵן וְהַנִּקְלֶה בַּנִּכְבָּד: [ישעיה ג, ה] ח) כִּי הִנֵּה הָאָדוֹן יְיָ צְבָאוֹת מֵסִיר מִירוּשָׁלַיִם וּמִיהוּדָה מַשְׁעֵן וּמַשְׁעֵנָה כֹּל מִשְׁעַן לֶחֶם וְכֹל מִשְׁעַן מָיִם: גִּבּוֹר וְאִישׁ מִלְחָמָה שׁוֹפֵט וְנָבִיא וְקֹסֵם וְזָקֵן: שַׂר חֲמִשִּׁים וּנְשׂוּא פָנִים וְיוֹעֵץ וַחֲכַם חֲרָשִׁים וּנְבוֹן לָחַשׁ: וְנָתַתִּי נְעָרִים שָׂרֵיהֶם וְתַעֲלוּלִים יִמְשְׁלוּ בָם: [ישעיה ג, א-ד] ט) לְכוּ לַחֲמוּ בְלַחֲמִי וּשְׁתוּ בְּיַיִן מָסָכְתִּי: [משלי ט, ה] י) קֶסֶם עַל שִׂפְתֵי מֶלֶךְ בְּמִשְׁפָּט לֹא יִמְעַל פִּיו: [משלי טז, י] כ) כִּי יִתְפֹּשׂ אִישׁ בְּאָחִיו בֵּית אָבִיו שִׂמְלָה לְכָה קָצִין תִּהְיֶה לָּנוּ וְהַמַּכְשֵׁלָה הַזֹּאת תַּחַת יָדֶךָ: [ישעיה ג, ו] ל) יִשָּׂא בַיּוֹם הַהוּא לֵאמֹר לֹא אֶהְיֶה חֹבֵשׁ וּבְבֵיתִי אֵין לֶחֶם וְאֵין שִׂמְלָה לֹא תְשִׂימֻנִי קְצִין עָם: [ישעיה ג, ז] מ) לֹא תִשָּׂא אֶת שֵׁם יְיָ אֱלֹהֶיךָ לַשָּׁוְא כִּי לֹא יְנַקֶּה יְהוָה אֵת אֲשֶׁר יִשָּׂא אֶת שְׁמוֹ לַשָּׁוְא: [שמות כ, ז] נ) שׁוֹטְטוּ בְּחוּצוֹת יְרוּשָׁלַיִם וּרְאוּ נָא וּדְעוּ וּבַקְשׁוּ בִרְחוֹבוֹתֶיהָ אִם תִּמְצְאוּ אִישׁ אִם יֵשׁ עֹשֶׂה מִשְׁפָּט מְבַקֵּשׁ אֱמוּנָה וְאֶסְלַח לָהּ: [ירמיה ה, א]

רבינו חננאל

ארבע כנפים ופרקי' ישעיה שראה בזמן שהיה בהמ"ק קיים ראה שש כנפים אבל יחזקאל שראה אחר חרבן ארבע כנפים כביכול שנראה ליחזקאל כאלו נתמעטו מכנפי החיות שתים שתים ואמרינן הי מינייהו אימעוט אמר רב חננאל אמר רב אותן שנאמר בהם ובשתים יעופף וקרא כלומר שמשוררות בהן כדכתיב התעיף עיניך בו ואיננו ורב פי' שאין כתוב בזה הענין בס' שלנו ורבנן באו לגלות דבר זה מדרך אחרת כי ישעיה ראה רגלים מכוסין ויחזקאל ראה רגלים מגולות עד שידע כי הן רגל ישרה ואמר אותן שהיו מכוסין רגליהן בהן הן שנתמעטו ודחינן ודלמא דגלו ואחזו ליה דאי לא תימא הכי אפייהו היכי חזא להו אלא דגלו ואחזו ליה רגליהן נמי דגלו ואחזו ליה ודחינן בשלמא אפיה אורח ארעא לגלויי קמיה רביה אלא כרעא מי אורח ארעא לגלויי קמיה רביה. א) ותוב פרכינן ודלמא במסנא אחוון ליה ב) והאי דקאמר ורגליהם רגל ישרה לא אתחזי במסנא מקום גבוה ונמוך ברגל אדם ואף אין בראשה אלכסון כראשי אצבעות רגלי אדם. וכי הכי מתחזי במסנא. ועוד סייעינן לרבנן דאמרי כנפים שהיו מכסות בה רגליהן אימעטו וראן מגולות דאי ס"ד מיכסיין הוו רגליהון ואפיהון בשלמא גליין אפיהון כי היכי דלחזינהו יחזקאל דאיכא תמן פני שור וליבעי עלייהו רחמי כריש לקיש אלא רגליהון למה להון לגלינהו אלא אימעיטו גפייהו ואתגליין רגליהון ופרכינן לעולם מיכסיין הוו ולא איגליין אלא לאחוויי יחזקאל דקיימי רגל ישרה לכדריב"ח (ברכות י') ללמד שחייב אדם לכוון את רגליו בתפלתו שנאמר ורגליהן רגל ישרה. נהר דינור נגד ונפק מזיעת החיות ושפיך על ראש רשעים בגיהנם. אשר קומטו בלא עת אלו הרשעים שקומטו קודם שנברא העולם ושתלן הקב"ה בכל דור ודור. והן הן עזי פנים. רב נחמן בר יצחק אמר ברכה היא. אלו ת"ח שמקמטין עצמם משינה בעוה"ז על דברי תורה הקב"ה מגלה להן סוד לעוה"ב. כתוב אחד אומר ושער רישיה כעמר נקי וכתוב אחר אומר קוצותיו תלתלים שחורות כעורב. ל"ק כאן בישיבה פי' במושב הדין כזקן. שאין נאה בישיבה אלא זקן. וכן במלחמה אין נאה אלא בחור פי' יש מי שאומר מראות הללו כדרך חלום נראים כדכתיב אם יהיה נביאכם ה' במראה אליו אתודע בחלום אדבר בו וכתוב ביד הנביאים אדמה. להודיע שמראה לנביאים כעין דמות באובנתא דליבא. אבל הקב"ה ישתבח שמו אין לו דמות. וזה הדבר מוכיח שאין שם דמות שאילו היה תמיד אחד או דמות בחור לעולם או דמות זקן לעולם אלא ללמדך שאין שם דמות כלל. אלא מה שמראה לנביאים כעין דמות מה שיישר לפניו. ויש מי שאמר מלאך הוא זה שנאמר בו ושער רישיה ושחורות כעורב: עד כרסון רמיו פשטה אחד לכסא ואחד לשרפרף. י"ח קללות קילל ישעיה את ישראל ולא נתקררה דעתו עד שאמר להן ירהבו הנער בזקן והנקלה בנכבד. וחשבון י"ח קללות הא דכתיב כי הנה האדון ה' צבאות מסיר מירושלם ומיהודה משען ומשענה וגו' אלו ת"ר סדרי משנה: לא אהיה חובש כלומר לא הייתי מחובשי ביהמ"ד. ובביתי אין לחם ואין שמלה. אין בידי לא מקרא ולא משנה ולא תלמוד. איני והא אמר רבה לא חרבה ירושלים עד שפסקו ממנה ראשי אמנה שנאמר אם יש איש עושה משפט מבקש אמנה. ומפרקינן

חשק שלמה על ר"ח א) מדברי רבינו אלו נראה שנחסר לפנינו איזה קושיות ופירוקי בסוגיין ולפני רבינו היה כשלימות. ב) אולי צ"ל והיינו דקאמר ורגליהם רגל ישרה דלא אתחזי במסאנא.

ליקוטי רש"י

פני האחד פני הכרוב. הם היו פני השור שנהפכו לכרוב [יחזקאל י, יד]. כרביא. מעשה לעלועים, כרביא ילד [רשב"ם ב"ב ...]. פסוק הוא בכרובים בדברי הימים והוא לשון [כאלאים] כלומר תינוקות כדאמרינן (סוכה דף ה:) מאי כרוב כרביא [...]. מעשה לעלועים, דוגמתו (ישעיה כב) הצאצאים והצפיעות ותרגומו ובניא תבנית ילדים וילדות עשה לכרובים [דברי הימים ב ג, י]. היינו פני כרוב היינו פני אדם. הלא שניהן שוין ולמה חלקם הכתוב ומשני לעולם כרוב [...] חילוקם פני אדם אפי רברבי פני הכרוב אפי זוטרי [סוכה ה:]. שש כנפים שש כנפים לאחד. [...] לצד השכינה. ובשתים יכסה רגליו, לצניעות שלא יראה כל גופו לפני בוראו ובתנחומא ראיתי כסוי הרגלים [...] כל עגל שלא להזכיר לישראל עון העגל [ישעיה ו, ב]. וארבעה פנים לאחת. לאחת זו לפרצוף האדם [...] לאריה ולנשר ולשור הרי שש עשרה לחיה וכן לכל חיה וחיה וארבע כנפים לכל אחד מן הפנים הרי [...] והוא שתרגם יונתן מאתן ותמנין ושיתא גפין [יחזקאל א, ו]. כביכול. לפי שדבר קשה הוא לומר וכו' כלומר על כרחינו יאמר כן כאילו (אי) אפשר לומר כן וכן כל כביכול שבהש"ס [יומא ג:]. ובשתים יעופף. ובתרין משמש [ישעיה שם]. התעיף עיניך בו. כרגע שתכפול עיניך לעמלו ואין אותה גירסא מלויה בך. התעיף, כמו וכפלת ותעיף [משלי כג, ה]. רגל ישרה. רגלין כיונן מכוונין זה כנגד זה. ד"א ישרה שאין להם קפילים ארכובות לכוף את שוקיהם לפי שאין להם ישיבה ולא שכיבה ואין צריכין להיות להם קפילין כעין שיש לבהמה קפץ עליון וקפץ תחתון שבהם היא כופפת שוקיה לשכב [יחזקאל א, ז]. ישמשוניה. לעתיק יומין [דניאל ז, י]. פמליא. חבורה [ע"פ ברכות יז.]. דינור. של אש. נגד ונפק. מושך ויוצא [דניאל ז, י]. מתחולל על ראש רשעים וכו'. משתכן מחזר לשכון ועל ראש רשעים ישכון [ירמיה כג, יט]. קומטו ולא עת. נגזרו בלא עתם. נהר וגו'. ונהר של מבול או גפרית ואש של סדום הולך ביסודם [איוב כב, טז]. [עד כאן שייך לדף יג:]. דינור. של אש [דניאל ז, י]. חדשים לבקרים. מתחדשים הם מסדיך מיום אל יום. רבה אמונתך. גדולה היא הבטחתך ודבר גדול הוא להאמין בך שתקיים ותשמור מה שהבטחת לנו [איכה ג, כג]. [המשך בע"ב]

The Gemara above listed many categories of desirable people that were removed from Jerusalem. The Gemara below notes one category that remained:

אָמַר רַב קְטִינָא – Rav Ketina said: אֲפִילוּ בִּשְׁעַת כִּשְׁלוֹנָהּ שֶׁל יְרוּשָׁלַיִם – Even in the hour of Jerusalem's downfall לֹא פָּסְקוּ מֵהֶם בַּעֲלֵי אֲמָנָה – people of truth did not disappear from [the community]; שֶׁנֶּאֱמַר – for it says concerning the period before the destruction of the First Temple:[56] ,,כִּי־יִתְפֹּשׂ אִישׁ בְּאָחִיו בֵּית אָבִיו (לאמר) – ***When a man will grab hold of his brother of the house of his father***[57] *[and say:]* שִׂמְלָה לְכָה קָצִין תִּהְיֶה־לָּנוּ'' – ***You have a garment, be a chief for us.***

The Gemara interrupts its citation of the verse to expound the metaphor of the garment:

דְּבָרִים שֶׁבְּנֵי אָדָם מִתְכַּסִּין כְּשִׂמְלָה – **Matters** of Torah, **concerning which people cover themselves up, as with a garment,** יֶשְׁנָן ,,תַּחַת יָדֶךָ'' – **are** to be found ***in your possession,*** i.e. you are expert in them.[58]

The verse continues:

,,וְהַמַּכְשֵׁלָה הַזֹּאת'' – ***and*** *[let]* ***this stumbling block*** *be in your possession.* מַאי ,,וְהַמַּכְשֵׁלָה הַזֹּאת'' – **What does** ***and*** *[let]* ***this stumbling block*** **mean?** דְּבָרִים שֶׁאֵין בְּנֵי אָדָם עוֹמְדִין עֲלֵיהֶן אֶלָּא אִם כֵּן נִכְשַׁל בָּהֶן – **Matters that people do not fully grasp unless they** first **stumble over them,** יֶשְׁנָן ,,תַּחַת יָדֶךָ'' – **these are** to be found ***in your possession***.[59] Therefore, we implore you, *Be a chief for us.* But the next verse continues: ,,יִשָּׂא בַיּוֹם הַהוּא לֵאמֹר – ***He shall raise up*** *an oath* ***that day saying:*** לֹא־אֶהְיֶה חֹבֵשׁ – ***I will not be a ruler,***[60] וּבְבֵיתִי אֵין לֶחֶם וְאֵין שִׂמְלָה – ***and in my house there is no bread and no garment;*** לֹא תְשִׂימֻנִי קְצִין עָם'' – ***do not install me as a chief of the people.***[61] ,,יִשָּׂא'' – The verse states: ***He shall raise up*** *(yisa);* אֵין יִשָּׂא אֶלָּא לְשׁוֹן שְׁבוּעָה – **The word** ***yisa*** **is nothing but an expression of oath,** שֶׁנֶּאֱמַר – **as it says:**[62] ,,לֹא תִשָּׂא אֶת־שֵׁם־ה' אֱלֹהֶיךָ'' – ***You shall not take*** *(sisa)* ***the Name of Hashem, your God,*** *in vain.*[63] ,,לֹא־אֶהְיֶה חֹבֵשׁ'' – The phrase ***I will not be a ruler*** *(choveish)* means: לֹא הָיִיתִי מֵחוֹבְשֵׁי בֵּית הַמִּדְרָשׁ – **I was not accustomed to be among those that were sequestered** *(chovshei)* **in the house of study,** i.e. I have not been diligent in my studies,[64] ,,וּבְבֵיתִי אֵין לֶחֶם וְאֵין שִׂמְלָה'' – ***and in my house there is no bread and no garment;*** שֶׁאֵין בְּיָדִי לֹא מִקְרָא וְלֹא מִשְׁנָה וְלֹא גְּמָרָא – **that is, I have in my hand neither** knowledge of **Scripture nor** of **Mishnah nor** of **Gemara,** and therefore, despite appearances, I am not qualified to be your "chief" – your Torah instructor.

We see from this that even in the hour of Jerusalem's downfall, when it lacked true scholars, the people thought to be scholars, who were offered positions of authority on that account, were honest enough to admit that they lacked the necessary knowledge to fill those positions. Thus, it is evident that down to the very end Jerusalem still possessed men of truth, as Rav Ketina said.

The Gemara questions this proof:

וְדִלְמָא שָׁאנֵי הָתָם – How do we know that their admission of ignorance was due to their integrity? **Perhaps it was different in that** case, דְּאִי אָמַר לְהוּ גְּמִירְנָא – **since if one** of them **would have said to [the people], "I am learned,"** אָמְרֵי לֵיהּ אֵימָא לָן – **they would say to him, "Tell us** the principles of the Torah that we wish to know," and he would have been forced to admit his ignorance then. Thus, he had no choice but to be truthful!

The Gemara answers:

הֲוָה לֵיהּ לְמֵימַר גָּמַר וְשָׁכַח – **He could** nonetheless **have responded** that **he had once learned but had forgotten.** מַאי ,,לֹא־אֶהְיֶה חֹבֵשׁ'' – **What** did he mean when he said, ***"I am not accustomed to sequester*** *[myself in the house of study]"*? לֹא אֶהְיֶה חוֹבֵשׁ כְּלָל – He meant, **"I am not accustomed to sequester** myself **at all."** I.e. I was never knowledgeable.[65] To be able to admit this to those who think otherwise is a mark of integrity and regard for the truth.

Rav Ketina's assertion is challenged:

אִינִי – **Is this indeed so?** וְהָאָמַר רָבָא – **But Rava has said:** לֹא חָרְבָה יְרוּשָׁלַיִם עַד שֶׁפָּסְקוּ מִמֶּנָּה בַּעֲלֵי אֲמָנָה – **Jerusalem was not destroyed until people of truth had disappeared from it,** שֶׁנֶּאֱמַר – **as it says:**[66] ,,שׁוֹטְטוּ בְּחוּצוֹת יְרוּשָׁלַםִ – ***Walk about in the streets of Jerusalem,*** וּרְאוּ־נָא וּדְעוּ וּבַקְשׁוּ בִרְחוֹבוֹתֶיהָ – ***see now and know, and seek in its plazas;*** אִם־תִּמְצְאוּ אִישׁ – ***if you will find a*** *[single]* ***man,*** אִם־יֵשׁ עֹשֶׂה מִשְׁפָּט מְבַקֵּשׁ אֱמוּנָה וְאֶסְלַח לָהּ'' – ***if there is one who dispenses justice, who seeks the truth – and I will forgive her.*** Thus, all men of integrity had vanished from Jerusalem before its destruction. How then could Rav Ketina say that even at Jerusalem's downfall, men of truth still existed?

The Gemara answers:

לֹא קַשְׁיָא – This is **not difficult.**

NOTES

domineering over a righteous one is an indication that the Messianic Age is at hand (see *Sanhedrin* 97a). [At that time, all tribulations will vanish.]

Iyei HaYam: Part of a prophet's mission is to bring the people to repentance through his earnest appeals to them. As Isaiah pronounced the eighteen maledictions, he was distraught: He was foretelling such terrible punishments, yet the people were ignoring him; perhaps the fault lay with him, Isaiah thought, that the rebukes were not emanating from his heart. However, when he reached the last malediction, that the young and the base would domineer over the elderly and the respectable, he realized that the people's lack of a response was itself one of the maledictions, and the fault was not his.

56. *Isaiah* 3:6. The Gemara will intersperse its citation of the verse with explanatory remarks. Rav Ketina's proof does not emerge until v. 4 is quoted and explained below.

57. That is, a member of his extended family, not necessarily his brother (*Radak* ad loc.).

58. The verse discusses the period preceding the destruction of the Temple, when the men of Jerusalem had become lax in the study of Torah and people capable of answering questions of Torah were scarce. Those who should have known the answers [but did not] would hide from the questioners, so their ignorance would not be revealed. When the questioners would find someone who knew some Torah, they would seize hold of him and beg him to be their "chief," i.e. teacher of Torah (*Rashi;* see also *Rashi Shabbos* 119b ד"ה מתנסין).

59. If a student does not pay close attention to his lesson and fails to master it once or twice, he then redoubles his efforts until he has mastered it (*Rashi*). Alternatively, the underlying principles of Torah law are not easily comprehended and a person does not usually fully grasp them until he "stumbles over them," i.e. misstates them two or three times [and is challenged and forced to retract and modify his previous understanding of them] (*Rashi* to *Shabbos* 120a).

60. Literally: an imprisoner. A ruler is known by this term because he imposes his will on the people by imprisoning those who do not follow his commands (*Radak* to verse).

61. This is the conclusion of the verse, which the Gemara will expound.

62. *Exodus* 20:7.

63. The man who was approached to be a teacher had to *swear* that he was not knowledgeable, because without an oath it is very possible that a Torah scholar would falsely minimize his scholarship (*Birkas Avraham,* cited in *Yalkut Yeshayahu*).

64. [See *Iyei HaYam* (cited in part in *Eitz Yosef*) regarding the tense of the verb in לֹא־אֶהְיֶה, *I will not be.*]

65. Although he was indeed forced to concede the truth that he did not know the answer to their question, he was not forced to concede that he *never* knew. He could simply have said that he had forgotten the answer – a response that would better have retained his stature in the eyes of the people. To embarrass himself by admitting that he did not know because he had not studied diligently is a mark of true honesty.

66. *Jeremiah* 5:1.

קודם שנברא העולם. נגזר עליהם להבראות להיות קודם מתן תורה לקיים מה שנאמר דבר צוה לאלף דור (תהלים קה) ראויה היתה תורה להינתן לסוף אלף דור וכשראה שאין העולם מתקיים בלא תורה עמד וטרדן ונתנה לסוף כ"ו דורות מאדם הראשון עד משה רבינו: רבה אמונתך. רבה תהלתך עליהן: (א) כרסיה. משמע כסא אחד: כרסון רמיו. שני כסאות הוטלו נתקנו לישב עליהן: שכינה חול. להושיב אדם בצידו: כלך מדברותיך. חדל מלדבר עד שתגיע אלא נגעים ואהלות שהן הלכות עמוקות: קילל ישעיה את ישראל. כלומר נתנבא עליהן י"ח פורעניות: ירהבו. יתגאו: שש מאות סדרי משנה. היו בימיהן: לחם אלו בעלי הש"ס. שיש לסמוך על הוראתן כסמיכת לחם: בעל שמועות. ששמע הלכות פסוקות מרבותיו ושגורות בפיו: ראוי לישב בישיבה. וליטול ממנו עצה בכל דבר חכמה: כדרבי אבהו. להעמיד לפניו מתורגמן לדרוש ברבים: למעלה נושאין פנים בעבורו לדורו. שהכל ניזונין בזכותו כגון רבי חנינא בן דוסא כדאמרינן בעלמא (תענית דף כד:) כל העולם אינו ניזון אלא בשביל חנינא בני: למטה. מלכי האומות מכבדין אותן בשבילו כגון ר' אבהו שהיה חשוב בבית המלך כדאמרינן במסכת סנהדרין (דף יד.) דהוו נפקי אמהתא דבי קיסר לאפיה כו': שראוי למסור לו כו'. כגון אב"ד ולבו דואג בקרבו: תעלי. שועלים: כי יתפש איש באחיו. הכתוב היה מגנן לומר שלא היו יודעין להשיב לשואלים הלכה: שבני אדם מתכסין בהן. נחבאין שלא ישאלו להן לפי שאין בקיאין בהן: ישנן תחת ידך. כלומר אתה בקי בהן: אא"כ נכשל בהם. כשהתלמיד נכשל בשמועתו פעם ראשונה ושניה הוא נותן לב לעמוד על שמועתו: לא אהיה. איני רגיל להיות: דלמא. האי נמי לאו משום דאנשי אמנה היו אלא דאי הוה אמר גמירנא הוו אמרי ליה אימא לן והוא לא הוה ידע:

תקופת

וטורדן. ואיכא למ"ד וטחנן פרש"י לפי לשון ראשון נתן נשמתן בגיהנם ולא נבראו ותימה הוא וכי עביד דינא בלא דינא כי מה פשעו להיות בגיהנם ונראה לפרש וטורדן שלא נבראו ביחד כי אם מעט לכל דור ודור כדי שלא יחריבו העולם ושני הלשונות בירושלמי שוה אך הלשון משונה ולכך לא חש למתני איכא דאמרי לה בהאי לישנא (ט) כיון שאינו משנה לה רק חדא תיבה: ופליג אר' שמואל בר נחמני. שהוא אומר שהמלאכים נבראים בדבור המקום ולא מנהר דינור: רבי חנינא בן דוסא למעלה. שהיה בעל מעשים יותר מכל בני דורו: ולמטה (י) בבית קיסר. ולאו משום שלא היה חשוב למעלה אלא משום שגם בדורו היו אנשי מעשה כמותו:

נענה

קודם שנברא העולם ולא נבראו עמד הקב"ה ושתלן בכל דור ודור והן הן עזי פנים שבדור ורב נחמן בר יצחק אמר אשר קומטו לברכה הוא דכתיב אלו תלמידי חכמים שמקמטין (א) עצמן על דברי תורה בעולם הזה הקב"ה מגלה להם סוד לעולם הבא שנאמר א) נהר יוצק יסודם אמר ליה שמואל לחייא בר רב בר אריא תא אימא לך מילתא מהני מילי מעלייתא דהוה אמר אבוך כל יומא ויומא נבראין מלאכי השרת מנהר דינור ואמרי שירה ובטלי שנאמר ב) חדשים לבקרים רבה אמונתך ופליגא דר' שמואל בר נחמני דאמר ר' שמואל בר נחמני אמר ר' יונתן כל דיבור ודיבור שיוצא מפי הקב"ה נברא ממנו מלאך אחד שנאמר ג) בדבר ה' שמים נעשו וברוח פיו כל צבאם כתוב אחד אומר ד) לבושיה כתלג חיור ושער (י) רישיה) כעמר נקא וכתיב ה) קווצותיו תלתלים שחורות כעורב לא קשיא כאן בישיבה כאן במלחמה דאמר מר אין לך נאה בישיבה אלא זקן ואין לך נאה במלחמה אלא בחור כתוב אחד אומר ד) כרסיה שביבין דינור וכתוב אחד אומר ד) עד די כרסון רמיו ועתיק יומין יתיב לא קשיא אחד לו ואחד לדוד כדתניא ו) אחד לו ואחד לדוד דברי ר' עקיבא אמר לו ר' יוסי הגלילי עקיבא עד מתי אתה עושה שכינה חול אלא אחד לדין ואחד לצדקה קיבלה מיניה או לא קיבלה מיניה ת"ש אחד לדין ואחד לצדקה דברי רבי עקיבא אמר לו ר"א בן עזריה ז) עקיבא מה לך אצל הגדה כלך (ב) מדברותיך אצל נגעים ואהלות אלא אחד לכסא ואחד לשרפרף כסא לישב עליו שרפרף להדום רגליו שנאמר ו) השמים כסאי והארץ הדום רגלי כי אתא רב דימי אמר שמונה עשרה קללות קילל ישעיה את ישראל ולא נתקררה דעתו עד שאמר להם המקרא הזה ז) ירהבו הנער בזקן והנקלה בנכבד שמונה עשרה קללות מאי נינהו דכתיב ח) כי הנה האדון ה' צבאות מסיר מירושלם ומיהודה משען ומשענה כל משען לחם וכל משען מים גבור ואיש מלחמה שופט ונביא וקוסם וזקן שר חמשים ונשוא פנים ויועץ וחכם חרשים ונבון לחש ונתתי נערים שריהם ותעלולים ימשלו בם [א] וגו' משען אלו בעלי מקרא משענה אלו בעלי משנה כגון ר"י בן תימא וחביריו פליגו בה רב פפא ורבנן חד אמר שש מאות סדרי משנה וחד אמר שבע מאות סדרי משנה כל משען לחם אלו בעלי תלמוד שנאמר ט) לכו לחמו בלחמי ושתו ביין מסכתי וכל משען מים אלו בעלי אגדה י) שמושכין לבו של אדם כמים באגדה (ג) גבור זה בעל שמועות ואיש מלחמה זה שיודע לישא וליתן במלחמתה של תורה שופט זה דיין שדן דין אמת לאמיתו נביא כמשמעו קוסם זה מלך שנאמר י) קסם על שפתי מלך (ד) זקן זה שראוי לישיבה שר חמשים אל תקרי שר חמשים אלא שר חומשין זה שיודע לישא וליתן בחמשה חומשי תורה דבר אחר שר חמשים כדרבי אבהו דאמר רבי אבהו מכאן שאין מעמידין מתורגמן על הצבור פחות מחמשים שנה ונשוא פנים זה שנושאין פנים לדורו בעבורו למעלה כגון רבי חנינא בן דוסא למטה כגון רבי אבהו בי קיסר יועץ י) שיודע לעבר שנים ולקבוע חדשים וחכם זה תלמיד המחכים את רבותיו חרשים ט) בשעה שפותח בדברי תורה הכל נעשין כחרשין ונבון זה המבין דבר מתוך דבר לחש זה שראוי למסור לו דברי תורה שניתנה ס) בלחש ונתתי נערים שריהם אמר ר' אלעזר אלו בני אדם שמנוערין מן המצות ותעלולים ימשלו בם אמר רב י) (פפא) בר יעקב (ה) תעלי בני תעלי ולא נתקררה דעתו עד שאמר להם ירהבו הנער בזקן ס) (והנקלה בנכבד) אלו בני אדם שמנוערין מן המצות ירהבו במי שממולא במצות כרמון והנקלה בנכבד יבא מי שחמורות דומות עליו כקלות וירהבו במי שקלות דומות עליו כחמורות אמר רב קטינא ע) אפי' בשעת כשלונה של ירושלים לא פסקו מהם בעלי אמנה שנא' כ) כי יתפש איש באחיו בית אביו (לאמר) שמלה לך קצין תהיה לנו דברים שבני אדם מתכסין (ו) כשמלה ישנן תחת ידך ס) והמכשלה הזאת ס) מאי והמכשלה הזאת דברים שאין בני אדם עומדין עליהן אא"כ נכשל בהן ישנן תחת ידך ל) ישא ביום ההוא לאמר לא אהיה חובש ובביתי אין לחם ואין שמלה לא תשימוני קצין עם ישא אין ישא אלא לשון שבועה שנאמר מ) לא תשא את שם ה' אלהיך (ז) לא אהיה חובש לא הייתי מחובשי בית המדרש ובביתי אין לחם ואין שמלה שאין בידי לא מקרא ולא משנה ולא גמרא ודלמא שאני התם דאי אמר להו גמירנא אמרי ליה אימא לן הוה ליה למימר גמר ושכח מאי לא אהיה חובש לא אהיה חובש כלל איני והאמר רבא נ) לא חרבה ירושלים עד שפסקו ממנה בעלי אמנה שנאמר נ) שוטטו בחוצות ירושלם וראו נא ודעו ובקשו ברחובותיה אם תמצאו איש אם יש עושה משפט מבקש אמונה ואסלח לה לא קשיא הא

מסורת הש"ס

א) [ברכות יג.], ב) [נ"ל ראשה], ג) סנהדרין לח:, ד) [שם ע"ש סז:], ה) [עי' פרש"י דסנהדרין סז: ד"ה מדברותיך], ו) שבת סג., ז) [סנהדרין סז.], ח) [גיטין פח. סוטה מו: סנהדרין לח.], ט) [פי' בחשאי מפני השטן. ערוך ערך לחש], י) [נ"ל אחא וכ"א בילקוט ובע"י], כ) [מיותר וכ"א בילקוט], ל) [שבת קיט:], מ) [שבת קיט: גיטין מג.], נ) שבת קיט:, ס) [ברכות יז:], ע) [וכתובות יז.].

הגהות הב"ח

(א) גמ' שמקמטין את עלמן משינה על דברי תורה כו' מגלה להם סוד הנהר לעולם הבא: (ב) שם כלך מדברותיך ולך אלל נגעים: (ג) שם גבור זה בעל שמועות. נ"ב פ"א ד"א זה המתגבר בילרו: (ד) שם קסם על שפתי מלך במשפט לא ימעל פיו זקן זה: (ה) שם אמר רב פפא בר יעקב אלו תעלי וכו' והנקלה בנכבד יבואו בני אדם וכו' במלות כרמון מאי והנקלה: (ו) שם מתכסין בהם כשמלה: (ז) שם ה' אלהיך מאי לא אהיה חובש לא אהיה מחובשי בית המדרש: (ח) רש"י ד"ה כורסיה: (ט) תוס' ד"ה וטורדן וכו' בהאי לישנא ואיכא דאמרי לה בהאי לישנא כיון שאינו משנה רק חדא כצ"ל: (י) ד"ה ולמטה כגון רבי אבהו בבית קיסר:

הגהות הגר"א

[א] גמ' ותעלולים ימשלו בם. נ"ב ונגש העם איש באיש ואיש ברעהו (והוא הי"ח כי וחכם חרשים נחשב לחד וכן ונבון לחש ומ"ש המהרש"א ז"ל דהוא לענין דרשה ולא לענין מנינא דא"כ י"ט הוין אף זולת קרא ונגש כו'):

רבינו חננאל

ארבע כנפים ופרקי' ישעיה שראה בזמן שהיה בהמ"ק קיים ראה שש כנפים אבל יחזקאל שראה אחר חרבן ארבע כנפים כביכול שנראה ליחזקאל כאלו נתמעטו מכנפי החיות שתים ואמרינן הי מינייהו אימעוט אמר רב חננאל אמר רב אותן שנאמר בהם ובשתים יעופף וקרא כלומר שמשוררות בהן כדכתיב התעיף עיניך בו ואיננו ורב פי' שאין כתוב בזה הענין בס' שלנו ורבנן באו לגלות דבר זה מדרך אחרת כי ישעיה ראה רגלים מכוסין ויחזקאל ראה רגלים מגולות עד שידע כי הן רגל ישרה ואמר אותן שהיו מכוסין רגליהן בהן הן שנתמעטו ודחינן ודלמא דגלו ואחזו ליה דאי לא תימא הכי אפייהו היכי חזא להו אלא דגלו ואחזו ליה רגליהן נמי דגלו ואחזו ליה ודחינן בשלמא אפיה אורח ארעא לגלויי קמיה רביה אלא כרעא מי אורח ארעא לגלויי קמיה רביה. א) ותוב פרכינן ודלמא במסנא אחזון ליה ב) והאי דקאמר ורגליהם רגל ישרה לא אתחזי במסנא מקום גבוה ונמוך ברגל אדם ואף אין בראשה אלכסון כראשי אצבעות רגלי אדם. וכי הכי מתחזי במסנא. ועוד סייעינן לרבנן דאמרי כנפים שהיו מכסות בה רגליהן אימעטו וראן מגולות דאי ס"ד מיכסיין הוו רגליהון ואפיהון בשלמא גליין אפיהון כי היכי דלחזינהו יחזקאל דאיכא תמן פני שור וליבעי עלייהו רחמי כריש לקיש אלא רגליהון למה להון לגלינהו אלא אימעיטו גפייהו ואתגליין רגליהון ופרכינן לעולם מיכסיין הוו ולא איגליין אלא לאחוויי יחזקאל דקיימי רגל ישרה לכדריב"ח (ברכות י) ללמד שחייב אדם לכוון את רגליו בתפלתו שנאמר ורגליהן רגל ישרה. נהר דינור נגד ונפק מזיעת החיות ושפיך על ראש רשעים בגיהנם. אשר קומטו בלא עת אלו הרשעים שקומטו קודם שנברא העולם ושתלן הקב"ה בכל דור ודור. והן הן עזי פנים. רב נחמן בר יצחק אמר ברכה היא. אלו ת"ח שמקמטין עצמם משינה בעוה"ז על דברי תורה הקב"ה מגלה להן סוד לעוה"ב. כתוב אחד אומר ושער רישיה כעמר נקי וכתוב אחר אומר קווצותיו תלתלים שחורות כעורב. ל"ק כאן בישיבה פי' במושב הדין כזקן. שאין נאה בישיבה אלא זקן. וכן במלחמה אין נאה אלא בחור פי' יש מי שאומר מראות הללו כדרך חלום נראים כדכתיב אם יהיה נביאכם ה' במראה אליו אתודע בחלום אדבר בו וכתוב ביד הנביאים אדמה. להודיע שמראה לנביאים כעין דמות באובנתא דליבא. אבל הקב"ה ישתבח שמו אין לו דמות. וזה הדבר מוכיח שאין שם דמות שאילו היה תמיד אחד או דמות בחור לעולם או דמות זקן לעולם אלא ללמדך שאין שם דמות כלל. אלא מה שמראה לנביאים כעין דמות מה שיישר לפניו. ויש מי שאמר מלאך הוא זה שנאמר בו ושער רישיה ושחורות כעורב: עד כרסון רמיו פשוטה אחד לכסא ואחד לשרפרף. י"ח קללות קילל ישעיה את ישראל ולא נתקררה דעתו עד שאמר להן ירהבו הנער בזקן והנקלה בנכבד. וחשבון י"ח קללות הא דכתיב כי הנה האדון ה' צבאות מסיר מירושלם ומיהודה משען ומשענה וגו' אלו ת"ר סדרי משנה: לא אהיה חובש כלומר לא הייתי מחובשי ביהמ"ד. ובביתי אין לחם ואין שמלה. אין בידי לא מקרא ולא משנה ולא תלמוד. איני והא אמר רבה לא חרבה ירושלים עד שפסקו ממנה ראשי אמנה שנאמר אם יש איש עושה משפט מבקש אמנה. ומפרקינן

חשק שלמה על ר"ח א) מדברי רבינו אלו נראה שנחסר לפנינו איזה קושיות ופירוקי בסוגיין ולפני רבינו היה בשלימות. ב) אולי צ"ל והיינו דקאמר ורגליהם רגל ישרה דלא אתחזי במסאנא.

תורה אור השלם

א) אֲשֶׁר קֻמְּטוּ וְלֹא עֵת נָהָר יוּצַק יְסוֹדָם: [איוב כב, טז]

ב) חֲדָשִׁים לַבְּקָרִים רַבָּה אֱמוּנָתֶךָ: [איכה ג, כג]

ג) בִּדְבַר יְיָ שָׁמַיִם נַעֲשׂוּ וּבְרוּחַ פִּיו כָּל צְבָאָם: [תהלים לג, ו]

ד) חָזֵה הֲוֵית עַד דִּי כָרְסָוָן רְמִיו וְעַתִּיק יוֹמִין יְתִב לְבוּשֵׁהּ כִּתְלַג חִוָּר וּשְׂעַר רֵאשֵׁהּ כַּעֲמַר נְקֵא כָּרְסְיֵהּ שְׁבִיבִין דִּי נוּר גַּלְגִּלּוֹהִי נוּר דָּלִק: [דניאל ז, ט]

ה) רֹאשׁוֹ כֶּתֶם פָּז קְוֻצּוֹתָיו תַּלְתַּלִּים שְׁחֹרוֹת כָּעוֹרֵב: [שיר השירים ה, יא]

ו) כֹּה אָמַר יְיָ הַשָּׁמַיִם כִּסְאִי וְהָאָרֶץ הֲדֹם רַגְלָי אֵי זֶה בַיִת אֲשֶׁר תִּבְנוּ לִי וְאֵי זֶה מָקוֹם מְנוּחָתִי: [ישעיה סו, א]

ז) וְנִגַּשׂ הָעָם אִישׁ בְּאִישׁ וְאִישׁ בְּרֵעֵהוּ יִרְהֲבוּ הַנַּעַר בַּזָּקֵן וְהַנִּקְלֶה בַּנִּכְבָּד: [ישעיה ג, ה] ח) כִּי הִנֵּה הָאָדוֹן יְיָ צְבָאוֹת מֵסִיר מִירוּשָׁלַיִם וּמִיהוּדָה מַשְׁעֵן וּמַשְׁעֵנָה כֹּל מִשְׁעַן לֶחֶם וְכֹל מִשְׁעַן מָיִם: גִּבּוֹר וְאִישׁ מִלְחָמָה שׁוֹפֵט וְנָבִיא וְקֹסֵם וְזָקֵן: שַׂר חֲמִשִּׁים וּנְשׂוּא פָנִים וְיוֹעֵץ וַחֲכַם חֲרָשִׁים וּנְבוֹן לָחַשׁ: וְנָתַתִּי נְעָרִים שָׂרֵיהֶם וְתַעֲלוּלִים יִמְשְׁלוּ בָם: [ישעיה ג, א-ד] ט) לְכוּ לַחֲמוּ בְלַחֲמִי וּשְׁתוּ בְּיַיִן מָסָכְתִּי: [משלי ט, ה] י) קֶסֶם עַל שִׂפְתֵי מֶלֶךְ בְּמִשְׁפָּט לֹא יִמְעַל פִּיו: [משלי טז, י] כ) כִּי יִתְפֹּשׂ אִישׁ בְּאָחִיו בֵּית אָבִיו שִׂמְלָה לְכָה קָצִין תִּהְיֶה לָּנוּ וְהַמַּכְשֵׁלָה הַזֹּאת תַּחַת יָדֶךָ: [ישעיה ג, ו] ל) יִשָּׂא בַיּוֹם הַהוּא לֵאמֹר לֹא אֶהְיֶה חֹבֵשׁ וּבְבֵיתִי אֵין לֶחֶם וְאֵין שִׂמְלָה לֹא תְשִׂימֻנִי קְצִין עָם: [ישעיה ג, ז] מ) לֹא תִשָּׂא אֶת שֵׁם יְיָ אֱלֹהֶיךָ לַשָּׁוְא כִּי לֹא יְנַקֶּה יְהוָה אֵת אֲשֶׁר יִשָּׂא אֶת שְׁמוֹ לַשָּׁוְא: [שמות כ, ז]

נ) שׁוֹטְטוּ בְּחוּצוֹת יְרוּשָׁלַיִם וּרְאוּ נָא וּדְעוּ וּבַקְשׁוּ בִרְחוֹבוֹתֶיהָ אִם תִּמְצְאוּ אִישׁ אִם יֵשׁ עֹשֶׂה מִשְׁפָּט מְבַקֵּשׁ אֱמוּנָה וְאֶסְלַח לָהּ: [ירמיה ה, א]

ליקוטי רש"י

פני האחד פני הכרוב. הם היו פני השור שנהפכו לכרוב [יחזקאל י, יד]. **כרביא.** מעשה לעלועים, פסוק הוא בכרובים בדברי הימים והוא לשון [לאלאים] כלומר תינוקות כדאמרינן (סוכה דף ה:) מאי כרוב כרביא ילד [רשב"ם ב"ב צט.]. מעשה לעלועים, דוגמתו (ישעיה כב) הצאצאים והצפיעות ותרגומו ובניא תבנית ילדים וילדות עשה לכרובים כרביא [דברי הימים ב ג, י]. **היינו פני כרוב היינו פני אדם.** הלא שניהן שוין ולמה חלקם הכתוב ומשני לעולם כרוב נמי פני תינוק הוא וזהו חילוקם פני אדם אפי רברבי פני הכרוב אפי זוטרי [סוכה ה:]. **שש כנפים שש כנפים לאחד.** בשתים יכסה פניו, שלא יציץ לצד השכינה. ובשתים יכסה רגליו, לצניעות שלא יראה כל גופו לפני בוראו ובתנחומא ראיתי כסוי הרגלים לפי שהם ככף רגל עגל שלא להזכיר לישראל עון העגל [ישעיה ו, ב]. **וארבעה פנים לאחת.** לאחת זו לפרצוף האדם לבדה היו ארבעה פנים וכן לאריה ולנשר ולשור הרי שש עשרה לחיה וכן לכל חיה וחיה וארבע כנפים לכל אחד מן הפנים הרי ששים וארבע כנפי, לחיה והוא שתרגם יונתן מאתן ותמנין ושיתא גפין [יחזקאל א, ו]. **כביכול.** לפי שדבר קשה הוא לומר וכו' כלומר על כרחינו יאמר כן כאילו (אי) אפשר לומר כן וכן כל כביכול שבהש"ס [יומא ג:]. **ובשתים יעופף.** [illegible] [ישעיה שם]. **התעיף עיניך בו.** כרגע שתכפול עיניך לעמלו ואין אותה גירסא מלויה בך. התעיף, כמו [illegible] ה]. **רגל ישרה.** רגלין כיונן מכוונין זה כנגד זה. ד"א ישרה שאין להם קפילים ארכובות לכוף את שוקיהם [illegible] ולא שכיבה ואין צריכין להיות להם קפילין כעין שיש לבהמה קפץ עליון וקפץ תחתון שבהם היא כופפת [illegible] ז]. **ישמשוניה.** לעתיק יומין [דניאל ז, י]. **פמליא.** חבורה [ע"פ ברכות יז.]. **דינור.** של אש. **נגד ונפק.** [illegible] **מתחולל על ראש רשעים וכו'.** משתכן מחזר לשכון ועל ראש רשעים ישכון [ירמיה כג, יט]. **קומטו** [illegible] עתם. **נהר וגו'.** ונהר של מבול או גפרית ואש של סדום הולך ביסודם [איוב כב, טז]. [עד כאן שייך לדף [illegible] [דניאל ז, י]. **חדשים לבקרים.** מתחדשים הם חסדיך מיום אל יום. **רבה אמונתך.** גדולה היא הבט[illegible] להאמין בך שתקיים ותשמור מה שהבטחת לנו [איכה ג, כג]. [המשך בע"ב]

ט א מיי' פט"ו מהל' איסורי ביאה הל' ט סמג לאוין קכ טוש"ע אה"ע סי' ה סעיף יא:

רבינו חננאל

ל"ק במשא ומתן לא היו אנשי אמנה אבל בדברי תורה לא היו משקרין ולא היו בעלי אמנה. ג' הרצאות הרצו במעשה מרכבה. ר' יהושע הרצה לפני ריב"ז [ר"ע הרצה לפני ר"י] חנניא בן חכינאי הרצה לפני ר' עקיבא הני כולהו ארצו וארצו אחריני קמייהו. אבל ר' אלעזר בן ערך ארצי ולא ארצו אחריני קמיה. ת"ר ד' נכנסו בפרדס. אלו הן בן עזאי ובן זומא אחר ור' עקיבא. אמר להם ר' עקיבא כשאתם מגיעים אל אבני שיש טהור אל תאמרו מים מים משום שנאמר דובר שקרים לא יכון לנגד עיני. פי' כינוהו פרדס מעין [ג"ע שהיא] גנוזה לצדיקים כך אותו מקום הוא מקום בערבות שהנשמות של צדיקים צרורות בו ומפורש בהיכלות שהיו החכמים הראוין למדה הזו מתפללין ומנקין עצמן מכל דבר טומאה וצמין ומטבלין ומטהרין והיו משתמשין בשמות וצופין בהיכלות ורואין [היאך] משמרות המלאכים במעמדם והיאך היכל אחרי היכל ולפני היכל רואה אותם ר"ע כשאתם מגיעין להביט באוטבנתא דליבא אצל אבני שיש טהור אל תאמרו מים מים שאין שם מים כל עיקר אלא דמות בעלמא נראית והאומר מים נהדף שנמצא משקר ובלשון הזה מפורש בהיכלות רבתי מפני ששומרי היכל פתח שיש מטילין ומשליכין אלף אלפי גלי מים ואין שם אפי' טפה אחת. א"ר עקיבא נראה כמי שיש בו גלי מים ואין בו אפילו טפה אחת אלא אויר זיו אבני שיש טהור שהן כלולות בהיכל שהיה זיו פניהם דומים למים והאומר מים הללו מה טיבן נהדף כו' ואינם עולים בשמים אלא צופים ורואים באוטבנתא דליבא כאדם הרואה ומביט מתוך אספקלריא שאינה מאירה ג) ובן עזאי הציץ כלומר הוסיף להזכיר בשמות כדי להביט באספקלריא מאירה ומת בן זומא הציץ ונפגע כלומר נטרפה דעתו אחר קיצץ בנטיעות כיון שכינו המקום ההוא פרדס א' קיצץ בנטיעות. כלומר דיבר כלפי למעלה

הא בדברי תורה הא במשא ומתן בדברי תורה הוו במשא ומתן לא הוו ת"ר [א] מעשה ברבן יוחנן בן זכאי שהיה רוכב על החמור (א) והיה מהלך בדרך ור' אלעזר בן ערך מחמר אחריו אמר לו רבי שנה לי פרק אחד במעשה מרכבה אמר לו לא כך שניתי לכם ולא במרכבה ביחיד אלא א"כ היה חכם מבין מדעתו אמר לו רבי תרשיני לומר לפניך דבר אחד שלמדתני אמר לו אמור מיד ירד רבן יוחנן בן זכאי מעל החמור ונתעטף וישב על האבן תחת הזית אמר לו רבי מפני מה ירדת מעל החמור אמר אפשר אתה דורש במעשה מרכבה ושכינה עמנו ומלאכי השרת מלוין אותנו ואני ארכב על החמור מיד פתח ר"א בן ערך במעשה המרכבה ודרש וירדה אש מן השמים [ב] וסיבבה כל האילנות שבשדה פתחו (ב) כולן ואמרו שירה מה שירה אמרו [א] הללו את ה' מן הארץ תנינים וכל תהומות עץ פרי וכל ארזים הללויה נענה מלאך מן האש ואמר הן הן מעשה המרכבה עמד רבן יוחנן בן זכאי ונשקו על ראשו ואמר ברוך ה' אלהי ישראל שנתן בן לאברהם אבינו שיודע להבין ולחקור ולדרוש במעשה מרכבה (ג) יש נאה דורש ואין נאה מקיים נאה מקיים ואין נאה דורש אתה נאה דורש ונאה מקיים אשריך אברהם אבינו שאלעזר בן ערך יצא מחלציך וכשנאמרו הדברים לפני ר' יהושע היה הוא ורבי יוסי הכהן מהלכים בדרך אמרו אף אנו נדרוש במעשה מרכבה פתח רבי יהושע ודרש (ד) ואותו היום תקופת תמוז היה נתקשרו שמים בעבים ונראה כמין קשת בענן והיו מלאכי השרת מתקבצין ובאין לשמוע כבני אדם שמתקבצין ובאין לראות במזמוטי חתן וכלה הלך רבי יוסי הכהן וסיפר דברים לפני רבן יוחנן בן זכאי ואמר אשריכם ואשרי יולדתכם אשרי עיני שכך ראו ואף אני ואתם בחלומי מסובין היינו על הר סיני ונתנה עלינו בת קול מן השמים (ה) עלו לכאן עלו לכאן טרקלין גדולים ומצעות נאות מוצעות לכם אתם ותלמידיכם ותלמידי תלמידיכם מזומנין לכת שלישית איני והתניא [ד] ר' יוסי בר' יהודה אומר שלשה הרצאות הן ר' יהושע הרצה דברים לפני רבן יוחנן בן זכאי ר"ע הרצה לפני ר' יהושע חנניא בן חכינאי הרצה לפני ר"ע ואילו ר"א בן ערך לא קא חשיב דארצי וארצו קמיה קחשיב דארצי ולא ארצו קמיה לא קא חשיב (ו) והא חנניא בן חכינאי דלא ארצו קמיה וקא חשיב דארצי מיהא קמיה מאן דארצי ת"ר ארבעה נכנסו בפרדס ואלו הן בן עזאי ובן זומא אחר ורבי עקיבא אמר להם ר"ע כשאתם מגיעין אצל אבני שיש טהור (ז) אל תאמרו מים מים משום שנאמר [ב] דובר שקרים לא יכון לנגד עיני בן עזאי הציץ ומת עליו הכתוב אומר [ג] יקר בעיני ה' המותה לחסידיו בן זומא הציץ ונפגע ועליו הכתוב אומר [ד] דבש מצאת אכול דייך פן תשבענו והקאתו [ה] אחר קיצץ בנטיעות רבי עקיבא יצא בשלום שאלו את בן זומא מהו לסרוסי כלבא אמר להם [ה] ובארצכם לא תעשו [ו] כל שבארצכם [ז] לא תעשו שאלו את בן זומא בתולה שעיברה מהו לכ"ג מי חיישינן לדשמואל [ח] דאמר שמואל יכול

רש"י

תקופת תמוז הוה. דאין דרך להתקשר שמים בעבים: במזמוטי חתן. מיני שחוק שמשחקין לפניהן: סיפר. דברים הללו: לכת שלישית. של כיתות היושבות לפני השכינה: הרצה דברים. דרש במעשה המרכבה: דארצי וארצו קמיה. שהרצה לפני אחרים ואחרים הרצו לפניו: דארצי מיהא קמיה מאן דארצי. אם לא הרצו אחרים לפניו הוא הרצה לפני מי שחזר והרצה לפני אחרים לכך הוזקק להימנות כאן משום דרבי עקיבא להודיע שהוא הרצה ואחרים הרצו לפניו אבל ר"א לא אחרים הרצו לפניו ולא הוא הרצה לפני מי שהרצה לפני אחרים: נכנסו לפרדס. עלו לרקיע על ידי שם: שיש טהור. מבהיק כמים צלולין: אל תאמרו מים מים. יש כאן איך נלך: הציץ. לצד השכינה: ונפגע. נטרפה דעתו: יקר בעיני ה' המותה לחסידיו. הוקשה מיתתו לפניו לפי שמת בחור ואעפ"כ אי אפשר שלא ימות משום שנאמר כי לא יראני האדם וחי (שמות לג): שאלו את בן זומא מהו לסרוסי כלבא. הואיל וסירוס כתיב אצל מומי קרבן וכלב אפילו חליפיו אסור למזבח משום מחיר כלב אסור לסרסו או לא: בתולה שעיברה מהו לכהן גדול. והיא אומרת שימצאו לה בתולים אי נמי כהן גדול נשאה ולא ידע שהיא מעוברת ומצא לה בתולים ואחר כך נמצאת מעוברת מהו לקיימה משום בתולה מעמיו יקח (ויקרא כא):

תוספות

נענה מלאך מתוך האש. גרסינן ולא גרסינן מלאך המות ובירושלמי מייתי קרא אז ירננו עצי היער: במזמוטי חתן וכלה. ובירושלמי גרס בשמחת חתן וכלה היא: והתניא שלשה הרצאות יש. פרש"י דארצי מיהא קמיה מאן דארצי כלומר כיון שחנניא בן חכינאי הרצה לפני רבי עקיבא דארצי לפני ר' יהושע מיחשב כמו דארצי קמיה לאפוקי דר"א בן ערך שהרצה לפני רבן יוחנן בן זכאי שלא הרצה בפני שום אדם ולא משמע לי כלל דמנא ליה דחשיב כיון דארצי קמיה מאן דארצי כמאן דארצי קמיה דמי ועוד דלא הוי שיטתו לפי תירוצו לעיל דארצי וארצו קמיה דחשיב והשתא אי הדר ביה הוה ליה למימר אלא כיון דארצי כו' וגם מה שפי' רש"י בשם רבינו הלוי דמשמע ליה לישנא שאדם אחר הרצה לפני חנניא לא יתכן דאם כן ד' הרצאות (ח) בהון ועוד מנא ליה הא דהרצה אחר בפני חנניא ואינו מפורש בשום ברייתא על כן נראה להר"י כמו שפירש בספר הישר דארצי וארצו קמיה קחשיב אותן שהצליחו כל כך להרצות בפני רבם הכי ר' יהושע בפני רבו רבן יוחנן בן זכאי ור"ע בפניו שהיה רבו ורבי חנניא בפני רבי עקיבא רבו וחשיב שלשה הרצאות שהלכו בענין זה לאפוקי ר"א בן ערך שלא הרצו בפניו ואפי' הרצה לא הרצה מקמי מאן דארצי ומעיקרא שני ליה כולו אלא שלא הבין המקשה כל דבריו דפריך ליה כיון שלא הרצו מקמי חנניא היה לו למנות ר"א בן ערך כמו חנניא ומשני ליה דארצי מקמיה מאן דארצו שהוא הרצה בפני ר"ע רבו שהצליח בפני ר' יהושע וארצי וארצו קמיה קרינא ליה בר' עקיבא לאפוקי ר"א בן ערך שלא הרצו לפניו (ט) ואפי' הרצו לפניו רבן יוחנן רבו לא מצינו שהרצה הלכך לא דמי להאי סידרא ומיהו כשנדקדק פרש"י יש ליישבו דה"נ קאמר דארצי מיהא קמיה מאן דארצי אם לא הרצו אחרים לפניו הוא הרצה מיהא מקמי מאן דארצי ומשום ר"ע הוזקק למנותו דארצי וארצו קמיה אבל ר"א למה נחשביה לא הורצו לפניו ולא הורצו מקמיה מאן דארצי: נכנסו לפרדס. כגון על ידי שם ולא עלו למעלה ממש אלא היה נראה להם כמו שעלו וכן פי' בערוך [ט]: לסרוסי כלבא. משום שאף מחירו אסור לקרבן שאלו לו (י) טפי מאחריני וכן פרש"י: בתולה שעיברה מהו לכהן גדול. ופרש"י (כ) שהיא אומרת בתולה אני ואי שכיחא דשמואל מהימנא וקשה להר"י דהא פרק קמא דכתובות (דף יג.) תנן היתה מעוברת מה טיבו של עובר זה מאיש פלוני וכהן הוא וכו' רבי יהושע אומר לא מפיה אנו חיין כו' והכא משמע דקבעיא אליבא דכ"ע (ל) ושמא כאן שאף היא בכלל האיסור כדכתיב [י] [והוא אשה בבתוליה יקח] קרי ביה יקיח [ולהר"י נראה] (מ) דטרחינן לבודקה ע"פ חבית כדאיתא בריש כתובות (דף י: ושם) ואי דשמואל לא שכיח לא טרחינן ומוקמה בחזקת בעולה אי נמי קמיבעיא ליה בהך דבדקוה ע"פ החבית אי חיישינן שמא לא נבדקה יפה לשמואל לא שכיח וכן מסקינן בריש תינוקת (נדה דף סד: ושם) שאני שמואל דרב גובריה אך קשה להר"י דהא מסקינן בכתובות (דף י: ושם) בשמעתין דלא מיפקד פקיד לרוב בקיאין בהטייה וי"ל דודאי תחילת ביאה רוב בקיאין בשעת מעשה (מ) אבל גמר כדי שתתעבר אי אפשר כי אם לשמואל:

מסורת הש"ס

א) [תוספתא פרק ב], ב) כ"י וסיבבה, ג) [יבמות דף סב:], ד) [תוספתא פרק ב], ה) [פרש"י ע"ש תמלא לקמן טו. ד"ה אחר], ו) [ב"מ קיח.], ז) [עי' תוס' שבת קיא: ד"ה ת"ל], ח) נדה סד:, ט) [ערוך ערך אבן וע"ש], י) עי' יבמות סא:, כ) ע"ל אלמנה וגרושה לא יקח כי אם וגו'

הגהות הב"ח

(א) גמ' שהיה רוכב על החמור ויוצא מירושלים והיה מהלך בדרך וכו' מחמר אחריו ללמוד תורה מפיו אמר לו רבי וכו' אמר לו בני לא כך: (ב) שם פתחו כל האילנות כולן ואמרו שירה וכו' הללויה ויש אומרים שירה זו אמרו אז ירננו עצי היער (נענה מלאך וכו' המרכבה) תא"מ ונ"ב ס"א ואף מלאך נענה מתוך האש ואמר הן הן מעשה מרכבה: (ג) שם במעשה מרכבה ר"א בן ערך יש נאה דורש וכו' ואין נאה דורש אלא אבא"ע אתה נאה דורש: (ד) שם ר' יהושע ודרש במעשה מרכבה ואותו היום ונתקשרו שמים וכו' לשמוע מעשה מרכבה כבני אדם: (ה) שם מן השמים ואמר עלו לכאן עלו לכאן טרקלין גדולים מוכנים לכם ומצעות נאות: (ו) שם קמיה קא חשיב והא חנניא: (ז) שם אבני שיש טהור אל תאמרו: (ח) תוס' ד"ה והתניא וכו' ד' הרצאות הוו ועוד וכו' ר' יהושע בפני רבו רבן יוחנן וכו' ור' עקיבא בפני רבו ורבי חנניא בפני ר"ע וכו' ופריך ליה כיון: (ט) בא"ד ואפי' הרצו לפניו רבו רבן יוחנן לא מצינו שהרצה הלכך לא דמי להאי סידרא: (י) ד"ה לסרוסי וכו' שאלו לו טפי: (כ) ד"ה בתולה וכו' שהיא אומרת בתולה אני ואי שכיחא דשמואל: (ל) בא"ד ולהר"י נראה דטרחינן לבודקה: (מ) בא"ד אבל גמר ביאה כדי:

תורה אור השלם

א) הַלְלוּ אֶת יְיָ מִן הָאָרֶץ תַּנִּינִים וְכָל תְּהֹמוֹת: אֵשׁ וּבָרָד שֶׁלֶג וְקִיטוֹר רוּחַ סְעָרָה עֹשָׂה דְבָרוֹ: הֶהָרִים וְכָל גְּבָעוֹת עֵץ פְּרִי וְכָל אֲרָזִים: [תהלים קמח, ז-ט] ב) לֹא יֵשֵׁב בְּקֶרֶב בֵּיתִי עֹשֵׂה רְמִיָּה דֹּבֵר שְׁקָרִים לֹא יִכּוֹן לְנֶגֶד עֵינָי: [תהלים קא, ז] ג) יָקָר בְּעֵינֵי יְיָ הַמָּוְתָה לַחֲסִידָיו: [תהלים קטז, טו] ד) דְּבַשׁ מָצָאתָ אֱכֹל דַּיֶּךָּ פֶּן תִּשְׂבָּעֶנּוּ וַהֲקֵאתוֹ: [משלי כה, טז] ה) וּמָעוּךְ וְכָתוּת וְנָתוּק וְכָרוּת לֹא תַקְרִיבוּ לַייָ וּבְאַרְצְכֶם לֹא תַעֲשׂוּ: [ויקרא כב, כד]

חשק שלמה על ר"ח

א) עי' בערוך ערך אבני שיש טהור ובהגהות מ"ח לר"ל. ב) בערוך ערך פרדס הביא פירוש רבינו חננאל ז"ל.

גליון הש"ס

תוס' ד"ה נכנסו וכו' ולא עלו למעלה ממש. עי' גיטין דף סד ע"א תוס' ד"ה ע"מ שתעלי לרקיע: ד"ה בתולה וכו' ושמא כאן שאף היא בכלל האיסור. עיין נדרים דף ב ע"ב תוס' ד"ה מהו לומר:

ליקוטי רש"י

[שייך לע"א] לבושיה כתלג חיור ושער רישיה כעמר נקא. לבושו כשלג לבן ושער ראשו כצמר נקי [דניאל ז, ט]. [illegible]

הָא בְּדִבְרֵי תּוֹרָה – **Here** (in Rav Ketina's statement) we speak **in regard to matters of Torah;** הָא בְּמַשָּׂא וּמַתָּן – whereas **here** (in Rava's statement) we speak **in regard to business dealings.** בְּדִבְרֵי תּוֹרָה הֲווּ – **Concerning matters of Torah there were** indeed truthful people who did not allow themselves to be lauded for what was not in fact true; בְּמַשָּׂא וּמַתָּן לֹא הֲווּ – **in regard to business dealings,** however, **there were no** longer any people of truth left in Jerusalem.[1]

The Gemara returns to the law recorded in our Mishnah, that one may not expound upon *Maaseh Merkavah* except to a qualified individual. The Gemara cites a Baraisa that relates a story relevant to this law:

תָּנוּ רַבָּנָן – **The Rabbis taught in a Baraisa:** מַעֲשֶׂה בְּרַבָּן יוֹחָנָן בֶּן זַכַּאי – AN INCIDENT occurred WITH RABBAN YOCHANAN BEN ZAKKAI שֶׁהָיָה רוֹכֵב עַל הַחֲמוֹר וְהָיָה מְהַלֵּךְ בַּדֶּרֶךְ – WHO WAS RIDING ON A DONKEY, AND GOING ALONG THE ROAD,[2] וְרַבִּי אֶלְעָזָר בֶּן עֲרָךְ מְחַמֵּר אַחֲרָיו – WHILE R' ELAZAR BEN ARACH WAS walking BEHIND[3] GUIDING THE DONKEY forward. אָמַר לוֹ – [R' ELAZAR BEN ARACH] SAID TO [RABBAN YOCHANAN BEN ZAKKAI], רַבִּי – "MY TEACHER, שְׁנֵה לִי פֶּרֶק אֶחָד בְּמַעֲשֵׂה מֶרְכָּבָה – TEACH ME ONE CHAPTER OF *MAASEH MERKAVAH*." אָמַר לוֹ – [RABBAN YOCHANAN BEN ZAKKAI] REPLIED TO HIM, לֹא כָּךְ שָׁנִיתִי לָכֶם – "I cannot do that! HAVE I NOT TAUGHT YOU regarding this: וְלֹא בַּמֶּרְכָּבָה בְּיָחִיד – NOR may one expound upon *MAASEH MERKAVAH* IN a class of ONE student, אֶלָּא אִם כֵּן הָיָה חָכָם מֵבִין מִדַּעְתּוֹ – UNLESS [THAT STUDENT] WAS A SCHOLAR WHO COULD ARRIVE AT AN UNDERSTANDING of the issues ON HIS OWN"?[4] אָמַר לוֹ – [R' ELAZAR BEN ARACH] SAID TO HIM, רַבִּי – "MY TEACHER, תַּרְשֵׁינִי לוֹמַר לְפָנֶיךָ דָּבָר אֶחָד שֶׁלִּמַּדְתַּנִי – ALLOW ME then TO RECITE BEFORE YOU ONE MATTER THAT YOU HAVE already TAUGHT ME."[5] אָמַר לוֹ אֱמוֹר – [RABBAN YOCHANAN BEN ZAKKAI] SAID TO HIM, "SPEAK." מִיָּד יָרַד רַבָּן יוֹחָנָן בֶּן זַכַּאי מֵעַל הַחֲמוֹר – IMMEDIATELY, RABBAN YOCHANAN BEN ZAKKAI DESCENDED FROM THE DONKEY, וְנִתְעַטֵּף וְיָשַׁב עַל הָאֶבֶן תַּחַת הַזַּיִת – WRAPPED HIMSELF in a garment, AND SAT UPON A STONE UNDER AN OLIVE TREE.[6] אָמַר לוֹ – [R' ELAZAR BEN ARACH] SAID TO HIM, רַבִּי – "MY TEACHER, מִפְּנֵי מָה יָרַדְתָּ מֵעַל הַחֲמוֹר – WHY DID YOU DESCEND FROM THE DONKEY?" אָמַר – [RABBAN YOCHANAN BEN ZAKKAI] SAID, אֶפְשָׁר אַתָּה דּוֹרֵשׁ בְּמַעֲשֵׂה מֶרְכָּבָה – "IS IT CONCEIVABLE THAT YOU WILL EXPOUND UPON *MAASEH MERKAVAH*, וּשְׁכִינָה עִמָּנוּ – AND THE DIVINE PRESENCE SHALL BE WITH US, וּמַלְאֲכֵי הַשָּׁרֵת מְלַוִּין אוֹתָנוּ – AND MINISTERING ANGELS SHALL ACCOMPANY US, וַאֲנִי אֶרְכַּב עַל הַחֲמוֹר – AND I WOULD BE RIDING ON A DONKEY?!" מִיָּד פָּתַח רַבִּי אֶלְעָזָר בֶּן עֲרָךְ בְּמַעֲשֵׂה הַמֶּרְכָּבָה וְדָרַשׁ – IMMEDIATELY, R' ELAZAR BEN ARACH BEGAN his discourse ON *MAASEH MERKAVAH* AND EXPOUNDED. וְיָרְדָה אֵשׁ מִן הַשָּׁמַיִם – AND FIRE DESCENDED FROM HEAVEN וְסִיבְּבָה כָּל הָאִילָנוֹת שֶׁבַּשָּׂדֶה – AND SURROUNDED ALL THE TREES IN THE FIELD.[7] פָּתְחוּ כּוּלָּן וְאָמְרוּ שִׁירָה – ALL THE [TREES] BEGAN TO UTTER SONG. מַה שִּׁירָה אָמְרוּ – WHAT SONG DID THEY UTTER? הַלְלוּ אֶת־ה׳ מִן־הָאָרֶץ תַּנִּינִים וְכָל־תְּהֹמוֹת . . . ,, – *PRAISE HASHEM FROM THE EARTH: SEA GIANTS AND ALL WATERY DEPTHS* . . . עֵץ פְּרִי וְכָל־אֲרָזִים . . . הַלְלוּ־יָהּ״ – *FRUITFUL TREES AND ALL CEDARS . . . HALLELUYAH.*[8] נַעֲנָה מַלְאָךְ מִן הָאֵשׁ וְאָמַר – AN ANGEL SPOKE UP FROM AMIDST THE FIRE AND SAID, הֵן הֵן מַעֲשֵׂה הַמֶּרְכָּבָה – "THAT IS CERTAINLY *MAASEH MERKAVAH*."[9] עָמַד רַבָּן יוֹחָנָן בֶּן זַכַּאי וּנְשָׁקוֹ עַל רֹאשׁוֹ – RABBAN YOCHANAN BEN ZAKKAI STOOD UP, KISSED [R' ELAZAR BEN ARACH] ON HIS HEAD, וְאָמַר בָּרוּךְ ה׳ אֱלֹהֵי יִשְׂרָאֵל שֶׁנָּתַן בֵּן לְאַבְרָהָם אָבִינוּ – AND SAID, "BLESSED IS HASHEM, GOD OF ISRAEL, WHO HAS GIVEN A SON TO OUR FOREFATHER ABRAHAM,[10] שֶׁיּוֹדֵעַ לְהָבִין וְלַחְקוֹר וְלִדְרוֹשׁ בְּמַעֲשֵׂה מֶרְכָּבָה – WHO KNOWS HOW TO COMPREHEND, DELVE INTO AND EXPOUND UPON *MAASEH MERKAVAH*. יֵשׁ נָאֶה דּוֹרֵשׁ וְאֵין נָאֶה מְקַיֵּים – THERE ARE THOSE WHO EXPOUND WELL BUT DO NOT PRACTICE WELL, נָאֶה מְקַיֵּים וְאֵין נָאֶה דּוֹרֵשׁ – THOSE WHO PRACTICE WELL BUT DO NOT EXPOUND WELL; אַתָּה נָאֶה דּוֹרֵשׁ וְנָאֶה

NOTES

1. For this reason, in the verse cited by Rava, Jeremiah says to "search in *the open places* of Jerusalem . . . and seek in its *streets* [for an honest man]," for the dishonesty to which he referred was the dishonesty of the marketplace, not of the study halls (*Maharsha* to *Shabbos* 120a).

2. Leaving Jerusalem (version of our text in *Ein Yaakov*).

3. In order to learn Torah directly from Rabban Yochanan ben Zakkai (*Ein Yaakov*).

4. And R' Elazar ben Arach had not yet demonstrated that he had reached this level.

[Rabban Yochanan ben Zakkai lived during the destruction of the Second Temple, yet he quotes a statement that appears in our Mishnah – a work that was redacted many years later! This is a proof to the widely held view that the Mishnah existed in one form or another long before R' Yehudah HaNasi gave it its final shape. For more on this general issue, see *Maharatz Chayes* in his *Mevo HaTalmud* §33; *R' Yitzchak Isaac HaLevi* in *Doros HaRishonim,* volumes 3 and 4; *R' Reuven Margaliyos* in *Yesod HaMishnah VeArichasah;* see also above, 14a note 30]

5. I.e. in *Maaseh Merkavah. Maharsha* points out that this is a very odd statement: If Rabban Yochanan ben Zakkai judged that R' Elazar ben Arach was not yet a perceptive scholar, how could he have previously taught him any part of *Maaseh Merkavah*?

Ben Yehoyada explains that Rabban Yochanan ben Zakkai had previously taught him chapter headings, which one may teach even to a student who is not a perceptive scholar. In this incident, though, R' Elazar asked his teacher to teach him a *whole chapter.* This he refused to do since R' Elazar had not yet demonstrated that he was deserving. R' Elazar then proceeded to discourse upon the expanded meaning of the chapter headings he had already received, proving that he was in fact a perceptive scholar (see also *Iyun Yaakov, Rosh Mashbir*).

[It will be recalled that according to *Rambam,* one may not give even chapter headings to an unperceptive student (see above, 13a note 21). What then could Rabban Yochanan ben Zakkai have previously taught R' Elazar ben Arach in *Maaseh Merkavah*? *Maharsha* answers (second explanation) that Rabban Yochanan ben Zakkai had actually taught him nothing on this topic. R' Elazar ben Arach said what he said – that his discourse would be a review of something Rabban Yochanan ben Zakkai had taught him – out of sheer humility (cf. first explanation). The *Gra* indicates that this is the proper etiquette between a student and his teacher: If the student mentions a statement before his teacher, he should refer to it as something the teacher taught him (*Beur HaGra, Yoreh Deah* 242:59, cited in *Yalkut Yeshayahu*). Possibly, according to *Rambam's* view, R' Elazar ben Arach reached a perception of *Maaseh Merkavah* through contemplation of what he knew of *Maaseh Bereishis.*]

6. An olive tree (specifically, its oil) symbolizes the light of the Torah (*Maharsha* citing *Berachos* 57a).

7. Or, singed all the trees in the field (*Ein Yaakov*).

8. *Psalms* 148:7,9,14. Some say they sang this song (*I Chronicles* 16:33): *Then all the trees of the forest will sing with joy!* (*Ein Yaakov*).

9. This was the angel that was just created from R' Elazar ben Arach's exposition of *Maaseh Merkavah* (*Ben Yehoyada*).

Maharsha explains these phenomena homiletically: The fire that descended from Heaven was in their mind's eye. It was the fire that appeared in *Ezekiel's* vision of the *Merkavah.* "It surrounded the trees" alludes to *Maaseh Bereishis,* which is integrally connected with *Maaseh Merkavah.* These two perceptions, *Maaseh Bereishis* and *Maaseh Merkavah,* were the "song sung by the trees," since they evince God's praise and greatness. The angel who announced that this is certainly *Maaseh Merkavah* was the realization they came to that what they were experiencing was, without question, the perception of *Maaseh Merkavah.*

10. Abraham is mentioned here since he too devoted himself to deepening his faith through an exploration of the concepts of *Maaseh Bereishis* and *Maaseh Merkavah* (*Maharsha*).

עין משפט נר מצוה

ט א מיי' פט"ז מהל' איסורי ביאה הל' ט סמג לאוין קכ טוש"ע אה"ע סי' ה סעיף יא:

רבינו חננאל

ל"ק במשא ומתן לא היו אנשי אמנה אבל בדברי תורה לא היו משקרין אלא היו בעלי אמונה. ג' הרצאות הרצו במעשה מרכבה. ר' יהושע הרצה לפני ריב"ז [ר"ע הרצה לפני ר"י חנניא בן חכינאי הרצה] לפני ר' עקיבא הני כולהו ארצו וארצו אחריני קמייהו. אבל ר' אלעזר בן ערך ארצי ולא ארצי אחריני גביה. ת"ר ד' נכנסו לפרדס. אלו הן בן עזאי ובן זומא אחר ור' עקיבא. אמר להם ר' עקיבא כשאתם מגיעים אל אבני שיש טהור אל תאמרו מים מים משום שנאמר דובר שקרים לא יכון לנגד עיני. פי' כינוהו פרדס מעין א) ג"ע שהיא גנוזה לצדיקים כך אותו מקום הוא מקום בערבות שהנשמות של צדיקים צרורות בו ומפורש בהיכלות שהיו החכמים הראוין למדה הזו מתפללין ומנקין עצמן מכל דבר טומאה וצמין ומטבלין ומטהרין והיו משתמשין בשמות וצופין בהיכלות ורואין [היאך] משמרות המלאכים במעמדם והיאך היכל אחרי היכל ולפני' מהיכל רצה אותם ר"ע כשאתם מגיעין להביט באובנתא דליבא אצל אבני שיש טהור אל תאמרו מים מים שאין שם מים כל עיקר אלא דמות בעולם נראית והאומר מים נהדף שנמצא משקר ובלשון הזה מפורש בהיכלות רבתי מפני ששומרי היכל פתח שיש מטילין ומשליכין אלף אלפי גלי מים ואין שם אפי' טפה אחת. א"ר עקיבא נראה כמי שיש בו גלי מים ואין בו אפילו טפה אחת אלא אוי"ו ויו אבני שיש טהור שהן כלולות בהיכל שהיה זיו פניהם דומים למים והאומר מים הללו מה טיבן נהדף כו' ואינם עולים בשמים אלא צופים ורואים באובנתא דליבא כאדם הרואה ומביט מתוך אספקלריא שאינה מאירה ב) ובן עזאי הציץ כלומר הוסיף להזכיר בשמות כדי להביט באספקלריא מאירה ומת בן זומא הציץ ונפגע כלומר נטרפה דעתו אחר קיצץ בנטיעות כיון שכינו המקום ההוא פרדס א' קיצץ בנטיעות. כלומר דיבר כלפי למעלה

חשק שלמה על ר"ח

א) עי' בערוך ערך אבני שיש טהור והכותב בע"י ד"ה לרב' האי. ב) בערוך מסיים בזה"ל ושומעין ואומרין ומדברין כעין הסוכה ברוה"ק זה פירוש רב האי גאון ז"ל.

תוספות

נענה מלאך מתוך האש. גרסינן ולא גרסינן מלאך המות ובירושלמי מייתי קרא לא ירננו עצי היער: **במזמוטי חתן וכלה.** ובירושלמי גרס בשמחת חתן והיא היא: **והתניא שלשה הרצאות יש.** פרש"י דלאו מיהת קמיה מאן דארצי כלומר כיון שחנניא בן חכינאי הרצה לפני רבי עקיבא דארצי לפני ר' יהושע מיחשב כמו דארצי קמיה לאפוקי דר"א בן ערך שהרצה לפני רבן יוחנן בן זכאי שלא הרצה בפני שום אדם ולא משמע לי כלל דמנא ליה למחשב כיון דארצי קמיה מאן דארצי כמאן דארצי קמיה דמי ועוד דלא הוי שיטתו לפי תירוצו דלעיל דארצי וארצו קמיה מחשב והשתא אי הדר ביה הוה ליה למימר אלא כיון דארצי כו' וגם מה שפי' רש"י בשם רבינו הלוי דמשמע ליה לישנא שאדם אחר הרצה לפני חנניא לא יתכן דאם כן ד' הרצאות (מ) בהון ועוד מנא ליה הא דהרצה אחר בפני חנניא ולאו מפורש בשום ברייתא על כן נראה להר"י כמו שפירש בספר הישר דארצי וארצו קמיה קחשיב אותן שהלימו כל כך להרצות בפני רבם הכי ר' יהושע בפני רבו רבן יוחנן בן זכאי ור"ע בפניו שהיה רבו ורבי חנניא בפני רבי עקיבא רבו וחשיב שלשה הרצאות שהלכו בענין זה לאפוקי ר"א בן ערך שלא הרצה בפניו ואפי' הרצה לא הרצה מקמי מאן דארצי ומעיקרא שני ליה כולו אלא שהבין המקשה כל דבריו לפריך ליה כיון שלא הרצה מקמי חנניא היה לו למנות ר"א בן ערך כמו חנניא ומשני ליה דארצי מקמיה מאן דארצי שהוא הרצה בפני ר"ע רבו שהלכו בפני ר' יהושע ודארצי וארצו קמיה קרינא ליה בר' עקיבא לאפוקי ר"א בן ערך שלא הרצו לפניו (ע) ואפי' הרצו לפניו רבן יוחנן רבו לא מלינו שהרצה הלכך לא דמי להאי סידרא ומיהו בקונטרס פרש"י יש לישנא דה"ג קאמר דארצי מיהת קמיה מאן דארצי אם לא הרצו אחרים לפניו הוא הרצה מיהא מקמי מאן דארצי ומשום ר"ע הוחזק למנותו דארצי וארצו קמיה אבל ר"א למה נחשביה לא הורצו לפניו ולא הורצו מקמיה מאן דארצי:

נכנסו לפרדס. כגון על ידי שם * ולא עלו למעלה ממש אלא היה נראה להם כמו שעלו וכן פי' בערוך ט): **לסרוסי כלבא.** משום שאף מחירו אסור לקרבן שאלו לו (י) טפי מאחריני וכן פרש"י:

בתולה שעיברה מהו לכהן גדול. ופרש"י (כ) שהיא אומרת בתולה אני ולאי שכיבה דשמואל מהימנא וקשה להר"י דהא פרק קמא דכתובות (דף יג.) תנן היתה מעוברת מה טיבו של עובר זה מאיש פלוני וכהן הוא וכו' רבי יהושע אומר לא מפיה אנו חיין כו' והכא משמע דקבעיא אליבא דכ"ע * ושמא כאן שאף היא בכלל האיסור דכתיב [והוא אשה בבתוליה יקח] קרי ביה יקיח נאמנת והר"י נראה (ל) דטרחינן לבודקה ע"פ חבית כדאיתא בריש כתובות (דף י: ושם) ואי דשמואל לא שכיח לא טרחינן ומוקמה בחזקת בעולה אי נמי קמיבעיא ליה בהך דבדקנוה ע"פ החבית אי חיישינן לדשמואל שמא לא נבדקה יפה דשמואל לא שכיח וכן מסקינן בריש תינוק (נדה דף סד: ושם) שאני שמואל דרב גובריה אך קשה להר"י דהא מסקינן בכתובות (דף ו: ושם) בשמעתין דדם מיפקד פקיד דרוב בקיאין בהטייה וי"ל דודאי תחילת ביאה רוב בקיאין בשעת מעשה (מ) אבל גמר כדי שתתעבר אי אפשר כי אם לשמואל:

גמרא

הא בדברי תורה הא במשא ומתן בדברי תורה הוו במשא ומתן לא הוו ת"ר א) מעשה ברבן יוחנן בן זכאי שהיה רוכב על החמור (א) והיה מהלך בדרך ור' אלעזר בן ערך מחמר אחריו אמר לו רבי שנה לי פרק אחד במעשה מרכבה אמר לו לא כך שניתי לכם ולא במרכבה ביחיד אלא א"כ היה חכם מבין מדעתו אמר לו רבי תרשיני לומר לפניך דבר אחד שלמדתני אמר לו אמור מיד ירד רבן יוחנן בן זכאי מעל החמור ונתעטף וישב על האבן תחת הזית אמר לו רבי מפני מה ירדת מעל החמור אמר אפשר אתה דורש במעשה מרכבה ושכינה עמנו ומלאכי השרת מלוין אותנו ואני ארכב על החמור מיד פתח ר"א בן ערך במעשה המרכבה ודרש וירדה אש מן השמים ב) וסיבבה כל האילנות שבשדה פתחו (ב) כולן ואמרו שירה מה שירה אמרו א) הללו את ה' מן הארץ תנינים וכל תהומות עץ פרי וכל ארזים הללויה נענה מלאך מן האש ואמר הן הן מעשה המרכבה עמד רבן יוחנן בן זכאי ונשקו על ראשו ואמר ברוך ה' אלהי ישראל שנתן בן לאברהם אבינו שיודע להבין ולחקור ולדרוש במעשה מרכבה (ג) יש נאה דורש ואין נאה מקיים נאה מקיים ואין נאה דורש אתה נאה דורש ונאה מקיים אשריך אברהם אבינו שאלעזר בן ערך יצא מחלציך וכשנאמרו הדברים לפני ר' יהושע היה הוא ורבי יוסי הכהן מהלכים בדרך אמרו אף אנו נדרוש במעשה מרכבה פתח רבי יהושע ודרש (ד) ואותו היום תקופת תמוז היה נתקשרו שמים בעבים ונראה כמין קשת בענן והיו מלאכי השרת מתקבצין ובאין לשמוע כבני אדם שמתקבצין ובאין לראות במזמוטי חתן וכלה הלך רבי יוסי הכהן וסיפר דברים לפני רבן יוחנן בן זכאי ואמר אשריכם ואשרי יולדתכם אשרי עיני שכך ראו ואף אני ואתם בחלומי מסובין היינו על הר סיני ונתנה עלינו בת קול מן השמים (ה) עלו לכאן עלו לכאן טרקלין גדולים ומצעות נאות מוצעות לכם אתם ותלמידיכם ותלמידי תלמידיכם מזומנין לכת שלישית איני והתניא ג) ר' יוסי בר' יהודה אומר שלשה הרצאות הן ר' יהושע הרצה דברים לפני רבן יוחנן בן זכאי ר"ע הרצה לפני ר' יהושע חנניא בן חכינאי הרצה לפני ר"ע ואילו ר"א בן ערך לא קא חשיב דארצי וארצו קמיה קחשיב דארצי ולא ארצו קמיה לא קא חשיב (ו) והא חנניא בן חכינאי דלא ארצו קמיה וקא חשיב דארצי מיהא קמיה מאן דארצי ת"ר ארבעה נכנסו בפרדס ואלו הן בן עזאי ובן זומא אחר ורבי עקיבא אמר להם ר"ע כשאתם מגיעין אצל אבני שיש טהור (ז) אל תאמרו מים מים משום שנאמר ב) דובר שקרים לא יכון לנגד עיני בן עזאי הציץ ומת עליו הכתוב אומר ג) יקר בעיני ה' המותה לחסידיו בן זומא הציץ ונפגע ועליו הכתוב אומר ד) דבש מצאת אכול דייך פן תשבענו והקאתו אחר קיצץ בנטיעות רבי עקיבא יצא בשלום שאלו את בן זומא מהו לסרוסי כלבא אמר להם ה) ובארצכם לא תעשו ו) א) כל שבארצכם לא תעשו ז) שאלו את בן זומא בתולה שעיברה מהו לכ"ג מי חיישינן לדשמואל ח) דאמר שמואל יכול

רש"י

תקופת תמוז הוה. דאין דרך להתקשר שמים בעבים: **במזמוטי חתן.** מיני שחוק שמשחקין לפניהן: **ספיר.** דברים הללו: **לכת שלישית.** של כיתות היושבות לפני השכינה: **הרצה דברים.** דרש במעשה המרכבה: **דארצי וארצו קמיה.** שהרצה לפני אחרים ואחרים הרצו לפניו: **דארצי מיהא קמיה מאן דארצי.** אם לא הרצו אחרים לפניו הוא הרצה לפני מי שחזר והרצה לפני אחרים לכך החקק להימנות כאן משום שרבי עקיבא להודיע שהוא הרצה ואחרים הרצו לפניו אבל ר"א לא אחרים הרצו לפניו ולא הוא הרצה לפני מי שהרצה לפני אחרים: **נכנסו לפרדס.** עלו לרקיע על ידי שם: **שיש טהור.** מבהיק כמים צלולין: **אל תאמרו מים מים.** יש כאן איך נלך: **הציץ.** לצד השכינה: **ונפגע.** נטרפה דעתו: **יקר בעיני ה' המותה לחסידיו.** הוקשה מיתתו לפניו לפי שמת בחור ואעפ"כ אי אפשר שלא ימות משום שנאמר כי לא יראני האדם וחי (שמות לג): **שאלו את בן זומא מהו לסרוסי כלבא.** הואיל וסירוס כתיב אצל מומי קרבן וכלב אפילו חליפיו אסור למזבח משום מחיר כלב אסור לסרסו או לא: **בתולה שעיברה מהו לכהן גדול.** והיא אומרת שימלאה לה בתולים אי נמי כהן גדול נשאה ולא ידע שהיא מעוברת ומלאה לה בתולים ואחר כך נמצאת מעוברת מהו לקיימה משום בתולה מעמיו יקח (ויקרא כא): יכול

מסורת הש"ס

א) [תוספתא פרק ב], ב) נ"א וסיבבה, ג) [יבמות דף סב:], ד) [תוספתא פרק ב], ה) [פרש"י ע"ז ממלא לקמן טו. ד"ה אחר], ו) [ב"מ קיא:], ז) [עי' תוס' שבת קיא: ד"ה מ"ל], ח) נדה סד:, ט) [ערך אבן וע"ש], י) עי' יבמות סד., כ) נ"א אלמנה וגרושה לא יקח כי אם וגו'.

הגהות הב"ח

(א) גמ' שהיה רוכב על החמור ויוצא מירושלים והיה מהלך בדרך וכו' מחמר אחריו ללמוד תורה מפיו אמר לו רבי וכו' אמר לו בני לא כך: (ב) שם פתחו כל האילנות כולן ואמרו שירה וכו' הללויה ויש אומרים שירה זאת אמרו אז ירננו עצי היער (נענה מלאך וכו' המרכבה) תא"מ ונ"ב ס"א ואף מלאך נענה מתוך האש ואמר ודאי הן הן מעשה מרכבה: (ג) שם במעשה מרכבה כר"א בן ערך יש נאה דורש וכו' ואין נאה דורש אבל אתה אבל נאה דורש: (ד) שם ר' יהושע ודרש במעשה מרכבה ואותו היום וכו' ונתקשרו שמים וכו' לשמוע מעשה מרכבה כבני אדם: (ה) שם מן השמים ואמר עלו לכאן וכו' טרקלין גדולים מוכנים לכם ומצעות נאות: (ו) שם לא קחשיב איני והא חנניא: (ז) שם אבני שיש טהור הזהרו שלא תאמרו: (ח) תוס' ד"ה והתניא וכו' ד' הרצאות הן ועוד וכו' בפני חנניא דלאו מפורש וכו' בפני רבן כגון הכא ר' יהושע וכו' ור' עקיבא בפני רבי יהושע שהיה רבו ורבי חנניא בפני ר"ע וכו' ופריך ליה כיון: (ט) באד"ה ואפי' הרצו לפניו לא הרצה תלמיד לפני רבו הלכך לא דמי להאי סידרא וכו' ולא הרצה מקמי מאן דארצי רבן יוחנן רבו לא מלינו שהרצה הס"ד: (י) ד"ה לסרוסי וכו' שאלו לו עליו טפי: (כ) ד"ה בתולה וכו' ופרש"י כשהיא אומרת בתולה אני ואי לא שכיחא דשמואל: (ל) באד"ה ולהר"י נראה דקא מיבעיא ליה מי טרחינן לבודקה על פי חבית כדאיתא בריש כתובות ואי דשמואל לא שכיח טרחינן לבודקה ואי דשמואל שכיח לא טרחינן ומוקמה בחזקת בעולה או נמי קמבעיא ליה בהך דבדקנוה על פי החבית מי חיישינן לדשמואל או דלמא דשמואל לא שכיח והא לא קא מיבעיא ליה אי חיישינן שמא לא נבדקה יפה אלא דשמואל לא שכיח הס"ד ואח"כ מה"ד דשמואל לא שכיח וכן מסקינן וכו' דרב גובריה וקשה להר"י כל"ל ותיבת אך נמחק: (מ) באד"ה אבל גמר ביאה כדי:

גליון הש"ס

תוס' ד"ה נכנסו וכו' ולא עלו למעלה ממש. עי' גיטין דף סד ע"א תוס' ד"ה ע"מ שתעלי לרקיע: תוס' ד"ה בתולה וכו' ושמא כאן שאף היא בכלל האיסור. עיין נדרים דף ע"ב ע"ב תוס' ד"ה מוזו מנוזר:

תורה אור השלם

א) הַלְלוּ אֶת יְיָ מִן הָאָרֶץ תַּנִּינִים וְכָל תְּהֹמוֹת: אֵשׁ וּבָרָד שֶׁלֶג וְקִיטוֹר רוּחַ סְעָרָה עֹשָׂה דְבָרוֹ: הֶהָרִים וְכָל גְּבָעוֹת עֵץ פְּרִי וְכָל אֲרָזִים: [תהלים קמח, ז-ט] ב) לֹא יֵשֵׁב בְּקֶרֶב בֵּיתִי עֹשֵׂה רְמִיָּה דֹּבֵר שְׁקָרִים לֹא יִכּוֹן לְנֶגֶד עֵינָי: [תהלים קא, ז] ג) יָקָר בְּעֵינֵי יְיָ הַמָּוְתָה לַחֲסִידָיו: [תהלים קטז, טו] ד) דְּבַשׁ מָצָאתָ אֱכֹל דַּיֶּךָּ פֶּן תִּשְׂבָּעֶנּוּ וַהֲקֵאתוֹ: [משלי כה, טז] ה) וּמָעוּךְ וְכָתוּת וְנָתוּק וְכָרוּת לֹא תַקְרִיבוּ לַייָ וּבְאַרְצְכֶם לֹא תַעֲשׂוּ: [ויקרא כב, כד]

ליקוטי רש"י

[שייך לע"א] **לבושיה כתלג חיור ושער ראשה כעמר נקא.** לבושו כשלג לבן ושער ראשו כצמר נקי [דניאל ז, ט]. **קוצותיו תלתלים.** לשון תלויים פנדלוייש בלע"ז. **שחורות כעורב.** כל אלה נוי לבחור. והדוגמא כלפי הקב"ה כך היא וכו' קווצותיו תלתלים, על כל קוץ וקוץ תילי תילים של הלכות. שחורות כערב, על שם שהיתה כתובה לפניו אש שחורה על גבי אש לבנה ד"א קווצותיו תלתלים כשנראה על הים נראה כבחור נלחם בגבורה [שיר השירים ה, יא, טו]. **כאן בישיבה.** כשנראה בסיני נראה כזקן מורה הוראות וכן בשבתו למשפט (דניאל ז) לבושיה כתלג חור ושער רישיה כעמר נקי [שם שם, טז]. **כרסיה שביבין דינור.** כסאותיו שביבי אש. **עד די כרסון רמיו ועתיק וכו'.** עד שהכסאות הושלכו וקדמון ימים ישב [דניאל שם]. נתיישבו הכסאות למשמע שנים. **שבינה חול.** שאתה מושיב בשר ודם אצלו. [סנהדרין לח:]. **כלך.** לכה לך אלא שקיצר הלשון [שבת קמה:]. **מדברותיך.** מנע מדבריך ופנה להלכות נגעים ואהלות שהן חמורים ובהם אתה מחודד ולא בהגדה [סנהדרין סז:]. **להדום רגליו.** שרפרף מרגלותיו זהו בית המקדש [איכה ב, א]. **השמים כסאי.** איני צריך לבית המקדש שלכם [ישעיה סו א]. **ירהבו הנער בזקן.** יתגדל הנער על הזקן. **והנקלה בנכבד.** כפשוטו ומדרשו יבא מי שחמורות דומות עליו כקלות ויהבו במי שהקלות דומות עליו ככבדות [שם ג, ח]. **ותעלולים ימשלו בם.** שועלים בני אדם חלשים ואני אומר לפי פשוטו תעלולים ליצני בני אדם המתעוללים בהן ומבזין אותם כמו (איוב טז) ועוללתי בעפר קרני את אשר התעללתי (שמות י) [שם שם, ד]. **ביין מסכתי.** ביין שמזגתי [משלי ט, ה]. **קסם על שפתי מלך.** על

שפתי חכם היושב בדין [שם טז, י]. **כגון רבי אבהו בי קיסר.** [illegible]

מְקַיֵּים – BUT YOU, R' ELAZAR BEN ARACH, ARE ONE WHO both EXPOUNDS WELL AND PRACTICES WELL.[11] אַשְׁרֶיךָ אַבְרָהָם אָבִינוּ שֶׁאֶלְעָזָר בֶּן עֲרָךְ יָצָא מֵחֲלָצֶיךָ – HOW FORTUNATE ARE YOU, OUR FOREFATHER ABRAHAM, THAT R' ELAZAR BEN ARACH EMERGED FROM YOUR LOINS!" וּכְשֶׁנֶּאֶמְרוּ הַדְּבָרִים לִפְנֵי רַבִּי יְהוֹשֻׁעַ – AND WHEN THESE MATTERS WERE RELATED BEFORE R' YEHOSHUA, הָיָה הוּא וְרַבִּי יוֹסֵי הַכֹּהֵן מְהַלְּכִים בַּדֶּרֶךְ – HE AND R' YOSE THE KOHEN WERE WALKING ALONG THE ROAD.[12] אָמְרוּ – THEY, who were also disciples of Rabban Yochanan ben Zakkai,[13] SAID to each other, אַף אָנוּ נִדְרוֹשׁ בְּמַעֲשֵׂה מֶרְכָּבָה – "LET US ALSO EXPOUND UPON *MAASEH MERKAVAH*." פָּתַח רַבִּי יְהוֹשֻׁעַ וְדָרַשׁ – R' YEHOSHUA BEGAN his discourse AND EXPOUNDED. וְאוֹתוֹ הַיּוֹם תְּקוּפַת תַּמּוּז הָיָה – NOW, THAT DAY WAS in THE summer TAMMUZ SEASON, a season that does not usually have any cloudy days. Nevertheless, נִתְקַשְּׁרוּ שָׁמַיִם בְּעָבִים וְנִרְאָה כְּמִין קֶשֶׁת בֶּעָנָן – THE SKIES THICKENED WITH CLOUDS, AND SOMETHING LIKE A RAINBOW APPEARED AMIDST THE CLOUDS.[14] וְהָיוּ מַלְאֲכֵי הַשָּׁרֵת מִתְקַבְּצִין וּבָאִין לִשְׁמוֹעַ – AND MINISTERING ANGELS WERE GATHERING AND COMING TO HEAR the teachings of *Maaseh Merkavah* כִּבְנֵי אָדָם שֶׁמִּתְקַבְּצִין וּבָאִין לִרְאוֹת בְּמַזְמוּטֵי חָתָן וְכַלָּה – LIKE PEOPLE WHO GATHER AND COME TO SEE THE MERRYMAKING performed BEFORE A GROOM AND BRIDE. הָלַךְ רַבִּי יוֹסֵי הַכֹּהֵן – Afterwards, R' YOSE THE KOHEN WENT וְסִיפֵּר דְּבָרִים לִפְנֵי רַבָּן יוֹחָנָן בֶּן זַכַּאי – AND RELATED these MATTERS BEFORE RABBAN YOCHANAN BEN ZAKKAI, וְאָמַר – AND [RABBAN YOCHANAN BEN ZAKKAI] SAID, אַשְׁרֵיכֶם וְאַשְׁרֵי יוֹלַדְתְּכֶם – "HOW FORTUNATE ARE YOU! AND HOW FORTUNATE ARE THOSE WHO GAVE BIRTH TO YOU! אַשְׁרֵי עֵינַי שֶׁכָּךְ רָאוּ – HOW FORTUNATE ARE MY EYES THAT HAVE THUS SEEN! וְאַף אֲנִי וְאַתֶּם בַּחֲלוֹמִי מְסוּבִּין הָיִינוּ עַל הַר סִינַי – AND FURTHERMORE: I AND all of YOU WERE, IN MY DREAM, SEATED AT MOUNT SINAI,[15] וְנִתְּנָה עָלֵינוּ בַּת קוֹל מִן הַשָּׁמַיִם – AND A HEAVENLY VOICE RESOUNDED TOWARDS US FROM HEAVEN saying, עֲלוּ לְכָאן עֲלוּ לְכָאן – 'ASCEND HERE! ASCEND HERE! טְרַקְלִין גְּדוֹלִים וּמַצָּעוֹת נָאוֹת מוּצָּעוֹת לָכֶם – LARGE DINING HALLS WITH ELEGANT COUCHES ARE PREPARED FOR YOU. אַתֶּם וְתַלְמִידֵיכֶם וְתַלְמִידֵי תַלְמִידֵיכֶם מְזוּמָּנִין לְכַת שְׁלִישִׁית – YOU, AND YOUR DISCIPLES, AND THE DISCIPLES OF YOUR DISCIPLES ARE all INVITED TO THE THIRD DIVISION.' "[16]

The Gemara challenges a detail in the Baraisa's story:

אֵינִי – **Is it indeed so** that R' Elazar ben Arach expounded upon *Maaseh Merkavah* before Rabban Yochanan ben Zakkai? וְהָתַנְיָא – **But it has been taught in a Baraisa:** רַבִּי יוֹסֵי בְּרַבִּי יְהוּדָה אוֹמֵר – R' YOSE BAR R' YEHUDAH SAYS: שְׁלֹשָׁה הַרְצָאוֹת הֵן – THERE WERE THREE DISCOURSES upon *Maaseh Merkavah*: רַבִּי יְהוֹשֻׁעַ הִרְצָה דְּבָרִים לִפְנֵי רַבָּן יוֹחָנָן בֶּן זַכַּאי – (1) R' YEHOSHUA DISCOURSED upon these MATTERS BEFORE RABBAN YOCHANAN BEN ZAKKAI; רַבִּי עֲקִיבָא הִרְצָה לִפְנֵי רַבִּי יְהוֹשֻׁעַ – (2) R' AKIVA DISCOURSED BEFORE R' YEHOSHUA; חֲנַנְיָא בֶּן חֲכִינַאי הִרְצָה לִפְנֵי רַבִּי עֲקִיבָא – (3) CHANANYA BEN CHACHINAI DISCOURSED BEFORE R' AKIVA. וְאִילּוּ רַבִּי אֶלְעָזָר בֶּן עֲרָךְ לֹא קָא חָשִׁיב – **However, [the Baraisa] does not reckon R' Elazar ben Arach.** Thus, he must not have succeeded in expounding *Maaseh Merkavah*. – ? –

The Gemara answers:

דְּאַרְצִי וְאַרְצוּ קַמֵּיהּ קָחָשִׁיב – **[The Baraisa] reckons** only **[a sage] who discoursed** before others **and before whom others discoursed,** דְּאַרְצִי וְלֹא אַרְצוּ קַמֵּיהּ לֹא קָא חָשִׁיב – but **someone,** such as R' Elazar ben Arach, **who discoursed** before others (Rabban Yochanan ben Zakkai) **but others did not discourse before him, [the Baraisa] does not reckon.**

The Gemara asks:

וְהָא חֲנַנְיָא בֶּן חֲכִינַאי דְּלֹא אַרְצוּ קַמֵּיהּ וְקָא חָשִׁיב – **But** that rule does not account for **Chananya ben Chachinai, before whom no one discoursed and** nevertheless **[the Baraisa] reckons** him! – ? –

The Gemara answers:

דְּאַרְצִי מִיהָא קַמֵּיהּ מַאן דְּאַרְצִי – **[Chananya ben Chachinai]** was **at least someone who discoursed before someone who had discoursed** before someone else. That is, Chananya ben Chachinai is mentioned here only because of R' Akiva, to show that R' Akiva was someone who both discoursed before others (R' Yehoshua) and before whom others (Chananya ben Chachinai) discoursed. R' Elazar ben Arach, however, was not someone before whom others discoursed, nor did he discourse before one who has discoursed before other.

The Gemara cites the story of four sages who attempted to delve into spiritual mysteries:[17]

תָּנוּ רַבָּנָן – **The Rabbis taught in a Baraisa:** אַרְבָּעָה נִכְנְסוּ בַּפַּרְדֵּס וְאֵלּוּ הֵן – There were FOUR who ENTERED THE sublime ORCHARD,[18] AND THEY ARE [THE FOLLOWING:] בֶּן עַזַּאי וּבֶן זוֹמָא

NOTES

11. [In other fields of intellectual inquiry, it is possible to master the principles and details of a subject and yet live in complete contradiction to what he has learned. This is not true of *Maaseh Merkavah*. This subject may only be mastered in accordance with the purity of one's heart (see *Maharsha*).]

12. The Baraisa notes that both pairs of Sages (Rabban Yochanan ben Zakkai and R' Elazar ben Arach; R' Yehoshua and R' Yose the Kohen) were on the road because *Maaseh Merkavah* may only be transmitted from one teacher to one student. Therefore, the Baraisa emphasizes that they were alone on the road, outside the earshot of anyone else (*Maharsha*).

13. *Ethics of the Fathers* 2:8.

14. Not a rainbow, which would be an untoward omen (see *Kesubos* 77b), but something like a rainbow, such as that seen in Ezekiel's vision (*Maharsha*).

15. At the Giving of the Torah, where every soul that would ever be born was present, and where every word of Torah that would ever be spoken was heard (*Maharsha*).

16. There are three divisions among those who engage in the study of the Torah: (a) those who fulfill the basic obligation to study the Torah, and who are content to learn its simple meaning; (b) those who have attained the Crown of the Torah are able to see its wonders, its guidance for life and its hidden light; (c) those who have mastered the secrets of *Maaseh Merkavah*. These three groups sit before the Divine Presence according to their stature, the highest being the last. Rabban Yochanan ben Zakkai and his disciples were invited to this third, highest circle (*Sidduro shel Shabbos* 1:7:1, cited in *Yalkut Yeshayahu*). Cf. *Maharatz Chayes*.

17. The following Baraisa commences one of the best known and often quoted Aggadic teachings in the Talmud. It is the narrative of four Tannaim – some of the greatest Sages the Jewish nation has known – who embarked on a quest for esoteric enlightenment, with bitterly tragic results. Only one of these Sages was better for the experience, and even that one, the Gemara notes, narrowly escaped harm. There are many lessons to be drawn from these Aggados, which extend until 16a, as well as from the many details and interpretations offered by sources ranging from the *Yerushalmi* and the Geonim to latter-day Acharonim. We shall endeavor to present a selection of these in the coming pages.

18. The word פַּרְדֵּס, *pardeis,* means "orchard" literally, but here it is used in the same way that we speak of the Garden of Eden that is set aside for the reward of the righteous, i.e. a spiritual place [or level] in the heaven closest to God, where the souls of the righteous exist (see *Rabbeinu Chananel*).

[Accordingly, one could also translate this sentence: *There were four who entered Paradise.* Indeed, the English word "Paradise" derives from a Greek word meaning both orchard and Paradise which in turn derives from the Hebrew *pardeis.*]

Rashi explains that the four Sages ascended to Heaven through the use of a Divine Name. *Tosafos* comment that they did not ascend literally, but rather it seemed to them as if they had done so. That is, their thoughts were entirely in Heaven, so they are described as being there.

What these Sages were engaged in, of course, was an exalted level of

הא בדברי תורה הא במשא ומתן בדברי תורה הוו במשא ומתן לא הוו ת"ר [א] מעשה ברבן יוחנן בן זכאי שהיה רוכב על החמור (א) והיה מהלך בדרך ור' אלעזר בן ערך מחמר אחריו אמר לו רבי שנה לי פרק אחד במעשה מרכבה אמר לו לא כך שניתי לכם ולא במרכבה ביחיד אלא א"כ היה חכם מבין מדעתו אמר לו רבי תרשיני לומר לפניך דבר אחד שלמדתני אמר לו אמור מיד ירד רבן יוחנן בן זכאי מעל החמור ונתעטף וישב על האבן תחת הזית אמר לו רבי מפני מה ירדת מעל החמור אמר אפשר אתה דורש במעשה מרכבה ושכינה עמנו ומלאכי השרת מלוין אותנו ואני ארכב על החמור מיד פתח ר"א בן ערך במעשה המרכבה ודרש וירדה אש מן השמים [ב] וסיבבה כל האילנות שבשדה פתחו (ב) כולן ואמרו שירה מה שירה אמרו [א] הללו את ה' מן הארץ תנינים וכל תהומות עץ פרי וכל ארזים הללויה נענה מלאך מן האש ואמר הן הן מעשה המרכבה עמד רבן יוחנן ב"ז ונשקו על ראשו ואמר ברוך ה' אלהי ישראל שנתן בן לאברהם אבינו שיודע להבין ולחקור ולדרוש במעשה מרכבה (ג) [ג] יש נאה דורש ואין נאה מקיים נאה מקיים ואין נאה דורש אתה נאה דורש ונאה מקיים אשריך אברהם אבינו שאלעזר בן ערך יצא מחלציך וכשנאמרו הדברים לפני ר' יהושע היה הוא ורבי יוסי הכהן מהלכים בדרך אמרו אף אנו נדרוש במעשה מרכבה פתח רבי יהושע ודרש (ד) ואותו היום תקופת תמוז היה נתקשרו שמים בעבים ונראה כמין קשת בענן והיו מלאכי השרת מתקבצין ובאין לשמוע כבני אדם שמתקבצין ובאין לראות במזמוטי חתן וכלה הלך רבי יוסי הכהן וסיפר דברים לפני רבן יוחנן בן זכאי ואמר אשריכם ואשרי יולדתכם אשרי עיני שכך ראו ואף אני ואתם בחלומי מסובין היינו על הר סיני ונתנה עלינו בת קול מן השמים (ה) עלו לכאן עלו לכאן טרקלין גדולים ומצעות נאות מוצעות לכם אתם ותלמידיכם ותלמידי תלמידיכם מזומנין לכת שלישית איני והתניא [ד] ר' יוסי בר' יהודה אומר שלשה הרצאות הן ר' יהושע הרצה דברים לפני רבן יוחנן בן זכאי ר"ע הרצה לפני ר' יהושע חנניא בן חכינאי הרצה לפני ר"ע ואילו ר"א בן ערך לא קא חשיב דארצי וארצו קמיה קחשיב ודלא ארצו קמיה לא קא חשיב (ו) והא חנניא בן חכינאי דלא ארצו קמיה וקא חשיב דארצי מיהא קמיה מאן דארצי ת"ר ארבעה נכנסו בפרדס ואלו הן בן עזאי ובן זומא אחר ורבי עקיבא אמר להם ר"ע כשאתם מגיעין אצל אבני שיש טהור (ז) אל תאמרו מים מים משום שנאמר [ב] דובר שקרים לא יכון לנגד עיני בן עזאי הציץ ומת עליו הכתוב אומר [ג] יקר בעיני ה' המותה לחסידיו בן זומא הציץ ונפגע ועליו הכתוב אומר [ד] דבש מצאת אכול דייך פן תשבענו והקאתו [ה] אחר קיצץ בנטיעות רבי עקיבא יצא בשלום שאלו את בן זומא מהו לסרוסי כלבא אמר להם [ה] ובארצכם לא תעשו [ו] כל שבארצכם [ז] לא תעשו שאלו את בן זומא בתולה שעיבורה מהו לכ"ג מי חיישינן לדשמואל [ח] דאמר שמואל

יכול

רש"י

תקופת תמוז הוה. דאין דרך להתקשר שמים בעבים: במזמוטי חתן. מיני שחוק שמשחקין לפניהן: ספיר. דברים הללו: לכת שלישית. של כיתות היושבות לפני השכינה: הרצה דברים. דרש במעשה המרכבה: דארצי וארצו קמיה. שהרצה לפני אחרים ואחרים הרצו לפניו: דארצי מיהא קמיה מאן דארצי. אם לא הרצו אחרים לפניו הוא הרצה לפני מי שחזר והרצה לפני אחרים לכך הוזקק להימנות כאן משום דרבי עקיבא להודיע שהוא הרצה ואחרים הרצו לפניו אבל ר"א לא אחרים הרצו לפניו ולא הוא הרצה לפני מי שהרצה לפני אחרים: נכנסו לפרדס. עלו לרקיע על ידי שם: שיש טהור. מבהיק כמים צלולין: אל תאמרו מים מים. יש כאן איך נלך: הציץ. לצד השכינה: ונפגע. נטרפה דעתו: יקר בעיני ה' המותה לחסידיו. הוקשה מיתתו לפניו לפי שמת בחור ואעפ"כ אי אפשר שלא ימות משום שנאמר כי לא יראני האדם וחי (שמות לג): שאלו את בן זומא מהו לסרוסי כלבא. הואיל וסירוס כתיב אצל מומי קרבן וכלב אפילו חליפיו אסור למזבח משום מחיר כלב אסור לסרסו או לא: בתולה שעיבורה מהו לכהן גדול. והיא אומרת שנמצאו לה בתולים אי נמי כהן גדול נשאה ולא ידע בה שהיא מעוברת ומצא לה בתולים ואחר כך נמצאת מעוברת מהו לקיימה משום בתולה מעמיו יקח (ויקרא כא):

יכול

תוספות

נענה מלאך מתוך האש. גרסינן ולא גרסינן מלאך המות וירושלמי מייתי קרא אז ירננו עצי היער:

במזמוטי חתן וכלה. וירושלמי גרס בשמחת חתן והיא היא:

והתניא שלשה הרצאות יש. פרש"י דארצי מיהת קמיה מאן דארצי כלומר כיון שחנניה בן חכינאי הרצה לפני רבי עקיבא דארצי לפני ר' יהושע מיחשב כמו דארצי קמיה לאפוקי דר"א בן ערך שהרצה לפני רבן יוחנן בן זכאי שלא הרצה בפני שום אדם ולא משמע לי כלל דמנא ליה דחשיב כיון דארצי קמיה מאן דארצי כמאן דארצי קמיה דמי ועוד דלא הוי שיטתו לפי תירוצו דלעיל דארצי וארצו קמיה דחשיב והשתא אי הדר ביה הוה ליה למימר אלא כיון דארצי כו' וגם מה שפי' רש"י בשם רבינו הלוי דמשמע ליה לישנא שאדם אחר הרצה לפני חנניא לא יתכן דאם כן ד' הרצאות (ח) הוו ועוד מנא ליה הא דהרצה אחר בפני חנניא ואינו מפורש בשום ברייתא על כן נראה להר"י כמו שפירש בספר הישר דארצי וארצו קמיה קחשיב אותן שהצליחו כל כך להרצות בפני רבם הכי ר' יהושע בפני רבו רבן יוחנן בן זכאי ור"ע בפניו שהיה רבו ורבי חנניא בפני רבי עקיבא רבו וחשיב שלשה הרצאות שהלכו בענין זה לאפוקי ר"א בן ערך שלא הרצו בפניו ואפי' הרצה לא הרצה מקמי מאן דארצי ומעיקרא שני ליה כולו אלא שלא הבין המקשה כל דבריו דפריך ליה כיון שלא הרצו מקמי חנניה היה לו למנות ר"א בן ערך כמו חנניא ומשני ליה דארצי מקמיה מאן דארצו שהוא הרצה בפני ר"ע רבו שהצליח בפני ר' יהושע וארצו ואלו קמיה קרינא ליה בר' עקיבא לאפוקי ר"א בן ערך שלא הרצו לפניו (ט) ואפי' הרצו לפניו רבן יוחנן רבו לא מלינו שהרצה הלכך לא דמי להאי סידרא ומיהו כשנדקדק פרש"י יש ליישב דה"ק קאמר דארצי מיהא קמיה מאן דארצי לא הרצו אחרים לפניו הוא הרצה מיהא מקמי מאן דארצי ולאו קמיה ומשום ר"ע הוזקק למנותו דארצי וארצו קמיה אבל ר"א למה נחשביה לא הורו לפניו ולא הורלו מקמיה מאן דארצי:

נכנסו לפרדס. כגון על ידי שם [ט] ולא עלו למעלה ממש אלא היה נראה להם כמו שעלו וכן פי' בערוך [ט]: לסרוסי כלבא. משום שאף מחירו אסור לקרבן שאלו לו (י) טפי מאחריני וכן פרש"י:

בתולה שעיבורה מהו לכהן גדול. ופרש"י (כ) שהיא אומרת בתולה אני ואי שכיחא דשמואל מהימנא וקשה להר"י דהא פרק קמא דכתובות (דף יג.) תנן היתה מעוברת מה טיבו של עובר זה מאיש פלוני וכהן הוא וכו' רבי יהושע אמר לא מפיה אנו חיין כו' והכא משמע דקבעיא אליבא דכ"ע [י] ושמא כאן שאף היא בכלל האיסור כדכתיב [והוא אשה בבתוליה יקח] קרי ביה יקיח נאמנת ולהר"י נראה (ל) דטרחינן לבודקה ע"פ חבית כדאיתא בריש כתובות (דף י: ושם) ואי דשמואל לא שכיח לא טרחינן ומוקמה בחזקת בעולה אי נמי קמיבעיא ליה בהן דבדקנוה ע"פ החבית אי חיישינן שמא לא נבדקה יפה דשמואל לא שכיח וכן מסקינן בריש תינוקת (נדה דף סד: ושם) שאני שמואל דרב גובריה אך קשה להר"י דהא מסקינן בכתובות (דף ו: ושם) בשמעתין דדם מיפקד פקיד דרוב בקיאין בהטייה וי"ל דודאי תחילת ביאה רוב בקיאין בשעת מעשה (מ) אבל גמר כדי שתתעבר אי אפשר כי אם לשמואל:

ומחיוהו

עין משפט נר מצוה

ט א מיי' פט"ז מהל' איסורי ביאה הל' ט סמג לאוין קכ טוש"ע אה"ע סי' ה סעיף יא:

רבינו חננאל

ל"ק במשא ומתן לא היו אנשי אמנה אבל בדברי תורה לא היו משקרין אלא היו בעלי אמונה. ג' הרצאות הרצו במעשה מרכבה. ר' יהושע הרצה לפני ריב"ז [ר"ע הרצה לפני ר"י חנניא בן חכינאי הרצה] לפני ר' עקיבא הני כולהו ארצו וארצו אחריני קמייהו. אבל ר' אלעזר בן ערך ארצי ולא ארצי אחריני גביה. ת"ר ד' נכנסו לפרדס. אלו הן בן עזאי ובן זומא אחר ור' עקיבא. אמר להם ר' עקיבא כשאתם מגיעים אל אבני שיש טהור אל תאמרו מים מים משום שנאמר דובר שקרים לא יכון לנגד עיני. פי' כינוהו פרדס מעין א) ג"ע שהיא גנוזה לצדיקים כך אותו מקום הוא מקום בערבות שהנשמות של צדיקים צרורות בו ומפורש בהיכלות שהיו החכמים הראוין למדה הזו מתפללין ומנקין עצמן מכל דבר טומאה וצמין ומטבלין ומטהרין והיו משתמשין בשמות וצופין בהיכלות ורואין [היאך] משמרות המלאכים במעמדם והיאך היכל אחרי היכל ולפני' מהיכל רצוה אותם ר"ע כשאתם מגיעין להביט באובנתא דליבא אצל אבני שיש טהור אל תאמרו מים מים שאין שם מים כל עיקר אלא דמות בעולם נראית והאומר מים נהדף שנמצא משקר ובלשון הזה מפורש בהיכלות רבתי מפני ששומרי היכל פתח שיש מטילין ומשליכין אלף אלפי גלי מים ואין שם אפי' טפה אחת. א"ר עקיבא נראה כמי שיש בו גלי מים ואין בו אפילו טפה אחת אלא אויר זיו אבני שיש טהור שהן כלולות בהיכל שהיה זיו פניהם דומים למים והאומר מים הלול מה טיבן שם נהדף כו' ואינם עולים בשמים אלא צופים ורואים באובנתא דליבא כאדם הרואה ומבין מתוך אספקלריא שאינה מאירה ב) בן עזאי הציץ כלומר שהוסיף להזכיר בשמות כדי להביט באספקלריא מאירה ומת בן זומא הציץ ונפגע כלומר נטרפה דעתו אחר קיצץ בנטיעות כיון שכינו המקום ההוא פרדס א' קיצץ בנטיעות. כלומר דיבר כלפי למעלה

חשק שלמה על ר"ח

א) עי' בערוך ערך אבני שיש טהור והכותב בע"י ד"ה לרב' האי. ב) בערוך מסיים בזה"ל ושומעין ואומרין ומדברין כעין הסוכה ברוה"ק זה פירוש רב האי גאון ז"ל.

תורה אור השלם

א) הַלְלוּ אֶת יְיָ מִן הָאָרֶץ תַּנִּינִים וְכָל תְּהֹמוֹת: אֵשׁ וּבָרָד שֶׁלֶג וְקִיטוֹר רוּחַ סְעָרָה עֹשָׂה דְבָרוֹ: הֶהָרִים וְכָל גְּבָעוֹת עֵץ פְּרִי וְכָל אֲרָזִים: [תהלים קמח, ז-ט] ב) לֹא יֵשֵׁב בְּקֶרֶב בֵּיתִי עֹשֵׂה רְמִיָּה דֹּבֵר שְׁקָרִים לֹא יִכּוֹן לְנֶגֶד עֵינָי: [תהלים קא, ז] ג) יָקָר בְּעֵינֵי יְיָ הַמָּוְתָה לַחֲסִידָיו: [תהלים קטז, טו] ד) דְּבַשׁ מָצָאתָ אֱכֹל דַּיֶּךָּ פֶּן תִּשְׂבָּעֶנּוּ וַהֲקֵאתוֹ: [משלי כה, טז] ה) וּמָעוּךְ וְכָתוּת וְנָתוּק וְכָרוּת לֹא תַקְרִיבוּ לַייָ וּבְאַרְצְכֶם לֹא תַעֲשׂוּ: [ויקרא כב, כד]

מסורת הש"ס

א) [תוספתא פרק ב], ב) נ"א וסיבכה, ג) [יבמות דף סג:], ד) [תוספתא פרק ב], ה) [פרש"י ע"ז תמצא לקמן טו. ד"ה אחר], ו) [ב"מ קיט:], ז) [עי' תוס' שבת קי: ד"ה מ"ל], ח) נדה סד:, ט) [ערוך אבן וע"ש], י) עי' יבמות סד., כ) צ"ל אלמנה וגרושה לא יקח כי אם וגו'.

הגהות הב"ח

(א) גמ' שהיה רוכב על החמור ויוצא מירושלים והיה מהלך בדרך וכו' מחמר אחריו ללמוד תורה מפיו אמר לו רבי וכו' אמר לו בני לא כך: (ב) שם פתחו כל האילנות כולן ואמרו שירה וכו' הללויה ויש אומרים שירה זאת אמרו אז ירננו עצי היער (נענה מלאך וכו' המרכבה) תא"מ ונ"ב ס"א ואף מלאך נענה מתוך האש ואמר ודאי הן הן מעשה מרכבה: (ג) שם במעשה מרכבה כר"א בן ערך יש נאה דורש וכו' ואין נאה דורש אבל אתה אבי"ע נאה דורש: (ד) שם ר' יהושע ודרש במעשה מרכבה ואותו היום וכו' ונתקשרו שמים וכו' לשמוע מעשה מרכבה כבני אדם: (ה) שם מן השמים ואמר עלו לכאן וכו' טרקלין גדולים מוכנים לכם ומצעות נאות: (ו) שם לא קחשיב איני והא חנניא: (ז) שם אבני שיש טהור הזהרו שאל תאמרו: (ח) תוס' ד"ה והתניא וכו' ד' הרצאות הן ועוד וכו' בפני חנניא דאינו מפורש וכו' בפני רבן כגון הכא ר' יהושע וכו' ור' עקיבא בפני רבי יהושע שהיה רבו ורבי חנניא בפני ר"ע וכו' ופריך ליה כיון: (ט) בא"ד ואפי' הרצו לפניו לא הרצה תלמיד לפני רבו הלכך לא דמי להאי סידרא וכו' ולא הרצה מקמי מאן דארצי רבן יוחנן רבו לא מצינו שהרצה הס"ד: (י) ד"ה לסרוסי וכו' שאלו לו עליו טפי: (כ) ד"ה בתולה וכו' ופרש"י כשהיא אומרת בתולה אני ואי לא שכיחא דשמואל: (ל) בא"ד ולהר"י נראה דקא מיבעי ליה מי קטרחינן לבודקה על פי חבית כדאיתא בריש כתובות דאי דשמואל לא שכיח טרחינן לבודקה ואי דשמואל שכיח לא טרחינן ומוקמה בחזקת בעולה אי נמי קמבעיא ליה בתר דבדקנוה על פי החבית מי חיישינן לדשמואל או דלמא דשמואל לא שכיח והא לא קא מיבעי ליה אי חיישינן שמא לא נבדקה יפה את"ל דשמואל לא שכיח הס"ד ואח"כ מה"ד דשמואל לא שכיח וכן מסקינן וכו' דרב גובריה וקשה להר"י כנ"ל ותיבת אך נמחק: (מ) בא"ד אבל גמר ביאה כדי:

גליון הש"ס

תוס' ד"ה נכנסו וכו' ולא עלו למעלה ממש. עי' גיטין דף פד ע"א תוס' ד"ה ע"מ שתעלי לרקיע: ד"ה בתולה וכו' ושמא כאן שאף היא בכלל האיסור. עיין נדרים דף ל ע"ב ת"י ד"ה חזרו לומר:

ליקוטי רש"י

[שייך לע"א] לבושיה כתלג חיור ושער ראשה כעמר נקא. לבושו כשלג לבן ושער ראשו כצמר נקי [דניאל ז, ט]. קוצותיו תלתלים. לשון תלויים פנדלוייי"ש בלע"ז. שחורות כעורב. כל אלה נוי לבחור. והדוגמא כלפי הקב"ה כך היא וכו' קווצותיו תלתלים, על כל קוץ וקוץ תילי תילים של הלכות. שחורות כערב, על שם שהיתה כתובה לפניו אש שחורה על גבי אש לבנה ד"א קווצותיו תלתלים כשנראה על הים נראה כבחור נלחם בגבורה [שיר השירים ה, יא]. [illegible]

שפתי חכם היושב בדין [שם טז, י]. כגון רבי אבהו בי קיסר. [שהיה] רבי אבהו נשוא פנים בבית המלך כדאמרי' בחגיגה (דף יד.) נשוא פנים כגון ר' אבהו בי קיסר ובסנהדרין (דף יד.) אמר דהוו נפקי אמהתא דבי קיסר לאפיה ומשרין קמיה רבה דעמיה מדברנא לאומתיה [סוטה מ.]. דברי תורה שניתנה בלחש. ראוי למסור לו סתרי תורה שנתנו בלחש כגון מעשה בראשית ומעשה מרכבה [ישעיה ג, ג]. כי יתפש איש באחיו. כאשר יתפוש איש באחיו בבית אביו לאמר עשיר אתה בתורה [illegible]

אַחֵר וְרַבִּי עֲקִיבָא – BEN AZZAI, BEN ZOMA,[19] ACHER[20] AND R' AKIVA. אָמַר לָהֶם רַבִּי עֲקִיבָא – Before they entered, R' AKIVA SAID TO THEM, as a warning: כְּשֶׁאַתֶּם מַגִּיעִין אֵצֶל אַבְנֵי שַׁיִשׁ טָהוֹר – WHEN YOU REACH NEAR THE PURE MARBLE STONES,[21] אַל תֹּאמְרוּ ,,מַיִם, מַיִם'' – DO NOT SAY, "There is WATER here, there is WATER here! How can we continue further?"[22] מִשּׁוּם שֶׁנֶּאֱמַר ,,דֹּבֵר שְׁקָרִים לֹא־יִכּוֹן לְנֶגֶד עֵינָי'' – BECAUSE IT SAYS: *A practitioner of deceit shall not dwell within My house; A SPEAKER OF LIES SHALL NOT ABIDE BEFORE MY EYES.*[23] בֶּן עַזַּאי הֵצִיץ וָמֵת – BEN AZZAI GLANCED towards the Divine Presence AND consequently DIED.[24] עָלָיו הַכָּתוּב אוֹמֵר – It is UPON HIM that THE VERSE STATES:[25] ,,יָקָר בְּעֵינֵי ה' הַמָּוְתָה לַחֲסִידָיו'' – *DIFFICULT IN THE EYES OF HASHEM IS THE DEATH OF HIS DEVOUT ONES.*[26] בֶּן זוֹמָא הֵצִיץ וְנִפְגַּע – BEN ZOMA GLANCED AND BECAME MENTALLY UNSTABLE.[27] וְעָלָיו הַכָּתוּב אוֹמֵר – And it is UPON HIM that THE VERSE STATES:[28] ,,דְּבַשׁ מָצָאתָ אֱכֹל דַּיֶּךָּ פֶּן־תִּשְׂבָּעֶנּוּ וַהֲקֵאתוֹ'' – *WHEN YOU FIND HONEY, EAT WHAT IS SUFFICIENT FOR YOU, LEST YOU BE SATIATED AND VOMIT IT UP.*[29] אַחֵר קִיצֵּץ בִּנְטִיעוֹת – ACHER CHOPPED DOWN

NOTES

Maaseh Merkavah, and that is the reason this incident is cited here (see *Rav Hai Gaon* cited in *HaKoseiv* in *Ein Yaakov* and in *Otzar HaGeonim, Teshuvos;* see also *Maharsha*). *Rav Hai Gaon* (loc. cit.) sketches the preparations they made to enter this state and attain this *Merkavah* perception. These preparations may be reasonably described, in contemporary terms, as a meditational technique used to isolate one's mind from the constant barrage of external stimuli and static. The mind is then able to reach an inner space wherein one may perceive the seven Heavenly chambers of a *Merkavah* vision. *Rav Hai Gaon* says further that the attainment of this perception is the subject of two Tannaic works: *Heichalos Rabbasi* and *Heichalos Zutrasi* [parts of which, at least, are extant]. In our versions of *Heichalos Rabbasi,* it seems that various Divine Names played a part in the entrance to a *Merkavah* state [i.e. they served as a contemplative focus]. Possibly, this is what *Rashi* means when he says that the four Sages ascended through the use of a Divine Name.

Although we find that in the Tannaic era Sages would enter a *Merkavah* state by means of Divine Names, this was no longer so in later generations. Rather, many Kabbalistic works prohibit this technique. The *Arizal* once explained the reason to his foremost disciple, *R' Chaim Vital*: One may make use of Divine Names only if one is in a state of absolute *taharah* (purity). During the era of the Amoraim, it became impossible to rid oneself of corpse contamination (which is very prevalent) because the purification procedure involving the ashes of a red cow could no longer be performed. Someone who is *tamei* by dint of corpse contamination is unsuited to use Divine Names and endangers himself by doing so (*Shaarei Kedushah* 3:6; *Shaar Ruach HaKodesh,* p. 41a).

19. Shimon ben Azzai and Shimon ben Zoma. They are known only by their fathers' names because they never received Rabbinical ordination (*Rashi* to *Kiddushin* 49b ד"ה בן עזאי ובן זומא). However, we do find infrequently that they were called R' Shimon ben Azzai and R' Shimon ben Zoma (see e.g. *Yevamos* 49a; *Chullin* 83a).

20. This is a dishonorable reference to Elisha ben Avuyah, a Tanna who abandoned Torah observance, as the Gemara details below. Throughout this entire Aggadah he is called "Acher" (*Someone Else* or, *the Other*) except in the one place where the Gemara explains how he received this pseudonym. In the rest of the Babylonian Talmud, his name appears only one other time (*Moed Katan* 20a), and on that occasion he is cited to show that the halachah should not follow his view (see *R' Shlomo ben HaYasom* ad loc.). He is, however, mentioned in a favorable context in *Pirkei Avos* (4:19) and in *Avos DeRabbi Nassan* (ch. 24).

[In no place in the words of our Sages is he referred to as *R'* Elisha ben Avuyah (with the exception of a variant reading of one line in *Avos DeRabbi Nassan*). *Tashbetz* states that he never received ordination (*Magen Avos* to *Pirkei Avos* 4:19). Even if he had been ordained (as indicated by the variant reading in *Avos DeRabbi Nassan*) it is possible that the Sages stripped him of any Rabbinical titles after he went astray. (Such measures were rare, but did occur in Jewish history; for an example, see Responsa, *Mahari Weil* §147 towards the end.)]

21. These were stones that were built into [the walls of] the Heavenly chambers (see *Rabbeinu Chananel*). They were as brilliantly transparent as pure water (*Rashi*). Specifically the reference is to the sixth Heavenly chamber (*Rav Hai Gaon* loc. cit., citing *Heichalos*).

22. It seems as if there are a hundred thousand myriads of waves of waters; in reality there is not even one drop, only the pristine clarity of the "pure marble stones" (*Rav Hai Gaon* loc. cit., citing *Heichalos;* see also *Rabbeinu Chananel*).

23. *Psalms* 101:7. In the extant version of *Heichalos* (ch. 26), a person (near the *Merkavah* state) who refers to what he perceives as "water" is called "a descendant of the kissers of the [Golden] Calf" and is punished severely by angelic entities. [The sin of someone who refers to the stones of the supernal chambers as "water" seems to be that he confuses metaphor with reality. The human mind must generally grasp abstract ideas through concrete metaphors. Although this is a necessity in the thoroughly abstract fields of *Maaseh Bereishis* and *Maaseh Merkavah,* one must never think that the spiritual worlds are actually composed of any physical material. All the spiritual universes are incapable of containing even one mustard seed (see *Zohar* II 197a). One who imputes corporeality to Heaven is similar to the worshipers of the Golden Calf, who wished to concretize God or His attributes.]

24. His soul became so enraptured by the supernal realities it experienced in the *Merkavah* state that it formed an intense connection with them. Ben Azzai's soul gazed at the brilliantly clear light and it separated from its body, as well as from all bodily functions. It chose the serenity of Heaven over the vicissitudes of our earth and never returned again (*Maharsha,* citing "an ancient book"; see also *Kuzari* 3:73). This is akin to a מִיתַת נְשִׁיקָה, *a death by kiss* [of God] (see *Moreh Nevuchim* 3:51).

[According to an annotation in *Ein Yaakov,* the "ancient book" cited by *Maharsha* here (and elsewhere) is *Otzar HaKavod,* a Kabbalistic commentary on the Aggados of the Talmud. Its author was *R' Todros HaLevi Abulefia,* a nephew of the *Yad Ramah.*]

25. *Psalms* 116:15.

26. Ben Azzai was the paragon of saintliness (see *Berachos* 57b). His death was difficult before God, as it were, because Ben Azzai died young [with much unfulfilled potential]. However, there was no way that Ben Azzai could avoid death because the Torah states (*Exodus* 33:20): *[God] said, "You will not be able to see My face, for no human can see My face and live"* (*Rashi*). Ben Azzai endeavored to see God's face, as it were. That is, he persevered in gaining a clearer and truer perception of God until [he could no longer hold body and soul together and] he died (see *Rabbeinu Chananel*). When Ben Azzai died, the last of the diligent students of Torah disappeared (Mishnah, *Sotah* 49a).

27. Ben Zoma had not perfected himself as much as Ben Azzai in certain respects; when he too attempted to gaze at the brilliantly clear light, he was overcome with perceptions that were more than his mind could accommodate. As a result, the perceptions became mixed up and confusion reigned. He was akin to a person whose mind is disturbed and cannot comprehend ideas clearly (*Maharsha,* citing the "ancient book").

28. *Proverbs* 25:16.

29. *Anaf Yosef* cites *Mateh Moshe* who offers an interesting analogy on this topic: A king invited his subjects to a royal banquet and set before them bread, meat and wine to eat to their hearts' content, as well as honey and a variety of sweet delicacies for dessert. The fool among the subjects gorged himself on the desserts and avoided all the other foods, while the wise subjects ate the bread, meat and wine to satiety and only afterward tasted some of the sweet things. The fool stood up from the table still hungry for solid food and nauseous from the surfeit of sweetness; not long after, he regurgitated what he had consumed. The wise subjects left the meal content and happy.

The king is God; the subjects, the Jewish people; the royal banquet, the holy Torah; the bread, meat and wine are Talmud, halachic rulings and the Mishnah; and the sweet desserts are *Maaseh Bereishis* and *Maaseh Merkavah.* [*Mateh Moshe* offers Aggadic sources for all these parallels.] Foolish people spend all their time and mental energies on esoteric studies only, and leave behind the main teachings of the Torah. They remain hungry and thirsty for the Torah studies they have disregarded and will soon lose whatever they attained in esoteric enlightenment, as happened with Ben Zoma. The wiser persons first sate their hunger and quaff their thirst with the Mishnah, the Talmud and the halachic rulings, and only afterward taste of the sweetness of *Maaseh Bereishis* and *Maaseh Merkavah.* In this way, both disciplines remain with them.

הא בדברי תורה הא במשא ומתן בדברי תורה הוו במשא ומתן לא הוו ת"ר (א) מעשה ברבן יוחנן בן זכאי שהיה רוכב על החמור והיה מהלך בדרך ור' אלעזר בן ערך מחמר אחריו אמר לו רבי שנה לי פרק אחד במעשה מרכבה אמר לו לא כך שניתי לכם ולא במרכבה ביחיד אלא א"כ היה חכם מבין מדעתו אמר לו רבי תרשיני לומר לפניך דבר אחד שלמדתני אמר לו אמור מיד ירד רבן יוחנן בן זכאי מעל החמור ונתעטף וישב על האבן תחת הזית אמר לו רבי מפני מה ירדת מעל החמור אמר אפשר אתה דורש במעשה מרכבה ושכינה עמנו ומלאכי השרת מלוין אותנו ואני ארכב על החמור מיד פתח ר"א בן ערך במעשה המרכבה ודרש וירדה אש מן השמים וסיבבה כל האילנות שבשדה פתחו (ג) כולן ואמרו שירה מה שירה אמרו א) הללו את ה' מן הארץ תנינים וכל תהומות עץ פרי וכל ארזים הללויה נענה מלאך מן האש ואמר הן הן מעשה המרכבה עמד רבן יוחנן בן זכאי ונשקו על ראשו ואמר ברוך ה' אלהי ישראל שנתן בן לאברהם אבינו שיודע להבין ולחקור ולדרוש במעשה מרכבה (ג) יש נאה דורש ואין נאה מקיים נאה מקיים ואין נאה דורש אתה נאה דורש ונאה מקיים אשריך אברהם אבינו שאלעזר בן ערך יצא מחלציך וכשנאמרו הדברים לפני ר' יהושע היה הוא ורבי יוסי הכהן מהלכים בדרך אמרו אף אנו נדרוש במעשה מרכבה פתח רבי יהושע ודרש (ד) ואותו היום תקופת תמוז היה נתקשרו שמים בעבים ונראה כמין קשת בענן והיו מלאכי השרת מתקבצין ובאין לשמוע כבני אדם שמתקבצין ובאין לראות במזמוטי חתן וכלה הלך רבי יוסי הכהן וסיפר דברים לפני רבן יוחנן בן זכאי ואמר אשריכם ואשרי יולדתכם אשרי עיני שכך ראו ואף אני ואתם בחלומי מסובין היינו על הר סיני ונתנה עלינו בת קול מן השמים (ה) עלו לכאן עלו לכאן טרקלין גדולים ומצעות נאות מוצעות לכם אתם ותלמידיכם ותלמידי תלמידיכם מזומנין לכת שלישית איני והתניא ר' יוסי בר' יהודה אומר שלשה הרצאות הן ר' יהושע הרצה דברים לפני רבן יוחנן בן זכאי ר"ע הרצה לפני ר' יהושע חנניא בן חכינאי הרצה לפני ר"ע ואילו ר"א בן ערך לא קא חשיב דארצי וארצו קמיה קחשיב דארצי ולא ארצו קמיה לא קא חשיב (ו) והא חנניא בן חכינאי דלא ארצו קמיה וקא חשיב דארצי מיהא קמיה מאן דארצי ת"ר ארבעה נכנסו בפרדס ואלו הן בן עזאי ובן זומא אחר ורבי עקיבא אמר להם ר"ע כשאתם מגיעין אצל אבני שיש טהור (ז) אל תאמרו מים מים משום שנאמר ב) דובר שקרים לא יכון לנגד עיני בן עזאי הציץ ומת ועליו הכתוב אומר ג) יקר בעיני ה' המותה לחסידיו בן זומא הציץ ונפגע ועליו הכתוב אומר ד) דבש מצאת אכול דייך פן תשבענו והקאתו אחר קיצץ בנטיעות רבי עקיבא יצא בשלום שאלו את בן זומא מהו לסרוסי כלבא אמר להם ה) ובארצכם לא תעשו כל שבארצכם לא תעשו שאלו את בן זומא בתולה שעיברה מהו לכ"ג מי חיישינן לדשמואל דאמר שמואל יכול

רש"י

תקופת תמוז הוה. דלאו דרך להתקשר שמים בעבים: במזמוטי חתן. מיני שחוק שמשחקין לפניהן: סיפר. דברים הללו: לכת שלישית. של כיתות היושבות לפני השכינה: הרצה דברים. דרש במעשה המרכבה: דארצי וארצו קמיה. שהרצה לפני אחרים ואחרים הרצו לפניו: דארצי מיהא קמיה מאן דארצי. אם לא הרצו אחרים לפניו הוא הרצה לפני מי שחזר והרצה לפני אחרים לכך הוזקק להימנות כאן משום דרבי עקיבא להודיע שהוא הרצה ואחרים הרצו לפניו אבל ר"א לא אחרים הרצו לפניו ולא הוא הרצה לפני מי שהרצה לפני אחרים: נכנסו לפרדס. עלו לרקיע על ידי שם: שיש טהור. מבהיק כמים צלולין: אל תאמרו מים מים. יש כאן איך נלך: הציץ. לצד השכינה: ונפגע. נטרפה דעתו: יקר בעיני ה' המותה לחסידיו. הוקשה מיתתו לפניו לפי שמת בחור ואעפ"כ אי אפשר שלא ימות משום שנאמר כי לא יראני האדם וחי (שמות לג): שאלו את בן זומא מהו לסרוסי כלבא. הואיל וסירוס כתיב אצל מומי קרבן וכלב אפילו חליפיו אסור למזבח משום מחיר כלב אסור לסרסו או לא: בתולה שעיברה מהו לכהן גדול. והיא אומרת שימצאו לה בתולים אי נמי כהן גדול נשאה ולא ידע שהיא מעוברת ומצא לה בתולים ואחר כך נמצאת מעוברת מהו לקיימה משום בתולה מעמיו יקח (ויקרא כא):

תוספות

נענה מלאך מתוך האש. גרסינן ולא גרסינן מלאך המות וירושלמי מייתי קרא אז ירננו עצי היער: במזמוטי חתן וכלה. וירושלמי גרס בשמחת חתן וכלה היא: והתניא שלשה הרצאות יש. פרש"י דארצי מיהא קמיה מאן דארצי כלומר כיון שחנניא בן חכינאי הרצה לפני רבי עקיבא דארצי לפני ר' יהושע מיחשב כמו דארצי קמיה לאפוקי דר"א בן ערך שהרצה לפני רבן יוחנן בן זכאי שלא הרצה בפני שום אדם ולא משמע לי כלל דמנא ליה דחשיב כיון דארצי קמיה מאן דארצי כמאן דארצי קמיה דמי ועוד דלא הוי שיטתו לפי תירוצו דלעיל דארצי וארצו קמיה דחשיב והשתא אי הדר ביה הוה ליה למימר אלא כיון דארצי כו' וגם מה שפי' רש"י בשם רבינו הלוי דמשמע ליה לישנא שאדם אחר הרצה לפני חנניא לא יתכן דאם כן ד' הרצאות (ח) בהון ועוד מנא ליה הא דהרצה אחר בפני חנניא ואינו מפורש בשום ברייתא על כן נראה להר"י כמו שפירש בספר הישר דארצי וארצו קמיה קחשיב אותן שהצליחו כל כך להרצות בפני רבם הכי ר' יהושע בפני רבו רבן יוחנן בן זכאי ור"ע בפניו שהיה רבו ורבי חנניא בפני רבי עקיבא רבו וחשיב שלשה הרצאות שהלכו בענין זה לאפוקי ר"א בן ערך שלא הרצו בפניו ואפי' הרצה לא הרצה מקמי מאן דארצי ומעיקרא שני ליה כולו אלא שלא הבין המקשה כל דבריו דפריך ליה כיון שלא הרצו מקמי חנניא היה לו למנות ר"א בן ערך כמו חנניא ומשני ליה דארצי מקמיה מאן דארצו שהוא הרצה בפני ר"ע רבו שהצליח בפני ר' יהושע וארצי וארצו קמיה קרינא ליה בר' עקיבא לאפוקי ר"א בן ערך שלא הרצו לפניו (ט) ואפי' הרצו לפניו רבן יוחנן רבו לא מצינו שהרצה הלכך לא דמי להאי סידרא ומיהו כשנדקדק פרש"י יש לישבו דה"ג קאמר דארצי מיהא קמיה מאן דארצי אם לא הרצו אחרים לפניו הוא הרצה מיהא מקמי מאן דארצי ומשום ר"ע הוזקק למנותו דארצי וארצו קמיה אבל ר"א למה נחשביה לא הורצו לפניו ולא הורצו מקמיה מאן דארצי:

נכנסו לפרדס. כגון על ידי שם ולא עלו למעלה ממש אלא היה נראה להם כמו שעלו וכן פי' בערוך ט): לסרוסי כלבא. משום שאף מחירו אסור לקרבן שאלו לו (י) טפי מאחריני וכן פרש"י:

בתולה שעיברה מהו לכהן גדול. ופרש"י (כ) שהיא אומרת בתולה אני ואי שכיחא דשמואל מהימנא וקשה להר"י דהא פרק קמא דכתובות (דף יג.) תנן היתה מעוברת מה טיבו של עובר זה מאיש פלוני וכהן הוא וכו' רבי יהושע אמר לא מפיה אנו חיין כו' והכא משמע דקבעיא אליבא דכ"ע ושמא כאן שאף היא בכלל האיסור כדכתיב [והוא אשה בבתוליה יקח] קרי ביה יקיח נאמנת ולהר"י נראה (ל) דטרחינן לבודקה ע"פ חבית כדאיתא בריש כתובות (דף י: ושם) ואי דשמואל לא שכיח לא טרחינן ומוקמה בחזקת בעולה אי נמי קמיבעיא ליה בהך דבדקנוה ע"פ החבית אי חיישינן שמא לא נבדקה יפה דשמואל לא שכיח וכן מסקינן בריש תינוקת (נדה דף סד: ושם) שאני שמואל דרב גובריה אך קשה להר"י דהא מסקינן בכתובות (דף ו: ושם) בשמעתין דלא מיפקד פקיד דרוב בקיאין בהטייה וי"ל דודאי תחילת ביאה רוב בקיאין בשעת מעשה (מ) אבל גמר כדי שתתעבר אי אפשר כי אם לשמואל:

ומחיוהו

תורה אור השלם

א) הַלְלוּ אֶת יְיָ מִן הָאָרֶץ תַּנִּינִים וְכָל תְּהֹמוֹת: אֵשׁ וּבָרָד שֶׁלֶג וְקִיטוֹר רוּחַ סְעָרָה עֹשָׂה דְבָרוֹ: הֶהָרִים וְכָל גְּבָעוֹת עֵץ פְּרִי וְכָל אֲרָזִים: [תהלים קמח, ז-ט] ב) לֹא יֵשֵׁב בְּקֶרֶב בֵּיתִי עֹשֵׂה רְמִיָּה דֹּבֵר שְׁקָרִים לֹא יִכּוֹן לְנֶגֶד עֵינָי: [תהלים קא, ז] ג) יָקָר בְּעֵינֵי יְיָ הַמָּוְתָה לַחֲסִידָיו: [תהלים קטז, טו] ד) דְּבַשׁ מָצָאתָ אֱכֹל דַּיֶּךָּ פֶּן תִּשְׂבָּעֶנּוּ וַהֲקֵאתוֹ: [משלי כה, טז] ה) וּמָעוּךְ וְכָתוּת וְנָתוּק וְכָרוּת לֹא תַקְרִיבוּ לַיְיָ וּבְאַרְצְכֶם לֹא תַעֲשׂוּ: [ויקרא כב, כד]

גליון הש"ס

תוס' ד"ה נכנסו וכו' ולא עלו למעלה ממש. ע' גיטין דף פד ע"א תוס' ד"ה ע"מ שתעלי לרקיע: ד"ה בתולה וכו' ושמא כאן שאף היא בכלל האיסור. עיין נדרים דף ל ע"ב תו"י ד"ה חזרו לומר:

SAPLINGS in the Orchard.[30] **רַבִּי עֲקִיבָא יָצָא בְּשָׁלוֹם – R' AKIVA EMERGED IN PEACE.**[31]

Having mentioned the sagacious Ben Zoma above, the Gemara presents the first of two halachic inquiries addressed to Ben Zoma:[32]

שָׁאֲלוּ אֶת בֶּן זוֹמָא – They inquired of Ben Zoma:[33] **מַהוּ לְסָרוּסֵי כַּלְבָּא – What** is the law if one wishes **to neuter a dog?** Is this permitted?[34] **אָמַר לָהֶם ,,וּבְאַרְצְכֶם לֹא תַעֲשׂוּ" – [Ben Zoma] said to them:** The verse states:[35] *One [animal] whose testicles are squeezed, crushed, torn, or cut, you shall not offer to Hashem,* ***nor shall you do [so] in your land.*** The latter words are expounded as follows: **כֹּל שֶׁבְּאַרְצְכֶם לֹא תַעֲשׂוּ – To any** animal **in your land, you shall not do** so – even to a dog.[36]

The second question addressed to Ben Zoma:

שָׁאֲלוּ אֶת בֶּן זוֹמָא – They inquired of Ben Zoma: **בְּתוּלָה שֶׁעִיבְּרָה מַהוּ לְכֹהֵן גָּדוֹל – If a virgin became pregnant, what** is her halachic status **in regard to** marrying **a Kohen Gadol?**[37] **מִי חָיְישִׁינַן לִדְשְׁמוּאֵל – Are we concerned for** the scenario mentioned **by Shmuel?** **דְּאָמַר שְׁמוּאֵל – For Shmuel** said:

NOTES

30. I.e. he damaged and perverted [his perceptions and his spiritual stature when he approached his *Merkavah* state]. Since the Baraisa describes the achievement of a *Merkavah* state as entering an orchard, it extends the analogy to describe Acher's destructive behavior as "cutting down saplings" (*Rashi* to 15a ד״ה אחר קיצץ בנטיעות).

31. See below, 15b-16a.

32. [Ben Zoma was one of the two most outstanding scholars of his generation (see *Kiddushin* 49b with *Rashi* ד״ה בן עזאי ובן זומא). He had expert knowledge of the underlying meanings of Scriptural verses, and a Baraisa states that when he died the entire art of Biblical exegesis, as it were, died with him (*Sotah* 49a with *Rashi;* for other Talmudic references to Ben Zoma's great wisdom, see *Sanhedrin* 17b and *Horayos* 2b).]

33. *R' Avraham min HaHar* cites *Rashi* that they asked Ben Zoma this in Heaven. [We do not have this explanation in our versions of *Rashi.*] Other commentators assume that these queries were addressed to him in the normal fashion (see e.g. *Chidushim* in *Ein Yaakov*).

34. The question is predicated upon the context in which the prohibition to castrate an animal appears. *Leviticus* 22:17-25 lists a number of physical blemishes that would disqualify an animal from being brought as a sacrifice in the Temple. In v. 24, the Torah specifies as blemishes four kinds of castration and then adds: *nor shall you do [so] in your land,* i.e. one may not neuter animals even if they are not to be offered as sacrifices.

Given this background, one can appreciate why a dog may be an exception. The Torah states that not only is it prohibited to offer a dog as a sacrifice, it is prohibited to even offer the *exchange of a dog* as a sacrifice, i.e. if someone traded a sheep for a dog, that sheep could not be offered as a sacrifice (*Deuteronomy* 23:19). Since a dog is so far removed from the class of sacrifices, perhaps the prohibition of castration, which is stated in regard to sacrifices, would not apply to a dog (see *Rashi*).

35. *Leviticus* 22:24.

36. Although this term is commonly used to exclude lands outside Eretz Yisrael from the relevant commandment, that cannot be the case here, because the prohibition against castration is not land related. Only laws pertaining to the land or its produce are limited to Eretz Yisrael. Personal obligations, such as this prohibition, apply both in and out of Eretz Yisrael. The extraneous word וּבְאַרְצְכֶם, *and in your land,* is thus expounded to include even nonkosher species, even a dog, that is within your land (*Rashi* to *Leviticus* 22:24; *Tosafos* to *Bava Metzia* 111b ד״ה כל שבארצך; see *Turei Even* here).

37. The law is that a Kohen Gadol may marry only a virgin (*Leviticus* 21:14). [This infers that she never cohabited with anyone.] Now, if an unmarried girl is pregnant and she claims that [she never cohabited with anyone and that] her hymen is still intact [demonstrating that there was no cohabitation], the question arises: Could she possibly be believed, and may a Kohen Gadol marry her? [The Gemara below (15a) will explain how she could conceive without having cohabited.] Or, if the Kohen Gadol already married her, and he determined that her hymen was in fact intact, may he stay married to her after finding out she was previously pregnant? (*Rashi;* cf. *Tosafos;* see *Meromei Sadeh*).

יָכוֹל אֲנִי לִבְעוֹל כַּמָּה בְּעִילוֹת בְּלֹא דָם – **I am capable of cohabiting many times** with a virgin **without** rupturing the hymen and causing **blood** to flow from it.[1] If, then, the "virgin" is pregnant because she had relations while leaving her hymen intact, she is in fact not a virgin and she is prohibited to a Kohen Gadol.[2] או דִּלְמָא דִּשְׁמוּאֵל לֹא שְׁכִיחָא – **Or perhaps** the scenario described **by Shmuel is uncommon,** and the virgin's pregnancy must be explained differently? אָמַר לְהוּ – **[Ben Zoma] replied to them:** דִּשְׁמוּאֵל לֹא שְׁכִיחַ – The scenario described **by Shmuel is uncommon;**[3] וְחַיְישִׁינַן שֶׁמָּא בְּאַמְבַּטִי עִיבְּרָה – **rather, we may suspect** that **[the virgin]** indeed had no relations but **became pregnant by** bathing in **a bathtub** in which semen had been deposited.[4]

The Gemara raises an objection:

וְהָאָמַר שְׁמוּאֵל – **But Shmuel has said:** כָּל שִׁכְבַת זֶרַע שֶׁאֵינוֹ יוֹרֶה כַּחֵץ אֵינוֹ מַזְרַעַת – **Any seminal emission that does not shoot like an arrow cannot fertilize.**[5] – ? –

The Gemara resolves the objection:

מֵעִיקָּרָא נַמִּי יוֹרֶה כַּחֵץ הָוָה – **Originally,** when the seminal emission was ejaculated into the bathtub water, **it shot like an arrow as well.**[6]

A story involving Ben Zoma:

תָּנוּ רַבָּנָן – **The Rabbis taught in a Baraisa:** מַעֲשֶׂה בְּרַבִּי יְהוֹשֻׁעַ בֶּן חֲנַנְיָה – AN INCIDENT occurred WITH R' YEHOSHUA BEN CHANANYAH שֶׁהָיָה עוֹמֵד עַל גַּב מַעֲלָה בְּהַר הַבַּיִת – AS HE WAS STANDING UPON A STEP IN THE TEMPLE MOUNT. וְרָאָהוּ בֶּן זוֹמָא וְלֹא עָמַד מִלְּפָנָיו – NOW, BEN ZOMA, who was much younger than R' Yehoshua, SAW HIM there BUT DID NOT STAND UP BEFORE HIM as befit his dignity.[7] אָמַר לוֹ – Noting this absent-minded behavior, [R' YEHOSHUA] SAID TO HIM: מֵאַיִן וּלְאַיִן בֶּן זוֹמָא – WHERE ARE YOU COMING FROM AND WHERE ARE YOU HEADED TO, BEN ZOMA?[8] אָמַר לוֹ – [BEN ZOMA] REPLIED TO [R' YEHOSHUA]: צוֹפֶה הָיִיתִי בֵּין מַיִם הָעֶלְיוֹנִים לְמַיִם הַתַּחְתּוֹנִים – I WAS SURVEYING the space BETWEEN THE UPPER WATERS AND THE LOWER WATERS[9] וְאֵין בֵּין זֶה לָזֶה אֶלָּא שָׁלֹשׁ אֶצְבָּעוֹת בִּלְבַד – AND I discovered that THERE IS BETWEEN THEM where they join ONLY THREE FINGERSBREADTH,[10] שֶׁנֶּאֱמַר – AS IT SAYS:[11] ,,וְרוּחַ אֱלֹהִים מְרַחֶפֶת עַל-פְּנֵי הַמָּיִם" – ***AND THE BREATH OF GOD HOVERED UPON THE SURFACE OF THE WATERS.*** כְּיוֹנָה שֶׁמְּרַחֶפֶת עַל בָּנֶיהָ וְאֵינָהּ נוֹגַעַת – The word *hovered* indicates a separation of three fingersbreadth, LIKE A DOVE THAT HOVERS ABOVE HER YOUNG in the nest BUT DOES NOT quite TOUCH THEM.[12] אָמַר לָהֶן רַבִּי יְהוֹשֻׁעַ לְתַלְמִידָיו – Later, R' YEHOSHUA TOLD HIS DISCIPLES: עֲדַיִין בֶּן זוֹמָא מִבַּחוּץ – BEN ZOMA IS STILL ON THE OUTSIDE.[13] His analysis is fundamentally flawed. מִכְּדִי ,,וְרוּחַ אֱלֹהִים מְרַחֶפֶת עַל-פְּנֵי הַמָּיִם" אֵימַת הֲוֵי – LET US SEE: Regarding WHEN WAS IT said, ***AND THE BREATH OF GOD HOVERED UPON THE SURFACE OF THE WATERS?*** בְּיוֹם הָרִאשׁוֹן – REGARDING THE FIRST DAY. הַבְדָּלָה בְּיוֹם שֵׁנִי הוּא דַּהֲוַאי – Yet IT WAS only ON THE SECOND DAY THAT THE DIVISION between the waters TOOK PLACE, דִּכְתִיב – AS IT IS WRITTEN:[14] ,,וַיְהִי מַבְדִּיל בֵּין מַיִם לָמָיִם" – *God said, "Let there be a firmament in the midst of the waters,* ***AND LET IT SEPARATE BETWEEN WATER AND WATER."*** *. . . and there was evening and there was morning, a second day.*[15]

The Gemara inquires:

וְכַמָּה – **And how much,** in fact, is the distance between the upper and lower waters?

The Gemara presents several views:

אָמַר רַב אַחָא בַּר יַעֲקֹב כִּמְלֹא נִימָא – **Rav Acha bar Yaakov says: A hairsbreadth.** וְרַבָּנָן אָמְרֵי כִּי גוּדָא דְּגַמְלָא – **And the Rabbis**

NOTES

1. Shmuel was skilled in positioning himself so that he could accomplish this (*Rashi*).

2. *Rashi* in *Ein Yaakov,* cf. *Tosafos* on 14b ד״ה בתולה.

3. Ben Zoma, as well as those who inquired of Ben Zoma, did not actually mention Shmuel's name; Shmuel lived at least two generations after Ben Zoma. Ben Zoma was simply asked about the physical possibility of cohabiting without rupturing the hymen, a technique that was known in his time (*Minchas Yehudah,* cited in *Yalkut Yeshayahu*). This technique later became associated with Shmuel, and the redactors of the Talmud wrote our passage as it appears for the sake of brevity.

4. A man had used the bathtub before her and had ejaculated into the water. When she bathed in it afterward, the semen entered her womb and impregnated her (*Rashi*). There is a report of such an occurrence: See *Chelkas Mechokeik, Even HaEzer* 1:8 and *Mishneh LaMelech* to *Rambam, Hil. Ishus* 15:4. [See also *Responsa, Radbaz* VII §2300, who discusses the halachic implications for the paternity of a child conceived in this way. These issues are relevant to modern medical procedures such as artificial insemination – see *Igros Moshe, Even HaEzer* I §10 and §71, II §11.]

Although the word חַיְישִׁינַן, *we suspect,* usually denotes the possibility of *prohibition,* Shmuel uses it here in the opposite sense (see *Shabbos* 151a with *Rashi* ד״ה ושמואל).

5. [If the semen lay within the bathtub and merely floated into her womb, how could she become pregnant thereby?]

6. When Shmuel said that a seminal emission must shoot like an arrow to be capable of fertility, he did not mean that the womb must receive the seminal emission in this way. Rather, he meant that the semen itself is fertile only when it shoots like an arrow. If such semen finds its way into a womb without being ejaculated there, it could still fertilize an egg there.

7. *Yerushalmi* recounts that they were walking in opposite directions and R' Yehoshua greeted Ben Zoma, but Ben Zoma did not respond.

8. Literally: Wherefrom and whereto, Ben Zoma? Where are you coming from and where is your mind focused? (*Rashi; Rashi* in *Ein Yaakov*).

9. I.e. I was contemplating [the mysteries of] *Maaseh Bereishis* (*Rashi*).

10. There is only a space of three fingersbreadth where the dome of the heavens and the ground meet (*Rashi*).

11. *Genesis* 1:2.

12. Three fingersbreadth is the [approximate] height at which a mother dove hovers over her young (see *Turei Even*).

13. *Rambam* places this comment within the context of a more elaborate analogy: The king is in his palace and his subjects are in many different places. Some of them are outside the capital city; some are within the city, but are walking away from the palace; some are walking toward the palace, but cannot yet see it; some are at the palace wall and are looking for the door; some have found the door and are walking through the hallways of the palace; and some are standing before the king himself.

Each of these groups describes a different level of readiness in approaching knowledge of the Divine: The subjects outside the city are all the human beings in the world who have no intellectual views at all, neither reasoned nor received. These people are barely above the level of the animals. Those who are in the city but walking away are those people who are beholden to incorrect and crooked beliefs. (These are much worse than the first.) Those who are on the way to the palace are the masses of observant Jews who are not learned. Those who are at the palace looking for the door are those scholars who are learned in parts of the Torah and believe in principles of faith based on tradition, but have never investigated the fundamentals of Judaism. Those who are in the hallways of the palace *have* begun such investigations and those who are with the king have achieved the ultimate aims of such investigations.

In terms of *Maaseh Bereishis* and *Maaseh Merkavah,* those who are still engaged in the prerequisite studies to *Maaseh Bereishis* are outside the palace, looking for the door. This, *Rambam* says, is where R' Yehoshua placed Ben Zoma: Ben Zoma had not yet entered the palace (grasped *Maaseh Bereishis* fully) and certainly not stood before the king (experienced *Maaseh Merkavah* properly) (*Moreh Nevuchim* 3:51).

14. *Genesis* 1:6,8.

15. Thus, Ben Zoma's proof from the first day has nothing to do with the upper and lower waters.

[See *Eitz Yosef* who cites a defense of Ben Zoma's view. See *Maharsha* who offers a lengthy analysis of the views of *Rashi, Rambam* and *Ramban* regarding the definition of the upper waters.]

יכול אני לבעול כמה בעילות בלא דם או דלמא דשמואל לא שכיחא אמר להו דשמואל לא שכיח א) וחיישינן שמא באמבטי עיברה והאמר שמואל ב) כל שכבת זרע שאינו יורה כחץ אינו מזרעת (א) מעיקרא נמי יורה כחץ הוה ת"ר ג) מעשה ברבי יהושע בן חנניה שהיה עומד על גב מעלה בהר הבית וראהו בן זומא ולא עמד מלפניו אמר לו מאין ולאין בן זומא אמר לו צופה הייתי בין מים העליונים למים התחתונים ואין בין זה לזה אלא שלש אצבעות בלבד שנאמר א) ורוח אלהים מרחפת על פני המים כיונה שמרחפת על בניה ואינה נוגעת אמר להן רבי יהושע לתלמידיו עדיין בן זומא מבחוץ מכדי ורוח אלהים מרחפת על פני המים אימת הוי ביום הראשון הבדלה ביום שני הוא דהואי דכתיב ב) ויהי מבדיל בין מים למים וכמה אמר רב אחא בר יעקב כמלא נימא ורבנן אמרי כי גודא דגמלא מר זוטרא ואיתימא רב אסי אמר כתרי גלימי דפריסי אהדדי ואמרי לה כתרי כסי דסחיפי אהדדי אחר קיצץ בנטיעות עליו הכתוב אומר ג) אל תתן את פיך לחטיא את בשרך מאי היא חזא מיטטרון דאתיהבא ליה רשותא (ב) למיתב למיכתב זכוותא דישראל אמר גמירא דלמעלה לא הוי ד) לא ישיבה ולא תחרות ולא עורף ולא עיפוי שמא חס ושלום ב' רשויות (ג) הן אפקוהו למיטטרון ומחיוהו שיתין פולסי דנורא א"ל מ"ט כי חזיתיה לא קמת מקמיה איתיהיבא ליה רשותא למימחק זכוותא דאחר יצתה בת קול ואמרה ד) שובו בנים שובבים חוץ מאחר (ד) אמר הואיל ואיטריד ההוא גברא מההוא עלמא ליפוק ליתהני בהאי עלמא נפק אחר לתרבות רעה נפק אשכח זונה תבעה אמרה ליה ולאו אלישע בן אבויה את (ה) עקר פוגלא ממישרא בשבת ויהב לה אמרה אחר הוא שאל אחר את ר"מ לאחר שיצא לתרבות רעה א"ל מאי דכתיב ה) גם את זה לעומת זה עשה האלהים אמר לו כל מה שברא הקב"ה (ו) ברא כנגדו ברא הרים ברא גבעות ברא ימים ברא נהרות אמר לו ר"ע רבך לא אמר כך אלא ברא צדיקים ברא רשעים ברא גן עדן ברא גיהנם כל אחד ואחד יש לו ב' חלקים אחד בגן עדן ואחד בגיהנם זכה צדיק נטל חלקו וחלק חברו בגן עדן נתחייב רשע נטל חלקו וחלק חברו בגיהנם אמר רב משרשיא מאי קראה גבי צדיקים כתיב ו) לכן בארצם משנה יירשו גבי רשעים כתיב ז) ומשנה שברון שברם שאל אחר את ר"מ לאחר מאי דכתיב ח) לא יערכנה זהב וזכוכית ותמורתה כלי פז אמר לו אלו דברי תורה שקשין לקנותן ככלי זהב וכלי פז ו) ונוחין לאבדן ככלי זכוכית (ז) אמר לו ר"ע רבך לא אמר כך אלא מה כלי זהב וכלי זכוכית (ח) אע"פ שנשברו יש להם תקנה אף ת"ח אע"פ שסרח יש לו תקנה אמר לו אף אתה חזור בך אמר לו (ט) כבר שמעתי מאחורי הפרגוד שובו בנים שובבים חוץ מאחר ת"ר מעשה באחר שהיה רוכב על הסוס בשבת והיה רבי מאיר מהלך אחריו ללמוד תורה מפיו (י) אמר לו מאיר חזור לאחריך שכבר שיערתי בעקבי סוסי עד כאן תחום שבת א"ל אף אתה חזור בך א"ל ולא כבר אמרתי לך כבר שמעתי מאחורי הפרגוד שובו בנים שובבים חוץ מאחר תקפיה עייליה לבי מדרשא א"ל לינוקא פסוק לי פסוקך אמר לו ט) אין שלום אמר ה' לרשעים עייליה לבי כנישתא אחריתי א"ל לינוקא פסוק לי פסוקך אמר לו י) כי אם תכבסי בנתר ותרבי לך בורית נכתם עונך לפני עייליה לבי כנישתא אחריתי א"ל לינוקא

רש"י

יכול אני לבעול. שהיה בקי בהטייה זו נמי נבעלת כן: **באמבטי.** כלי שרוחצין בו כל הגוף וי"ל שהטיל שם אדם שכבת זרע ונכנס במעיה: **מעיקרא.** כשיצאה מן האדם: **מאין ולאין.** מאין תבא ואין לבך טרוד: **צופה הייתי.** מתבונן הייתי במעשה בראשית: **ואין ביניהן.** במקום מיכוון מקום קשרי כיפת הרקיע בקרקע: **גודא דגמלא.** כשמסדרין לוחין של גשר זו אצל זו אי אפשר שלא תהא ריוח ביניהם וכן גלימי וכן כסי: **סחופין.** כפופין. **אחר קיצץ בנטיעות.** קלקל ועיות כשנכנס לפרדס ומקלץ הנטיעות ולפי שדימה אותן בתחלת הדברים לנכנס לפרדס נקט לישנא דקיצץ בנטיעות: **לא עמידה.** לא גרסינן: **לא עורף.** דכולהו יש להם פנים: **עיפוי.** עיפות: **פולסי.** מכת מקל בסטונא"ד: **פוגלא.** לנון: **ממישרא.** ערוגה: **ונוחין לאבדן.** על ידי שכחה:

תוספות

ומחיוהו שיתין פולסי. להודיע (כ) לו שאין יכולת למטטרון יותר מאחריני: **שובו בנים שובבים.** בירושלמי מפרש למה אירע לו כך ואיכא טפי מקלקלות שדורש והיה הורג (ל) דוברי דברי תורה ואמר כל תלמיד דהוה חמי ליה הוה קטיל ולא עוד אלא דהוה על לבית ועלה הוה חמי טליא קמיה סופרא ואמר מאן אלין עבדין הכא כו' כיון דהוו שמעין ליה שבקין ואזלין וקאמר ליה ר"מ מאי דכתיב (איוב מב) וה' ברך את אחרית איוב מראשיתו ואמר לו שכפל לו ממונו והוא השיב שר"ע דריש ליה בזכות מצות ומעשים טובים שהיו בידו מראשיתו ומייתי ליה טוב אחרית דבר מראשיתו ודריש ליה ר"מ לאדם שהוליד בנים בילדותו ומתו ובזקנותו הוליד ונתקיימו ואמר לו ר"ע רבך לא כך דרש אלא טוב אחרית דבר כשהוא טוב מראשיתו [וכן] הוה המעשה אבויה אבי הוה מגדולי ירושלים וביום שבא למהול קרא לכל גדולי ירושלים והושיבן בבית אחד ולר"א ולר' יהושע במקום אחר מן דאכלין ושתין שרין מטפחין ומרקדים אמרי עד דאלין עסקין בדידהו נעסוק בדידן ישבו ונתעסקו בדברי תורה ירדה אש מן השמים והקיפה אותן אמר לון אבויה אבא גברין מה באתם לשרוף ביתי אמרו לו ח"ו אלא יושבין היינו וחוזרין בדברי תורה מתורה לנביאים ומנביאים לכתובים והיו הדברים שמחים כנתינתן מסיני לא באש נתנו אמר הואיל וכך כחה של תורה אם יתקיים הבן הזה לתורה אני מפרישו ולפי שלא היתה כונתו לשמים לפיכך לא נתקיימו בו ובמקום שיש בגמרא שלנו אחורי הפרגוד יש לשם מאחורי בית קדשי הקדשים עוד איתא התם שהיה רוכב ביוה"כ שחל להיות בשבת ושמע כו' ומייתי ההוא דפרק קמא דקדושין (דף לט:) שראה (מ) אחד שנטל הבנים ושילח את האם וכי אייתי נפל ומת ולא היה דורש כר' יעקב כדמייתי התם ועוד איתא שראה לשון רבי יהודה הנחתום נתון בפי כלב והיינו גברא רבה דקדושין ורבי נתן אומר כשהיתה אמו מעוברת ממנו עברה לפני ע"ז והריחה מאותו המין ואכלה והיה אותו המין (נ) מזדעזע בגופה כעכנא ולבסוף חלה מתנונא ואמרו לו לר"מ רבך אבאיש אזל גביה לבקרו' וא"ל חזור בך אמר לי הדרנא מתקבלין אמר ליה והכתיב (תהלים צ) תשב אנוש עד דכא ותאמר שובו בני אדם בכה אלישע ונפטר א"ר מאיר דומה (ס) שמתוך תשובה נפטר (ס) וכי מן [דקברוהי] ירדה אש מן השמים ושרפה את קברו וא"ל לר"מ הא קבר דרבך [אוקיד אתא] וקא פריס גלימיה עליה ואמר לינו (פה) הלילה וגו' (רות ג) ליני פה בעולם הזה שדומה ללילה והיה בבוקר לעולם הבא אם יגאלך טוב יגאל זה הקדוש ברוך הוא שנאמר טוב ה' לכל (תהלים קמה) (ע) ואם לא יחפוץ לגאלך וגאלתיך אנכי אמרו ליה (פ) אין [אמרין] לך בההיא עלמא למאן את בעי למקרבה קדמייתא לאבוך או לרבך אמר לון מיקרב לרבי קדמוי ובתר כן לאבא א"ל ושמעינן לך א"ל ולא כן תנינן מצילין תיק הספר עם הספר מצילין אלישע בזכות תורתו:

הא

מסורת הש"ס

א) [וחיישינן נמי אמרינן לקולא רש"י בשבת קנא. ד"ה ושמואל אמר], ב) [נדה דף מג.], ג) [תוספתא פ"ב], ד) עי' בפי' המשניות להרמב"ם בפ"י דסנהדרין ביסוד השלישי, ה) אדר"נ פכ"ד וע"ש דאיתא בשם אלישע בן אבויה, ו) [עיי' רש"י דסנהדרין לח. ד"ה יש להם כו'], ז) [נ"ל ויוסף ה'], ח) מפעפע, ט) כארס של חכינה, י) [שבת קטז:].

הגהות הב"ח

(א) גמ' אינו מזרעת דלמא מעיקרא נמי יורה: (ב) שם דאתיהבא ליה רשותא חדא שעתא ביומא למיתב ולמיכתב זכוותא: (ג) שם שמא חס ושלום שתי רשויות יש בשמים מיד אפקוהו: (ד) שם חוץ מאחר שידע כבודי ומרד בי אמר הואיל ואיטריד כו' לתרבות רעה אשכח כצ"ל ותיבת נפק נמחק: (ה) שם בן אבויה את שמך יצא בכל הארץ עקר פוגלא: (ו) שם כל מה שברא הקב"ה בעולמו ברא כנגדו: (ז) שם לאבדן ככלי זכוכית נ"ב ס"א א"ל האלהים אפילו ככלי חרס אבל ר"ע כו': (ח) שם וכלי זכוכית הללו אע"פ שנשתברו יש: (ט) שם אמר לו והלא כבר שמעתי: (י) שם ללמוד תורה מפיו כיון שהגיע לתחום שבת אמר לו מאיר: (כ) תוס' ד"ה ומחיוהו וכו' להודיע שאין לו יכולת יותר מאחריני כצ"ל: (ל) ד"ה שובו וכו' והיה הורג רבי תורה ואמרינן כל תלמיד דהוה חמי ליה משבח באורייתא הוה קטיל ולא עוד אלא דהוה על וכו' קמי ספרא והוה אמר מאן אלין יתבין עבדין הכא כו' וכיון דהוו שמעין כן הוון שבקין ליה ואזלין לון וקאמר ליה לרבי מאיר וכו' שר' עקיבא דריש ליה וה' ברך את איוב מראשיתו בזכות מצות ומעשים טובים שהיו בידו מראשיתו ומייתי ליה טוב אחרית דבר וכו' אלא טוב אחרית דבר כשהוא טוב מראשיתו וכו הוה המעשה אבויה אביו מגדולי ירושלים היה וביום שבא למהול אותו קרא וכו' אמר ר"א לרבי יהושע עד דאלין עסקין וכו' נעסוק אנן בדידן וכו' אמר לון אבויה רבותי מה באתם לשרוף את ביתי עלי אמרו לו ח"ו אלא יושבין היינו וחוזרין בדברי תורה וכו' הדברים שמחים כנתינתן מסיני והיתה האש מלחכת סביבותיו כלחיכתן מסיני נתינתן מסיני לא באש נתנו אמר להן אבויה הואיל וכך: (מ) בא"ד שראה אדם אחד שנטל הבנים: (נ) בא"ד והיה אותו המין מפעפע בגופה כעכנא. נ"ב פירוש כארס של עכנא: (ס) בא"ד דומה שמתוך תשובה נפטר רבי מן השמים ושרפה את קברו ואמרו לו לרבי מאיר הא קיברא דרבך אייקד מה עבד אתא וקא פריס [illegible]: (פ) בא"ד [illegible] לר"מ אין אמרין וכו' אמר לון אנא מיקרב לרבי קדמוי:

רבינו חננאל

דכיון דחזא למטטרון דאתייהבא ליה רשותא חדא שעתא למיתב למכתב זכותא דישראל אמר גמירי דלמעלה באותו מקום אין שם ישיבה שמא שתי רשויות הן. יצתה בת קול ואמרה שובו בנים שובבים חוץ מאלישע אחר שגלוי וידוע לפניו שאינו חוזר בתשובה שלמה לעולם. שאילו היה חוזר לא היה נטרד שאין הפרגוד ננעלת בפני בעלי תשובה מיד מחיוה למטטרון שתין פולסי דנורא. ח"ו שיש עליו דין אלא להראות לאלישע שיש לו אדון שהוא עליו וזה שאמר אחר משום ר' עקיבא כי רשע מתייסר בגיהנם חלקו וחלק הצדיק והצדיק זוכה בג"ע חלקו וחלק הרשע ואסמכוה אקרא זה לכן בארצם משנה יירשו ומשנה שברון שברם. ד"א לאו דסמכא הן וקרא מדרש הוא ולא עיקר. מיהו אית לן למימר שהמחטיא את הרבים אין מספיקין בידו לעשות תשובה ועונו גדול מאד הוא ועליו ועל כיוצא בו נאמר ומשנה שברון

גליון הש"ס

גמ' **וחיישינן שמא באמבטי עיברה.** עיין משנה למלך פט"ו מהל' אישות הלכה ד ופי"ז מהל' א"ב הל' יג:

תורה אור השלם

א) וְהָאָרֶץ הָיְתָה תֹהוּ וָבֹהוּ וְחֹשֶׁךְ עַל פְּנֵי תְהוֹם וְרוּחַ אֱלֹהִים מְרַחֶפֶת עַל פְּנֵי הַמָּיִם: [בראשית א, ב]

ב) וַיֹּאמֶר אֱלֹהִים יְהִי רָקִיעַ בְּתוֹךְ הַמָּיִם וִיהִי מַבְדִּיל בֵּין מַיִם לָמָיִם: [בראשית א, ו]

ג) אַל תִּתֵּן אֶת פִּיךָ לַחֲטִיא אֶת בְּשָׂרֶךָ וְאַל תֹּאמַר לִפְנֵי הַמַּלְאָךְ כִּי שְׁגָגָה הִיא לָמָּה יִקְצֹף הָאֱלֹהִים עַל קוֹלֶךָ וְחִבֵּל אֶת מַעֲשֵׂה יָדֶיךָ: [קהלת ה, ה]

ד) שׁוּבוּ בָּנִים שׁוֹבָבִים אֶרְפָּה מְשׁוּבֹתֵיכֶם הִנְנוּ אָתָנוּ לָךְ כִּי אַתָּה יְיָ אֱלֹהֵינוּ: [ירמיה ג, כב]

ה) בְּיוֹם טוֹבָה הֱיֵה בְטוֹב וּבְיוֹם רָעָה רְאֵה גַּם אֶת זֶה לְעֻמַּת זֶה עָשָׂה הָאֱלֹהִים עַל דִּבְרַת שֶׁלֹּא יִמְצָא הָאָדָם אַחֲרָיו מְאוּמָה: [קהלת ז, יד]

ו) תַּחַת בָּשְׁתְּכֶם מִשְׁנֶה וּכְלִמָּה יָרֹנּוּ חֶלְקָם לָכֵן בְּאַרְצָם מִשְׁנֶה יִירָשׁוּ שִׂמְחַת עוֹלָם תִּהְיֶה לָהֶם: [ישעיה סא, ז]

ז) יֵבֹשׁוּ רֹדְפַי וְאַל אֵבֹשָׁה אָנִי יֵחַתּוּ הֵמָּה וְאַל אֵחַתָּה אָנִי הָבִיא עֲלֵיהֶם יוֹם רָעָה וּמִשְׁנֶה שִׁבָּרוֹן שָׁבְרֵם: [ירמיה יז, יח]

ח) לֹא יַעַרְכֶנָּה זָהָב וּזְכוֹכִית וּתְמוּרָתָהּ כְּלִי פָז: [איוב כח, יז]

ט) אֵין שָׁלוֹם אָמַר יְיָ לָרְשָׁעִים: [ישעיה מח, כב]

י) כִּי אִם תְּכַבְּסִי בַּנֶּתֶר וְתַרְבִּי לָךְ בֹּרִית נִכְתָּם עֲוֹנֵךְ לְפָנַי נְאֻם אֲדֹנָי אֱלֹהִים: [ירמיה ב, כב]

ליקוטי רש"י

[שייך לדף יד.] **א"ב נכשל בהן.** [illegible] **ישא ביום ההוא.** [illegible] **לא אהיה חובש.** [illegible] **ובביתי אין לחם ואין שמלה.** [illegible] **לא הייתי מחובשי בית המדרש.** [illegible] **קיצץ בנטיעות.** [illegible] **ובארצכם** [illegible]

לא תשו. [illegible] **והיישינן.** [illegible] **יורה כחץ.** [illegible] **ורוח אלהים מרחפת.** [illegible] **גודא דגמלא.** [illegible] **גלימי.** טליתות [כתובות סה.]. **כסי.** כוסות [illegible]. **נימא.** שערה [illegible]. **אל תתן את פיך.** [illegible] **מיטטרון.** [illegible] **ומחיוהו.** [illegible] **פולסי דנורא.** מקלות של אור [יומא עז.]. **בת קול.** [illegible] פעמים לזה ופעמים לזה [סוטה לג.]. [המשך בע"ב]

say: Like the space between **one plank of a bridge** and the next plank. מַר זוּטְרָא וְאִיתֵּימָא רַב אַסִּי אָמַר – **Mar Zutra, and some say, Rav Assi, says:** כִּתְרֵי גְלִימֵי דִּפְרִיסֵי אַהֲדָדֵי – **Like two garments one spread upon the other.** וְאָמְרֵי לָהּ – **And some say:** כִּתְרֵי כָסֵי דִּסְחִיפֵי אַהֲדָדֵי – **Like two cups, one stuck inside the other.**[16]

The Gemara commences a lengthy discussion of Acher (Elisha ben Avuyah), beginning with part of the Baraisa that began, "There were four who entered the Orchard":

אַחֵר קִיצֵּץ בַּנְּטִיעוֹת – ACHER CHOPPED DOWN SAPLINGS in the Orchard.[17] עָלָיו הַכָּתוּב אוֹמֵר – It is UPON HIM that THE VERSE STATES:[18] ,,אַל־תִּתֵּן אֶת־פִּיךָ לַחֲטִיא אֶת־בְּשָׂרֶךָ" – *LET NOT YOUR MOUTH BRING GUILT UPON YOUR FLESH.*[19] מַאי הִיא – **What was it** that happened? When Acher entered the Orchard, חָזָא מִיטַטְרוֹן – **he saw** the angel, **Metatron,** דְּאִתְיְהֲבָא לֵיהּ רְשׁוּתָא לְמֵיתַב לְמִיכְתַּב זַכְוָותָא דְיִשְׂרָאֵל – **who was given permission to sit in order to record the merits of the Jewish people.** אָמַר – **Acher said,** גְּמִירָא – **"We have a tradition** דִּלְמַעְלָה לֹא הָוֵי לֹא יְשִׁיבָה וְלֹא תַחֲרוּת וְלֹא עוֹרֶף וְלֹא עִיפּוּי – **that above there is neither sitting, nor competition, nor the back of a head,**[20] **nor weariness.**[21] Yet Metatron is sitting: שֶׁמָּא חַס וְשָׁלוֹם שְׁתֵּי רְשׁוּיוֹת הֵן – **Perhaps (Heaven forbid!)**[22] **there are** actually **two authorities,** God and Metatron."[23] אַפְּקוּהוּ לְמִיטַטְרוֹן – **They took Metatron out**[24] וּמַחְיוּהוּ שִׁיתִּין פּוּלְסֵי דְנוּרָא – **and inflicted upon him sixty blows of fire.**[25] אָמְרוּ לֵיהּ – **They said to [Metatron],** מַאי טַעְמָא כִּי חֲזִיתֵיהּ לֹא קָמְתְּ מִקַּמֵּיהּ – **"Why did you not stand before [Acher] when you saw him?"**[26] אִיתְיְהִיבָא לֵיהּ רְשׁוּתָא לְמִימְחַק זַכְוָותָא דְּאַחֵר – **[Metatron] was** then **given permission to erase the merits of Acher.**[27] יָצְתָה בַּת קוֹל וְאָמְרָה – **A Heavenly voice emerged and said,**[28] ,,שׁוּבוּ בָּנִים שׁוֹבָבִים" חוּץ מֵאַחֵר – **"*Return, O wayward sons* – except for Acher."**[29] אָמַר – **[Acher] said** to himself, הוֹאִיל וְאִיטְּרִיד הַהוּא גַּבְרָא מֵהַהוּא עָלְמָא – **"Since that person** [himself] **has been banished from that world** [the World to Come], לֵיפּוּק

NOTES

16. [These four Amoraim describe spaces that are progressively smaller. A hairsbreadth is a separation, albeit a very small separation; the planks of a bridge touch each other side by side without separation; the folds and wrinkles of two garments spread upon each other actually go into each other; and in regard to the two cups, one cup is placed within the other, the contours of one perfectly matching the contours of the other.]

17. I.e. he adopted false theological beliefs (*R' Avraham min HaHar;* see *Rashi* here, cited above, 14b note 30; see below, note 23).

18. *Ecclesiastes* 5:5.

19. The verse ends: *and do not say before the angel that it was an error. Why should God be angered by your speech and destroy the work of your hands*? (See *Maharsha* cited below in note 27).

20. Because [in Ezekiel's vision of the *Merkavah,* the *Chayos* are described as] having faces on all sides. Thus, there is no back of a head (*Rashi*).

21. *Rambam* understands this teaching to be a clear statement of God's incorporeality, His utter removal from all physical things and forces. *Rambam* cites our Gemara's statement in his explanation of the third of his Thirteen Principles of Faith (*Commentary to Mishnah, Sanhedrin* 10:1 ד״ה והיסוד השלישי). *Rashi,* however, seems to understand that the statement addresses angels, i.e. that among angels there is no sitting, competition, etc. (see previous note).

22. [The words חַס וְשָׁלוֹם are not Elisha ben Avuyah's words; they are an interpolation of the Gemara.]

23. Elisha ben Avuyah reached beyond his mental grasp. He attained a perception that he could not readily assimilate within his system of theological assumptions. He therefore jumped to a conclusion, abandoning for a moment the cautious reasoning these issues demand (*Moreh Nevuchim* 1:32). The conclusion to which he leaped was the false and heretical belief of dualism. *Rav Hai Gaon* (cited in *HaKoseiv* and in *Otzar HaGeonim, Teshuvos*) states that Acher's heresy was akin to the [Zoroastrian] beliefs of the Magi. They believed in two gods, Hormiz and Ahormin [or Ormuzd and Ahriman], one a source of good and one a source of evil, one a source of light and one a source of darkness. [Acher apparently recognized Metatron as a secondary and lesser god (see below). Thus, the specific form of dualism to which he subscribed seems similar to Gnosticism, the belief in one superior god and one inferior god (*Rav Saadiah Gaon* refers in passing to believers in this kind of dualism in his commentary to *Daniel* 7:13). If so, Metatron would be in the role of the inferior god.]

[It seems that, in some way, Elisha ben Avuyah mistook Metatron for God. A possible explanation of his error may be as follows: The Gemara in *Sanhedrin* 38b states that "God's Name is in Metatron." *Rashi* to *Exodus* 23:21 explains that the numerical value of מטטרון is equal to that of God's Name, שַׁדַּי. *Rashi* elsewhere (to *Genesis* 17:1 and 43:14) explains that this Name connotes sufficient power to supply the needs of everything in our world. *Ramban* (to *Exodus* 12:12) notes that Metatron is the agent God uses to accomplish all the deeds that are performed on earth. (*Ramban* even cites a view that the name Metatron derives from a Greek word meaning "agent.") Thus, God channels whatever is needed to supply the world through Metatron, and thus the name שַׁדַּי describes Metatron also in a limited sense. Now, although Metatron is as nothing compared to the Infinite God, but from the perspective of a finite human being looking through finite eyes, the vision of Metatron might be confused with a perception of God. Indeed, the Gemara in *Sanhedrin* expounds a verse as a warning not to exchange God for Metatron. This was a warning that Acher did not heed.]

24. From behind the Partition (*Ein Yaakov*).

25. A פּוּלְסָא denotes [the strike of] a stick (see *Rashi* and *Targum HaLaaz*). Here, Metatron received stick-blows of fire. The number sixty is not meant precisely, but is used by the Gemara to indicate a large number (*Eitz Yosef,* citing *Bava Kamma* 92b with *Tosafos* ד״ה שיתין). [Alternatively, sixty is precise and parallels the thirty-nine lashes administered by an earthly Rabbinical Court. The courts in the lower world can impose a punishment upon someone from the age of thirteen and up; the courts in the upper world can impose a punishment only from twenty and up. An earthly court administers thirty-nine lashes, which is three for each year, and a Heavenly court administers sixty, which is also three for each year (*Chidushim* in *Ein Yaakov,* citing *Tosafos;* this *Tosafos* is not extant).]

26. So that he should not err and think there are two deities (*Maharsha*). [Metatron had not actually done anything wrong. He was given the sixty blows in front of Acher to demonstrate that Metatron had to submit to a Higher Authority. But Metatron experienced no pain from these blows (see *Tosafos* here and in *Ein Yaakov*). However, within the metaphor of the narrative, a reason must be given why Metatron had to receive the blows (*Maharsha*).]

27. At this point, we can understand how all the parts of the verse cited above apply to Acher: *Do not say before the angel that it was an error*: Do not say that your belief in dualism was an innocent mistake that resulted from seeing Metatron sitting; *Why should God be angered by your speech:* As a result of your comment, God will be angry at you, for that kind of error is tantamount to an intentional sin. The idea of dualism should never even be entertained in one's mind; *and destroy the work of your hands:* all your previous good deeds will be erased (*Maharsha*).

28. *Jeremiah* 3:14.

29. For he knew My glory and nevertheless rebelled against Me (*Ein Yaakov*). The consequences of a devout person's actions are much greater than those of a lesser person. Depending on the spiritual level of a person, his deeds reach higher and higher into the supernal worlds (see *Nefesh HaChaim* 1:4,6). When the great Tanna Elisha ben Avuyah sinned through a heretical belief while experiencing a *Merkavah* vision, the damage was of catastrophic proportions.

It is clear from the Gemara below that Acher himself thought that he was permanently excluded from the possibility of repentance. However, many of the commentators note that the gates of repentance are never shut (*Devarim Rabbah* 2:12). Thus, they assert that God would certainly have accepted him back, had he repented. Nothing stands in front of repentance (see *Maharsha*). The message of the Heavenly Voice was simply that God would not *encourage* Acher to repent, as God encourages others (*Shelah, Rosh Hashanah, perek Derech Chaim,* in a gloss by the son of the *Shelah*).

מסורת הש"ס

א) [וחיישינן נמי אמרינן לקולא רש"י בשבת קנא. ד"ה ושמואל אמר], ב) [נדה דף מג.], ג) [תוספתא פ"ב], ד) ע' בפי' המשניות להרמב"ם בפ' דסנהדרין בהיסוד השלישי, ה) [דר"נ פכ"ד וע"ש באריכות משם אלישע בן אבויה], ו) [עי' רש"י סנהדרין לא. ד"ה יש לסם כו'], ז) [צ"ל ויוסף ה'], ח) מפעפע, ט) כאלם של תכינה, י) [שבת קטז:].

הגהות הב"ח

(א) גמ' אינו מזרעת דלמא מעיקרא נמי יורה: (ב) שם דאתיהבא ליה רשותא חדא שעתא למיתב ולמיכתב זכוותא: (ג) שם שמא חס ושלום שתי רשויות יש בשמים מיד אפקוהו: (ד) שם חוץ מאחר שידע כבודי ומרד בי אמר הואיל ואיטריד כו' לתרבות רעה אשכח כצ"ל ותיבת נפק נמחק: (ה) שם אבויה את שמך יצא בכל הארץ עקר פוגלא: (ו) שם כל מה שברא הקב"ה בעולמו ברא כנגדו: (ז) שם לאבדן ככלי זכוכית נ"ב ס"א א"ל האלהים אפילו ככלי חרס אבל ר"ע כו': (ח) שם וכלי זכוכית הללו אע"פ שנשתברו יש: (ט) שם אמר לו והלא כבר שמעתי: (י) שם ללמוד תורה מפיו כיון שהגיע לתחום שבת אמר לו מאיר: (כ) תוס' ד"ה ומחיוהו וכו' להודיע שאין לו יכולת יותר מאחריני כצ"ל: (ל) ד"ה שובו וכו' והיה הורג רבי תורה ואמרינן כל תלמיד דהוה חמי ליה משבח באורייתא הוה קטיל ולא עוד אלא דהוה על וכו' קמי ספרא והוה אמר מאן אלין יתבין עבדין הכא כו' וכיון דהוו שמעין כן הוון שבקין ליה ואזלין לון וקאמר ליה לרבי מאיר וכו' שר' עקיבא דריש ליה וה' ברך את איוב מראשיתו בזכות מצות ומעשים טובים שהיו בידו מראשיתו ומייתי ליה טוב אחרית דבר וכו' אלא טוב אחרית דבר כשהוא טוב מראשיתו וכו הוה המעשה אבויה אביו מגדולי ירושלים היה וביום שבא למהול אותו קרא וכו' אמר ר"א לרבי יהושע עד דאלין עסקין וכו' נעסוק אנן בדידן וכו' אמר לון אבויה רבותי מה באתם לשרוף את ביתי עלי אמרו לו ח"ו אלא יושבין היינו וחוזרין בדברי תורה וכו' הדברים שמחים כנתינתן מסיני והיתה האש מלחך סביבותיו כלחיכתן מסיני נתינתן מסיני לא באש נתנו אמר להן אבויה הואיל וכך: (מ) בא"ד שראה אדם אחד שנטל הבנים: (נ) בא"ד והיה אותו המין מפעפע בגופה כעכנא. נ"ב פירוש כאלם של עכנא: (ס) בא"ד דומה שמתוך תשובה נפטר רבי מן דקברוניה ירדה אש מן השמים ושרפה את קברו ואמרו ליה לרבי מאיר הא קיברא דרבך אייקד מה עבד אתא וקא פריס: (ע) בא"ד טוב ה' לכל ואם לא כצ"ל ותיבת יגאל נמחק: (פ) בא"ד אמרו ליה לר"מ אין אמרין וכו' אמר לון אנא מיקרב לרבי קדמי:

רש"י

יכול אני לבעול. שהיה בקי בהטייה וזו נמי נבעלת כן: באמבטי. כלי שרוחצין בו כל הגוף וי"ל שהטיח שם אדם שכבת זרע ונכנס במעיה: מעיקרא. כשיצאת מן האדם: מאין ולאין. מאין תבא ולאין לבך טרוד: צופה הייתי. מתבונן הייתי במעשה בראשית: ואין ביניהן. במקום חיבורן מקום קשרי כיפת הרקיע בקרקע: גודא דגמלא. כשמסדרין לווחין של גשר זו אצל זו אי אפשר שלא תהא ריוח בינתים וכן גלימי וכן כסי: כפופין. כפופין: אחר קיצץ בנטיעות. קלקל ועיות כשנכנס לפרדס ומקצץ הנטיעות ולפי שדימה אותן בתחלת הדברים לנכנס לפרדס נקט לישנא דקיצץ בנטיעות: לא עמידה. לא גרסינן: לא עורף. דבכל לדיין יש להם פנים: עיפוי. עיפות: פולסי. מכת מקל בשטנולד"י: פוגלא. לנון: ממישרא. ערוגה: ונוחין לאבדן. על ידי שכחה: כי

גמרא

יכול אני לבעול כמה בעילות בלא דם או דלמא דשמואל לא שכיחא אמר להו דשמואל לא שכיח [א] וחיישינן שמא באמבטי עיברה והאמר שמואל [ב] כל שכבת זרע שאינו יורה כחץ אינו מזרעת (א) מעיקרא נמי יורה כחץ הוה ת"ר [ג] מעשה ברבי יהושע בן חנניה שהיה עומד על גב מעלה בהר הבית וראהו בן זומא ולא עמד מלפניו אמר לו מאין ולאין בן זומא אמר לו צופה הייתי בין מים העליונים למים התחתונים ואין בין זה לזה אלא שלש אצבעות בלבד שנאמר [א] ורוח אלהים מרחפת על פני המים כיונה שמרחפת על בניה ואינה נוגעת אמר להן רבי יהושע לתלמידיו עדיין בן זומא מבחוץ מכדי ורוח אלהים מרחפת על פני המים אימת הוי ביום הראשון הבדלה ביום שני הוא דהואי דכתיב [ב] ויהי מבדיל בין מים למים וכמה אמר רב אחא בר יעקב כמלא נימא ורבנן אמרי כי גודא דגמלא מר זוטרא ואיתימא רב אסי אמר כתרי גלימי דפריסי אהדדי ואמרי לה כתרי כסי דסחיפי אהדדי אחר קיצץ בנטיעות עליו הכתוב אומר [ג] אל תתן את פיך לחטיא את בשרך מאי היא חזא מיטטרון דאתיהבא ליה רשותא (ב) למיתב למיכתב זכוותא דישראל אמר גמירא דלמעלה לא הוי [ד] לא ישיבה ולא תחרות ולא עורף ולא עיפוי שמא חס ושלום ב' רשויות (ג) הן אפקוהו למיטטרון ומחיוהו שיתין פולסי דנורא א"ל מ"ט כי חזיתיה לא קמת מקמיה איתיהיבא ליה רשותא למימחק זכוותא דאחר יצתה בת קול ואמרה [ה] שובו בנים שובבים חוץ מאחר (ד) אמר הואיל ואיטריד ההוא גברא מהההוא עלמא ליפוק ליתהני בהאי עלמא נפק אחר לתרבות רעה נפק אשכח זונה תבעה אמרה ליה ולאו אלישע בן אבויה את (ה) עקר פוגלא ממישרא בשבת ויהב לה אמרה אחר הוא שאל אחר את ר"מ לאחר שיצא לתרבות רעה א"ל מאי דכתיב [ו] גם את זה לעומת זה עשה האלהים אמר לו כל מה שברא הקב"ה (ו) ברא כנגדו ברא הרים ברא גבעות ברא ימים ברא נהרות אמר לו ר"ע רבך לא אמר כך אלא ברא צדיקים ברא רשעים ברא גן עדן ברא גיהנם כל אחד ואחד יש לו ב' חלקים אחד בגן עדן ואחד בגיהנם זכה צדיק נטל חלקו וחלק חבירו בגן עדן נתחייב רשע נטל חלקו וחלק חבירו בגיהנם אמר רב משרשיא מאי קראה גבי צדיקים כתיב [ז] לכן בארצם משנה יירשו גבי רשעים כתיב [ז] ומשנה שברון שברם שאל אחר את ר"מ לאחר שיצא לתרבות רעה מאי דכתיב [ח] לא יערכנה זהב וזכוכית ותמורתה כלי פז אמר לו [ט] אלו דברי תורה שקשין לקנותן ככלי זהב וכלי פז [י] ונוחין לאבדן ככלי זכוכית (ז) אמר לו ר"ע רבך לא אמר כך אלא מה כלי זהב וכלי זכוכית (ח) אע"פ שנשברו יש להם תקנה אף ת"ח אע"פ שסרח יש לו תקנה אמר לו אף אתה חזור בך אמר לו (ט) כבר שמעתי מאחורי הפרגוד שובו בנים שובבים חוץ מאחר ת"ר מעשה באחר שהיה רוכב על הסוס בשבת והיה רבי מאיר מהלך אחריו ללמוד תורה מפיו (י) אמר לו מאיר חזור לאחריך שכבר שיערתי בעקבי סוסי עד כאן תחום שבת א"ל אף אתה חזור בך א"ל ולא כבר אמרתי לך כבר שמעתי מאחורי הפרגוד שובו בנים שובבים חוץ מאחר תקפיה עייליה לבי מדרשא א"ל לינוקא פסוק לי פסוקך אמר לו [ט] אין שלום אמר ה' לרשעים עייליה לבי כנישתא אחריתי א"ל לינוקא פסוק לי פסוקך אמר לו [י] כי אם תכבסי בנתר ותרבי לך בורית נכתם עונך לפני עייליה לבי כנישתא אחריתי א"ל לינוקא

תוספות

ומחיוהו שיתין פולסין. להודיע (כ) לו שאין יכולת למטטרון יותר מאחריני: שובו בנים שובבים. בירושלמי מפרש למה אירע לו כך ואיכא טפי מקראות שדורש והיה הורג (ל) דוברי דברי תורה ואמר כל תלמיד דהוה חמי ליה הוה קטיל ולא עוד דהוה על לבית ועדא הוה חמי טליא קמיה סופרא ואמר מאן אלו עבדין הכא כו' כיון דהוו שמעין ליה שבקין ואזלין וקאמר ליה ר"מ מאי דכתיב (איוב מב) וה' בירך את כל אשר לאיוב למשנה ואמר לו שכפל לו ממונו והוא השיב שר"ע דריש ליה בזכות מצות ומעשים טובים בכך מראשיתו ומייתי ליה טוב אחרית דבר מראשיתו ודריש ליה ר"מ לאדם שהוליד בנים בילדותו ומתו ובזקנותו הוליד ונתקיימו ואמר לו ר"ע רבך לא כך דרש אלא טוב אחרית דבר כשהוא טוב מראשיתו [וכן] הוה המעשה אבויה אבי הוה מגדולי ירושלים וביום שבא למהול קרא לכל גדולי ירושלים והושיבן בבית אחד ולר"א ולר' יהושע במקום אחר מן דאכלין ושתין שרין מטפחין ומרקדים אמרי עד דאלין עסקין בדידהו נעסוק בדידן ישבו ונתעסקו בדברי תורה ירדה אש מן השמים והקיפה אותן אמר לון אבויה אבא גברין מה באתם לשרוף ביתי אמרו לו ח"ו אלא יושבין היינו וחוזרין דברי תורה מתורה לנביאים ומנביאים לכתובים והיו הדברים שמחים כנתינתן מסיני לא באש נתנו אמר הואיל וכך כחה של תורה אם יתקיים הבן הזה לתורה אני מפרישו ולפי שלא היתה כוונתו לשמים לפיכך לא נתקיימו בו ובמקום שיש בגמרא שלנו אחורי הפרגוד יש לשם מאחורי בית קדשי הקדשים עוד איתא התם שהיה רוכב ביוה"כ שחל להיות בשבת ושמע כו' ומייתי ההוא דפרק קמא דקדושין (דף לט:) שראה (מ) אחד שנטל הבנים ושילח את האם וכי אייתי נפל ומת ולא היה דורש כר' יעקב כדמייתי התם ועוד איתא שראה לשון רבי יהודה הנחתום נתון בפי כלב והיינו גברא רבה דקדושין ורבי נתן אומר כשהיתה אמו מעוברת ממנו עברה לפני ע"ז והריחה מאותו המין ואכלה והיה אותו המין (נ) [ח] מזדעזע בגופה [ט] כעכנא ולבסוף חלה מתנונא ואמרו לו לר"מ רבך אבאיש אזל גביה לבקרתי' וא"ל חזור בך אמר אי הדרנא מתקבלין אמר ליה והכתיב (תהלים צ) תשב אנוש עד דכא ותאמר שובו בני אדם בכה אלישע ונפטר א"ר מאיר דומה שמתוך תשובה נפטר (ס) וכי מן [דקברוניה] ירדה אש מן השמים ושרפה אותו וא"ל לר"מ הא קבר דרבך [אוקיד אתא] וקא פריס גלימיה עליה ואמר ליני (פה) הלילה וגו' (רות ג) ליני פה בעולם הזה שדומה ללילה והיה בבוקר לעולם הבא אם יגאלך טוב יגאל זה הקדוש ברוך הוא שנאמר טוב ה' לכל (תהלים קמה) (ע) יגאל ואם לא יחפוץ לגאלך וגאלתיך אנכי אמרו ליה (פ) אין [אמרין] לך בההיא עלמא למאן את בעי למקרבה קדמייתא לאבוך או לרבך אמר לון מיקרב לרבי קדמוי ובתר כן לאבא א"ל ולא כן תנינן [י] מלילין תיק הספר עם הספר מלילין אלישע בזכות תורתו:

הא

רבינו חננאל

דכיון דחזא למטטרון דאתייהבא ליה רשותא חדא שעתא למיתב למכתב זכותא דישראל אמר גמירי דלמעלה באותו מקום אין שם ישיבה שמא שתי רשויות הן. יצתה בת קול ואמרה שובו בנים שובבים חוץ מאלישע אחר שגלוי וידוע לפניו שאינו חוזר בתשובה שלמה לעולם. שאילו היה חוזר לא היה נטרד שאין הפרגוד ננעלת בפני בעלי תשובה מיד מחיוה למטטרון שתין פולסי דנורא. ח"ו שיש עליו דין אלא להראות לאלישע שיש לו אדון שהוא עליו וזה שאמר אחר משום ר' עקיבא כי רשע מתייסר בגיהנם חלקו וחלק הצדיק והצדיק זוכה בג"ע חלקו וחלק הרשע ואסמכוה אקרא זה לכן בארצם משנה יירשו ומשנה שברון שברם. ד"א לאו דסמכא הן וקרא מדרש הוא ולא עיקר. מיהו אית לן למימר שהמחטיא את הרבים אין מספיקין בידו לעשות תשובה ועונו גדול מאד הוא ועליו ועל כיוצא בו נאמר ומשנה שברון

גליון הש"ס

גמ' וחיישינן שמא באמבטי עיברה. עיין משנה למלך פט"ו מהל' אישות הלכה ד ופי"ז מהל' א"ב הל' יג:

תורה אור השלם

א) וְהָאָרֶץ הָיְתָה תֹהוּ וָבֹהוּ וְחֹשֶׁךְ עַל פְּנֵי תְהוֹם וְרוּחַ אֱלֹהִים מְרַחֶפֶת עַל פְּנֵי הַמָּיִם: [בראשית א, ב]

ב) וַיֹּאמֶר אֱלֹהִים יְהִי רָקִיעַ בְּתוֹךְ הַמָּיִם וִיהִי מַבְדִּיל בֵּין מַיִם לָמָיִם: [בראשית א, ו]

ג) אַל תִּתֵּן אֶת פִּיךָ לַחֲטִיא אֶת בְּשָׂרֶךָ וְאַל תֹּאמַר לִפְנֵי הַמַּלְאָךְ כִּי שְׁגָגָה הִיא לָמָּה יִקְצֹף הָאֱלֹהִים עַל קוֹלֶךָ וְחִבֵּל אֶת מַעֲשֵׂה יָדֶיךָ: [קהלת ה, ה]

ד) שׁוּבוּ בָּנִים שׁוֹבָבִים אֶרְפָּה מְשׁוּבֹתֵיכֶם הִנְנוּ אָתָנוּ לָךְ כִּי אַתָּה יְיָ אֱלֹהֵינוּ: [ירמיה ג, כב]

ה) בְּיוֹם טוֹבָה הֱיֵה בְטוֹב וּבְיוֹם רָעָה רְאֵה גַּם אֶת זֶה לְעֻמַּת זֶה עָשָׂה הָאֱלֹהִים עַל דִּבְרַת שֶׁלֹּא יִמְצָא הָאָדָם אַחֲרָיו מְאוּמָה: [קהלת ז, יד]

ו) תַּחַת בָּשְׁתְּכֶם מִשְׁנֶה וּכְלִמָּה יָרֹנּוּ חֶלְקָם לָכֵן בְּאַרְצָם מִשְׁנֶה יִירָשׁוּ שִׂמְחַת עוֹלָם תִּהְיֶה לָהֶם: [ישעיה סא, ז]

ז) יֵבֹשׁוּ רֹדְפַי וְאַל אֵבֹשָׁה אָנִי יֵחַתּוּ הֵמָּה וְאַל אֵחַתָּה אָנִי הָבִיא עֲלֵיהֶם יוֹם רָעָה וּמִשְׁנֶה שִׁבָּרוֹן שָׁבְרֵם: [ירמיה יז, יח] ח) לֹא יַעַרְכֶנָּה זָהָב וּזְכוֹכִית וּתְמוּרָתָהּ כְּלִי פָז: [איוב כח, יז] ט) אֵין שָׁלוֹם אָמַר יְיָ לָרְשָׁעִים: [ישעיה מח, כב] י) כִּי אִם תְּכַבְּסִי בַּנֶּתֶר וְתַרְבִּי לָךְ בֹּרִית נִכְתָּם עֲוֹנֵךְ לְפָנַי נְאֻם אֲדֹנָי אֱלֹהִים: [ירמיה ב, כב]

ליקוטי רש"י

[שייך לדף יד.] **אא"כ נכשל בהן.** עד שאומרן שנים ושלשה פעמים בשיבוש דהיינו טעמי תורה המסותרין [שבת קיט:]. **ישא ביום ההוא.** אין ישא אלא לשון שבועה הוא ישבע להם. **לא אהיה חובש.** לא אהיה מחובשי בית המדרש. **ובביתי אין לחם ואין שמלה.** אין בידי לא טעם משנה ולא טעם אגדה. דבר אחר לפי פשוטו לא אהיה חובש לא אהיה שופט שהוא חובש את הנדונים בבית הסוהר [ישעיה שם, ז]. **לא הייתי מחובשי בית המדרש.** איני רגיל להיות חובש חבוש בבית המדרש, אהיה הורגלתי כמו שחוק לרעהו אהיה (איוב יב) אני הווה. **ודלמא שאני התם.** וממאי, דמשום דיש בכן אמנה הוא דילמא על כרחיך נריכים שישיבו האמת. **דאי אמר להו גמירנא.** אותן טעמי תורה. **אמרי ליה.** שואלים אימא לן ומשני הוה ליה למימר גמר ושכח. **לא אהיה חובש כלל.** מודה הוא על האמת שלא יגע בתורה [שבת קכ.]. [עד כאן שייך לדף יד. מכאן שייך לדף יד:]. **הא בדברי תורה.** היו נאמנין ואין מתהללים על שקר [שבת קכ.]. **מחמר.** מנהיג חמור טעונה קרוי מחמר [שבת קנג:]. **תנינים.** דגים גדולים [תהלים קמח, ז]. **יקר בעיני ה'.** הראהו הקב"ה שדבר קשה וכבד הוא בעיניו להמית את חסידיו. **המותה.** המות כמו הביתה האהלה (בראשית ל"ט) [תהלים קטז, טו]. **דבש מצאת.** אם מצאת דבש והוא מתוק לחכך אתה צריך שלא תאכל ממנו פן תשבענו והקאותו [משלי כה, יז ועיין שם כז]. **קיצץ בנטיעות.** קלקל ועיות כשנכנס לפרדס ומקצץ הנטיעות ולפי שדימה אותן בתחלת הדברים לנכנס לפרדס נקט לישנא דקיצץ בנטיעות [לקמן טו.]. **ובארצכם לא תעשו.** דבר זה לסרס שום בהמה וחיה ואפילו טמאה לכך נאמר בארצכם לרבות כל אשר בארצכם שאי אפשר לומר לא נצטוו על הסרוס אלא בארץ שהרי סרוס חובת הגוף הוא וכל חובת הגוף נוהגת בין בארץ בין בחוצה לארץ [ויקרא כב, כד]. [עד כאן שייך לדף יד:]. **וחיישינן.** וחיישינן נמי אמרינן לקולא כדאמרי' במס' חגיגה (דף טו.) גבי בתולה שעיברה חיישינן שמא באמבטי עיברה ומותרת לכהונה [שבת קנא.]. **יורה כחץ.** כורס מים המקלח בכח [יבמות צח.]. **ורוח אלהים מרחפת.** כסא הכבוד עומד באויר ומרחף על פני המים ברוח פיו של הקב"ה ובמאמרו כיונה המרחפת על הקן אקוביט"ר בלע"ז [בראשית א, ב]. **גודא דגמלא.** דף שבגשר המוטל לרוחב הגשר כשאר הדפים ומובדל מחברו [שבת ק:]. **נימא.** שערה [ע"פ חולין קיט:]. **גלימי.** טליתות [כתובות פה.]. **נגדים** [גיטין עג.]. **כסי.** כוסות [ביצה יג:]. **אל תתן את פיך.** בנדר. **לחטיא את בשרך.** שיפקוד העון על בניך [קהלת ה, ה]. **מיטטרון.** כי שמי בקרבו, מחובר לראש המקרא השמר מפניו כי שמי משותף בו ורבותינו אמרו זה מטטרו"ן ששמו כשם רבו, מטטרו"ן בגימטריא שדי [שמות כג, כא]. **ומחיוהו.** היכוהו [ע"פ סנהדרין לט.]. **פולסי דנורא.** מקלות של אור [יומא עז.]. **בת קול.** כאדם המכה בפטיש וקול ההכאה נשמע למרחוק [איוב ד, טז]. אותה מידה הממונה על כך יודעת בשבעים לשונות מפני שעשויה להשמיע והיא משתלחת לכל הלשונות פעמים לזה ופעמים לזה [סוטה לג.]. [המשך בע"ב].

לִיתְהַנֵי בְּהַאי עָלְמָא – let him go out and indulge his pleasures **in this world."** **נָפַק אַחֵר לְתַרְבּוּת רָעָה – Acher** thus **strayed to** the ways of **bad society.**[30] **נָפַק אַשְׁכַּח זוֹנָה תְּבָעָהּ – He went out, found a harlot and asked for her** services.[31] **אָמְרָה לֵיהּ – She said to him, וְלָאו אֱלִישָׁע בֶּן אֲבוּיָה אַתְּ – "But are you not** the great Sage, **Elisha ben Avuyah?!"** **עָקַר פּוּגְלָא מִמֵּישְׁרָא בְּשַׁבָּת וִיהַב לָהּ –** In response, **[Acher] uprooted a radish from a** radish **patch on the Sabbath,** which is a capital offense, **and gave the** radish **to her. אָמְרָה – She said, אַחֵר הוּא – "This must be someone else."**[32]

The Gemara cites the first of several incidents involving Acher and his disciple in Torah studies, R' Meir:

שָׁאַל אַחֵר אֶת רַבִּי מֵאִיר לְאַחַר שֶׁיָּצָא לְתַרְבּוּת רָעָה – Acher once **asked R' Meir** a question **after [Acher] had** already **strayed to** the ways of **bad society. אָמַר לֵיהּ – [Acher] said to [R' Meir], מַאי דִּכְתִיב – "What is** the meaning of **that which is written:**[33] **"גַּם אֶת־זֶה לְעֻמַּת־זֶה עָשָׂה הָאֱלֹהִים" – *God has made the one as well as the other?"*** **אָמַר לוֹ – [R' Meir] replied to him, כָּל מַה שֶּׁבָּרָא הַקָּדוֹשׁ בָּרוּךְ הוּא בָּרָא כְּנֶגְדּוֹ – "Whatever** thing **the Holy One, Blessed is He, created,** He created something else **corresponding to it: בָּרָא הָרִים בָּרָא גְבָעוֹת – He created mountains, He created hills; בָּרָא יַמִּים בָּרָא נְהָרוֹת – He created seas, He created rivers:** and so on."[34] **אָמַר לוֹ – [Acher] said to him, רַבִּי עֲקִיבָא רַבְּךָ לֹא אָמַר כָּךְ – "That is not what R' Akiva your teacher said. אֶלָּא בָּרָא צַדִּיקִים בָּרָא רְשָׁעִים – Rather,** he taught you that **[God] created righteous persons and He created wicked persons;**[35] **בָּרָא גַן עֵדֶן בָּרָא גֵּיהִנֹּם – He created the Garden of Eden** and **He created Gehinnom. כָּל אֶחָד וְאֶחָד יֵשׁ לוֹ שְׁנֵי חֲלָקִים – Each and every person has two portions, אֶחָד בְּגַן עֵדֶן וְאֶחָד בְּגֵיהִנֹּם – one in the Garden of Eden and one in Gehinnom. זָכָה צַדִּיק – When a righteous person merits, נָטַל חֶלְקוֹ וְחֵלֶק חֲבֵרוֹ בְּגַן עֵדֶן – he takes his portion and his peer's portion in the Garden of Eden; נִתְחַיֵּיב רָשָׁע – when a wicked person becomes guilty, נָטַל חֶלְקוֹ וְחֵלֶק חֲבֵרוֹ בְּגֵיהִנֹּם – he takes his portion and his peer's portion in Gehinnom."**[36]

The Gemara comments on the teaching cited by Acher:

אָמַר רַב מְשַׁרְשְׁיָא – Rav Mesharshiya said: מַאי קְרָאָה – What is that teaching's source in **Scripture?** There are actually two verses: **גַּבֵּי צַדִּיקִים כְּתִיב – In regard to the righteous, it is written:**[37] **"לָכֵן בְּאַרְצָם מִשְׁנֶה יִירָשׁוּ" – *therefore, they will inherit a double portion in their land,*** *and eternal gladness will be theirs.* **גַּבֵּי רְשָׁעִים כְּתִיב –** And **in regard to the wicked, it is written:**[38] **"וּמִשְׁנֶה שִׁבָּרוֹן שָׁבְרֵם" –** *Bring upon them a day of evil* ***and devastate them with double disaster.***

Another dialogue between Acher and R' Meir:

שָׁאַל אַחֵר אֶת רַבִּי מֵאִיר לְאַחַר שֶׁיָּצָא לְתַרְבּוּת רָעָה – Acher asked R' Meir a question **after he had** already **strayed to** the ways of **bad society.** Acher asked him, **מַאי דִּכְתִיב – "What is** the meaning of **that which is written:**[39] **"לֹא־יַעַרְכֶנָּה זָהָב וּזְכוֹכִית וּתְמוּרָתָהּ כְּלִי־פָז" –** *But as for wisdom . . . mankind does not know its worth* ***. . . gold and glass cannot approximate it, nor can its exchange be [in] golden articles?"*** **אָמַר לוֹ – [R' Meir] replied to him, אֵלּוּ דִּבְרֵי תּוֹרָה שֶׁקָּשִׁין לִקְנוֹתָן כִּכְלֵי זָהָב וּכְלֵי פָז – "This refers to matters of Torah that are as difficult to acquire as gold vessels and fine gold vessels, וְנוֹחִין לְאַבְּדָן כִּכְלֵי זְכוֹכִית – but are as easy to lose** through forgetfulness **as glass vessels."**[40] **אָמַר לוֹ – [Acher] said to him, רַבִּי עֲקִיבָא רַבְּךָ לֹא אָמַר כָּךְ – "That is not what R' Akiva, your teacher, said. אֶלָּא מַה כְּלֵי זָהָב וּכְלֵי זְכוֹכִית אַף עַל פִּי שֶׁנִּשְׁבְּרוּ יֵשׁ לָהֶם תַּקָּנָה – Rather,** he taught you that **just as there is a remedy for gold vessels and glass vessels even if they break,**[41] **אַף תַּלְמִיד חָכָם – so too a Torah scholar; אַף עַל פִּי שֶׁסָּרַח יֵשׁ לוֹ תַּקָּנָה – even if he sours, there is a remedy for him:** He can repent."[42] **אָמַר לוֹ – [R' Meir] said to [Acher], אַף אַתָּה חֲזוֹר בְּךָ – "So, you too,** as a great Torah scholar, **return to your** earlier devotion!" **אָמַר לוֹ – [Acher] said to him,** "It is of no use: **כְּבָר שָׁמַעְתִּי מֵאֲחוֹרֵי הַפַּרְגּוֹד – I have already heard from behind the Partition, "שׁוּבוּ בָנִים שׁוֹבָבִים" חוּץ מֵאַחֵר – '*Return O wayward sons* – except for Acher.' "**

A subsequent incident involving Acher and R' Meir;

תָּנוּ רַבָּנָן – The Rabbis taught in a Baraisa: מַעֲשֶׂה בְּאַחֵר – AN INCIDENT occurred **WITH ACHER, שֶׁהָיָה רוֹכֵב עַל הַסּוּס בְּשַׁבָּת – WHO WAS RIDING ON A HORSE ON THE SABBATH, וְהָיָה רַבִּי מֵאִיר מְהַלֵּךְ אַחֲרָיו לִלְמוֹד תּוֹרָה מִפִּיו – AS R' MEIR WAS WALKING BEHIND HIM IN ORDER TO LEARN TORAH FROM HIS MOUTH. אָמַר לוֹ –** At a certain point, **[ACHER] SAID TO HIM, מֵאִיר חֲזוֹר לַאֲחוֹרֶיךָ – "MEIR, GO BACK, שֶׁכְּבָר שִׁיעַרְתִּי בְּעִקְבֵי סוּסִי – FOR I HAVE ALREADY CALCULATED THROUGH THE FOOTSTEPS OF MY HORSE** that **עַד כָּאן תְּחוּם שַׁבָּת – THE SABBATH BOUNDARY** extends **UNTIL HERE."**[43] **אָמַר לוֹ – [R' MEIR] REPLIED TO HIM, אַף אַתָּה חֲזוֹר בְּךָ – "YOU TOO, GO BACK TO YOUR** earlier Torah observance!"

NOTES

30. He forsook the observance of the mitzvos. Apparently, though, he still studied and taught Torah (see Gemara below). *R' Tzadok* explains (*Sefer HaZichronos* p. 63) that after his *Merkavah* experience, Acher thought that his connection with the upper worlds made his observance of halachah unnecessary (see there at length).

31. This was his first open sin (see *Ben Yehoyada*).

32. That is how Elisha ben Avuyah received the name by which our Gemara calls him: Acher, the Other, or Someone Else (*Tashbetz* in *Magen Avos* to *Pirkei Avos* 4:20).

[Except here, our Gemara does not refer to him by his original name. It appears that the Heavenly Voice actually said, "except for Elisha ben Avuyah," and the Gemara altered this to "except for Acher," so as not to mention his name. Indeed, the *Yerushalmi* quotes the Heavenly Voice as saying, "except for Elisha ben Avuyah."]

33. *Ecclesiastes* 7:14.

34. The word לְעֻמַּת thus implies two things that are similar to each other in kind [but differ in degree: God created the great mountains and the smaller hills; the great seas and the smaller rivers] (see *Maharsha*).

35. According to this interpretation, the word לְעֻמַּת indicates an opposite relationship (*Maharsha*).

36. A righteous person introduces virtue into the world and thereby alters the nature of the world and the people in it. His noble deeds induce others to be virtuous as well. A person is credited for the good deeds he did as well as those good deeds he helped to bring about. Conversely, a wicked person brings evil into the world and indirectly induces others to sin. He is held to account for both his sins and the sins of those affected by him. Now, the wicked person is rewarded in this world for his few good deeds; thus, his portion in the Garden of Eden is given to the righteous, who are responsible for introducing virtue into the world. Conversely, the righteous are punished for their few wicked acts in this world; thus, their portion in Gehinnom is passed on to the wicked (see *Beis HaLevi, Noach*).

37. *Isaiah* 61:7.

38. *Jeremiah* 17:18.

39. *Job* 28:12, 13, 17.

40. [If one is careless with a glass vessel, it will slip from one's hand and shatter. If one is careless with one's Torah knowledge, it likewise will slip away.]

41. They can be re-melted and re-formed.

42. Acher had his mind on his own predicament; that is why he asked these questions (*Maharsha*).

43. Even though Acher himself no longer observed the Sabbath, he did not want to cause R' Meir any anguish. If R' Meir would find out that he had unwittingly violated the Sabbath, he would be distressed. Alternatively, Acher wished to show off his great intelligence (*Etz Yosef,* citing *Yefei Toar*).

יכול אני לבעול כמה בעילות בלא דם או דלמא דשמואל לא שכיחא אמר להו דשמואל לא שכיח [א] וחיישינן שמא באמבטי עיברה והאמר שמואל [ב] כל שכבת זרע שאינו יורה כחץ אינו מזרעת (א) מעיקרא נמי יורה כחץ הוה ת"ר [ג] מעשה ברבי יהושע בן חנניה שהיה עומד על גב מעלה בהר הבית וראהו בן זומא ולא עמד מלפניו אמר לו מאין ולאין בן זומא אמר לו צופה הייתי בין מים העליונים למים התחתונים ואין בין זה לזה אלא שלש אצבעות בלבד שנאמר [א] ורוח אלהים מרחפת על פני המים כיונה שמרחפת על בניה ואינה נוגעת אמר להן רבי יהושע לתלמידיו עדיין בן זומא מבחוץ מכדי ורוח אלהים מרחפת על פני המים אימת הוי ביום הראשון הבדלה ביום שני הוא דהואי דכתיב [ב] ויהי מבדיל בין מים למים וכמה אמר רב אחא בר יעקב כמלא נימא ורבנן אמרי כי גודא דגמלא מר זוטרא ואיתימא רב אסי אמר כתרי גלימי דפריסי אהדדי ואמרי לה כתרי כסי דסחיפי אהדדי אחר קיצץ בנטיעות עליו הכתוב אומר [ג] אל תתן את פיך לחטיא את בשרך מאי היא חזא מיטטרון דאתיהבא ליה רשותא (ב) למיתב למיכתב זכוותא דישראל אמר גמירא דלמעלה לא הוי [ד] לא ישיבה ולא תחרות ולא עורף ולא עיפוי שמא חס ושלום ב' רשויות הן (ג) אפקוהו למיטטרון ומחיוהו שיתין פולסי דנורא א"ל מ"ט כי חזיתיה לא קמת מקמיה איתיהיבא ליה רשותא למימחק זכוותא דאחר יצתה בת קול ואמרה [ד] שובו בנים שובבים חוץ מאחר (ד) אמר הואיל ואיטריד ההוא גברא מההוא עלמא ליפוק ליתהני בהאי עלמא נפק אחר לתרבות רעה נפק אשכח זונה תבעה אמרה ליה ולאו אלישע בן אבויה את (ה) עקר פוגלא ממישרא בשבת ויהב לה אמרה אחר הוא שאל אחר את ר"מ לאחר שיצא לתרבות רעה א"ל מאי דכתיב [ה] גם את זה לעומת זה עשה האלהים אמר לו כל מה שברא הקב"ה (ו) ברא כנגדו ברא הרים ברא גבעות ברא ימים ברא נהרות אמר לו ר"ע רבך לא אמר כך אלא ברא צדיקים ברא רשעים ברא גן עדן ברא גיהנם כל אחד ואחד יש לו ב' חלקים אחד בגן עדן ואחד בגיהנם זכה צדיק נטל חלקו וחלק חברו בגן עדן נתחייב רשע נטל חלקו וחלק חברו בגיהנם אמר רב משרשיא מאי קראה גבי צדיקים כתיב [ו] לכן בארצם משנה יירשו גבי רשעים כתיב [ז] ומשנה שברון שברם שאל אחר את ר"מ לאחר שיצא לתרבות רעה מאי דכתיב [ח] לא יערכנה זהב וזכוכית ותמורתה כלי פז אמר לו אלו דברי תורה שקשין לקנותן ככלי זהב וכלי פז ונוחין לאבדן ככלי זכוכית (ז) אמר לו ר"ע רבך לא אמר כך אלא מה כלי זהב וכלי זכוכית (ח) אע"פ שנשברו יש להם תקנה אף ת"ח אע"פ שסרח יש לו תקנה אמר לו אף אתה חזור בך אמר לו (ט) כבר שמעתי מאחורי הפרגוד שובו בנים שובבים חוץ מאחר ת"ר מעשה באחר שהיה רוכב על הסוס בשבת והיה רבי מאיר מהלך אחריו ללמוד תורה מפיו (י) אמר לו מאיר חזור לאחריך שכבר שיערתי בעקבי סוסי עד כאן תחום שבת א"ל אף אתה חזור בך א"ל ולא כבר אמרתי לך כבר שמעתי מאחורי הפרגוד שובו בנים שובבים חוץ מאחר תקפיה עייליה לבי מדרשא א"ל לינוקא פסוק לי פסוקך אמר לו [ט] אין שלום אמר ה' לרשעים עייליה לבי כנישתא אחריתי א"ל לינוקא פסוק לי פסוקך אמר לו [י] כי אם תכבסי בנתר ותרבי לך בורית נכתם עונך לפני עייליה לבי כנישתא אחריתי א"ל לינוקא

רש"י

יכול אני לבעול. שהיה בקי בהטייה וזו נמי נבעלת כן: באמבטי. כלי שרוחצין בו כל הגוף וי"ל שהטיח שם אדם שכבת זרע ונכנס במעיה: מעיקרא. כשיצאת מן האדם: מאין ולאין. מאין תבא ואין לבך טרוד: צופה הייתי. מתבונן הייתי במעשה בראשית: ואין ביניהן. במקום חיבורן מקום קשרי כיפת הרקיע בקרקע: גודא דגמלא. כשמסדרין לווחין של גשר זו אצל זו אי אפשר שלא תהא ריוח בינתים וכן גלימי וכן כסי: סחופין. כפופין: אחר קיצץ בנטיעות. קלקל ועיות כשנכנס לפרדס ומקלץ הנטיעות ולפי שדימה אותן בתחלת הדברים לנכנס לפרדס נקט לישנא דקילץ בנטיעות: לא עמידה. לא גרסינן: לא עורף. דבכל לדיהן יש להם פנים: עיפוי. עיפות: פולסי. מכת מקל בשטונאד"י: פוגלא. לנון: ממישרא. ערוגה: ונוחין לאבדן. על ידי שכחה: כי

תוספות

ומחיוהו שיתין פולסין. להודיע (כ) לו שאין יכולת למטטרון יותר מאחריני: שובו בנים שובבים. בירושלמי מפרש למה אירע לו כך ואיכא טפי מקראות שדורש והיה הורג (ל) דובבי דברי תורה ואמר כל תלמיד דהוה חמי ליה הוה קטיל ולא עוד דהוה על לבית ועדא הוה חמי טליא קמיה סופרא ואמר מאן אלו עבדין הכא כו' כיון דהוו שמעין ליה שבקין ואזלין וקאמר ליה ר"מ מאי דכתיב (איוב מב) וה' בירך את כל אשר לאיוב למשנה (איוב מב) ואמר לו שכפל לו ממונו והוא השיב שר"ע דריש ליה בזכות מצות ומעשים טובים בכך מראשיתו ומייתי ליה טוב אחרית דבר מראשיתו ודריש ליה ר"מ לאדם שהוליד בנים בילדותו ומתו ובזקנותו הוליד ונתקיימו ואמר לו ר"ע רבך לא כך דרש אלא טוב אחרית דבר שהוא טוב מראשיתו [ובי] הוה המעשה אבויה אבי הוה מגדולי ירושלים וביום שבא למהולי קרא לכל גדולי ירושלים והושיבן בבית אחד ולר"א ולר' יהושע במקום אחר מן דאכלין ושתין שרין מטפחין ומרקדים אמרי עד דאלין עסקין בדידהו נעסוק בדידן ישבו ונתעסקו בדברי תורה ירדה אש מן השמים והקיפה אותן אמר לון אבויה אבא גברין מה באתם לשרוף ביתי עלי אמרו לו ח"ו אלא יושבין היינו וחוזרין דברי תורה מתורה לנביאים ומנביאים לכתובים והיו הדברים שמחים כנתינתן מסיני לא באש נתנו אמר הואיל וכך כחה של תורה אם יתקיים הבן הזה לתורה אני מפרישו ולפי שלא היתה כוונתו לשמים לפיכך לא נתקיימו בו ובמקום שיש בגמרא שלנו אחורי הפרגוד יש לשם מאחורי בית קדשי הקדשים עוד איתא התם שהיה רוכב ביוה"כ שחל להיות בשבת ושמע כו' ומייתי הגמרא דפרק קמא דקדושין (דף לט:) שראה (מ) אחד שנטל הבנים ושילח את האם וכי אייתי נפל ומת ולא היה דורש כר' יעקב דלמייתי התם ועוד איתא שראה לשון רבי יהודה הנחתום נתון בפי כלב והיינו גברא רבה דקדושין ורבי נתן אומר כשהיתה אמו מעוברת ממנו עברה לפני ע"ז והריחה מאותו המין ואכלה והיה אותו המין (נ) מזדעזע בגופה כעכנא ולבסוף חלה מתנוגא ואמרו לו לר"מ רבך אבאיש אזל גביה לבקרתי' וא"ל חזור בך אמר אי הדרנא מתקבלין אמר ליה והכתיב (תהלים צ) תשב אנוש עד דכא ותאמר שובו בני אדם בכה אלישע ונפטר א"ר מאיר דומה שמתוך תשובה נפטר (ס) וכי מן [דקברוניה] ירדה אש מן השמים ושרפה אותו וא"ל לר"מ הא קבר דרבך [אוקיד אתא] וקא פריס גלימיה עליה ואמר ליני (פה) הלילה וגו' (רות ג) ליני פה בעולם הזה שדומה ללילה והיה בבוקר לעולם הבא אם יגאלך טוב יגאל זה הקדוש ברוך הוא שנאמר טוב ה' לכל (תהלים קמה) (ע) יגאל ואם לא יחפוץ לגאלך וגאלתיך אנכי אמרו ליה (פ) אין [אמרין] לך בההיא עלמא למאן את בעי למקרבה קדמייתא לאבוך או לרבך אמר לון מיקרב לרבי קדמוי ובתר כן לאבא א"ל ושמעינן לך א"ל ולא כן תנינן מצילין תיק הספר עם הספר מצילין אלישע בזכות תורתו:

הא

רבינו חננאל

דכיון דחזא למטטרון דאתיהבא ליה רשותא חדא שעתא למיתב למכתב זכוותא דישראל אמר גמירי דלמעלה אין שם ישיבה שמא שתי רשויות הן. יצתה בת קול ואמרה שובו בנים שובבים חוץ מאלישע אחר שגלוי וידוע לפניו שאינו חוזר בתשובה שלמה לעולם. שאילו היה חוזר לא היה נטרד שאין הפרגוד ננעלת בפני בעלי תשובה מיד מחיוה למטטרון שתין פולסי דנורא. ת"ר שיש עליו דין אלא להראות לאלישע שיש לו אדון שהוא עליו וזה שאמר אחר משום ר' עקיבא כי רשע מתייסר בגיהנם חלקו וחלק הצדיק והצדיק זוכה בג"ע חלקו וחלק הרשע ואסמכה אקרא זה לכן בארצם משנה יירשו ומשנה שברון שברם. ד"א לאו דסמכא הן וקרא מדרש הוא ולא עיקר. מיהו איתן לן למימר שהמחטיא את הרבים אין מספיקין בידו לעשות תשובה ועונו גדול מאד הוא ועליו ועל כיוצא בו נאמר ומשנה שברון

מסורת הש"ס

א) [וחיישינן נמי אמרינן לקולא רש"י בשבת קנא. ד"ה ושמואל אמר], ב) [נדה דף מג.], ג) [תוספתא פ"ב], ד) עי' בפי' המשניות להרמב"ם בפ"י דסנהדרין בסוף השלישי, ה) אדר"נ פכ"ד וע"ש דאיתא בשם אלישע בן אבויה, ו) [עי' רש"י לסנהדרין לח: ד"ה יש לפני כו'], ז) [צ"ל ויוסף ה'], ח) מפעפע, ט) כארס של עכנה, י) [שבת קכו.]

הגהות הב"ח

(א) גמ' אינו מזרעת דלמא מעיקרא נמי יורה: (ב) שם דאתיהבא ליה רשותא חדא שעתא למיתב ולמיכתב זכוותא: (ג) שם שמא חס ושלום שתי רשויות יש מיד אפקוהו: (ד) שם חוץ מאחר שידע כבודי ומרד בי אמר הואיל ואיטריד כו' לתרבות רעה אשכח כל"ל ותיבת נפק נמחק: (ה) שם בן אבויה את [illegible] עקר פוגלא: (ו) שם כל מה שברא הקב"ה בעולמו ברא כנגדו: (ז) שם לאבדן ככלי זכוכית ר"מ א"ל האלהים אפילו ככלי חרס אבל ר"ע כו': (ח) שם וכלי זכוכית הללו אע"פ שנשברו יש: (ט) שם אמר לו והלא כבר שמעתי: (י) שם ללמוד תורה מפיו כיון שהגיע לתחום שבת אמר לו מאיר: (כ) תוס' ד"ה ומחיוהו כו' להודיע שאין לו יכולת יותר מאחריני כצ"ל: (ל) ד"ה שובו וכו' והיה הורג רבי תורה ואמרינן כל תלמיד דהוה חמי ליה משגח באורייתא הוה קטיל ולא עוד אלא דהוה על וכו' קמי ספרא והוה אמר להון מאי יתבין עבדין הכא כו' וכיון דהוו שמעין כן הוון שבקין ליה ואזלין לון וקאמר ליה לרבי מאיר וכו' שר"ע עקיבא דריש ליה וה' ברך את איוב מראשיתו בזכות מצות ומעשים טובים שהיו בידו מראשיתו ומייתי ליה טוב אחרית דבר וכו' אלא טוב אחרית דבר כשהוא טוב מראשיתו והוה המעשה אבויה אבוי מגדולי ירושלים היה וביום שבא למהול אותו קרא וכו' ולר"א ולר' יהושע עד דאלין עסקין וכו' נעסוק אנן בדידן וכו' אמר לון אבויה רבותי מה באתם כו' אמרו לו ח"ו אלא יושבין היינו וחוזרין בדברי תורה וכו' והדברים שמחים כנתינתן מסיני והיתה האש מלחכת סביבותיו כלחיכתן מסיני נתינתן מסיני לא באש נתנו אמר להן אבויה הואיל וכך: (מ) בא"ד שראה אדם אחד שנטל הבנים: (נ) בא"ד והיה אותו המין מפעפע בגופה כעכנא. נ"ב פירוש כארס של עכנא: (ס) בא"ד דומה שמתוך תשובה נפטר רבי מן דקברוניה ירדה אש מן השמים ושרפה את קברו ואמרו ליה לרבי מאיר קיברא דרבך אייקד מה עבד אתא וקא פריס: (ע) בא"ד טוב ה' לכל ואם לא כצ"ל ותיבת יגאל נמחק: (פ) בא"ד אמרו ליה לר"מ אין אמרין וכו' אמר לון אנא מיקרב לרבי קדמי:

גליון הש"ס

גמ' וחיישינן שמא באמבטי עיברה. עיין משנה למלך פט"ו מהל' אישות הלכה ד ופי"ז מהל' א"ב הל' יג:

תורה אור השלם

א) וְהָאָרֶץ הָיְתָה תֹהוּ וָבֹהוּ וְחֹשֶׁךְ עַל פְּנֵי תְהוֹם וְרוּחַ אֱלֹהִים מְרַחֶפֶת עַל פְּנֵי הַמָּיִם: [בראשית א, ב]

ב) וַיֹּאמֶר אֱלֹהִים יְהִי רָקִיעַ בְּתוֹךְ הַמָּיִם וִיהִי מַבְדִּיל בֵּין מַיִם לָמָיִם: [בראשית א, ו]

ג) אַל תִּתֵּן אֶת פִּיךָ לַחֲטִיא אֶת בְּשָׂרֶךָ וְאַל תֹּאמַר לִפְנֵי הַמַּלְאָךְ כִּי שְׁגָגָה הִיא לָמָּה יִקְצֹף הָאֱלֹהִים עַל קוֹלֶךָ וְחִבֵּל אֶת מַעֲשֵׂה יָדֶיךָ: [קהלת ה, ה]

ד) שׁוּבוּ בָנִים שׁוֹבָבִים אֶרְפָּה מְשׁוּבֹתֵיכֶם הִנְנוּ אָתָנוּ לָךְ כִּי אַתָּה יְיָ אֱלֹהֵינוּ: [ירמיה ג, כב]

ה) בְּיוֹם טוֹבָה הֱיֵה בְטוֹב וּבְיוֹם רָעָה רְאֵה גַּם אֶת זֶה לְעֻמַּת זֶה עָשָׂה הָאֱלֹהִים עַל דִּבְרַת שֶׁלֹּא יִמְצָא הָאָדָם אַחֲרָיו מְאוּמָה: [קהלת ז, יד]

ו) תַּחַת בָּשְׁתְּכֶם מִשְׁנֶה וּכְלִמָּה יָרֹנּוּ חֶלְקָם לָכֵן בְּאַרְצָם מִשְׁנֶה יִירָשׁוּ שִׂמְחַת עוֹלָם תִּהְיֶה לָהֶם: [ישעיה סא, ז]

ז) יֵבֹשׁוּ רֹדְפַי וְאַל אֵבֹשָׁה אָנִי יֵחַתּוּ הֵמָּה וְאַל אֵחַתָּה אָנִי הָבִיא עֲלֵיהֶם יוֹם רָעָה וּמִשְׁנֶה שִׁבָּרוֹן שָׁבְרֵם: [ירמיה יז, יח]

ח) לֹא יַעַרְכֶנָּה זָהָב וּזְכוֹכִית וּתְמוּרָתָהּ כְּלִי פָז: [איוב כח, יז]

ט) אֵין שָׁלוֹם אָמַר יְיָ לָרְשָׁעִים: [ישעיה מח, כב]

י) כִּי אִם תְּכַבְּסִי בַּנֶּתֶר וְתַרְבִּי לָךְ בֹּרִית נִכְתָּם עֲוֹנֵךְ לְפָנַי נְאֻם אֲדֹנָי אֱלֹהִים: [ירמיה ב, כב]

ליקוטי רש"י

[שייך לדף יד.] אא"כ נכשל בהן. עד שאומרן שנים ושלשה פעמים בשיבוש דהיינו טעמי תורה המסותרין [שבת קיט:]. ישא ביום ההוא. אין ישא אלא לשון שבועה הוא ישבע להם. לא אהיה חובש. לא אהיה מחובשי בית המדרש. ובביתי אין לחם ואין שמלה. אין בידי לא טעם משנה ולא טעם אגדה. דבר אחר לפי פשוטו לא אהיה חובש לא אהיה שופט שהוא חובש את הנדונים בבית הסוהר [ישעיה שם, ז]. לא הייתי מחובשי בית המדרש. איני רגיל להיות חובש חבוש בבית המדרש, שהיה הורגלתי כמו שחוק לרעהו אהיה (איוב יב) אני הווה. ודלמא שאני התם. וממאי, דמשום דיש בהן אמנה הוא דילמא כרחיך לריכים שישיבו האמת. אמרי ליה. אותן טעמי תורה. דאי אמר להו גמירנא. שואלים אימא לן ומשני הוה ליה למימר גמר ושכח. לא אהיה חובש כלל. מודה הוא על האמת שלא יגע בתורה [שבת קכ.]. [עד כאן שייך לדף יד. מכאן שייך לדף יד:]. הא בדברי תורה. היו נאמנין ואין מתהללים על שקר [שבת קכ.]. מחמר. מנהיג חמור טעונה קרוי מחמר [שבת קנג:]. תנינים. דגים גדולים [תהלים קמח, ז]. יקר בעיני ה'. הכלאי הקב"ה שדבר קשה וכבד הוא בעיניו להמית את חסידיו. המותה. המות כמו הכיתה החולה (בראשית ל"ט) [תהלים קטז, טו]. דבש מצאת. אם מלאת דבש והוא מתוק לך אתה לריך שלא תאכל ממנו פן תשבענו והקאותו [משלי כה, יז ועיין שם כז]. קיצץ בנטיעות. קלקל ועיות כשנכנס לפרדס ומקלץ הנטיעות ולפי שדימה אותן בתחלת הדברים לנכנס לפרדס נקט לישנא דקילץ בנטיעות [לקמן טו.]. ובארצכם לא תעשו. דבר זה לסרס שום בהמה וחיה ואפילו טמאה לכך נאמר בארצכם לרבות כל אשר בארצכם שאי אפשר לומר לא נלטוו על הסרוס אלא בארץ שהרי סרוס חובת הגוף הוא וכל חובת הגוף נוהגת בין בארץ בין בחולה לארץ [ויקרא כב, כד]. [עד כאן שייך לדף יד:]. וחיישינן. וחיישינן נמי אמרינן לקולא כדאמרי' במס' חגיגה (דף טו.) גבי בתולה שעיברה חיישינן שמא באמבטי עיברה ומותרת לכהונה [שבת קנא.]. יורה כחץ. כורס מים המקלח בכח [יבמות צח.]. ורוח אלהים מרחפת. כסא הכבוד עומד באויר ומרחף על פני המים ברוח פיו של הקב"ה וכמאמרו כיונה המרחפת על הקן אקוביטי"ר בלע"ז [בראשית א, ב]. גודא דגמלא. דף שבגשר המוטל לרוחב הגשר כשאר הדפים ומובדל מחברו [שבת ק:]. נימא. שערה [ע"פ חולין קיט:]. גלימי. טליתות [כתובות פה.]. בגדים [גיטין עג.]. כסי. כוסות [ביצה יג:]. אל תתן את פיך. בנדר. לחטיא את בשרך. שיפקוד העון על בניך [קהלת ה, ה]. מיטטרון. כי שמי בקרבו, מחובר לראש המקרא השמר מפניו כי שמי משותף בו ורבותינו אמרו זה מטטרו"ן ששמו כשם רבו, מטטרו"ן בגימטריא שדי [שמות כג, כא]. ומחיוהו. היכוהו [ע"פ סנהדרין לט.]. פולסי דנורא. מקלות של אור [יומא עז.]. בת קול. כאדם המכה בפטיש וקול ההכרה נשמע למרחוק [איוב ד, טז]. אותה מידה הממונה על כך יודעת בשבעים לשונות מפני שעשויה להשמיע והיא משתלחת לכל הלשונות פעמים לזה ופעמים לזה [סוטה לג.]. [המשך בע"ב]

אָמַר לוֹ – [ACHER] SAID TO HIM, וְלֹא כְּבָר אֲמַרְתִּי לְךָ – "AND HAVE I NOT ALREADY TOLD YOU, כְּבָר שָׁמַעְתִּי מֵאֲחוֹרֵי הַפַּרְגּוֹד – I HAVE ALREADY HEARD FROM BEHIND THE PARTITION, "שׁוּבוּ בָנִים שׁוֹבָבִים" חוּץ מֵאַחֵר – *'RETURN O WAYWARD SONS* – EXCEPT FOR ACHER.' " תַּקְפֵיהּ עַיְילֵיהּ לְבֵי מִדְרְשָׁא – Unwilling to leave matters as they were, [R' MEIR] GRABBED [ACHER] AND THRUST HIM INTO A *BEIS MEDRASH*.[44] אָמַר לֵיהּ לְינוּקָא – [ACHER] SAID TO A YOUNG BOY standing outside, פְּסוֹק לִי פְּסוּקָךְ – "RECITE YOUR VERSE FOR ME."[45] אָמַר לוֹ – [THE BOY] SAID TO [ACHER],[46] "אֵין שָׁלוֹם אָמַר ה' לָרְשָׁעִים" – *"THERE IS NO PEACE, HASHEM SAID, TO THE WICKED."*[47] עַיְילֵיהּ לְבֵי כְּנִישְׁתָּא אַחֲרִיתִי – [R' MEIR] BROUGHT HIM INTO A DIFFERENT SYNAGOGUE. אָמַר לֵיהּ לְינוּקָא – [ACHER] SAID TO A BOY nearby, פְּסוֹק לִי פְּסוּקָךְ – "RECITE YOUR VERSE FOR ME." אָמַר לוֹ – [THE BOY] SAID TO HIM,[48] "כִּי אִם־תְּכַבְּסִי בַּנֶּתֶר וְתַרְבִּי־לָךְ בֹּרִית – *"EVEN IF YOU WERE TO WASH WITH NITER AND USE MUCH SOAP,* נִכְתָּם עֲוֹנֵךְ לְפָנַי" – *YOUR INIQUITY REMAINS STAINED BEFORE ME."*[49] עַיְילֵיהּ לְבֵי כְּנִישְׁתָּא אַחֲרִיתִי – [R' MEIR] BROUGHT HIM INTO A DIFFERENT SYNAGOGUE. אָמַר לֵיהּ – [ACHER] SAID

NOTES

44. [Perhaps the setting would inspire him to repent.]

45. I.e. recite the verse that you studied most recently. Acher, who had heard a Divine decree that his repentance would not be accepted, as the Gemara related above, wanted to prove it to R' Meir by the child's verse (*Rabbeinu Chananel*). It was common in earlier times to make this request of schoolchildren, because the verse cited by a child would convey a prophetic message to the one requesting it (see *Bava Basra* 12b; see also *Rambam, Hil. Avodas Kochavim* 11:5 with *Kesef Mishneh*).

46. *Isaiah* 48:22.

47. Normally, if someone comes to the study hall, it is appropriate to greet him, to say to him, "*Shalom aleichem*!" When Acher came, though, God told him "*Ein shalom*" – there are no warm greetings for you.

48. *Jeremiah* 2:22.

49. I.e. repentance will not help (*Maharsha*).

יכול אני לבעול. שהיה בקי בהטייה וזו נמי נבעלת כן: **באמבטי.** כלי שרוחצין בו כל הגוף וי"ל שהטיח שם אדם שכבת זרע ונכנס במעיה: **מעיקרא.** כשיוצאת מן האדם: **מאין ולאין.** מאין תבא ואין לבך טרוד: **צופה הייתי.** מתבונן הייתי במעשה בראשית: **ואין ביניהן.** במקום חיבורן מקום קשרי כיפת הרקיע בקרקע: **גודא דגמלא.** כשמסדרין לווחין של גשר זו אצל זו אי אפשר שלא תהא ריוח ביניהם וכן גלימי וכן כסי: **סחופין.** כפופין: **אחר קיצץ בנטיעות.** קלקל ועיות כשנכנס לפרדס ומקלץ הנטיעות ולפי שדימה אותן בתחלת הדברים לנכנס לפרדס נקט לישנא דקיצץ בנטיעות: **לא עמידה.** לא גרסינן: **לא עורף.** דבכל לדיהן יש להם פנים: **עיפוי.** עיפות: **פולסי.** מכת מקל בשטונאד"י: **פוגלא.** לנון: **ממישרא.** ערוגה: **ונוחין לאבדן.** על ידי שבחה:

כי

ומחיוהו שיתין פולסין. להודיע (כ) לו שאין יכולת למטטרון יותר מאחריני: **שובו** בנים שובבים. בירושלמי מפרש למה אירע לו כך ואיכא טפי מקראות שדורש והיה הורג (ל) דוברי דברי תורה ואמר כל תלמיד דהוה חמי ליה הוה קטיל ולא עוד דהוה על לבית ועדא הוה חמי טליא קמיה סופרא ואמר מאן אלו עבדין הכא כו' כיון דהוו שמעין ליה שבקין ואזלין וקאמר ליה ר"מ מאי דכתיב (וה' בירך) את כל אשר לאיוב למשנה (איוב מב) ואמר לו שכפל לו ממונו והוא השיב שר"ע דריש ליה בזכות מצות ומעשים טובים ברך מראשיתו ומייתי ליה טוב אחרית דבר מראשיתו ודריש ליה ר"מ לאדם שהוליד בנים בילדותו ומתו ובזקנותו הוליד ונתקיימו ואמר לו ר"ע רבך לא כך דרש אלא טוב אחרית דבר שהוא טוב מראשיתו [ובי] הוה המעשה אבויה אבי הוה מגדולי ירושלים וביום שבא למהולי קרא לכל גדולי ירושלים והושיבן בבית אחד ולר"א ולר' יהושע במקום אחר מן דאכלין ושתין שרין מטפחין ומרקדים אמרי עד דאלין עסקין בדידהו נעסוק בדידן ישבו ונתעסקו בדברי תורה ירדה אש מן השמים והקיפה אותן אמר לון אבויה אבא גברין מה באתם לשרוף ביתי אמרו לו ח"ו אלא יושבין היינו וחוזרין דברי תורה מתורה לנביאים ומנביאים לכתובים והיו הדברים שמחים כנתינתן מסיני לא באש נתנו אמר הואיל וכך כחה של תורה אם יתקיים הבן הזה לתורה אני מפרישו ולפי שלא היתה כונתו לשמים לפיכך לא נתקיימו בו ובמקום שיש בגמרא שלנו אחורי הפרגוד יש לשם מאחורי בית קדשי הקדשים עוד איתא התם שהיה רוכב ביוה"כ שחל להיות בשבת ושמע כו' ומייתי ההוא דפרק קמא דקדושין (דף לט:) שראה (מ) אחד שנטל הבנים ושילח את האם וכי אייתי נפל ומת ולא היה דורש כר' יעקב כדמייתי התם ועוד איתא שראה לשון רבי יהודה הנחתום נתון בפי כלב והיינו גברא רבה דקדושין ורבי נתן אומר כשהיתה אמו מעוברת ממנו עברה לפני ע"ז והריחה מאותו המין ואכלה והיה אותו המין (נ) מזדעזע בגופה כעכנא ולבסוף חלה מתנונא ואמרו לו לר"מ רבך אבאיש אזל גביה לבקרתי' וא"ל חזור בך אמר אי הדרנא מתקבלין אמר ליה והכתיב (תהלים צ) תשב אנוש עד דכא ותאמר שובו בני אדם בכה אלישע ונפטר א"ר מאיר דומה שמתוך תשובה נפטר (ס) וכי מן [דקברוניה] ירדה אש מן השמים ושרפה אותו וא"ל לר"מ הא קבר דרבך [אוקיד אתא] וקא פריס גלימיה עליה ואמר ליני (פה) הלילה וגו' (רות ג) ליני פה בעולם הזה שדומה ללילה והיה בבוקר לעולם הבא אם יגאלך טוב יגאל זה הקדוש ברוך הוא שנאמר טוב ה' לכל (תהלים קמה) (ע) יגאל ואם לא יחפוץ לגאלך וגאלתיך אנכי אמרו ליה (פ) אין [אמרין] לך בההיא עלמא למאן את בעי למקרבה קדמייתא לאבוך או לרבך אמר לון מקרב לרבי קדמוי ובתר כן לאבא א"ל ושמעינן לך א"ל ולא כן תנינן י) מצילין תיק הספר עם הספר מצילין אלישע בזכות תורתו:

הא

יכול אני לבעול כמה בעילות בלא דם או
דלמא דשמואל לא שכיחא אמר להו
דשמואל לא שכיח • א) וחיישינן שמא באמבטי
עיברה והאמר שמואל ב) כל שכבת זרע
שאינו יורה כחץ אינו מזרעת (א) מעיקרא נמי
יורה כחץ הוה ת"ר ג) מעשה ברבי יהושע
בן חנניה שהיה עומד על גב מעלה בהר
הבית וראהו בן זומא ולא עמד מלפניו אמר
לו מאין ולאין בן זומא אמר לו צופה הייתי
בין מים העליונים למים התחתונים ואין בין
זה לזה אלא שלש אצבעות בלבד שנאמר
א) ורוח אלהים מרחפת על פני המים כיונה
שמרחפת על בניה ואינה נוגעת אמר להן
רבי יהושע לתלמידיו עדיין בן זומא מבחוץ מכדי ורוח אלהים מרחפת על
פני המים אימת הוי ביום הראשון הבדלה ביום שני הוא דהואי דכתיב
ב) ויהי מבדיל בין מים למים וכמה אמר רב אחא בר יעקב כמלא נימא ורבנן
אמרי כי גודא דגמלא מר זוטרא ואיתימא רב אסי אמר כתרי גלימי דפריסי
אהדדי ואמרי לה כתרי כסי דסחיפי אהדדי אחר קיצץ בנטיעות עליו הכתוב
אומר ג) אל תתן את פיך לחטיא את בשרך מאי היא חזא מיטטרון דאתיהבא
ליה רשותא (ב) למיתב למיכתב זכוותא דישראל אמר גמירא דלמעלה לא הוי
ד) לא ישיבה ולא תחרות ולא עורף ולא עיפוי שמא חס ושלום ב' רשויות
(ג) הן אפקוהו למיטטרון ומחיוהו שיתין פולסי דנורא א"ל מ"ט כי חזיתיה
לא קמת מקמיה איתיהיבא ליה רשותא למימחק זכוותא דאחר יצתה
בת קול ואמרה ה) שובו בנים שובבים חוץ מאחר (ד) אמר הואיל ואיטריד
ההוא גברא מההוא עלמא ליפוק ליתהני בהאי עלמא נפק אחר לתרבות
רעה נפק אשכח זונה תבעה אמרה ליה ולאו אלישע בן אבויה את (ה) עקר
פוגלא ממישרא בשבת ויהב לה אמרה אחר הוא שאל אחר את ר"מ לאחר
שיצא לתרבות רעה א"ל מאי דכתיב ה) גם את זה לעומת זה עשה האלהים
אמר לו כל מה שברא הקב"ה (ו) ברא כנגדו ברא הרים ברא גבעות ברא ימים
ברא נהרות אמר לו ר"ע רבך לא אמר כך אלא ברא צדיקים ברא רשעים
ברא גן עדן ברא גיהנם כל אחד ואחד יש לו ב' חלקים אחד בגן עדן
ואחד בגיהנם זכה צדיק נטל חלקו וחלק חברו בגן עדן נתחייב רשע נטל
חלקו וחלק חברו בגיהנם אמר רב משרשיא מאי קראה גבי צדיקים
כתיב ו) לכן בארצם משנה יירשו גבי רשעים כתיב ז) ומשנה שברון שברם
שאל אחר את ר"מ לאחר שיצא לתרבות רעה מאי דכתיב ח) לא יערכנה
זהב וזכוכית ותמורתה כלי פז אמר לו ט) אלו דברי תורה שקשין לקנותן
ככלי זהב וכלי פז י) ונוחין לאבדן ככלי זכוכית (ז) אמר לו ר"ע רבך לא אמר
כך אלא מה כלי זהב וכלי זכוכית (ח) אע"פ שנשברו יש להם תקנה אף
ת"ח אע"פ שסרח יש לו תקנה אמר לו אף אתה חזור בך אמר לו (ט) כבר
שמעתי מאחורי הפרגוד שובו בנים שובבים חוץ מאחר ת"ר מעשה באחר
שהיה רוכב על הסוס בשבת והיה רבי מאיר מהלך אחריו ללמוד תורה
מפיו (י) אמר לו מאיר חזור לאחריך שכבר שיערתי בעקבי סוסי עד כאן תחום
שבת א"ל אף אתה חזור בך א"ל ולא כבר אמרתי לך כבר שמעתי מאחורי
הפרגוד שובו בנים שובבים חוץ מאחר תקפיה עייליה לבי מדרשא א"ל
לינוקא פסוק לי פסוקך אמר לו ט) אין שלום אמר ה' לרשעים עייליה לבי
כנישתא אחריתי א"ל לינוקא פסוק לי פסוקך אמר לו י) כי אם תכבסי בנתר
ותרבי לך בורית נכתם עונך לפני עייליה לבי כנישתא אחריתי א"ל
לינוקא

(ס) בא"ד דומה שמתוך תשובה נפטר רבי מן דקברוניה ירדה אש מן השמים ושרפה את קברו ואמרו ליה לרבי מאיר [illegible] עבד אתא וקא פריס: (ע) בא"ד טוב ה' לכל ואם לא כל"ל ותיבת יגאל נמחק: (פ) בא"ד אמרו ליה לר"מ אין אמרין וכו' אמר לון אנא מיקרב לרבי קדמי:

מסורת הש"ס

א) [וחיישינן נמי אמרינן לקולא רש"י בשבת קנא. ד"ה ושמואל אמר], ב) [נדה דף מג.], ג) [תוספתא פ"ב], ד) [עי' בפי' המשניות להרמב"ם בפ"י דסנהדרין בהיסוד השלישי], ה) [illegible], ו) [illegible], ז) [illegible], ח) מתפעפע, ט) כאלם של תכינה, י) [שבת קנז.]

הגהות הב"ח

(א) גמ' אינו מזרעת דלמא מעיקרא נמי יורה: (ב) שם דאתיהבא ליה רשותא חדא שעתא ביומא למיתב ולמיכתב זכוותא: (ג) שם שתי רשויות יש בשמים מיד אפקוהו: (ד) שם חוץ מאחר שידע כבודי ומרד בי אמר הואיל ואיטריד כו' לתרבות רעה אשכח כל"ל ותיבת נפק נמחק: (ה) שם לאו אלישע בן אבויה את עקר פוגלא: (ו) שם כל מה שברא הקב"ה בעולמו ברא כנגדו: (ז) שם לאבדן ככלי זכוכית אמר ליה ר"ע רבך: (ח) שם אע"פ שנשברו יש להם תקנה אף ת"ח: (ט) שם [illegible] כבר שמעתי: (י) שם [illegible]: (כ) תוס' ד"ה ומחיוהו וכו' להודיע שאין לו יכולת למטטרון יותר מאחריני כצ"ל: (ל) ד"ה שובו וכו' והיה הורג [illegible]: (מ) בא"ד [illegible]: (נ) בא"ד והיה אותו המין מפעפע בגופה כעכנא [illegible]

רבינו חננאל

דכיון דחזא למטטרון דאתייהבא ליה רשותא חדא שעתא למיתב למכתב זכוותא דישראל אמר גמירי דלמעלה באותו מקום אין שם ישיבה שמא שתי רשויות הן. יצתה בת קול ואמרה שובו בנים שובבים חוץ מאלישע אחר שגלוי וידוע לפניו שאינו חוזר בתשובה שלמה לעולם. שאילו היה חוזר לא היה נטרד שאין הפרגוד ננעלת בפני בעלי תשובה מיד מחיוהו למטטרון שתין פולסי דנורא. ח"ו שיש עליו דין אלא להראות לאלישע שיש לו אדון שהוא עליו. שאמר אחר משום ר' עקיבא כי רשע מתייסר בגיהנם חלקו וחלק הצדיק והצדיק זוכה בג"ע חלקו וחלק הרשע ואסמכה אקרא זה לכן בארצם משנה יירשו ומשנה שברון שברם. ד"א לאו דסמכא הן וקרא מדרש הוא ולא עיקר. מיהו איכא לן למימר שהמחטיא את הרבים אין מספיקין בידו לעשות תשובה ועונו גדול מאד הוא ועליו ועל כיוצא בו נאמר ומשנה שברון שברם.

גליון הש"ס

גמ' וחיישינן שמא באמבטי עיברה. עיין משנה למלך פט"ו מהל' אישות הלכה ד ופ"ו מהל' א"ב הל' יג:

תורה אור השלם

א) וְהָאָרֶץ הָיְתָה תֹהוּ וָבֹהוּ וְחֹשֶׁךְ עַל פְּנֵי תְהוֹם וְרוּחַ אֱלֹהִים מְרַחֶפֶת עַל פְּנֵי הַמָּיִם: [בראשית א, ב]

ב) וַיֹּאמֶר אֱלֹהִים יְהִי רָקִיעַ בְּתוֹךְ הַמָּיִם וִיהִי מַבְדִּיל בֵּין מַיִם לָמָיִם: [בראשית א, ו]

ג) אַל תִּתֵּן אֶת פִּיךָ לַחֲטִיא אֶת בְּשָׂרֶךָ וְאַל תֹּאמַר לִפְנֵי הַמַּלְאָךְ כִּי שְׁגָגָה הִיא לָמָּה יִקְצֹף הָאֱלֹהִים עַל קוֹלֶךָ וְחִבֵּל אֶת מַעֲשֵׂה יָדֶיךָ: [קהלת ה, ה]

ד) שׁוּבוּ בָּנִים שׁוֹבָבִים אֶרְפָּה מְשׁוּבֹתֵיכֶם הִנְנוּ אָתָנוּ לָךְ כִּי אַתָּה יְיָ אֱלֹהֵינוּ: [ירמיה ג, כב]

ה) בְּיוֹם טוֹבָה הֱיֵה בְטוֹב וּבְיוֹם רָעָה רְאֵה גַּם אֶת זֶה לְעֻמַּת זֶה עָשָׂה הָאֱלֹהִים עַל דִּבְרַת שֶׁלֹּא יִמְצָא הָאָדָם אַחֲרָיו מְאוּמָה: [קהלת ז, יד]

ו) תַּחַת בָּשְׁתְּכֶם מִשְׁנֶה וּכְלִמָּה יָרֹנּוּ חֶלְקָם לָכֵן בְּאַרְצָם מִשְׁנֶה יִירָשׁוּ שִׂמְחַת עוֹלָם תִּהְיֶה לָהֶם: [ישעיה סא, ז]

ז) יֵבֹשׁוּ רֹדְפַי וְאַל אֵבֹשָׁה אָנִי יֵחַתּוּ הֵמָּה וְאַל אֵחַתָּה אָנִי הָבִיא עֲלֵיהֶם יוֹם רָעָה וּמִשְׁנֶה שִׁבָּרוֹן שָׁבְרֵם: [ירמיה יז, יח]

ח) לֹא יַעַרְכֶנָּה זָהָב וּזְכוֹכִית וּתְמוּרָתָהּ כְּלִי פָז: [איוב כח, יז]

ט) אֵין שָׁלוֹם אָמַר יְיָ לָרְשָׁעִים: [ישעיה מח, כב]

י) כִּי אִם תְּכַבְּסִי בַּנֶּתֶר וְתַרְבִּי לָךְ בֹּרִית נִכְתָּם עֲוֹנֵךְ לְפָנַי נְאֻם אֲדֹנָי אֱלֹהִים: [ירמיה ב, כב]

ליקוטי רש"י

[illegible]

כי שכיב. אחר: אמרי. ברקיע לא מידן נידייניה כו': חדא הוה ביננא. תלמיד אחד הי' בינינו ונכשל ויצא לתרבות רעה ואין כח בין כולנו להביאו לעולם הבא: אי נקטי ליה ביד מאן מרמי ליה (ז). אם אוחז אני בידו להביאו לעולם הבא מי יקטנו מידי מרמי לשון נוטל מידי ויש לו דוגמא בפסחים (דף י:) ארמויי ארמייה מיניה גדי בכבר כפי עכבר: מאן. כמו מנאי לשון קלר הוא: שומר הפתח. של גיהנם לא עמד לפניך רבינו בבואך להוליא אחר משם: לדעתם לא נאמר. אלמא ברשעי עסקינן וקאמר הט אזנך: הטי אזנך. לשמוע ואת מעשיהם שכחי ואל תלמדי אותן: גדול. היודע ליזהר [שלא ילמוד] מעשיו יכול ללמוד תורה מפיו: תחלא. פרי הסילון הנאכל בתמרים: שיחלא. גרעינה הנזרקת: [השתא קאמר]. עכשיו שמע לקולך ואמר שמועה מפיו: קלני מראשי. רבי מאיר אמרה במסכת סנהדרין (דף מו.) במדרש כי קללת אלהים תלוי (דברים כא) קל לית איני קל ולישנא מעליא כינה הדבר כלפי מעלה קלני מזרועי כבד אני מזרועי שילרתי זה שמת בעונו: ותלי בעיברא דדשא. נשען על הכרים: ברבנן. בתלמידים היולאין לתרבות רעה: שוקלין. לדרוש קל וחומר ומקל לפי המשקולת של ק"ו: במגדל הפורח באויר. י"מ שדורשין גוזהו של למ"ד ודורשין בו כל זאת וי"א מגדל דור הפלגה ולי נראה מגדל הפתוח לאויר גרסינן והן מהלכות אהלות מגדל של עץ שקורין משטי"ר ועומד בפתח ופתחו פתוח לבקעה או לחצר שהוא אויר במסכת אהלות (פ"ד מ"א) ישנה משנה מגדל העומד באויר: ד' הדיוטות. בלעם ודואג ואחיתופל וגחזי בפ' חלק: טינא היתה בלבם. רשעים היו מימיהם: אחר מאי. מפני מה בא לידי כך ולא הגינה תורתו עליו: זמר יווני לא פסק מביתו. והיה לו להניח בשביל תורתו הבית * דכתיב בשיר לא ישתו יין (ישעיה כד): נושרין מחיקו. קודם שהפקיר עצמו לתרבות רעה אלמא טינא הוות בלבו: כל עמר דנחית ליורה סליק. כל למר שנותן ליורה של סממנין לצבוע עולה לו לצבעו או אינו עולה כלומר כל התלמידים לפני חכמים עולה להן תורתן להגין עליהן מן החטא (ח): כל דנקי אגב אימיה (ט). שלא נתלכלך בגיזה עולה לו לצבעו כלומר כל שיראת חטאו קודמת לחכמתו עולה לו כן נראה בעיני ורבותי מפרשין כל עמר דנחית ליורה סליק כל שיורד לידון בגיהנם עולה אגב אמו למר בן יומו שלא נכרם בטיט עולה לו הצבע כלומר שיש זכיות בידו עולה:

הא בגדול הא בקטן. והא דריש פ' בתרא דמו"ק (י) (דף יז.) דהוו סנו שומעניה דממנים רב יהודה איכא למימר דקטנים הוו דגרסי קמיה וחיישי דלמא מימשכי אי נמי אפילו הוו גדולים נידהו רב יהודה כיון שמלא מקום לנדותו ודין היה כיון דסנו שומעניה. הכ"ל אלמתן: **כל** עמר דנקי נחית (כ) אגב אימיה. כלומר מי שיראתו קודמת לחכמתו חכמתו מתקיימת ודואג ואחיתופל דלא מגני להו תורתן לפי שלא היה להם יראה כלל כדאמר בסוטה פרק נוטל (דף כא.):

לינוקא פסוק לי פסוקך א"ל א) ואת שדוד מה תעשי כי תלבשי שני כי תעדי עדי זהב כי תקרעי בפוך עיניך לשוא תתיפי וגו' עייליה לבי כנישתא אחריתי עד דעייליה לתליסר בי כנישתא כולהו פסקו ליה כי האי גוונא (א) לבתרא א"ל פסוק לי פסוקך א"ל ב) ולרשע אמר אלהים מה לך לספר חקי וגו' ההוא ינוקא הוה מגמגם בלישניה אשתמע כמה דאמר ליה ולאלישע אמר אלהים איכא דאמרי סכינא הוה בהדיה וקרעיה ושדריה לתליסר בי כנישתי ואיכא דאמרי אמר אי הואי בידי סכינא הוה קרענא ליה כי נח נפשיה דאחר אמרי לא מידן לידייניה ולא לעלמא דאתי ליתי לא מידן לידייניה משום דעסק באורייתא ולא לעלמא דאתי ליתי משום דחטא אמר ר"מ מוטב דלידייניה וליתי לעלמא דאתי מתי אמות ואעלה עשן מקברו כי נח נפשיה דר' מאיר סליק קוטרא מקבריה דאחר אמר ר' יוחנן גבורתא למיקלא רביה (ב) חד הוה ביננא ולא מצינן לאצוליה אי נקטיה ביד מאן מרמי ליה מאן אמר מתי אמות ואכבה עשן מקברו כי נח נפשיה דר' יוחנן פסק קוטרא מקבריה דאחר פתח עליה ההוא ספדנא אפילו שומר הפתח לא עמד לפניך רבינו בתו של אחר אתיא לקמיה דרבי אמרה ליה רבי פרנסני אמר לה בת מי את אמרה לו בתו של אחר אני אמר לה עדיין יש מזרעו בעולם והא כתיב ג) לא נין לו ולא נכד בעמו ואין שריד במגוריו אמרה לו (ג) זכור לתורתו ואל תזכור מעשיו מיד ירדה אש וסכסכה ספסלו של רבי בכה ואמר רבי ומה למתגנין בה כך למשתבחין בה על אחת כמה וכמה ור"מ היכי גמר תורה מפומיה דאחר והאמר רבה בר בר חנה אמר רבי יוחנן מאי דכתיב ד) כי שפתי כהן ישמרו דעת ותורה יבקשו מפיהו כי מלאך ה' צבאות הוא *אם דומה הרב למלאך ה' צבאות יבקשו תורה מפיהו ואם לאו אל יבקשו תורה מפיהו אמר ר"ל ר"מ קרא אשכח ודרש ה) הט אזנך ושמע דברי חכמים ולבך תשית לדעתי לדעתם לא נאמר אלא לדעתי רב חנינא אמר מהכא ו) שמעי בת וראי והטי אזנך ושכחי עמך ובית אביך וגו' קשו קראי אהדדי לא קשיא הא בגדול הא בקטן כי אתא רב דימי אמר אמרי במערבא ר"מ (ד) אכל תחלא ושדא שיחלא לברא דרש רבא מאי דכתיב ז) אל גנת אגוז ירדתי לראות באבי הנחל וגו' למה נמשלו ת"ח לאגוז לומר לך מה אגוז זה אע"פ שמלוכלך בטיט ובצואה אין מה שבתוכו נמאס אף ת"ח אע"פ שסרח אין תורתו נמאסת אשכחיה רבה בר שילא לאליהו א"ל מאי קא עביד הקב"ה א"ל קאמר שמעתא מפומייהו דכולהו רבנן ומפומיה דר"מ לא קאמר א"ל אמאי משום דקא גמר שמעתא מפומיה דאחר א"ל אמאי ר"מ רמון מצא תוכו אכל קליפתו זרק א"ל השתא קאמר מאיר בני (ה) אומר בזמן שאדם מצטער שכינה מה לשון אומרת קלני מראשי קלני מזרועי אם כך הקב"ה מצטער על דמן של רשעים (ו) ק"ו על דמן של צדיקים שנשפך אשכחיה שמואל לרב יהודה דתלי בעיברא דדשא וקא בכי א"ל שיננא מאי קא בכית א"ל מי זוטרא מאי דכתיב בהו ברבנן ח) איה סופר איה שוקל איה סופר את המגדלים איה סופר שהיו סופרים כל אותיות שבתורה איה שוקל שהיו שוקלים קלין וחמורין שבתורה איה סופר את המגדלים שהיו שונין ג' מאות הלכות במגדל הפורח באויר ואמר רבי אמי תלת מאה בעיי בעו דואג ואחיתופל במגדל הפורח באויר ותנן ג' מלכים וארבעה הדיוטות אין להם חלק לעולם הבא אנן מה תהוי עלן א"ל שיננא טינא היתה בלבם אחר מאי זמר יווני לא פסק מפומיה אמרו עליו על אחר בשעה שהיה עומד מבית המדרש הרבה ספרי מינין נושרין מחיקו שאל נימוס הגרדי את ר"מ כל עמר דנחית ליורה סליק א"ל כל מאן דהוה נקי אגב אימיה סליק כל דלא הוה נקי אגב אימיה לא סליק ר"מ עלה בשלום וירד בשלום ועליו הכתוב אומר ט) משכני אחריך נרוצה ואף רבי עקיבא בקשו מלאכי השרת לדוחפו אמר להם הקב"ה הניחו לזקן זה שראוי להשתמש בכבודי מאי

מסורת הש"ס

א) [מו"ק דף יז. ע"ש], ב) [סנהדרין דף מו.], ג) [בערוך ערך שן פירש שיננא מחודד בתלמוד מלשון חד שנון וי"א גדול השיניים ובשיטה מקובצת כתובות יד. פירש לפי ששיניו גדולות קרי ליה שיננא ע"ש], ד) [ברכות לו. וש"נ], ה) סנהדרין קו:, ו) שם ס ע"א.

הגהות הב"ח

(א) גמ' כי האי גוונא לבישותא לבתרא: (ב) שם גבורתא למיקלא רביה בנורא חד הוה וכו' אי נקטי ליה ביד: (ג) שם אמרה לו רבי זכור לתורתו וכו' ירדה אש מן השמים וסכסכה וכו' ומה למתגנין בתורה כך: (ד) שם ר' מאיר אשכח תמרי אכל תחלא: (ה) שם מאיר בני כך הוא אומר: (ו) שם של רשעים שנשפך ק"ו על דמן: (ז) רש"י ד"ה אי נקטיה וכו' מאן מרמי ליה מאן אם אוחז: (ח) ד"ה כל עמר וכו' מן החטא א"ל מגב דור והס"ד: (ט) ד"ה כל דנקי אגב אימיה למר בן יומו שלא נתלכלך בגיזה וכו' כלומר מי שיש זכיות: (י) תוס' ד"ה הא בגדול וכו' והא דריש פ' בתרא דמו"ק בההוא צורבא מרבנן דהוו סנו: (כ) ד"ה כל עמר דנקי אגב כצ"ל ותיבת נחית נמחק:

גליון הש"ס

רש"י ד"ה זמר יווני וכו' דכתיב בשיר. עיין גיטין דף ז ע"א:

תורה אור השלם

א) וְאַתְּ שָׁדוּד מַה תַּעֲשִׂי כִּי תִלְבְּשִׁי שָׁנִי כִּי תַעְדִּי עֲדִי זָהָב כִּי תִקְרְעִי בַפּוּךְ עֵינַיִךְ לַשָּׁוְא תִּתְיַפִּי מָאֲסוּ בָךְ עֹגְבִים נַפְשֵׁךְ יְבַקֵּשׁוּ: [ירמיה ד, ל]

ב) וְלָרָשָׁע אָמַר אֱלֹהִים מַה לְּךָ לְסַפֵּר חֻקָּי וַתִּשָּׂא בְרִיתִי עֲלֵי פִיךָ: [תהלים נ, טז]

ג) לֹא נִין לוֹ וְלֹא נֶכֶד בְּעַמּוֹ וְאֵין שָׂרִיד בִּמְגוּרָיו: [איוב יח, יט]

ד) כִּי שִׂפְתֵי כֹהֵן יִשְׁמְרוּ דַעַת וְתוֹרָה יְבַקְשׁוּ מִפִּיהוּ כִּי מַלְאַךְ יְיָ צְבָאוֹת הוּא: [מלאכי ב, ז]

ה) הַט אָזְנְךָ וּשְׁמַע דִּבְרֵי חֲכָמִים וְלִבְּךָ תָּשִׁית לְדַעְתִּי: [משלי כב, יז]

ו) שִׁמְעִי בַת וּרְאִי וְהַטִּי אָזְנֵךְ וְשִׁכְחִי עַמֵּךְ וּבֵית אָבִיךְ: [תהלים מה, יא]

ז) אֶל גִּנַּת אֱגוֹז יָרַדְתִּי לִרְאוֹת בְּאִבֵּי הַנָּחַל לִרְאוֹת הֲפָרְחָה הַגֶּפֶן הֵנֵצוּ הָרִמֹּנִים: [שיר השירים ו, יא]

ח) לִבְּךָ יֶהְגֶּה אֵימָה אַיֵּה סֹפֵר אַיֵּה שֹׁקֵל אַיֵּה סֹפֵר אֶת הַמִּגְדָּלִים: [ישעיה לג, יח]

ט) מָשְׁכֵנִי אַחֲרֶיךָ נָּרוּצָה הֱבִיאַנִי הַמֶּלֶךְ חֲדָרָיו נָגִילָה וְנִשְׂמְחָה בָּךְ נַזְכִּירָה דֹדֶיךָ מִיַּיִן מֵישָׁרִים אֲהֵבוּךָ: [שיר השירים א, ד]

עין משפט נר מצוה

י א מיי' פ"ד מהלכות ת"ת הלכה א טוש"ע י"ד סי' רמו סעיף ח:

רבינו חננאל

שברם. והאי דבדק אחר בינוקי משום דהוה ר' מאיר מפצר ליה לחזור בתשובה ולא היה לבו חפץ וא"ל שמעתי מאחורי הפרגוד והוא מעיקרא טינא היתה דלא פסק זמר יווני מביתו ובשעה שהיה עומד בבהמ"ד הרבה ספרי מינין היו נושרין מחיקו ויצא לתרבות רעה. זה שאמר ר' מאיר מתי אמות ואעלה עשן מקברו כלומר ידין אותו הקב"ה באש יוקדת מעלה עשן כדי שיתכפרו לו עונותיו ויזכה לעוה"ב וכיון שהגיע ר' מאיר למות ביקש רחמים על זה וקבל תפלתו וכיון שמת עלה עשן מקברו של אחר. ור' יוחנן אמר חד הוה כאן. כלומר אחד מן חכמי [בית] מדרשינו חטא אין בנו זכות לפני הקב"ה להצילו מדינה של גיהנם. מתי אמות ואפסיק עשן מקברו. ור' מאיר היכי הוה גמיר מאחר והכתיב כי שפתי כהן ישמרו דעת ותורה יבקשו מפיהו כי מלאך ה' צבאות הוא וא"ר יוחנן אם דומה הרב למלאך ה' צבאות יבקשו תורה מפיהו ואם לאו אל יבקשו תורה מפיהו. ואע"ג דאמרינן ר' מאיר קרא אחרינא אשכח וסמך עליה דכתיב הט אזנך ושמע דברי חכמים ולבך תשית לדעתי לדעתם לא נאמר אלא לדעתי מכלל שיש לך לקבל תורתו ולא דעתו. ואמרינן קשו קראי אהדדי ושנינן הא דאמרינן אם דומה הרב למלאך ה' צבאות בקשו תורה מפיהו בקטן דעביד כדעתיה דרביה דחיישינן דלמא מפיק ליה לתרבות רעה אבל גדול דכדעתא דנפשיה קא עביד הט אזנך ושמע דברי חכמים וגו' האמר אליהו דאמרי במתיבתא דרקיעא שמעתא מכלהו רבנן. ושמעתתיה דר' מאיר משום דגמר מאחר לא אמרי הלכתא אפילו גדול הלומד תורה מחבירו ירא שמים טפי עדיף ליה. פי' שיחלא קליפתה שהיא כסותה ותיקה. פי' כמגדל הפורח. משנה ידועה היא. קלני מראשי קלני מזרועי כבר פירשנוה בסנהדרין. פי' בעברא דדשא בבריח הדלת. אף ר' עקיבא ביקשו המלאכים לדחפו אמר הקב"ה הניחו לזקן זה ראוי הוא להסתכל

ליקוטי רש"י

שובבים. אנוושי"ר בלעז שסובבתם דרככם מרוב כל שהייתם בשלוה ועונג כמו שהוא אומר הפורטים על פי הנבל (עמוס ו) השותים במזרקי יין (שם) [ירמיה ג, יד]. ... מנהג [בכורות ...]. גם את זה לעומת זה. הטובה והכל פעולתה לעמת הרעה ושכר פעולתה [קהלת ז, יד]. זהב. עטור מנסיך כמרגלית [איוב כח, יז]. ונוחין לאבדן ככלי זכוכית. יש להם תקנה, להתיכן ולחזור ולעשות מהן כלי והא דלאמרינן בחגיגה (טו.) ונוחין לאבדם ככלי זכוכית לא שאין להם תקנה אלא שנפסדין לשעתן ואין מתקיימין [סנהדרין צא.]. מאחורי הפרגוד. פרכת, לשון מחילה הוא ובלשון חכמים ... דבר המבדיל בין המלך ובין העם [שמות כו, לא]. מחילה המבדלת בין מקום השכינה [ברכות יח:]. מחילה שבין שכינה לגבא מרום [ב"מ נט.]. לרשעים. לנבוכדנצר וזרעו [ישעיה מח, כב]. בנתר. מין אדמה שחפין ושפין בה את הבגדים. בורית. ... לבב (תהלים כד) ויש לועזים בורית שאבו"ן בלעז. נכתם עונך. הא כרושם כתמא דלא דכי כן סגיאו חוביך קדמי. עונך, על עון העגל נאמר שהוא קיים לעולם כמו שנאמר וביום פקדי ופקדתי עליהם (שמות לב) כל פקידות הבאות על ישראל יהיה ... העגל בהם [ירמיה ב, כב]. [עד כאן שייך לע"א]. כי תלבשי שני. להתנאות ולמצוא רחמים לפני השודד. תקרעי בפוך. לשון קריעה שהפוך נראה כמרחיב קרע העין כך שמעתי וגם מנחם לא חלק במחברת קרע. פוך, לשון כחול [ירמיה ד, ל]. אי נקטיה ביד מאן מרמי ליה מאן. ארמוייה, הסליכו ממנו ונטלו הוא וחבירו בחגיגה (דף טו:) אי נקטיה ביד מאן מרמי ליה מן ידי [פסחים י:]. נכד. בן הבן [איוב יח, יט]. כי שפתי כהן. עליהם מוטל לשמור דעת למה שהרי תורה יבקשו מפיהו שכבר דבר זה ... משפטיך ליעקב (דברים ל"ג). כי מלאך. שלוחו של הקב"ה כמלאכי השרת לשרת לפניו וליכנס לפנים במחילתו [מלאכי ב, ז]. הט אזנך ושמע דברי חכמים. ללמוד תורה מהכם כל שהוא. ולבך תשית לדעתי. ואם רבך רשע לא תלמוד ... משלי כב, יז]. שמעי בת וראי. שמעי כנסת ישראל וראי דרך הטוב. והטי אזנך. לתורה. ושכחי עמך. ע"א שעבדו אבותיך בעבר הנהר. ובית אביך. מעבר הנהר שאת גדילה ביניהם [תהלים מה, יא]. במערבא. בארץ ישראל [שבת סה:]. אל גנת אגוז ירדתי. עוד זה מדברי שכינה הנה באתי אל מקדש שני זה אליך. למה נמשלו ישראל לאגוז מה אגוז זה אתה רואה אותו כולו עץ ואין ניכר בתוכו פוטעו ומלאו מלא מגורות של אוכלים כך ישראל צנועין וענוותנין מעשיהם ואין תלמידים שבהן ... מפארים להכריז על שבהן בדקמו אמ' מולא אותו מלא חכמה ועוד כמה מדרשות לדבר מה אגוז זה נופל בטיט ואין מה שבתוכו נמאס אף ישראל גולין לבין האומות ולוקין מלקיות הרבה ואין מעשיהם נמאסין. לראות באבי הנחל. מה לחלוחית ... אילנים אראה בך [שיר השירים ו, יא]. שאדם מצטער. שפורענות באה עליו בעונו. מה לשון אומרת. באיזה לשון היא קובלת ומתנודדת עליו. קלני מראשי. כמו שהאדם שיגע ועיף אומר ראשי כבד עלי וזרועי כבד עלי והיינו קללת קל לית אני ... [סנהדרין מו.]. איה סופר. איה שהיה סופר בחייו ושוקל כל דבר חכמה שהיו שואלין ממנו כל עצת מלכות. איה סופר את המגדלים. פירוש שהיה סופר המגדלים אשר בעיר ועיר כי אותם הבתים הגבוהים היו חשובים וטותנים יותר במס [ישעיה לג, יח] ... אותיות שבתורה. שהיה בקי בחסירות ויתירות. שוקלים קלין וחמורין. יודע לדרוש בקל וחומר. במגדל הפורח באויר. מתג עליונה שלמעלה מן הלמ"ד מפני מה כפופה למטה לשון מ"ר מפני השמועה ל"א במגדל הפורח באויר הנכנס לאהל ... מטה תיבה ומגדל אם הוא טמא אם לאו לישנא אחרינא שלש מאות הלכות בנטיעות קשואין דאמרן בפירקין לעיל (דף סח.) ולמורי נראה דהכי גרסינן שלש מאות הלכות ... העומד [באויר] ומשנה אחת באהלות (פרק ד משנה א) דמשמעי בהכי מגדל העומד באויר וטומאה בתוכה כלים שבתוכו טמאים וכן נראה לרבי [סנהדרין קו:]. משכני אחריך נרוצה. אני שמעתי משלוחיך רמז שאמרת למשכני ואני אמרתי אחריך נרוצה ... אלעשה. זהו פשוטו לפי ענינו ולפי דוגמתו הם מזכירים לפניו חסד נעורים אהבת כלולות לכתם אחריו במדבר ארץ ציה וצלמות וגם לדה לא עשו להם והאמינו בו ובשלוחו ולא אמרו היאך נצא למדבר לא מקום זרע וממזונות והלכו אחריו והוא הביאם לתוך חדרי היקף עננים בזו עודם היום גלים ושמחים בו אף לפי עניים ולרתם ומתמעטים בתורה ושם מזכירים דודיו מיין ומישור אהבתם אותו [שיר השירים א, ד].

לֵינוּקָא – TO A YOUNG BOY there, פְּסוֹק לִי פְּסוּקָךְ – "RECITE YOUR VERSE FOR ME." אָמַר לֵיהּ – [THE BOY] SAID TO HIM,[1] ,,וְאַתְּ שָׁדוּד מַה־תַּעֲשִׂי – *"AND YOU, O PLUNDERED ONE, WHAT WILL YOU DO?* כִּי־תִלְבְּשִׁי שָׁנִי – *IF YOU WEAR SCARLET,* כִּי־תַעְדִּי עֲדִי־זָהָב – *IF YOU DON A GOLDEN ORNAMENT,* כִּי־תִקְרְעִי בַפּוּךְ עֵינַיִךְ – *IF YOU PAINT YOUR EYES WITH MASCARA,* לַשָּׁוְא תִּתְיַפִּי וגו׳ '' – *YOU WILL BE BEAUTIFYING YOURSELF IN VAIN* etc."[2] עַיְילֵיהּ לְבֵי כְּנִישְׁתָּא אַחֲרִיתִי – [R' MEIR] BROUGHT [ACHER] INTO still ANOTHER SYNAGOGUE and then another, עַד דְּעַיְילֵיהּ לִתְלֵיסַר בֵּי כְּנִישְׁתָּא – UNTIL HE HAD BROUGHT HIM INTO THIRTEEN different SYNAGOGUES. כּוּלְּהוּ פָּסְקוּ לֵיהּ כִּי הַאי גַּוְונָא – ALL OF THE [YOUNG BOYS] he met RECITED VERSES TO HIM ALONG THESE LINES.[3] לְבַתְרָא אָמַר לֵיהּ – TO THE LAST boy, [ACHER] SAID, פְּסוֹק לִי פְּסוּקָךְ – "RECITE YOUR VERSE FOR ME." אָמַר לֵיהּ – [THE BOY] SAID TO HIM,[4] ,,וְלָרָשָׁע אָמַר אֱלֹהִים – *"BUT TO THE WICKED* (*v'larasha*), *GOD SAID,* מַה־לְּךָ לְסַפֵּר חֻקָּי וגו׳ '' – *TO WHAT PURPOSE DO YOU RECOUNT MY DECREES,* etc." הַהוּא יְנוּקָא הֲוָה מְגַמְגֵּם בְּלִישְׁנֵיהּ – THAT PARTICULAR BOY WAS PRONE TO MUMBLE his words, and when he recited this verse אִשְׁתַּמַּע כְּמָה דְּאָמַר לֵיהּ – IT SOUNDED AS IF HE TOLD [ACHER], וּלְאֱלִישָׁע אָמַר אֱלֹהִים – "BUT TO ELISHA (*v'le'elisha*), GOD SAID, *To what purpose do you recount My decrees?*" אִיכָּא דְּאָמְרֵי – There is a dispute as to Acher's reaction: SOME SAY that סַכִּינָא הֲוָה בַּהֲדֵיהּ וְקַרְעֵיהּ – [ACHER] HAD A KNIFE WITH HIM AND HE DISMEMBERED [THIS BOY] וְשַׁדְרֵיהּ לִתְלֵיסַר בֵּי כְּנִישְׁתֵּי – AND SENT [HIS PIECES] TO THE THIRTEEN SYNAGOGUES.[5] וְאִיכָּא דְּאָמְרֵי – BUT SOME SAY THAT אָמַר – [ACHER] MERELY SAID, אִי הֲוַאי בִּידַי סַכִּינָא – "IF I WOULD HAVE A KNIFE IN HAND, הֲוָה קַרַעְנָא לֵיהּ – I WOULD DISMEMBER [THIS BOY]." However, Acher did not in fact cause the boy any harm.

Acher's death and the aftermath:

כִּי נָח נַפְשֵׁיהּ דְּאַחֵר – When Acher passed away,[6] **אָמְרֵי – they said** in Heaven, **לֹא מֵידָן לִידַיְינֵיהּ – "We cannot execute a judgment** of Gehinnom **against him** **וְלֹא לְעָלְמָא דְּאָתֵי לֵיתֵי – and we cannot bring him into the World to Come.** **לֹא מֵידָן לִידַיְינֵיהּ – We cannot execute a judgment** of Gehinnom **against him** **מִשּׁוּם דְּעָסַק בְּאוֹרַיְיתָא – because he engaged in the study of the Torah,** and this protects him from the fires of Gehinnom.[7] **וְלֹא לְעָלְמָא דְּאָתֵי לֵיתֵי – At the same time, we cannot bring him into the World to Come,** **מִשּׁוּם דְּחָטָא – because he sinned."**[8] **אָמַר רַבִּי מֵאִיר – R' Meir said,** resolving the impasse, **מוּטָב דְּלִידַיְינֵיהּ וְלֵיתֵי לְעָלְמָא דְּאָתֵי – "It is better that [the Heavenly court] execute a judgment** of Gehinnom **against him** in the first place, **so that he will** eventually **enter the World to Come.**[9] **מָתַי אָמוּת וְאַעֲלֶה עָשָׁן מִקִּבְרוֹ** – Accordingly, **when I die, I will raise smoke from his grave,** i.e. he will then enter Gehinnom." **כִּי נָח נַפְשֵׁיהּ דְּרַבִּי מֵאִיר – When R' Meir passed away,** **סְלֵיק קוּטְרָא מִקִּבְרֵיהּ דְּאַחֵר – a pillar of smoke arose from Acher's grave.**[10] **אָמַר רַבִּי יוֹחָנָן – R' Yochanan said,** many years later. **גְּבוּרְתָּא לְמִיקְלָא רַבֵּיהּ – "Is it a feat to burn one's teacher?** **חַד הֲוָה בֵּינָנָא וְלֹא מָצֵינַן לְאַצּוּלֵיהּ – There was one** student **among us** who stumbled and strayed far from the Torah; **but can we not save him?!**[11] **אִי נָקְטֵיהּ בִּיד – If I take him by the hand** to lead him to the World to Come, **מַאן מַרְמֵי לֵיהּ מִינַּאי – who will** attempt to **take him away from me?"** **אָמַר – [R' Yochanan] said** subsequently, **מָתַי אָמוּת וְאֲכַבֶּה עָשָׁן מִקִּבְרוֹ – "When I die, I will extinguish the smoke from his grave."**[12] **כִּי נָח נַפְשֵׁיהּ דְּרַבִּי יוֹחָנָן – When R' Yochanan passed away,** **פְּסַק קוּטְרָא מִקִּבְרֵיהּ דְּאַחֵר – the pillar of smoke rising from Acher's grave ceased.** **פָּתַח עֲלֵיהּ הַהוּא סָפְדָנָא** – In reference to R' Yochanan's ability to bring Acher out of Gehinnom, **a certain eulogist began his** remarks **regarding [R' Yochanan]** as follows: **אֲפִילּוּ שׁוֹמֵר הַפֶּתַח לֹא עָמַד לְפָנֶיךָ רַבֵּינוּ – Even the watchman at the entrance** to Gehinnom **did not stand before you, our teacher,** as you entered to withdraw Acher from there![13]

Acher's progeny:

בִּתּוֹ שֶׁל אַחֵר אַתְיָא לְקַמֵּיהּ דְּרַבִּי – The daughter of Acher came before Rebbi. **אָמְרָה לֵיהּ – She said to him,** **רַבִּי פַּרְנְסֵנִי – "My teacher,** I am poor; **support me."** **אָמַר לָהּ – [Rebbi] said to her,** **בַּת מִי אַתְּ – "Whose daughter are you?"**[14] **אָמְרָה לוֹ – She said to him,** **בִּתּוֹ שֶׁל אַחֵר אֲנִי – "I am the daughter of Acher."**[15] **אָמַר לָהּ עֲדַיִין יֵשׁ מִזַּרְעוֹ בָּעוֹלָם – He said to her** in

NOTES

1. *Jeremiah* 4:30.

2. The beauty of your Torah is wasted on you (see *Maharsha*).

3. They were all negative (*Ein Yaakov*).

4. *Psalms* 50:16.

5. Based on several reasons, *Ben Yehoyada* concludes that it was not the boy that Acher sought to cut up, but the scroll of verses from which the boy was reading. To Acher's mind, the scroll provided definitive proof of his view that there was no hope of repentance. He sent the people of the thirteen synagogues pieces of the scroll to explain to them why he would not depart from his evil ways.

6. [*Rashi's* version of our Gemara reads כִּי שְׁכִיב, *when* [*Acher*] *died,* not כִּי נָח נַפְשֵׁיהּ, *when* [*Acher*] *passed away.* The phrase נָח נַפְשֵׁיהּ is a gentler description of death that is typically used in regard to the righteous. The more direct term שְׁכִיב, *died,* would seem more appropriate for Acher (*Dikdukei Soferim*).]

7. As the Gemara says near the end of our tractate (27a): Torah scholars are impervious to the fire of Gehinnom (see *Nefesh HaChaim* 4:17).

8. And he has no merit with which to attain a share in the World to Come (*Maharsha*). [The Gemara above (15a) states that all of Elisha ben Avuyah's merits were erased.]

9. I.e. God should purge Acher of his sins through the fire of Gehinnom and afterward he could enter the World to Come (*Rabbeinu Chananel*) in the merit of his Torah (*Maharsha*).

The *Yerushalmi* records that people argued with R' Meir. They told him, "Do you think that Heaven will listen to you in this matter? It is one thing for a son to elevate his departed father's station, but why do you expect that Heaven will elevate Acher?" (see *Korban HaEidah*).

"Why not?" R' Meir replied, "Have we not learned in the Mishnah: [*When a scroll of Scripture is threatened by fire on the Sabbath,*] *we may rescue the container of the scroll together with the scroll* (*Shabbos* 116b). Thus, Elisha may be rescued in the merit of his Torah study!"

[Furthermore, R' Meir himself did have standing in regard to Acher's status: It is improper for a teacher to be in Gehinnom while his disciples are in Gan Eden (*Yoma* 87a). Since R' Meir was a disciple of Acher (and since R' Meir was clearly bound for Gan Eden) it would be improper for Acher to forever remain outside Gan Eden (*Maharsha*).]

10. [This is one of several instances in which the Heavenly court deferred to the ruling of the earthly court.]

The pillar of smoke continued to rise for many, many years. This miraculous phenomenon took place because God acceded to R' Meir's wishes (*Maharsha*). [The pillar of smoke also warned those that had strayed after Acher that he was being punished for his transgressions, and so would they.]

11. [Elisha ben Avuyah was once one of us. He was part of the community of Torah scholars; is there nothing we can do to help him?]

12. [I will end Acher's purification process and escort him to the World to Come.]

13. *R' E.E. Dessler* offers two lengthy analyses of how Acher achieved his rectification through R' Meir and R' Yochanan; see *Michtav MeEliyahu* IV pp. 193-201.

14. [Depending upon her family background, she might have priority in receiving certain funds (see *Horayos* 13a). Alternatively, she might be entitled to a larger grant if she came from a family that was accustomed to a higher standard of living (see *Kesubos* 67b).]

15. [She probably said, "I am the daughter of Elisha ben Avuyah," but the Gemara used "Acher" instead of his name (see above, 15a note 32).]

י א מיי' פ"ד מהלכות ת"ת הלכה א טוש"ע י"ד סי' רמו סעיף ח:

כי שכיב. אחר: אמרי. ברקיע לא מידן נידייניה כו': חדא הוה בינגא. תלמיד אחד הי' בינינו ונכשל וילא לתרבות רעה ואין כח בין כולנו להביאו לעולם הבא: אי נקטי ליה ביד מאן מרמי ליה (ז). אם אוחז אני בידו להביאו לעולם הבא מי יקחנו מידי מרמי לשון נוטל מידי ויש לו דוגמא בפסחים (דף י:) ארמויי ארמייה מיניה גבי ככר בפי עכבר: מאן. כמו מנאי לשון קלר הוא: שומר הפתח. של גיהנם לא עמד לפניך רבינו בבואך להוציא אחר משם: לדעתם לא נאמר. אלמא ברשעי עסיקינן וקאמר הט אזנך: הטי אזנך. לשמוע ואת מעשיהם שכחי ואל תלמדי אותן: גדול. היודע ליזהר [שלא ילמוד] מעשיו יכול ללמוד תורה מפיו: תחלא. פרי החילון הנאכל בתמרה: שיחלא. גרעינה הנזרקת: [השתא קאמר]. עכשיו שמע לקולך ואמר שמועה מפיו: קלני מראשי. רבי מאיר אמרה במסכת סנהדרין (דף מו.) במדרש כי קללת אלהים תלוי (דברים כא) קל לית אינו קל ולשנא מעליא כינה הדבר כלפי מעלה קלני מזרועי כבד אני מזרועי שילרתי זה שמת בעונו: ותלי בעיברא דדשא. נשען על הבריח: ברבנן. בתלמידים היוצאין לתרבות רעה: שוקלין. לדרוש קל מחמור וחמור מקל לפי המשקולת של ק"ו: במגדל הפורח באויר. י"מ שדורשין גובהו של למ"ד ודורשין בו כל זאת וי"א מגדל דור הפלגה ולי נראה מגדל הפתוח לאויר גרסינן והן מהלכות אהלות מגדל של עץ שקורין משטי"ר ועומד בפתח ופתחו פתוח לבקעה או לחצר שהוא אויר במסכת אהלות (פ"ד מ"א) ישנה משנה מגדל העומד באויר: ד' הדיוטות. בלעם ודואג ואחיתופל וגחזי בפ' חלק: טינא היתה בלבם. רשעים היו מימיהם: אחר מאי. מפני מה בא לידי כך ולא הגינה תורתו עליו: זמר יווני לא פסק מפיו. והיה לו להניח בשביל תורתו הבית * דכתיב בשיר לא ישתו יין (ישעיה כד): נושרין מחיקו. קודם שהפקיר עצמו לתרבות רעה אלמא טינא הוות בלבו: כל עמר דנחית לייורה סליק. כל למר שניתן ליורה של סממנין לצבוע עולה לו לצבעו או אינו עולה כלומר כל התלמידים לפני חכמים עולה להן תורתן להגין עליהן מן החטא (ח): כל דנקי אגב אימיה (ט). שלא נתלכלך בגיזה עולה לו לצבעו כלומר כל שירלת חטאו קודמת לחכמתו עולה לו כן נראה בעיני ורבותי מפרשין כל עמר דנחית ליורה סליק כל שיורד לידון בגיהנם עולה אגב אמו לאמר בן יומו שלא נכרמם בטיט עולה לו הלצבע כלומר שיש זכות בידו עולה: מאי

לינוקא פסוק לי פסוקך א"ל א) ואת שדוד מה תעשי כי תלבשי שני כי תעדי עדי זהב כי תקרעי בפוך עיניך לשוא תתיפי וגו' עייליה לבי כנישתא אחריתי עד דעייליה לתליסר בי כנישתא כולהו פסקו ליה כי האי גוונא (א) לבתרא א"ל פסוק לי פסוקך א"ל ב) ולרשע אמר אלהים מה לך לספר חקי וגו' ההוא ינוקא הוה מגמגם בלישניה אשתמע כמה דאמר ליה ולאלישע אמר אלהים איכא דאמרי סכינא הוה בהדיה וקרעיה ושדריה לתליסר בי כנישתי ואיכא דאמרי אמר אי הואי בידי סכינא הוה קרענא ליה כי נח נפשיה דאחר אמרי לא מידן לידייניה ולא לעלמא דאתי ליתי לא מידן לידייניה משום דעסק באורייתא ולא לעלמא דאתי ליתי משום דחטא אמר ר"מ מוטב דלידייניה וליתי לעלמא דאתי מתי אמות ואעלה עשן מקברו כי נח נפשיה דר' מאיר סליק קוטרא מקבריה דאחר אמר ר' יוחנן גבורתא למיקלא רביה (ב) חד הוה בינגא ולא מצינן לאצוליה אי נקטיה ביד מאן מרמי ליה מאן אמר מתי אמות ואכבה עשן מקברו כי נח נפשיה דר' יוחנן פסק קוטרא מקבריה דאחר פתח עליה ההוא ספדנא אפילו שומר הפתח לא עמד לפניך רבינו בתו של אחר אתיא לקמיה דרבי אמרה ליה רבי פרנסני אמר לה בת מי את אמרה לו בתו של אחר אני אמר לה עדיין יש מזרעו בעולם והא כתיב ג) לא נין לו ולא נכד בעמו ואין שריד במגוריו אמרה לו (ג) זכור לתורתו ואל תזכור מעשיו מיד ירדה אש וסכסכה ספסלו של רבי בכה ואמר רבי ומה למתגנין בה כך למשתבחין בה על אחת כמה וכמה ור"מ היכי גמר תורה מפומיה דאחר והאמר רבה בר בר חנה אמר רבי יוחנן מאי דכתיב ד) כי שפתי כהן ישמרו דעת ותורה יבקשו מפיהו כי מלאך ה' צבאות הוא *אם דומה הרב למלאך ה' צבאות יבקשו תורה מפיהו ואם לאו אל יבקשו תורה מפיהו אמר ר"ל ר"מ קרא אשכח ודרש ה) הט אזנך ושמע דברי חכמים ולבך תשית לדעתי לדעתם לא נאמר אלא לדעתי רב חנינא אמר מהכא ו) שמעי בת וראי והטי אזנך ושכחי עמך ובית אביך וגו' קשו קראי אהדדי לא קשיא הא בגדול הא בקטן כי אתא רב דימי אמרי במערבא ר"מ (ד) אכל תחלא ושדא שיחלא לברא דרש רבא מאי דכתיב ז) אל גנת אגוז ירדתי לראות באבי הנחל וגו' למה נמשלו ת"ח לאגוז לומר לך מה אגוז זה אע"פ שמלוכלך בטיט ובצואה אין מה שבתוכו נמאס אף ת"ח אע"פ שסרח אין תורתו נמאסת אשכחיה רבה בר שילא לאליהו א"ל מאי קא עביד הקב"ה א"ל קאמר שמעתא מפומייהו דכולהו רבנן ומפומיה דר"מ לא קאמר א"ל אמאי משום דקא גמר שמעתא מפומיה דאחר א"ל אמאי ר"מ רמון מצא תוכו אכל קליפתו זרק א"ל השתא קאמר מאיר בני (ה) אומר בזמן שאדם מצטער שכינה מה לשון אומרת קלני מראשי קלני מזרועי אם כך הקב"ה מצטער על דמן של רשעים (ו) ק"ו על דמן של צדיקים שנשפך אשכחיה שמואל לרב יהודה דתלי בעיברא דדשא וקא בכי א"ל שיננא מאי קא בכית א"ל מי זוטרא מאי דכתיב בהו ברבנן ח) איה סופר איה שוקל איה סופר את המגדלים איה סופר שהיו סופרים כל אותיות שבתורה איה שוקל שהיו שוקלים קלין וחמורין שבתורה איה סופר את המגדלים שהיו שונין ג' מאות הלכות במגדל הפורח באויר ואמר רבי אמי תלת מאה בעיי בעו דואג ואחיתופל במגדל הפורח באויר ותנן ג' מלכים וארבעה הדיוטות אין להם חלק לעולם הבא אנן מה תהוי עלן א"ל שיננא טינא היתה בלבם אחר מאי זמר יווני לא פסק מפומיה אמרו עליו על אחר בשעה שהיה עומד מבית המדרש הרבה ספרי מינין נושרין מחיקו שאל נימוס הגרדי את ר"מ כל עמר דנחית לייורה סליק א"ל כל מאן דהוה נקי אגב אימיה סליק כל דלא הוה נקי אגב אימיה לא סליק ר"ע עלה בשלום וירד בשלום ועליו הכתוב אומר ט) משכני אחריך נרוצה ואף רבי עקיבא בקשו מלאכי השרת לדוחפו אמר להם הקב"ה הניחו לזקן זה שראוי להשתמש בכבודי מאי

הא בגדול הא בקטן. והא דריש פ' בתרא דמו"ק (י) (דף יז.) דהוו סנו שומעניה דשמתיה רב יהודה איכא למימר דקטנים הוו דגרסי קמיה ומיישי דלמא ממשכי אי נמי אפילו הוו גדולים נידהו רב יהודה כיון שמצא מקום לנדותו ודנין רב יהודה כיון דסנו שומעניה. הר"ר אלחנן:

כל עמר דנקי נחית (כ) אגב אימיה. כלומר מי שיראתו קודמת לחכמתו חכמתו מתקיימת ודואג ואחיתופל דלא מגני להו תורתן לפי שלא היה להם יראה כלל כדאיתא בסוטה פרק נוטל (דף כא.):

רבינו חננאל

שברם. והאי דבדק אחר בינוקי משום דהוה ר' מאיר מצטער ליה לחזור בתשובה ולא היה לבו חפץ וא"ל שמעתי מאחורי הפרגוד והוא מעיקרא טינא היתה דלא פסק זמר יווני מביתו ובשעה שהיה עומד מבהמ"ד הרבה ספרי מינין היו נושרין מחיקו ויצא לתרבות רעה. זה שאמר ר' מאיר מתי אמות ואעלה עשן מקברו כלומר ידין אותו הקב"ה באש יוקדת עשן כדי שיתכפרו לו עונותיו ויזכה לעוה"ב וכיון שהגיע ר' מאיר למות ביקש רחמים על זה וקבל תפלתו וכיון שמת עלה עשן מקברו של אחר. ור' יוחנן אמר חד הוה כאן. כלומר אחד מן חכמי [בית] מדרשינו חטא אין בנו זכות לפני הקב"ה להצילו מדינה של גיהנם. מתי אמות ואפסיק עשן מקברו. ור' מאיר היכי הוה גמיר מאחר והכתיב כי שפתי כהן ישמרו דעת ותורה יבקשו מפיהו כי מלאך ה' צבאות הוא וא"ר יוחנן אם דומה הרב למלאך ה' צבאות יבקשו תורה מפיהו ואם לאו אל יבקשו תורה מפיהו. ואע"ג דאמרינן ר' מאיר קרא אחרינא אשכח וסמך עליה דכתיב הט אזנך ושמע דברי חכמים ולבך תשית לדעתי לדעתם לא נאמר אלא לדעתי מכלל שיש לך לקבל תורתו ולא לדעתו. ואמרינן קשו קראי אהדדי ושנינן הא דאמרינן אם דומה הרב למלאך ה' צבאות בקשו תורה מפיהו בקטן דעביד כדעתיה דרביה דחיישינן דלמא מפיק ליה לתרבות רעה אבל גדול דכדעתא דנפשיה קא עביד הט אזנך ושמע דברי חכמים וגו' דאמר אליהו דאמרי במתיבתא דרקיעא שמעתא מכלהו רבנן. ושמעתתיה דר' מאיר משום דגמר מאחר לא אמרי הלכתא אפילו גדול ללמוד תורה מחבירו ירא שמים טפי עדיף ליה. פי' שיחלא קליפתה שהיא כסותה ותיקה. פי' כמגדל הפורח. משנה ידועה היא. קלני מראשי קלני מזרועי כבר פירשנוה בסנהדרין. פי' בעברא דדשא בבריח הדלת. פי' ר' עקיבא ביקשו המלאכים לדחפו אמר הקב"ה הניחו לזקן זה ראוי הוא להסתכל

ליקוטי רש"י

שובבים. אגוזי"ל בלעז שפנוכסנא דרכבס מרוב כל שהיית בסלים ועונג כמו שהוא אומר הפוטים על פי הנבל (עמוס ו) השותים במזרקי יין [ירמיה ג, יד]. תרבות. מנהג [ברכות מ:].

א) [מו"ק דף יז. ע"ש], ב) [סנהדרין דף מו.], ג) [בערוך ערך שן פירש שיננא מחודד בתלמוד מלשון חז שנון וי"א גדול השינים ובנכרה מקולקת כמותכ יז. פירש לפי שהיו גדולות קרי ליה שיננא ע"ש], ד) [ברכות לו. וש"נ], ה) סנהדרין קו., ו) שם ס ע"ב.

הגהות הב"ח

(א) גמ' כי האי גוונא לבי כנישתא לבתרא: (ב) שם בגורלה חד הוה וכו' ולא נקטי ליה ביד: (ג) שם אמרה לו רבי זכור לתורתו וכו' ירדה אש מן השמים וסכסכה וכו' ואם למתגנין בתורה כך: (ד) שם ר' מאיר אשכח תמרי אכל תחלא: (ה) שם מאיר בני כך הוא אומר: (ו) שם של רשעים שנשפך ק"ו על דמן: (ז) רש"י ד"ה אי מאן נקטי וכו' מאן מרמי ליה מאן אם אוחז: (ח) ד"ה כל עמר וכו' מן החטא או לא והס"ד: (ט) ד"ה כל דנקי אגב אימיה לאמר בן יומו שלא נתלכלך בטיט בגיזה וכו' כלומר מי שיש זכיות: (י) תוס' ד"ה הא בגדול וכו' והא דריש פ' בתרא דמו"ק בסורה מרבנן דהוו סנו: (כ) ד"ה כל עמר דנקי אגב אל"ל ומיבת נחית נמחק:

גליון הש"ס

רש"י ד"ה זמר יוני וכו' דכתיב בשיר. עיין גיטין דף ז ע"א:

תורה אור השלם

א) וְאַתְּ שָׁדוּד מַה תַּעֲשִׂי כִּי תִלְבְּשִׁי שָׁנִי כִּי תַעְדִּי עֲדִי זָהָב כִּי תִקְרְעִי בַפּוּךְ עֵינַיִךְ לַשָּׁוְא תִּתְיַפִּי מָאֲסוּ בָךְ עֹגְבִים נַפְשֵׁךְ יְבַקֵּשׁוּ: [ירמיה ד, ל]
ב) וְלָרָשָׁע אָמַר אֱלֹהִים מַה לְּךָ לְסַפֵּר חֻקָּי וַתִּשָּׂא בְרִיתִי עֲלֵי פִיךָ: [תהלים נ, טז]
ג) לֹא נִין לוֹ וְלֹא נֶכֶד בְּעַמּוֹ וְאֵין שָׂרִיד בִּמְגוּרָיו: [איוב יח, יט]
ד) כִּי שִׂפְתֵי כֹהֵן יִשְׁמְרוּ דַעַת וְתוֹרָה יְבַקְשׁוּ מִפִּיהוּ כִּי מַלְאַךְ יְיָ צְבָאוֹת הוּא: [מלאכי ב, ז]
ה) הַט אָזְנְךָ וּשְׁמַע דִּבְרֵי חֲכָמִים וְלִבְּךָ תָּשִׁית לְדַעְתִּי: [משלי כב, יז]
ו) שִׁמְעִי בַת וּרְאִי וְהַטִּי אָזְנֵךְ וְשִׁכְחִי עַמֵּךְ וּבֵית אָבִיךְ: [תהלים מה, יא]
ז) אֶל גִּנַּת אֱגוֹז יָרַדְתִּי לִרְאוֹת בְּאִבֵּי הַנָּחַל לִרְאוֹת הֲפָרְחָה הַגֶּפֶן הֵנֵצוּ הָרִמֹּנִים: [שיר השירים ו, יא]
ח) לִבְּךָ יֶהְגֶּה אֵימָה אַיֵּה סֹפֵר אַיֵּה שֹׁקֵל אַיֵּה סֹפֵר אֶת הַמִּגְדָּלִים: [ישעיה לג, יח]
ט) מָשְׁכֵנִי אַחֲרֶיךָ נָּרוּצָה הֱבִיאַנִי הַמֶּלֶךְ חֲדָרָיו נָגִילָה וְנִשְׂמְחָה בָּךְ נַזְכִּירָה דֹדֶיךָ מִיַּיִן מֵישָׁרִים אֲהֵבוּךָ: [שיר השירים א, ד]

גם את זה לעומת זה. הטובה ושכר פעולתה לעמת הרעה ושכר פעולתה [קהלת ז, יד]. זהב. עטור מנסיך כמרגלית [איוב כח, יז]. ונוחין לאבדן כבלי זכוכית. יש להם תקנה, להתיכן ולחזור ולעשות מהן כלי והא דאמרינן בחגיגה (טו.) ונוחין לאבדם ככלי זכוכית לא שאין להם תקנה אלא שנפסדין לשעתן ואין מתקיימין [סנהדרין צא.]. מאחורי הפרגוד. פרכת, לשון מחילה הוא ובלשון חכמים [illegible] דבר המבדיל בין המלך ובין העם [שמות כו, לא]. מחילה שבין שכינה [illegible] [ברכות יח:]. [illegible] לבא מרוס [ב"מ נט.]. לרשעים. לנבוכדנלר וחרעו [ישעיה מח, כב]. בנתר. מין אדמה שחפין ושפין בה את הבגדים. בוריה [illegible] על עון העגל נאמר שהוא קיים לעולם כמו שנאמר וביום פקדי ופקדתי עליהם (שמות לב) כל פקידות הבאות על ישראל יהיה [illegible] [ירמיה ב, כב]. [illegible] כי תלבשי שני. להתנאות ולמצוא רחמים לפני השודד. תקרעי בפוך. לשון קריעה שהפוך נראה כמרחיב קרע העין כך שמעתי וגם מנחם לא חלק במחברת קרע. פוך, לשון כחול [ירמיה ד, ל]. אי נ[illegible] מרמי ליה מאן. ארמוייה, השליכו ממנו ונטלו הוא והבירו בחגיגה (דף טו:) אי נקטיה ביד מאן מרמי ליה מן ידי [פסחים י:]. נכד. בן הבן [איוב יח, יט]. כי שפתי כהן. עליהם מוטל לשמור דעת למה שהרי תורה יבקשו מפיהו שכבר דבר זה [illegible] שפטיך ליעקב (דברים ל"ג). כי מלאך. שלוחו של הקב"ה כמלאכי השרת לשרת לפניו וליכנס לפנים במחילתו [מלאכי ב, ז]. הט אזנך ושמע דברי חכמים. ללמוד תורה מחכם כל שהוא. ולבך תשית לדעתי. ואם רבך רשע לא תלמ[illegible] [משלי כב, יז]. שמעי בת וראי. שמעי כנסת ישראל וראי דרך הטוב. והטי אזנך. לתורה. ושכחי עמך. מעבר הנהר שאת גדילה ביניהם. ובית אביך. ע"א שעבדו אבותיך בעבר הנהר [תהילים מה, יא]. במערבא. בארץ ישראל [שבת סה:]. אל [illegible] [illegible] עוד זה מדברי שכינה הנה באתי אל מקדש שני זה אליך. למה נמשלו ישראל לאגוז מה אגוז זה אתה רוא' אותו כולו עץ ואין ניכר בתוכו פולעו ומלאו מלא מגורות של אוכלים כך ישראל לנועין וענוותנין מעשיהם ואין תלמידים שבהן [illegible] [illegible] להכריז על שבתן בדקתו את' מולא אותו מלא חכמה ועוד כמה מדרשות לדבר מה אגוז זה נופל בטיט ואין מה שבתוכו נמאס אף ישראל גולין לבין האומות ולוקין מלקיות הרבה ואין מעשיהם נמאסין. לראות באבי הנחל. מה לחלו[illegible] [illegible] קובלת ומתנודדת עליו. קלני מראשי. כמו שהאדם שיגע ועיף אומר ראשי כבד עלי וזרועי כבד עלי והיינו קללת קל לית [illegible] [שיר השירים ו, יא]. שאדם מצטער. שפורענות באה עליו בעונו. מה לשון אומרת. באיזה לשון היא קובלת ומתנודדת עליו. [illegible] [illegible] איה סופר. איה שהיה סופר בחייו ושוקל כל דבר חכמה שהיו שואלין ממנו כל עלת מלכות. איה סופר את המגדלים. פירוש שהיה סופר המגדלים אשר בעיר ועיר כי אותם הבתים הגבוהים היו חשובים ונותנים יותר במס [ישעי[illegible] [illegible] אותיות שבתורה. שהיה בקי בחסירות ויתירות. שוקלים קלין וחמורין. יודע לדרוש בקל וחומר. במגדל הפורח באויר. מתג עליונה שלמעלה מן הלמ"ד מפני מה כפופה למטה לשון מ"ר מפי השמועה ל"א במגדל הפורח באויר הנכנס [illegible] [illegible] תיבה ומגדל אם הוא טמא אם לאו לישנא אחרינא שלש מאות הלכות במגדל הפורח באויר לעשות כישוף להעמיד מגדל באויר כגון שלש מאות הלכות בנטיעות קשואין דאמרן בפירקין דלעיל (דף סח.) ולמורי נראה דהכי גרסינן שלש מאות ה[illegible] [illegible] [באויר] ומשנה אחת באהלות (פרק ד משנה א) דמשתעי בהכי מגדל העומד באויר ועומאה בתוכה כלים שבתוכו טמאים וכן נראה לרבי [סנהדרין קו:]. משכני אחריך נרוצה. אני שמעתי משלוחיך רמז שאמרת למשכני ואני אמרתי אחריך [illegible] [illegible] זהו פשוטו לפי ענינו ולפי דוגמתו הם מזכירים לפניו חסד נעורים אהבת כלולות לכתם אחריו במדבר ארץ ציה וצלמות וגם צדה לא עשו להם והאמינו בו ובשלוחו ולא אמרו היאך נצא למדבר לא מקום זרע ומזונות והלכו אחריו והוא הביאם [illegible] [illegible] היקף ענניו בזו עודם היום גלים ושמחים בו אף לפי עניים וצרתם ומשתעשעים בתורה ושם מזכירים דודיו מיין ומישור אהבתם אותו [שיר השירים א, ד].

amazement, **"Are there still any descendants of his left in the world?!** וְהָא כְּתִיב – **But it is written:**[16] ,,לֹא נִין לוֹ וְלֹא־נֶכֶד בְּעַמּוֹ וְאֵין שָׂרִיד בִּמְגוּרָיו'' – *The light of the wicked flickers out . . . his memory will be lost from the land . . .* ***he will have neither child nor grandchild among his people, no survivor in his habitations.***"[17] אָמְרָה לוֹ – **She replied to him,** זְכוֹר לְתוֹרָתוֹ וְאַל תִּזְכּוֹר מַעֲשָׂיו – "My teacher, **remember his Torah** learning **but do not remember his deeds."** מִיַּד יָרְדָה אֵשׁ וְסִכְסְכָה סַפְסָלוֹ שֶׁל רַבִּי – **Immediately, a fire descended** from Heaven **and singed the bench upon which Rebbi** was seated.[18] בָּכָה וְאָמַר רַבִּי – **Rebbi wept, saying,** וּמָה לַמִּתְגַּנִּין בָּהּ כָּךְ – **Now, if those who regard** their being associated **with [the Torah] a disgrace** are **so** fiercely defended, לַמִּשְׁתַּבְּחִין בָּהּ עַל אַחַת כַּמָּה וְכַמָּה – **then those who regard it a compliment** should be defended **all the more so!"**

The Gemara asks:

וְרַבִּי מֵאִיר הֵיכִי גָּמַר תּוֹרָה מִפּוּמֵּיהּ דְּאַחֵר – **But how was R' Meir allowed to learn Torah from the mouth of Acher?**[19] וְהָאָמַר רַבָּה בַּר בַּר חָנָה אָמַר רַבִּי יוֹחָנָן – **But Rabbah bar bar Channah has said in the name of R' Yochanan:** מַאי דִּכְתִיב – **What is** the meaning of **that which is written:**[20] ,,כִּי־שִׂפְתֵי כֹהֵן יִשְׁמְרוּ־דַעַת וְתוֹרָה יְבַקְשׁוּ מִפִּיהוּ – *For the lips of the Kohen*[21] *should safeguard knowledge, and [people] should seek teaching from his mouth;* כִּי מַלְאַךְ ה'־צְבָאוֹת הוּא'' – *for he is* like *an angel of Hashem, Master of Legions.* אִם דּוֹמֶה הָרַב לְמַלְאַךְ ה' צְבָאוֹת – It means that **if the teacher resembles an angel of Hashem, Master of Legions,**[22] then יְבַקְשׁוּ תוֹרָה מִפִּיהוּ – **[people] may seek Torah** instruction **from his mouth;** וְאִם לָאו – **but if not,** then אַל יְבַקְשׁוּ תוֹרָה מִפִּיהוּ – **they may not seek Torah from his mouth.** Since Acher was, by his conduct, distant from any semblance to an angel of Hashem, R' Meir should not have studied under him. – ? –

The Gemara answers:

אָמַר רֵישׁ לָקִישׁ – **Reish Lakish said:** רַבִּי מֵאִיר קְרָא אַשְׁכַּח וְדָרַשׁ – **R' Meir found a verse** that indicated the opposite **and** he **expounded it** as follows:[23] ,,הַט אָזְנְךָ וּשְׁמַע דִּבְרֵי חֲכָמִים וְלִבְּךָ תָּשִׁית – *Incline your ear and hear the words of the wise;* לְדַעְתִּי'' – *but set your heart to My outlook.* לְדַעְתָּם לֹא נֶאֱמַר – **[The verse] does not say** you should set your heart **to *their* outlook,** אֶלָּא לְדַעְתִּי – **but rather to *My* outlook.** The verse must therefore be speaking of wise men whose outlook one should avoid, i.e. wicked scholars. Nevertheless, the verse advises one to incline his ear to their words.

The Gemara presents an alternative source for the above answer:

רַב חֲנִינָא אָמַר מֵהָכָא – **Rav Chanina said** the source is **from here:**[24] ,,שִׁמְעִי־בַת וּרְאִי וְהַטִּי אָזְנֵךְ – ***Hear, O daughter, and see, and incline your ear;*** וְשִׁכְחִי עַמֵּךְ וּבֵית אָבִיךְ וגו' '' – ***but forget your people and your father's house,* etc.** That is, incline your ear to their teachings but forget their deeds. Do not learn from them.

The Gemara asks:

קָשׁוּ קְרָאֵי אַהֲדָדֵי – **The verses contradict one another!** The first verse requires a teacher to be like an angel of Hashem before one may learn from him, whereas the latter two verses advise one to incline his ear to the words of the wise even if the wise men themselves are wicked. – ? –

The Gemara answers:

לָא קַשְׁיָא – **This is not difficult:** הָא בְּגָדוֹל – **This** verse, which encourages one to learn from a wise man despite his wickedness, is addressed **to a mature person** who will take care not to follow in his wicked ways. הָא בְּקָטָן – But **this** verse, which requires the teacher to be like an angel of God, is said in reference **to a person who has not reached** that level of **maturity,** and who thus might be led astray.[25]

The Gemara cites another explanation of R' Meir's actions:

כִּי אֲתָא רַב דִּימִי אָמַר – **When Rav Dimi arrived** from Eretz Yisrael, **he said:** אָמְרֵי בְּמַעַרְבָא – **They say in the West** (Eretz Yisrael): רַבִּי מֵאִיר אָכַל תַּחְלָא וְשָׁדָא שִׁיחְלָא לְבָרָא – **R' Meir** took a date, **consumed the edible outside part and threw the pit away.** That is, he learned from Acher whatever was worthwhile and disregarded the rest.

NOTES

16. *Job* 18:5,17,19.

17. Although there are many wicked people who have descendants galore (e.g. Esau), Acher was worse than all of them. Acher knew the glory of his Master and nevertheless rebelled against Him. Thus, it came as a surprise to Rebbi that a man of such exceptional evil should have any living descendants (*Maharsha*).

18. This fire alluded to Acher's Torah learning, for the Torah is called a "Law of Fire" [אֵשׁ דָּת] in *Deuteronomy* 33:2 (*Maharsha*).

19. A Baraisa above (15a) states that R' Meir followed after Acher, who was riding a horse on the Sabbath, in order to learn Torah from him.

20. *Malachi* 2:7.

21. I.e. a teacher of Torah. The Kohanim were specifically charged with adjudicating the law for and teaching the Torah to the Jewish people (see *Deuteronomy* 33:10), but this verse applies to any Torah teacher (see *Maharsha*).

22. I.e. if he has a sterling character.

23. *Proverbs* 22:17.

24. *Psalms* 45:11.

25. [Although the words גָּדוֹל and קָטָן often mean "adult" and "child," here it seems they mean "mature person" and "immature person": Clearly, not every adult is sophisticated enough to avoid being affected by the immoral behavior of a learned teacher.]

There is one type of wicked scholar from whom it is prohibited to learn at all, regardless of one's maturity: If the scholar is a *magoshta* [Magus], a heretic who entices others to practice [his form of] idolatry. It is prohibited to learn even one thing from such a teacher; he must be shunned completely, lest the student become ensnared in his net (*Shabbos* 75a with *Rashi*).

[Although *Rav Hai Gaon's* view was cited above (15a note 23) that Acher believed in a dualistic heresy akin to the belief of the Magi, this does not mean that Acher was a Magus himself, i.e. Acher was not a missionary who attempted to entice others to idolatry. Accordingly, R' Meir could learn from him.]

Rambam cites our Gemara's statement that one should seek instruction in Torah only from a teacher who is like an angel of God (*Hil. Talmud Torah* 4:1). However, he omits our Gemara's distinction between a mature person and an immature person, giving the impression that *Rambam* rules that even a mature person may not learn from an immoral teacher. Indeed, *Lechem Mishnah* ad loc. states that our Gemara's distinction was offered only in defense of R' Meir, but the halachah does not accord with his view.

However, the *Chida* (in *Pesach Einayim* here) expresses astonishment at this conclusion: How can we say that *Rambam* did not subscribe to the view that a mature person may learn from an immoral teacher? *Rambam* himself studied the philosophical works of sages who were distant from any comparison to angels. In one letter, *Rambam* states that he read all the [available] tracts describing idolatrous belief. Furthermore, *Rivash* (*Responsa* §45) writes explicitly that *Rambam* relied on our Gemara's distinction to study works of philosophy. Finally at the beginning of *Rambam's* Preface to *Moreh Nevuchim* (which contains many opinions cited from heretical and immoral thinkers), *Rambam* quotes the same verse that is our Gemara's source for this distinction: *Incline your ear and hear the words of the wise; but set your heart to My outlook.*

See *Pesach Einayim's* resolution of this issue. See also *Meiri* here; *Or HaChaim* to *Deuteronomy* 12:28; *Maharal, Nesivos Olam, Nesiv HaTorah* ch. 14; *Be'er Sheva* to *Sanhedrin* 100b; *Divrei Yirmiyahu* to *Rambam, Hil. Talmud Torah* 4:1.

כי שכיב. אחר: אמרי. ברקיע לא מידן נידייניה כו': חדא הוה בינגא. תלמיד אחד הי' בינינו ונכשל ויצא לתרבות רעה ואין כח בין כולנו להביאו לעולם הבא: אי נקטי ליה ביד מאן מרמי ליה (ז). אם אוחז אני בידו להביאו לעולם הבא מי יקחנו מידי מרמי לשון נוטל מידי ויש לו דוגמא בפסחים (דף י:) ארמויי ארמייה מיניה גבי ככר בפי עכבר: מאן. כמו מנאי לשון קלר הוא: שומר הפתח. של גיהנם לא עמד לפניך רבינו בבואך להוליא אחר משם: לדעתם לא נאמר. אלמא ברשיעי עסיקינן וקאמר הט אזנך: הטי אזנך. לשמוע ואת מעשיהם שכחי ואל תלמדי אותן: גדול. היודע ליזהר [שלא ילמוד] מעשיו יכול ללמוד תורה מפיו: תחלא. פרי החילון הנאכל בתמרה: שיחלא. גרעינה הנזרקת: [השתא קאמר]. עכשיו שמע לקולך ואמר שמועה מפיו: קלני מראשי. רבי מאיר אמרה במסכת סנהדרין (דף מו.) במדרש כי קללת אלהים תלוי (דברים כא) קל לית איני קל ולישנא מעליא הוא כינה הדבר כלפי מעלה קלני מזרועי כבד אני מזרועי שילרתי זה שמת בעונו: ותלי בעיברא דדשא. נשען על הבריח: ברבנן. בתלמידים היוצאין לתרבות רעה: שוקלין. לדרוש קל וחומר וחומר וקל לפי המשקולת של ק"ו: במגדל הפורח באויר. י"מ שדורשין גובהו של למ"ד ודורשין בו כל זאת ו"א מגדל דור הפלגה ולי נראה מגדל הפתוח לאויר גרסינן והן מהלכות אהלות מגדל של עץ שקורין משטיי"ר ועומד בפתח ופתחו פתוח לבקעה או לחלר שהוא אויר במסכת אהלות (פ"ד מ"א) ישנה משנה מגדל העומד באויר: ד' הדיוטות. בלעם ודואג ואחיתופל וגחזי בפ' חלק: טינא היתה בלבם. רשעים היו מימיהם: אחר מאי. מפני מה בא לידי כך ולא הגינה תורתו עליו: זמר יווני לא פסק מביתו. והיה לו להניח בשביל חורבן הבית ° דכתיב בשיר לא ישתו יין (ישעיה כד): נושרין מחיקו. קודם שהפקיר עלמו לתרבות רעה אלמא טינא הוות בלבו: כל עמר דנחית ליורה סליק. כל למר שניתן ליורה של סממנין לצבוע עולה לו לצבעו או אינו עולה כלומר כל הלומדים לפני חכמים עולה להן תורתן להגין עליהן מן החטא (ח): כל דנקי אגב אימיה (ט). שלא נתלכלך בגיזה עולה לו לצבעו כלומר כל שיראת חטאו קודמת לחכמתו עולה לו כן נראה בעיני ורבותי מפרשין כל עמר דנחית ליורה סליק כל שילד לידון בגיהנם עולה לו כן לאמר בן יומו שלא נרמס בטיט עולה לו הצבע כלומר שיש זכיות בידו עולה:

לינוקא פסוק לי פסוקך א"ל א) ואת שדוד מה
תעשי כי תלבשי שני כי תעדי עדי זהב
כי תקרעי בפוך עיניך לשוא תתיפי וגו'
עייליה לבי כנישתא אחריתי עד דעייליה
לתליסר בי כנישתא כולהו פסקו ליה כי
האי גוונא (א) לבתרא א"ל פסוק לי פסוקך א"ל
ב) ולרשע אמר אלהים מה לך לספר חקי
וגו' ההוא ינוקא הוה מגמגם בלישניה
אשתמע כמה דאמר ליה ולאלישע אמר
אלהים איכא דאמרי סכינא הוה בהדיה
וקרעיה ושדריה לתליסר בי כנישתי ואיכא
דאמרי אמר אי הואי בידי סכינא הוה קרענא
ליה כי נח נפשיה דאחר אמרי לא מידן
לידייניה ולא לעלמא דאתי ליתי לא מידן
לידייניה משום דעסק באורייתא ולא לעלמא דאתי ליתי משום דחטא אמר
ר"מ מוטב דלידייניה וליתי לעלמא דאתי מתי אמות ואעלה עשן מקברו כי
נח נפשיה דר' מאיר סליק קוטרא מקבריה דאחר אמר ר' יוחנן גבורתא
למיקלא רביה (ב) חד הוה בינגא ולא מצינן לאצוליה אי נקטיה ביד מאן מרמי
ליה מאן אמר מתי אמות ואכבה עשן מקברו כי נח נפשיה דר' יוחנן פסק
קוטרא מקבריה דאחר פתח עליה ההוא ספדנא אפילו שומר הפתח לא
עמד לפניך רבינו בתו של אחר אתיא לקמיה דרבי אמרה ליה רבי פרנסני
אמר לה בת מי את אמרה לו בתו של אחר אני אמר לה עדיין יש מזרעו
בעולם והא כתיב ג) לא נין לו ולא נכד בעמו ואין שריד במגוריו אמרה לו (ג)
זכור לתורתו ואל תזכור מעשיו מיד ירדה אש וסכסכה ספסלו של רבי בכה
ואמר רבי ומה למתגנין בה כך למשתבחין בה על אחת כמה וכמה ור"מ
היכי גמר תורה מפומיה דאחר והאמר רבה בר בר חנה אמר רבי
יוחנן ד) מאי דכתיב ד) כי שפתי כהן ישמרו דעת ותורה יבקשו מפיהו כי
מלאך ה' צבאות הוא *אם דומה הרב למלאך ה' צבאות יבקשו תורה
מפיהו ואם לאו אל יבקשו תורה מפיהו אמר ר"ל ר"מ קרא אשכח ודרש
ה) הט אזנך ושמע דברי חכמים ולבך תשית לדעתי לדעתם לא נאמר אלא
לדעתי רב חנינא אמר מהכא ו) שמעי בת וראי והטי אזנך ושכחי עמך
ובית אביך וגו' קשו קראי אהדדי לא קשיא הא בגדול הא בקטן כי אתא
רב דימי אמר אמרי במערבא ר"מ (ד) אכל תחלא ושדא שיחלא לברא דרש
רבא מאי דכתיב ז) אל גנת אגוז ירדתי לראות באבי הנחל וגו' למה
נמשלו ת"ח לאגוז לומר לך מה אגוז זה אע"פ שמלוכלך בטיט ובצואה
אין מה שבתוכו נמאס אף ת"ח אע"פ שסרח אין תורתו נמאסת אשכחיה
רבה בר שילא לאליהו א"ל מאי קא עביד הקב"ה א"ל קאמר שמעתא
מפומייהו דכולהו רבנן ומפומיה דר"מ לא קאמר א"ל אמאי משום דקא
גמר שמעתא מפומיה דאחר א"ל אמאי ר"מ רמון מצא תוכו אכל קליפתו
זרק א"ל השתא קאמר מאיר בני (ה) אומר ה) בזמן שאדם מצטער שכינה מה
לשון אומרת קלני מראשי קלני מזרועי אם כך הקב"ה מצטער על דמן של
רשעים (ו) ק"ו על דמן של צדיקים שנשפך אשכחיה שמואל לרב יהודה דתלי
בעיברא דדשא וקא בכי א"ל ו) שיננא מאי קא בכית א"ל מי זוטרא מאי
דכתיב בהו ברבנן ט) ח) איה סופר איה שוקל איה סופר את המגדלים איה סופר שהיו סופרים כל אותיות
שבתורה איה שוקל שהיו שוקלים קלין וחמורין שבתורה איה סופר את המגדלים שהיו שונין ג' מאות
הלכות במגדל הפורח באויר ואמר רבי אמי תלת מאה בעיי בעו דואג ואחיתופל במגדל הפורח באויר ותנן
י) ג' מלכים וארבעה הדיוטות אין להם חלק לעולם הבא אנן מה תהוי עלן א"ל שיננא טינא היתה בלבם אחר
מאי זמר יווני לא פסק מפומיה אמרו עליו על אחר בשעה שהיה עומד מבית המדרש הרבה ספרי מינין נושרין
מחיקו שאל נימוס הגרדי את ר"מ כל עמר דנחית ליורה סליק א"ל כל מאן דהוה נקי אגב אימיה סליק כל דלא
הוה נקי אגב אימיה לא סליק ר"ע עלה בשלום וירד בשלום ועליו הכתוב אומר ט) משכני אחריך נרוצה ואף
רבי עקיבא בקשו מלאכי השרת לדוחפו אמר להם הקב"ה הניחו לזקן זה שראוי להשתמש בכבודי
מאי

תוספות

הא בגדול הא בקטן. והא דריש פ' בתרא דמו"ק (י) (דף יז.) דהוו סנו שומעניה דשמתיה רב יהודה איכא למימר דקטנים הוו דגרסי קמיה וחיישי' דלמא מימשכי אי נמי אפילו הוו גדולים נידהו רב יהודה כיון שמלא מקום לנדותו ובדין היה כיון דסנו שומעניה. הר"ר אלחנן:

כל עמר דנקי נחית (כ) אגב אימיה. כלומר מי שיראתו קודמת לחכמתו חכמתו מתקיימת ודואג ואחיתופל דלא מגני להו תורתן לפי שלא היה להם יראה כלל כדאיתא בסוטה פרק נוטל (דף כא.):

כבני

עין משפט נר מצוה

י א מיי' פ"ד מהלכות ת"ת הלכה א טוש"ע י"ד סי' רמו סעיף ח:

רבינו חננאל

שברים. והאי דבדק אחר בינוקי משום דהוה ר' מאיר מפצר ליה לחזור בתשובה ולא היה לבו חפץ וא"ל שמעתי מאחורי הפרגוד והוא מעיקרא טינא היתה דלא פסק זמר יווני מביתו ובשעה שהיה עומד מבהמ"ד הרבה ספרי מינין היו נושרין מחיקו ויצא לתרבות רעה. זה שאמר ר' מאיר מתי אמות ואעלה עשן מקברו כלומר ידין אותו הקב"ה באש יוקדת מעלה עשן כדי שיתכפרו לו עונותיו ויזכה לעוה"ב וכיון שהגיע ר' מאיר למות ביקש רחמים על זה וקבל תפלתו וכיון שמת עלה עשן מקברו של אחר. ור' יוחנן אמר חד הוה כאן. כלומר אחד מן חכמי [בית] מדרשנו חטא אין בנו זכות לפני הקב"ה להצילו מדינה של גיהנם. מתי אמות ואפסיק עשן מקברו. ור' מאיר היכי הוה גמיר מאחר והכתיב כי שפתי כהן ישמרו דעת ותורה יבקשו מפיהו כי מלאך ה' צבאות הוא וא"ר יוחנן אם דומה הרב למלאך ה' צבאות יבקשו תורה מפיהו ואם לאו אל יבקשו תורה מפיהו. ואע"ג דאמרינן ר' מאיר קרא אחרינא אשכח וסמך עליה דכתיב הט אזנך ושמע דברי חכמים ולבך תשית לדעתי לדעתם לא נאמר אלא לדעתי מכלל שיש לך לקבל תורתו ולא דעתו. ואמרינן קשו קראי אהדדי ושנינן הא דאמרינן אם דומה הרב למלאך ה' צבאות בקשו תורה מפיהו בקטן דעביד כדעתיה דרביה דחיישינן דלמא מפיק ליה לתרבות רעה אבל גדול דכדעתא דנפשיה קא עביד הט אזנך ושמע דברי חכמים וגו' האמר אליהו דאמרי במתיבתא דרקיעא שמעתא מכלהו רבנן. ושמעתתיה דר' מאיר משום דגמר מאחר לא אמרי הלכתא אפילו גדול ללמוד תורה מחבירו ירא שמים טפי עדיף ליה. פי' שיחלא קליפתה שהיא כסותה ותיקה. פי' כמגדל הפורח. משנה ידועה היא. קלני מראשי קלני מזרועי כבר פירשנוה בסנהדרין. פי' בעברא דדשא בבריח הדלת. אף ר' עקיבא ביקשו המלאכים לדחפו אמר הקב"ה הניחו לזקן זה ראוי הוא להסתכל

ליקוטי רש"י

שובבים. אנויש"ר בלעז שטובבתס דרככס מרוב כל שהייתס בשלוה ועונג רבו שהוא לומר הפוטיטים על פי הנבל (עמוס ו) השותים במזרקי (ירמיה ג, יד). תרבות. מנהג [בכורות מ:]. גם את זה לעומת זה. טובה ושכר פעולתה לעומת הרעה ושכר פעולתה [קהלת ז, יד]. זהב. טסור מנסיך מרגליות [איוב כח, יז]. ונוחין לאבדן כבלי זכוכית. [illegible]

מסורת הש"ס

א) [מו"ק דף יז. ע"ש], ב) [סנהדרין דף מו.], ג) [בערוך ערך שן פירש שיננא מחודד בתלמוד מלשון חך שנון וי"א גדול השינים ובשיטה מקובלת כתובות יד. פירש לפי ששיניו גדולות קרי ליה שיננא ע"ש], ד) [ברכות לו. וש"נ], ה) סנהדרין קו:, ו) שם ל ע"א.

הגהות הב"ח

(א) גמ' כי האי גוונא לבישותא לבתרא: (ב) שם גבורתא למיקלא רביה בנורא חד הוה וכו' אי נקטי ליה ביד: (ג) שם אמרה לו רבי זכור לתורתו וכו' ירדה אש מן השמים וסכסכה וכו' ומה למתגנין בתורה כך: (ד) שם ר' מאיר אשכח תמרי אכל תחלא: (ה) שם מאיר בני כך הוא אומר: (ו) שם של רשעים שנשפך ק"ו על דמן: (ז) רש"י ד"ה אי נקטיה וכו' מאן מרמי ליה מאן אם אוחז: (ח) ד"ה כל עמר וכו' מן החטא או לא והס"ד: (ט) ד"ה כל דנקי אגב אימיה למר בן יומו שלא נתלכלך כשהוא בגיזה וכו' כלומר מי שיש זכיות: (י) תוס' ד"ה הא בגדול וכו' והא דריש פ' בתרא דמו"ק בההוא צורבא מרבנן דהוו סנו: (כ) ד"ה כל עמר דנקי אגב כצ"ל ותיבת נחית נמחק:

גליון הש"ס

רש"י ד"ה זמר יווני וכו' דכתיב בשיר. עיין גיטין דף ז ע"א:

תורה אור השלם

א) וְאַתְּ שָׁדוּד מַה תַּעֲשִׂי כִּי תִלְבְּשִׁי שָׁנִי כִּי תַעְדִּי עֲדִי זָהָב כִּי תִקְרְעִי בַפּוּךְ עֵינַיִךְ לַשָּׁוְא תִּתְיַפִּי מָאֲסוּ בָךְ עֹגְבִים נַפְשֵׁךְ יְבַקֵּשׁוּ: [ירמיה ד, ל]

ב) וְלָרָשָׁע אָמַר אֱלֹהִים מַה לְּךָ לְסַפֵּר חֻקָּי וַתִּשָּׂא בְרִיתִי עֲלֵי פִיךָ: [תהלים נ, טז]

ג) לֹא נִין לוֹ וְלֹא נֶכֶד בְּעַמּוֹ וְאֵין שָׂרִיד בִּמְגוּרָיו: [איוב יח, יט]

ד) כִּי שִׂפְתֵי כֹהֵן יִשְׁמְרוּ דַעַת וְתוֹרָה יְבַקְשׁוּ מִפִּיהוּ כִּי מַלְאַךְ יְיָ צְבָאוֹת הוּא: [מלאכי ב, ז]

ה) הַט אָזְנְךָ וּשְׁמַע דִּבְרֵי חֲכָמִים וְלִבְּךָ תָּשִׁית לְדַעְתִּי: [משלי כב, יז]

ו) שִׁמְעִי בַת וּרְאִי וְהַטִּי אָזְנֵךְ וְשִׁכְחִי עַמֵּךְ וּבֵית אָבִיךְ: [תהלים מה, יא]

ז) אֶל גִּנַּת אֱגוֹז יָרַדְתִּי לִרְאוֹת בְּאִבֵּי הַנָּחַל לִרְאוֹת הֲפָרְחָה הַגֶּפֶן הֵנֵצוּ הָרִמֹּנִים: [שיר השירים ו, יא] ח) לִבְּךָ יֶהְגֶּה אֵימָה אַיֵּה סֹפֵר אַיֵּה שֹׁקֵל אַיֵּה סֹפֵר אֶת הַמִּגְדָּלִים: [ישעיה לג, יח] ט) מָשְׁכֵנִי אַחֲרֶיךָ נָּרוּצָה הֱבִיאַנִי הַמֶּלֶךְ חֲדָרָיו נָגִילָה וְנִשְׂמְחָה בָּךְ נַזְכִּירָה דֹדֶיךָ מִיַּיִן מֵישָׁרִים אֲהֵבוּךָ: [שיר השירים א, ד]

[illegible]

A related teaching:

דָּרֵשׁ רָבָא – Rava expounded: **מַאי דִּכְתִיב – What is** the meaning of **that which is written:**[26] **,,אֶל־גִּנַּת אֱגוֹז יָרַדְתִּי לִרְאוֹת בְּאִבֵּי הַנָּחַל וגו׳ ״** – ***I went down to the garden of nut trees, to look at the green plants of the streams,*** **etc.?** This verse is an allegorical description of Torah scholars. **לָמָּה נִמְשְׁלוּ תַּלְמִידֵי חֲכָמִים לֶאֱגוֹז – Why are Torah scholars compared to a nut tree?** **לוֹמַר לְךָ – To teach you** that **מָה אֱגוֹז זֶה אַף עַל פִּי שֶׁמְּלוּכְלָךְ בְּטִיט וּבְצוֹאָה – just as** it is true of **a nut,** that **even though it becomes filthy with mud and dung,** **אֵין מַה שֶּׁבְּתוֹכוֹ נִמְאָס** – nevertheless **what is within it does not become repulsive,**[27] **אַף תַּלְמִיד חָכָם – so too** it is true of **a Torah scholar,** **אַף עַל פִּי שֶׁסָּרַח אֵין תּוֹרָתוֹ נִמְאֶסֶת – even though he sours, his Torah does not become repulsive.**

A further discussion of whether it was appropriate for R' Meir to learn Torah from Acher:

אַשְׁכְּחֵיהּ רַבָּה בַּר שִׁילָא לְאֵלִיָּהוּ – Rabbah bar Shila once came upon Elijah the Prophet. **אָמַר לֵיהּ – [Rabbah bar Shila] said to [Elijah].** **מַאי קָא עָבֵיד הַקָּדוֹשׁ בָּרוּךְ הוּא – "What is the Holy One, Blessed is He, doing?"** **אָמַר לֵיהּ – [Elijah] replied to him,** **קָאָמַר שְׁמַעְתָּא מִפּוּמַיְיהוּ דְּכוּלְּהוּ רַבָּנָן – "[God] is repeating teachings from the mouths of all the Rabbis,** **וּמִפּוּמֵיהּ דְּרַבִּי מֵאִיר לָא קָאָמַר – but from the mouth of R' Meir He is not repeating** any teachings." **אָמַר לֵיהּ אַמַּאי – [Rabbah bar Shila] said to [Elijah], "Why?"** **מִשּׁוּם דְּקָא גָּמַר שְׁמַעְתָּא מִפּוּמֵיהּ דְּאַחֵר** – Elijah replied, **"Because [R' Meir] learned teachings from the mouth of Acher."** **אָמַר לֵיהּ – [Rabbah bar Shila] said to him,** **אַמַּאי** – "But **why** is that reckoned against R' Meir? **רַבִּי מֵאִיר רִמּוֹן מָצָא – R' Meir found** in Acher's teachings the equivalent of **a pomegranate:** **תּוֹכוֹ אָכַל קְלִיפָּתוֹ זָרַק – He ate the insides and threw away the peel."**[28] **אָמַר לֵיהּ – [Elijah] said to him,** **הַשְׁתָּא קָאָמַר** – "God has been persuaded by your argument and **He is now saying** as follows, **מֵאִיר בְּנִי אוֹמֵר – 'My son, Meir, says:**[29] **בִּזְמַן שֶׁאָדָם מִצְטַעֵר – At the time that a person suffers** for his sins, **שְׁכִינָה מַה לָּשׁוֹן אוֹמֶרֶת – what expression does the Divine Presence articulate?**[30] **קַלַּנִי מֵרֹאשִׁי קַלַּנִי מִזְּרוֹעִי** – So to speak, God says: **"I am burdened by My head; I am burdened by My arm."**[31] **אִם כָּךְ הַקָּדוֹשׁ בָּרוּךְ הוּא מִצְטַעֵר עַל דָּמָן שֶׁל רְשָׁעִים – If the Holy One, Blessed is He, is pained so for the** spilled **blood of the wicked,** **קַל וָחוֹמֶר עַל דָּמָן שֶׁל צַדִּיקִים שֶׁנִּשְׁפָּךְ – how much more so is He pained for the spilled blood of the righteous!' "**[32]

The Gemara records a dialogue that bears upon the phenomenon of Torah scholars who sour:

אַשְׁכְּחֵיהּ שְׁמוּאֵל לְרַב יְהוּדָה – Shmuel once **came upon Rav Yehudah** **דְּתָלֵי בְּעִיבְרָא דְּדַשָּׁא וְקָא בָּכֵי – as [Rav Yehudah] was leaning upon the bolt of a doorway**[33] **and crying.** **אָמַר לֵיהּ – [Shmuel] said to him,** **שִׁינָּנָא מַאי קָא בָּכִית – "Sharp one,**[34] **about what are you crying?"** **אָמַר לֵיהּ – [R' Yehudah] replied to him:** **מִי זוּטְרָא מַאי דִּכְתִיב בְּהוּ בְּרַבָּנָן** – "About my future! There are several Torah scholars who went astray: **Is that which is written** in Scripture **regarding** the brilliant scholarship of **these Rabbis inconsequential?** For it is written:[35] **,,אַיֵּה סֹפֵר אַיֵּה שֹׁקֵל** – ***Where is the one who can count? Where is the one who can weigh?*** **אַיֵּה סֹפֵר אֶת־הַמִּגְדָּלִים״** – ***Where is the one who can count the towers?*** The verse can be interpreted in reference to the Rabbis that strayed.[36] **,,אַיֵּה סֹפֵר״ שֶׁהָיוּ סוֹפְרִים כָּל אוֹתִיּוֹת שֶׁבַּתּוֹרָה** – ***Where is the one who can count*** – **for**

NOTES

26. *Song of Songs* 6:11.

27. Because it is protected by a shell.

28. Above, Acher is compared to a date [edible outside, inedible pit] and here he is compared to a pomegranate [inedible peel, edible inside]. *Iyan Yaakov* comments that each comparison refers to a different stage in Acher's life. At first, Acher was to all appearances a distinguished sage; however, as the Gemara states below, his heart was tainted with spiritual mud. R' Meir [who was aware of his teacher's failings] treated Acher like a date: He consumed Acher's edible outside (his Torah teachings) and avoided the spiritual pit at Acher's center. Later, when Acher desecrated the Torah in public, R' Meir treated him like a pomegranate: He discarded Acher's openly sinful behavior like a peel and drew out the valuable Torah teachings that still remained within him (cf. *Maharsha*).

29. [In every matter, the halachah follows the ruling of the leading sages on earth. Even if the ruling has consequences for Heaven, Heaven follows the lower world's decision. Until the time of Rabbah bar Shila, there had been no clear statement of a Rabbi exonerating R' Meir for studying under Acher. (Although the verses cited above indicate that it was permissible for him to learn Torah from Acher, there was still a complaint against R' Meir: Would it not have been better if he had studied under one of Acher's colleagues who was imbued with a fear of Heaven? [*Rabbeinu Chananel*].) Thus, none of R' Meir's teachings were recited in Heaven. Once, however, Rabbah bar Shila enunciated his position, that R' Meir was blameless, Heaven immediately reversed itself and began to recite one of R' Meir's more popular teachings (see *Otzar HaGeonim, Teshuvos*). This particular teaching appears in a Mishnah in *Sanhedrin*, 46a.

30. I.e. how does the Divine Presence express its anguish for the suffering of that person? (*Rashi* to *Sanhedrin* 46a ad loc.).

31. It is as if the *Shechinah* was exhausted from the weight of its "head" and "arm": from its "head" which blew a living soul into man (*Iyei HaYam*) and from its "arm" which fashioned [the body of] this person who died on account of his transgression. That is, God is troubled by the punishment of the wicked and would greatly prefer that they repent.

[In reality, it is impossible to ascribe human emotions or physical attributes to God. Such anthropomorphisms are used as mere figures of speech to portray the indescribable.]

R' Meir had expounded a phrase in the following verses (*Deuteronomy* 21:22-23): *If a man shall have committed a sin whose judgment is death, he shall be put to death, and you shall hang him on a gallows. His body shall not remain for the night on the gallows, rather you shall surely bury him on that day, for a hanging person is a curse of God.* The last words are a translation of כִּי־קִלְלַת אֱלֹהִים תָּלוּי. R' Meir interprets the expression קִלְלַת as a compound of the two words קַל לֵית, *light* and *not.* Thus, when a person is hung, it is as if God is saying, "I do not feel light"; i.e. "I am burdened." [The precise explanation of R' Meir's interpretation, however, is subject to a dispute in the Gemara in *Sanhedrin* loc. cit.] The word קַלַּנִי actually means, *I am light.* The Gemara uses this term as a euphemism for *I am burdened,* since we are speaking of God's reaction (*Rashi*).

[The mentions of God's head and arm could also be understood as allusions to His "tefillin." God wears tefillin, as it were (*Berachos* 6a). Our tefillin contain praises of God, and God's tefillin contain praises of the Jewish people. God's tefillin thus symbolize His connection with the Jewish people and His kindnesses towards them. When a person is suffering, the connection between him and God is weakened, and the tefillin on God's head and arm are affected (*Nefesh HaChaim* 2:11 in a gloss).]

32. God is pained by the death of a wicked man, for although the person deserved to die, still the life of a sentient human being has been snuffed out. How much more so, then, is God pained by the death of an innocent person (*Rambam, Commentary to Mishnah*).

33. [עִיבְרָא דְּדַשָּׁא refers to the horizontal bolt that secured the door (see *Eruvin* 102a).]

34. Shmuel often called his disciple, Rav Yehudah, by this name because of the latter's sharp analytical abilities (*Aruch* ע׳ שן, first explanation; see another explanation there [cited by *Mesoras HaShas* here]).

35. *Isaiah* 33:18.

36. Such as Doeg and Achithophel, two enemies of David. They were both accomplished Torah scholars who turned sour (see below, note 40). The plain meaning of this verse within its context refers to the punishment that will befall the wicked in the Messianic era. The righteous, awed by the manifestation of God's justice, will say: Where are they today – those wise and powerful ones who counted and weighed all governmental matters and who counted the towers of each

כי שביב. אחר: אמרי. ברקיע לא מידן נידייניה כו': חדא הוה בינגא. תלמיד אחד הי' בינינו ונכשל ויצא לתרבות רעה ואין כח בין כולנו להביאו לעולם הבא: אי נקטי ליה ביד מאן מרמי ליה (ז). אם אוחז אני בידו להביאו לעולם הבא מי יקחנו מידי מרמי לשון נוטל מידי ויש לו דוגמא בפסחים (דף י:) ארמויי ארמייה מיניה גבי ככר בפי עכבר: מאן. כמו מנאי לשון קצר הוא: שומר הפתח. של גיהנם לא עמד לפניך רבינו בנותך להוציא אחר משם: לדעתם לא נאמר. אלמא ברשעי עסיקינן וקאמר הט אזנך: הטי אזנך. לשמוע ואת מעשיהם שכחי ואל תלמדי אותן: גדול. היודע ליזהר [שלא ילמוד] מעשיו יכול ללמוד תורה מפיו: תחלא. פרי הסילון הנאכל בתמרה: שיחלא. גרעינה הנזרקת: [השתא קאמר]. עכשיו שמע לקולך ואמר שמועה מפיו: קלני מראשי. רבי מאיר אמרה במסכת סנהדרין (דף מו.) במדרש כי קללת אלהים תלוי (דברים כא) קל לית איני קל ולישנא מעליא כינה הדבר כלפי מעלה קלני מזרועי כבד אני מזרועי שילדתי זה שמת בעונו: ותלי בעיברא דדשא. נשען על הבריח: ברבנן. בתלמידים היוצאין לתרבות רעה: שוקלין. לדרוש קל מחמור וחמור מקל לפי המשקולת של ק"ו: במגדל הפורח באויר. י"מ שדורשין גובהו של למ"ד ודורשין בו כל זאת וי"א מגדל דור הפלגה ולי נראה מגדל הפתוח לאויר גרסינן והן מהלכות אהלות מגדל של עץ שקורין משטיי"ר ועומד בפתח ופתחו פתוח לבקעה או לחצר שהוא אויר במסכת אהלות (פ"ד מ"א) ישנה משנה מגדל העומד באויר: ד' הדיוטות. בלעם ודואג ואחיתופל וגחזי בפ' חלק: טינא היתה בלבם. רשעים היו מימיהם: אחר מאי. מפני מה בא לידי כך ולא הגינה תורתו עליו: זמר יווני לא פסק מביתו. והיה לו להניח בשביל חורבן הבית ° דכתיב בשיר לא ישתו יין (ישעיה כד): נושרין מחיקו. קודם שהפקיר עצמו לתרבות רעה אלמא טינא הוות בלבו: כל עמר דנחית ליורה סליק. כל צמר שניתן ליורה של סממנין לצבוע עולה לו צבעו או אינו עולה כלומר כל הלומדים לפני חכמים עולה להן תורתן להגין עליהן מן החטא (ח): כל דנקי אגב אימיה (ט). שלא נתלכלך בגיזה עולה לו צבעו כלומר כל שיראת חטאו קודמת לחכמתו עולה לו כן נראה בעיני ורבותי מפרשין כל עמר דנחית ליורה סליק כל שירד לידון בגיהנם עולה אגב אמו צמר בן יומו שלא נרמס בטיט עולה לו הצבע כלומר שיש זכות בידו עולה: מאי

הא בגדול הא בקטן. והא דריש פ' בתרא דמו"ק (י) (דף יז.) דהוו סנו שומעניה דשמתיה רב יהודה איכא למימר דקטנים הוו דגרסי קמיה וחיישי' דלמא מימשכי אי נמי אפילו הוו גדולים נידהו רב יהודה כיון שמצא מקום לנדותו ובדין היה כיון דסנו שומעניה. הר"ר אלחנן:

כל עמר דנקי נחית (כ) אגב אימיה. כלומר מי שיראתו קודמת לחכמתו חכמתו מתקיימת ודואג ואחיתופל דלא מגני להו תורתן לפי שלא היה להם יראה כלל כדאיתא בסוטה פרק נוטל (דף כא.):

כבני

לינוקא פסוק לי פסוקך א"ל א) ואת שדוד מה תעשי כי תלבשי שני כי תעדי עדי זהב כי תקרעי בפוך עיניך לשוא תתיפי וגו' עייליה לבי כנישתא אחריתי עד דעייליה לתליסר בי כנישתא כולהו פסקו ליה כי האי גוונא (א) לבתרא א"ל פסוק לי פסוקך א"ל ב) ולרשע אמר אלהים מה לך לספר חקי וגו' ההוא ינוקא הוה מגמגם בלישניה אשתמע כמה דאמר ליה ולאלישע אמר אלהים איכא דאמרי סכינא הוה בהדיה וקרעיה ושדריה לתליסר בי כנישתי ואיכא דאמרי אמר אי הואי בידי סכינא הוה קרענא ליה כי נח נפשיה דאחר אמרי לא מידן לידייניה ולא לעלמא דאתי ליתי לא מידן לידייניה משום דעסק באורייתא ולא לעלמא דאתי ליתי משום דחטא אמר ר"מ מוטב דלידייניה וליתי לעלמא דאתי מתי אמות ואעלה עשן מקברו כי נח נפשיה דר' מאיר סליק קוטרא מקבריה דאחר אמר ר' יוחנן גבורתא למיקלא רביה (ג) חד הוה בינגא ולא מצינן לאצוליה אי נקטיה בידי מאן מרמי ליה מאן אמר מתי אמות ואכבה עשן מקברו כי נח נפשיה דר' יוחנן פסק קוטרא מקבריה דאחר פתח עליה ההוא ספדנא אפילו שומר הפתח לא עמד לפניך רבינו בתו של אחר אתיא לקמיה דרבי אמרה ליה רבי פרנסני אמר לה בת מי את אמרה לו בתו של אחר אני אמר לה עדיין יש מזרעו בעולם והא כתיב ג) לא נין לו ולא נכד בעמו ואין שריד במגוריו אמרה לו זכור לתורתו ואל תזכור מעשיו מיד ירדה אש וסכסכה ספסלו של רבי בכה ואמר רבי ומה למתגנין בה כך למשתבחין בה על אחת כמה וכמה ור"מ היכי גמר תורה מפומיה דאחר והאמר רבה בר בר חנה אמר רבי יוחנן ה) מאי דכתיב ד) כי שפתי כהן ישמרו דעת ותורה יבקשו מפיהו כי מלאך ה' צבאות הוא *אם דומה הרב למלאך ה' צבאות יבקשו תורה מפיהו ואם לאו אל יבקשו תורה מפיהו אמר ר"ל ר"מ קרא אשכח ודרש ה) הט אזנך ושמע דברי חכמים ולבך תשית לדעתי לדעתם לא נאמר אלא לדעתי רב חנינא אמר מהכא ו) שמעי בת וראי והטי אזנך ושכחי עמך ובית אביך וגו' קשו קראי אהדדי לא קשיא הא בגדול הא בקטן כי אתא רב דימי אמר אמרי במערבא ר"מ (ו) אכל תחלא ושדא שיחלא לברא דרש רבא מאי דכתיב ז) אל גנת אגוז ירדתי לראות באבי הנחל וגו' למה נמשלו ת"ח לאגוז לומר לך מה אגוז זה אע"פ שמלוכלך בטיט ובצואה אין מה שבתוכו נמאס אף ת"ח אע"פ שסרח אין תורתו נמאסת אשכחיה רבה בר שילא לאליהו א"ל מאי קא עביד הקב"ה א"ל קאמר שמעתא מפומייהו דכולהו רבנן ומפומיה דר"מ לא קאמר א"ל אמאי משום דקא גמר שמעתא מפומיה דאחר א"ל אמאי ר"מ רמון מצא תוכו אכל קליפתו זרק א"ל השתא קאמר מאיר בני (ה) אומר י) בזמן שאדם מצטער שכינה מה לשון אומרת קלני מראשי קלני מזרועי אם כך הקב"ה מצטער על דמן של רשעים (ו) ק"ו על דמן של צדיקים שנשפך אשכחיה שמואל לרב יהודה דתלי בעיברא דדשא וקא בכי א"ל ט) שיננא מאי קא בכית א"ל מי זוטרא מאי דכתיב בהו ברבנן ח) איה סופר איה שוקל איה סופר את המגדלים איה סופר שהיו סופרים כל אותיות שבתורה איה שוקל שהיו שוקלים קלין וחמורין שבתורה איה סופר את המגדלים שהיו שונין ג' מאות הלכות במגדל הפורח באויר ואמר רבי אמי תלת מאה בעיי בעו דואג ואחיתופל במגדל הפורח באויר ותנן ג' מלכים וארבעה הדיוטות אין להם חלק לעולם הבא אנן מה תהוי עלן א"ל שיננא טינא היתה בלבם אחר מאי זמר יווני לא פסק מפומיה אמרו עליו על אחר בשעה שהיה עומד מבית המדרש הרבה ספרי מינין נושרין מחיקו שאל נימוס הגרדי את ר"מ כל עמר דנחית ליורה סליק א"ל כל מאן דהוה נקי אגב אימיה סליק כל דלא הוה נקי אגב אימיה לא סליק ר"ע עלה בשלום וירד בשלום ועליו הכתוב אומר ט) משכני אחריך נרוצה ואף רבי עקיבא בקשו מלאכי השרת לדוחפו אמר להם הקב"ה הניחו לזקן זה שראוי להשתמש בכבודי מאי

עין משפט
נר מצוה

י א מיי' פ"ד מהלכות ת"ת הלכה א טוש"ע י"ד סי' רמו סעיף ח:

רבינו חננאל

שברם. והאי דבדק אחר בינוקי משום דהוה ר' מאיר מפצר ליה לחזור בתשובה ולא היה לבו חפץ וא"ל שמעתי מאחורי הפרגוד והוא מעיקרא טינא היתה דלא פסק זמר יווני מביתו ובשעה שהיה עומד מבהמ"ד הרבה ספרי מינין היו נושרין מחיקו ויצא לתרבות רעה. זה שאמר ר' מאיר מתי אמות ואעלה עשן מקברו כלומר ידין אותו הקב"ה באש יוקדת מעלה עשן כדי שיתכפרו לו עונותיו ויזכה לעוה"ב וכיון שהגיע ר' מאיר למות ביקש רחמים על זה וקבל תפלתו וכיון שמת עלה עשן מקברו של אחר. ור' יוחנן אמר חד הוה כאן. כלומר אחד מן חכמי [בית] מדרשינו חטא אין בנו זכות לפני הקב"ה להצילו מדינה של גיהנם. מתי אמות ואפסיק עשן מקברו. ור' מאיר היכי הוה גמיר מאחר והכתיב כי שפתי כהן ישמרו דעת ותורה יבקשו מפיהו כי מלאך ה' צבאות הוא וא"ר יוחנן אם דומה הרב למלאך ה' צבאות יבקשו תורה מפיהו ואם לאו אל יבקשו תורה מפיהו. ואע"ג דאמרינן ר' מאיר קרא אחרינא אשכח וסמך עליה דכתיב הט אזנך ושמע דברי חכמים ולבך תשית לדעתי לדעתם לא נאמר אלא לדעתי מכלל שיש לך לקבל תורתו ולא דעתו. ואמרינן קשו קראי אהדדי ושנינן הא דאמרינן אם דומה הרב למלאך ה' צבאות בקשו תורה מפיהו בקטן דעביד כדעתיה דרביה דחיישינן דלמא מפיק ליה לתרבות רעה אבל גדול דכדעתא דנפשיה קא עביד הט אזנך ושמע דברי חכמים וגו' האמר אליהו דאמרי במתיבתא דרקיעא שמעתא מכלהו רבנן. ושמעתתיה דר' מאיר משום דגמר מאחר לא אמרי הלכתא אפילו גדול ללמוד תורה מחבירו ירא שמים טפי עדיף ליה. פי' שיחלא קליפתה שהיא כסותה ותיקה. פי' כמגדל הפורח. משנה ידועה היא. קלני מראשי קלני מזרועי כבר פירשנוה בסנהדרין. פי' בעברא דדשא בבריח הדלת. אף ר' עקיבא ביקשו המלאכים לדחפו אמר הקב"ה הניחו לזקן זה ראוי הוא להסתכל

ליקוטי רש"י

הגהות הב"ח

גליון הש"ס

תורה אור השלם

א) וְאַתְּ שָׁדוּד מַה תַּעֲשִׂי כִּי תִלְבְּשִׁי שָׁנִי כִּי תַעְדִּי עֲדִי זָהָב כִּי תִקְרְעִי בַפּוּךְ עֵינַיִךְ לַשָּׁוְא תִּתְיַפִּי מָאֲסוּ בָךְ עֹגְבִים נַפְשֵׁךְ יְבַקֵּשׁוּ: [ירמיה ד, ל]

ב) וְלָרָשָׁע אָמַר אֱלֹהִים מַה לְּךָ לְסַפֵּר חֻקָּי וַתִּשָּׂא בְרִיתִי עֲלֵי פִיךָ: [תהלים נ, טז]

ג) לֹא נִין לוֹ וְלֹא נֶכֶד בְּעַמּוֹ וְאֵין שָׂרִיד בִּמְגוּרָיו: [איוב יח, יט]

ד) כִּי שִׂפְתֵי כֹהֵן יִשְׁמְרוּ דַעַת וְתוֹרָה יְבַקְשׁוּ מִפִּיהוּ כִּי מַלְאַךְ יְיָ צְבָאוֹת הוּא: [מלאכי ב, ז]

ה) הַט אָזְנְךָ וּשְׁמַע דִּבְרֵי חֲכָמִים וְלִבְּךָ תָּשִׁית לְדַעְתִּי: [משלי כב, יז]

ו) שִׁמְעִי בַת וּרְאִי וְהַטִּי אָזְנֵךְ וְשִׁכְחִי עַמֵּךְ וּבֵית אָבִיךְ: [תהלים מה, יא]

ז) אֶל גִּנַּת אֱגוֹז יָרַדְתִּי לִרְאוֹת בְּאִבֵּי הַנָּחַל לִרְאוֹת הֲפָרְחָה הַגֶּפֶן הֵנֵצוּ הָרִמֹּנִים: [שיר השירים ו, יא]

ח) לִבְּךָ יֶהְגֶּה אֵימָה אַיֵּה סֹפֵר אַיֵּה שֹׁקֵל אַיֵּה סֹפֵר אֶת הַמִּגְדָּלִים: [ישעיה לג, יח]

ט) מָשְׁכֵנִי אַחֲרֶיךָ נָּרוּצָה הֱבִיאַנִי הַמֶּלֶךְ חֲדָרָיו נָגִילָה וְנִשְׂמְחָה בָּךְ נַזְכִּירָה דֹדֶיךָ מִיַּיִן מֵישָׁרִים אֲהֵבוּךָ: [שיר השירים א, ד]

[these Rabbis] would count all the letters in the Torah;[37] ,,אַיֵּה שֹׁקֵל״ שֶׁהָיוּ שׁוֹקְלִים קַלִּין וַחֲמוּרִין שֶׁבַּתּוֹרָה – ***Where is the one who can weigh*** **– for they would weigh all the *kal vachomers* in the Torah;**[38] ,,אַיֵּה סוֹפֵר אֶת־הַמִּגְדָּלִים״ – ***Where is the one who can count the towers*** – שֶׁהָיוּ שׁוֹנִין שְׁלֹשׁ מֵאוֹת הֲלָכוֹת בְּמִגְדָּל הַפּוֹרֵחַ בָּאֲוִיר – **for they would teach three hundred laws concerning a tower that floats in the air.**[39] וְאָמַר רַבִּי אַמִי – **And R' Ami said:** תְּלַת מְאָה בְּעָיֵי בְּעוּ דוֹאֵג וַאֲחִיתוֹפֶל בְּמִגְדָּל הַפּוֹרֵחַ בָּאֲוִיר – **Doeg and Achithophel**[40] **raised three hundred** halachic **inquiries concerning a tower that floats in the air.**[41] וּתְנַן – **Yet we learned in the Mishnah:**[42] שְׁלֹשָׁה מְלָכִים וְאַרְבָּעָה הֶדְיוֹטוֹת אֵין לָהֶם חֵלֶק לָעוֹלָם הַבָּא – THREE KINGS AND FOUR COMMONERS HAVE NO SHARE IN THE WORLD TO COME . . . The four commoners are: Bilam, Doeg, Achithophel and Geichazi. If the Torah of such brilliant scholars such as Doeg and Achithophel did not protect them from sins so severe that they lost their portion in the World to Come, אֲנַן מַה תְּהֱוֵי עֲלָן – then **as for us: What** fate **will befall us?!"**[43] אָמַר לֵיהּ – **[Shmuel] said to him,** שִׁינָּנָא – **"Sharp one,** you are not as they; טִינָא הָיְתָה בְּלִבָּם – **they had impure thoughts in their hearts** from their earliest days, but your heart is pure."[44]

Shmuel has just stated that the spiritual downfalls of Doeg and Achithophel were due to longstanding inner failings. The Gemara inquires:

אַחֵר מַאי – **What** impure thoughts were in the heart of **Acher?** Why did his Torah scholarship not prevent him from becoming what he became?

The Gemara answers:

זֶמֶר יְוָנִי לֹא פָּסַק מִפּוּמֵיהּ – **A Greek song never ceased from his mouth,** even before he went astray.[45]

NOTES

city to determine its requirements? (*Rashi* ad loc.). R' Yehudah, however, applies this verse to Doeg, Achithophel and their ilk.

37. [In numerous instances, the Torah varies the spelling of certain words, by including a letter (such as *vav*) when a word appears in one place, and deleting that letter when the word appears elsewhere. These intentional variations in spelling are known as חֲסֵרוֹת וִיתֵרוֹת, *deletions and additions.*] These Rabbis were great scholars who had a reliable tradition verifying which words are meant to be written with all the letters included, and which are meant to be written with certain letters absent. Thus, he was able to count accurately the letters in the Torah (*Rashi* to *Sanhedrin* 106b; see *Kiddushin* 30a).

38. A *kal vachomer,* an *a fortiori* argument, is one of the thirteen methods of Biblical hermeneutics (see Glossary). These Rabbis were expert in extracting a minor argument from a major argument and vice versa. Thus, they were able to "weigh" them in the scale of reason and determine which *kal vachomers* were logically sound and which were not (see *Rashi;* see *Maharsha* to *Sanhedrin* loc. cit.).

39. There are numerous interpretations of this phrase. *Rashi* here offers three and *Rashi* to *Sanhedrin* loc. cit. offers two more:

(a) The Hebrew letter *lamed* is composed of a *chaf* with a *vav* on top. (It is, in fact, the only letter in the Hebrew *Ashuris* alphabet with an upper part.) The rule is that the *vav* of the *lamed* should be slanted slightly leftward (see *Beis Yosef* to *Orach Chaim* 36 in the name of *Sefer HaManhig;* see also *Mishnas Sofrim* and *Meleches Shamayim* 26:23). Thus, the upper *vav* resembles a tower floating leftward in the air away from the *chaf* to which it is attached at its base. [Some explain that the *head* of the upper *vav* is supposed to tilt downwards, as if it is floating away from its base (see *Mishnas Sofrim* and *Meleches Shamayim* ibid.).] These Rabbis had such a profound understanding of even the minutest details of Torah law that they knew three hundred reasons why the *vav* of the *lamed* is supposed to slant. [For an additional discussion of this, see *Toras Chaim's* introduction to the last chapter of *Sanhedrin.*]

(b) They knew three hundred laws regarding the Tower of Babel, built by the Generation of the Dispersion. Presumably, it is called a "tower that floats in the air" because it was so high that it appeared to be doing so. *Rashi* does not indicate what areas these laws regulate.

(c) The Gemara should read: שְׁלֹשׁ מֵאוֹת הֲלָכוֹת בְּמִגְדָּל הָעוֹמֵד בָּאֲוִיר, *three hundred laws concerning a tower* ***standing*** *in the [open] air.* This is a reference to a case cited in *Oholos* 4:1, which discusses the law of *tumah* that is contained in a closet standing in the open air, as opposed to inside a house.

(d) They knew three hundred rules concerning the *tumah* and *taharah* of one who is transported outside of Eretz Yisrael in a closet (an alternative translation of מִגְדָּל) or in any other sealed container which can act as a barrier against *tumah* (see *Oholos* 8:1). Foreign lands (outside of Eretz Yisrael) were declared *tamei* by the Sages because of their concern for the presence of unmarked graves there. Thus, anyone who walks outside of Eretz Yisrael is automatically considered *tamei.* It is a matter of dispute whether this applies to one who is transported over foreign lands in a sealed container. (See the discussions between the Sages concerning this scenario in *Eruvin* 30b, *Gittin* 8b and *Nazir* 54b-55a.)

(e) They knew three hundred methods of suspending a tower in the air through sorcery. A Torah scholar is required to be familiar with all methods of sorcery in order to be able to prosecute sorcerers, whose practice is prohibited by the Torah. For a similar example of such knowledge, see *Sanhedrin* 68a and the Gaonic responsum quoted by *Margaliyos HaYam* there §14.

Maharsha ad loc. understands the "tower" as an allusion to the *Beis HaMikdash,* concerning which there was considerable uncertainty as to where it was supposed to be built. Since its future location was unknown, it is alluded to as "floating in the air." They knew three hundred laws concerning the determination of its location. For additional interpretations, see *Otzar HaGeonim, Teshuvos,* and both *Yad Ramah* and *Maharal* to *Sanhedrin* 106b.

[Note that the number three hundred is often used in the Talmud as a representation of an exaggerated figure (*Rashbam, Pesachim* 119a ד״ה משוי; see also *Margaliyos HaYam* to *Sanhedrin* 106b).]

40. Doeg was the advisor of King Saul who slandered David to him and thereby brought about the destruction of Nob, the city of Kohanim (see *I Samuel* 22:9-22). Achithophel was the highly regarded sage and advisor to King David who deserted the king in favor of David's renegade son, Absalom (see *II Samuel* ch. 17).

Note that although Doeg and Achithophel are mentioned together here, they were not contemporaries. As the Gemara states below, Doeg lived in the days of King Saul (i.e. in David's youth) whereas Achithophel lived later, in the days of David's reign. Thus, the Gemara here means that Doeg and Achithophel, each in his own days, raised three hundred inquiries concerning the tower floating in the air.

41. And the inquiries were so profound that not even one was resolved by them (version of this Aggadah in *Sanhedrin* loc. cit.).

42. *Sanhedrin* 90a.

43. How can I be sure that I too will not succumb to my Evil Inclination and go astray?

44. All of the brilliant scholars who went astray were actually predisposed to wickedness from long before. They had a certain rottenness within them that eventually surfaced (see *Rashi*). You, on the other hand, are pure of heart and need not worry. Regarding you and those like you, it is instead the case that the Torah protects and preserves you from sinning (*Hagahos R' Yaakov Emden,* citing *Sotah* 21a).

There is an epilogue to this exchange between Shmuel and Rav Yehudah (recorded in *Sanhedrin* 106b). Many years later, after Rav Yehudah had already passed away, Rava dismissed the scholarship of Doeg and Achithophel, saying, "Is it a sign of greatness to raise inquiries?" Rava pointed out that although his generation excelled over the generation of Rav Yehudah in the breadth of its Torah knowledge, Rav Yehudah's generation was thought of more highly in Heaven: When there was a drought in Rav Yehudah's days, Rav Yehudah would merely remove a single shoe (as a sign of sharing in the suffering of the community) and rain would come immediately. However, in Rava's generation, they cried out profusely in prayer but "no one paid attention" to them. This demonstrates that proficiency in Torah is not necessarily indicative of true greatness. Rather, הַקָּדוֹשׁ בָּרוּךְ הוּא לִבָּא בָּעֵי, *the Holy One, Blessed is He, desires the heart,* i.e. righteousness. And in the end, God found a pure heart in Rav Yehudah.

45. *Rashi* explains that Acher should have refrained from singing as a sign of mourning for the destruction of the Temple, as it says in reference to the Jews in exile (*Isaiah* 24:9): *They do not drink wine with song* (see *Gittin* 7a; see *Orach Chaim* 560:3 for the details of this

עין משפט נר מצוה

י א מיי' פ"ד מהלכות ת"ת הלכה א טוש"ע י"ד סי' רמו סעיף ז:

רבינו חננאל

שברם. והאי דבדק אחר בינוקי משום דהוה ר' מאיר מצפר ליה לחזור בתשובה ולא היה לבו חפץ וא"ל שמעתי מאחורי הפרגוד והוא מעיקרא טינא היתה דלא פסק זמר יווני מביתו ובשעה שהיה עומד מבהמ"ד הרבה ספרי מינין היו נושרין מחיקו ויצא לתרבות רעה. וזה שאמר ר' מאיר מתי אמות ואעלה עשן מקברו כלומר ידין אותו דינו וכשהוא יוקדת מעלה עשן כדי שיתכפרו לו עונותיו ויזכה לעוה"ב וכיון שהגיע ר' מאיר למות ביקש רחמים על זה וקבל תפלתו וכיון שמת עלה עשן מקברו של אחר. ור' יוחנן אמר חד הוה כאן. כלומר אחד מן חכמי [בית] מדרשנו חטא אין בנו זכות לפני הקב"ה להצילו מדינה של גיהנם. מתי אמות ואפסיק עשן מקברו. ור' מאיר היכי הוה גמיר מאחר והכתיב כי שפתי כהן ישמרו דעת ותורה יבקשו מפיהו כי מלאך ה' צבאות הוא וא"ר יוחנן אם דומה הרב למלאך ה' צבאות יבקשו תורה מפיהו ואם לאו אל יבקשו תורה מפיהו. ואע"ג דאמרינן ר' מאיר קרא אחרינא אשכח וסמך עליה דכתיב הט אזנך ושמע דברי חכמים ולבך תשית לדעתי לדעתם לא נאמר אלא לדעתי מכלל שיש לך לקבל תורתו ולא לדעתו. ואמרינן קשו קראי אהדדי ושנינן הא דאמרינן אם דומה הרב למלאך ה' צבאות בקשו תורה מפיהו בקטן דעביד כדעתיה דרביה דהדיינין דלמא מפיק ליה לתרבות רעה אבל גדול דבדעתא דנפשיה קאי אע"ג דעביד הט אזנך ושמע דברי חכמים וגו' והאמר אליהו דאמרי במתיבתא דרקיעא שמעתא מכלהו רבנן. ושמעתתיה דר' מאיר משום דגמר מאחר לא אמרי הלכתא אפילו גדול ללמוד תורה מחבירו ירא שמים טפי עדיף ליה. פי' שיחלא קליפתא שהיא כסותה ותוקה. פי' במגדל הפורח. משנה ידועה היא. קלני מראשי קלני מזרועי כבר פירשנו בסנהדרין. פי' בעיברא דדשא בבריח הדלת. אף ר"ע ביקשו המלאכים לדחפו אמר הקב"ה הניחו לזקן זה ראוי הוא להסתכל

ליקוטי רש"י

שובבים. מנושי"ר בלעז שעושמם דרכסם מרוב לב מש שמהם בשלוה ועונג כמו שהוא אומר הפורטים על פי הנבל (עמוס ו) השותים במזרקי יין (שם) [ירמיה ג, יד]. תרבות. מנהג [בכורות מ:]. גם את זה לעומת זה. הטובה ושכר פעולתה לעמת הרעה ושכר פעולתה [קהלת ז, יד]. זהב. טהור מנסיר כמרגלית [איוב כח, יז]. ונוחין לאבדן ככלי זכוכית. יש להם תקנה, להתיכן ולחזור ולעשות מהן כלי והא דאמרינן בחגיגה (טו.) ונוחין לאבדם ככלי זכוכית לא שאין להם תקנה אלא שנפסדין לשעתן ואין מתקיימין [סנהדרין צא.]. מאחורי הפרגוד. פרכת, לשון מחילה הוא ובלשון חכמים פרגוד דבר המבדיל בין המלך ובין העם [שמות כו, לא]. מחילה המבדלת בין מקום השכינה [ברכות יח:]. מחילה שבין שכינה לצבא מרום [ב"מ נט.]. לרשעים. לנבוכדנצר חרעו [ישעיה מח, כב]. בנתר. מין אדמה שחפין ושפין בה את הבגדים. בורית. נקיון כי וכר לבב (תהלים כד) ויש לועזים בורית שאבו"ן בלעז. נכתם עונך. הא כרושם כתמא דלא דכי כן סגיאו חוביך קדמי.עונך, על עון העגל נאמר שהוא קיים לעולם כמו שנאמר וביום פקדי ופקדתי עליהם (שמות לב) כל פקידות הבאות על ישראל יהיה מקלת עון העגל בהם [ירמיה ב, כב]. [עד כאן שייך לע"א]. כי תלבשי שני. להתנאות ולמלוא רחמים לפני השודד. תקרעי בפוך. לשון קריעה שהפוך נראה כמרחיב קרע העין כך שמעתי וגם מנחם לא חלק במחברת קרע. פוך, לשון כחול [ירמיה ד, ל]. אי נקטיה ביד מאן מרמי ליה מאן. ארמויה, השליכו ממנו ונטלו הוא וחבירו בחגיגה (דף טו:) אי נקטיה ביד מאן מרמי ליה מן ידי [פסחים י:]. נכד. בן הבן [איוב יח, יט]. כי שפתי כהן. עליהם מוטל לשמור דעת למה שהרי תורה יבקשו מפיהו שכבר דבר זה מסור להם יורו משפטיך ליעקב (דברים ל"ג). כי מלאך. שלוחו של הקב"ה כמלאכי השרת לשרת לפניו וליכנס לפנים במחילתו [מלאכי ב, ז]. הט אזנך ושמע דברי חכמים. ללמוד תורה מחכם כל שהוא. ולבך תשית לדעתי. ואם רבך רשע לא תלמוד ממעשיו [משלי כב, יז]. שמעי בת וראי. שמעי כנסת ישראל וראי דרך הטוב. והטי אזנך. לתורה. ושכחי עמך. מעבר הנהר שאת גדילה ביניהם. ובית אביך. ע"א שעבדו אבותיך בעבר הנהר [תהילים מה, יא]. במערבא. בארץ ישראל [שבת סה:]. אל גנת אגוז ירדתי. עוד זה מדברי שכינה הנה באתי אל מקדש שני זה אליך. למה נמשלו ישראל לאגוז מה אגוז זה אתה רוא' אותו כולו עץ ואין ניכר בתוכו פולעו ומלאו מלא מגורות של אוכלים כך ישראל לנועין וענוותנין מעשיהם ואין תלמידים שבהן נכרים ואין מתפארים להכריז על שבחן בדקתו את' מולא אותו מלא חכמה ועוד כמה מדרשות לדבר מה אגוז זה נופל בטיט ואין מה שבתוכו נמאס אף ישראל גולין לבין האומות ולוקין מלקיות הרבה ואין מעשיהם נמאסין. לראות באבי הנחל. מה לחלוחית מעשים טובים אראה בך [שיר השירים ו, יא]. שאדם מצטער. שפורענות באה עליו בעונו. מה לשון אומרת. באיזה לשון היא קובלת ומתנודדת עליו. קלני מראשי. כמו שהאדם שיגע ועיף אומר ראשי כבד עלי וזרועי כבד עלי והיינו קללת קל לית אני איני קל [סנהדרין מו.]. איה סופר. איה שהיה סופר בחייו ושוקל כל דבר חכמה שהיו שואלין ממנו כל עלת מלכות. איה סופר את המגדלים. פירוש שהיה סופר המגדלים אשר בעיר ועיר כי אותם הבתים הגבוהים היו חשובים ונותנים יותר במס [ישעיה לג, יח]. כל אותיות שבתורה. שהיו בקי בחסירות ויתירות. שוקלים קלין וחמורין. יודע לדרוש בקל וחומר. במגדל הפורח באויר. תגא עליונה שלמעלה מן הלמ"ד מפני מה כפופה למטה לשון מ"ר מפי השמועה ל"א במגדל הפורח באויר הנכנס לארץ העמים בשידה תיבה ומגדל אם הוא טמא אם לאו לישנא אחרינא שלש מאות הלכות במגדל הפורח באויר לעשות כישוף להעמיד מגדל באויר כגון שלש מאות הלכות בנטיעות קשואין דאמרן בפירקין דלעיל (דף סח.) ולמורי נראה דהכי גרסינן במגדל העומד [באויר] ומשנה אחת באהלות (פרק ד משנה א) דמשמעי בהכי מגדל העומד באויר וטומאה בתוכה כלים שבתוכו טמאים וכן נראה לרבי [סנהדרין קו:]. משכני אחריך נרוצה. אני שמעתי משלוחך רמז שאמרת למשכני ואני אמרתי אחריך נרוצה להיות לך לאשה. זהו פשוטו לפי עניינו ולפי דוגמתו הם מזכירים לפניו חסד נעורים אהבת כלולות לכתם אחריו במדבר ארץ ציה וצלמות וגם צדה לא עשו להם והאמינו בו ובשלוחו ולא אמרו היאך נצא למדבר לא מקום זרע ומזונות והלכו אחריו והוא הביאם לתוך חדרי היקף ענניו בזו עודם היום גלים ושמחים בו אף לפי ענייס ולרתם ומשתעשעים בתורה ושם מזכירים דודיו מיין ומישור אהבתם אותו [שיר השירים א, ד].

תוספות

הא בגדול הא בקטן. והא דריש פ' במרבה דמו"ק (י) (דף יז.) דהוא סנו שומעניה דשמתיה רב יהודה איכא למימר דקטנים הוו דגרסי קמיה ומיהו דלמא ממשכי אי נמי אפילו הוו גדולים נידהו רב יהודה כיון שמלא מקום לנדותו ובדין היה כיון דסנו שומעניה. הר"ר אלחנן:

כל עמר דנקי נחית (כ) אגב אימיה. כלומר מי שיראתו קודמת לחכמתו חכמתו מתקיימת ודואג ואחיתופל דלא מגני להו תורתן לפי שלא היה להם יראה כלל כדאיתא בסוטה פרק נוטל (דף כא.):

כנני

גמרא

לינוקא פסוק לי פסוקך א"ל א) ואת שדוד מה תעשי כי תלבשי שני כי תעדי עדי זהב כי תקרעי בפוך עיניך לשוא תתיפי וגו' עייליה לבי כנישתא אחריתי עד דעייליה לתליסר בי כנישתא כולהו פסקו ליה כי האי גוונא (א) לבתרא א"ל פסוק לי פסוקך א"ל ב) ולרשע אמר אלהים מה לך לספר חקי וגו' ההוא ינוקא הוה מגמגם בלישניה אשתמע כמה דאמר ליה ולאלישע אמר אלהים איכא דאמרי סכינא הוה בהדיה וקרעיה ושדריה לתליסר בי כנישתי ואיכא דאמרי אמר אי הואי בידי סכינא הוה קרענא ליה כי נח נפשיה דאחר אמרי לא מידן לידייניה ולא לעלמא דאתי ליתי לא מידן לידייניה משום דעסק באורייתא ולא לעלמא דאתי ליתי משום דחטא אמר ר"מ מוטב דלידייניה וליתי לעלמא דאתי מתי אמות ואעלה עשן מקברו כי נח נפשיה דר' מאיר סליק קוטרא מקבריה דאחר אמר ר' יוחנן גבורתא למיקלא רביה (ב) חד הוה בינגא ולא מצינן לאצוליה אי נקטיה ביד מאן מרמי ליה מאן אמר מתי אמות ואכבה עשן מקברו כי נח נפשיה דר' יוחנן פסק קוטרא מקבריה דאחר פתח עליה ההוא ספדנא אפילו שומר הפתח לא עמד לפניך רבינו בתו של אחר אתיא לקמיה דרבי אמרה ליה רבי פרנסני אמר לה בת מי את אמרה לו בתו של אחר אני אמר לה עדיין יש מזרעו בעולם והא כתיב ג) לא נין לו ולא נכד בעמו ואין שריד במגוריו אמרה לו (ג) זכור לתורתו ואל תזכור מעשיו מיד ירדה אש וסכסכה ספסלו של רבי בכה ואמר רבי ומה למתגנין בה כך למשתבחין בה על אחת כמה וכמה ור"מ היכי גמר תורה מפומיה דאחר והאמר רבה בר בר חנה אמר רבי יוחנן מאי דכתיב ד) כי שפתי כהן ישמרו דעת ותורה יבקשו מפיהו כי מלאך ה' צבאות הוא אם דומה הרב למלאך ה' צבאות יבקשו תורה מפיהו ואם לאו אל יבקשו תורה מפיהו אמר ר"ל ר"מ קרא אשכח ודרש ה) הט אזנך ושמע דברי חכמים ולבך תשית לדעתי לדעתם לא נאמר אלא לדעתי רב חנינא אמר מהכא ו) שמעי בת וראי והטי אזנך ושכחי עמך ובית אביך וגו' קשו קראי אהדדי לא קשיא הא בגדול הא בקטן כי אתא רב דימי אמר אמרי במערבא ר"מ (ד) אכל תחלא ושדא שיחלא לברא דרש רבא מאי דכתיב ז) אל גנת אגוז ירדתי לראות באבי הנחל וגו' למה נמשלו ת"ח לאגוז לומר לך מה אגוז זה אע"פ שמלוכלך בטיט ובצואה אין מה שבתוכו נמאס אף ת"ח אע"פ שסרח אין תורתו נמאסת אשכחיה רבה בר שילא לאליהו א"ל מאי קא עביד הקב"ה א"ל קאמר שמעתא מפומייהו דכולהו רבנן ומפומיה דר"מ לא קאמר א"ל אמאי משום דקא גמר שמעתא מפומיה דאחר א"ל אמאי ר"מ רמון מצא תוכו אכל קליפתו זרק א"ל השתא קאמר מאיר בני (ה) אומר ח) בזמן שאדם מצטער שכינה מה לשון אומרת קלני מראשי קלני מזרועי אם כך הקב"ה מצטער על דמן של רשעים (ו) ק"ו על דמן של צדיקים שנשפך אשכחיה שמואל לרב יהודה דתלי בעיברא דדשא וקא בכי א"ל ג) שיננא מאי קא בכית א"ל מי זוטרא מאי דכתיב בהו ברבנן ח) איה סופר איה שוקל איה סופר את המגדלים איה סופר שהיו סופרים כל אותיות שבתורה איה שוקל שהיו שוקלים קלין וחמורין שבתורה איה סופר את המגדלים שהיו שונין ג' מאות הלכות במגדל הפורח באויר ואמר רבי אמי תלת מאה בעיי בעו דואג ואחיתופל במגדל הפורח באויר ותנן ו) ג' מלכים וארבעה הדיוטות אין להם חלק לעולם הבא אנן מה תהוי עלן א"ל שיננא טינא היתה בלבם אחר מאי זמר יווני לא פסק מפומיה אמרו עליו על אחר בשעה שהיה עומד מבית המדרש הרבה ספרי מינין נושרין מחיקו שאל נימוס הגרדי את ר"מ כל עמר דנחית ליורה סליק א"ל כל מאן דהוה נקי אגב אימיה סליק כל דלא הוה נקי אגב אימיה לא סליק ר"ע עלה בשלום וירד בשלום ועליו הכתוב אומר ט) משכני אחריך נרוצה ואף רבי עקיבא בקשו מלאכי השרת לדוחפו אמר להם הקב"ה הניחו לזקן זה שראוי להשתמש בכבודי מאי

רש"י

כי שכיב. אחר: אמרי. ברקיע לא מידן נידייניה כו': חדא הוה בינגא. תלמיד אחד הי' בינינו ונכשל ויצא לתרבות רעה ואין כח בין כולנו להביאו לעולם הבא: אי נקטיה ביד מאן מרמי ליה (ז). אם אוחז אני בידו להביאו לעולם הבא מי יקחנו מידי מרמי לשון נוטל מידי ויש לו דוגמא בפסחים (דף י:) ארמואי ארמייה מיניה גבי ככר בפי עכבר: מאן. כמו מנאי לשון קלר הוא: שומר הפתח. של גיהנם לא עמד לפניך רבינו בגוכך להוציא אחר משם: לדעתם לא נאמר. אלמא ברשעי עסיקינן וקאמר הט אזנך: הטי אזנך. לשמוע ואת מעשיהם שכחי ואל תלמדי אותן: גדול. היודע ליזהר [שלא ילמוד] מעשיו יכול ללמוד תורה מפיו: תחלא. פרי החילון הנאכל בתמרה: שיחלא. גרעינה הנזרקת: [השתא קאמר]. עכשיו שמע לקולך ואמר שמועה מפיו: קלני מראשי. רבי מאיר אמרה במסכת סנהדרין (דף מו.) במדרש כי קללת אלהים תלוי (דברים כא) קל לית אינו קל ולישנא מעליא נקט כינה הדבר כלפי מעלה קלני מזרועי כבד אני מזרועי שילרתי זה שמת בעונו. ותלי בעיברא דדשא. נשען על הבריח: ברבנן. בתלמידים היוצאין לתרבות רעה: שוקלין. לדרוש קל מחמור וחמור מקל לפי המשקולת של ק"ו: במגדל הפורח באויר. י"מ שדורשין גובהו של למ"ד ודורשין בו כל זאת ו"א מגדל דור הפלגה ולי נראה מגדל הפתוח לאויר גרסינן והן מהלכות אהלות מגדל של עץ שקורין משטי"ר ועומד בפתח ופתחו פתוח לבקעה או לחצר שהוא אויר במסכת אהלות (פ"ד מ"א) ישנה משנה מגדל העומד באויר: ד' הדיוטות. בלעם ודואג ואחיתופל וגחזי בפ' חלק: טינא היתה בלבם. רשעים היו מימיהם: אחר מאי. מפני מה בא לידי כך ולא הגינה תורתו עליו: זמר יווני לא פסק מביתו. והיה לו להניח בשביל תורתו הבית דכתיב בשיר לא ישתו יין (ישעיה כד): נושרין מחיקו. קודם שהפקיר עצמו לתרבות רעה אלמא טינא הוות בלבו: כל עמר דנחית ליורה סליק. כל צמר שנותנין ליורה של סממנין לצבוע עולה לו לצבעו או אינו עולה כלומר כל הלומדים לפני חכמים עולה להן תורתן להגין עליהן מן החטא (ח): כל דנקי אגב אימיה (ט). שלא נתלכלך בגיזה עולה לו לצבע כלומר כל שיראת חטאו קודמת לחכמתו עולה לו כן נראה בעיני ורבותי מפרשין כל עמר דנחית ליורה סליק כל שירד לידון בגיהנם עולה אגב אמו צמר בן יומו שלא נרמס בטיט עולה לו הצבע כלומר שיש זכות בידו עולה: מאי

מסורת הש"ס

א) [מו"ק דף יז. ע"ש], ב) [סנהדרין דף מו.], ג) [ערוך ערך גן פירש שיננא מחודד בתלמוד מלשון מן שנון ו"א גדול השינים ושינים מקובלת כתובות יז. פירש לפי ששיניו גדולות קרי ליה שיננא ע"ש], ד) [ברכות קו:, וש"נ], ה) סנהדרין קו:, ו) שם לו ע"ל.

הגהות הב"ח

(א) גמ' כי האי גוונא לכישתא לבתרא: (ב) שם גבורתא למיקלא רביה בכולה חד הוה וכו' אי נקטי ליה ביד: (ג) שם אמרה לו רבי זכור לתורתו וכו' ירדה אש מן השמים וסכסכה וכו' ומה למתגנין בתורה כך: (ד) שם ר' מאיר אשכח תמרי אכל תחלא: (ה) שם מאיר בני כך הוא אומר: (ו) שם על רשעים שנשפך ק"ו על דמן: (ז) רש"י ד"ה אי נקטיה וכו' מאן מרמי ליה מאן אם אוחז: (ח) ד"ה כל עמר וכו' מן החטא לא גרסי' והס"ד: (ט) ד"ה כל דנקי אגב וכו' לימיה צמר בן יומו שלא נתלכלך כשהוא בגיזה וכו' כלומר שיש זכות: (י) תוס' ד"ה הא בגדול וכו' והא דריש פ' במרבה דמו"ק בהאיה לורבא מרבנן דהוו סנו: (כ) ד"ה כל דנקי אגב כל' ותיבת נחית נמחק:

גליון הש"ס

רש"י ד"ה זמר יווני וכו' דכתיב בשיר. עיין גיטין דף ז ע"א:

תורה אור השלם

א) וְאַתְּ שָׁדוּד מַה תַּעֲשִׂי כִּי תִלְבְּשִׁי שָׁנִי כִּי תַעְדִּי עֲדִי זָהָב כִּי תִקְרְעִי בַפּוּךְ עֵינַיִךְ לַשָּׁוְא תִּתְיַפִּי מָאֲסוּ בָךְ עֹגְבִים נַפְשֵׁךְ יְבַקֵּשׁוּ: [ירמיה ד, ל]

ב) וְלָרָשָׁע אָמַר אֱלֹהִים מַה לְּךָ לְסַפֵּר חֻקָּי וַתִּשָּׂא בְרִיתִי עֲלֵי פִיךָ: [תהלים נ, טז]

ג) לֹא נִין לוֹ וְלֹא נֶכֶד בְּעַמּוֹ וְאֵין שָׂרִיד בִּמְגוּרָיו: [איוב יח, יט]

ד) כִּי שִׂפְתֵי כֹהֵן יִשְׁמְרוּ דַעַת וְתוֹרָה יְבַקְשׁוּ מִפִּיהוּ כִּי מַלְאַךְ יְיָ צְבָאוֹת הוּא: [מלאכי ב, ז]

ה) הַט אָזְנְךָ וּשְׁמַע דִּבְרֵי חֲכָמִים וְלִבְּךָ תָּשִׁית לְדַעְתִּי: [משלי כב, יז]

ו) שִׁמְעִי בַת וּרְאִי וְהַטִּי אָזְנֵךְ וְשִׁכְחִי עַמֵּךְ וּבֵית אָבִיךְ: [תהלים מה, יא]

ז) אֶל גִּנַּת אֱגוֹז יָרַדְתִּי לִרְאוֹת בְּאִבֵּי הַנָּחַל לִרְאוֹת הֲפָרְחָה הַגֶּפֶן הֵנֵצוּ הָרִמֹּנִים: [שיר השירים ו, יא]

ח) לִבְּךָ יֶהְגֶּה אֵימָה אַיֵּה סֹפֵר אַיֵּה שֹׁקֵל אַיֵּה סֹפֵר אֶת הַמִּגְדָּלִים: [ישעיה לג, יח]

ט) מָשְׁכֵנִי אַחֲרֶיךָ נָּרוּצָה הֱבִיאַנִי הַמֶּלֶךְ חֲדָרָיו נָגִילָה וְנִשְׂמְחָה בָּךְ נַזְכִּירָה דֹדֶיךָ מִיַּיִן מֵישָׁרִים אֲהֵבוּךָ: [שיר השירים א, ד]

Another answer:

בְּשָׁעָה שֶׁהָיָה עוֹמֵד אָמְרוּ עָלָיו עַל אַחֵר – **They said about Acher:** מִבֵּית הַמִּדְרָשׁ – **When he would stand up from** his seat in **the study hall,** הַרְבֵּה סִפְרֵי מִינִין נוֹשְׁרִין מֵחֵיקוֹ – **many heretical tracts would fall from his lap.**[46]

A dialogue that confirms the points made by Shmuel above: שָׁאַל נִימוֹס הַגַּרְדִּי אֶת רַבִּי מֵאִיר – **Nimos the weaver**[47] once **inquired of R' Meir,** כָּל עֲמַר דְּנָחִית לְיוֹרָה סָלִיק – "Is it not true that **all wool that goes into the** dyeing **pot absorbs** the dye? I.e. does the Torah of students under the Sages protect them from sinning or not?"[48] אָמַר לֵיהּ – **[R' Meir] replied to him,** כָּל מַאן דַּהֲוָה נָקִי אַגַּב אִימֵּיהּ סָלִיק – **"Any [wool] that is clean from the [lamb's] mother absorbs** the dye;[49] however, כָּל דְּלָא הֲוָה נָקִי אַגַּב אִימֵּיהּ לֹא סָלִיק – **any** wool **that is not clean from the [lamb's] mother does not** properly **absorb** the dye. I.e. if a student's reverence for Heaven precedes his scholarship, he will absorb the Torah and he will be protected from sinning. But if his prior waywardness prevents him from absorbing the Torah, he will not be protected from sinning."[50],[51]

NOTES

prohibition; see also *Igros Moshe, Orach Chaim* I §166).

Maharsha and other commentators raise several problems with *Rashi's* explanation. Why, for example, does the Gemara specify that he sang a *Greek* song? It would seem that *any* song would be prohibited in remembrance of the Temple. *Maharsha* therefore explains that it was the "Greek" nature of the song that was objectionable. The songs Acher sang recalled Greek culture and gradually inclined their singer to heretical beliefs.

Alternatively, the Gemara is saying that the Greek songs themselves were not so objectionable, but they were a symptom of inner rot. A person allows others a glimpse of his inner self through the melodies he voices spontaneously, without prior thought or intent. Noble men tend to sing verses and tunes full of yearning for God's closeness; ordinary people sing regular songs; and those who wish to assimilate into alien cultures sing its songs, including sometimes the songs of anti-Semites. In Acher's generation, the bitter fruit of Greek culture had long since poisoned the Jewish nation and felled its many victims. If Acher was prone to sing Greek songs in his time, this itself was compelling proof of spiritual malaise.

46. This occurred before Acher abandoned himself to evil ways (*Rashi*). When Acher would enter the study hall, he would conceal these tracts on his person so that the students would not see them. However, sometimes after his mind was absorbed in his Torah studies, he would forget about them, and when he stood up, they fell on the floor in front of the students in the study hall (*Maharsha*). These heretical tracts contained philosophical challenges to the concepts of Divine Providence, reward and punishment, etc. (*R' Chaim Shmulevitz, Sichos Mussar,* 5732, §8). This was a sign of internal rot (*Rashi*).

47. A prominent non-Jewish philosopher (*Yalkut HaMeiri;* see *Bereishis Rabbah* 65:20).

48. [Because we find that a rabbi as great as Acher succumbed despite his scholarship.]

49. If the wool is as clean as that of a one-day-old lamb, i.e. it did not become dirty after being shorn, then it will absorb the dye well (*Rashi*).

50. Acher, of course, was in the second category.

We have rendered Nimos' question and R' Meir's response according to *Rashi's* own explanation. *Rashi* cites a different explanation from his teachers: Nimos asked if every person who descends to Gehinnom eventually ascends from there; R' Meir replied that if he is unsullied by mud – i.e. he has merits – then he will ascend.

Beis HaLevi (*Derush* §13) elaborates: Gehinnom could conceivably be for either of two purposes: (a) to punish a person for the evil he performed in his lifetime; or (b) to cleanse his soul of his sins, as one cleanses a garment from its dirt. In truth, Gehinnom serves both these purposes. Most persons are in Gehinnom for a maximum of twelve months and then merit entrance into the World to Come. These have been cleansed of the evil with which they stained their souls in their lifetimes and may now enjoy the company of the righteous. There are some consummately sinful men, however, who remain in Gehinnom forever. These are people whose evil remains rooted within them despite constant cleansing.

Nimos asked R' Meir if every person who descends to Gehinnom ascends from it to Gan Eden; R' Meir answered that if a person has some merit or good deeds he will eventually ascend, because Gehinnom will purge him of the bad and leave the good. But if a person has no merits, if he is entirely evil, what can be redeemed from him? There is no part of him that would remain to enter Gan Eden. Therefore, he never ascends from Gehinnom.

51. The *Yerushalmi* fills in many details about Acher that are not presented in our Gemara. *Tosafos* quote many of these here.

Elisha ben Avuyah asked R' Meir to explain the verse (Ecclesiastes 7:8): The end of a matter is good from its beginning. [Dissatisfied with R' Meir's response, Acher quoted R' Akiva who explained it this way:] The end of a matter is good when it is good from its beginning [however, when it is bad from its beginning it will be bad in its end]. And, [Elisha continued] the proof case was with me. Avuyah my father was one of the prominent men of Jerusalem. On the day of my bris, he invited all the prominent men of Jerusalem and seated them in one room, as well as R' Eliezer and R' Yehoshua and seated them in a different room. After they ate and drank, the people in the first room began to sing, clap and dance. R' Eliezer said to R' Yehoshua, "While they are engaged in their activity, let us engage in ours." They sat down and began to engage in words of Torah – from the Torah to the Prophets, and from the Prophets to the Writings, and a fire descended from Heaven and surrounded them. Avuyah said to them, "My masters! Have you come to burn my house down?!" They told him, "Heaven forbid! We were just sitting and reviewing words of Torah, from the Torah to the Prophets and from the Prophets to the Writings, and the words were as joyous as when they were given at Sinai, and a fire was lapping them up as they were lapped up at Sinai. Furthermore, the main transmission of words of Torah was only through fire, as it says (Deuteronomy 4:11): and the mountain was burning with fire to the heart of Heaven." My father Avuyah replied to them, " 'My masters! If that is the power of the Torah, then if this child lives, I will set him aside for Torah.' [However,] since his intent was not for the sake of Heaven, [his dream] was not fulfilled in that man [i.e. me]."

The *Yerushalmi* records several other causes for Acher's abandonment of the Torah: (a) He saw one man violate the Torah's commandment not to take a mother bird together with her chicks and the man climbed down from the tree and left in peace. The next day he saw another man observe this commandment and, when that man climbed down from the tree, a snake bit him and he died. The verse (*Deuteronomy* 22:7) promises one who fulfills this mitzvah "good" and "length of days." Where, Acher asked, is the goodness and the long days of this latter person? (b) He saw the dismembered tongue of a certain Torah scholar seized in a dog's mouth, dripping blood. Acher said, "This is the Torah and this is its reward? This is the tongue that used to express words of Torah as is befitting; this is the tongue that exerted itself in Torah study all his days?! This is the Torah and this is its reward?! It seems that there is no reward nor resurrection of the dead!" (c) When Acher's mother was pregnant with him, she passed by an idolatrous temple and smelled the scent of one of the offerings, and the scent penetrated through her body [to her fetus] like the venom of a snake.

[*R' Chaim Shmulevitz* loc. cit. explains that all of these were contributing factors: A great tree grows from a single seed, but the seed will not sprout if not planted in the ground, and both of them together are of no value without sunshine, water, etc. Similarly, the seed of Acher's evil was planted by his father's ignoble intentions. The seed sprouted as Acher sang Greek songs, and grew more when he began perusing the heretical tracts. Although at this point, Acher probably disagreed with the philosophical challenges to Jewish belief and attempted to resolve them, yet the challenges remained in the category of challenges, but with counterarguments. And when he saw the bloody tongue of the Torah scholar dragged about in disgrace, the heretical challenges he had absorbed were revitalized and he became a heretic himself. The acorn had become a tree.]

The *Yerushalmi* cites other sins of which Acher was guilty (after he abandoned Torah observance): (a) Jews would be forced to work for the government on the Sabbath. When the Jews attempted to accomplish their work in a way that would minimize the desecration of the Sabbath,

לינוקא פסוק לי פסוקך א"ל א) ואת שדוד מה תעשי כי תלבשי שני כי תעדי עדי זהב כי תקרעי בפוך עיניך לשוא תתיפי וגו' עייליה לבי כנישתא אחריתי עד דעייליה לתליסר בי כנישתא כולהו פסקו ליה כי האי גוונא (א) לבתרא א"ל פסוק לי פסוקך א"ל ב) ולרשע אמר אלהים מה לך לספר חקי וגו' ההוא ינוקא הוה מגמגם בלישניה אשתמע כמה דאמר ליה ולאלישע אמר אלהים איכא דאמרי סכינא הוה בהדיה וקרעיה ושדריה לתליסר בי כנישתי ואיכא דאמרי אמר אי הואי בידי סכינא הוה קרענא ליה כי נח נפשיה דאחר אמרי לא מידן לידייניה ולא לעלמא דאתי ליתי לא מידן לידייניה משום דעסק באורייתא ולא לעלמא דאתי ליתי משום דחטא אמר ר"מ מוטב דלידייניה וליתי לעלמא דאתי מתי אמות ואעלה עשן מקברו כי נח נפשיה דר' מאיר סליק קוטרא מקבריה דאחר אמר ר' יוחנן גבורתא למיקלא רביה (ב) חד הוה בינגא ולא מצינן לאצוליה אי נקטיה ביד מאן מרמי ליה מאן אמר מתי אמות ואכבה עשן מקברו כי נח נפשיה דר' יוחנן פסק קוטרא מקבריה דאחר פתח עליה ההוא ספדנא אפילו שומר הפתח לא עמד לפניך רבינו בתו של אחר אתיא לקמיה דרבי אמרה ליה רבי פרנסני אמר לה בת מי את אמרה לו בתו של אחר אני אמר לה עדיין יש מזרעו בעולם והא כתיב ג) לא נין לו ולא נכד בעמו ואין שריד במגוריו אמרה לו (ג) זכור לתורתו ואל תזכור מעשיו מיד ירדה אש וסכסכה ספסלו של רבי בכה ואמר רבי ומה למתגנין בה כך למשתבחין בה על אחת כמה וכמה ור"מ היכי גמר תורה מפומיה דאחר והאמר רבה בר בר חנה אמר רבי יוחנן א) מאי דכתיב ד) כי שפתי כהן ישמרו דעת ותורה יבקשו מפיהו כי מלאך ה' צבאות הוא *אם דומה הרב למלאך ה' צבאות יבקשו תורה מפיהו ואם לאו אל יבקשו תורה מפיהו אמר ר"ל ר"מ קרא אשכח ודרש ה) הט אזנך ושמע דברי חכמים ולבך תשית לדעתי לדעתם לא נאמר אלא לדעתי רב חנינא אמר מהכא ו) שמעי בת וראי והטי אזנך ושכחי עמך ובית אביך וגו' קשו קראי אהדדי לא קשיא הא בגדול הא בקטן כי אתא רב דימי אמר אמרי במערבא ר"מ (ד) אכל תחלא ושדא שיחלא לברא דרש רבא מאי דכתיב ז) אל גנת אגוז ירדתי לראות באבי הנחל וגו' למה נמשלו ת"ח לאגוז לומר לך מה אגוז זה אע"פ שמלוכלך בטיט ובצואה אין מה שבתוכו נמאס אף ת"ח אע"פ שסרח אין תורתו נמאסת אשכחיה רבה בר שילא לאליהו א"ל מאי קא עביד הקב"ה א"ל קאמר שמעתא מפומייהו דכולהו רבנן ומפומיה דר"מ לא קאמר א"ל אמאי משום דקא גמר שמעתא מפומיה דאחר א"ל אמאי ר"מ רמון מצא תוכו אכל קליפתו זרק א"ל השתא קאמר מאיר בני (ה) אומר ב) בזמן שאדם מצטער שכינה מה לשון אומרת קלני מראשי קלני מזרועי אם כך הקב"ה מצטער על דמן של רשעים (ו) ק"ו על דמן של צדיקים שנשפך אשכחיה שמואל לרב יהודה דתלי בעיברא דדשא וקא בכי א"ל ג) שיננא מאי קא בכית א"ל מי זוטרא מאי דכתיב בהו ברבנן ח) איה סופר איה שוקל איה סופר את המגדלים איה סופר שהיו סופרים כל אותיות שבתורה איה שוקל שהיו שוקלים קלין וחמורין שבתורה איה סופר את המגדלים שהיו שונין ג' מאות הלכות במגדל הפורח באויר ואמר רבי אמי תלת מאה בעיי בעו דואג ואחיתופל במגדל הפורח באויר ותנן ו) ג' מלכים וארבעה הדיוטות אין להם חלק לעולם הבא אנן מה תהוי עלן א"ל שיננא טינא היתה בלבם אחר מאי זמר יווני לא פסק מפומיה אמרו עליו על אחר בשעה שהיה עומד מבית המדרש הרבה ספרי מינין נושרין מחיקו שאל נימוס הגרדי את ר"מ כל עמר דנחית ליורה סליק א"ל כל מאן דהוה נקי אגב אימיה סליק כל דלא הוה נקי אגב אימיה לא סליק ר"ע עלה בשלום וירד בשלום ועליו הכתוב אומר ט) משכני אחריך נרוצה ואף רבי עקיבא בקשו מלאכי השרת לדוחפו אמר להם הקב"ה הניחו לזקן זה שראוי להשתמש בכבודי מאי

הא בגדול הא בקטן. והא דריש פ' בתרא דמו"ק (י) (דף יז.) דהוו סנו שומעניה דשמתיה רב יהודה איכא למימר דקטנים הוו דגרסי קמיה וחיישי' דלמא מימשכי אי נמי אפילו הוו גדולים נידהו רב יהודה כיון שמצא מקום לנדותו ובדין היה כיון דסנו שומעניה. הר"ר אלחנן: **כל** עמר דנקי נחית (כ) אגב אימיה. כלומר מי שיראתו קודמת לחכמתו חכמתו מתקיימת ודואג ואחיתופל דלא מגני להו תורתן לפי שלא היה להם יראה כלל כדאיתא בסוטה פרק נוטל (דף כא.): כבני

כי שכיב. אחר: **אמרי.** ברקיע לא מידן נידייניה כו': **חדא הוה בינגא.** תלמיד אחד הי' בינינו ונכשל ויצא לתרבות רעה ואין כח בין כולנו להביאו לעולם הבא: **אי נקטי ליה ביד מאן מרמי ליה** (ז). אם אוחז אני בידו להביאו לעולם הבא מי יקחנו מידי מרמי לשון נוטל מידי ויש לו דוגמא בפסחים (דף י:) ארמויי ארמייה מיניה גבי ככר בפי עכבר: **מאן.** כמו מנאי לשון קלר הוא: **שומר הפתח.** של גיהנם לא עמד לפניך רבינו בבואך להוציא אחר משם: **לדעתם לא נאמר.** אלמא ברשיעי עסיקינן וקאמר הט אזנך: **הטי אזנך.** לשמוע ואת מעשיהם שכחי ואל תלמדי אותן: **גדול.** היודע ליזהר [שלא ילמוד] מעשיו יכול ללמוד תורה מפיו: **תחלא.** פרי החילון הנאכל בתמרה: **שיחלא.** גרעינה הנזרקת: **[השתא קאמר].** עכשיו שמע לקולך ואמר שמועה מפיו: **קלני מראשי.** רבי מאיר אמרה במסכת סנהדרין (דף מו.) במדרש כי קללת אלהים תלוי (דברים כא) קל לית איני קל ולישנא מעליא כינה הדבר כלפי מעלה קלני מזרועי כבד אני מזרועי שילרתי זה שמת בעונו: **ותלי בעיברא דדשא.** נשען על הבריח: **ברבנן.** בתלמידים היוצאין לתרבות רעה: **שוקלין.** לדרוש קל מחמור וחמור מקל לפי המשקולת של ק"ו: **במגדל הפורח באויר.** י"מ שדורשין גובהו של למ"ד ודורשין בו כל זאת וי"א מגדל דור הפלגה ולי נראה מגדל הפתוח לאויר גרסינן והן מהלכות אהלות מגדל של עץ שקורין משטיי"ר ועומד בפתח ופתחו פתוח לבקעה או לחצר שהוא אויר במסכת אהלות (פ"ד מ"א) ישנה משנה מגדל העומד באויר: **ד' הדיוטות.** בלעם ודואג ואחיתופל וגחזי בפ' חלק: **טינא היתה בלבם.** רשעים היו מימיהם: **אחר מאי.** מפני מה בא לידי כך ולא הגינה תורתו עליו: **זמר יווני לא פסק מביתו.** והיה לו להניח בשביל חורבן הבית °דכתיב בשיר לא ישתו יין (ישעיה כד): **נושרין מחיקו.** קודם שהפקיר עצמו לתרבות רעה אלמא טינא הוות בלבו: **כל עמר דנחית ליורה סליק.** כל צמר שניתן ליורה של סממנין לצבוע עולה לו צבעו או אינו עולה כלומר כל הלומדים לפני חכמים עולה להן תורתן להגין עליהן מן החטא (ח): **כל דנקי אגב אימיה** (ט). שלא נתלכלך בגיזה עולה לו צבעו כלומר כל שיראת חטאו קודמת לחכמתו עולה לו כן נראה בעיני ורבותי מפרשין כל עמר דנחית ליורה סליק כל שירד לידון בגיהנם עולה אגב אמו כמר בן יומו שלא נרמס בטיט עולה לו הצבע כלומר שיש זכות בידו עולה: מאי

עין משפט נר מצוה

י א מיי' פ"ד מהלכות ת"ת הלכה א טוש"ע י"ד סי' רמו סעיף ח:

רבינו חננאל

שברם. והאי דבדק אחר בינוקי משום דהוה ר' מאיר מפצר ליה לחזור בתשובה ולא היה לבו חפץ וא"ל שמעתי מאחורי הפרגוד והוא מעיקרא טינא היתה דלא פסק זמר יווני מביתו ובשעה שהיה עומד מבהמ"ד הרבה ספרי מינין היו נושרין מחיקו ויצא לתרבות רעה. זה שאמר ר' מאיר מתי אמות ואעלה עשן מקברו כלומר ידין אותו הקב"ה באש יוקדת מעלה עשן כדי שיתכפרו לו עונותיו ויזכה לעוה"ב וכיון שהגיע ר' מאיר למות ביקש רחמים על זה וקבל תפלתו וכיון שמת עלה עשן מקברו של אחר. ור' יוחנן אמר חד הוה כאן. כלומר אחד מן חכמי [בית] מדרשינו חטא אין בנו זכות לפני הקב"ה להצילו מדינה של גיהנם. מתי אמות ואפסיק עשן מקברו. ור' מאיר היכי הוה גמיר מאחר והכתיב כי שפתי כהן ישמרו דעת ותורה יבקשו מפיהו כי מלאך ה' צבאות הוא וא"ר יוחנן אם דומה הרב למלאך ה' צבאות יבקשו תורה מפיהו ואם לאו אל יבקשו תורה מפיהו. ואע"ג דאמרינן ר' מאיר קרא אחרינא אשכח וסמך עליה דכתיב הט אזנך ושמע דברי חכמים ולבך תשית לדעתי לדעתם לא נאמר אלא לדעתי מכלל שיש לך לקבל תורתו ולא דעתו. ואמרינן קשו קראי אהדדי ושנינן הא דאמרינן אם דומה הרב למלאך ה' צבאות בקשו תורה מפיהו בקטן דעביד כדעתיה דרביה דחיישינן דלמא מפיק ליה לתרבות רעה אבל גדול דנפשיה קא עביד הט אזנך ושמע דברי חכמים וגו' האמר אליהו דאמרי במתיבתא דרקיעא שמעתא מכלהו רבנן. ושמעתתיה דר' מאיר משום דגמר מאחר לא אמרי הלכתא אפילו גמר ללמוד תורה מחבירו ירא שמים טפי עדיף ליה. פי' שיחלא קליפתה שהיא כסותה ותיקה. פי' כמגדל הפורח. משנה ידועה היא. קלני מראשי קלני מזרועי כבר פירשנוה בסנהדרין. פי' בעברא דדשא בבריח הדלת. אף ר' עקיבא ביקשו המלאכים לדחפו אמר הקב"ה הניחו לזקן זה ראוי הוא להסתכל

ליקוטי רש"י

שובבים. מנוסי"ר בלעז שעובבתם לרכבס מרזב כל שהייתם בשלום ועונג כמו שהוא אומר הפורעים על פי הנבל (עמוס ו) השותים במזרקי יין (שם) [ירמיה ג, יד]. **תרבות.** מנהג [בכורות מ:]. **גם את זה לעומת זה.** הטובה ושכר פעולתה לעמת הרעה ושכר פעולתה [קהלת ז, יד]. **זהב.** טהור מנהיר כמרגלית [איוב כח, יז]. **ונוחין לאבדן ככלי זכוכית.** יש להם תקנה, להתיך ולחזור ולעשות מהן כלי והא דאמרינן בחגיגה (טו.) ונוחין לאבדם ככלי זכוכית לא שאין להם תקנה אלא שנפסדין לשעתן ואין מתקיימין [סנהדרין צא.]. **מאחורי הפרגוד.** פרגוד דבר המבדיל בין המלך ובין העם [שמות כו, לא]. מחילה המבדלת בין מקום השכינה [ברכות יח:]. מחילה שבין שכינה לצבא מרום [ב"מ נט.]. **לרשעים.** לנבוכדנצר וזרעו [ישעיה מח, כב]. **בנתר.** מין אדמה שחפין ושפין בה את הבגדים. **בורית.** נקיון כמו ובר לבב (תהלים כד) ויש לועזים בורית שאבו"ן בלעז. **נכתם עונך.** הא כרושם כתמא דלא דכי כן סגיאו חוביך קדמי. עונך, על עון העגל נאמר שהוא קיים לעולם כמו שנאמר וביום פקדי ופקדתי עליהם (שמות לב) כל פקידות הבאות על ישראל יהיה מקצת עון העגל בהם [ירמיה ב, כב]. [עד כאן שייך לע"א]. **כי תלבשי שני.** להתנאות ולמצוא רחמים לפני השודד. **תקרעי בפוך.** לשון קריעה שהפוך נראה כמרחיב קרע העין כך שמעתי וגם מנחם לא חלק במחברת קרע. פוך, לשון כחול [ירמיה ד, ל]. **אי נקטיה ביד מאן מרמי ליה מאן.** ארמויה, השליכו ממנו ונטלו הוא וחבירו בחגיגה (דף טו:) אי נקטיה ביד מאן מרמי ליה מן ידי [פסחים י:]. **נכד.** בן הבן [איוב יח, יט]. **כי שפתי כהן.** עליהם מוטל לשמור דעת למה שהרי תורה יבקשו מפיהו שכבר דבר זה מסור להם יורו משפטיך ליעקב (דברים ל"ג). **כי מלאך.** שלוחו של הקב"ה כמלאכי השרת לשרת לפניו וליכנס לפנים במחיצתו [מלאכי ב, ז]. **הט אזנך ושמע דברי חכמים.** ללמוד תורה מחכם כל שהוא. **ולבך תשית לדעתי.** ואם רבך רשע לא תלמוד ממעשיו [משלי כב, יז]. **שמעי בת וראי.** שמעי כנסת ישראל וראי דרך הטוב. **והטי אזנך.** לתורה. **ושכחי עמך.** מעבר הנהר שאת גדילה ביניהם. **ובית אביך.** ע"א שעבדו אבותיך בעבר הנהר [תהילים מה, יא]. **במערבא.** בארץ ישראל [שבת סה:]. **אל גנת אגוז ירדתי.** עוד זה מדברי שכינה הנה באתי אל מקדש שני זה אליך. למה נמשלו ישראל לאגוז מה אגוז זה אתה רואה אותו כולו עץ ואין ניכר בתוכו פולעו ומלאו מלא מגורות מגורות של אוכלים כך ישראל צנועין וענוותנין מעשיהם ואין תלמידים שבהן נכרים ואין מתפארים להכריז על שבחן בדקמו את' מוצא אותו מלא חכמה ועוד כמה מדרשות לדבר מה אגוז זה נופל בטיט ואין מה שבתוכו נמאס אף ישראל גולין לבין האומות ולוקין מלקיות הרבה ואין מעשיהם נמאסין. **לראות באבי הנחל.** מה לחלוחית מעשים טובים מראה בך [שיר השירים ו, יא]. **שאדם מצטער.** שפורענות באה עליו בעונו. **מה לשון אומרת.** כביכול לשון היא קובלת ומתנודדת עליו. **קלני מראשי.** כמו שהאדם שיגע ועיף אומר ראשי כבד עלי וזרועי כבד עלי והיינו קללת קל לית אני איני קל [סנהדרין מו.]. **איה סופר.** איה שהיה סופר בחייו ושוקל כל דבר חכמה שהיו שואלין ממנו כל עצת מלכות. **איה סופר את המגדלים.** פירוש שהיה סופר המגדלים אשר בעיר ועיר כי אותם הבתים הגבוהים היו חשובים ונותנים יותר במס [ישעיה לג, יח]. **כל אותיות שבתורה.** שהיה בקי בחסירות ויתירות. **שוקלים קלין וחמורין.** יודע לדרוש בקל וחומר. **במגדל הפורח באויר.** מתג עליונה שלמעלה מן הלמ"ד מפני מה כפופה למטה לשון מ"ר מפי השמועה ל"א במגדל הפורח באויר הנכנס לארץ העמים בשידה תיבה ומגדל אם הוא טמא אם לאו לישנא אחרינא שלש מאות הלכות במגדל הפורח באויר לעשות כישוף להעמיד מגדל באויר כגון שלש מאות הלכות בנטיעות קשואין דאמרן בפירקין דלעיל (דף סח.) ולמורי נראה דהכי גרסינן שלש מאות הלכות במגדל העומד [באויר] ומשנה אחת באהלות (פרק ד משנה א) דמשמעי בהכי מגדל העומד באויר וטומאה בתוכה כלים שבתוכו טמאים וכן נראה לרבי [סנהדרין קו:]. **משכני אחריך נרוצה.** אני שמעתי משלוחיך רמז שאמרת למשכני ואני אמרתי אחריך נרוצה להיות לך לאשה. זהו פשוטו לפי ענינו ולפי דוגמתו הם מזכירים לפניו חסד נעורים אהבת כלולות לכתם אחריו במדבר ארץ ציה וצלמות וגם לדה לא עשו להם והאמינו בו ובשלוחו ולא אמרו היאך נצא למדבר לא מקום זרע ומזונות והלכו אחריו והוא הביאם לתוך חדרי היקף ענניו כזו עודם היום גלים ושמחים בו אף לפי עניים וצרתם ומשתעשעים בתורה ושם מזכירים דודיו מיין ומישור אהבתם אותו [שיר השירים א, ד].

מסורת הש"ס

א) [מו"ק דף יז. ע"ש], ב) [סנהדרין דף מו.], ג) [בערוך ערך שן פירש שיננא מחודד בתלמוד מלשון חד שנון וי"א גדול השיניים ובשיטה מקובצת כתובות יד. פירש לפי ששיניו גדולות קרי ליה שיננא ע"ש], ד) [ברכות לו. וש"נ], ה) סנהדרין קו:, ו) שם ל ע"א.

הגהות הב"ח

(א) גמ' כי האי גוונא לבישותא לבתרא: (ב) שם גבורתא למיקלא רביה בגורלא חד הוה וכו' אי נקטי ליה ביד: (ג) שם אמרה לו רבי זכור לתורתו וכו' ירדה אש מן השמים וסכסכה וכו' ומה למתגנין בתורה כך: (ד) שם ר' מאיר אשכח תמרי אכל תחלא: (ה) שם מאיר בני כך הוא אומר: (ו) שם של רשעים שנשפך ק"ו על דמן: (ז) רש"י ד"ה אי נקטיה וכו' מאן מרמי ליה מאן אם אוחז: (ח) ד"ה כל עמר וכו' מן החטא או לא והס"ד: (ט) ד"ה כל דנקי אגב אימיה כמר בן יומו שלא נתלכלך כשהוא בגיזה וכו' כלומר מי שיש זכיות: (י) תוס' ד"ה הא בגדול וכו' והא דריש פ' בתרא דמו"ק בהסוה לורבא מרבנן דהוו סנו: (כ) ד"ה כל עמר דנקי אגב כצ"ל ותיבת נחית נמחק:

גליון הש"ס

רש"י ד"ה זמר יוני וכו' דכתיב בשיר. עיין גיטין דף ז ע"א:

תורה אור השלם

א) ואת שדוד מה תעשי כי תלבשי שני כי תעדי עדי זהב כי תקרעי בפוך עיניך לשוא תתיפי מאסו בך עגבים נפשך יבקשו: [ירמיה ד, ל]

ב) ולרשע אמר אלהים מה לך לספר חקי ותשא בריתי עלי פיך: [תהלים נ, טז]

ג) לא נין לו ולא נכד בעמו ואין שריד במגוריו: [איוב יח, יט]

ד) כי שפתי כהן ישמרו דעת ותורה יבקשו מפיהו כי מלאך יי צבאות הוא: [מלאכי ב, ז]

ה) הט אזנך ושמע דברי חכמים ולבך תשית לדעתי: [משלי כב, יז]

ו) שמעי בת וראי והטי אזנך ושכחי עמך ובית אביך: [תהלים מה, יא]

ז) אל גנת אגוז ירדתי לראות באבי הנחל לראות הפרחה הגפן הנצו הרמנים: [שיר השירים ו, יא]

ח) לבך יהגה אימה איה ספר איה שקל איה ספר את המגדלים: [ישעיה לג, יח]

ט) משכני אחריך נרוצה הביאני המלך חדריו נגילה ונשמחה בך נזכירה דדיך מיין מישרים אהבוך: [שיר השירים א, ד]

The Baraisa continues with the final one of the four who entered the Orchard:

רַבִּי עֲקִיבָא עָלָה בְּשָׁלוֹם וְיָרַד בְּשָׁלוֹם – R' AKIVA ASCENDED IN PEACE AND DESCENDED IN PEACE.[52] **וְעָלָיו הַכָּתוּב אוֹמֵר** – And it is UPON HIM that THE VERSE STATES:[53] **"מָשְׁכֵנִי אַחֲרֶיךָ נָּרוּצָה"** – *DRAW ME, WE WILL RUN AFTER YOU.* **וְאַף רַבִּי עֲקִיבָא בִּקְשׁוּ מַלְאֲכֵי הַשָּׁרֵת לְדוֹחֲפוֹ** – AND EVEN R' AKIVA was endangered: THE MINISTERING ANGELS WISHED TO SHOVE HIM away;[54] but **אָמַר לָהֶם הַקָּדוֹשׁ בָּרוּךְ הוּא** – THE HOLY ONE, BLESSED IS HE, SAID TO THEM, **הַנִּיחוּ לְזָקֵן זֶה** – "LEAVE THIS ELDER BE, **שֶׁרָאוּי לְהִשְׁתַּמֵּשׁ בִּכְבוֹדִי** – FOR HE IS DESERVING TO MAKE USE OF MY HONOR."

NOTES

Acher would advise the government how to maximize their desecration. (b) If he saw young boys enjoying success in their Torah studies, he would kill them. (c) He would go to a school and when he saw children sitting before a Book of Scripture, he would say, "What are these [children] doing here? This child's vocation will be as a builder, and this child's as a carpenter and this one's as a trapper and this one's as a tailor!" As soon as the children heard this, they would leave their Torah teacher and go their separate ways.

Finally, the *Yerushalmi* describes Acher's death:

After a while, Elisha became sick. They came and told R' Meir, "Your teacher is in a bad way." [R' Meir] went to visit him and indeed found him in a bad way. [R' Meir] asked him, "Are you not going to repent [even now?]" [Elisha] replied, "And if one does repent [in this state], is [such a weak repentance] accepted?" [R' Meir] told him, "Yes, as it says (Psalms 90:3): You reduce man to pulp and You say, 'Repent, O sons of man.' Even when there is nothing left of man's life but the crushed remains, he will be accepted [if he repents] then." Elisha cried and then died. R' Meir was happy within, saying to himself, "It seems that he departed amidst repentance."

52. He perceived the [Divine] wisdom to the ultimate degree of perfection [that is humanly possible] (*Rabbeinu Avraham min HaHar*).

R' Akiva gazed and observed properly, and his mind contained all the perceptions he attained. Whatever he surveyed he thought the proper thought and approached it with the proper attitude. And God granted him life (*Rav Hai Gaon* loc. cit.). When R' Akiva reached the limit of human comprehension, he did not attempt to break through the barrier to God. Rather, he stopped where he was. He allowed himself to go only as far as [God] drew him. Even though R' Akiva perceived what Acher perceived, he did not err like him (*Maharsha*, citing *Otzar HaKavod*).

53. *Song of Songs* 1:4. The full verse reads: *Draw me, we will run after You! The King has brought me into His chambers,* i.e. the seven supernal chambers discussed in *Heichalos* (*Maharsha* citing *Rav Hai Gaon* loc. cit.).

54. Because he made use of a Divine Name in order to enter the Orchard.

The Gemara inquires:

מַאי דְּרַשׁ – What verse **did [R' Akiva] expound** so that he knew how to avoid glancing towards the area of the Divine Presence?

The Gemara presents several answers:

אָמַר רַבָּה בַּר בַּר חָנָה אָמַר רַבִּי יוֹחָנָן – Rabbah bar bar Channah said in the name of R' Yochanan: "וְאָתָה מֵרִבְבֹת קֹדֶשׁ" – *and [Hashem] approached* (asah) *with some of the holy myriads [of* ***angels].*[1] From this verse, R' Akiva gleaned **אוֹת הוּא בְּרִבְבָה שֶׁלּוֹ – that He is** represented by **a symbol** (*os*) **in His myriad.**[2] **וְרַבִּי אַבָּהוּ אָמַר – And R' Abahu says: "דָּגוּל מֵרְבָבָה" – *My Beloved is white, yet ruddy, preeminent above a myriad (dagul mei'revavah).***[3] **דוּגְמָא הוּא בְּרִבְבָה שֶׁלּוֹ – He is** represented by **a likeness in His myriad. וְרֵישׁ לָקִישׁ אָמַר – And Reish Lakish said: "ה׳ צְבָאוֹת שְׁמוֹ" – *Hashem (Adonoy), Master of Legions, is His Name.***[4] **אָדוֹן הוּא בְּצָבָא שֶׁלּוֹ – He is a Lord** (*adon*) **in His legion. וְרַבִּי חִיָּיא בַּר אַבָּא אָמַר רַבִּי יוֹחָנָן – And R' Chiya bar Abba said in the name of R' Yochanan:** R' Akiva's source in Scripture is the following passage, which deals with Elijah's vision:[5] *A great, powerful wind, smashing mountains and breaking rocks, went before Hashem.* **"לֹא בָרוּחַ ה׳" – *"Hashem is not in the wind!"* [*Elijah was told*]. וְאַחַר הָרוּחַ רַעַשׁ – *After the wind came an earthquake.* לֹא בָרַעַשׁ ה׳ – *"Hashem is not in the earthquake."* וְאַחַר הָרַעַשׁ אֵשׁ – *After the earthquake came a fire.* לֹא בָאֵשׁ ה׳ – *"Hashem is not in the fire."* וְאַחַר הָאֵשׁ קוֹל דְּמָמָה דַקָּה..." – *After the fire came a small thin sound* ... "וְהִנֵּה ה׳ עֹבֵר" – *And behold, Hashem was passing.***[6]

The Gemara mentioned above that Acher "heard" an announcement from "behind the Partition." The Gemara now cites a lengthy Baraisa that is explained at one point with this concept:

תָּנוּ רַבָּנָן – The Rabbis taught in a Baraisa: שִׁשָּׁה דְבָרִים נֶאֶמְרוּ בְּשֵׁדִים – There are **SIX CHARACTERISTICS** that **WERE SAID REGARDING DEMONS,**[7] **שְׁלֹשָׁה כְּמַלְאֲכֵי הַשָּׁרֵת – THREE LIKE MINISTERING ANGELS וּשְׁלֹשָׁה כִּבְנֵי אָדָם – AND THREE LIKE HUMAN BEINGS.**[8] **שְׁלֹשָׁה כְּמַלְאֲכֵי הַשָּׁרֵת –** These are the **THREE** characteristics in which demons are **LIKE MINISTERING ANGELS: יֵשׁ לָהֶם כְּנָפַיִם כְּמַלְאֲכֵי הַשָּׁרֵת – (1) [DEMONS] HAVE WINGS LIKE MINISTERING ANGELS; וְטָסִין מִסּוֹף הָעוֹלָם וְעַד סוֹפוֹ כְּמַלְאֲכֵי הַשָּׁרֵת – (2) AND [DEMONS] FLY FROM ONE END OF THE WORLD TO THE OTHER END OF [THE WORLD] LIKE MINISTERING ANGELS;**[9] **וְיוֹדְעִין מַה שֶּׁעָתִיד לִהְיוֹת כְּמַלְאֲכֵי הַשָּׁרֵת – (3) AND [DEMONS] KNOW WHAT IS DESTINED TO BE** in the future **LIKE MINISTERING ANGELS.**

The Gemara interrupts the Baraisa to clarify this last point:

יוֹדְעִין סַלְקָא דַעְתָּךְ – Can it even **enter your mind** that **they know** the future on their own? Even ministering angels do not know the future! **אֶלָּא שׁוֹמְעִין מֵאֲחוֹרֵי הַפַּרְגּוֹד כְּמַלְאֲכֵי הַשָּׁרֵת – Rather,** the Baraisa means that **[demons] hear** what is announced **from behind the Partition like ministering angels.**[10]

NOTES

1. *Deuteronomy* 33:2.

2. [He therefore knew not to glance there.]

3. *Song of Songs* 5:10.

4. *Isaiah* 47:4. (This phrase occurs several times in Scripture.)

5. *I Kings* 19:11-12.

6. We have explained the Gemara according to *Rashi's* first approach, that the Gemara asks how R' Akiva knew to avoid glancing towards the area of the Divine Presence. *Rashi* offers a second approach, that the Gemara is asking how R' Akiva managed to avoid Acher's error (R' Akiva attained the same perceptions attained by Acher but did not err as he did – *Otzar HaKavod* cited by *Maharsha* to 14b ד״ה ובספר ישן). Acher had seen Metatron sitting [and mistook him for God]. This led him to the heresy that there were two ultimate forces, Metatron and God. R' Akiva, however, expounded one of the verses cited in our Gemara to teach him that the perception of God he would attain would be unique among all the perceptions he would encounter. The perception of God would be an אוֹת, a unique symbol, amidst a myriad of other perceptions or it would be a דוּגְמָא, a unique likeness. The other verses are understood in like fashion. According to the verse cited by Reish Lakish, God would be perceived as the sole Master. According to R' Yochanan's exposition, the verse taught R' Akiva not to look for God among the angels of wind, or of earthquakes, or of fire, but in the unique "small, thin sound." When R' Akiva perceived Metatron, he recognized that this perception was not essentially unique; he perceived other angels that were similar to Metatron. Thus, he knew that this perception could not be a perception of God (*Maharsha,* in explanation of the *Aruch*).

According to other commentators, these verses allude to the methods R' Akiva used to escape the fate of his colleagues. Ben Azzai, Ben Zoma and Acher attempted to perceive God directly, which is humanly impossible and extremely dangerous, *For man cannot see Me and live* (*Exodus* 33:20). As a result, Ben Azzai died, Ben Zoma became mentally unstable and Acher became a heretic. R' Akiva, however, entered in peace and exited in peace. "He entered in peace" in that he approached the perception of God differently than they had. They had attempted to peer directly at God; R' Akiva avoided this. Instead, he drew his perception of God by contemplating His earthly consequences. He endeavored to know the Creator through His creations. This is how God wishes to be known and R' Akiva was successful.

Accordingly, the four verses cited indicate different methods to attain an indirect perception of God: *He is represented by a symbol in His myriad* means that God can be known through the myriad events, both miraculous and natural, that occur in the world; [*a likeness* etc. means that He can be known through examining the body and soul of man, who was created in the image of God, and drawing the correct parallels, as it says (*Job* 19:26): *From my flesh I can perceive God; a Lord in His legion* connotes knowledge of God through the paradigm of subjects subservient to a king;] *Hashem is not in the wind . . . not in the earthquake* recalls the principle (expounded in *Moreh Nevuchim* 1:51-60) that God cannot be described accurately (or at all). He can be described and known only through what He is not (e.g. He is not corporeal, He is not divisible into parts). God is not in the wind, the earthquake or the fire; only in the silence (see *Iyei HaYam*).

The Midrash quotes R' Akiva's comments about his escape from harm during his *Merkavah* experience: *He said, "It is not because I was greater than my colleagues that I emerged in peace; rather, the Sages taught in the Mishnah (Eduyos 5:7): Your deeds will bring you closer and your deeds will bring you farther away"* (*Shir HaShirim Rabbah* to *Song of Songs* 1:4). That is, a person's perception of *Maaseh Merkavah* depends upon the purity of his heart, not the erudition of his mind.

This concludes the Aggadah of the four Sages who entered the Orchard. Ben Azzai, Ben Zoma, Acher and R' Akiva were not merely four individuals who embarked upon esoteric studies at one point in history; rather, they represent four archetypes, four categories of people who attempt to engage in *Maaseh Merkavah*. See *Maasei Hashem* (*Maasei Bereishis,* ch. 18) for an explanation of what these categories are.

7. The word שֵׁד, *demon,* is cognate to שָׁדוּד, *desolate.* A demon is called by this name because demons typically occupy desolate areas (*Ramban* to *Leviticus* 17:7). The Mishnah cites a view that demons were created at twilight of the sixth day of Creation (*Pirkei Avos* 5:6). *Rambam* contends that demons are not actual phenomena; however, the great majority of Rishonim and Acharonim maintain that they are (see discussion in *Nishmas Chaim* 3:12 by *R' Menashe ben Yisrael*). For insights into how *Rambam* would understand the many passages in the Gemara that deal with demons, see *Michtav MeEliyahu* V p. 346; see also *Responsa, Chasam Sofer, Yoreh Deah* §7; see also *Chidushei HaMeiri* to *Pesachim* 109b-114a, published by R' Moshe Blau at the end of *Sefer HaBattim.*

8. Demons are at an intermediate level between angels and men (*Derech Hashem* 1:5:1).

9. This means that they are capable of living anywhere on earth, even in places whose harsh environments do not permit human habitation (*Maharsha*).

10. They hear announcements regarding the immediate future, but they are ignorant of what will happen beyond that (*Ramban* to *Leviticus* 17:7). [The announcements are from the Divine Presence, Who is screened behind the Partition, as it were (see *Rashi* to *Berachos* 18b).]

מאי דרש אמר רבה בר בר חנה אמר רבי יוחנן (ואתא) מרבבות קדש אות הוא ברבבה שלו ורבי אבהו אמר דגול מרבבה דוגמא הוא ברבבה שלו וריש לקיש אמר ה' צבאות שמו אדון הוא בצבא שלו ורבי חייא בר אבא א"ר יוחנן לא ברוח ה' ואחר הרוח רעש לא ברעש ה' ואחר הרעש אש לא באש ה' ואחר האש קול דממה דקה והנה ה' עובר ת"ר ששה דברים נאמרו בשדים שלשה כמלאכי השרת ושלשה כבני אדם שלשה כמלאכי השרת יש להם כנפים כמלאכי השרת וטסין מסוף העולם ועד סופו כמלאכי השרת ויודעין מה שעתיד להיות כמלאכי השרת יודעין ס"ד אלא שומעין מאחורי הפרגוד כמלאכי השרת ושלשה כבני אדם אוכלין ושותין כבני אדם פרין ורבין כבני אדם ומתים כבני אדם ששה דברים נאמרו בבני אדם שלשה כמלאכי השרת שלשה כבהמה שלשה כמלאכי השרת יש להם דעת כמלאכי השרת ומהלכין בקומה זקופה כמלאכי השרת ומספרים בלשון הקדש כמלאכי השרת שלשה כבהמה אוכלין ושותין כבהמה ופרין ורבין כבהמה ומוציאין רעי כבהמה: כל המסתכל בד' דברים רתוי לו שלא בא לעולם כו': בשלמא מה למעלה מה למטה מה לאחור לחיי אלא לפנים מה דהוה הוה ר' יוחנן ור"א דאמרי תרוייהו משל למלך ב"ו שאמר לעבדיו בנו לי פלטירין גדולין על האשפה הלכו ובנו לו אין רצונו של מלך להזכיר שם אשפה: כל שלא חס על כבוד קונו רתוי לו שלא בא לעולם: מאי היא ר' אבא אמר זה המסתכל בקשת רב יוסף אמר זה העובר עבירה בסתר מסתכל בקשת דכתיב כמראה הקשת אשר יהיה בענן ביום הגשם כן מראה הנגה סביב הוא מראה דמות כבוד ה' רב יוסף אמר זה העובר עבירה בסתר כדר' יצחק דאמר רבי יצחק כל העובר עבירה בסתר כאילו דוחק רגלי שכינה שנא' כה אמר ה' השמים כסאי והארץ הדום רגלי איני והאמר ר' אלעא הזקן אם רואה אדם שיצרו מתגבר עליו ילך למקום שאין מכירין אותו וילבש שחורין ויתעטף שחורין ויעשה מה שלבו חפץ ואל יחלל שם שמים בפרהסיא לא קשיא הא דמצי כייף ליה ליצריה הא דלא מצי כייף ליה ליצריה דרש ר' יהודה ברבי נחמני מתורגמניה דריש לקיש כל המסתכל בג' דברים עיניו כהות בקשת ובנשיא ובכהנים בקשת דכתיב כמראה הקשת אשר יהיה בענן ביום הגשם הוא מראה דמות כבוד ה' בנשיא דכתיב ונתת מהודך עליו המסתכל בכהנים בזמן שבהמ"ק קיים שהיו עומדין על דוכנן ומברכין את ישראל בשם המפורש דרש ר' יהודה ברבי נחמני מתורגמניה דריש לקיש מאי דכתיב אל תאמינו ברע אל תבטחו באלוף אם יאמר לך יצר הרע חטוא והקב"ה מוחל אל תאמן (שנא') אל תאמינו ברע ואין רע אלא יצר הרע שנאמר כי יצר לב האדם רע ואין אלוף אלא הקב"ה שנאמר אלוף נעורי אתה שמא תאמר מי מעיד בי אבני ביתו וקורות ביתו של אדם הם מעידין בו שנאמר כי אבן מקיר תזעק וכפיס מעץ יעננה וחכ"א נשמתו של אדם מעידה בו שנאמר משכבת חיקך שמור פתחי פיך אי זו היא דבר ששוכבת בחיקו של אדם הוי אומר זו נשמה ר' זריקא אמר שני מלאכי השרת המלוין אותו הן מעידין בו שנאמר כי מלאכיו יצוה לך לשמרך בכל דרכיך (וחכ"א) אבריו של אדם מעידין בו שנאמר ואתם עדי נאם ה' ואני אל:

מתני' (יוסי) בן יועזר אומר שלא לסמוך יוסף בן יוחנן אומר לסמוך יהושע בן פרחיה אומר שלא לסמוך ניתאי הארבלי אומר לסמוך יהודה בן טבאי אומר שלא לסמוך שמעון בן שטח אומר לסמוך שמעיה אומר לסמוך אבטליון אומר שלא לסמוך הלל ומנחם לא נחלקו יצא מנחם נכנס שמאי שמאי אומר שלא לסמוך הלל אומר לסמוך

הראשונים

רש"י

מאי דרש. מהיכן הבין מקום השכינה שנזהר שלא הציץ שם א"נ שלא טעה כמו שטעה אחר: דוגמא. דבר היכר העומד לדוגמא להכירו לומר כזה עשה לי ואין זה אלא דבר הניכר אף כאן מקומו ניכר: ומה למטה. והרי אמר ומתחת זרועות עולם (דברים לג) ואם שאל מי שכבר לא חס על כבוד קונו ליתי עלה במערבא לא גרסינן לה: כאלו דוחק רגלי השכינה. אומר בלבו אין השכינה כאן וכתיב והארץ הדום רגלי: למקום שאין מכירין אותו. אין דעתו גסה עליו ושמא יקל כח יצרו וגם אם יחטא אין אדם נותן לב לפי שאינו חשוב בעיניהם וכן בלבוש שחורים: דמצי כייף ליה ליצריה. ובוטח על שהוא נתפה בסתר כאילו דוחק הרגלים: היכא דלא מצי כייף ליה ליצריה. טוב לו בצינעא מפרהסיא: ומברכין את העם בשם המפורש. שהשכינה שורה על קשרי אצבעותיהם: אל תאמינו ברע. האומר לך חטא: ואל תבטחו באלוף. לומר שימחול: וכפיס. חתיכת עץ כמו כפיסין בבבא בתרא (דף ג.): אתם עדי. הוא מעיד בעצמו בכל עונות שאוכיח בפניו: מתני' יוסי בן יועזר אומר שלא לסמוך. בי"ט וזו היא מחלוקת ראשונה שהיתה בחכמי ישראל: יהושע בן פרחיה. כולן דור אחר דור: יצא מנחם. בגמרא מפרש להיכן יצא: נכנס שמאי. להיות אב ב"ד תחתיו:

תוספות

בבני אדם. הוה מצי למיחשב ישנים ומוליכין ריעי כבני אדם כדלקמן גבי דדמי לבהמה ואיכא למימר דהוי בכלל הני ואף לקמן לא הוה חשיב ליה אלא משום דבעי (א) אשכחי' שלשה דומין לבהמה. הר"ר אלחנן: ויעשה מה שלבו חפץ. (ט) לגמרי משמע דמוטב לו לאדם שיעשה חפצו בסתר ולא בפרהסיא ולא כפר"ח דשלהי פ"ק דקדושין (דף מ. ושם) דפירש דמ"ו שהיה מתיר לעשות עבירה אלא קאמר ילבש שחורים וילך למקום אחר דלבישת שחורים והכנסתו אצל מי שאין מכירין לבו ולא יבא לידי עבירה ויוכל לעשות מעשיו מה שלבו חפץ דודאי אין יצרו מתגבר עליו וסוגיא דשמעתא אינו משמע כדבריו הכא וכריש פרק בתרא דמועד קטן (דף יז. ושם):

בכהנים בזמן שבית המקדש קיים. מכאן קשה על פרש"י דפ"ג דמגילה (דף כד:) על ההיא דתנן ידיו בוהקניות לא ישא את כפיו ופי' משום שהעם מסתכלין בו ואמרינן בחגיגה המסתכל בכהנים בשעה שנושאין כפיהן עיניו כהות והא ליתא דמסקינן דוקא בזמן שבית המקדש קיים ואלו התם בגבולים מדמקשי מיניה בגמרא מההיא דהוה בשיכונא דרב הונא (י) והיה פורס ידיה ומשני דלמא דש בעירו הוה ונראה לפרש דאף בגבולין מיתסר משום היסח הדעת והכי איתא בירושלמי דהתם א"ר יוסי הדא אמרה שאסור להסתכל בכהנים בשעה שהם מברכים את העם א"ר חגי כלום אמר אלא משום היסח הדעת אלא מסתכל ולא מסתכל דעתאי:

יוסי בן יועזר כו'. בירושלמי אמר בראשונה לא היה מחלוקת אלא על הסמיכה בלבד ועמדו שמאי והלל ועשו ד' משרבו תלמידי שמאי והלל שלא שמשו כל צורכן רבו מחלוקות בישראל ונחלקו לב' כיתות ויש לתמוה הרי נחלקו כבר בימי שאול על מלוה ופרוטה (סנהדרין יט.) ושמא כיון דשאול ובית דינו הוו סברי דעתו אמלוה ולא היה אדם חולק עליו רק לפי סברת דוד לא מתקרי מחלוקת ומה שאמר בירושלמי ועמדו שמאי והלל ועשו ד' לא מלינו בפ"ק דשבת (דף יד:) רק שלשה דברים שנחלקו בהן:

שנים מזוגות האחרונים שאמרו לסמוך (כ) נשיאים הוו. ואל תתמה על הא דחשיב שמאי מקמי הלל והלל נשיא לכ"ע איכא למימר בהיות כי ג' מזוגות הראשונים אשר אמרו שלא לסמוך היו נשיאים ושמאי סבר כוותייהו נקט ליה בראשונה ואגב דנקט ליה הכא בראשונה חשיב ליה בכל מקום שמאי מקמי הלל והכא ליכא למיטעי לפי שנכנס במקום מנחם דחשיב אחר הלל וא"כ אב ב"ד היה וכן שמאי נמי הכי:

תורה אור השלם

א) וַיֹּאמַר יְיָ מִסִּינַי בָּא וְזָרַח מִשֵּׂעִיר לָמוֹ הוֹפִיעַ מֵהַר פָּארָן וְאָתָה מֵרִבְבֹת קֹדֶשׁ מִימִינוֹ אשדת [אֵשׁ דָּת] לָמוֹ: [דברים לג, ב]

ב) דּוֹדִי צַח וְאָדוֹם דָּגוּל מֵרְבָבָה: [שיר השירים ה, י]

ג) כִּי מֵעִיד הַקֹּדֶשׁ נִקְרְאוּ וְעַל אֱלֹהֵי יִשְׂרָאֵל נִסְמָכוּ יְיָ צְבָאוֹת שְׁמוֹ: [ישעיה מח, ב]

ד) וַיֹּאמֶר צֵא וְעָמַדְתָּ בָהָר לִפְנֵי יְיָ וְהִנֵּה יְיָ עֹבֵר וְרוּחַ גְּדוֹלָה וְחָזָק מְפָרֵק הָרִים וּמְשַׁבֵּר סְלָעִים לִפְנֵי יְיָ לֹא בָרוּחַ יְיָ וְאַחַר הָרוּחַ רַעַשׁ לֹא בָרַעַשׁ יְיָ: וְאַחַר הָרַעַשׁ אֵשׁ לֹא בָאֵשׁ יְיָ וְאַחַר הָאֵשׁ קוֹל דְּמָמָה דַקָּה: [מלכים א יט, יא-יב]

ה) כְּמַרְאֵה הַקֶּשֶׁת אֲשֶׁר יִהְיֶה בֶעָנָן בְּיוֹם הַגֶּשֶׁם כֵּן מַרְאֵה הַנֹּגַהּ סָבִיב הוּא מַרְאֵה דְּמוּת כְּבוֹד יְיָ וָאֶרְאֶה וָאֶפֹּל עַל פָּנַי וָאֶשְׁמַע קוֹל מְדַבֵּר: [יחזקאל א, כח]

ו) כֹּה אָמַר יְיָ הַשָּׁמַיִם כִּסְאִי וְהָאָרֶץ הֲדֹם רַגְלָי אֵי זֶה בַיִת אֲשֶׁר תִּבְנוּ לִי וְאֵי זֶה מָקוֹם מְנוּחָתִי: [ישעיה סו, א]

ז) וְנָתַתָּה מֵהוֹדְךָ עָלָיו לְמַעַן יִשְׁמְעוּ כָּל עֲדַת בְּנֵי יִשְׂרָאֵל: [במדבר כז, כ]

ח) אַל תַּאֲמִינוּ בְרֵעַ אַל תִּבְטְחוּ בְּאַלּוּף מִשֹּׁכֶבֶת חֵיקֶךָ שְׁמֹר פִּתְחֵי פִיךָ: [מיכה ז, ה]

ט) וַיָּרַח יְיָ אֶת רֵיחַ הַנִּיחֹחַ וַיֹּאמֶר יְיָ אֶל לִבּוֹ לֹא אֹסִף לְקַלֵּל עוֹד אֶת הָאֲדָמָה בַּעֲבוּר הָאָדָם כִּי יֵצֶר לֵב הָאָדָם רַע מִנְּעֻרָיו וְלֹא אֹסִף עוֹד לְהַכּוֹת אֶת כָּל חַי כַּאֲשֶׁר עָשִׂיתִי: [בראשית ח, כא]

י) הֲלוֹא מֵעַתָּה קָרָאת לִי אָבִי אַלּוּף נְעֻרַי אָתָּה: [ירמיה ג, ד]

כ) כִּי אֶבֶן מִקִּיר תִּזְעָק וְכָפִיס מֵעֵץ יַעֲנֶנָּה: [חבקוק ב, יא]

ל) כִּי מַלְאָכָיו יְצַוֶּה לָּךְ לִשְׁמָרְךָ בְּכָל דְּרָכֶיךָ: [תהלים צא, יא]

מ) אָנֹכִי הִגַּדְתִּי וְהוֹשַׁעְתִּי וְהִשְׁמַעְתִּי וְאֵין בָּכֶם זָר וְאַתֶּם עֵדַי נְאֻם יְיָ וַאֲנִי אֵל: [ישעיה מג, יב]

ליקוטי רש"י

(ואתה). לישראל. מרבבות קדש. ועמו מקצת רבבות מלאכי קדש ולא כולם ולא רובם ולא כדרך בשר ודם שמראה כל כבוד עשרו ותפארתו ביום חופתו [דברים לג, ב]. דגול מרבבה. נדגל בחיילות הרבה רבים חיילותיו רבבות רבבות כמה שנאמר (יחזקאל א) רכבה כלשמה שנאמר מרכבת אלהים רבותים [שה"ש ה, י]. ה' צבאות שמו. אדון הוא בצבא שלו. ברוח. משרית מלאכי רוח. ברעש. משרית מלאכי רעש. באש. משרית מלאכי אש. קול דממה דקה. קול משתקין משאי שכל הבכיאה הכנסת ברעשים דשמע בו שמוש מן המלאכים וקול שמעתי [מ"א יט, יא-יב]. דממה וקול. קול דבר שלא משתקין לא באפי שומעו. קול דממה. קול שנשמע כבמה שהשתיקו לאחריות שמעתי [איוב ד, טז].

The Baraisa continues:

וּשְׁלֹשָׁה כִּבְנֵי אָדָם – AND these are the THREE characteristics in which demons are LIKE HUMAN BEINGS: **אוֹכְלִין וְשׁוֹתִין כִּבְנֵי אָדָם** – (1) [DEMONS] EAT AND DRINK LIKE HUMAN BEINGS; **פָּרִין וְרָבִין כִּבְנֵי אָדָם** – (2) [DEMONS] ARE FRUITFUL AND MULTIPLY LIKE HUMAN BEINGS; **וּמֵתִים כִּבְנֵי אָדָם** – (3) AND [DEMONS] DIE LIKE HUMAN BEINGS.[11]

The Baraisa continues with another set of six:

שִׁשָּׁה דְּבָרִים נֶאֶמְרוּ בִּבְנֵי אָדָם – There were SIX CHARACTERISTICS that WERE SAID REGARDING HUMAN BEINGS, **שְׁלֹשָׁה כְּמַלְאֲכֵי הַשָּׁרֵת** – THREE LIKE MINISTERING ANGELS **שְׁלֹשָׁה כִּבְהֵמָה** – and THREE LIKE AN ANIMAL. **שְׁלֹשָׁה כְּמַלְאֲכֵי הַשָּׁרֵת** – These are the THREE characteristics in which human beings are LIKE MINISTERING ANGELS: **יֵשׁ לָהֶם דַּעַת כְּמַלְאֲכֵי הַשָּׁרֵת** – (1) [HUMAN BEINGS] HAVE UNDERSTANDING LIKE MINISTERING ANGELS; **וּמְהַלְּכִין בְּקוֹמָה זְקוּפָה כְּמַלְאֲכֵי הַשָּׁרֵת** – (2) AND [HUMAN BEINGS] WALK ERECT LIKE MINISTERING ANGELS; **וּמְסַפְּרִים בִּלְשׁוֹן הַקֹּדֶשׁ כְּמַלְאֲכֵי הַשָּׁרֵת** – (3) AND [HUMAN BEINGS] SPEAK IN THE HOLY TONGUE LIKE MINISTERING ANGELS.[12] **שְׁלֹשָׁה כִּבְהֵמָה** – These are the THREE characteristics in which human beings are LIKE AN ANIMAL: **אוֹכְלִין וְשׁוֹתִין כִּבְהֵמָה** – (1) [HUMAN BEINGS] EAT AND DRINK LIKE AN ANIMAL; **וּפָרִין וְרָבִין כִּבְהֵמָה** – (2) [HUMAN BEINGS] ARE FRUITFUL AND MULTIPLY LIKE AN ANIMAL; **וּמוֹצִיאִין רְעִי כִּבְהֵמָה** – (3) AND [HUMAN BEINGS] ELIMINATE WASTE LIKE AN ANIMAL.

The Gemara cites the Mishnah:

כָּל הַמִּסְתַּכֵּל בְּאַרְבָּעָה דְּבָרִים – WHOEVER SCRUTINIZES the following FOUR THINGS – **רָתוּי לוֹ שֶׁלֹּא בָּא לָעוֹלָם כו׳** – IT WOULD HAVE BEEN BETTER FOR HIM HAD HE NEVER COME TO THE WORLD etc.: What is above, what is below, what is before and what is after.

The Gemara asks:

בִּשְׁלָמָא מַה לְמַעְלָה מַה לְמַטָּה מַה לְאָחוֹר לְחַיֵּי – It is understandable why it is inappropriate to scrutinize **what is above, what is below** or **what is after: That is very well!** **אֶלָּא לְפָנִים** – **But** in regard to what was **before,** why is this a closed field of inquiry? **מַה דַּהֲוָה הֲוָה** – **Whatever was, was** and it should make no difference to inquire about it now. – ? –

The Gemara answers:

רַבִּי יוֹחָנָן וְרַבִּי אֶלְעָזָר דְּאָמְרֵי תַּרְוַיְיהוּ – **R' Yochanan and R' Elazar both said:** **מָשָׁל לְמֶלֶךְ בָּשָׂר וָדָם שֶׁאָמַר לַעֲבָדָיו** – **This is analogous to a flesh and blood king who told his servants,** **בְּנוּ לִי פַּלְטֵירִין גְּדוֹלִין עַל הָאַשְׁפָּה** – **"Build me a magnificent palace upon the trash heap."** **הָלְכוּ וּבָנוּ לוֹ** – **They went and built** the palace **for him.** **אֵין רְצוֹנוֹ שֶׁל מֶלֶךְ לְהַזְכִּיר שֵׁם אַשְׁפָּה** – Henceforth, **it is not the desire of the king that any mention be made of the trash heap.**[13]

The Gemara cites the next part of the Mishnah:

כָּל שֶׁלֹּא חָס עַל כְּבוֹד קוֹנוֹ – WHOEVER HAS NO HEED FOR THE HONOR OF HIS CREATOR – **רָתוּי לוֹ שֶׁלֹּא בָּא לָעוֹלָם** – IT WOULD HAVE BEEN BETTER FOR HIM HAD HE NEVER COME TO THE WORLD.[14]

The Gemara asks:

מַאי הִיא – **What [kind of person]** evinces a lack of concern for the honor of God?

The Gemara presents two views:

רַבִּי אַבָּא אָמַר – **R' Abba said:** **זֶה הַמִּסְתַּכֵּל בַּקֶּשֶׁת** – **This refers to someone who gazes at a rainbow;**[15] **רַב יוֹסֵף אָמַר** – **Rav Yosef said:** **זֶה הָעוֹבֵר עֲבֵירָה בַּסֵּתֶר** – **This refers to someone who commits a sin in secret.**[16]

The Gemara cites the source for the first view:

מִסְתַּכֵּל בַּקֶּשֶׁת – **Someone who gazes at a rainbow** impinges on the honor of God, **דִּכְתִיב** – **as it is written:**[17] **,,כְּמַרְאֵה הַקֶּשֶׁת אֲשֶׁר יִהְיֶה בֶעָנָן בְּיוֹם הַגֶּשֶׁם** – ***Like the appearance of a rainbow that would be in a cloud on a rainy day,*** **כֵּן מַרְאֵה הַנֹּגַהּ סָבִיב** – ***so was the appearance of the brilliance all around.*** **הוּא מַרְאֵה דְּמוּת כְּבוֹד־ה׳ ״** – ***That was the appearance of the likeness of the glory of Hashem!***[18]

The Gemara cites the second view and explains it:

רַב יוֹסֵף אָמַר – **Rav Yosef said:** **זֶה הָעוֹבֵר עֲבֵירָה בַּסֵּתֶר** – **This refers to one who commits a sin in secret.** **כִּדְרַבִּי יִצְחָק** – Rav Yosef's view **accords with that of R' Yitzchak,** **דְּאָמַר רַבִּי יִצְחָק** – **for R' Yitzchak said:** **כָּל הָעוֹבֵר עֲבֵירָה בַּסֵּתֶר כְּאִילּוּ דּוֹחֵק רַגְלֵי שְׁכִינָה** – **Whoever commits a sin in secret is as if he pushes away the "feet" of the Divine Presence,** **שֶׁנֶּאֱמַר** – **as it says:**[19] **,,כֹּה אָמַר ה׳ הַשָּׁמַיִם כִּסְאִי וְהָאָרֶץ הֲדֹם רַגְלָי״** – ***Thus said Hashem: The Heaven is My throne and the earth is My footstool.*** A person sins in private because he thinks, "God is not here." He thus has no heed for the honor of his Creator whose Presence is always manifest throughout the earth.

NOTES

11. For a comprehensive discussion of demons in all their varieties, see *Malachei Elyon, Sitra DeSmala* by *R' Reuven Margaliyos* [see *Tosafos, Maharsha* and *Eitz Yosef* who discuss why the Baraisa does not list other ways in which demons are like human beings].

12. Of course, human beings speak in other languages as well. The Baraisa mentioned the Holy Tongue (Hebrew) because angels cannot speak Aramaic (*Maharsha*) or because Hebrew was mankind's original language (see *Targum Yonasan ben Uziel* to *Genesis* 11:1).

13. The analogy is not perfect in that the palace was built on a dump whereas God created the world as something from nothing. However, if a person attempts the impossible and tries to imagine what existed before Creation, he will arrive at a false picture that is the metaphoric equivalent of a dump. This false picture in his mind dishonors God (see *Maharsha*).

In his *Commentary* to our Mishnah, *Rambam* states that this line of the Mishnah (what is above, below, etc.) refers to *Maaseh Bereishis* whereas the next line refers to *Maaseh Merkavah*. In contrast to the *Bavli,* the *Yerushalmi* rules that one is permitted to expound upon *Maaseh Bereishis.* (The *Yerushalmi* maintains that our Mishnah, which prohibits this, represents the view of R' Akiva and not R' Yishmael whom the halachah follows.) Thus, we find that R' Yehudah bar Pazi began a public discourse with the words: *At the beginning the world was [nothing but] water amidst water.* It seems, however, that our Gemara would prohibit this.

14. Since everything that God created in the world He created for His glory (*Avos* 6:11), one who lacks concern for God's glory negates his own *raison d'etre (Maharsha to Kiddushin* 40a).

15. One may not gaze but one is permitted to glance. "Gazing" (הִסְתַּכְּלוּת) implies a prolonged viewing which is more discriminating of details (*Abudraham, Birchas Shevach V'Hodaah,* citing *Rosh*). Indeed, *Iyun Yaakov* says that it is a mitzvah to glance at a rainbow so that one can say a blessing on it (see, however, *Mishnah Berurah* 229:1).

[It should be noted that the *Aruch* ע׳ קשת and *Meiri* would translate הַמִּסְתַּכֵּל not as *someone who gazes,* but as *someone who contemplates.* Extended contemplation of a rainbow is forbidden for the reason the Gemara cites below.]

16. One who sins publicly cares neither what God nor what people think of him. One who sins secretly, however, cares about the opinion of men. He obviously does not care about God's opinion of him. He thus pays no heed to God's honor (see *Maharsha*).

17. *Ezekiel* 1:28.

18. Since a rainbow is a manifestation of God's glory, one demonstrates a lack of concern for the honor of God by staring at it.

The reason the rainbow was chosen as a symbol of God's glory is not because of its brightness. Rather, it was because a rainbow is an inherently ambiguous sight. One cannot clearly see where the band of one color ends and the next begins. Similarly, one cannot attain a fixed perception of the Divine Presence (*Tos. Rid*).

19. *Isaiah* 66:1.

מאי דרש אמר רבה בר בר חנה אמר רבי יוחנן א) (ואתא) מרבבות קדש אות הוא ברבבה שלו ורבי אבהו אמר ב) דגול מרבבה דוגמא הוא ברבבה שלו וריש לקיש אמר ג) ה' צבאות שמו אדון הוא בצבא שלו ורבי חייא בר אבא א"ר יוחנן ד) לא ברוח ה' ואחר הרוח רעש לא ברעש ה' ואחר הרעש אש לא באש ה' ואחר האש קול דממה דקה והנה ה' עובר ה) ת"ר ששה דברים נאמרו בשדים שלשה כמלאכי השרת ושלשה כבני אדם שלשה כמלאכי השרת יש להם כנפים כמלאכי השרת וטסין מסוף העולם ועד סופו כמלאכי השרת ויודעין מה שעתיד להיות כמלאכי השרת יודעין ס"ד אלא שומעין מאחורי הפרגוד כמלאכי השרת ושלשה כבני אדם אוכלין ושותין כבני אדם פרין ורבין כבני אדם ומתים כבני אדם ששה דברים נאמרו בבני אדם שלשה כמלאכי השרת שלשה כבהמה שלשה כמלאכי השרת יש להם דעת כמלאכי השרת ומהלכין בקומה זקופה כמלאכי השרת ומספרים בלשון הקדש כמלאכי השרת שלשה כבהמה אוכלין ושותין כבהמה ופרין ורבין כבהמה ומוציאין רעי כבהמה: כל המסתכל בד' דברים רתוי לו שלא בא לעולם כו': בשלמא מה למעלה מה למטה מה לאחור לחיי אלא לפנים מה דהוה הוה ר' יוחנן ור"א דאמרי תרוייהו (א) משל למלך ב"ו שאמר לעבדיו בנו לי פלטירין גדולין על האשפה הלכו ובנו לו אין רצונו של מלך להזכיר שם אשפה: כל שלא חס על כבוד קונו רתוי לו שלא בא לעולם: מאי היא ר' אבא אמר זה המסתכל בקשת רב יוסף אמר זה העובר עבירה בסתר (ב) מסתכל בקשת דכתיב ו) כמראה הקשת אשר יהיה בענן ביום הגשם כן מראה הנגה סביב הוא מראה דמות כבוד ה' רב יוסף אמר זה העובר עבירה בסתר כדר' יצחק ז) דאמר רבי יצחק כל העובר עבירה בסתר כאילו דוחק רגלי שכינה שנא' ח) כה אמר ה' השמים כסאי והארץ הדום רגלי איני (ג) והאמר ר' אלעא הזקן אם רואה אדם שיצרו מתגבר עליו ילך למקום שאין מכירין אותו וילבש שחורין ויתעטף שחורין ויעשה מה שלבו חפץ ואל יחלל שם שמים בפרהסיא לא קשיא הא דמצי כייף ליה ליצריה הא דלא מצי כייף ליצריה דרש ר' יהודה ברבי נחמני מתורגמניה דריש לקיש כל המסתכל בג' דברים עיניו כהות בקשת ובנשיא ובכהנים בקשת דכתיב כמראה הקשת אשר יהיה בענן ביום הגשם הוא מראה דמות כבוד ה' בנשיא דכתיב ט) ונתת מהודך עליו (ד) המסתכל בכהנים בזמן שבהמ"ק קיים שהיו עומדין על דוכנן ומברכין את ישראל בשם המפורש דרש ר' יהודה ברבי נחמני מתורגמניה דריש לקיש מאי דכתיב י) אל תאמינו ברע אל תבטחו באלוף אם יאמר לך יצר הרע חטוא והקב"ה מוחל (ה) אל תאמן (שנא') אל תאמן ברע ואין רע אלא יצר הרע שנאמר כ) כי יצר לב האדם רע ואין אלוף אלא הקב"ה שנאמר ל) אלוף נעורי אתה מ) שמא תאמר מי מעיד בי אבני ביתו וקורות ביתו של אדם הם מעידין בו שנאמר נ) כי אבן מקיר תזעק וכפים מעץ יעננה (ו) וחכ"א נשמתו של אדם מעידה בו שנאמר ס) משכבת חיקך שמור פתחי פיך אי זו היא דבר ששוכבת בחיקו של אדם הוי אומר זו נשמה ר' זריקא אמר שני מלאכי השרת המלוין אותו הן מעידין בו שנאמר ע) כי מלאכיו יצוה לך לשמרך בכל דרכיך (ז) וחכ"א) אבריו של אדם מעידין בו שנאמר פ) ואתם עדי נאם ה' ואני אל: **מתני'** (ח) יוסי) בן יועזר אומר שלא לסמוך יוסף בן יוחנן אומר ג לסמוך יהושע בן פרחיה אומר שלא לסמוך ניתאי הארבלי אומר לסמוך יהודה בן טבאי אומר שלא לסמוך שמעון בן שטח אומר לסמוך שמעיה אומר לסמוך אבטליון אומר שלא לסמוך הלל ומנחם לא נחלקו יצא מנחם נכנס שמאי צ) שמאי אומר שלא לסמוך הלל אומר לסמוך הראשונים

רש"י

מאי דרש. מהיכן הבין מקום השכינה שמהר שלא הלך שם א"נ שלא טעה כמו שטעה אחר: **דוגמא.** דבר היכר העומד לדוגמא להראותו לומר כזה עשה לי ואין זה אלא דבר הניכר אף כאן מקומו ניכר: ומה למטה. והרי אמר ומתחת זרועות עולם (דברים לג) ואם שאל מי סבלן לא חס על כבוד קונו לייתי עלה במערבא לא גרסינן לה: **כאלו דוחק רגלי השכינה.** אומר בלבו אין השכינה כאן וכתיב והארץ הדום רגלי: **למקום שאין מכירין אותו.** אין דעתו גסה עליו ושמא יקל כח יצרו וגם אם יחטא אין אדם נותן (ז) לב לפי שאינו חשוב בעיניהם וכן בלבוש שחורים: **דמצי כייף ליה ליצריה.** ובוטח על שהוא נתבא בסתר כאילו דוחק הרגלים: **היכא דלא מצי כייף ליה ליצריה.** טוב לו לבלעה מפרהסיא: **ומברכין את העם בשם המפורש.** שהשכינה שורה על קשרי אלבעותיהם: **אל תאמינו ברע.** האומר לך חטא: **ואל תבטחו באלוף.** לומר שימחול: **וכפים.** חתיכת עץ כמו כפיסין בבבא במרא (דף ג:): **אתם עדי.** הוא מעיד בעצמו בכל עונות שאוכיח בפניו: **מתני' יוסי בן יועזר אומר שלא לסמוך.** בי"ט וזו היא מחלוקת ראשונה שהיתה בחכמי ישראל: **יהושע בן פרחיה.** כולן דור אחר דור: **יצא מנחם.** בגמרא מפרש להיכן יצא: **נכנס שמאי.** להיות אב ב"ד תחתיו:

תוספות

כבני אדם. הוה מצי למיחשב ישנים ומוליכין ריעי כבני אדם כדלקמן גבי דדמי לבהמה והיכא למימר דהוי בכלל הני ואף לקמן לא הוה חשיב ליה אלא משום דבעי (ח) לאשכחי שלשה דומין לבהמה. הר"ר אלחנן: **ויעשה** מה שלבו חפץ. (ט) לגמרי משמע דמוטב לו לאדם שיעשה חפצו בסתר ולא בפרהסיא ולא כפר"ח דשילהי פ"ק דקדושין (דף מ. ושם) דפירש דמ"מ שהיה מתיר לעשות עבירה אלא קאמר ילבש שחורים וילך למקום אחר דלבישת שחורים והכנסות משברין לבו ולא יבא לידי עבירה ויוכל לעשות מעכשיו מה שלבו חפץ דודאי אין יצרו מתגבר עליו וסוגיא דשמעתא אינו משמע כדבריו הכא וכריש פרק בתרא דמועד קטן (דף יז. ושם):

בכהנים בזמן שבית המקדש קיים. מכאן קשה על פרש"י דפ"ג דמגילה (דף כד:) על ההיא דתנן ידיו בוהקניות לא ישא כפיו ופי' משום שהעם מסתכלין בו ואמרינן בחגיגה המסתכל בכהנים בשעה שנושאין כפיהן עיניו כהות והא ליתא דמסקינן דוקא בזמן שבית המקדש קיים ואילו התם בגבולים מדמקשי מיניה בגמרא מההיא דהוה בשיבבותיה דרב הונא (י) והוה פריס ידיה ומשני דלמא דש בעירו הוה ונראה לפרש דאף בגבולין מיתסר משום היסח הדעת והכי איתא בירושלמי דהתם א"ר יוסי הדא אמרה שאסור להסתכל בכהנים בשעה שהם מברכין את העם א"ר חגי כלום אמר אלא משום היסח אנא מסתכל ולא מסתנא דעתאי:

יוסי בן יועזר כו'. בירושלמי אמר בראשונה לא היה מחלוקת אלא על הסמיכה בלבד ועמדו שמאי והלל ועשו ד' משרבו תלמידי שמאי והלל שלא שמשו כל צורכן רבו מחלוקות בישראל ונחלקו לב' כיתות ויש לתמוה הרי נחלקו כבר בימי שאול על מלוה ופרוטה (סנהדרין יט.) ושמא כיון דשאול ובית דינו הוו סברי דעתו אמלוה ולא היה אדם חולק עליו רק לפי סברת דוד לא מתקרי מחלוקת ומה שאמר בירושלמי ועמדו שמאי והלל ועשו ד' לא מצינו בפ"ק דשבת (דף יד:) רק שלשה דברים שנחלקו בהן:

כ) **שנים** מזוגות האחרונים שאמרו לסמוך (כ) **נשיאים הוו.** ואל תתמה על הא דחשיב שמאי מקמי הלל והלל נשיא לכ"ע איכא למימר בהיות כי ג' מזוגות הראשונים אשר אמרו שלא לסמוך היו נשיאים ושמאי סבר כוותייהו נקט ליה בראשונה ואגב דנקט ליה הכא בראשונה חשיב ליה בכל מקום שמאי מקמי הלל והכא ליכא למיטעי לפי שנכנס במקום מנחם דחשיב אחר הלל וא"כ אב ב"ד היה וכן שמאי נמי הכי:

מסורת הש"ס

א) [צ"ל ואתה], ב) [אדר"נ פל"ז והרמב"ן בפי' החומש פרשת אחרי סוק ולא יזבחו לשעירים ארוך בביאור הגדה זו], ג) קדושין מ. ע"ש, ד) קדושין לא., ה) מו"ק יז. קדושין מ., ו) תענית יא., ז) [צ"ל וי"א וכ"א בתענית], ח) [צ"ל יוסף וכ"א תמורה טז.], ט) שבת טו., י) [צ"ל כהן שיש בידיו מומין], כ) (שייך לע"ב).

הגהות הב"ח

(א) גמ' דאמרי תרוייהו מה"ד משל למלך: (ב) שם רב יוסף אמר זה העובר עבירה בסתר. נ"ב פ"א רבה אמר כל המסתכל בקשת צריך ליפול על פניו דכתיב כמראה הקשת אשר יהיה בענן ביום הגשם וכו' וארא ואפול על פני וכו' לייטי עליה במערבא משום דמיחזי כמינות אלא לימא ברוך זוכר הברית הרואה את הקשת צריך לברך מאי מברך ברוך זוכר הברית רבי ישמעאל בנו של ר' יוחנן בן ברוקה אומר ברוך זוכר הברית נאמן בבריתו וקיים במאמרו: (ג) שם איני והא תניא רבי אלעא הזקן אומר אם רואה וכו' עליו כל יום וילך למקום: (ד) שם מהודך עליו בכהנים בזמן שבית המקדש קיים בשעה שהיו כו' וכו' ותיבת המסתכל נמחק: (ה) שם מוחל לך אל תאמין וכו' האדם רע מנעוריו ואין אלוף: (ו) שם וכפים מעץ יעננה רבי זריקא אמר [illegible] וכו' ז נשמה תניא רבי שילא אומר שני מלאכי השרת: (ז) רש"י ד"ה למקום וכו' נותן לו לב: (ח) תוס' ד"ה כבני וכו' דבעי לאשכחי שלשה: (ט) ד"ה ויעשה מה שלבו חפץ משמע דמותר לו לאדם שיעשה לגמרי וכו' דסוגיא: (י) ד"ה בכהנים וכו' דרב הונא דהוה פריס וכו' כלום אמרו אין מסתכלין אלא משום היסח הדעת: (כ) ד"ה שנים וכו' לסמוך היו נשיאים ולא תתמה וכו' ג"כ דאבטליון נמי סבר שלא לסמוך לא נקיט ליה בראשונה [דאיכא למיטעי] דהוה נשיא) ושמאי דליכא למיטעי:

עין משפט נר מצוה

יא א טוש"ע א"ח סי' רכט סעיף א:
יב ב מיי' פ"ד מהל' תפלה הל' ט סמג עשין כ טוש"ע א"ח סי' קכח סעיף כג:
יג ג מיי' פ"א מהלכות חגיגה הלכה ט:

רבינו חננאל

בכבודו מאי דרוש אמר ר' יוחנן ואתא מרבבות קודש אות הוא ברבבה שלו [ה' צבאות שמו] אדון הוא בצבא שלו אמר רבי יוחנן לא ברוח רעש לא ברעש ה' ואחר הרוח רעש לא באש ה' ואחר האש קול דממה דקה [והנה ה' עובר]: ת"ר ו' דברים נאמרו בשדים שלשה כמלאכים יש להן כנפים וטסין מסוף העולם ועד סופו ושומעין מה שעתיד להיות וג' כבני אדם פרין ורבין ואוכלין ושותין ומתין כבני אדם: ו' דברים יש בבני אדם יש בהן דעת ומהלכין בקומה זקופה ומספרין לשון קודש כמלאכים אוכלין ושותין ומוציאין רעי ופרים ורבים כבהמה. ב) שאלו את בן זומא בתולה שעיברה מהו. מי חיישינן לדשמואל דאמר יכול אני לבעול כמה בעילות בלא דם. או דלמא הא דשמואל לא שכיחא [כו'] וחיישינן שמא באמבטי עיברה כו' פירוש אשה הרה שנבדקה ונמצאת בתולה מי אמרינן מביאה נתעברה כשמואל והריני קורא בה אשה כי תזריע וילדה זכר ב) וטמאה וחייבת [קרבן] לידה או דלמא אימור באמבטי של מרחץ נתעברה כגון שירד איש באותה האמבטי ופלט ש"ז וירדה אשה וקיבלה באותה טיפה של ש"ז ונכנסה בתוך רחמה ונתעברה וזה מעשה נסים הוא ואינה טמאה לידה שאין אני קורא בה אשה כי תזריע. ומקשינן וכי הריון באמבטי כי האי גוונא מי משכחת לה והאמר שמואל כל שכבת זרע שאינו יורה כחץ אינה מזרעת ופרקינן כי אמר שמואל דבעינן יריית כחץ בעת שפולטה האיש וזו השז"ז האיש שפלטה באמבטי יורה כחץ הוה ולא איפשיט ושמעינן שנמצאת אשה הרה ובעת לידה לא היתה יכולה לילד שאמרו כי היא בתולה וקרעו לה הנשים בדינר של זהב אותם המסכסכין המלאכין דם בתולין וילדה: **מתני'** כל המסתכל בד' דברים ראוי לו כאילו לא בא לעולם. פי' טוב ממנו הנפל שלא בא לעולם כי אין לאדם להתעסק אלא [במה] שנצטוה להכיר קונו בעשיית חוקיו ומשפטיו כי עשיית משפט וצדקה הם ידיעתו של הקב"ה כדכתיב בעשיית צדקה ומשפט הלא הוא הדעת אותי נאום ה' ולעשות מצותיו ותורותיו אבל להסתכל לידע מה למעלה ומה למטה מה לפנים ומה לאחור לא. כי לא נתנה רשות לאדם להתעסק אלא בדבר שהוא מן היום אשר ברא אלהים אדם על הארץ ולמקצה השמים

תורה אור השלם

א) וַיֹּאמַר יְיָ מִסִּינַי בָּא וְזָרַח מִשֵּׂעִיר לָמוֹ הוֹפִיעַ מֵהַר פָּארָן וְאָתָה מֵרִבְבֹת קֹדֶשׁ מִימִינוֹ אֵשְׁדָּת לָמוֹ: [דברים לג, ב]
ב) דּוֹדִי צַח וְאָדוֹם דָּגוּל מֵרְבָבָה: [שיר השירים ה, י]
ג) כִּי מְעִיר הַקֹּדֶשׁ נִקְרָאוּ וְעַל אֱלֹהֵי יִשְׂרָאֵל נִסְמָכוּ יְיָ צְבָאוֹת שְׁמוֹ: [ישעיה מח, ב]
ד) וַיֹּאמֶר צֵא וְעָמַדְתָּ בָהָר לִפְנֵי יְיָ וְהִנֵּה יְיָ עֹבֵר וְרוּחַ גְּדוֹלָה וְחָזָק מְפָרֵק הָרִים וּמְשַׁבֵּר סְלָעִים לִפְנֵי יְיָ לֹא בָרוּחַ יְיָ וְאַחַר הָרוּחַ רַעַשׁ לֹא בָרַעַשׁ יְיָ: וְאַחַר הָרַעַשׁ אֵשׁ לֹא בָאֵשׁ יְיָ וְאַחַר הָאֵשׁ קוֹל דְּמָמָה דַקָּה: [מלכים א יט, יא-יב]
ה) כְּמַרְאֵה הַקֶּשֶׁת אֲשֶׁר יִהְיֶה בֶעָנָן בְּיוֹם הַגֶּשֶׁם כֵּן מַרְאֵה הַנֹּגַהּ סָבִיב הוּא מַרְאֵה דְּמוּת כְּבוֹד יְיָ וָאֶרְאֶה וָאֶפֹּל עַל פָּנַי וָאֶשְׁמַע קוֹל מְדַבֵּר: [יחזקאל א, כח]
ו) כֹּה אָמַר יְיָ הַשָּׁמַיִם כִּסְאִי וְהָאָרֶץ הֲדֹם רַגְלָי אֵי זֶה בַיִת אֲשֶׁר תִּבְנוּ לִי וְאֵי זֶה מָקוֹם מְנוּחָתִי: [ישעיה סו, א]
ז) וְנָתַתָּה מֵהוֹדְךָ עָלָיו לְמַעַן יִשְׁמְעוּ כָּל עֲדַת בְּנֵי יִשְׂרָאֵל: [במדבר כז, כ]
ח) אַל תַּאֲמִינוּ בְרֵעַ אַל תִּבְטְחוּ בְּאַלּוּף מִשֹּׁכֶבֶת חֵיקֶךָ שְׁמֹר פִּתְחֵי פִיךָ: [מיכה ז, ה]
ט) וַיָּרַח יְיָ אֶת רֵיחַ הַנִּיחֹחַ וַיֹּאמֶר יְיָ אֶל לִבּוֹ לֹא אֹסִף לְקַלֵּל עוֹד אֶת הָאֲדָמָה בַּעֲבוּר הָאָדָם כִּי יֵצֶר לֵב הָאָדָם רַע מִנְּעֻרָיו וְלֹא אֹסִף עוֹד לְהַכּוֹת אֶת כָּל חַי כַּאֲשֶׁר עָשִׂיתִי: [בראשית ח, כא]
י) הֲלוֹא מֵעַתָּה קָרָאתִי לִי אָבִי אַלּוּף נְעֻרַי אָתָּה: [ירמיה ג, ד]
כ) כִּי אֶבֶן מִקִּיר תִּזְעָק וְכָפִיס מֵעֵץ יַעֲנֶנָּה: [חבקוק ב, יא]
ל) כִּי מַלְאָכָיו יְצַוֶּה לָּךְ לִשְׁמָרְךָ בְּכָל דְּרָכֶיךָ: [תהלים צא, יא]
מ) אָנֹכִי הִגַּדְתִּי וְהוֹשַׁעְתִּי וְהִשְׁמַעְתִּי וְאֵין בָּכֶם זָר וְאַתֶּם עֵדַי נְאֻם יְיָ וַאֲנִי אֵל: [ישעיה מג, יב]

ליקוטי רש"י

[ואתה]. לישראל. **מרבבות קדש.** ועמו מקצת רבבות מלאכי קדש ולא כולם ולא רובם ולא כדרך בשר ודם שמראה כל כבוד עשרו ותפארתו ביום חופתו [דברים לג, ב]. **דגול מרבבה.** נדגל ומוכר בין רבבה [שיר השירים ה, י]. **אדון הוא בצבא שלו.** [illegible]

The Gemara asks:

אֵינִי – And **is it not** better to sin secretly than publicly?[20] **וְהָאָמַר רַבִּי אִלְעָא הַזָּקֵן** – **But R' Il'a the Elder said:** **אִם רוֹאֶה אָדָם שֶׁיִּצְרוֹ מִתְגַּבֵּר עָלָיו** – **If a person sees that his** Evil **Inclination is overwhelming him,** **יֵלֵךְ לְמָקוֹם שֶׁאֵין מַכִּירִין אוֹתוֹ** – **he should go to a place where they do not recognize him,**[21] **וְיִלְבַּשׁ שְׁחוֹרִין וְיִתְעַטֵּף שְׁחוֹרִין** – **and clothe himself in black and wrap himself in black,** **וְיַעֲשֶׂה מַה שֶּׁלִּבּוֹ חָפֵץ** – **and he should do what his heart desires;** **וְאַל יְחַלֵּל שֵׁם שָׁמַיִם בְּפַרְהֶסְיָא** – **but he should not desecrate the Name of Heaven openly.**[22] Here, R' Il'a the Elder recommends a private venue over a public one for a sin. – ? –

The Gemara answers:

לֹא קַשְׁיָא – R' Il'a the Elder's statement does **not** pose **a difficulty** to Rav Yosef's view. Rather, they refer to different situations. **הָא דְּמָצֵי כָּיֵיף לֵיהּ לְיִצְרֵיהּ** – **This** ruling of Rav Yosef, which deems secret sin worse than public sin, applies to a situation **in which a person is able to subdue his** Evil **Inclination,** but chooses not to do so.[23] **הָא דְּלָא מָצֵי כָּיֵיף לְיִצְרֵיהּ** – But **this** ruling of R' Il'a the Elder, which deems public sin worse, applies to a situation **in which he is unable to subdue his** Evil **Inclination.**[24]

R' Abba above said that one who gazes at a rainbow has no heed for God's honor. The Gemara cites now another teaching about gazing at a rainbow:

דָּרַשׁ רַבִּי יְהוּדָה בְּרַבִּי נַחְמָנִי מְתוּרְגְּמָנֵיהּ דְּרֵישׁ לָקִישׁ – **R' Yehudah the son of R' Nachmani, the spokesman of Reish Lakish, expounded:** **כָּל הַמִּסְתַּכֵּל בִּשְׁלֹשָׁה דְּבָרִים עֵינָיו כֵּהוֹת** – **Whoever gazes at three items** causes **his eyes** to **grow dim,** i.e. a person affects his eyesight adversely if he gazes **בְּקֶשֶׁת וּבְנָשִׂיא וּבְכֹּהֲנִים** – (1) **at a rainbow;** (2) **at a prince;** (3) **or at Kohanim.** Each of these items bears some semblance to God's glory, and it is therefore disrespectful to stare at them.[25] The Scriptural sources are as follows: **בְּקֶשֶׁת** – One should not gaze **at a rainbow,** **דִּכְתִיב** – **as it is written:**[26] **,,כְּמַרְאֵה הַקֶּשֶׁת אֲשֶׁר יִהְיֶה בֶעָנָן בְּיוֹם הַגֶּשֶׁם. . .** – ***Like the appearance of a rainbow that would be in a cloud on a rainy day . . .*** **הוּא מַרְאֵה דְּמוּת כְּבוֹד־ה׳ ״** – ***That was the appearance of the likeness of the glory of Hashem.*** **בְּנָשִׂיא** – One should not gaze **at a prince,** **דִּכְתִיב** – **as it is written:**[27] **,,וְנָתַתָּה מֵהוֹדְךָ עָלָיו״** – ***You shall place some of your majesty upon him*** *(Joshua) . . . at his word shall they go out and at his word shall they come in.* **הַמִּסְתַּכֵּל בַּכֹּהֲנִים** – And in regard to **one who gazes at Kohanim,** the danger to one's eyesight is present **בִּזְמַן שֶׁבֵּית הַמִּקְדָּשׁ קַיָּים** – **when the Temple was standing** **שֶׁהָיוּ עוֹמְדִין עַל דּוּכָנָן** – and [**the Kohanim**] **were standing upon their platform** **וּמְבָרְכִין אֶת יִשְׂרָאֵל בַּשֵּׁם הַמְּפוֹרָשׁ** – **and blessing the nation of Israel with the Ineffable Name** of God. Under these circumstances, the Divine Presence rested upon the knuckles of their outstretched hands.[28]

The Gemara presents another exposition of R' Yehudah the son of R' Nachmani:

דָּרַשׁ רַבִּי יְהוּדָה בְּרַבִּי נַחְמָנִי מְתוּרְגְּמָנֵיהּ דְּרֵישׁ לָקִישׁ – **R' Yehudah the son of R' Nachmani, the spokesman of Reish Lakish, expounded:** **מַאי דִּכְתִיב** – **What is** the meaning **of that which is written:**[29] **,,אַל־תַּאֲמִינוּ בְרֵעַ אַל־תִּבְטְחוּ בְּאַלּוּף״** – ***Do not trust a friend; do not rely on an official;*** *guard the doorways of your mouth from the one who lies in your bosom.* **אִם יֹאמַר לְךָ יֵצֶר הָרַע** – **If the Evil Inclination says to you,** **חֲטוֹא וְהַקָּדוֹשׁ בָּרוּךְ הוּא מוֹחֵל** – **"Sin, and the Holy One, Blessed is He, will forgive you,"**[30] **אַל תַּאֲמֵן** – **do not trust him,** **(שנאמר אל תאמן ברע)**[31] **וְאֵין ,,רֵעַ״ אֶלָּא יֵצֶר הָרַע** – **and** the word ***rei'a*** **refers to none other than the Evil Inclination,** **שֶׁנֶּאֱמַר** – **as it says:**[32] **,,כִּי יֵצֶר לֵב הָאָדָם רַע״** – ***for the inclination of man's heart is evil*** *(ra) from his youth.* **וְאֵין ,,אַלּוּף״ אֶלָּא הַקָּדוֹשׁ בָּרוּךְ הוּא** – **And** the word ***aluf*** **refers to none other than the Holy One, Blessed is He,** **שֶׁנֶּאֱמַר** – **as it says:**[33] **,,אַלּוּף נְעֻרַי אָתָּה״** – ***You*** *[God]* ***are the Master*** *(aluf)* ***of my youth.***[34] **שֶׁמָּא תֹּאמַר מִי מֵעִיד בִּי** – **Perhaps you will ask, "Who will testify against me** if I do sin in the privacy of my house?" **אַבְנֵי בֵיתוֹ** – **The stones of [a person's] house** **וְקוֹרוֹת בֵּיתוֹ שֶׁל אָדָם** – **and the beams of a person's house,** **הֵם מְעִידִין בּוֹ** – **they will testify against him,** **שֶׁנֶּאֱמַר** – **as it says:**[35] **,,כִּי־אֶבֶן מִקִּיר תִּזְעָק וְכָפִיס מֵעֵץ יַעֲנֶנָּה״** – ***For a stone will cry out from the wall and a chip from the beams will testify to it.***

The Gemara presents other opinions regarding the last point: **וַחֲכָמִים אוֹמְרִים** – **But the Sages say:** **נִשְׁמָתוֹ שֶׁל אָדָם מְעִידָה**

NOTES

20. Sinning in public causes a desecration of God's Name, in that it causes witnesses to the sin to disparage the Omnipresent (*Rashi to Kiddushin* 40a ד״ה ואת שם).

21. A place in which he is not known (*Rashi*).

22. The unfamiliar environment and the humble clothes will deflate one's passions and prevent him from sinning. [*Rabbeinu Chananel* cites a popular saying to this effect: A dog outside his town will not bark for seven years.] And even if he does sin, people will pay him little attention, since he is unimportant among them. Consequently, his sinning will not cause a public desecration of God's Name (*Rashi*).

23. Instead, he relies on the fact that he is hidden in some secret place. Such a person pushes away the feet of the Divine Presence (*Rashi*).

24. He sins secretly in order to minimize the sin's damage by preventing a public desecration of God's Name.

Rabbeinu Chananel states emphatically: Heaven forbid that R' Il'a ever permitted someone to commit a sin! R' Il'a was actually addressing himself to a person who was overcome with a desire to eat, drink and make merry. However, this person was concerned that he might become intoxicated and then engage in some sinful activity. R' Il'a advised him to exile himself to unfamiliar terrain and to dress humbly so as to subdue his urges. This person would then desist from carousing wildly on his own. Under normal circumstances, *Rabbeinu Chananel* concludes, R' Il'a would not permit carousing at all.

Tosafos disagree with *Rabbeinu Chananel.* They point out that our Gemara and the Gemara in *Moed Katan* 17a both speak clearly of committing full-fledged sins. R' Il'a did not, admittedly, permit the commission of a sin; rather he merely counseled a person that, if he were determined to sin, he should do so privately and not publicly.

25. A person who sees a rainbow, a prince or Kohanim sees only a semblance of God's glory, not the fuller glory of a direct perception of God. A direct perception ends the life of the perceiver (*No man can see Me and live*); the sight of a rainbow, etc. weakens his eyes, a condition which is a semblance of death (*Maharsha*).

26. *Ezekiel* 1:28.

27. *Numbers* 27:20-21.

28. *Tosafos* note that even without a Temple, it is forbidden to gaze at the Kohanim during *Bircas Kohanim* so as not to be distracted from what they are saying.

29. *Micah* 7:5.

30. Because you will repent later (*Maharsha*), or because God will not hold your sins against you, since He Himself created the Evil Inclination (*HaRif*).

31. The parenthesized words in the Gemara are שנאמר אל תאמן ברע (and not only שנאמר), and old manuscripts do not have them (*Dikdukei Soferim*). The translation follows this emendation.

32. *Genesis* 8:21.

33. *Jeremiah* 3:4.

34. [Both of the Evil Inclination's arguments to allow one to sin are false: One cannot say he will sin and then repent; in such a case, God does not assist one to repent (*Yoma* 85b). And one cannot absolve himself because God created the Evil Inclination; man's whole purpose in life is to exercise his free will to overcome his Evil Inclination.]

35. *Habakkuk* 2:11.

מאי דרש אמר רבה בר בר חנה אמר רבי יוחנן א) (ואתא) מרבבות קדש אות הוא ברבבה שלו ורבי אבהו אמר ב) דגול מרבבה דוגמא הוא ברבבה שלו וריש לקיש אמר ג) ה' צבאות שמו אדון הוא בצבא שלו ורבי חייא בר אבא א"ר יוחנן ד) לא ברוח ה' ואחר הרוח רעש לא ברעש ה' ואחר הרעש אש לא באש ה' ואחר האש קול דממה דקה והנה ה' עובר ת"ר ששה דברים נאמרו בשדים שלשה כמלאכי השרת ושלשה כבני אדם שלשה כמלאכי השרת יש להם כנפים כמלאכי השרת וטסין מסוף העולם ועד סופו כמלאכי השרת ויודעין מה שעתיד להיות כמלאכי השרת יודעין ס"ד אלא שומעין מאחורי הפרגוד כמלאכי השרת ושלשה כבני אדם אוכלין ושותין כבני אדם פרין ורבין כבני אדם ומתים כבני אדם ששה דברים נאמרו בבני אדם שלשה כמלאכי השרת שלשה כבהמה שלשה כמלאכי השרת יש להם דעת כמלאכי השרת ומהלכין בקומה זקופה כמלאכי השרת ומספרים בלשון הקדש כמלאכי השרת שלשה כבהמה אוכלין ושותין כבהמה ופרין ורבין כבהמה ומוציאין רעי כבהמה: כל המסתכל בד' דברים רתוי לו שלא בא לעולם כו': בשלמא מה למעלה מה למטה מה לאחור לחיי אלא לפנים מה דהוה הוה ר' יוחנן ור"א דאמרי תרוייהו (א) משל למלך ב"ו שאמר לעבדיו בנו לי פלטירין גדולין על האשפה הלכו ובנו לו אין רצונו של מלך להזכיר שם אשפה: כל שלא חס על כבוד קונו רתוי לו שלא בא לעולם: מאי היא ר' אבא אמר זה המסתכל בקשת רב יוסף אמר זה העובר עבירה בסתר (ב) מסתכל בקשת דכתיב ה) כמראה הקשת אשר יהיה בענן ביום הגשם כן מראה הנגה סביב הוא מראה דמות כבוד ה' רב יוסף אמר זה העובר עבירה בסתר כדר' יצחק דאמר רבי יצחק כל העובר עבירה בסתר כאילו דוחק רגלי שכינה שנא' ו) כה אמר ה' השמים כסאי והארץ הדום רגלי איני (ג) והאמר ר' אלעא הזקן אם רואה אדם שיצרו מתגבר עליו ילך למקום שאין מכירין אותו וילבש שחורין ויתעטף שחורין ויעשה מה שלבו חפץ ואל יחלל שם שמים בפרהסיא לא קשיא הא דמצי כייף ליה ליצריה הא דלא מצי כייף ליצריה דרש ר' יהודה ברבי נחמני מתורגמניה דריש לקיש כל המסתכל בג' דברים עיניו כהות בקשת ובנשיא ובכהנים בקשת דכתיב כמראה הקשת אשר יהיה בענן ביום הגשם הוא מראה דמות כבוד ה' בנשיא דכתיב ז) ונתת מהודך עליו (ד) המסתכל בכהנים בזמן שבהמ"ק קיים שהיו עומדין על דוכנן ומברכין את ישראל בשם המפורש דרש ר' יהודה ברבי נחמני מתורגמניה דריש לקיש מאי דכתיב ח) אל תאמינו ברע אל תבטחו באלוף אם יאמר לך יצר הרע חטוא והקב"ה מוחל (ה) אל תאמן (שנא') אל תאמן ברע ואין רע אלא יצר הרע שנאמר ט) כי יצר לב האדם רע ואין אלוף אלא הקב"ה שנאמר י) אלוף נעורי אתה שמא תאמר מי מעיד בי אבני ביתו וקורות ביתו של אדם הם מעידין בו שנאמר כ) כי אבן מקיר תזעק וכפיס מעץ יעננה (ו) וחכ"א נשמתו של אדם מעידה בו שנאמר ח) משכבת חיקך שמור פתחי פיך אי זו היא דבר ששוכבת בחיקו של אדם הוי אומר זו נשמה ר' זריקא אמר שני מלאכי השרת המלוין אותו הן מעידין בו שנאמר ל) כי מלאכיו יצוה לך לשמרך בכל דרכיך (וחכ"א) אבריו של אדם מעידין בו שנאמר מ) ואתם עדי נאם ה' ואני אל: **מתני'** (יוסי) בן יועזר אומר שלא לסמוך יוסף בן יוחנן אומר לסמוך יהושע בן פרחיה אומר שלא לסמוך ניתאי הארבלי אומר לסמוך יהודה בן טבאי אומר שלא לסמוך שמעון בן שטח אומר לסמוך שמעיה אומר לסמוך אבטליון אומר שלא לסמוך הלל ומנחם לא נחלקו יצא מנחם נכנס שמאי שמאי אומר שלא לסמוך הלל אומר לסמוך הראשונים

רש"י

מאי דרש. מהיכן הבין מקום השכינה שנזהר שלא הציץ שם אע"ג שלא טעה כמו שטעה אחר: **דוגמא.** דבר היכר העומד לדוגמא להראותו לומר כזה עשה לי ואין זה אלא דבר הניכר אף כאן מקומו ניכר: **ומה למטה.** והרי אמר ומתחת זרועות עולם (דברים לג) ואם שאל מי סבלן לא חס על כבוד קונו לייטי עלה במערבא לא גרסינן לה: **כאלו דוחק רגלי השכינה.** אומר בלבו אין השכינה כאן וכתיב והארץ הדום רגלי: **למקום שאין מכירין אותו.** אין דעתו גסה עליו ושמא יקל כח יצרו וגם אם יחטא אין אדם נותן (ז) לב לפי שאינו חשוב בעיניהם וכן בלבוש שחורים: **דמצי כייף ליה ליצריה.** ובוטח על שהוא נחבא בסתר כאילו דוחק הרגלים: **היכא דלא מצי כייף ליה ליצריה.** טוב לו בצינעא מפרהסיא: **ומברכין את העם בשם המפורש.** שהשכינה שורה על קשרי אצבעותיהם: **אל תאמינו ברע.** האומר לך חטא: **ואל תבטחו באלוף.** לומר שימחול: **וכפיס.** חתיכת עץ כמו כפיסין בבבא בתרא (דף ג.): **אתם עדי.** הוא מעיד בעצמו בכל עונות שאוכיח בפניו: **מתני' יוסי בן יועזר אומר שלא לסמוך.** בי"ט וזו היא מחלוקת ראשונה שהיתה בחכמי ישראל: **יהושע בן פרחיה.** כולן דור אחר דור: **יצא מנחם.** בגמרא מפרש להיכן יצא: **נכנס שמאי.** להיות אב ב"ד תחתיו: הראשונים

תוספות

כבני אדם. הוה מצי למיחשב ישנים ומוליכין ריעי כבני אדם דלקמן גבי דדמי לבהמה והיכא למימר דהוי בכלל הני ואף לקמן לא הוה חשיב ליה אלא משום דבעי (מ) אשכחי' שלשה דומין לבהמה. הר"ר אלחנן: **ויעשה מה שלבו חפץ.** (ט) לגמרי משמע דמוטב לו לאדם שיעשה חפצו בסתר ולא בפרהסיא ולא כפר"ח דשלהי פ"ק דקדושין (דף מ. ושם) דפירש דמ"מ שהיה מתיר לעשות עבירה אלא קאמר ילבש שחורים וילך למקום אחר דלבישת שחורים והכסנאות משברין לבו ולא יבא לידי עבירה ויוכל לעשות מעשיו מה שלבו חפץ דודאי אין יצרו מתגבר עליו וסוגיא דשמעתא אינו משמע כדבריו הכא וריש פרק בתרא דמועד קטן (דף יז. ושם):

בכהנים בזמן שבית המקדש קיים. מכאן קשה על פרש"י דפ"ג דמגילה (דף כד:) על ההיא דתנן ידיו בוהקניות לא ישא את כפיו ופי' משום שהעם מסתכלין בו ואמרינן בחגיגה המסתכל בכהנים בשעה שנושאין כפיהן עיניו כהות והא ליתא דמסקינן דוקא בזמן שבית המקדש קיים ואילו התם בגבולים מדמקשי מיניה בגמרא מההיא דהוה בשיבבותיה דרב הונא (י) והוה פריס ידיה ומשני דלמא דש בעירו הוה ונראה לפרש דאף בגבולין מיתסר משום היסח הדעת והכי איתא בירושלמי דהתם א"ר יוסי הדא אמרה שאסור להסתכל בכהנים בשעה שהם מברכין את העם א"ר חגי כלום אמר אלא משום היסח אנא מסתכל ולא מסחנא דעתאי:

יוסי בן יועזר כו'. בירושלמי אמר בראשונה לא היה מחלוקת אלא על הסמיכה בלבד ועמדו שמאי והלל ועשו ד' משרבו תלמידי שמאי והלל שלא שמשו כל צורכן רבו מחלוקות בישראל ונחלקו לב' כיתות ויש לתמוה הרי נחלקו כבר בימי שאול על מלוה ופרוטה (סנהדרין יט.) ושמא כיון דשאול ובית דינו הוו סברי דעתו אמלוה ולא היה אדם חולק עליו רק לפי סברת דוד לא מתקרי מחלוקת ומה שאמר בירושלמי ועמדו שמאי והלל ועשו ד' לא מצינו בפ"ק דשבת (דף יד:) רק שלשה דברים שנחלקו בהן:

כ) **שנים** מזוגות האחרונים שאמרו לסמוך (כ) נשיאים הוו. ואל תתמה על הא דחשיב שמאי מקמי הלל והלל נשיא לכ"ע איכא למימר בהיות כי ג' מזוגות הראשונים אשר אמרו שלא לסמוך היו נשיאים ושמאי סבר כוותייהו נקט ליה ברחשונה ואגב דנקט ליה הכא ברחשונה חשיב ליה בכל מקום שמאי מקמי הלל והכא ליכא למיטעי לפי שנכנס במקום מנחם דחשיב אחר הלל וא"כ אב ב"ד היה וכן שמאי נמי הכי:

תורה אור השלם

א) וַיֹּאמַר יְיָ מִסִּינַי בָּא וְזָרַח מִשֵּׂעִיר לָמוֹ הוֹפִיעַ מֵהַר פָּארָן וְאָתָה מֵרִבְבֹת קֹדֶשׁ מִימִינוֹ אֵשְׁדָּת לָמוֹ: (דברים לג, ב)

ב) דּוֹדִי צַח וְאָדוֹם דָּגוּל מֵרְבָבָה: (שיר השירים ה, י)

ג) כִּי מַעִיר הַקֹּדֶשׁ נִקְרָאוּ וְעַל אֱלֹהֵי יִשְׂרָאֵל נִסְמָכוּ יְיָ צְבָאוֹת שְׁמוֹ: (ישעיה מח, ב)

בּוֹ – It is **a person's soul** that **will testify against him,** שֶׁנֶּאֱמַר – **as it says** at the end of the verse cited above from *Micah:* ,,מִשֹּׁכֶבֶת חֵיקֶךָ שְׁמֹר פִּתְחֵי־פִיךָ" – ***guard the doorways of your mouth from the one who lies in your bosom.*** אֵי זוֹ הִיא דָּבָר שֶׁשּׁוֹכֶבֶת בְּחֵיקוֹ שֶׁל אָדָם – **What thing is it that lies in a person's bosom?** הֱוֵי אוֹמֵר זוֹ נְשָׁמָה – **One would say** that **this is the soul.** רַבִּי זְרִיקָא אָמַר – **R' Zerika said:** שְׁנֵי מַלְאֲכֵי הַשָּׁרֵת הַמְלַוִּין אוֹתוֹ – **The two ministering angels who escort a person,** הֵן מְעִידִין בּוֹ – **they** are the ones who **testify against a person,** שֶׁנֶּאֱמַר – **as it says:**[36] ,,כִּי מַלְאָכָיו יְצַוֶּה־לָּךְ לִשְׁמָרְךָ בְּכָל־דְּרָכֶיךָ" – ***For he will charge His angels concerning you, to observe you in all of your ways.*** (וחכמים) [וְיֵשׁ] אוֹמְרִים – **But there are those who say:** אֵבָרָיו שֶׁל אָדָם מְעִידִין בּוֹ – **The limbs of a person testify against him,** שֶׁנֶּאֱמַר – **as it says:**[37] ,,וְאַתֶּם עֵדַי נְאֻם־ה׳ וַאֲנִי־אֵל" – ***You are My witnesses – the word of Hashem – and I am God.***[38]

Mishnah

The Mishnah now returns to the subject of the first chapter – the festival offerings brought by individuals on Yom Tov. All private offerings (with the exception of the *bechor, maaser,* and *pesach* offerings) must have *semichah* performed on them by their owners before they are slaughtered.[39] *Semichah* ("leaning") consists of the owner placing his hands on the head of the animal and leaning down on it.[40] The following Mishnah discusses whether this rite is performed on Yom Tov:

(יוסי) [יוֹסֵף] בֶּן יוֹעֶזֶר אוֹמֵר שֶׁלֹּא לִסְמוֹךְ – **Yosef ben Yoezer says not to perform *semichah*** on a sacrifice on Yom Tov;[41] יוֹסֵף בֶּן יוֹחָנָן אוֹמֵר לִסְמוֹךְ – **Yosef ben Yochanan says to perform *semichah*** on Yom Tov.[42] יְהוֹשֻׁעַ בֶּן פְּרַחְיָה אוֹמֵר שֶׁלֹּא לִסְמוֹךְ – **Yehoshua ben Perachyah says not to perform *semichah*** on Yom Tov; נִיתַּאי הָאַרְבֵּלִי אוֹמֵר לִסְמוֹךְ – **Nitai HaArbeili says to perform *semichah*** on Yom Tov.[43] יְהוּדָה בֶּן טַבַּאי אוֹמֵר שֶׁלֹּא לִסְמוֹךְ – **Yehudah ben Tabbai says not to perform *semichah*** on Yom Tov; שִׁמְעוֹן בֶּן שָׁטַח אוֹמֵר לִסְמוֹךְ – **Shimon ben Shatach says to perform *semichah*** on Yom Tov. שְׁמַעְיָה אוֹמֵר לִסְמוֹךְ – **Shemayah says to perform *semichah*** on Yom Tov; אַבְטַלְיוֹן אוֹמֵר שֶׁלֹּא לִסְמוֹךְ – **Avtalyon says not to perform *semichah*** on Yom Tov. הִלֵּל וּמְנַחֵם לֹא נֶחְלְקוּ – **Hillel and Menachem did not dispute** this matter.[44] יָצָא מְנַחֵם נִכְנַס שַׁמַּאי – **Menachem left** the Sanhedrin and **Shammai entered** in his place.[45] שַׁמַּאי אוֹמֵר שֶׁלֹּא לִסְמוֹךְ – **Shammai says not to perform *semichah*** on Yom Tov; הִלֵּל אוֹמֵר לִסְמוֹךְ – **Hillel says to perform *semichah*** on Yom Tov.[46]

NOTES

36. *Psalms* 91:11.

37. *Isaiah* 43:12.

38. He will testify himself to all the iniquities for which he will be rebuked (*Rashi;* cf. *Rashi* to *Taanis* 11a ד"ה הכי גרסינן אבריו).

The *Beis HaLevi* (*Noach*) explains that every act a person performs leaves its permanent impression in all the elements of his environment. A house in which a mitzvah is performed absorbs an indelible record of that mitzvah. Decades later, the register of each and every mitzvah – or transgression – is clear in the walls and the beams of that house. Certainly, this is true for the person's own limbs and, all the more so, for his soul.

39. Mishnah, *Menachos* 92a. This includes the *chagigah* offering; see *Beitzah* 19a.

40. [The Gemara below (16b) will explain that the person must lean down on it with all his strength.]

While performing *semichah,* the owner confesses the sin for which the sacrifice atones (*Rambam, Maaseh HaKorbanos* 3:13-14, from *Tosefta Menachos* 10:3). If the sacrifice is not to atone for a sin but is a *shelamim,* for example, he recites over it words of praise to Hashem (*Rambam* ibid. §15).

41. In performing *semichah,* one supports his weight on the animal. This is akin to riding on an animal on Yom Tov, which is Rabbinically forbidden, as stated by the Mishnah in *Beitzah* (36b). Included in this prohibition is any direct use made of the body of the animal [מִשְׁתַּמֵּשׁ בְּבַעַל חַי], such as leaning on it (*Rashi* above, 7b ד"ה ואין סומכין, and below, 16b ד"ה אלא משום שבות). Yosef ben Yoezer therefore rules that one may not perform *semichah* on his sacrifice on Yom Tov.

42. This was the first dispute among the Sages of Israel (*Rashi; Yerushalmi,* quoted by *Tosafos*). The basis of this dispute will be explained in note 46.

Yosef ben Yoezer and Yosef ben Yochanan lived early in the Second Temple era [and were the first of the זוגות, *Pairs,* to head the Sanhedrin, one serving as *Nasi* and the other as *Av Beis Din* (see *Avos* 1:2ff and Gemara below)]. *Tosafos* note, however, that the Gemara in *Sanhedrin* (19b) records a much earlier dispute between King Saul and David concerning the validity of a *kiddushin* transacted through a loan and a *perutah.* This contradicts the *Yerushalmi's* assertion that the dispute in our Mishnah represents the first dispute between the Sages. *Tosafos* answer that since the entire Sanhedrin at the time agreed with King Saul, the argument of David [who was not yet a member] to the contrary was not ranked as a "dispute between the Sages" (see *Siach Yitzchak* for another answer). Others answer that though disputes certainly occurred in earlier times as well (as recorded by the Gemara in *Yevamos* 76b, *Berachos* 10b; see also *Temurah* 15b), these were soon resolved by a vote of the Sanhedrin. The dispute concerning *semichah,* however, was the first to persist for generations without being resolved (*Korban HaEidah* to *Yerushalmi* ibid.; *Maharatz Chayes; Meromei Sadeh;* see also *Tosefta* here 2:4, quoted in *Sanhedrin* 88b).

43. Yehoshua ben Perachyah and Nitai HaArbeili were the next generation of זוגות, *Pairs,* to head the Sanhedrin, and they were succeeded, generation after generation, by the succeeding pairs mentioned in this Mishnah (*Rashi;* see *Avos* chapter 1). In each of these generations, the question of *semichah* on Yom Tov was disputed by the two leaders of the Sanhedrin.

44. During his brief tenure on the Sanhedrin, Menachem never expressed his view on the question of *semichah* (*Rambam, Commentary; Rav*). Others explain that Menachem in fact agreed with Hillel that *semichah* is performed on Yom Tov (*Rabbeinu Yehonasan MiLunel; Meiri*).

45. The Gemara (16b) will explain the reason for his departure.

46. The Gemara in *Beitzah* (20a) cites two explanations of the dispute. According to R' Yose, Beis Shammai are of the opinion that *semichah* need not be performed immediately before the sacrifice's slaughter. Since the owner can therefore come to the Temple and perform the *semichah* on the day before Yom Tov, the Rabbis did not waive their prohibition against leaning on the animal on Yom Tov [even where he failed to perform the *semichah* in advance (*Rabbeinu Yehonasan MiLunel;* see also *Meromei Sadeh and Sfas Emes* to 16b)]. Beis Hillel, however, maintain that *semichah* must be performed immediately prior to the slaughter [תֵּיכֶף לִסְמִיכָה שְׁחִיטָה]. Therefore, since it is permitted to bring these offerings on Yom Tov, *semichah* must be permitted for them as well (*Rashi* above, 7b ד"ה וסומכין עליהן). [Although *semichah* is a mitzvah whose performance is not critical to the validity of the sacrifice (see Mishnah, *Menachos* 93a and Gemara there 93b), the Rabbis nonetheless did not wish to ban the mitzvah of *semichah* because of a Rabbinic decree against leaning on animals (*Rambam, Hil. Chagigah* 1:9).]

According to R' Yose bar R' Yehudah, however, both Hillel and Shammai agree that a sacrifice's slaughter must immediately follow its *semichah.* Rather, the basis of their dispute is whether *obligatory* personal offerings [such as the *chagigah*] require *semichah* at all. According to Shammai they do not; therefore, the Rabbinic prohibition against leaning on an animal on Yom Tov is not waived on their account (*Rashi, Beitzah* 20a ד"ה ב"ש היא; see *Gilyon HaShas* there). According to Hillel, these offerings do require *semichah;* therefore, it may be performed even on Yom Tov. [The Gemara will note both of these opinions on 16b. See there for further discussion.]

מאי דרש אמר רבה בר בר חנה אמר רבי יוחנן א) (ואתא) מרבבות קדש אות הוא ברבבה שלו ורבי אבהו אמר ב) דגול מרבבה דוגמא הוא ברבבה שלו וריש לקיש אמר ג) ה' צבאות שמו אדון הוא בצבא שלו ורבי חייא בר אבא א"ר יוחנן ד) לא ברוח ה' ואחר הרוח רעש לא ברעש ה' ואחר הרעש אש לא באש ה' ואחר האש קול דממה דקה והנה ה' עובר ה) ת"ר ששה דברים נאמרו בשדים שלשה כמלאכי השרת ושלשה כבני אדם שלשה כמלאכי השרת יש להם כנפים כמלאכי השרת וטסין מסוף העולם ועד סופו כמלאכי השרת ויודעין מה שעתיד להיות כמלאכי השרת יודעין ס"ד אלא שומעין מאחורי הפרגוד כמלאכי השרת ושלשה כבני אדם אוכלין ושותין כבני אדם פרין ורבין כבני אדם ומתים כבני אדם ששה דברים נאמרו בבני אדם שלשה כמלאכי השרת ושלשה כבהמה שלשה כמלאכי השרת יש להם דעת כמלאכי השרת ומהלכין בקומה זקופה כמלאכי השרת ומספרים בלשון הקדש כמלאכי השרת שלשה כבהמה אוכלין ושותין כבהמה ופרין ורבין כבהמה ומוציאין רעי כבהמה: כל המסתכל בד' דברים רתוי לו שלא בא לעולם כו': בשלמא מה למעלה מה למטה מה לאחור לחיי אלא לפנים מה דהוה הוה ר' יוחנן ור"א דאמרי תרוייהו (א) משל למלך ב"ו שאמר לעבדיו בנו לי פלטירין גדולין על האשפה הלכו ובנו לו אין רצונו של מלך להזכיר שם אשפה: כל שלא חס על כבוד קונו רתוי לו שלא בא לעולם: מאי היא י) ר' אבא אמר זה המסתכל בקשת רב יוסף אמר זה העובר עבירה בסתר (ב) מסתכל בקשת דכתיב כ) כמראה הקשת אשר יהיה בענן ביום הגשם כן מראה הנגה סביב הוא מראה דמות כבוד ה' רב יוסף אמר זה העובר עבירה בסתר כדר' יצחק ל) דאמר רבי יצחק כל העובר עבירה בסתר כאילו דוחק רגלי שכינה שנא' מ) כה אמר ה' השמים כסאי והארץ הדום רגלי איני (ג) והאמר ר' אלעא הזקן אם רואה אדם שיצרו מתגבר עליו ילך למקום שאין מכירין אותו וילבש שחורין ויתעטף שחורין ויעשה מה שלבו חפץ ואל יחלל שם שמים בפרהסיא לא קשיא הא דמצי כייף ליה ליצריה הא דלא מצי כייף ליה ליצריה דרש ר' יהודה ברבי נחמני מתורגמניה דריש לקיש כל המסתכל בג' דברים עיניו כהות בקשת ובנשיא ובכהנים בקשת דכתיב כמראה הקשת אשר יהיה בענן ביום הגשם הוא מראה דמות כבוד ה' בנשיא דכתיב נ) ונתת מהודך עליו (ד) המסתכל בכהנים בזמן שבהמ"ק קיים שהיו עומדין על דוכנן ומברכין את ישראל בשם המפורש דרש ר' יהודה ברבי נחמני מתורגמניה דריש לקיש מאי דכתיב ס) אל תאמינו ברע אל תבטחו באלוף אם יאמר לך יצר הרע חטוא והקב"ה מוחל (ה) אל תאמן (שנא') אל תאמן ברע ואין רע אלא יצר הרע שנאמר ע) כי יצר לב האדם רע ואין אלוף אלא הקב"ה שנאמר פ) אלוף נעורי אתה שמא תאמר מי מעיד בי אבני ביתו וקורות ביתו של אדם הם מעידין בו שנאמר צ) כי אבן מקיר תזעק וכפיס מעץ יעננה (ו) וחכ"א נשמתו של אדם מעידה בו שנאמר ק) משכבת חיקך שמור פתחי פיך אי זו היא דבר ששוכבת בחיקו של אדם הוי אומר זו נשמה ר' זריקא אמר שני מלאכי השרת המלוין אותו הן מעידין בו שנאמר ר) כי מלאכיו יצוה לך לשמרך בכל דרכיך (ז) וחכ"א אבריו של אדם מעידין בו שנאמר ש) ואתם עדי נאם ה' ואני אל: מתני' (ח) יוסי בן יועזר אומר שלא לסמוך יוסף בן יוחנן אומר לסמוך יהושע בן פרחיה אומר שלא לסמוך ניתאי הארבלי אומר לסמוך יהודה בן טבאי אומר שלא לסמוך שמעון בן שטח אומר לסמוך שמעיה אומר לסמוך אבטליון אומר שלא לסמוך הלל ומנחם לא נחלקו יצא מנחם נכנס שמאי שמאי אומר שלא לסמוך הלל אומר לסמוך

הראשונים

מאי דרש. מהיכן הבין מקום השכינה שנזהר שלא הציץ שם שלא טעה כמו שטעה אחר: דוגמא. דבר היכר העומד לדוגמא להראותו לומר כזה עשה לי ואין זה אלא דבר היכר אף כאן מקומו ניכר: ומה למטה. והרי אמר ומתחת זרועות עולם (דברים לג) ואם שאל מי סבלן לא חס על כבוד קונו לייטי עלה במערבא לא גרסינן לה: כאלו דוחק רגלי השכינה. אומר בלבו אין השכינה כאן וכתיב והארץ הדום רגלי: למקום שאין מכירין אותו. אין דעתו גסה עליו ושמא יקל כח יצרו וגם אם יחטא אין אדם נותן (ז) לב לפי שאינו חשוב בעיניהם וכן בלבוש שחורים: דמצי כייף ליה ליצריה. ועושה על שהוא נחבא בסתר כאלו דוחק הרגלים: היכא דלא מצי כייף ליה ליצריה. טוב לו בלעגת מפרהסיא: ומברכין את העם בשם המפורש. שהשכינה שורה על קשרי אצבעותיהם: אל תאמינו ברע. האומר לך חטא: ואל תבטחו באלוף. לומר שימחול: וכפים. חתיכת עץ כמו כפיסין בבבא בתרא (דף ג.): אתם עדי. הוא מעיד בעצמו בכל עונות שאומים בפניו: מתני' יוסי בן יועזר אומר שלא לסמוך. בי"ט וזו היא מחלוקת ראשונה שהיתה בחכמי ישראל: יהושע בן פרחיה. כולן דור אחר דור: יצא מנחם. בגמרא מפרש להיכן יצא: נכנס שמאי. להיות אב ב"ד תחתיו:

כבני אדם. הוה מצי למיחשב ישנים ומוציאין ריעי כבני אדם כדלקמן גבי דדמי לבהמה ואיכא למימר דהוי בכלל הני ואף לקמן לא הוה חשיב ליה אלא משום דבעי (ח) לאשכוחי שלשה דומין לבהמה. הר"ר אלחנן: ויעשה מה שלבו חפץ. (ט) לגמרי משמע דמוטב לו לאדם שיעשה חפצו בסתר ולא בפרהסיא ולא כפר"ח דשילהי פ"ק דקדושין (דף מ. ושם) דפירש דמ"ו שהיה מתיר לעשות עבירה אלא קאמר ילבש שחורים וילך למקום אחר דלבישת שחורים והכנסות משברין לבו ולא יבא לידי עבירה ויוכל לעשות מעשיו מה שלבו חפץ דודאי אין יצרו מתגבר עליו וסוגיא דשמעתא אינו משמע כדבריו הכא ובריש פרק בתרא דמועד קטן (דף יז. ושם):

בכהנים בזמן שבית המקדש קיים. מכאן קשה על פרש"י דפ"ג דמגילה (דף כד:) על ההיא דתנן ידיו בוהקניות לא ישא כפיו ופי' משום שהעם מסתכלין בו ואמרינן בחגיגה המסתכל בכהנים בשעה שנושאין כפיהן עיניו כהות והא ליתא דמסקינן דוקא בזמן שבית המקדש קיים ואלו התם בגבולים מתמקדי מייתי בגמרא מההיא דהוה בשיבבותיה דרב הונא (י) והוה פריס ידיה ומשני דלמא דש בעירו הוה ונראה לפרש דאף בגבולין מיתסר משום היסח הדעת והכי איתא בירושלמי דהתם א"ר יוסי הדא אמרה שאסור להסתכל בכהנים בשעה שהם מברכין את העם א"ר חגי כלום אמר אלא משום היסח אנא מסתכל ולא מסתנא דעתאי:

יוסי בן יועזר כו'. בירושלמי אמר בראשונה לא היה מחלוקת אלא על הסמיכה בלבד ועמדו שמאי והלל ועשו ד' משרבו תלמידי שמאי והלל שלא שמשו כל צורכן רבו מחלוקות בישראל ונחלקו לב' כיתות ויש לתמוה הרי נחלקו כבר בימי שאול על מלוה ופרוטה (סנהדרין יט.) ושמא כיון דשאול ובית דינו הוו סברי דעתו אמלוה ולא היה אדם חולק עליו רק לפי סברת דוד לא מתקרי מחלוקת ומה שאמר בירושלמי ועמדו שמאי והלל ועשו ד' לא מלינו בפ"ק דשבת (דף יד:) רק שלשה דברים שנחלקו בהן:

כ) שנים מזוגות האחרונים שאמרו לסמוך (כ) נשיאים הוו. ואל תתמה על הא דחשיב שמאי מקמי הלל והלל נשיא לכ"ע איכא למימר בהיות כי ג' מזוגות הראשונים אשר אמרו שלא לסמוך היו נשיאים ושמאי סבר כוותייהו נקט ליה בראשונה ואגב דנקט ליה הכא בראשונה חשיב ליה בכל מקום שמאי מקמי הלל והכא ליכא למיטעי לפי שנכנס במקום מנחם דחשיב אחר הלל וא"כ אב ב"ד היה וכן שמאי נמי הכי:

רבינו חננאל

בכבודי מאי דרוש אמר ר' יוחנן ואתא מרבבות קודש אות הוא ברבבה שלו [ה' צבאות שמו] אדון הוא בצבא שלו אמר רבי יוחנן לא ברוח ה' ואחר הרוח רעש לא ברעש ה' ואחר הרעש אש לא באש ה' ואחר האש קול דממה דקה [והנה ד' עובר]: ת"ר ו' דברים נאמרו בשידין שלשה כמלאכים יש להן כנפים ושטין מסוף העולם ועד סופו ושומעין מה שעתיד להיות וג' כבני אדם פרין ורבין ואוכלין ושותין ומתין כבני אדם: ו' דברים יש בבני אדם יש בהן דעת ומהלכין בקומה זקופה ומספרין לשון קודש כמלאכים אוכלין ושותין ומוציאין רעי פרים ורבים כבהמה. א) שאלו את בן זומא בתולה שעיברה מהו. מי חיישינן לדשמואל דאמר יכול אני לבעול כמה בתולות בלא דם. או דלמא הא דשמואל לא שכיחא [כו'] וחיישינן שמא באמבטי עיברה כו' פירוש אשה הרה שנבדקה ונמצאת בתולה מי אמרינן מביאה נתעברה כשמואל והריני קורא בה אשה כי תזריע וילדה זכר ג) וטמאה וחייבת [קרבן] לידה או דלמא אימור באמבטי של מרחץ נתעברה כגון שירד איש באותה האמבטי ופלט ש"ז וירדה אשה וקירבה באותה טיפה של ש"ז ונכנסה בתוך רחמה ונתעברה וזה מעשה נסים הוא ואינה טמאה לידה שאין אני קורא בה אשה כי תזריע. ומקשינן וכי הריון באמבטי כי האי גוונא מי משכחת לה והאמר שמואל כל שכבת זרע שאינו יורה כחץ אינה מזרעת ופרקינן כי אמר שמואל דבעינן ירית כחץ בעת שפולטה האיש וזו הש"ז האיש שפלטה באמבטי יורה כחץ הוה ולא איפשיטא ושמעינן שנמצאת אשה הרה ובעת לידה לא היתה יכולה לילד שאמרו כי היא בתולה וקרעו לה הנשים בדינר של זהב אותם המסוככין המלואין דם בתולין וילדה: מתני' כל המסתכל בד' דברים ראוי לו כאילו לא בא לעולם. פי' טוב ממנו הנפל שלא בא לעולם כי אין לאדם להתעסק אלא [במה] שנצטוה להכיר קונו בעשיית חוקיו ומשפטיו כי עשיית משפט וצדקה הם ידיעתו של הקב"ה כדכתיב [illegible] ומשפט הלא היא הדעת אותי נאום ה' ולעשות מצותיו ותורותיו אבל להסתכל לידע מה למעלה ומה למטה מה לפנים ומה לאחור לא. כי לא נתנה רשות לאדם להתעסק אלא בדבר שהוא מן היום אשר ברא אלהים אדם על הארץ ולמקצה השמים

עין משפט נר מצוה

יא א טוש"ע א"ח סי' רכט סעיף א:
יב ב מיי' פ"ד מהל' תפלה הל' ז סמג עשין כ טוש"ע א"ח סי' קכח סעיף כג:
יג ג מיי' פ"א מהלכות חגיגה הלכה ט:

מסורת הש"ס

א) [נ"ל ואתה], ב) [אדר"נ פל"ז והרמב"ן בפי' החומש פרשת אחרי פסוק ולא יזבחו לשעירים האריך בביאור הגדה זו], ג) קדושין מ. ע"ש, ד) קדושין לא., ה) מו"ק יז. קדושין מ., ו) תענית יא:, ז) [נ"ל ויי"א וכ"א בתענית], ח) [נ"ל יוסף וכ"א תמורה טז.], ט) שבת טו., י) [נ"ל כהן שיש בידיו מומין], כ) (שייך לע"ב).

הגהות הב"ח

(א) גמ' דאמרי תרוייהו למה"ד משל למלך: (ב) שם רב יוסף אמר זה העובר עבירה בסתר. נ"ב ס"א רבה אמר כל המסתכל בקשת צריך שיפול על פניו דכתיב כמראה הקשת אשר יהיה בענן ביום הגשם וכו' ואראה ואפול על פני וכו' לייטי עליה במערבא משום דמיחזי כמינות אלא לימא ברוך זוכר הברית הרואה את הקשת צריך לברך מאי מברך ברוך זוכר הברית רבי ישמעאל בנו של ר' יוחנן בן ברוקה אומר ברוך זוכר הברית נאמן בבריתו וקיים במאמרו: (ג) שם איני והא תניא רבי אלעא הזקן אומר אם רואה וכו' עליו בכל יום וילך למקום: (ד) שם מהודך עליו המסתכל בכהנים בזמן שבית המקדש קיים [illegible] (ה) שם מוחל לך אל תאמן וכו' (ו) שם וכפים מעץ יעננה [illegible] (ז) רש"י ד"ה למקום וכו' נותן לב [illegible] (ח) תוס' ד"ה כבני וכו' דבעי לאשכוחי שלשה: (ט) ד"ה ויעשה מה שלבו חפץ משמע דמותר לו לאדם שיעשה חפצו [illegible] (י) [illegible] (כ) ד"ה ושנים וכו' לסמוך היו נשיאים ואל תתמה וכו' בהיות נ"ב ואע"ג לאבטליון נמי סבר שלא לסמוך לא נקיט ליה בראשונה [דליכא למיטעי דהוה נשיא] משא"כ בשמאי דליכא למיטעי:

תורה אור השלם

א) וַיֹּאמַר יְיָ מִסִּינַי בָּא וְזָרַח מִשֵּׂעִיר לָמוֹ הוֹפִיעַ מֵהַר פָּארָן וְאָתָה מֵרִבְבֹת קֹדֶשׁ מִימִינוֹ אֵשְׁדָּת לָמוֹ: [דברים לג, ב]
ב) דּוֹדִי צַח וְאָדוֹם דָּגוּל מֵרְבָבָה: [שיר השירים ה, י]
ג) כִּי מְעִיר הַקֹּדֶשׁ נִקְרָאוּ וְעַל אֱלֹהֵי יִשְׂרָאֵל נִסְמָכוּ יְיָ צְבָאוֹת שְׁמוֹ: [ישעיה מח, ב]
ד) וַיֹּאמֶר צֵא וְעָמַדְתָּ בָהָר לִפְנֵי יְיָ וְהִנֵּה יְיָ עֹבֵר וְרוּחַ גְּדוֹלָה וְחָזָק מְפָרֵק הָרִים וּמְשַׁבֵּר סְלָעִים לִפְנֵי יְיָ לֹא בָרוּחַ יְיָ וְאַחַר הָרוּחַ רַעַשׁ לֹא בָרַעַשׁ יְיָ: וְאַחַר הָרַעַשׁ אֵשׁ לֹא בָאֵשׁ יְיָ וְאַחַר הָאֵשׁ קוֹל דְּמָמָה דַקָּה: [מלכים א יט, יא-יב]
ה) כְּמַרְאֵה הַקֶּשֶׁת אֲשֶׁר יִהְיֶה בֶעָנָן בְּיוֹם הַגֶּשֶׁם כֵּן מַרְאֵה הַנֹּגַהּ סָבִיב הוּא מַרְאֵה דְּמוּת כְּבוֹד יְיָ וָאֶרְאֶה וָאֶפֹּל עַל פָּנַי וָאֶשְׁמַע קוֹל מְדַבֵּר: [יחזקאל א, כח]
ו) כֹּה אָמַר יְיָ הַשָּׁמַיִם כִּסְאִי וְהָאָרֶץ הֲדֹם רַגְלָי אֵי זֶה בַיִת אֲשֶׁר תִּבְנוּ לִי וְאֵי זֶה מָקוֹם מְנוּחָתִי: [ישעיה סו, א]
ז) וְנָתַתָּה מֵהוֹדְךָ עָלָיו לְמַעַן יִשְׁמְעוּ כָּל עֲדַת בְּנֵי יִשְׂרָאֵל: [במדבר כז, כ]
ח) אַל תַּאֲמִינוּ בְרֵעַ אַל תִּבְטְחוּ בְּאַלּוּף מִשֹּׁכֶבֶת חֵיקֶךָ שְׁמֹר פִּתְחֵי פִיךָ: [מיכה ז, ה]
ט) וַיָּרַח יְיָ אֶת רֵיחַ הַנִּיחֹחַ וַיֹּאמֶר יְיָ אֶל לִבּוֹ לֹא אֹסִף לְקַלֵּל עוֹד אֶת הָאֲדָמָה בַּעֲבוּר הָאָדָם כִּי יֵצֶר לֵב הָאָדָם רַע מִנְּעֻרָיו וְלֹא אֹסִף עוֹד לְהַכּוֹת אֶת כָּל חַי כַּאֲשֶׁר עָשִׂיתִי: [בראשית ח, כא]
י) הֲלוֹא מֵעַתָּה קָרָאת לִי אָבִי אַלּוּף נְעֻרַי אָתָּה: [ירמיה ג, ד]
כ) כִּי אֶבֶן מִקִּיר תִּזְעָק וְכָפִיס מֵעֵץ יַעֲנֶנָּה: [חבקוק ב, יא]
ל) כִּי מַלְאָכָיו יְצַוֶּה לָּךְ לִשְׁמָרְךָ בְּכָל דְּרָכֶיךָ: [תהלים צא, יא]
מ) אָנֹכִי הִגַּדְתִּי וְהוֹשַׁעְתִּי וְהִשְׁמַעְתִּי וְאֵין בָּכֶם זָר וְאַתֶּם עֵדַי נְאֻם יְיָ וַאֲנִי אֵל: [ישעיה מג, יב]

ליקוטי רש"י

[illegible]

עין משפט נר מצוה

יד א ב ג מיי' פ"ט מהל' עדות הלכה ה סמג עשין קו טור ח"מ סי' לח:
טו ד מיי' פ"ג מהלכות חגיגה הל' ט ופ"ג מהלכות מעשה קרבנות הלכה יג:
טז ה מיי' שם הלכה ח סמג עשין קפט:
יז ו מיי' שם הל' יג:

תורה אור השלם

א) דַּבֵּר אֶל בְּנֵי יִשְׂרָאֵל וְאָמַרְתָּ אֲלֵהֶם אָדָם כִּי יַקְרִיב מִכֶּם קָרְבָּן לַיָי מִן הַבְּהֵמָה מִן הַבָּקָר וּמִן הַצֹּאן תַּקְרִיבוּ אֶת קָרְבַּנְכֶם: [ויקרא א, ב]
ב) וְסָמַךְ יָדוֹ עַל רֹאשׁ הָעֹלָה וְנִרְצָה לוֹ לְכַפֵּר עָלָיו: [ויקרא א, ד]

רבינו חננאל

בנשיא שנאמר ונתת מהודך עליו בכהנים בזמן שבהמ"ק קיים ובשעה שעומדין על הדוכן ומברכין העם בשם המפורש מפני שאלו כולן אתו הדבור בכבוד השם ולא [יסתכל] [ואמר] האדם כשעובר עבירה בסתר מי מעיד בי ואמרינן אבני ביתו [מעידין אותו] שנאמר כי אבן מקיר תזעק וכפיס מעץ יעננה. תניא שני מלאכים המלוין לו לאדם הן מעידין בו שנא' כי מלאכיו יצוה לך לשמרך בכל דרכיך וי"א נשמתו ואבריו הן [מעידין] בו: מתני' יוסי בן יועזר אומר שלא לסמוך כו' ת"ר ג' מזוגות הראשונים שאמרו שלא לסמוך ושנים מזוגות האחרונים שאמרו לסמוך הראשונים נשיאים והשניים אבות ב"ד וכך סידורן יוסי בן יועזר נשיא יוסי בן יוחנן אב ב"ד. יהושע בן פרחיה נשיא נתאי הארבלי אב ב"ד יהודה בן טבאי נשיא שמעון בן שטח אב ב"ד הללו ג' זוגות הנשיאים אמרו שלא לסמוך. ואבות בתי דינים אמרו לסמוך שמעיה והלל נשיאים אמרו לסמוך אבטליון ושמאי אבות בתי דינים אמרו שלא לסמוך אלו דברי הכל בין הזוג ולוקו בזה הזוג. ר' מאיר אומר יהודה בן טבאי נשיא ושמעון בן שטח אב"ד וחכמים אומרים שמעון בן שטח נשיא ויהודה בן טבאי אב"ד ומסתברא כר' מאיר דברייתא מסייעא ליה והאי פירוקא דפרקי לאוקומה בפיוסי שנויה היא ולא סמכינן עלה יצא מנחם לעבודת המלך ויצאו עמו שמונים תלמידים לובשי סריקון של זהב א"ר אלעזר לעולם אל תהי שבות קלה בעיניך לזלזל בה שהרי סמיכה על הבהמה משום שבות הוא ואע"פ שהוא שבות דמצוה נחלקו עליו גדולי הדור הללו. ולא מצינו שהיתה חלוקה כלל בין החכמים הראשונים אלא בסמיכה בלבד באו הלל ושמאי חלקו בג' דברים אבל תלמידיהן שלא שמשו כל

אראה בנחמה. לישנא קלילא (ד) הוי דשבועה בלשון קצר כלומר לא יוכל לראות בנחמות ציון אם לא עשה זה י) ודומה לו אקפח את בני שהלכה זו מקופחת בישראל דרבי טרפון בשמעתא דמדלעת בפ"ק דשבת (דף יז. ושם) ודוגמא מצינו לשון המקרא ואולם חי אני וימלא כבוד ה' וגו' אם יראו וגו' (במדבר יד) כ): **אם** לא הרגתי עד זומם. תימה אמאי לא מקשינן הכא השתא בהמתן של צדיקים אין הקב"ה מביא תקלה על ידן צדיקים עצמן לא כל שכן כדפריך בגיטין (דף ז. ושם) ובחולין (דף ה: ושם) וי"ל דלא שייך לאקשויי רק גבי דבר אכילה דגנאי הוא לצדיק לאכול דבר איסור אבל דבר היתר בשעת האיסור לא פריך והכי נמי לא פריך בר"ה (דף כא.) דאמר (ה) כמה נסים תכשילה דבכל בצומא רבא למערבא ובערבי פסחים (פסחים קו: ושם) ברב ירמיה בר אבא דאישתלי וטעים קודם הבדלה אע"ג דמיתתו באסכרה דלאו דבר מגונה כל כך אכילת היתר בשעת האיסור ל): **למחר** הוא מת. הא דלא נקט כשאינני שם אין קולו נשמע משום שהיו אומרים לו לאותו צועק אלא בשעה שישנו שם אבל השתא מדנקט מת שיהא גביה אז היה לו לצעוק: **אב** ב"ד מי קא מורה בפני נשיא. הוראה לדין וירושלמי פליג מאן דאמר יהודה בן טבאי נשיא עובדא דאלכסנדריא מסייע ליה (ו) דבני ירושלים בעון מימני נשיא ולא קבלו עלוי ערק ואזל לאלכסנדריא והיו בני ירושלים כותבין מירושלם הגדולה לאלכסנדריא הקטנה עד מתי מ) אישי יושב אצלכם ואני יושבת עגומה עליו ומאן דתני שמעון בן שטח נשיא עובדא דאשקלון מסייע ליה ומייתי הולא עובדא תלה פ' נשים מכשפניות ובסנהדרין (דף מד:) הביאו רש"י בנימוקו נ): **לא** מצטריפנא. לנטות אחרי רבים כדי לבטל דברי שמעון בן שטח: **דבר** אל בני ישראל וסמך. אבל בשחיטה ליכא למעט נשים מהאי טעמא אע"ג דסמיך טפי להקרבה מסמיכה דהא ° בריש כל הפסולין (זבחים לב.) מרבינן נשים לשחיטה וכן ליכא לאלופי שחיטה בבעלים דומיא דסמיכה דההוא היקש לא הוי אלא דרבנן ס): **לעשות** נחת רוח לנשים. וכגון שהיתה בהמה שלהן (ז) השתא דומה לסמיכה להיו' בבעלים בפ"ק דקדושין (דף לא. ע) ובפ' בתרא דר"ה (דף לג. פ) פירש ר"י דנשים דידן אם באות לעשות מצות עשה שהזמן גרמא ולברך עליהן אין ממחין בידם אע"ג דפטורות ולא מיקרי ברכה לבטלה וכן משמע מהכא ועוד פירשתי התם [בר"ה] והארכתי צ):

רב

הראשונים היו נשיאים ושניים להם א) אב ב"ד:
גמ' ב) ת"ר שלשה מזוגות הראשונים שאמרו שלא לסמוך ושנים מזוגות האחרונים שאמרו לסמוך (הראשונים) היו נשיאים ושניים להם אבות ב"ד דברי רבי מאיר וחכמים אומרים יהודה בן טבאי אב ב"ד ושמעון בן שטח נשיא מאן תנא להא דתנו רבנן ג) אמר [א] רבי יהודה בן טבאי אראה בנחמה אם לא הרגתי עד זומם להוציא מלבן של צדוקין שהיו אומרים אין עדים זוממין נהרגין עד שיהרג הנידון אמר לו שמעון בן שטח אראה בנחמה אם לא שפכת דם נקי שהרי אמרו חכמים ד) אין עדים זוממין נהרגין עד שיזומו שניהם ה) ואין לוקין עד שיזומו שניהם ו) ואין משלמין ממון עד שיזומו שניהם מיד קבל עליו יהודה בן טבאי שאינו מורה הלכה אלא בפני שמעון בן שטח כל ימיו של יהודה בן טבאי היה משתטח על קברו של אותו הרוג והיה קולו נשמע כסבורין העם לומר שקולו של הרוג הוא אמר להם קולי הוא תדעו שלמחר הוא מת ואין קולו נשמע אמר ליה רב אחא בריה דרבא לרב אשי ודלמא פיוסי פייסיה או בדינא תבעי' מני הא אי אמרת בשלמא רבי מאיר דאמר שמעון בן שטח אב ב"ד ר"י בן טבאי נשיא היינו דקא מורי הלכה בפני שמעון בן שטח אלא אי אמרת רבנן דאמרי יהודה בן טבאי אב ב"ד שמעון בן שטח נשיא אב ב"ד בפני נשיא מי מורה הלכה לא מאי קבל עליו דקאמר לאצטרופי דאפי' אצטרופי נמי לא מצטריפנא: יצא מנחם ונכנס שמאי כו': להיכן יצא אביי אמר יצא לתרבות רעה רבא אמר יצא לעבודת המלך תניא נמי הכי יצא מנחם לעבודת המלך ויצאו עמו שמונים זוגות תלמידים לבושין סיריקון אמר רב שמן בר אבא א"ר יוחנן לעולם אל תהא שבות קלה בעיניך שהרי סמיכה אינה אלא משום שבות ונחלקו בה גדולי הדור פשיטא שבות מצוה אצטריכא ליה הא נמי פשיטא לאפוקי ממאן דאמר בסמיכה גופה פליגי קא משמע לן בשבות הוא דפליגי אמר רמי בר חמא שמע מינה ° סמיכה בכל כחו בעינן דאי ס"ד לא בעינן בכל כחו מאי קא עביד ליסמוך מיתיבי א) דבר אל בני ישראל ב) וסמך ה) בני ישראל סומכין ואין בנות ישראל סומכות רבי יוסי ור' [ב] (ישמעאל) אומרים בנות ישראל סומכות רשות אמר רבי יוסי סח לי אבא אלעזר פעם אחת היה לנו עגל של זבחי שלמים והביאנוהו לעזרת נשים וסמכו עליו נשים לא מפני שסמיכה בנשים אלא כדי לעשות נחת רוח לנשים ואי ס"ד סמיכה בכל כחו בעינן משום נחת רוח דנשים עבדינן עבודה בקדשים אלא לאו ש"מ לא בעינן בכל כחו לעולם אימא לך בעינן בכל כחו דאמר להו אקפו ידייכו אי הכי לא מפני שסמיכה בנשים תיפוק ליה דאינה לסמיכה כלל א"ר אמי חדא ועוד קאמר חדא דליתא לסמיכה כלל ועוד כדי לעשות נחת רוח לנשים אמר רב פפא שמע מינה ז) צדדין אסורין דאי ס"ד צדדין מותרין (א) לסמוך לצדדין אלא לאו שמע מינה צדדין אסורין רב

הראשונים. שהוזכרו ראשון בכל זוג וזוג היו נשיאים: גמ' עד זומם. שלא הוזם אלא הוא לבדו: עד שיהרג הנדון. קודם הזמה ואחר כך הוזמו שהיו דורשין נפש בנפש האמור בעדים זוממין אמרו להן חכמים והלא כבר נאמר כאשר זמם לעשות לאחיו ועדיין אחיו קיים ולמה נאמר נפש בנפש שאין נהרגים עד שיגמר הדין של נידון קודם שהוזמו: ואין לוקין. אם העידוהו שחייב מלקות בכולהו גרסי' עד שיזומו שניהן ובמסכת מכות ח) יליף לה מקראי והנה עד שקר העד ואמר מר ט) כל מקום שנאמר עד הרי כאן שנים: אלא בפני שמעון. שאם יטעה ילמדהו: היינו דקא מורה הלכה בפני שמעון. דמדקאמר מיד קיבל כו' שמע מינה דעד השתא אורי בפניו: ומאי קיבל. לאו דעד השתא הורה דודאי לא הורה בפניו מימיו וכשהרגו לעד זומם לא היה שמעון שם (ב): לא מצטריפנא. לישב בדין אלא בהדי שמעון: סיריקון. לבוש בגדי מלכות: אינה אלא משום שבות. דתנן אלו הן משום שבות לא עולין באילן ולא רוכבין על גבי בהמה (ביצה דף לו:) והאי נמי משתמש בבעלי חיים הוא שסומך עליה בכל כחו כדאמרינן לקמן: שבות דמצוה. נמי תנינא במתני' ומאי אשמעינן רבי יוחנן: לאפוקי ממאן דאמר. במסכת ביצה (דף כ.) בסמיכה עצמה פליגי ומאן דאסר לאו משום שבות אסר אלא משום דסבירא ליה דשלמי חובה לא בעו סמיכה דכי כתב וסמך בשלמי נדבה כתיב וחובה מנדבה לא גמרינן קא משמע לן רבי יוחנן דטעמא משום שבות הוא וסמיכתן לעולם מצוה: שמע מינה. מדאוקי רבי יוחנן טעמא משום שבות סמיכה דקדשים בכל כחו בעינן והוה ליה משתמש בבעלי חיים: דבר אל בני ישראל. אדם כי יקריב מכם קרבן לה' וכתיב בההוא עניינא וסמך: אבא אלעזר. כך שמו: אקפו ידייכו. לשון וקפא הקילו ידיכם אקפו לשון דבר הצף ואין מכביד כדמתרגמינן ויצף הברזל וקפא ברזלא (מלכים ב ו): שמע מינה. מדרבי יוחנן דאוקי טעמא משום שבות לצדדין אסורין ואע"ג דגבי שבות רכיבה אמרינן הוא הדין לכל שימוש ואפילו במקום שאינו עשוי להשתמש כגון לצדי הבהמה והוא הדין לצדי האילן ופליגי אמוראי בהא מילתא במסכת שבת בפ' בתרא (דף קנד:): (ג) לסמוך. דהא ראש הבהמה כלצדדין דמי: דבהדי

מסורת הש"ס

א) נ"ל אבות, ב) [תוספתא פרק ב], ג) מכות ה: [תוספתא סנהדרין פ"ו], ד) [מכות ה.], ה) ערכין לו: ר"ה לג. חולין סה. [קדושין לו.], ו) [נ"ל שמעון], ז) [שבת קנד:], ח) דף ה: בגמרא גופא ליתא אלא בפרש"י ד"ה שהרי אמרו, ט) [סוטה ב:], י) [עי' תוס' שבת טו: ד"ה אקפח], כ) [עיין תוס' שבת טו: ד"ה אקפח], ל) [ועי' תוס' שבת יב: ד"ה רבי נתן], מ) [נ"ל ארוסי], נ) [קלת בסיגנון אחר ירושלמי דהכל עיי' עליהם], ס) [תוס' זבחים לג. ד"ה דלאו], ע) [ד"ה הכל], פ) [ד"ה ...], צ) [ועי' תוס' עירובין לו. ד"ה דלמא כר']

הגהות הב"ח

(א) גמ' לצדדין מותרין לסמוך לצדדין אלא לאו: (ב) רש"י ד"ה מאי קיבל וכו' שמעון שם הס"ד ואח"כ מה"ד אלא לאצטרופי לא מצטריפנא: (ג) ד"ה לסמוך לראשה דהא ראש: (ד) תוס' ד"ה אראה וכו' קלילא הוא דשבועה: (ה) ד"ה אם כו' דאמר כמה ...: (ו) ד"ה אב כו' מסייע ליה דיהודה בן טבאי הוו בני ירושלים בעון ממני ליה נשיא ולא קיבל עליה ערק ואזל ליה לאלכסנדריא וכו' עד מתי אישי יושב אצלכם: (ז) ד"ה לעשות וכו' השתא דומה כמה נשים בר"ה פירשתי דנשים:

גליון הש"ס

גמ' סמיכה בכל כחו בעינן. עיין לעיל דף ד ע"א תוס' ד"ה ... ועיין פסחים דף סט ... ויבמות דף קג ... תוס' ד"ה דבר וכו' בריש כל הפסולין מרבינן נשים לשחיטה. ועיין ... לא מלאתי שם רק ... על נשים ליכא ...

הגהות הגר"א

[א] גמ' אמר יהודה כו'. נ"ל שמעון כו' (ונמ"ש במתני' ובמכות פ"א מ"ח): [ב] שם ישמעאל. נ"ל שמעון וכ"ה בערכין ובר"ה ובחולין:

ליקוטי רש"י

[שייך לע"א] מאחורי הפרגוד. פרגוד, לשון מחיצה הוא ולשון חכמים פרגוד הוא מחיצה בין המלך ובין העם [שמות כו, לא]. מחיצה המבדלת בין מקום השכינה ... [ברכות יח:]. מחיצה שבין שכינה לנבא מרום [ב"מ נט.]. רעי. גללים [צפניה א, יז].

Five pairs of leaders who disputed this matter were listed by the Mishnah. The Mishnah now identifies their positions in the Sanhedrin:

וּשְׁנַיִים לָהֶם (אב) [אֲבוֹת][1] **בֵּית דִּין** — **The first** of each **of these** pairs **was** the ***Nasi*** of the court, **הָרִאשׁוֹנִים הָיוּ נְשִׂיאִים** — **and the second of them** was ***Av Beis Din.***[2]

Gemara According to the Mishnah's criterion for establishing who in each of these pairs was *Nasi,* it emerges that Yehudah ben Tabbai was *Nasi* while Shimon ben Shatach was *Av Beis Din.* The Gemara will now cite a dispute about this identification:

תָּנוּ רַבָּנָן — **The Rabbis taught in a Baraisa:** **שְׁלֹשָׁה מִזּוּגוֹת הָרִאשׁוֹנִים שֶׁאָמְרוּ שֶׁלֹּא לִסְמוֹךְ** — THE THREE Sages OF THE FIRST three PAIRS WHO SAID NOT TO PERFORM *SEMICHAH* (Yosef ben Yoezer, Yehoshua ben Perachyah and Yehudah ben Tabbai), **וּשְׁנַיִם מִזּוּגוֹת הָאַחֲרוֹנִים שֶׁאָמְרוּ לִסְמוֹךְ** — AND THE TWO Sages OF THE LATTER two PAIRS WHO SAID TO PERFORM *SEMICHAH* (Shemayah and Hillel), **(הראשונים) הָיוּ נְשִׂיאִים** — WERE the *NESIIM* of their courts, **וּשְׁנִיִּים לָהֶם אָבוֹת בֵּית דִּין** — AND THE SECOND ONE of each OF THESE pairs (Yosef ben Yochanan, Nitai HaArbeili, Shimon ben Shatach, Avtalyon and Shammai) was the *AV BEIS DIN;* **דִּבְרֵי רַבִּי מֵאִיר** — these are THE WORDS OF R' MEIR. **וַחֲכָמִים אוֹמְרִים** — BUT THE SAGES SAY: **יְהוּדָה בֶּן טַבַּאי אַב בֵּית דִּין** — YEHUDAH BEN TABBAI served as *AV BEIS DIN* **וְשִׁמְעוֹן בֶּן שָׁטַח נָשִׂיא** — AND SHIMON BEN SHATACH as *NASI.*[3]

Based on this Baraisa, the Gemara now identifies the authorship of another Baraisa:

מַאן תָּנָא לְהָא דְּתָנוּ רַבָּנָן — **Who is the Tanna** who taught **that which the Rabbis taught in a Baraisa:** **אָמַר (רבי)**[4] **יְהוּדָה בֶּן טַבַּאי** — YEHUDAH BEN TABBAI SAID: **אֶרְאֶה בְנֶחָמָה** — MAY I SEE CONSOLATION[5] **אִם לֹא הָרַגְתִּי עֵד זוֹמֵם** — IF I DID NOT EXECUTE A *ZOMEIM* WITNESS[6] for testifying falsely about a capital crime, **לְהוֹצִיא מִלִּבָּן שֶׁל צְדוֹקִין שֶׁהָיוּ אוֹמְרִים** — TO COUNTER THE VIEW OF THE SADDUCEES WHO USED TO SAY that **אֵין עֵדִים זוֹמְמִין נֶהֱרָגִין עַד שֶׁיֵּהָרֵג הַנִּידוֹן** — *ZOMEMIN* WITNESSES ARE NOT EXECUTED for their false testimony UNLESS THE ACCUSED HAS BEEN EXECUTED on account of their testimony.[7] **אָמַר לוֹ שִׁמְעוֹן בֶּן שָׁטַח** — SHIMON BEN SHATACH SAID TO HIM: **אֶרְאֶה בְנֶחָמָה אִם לֹא שָׁפַכְתָּ דָּם נָקִי** — MAY I SEE CONSOLATION IF YOU HAVE NOT SHED INNOCENT BLOOD! **שֶׁהֲרֵי אָמְרוּ חֲכָמִים** — FOR THE SAGES HAVE SAID: **אֵין עֵדִים זוֹמְמִין נֶהֱרָגִין עַד שֶׁיָּזוֹמּוּ שְׁנֵיהֶם** — *ZOMEMIN* WITNESSES ARE NOT EXECUTED UNLESS BOTH HAVE BEEN PROVEN TO BE *ZOMEMIN,* **וְאֵין לוֹקִין עַד שֶׁיָּזוֹמּוּ שְׁנֵיהֶם** — AND THEY ARE NOT SUBJECTED TO the punishment of LASHES[8] UNLESS BOTH HAVE BEEN PROVEN TO BE *ZOMEMIN,* **וְאֵין מְשַׁלְּמִין מָמוֹן עַד שֶׁיָּזוֹמּוּ שְׁנֵיהֶם** — AND THEY ARE NOT REQUIRED TO MAKE ANY PAYMENTS OF MONEY for their false testimony UNLESS BOTH HAVE BEEN PROVEN TO BE *ZOMEMIN.*[9] Since the single witness executed by Yehudah ben Tabbai had

NOTES

1. Emendation follows *Mesoras HaShas.*

2. [Literally: the second ones to them.] Thus, Yosef ben Yoezer, Yehoshua ben Perachyah and Yehudah ben Tabbai — who prohibit *semichah* on Yom Tov — together with Shemayah and Hillel who permit it — were all the *Nesiim* of their respective courts. Since Shemayah was *Nasi,* the Mishnah lists his opinion permitting *semichah* first, even though in the three previous groupings it listed first the opinions of those who prohibit *semichah.* [Although Hillel is listed after Shammai, Hillel was in fact *Nasi* (see *Pesachim* 66a). For this reason, Hillel is mentioned before Menachem, his original partner. But since it was well known that Hillel was *Nasi,* the Tanna feels comfortable returning to his original order of listing those who prohibit *semichah* first, thus listing Shammai before Hillel (*Tosafos,* as explained by *Maharsha*). Other Rishonim, however, have a different reading of the Mishnah, in which the opinion of Hillel is indeed listed before that of Shammai (see *Rambam's Commentary to the Mishnah,* Kafich ed.; *Meiri; Rabbeinu Yehonasan;* see also *Shinuyei Nuschaos* to the Mishnah).]

Both the *Nasi* (literally: prince) and the *Av Beis Din* (literally: head of the court) served as leaders of the Sanhedrin. The two greatest sages of the court were appointed its leaders, the foremost as *Nasi,* and the other as his assistant, with the title *Av Beis Din* (*Rambam, Hil. Sanhedrin* 1:3; cf. *Tosafos, Sanhedrin* 16b ד״ה אחד ממונה על כולן and *Rashash* there).

It is interesting that none of these five generations of early *Nesiim* and *Avos Beis Din* were known by the title of Rabban or Rabbi. In his *Second Iggeres, Rav Sherira Gaon* explains that the early Tannaim were considered as great as the prophets who preceded them and were therefore known, like the prophets, simply by their names. It was only when the greatness of the generations declined that honorifics began being attached to the names of the rabbis. *Rav Sherira* quotes in this regard the well-known aphorism of his time: גָּדוֹל מֵרַב רַבִּי, גָּדוֹל מֵרַבִּי רַבָּן, גָּדוֹל מֵרַבָּן שְׁמָן, *"Rabbi" is greater than "Rav," "Rabban" is greater than "Rabbi," and [those known simply by] their names were greater than [those called] "Rabban."*

3. Thus, our Mishnah, which lists Yehudah ben Tabbai as *Nasi,* follows the opinion of R' Meir.

4. See above, note 2, and *Hagahos HaGra.*

5. What Yehudah ben Tabbai actually said was that he should *never* see consolation if he had in fact not executed the witness. The Gemara, however, omits the word *never* from his declaration in order to change its connotation to the form of a blessing [for it is not right for a person to declare (even conditionally) that tragedy should befall him, lest his suggestion come true; see *Berachos* 60a] (*Rashi, Makkos* 5b ד״ה אראה בנחמה; see *Ritva* there who asserts that Yehudah ben Tabbai himself said it in the form of a blessing for this reason). Alternatively, Yehudah ben Tabbai meant that he should have to receive consolation (due to the death of his children) if he had not executed the witness (*Rashi* ibid.; cf. *Tosafos* here and *Maharsha*).

6. That is, a single *zomeim* witness whose partner had not similarly been discredited (*Rashi*).

Zomemin witnesses are witnesses who testified about something in court, who were then discredited by other witnesses testifying that the first witnesses were elsewhere with them at the time they claim to have seen what they said they saw (Mishnah, *Makkos* 5a). *Zomemin* witnesses are punished for their perjury by being subjected to the very penalty they attempted to impose upon their victim (*Deuteronomy* 19:19). Thus, *zomemin* witnesses who testify that someone is guilty of a capital crime are executed when it is proven that they lied (see next note).

7. The Sadducees (a heretical sect that denied the authenticity of the Oral Law) maintained that if the accused had not been put to death before the witnesses had been proven to be *zomemin,* the *zomemin* witnesses were not executed for their perjury. The Sadducees based this on their misinterpretation of the verse said in regard to the punishment of *zomemin* witnesses (*Deuteronomy* 19:21), which states: וְלֹא תָחוֹס עֵינֶךָ נֶפֶשׁ בְּנֶפֶשׁ . . ., *your eye shall not take pity; a life for a life . . .* [which implied to them that only once the life of the accused had been taken would the life of the witnesses be taken in retribution]. The Sages refuted this understanding from the earlier verse that states: וַעֲשִׂיתֶם לוֹ כַּאֲשֶׁר זָמַם לַעֲשׂוֹת לְאָחִיו, *And you shall do to him as he planned to do to his fellow,* which implies that the "fellow" against whom they conspired is still present. The verse *a life for a life* means only that the witnesses are not executed unless the accused had already been *sentenced* to death (*Rashi* from Mishnah, *Makkos* 5b; see *Ritva* there at length).

8. For example, in a case where they testified that the defendant had committed an offense subject to the penalty of lashes (*Rashi*).

9. The source for this rule is the verse (*Deuteronomy* 19:18) that states: וְהִנֵּה עֵד־שֶׁקֶר הָעֵד . . ., *and behold the witness is a false witness . . . [you shall do to him as he planned to do to his fellow].* Now the Gemara in *Sotah* (2b) demonstrates that wherever the Torah speaks of an עֵד, *witness,* without specifying that he is a *single* witness [עֵד אֶחָד], the Torah is actually referring to two witnesses. Thus, when the verse says *and behold the witness is a false witness,* it means that *both* witnesses testifying in the matter were proven to be *zomemin,* and that the penalty that follows [*you shall do to him* etc.] applies only in this case (*Rashi*).

הראשונים היו נשיאים ושניים להם (א) אב ב"ד:

גמ' (ב) ת"ר שלשה מזוגות הראשונים שאמרו שלא לסמוך ושנים מזוגות האחרונים שאמרו לסמוך (הראשונים) היו נשיאים ושניים להם אבות ב"ד דברי רבי מאיר וחכמים אומרים יהודה בן טבאי אב ב"ד ושמעון בן שטח נשיא מאן תנא להא דתנו רבנן (ג) אמר [א] רבי יהודה בן טבאי אראה בנחמה אם לא הרגתי עד זומם להוציא מלבן של צדוקין שהיו אומרים אין עדים זוממין נהרגין עד שיהרג הנידון אמר לו שמעון בן שטח אראה בנחמה אם לא שפכת דם נקי שהרי אמרו חכמים אין עדים זוממין נהרגין עד שיזומו שניהם ואין לוקין עד שיזומו שניהם ואין משלמין ממון עד שיזומו שניהם מיד קבל עליו יהודה בן טבאי שאינו מורה הלכה אלא בפני שמעון בן שטח כל ימיו של יהודה בן טבאי היה משתטח על קברו של אותו הרוג והיה קולו נשמע כסבורין העם לומר שקולו של הרוג הוא אמר להם קולי הוא תדעו שלמחר הוא מת ואין קולו נשמע אמר ליה רב אחא בריה דרבא לרב אשי ודלמא פויסי פייסיה או בדינא תבעי' מני הא אי אמרת בשלמא רבי מאיר דאמר שמעון בן שטח אב ב"ד ר' בן טבאי נשיא היינו דקא מורי הלכה בפני שמעון בן שטח אלא אי אמרת רבנן דאמרי יהודה בן טבאי אב ב"ד שמעון בן שטח נשיא אב ב"ד בפני נשיא מי מורה הלכה לא מאי קבל עליו דקאמר לאצטרופי דאפי' אצטרופי נמי לא מצטריפנא: יצא מנחם ונכנס שמאי כו': להיכן יצא אביי אמר יצא לתרבות רעה רבא אמר יצא לעבודת המלך תניא נמי הכי יצא מנחם לעבודת המלך ויצאו עמו שמונים זוגות תלמידים לבושין סיריקון אמר רב שמן בר אבא א"ר יוחנן לעולם אל תהא שבות קלה בעיניך שהרי סמיכה אינה אלא משום שבות ונחלקו בה גדולי הדור פשיטא שבות מצוה אצטריכא ליה הא נמי פשיטא לאפוקי ממאן דאמר בסמיכה גופה פליגי קא משמע לן בשבות הוא דפליגי אמר רמי בר חמא שמע מינה (ד) סמיכה בכל כחו בעינן דאי ס"ד לא בעינן בכל כחו מאי קא עביד ליסמוך מיתיבי (א) דבר אל בני ישראל (ב) וסמך (ה) בני ישראל סומכין ואין בנות ישראל סומכות רבי יוסי ור' [ב] (ו) (ישמעאל) אומרים בנות ישראל סומכות רשות אמר רבי יוסי סח לי אבא אלעזר פעם אחת היה לנו עגל של זבחי שלמים והביאנוהו לעזרת נשים וסמכו עליו נשים לא מפני שסמיכה בנשים אלא כדי לעשות נחת רוח לנשים ואי ס"ד סמיכה בכל כחו בעינן משום נחת רוח דנשים עבדינן עבודה בקדשים אלא לאו ש"מ לא בעינן בכל כחו לעולם אימא לך בעינן בכל כחו דאמר להו אקפו ידייכו אי הכי לא מפני שסמיכה בנשים תיפוק ליה דאינה לסמיכה כלל א"ר אמי חדא ועוד קאמר חדא דליתא לסמיכה כלל ועוד כדי לעשות נחת רוח לנשים אמר רב פפא שמע מינה (ז) צדדין אסורין דאי ס"ד צדדין מותרין (ח) לסמוך לצדדין אלא לאו שמע מינה צדדין אסורין

רב

רש"י

הראשונים. שהוזכרו ראשון בכל זוג וזוג היו נשיאים: גמ' עד זומם. שלא הוזם אלא הוא לבדו: עד שיהרג הנדון. קודם הזמה ואחר כך הוזמו שהיו דורשין נפש בנפש האמור בעדים זוממין אמרו להן חכמים והלא כבר נאמר כאשר זמם לעשות לאחיו ועדיין אחיו קיים ולמה נאמר נפש בנפש שאין נהרגים עד שיגמר הדין של נידון קודם שהוזמו: ואין לוקין. אם העידוהו שחייב מלקות בכולהו גרסי' עד שיזומו שניהן ובמסכת מכות (ט) יליף לה מקראי והנה עד שקר העד ואמר מר (י) כל מקום שנאמר עד הרי כאן שנים: אלא בפני שמעון. שאם יטעה ילמדהו: היינו דקא מורה הלכה בפני שמעון. דמדקאמר מיד קיבל כו' שמע מינה דעד השתא אורי בפניו: ומאי קיבל. לאו דעד השתא הורה דודאי לא הורה בפניו מימיו וכשהרגו לעד זומם לא היה שמעון שם (ב): לא מצטריפנא. לישב בדין אלא בהדי שמעון: סיריקון. לבוש בגדי מלכות: אינה אלא משום שבות. דתנן אלו הן משום שבות לא עולין באילן ולא רוכבין על גבי בהמה (ביצה דף לו:) והאי נמי משתמש בבעלי חיים הוא שסומך עליה בכל כחו כדאמרינן לקמן: שבות דמצוה. נמי תנינא במתני' ומאי אשמעינן רבי יוחנן: לאפוקי ממאן דאמר. במסכת ביצה (דף כ.) בסמיכה עצמה פליגי ומאן דאסר לאו משום שבות אסר אלא משום דסבירא ליה דשלמי חובה לא בעו סמיכה דכי כתב וסמך בשלמי נדבה כתיב וחובה מנדבה לא גמרינן קא משמע לן רבי יוחנן דטעמא משום שבות הוא וסמיכתן לעולם מצוה: שמע מינה. מדאוקי רבי יוחנן טעמא משום שבות סמיכה דקדשים בכל כחו בעינן והוה ליה משתמש בבעלי חיים: דבר אל בני ישראל. אדם כי יקריב מכם קרבן לה' וכתיב בההוא עניינא וסמך: אבא אלעזר. כך שמו: אקפו ידייכו. לשון וקפא הקילו ידיכם אקפו לשון דבר הצף ואין מכביד כדמתרגמינן ויצף הברזל וקפא ברזלא (מלכים ב ו): שמע מינה. מדרבי יוחנן דאוקי טעמא משום שבות צדדין אסורין ואע"ג דגבי שבות רכיבה אמרינן הוא הדין לכל שימוש ואפילו במקום שאינו עשוי להשתמש כגון צידי הבהמה והוא הדין לצידי האילן ופליגי אמוראי בהא מילתא במסכת שבת בפ' בתרא (דף קנד:): (ג) לסמוך. דהא ראש הבהמה כצדדין דמי: דבהדי

תוספות

אראה בנחמה. לישנא קלילא (ד) הוי דשבועה בלשון קלר כלומר לא יוכל לראות בנחמות ציון אם לא עשה זה (ה) ודומה לו אקפחא את בני שהלכה זו מקופחת בישראל דרבי טרפון בשמעתא דמדרעת בפ"ק דשבת (דף יז. ושם) ודוגמא מלינו לשון המקרא ואולם חי אני וימלא כבוד ה' וגו' אם יראו וגו' (במדבר יד) (י):

אם לא הרגתי עד זומם. תימה אמאי לא מקשינן הכא השתא בהמתן של צדיקים אין הקב"ה מביא תקלה על ידן צדיקים עצמן לא כל שכן כדפריך בגיטין (דף ז. ושם) ובחולין (דף ה: ושם) וי"ל דלא שייך לאקשויי רק גבי דבר אכילה דגנאי הוא לצדיק דאוכל דבר איסור אבל דבר היתר בשעת האיסור לא פריך והכי נמי לא פריך בר"ה (דף כא.) דאמר (ה) כמה בנים תבשילא דבצל בלומא רבה למערבא ובערבי פסחים (פסחים קו: ושם) ברב ירמיה בר אבא דאישתלי וטעים קודם הבדלה אע"ג דמיתמו באסכרא דאין דבר מגונה כל כך אכילת היתר בשעת האיסור (ל):

למחר הוא מת. הא דלא נקט כשאיני שם אין קולו נשמע משום שהיו אומרים לו דאינו צועק אלא בשעה שישנו שם אבל השתא מדנקט מת שיהא גביה אז היה לו לצעוק:

אב ב"ד מי קא מורה בפני נשיא. הוראה לדין ובירושלמי אמר מאן דאמר יהודה בן טבאי נשיא עובדא דאלכסנדריא מסייע ליה (ו) דבני ירושלים בעון מנינא נשיא ולא קבלו עילוי ערק ואזל לאלכסנדריא והיו בני ירושלים כותבין מירושלם הגדולה לאלכסנדריא הקטנה עד מתי (מ) אחי יושב אצלכם ואני יושבת עגומה עליו ומאן דתני שמעון בן שטח נשיא עובדא דאשקלון מסייע ליה ומייתי כולא עובדא שתלה פ' נשים מכשפניות ובסנהדרין (דף מד:) הביאו רש"י בנימוקו (נ):

לא מצטריפנא. לנטות אחרי רבים כדי לבטל דברי שמעון בן שטח:

דבר אל בני ישראל וסמך. אבל בשחיטה ליכא למעט נשים מהאי טעמא אע"ג דסמיך טפי להקרבה מסמיכה דהא ° בריש כל הפסולין (זבחים לב.) מרבינן נשים לשחיטה וכן ליכא לאלופי שחיטה בבעלים דומיא דסמיכה דההוא היקש לא הוי אלא דרבנן (ס):

לעשות נחת רוח לנשים. וכגון שהיתה בהמה שלהן (ז) השתא דומה לסמיכה להיו' בבעלים בפ"ק דקדושין (דף לו. (ע)) ובפ' בתרא דר"ה (דף לג. (פ)) פירש ר"י דנשים דידן אם באות לעשות מצות עשה שהזמן גרמא ולברך עליהן אין ממחין בידם אע"ג דפטורות ולא מיקרי ברכה לבטלה וכן משמע מהכא ועוד פירשתי התם [בר"ה] והארכתי (צ):

רב

עין משפט נר מצוה

יד א ב ג מיי' פ"כ מהל' עדות הלכה ח סמג עשין קט טוש"ע חו"מ סי' לח:
טו ד מיי' פ"ג מהלכות חגיגה הל' ט ופ"ג מהלכות מעשה קרבנות הלכה יג:
טז ה מיי' שם הלכה ח סמג עשין קפג:
יז ו מיי' שם הל' יג:

תורה אור השלם

א) דַּבֵּר אֶל בְּנֵי יִשְׂרָאֵל וְאָמַרְתָּ אֲלֵהֶם אָדָם כִּי יַקְרִיב מִכֶּם קָרְבָּן לַיהוָה מִן הַבְּהֵמָה מִן הַבָּקָר וּמִן הַצֹּאן תַּקְרִיבוּ אֶת קָרְבַּנְכֶם: [ויקרא א, ב]
ב) וְסָמַךְ יָדוֹ עַל רֹאשׁ הָעֹלָה וְנִרְצָה לוֹ לְכַפֵּר עָלָיו: [ויקרא א, ד]

רבינו חננאל

בנשיא שנאמר ונתת מהודך עליו ובכהנים בזמן שבהמ"ק קיים ובשעה שעומדין על הדוכן ומברכין העם בשם המפורש מפני שאלו כולן אתו להרהורי בכבוד השם ולא (ויסתכל) [יאמר] האדם כשעובר עבירה בסתר מי רואני או אמרינן [מעידין אותו] אבני ביתו שנאמר כי אבן מקיר תזעק וכפיס מעץ יעננה. תניא שני מלאכים המלוין לו לאדם הן מעידין בו שנא' כי מלאכיו יצוה לך לשמרך בכל דרכיך וי"א נשמתו ואבריו הן [מעידין] בו: מתני' יוסי בן יועזר אומר שלא לסמוך יוסי בן יוחנן אומר לסמוך כו': ת"ר ג' מזוגות הראשונים שאמרו שלא לסמוך ושנים מזוגות האחרונים שאמרו לסמוך הראשונים נשיאים והשניים אבות ב"ד וכו' סידורן יוסי בן יועזר נשיא יוסי בן יוחנן אב ב"ד. יהושע בן פרחיה נשיא נתאי הארבלי אב ב"ד יהודה בן טבאי נשיא שמעון בן שטח אב ב"ד הללו ג' זוגות הנשיאים אמרו שלא לסמוך. ואבות בתי דינים אמרו לסמוך שמעיה והלל נשיאים ושמאי אבטליון אבות בתי דינים אמרו שלא לסמוך אלו דברי הכל וחלוקו בזה הזוג. ר' מאיר אומר יהודה בן טבאי נשיא ושמעון בן שטח אב ב"ד וחכמים אומרים שמעון בן שטח נשיא ויהודה בן טבאי אב ב"ד ומסתברא כר' מאיר דברייתא מסייעא ליה והאי פירוקא דפרקי לאוקמה לרבנן שנויא הוא ולא סמכינן עליה. יצא מנחם לעבודת המלך ויצאו עמו שמונים תלמידים לבושי סריקון של זהב א"ר אלעזר לעולם אל תהי שבות קלה בעיניך דלולי לה שהרי סמיכה אינה אלא משום שבות הוא ואע"פ שהוא שבות דמצוה נחלקו עליה גדולי הדור הללו. ולא מצינו שהיתה חלוקה כלל בין החכמים הראשונים אלא בסמיכה בלבד באו הלל ושמאי חלקו בג' דברים אבל תלמידיהן שלא שמשו כל צרכן רבתה חלוקה ביניהן ונעשית תורה כשתי תורות ואמרינן מאי אתא ר' יוחנן לאשמעינן אי משום שבות דמצוה תנינא לא מקדשין ולא מעריכין ולא מחרימין שהיא שבות דמצוה ואינו דוחה. ושנינן לאפוקי ממאן דאמר בסמיכה עצמה פליגי. פי' מי שאומר שלא לסמוך סבר לא בעינן תיכף לסמיכה שחיטה ואפשר לסמוך היום ולשחוט למחר והאומר לסמוך סבר בעינן תיכף לסמיכה שחיטה קמ"ל ר' יוחנן דדברי הכל בעינן תיכף לסמיכה שחיטה וכי פליגי בשבות פליגי הני אסרי והני שרי ואסקה רב אשי אפילו תימא צדדין מותרין כל דלהדי גבאי דרישא כגבא דמו.

מסורת הש"ס

א) נ"ל אבות, ב) [תוספתא פרק ב], ג) מכות ה: [תוספתא סנהדרין פ"ו], ד) [מכות ג.], ה) ערכין ט: ר"ה לג. חולין לו. [קדושין לו.], ו) [נ"ל שמעון], ז) [שבת קנג.], ח) [דף ה: בגמרא גופה ליתא אלא בפרש"י ד"ה שהרי אימא], ט) [סוטה כ:], י) [עי' בפרש"י מכות דף ה:], כ) [עיין תוס' שבת טו: ד"ה אקפחא], ל) [ועי' תוס' שבת יט: ד"ה ר' נתן], מ) [נ"ל ארוסי וכ"ה בירושלמי], נ) קצת בשינוי אחר ירושלמי הכהל עיין עליהם, ס) [ע"ש ועי' מנחות יט. ול"ע קצת], ע) [נד"ה דלא], פ) [נד"ה הא"ר], צ) [וע"ע תוס' ערכין ג. ד"ה מלמד כו']

הגהות הב"ח

(א) גמ' לצדדין מותרין לסמוך ארעשא אלא לאו: (ב) רש"י ד"ה מאי קיבל וכו' שמעון שם ולא קיבל הס"ד ואח"כ מה"ד אלא לאצטרופי לא מצטריפנא: (ג) ד"ה לסמוך ארעשא דהא ראש: (ד) תוס' ד"ה אראה וכו' קלילא הוא דשבועה הוי בלשון וכו' ודוגמא לו מלינו: (ה) ד"ה אם לא וכו' דאמר כמה בנים: (ו) ד"ה אב כו' מסייע ליה יהודה בן טבאי דבני ירושלים בעון ממני יתיה נשיא ולא קיבל עילויה ערק ואזל ליה לאלכסנדריא וכו' עד מתי ארוסי יושב וכו': (ז) ד"ה לעשות וכו' השתא דומה כו' ובפ' בתרא דר"ה פירשתי דנשים.

גליון הש"ס

גמ' סמיכה בכל כחו בעינן. עיין לעיל דף ט ע"א תוס' ד"ה אלא טומאים ועיין פסחים דף פט ע"א תוס' ד"ה ואילו פסח וביבמות דף קד ע"א תוס' ד"ה דבר שקול: תוס' ד"ה דבר וכו'. בריש כל הפסולין מרבינן נשים לשחיטה. ובעוני לא מצאתי שם רק ילפותא דשחיטה כשרה בזרים ואולי צ"ל דשם על נשים ליכא למ' ול"ע:

הגהות הגר"א

[א] גמ' אמר יהודה בר. כצ"ל (וכמ"ש במתני' ובתוספתא פ"א מ"ח): [ב] בן שם ישמעאל. נ"ל שמעון וכ"ה בערכין וכר"ה וכחולין:

ליקוטי רש"י

[שייך לע"א] מאחורי הפרגוד. פרכת, לשון מחיצה הוא ובלשון חכמים פרגוד דבר המבדיל בין המלך ובין העם [שמות כו, לא]. מחיצה המבדלת בין מקום השכינה [ברכות יח:]. מחיצה שבין שכינה למלאכי השרת [ב"מ נט.]. מרוס. רעי. גללים [צפניה א, יז].

לחיי. כלומר שפיר [גיטין ו:]. והארץ הדום רגלי. והעובר בסתר אומר אין המקום כאן לפיכך הוא נסתר [illegible] נמלא כדוחק רגליו ומקלרו לומר אין כאן [קידושין לא.]. הדום רגליו, שרפרף מרגלותיו [איכה ב, א]. ארץ שהיא [illegible] [ברכות נט.]. וילבש שחורין. שלא יראה עצמו בכבודו אולי ירך לבבו בכך וגם אם יחטא אין אדם נותן לב לפי [illegible] בעיניהם לכן ילבש שחורים [קידושין מ.]. מה שלבו חפץ. עבירה והואיל ואין מכירין אותו שם ליכא חלול השם [illegible] משום רב האי גאון ויעשה מה שלבו חפץ רוצה לומר דודאי כיון שלבוש שחורים וכו' אני ערב בדבר שאינו חפץ [illegible] בעבירה [מו"ק יז.]. מתורגמניה. ראש ישיבה הדורש דרשות והמתורגמן עומד עליו באמורא להשמיע בקול רם לר[illegible] [illegible] [יומא כ:]. ובכהנים. לפי שהשכינה שורה על ידיהן [מגילה כד:]. ונתתה מהודך עליו. זה קירון עור פנים. מהודך. [illegible] מתמהא ותאמרו הקב"ה אוהבינו והוא ימחול לנו [מיכה ז, ה]. כי אבן וגו'. כי האבנים אשר גזלת מזעקה מן הקיר. [illegible] [illegible] לדרו"ש בלע"ז מריש הוא הקורה [חבקוק ב, יא]. כפיס, חצי לבינה ורגלין לתתה בין שני נדבכי העצים [תענית יא.]. [illegible] לא ראיתם כל תמונה [ישעיה מג, יב]. לשום רבים [תענית שם]. [יוסף] בן יועזר וכו'. עד ימיהן לא היה מחלוקת בחכמי [illegible] מחלוקת ראשון שהיה בישראל בדברי תורה [סוטה מז.]. עד יוסף בן יועזר לא נחלקו בסמיכה ולא בשום דבר שעדיין לא [illegible] נחלקו בסמיכת שלמים ביום טוב כדאמרי' בחגיגה (דף טז.) שמאי אומר לסמוך והלל אומר שלא לסמוך [תמורה טו.]. שלא [illegible] [לעיל ז:]. שהסמיכה אסורה משום שבות שבכל כחו היה סומך והוי ליה משתמש בבעלי חיים ותנן אין רוכבין על גבי בהמה [illegible] ותנן (ביצה דף לו:) אלו הן משום שבות לא רוכבין על גבי בהמה ועל אלו שיקריבו ביום טוב יסמכו מאתמול דלית להו לבית [illegible] וכו'. סמיכה כל האבות ב"ד עם הנשיאים מיוסי בן יועזר עד הלל נחלקו בה [שבת טו.]. אראה בנחמה. לא אראה בנח[illegible] [illegible] נחמתו. שהרי אמרו חכמים כו'. מתניתין היא מה שנים אין נהרגין עד שיזומו שניהם דכתיב והנה עד שקר העד ואמר [illegible] בלילה או ביום ואינן רואין אותו [מכות ה:]. בני ישראל סומכין. דבר אל בני ישראל ואמרת אליהם אדם כי יקריב מכם [illegible] יקריב מכם וסמך ליה וסמך ידו בני ישראל סומכים ולא בנות ישראל סומכות. דאין כאן בל תוסיף [עירובין צו:]. ואע"ג ד[illegible] דסוכה (דף נג.) לף התהום ועלה [עירובין נג:]. קפא תהומא, לף התהום למעלה ויצא, ויצף הברזל מתרגמינן וקפא פרזלא [illegible] ו) ויצף הברזל תרגום וקפא ברזלא ויש לו [דמיון] במסכת יומא (דף כ:) [זבחים ו.].

been the only one of the pair to be proven a *zomeim,* he should not have been executed![10] מִיַּד קִבֵּל עָלָיו יְהוּדָה בֶּן טַבַּאי – THEREUPON, YEHUDAH BEN TABBAI TOOK UPON HIMSELF שֶׁאֵינוֹ מוֹרֶה הֲלָכָה אֶלָּא בִּפְנֵי שִׁמְעוֹן בֶּן שָׁטַח – NEVER TO RULE ON A matter of LAW EXCEPT IN THE PRESENCE OF SHIMON BEN SHATACH, so that Shimon ben Shatach could correct any mistake he might make. כָּל יָמָיו שֶׁל יְהוּדָה בֶּן טַבַּאי הָיָה מִשְׁתַּטֵּחַ עַל קִבְרוֹ שֶׁל אוֹתוֹ הָרוּג – For ALL THE rest OF HIS DAYS, YEHUDAH BEN TABBAI WOULD go and PROSTRATE HIMSELF ON THE GRAVE OF THAT MAN he had wrongfully EXECUTED, to beg his forgiveness,[11] וְהָיָה קוֹלוֹ נִשְׁמָע – AND the sound of HIS VOICE WOULD BE HEARD. כִּסְבוּרִין הָעָם לוֹמַר – THE PEOPLE who heard the sound ASSUMED שֶׁקּוֹלוֹ שֶׁל הָרוּג הוּא – THAT IT WAS THE VOICE OF THE EXECUTED MAN that they heard coming from the grave.[12] אָמַר לָהֶם קוֹלִי הוּא – [YEHUDAH BEN TABBAI] SAID TO THEM: IT IS MY VOICE that you hear.[13] תֵּדְעוּ שֶׁלְּמָחָר הוּא מֵת וְאֵין קוֹלוֹ נִשְׁמָע – YOU MAY RECOGNIZE that THIS is so, FOR TOMORROW HE [R' Yehudah ben Tabbai] WILL DIE[14] AND HIS VOICE WILL NO LONGER BE HEARD, demonstrating that it is my voice you heard all along and not that of the dead witness.

The Gemara interjects a question:

אָמַר לֵיהּ רַב אַחָא בְּרֵיהּ דְּרָבָא לְרַב אַשִׁי – **Rav Acha the son of Rava said to Rav Ashi:** וְדִלְמָא פִּיּוּסֵי פַּיְיסֵיהּ – **But perhaps** the cessation of the voice after the death of Yehudah ben Tabbai would be because **he had appeased him** in the end, אוֹ בְּדִינָא תַּבְעֵיהּ – **or** because **he had summoned him to justice** before the Heavenly court?[15] How could Yehudah ben Tabbai maintain that the silence that would follow his death proved that the voice heard all those years was not the voice of the dead witness?[16]

Having cited the Baraisa in full, the Gemara now attempts to establish its authorship:

מַנִּי הָא – **Who is** the author of **this** Baraisa? אִי אָמְרַתְּ בִּשְׁלָמָא רַבִּי מֵאִיר – Now **all is well if you say** that the Baraisa's account of the events follows the view of **R' Meir,** דְּאָמַר שִׁמְעוֹן בֶּן שָׁטַח אַב בֵּית דִּין – **who says that Shimon ben Shatach** served as ***Av Beis Din*** (רבי)[17] יְהוּדָה בֶּן טַבַּאי נָשִׂיא – and **Yehudah ben Tabbai** as ***Nasi,*** הַיְינוּ דְּקָא מוֹרֵי הֲלָכָה בִּפְנֵי שִׁמְעוֹן בֶּן שָׁטַח – for **that** explains **how [Yehudah ben Tabbai] could rule on** matters of **law in the presence of Shimon ben Shatach** up to that time.[18] אֶלָּא אִי אָמְרַתְּ רַבָּנַן – **But if you say** that the Baraisa follows the view of **the Rabbis,** דְּאָמְרֵי יְהוּדָה בֶּן טַבַּאי אַב בֵּית דִּין שִׁמְעוֹן בֶּן שָׁטַח נָשִׂיא – **who say** that **Yehudah ben Tabbai** was the ***Av Beis Din*** and **Shimon ben Shatach** was the ***Nasi,*** אַב בֵּית דִּין בִּפְנֵי נָשִׂיא מִי מוֹרֶה הֲלָכָה – **would an *Av Beis Din* rule on** matters of **law in the presence of a *Nasi*?**[19] Thus, we should conclude that the author of this Baraisa is R' Meir.

The Gemara rejects this proof:

לֹא – **No!** The Baraisa may well follow the view of the Rabbis that Yehudah ben Tabbai was *Av Beis Din* and not *Nasi.* Accordingly, even before this incident Yehudah ben Tabbai never ruled on matters of law in the presence of Shimon ben Shatach.[20] מַאי קִבֵּל עָלָיו דְּקָאָמַר – And **what is it** that **[the Baraisa] says** Yehudah ben Tabbai **"took upon himself"** not to do anymore without Shimon ben Shatach? לְאִצְטָרוּפֵי – **To join** in sitting on a court. דַּאֲפִילּוּ אִצְטָרוּפֵי נַמִּי לֹא מִצְטָרֵיפְנָא – That is, he declared that henceforth **"I will not even join** in sitting on a court unless Shimon ben Shatach is present."[21]

The Mishnah stated:

יָצָא מְנַחֵם וְנִכְנַס שַׁמַּאי כו' – [Hillel and Menachem did not dispute this matter.] MENACHEM LEFT THE SANHEDRIN AND SHAMMAI

NOTES

10. The wording of Yehudah ben Tabbai's original statement implied that he too was aware that the witness was not liable to death under the strict rules of law but that he executed him anyway to counter the heretical views of the Sadducees. [The Torah grants special authority to the Sages to impose punishments beyond those mandated by the law when the times call for unusual measures to stem the erosion of Torah observance; see *Yevamos* 90b.] What then was Shimon ben Shatach's criticism of him and why did Yehudah ben Tabbai feel such remorse for his actions? *Meiri* (*Makkos* 5b) explains that Shimon ben Shatach's point was that, though the Sages may institute various practices to counter heretical views (see *Parah* 3:7 for an example), it is not right to execute a person for this reason. See *Menachem Meishiv Nefesh* and *Aruch LaNer* to *Makkos* 5b for other answers to this problem.

The Rishonim ask how such a terrible error could have befallen Yehudah ben Tabbai when the Gemara says (*Gittin* 7a, *Chullin* 5b) that God does not allow errors to occur even through the animals of the righteous, and surely not through the mistaken actions of the righteous themselves! *Ramban* and *Ritva* (*Makkos* 5b) answer that though the witness had not deserved to be executed for giving false testimony, he had in fact been guilty of other capital crimes [for which he had not been prosecuted]. Thus, his execution was not in fact a miscarriage of justice [though it was a violation of the rules of law].

Tosafos answer that the special Divine providence bestowed upon the righteous to protect them against inadvertent violations of the law is granted only in regard to matters of food consumption [since the ingestion of non-kosher food into a *tzaddik's* body is considered especially repugnant] (as in the cases discussed by the Gemara in *Gittin* and *Chullin*).

11. It is evident from this that it is possible to obtain forgiveness from someone who has died (*Ritva, Makkos* 5b; cf. *Aruch LaNer* there).

12. The voice was heard at night, or during the day by people who could not see the grave (*Rashi, Makkos* 5b). [They therefore assumed that it was the voice of the aggrieved witness, who had not yet forgiven Yehudah ben Tabbai, continuing to protest the wrong done to him.]

13. [That is, the sound you hear is not an indication that I have not been forgiven. Nevertheless, I continue to mollify the person I wrongly executed.]

14. [One should not speak of bad things happening to himself, as explained in note 5. Yehudah ben Tabbai therefore spoke of his eventual death as if referring to the death of someone else.]

15. [I.e. upon arriving in the next world, Yehudah ben Tabbai would be summoned by the dead witness before the Heavenly court and receive satisfaction. Thus, he would have no further reason to protest.]

16. Rav Acha bar Rava certainly did not question the truth of Yehudah ben Tabbai's assertion that the voice was his. He merely questioned the proof offered for his assertion (*Ritva, Makkos* 5b). The Gemara does not offer any answer to this challenge.

17. See note 4.

18. [The word בְּפָנָיו, *in his presence,* used here does not refer to the *physical* presence of Shimon ben Shatach but rather to his proximity. Prior to this incident, Yehudah ben Tabbai would issue rulings on his own without necessarily consulting Shimon ben Shatach, even when Shimon ben Shatach was in the vicinity and available for consultation (*Menachem Meishiv Nefesh*).] This may be seen from Yehudah ben Tabbai's pledge never again to issue a ruling unless Shimon ben Shatach was actually present to correct him if he erred. This implies that Yehudah ben Tabbai had not previously refrained from ruling without consulting him (*Rashi*).

19. [That is, where the *Nasi* is available to rule on the matter even if he is not physically present at that moment (see previous note).] Since the *Av Beis Din* was second to the *Nasi* on the court, it would be disrespectful for him to rule without the *Nasi* (*Meiri*).

20. The incident in which Yehudah ben Tabbai erroneously condemned the *zomeim* witness to death must therefore have occurred when Shimon ben Shatach was away (*Rashi*).

21. [Joining with other judges to form a separate court to hear a particular case does not violate the protocol against ruling on matters of law in the presence of the *Nasi.* Nevertheless, Yehudah ben Tabbai took upon himself never to serve on any court in which Shimon ben Shatach was not present.] According to *Meromei Sadeh* (in explanation of *Rashi*), the Gemara refers to forming a court of three judges to hear a monetary case. See there for further discussion. [See *Tosafos* for a different explanation of the Gemara's answer.]

עין משפט נר מצוה

יד א ב ג מיי' פ"כ מהל' עדות הלכה א סמג עשין קי טור ח"מ סי' לח: טו ד מיי' פ"ג מהלכות חגיגה הל' ט ופ"ג מהלכות מעשה קרבנות הלכה יג: טז ה מיי' שם הלכה ח סמג עשין קפג: יז ו מיי' שם הל' יג:

תורה אור השלם

א) דַּבֵּר אֶל בְּנֵי יִשְׂרָאֵל וְאָמַרְתָּ אֲלֵהֶם אָדָם כִּי יַקְרִיב מִכֶּם קָרְבָּן לַיְיָ מִן הַבְּהֵמָה מִן הַבָּקָר וּמִן הַצֹּאן תַּקְרִיבוּ אֶת קָרְבַּנְכֶם: [ויקרא א, ב]
ב) וְסָמַךְ יָדוֹ עַל רֹאשׁ הָעֹלָה וְנִרְצָה לוֹ לְכַפֵּר עָלָיו: [ויקרא א, ד]

רבינו חננאל

בנשיא שנאמר ונתת מהודך עליו בכהנים בזמן שבהמ"ק קיים ובשעה שעומדין על הדוכן ומברכין העם בשם המפורש מפני שאלו כולן אתו להרהורי בכבוד השם ולא (יסתכל) [יאמר] האדם כשעובר עבירה בסתר מי מעיד בי ואמרינן אבני ביתו [מעידין אותו] שנאמר כי אבן מקיר תזעק וכפיס מעץ יעננה. תניא שני מלאכים המלוין לו לאדם הן מעידין בו שנא' כי מלאכיו יצוה לך לשמרך בכל דרכיך וי"א נשמתו ואבריו הן [מעידין] בו: מתני' יוסי בן יועזר אומר שלא לסמוך יוסי בן יוחנן אומר לסמוך כו': ת"ר ג' מזוגות הראשונים שאמרו שלא לסמוך ושנים מזוגות האחרונים שאמרו לסמוך הראשונים נשיאים והשניים אבות ב"ד וכך סידורן יוסי בן יועזר נשיא יוסי בן יוחנן אב ב"ד. יהושע בן פרחיה נשיא נתאי הארבלי אב ב"ד יהודה בן טבאי נשיא שמעון בן שטח אב ב"ד הללו ג' זוגות הנשיאים אמרו שלא לסמוך. ואבות בתי דינים אמרו לסמוך שמעיה והלל נשיאים אמרו לסמוך אבטליון ושמאי אבות בתי דינים אמרו שלא לסמוך אלו דברי הכל הן וחלקו בזה הזוג. ר' מאיר אומר יהודה בן טבאי נשיא ושמעון בן שטח אב ב"ד וחכמים אומרים שמעון בן שטח נשיא ויהודה בן טבאי אב ב"ד ומסתברא כר' מאיר דברייתא מסייעא ליה והאי פירוקא דפרקי' לאוקומה לרבנן שנויה היא ולא סמכינן עלה יצא מנחם לעבודת המלך ויצאו עמו שמונים תלמידים לובשי סריקון של זהב א"ר אלעזר לעולם אל תהי שבות קלה בעיניך לזלזל בה שהרי סמיכה על הזבח ביו"ט משום שבות הוא ואע"פ שהוא שבות דמצוה נחלקו עליה גדולי הדור הללו. ולא מצינו שהיתה חלוקה כלל בין החכמים הראשונים אלא בסמיכה בלבד באו הלל ושמאי חלקו בג' דברים אבל תלמידיהן שלא שמשו כל צרכן רבתה חלוקה ביניהן ונעשית תורה כשתי תורות ואמרינן מאי אתא ר' יוחנן לאשמעינן אי משום שבות דמצוה תנינא לא מקדשין ולא מעריכין ולא מחרימין שהיא שבות דמצוה ואינו דוחה. ושנינן לאפוקי ממאן דאמר בסמיכה עצמה פליגי. פי' מי שאומר שלא לסמוך סבר שלא בעינן בעלים אלא האומר לסמוך סבר בעינן תיכף לסמיכה שחיטה. ואתא ר' יוחנן לאשמעינן דכולי עלמא לא פליגי בסמיכה דבעינן אלא בשבות פליגי הני אסרי והני שרו...

מסורת הש"ס

א) נ"ל אבות, ב) [תוספתא פרק ב], ג) מכות ה: [תוספתא סנהדרין פ"ו], ד) [מכות ג,], ה) עירובין לו: ר"ה לג. חולין פט. [קדושין לו.], ו) [נ"ל שמעון], ז) [שבת קנג.], ח) [דף ה: בגמרא] ...

הראשונים היו נשיאים ושניים להם אב ב"ד:

גמ' ת"ר שלשה מזוגות הראשונים שאמרו שלא לסמוך ושנים מזוגות האחרונים שאמרו לסמוך (הראשונים) היו נשיאים ושניים להם אבות ב"ד דברי רבי מאיר וחכמים אומרים יהודה בן טבאי אב ב"ד ושמעון בן שטח נשיא מאן תנא להא דתנו רבנן אמר [א] רבי יהודה בן טבאי אראה בנחמה אם לא הרגתי עד זומם להוציא מלבן של צדוקין שהיו אומרים אין עדים זוממין נהרגין עד שיהרג הנידון אמר לו שמעון בן שטח אראה בנחמה אם לא שפכת דם נקי שהרי אמרו חכמים א אין עדים זוממין נהרגין עד שיזומו שניהם ב ואין לוקין עד שיזומו שניהם ג ואין משלמין ממון עד שיזומו שניהם מיד קבל עליו יהודה בן טבאי שאינו מורה הלכה אלא בפני שמעון בן שטח כל ימיו של יהודה בן טבאי היה משתטח על קברו של אותו הרוג והיה קולו נשמע כסבורין העם לומר שקולו של הרוג הוא אמר להם קולי הוא תדעו שלמחר הוא מת ואין קולו נשמע אמר ליה רב אחא בריה דרבא לרב אשי ודלמא פיוסי פייסיה או בדינא תבעי' מני הא אי אמרת בשלמא רבי מאיר דאמר שמעון בן שטח אב ב"ד ר"י בן טבאי נשיא היינו דקא מורי הלכה בפני שמעון בן שטח אלא אי אמרת רבנן דאמרי יהודה בן טבאי אב ב"ד שמעון בן שטח נשיא אב ב"ד בפני נשיא מי מורה הלכה לא מאי קבל עליו דקאמר לאצטרופי דאפי' אצטרופי נמי לא מצטריפנא: יצא מנחם ונכנס שמאי כו': להיכן יצא אביי אמר יצא לתרבות רעה רבא אמר יצא לעבודת המלך תניא נמי הכי יצא מנחם לעבודת המלך ויצאו עמו שמונים זוגות תלמידים לבושין סיריקון אמר רב שמן בר אבא א"ר יוחנן לעולם אל תהא שבות קלה בעיניך שהרי סמיכה אינה אלא משום שבות ונחלקו בה גדולי הדור פשיטא שבות מצוה אצטריכא ליה הא נמי פשיטא לאפוקי ממאן דאמר בסמיכה גופה פליגי קא משמע לן בשבות הוא דפליגי אמר רמי בר חמא שמע מינה ד סמיכה בכל כחו בעינן דאי ס"ד לא בעינן בכל כחו מאי קא עביד ליסמוך מיתיבי א דבר אל בני ישראל ב וסמך ה בני ישראל סומכין ואין בנות ישראל סומכות רבי יוסי ור' (ו) (ישמעאל) אומרים בנות ישראל סומכות רשות אמר רבי יוסי סח לי אבא אלעזר פעם אחת היה לנו עגל של זבחי שלמים והביאנוהו לעזרת נשים וסמכו עליו נשים לא מפני שסמיכה בנשים אלא כדי לעשות נחת רוח לנשים ואי ס"ד סמיכה בכל כחו בעינן משום נחת רוח דנשים עבדינן עבודה בקדשים אלא לאו ש"מ לא בעינן בכל כחו לעולם אימא לך בעינן בכל כחו דאמר להו אקפו ידייכו אי הכי לא מפני שסמיכה בנשים תיפוק ליה דאינה לסמיכה כלל א"ר אמי חדא ועוד קאמר חדא דליתא לסמיכה כלל ועוד כדי לעשות נחת רוח לנשים אמר רב פפא שמע מינה ז צדדין אסורין דאי ס"ד צדדין מותרין (א) לסמוך לצדדין אלא לאו רב

רש"י

הראשונים. שהוזכרו ראשון בכל זוג וזוג היו נשיאים: גמ' עד זומם. שלא הוזם אלא הוא לבדו: עד שיהרג הנדון. קודם הזמה ואחר כך הוזמו שהיו דורשין נפש בנפש האמור בעדים זוממין אמרו להן חכמים והלא כבר נאמר כאשר זמם לעשות לאחיו ועדיין אחיו קיים ולמה נאמר נפש בנפש שאין נהרגים עד שיגמר הדין של נידון קודם שהוזמו: ואין לוקין. אם העידוהו שחייב מלקות בכולהו גרסי' עד שיזומו שניהן ובמסכת מכות (ט) יליף לה מקראי והנה עד שקר העד ואמר מר (ט) כל מקום שנאמר עד הרי כאן שנים: אלא בפני שמעון. שאם יטעה ילמדהו: היינו דקא מורה הלכה בפני שמעון. דמדקאמר מיד קיבל כו' שמע מינה דעד השתא אורי בפניו: ומאי קיבל. לאו דעד השתא הורה דודאי לא הורה בפניו מימיו וכשהרגו לעד זומם לא היה שמעון שם (ג): לא מצטריפנא. ליסב בדין אלא בהדי שמעון: סיריקון. לבוש בגדי מלכות: אינה אלא משום שבות. דתנן אלו הן משום שבות לא עולין באילן ולא רוכבין על גבי בהמה (ביצה דף לו:) והאי נמי משתמש בבעלי חיים הוא שסומך עליה בכל כחו כדאמרינן לקמן: שבות דמצוה. נמי תנינא במתני' ומאי אשמעינן רבי יוחנן: לאפוקי ממאן דאמר. במסכת ביצה (דף כ.) בסמיכה עצמה פליגי ומאן דאסר לאו משום שבות אסר אלא משום דסבירא ליה דשלמי חובה לא בעו סמיכה דכי כתב וסמך בשלמי נדבה כתיב וחובה מנדבה לא גמרינן קא משמע לן רבי יוחנן דטעמא משום שבות הוא וסמיכתן לעולם מצוה: שמע מינה. מדאוקי רבי יוחנן טעמא משום שבות סמיכה דקדשים בכל כחו בעינן והוה ליה משתמש בבעלי חיים: דבר אל בני ישראל. אדם כי יקריב מכם קרבן לה' וכתיב בההוא ענינא וסמך: אבא אלעזר. כך שמו: אקפו ידייכו. לשון וקפא הקילו ידיכם אקפו לשון דבר הצף ואין מכביד כדמתרגמינן ויצף הברזל וקפא ברזלא (מלכים ב ו): שמע מינה. מדרבי יוחנן דאוקי טעמא משום שבות לצדדין אסורין ואע"ג דגבי שבות רכיבה אמרינן הוא הדין לכל שימוש ואפילו במקום שאינו עשוי להשתמש כגון לידי הבהמה והוא הדין לידי האילן ופליגי אמוראי בהא מילתא במסכת שבת בפ' בתרא (דף קנד:): (ג) לסמוך. דהא ראש הבהמה כלצדדין דמי: דבהדי

תוספות

אראה בנחמה. לישנא קלילא (ד) הוי דשבועה בלשון קלך כלומר לא יוכל לראות בנחמות ציון אם לא עשה זה (ה) ודומה לו אקפח את בני שהלכה זו מקופחת בישראל דרבי טרפון בשמעתא דמרדעת בפ"ק דשבת (דף יז. ושם) ודוגמא מצינו לשון המקרא ואולם חי אני וימלא כבוד ה' וגו' אם יראו וגו' (במדבר יד): אם לא הרגתי עד זומם. תימה אמאי לא מקשינן הכא השתא בהמתן של צדיקים אין הקב"ה מביא תקלה על ידן צדיקים עצמן לא כל שכן כדפריך בגיטין (דף ז. ושם) ובחולין (דף ה: ושם) וי"ל דלא שייך לאקשויי רק גבי דבר אכילה דגנאי הוא לצדיק לאכול דבר איסור אבל דבר היתר בשעת האיסור לא פריך ולהכי לא פריך בר"ה (דף כא.) דאמר (ו) כמה נסים תבשילה דבבל בגלומא רבא למערבא ובערבי פסחים (פסחים קז: ושם) ברב ירמיה בר אבא דאישתלי וטעים קודם הבדלה אע"ג דמיתתו באסכרה דאין דבר מגונה כל כך אכילה היתר בשעת האיסור: למחר הוא מת. הא דלא נקט כשאינו שם אין קולו נשמע משום שהיו אומרים לו דאינו צועק אלא בשעה שישנו שם אבל השתא מדנקט מת שיהא גביה אז היה לו לצעוק: אב ב"ד מי קא מורה בפני נשיא. הוראה לדין ובירושלמי אמר מאן דאמר יהודה בן טבאי נשיא עובדא דאלכסנדריא מסייע ליה (ז) דבני ירושלים בעון מנינה נשיא ולא קבלו עילוי ערק ואזל לאלכסנדריא והיו בני ירושלים כותבין מירושלים הגדולה לאלכסנדריא הקטנה עד מתי ארוסי יושב אצלכם ואני יושבת עגומה עליו ומאן דתני שמעון בן שטח נשיא עובדא דאשקלון מסייע ליה ומייתי כולא עובדא שתלה פ' נשים מכשפניות ובסנהדרין (דף מד:) הביאו רש"י בנימוקו (ח): לא מצטריפנא. לנטות אחרי רבים כדי לבטל דברי שמעון בן שטח: דבר אל בני ישראל וסמך. אבל בשחיטה ליכא למעט נשים מהאי טעמא אע"ג דסמיך טפי להקרבה מסמיכה דהא (ט) בריש כל הפסולין (זבחים לב.) מרבינן נשים לשחיטה וכן ליכא לאפוקי שחיטה בבעלים דומיא דסמיכה דהתם היקש לא היה אלא דרבנן (י): לעשות נחת רוח לנשים. וכגון שהיתה בהמה שלהן (ז) השתא דומה לסמיכה להיות בבעלים בפ"ק דקדושין (דף לו.) ובפ' בתרא דר"ה (דף לג.) פירש ר"י לנשים דידן אם באות לעשות מצות עשה שהזמן גרמא ולברך עליהן אין ממחין בידם אע"ג דפטורות ולא מיקרי ברכה לבטלה וכן משמע מהכא ועוד פירשתי התם [בר"ה] והארכתי (ל): רב

הגהות הב"ח

(א) גמ' לצדדין מותרין ליסמוך לצדדין אלא לאו: (ב) רש"י ד"ה ומאי קיבל וכו' ולא היה שמעון שם: (ג) ד"ה לסמוך ... (ד) תוס' ד"ה אראה וכו' קלילא לשבועה הוי בלשון ... (ה) ד"ה אם לא וכו' בתרא ... (ו) ד"ה לא מצטריפנא ... (ז) ד"ה לעשות וכו' השתא דומה וכו' בפ"ק דקדושין:

גליון הש"ס

גמ' סמיכה בכל כחו בעינן. עיין לעיל דף ד ע"א תוס' ד"ה אלא טומטום ועיין פסחים דף סט ע"א תוס' ד"ה ואלו פסח וביבמות דף ע ע"א תוס' ד"ה ואין סקול: תוס' ד"ה דבר וכו'. בריש כל הפסולין מרבינן נשים לשחיטה. וכעין זה ...

הגהות הגר"א

[א] גמ' אמר יהודה כו'. נ"ל (וכמ"ש במתני' ובאבות פ"א מ"ח): [ב] שם ישמעאל. נ"ל שמעון וכ"ה בעירובין וכר"ה וחולין:

ליקוטי רש"י

[שייך לע"א] מאחורי הפרגוד. פרכת, לשון מחיצה הוא ולשון חכמים ...

ENTERED etc. [in his place].

The Gemara inquires about the meaning of this phrase.

לְהֵיכָן יָצָא – To where did he leave? אַבַּיֵי אָמַר – Abaye said: יָצָא לְתַרְבּוּת רָעָה – He left to join a bad society.[22] **רָבָא אָמַר – Rava said: יָצָא לַעֲבוֹדַת הַמֶּלֶךְ – He left to** enter **the service of the king.**[23] **תַּנְיָא נַמִּי הָכִי – This was taught in a Baraisa as well: יָצָא מְנַחֵם לַעֲבוֹדַת הַמֶּלֶךְ – MENACHEM LEFT** the Sanhedrin **TO** enter **THE SERVICE OF THE KING, וְיָצְאוּ עִמּוֹ שְׁמוֹנִים זוּגוֹת תַּלְמִידִים לְבוּשִׁין סִירִיקוֹן – AND EIGHTY PAIRS OF DISCIPLES DRESSED IN ROYAL GARB LEFT WITH HIM.**

The Gemara elaborates on the dispute over *semichah* on Yom Tov:

אָמַר רַב שֶׁמֶן בַּר אַבָּא אָמַר רַבִּי יוֹחָנָן – Rav Shemen bar Abba said in the name of R' Yochanan: לְעוֹלָם אַל תְּהֵא שְׁבוּת קַלָּה בְּעֵינֶיךָ – Never let a Rabbinic prohibition concerning the Sabbath or Yom Tov **seem minor to you,**[24] **שֶׁהֲרֵי סְמִיכָה אֵינָהּ אֶלָּא מִשּׁוּם שְׁבוּת – for *semichah* involves nothing more than a Rabbinic prohibition**[25] **וְנֶחְלְקוּ בָהּ גְּדוֹלֵי הַדּוֹר – and** yet **the greats of the generation disputed** each other **about it** for five successive generations.

The Gemara asks:

פְּשִׁיטָא – It is obvious that *semichah* involves only a Rabbinically forbidden activity.[26] Why does R' Yochanan emphasize that it is "nothing more" than this?

The Gemara answers:

שְׁבוּת מִצְוָה אִצְטְרִיכָא לֵיהּ – He needs to tell us that there are **Rabbinic prohibitions concerning the Sabbath** that forbid activities **that are** otherwise **a mitzvah** to perform.[27]

The Gemara asks:

הָא נַמִּי פְּשִׁיטָא – But this too is obvious![28]

The Gemara answers:

לְאַפּוּקֵי מִמַּאן דְּאָמַר בִּסְמִיכָה גּוּפָהּ פְּלִיגֵי – R' Yochanan's purpose in saying this was **to negate** the view of **the one who says that it was about** the requirement of ***semichah* itself that they** [the pairs listed in our Mishnah] **disagreed.**[29] **קָא מַשְׁמַע לָן בִּשְׁבוּת הוּא דִּפְלִיגֵי – [R' Yochanan]** therefore **informs us that they disagreed about** the applicability of a **Rabbinic prohibition concerning the Sabbath** to a mitzvah activity.[30]

The Gemara discusses the nature of the act of *semichah*:

אָמַר רָמִי בַּר חָמָא – Rami bar Chama said: שְׁמַע מִינָּהּ סְמִיכָה בְּכָל כֹּחוֹ בָּעֵינָן – Learn from this statement of R' Yochanan that ***semichah* must be** done **with all one's strength.**[31] **דְּאִי סַלְקָא דַּעְתָּךְ לֹא בָעֵינָן בְּכָל כֹּחוֹ – For if you should think** that ***semichah* need not be** done **with all one's strength, מַאי קָא עָבִיד** – then **what is he doing** when he performs *semichah* that violates any Rabbinic prohibition? **לִיסְמוֹךְ – Let him** indeed **perform *semichah*** on Yom Tov without pressing down with all his strength and thereby avoid the Rabbinic prohibition of making use of an animal! Since R' Yochanan said that *semichah* does

NOTES

22. [Literally: a bad upbringing; see *Numbers* 32:14.] I.e. he became a sectarian. According to *Tiferes Yisrael,* he joined the בַּיְתוֹסִים, *Boethusians* (a sect that disputed the validity of the Oral Law), and retired to live a reclusive life (cf. *Ben Yehoyada* cited in next note). [*Tiferes Yisrael's* source for this is *Josephus* (*Antiquities,* Book 15, Chapter 10:5). However, there he is identified as an Essene, a sect known for its extreme פְּרִישׁוּת, *asceticism,* whose writings and practices were also not always consistent with the accepted traditions of the Sages.]

23. *Tiferes Yisrael,* citing *Josephus* (ibid.), tells that when King Herod [הורדוס] was a young boy, Menachem met him and foretold that he would someday be king. When Herod, who was not of the royal family, eventually became king, he honored Menachem by appointing him a royal minister (see *HaBoneh* in *Ein Yaakov* for a fuller citation of the story). According to *Yerushalmi* (2:2), Menachem accepted the appointment to help fight the many evil decrees that had been promulgated by the government against the people. [This would explain why eighty pairs of disciples joined him in leaving to enter royal service.]

Ben Yehoyada suggests that the dispute between Abaye and Rava may not be about the facts of what happened, but how to characterize them. Menachem did not, in fact, become a sectarian but became a royal minister, as Rava says. However, Abaye considers his departure from the Sanhedrin and the center of Torah study for this purpose to be tantamount to leaving to join a bad society.

24. [Literally: . . . be light in your eyes.] In addition to the thirty-nine categories of labor Biblically prohibited on the Sabbath, the Rabbis prohibited other activities as well. A Rabbinic prohibition relating to the Sabbath is known as a שְׁבוּת, *shevus.* This applies on Yom Tov as well.

25. The Mishnah in *Beitzah* (36b) teaches: "The following [activities] are [prohibited] because of a *shevus:* One may not ascend a tree [on the Sabbath or Yom Tov], nor ride on an animal, etc." Performing *semichah* is akin to riding on an animal because one makes direct use of the animal [מִשְׁתַּמֵּשׁ בְּבַעַל חַי] to support his weight as he leans down on it with all his strength (*Rashi*).

26. [Leaning on an animal cannot be more stringently prohibited than riding on it, which the Mishnah in *Beitzah* says explicitly is only a *shevus.*]

27. [I.e. that the Rabbis prohibited performing certain activities on the Sabbath and Yom Tov even though their performance fulfills a mitzvah, for example, *semichah.* To put this point into sharp focus, R' Yochanan states that although *semichah* violates *nothing more* than a *shevus,* it is not performed on Yom Tov.]

28. For the Mishnah in *Beitzah* (cited above) that lists the *shevus* prohibitions explicitly lists mitzvah activities that are forbidden because of a *shevus* (see *Rashi*; *R' Chananel*). There is thus no need for R' Yochanan to teach that mitzvah activities can be subject to a *shevus* prohibition.

29. As noted on 16a (note 46), the Gemara in *Beitzah* 20a cites two explanations of the dispute concerning *semichah.* R' Yose bar Yehudah explains the dispute to be whether a *chagigah* requires *semichah* at all. Those who say that *semichah* is not performed maintain that since the verse concerning *semichah* (*Leviticus* 3:2) speaks of a voluntary *shelamim* offering, the *semichah* requirement applies only to such offerings and not to obligatory *shelamim* offerings, such as the *chagigah.* Those who maintain that *semichah* is performed hold that the requirement in the case of obligatory offerings is derived from the law for voluntary offerings (*Rashi;* see further *Rashi, Beitzah* 20a ד"ה ב"ש היא). According to this explanation, the dispute has nothing to do with the Rabbinic prohibition of leaning on an animal on Yom Tov; the question is rather whether the requirement of *semichah* applies to the *chagigah* at all and it relates even to a *chagigah* brought on days other than Yom Tov, e.g. on Chol HaMoed (*Maharshal* to *Tosafos, Beitzah* 20a ד"ה דלא גמרי; see *Shaar HaMelech* to *Maaseh HaKorbanos* 3:13). It is this interpretation of the dispute that R' Yochanan wishes to negate.

30. By saying that "*semichah* involves *nothing more* than a Rabbinic prohibition (*shevus*)," R' Yochanan means to teach that the dispute in our Mishnah concerns the applicability of this Rabbinic prohibition (leaning on an animal on Yom Tov) in the face of the mitzvah of *semichah* – but all agree that the mitzvah of *semichah* does apply to a *chagigah* (*Rashi*).

[It should be noted that even according to the second explanation of the dispute given in *Beitzah* 20a – the explanation of R' Yose – the dispute is not about whether the mitzvah of *semichah* overrides the *shevus* of leaning on an animal. Rather, the dispute is whether the *chagigah's semichah* can be performed on the day before Yom Tov so as to avoid conflicting with the *shevus* (see 16a note 46). Thus, the Gemara's statement that "they disagreed about [the applicability of] a Rabbinic prohibition concerning the Sabbath [to a mitzvah activity]" means only that their disagreement in regard to *semichah* arose in response to a *shevus* concern. Their actual dispute, however, is whether *semichah* must immediately be followed by the sacrifice's slaughter (*Maharshal* to *Tosafos, Beitzah* 20a ד"ה דלא גמרי and *Rashba* to Mishnah there 19a, both in explanation of *Rashi;* and *Sfas Emes* to 17a here; see *Meromei Sadeh* here for a different explanation of *Rashi's* view; and cf *Rabbeinu Chananel* for a different explanation of the Gemara.)]

31. I.e. one must press down with all his strength on the head of the sacrifice. [In doing so, one's weight comes to be supported by the animal,] which violates the *shevus* on making direct use of an animal on Yom Tov [מִשְׁתַּמֵּשׁ בְּבַעַל חַי] (*Rashi*).

הראשונים היו נשיאים ושניים להם אב ב"ד:

גמ' ת"ר שלשה מזוגות הראשונים שאמרו שלא לסמוך ושנים מזוגות האחרונים שאמרו לסמוך (הראשונים) היו נשיאים ושניים להם אבות ב"ד דברי רבי מאיר וחכמים אומרים יהודה בן טבאי אב ב"ד ושמעון בן שטח נשיא מאן תנא להא דתנו רבנן אמר [א] רבי יהודה בן טבאי אראה בנחמה אם לא הרגתי עד זומם להוציא מלבן של צדוקין שהיו אומרים אין עדים זוממין נהרגין עד שיהרג הנידון אמר לו שמעון בן שטח אראה בנחמה אם לא שפכת דם נקי שהרי אמרו חכמים אין עדים זוממין נהרגין עד שיזומו שניהם ואין לוקין עד שיזומו שניהם ואין משלמין ממון עד שיזומו שניהם מיד קבל עליו יהודה בן טבאי שאינו מורה הלכה אלא בפני שמעון בן שטח כל ימיו של יהודה בן טבאי היה משתטח על קברו של אותו הרוג והיה קולו נשמע כסבורין העם לומר קולו של הרוג הוא אמר להם קולי הוא תדעו שלמחר הוא מת ואין קולו נשמע אמר ליה רב אחא בריה דרבא לרב אשי ודלמא פיוסי פייסיה או בדינא תבעי' מני הא אי אמרת בשלמא רבי מאיר דאמר שמעון בן שטח אב ב"ד ר"י בן טבאי נשיא היינו דקא מורי הלכה בפני שמעון בן שטח אלא אי אמרת רבנן דאמרי יהודה בן טבאי אב ב"ד שמעון בן שטח נשיא אב ב"ד בפני נשיא מי מורה הלכה לא מאי קבל עליו דקאמר לאצטרופי דאפי' אצטרופי נמי לא מצטריפנא: יצא מנחם ונכנס שמאי כו': להיכן יצא אביי אמר יצא לתרבות רעה רבא אמר יצא לעבודת המלך תניא נמי הכי יצא מנחם לעבודת המלך ויצאו עמו שמונים זוגות תלמידים לבושין סיריקון אמר רב שמן בר אבא א"ר יוחנן לעולם אל תהא שבות קלה בעיניך שהרי סמיכה אינה אלא משום שבות ונחלקו בה גדולי הדור פשיטא שבות מצוה אצטריכא ליה הא נמי פשיטא לאפוקי ממאן דאמר בסמיכה גופה פליגי קא משמע לן בשבות הוא דפליגי אמר רמי בר חמא שמע מינה סמיכה בכל כחו בעינן דאי ס"ד לא בעינן בכל כחו מאי קא עביד ליסמוך מיתיבי א) דבר אל בני ישראל ב) וסמך בני ישראל סומכין ואין בנות ישראל סומכות רבי יוסי ור' [ב] (ישמעאל) אומרים בנות ישראל סומכות רשות אמר רבי יוסי סח לי אבא אלעזר פעם אחת היה לנו עגל של זבחי שלמים והביאנוהו לעזרת נשים וסמכו עליו נשים לא מפני שסמיכה בנשים אלא כדי לעשות נחת רוח לנשים ואי ס"ד סמיכה בכל כחו בעינן משום נחת רוח דנשים עבדינן עבודה בקדשים אלא לאו ש"מ לא בעינן בכל כחו לעולם אימא לך בעינן בכל כחו דאמר להו אקפו ידייכו אי הכי לא מפני שסמיכה בנשים תיפוק ליה דאינה לסמיכה כלל א"ר אמי חדא ועוד קאמר חדא דליתא לסמיכה כלל ועוד כדי לעשות נחת רוח לנשים אמר רב פפא שמע מינה צדדין אסורין דאי ס"ד צדדין מותרין לסמוך לצדדין אלא לאו שמע מינה צדדין אסורין רב

רש"י

הראשונים. שהחכרו ראשון בכל זוג וזוג היו נשיאים: גמ' עד זומם. שלא הוזם אלא הוא לבדו: עד שיהרג הנדון. קודם הוזמה ואחר כך הוזמו שהיו דורשין נפש בנפש האמור בעדים זוממין אמרו להן חכמים והלא כבר נאמר כאשר זמם לעשות לאחיו ועדיין אחיו קיים ולמה נאמר נפש בנפש שאין נהרגים עד שיגמר הדין של נידון קודם שהוזמו: ואין לוקין. אם העידוהו שחייב מלקות בכולהו גרסי' עד שיוזמו שניהן ובמסכת מכות ילפינן לה מקראי והנה עד שקר העד ואמר מר כל מקום שנאמר עד הרי כאן שנים: אלא בפני שמעון. שאם יטעה ילמדהו: היינו דקא מורה הלכה בפני שמעון. דמדקאמר מיד קיבל כו' שמע מינה דעד השתא אורי בפניו: ומאי קיבל. לאו דעד השתא הורה דודאי לא הורה בפניו מימיו וכשהרגו לעד זומם לא היה שמעון שם (ג): לא מצטריפנא. לישב בדין אלא בהדי שמעון: סיריקון. לבוש בגדי מלכות: אינה אלא משום שבות. דתנן אלו הן משום שבות לא עולין באילן ולא רוכבין על גבי בהמה (ביצה דף לו:) והאי נמי משתמש בבעלי חיים הוא שסומך עליה בכל כחו כדאמרינן לקמן: שבות דמצוה. נמי תנינא במתני' ומאי אשמעינן רבי יוחנן: לאפוקי ממאן דאמר. במסכת ביצה (דף כ.) בסמיכה עצמה פליגי ומאן דאסר לאו משום שבות אסר אלא משום דסבירא ליה דשלמי חובה לא בעו סמיכה דכי כתב וסמך בשלמי נדבה כתיב וחובה מנדבה לא גמרינן קא משמע לן רבי יוחנן דטעמא משום שבות הוא וסמיכתן לעולם מצוה: שמע מינה. מדאוקי רבי יוחנן טעמא משום שבות סמיכה דקדשים בכל כחו בעינן והוה ליה משתמש בבעלי חיים: דבר אל בני ישראל. אדם כי יקריב מכם קרבן לה' וכתיב בההוא עניינא וסמך: אבא אלעזר. כך שמו: אקפו ידייכו. לשון וקפא הקילו ידיכם אקפו לשון דבר הצף ואין מכביד כדמתרגמינן ויצף הברזל וקפא ברזלא (מלכים ב ו): שמע מינה. מדרבי יוחנן דאוקי טעמא משום שבות לצדדין אסורין ואע"ג דגבי שבות רכיבה אמרינן הוא הדין לכל שימוש ואפילו במקום שאינו עשוי להשתמש כגון לצידי הבהמה והוא הדין לצידי האילן ופליגי אמוראי בהא מילתא במסכת שבת בפ' בתרא (דף קנד:): (ג) לסמוך. דהא ראש הבהמה כלצדדין דמי: דבהדי

תוספות

אראה בנחמה. לישנא קלילא (ד) הוי דשבועה בלשון קצר כלומר לא יוכל לראות בנחמות ציון אם לא עשה זה ודומה לו אקפח את בני שהלכה זו מקופחת בישראל דרבי טרפון בשמעתא דמרדעת בפ"ק דשבת (דף יז. ושם) ודוגמא מצינו לשון המקרא ואולם חי אני וימלא כבוד ה' וגו' אם יראו וגו' (במדבר יד): אם לא הרגתי עד זומם. תימה אמאי לא מקשינן הכא השתא בהמתן של צדיקים אין הקב"ה מביא תקלה על ידן צדיקים עצמן לא כל שכן כדפריך בגיטין (דף ז. ושם) ובחולין (דף ה: ושם) וי"ל דלא שייך לאקשויי רק גבי דבר אכילה דגנאי הוא לצדיק דאוכל דבר איסור אבל דבר היתר בשעת האיסור לא פריך ולהכי לא פריך בר"ה (דף כח.) דאמר (ה) כמה בסים תבשילא דבבל בלומא רבא דמערבא ובערבי פסחים (פסחים קו: ושם) ברב ירמיה בר אבא דאישתלי וטעים קודם הבדלה אע"ג דמיתתו באסכרא דאין דבר מגונה כל כך אכילת היתר בשעת האיסור: למחר הוא מת. הא דלא נקט כשאינני שם אין קולו נשמע משום שהיו אומרים לו דאינו צועק אלא בשעה שישנו שם אבל השתא מדנקט מת שיהא גביה אז היה לו לצעוק: אב ב"ד מי קא מורה בפני נשיא. הוראה לדין ובירושלמי אמר מאן דאמר יהודה בן טבאי נשיא עובדא דאלכסנדריא מסייע ליה (ו) דבני ירושלים בעון מיניה נשיא ולא קבלו עילוי ערק ואזל לאלכסנדריא והיו בני ירושלים כותבין מירושלם הגדולה לאלכסנדריא הקטנה עד מתי אחי יושב אצלכם ואני יושבת עגומה עליו ומאן דתני שמעון בן שטח נשיא עובדא דאשקלון מסייע ליה ומייתי כולה עובדא שתלה פ' נשים מכשפניות ובסנהדרין (דף מד:) הביאו רש"י בנימוקו: לא מצטריפנא. לנטות אחרי רבים כדי לבטל דברי שמעון בן שטח: דבר אל בני ישראל וסמך. אבל בשחיטה ליכא למעט נשים מהאי טעמא אע"ג דסמיך טפי להקרבה מסמיכה דהא בריש כל הפסולין (זבחים לב.) מרבינן נשים לשחיטה וכן ליכא לאלופי שחיטה בבעלים דומיא דסמיכה דההוא היקש לא הוי אלא דרבנן: לעשות נחת רוח לנשים. וכגון שהיתה בהמה שלהן (ז) השתא דומה לסמיכה להיו' בבעלים בפ"ק דקדושין (דף לו.) ובפ' בתרא דר"ה (דף לג.) פירש ר"י דנשים דידן אם באות לעשות מצות עשה שהזמן גרמא ולברך עליהן אין ממחין בידם אע"ג דפטורות ולא מיקרי ברכה לבטלה וכן משמע מהכא ועוד פירשתי הסם [בר"ה] והארכתי:
רב

עין משפט נר מצוה

יד א ב ג מיי' פ"כ מהל' עדות הלכה א סמג עשין קז טור ח"מ סי' לח:
טו ד מיי' פ"א מהלכות חגיגה הל' ט ופ"ג מהלכות מעשה קרבנות הלכה יג:
טז ה מיי' שם הלכה ח סמג עשין קפג:
יז ו מיי' שם הל' יג:

תורה אור השלם

א) דַּבֵּר אֶל בְּנֵי יִשְׂרָאֵל וְאָמַרְתָּ אֲלֵהֶם אָדָם כִּי יַקְרִיב מִכֶּם קָרְבָּן לַיְיָ מִן הַבְּהֵמָה מִן הַבָּקָר וּמִן הַצֹּאן תַּקְרִיבוּ אֶת קָרְבַּנְכֶם: [ויקרא א, ב]

ב) וְסָמַךְ יָדוֹ עַל רֹאשׁ הָעֹלָה וְנִרְצָה לוֹ לְכַפֵּר עָלָיו: [ויקרא א, ד]

רבינו חננאל

בנשיא שנאמר ונתת מהודך עליו בכהנים בזמן שבהמ"ק קיים ובשעה שעומדין על הדוכן ומברכין העם בשם המפורש מפני שאלו כולן ולא (יסתכל) [יאמר] האדם כשעובר עבירה בסתר מי מעיד בי ואמרינן אבני ביתו [מעידין אותו] שנאמר כי אבן מקיר תזעק וכפיס מעץ יעננה. תניא שני מלאכים המלוין לו לאדם הן מעידין בו שנא' כי מלאכיו יצוה לך לשמרך בכל דרכיך ור"א נשמתו ואבריו הן [מעידין] בו: מתני' יוסי בן יועזר אומר שלא לסמוך יוסי בן יוחנן אומר לסמוך כו': ת"ר ג' מזוגות הראשונים שאמרו שלא לסמוך ושנים מזוגות האחרונים שאמרו לסמוך הראשונים נשיאים והשניים אבות ב"ד וכך סידורן יוסי בן יועזר נשיא יוסי בן יוחנן אב ב"ד. יהושע בן פרחיה נשיא נתאי הארבלי אב ב"ד יהודה בן טבאי נשיא שמעון בן שטח אב ב"ד הללו ג' זוגות הנשיאים אמרו שלא לסמוך. ואבות בתי דינים אמרו לסמוך שמעיה והלל נשיאים אמרו לסמוך אבטליון ושמאי אבות בתי דינים אמרו שלא לסמוך אלו דברי הכל ולא נחלקו בזה הזוג. ר' מאיר אומר יהודה בן טבאי נשיא ושמעון בן שטח אב ב"ד וחכמים אומרים שמעון בן שטח נשיא ויהודה בן טבאי אב ב"ד ומסתברא כר' מאיר דבריתא מסייעא ליה והאי פירוקא דפריקי לאוקומה לרבנן שנויא היא ולא סמכינן עלה יצא מנחם לעבודת המלך ויצאו עמו שמונים תלמידים לבושי סריקון של זהב א"ר אלעזר לעולם אל תהי שבות קלה בעיניך לזלזל בה שהרי סמיכה על הזבח בי"ט משום שבות הוא ואע"פ שהוא שבות למצוה נחלקו עליה גדולי הדור הללו. ולא מצינו שהיתה חלוקה כלל בין החכמים הראשונים אלא בסמיכה בלבד

involve the violation of a Rabbinic prohibition, it is clear that *semichah* must be done with all one's strength.

Rami bar Chama's conclusion is challenged:

מֵיתִיבֵי – They challenged this **from a Baraisa:** ,,דַּבֵּר־אֶל בְּנֵי יִשְׂרָאֵל . . . וְסָמַךְ" – The Torah states: ***SPEAK TO THE SONS OF ISRAEL*** . . . *when a person among you shall bring an offering to Hashem . . .* ***HE SHALL LEAN*** *his hands on the head of the olah offering.*[32] בְּנֵי יִשְׂרָאֵל סוֹמְכִין וְאֵין בְּנוֹת יִשְׂרָאֵל סוֹמְכוֹת – This teaches that THE SONS OF ISRAEL PERFORM *SEMICHAH* on their sacrifices, BUT THE DAUGHTERS OF ISRAEL DO NOT PERFORM *SEMICHAH* on their sacrifices. רַבִּי יוֹסֵי וְרַבִּי (ישמעאל) [שִׁמְעוֹן] אוֹמְרִים – R' YOSE AND R' SHIMON[33] SAY: בְּנוֹת יִשְׂרָאֵל סוֹמְכוֹת רְשׁוּת – THE DAUGHTERS OF ISRAEL HAVE THE OPTION TO PERFORM *SEMICHAH* if they wish. אָמַר רַבִּי יוֹסֵי – R' YOSE SAID: סָח לִי אַבָּא אֶלְעָזָר – ABBA ELAZAR RECOUNTED TO ME the following incident: פַּעַם אַחַת הָיָה לָנוּ עֵגֶל שֶׁל זִבְחֵי שְׁלָמִים – ONE TIME WE HAD A CALF THAT WAS A *SHELAMIM* OFFERING, וֶהֱבֵיאנוּהוּ לְעֶזְרַת נָשִׁים – AND WE BROUGHT IT TO THE WOMEN'S COURTYARD of the Temple וְסָמְכוּ עָלָיו נָשִׁים – AND THE WOMEN PERFORMED *SEMICHAH* ON IT,[34] לֹא מִפְּנֵי שֶׁסְּמִיכָה בְּנָשִׁים – NOT BECAUSE THERE IS a *SEMICHAH* requirement FOR WOMEN, אֶלָּא כְּדֵי לַעֲשׂוֹת נַחַת רוּחַ לַנָּשִׁים – BUT IN ORDER TO GIVE SATISFACTION TO THE WOMEN.[35]

The Gemara now explains its challenge from the Baraisa:

וְאִי סַלְקָא דַּעְתָּךְ סְמִיכָה בְּכָל כֹּחוֹ בְּעֵינַן – **Now if it should enter your mind that** *semichah* **must be** done **with all one's strength,** as Rami bar Chama stated, מִשּׁוּם נַחַת רוּחַ דְּנָשִׁים עָבְדִינַן עֲבוֹדָה בְּקָדָשִׁים – **would we** permit **performing work with consecrated items** (i.e. sacrifices) **in order to give satisfaction to the women?**[36] אֶלָּא לָאו שְׁמַע מִינָּהּ – **Rather, do you not learn from this** לֹא בְּעֵינַן בְּכָל כֹּחוֹ – that [*semichah*] **need not be** done **with all one's strength?**

The Gemara rejects the proof:

לְעוֹלָם אֵימָא לָךְ בְּעֵינַן בְּכָל כֹּחוֹ – **In fact, I would say to you that** [*semichah*] **must be** done **with all one's strength.** As for how, if so, they allowed women to perform *semichah,* the answer is דְּאָמַר לְהוּ אַקְפּוּ יְדַיְיכוּ – **that they told them to rest their hands lightly** on the head of the animal.[37]

The Gemara challenges this suggestion:

אִי הָכִי – **If so** [that the women performed only a token *semichah* and not a true *semichah*], לֹא מִפְּנֵי שֶׁסְּמִיכָה בְּנָשִׁים – does Abba Elazar need to explain that what was done was NOT BECAUSE THERE IS a *SEMICHAH* requirement FOR WOMEN but merely to give satisfaction to the women? תֵּיפוֹק לֵיהּ דְּאֵינָהּ לִסְמִיכָה כְּלָל – **Let him base his explanation** of what was done on the fact **that it was not true** ***semichah*** **at all!**[38]

The Gemara answers:

אָמַר רַבִּי אַמִּי – **R' Ami said:** חֲדָא וְעוֹד קָאָמַר – "For **one** thing . . . **and** for **another"** **is what [Abba Elazar] was** really **saying,** as follows: חֲדָא דְּלֵיתָא לִסְמִיכָה כְּלָל – Do not conclude from that incident that a woman is obligated to perform *semichah,* because for **one** thing, **it was not** true ***semichah*** **at all;** וְעוֹד כְּדֵי לַעֲשׂוֹת נַחַת רוּחַ לַנָּשִׁים – **and** for **another,** even what was done, was done only **in order to give satisfaction to the women,** and not because there is any obligation for them to perform *semichah.*[39]

NOTES

32. *Leviticus* 1:2,4. The phrase בְּנֵי יִשְׂרָאֵל, which is usually translated "the children of Israel," is expounded by the Baraisa here according to its more restrictive meaning – "*sons* of Israel." (See *Malbim* to this verse for an explanation of when the phrase is expounded according to its restrictive meaning of "sons" and when according to its broader meaning of "children.")

[Although the verse *speak to the sons of Israel* introduces the law of the *olah* offering as a whole, the exclusion derived from it is limited to the law of *semichah* mentioned two verses later. This is because it is known from elsewhere that women may bring *olah* offerings (*Ramban* and *Ritva* to *Kiddushin* 36a). By the same token, women are not excluded by this verse from slaughtering the *olah,* for it is known from elsewhere that women are in fact eligible to slaughter a sacrifice (see *Tosafos*).]

33. Emendation follows *Hagahos HaGra* and the readings of this Baraisa found in *Rosh Hashanah* 33a and *Chullin* 85a.

34. [*Semichah* generally takes place in the Israelite Courtyard (the courtyard of the Temple containing the Altar). Women, however, do not enter the Israelite Courtyard. Thus, the animal had to be brought to the Women's Courtyard for a woman to perform *semichah.* See *Zevachim* 33a for a similar ruling regarding *semichah* by a *metzora* on his *asham* offering, when he is still forbidden to enter the Israelite Courtyard.]

35. That is, to afford them the satisfaction of performing this mitzvah, even though they are not commanded to do it. The sacrifice in question belonged to these women [rather than their husbands], putting them in line to perform the mitzvah of *semichah* (*Tosafos;* see *Siach Yitzchak;* cf. *Shaar HaMelech* to *Hil. Maaseh HaKorbanos* 3:13).

[The Gemara in *Rosh Hashanah* 33a (and elsewhere) cites this ruling as the source for women being permitted to perform the time-bound mitzvos (מִצְוַת עֲשֵׂה שֶׁהַזְּמַן גְּרָמָא) from which they are exempted. *Tosafos* (here) infer from our Gemara that when performing these mitzvos, women may even recite the blessings over them; see also *Tosafos* to *Rosh Hashanah* (ibid.) ד״ה הא. See, however, *Rambam, Hil. Tzitzis* 3:9; *Kesef Mishneh* there; *Tur* and *Rama, Orach Chaim* 17:2.]

36. [It is forbidden to work with a consecrated animal (*Deuteronomy* 15:19; see *Bechoros* 25a and *Rambam, Hil. Me'ilah* 1:7). One who leans down on an animal with all his strength supports his weight on it and is therefore considered to have "worked" with it. Obviously, where the Torah requires *semichah,* this is not a concern. Since women are not required to perform *semichah,* however, their leaning on the animal constitutes "working with a consecrated animal."]

37. Literally: float your hands (*Rashi*).

That is, the women did not perform true *semichah* by pressing down with their strength on the animal's head. Rather they performed a token *semichah* by putting their hands gently on its head. This does not constitute working with the animal because the animal does not support the person's weight.

38. [The point of Abba Elazar's comment was to dispel the impression created by that incident that there is an obligation for women to perform *semichah.* True, the women in that case were given the opportunity to perform *semichah,* but not because there was any obligation for them to do so but simply to afford them the satisfaction of doing so. But if in fact the women did not perform a true *semichah,* Abba Elazar could have made his point more strongly by saying that the *semichah* in that incident was not really *semichah* at all! Since he did not say this, it seems evident that the women did perform a true act of *semichah.*]

39. The Gemara thus concludes that *semichah* must indeed be performed with all one's strength. The Gemara also seems to conclude that women – who are not obligated to perform *semichah* – are forbidden to perform true *semichah* because doing so would amount to "working with consecrated animals" for one who is exempt from this mitzvah. R' Yose and R' Shimon, who permit women to perform *semichah* if they wish, permit them only to perform a token *semichah* by placing their hands gently on the head of the offering. The Rabbis who dispute them prohibit even this because it gives the *impression* of "working with consecrated animals" (*Tosafos, Eruvin* 9a ד״ה מיכל; *Siach Yitzchak*). Alternatively, the Rabbis prohibit them from performing *semichah* because they understand the verse's exclusion of women from *semichah* to mean that women *should not* perform *semichah* (*Magen Avraham* 128:1).

However, *Rashi* elsewhere (*Chullin* 85a ד״ה סומכות רשות; see also *Rosh Hashanah* 33a ד״ה סומכות רשות) says that women may perform even full *semichah* according to R' Yose and R' Shimon, for although women are not obligated to perform this mitzvah, the Torah grants them the privilege of doing it (see *Shaar HaMelech* to *Hil. Maaseh HaKorbanos* 3:13, who attributes this view to several other Rishonim as well; see also *Raavad* to *Toras Kohanim, Dibura DiNedavah, perek* 2:2). For different resolutions of this problem, see *Siach Yitzchak* and *Shaar HaMelech* (in the name of *Korban Aharon*) at length.

עין משפט נר מצוה

יד א ב ג מיי' פ"כ מהל' עדות הלכה ח סמג עשין קו טוש"ע ח"מ סי' לח:
טו ד מיי' פ"א מהלכות חגיגה הל' ט ופ"ג מהלכות מעשה קרבנות הלכה יג:
טז ה מיי' שם הלכה ח סמג עשין קפט:
יז ו מיי' שם הל' יג:

תורה אור השלם

א) דַּבֵּר אֶל בְּנֵי יִשְׂרָאֵל וְאָמַרְתָּ אֲלֵהֶם אָדָם כִּי יַקְרִיב מִכֶּם קָרְבָּן לַיהוָה מִן הַבְּהֵמָה מִן הַבָּקָר וּמִן הַצֹּאן תַּקְרִיבוּ אֶת קָרְבַּנְכֶם: [ויקרא א, ב]
ב) וְסָמַךְ יָדוֹ עַל רֹאשׁ הָעֹלָה וְנִרְצָה לוֹ לְכַפֵּר עָלָיו: [ויקרא א, ד]

רבינו חננאל

בנשיא שנאמר ונתת מהודך עליו כבהנים בזמן שבהמ"ק קיים ובשעה שעומדין על הדוכן ומברכין העם בשם המפורש מפני שאלו כולן אתו להודהר כבבוד השם ולא (יסתכל) [יאמר] האדם כשעובר עבירה בסתר מי מעיד בי ואמרינן אבני ביתו [מעידין אותו] שנאמר כי אבן מקיר תזעק וכפיס מעץ יעננה. תניא שני מלאכים המלוין לו לאדם הן מעידין בו שנא' כי מלאכיו יצוה לך לשמרך בכל דרכיך וי"א נשמתו ואבריו הן [מעידין] בו: מתני' יוסי בן יועזר אומר שלא לסמוך יוסי בן יוחנן אומר לסמוך כו': ת"ר ג' מזוגות הראשונים שאמרו שלא לסמוך ושנים מזוגות האחרונים שאמרו לסמוך הראשונים נשיאים והשניים אבות ב"ד וכך סידורן יוסי בן יועזר נשיא יוסי בן יוחנן אב ב"ד. יהושע בן פרחיה נשיא נתאי הארבלי אב ב"ד יהודה בן טבאי נשיא שמעון בן שטח אב ב"ד הללו ג' זוגות הנשיאים אמרו שלא לסמוך. ואבות בתי דינים אמרו לסמוך שמעיה והלל נשיאים אמרו לסמוך אבטליון ושמאי אבות בתי דינים אמרו שלא לסמוך אלו דברי הכל הן וחלקו בזה הזוג. ר' מאיר אומר יהודה בן טבאי נשיא ושמעון בן שטח אב ב"ד וחכמים אומרים שמעון בן שטח נשיא ויהודה בן טבאי אב ב"ד ומסתברא כר' מאיר דברייתא מסייעא ליה והאי פירוקא דפרקי לאוקומה לרבנן שנויה היא ולא סמכינן עלה יצא מנחם לעבודת המלך ויצאו עמו שמונים תלמידים לובשי סריקין של זהב א"ר אלעזר לעולם אל תהי שבות קלה בעיניך לזלזל בה שהרי סמיכה על הזבח ביו"ט משום שבות הוא ואע"פ שהוא שבות דמצוה נחלקו עליה גדולי הדור הללו. ולא מצינו שהיתה חלוקה כלל בין החכמים בלבד באו הלל ושמאי חלקו בג' דברים אבל תלמידיהן שלא שמשו כל צרכן רבתה חלוקה ביניהן ונעשית תורה כשתי תורות ואמרינן מאי אתא ר' יוחנן לאשמעינן אי משום שבות דמצוה תנינא לא מקדישין ולא מעריכין ולא מחרימין שהיא שבות דמצוה ואינו דוחה. ושנינן לאפוקי ממאן דאמר בסמיכה והאומר שלא לסמוך סבר לא בעינן תיכף לסמיכה שחיטה ואפשר לסמוך היום ולשחוט למחר בעינן תיכף לסמיכה שחיטה קמ"ל ר' יוחנן דדברי הכל בעינן תיכף לסמיכה שחיטה וכי פליגי [illegible] והני שרי ואסקה רב אשי אפילו תימא צדדין מותרין כל דלהדי גבאי דרישא כגבא דמו.

הגמרא

הראשונים היו נשיאים ושניים להם א) אב ב"ד:
גמ' ב) ת"ר שלשה מזוגות הראשונים שאמרו
שלא לסמוך ושנים מזוגות האחרונים
שאמרו לסמוך (הראשונים) היו נשיאים
ושניים להם אבות ב"ד דברי רבי מאיר
וחכמים אומרים יהודה בן טבאי אב ב"ד
ושמעון בן שטח נשיא מאן תנא להא דתנו
רבנן ג) אמר [א] רבי יהודה בן טבאי אראה
בנחמה אם לא הרגתי עד זומם להוציא
מלבן של צדוקין שהיו אומרים אין עדים
זוממין נהרגין עד שיהרג הנידון אמר לו
שמעון בן שטח אראה בנחמה אם לא
שפכת דם נקי שהרי אמרו חכמים א אין
עדים זוממין נהרגין עד שיזומו שניהם ב ואין
לוקין עד שיזומו שניהם ד) ג ואין משלמין
ממון עד שיזומו שניהם מיד קבל עליו יהודה
בן טבאי שאינו מורה הלכה אלא בפני
שמעון בן שטח כל ימיו של יהודה בן טבאי
היה משתטח על קברו של אותו הרוג והיה
קולו נשמע כסבורין העם לומר קולו של
הרוג הוא אמר להם קולי הוא תדעו שלמחר
הוא מת ואין קולו נשמע אמר ליה רב אחא
בריה דרבא לרב אשי ודלמא פיוסי פייסיה
או בדינא תבעי' מני הא אי אמרת בשלמא
רבי מאיר דאמר שמעון בן שטח אב ב"ד ר"י
בן טבאי נשיא היינו דקא מורי הלכה בפני
שמעון בן שטח אלא אי אמרת רבנן דאמרי
יהודה בן טבאי אב ב"ד שמעון בן שטח
נשיא אב ב"ד בפני נשיא מי מורה הלכה
לא מאי קבל עליו דקאמר לאצטרופי דאפי'
אצטרופי נמי לא מצטריפנא: יצא מנחם
ונכנס שמאי כו': להיכן יצא אביי אמר יצא
לתרבות רעה רבא אמר יצא לעבודת המלך
תניא נמי הכי יצא מנחם לעבודת המלך
ויצאו עמו שמונים זוגות תלמידים לבושין
סיריקון אמר רב שמן בר אבא א"ר יוחנן
לעולם אל תהא שבות קלה בעיניך שהרי
סמיכה אינה אלא משום שבות ונחלקו בה
גדולי הדור פשיטא שבות מצוה אצטריכא
ליה הא נמי פשיטא לאפוקי ממאן דאמר
בסמיכה גופה פליגי קא משמע לן בשבות
הוא דפליגי אמר רמי בר חמא שמע מינה
ד סמיכה בכל כחו בעינן דאי ס"ד לא בעינן
בכל כחו מאי קא עביד ליסמוך מיתיבי א) דבר
אל בני ישראל ב) וסמך ה) ה בני ישראל סומכין
ואין בנות ישראל סומכות רבי יוסי ור' [ב] (ו) ישמעאל) אומרים בנות
ישראל סומכות רשות אמר רבי יוסי סח לי אבא אלעזר פעם אחת
היה לנו עגל של זבחי שלמים והביאנוהו לעזרת נשים וסמכו
עליו נשים לא מפני שסמיכה בנשים אלא כדי לעשות נחת רוח לנשים
ואי ס"ד סמיכה בכל כחו בעינן משום נחת רוח דנשים עבדינן עבודה בקדשים אלא לאו ש"מ לא בעינן בכל
כחו לעולם אימא לך בעינן בכל כחו דאמר להו אקפו ידייכו אי הכי לא מפני שסמיכה בנשים תיפוק ליה דאינה
לסמיכה כלל א"ר אמי חדא ועוד קאמר חדא דליתא לסמיכה כלל ועוד כדי לעשות נחת רוח לנשים אמר רב
פפא שמע מינה ז) ו צדדין אסורין דאי ס"ד צדדין מותרין (א) לסמוך לצדדין אלא לאו שמע מינה צדדין אסורין
רב

תוספות

אראה בנחמה. לישנא קלילא (ד) הוי דשבועה בלשון קלר כלומר לא יוכל לראות בנחמות ציון אם לא עשה זה ז) ודומה לו אקפח את בני שהלכה זו מקופחת בישראל דרבי טרפון בשמעתא דמרדעת בפ"ק דשבת (דף יז. ושם) ודוגמא מצינו לשון המקרא ואולם חי אני וימלא כבוד ה' וגו' אם יראו וגו' (במדבר יד) ח): אם לא הרגתי עד זומם. תימה אמאי לא מקשינן הכא השתא בהמתן של צדיקים אין הקב"ה מביא תקלה על ידן צדיקים עצמן לא כל שכן כדפריך בגיטין (דף ז. ושם) ובחולין (דף ה: ושם) וי"ל דלא שייך לאקשויי רק גבי דבר אכילה דגנאי הוא לצדיק לאכול דבר איסור אבל דבר היתר בשעת האיסור לא פריך והכי לא פריך בר"ה (דף כח.) דלאמר (ה) כמה נסים תבשילא דבגל בלומא רבה למערבא ובערבי פסחים (פסחים קז. ושם) ברב ירמיה בר אבא דאישתלי וטעים קודם הבדלה אע"ג דמיתמו באסכרא דאין דבר מגונה כל כך אכילת היתר בשעת האיסור ט): למחר הוא מת. הא דלא נקט כשאיני שם אין קולו נשמע משום שהיו אומרים לו דאינו לועק אלא בשעה שישנו שם אבל השתא מדנקט מת שיהא גביה אז היה לו לצעוק: אב ב"ד מי קא מורה בפני נשיא. הורה לדין ובירושלמי אמר מאן דאמר יהודה בן טבאי נשיא עובדא דאלכסנדריא מסייע ליה (ו) דבני ירושלים בעון מנייה נשיא ולא קבלו עילוי ערק ואזל לאלכסנדריא והיו בני ירושלים כותבין מירושלם הגדולה לאלכסנדריא הקטנה עד מתי מ) ארוסי יושב אצלכם ואני יושבת עגומה עליו ומאן דתני שמעון בן שטח נשיא עובדא דאשקלון מסייע ליה ומייתי כולה עובדא שתלה פ' נשים מכשפניות ובסנהדרין (דף מד:) הביאו רש"י במיומקו נ): לא מצטריפנא. לנטות אחרי רבים כדי לבטל דברי שמעון בן שטח: דבר אל בני ישראל וסמך. אבל בשחיטה ליכא למעוטי נשים מהאי טעמא אע"ג דסמיך טפי שחיטה להקרבה מסמיכה דהא ס) בריש כל הפסולין (זבחים לב.) מרבינן נשים לשחיטה וכן ליכא לאלופי שחיטה בבעלים דומיא דסמיכה דהבעלים ע) היקש לא הוי אלא דרבנן פ): לעשות נחת רוח לנשים. וכגון שהיתה בהמה שלהן (ז) השתא דומה לסמיכה להיו' בבעלים בפ"ק דקדושין (דף לו. צ) ובפ' בתרא דר"ה (דף לג. ק) פירש ר"י דנשים דידן אם באות לעשות מצות עשה שהזמן גרמא ולברך עליהן אין ממחין בידם אע"ג דפטורות ולא מיקרי ברכה לבטלה וכן משמע מהכא ועוד פירשתי התם [בר"ה] והארכתי ר):
רב

רש"י

הראשונים. שהוזכרו לראשון בכל זוג וזוג היו נשיאים: גמ' עד זומם. שלא הוזם אלא הוא לבדו: עד שיהרג הנדון. קודם הזמה ואחר כך הוזמו שהיו דורשין נפש בנפש האמור בעדים זוממין אמרו להן חכמים והלא כבר נאמר כאשר זמם לעשות לאחיו ועדיין אחיו קיים ולמה נאמר נפש בנפש שאין נהרגים עד שיגמר הדין של נידון קודם שהוזמו: ואין לוקין. אם העידוהו שחייב מלקות בכולהו גרסי' עד שיזומו שניהן ובמסכת מכות י) יליף לה מקרא והנה עד שקר העד ואמר מר כ) כל מקום שנאמר עד הרי כאן שנים: אלא בפני שמעון. שאם יטעה ילמדהו: היינו דקא מורה הלכה בפני שמעון. דמדקאמר מיד קיבל כו' שמע מינה דעד השתא אורי בפניו: ומאי קיבל. לאו דעד השתא הורה דודאי לא הורה בפניו מימיו וכשהרגו לעד זומם לא היה שמעון שם (ג): לא מצטריפנא. לישב דין אלא בהדי שמעון: סיריקון. לבוש בגדי מלכות: אינה אלא משום שבות. דתנן אלו הן משום שבות לא עולין באילן ולא רוכבין על גבי בהמה (ביצה דף לו:) והאי נמי משתמש בבעלי חיים הוא שסומך עליה בכל כחו כדאמרינן לקמן: שבות דמצוה. נמי תנינא במתני' ומאי אשמעינן רבי יוחנן: לאפוקי ממאן דאמר. במסכת ביצה (דף כ.) בסמיכה עצמה פליגי ומאן דאסר לאו משום שבות אסר אלא משום דסבירא ליה דשלמי חובה לא בעו סמיכה דכי כתב וסמך בשלמי נדבה כתיב וחובה מנדבה לא גמרינן קא משמע לן רבי יוחנן דטעמא משום שבות הוא וסמיכתן לעולם מצוה: שמע מינה. מדאוקי רבי יוחנן טעמא משום שבות סמיכה דקדשים בכל כחו בעינן והוה ליה משתמש בבעלי חיים: דבר אל בני ישראל. אדם כי יקריב מכם קרבן לה' וכתיב בההוא עניינא וסמך: אבא אלעזר. כך שמו: אקפו ידייכו. לשון וקפא הקילו ידיכם אקפו לשון דבר הצף ואין מכביד כדמתרגמינן ויצף הברזל וקפא ברזלא (מלכים ב ו): שמע מינה. מדרבי יוחנן דאוקי טעמא משום שבות לצדדין אסורין ואע"ג דגבי שבות רכיבה אמרינן הוא הדין לכל שימוש ואפילו במקום שאינו עשוי להשתמש כגון לידי הבהמה והוא הדין לידי האילן ופליגי אמוראי בהא מילתא במסכת שבת בפ' בתרא (דף קנד:): (ג) לסמוך. דהא ראש הבהמה כלצדדין דמי:
דבהדי

מסורת הש"ס

א) נ"ל אבות, ב) [תוספתא פרק ב], ג) מכות ה: [תוספתא דסנהדרין פ"ו], ד) [מכות ג.], ה) ערכין נו: ר"ה לג. חולין פה. [קדושין לו.], ו) [נ"ל שמעון], ז) [שבת קנה.], ח) [דף ה: בגמרא גופה ליתא אבל בפרש"י ד"ה שהרי איתא], ט) [סוטה ב:], י) [עי' בפרש"י מכות דף ה:], כ) [עיין תוס' שבת טו: ד"ה אקפח], ל) [ועי' תוס' שבת יב: ד"ה ר' נתן], מ) [נ"ל ארוסי וכ"ה בירושלמי], נ) קלת בשינוין אחר ירושלמי הסכה עיי' עליהם, ס) כדאיתא התם ע"ש ועי' מנחות יט. ול"ע קלת, ע) [בד"ה דלא], פ) [בד"ה האר"י], צ) [וע"ע תוס' ערוכין גו. ד"ה דלמא כו'].

הגהות הב"ח

(א) גמ' לצדדין מותרין נסמוך ארלשא אלא לאו: (ב) רש"י ד"ה מאי קיבל וכו' שמעון שם ולא קיבל הס"ד ואח"כ מה"ד אלא לאצטרופי לא מצטריפנא: (ג) ד"ה נסמוך ארלשא דהא רלש: (ד) תוס' ד"ה אראה וכו' קלילא דשבועה הוי בלשון וכו' ודוגמא זו מצינו: (ה) ד"ה אם לא וכו' דלאמר התם כמה נסים: (ו) ד"ה אב ב"ד כו' מסייע ליה יהודה בן טבאי הוון בני ירושלים בעון ממני יתיה נשיא ולא קיבל עילויה ערק ואזל ליה לאלכסנדריא וכו' עד מתי ארוסי יושב אצלכם: (ז) ד"ה לעשות וכו' דהשתא דומה כו' ובפ' בתרא דר"ה פירשתי דנשים:

גליון הש"ס

גמ' סמיכה בכל כחו בעינן. עיין לעיל דף ד ע"א תוס' ד"ה אלא טומטום ועיין פסחים דף פט ע"א תוס' ד"ה ואילו פסח וביבמות דף קא ע"א תוס' ד"ה ואין ב"ד שקול: תוס' ד"ה דבר וכו'. בריש כל הפסולין מרבינן נשים לשחיטה. ובעניי לא מלאתי שם רק ילפותא דשחיטה כשרה בזרים אבל על נשים ליכא ראי' וצ"ע:

הגהות הגר"א

[א] גמ' אמר יהודה כו'. כצ"ל (וכמ"ש במתני' ובאבות פ"א מ"ח): [ב] שם ישמעאל. נ"ל שמעון וכ"ה בערוכין ובר"ה ובחולין:

ליקוטי רש"י

[שייך לע"א] מאחורי הפרגוד. פרכת, לשון מחיצה הוא ובלשון חכמים פרגוד דבר המבדיל בין המלך ובין העם [שמות כו, לא]. מחיצה המבדלת בין מקום שבין שכינה [illegible] (ב"מ נט.). רעי. גללים [צפניה א, יז].

לחיי. כלומר שפיר [גיטין ו:]. והארץ הדום רגלי. והעובר בסתר אומר אין המקום כאן לפיכך הוא [illegible] נמצא כדוחק רגליו ומקלרו לומר אין כאן [קידושין לא.]. הדום רגליו, שרפרף מרגלותיו [איכה ב, א]. [illegible] [ברכות נט.]. וילבש שחורין. שלא ירלה עצמו בכבודו אולי ירך לבבו בכך וגם אם יחטא אין אדם [illegible] בעיניהם לכן ילבש שחורים [קידושין מ.]. מה שלבו חפץ. עבירה והואיל ואין מכירין אותו שם ליכא [illegible] משום רב האי גאון ויעשה מה שלבו חפץ רולה לומר דודאי כיון שלבוש שחורים וכו' אני ערב בדבר [illegible] בעבירה [מו"ק יז.]. מתורגמניה. ראש ישיבה הדורש לרשות והמתורגמן עומד עליו באמורא להשמיע [illegible]

מתורגמן העומד לפני חכם הדרשן והחכם לוחש לו לשון עברית והוא מתרגם לרבים לשון שהן שומעין [יומא כ:]. ובכהנים. לפי שהשכינה שורה על ידיהן [מגילה כד:]. ונתתה מהודך עליו. זה קירון עור פניו. [illegible] תמה פני יהושע כלבנה [במדבר כז, כ]. אל תאמינו ברע. כמשמעו ורבותינו פירשו כלפי מעלה אל תאמינו [illegible] [מיכה ז, ה]. כי אבן וגו'. כי האבנים אשר גזלת מועקנה מן [illegible]

[illegible]

The Gemara draws another conclusion from R' Yochanan's explanation of the dispute regarding *semichah*:

אָמַר רַב פָּפָּא – Rav Pappa said: שְׁמַע מִינָּהּ צְדָדִין אֲסוּרִין – Learn from this statement of R' Yochanan that **the sides** of an animal **are forbidden** for use on the Sabbath and Yom Tov the same as its back,[40] **דְּאִי סָלְקָא דַּעְתָּךְ צְדָדִין מוּתָּרִין – for if it should enter your mind that the sides are permitted for use,** לִסְמוֹךְ (לצדדין) [אַרֵאשָׁהּ][41] – then **let him perform *semichah*** on Yom Tov **on its head,** for the head of the animal is no different than its sides in regard to this prohibition.[42] **אֶלָּא לָאו שְׁמַע מִינָּהּ צְדָדִין אֲסוּרִין – Rather, is it not evident from this that the sides** of an animal **are forbidden** for use on the Sabbath and Yom Tov the same as its back?!

NOTES

40. This is the subject of an Amoraic dispute in *Shabbos* 154b (*Rashi*); see note 42.

41. Emendation follows *Hagahos HaBach;* cf. *Rashash* and *Hagahos Yavetz* and *Siach Yitzchak.*

42. The prohibition against using an animal on the Sabbath and Yom Tov was instituted to bar riding on animals on these days (see note 25). Therefore, though the prohibition was extended to other forms of use as well, some Amoraim maintain that it extends only to those parts of an animal's body that are customarily used – namely, its back [which is used for riding and to carry loads], but not to its sides. By this logic, the head should also be excluded from the prohibition, since it too is not commonly used for work. According to this view, therefore, there should be no prohibition to perform *semichah* on Yom Tov, since *semichah* is performed on the head of the animal (*Rashi*).

רַב אַשִׁי אָמַר – **Rav Ashi said:** אֲפִילּוּ תֵּימָא צְדָדִין מוּתָּרִין – **You may even say that the sides** of an animal **are permitted** for use on Yom Tov. כָּל דִּבְהָדֵי גַּבָּה כְּגַבָּה דָּמֵי – However, **whatever is on a level with its back is treated** the same **as its back.** Therefore, the prohibition of using an animal on Yom Tov applies to the head of the animal even if it does not apply to its sides.[1]

Mishnah

The following Mishnah discusses when the personal festival offerings – the *chagigah* and *olas re'iyah* – are offered in the Temple:[2]

בֵּית שַׁמַּאי אוֹמְרִים – **Beis Shammai say:** מְבִיאִין שְׁלָמִים וְאֵין סוֹמְכִין עֲלֵיהֶם – **We may bring *shelamim* offerings** on Yom Tov **but we may not perform *semichah* on them;**[3] אֲבָל לֹא עוֹלוֹת – **however,** we may **not** bring ***olah* offerings.**[4] וּבֵית הִלֵּל אוֹמְרִים – **But Beis Hillel say:** מְבִיאִין שְׁלָמִים וְעוֹלוֹת וְסוֹמְכִין עֲלֵיהֶם – **We may bring** both ***shelamim* and *olah* offerings** on Yom Tov **and perform *semichah* on them.**[5]

The Mishnah discusses a corollary of this dispute:

עֲצֶרֶת שֶׁחָל לִהְיוֹת בְּעֶרֶב שַׁבָּת – **When Shavuos falls on Friday** – בֵּית שַׁמַּאי אוֹמְרִים – **Beis Shammai say:** יוֹם טְבוֹחַ אַחַר הַשַּׁבָּת – **The Day of Slaughter** for the festival offerings **is after the Sabbath,** i.e. on Sunday.[6] וּבֵית הִלֵּל אוֹמְרִים אֵין [לָהּ] יוֹם טְבוֹחַ (אחר השבת)[7] – **Beis Hillel, however, say: It has no Day of Slaughter** in such an instance because the festival offerings may be brought on Yom Tov itself.[8] וּמוֹדִים שֶׁאִם חָלָה לִהְיוֹת בְּשַׁבָּת – **But [Beis Hillel] concede that if [Shavuos] falls on the Sabbath,** שֶׁיּוֹם טְבוֹחַ אַחַר הַשַּׁבָּת – **that the Day of Slaughter is after the Sabbath,** i.e. on Sunday. אֵין כֹּהֵן גָּדוֹל מִתְלַבֵּשׁ בְּכֵלָיו – On this day, **the Kohen Gadol does not dress in his** fine **clothes,**[9] וּמוּתָּרִין בְּהֶסְפֵּד וּבְתַעֲנִית – **and [the people] are permitted** to engage **in eulogy and fasting** on this

---

NOTES

1. *Rashi.* For this reason *semichah* is an issue even according to the view that using the sides of the animal is permitted.

2. This Mishnah actually belongs in Tractate *Beitzah,* which delineates the laws of Yom Tov. Indeed, the Mishnah appears there (19a), along with the Gemara's main discussion of it. It is repeated here because it relates to the offering of the *chagigah,* the primary subject of our tractate (*Tosafos*).

3. *Shelamim* offerings may be brought on Yom Tov because their meat is eaten by people [namely, the owners and their families and guests] (*Rashi*). Thus, the slaughter of these offerings provides for the Yom Tov food needs of the people and it is therefore permitted.

Nevertheless, we do not perform *semichah* on these offerings on Yom Tov because, according to Beis Shammai (who follow the view of Shammai in the Mishnah on 16a), *semichah* need not be performed immediately before a sacrifice's slaughter. Thus, the *semichah* requirement cannot override the Rabbinic prohibition against leaning on an animal on Yom Tov, as explained on 16b (see note 30). Rather, the *semichah* for these offerings must be performed on Erev Yom Tov (*Rashi*).

[As noted there (see notes 29 and 30), the Gemara in *Beitzah* 20a,b gives two explanations for the dispute between Beis Shammai and Beis Hillel. *Rashi* adopts the explanation of R' Yose because that is the view adopted by R' Yochanan and followed by the Gemara on 16b.]

[From the Gemara in *Beitzah* 19a it is clear that not all *shelamim* offerings may be brought according to Beis Shammai. This will be elaborated further in note 6.]

4. Since *olah* offerings are burned in their entirety on the Altar, they do not provide food for people. Consequently, their slaughter is not subject to the dispensation granted by the Torah permitting *melachah* for the preparation of food. For the verse that permits *melachah* on Yom Tov for the sake of preparing food (*Exodus* 12:16) states: אַךְ אֲשֶׁר יֵאָכֵל לְכָל־נֶפֶשׁ הוּא לְבַדּוֹ יֵעָשֶׂה לָכֶם, *however, that which is eaten by any person, that alone may be performed for you.* Beis Shammai derive from the addition of the word לָכֶם, *for you,* that the Torah means to restrict this permit to that which benefits *you,* but not that which benefits the Most High (i.e. God) [לָכֶם וְלֹא לַגָּבוֹהַּ] (*Rashi,* from Baraisa, *Beitzah* 20b).

This restriction applies only to *olah* offerings that need not be offered specifically on Yom Tov [such as any private offerings brought by an individual] (*Rashi*). The communal *olos* that are commanded for Yom Tov, such as the *tamid* and *mussaf,* are slaughtered and offered on Yom Tov, for communal offerings whose time is fixed override the Yom Tov prohibitions [just as they do the Sabbath] (*Rashi, Beitzah* 19a ד״ה אבל לא עולות; see above, 7b note 24).

5. Beis Hillel rule that *semichah* is performed on Yom Tov, because they maintain that *semichah* must be performed immediately before a sacrifice's slaughter. Since the *semichah* can therefore not be performed earlier, it overrides the prohibition of leaning on an animal on Yom Tov (see 16b note 30). They permit offering the *olas re'iyah* on Yom Tov because they explain the exclusion of לָכֶם, *for you,* to teach that *melachah* may be performed on Yom Tov only for the benefit of Jews, but not for the sake of idolaters [לָכֶם וְלֹא לְעַכּו״ם]. They derive from another verse that *melachah* is permitted for the sake of the Most High (see *Beitzah* 20a for further elaboration).

6. According to Beis Shammai, the *chagigah* and *olas re'iyah* offerings do not override the prohibition to perform *melachah* on Yom Tov or the Sabbath, as we learned above (see note 4). Thus, they cannot be slaughtered until Sunday (*Rashi*). [Although that Sunday is no longer Shavuos, the Shavuos festival offerings can be made for up to six days after the holiday, as the Gemara will explain. The first possible day, Sunday, however, was designated as the Day of Slaughter.]

Seemingly, the rationale given in note 4 for disallowing the offering of an *olah* on Yom Tov should not apply to a *chagigah,* which is eaten by the owner like any other *shelamim.* Nonetheless, it is evident from *Yerushalmi* that Beis Shammai do indeed prohibit offering a *chagigah* on Yom Tov (*Tosafos*). The reason for this may be because the *chagigah* is linked to the *olas re'iyah* in a variety of ways, and its offering should therefore accompany that of the *olah.* Since the *olas re'iyah* cannot be offered on Yom Tov, the *chagigah's* offering is deferred as well (*Siach Yitzchak*). [Accordingly, the only *shelamim* that may be offered on Yom Tov, according to Beis Shammai, are the *shalmei simchah.*]

However, it is clear from the Gemara in *Beitzah* (19a) that Beis Shammai do permit offering the *chagigah* on Yom Tov, and it is only *shelamim* that are being offered in fulfillment of a vow [נְדָרִים וּנְדָבוֹת] that they forbid. Why, then, does *Rashi* explain our Mishnah according to the *Yerushalmi* rather than the Gemara in *Beitzah*? See *Siach Yitzchak, Meromei Sadeh, Agudas Eizov* [נדרים ונדבות], *Sfas Emes,* and *Zevach Todah* (in *Likkutei Halachos*) for discussions of this problem.

7. Emendation follows *Mesoras HaShas.* This is *Rashi's* reading as well, and the way our Mishnah is cited by the Gemara on 17b. See *Siach Yitzchak;* see also *Dikdukei Soferim.*

8. [According to Beis Hillel, both the *chagigah* and *olas re'iyah* may be brought on Yom Tov, as they stated in the previous section of the Mishnah. Therefore, there is no need for a Day of Slaughter on Sunday. The Gemara will discuss the full meaning of this statement on 17b.]

9. [Although this is a special day,] the Kohen Gadol does not wear his holiday finery when he is at home or walking in the street, so that it should be apparent that this day is not the Shavuos holiday [despite the offering of the festival sacrifices on this day] (*Rashi*). See note 10.

The Mishnah is not, however, speaking of the special priestly garments worn by the Kohen Gadol when he performs the service in the Temple (*Rashi*). [These he must surely wear when he performs the service, for a Kohen Gadol who performs the service dressed even in the garments of an ordinary Kohen invalidates the service (*Zevachim* 18a).]

Tosafos, however, explain the Mishnah to mean that the Kohen Gadol does not wear his special priestly garments on this day – so that he should not perform the Temple service. Although the Kohen Gadol could perform the service whenever he wished, it was customary for him to serve only on holidays. Thus, the Sages made a point of not allowing the Kohen Gadol to serve on the Day of Slaughter, to avoid the impression that it was the day on which Shavuos was being celebrated.

רב אשי אמר אפילו תימא צדדין מותרין כל דבהדי גבה כגבה דמי: מתני׳ בית שמאי אומרים מביאין שלמים ואין סומכין עליהם אבל לא עולות ובית הלל אומרים מביאין שלמים ועולות וסומכין עליהם עצרת שחל להיות בערב שבת בית שמאי אומרים יום טבוח אחר השבת ובית הלל אומרים אין יום טבוח אחר השבת ומודים שאם חלה להיות בשבת שיום טבוח אחר השבת אין כהן גדול מתלבש בכליו ומותרין בהספד ובתענית שלא לקיים דברי האומרין עצרת אחר השבת: גמ׳ א״ר אלעזר א״ר אושעיא מניין לעצרת שיש לה תשלומין כל שבעה שנאמר בחג המצות ובחג השבועות ובחג הסוכות מקיש חג השבועות לחג המצות מה חג המצות יש לה תשלומין כל שבעה אף חג השבועות יש לה תשלומין כל שבעה ואימא מקיש לחג הסוכות מה חג הסוכות יש לה תשלומין כל שמונה אף חג השבועות יש לה תשלומין כל שמונה שמיני רגל בפני עצמו הוא אימור דאמרי שמיני רגל בפני עצמו הוא הני מילי לענין פז״ר קש״ב אבל לענין תשלומין תשלומין דראשון הוא דתנן מי שלא חג ביום טוב הראשון של חג חוגג את כל הרגל ויום טוב האחרון תפשת מרובה לא תפשת תפשת מועט תפשת אלא למאי הלכתא כתביה רחמנא לחג הסוכות לאקושי לחג המצות מה חג המצות טעון לינה אף חג הסוכות טעון לינה והתם מנלן דכתיב ופנית

רש״י

דבהדי גבה. ששוה לגובה הגב של בהמה: כגבה של בהמה דמי. והכלאם שוה לגובה לגב הבהמה: מתני׳ מביאין שלמים. ביו״ט שהן אכילת הדיוט: ואין סומכין עליהן. כדאמרינן אלא סומך עליהן מערב יו״ט ושוחטן ביו״ט דלא בעינן תכף לסמיכה שחיטה: אבל לא מביאין עולות. דאותן שיכול להביאה לאחר יו״ט דכתיב הוא לבדו יעשה לכם (שמות יב) לכם ולא לגבוה: יום טבוח. של קרבנות ראייה וחגיגה של יו״ט לאחר השבת שאין קריבין לא ביו״ט ולא בשבת: אין לה יום טבוח. אינה צריכה יום טבוח שמותר להקריבן ביו״ט: אין כהן גדול מתלבש בכליו. נאים בביתו ובשוק ולא בשעת עבודה קאמר ולא בבגדי כהונה קאי אלא שלא יתנאה באותו היום שיום טבוח של עצרת אחר שבת (ג) שיהיו הכל שאינו היום יו״ט מפני הצדוקין שהיו אומרים עצרת אחר שבת: גמ׳ מה חג המצות יש לה תשלומין כל שבעה. כדדרשינן קראי בפ״ק (דף ט.) (ב) בחג הסוכות וה״ה לחג המצות שהרי אף הוא שבעת ימים: פז״ר קש״ב. פיים זמן רגל קרבן שיר ברכה. פייס לענין פרי החג כל שבעת ימי החג אין מפייסין עליהן אלא לפי חשבון המשמרות לפי סידרן מקריבין אותן כדתנן במסכת סוכה (דף נה:) מי שהיה מקריב פרים היום לא היה מקריב למחר ופר של שמיני מפייסין עליו איזהו מן המשמרות יקריבנו זמן שהחיינו רגל שיש לו שם רגל בפני עצמו ואינו קרוי סוכות קרבן שאין בהמות קרבנותיו כסדר פרי החג שפרי החג מתמעטין והולכין וכבשים י״ד בכל יום ואילים שנים ובשמיני פר אחד איל אחד ושבעה כבשים שיר אין שיר קרבנותיו כסדר שיר של ימות החג ואינו מדבר מענין פרשיות של הומנב״י (סוכה נה.) שהוא סימן לשיר של ימות החג ברכה שהיו מברכים את המלך זכר לשלמה שנאמר בו ביום השמיני שלח את העם ויברכו את המלך (מלכים א ח): תפשת מרובה לא תפשת. כל מקום שתמצא שני דרכים אחד תופש מרובה ואחד תופש מועט טוב לך לתפוש את המועט שאפילו היה לך לתפוש את המרובה ותפשת את המועט תפיסתך תפיסה שיש בכלל המרובה המועט אבל אם תתפוש המרובה והיה לך לתפוש המועט נמצאת שתפשת שלא כדת: טעון לינה. מוצאי י״ט:

תוספות

רב אשי אמר אפילו תימא צדדין מותרין. דיחויא בעלמא דהא ס״ל לרב אשי בפרק בתרא דשבת (דף קנה. ושם) אמר רב אשי השתא דאמרינן צדדין אסורין אלא הכי קאמר דמהא ליכא למשמע מינה: בית שמאי אומרים מביאין שלמים. בביצה בפ״ב (דף יט.) מייתינא והתם עיקר והכא אגב גררא (ד) נסבה שמיירי בחגיגה וכן משמע שמאריך התם טפי לפרש ויש להוכיח מינה דביצה מיתניא מקמי מכילתין: יום טבוח שלו אחר השבת. ואע״ג דלא חזו בראשון אפילו למ״ד תשלומין דראשון מייתי לה בשני (ה) כיון שאין העכבה רק בשביל היום כדפי׳ לעיל חזיא מיהא קרינן ביה: יום טבוח אחר השבת. פרש״י קרבנות ראייה וחגיגה שאין קריבין לא ביו״ט ולא בשבת ולא יתכן לומר (ו) דחגיגה אמאי לא ומ״ש משלמים לב״ש ומיהו בירושלמי מייתי אמרו להם לב״ה נדרים ונדבות יוכיחו [שמותרין להדיוט ואסורין לגבוה] אמרו להם ב״ה מה לנדרים ונדבות שאין קבוע להם זמן תאמרו בחגיגה שזמנה קבוע אמרו להם ב״ש חגיגה נמי אין זמנה קבוע שאם לא חגג בראשון חוגג והולך כל הרגל אמרו להם ב״ה כיון שאם לא חג ברגל אינו יכול לחוג אחר הרגל היינו זמנו קבוע משמע דאף בחגיגה פליגי לדפרישית: אין כהן (ז) מתלבש בכליו. פרש״י בכלים נאים של וביתו ובשוק שלא בשעת עבודה ולא בבגדי כהונה קאמר אלא שלא יתנאה באותו יום טבוח שיהו הכל שאינו יו״ט וקשה למורי חדא דלישנא לא משמע ליה דה״ל למינקט בכלים נאים ועוד מאי אירא כהן גדול אפילו שאר אדם נמי ונראה לו דבג׳ בגדים איירי שבימים טובים היה רגיל כהן גדול לעבוד בשביל כבוד היום אבל ביום טבוח לא היה לובשן כדי לעבוד שלא יתראה להיות יו״ט וראיה לדבריו בירושלמי בפירקין א״ר יוסי בר בון בשם ריב״ל בכל יום כ״ג מתלבש בכליו והולך ומקריב תמיד של שחר אם יש שם נדרים ונדבות מקריב אותן והולך ואוכל בביתו ובא ומקריב תמיד של (ח) ערב רבי עוקבא בשם ריב״ל אמר לא היה עושה כן אלא בשבתות וי״ט כלומר שלא היה רגיל ומתלבש בכליו ולעבוד אלא אז מפני כבוד היום אבל אי בעי מקריב בכל אות נפשו כדתנן ביומא (ט) (דף יד.) מקריב בראש וביום טבוח אף לכולי עלמא לא היה מתלבש שלא יכירו שהוא יום טוב: אף עצרת יש לו תשלומין. בירושלמי א״ר יוסי בר בון דוד מת בעצרת והיו כל ישראל אוננין והקריבו למחר כלומר מהתם משמע שהיה לו תשלומין וקשה לה״ר אלחנן תיפוק ליה בלאו הכי לא הקריבו בראשון כיון שהיה שבת כדמשמע בפרק במה מדליקין (שבת ל.) דבשבת נפטר דוד ושמא התם לית ליה הכי אלא פליג אהא: פז״ר קש״ב. פרש״י רגל בפני עצמו שיש לו שם בפני עצמו ואינו בכלל סוכות וברכה היא ברכת המלך דכתיב ביום השמיני שלח את העם וגו׳ וקשה לר״ת דהא בפ׳ לולב וערבה (סוכה דף מח. ושם) אמר כשם שחג טעון שיר קרבן ברכה ולינה אף שמיני עצרת טעון ברכה ותפלה ועוד דלישנא דנקט ברכה בפני עצמו משמע דאף בימים אחרים איתיה והכי איתא בירושלמי ברכה בפני עצמו מאי היא ל״ל זמן אי״ל זמן כל שבעה מי איכא משמע דבברכת המזון ותפלה בעי למימר דליכא כל ז׳ ומפרש לשם מנה ידעינן שהוא רגל דהא בכולהו כתיב וביום וכאן ביום ללמד שהוא רגל בפני עצמו ונראה לר״ת ברכה ברכת המזון ותפלה שמזכירין את שמיני עצרת ורגל שהוא לינה שטעון לינה בירושלים וכן איתא בפרק בתרא דמועד קטן (דף כד:) הרי עברו עליו ערב החג והחג ושמיני שלו הרי כאן כ״א ונהיים יסד ר״ת במעריב שלו (י) לינת שלשים יוחס כאשר אבלים ינחם וברכת המלך לא בעי למימר משום דנחית לשאר ימים וברכת המלך אינה לשם ולינה לא בעי למימר לדברי רש״י ור״ת משום דפשיטא לה (כ) פרש״י לא איתפרש ליה ור״ת מפרש דאומר מזמור שלו שלם דבשאר ימי החג אומר הומנב״י כדמפרש התם שמתחיל ביום (ל) אחד מזמור ומסיים בשני וכאן כולו שלם ורבי עוזיאל מלא (מ) שאמר למנצח על השמינית מיהו אומר ר״י דהתם לא מדבר רק מה שאומר בפסוקי דזמרה כמו שמוסיפים מזמורים בשבת מ״מ משמע שהיו אומרים אותו במקדש כיון דנתקן לומר: תפשת מועט תפשת. לפי שיש בכלל מאתים מנה (מ) ומ״מ חשבון שבידך אמתי וי״מ דלמדה מרובה אין קצבה לעולם תוכל להרבות אבל למועט יש סוף ולא יתכן דבה״כ פליגי תנאי בהא גבי זבה ימים מיעוט ימים שנים יכול מרובים לא תפשת מרובה א״ר יהודה הא שתי מדות אחת כלה ואחת אינה כלה כל שמשמעו מרובה ומשמעו מועט תפשת מועט א״ר עקיבא כל שמשמעו מרובה ומשמעו מועט תפשת מועט ורבנן אומר כלה ואין מודים במדה שאינה כלה א״ר נחמיה וכו׳ למה בא הכתוב לפתוח או לנעול (נ): אף חג הסוכות טעון לינה. אתיא כרבא״ג ור״מ דאילו לת״ק ור״ש ולראב״ש בפ״ק דר״ה (דף ה. ושם) נפקא להו מדכתיב ופנית בבוקר כל פינות שאתה פונה לא יהו אלא לבקר והכי נמי מרבה התם בפסחים (דף לה:) פסח שני אין צריכא קרא:

רבינו חננאל

רב אשי אפילו תימא צדדין מותרין כל דבהדי גבה כגבה דמי. א״ר אלעזר א״ר אושעיא מניין לעצרת שיש לה תשלומין כל שבעה ת״ל בחג המצות ובחג השבועות ובחג הסוכות כו׳. פז״ר קש״ב. פירשנוהו כבר למעלה.

עין משפט נר מצוה

יח א ב מיי׳ פ״א מהל׳ חגיגה הלכה ח ט:
יט ג ד מיי׳ שם הלכה ז:

גליון הש״ס

תוס׳ ד״ה אף עצרת וכו׳ בירושלמי א״ר. עיין מ״ע פ״ג הלכה ו׳ מהלכות אבל:

הגהות מהר״י לנדא

א] תוס׳ ד״ה אף עצרת וכו׳ בירושלמי. נ״ל פ״ב הלכה ג׳ ובמס׳ ביצה פ״ב הלכה ד:

תורה אור השלם

א) שָׁלוֹשׁ פְּעָמִים בַּשָּׁנָה יֵרָאֶה כָל זְכוּרְךָ אֶת פְּנֵי יְיָ אֱלֹהֶיךָ בַּמָּקוֹם אֲשֶׁר יִבְחָר בְּחַג הַמַּצּוֹת וּבְחַג הַשָּׁבֻעוֹת וּבְחַג הַסֻּכּוֹת וְלֹא יֵרָאֶה אֶת פְּנֵי יְיָ רֵיקָם: [דברים טז, טז]

ליקוטי רש״י

מביאין שלמים. ביום טוב לפי שיש בהם לורך מאכל הדיוט [לעיל ז:]. ביום טוב לפי שיש בהן אכילת אדם [ביצה יט.]. שהן מאכל אדם ביום טוב וכתיב אך אשר יאכל לכל נפש (שמות יב) [מגילה ה.]. ואין סומכין עליהם. שהסמיכה בכל כחו היא משתמש בבעלי חיים ותנן אלו הן משום שבות לא עולין באילן ולא רוכבין על גבי בהמה [ביצה לו:]. שהסמיכה אסורה משום שבות ... אבל לא עולות. ... ולכם ולא לגבוה.

מסורת הש״ס

א) מגילה ה. לעיל ז., ב) ביצה יט., ג) פ״א אין לה יום טבוח, ד) מגילה ה., ה) סוכה מח., ו) ר״ה ד:, ז) סוכה מז., ח) ר״ה ה., ט) מו״ק כד:, י) קדושין לז., חולין קלח., ערכין ד:

הגהות הב״ח

(א) במשנה יום טבוח שלו אחר השבת: (ב) גמ׳ למאי הלכתא כתביה רחמנא: (ג) רש״י ד״ה אין כהן וכו׳ שיהיו הכל שאינו היום יו״ט: (ד) תוס׳ ד״ה בית שמאי וכו׳ אגב גררא דלעיל נקטה: (ה) ד״ה יום טבוח וכו׳ מייתי לה בשני: (ו) ד״ה יום טבוח אחר וכו׳ ולא יתכן לומר: (ז) ד״ה אין כהן גדול מתלבש וכו׳: (ח) בא״ד ומקריב תמיד של בין הערבים: (ט) בא״ד כדתנן ביומא: (י) ד״ה פז״ר קש״ב וכו׳ במעריב שלו: (כ) בא״ד פרש״י: (ל) בא״ד שמתחיל ביום: (מ) ד״ה תפשת מועט וכו׳:

ליקוטי רש״י (המשך)

לכם ולא לגבוה [ביצה יט.]. אין מקריבין בי״ט עולה שיכולה לבא לאחר הרגל [ביצה שם]. ... רגל בפני עצמו הוא. ואין קרבנותיו בכלל שאר קרבנות החג. פז״ר קש״ב. כבר פירשתיו במסכת יומא (דף ג.) ומסכת סוכה (דף מח.) טעון פיים לפר הבא בשמיני ואינו קרב לפי סדר המשמרות ששנו ושלשו בפרי החג. פיים לעצמו, שאין פיים בפרי החג אלא המשמרות שכל המשמרות שוות ומשלשות בהן לפי חשבון סדרן כמו ששנינו במסכת סוכה (דף נה:). אבל פר של שמיני, בתחילה מפייסין עליו. זמן, לברך בו שהחיינו. רגל לעצמו שאין שם חג הסוכות עליו. קרבן לעצמו שאין קרבנו שוה לכל שאר ימות החג שכולם פרים מרובים ואילים שנים וי״ד כבשים וכאן פר אחד איל אחד ושבעה כבשים. שיר לעצמו שאין שירו שוה לכל שאר שירות ימי החג. ברכה לעצמו, ברכה שהיו מברכין היו את המלך זכר לחנוכת הבית שנא׳ (מ״א ח) ביום השמיני שלח את העם ויברכו את המלך. פז״ר קש״ב, סימן הוא כדמפרש ואזיל: פיים בפני עצמו, שבכל פרי החג לא היו מטילין פיים איזה משמר יקריב לפי שבסדר היו מקריבין אותן עד שכל כ״ד משמרות שוות ומשלשות בהן. מי שלא חג. שלא הביא חגיגתו ביום הראשון של חג. ויום טוב האחרון. של חג, חוגג שמיני עצרת ואע״ג דרגל בפני עצמו הוא הוי תשלומין [לעיל ט.]. תפשת מרובה לא תפשת. ברייתא בתורת כהנים גבי זבה (ויקרא טו) ימים רבים ימים שנים רבים שלשה או אינו אלא רבים עשרה אמרת כל שמשמעו מרובה ושמעו מועט תפשת מרובה לא תפשת תפשת מועט תפשת. ... תפשת מועט תפשת. דאי מקשה לך תפוס את המרובה אינו חולק על דבריך אלא מוסיף דבכלל מרובה איכא מועט [ערכין שם]. טעון לינה. ליל מוצאי מועד [ר״ה ה.].

day,[10] שֶׁלֹּא לְקַיֵּים דִּבְרֵי הָאוֹמְרִין עֲצֶרֶת אַחַר הַשַּׁבָּת – **in order not to uphold the words of those who say that Shavuos is** always on **the day after the Sabbath,** i.e. on Sunday.[11]

Gemara אָמַר רַבִּי אֶלְעָזָר אָמַר רַבִּי אוֹשַׁעְיָא – **R' Elazar said in the name of R' Oshaya:** מִנַּיִין לַעֲצֶרֶת שֶׁיֵּשׁ לָהּ תַּשְׁלוּמִין כָּל שִׁבְעָה – **From where** is it derived **that Shavuos has a compensation** period for its festival offerings (the *chagigah* and *olas re'iyah*) **for all** of **seven** days?[12] שֶׁנֶּאֱמַר – **For it says** in the Torah:[13] "בְּחַג הַמַּצּוֹת וּבְחַג הַשָּׁבֻעוֹת וּבְחַג הַסֻּכּוֹת" – *Three times a year all your males shall appear before Hashem, your God . . .* ***on the Festival of Matzos, on the Festival of Shavuos and on the Festival of Succos.*** מַקִּישׁ חַג הַשָּׁבוּעוֹת לְחַג הַמַּצּוֹת – **[The Torah] compares the Festival of Shavuos to the Festival of Matzos,** from which we learn that מָה חַג הַמַּצּוֹת יֵשׁ לָהּ תַּשְׁלוּמִין כָּל שִׁבְעָה – **just as the Festival of Matzos has** a **compensation** period for its festival offerings **for all seven** days of the festival,[14] אַף חַג הַשָּׁבוּעוֹת יֵשׁ לָהּ תַּשְׁלוּמִין כָּל שִׁבְעָה – **so too the Festival of Shavuos has** a **compensation** period for its festival offerings **for all** of **seven** days.[15]

The Gemara questions this derivation:

וְאֵימָא מַקִּישׁ לְחַג הַסּוּכּוֹת – **But let us say** instead that **[the verse] compares** the Festival of Shavuos **to the Festival of Succos,**[16] which would yield the following result: מָה חַג הַסּוּכּוֹת יֵשׁ לָהּ תַּשְׁלוּמִין כָּל שְׁמוֹנָה – **Just as the Festival of Succos has** a **compensation** period for its festival offerings **for all** of **eight days,**[17] אַף חַג הַשָּׁבוּעוֹת יֵשׁ לָהּ תַּשְׁלוּמִין כָּל שְׁמוֹנָה – **so too the Festival of Shavuos has** a **compensation** period **for all** of **eight** days. – ? –

The Gemara answers:

שְׁמִינִי רֶגֶל בִּפְנֵי עַצְמוֹ הוּא – **The eighth** day **is an independent festival,** not part of Succos. Thus, even on Succos the compensation period is only seven days.[18]

The Gemara rejects this answer:

אֵימוֹר דְּאָמְרִי שְׁמִינִי רֶגֶל בִּפְנֵי עַצְמוֹ הוּא – No! **Say** rather **that** when **we state that the eighth** day [Shemini Atzeres] **is an independent festival,** הָנֵי מִילֵּי לְעִנְיַן פז״ר קש״ב – **that is only in regard to** the six laws indicated by the mnemonic ***p'z'r'k'sh'b'.***[19]

NOTES

10. [Special days of the Jewish calendar are marked by a prohibition against fasting, and some with a further prohibition against delivering eulogies (see *Taanis* 17b and *Megillas Taanis*).] Although the Day of Slaughter is such an occasion (see Gemara 18a), the Mishnah teaches that it is *not* subject to this restriction, for the reason that will now be explained.

11. We permit eulogies and fasting on this day, and bar the Kohen Gadol from wearing his special finery, to avoid giving credence to the view of the Sadducees (a heretical sect during the period of the Second Temple; see 16b note 7) who maintained that Shavuos must always fall on Sunday [see *Menachos* 65a] (*Rashi;* the Gemara there actually speaks of the בַּיְיתוּסִים, *Boethusians,* a sect closely linked to the Sadducees). By publicly treating this Sunday as an ordinary weekday, we make it clear that, despite the festival offerings being brought this day, it is *not* the Shavuos holiday.

12. That is, from where is it derived that if the *chagigah* or *olas re'iyah* required for Shavuos were not offered on the holiday itself, that it may still be offered during the course of the next six days?

13. *Deuteronomy* 16:16.

14. One who did not bring his *chagigah* on the first day of Pesach may do so on any of the remaining days of the festival (days two through seven), as derived by the Gemara above (9a) [from the verse (*Leviticus* 23:41): וְחַגֹּתֶם אֹתוֹ חַג לַה׳ שִׁבְעַת יָמִים, *and you shall celebrate it by bringing a chagigah, as a festival for Hashem, for a seven-day period*]. Although this verse is said in regard to Succos, the teaching derived from it logically applies to Pesach as well, since it too is seven days long (*Rashi*).

[This verse speaks of the obligation to offer a *chagigah*. Nevertheless, its teaching is understood to apply to the *olas re'iyah* as well (see *Tosafos* above, 2a ד״ה תשלומין and *Rambam, Hil. Chagigah* 1:4).]

15. Thus, although the festival itself lasts only one day, its *chagigah* and *olas re'iyah* offerings may be brought for another six days. [Nevertheless, the offerings should ideally be brought on the first day (*Rashi* 7b ד״ה ביו״ט אינן באות; see note 27 there and Gemara 9a).]

We learned above (9a) about a dispute whether the successive compensation days are each a compensation for the previous day or all a compensation for the first day. *Tosafos* (9a ד״ה תשלומין) assert that this dispute does not apply to the compensation days of Shavuos. Since only the first day is actually a festival, logic dictates that the other six compensation days must all be compensation for the first day.

[The term "compensation" does not properly apply to the first day. Since there is no set time during the day for bringing these offerings, an offering brought late in the day is simply fulfilling the obligation and not compensating for anything. The term is used in regard to the first day merely as a way of including it together with the other six days in which these offerings may be brought.]

16. Which is also mentioned in the verse.

17. The festival offerings of Succos may be brought even on Shemini Atzeres, the eighth day of the holiday (see Gemara above, 9a).

18. Thus, regardless of whether the analogy is made to Pesach or Succos, we can only derive a seven-day compensation period for Shavuos. [Nevertheless, R' Oshaya stated that Shavuos was being compared to Pesach to avoid the misconception that Succos has an eight-day compensation period (*Ritva* to *Rosh Hashanah* 4b).]

[The Gemara's current position that the *chagigah* of Succos cannot be brought on Shemini Atzeres is contradicted by the Mishnah above (9a), which explicitly states that it can be brought on that day. See *Sfas Emes* to *Rosh Hashanah* 4b, who addresses this problem.]

19. According to *Rashi* (cf. *Tosafos* and other Rishonim), this mnemonic stands for the following six matters in which Shemini Atzeres is considered distinct from Succos:

Payis – פַּיִס, *lottery.* On the seven days of Succos, a fixed order was used to determine which of the twenty-four groups of Kohanim [*mishmaros*] would offer the bulls of each day's *mussaf* offerings (see Mishnah *Succah* 55b). Since there were seventy bulls altogether, and the number of *mishmaros* was twenty-four, it emerged that twenty-two *mishmaros* offered three bulls and two *mishmaros* offered only two. Nevertheless, the one bull of Shemini Atzeres was not automatically awarded to one of the last two *mishmaros*. Rather, *all* the *mishmaros* participated in a new drawing of lots for the privilege of offering the bull of Shemini Atzeres.

Zeman – זְמַן, *time.* The *shehecheyanu* blessing (which is said at the beginning of a festival) is recited on Shemini Atzeres, although it was already recited on Succos. [The *shehecheyanu* blessing is referred to as זְמַן, *time,* because it reads: שֶׁהֶחֱיָנוּ . . . לַזְּמַן הַזֶּה, *Who has kept us alive . . . to this time.*]

Regel – רֶגֶל, *festival.* Shemini Atzeres is referred to as an independent festival; it is not called Succos (*Rashi*). That is, in the prayers and blessings of the day we refer to the festival not as Succos, but as Shemini Atzeres (*Tosafos, Rosh Hashanah* 4b in explanation of *Rashi*). [*Rashi* to *Succah* (48a) explains this differently: There is no commandment to live in a succah on Shemini Atzeres.]

Korban – קָרְבָּן, *sacrifice.* The *mussaf* offerings of Shemini Atzeres diverge from the pattern of those offered on Succos: During the seven days of Succos the number of bulls offered as part of the *mussaf* decreases by one each day, from thirteen to seven. On Shemini Atzeres, only a single bull is offered. Furthermore, on each of the days of Succos two rams and fourteen sheep are offered, whereas on Shemini Atzeres the numbers are one ram and seven sheep.

Shir – שִׁיר, *song.* The song sung by the Leviim during the sacrificial service of Shemini Atzeres is not among those assigned for the different days of Succos (see *Succah* 55a). [*Rashi* to *Rosh Hashanah* 4b observes that the song of Shemini Atzeres has not been identified to us (see also *Rashi* to *Yoma* 3a). However, a note inserted into *Rashi's* commentary in *Rosh Hashanah* identifies it, on the basis of *Maseches Soferim* (19:2), as *Psalm* §12 [לַמְנַצֵּחַ עַל־הַשְּׁמִינִית] (see *Tos. Yeshanim* to *Yoma* 3a; *Ritva* and *Tos. HaRosh* to *Rosh Hashanah* 4b; cf. *Chida,* cited by *Sifsei Chachamim* ibid. who suggests a different rendition of *Rashi;* see also *Meiri* there).]

Berachah – בְּרָכָה, *blessing.* On Shemini Atzeres the people would bless the king, in commemoration of the dedication of the Temple, when

מסורת הש"ס

א) מגילה ה. לעיל ז: [ביצה יט.], ב) ס"א אין לה יום טבוח, ג) מגילה ה., ד) ר"ה ד: מו"ק כד:, ה) [סוכה מז.], ו) ר"ה ד: סוכה מח. יומא ג., ז) לעיל ט. [ביצה כ: מגילה ה.], ח) [ר"ה ד: יומא פ. סוכה ה: קדושין יח. חולין קלח. ערכין ד:], ט) [צ"ל לחג], י) [ועי׳ תוס׳ שבת קנה. ד"ה אמר רב פפא וכו׳], כ) [וכן הוא בתוספתא פ"ב], ל) [צ"ל כדפי׳ רש"י], מ) [במס׳ סופרים פי"ט וכ"ה בירושלמי וכ"כ תוס׳ בסוכה מז. ד"ה שיר ורש"י ר"ה ד: ד"ה פז"ר קש"ב], נ) [וע"ע תוס׳ סוכה ה: ד"ה תפשת].

הגהות הב"ח

(א) במשנה יום טבוח שלו אחר השבת: (ב) גמ׳ למאי הלכתא כתביה רחמנא. נ"ב ול"ק דלמא חג השבועות נמי לא כתביה רחמנא אלא לאקושי לחג המצות דטעון לינה דאיכא למימר דאין היקש למחצה וכיון דילפת הקישא מחג המצות לגמרי מקשינן ליה אף דיש לה תשלומין כל ז׳: (ג) רש"י ד"ה אין כהן וכו׳ אחר שבת כדי שידעו הכל שאין היום: (ד) תוס׳ ד"ה בית שמאי וכו׳ אגב גררא דמיירי בחגיגה נסבה וכן משמע: (ה) ד"ה יום טבוח וכו׳ תשלומין דראשון דכיון וכו׳ בשביל היום חזי קרינן ביה כדפי׳ לעיל הס"ד: (ו) ד"ה יום טבוח אחר וכו׳ ולא יתכן לומר כן דחגיגה וכו׳ אמרו להם ב"ש נדרים: (ז) ד"ה אין כהן גדול מתלבש וכו׳ דלישנא לא משמע הכי דהוה ליה וכו׳ היה רגיל כהן גדול ללובשן כדי לעבוד בשביל וכו׳ בירושלמי דפירקין וכו׳ בכליו ובא ומקריב וכו׳ נדרים ונדבות הוא מקריבן והולך וכו׳ ויתיב אוכל נחמץ: (ח) בא"ד תמיד של בין הערבים ובא ולא בלשון רבי עוקבא בשם: (ט) בא"ד כדתנן ביומא כה"ג מקריב: (י) ד"ה פז"ר קש"ב וכו׳ ר"ת במעריב שלו קודם לגינה ... (כ) בא"ד שיר פרש"י. נ"ב כך הוא פרש"י דפרק לולב וערבה דף מו ע"ב וע"ש בתוס׳ ... (ל) בא"ד מתחיל ביום ראשון ... (מ) ד"ה תפשת מועט וכו׳ דמ"מ חשבון וכו׳ דלמדה מרובה וכו׳ יש סוף. נ"ב ופ"ק דר"ה כתבו התוס׳ דהכא ליכא לפרש הכי דהא יש לדבר סוף דטפי משמונה לא ועיין רפ"ק דסוכה דף ה׳ ובמ"ש התוס׳ לשם:

גמרא

רב אשי אמר אפילו תימא צדדין מותרין כל דבהדי גבה כגבה דמי: **מתני׳** א בית שמאי אומרים מביאין שלמים ואין סומכין עליהם אבל לא עולות וב"ה אומרים ב מביאין שלמים ועולות ג וסומכין עליהם עצרת שחל להיות בערב שבת ב"ש אומרים יום טבוח (א) אחר השבת ובית הלל אומרים ד אין יום טבוח אחר השבת ה ומודים שאם חלה להיות בשבת שיום טבוח אחר השבת אין כהן גדול מתלבש בכליו ומותרין בהספד ובתענית שלא לקיים דברי האומרין עצרת אחר השבת: **גמ׳** א"ר אלעזר א"ר אושעיא ז מניין לעצרת שיש לה תשלומין כל שבעה שנאמר א בחג המצות ובחג השבועות ובחג הסוכות ח מקיש חג השבועות לחג המצות מה חג המצות יש לה תשלומין כל שבעה אף חג השבועות יש לה תשלומין כל שבעה ואימא מקיש לחג הסוכות מה חג הסוכות יש לה תשלומין כל שמונה אף חג השבועות יש לה תשלומין כל שמונה ט שמיני רגל בפני עצמו הוא אימור דאמרי י שמיני רגל בפני עצמו הוא הני מילי כ לענין פז"ר קש"ב אבל לענין תשלומין תשלומין דראשון הוא ל דתנן מי שלא חג ביום טוב הראשון של חג חוגג את כל הרגל ויום טוב האחרון מ תפשת מרובה לא תפשת תפשת מועט תפשת אלא (ב) למאי הלכתא כתביה רחמנא לחג הסוכות לאקושי לחג המצות מה חג המצות טעון לינה אף חג הסוכות טעון לינה והתם מנלן דכתיב

רש"י

דבהדי גבה. ששוה לגובה הגב של בהמה: כגבה של בהמה דמי. והראש שוה בגובה לגב הבהמה: **מתני׳** מביאין שלמים. ביו"ט שהן אכילת הדיוט: ואין סומכין עליהן. כדאמרינן אלא סומך עליהן מערב יו"ט ושוחטן ביו"ט דלא בעינן תכף לסמיכה שחיטה: אבל לא מביאין עולות. באותן שיכול להביא לאחר יו"ט דכתיב הוא לבדו יעשה לכם (שמות יב) לכם ולא לגבוה: יום טבוח. של קרבנות ראייה וחגיגה של יו"ט לאחר השבת שאין קריבין לא ביו"ט ולא בשבת: אין לה יום טבוח. אינה צריכה יום טבוח שמותר להקריבן ביו"ט: אין כהן גדול מתלבש בכלים. נאים בביתו ובשוק ולאו בשעת עבודה קאמר ולא בבגדי כהונה קאי אלא שלא יתנאה באותו היום שיום טבוח של עצרת אחר שבת (ג) שידעו הכל שאינו היום יו"ט מפני הצדוקין שהיו אומרים עצרת אחר שבת: **גמ׳** מה חג המצות יש לה תשלומין כל שבעה. כדדרשינן קראי בפ"ק (דף ט.) (ט) בחג הסוכות וה"ה לחג המצות שהרי אף הוא שבעת ימים: פז"ר קש"ב. פיי"ס זמ"ן רג"ל קרב"ן שי"ר ברכ"ה פייס לענין פרי החג כל שבעת ימי החג אין מפייסין עליהן אלא לפי חשבון המשמרות לפי סידרן מקריבין אותן כדתנן במסכת סוכה (דף נה:) מי שהיה מקריב פרים היום לא היה מקריב למחר ופר של שמיני מפייסין עליו איזהו מן המשמרות יקריבנו זמן שהחיינו רגל שיש לו שם רגל בפני עצמו ואינו קרוי סוכות קרבן שאין בהמות קרבנותיו כסדר פרי החג שפרי החג מתמעטין והולכין וכבשיהן י"ד בכל יום ואילים שנים ושמיני פר אחד איל אחד ושבעה כבשים שיר אין שיר קרבנותיו כסדר שיר של ימות החג ואינו מדבר מענין פרשיות של הומנה"י (סוכה נה.) שהוא סימן לשיר של ימות החג ברכה שהיו מברכים את המלך זכר ביום השמיני שלח את העם ויברכו את המלך (מלכים א ח): **תפשת מרובה לא תפשת.** כל מקום שתמצא שני דרכים אחד תופס מרובה ואחד תופס מועט טוב לך לתפוש את המועט שאפילו היה לך לתפוש את המרובה ותתפוש את המועט תפיסתך תפיסה שיש בכלל המרובה המועט אבל אם תתפוש המרובה והיה לך לתפוש המועט נמצאת שתפשת שלא כדת: טעון לינה. מוצאי י"ט: ופנית

תוספות

רב אשי אמר אפילו תימא צדדין מותרין. דיהא בעלמא דהא ס"ל לרב אשי בפרק בתרא דשבת (דף קנה. ושם) אמר רב אשי השתא דאמרינן דצדדין אסורין אלא הכי קאמר דמהא ליכא למשמע מינה י: **בית** שמאי אומרים מביאין שלמים. בביצה בפ"ב (דף יט.) מייתיה והתם עיקר והכא אגב גררא (ד) נסבה דמיירי בחגיגה וכן משמע שמאריך התם טפי לפרש ויש להוכיח מינה דביצה מיתניא מקמי מכילתין:

יום טבוח שלו אחר השבת. ולע"ג דלא חזו בראשון מייתי להו בשני אפילו למ"ד תשלומין דראשון (ה) כיון שאין העכבה רק בשביל היום כדפי׳ לעיל חזיא מיהא קרינן ביה:

יום טבוח אחר השבת. פרש"י קרבנות ראייה וחגיגה שאין קריבין לא ביו"ט ולא בשבת ולא יתכן לומר (ו) דחגיגה אמאי לא ומ"ש משלמים לב"ש ומיהו בירושלמי מייתי ז) אמרו להם לב"ה נדרים ונדבות יוכיחו [שמותרין להדיוט ואסורים לגבוה] אמרו להם ב"ה מה לנדרים ונדבות שאין קבוע להם זמן תאמרו בחגיגה שזמנה קבוע אמרו להם ב"ש חגיגה נמי אין זמנה קבוע שאם לא חגג בראשון חוגג והולך כל הרגל אמרו להם ב"ה כיון שאם לא חג ברגל אינו יכול לחוג אחר הרגל היינו זמנו קבוע משמע דאף בחגיגה פליגי כדפרישית ו: **אין** כהן (ז) מתלבש בכליו. פרש"י בכלים נאים שלו ובביתו ובשוק שלא בשעת עבודה ולא בבגדי כהונה קאמר אלא שלא יתנאה באותו יום טבוח שידעו הכל שאינו יו"ט וקשה למורי הדא דלישנא לא משמע ליה דה"ל למינקט בכלים נאין ועוד מאי אירית כהן גדול אפילו שאר אדם נמי ונראה לו דבגדים אירי שבימים טובים היה רגיל כהן גדול לעבוד בשביל כבוד היום אבל ביום טבוח לא היה לובשן כדי לעבוד שלא יתראה להיות יו"ט וראיה לדבריו בירושלמי דפירקין א"ר יוסי בר בון בשם ריב"ל בכל יום כ"ג מתלבש בכליו והולך ומקריב תמיד של שחר אם יש שם נדרים ונדבות מקריב אותן והולך ואוכל בביתו ובא ומקריב תמיד של (ח) ערב רבי עוקבא בשם ריב"ל אמר לא היה עושה כן אלא בשבתות וי"ט כלומר שלא היה רגיל ומתלבש בכליו ולעבוד אלא אז מפני כבוד היום אבל אי בעי מקריב בכל אות נפשו כדתנן ביומא (ט) (דף יד.) מקריב בראש וביום טוב אף לכולי עלמא לא היה מתלבש שלא יכירו שהוא יום טוב:

אף עצרת יש לו תשלומין. ° בירושלמי א) אמר רבי יוסי בר בון דוד מת בעצרת והיו כל ישראל אוננין והקריבו למחר כלומר מהתם משמע שהיה לו תשלומין וקשה לה"ר אלחנן תיפוק ליה בלאו הכי לא הקריבו בראשון כיון שהיה שבת כדמשמע בשבת בפרק במה מדליקין (שבת ל.) דבשבת נפטר דוד ושמא התם לית ליה הכי אלא פליג אהא: **פז"ר** קש"ב. פרש"י רגל בפני עצמו שיש לו שם בפני עצמו ואינו בכלל סוכות וברכה היא ברכת המלך כדכתיב ביום השמיני שלח את העם וגו׳ וקשה לר"ת דהא בפ׳ לולב וערבה (סוכה דף מז. ושם) אמר כשם שחג טעון שיר קרבן ברכה ולינה אף שמיני עצרת טעון שיר קרבן ברכה ולינה ותפלה ועוד לישנא דנקט ברכה בפני עצמו משמע דאף בימים אחרים איתיה והכי איתא בירושלמי ברכה בפני עצמו מאי היא א"ל זמן כל שבעה מי איכא משמע דבברכת המזון ותפלה בעי למימר דאיכא כל ז׳ ומפרש לשם מנא ידעינן שהוא רגל דהא בכולהו כתיב וביום וכאן ביום ללמד שהוא רגל בפני עצמו ונראה לר"ת ברכה ברכת המזון ותפלה שמזכירין בהן שמיני עצרת ורגל היינו לינה דלינה בירושלים ור"ח מפרש רגל לענין אבילות והכי איתא בפרק בתרא דמועד קטן (דף יט:) הרי עברו עליו ערב החג והחג ושמיני שלו הרי כאן כ"א ושניהם יסד ר"ת במעריב שלו (י) לינת שלשים ידחם כאשר אבלים ינחם וברכת המלך אינה לשם ולינה לא בעי למיתני לדברי רש"י ור"ח משום דפשיטא ליה שיר (כ) פרש"י לא איתפרש ליה ור"ת מפרש דאומר מזמור שלו שלם דבשאר ימי החג אומר הומנה"י כדמפרש התם שמתחיל ביום (ל) אחד מזמור ומסיים בשני וכאן כולו שלם ורבי עוזיאל מלא (מ) שאמר למנצח על השמינית מיהו אומר ר"י דהתם לא מדבר רק מה שאומר בפסוקי דזמרה כמו שמוסיפים מזמורים בשבת מ"מ משמע שהיו אומרים אותו במקדש כיון דנתקן לומר: **תפשת** מועט תפשת. לפי שיש בכלל מאתים מנה (מ) ומ"מ חשבון שבידך אמתי וי"מ דלמדה מרובה אין קצבה דלעולם תוכל להרבות אבל למועט יש סוף ולא יתכן דבת"כ פליגי תנאי בהא גבי זבה ימים מיעוט ימים שנים יכול מרובים א"ר עקיבא כל שמשמעו מרובה ומשמעו מועט תפשת מרובה לא תפשת א"ר יהודה שתי מדות אחת כלה ואחת אינה כלה מודדין במדה כלה ואין מודדין בשאינה כלה א"ר נחמיה וכו׳ למה בא הכתוב לפתוח או לנעול י: **אף** חג הסוכות טעון לינה. אתיא כראב"י ור"מ דאילו לת"ק ור"ש וראב"ש בפ"ק דר"ה (דף ה. ושם) נפקא להו מדכתיב ופנית בבוקר כל פינות שאתה פונה לא יהו אלא לבקר והכי נמי מרבה התם בפסחים (דף נה:) פסח שני אין צריכא קרא:

עין משפט נר מצוה

יח א ב מיי׳ פ"א מהל׳ חגיגה הלכה ח ט:
יט ג ד מיי׳ שם הלכה ז:

רבינו חננאל

רב אשי אפילו תימא צדדין מותרין כל דלהדי גבה דרישא כגבה דמו. א"ר אלעזר א"ר אושעיא מניין לעצרת שיש לה תשלומין כל שבעה ת"ל בחג המצות ובחג השבועות ובחג הסוכות כו׳. פז"ר קש"ב. פירשנוהו כבר למעלה.

גליון הש"ס

תוס׳ ד"ה אף עצרת וכו׳ בירושלמי אר"י. עיין מ"ל פ"ג הלכה ו׳ מהלכות אבל:

הגהות מהר"י לנדא

א] תוס׳ ד"ה אף עצרת וכו׳ בירושלמי. נ"ל פ"ב הלכה ג׳ ובמס׳ ביצה פ"ב הלכה ד׳:

תורה אור השלם

א) שָׁלוֹשׁ פְּעָמִים בַּשָּׁנָה יֵרָאֶה כָל זְכוּרְךָ אֶת פְּנֵי יְיָ אֱלֹהֶיךָ בַּמָּקוֹם אֲשֶׁר יִבְחָר בְּחַג הַמַּצּוֹת וּבְחַג הַשָּׁבֻעוֹת וּבְחַג הַסֻּכּוֹת וְלֹא יֵרָאֶה אֶת פְּנֵי יְיָ רֵיקָם: [דברים טז, טז]

ליקוטי רש"י

מביאין שלמים. ביום טוב לפי שיש בהם צורך מאכל הדיוט [לעיל ז:]. ביום טוב לפי שיש בהן אכילת אדם [ביצה יט.]. שהן מאכל אדם ביום טוב וכתיב אך אשר יאכל לכל נפש (שמות יב) [מגילה ה.]. ואין סומכין עליהם. שהסמיכה שבות היא שמשתמש בבעלי חיים ותנן אלו הן משום שבות לא עולין באילן ולא רוכבין על גבי בהמה (ביצה דף לו:) [לעיל שם]. שהסמיכה אסורה משום שבות שבכל כחו היה סומך והוי ליה משתמש בבעלי חיים ותנן אין רוכבין על גבי בהמה (ביצה לו:) [ביצה שם]. שהסמיכה שבות היא דתנן (ביצה לו:) אלו הן משום שבות לא רוכבין על גבי בהמה ועל אלו שיקריבו ביום טוב יסמכו מאתמול דלית להו לבית שמאי תכף לסמיכה שחיטה [מגילה שם]. אבל לא עולות. אין מביאין כלל דסבירא להו לב"ש לכם (שמות יב) ולא לגבוה חוץ מתמידין ומוספין שהן קרבן צבור וכל שזמנן קבוע וכל שזמנן קבוע כתיב בהו במועדו ואפילו בשבת וכל שכן ביו"ט. אין עולת ראייה קריבה ביו"ט ואע"פ שהיא חובת הרגל הואיל ויש לה תשלומין למחר [לעיל שם]. אין מביאין עולות חוץ מתמידין ומוספין שהן קרבן צבור וזמנן קבוע אבל עולת יחיד לא יביא לפי שאין בה אכילת הדיוט וכתיב (שמות יב) יעשה לכם ולא לגבוה [ביצה יט.]. אין מקריבין בי"ט עולה היכולה לבא למחר ואפילו היא חובת הרגל [מגילה שם]. וסומכין עליהם. כיון שמותר להביאן לא גזרו שבות לבטל סמיכתן [לעיל שם]. ב"ש אומרים וכו׳ ומודים שאם חלה להיות בשבת וכו׳. במסכת חגיגה (דף יז.) נחלקו בעצרת שחל להיות בערב שבת בית שמאי אומרים יום טבוח של עצרת אחר השבת שבית שמאי לטעמייהו דאמרי עולות אין מקריבין ביום טוב הלכך לא יקריבו עד לאחר שבת ובית הלל אומרים אין לה יום טבוח אין צריך להמתין ליום טבוח שהשלמים [ועולות] קריבין ביום טוב ומודין בעצרת שחל להיות בשבת שאין עולת ראייה ושלמי חגיגה קריבין בשבת וממתין ליום טבוח של קרבנות היום לאחר השבת [מגילה שם]. מניין לעצרת. דאילו בחג הסוכות ובחג המצות נפקא לן (חגיגה דף ט.) מדכתיב אותו חג לה׳ שבעת ימים יכול יהו חוגגין כל שבעה ת"ל אותו חוגג ולא אחה חוגג כל שבעה א"כ למה נאמר שבעה אם לא חג תחלתו חוגג והולך כל שבעה לתשלומים שאם לא חג חגיגתו בראשון יקריבנה בשני [ר"ה ד:]. רגל בפני עצמו הוא. ואין קרבנותיו בכלל שאר קרבנות החג ואין למדין הימנו לקרבנות החג [סוכה מז.]. פז"ר קש"ב. כבר פירשתיו במסכת יומא (דף ג.) ומסכת סוכה (דף מח.) טעון פיים לפר הבא בשמיני ואינו קרב לפי סדר המשמרות שסנו ושלשו בפרי החג חוץ משתים ששנו ולא שלשו, ופר של שמיני אין אחת מאותן שתים מקריבתו אלא כל המשמרות מפיסות, וטעון זמן ורגל לעצמו, וקרבן לעצמו, שאין שם חג הסוכות עליו, שאין קרבנו כשאר ימי החג שהפרים מתמעטים בהם אחד אחד וזה אינו אלא פר אחד ושאר הימים שני אילים וארבעה עשר כבשים וזה איל אחד וז׳ כבשים, ושיר לעצמו אין שירו שוה לשל סוכות שאומר על הדוכן ולא נתפרש לנו שירו ובמסכת סופרים (פי"ט הלכה ב) נמלא שירו הוא על השמינית, ברכה לעצמה מברכין היו את המלך זכר לחנוכת הבית שנא׳ (מ"א ח) ביום השמיני שלח את העם ויברכו את המלך כך מפורש בתוספתא דסוכה (פ"ד) [ר"ה שם]. פיים לעצמו, שאין פיים בפרי החג אלא המשמרות שבכל המשמרות שוות ומשלשות בהן לפי חשבון סדרן כמו ששנינו במסכת סוכה (דף נה:). אבל פר של שמיני, בתחלה מפיסין עליו: זמן לעצמו לברך שהחיינו: רגל לעצמו: שאין שם חג הסוכות עליו: קרבן לעצמו שאין קרבנו שוה לכל שאר ימות החג שכולם פרים מרובים ואילים שנים וי"ד כבשים וכאן פר אחד איל אחד ושבעה כבשים: שיר לעצמו שאין שירו שוה לכל שאר שירות ימי החג כל שיר ימי החג מדבר מעין גזל מתנות עניים ואותן של חול המועד מפורש במסכת סוכה (שם). הומנה"י ושל שמיני עצרת אינו מעין אסיף ולא פירשו לנו איזהו שירו: ברכה לעצמו, ברכה שהיו מברכין לתפלת חזי המלך כדמפורש בתוספתא (פ"ד) דסוכה על שם ביום השמיני שלח את העם ויברכו את המלך (מלכים א ח) [יומא ג.]. פז"ר קש"ב, סימן הוא כדמפרש ואזיל: פיים בפני עצמו, שבכל פרי החג לא היו מטילין פיים איזה משמר יקריב לפי שבסדר היו מקריבין אותן עד שבכל כ"ד משמרות שוות ומשלשות בהן חוץ משתים כדאמרי׳ בהחליל (לקמן דף נה:) ופר דשמיני בתחילה מפייסין עליו: זמן, לברך בו שהחיינו: רגל בפני עצמו, שאינו כסדר פרי החג דא"כ היו בו ששה פרים: קרבן לעצמו, שאינו יושבין בסוכה: ברכה לעצמו, את יום השמיני ובתוספתא משמע שמברכין את המלך והכי גרסינן לה ברכה בפני עצמו שנאמר (מלכים א ח) ביום השמיני שלח את העם ויברכו את המלך [סוכה מח.]. מי שלא חג. שלא הביא חגיגתו ביום הראשון של חג. ויום טוב האחרון. של חג, חוגג שמיני עצרת ואע"ג דרגל בפני עצמו הוא הוי תשלומין לראשון [לעיל ט.]. תפשת מרובה לא תפשת. ברייתא בתורת כהנים גבי זבה (ויקרא טו) ימים רבים ימים שנים רבים שלשה או אינו אלא רבים עשרה אמרת כל שמשמעו מרובה ושמעו מועט תפשת מועט תפשת הואיל ...

אֲבָל לְעִנְיַן תַּשְׁלוּמִין – **But in regard to compensation,** **תַּשְׁלוּמִין דְּרִאשׁוֹן הוּא** – **it is** considered part of the **compensation** period **for the first** day of Succos. **דִּתְנַן** – **For we have learned in a Mishnah:**[20] **מִי שֶׁלֹּא חָג בְּיוֹם טוֹב הָרִאשׁוֹן שֶׁל חָג** – SOMEONE WHO DID NOT OFFER THE *CHAGIGAH* ON THE FIRST YOM TOV DAY OF SUCCOS **חוֹגֵג אֶת כָּל הָרֶגֶל וְיוֹם טוֹב הָאַחֲרוֹן** – MAY OFFER THE *CHAGIGAH* at any time THROUGHOUT THE FESTIVAL, EVEN ON THE LAST YOM TOV DAY of the festival.[21]

The Gemara accepts this refutation and therefore offers a different reason for comparing Shavuos to Pesach rather than Succos:

תָּפַשְׂתָּ מְרוּבָּה לֹא תָפַשְׂתָּ – **If you seized the larger amount, you** may **not have seized** it at all. **תָּפַשְׂתָּ מוּעָט תָּפַשְׂתָּ** – **If you seized the smaller amount, you have** surely **seized it.**[22] That is, where a Scriptural comparison can be drawn in two ways, one of which yields a smaller amount and the other a larger amount, we can only draw the comparison that yields the lesser amount, since only that amount is definitely indicated by the verse. Thus, we must assume that our verse means to compare Shavuos to Pesach with its seven-day compensation period, rather than to Succos, which has an eight-day period.[23]

Having concluded that the verse is not drawing a comparison between Shavuos and Succos, the Gemara asks:

אֶלָּא לְמַאי הִלְכְתָא כְּתָבֵיהּ רַחֲמָנָא לְחַג הַסּוּכּוֹת – **So for what law did the Merciful One write the Festival of Succos** in this verse?

The Gemara answers:

לְאַקּוּשֵׁי לְחַג הַמַּצּוֹת – **To compare it** [Succos] **to the Festival of Matzos** in the following respect: **מַה חַג הַמַּצּוֹת טָעוּן לִינָה** – **Just as the Festival of Matzos requires staying overnight** in Jerusalem following the first day of the festival,[24] **אַף חַג הַסּוּכּוֹת טָעוּן לִינָה** – **so too the Festival of Succos requires staying overnight** in Jerusalem following the first day of the festival.

The Gemara asks:

וְהָתָם מְנָלַן – **And from where do we know** that **there,** in the case of Pesach, one is required to stay overnight?

NOTES

the people blessed King Solomon on that date, as stated in *I Kings* 8:66. [See *Ritva* to *Succah* 47a, who asks how the fact that the people bless the king is indicative of Shemini Atzeres being an independant festival; cf. *Tosafos* there ד"ה רגל.]

20. Above, 9a.

21. Succos, like Pesach, begins and ends with a Yom Tov day (in which most labors are forbidden), with the intervening days being Chol HaMoed. The final Yom Tov day of Succos is Shemini Atzeres.

22. This expression is in the form of a parable (*Rashi, Succah* 5a ד"ה תפשת). Whenever a person must choose between two possibilities, one of which would grant him a smaller measure of a thing while the other would grant him a larger measure of it, and he does not know which of the two is being granted him, it is better for him to choose the smaller measure since that amount is surely his to take. Should he choose the larger measure, he might discover that he was not meant to have that amount, and that what he had taken was not his (*Rashi;* see also *Rashi, Succah* 5a and *Chullin* 138a).

23. [This is not merely a matter of doubt. Rather, since logic dictates that this is the only reasonable way to draw the comparison, the Torah relies on this logic to insure that only the lesser comparison will be drawn. For this reason, the Gemara will now inquire what purpose is served by the mention of Succos in this verse.]

24. That is, one must stay over in Jerusalem the first night of Chol HaMoed and not depart before the next morning (*Rashi* here and to *Rosh Hashanah* 5a ד"ה טעון לינה; see 17b note 1).

עין משפט
נר מצוה

יח א ב מיי' פ"א מהל' חגיגה הלכה ח ט:
יט ג ד מיי' שם הלכה ז:

רבינו חננאל

רב אשי אפילו תימא צדדין מותרין כל דלהדי גבה דרישא כגבה דמו. א"ר אלעזר א"ר אושעיא מניין לעצרת שיש לה תשלומין כל שבעה ת"ל בחג המצות ובחג השבועות ובחג הסוכות כו'. פז"ר קש"ב. פירשנוהו כבר למעלה.

גליון הש"ס

תוס' ד"ה אף עצרת וכו' בירושלמי אר"י. עיין מ"ל פ"ג הלכה ו' מהלכות אבל:

הגהות מהר"י לנדא

א] תוס' ד"ה אף עצרת וכו' בירושלמי. נ"ל פ"ג הלכה ג' ובמס' בילה פ"ב הלכה ד:

תורה אור השלם

א) שָׁלוֹשׁ פְּעָמִים בַּשָּׁנָה יֵרָאֶה כָל זְכוּרְךָ אֶת פְּנֵי יְיָ אֱלֹהֶיךָ בַּמָּקוֹם אֲשֶׁר יִבְחָר בְּחַג הַמַּצּוֹת וּבְחַג הַשָּׁבֻעוֹת וּבְחַג הַסֻּכּוֹת וְלֹא יֵרָאֶה אֶת פְּנֵי יְיָ רֵיקָם: [דברים טז, טז]

מסורת הש"ס

א) מגילה ה. לעיל ז: [בילה יט.], ב) פ"א אין לה יום טבוח, ג) מגילה ה., ד) ר"ה ד: מו"ק כד:, ה) [סוכה מז.], ו) ר"ה ד: סוכה מח. יומא ג., ז) לעיל ט. [בילה כ: מגילה ה.], ח) [ר"ה ד: יומא ס. סוכה ה: קדושין ח. חולין קלח. ערכין ד:], ט) [נ"ל לחג], י) [ועי' תוס' שבת קנה. ד"ה אמר רב פפא וכו'], כ) [וכן הוא בתוספתא פ"ב], ל) [נ"ל כדפי' רש"י], מ) [במס' סופרים פי"ט וכ"ה בירושלמי וכ"כ תוס' בסוכה מז. ד"ה שיר ורש"י ר"ה ד: ד"ה פז"ר קש"ב], נ) [וע"ע תוס' סוכה ה: ד"ה תפשת].

הגהות הב"ח

(א) במשנה יום טבוח שלו אחר השבת: (ב) גמ' למאי הלכתא כתביה רחמנא. נ"ב ול"ק למאי חג השבועות נמי לא כתביה רחמנא אלא לאקושי לחג המצות דטעון לינה דאיכא למימר דאין היקש למחצה וכיון דילפת הקישא מחג המצות לגמרי מקשינן ליה אף דיש לה תשלומין כל ז': (ג) רש"י ד"ה אין כהן וכו' אחר שבת כדי שידעו הכל שאין היום: (ד) תוס' ד"ה בית שמאי וכו' אגב גררא דמיירי בחגיגה נסבה וכן משמע: (ה) ד"ה יום טבוח וכו' תשלומין דראשון דכיון וכו' בשביל היום חזי קרינן ביה כדפי' לעיל הס"ד: (ו) ד"ה יום טבוח אחר וכו' ולא יתכן לומר כן דלחגיגה וכו' אמרו להם ב"ש נדרים: (ז) ד"ה אין כהן גדול מתלבש וכו' דלישנא לא משמע הכי דהוה ליה וכו' היה רגיל כהן גדול ללובשן כדי לעבוד בשביל וכו' בירושלמי דפירקין וכו' בכליו ובא ומקריב וכו' נדרים ונדבות הוא מקריבן והולך כצ"ל ותיבת אותן נמחק: (ח) בא"ד תמיד של בין הערבים ובא ולן בלשכת פלהדרין רבי עוקבא בשם: (ט) בא"ד כדתנן ביומא כה"ג מקריב חלק בראש: (י) ד"ה פז"ר קש"ב וכו' ר"ת במעריב שלו קודש ללינה ושלשים ידחם: (כ) בא"ד שיר פרש"י. נ"ב כך הוא בפרש"י דפרק לולב וערבה דף מו סע"א ופ"ק דר"ה דף ד' בסופו: (ל) בא"ד שמתחיל ביום ראשון מזמור ומסיים וכו' ורבי עוזיאל מצא שאומרים למנצח וכו' דניתקן לומר בבית הכנסת הס"ד: (מ) ד"ה תפשת וכו' דמ"מ חשבון וכו' דלמדה מרובה וכו' יש סוף. נ"ב ופ"ק דר"ה כתבו התוס' דהכא ליכא לפרש הכי דהא יש לדבר סוף דטפי משמונה לא ועיין רפ"ק דסוכה דף ה' ובמ"ש התוס' לשם:

רב אשי אמר אפילו תימא צדדין מותרין כל דבהדי גבה כגבה דמי: מתני' בית שמאי אומרים מביאין שלמים ואין סומכין עליהם אבל לא עולות וב"ה אומרים מביאין שלמים ועולות וסומכין עליהם עצרת שחל להיות בערב שבת ב"ש אומרים יום טבוח (א) אחר השבת ובית הלל אומרים אין יום טבוח אחר השבת ומודים שאם חלה להיות בשבת שיום טבוח אחר השבת אין כהן גדול מתלבש בכליו ומותרין בהספד ובתענית שלא לקיים דברי האומרין עצרת אחר השבת: גמ' א"ר אלעזר א"ר אושעיא מניין לעצרת שיש לה תשלומין כל שבעה שנאמר א) בחג המצות ובחג השבועות ובחג הסוכות מקיש חג השבועות לחג המצות מה חג המצות יש לה תשלומין כל שבעה אף חג השבועות יש לה תשלומין כל שבעה ואימא מקיש לחג הסוכות מה חג הסוכות יש לה תשלומין כל שמונה אף חג השבועות יש לה תשלומין כל שמונה שמיני רגל בפני עצמו הוא איתמר דאמרי שמיני רגל בפני עצמו הוא הני מילי לענין פז"ר קש"ב אבל לענין תשלומין תשלומין דראשון הוא דתנן מי שלא חג ביום טוב הראשון של חג חוגג את כל הרגל ויום טוב האחרון תפשת מרובה לא תפשת תפשת מועט תפשת אלא (ב) למאי הלכתא כתביה רחמנא לחג הסוכות לאקושי לחג המצות מה חג המצות טעון לינה אף חג הסוכות טעון לינה והתם מנלן דכתיב

רש"י

דבהדי גבה. שסוה לגובה הגב של בהמה: כגבה של בהמה דמי. והראש שוה בגובה לגב הבהמה: מתני' מביאין שלמים. ביו"ט שהן אכילת הדיוט: ואין סומכין עליהן. כדאמרינן אלא סומך עליהן מערב יו"ט ושוחטן ביו"ט דלא בעינן תכף לסמיכה שחיטה: אבל לא מביאין עולות. דאותן שיכול להביא לאחר יו"ט דכתיב הוא לבדו יעשה לכם (שמות יב) לכם ולא לגבוה: יום טבוח. של קרבנות ראייה וחגיגה של יו"ט לאחר השבת שאין קריבין לא ביו"ט ולא בשבת: אין לה יום טבוח. אינה צריכה יום טבוח שמותר להקריבן ביו"ט: אין כהן גדול מתלבש בכלים. נאים ובגדי כהונה קאמר ולא בשעת עבודה קאמר ולא בבגדי כהונה קאי אלא שלא יתנאה באותו היום שיום טבוח של עצרת אחר שבת (ג) שידעו הכל שאינו היום יו"ט מפני הצדוקין שהיו אומרים עצרת אחר שבת: גמ' מה חג המצות יש לה תשלומין כל שבעה. כדדרשינן קראי בפ"ק (דף ט.) (ט) בחג הסוכות וה"ה לחג המצות שהרי אף הוא של שבעת ימים: פז"ר קש"ב. פיי"ס זמ"ן רג"ל קרב"ן שי"ר ברכ"ה פיים לענין פרי החג כל שבעת ימי החג אין מפייסין עליהן אלא לפי חשבון המשמרות לפי סידרן מקריבין אותן כדתנן במסכת סוכה (דף נה:) מי שהיה מקריב פרים היום לא היה מקריב למחר ופר של שמיני מפייסין עליו אחוזו מן המשמרות יקריבנו זמן שהחיינו רגל שיש לו שם רגל בפני עצמו ואינו קרוי סוכות קרבן שאין בהמות קרבנותיו כסדר פרי החג שפרי החג מתמעטין והולכין וכבשיהן י"ד בכל יום ואילים שנים ובשמיני פר אחד איל אחד ושבעה כבשים שיר אין קרבנותיו כסדר שיר של ימות החג ואינו מדבר מענין פרשיות של הומנב"י (סוכה נה.) שהוא סימן לשיר של ימות החג ברכה שהיו מברכים את המלך זכר לשלמה שנאמר בו ביום השמיני שלח את העם ויברכו את המלך (מלכים א ח): תפשת מרובה לא תפשת. כל מקום שתמצא שני דרכים אחד תופש מרובה ואחד תופש מועט טוב לך לתפוש את המועט שאפילו היה לך לתפוש את המרובה ותפוש את המועט תפיסתך תפיסה שיש בכלל המרובה המועט אבל אם תתפוש המרובה והיה לך לתפוש המועט נמצאת שתפשת שלא כדת: טעון לינה. מולאי י"ט: ופנית

תוספות

רב אשי אמר אפילו תימא צדדין מותרין. דיחויא בעלמא דהא ס"ל לרב אשי בפרק בתרא דשבת (דף קנה. ושם) אמר רב אשי השתא דאמרינן לצדדין אסורין אלא הכי קאמר דמהא ליכא למישמע מינה: בית שמאי אומרים מביאין שלמים. בבילה בפ"ב (דף יט.) מיתניא והתם עיקר והכא אגב גררא (ד) נסבה שמיירי בחגיגה וכן משמע שמאריך התם טפי לפרש ויש להוכיח מינה דבילה מיתניא מקמי מכילתין: יום טבוח שלו אחר השבת. ואע"ג דלא חזו בראשון מייתי להו בשני אפילו למ"ד תשלומין דראשון (ה) כיון שאין העכבה רק בשביל היום כדפי' לעיל חזיא מיהא קרינן ביה: יום טבוח אחר השבת. פרש"י קרבנות ראייה וחגיגה שאין קריבין לא ביו"ט ולא בשבת ולא יתכן לומר (ו) דלחגיגה אמאי לא ומ"ש משלמים דב"ש ומיהו בירושלמי מייתי אמרו להם לב"ה נדרים ונדבות יוכיחו [שמותרין להדיוט ואסורים לגבוה] אמרו להם ב"ה מה לנדרים ונדבות שאין קבוע להם זמן תאמרו בחגיגה שזמנה קבוע אמרו להם ב"ש חגיגה נמי אין זמנה קבוע שאם לא חגג בראשון חוגג והולך כל הרגל אמרו להם ב"ה כיון שאם לא חג ברגל אינו יכול לחוג אחר הרגל היינו זמנו קבוע משמע דלאף בחגיגה פליגי כדפרישית: אין כהן (ז) מתלבש בכליו. פרש"י בכלים נאים שלו וביתו ובשוק שלא בשעת עבודה ולא בבגדי כהונה קאמר אלא שלא יתנאה באותו יום טבוח שידעו הכל שאינו יו"ט וקשה למורי הר"ר דלישנא לא משמע הכי דה"ל למינקט בכלים נאין ועוד מאי איריא כהן גדול אפילו שאר אדם נמי ונראה לו דבח' בגדים איירי שבימים טובים היה רגיל כהן גדול לעבוד בשביל כבוד היום אבל ביום טבוח לא היה לובשן כדי לעבוד שלא יתראה להיות יו"ט וראיה לדבריו בירושלמי בפירקין א"ר יוסי בר בון בשם ריב"ל בכל יום כ"ג מתלבש בכליו והולך ומקריב תמיד של שחר אם יש שם נדרים ונדבות מקריב אותן והולך ובא ואוכל בביתו ובא ומקריב תמיד של (ח) ערב רבי עוקבא בשם ריב"ל אמר לא היה עושה כן אלא בשבתות וי"ט כלומר שלא היה רגיל ומתלבש בכליו ולעבוד אלא אז מפני כבוד היום אבל אי בעי מקריב בכל אות נפשו כדתנן ביומא (ט) (דף יד.) מקריב בראש וביום טבוח אף לכולי עלמא לא היה מתלבש שלא יכירו שהוא יום טוב:

אף עצרת יש לו תשלומין. * בירושלמי א] אמר רבי יוסי בר בון דוד מת בעצרת והיו כל ישראל אוננין והקריבו למחר כלומר מהתם משמע שהיה לו תשלומין וקשה לה"ר אלחנן תיפוק ליה בלאו הכי לא הקריבו בראשון כיון שהיה שבת כדמשמע בשבת בפרק במה מדליקין (שבת ל.) דבשבת נפטר דוד ושמא התם לית ליה הכי אלא פליג אהא: פז"ר קש"ב. פרש"י רגל בפני עצמו שיש לו שם בפני עצמו ואינו בכלל סוכות וברכה היא ברכת המלך כדכתיב ביום השמיני שלח את העם וגו' וקשה לר"ת דהא בפ' לולב וערבה (סוכה דף מז. ושם) אמר כשם שחג טעון ברכה וקרבן ושיר ולינה אף שמיני עצרת טעון ברכה קרבן שיר ולינה מאי לאו זמן לא ברהמ"ז ותפלה ועוד לישנא דנקט ברכה בפני עצמו משמע דאף בימים אחרים איתיה והכי איתא בירושלמי ברכה בפני עצמו מאי היא א"ל זמן א"ל זמן כל שבעה מי איכא משמע דבברכת המזון ותפלה בעי למימר דליכא כל ז' ומפרש לשם מנא ידעינן שהוא רגל דהא בכולהו כתיב וביום וכאן ביום ללמד שהוא רגל בפני עצמו ונראה לר"ת ברכה ברכת המזון ותפלה שמזכירין את שמיני עצרת ורגל היינו לינה שטעון לינה בירושלים ור"ת מפרש רגל לענין אבילות והכי איתא בפרק בתרא דמועד קטן (דף כד:) הרי עברו עליו ערב החג והחג ושמיני שלו הרי כאן כ"א ושניהם יסד ר"ת במעריב שלו (י) לינת שלשים ידחם כאשר אבלים ינחם וברכת המלך לא בעי למיתני משום דנחית אשאר ימים וברכת המלך אינה לשם ולינה לא בעי למיתני לדברי רש"י ור"ת משום דפשיטא ליה שיר (כ) פרש"י לא איתפרש ליה ור"ת מפרש דאומר מזמור שלו שלם דבשאר ימי החג אומר הומנב"י כדמפרש התם שמתחיל ביום (ל) אחד מזמור ומסיים בשני וכאן כולו שלם ורבי עוזיאל מצא מ) שאמר למנצח על השמינית מיהו אומר ר"י דהתם לא מדבר רק מה שאומר בפסוקי דזמרה כמו שמוסיפים מזמורים בשבת מ"מ משמע שהיו אומרים אותו במקדש כיון דנתקן לומר: תפשת מועט תפשת. לפי שיש בכלל מאתים מנה (מ) ומ"מ חשבון שבידך אמתי וי"מ דלמדה מרובה אין קצבה לעולם תוכל להרבות אבל למועט יש סוף ולא יתכן דבת"כ פליגי תנאי בהא גבי זבה ימים מיעוט ימים שנים יכול מרובים א"ר עקיבא כל שמשמעו מרובה ומשמעו מועט תפשת מרובה לא תפשת א"ר יהודה שתי מדות אחת כלה ואחת אינה כלה מודדין במדה כלה ואין מודדין בשאינה כלה א"ר נחמיה וכו' למה בא הכתוב לפתוח או לנעול נ): אף חג הסוכות טעון לינה. אתיא כראב"י ור"מ דאילו לת"ק ור"ש וראב"ש בפ"ק דר"ה (דף ה. ושם) נפקא להו מדכתיב ופנית בבוקר כל פינות שאתה פונה לא יהו אלא לבקר והכי נמי מרבה התם בפסחים (דף נה:) פסח שני אין צריכא קרא:

ליקוטי רש"י

מביאין שלמים. ביום טוב לפי שיש בהם צורך מאכל הדיוט [לעיל ז:]. ביום טוב לפי שיש בהן אכילת אדם [ביצה יט.]. שהן מאכל אדם ביום טוב וכתיב אך אשר יאכל לכל נפש (שמות יב) [מגילה ה.]. ואין סומכין עליהם. שהסמיכה שבות היא שמשתמש בבעלי חיים ותנן אלו הן משום שבות לא עולין באילן ולא רוכבין על גבי בהמה (בילה דף לו:) [לעיל שם]. שהסמיכה אסורה משום שבות שבכל כחו היה סומך והוי ליה משתמש בבעלי חיים ותנן אין רוכבין על גבי בהמה (בילה לו:) [ביצה שם]. שהסמיכה שבות היא דתנן (בילה לו:) אלו הן משום שבות לא רוכבין על גבי בהמה ועל אלו שיקריבו ביום טוב יסמכו מאתמול דלית להו לבית שמאי תכף לסמיכה שחיטה [מגילה שם]. אבל לא עולות. אין מביאין כלל דקסברא להו לב"ש לכם (שמות יב) ולא לגבוה חוץ ממתמידין ומוספין שזמנן קבוע וכל שזמנו קבוע כתיב בהו במועדו ואפילו בשבת וכל שכן ביו"ט. אין עולת ראייה קריבה ביו"ט ואע"פ שהיא חובת הרגל הואיל ויש לה תשלומין למחר [לעיל שם]. אין מביאין עולות חוץ מתמידין ומוספין שהן קרבן צבור וזמנן קבוע אבל עולת יחיד לא יביא לפי שאין בה אכילת הדיוט וכתיב (שמות יב) יעשה לכם ולא לגבוה [ביצה יט.]. אין מקריבין בי"ט עולה היכולה לבא למחר ואפילו היא חובת הרגל [מגילה שם]. וסומכין עליהם. כיון שמותר להביאן לא גזרו שבות לבטל סמיכתן [לעיל שם]. ב"ש אומרים וכו' ומודים שאם חלה להיות בשבת וכו'. במסכת חגיגה (דף יז.) נחלקו בעצרת שחל להיות בערב שבת בית שמאי אומרים יום טבוח של עצרת אחר השבת ובית שמאי לטעמייהו דאמרי עולות אין מקריבין ביום טוב הלכך לא יקריבו עד לאחר שבת ובית הלל אומרים אין לה יום טבוח אין צריך להמתין ליום טבוח שהשלמים [ועולות] קריבין ביום טוב ומודין בעצרת שחל להיות בשבת שאין עולת ראייה ושלמי חגיגה קריבין בשבת וממתין ליום טבוח של קרבנות היום לאחר השבת [מגילה שם]. מניין לעצרת. דאילו בחג הסוכות ובחג המצות נפקא לן (חגיגה דף ט.) מוחגותם אותו חג לה' שבעת ימים יכול יהו חוגגין כל שבעה ת"ל אותו אותו אתה חוגג ואי אתה חוגג כל שבעה אם כן למה נאמר שבעה לתשלומים שאם לא חג חגיגתו בראשון יקריבנה בשני [ר"ה ד:]. רגל בפני עצמו הוא. ואין קרבנותיו בכלל שאר קרבנות החג ואין למידין הימנו לקרבנות החג [סוכה מז.]. פז"ר קש"ב. כבר פירשתיו במסכת יומא (דף ג.) ומסכת סוכה (דף מח.) טעון פיים לפר הבא בשמיני ואינו קרב לפי סדר המשמרות שהן מחוץ משתים שבו ולא שלשו, ופר של שמיני אין אחת מאותן שתים מקריבתו אלא כל המשמרות מפיסות, וטעון זמן ורגל לעצמו, שאין שם חג הסוכות עליו, וקרבן לעצמו, שאין קרבנו כשאר ימי החג שהפרים מתמעטים בהם אחד אחד וזה אינו אלא פר אחד ושאר הימים שני אילים וארבעה עשר כבשים וזה איל אחד וז' כבשים, ושיר לעצמו אין שירו שוה לשל סוכות שאומר על הדוכן ולא נתפרש לנו שירו ובמסכת סופרים (פי"ט הלכה ב) נמצא שירו הוא למנצח על השמינית, ברכה לעצמה מברכין היו את המלך זכר לחנוכת הבית שנא' (מ"א ח) ביום השמיני שלח את העם ויברכו את המלך כך מפורש בתוספתא דסוכה (פ"ד) [ר"ה שם]. פיים לעצמו, שאין פיים בפרי החג אלא המשמרות שכל המשמרות שוות ומשלשות בהן לפי חשבון סדרן כמו ששנינו במסכת סוכה (דף נה:). אבל פר של שמיני, בתחילה מפיסין עליו: זמן לעצמו לברך שהחיינו: רגל לעצמו שאין שם חג הסוכות עליו: קרבן לעצמו שאין קרבנו שוה לכל שאר ימות החג שכולם פרים מרובים ואילים שנים וי"ד כבשים וכאן פר אחד איל אחד ושבעה כבשים: שיר לעצמו שאין שירו שוה לכל שאר שירות של שיר ימי החג מדבר מענין גזל מתנות עניים ואותן של חול המועד מפורש במסכת סוכה (שם.) הומנב"י ושל שמיני עצרת אינו מענין אסיף ולא פירשו לנו איזהו שירו: ברכה לעצמו, ברכה שהיו מברכין לתפלת חיי המלך כדמפורש בתוספתא (פ"ד) דסוכה על שם ביום השמיני שלח את העם ויברכו את המלך (מלכים א ח) [יומא ג.]. פז"ר קש"ב, סימן הוא כדמפרש ואזיל: פיים בפני עצמו, שבכל פרי החג לא היו מטילין פיים איזה משמר יקריב לפי שבסדר היו מקריבין אותן עד שכל כ"ד משמרות שוות ומשלשות בהן חוץ משתים כדאמרי' בהחליל (לקמן דף נה:) ופר דשמיני בתחילה מפייסין עליו: זמן, לברך בו שהחיינו: רגל בפני עצמו, שאין יושבין בסוכה: קרבן לעצמו, שאינו כסדר פרי החג דאל"כ היו בו ששה פרים: ברכה לעצמו, את יום השמיני ובתוספתא משמע והכי גרסינן לה ברכה בפני עצמו שנאמר (מלכים א ח) ביום השמיני שלח את העם ויברכו את המלך [סוכה מח.]. מי שלא חג. שלא הביא חגיגתו ביום הראשון של חג. ויום טוב האחרון. של חג, חוגג שמיני עצרת ואע"ג דרגל בפני עצמו הוא הוי תשלומין לראשון [לעיל ט.]. תפשת מרובה לא תפשת. ברייתא בתורת כהנים גבי זבה (ויקרא טו) ימים רבים ימים שנים רבים שלשה או אינו אלא רבים עשרה אמרת כל ששמעו מרובה ושמעו מועט תפשת מרובה לא תפשת תפשת מועט תפשת הואיל ולא פירש לך איזה מהן יש לך לתפוס הראשון שבמשמע שאם לא נתפוס אלא המרובה אני משיבך מהיכן אתה ממעטו לזה המועט והלא אף הוא במשמע כשתאמר אינה זבה בפחות מעשרה אני אומר לך והלא אף שלשה במשמע וכשתאמר בשלשה ואני משיבך [און] אינו אלא עשרה אתה אומר לי אף השלשה במשמע [חולין קלח.]. דיש להקשות תפוס את המועט [ערכין ד:]. תפשת מועט תפשת. דאי מקשה לך תפוס את המרובה אינו חולק על דבריך אלא מוסיף דבכלל מרובה איכא מועט [ערכין שם]. טעון לינה. ליל מוצאו של מועד [ר"ה ה.].

דכתיב א) ופנית בבקר והלכת לאהליך תנן עצרת שחל להיות ערב שבת ב"ש אומרים יום טבוח אחר השבת וב"ה אומרים אין לה יום טבוח מאי לאו אין לה יום טבוח כלל לא שאינה צריכה יום טבוח ומאי קמ"ל דמקרבינן ביומיה הא איפליגו בה חדא זימנא דתנן ב"ש אומרים מביאין שלמים ואין סומכין עליהם אבל לא עולות וב"ה אומרים מביאין שלמים ועולות וסומכין עליהם צריכא דאי אשמעינן בהא בהא קא אמרי ב"ש משום דאפשר למחר אבל (א) הכא אימא מודו להו לב"ה ואי אשמעינן בהא בהא קאמרי ב"ה משום דלא אפשר למחר אבל בהא אימא מודו לב"ש צריכא ת"ש מי שלא חג שבעת ימי הפסח ושמונת ימי החג ויו"ט [א] הראשון של עצרת שוב אינו חוגג מאי לאו יו"ט של עצרת לא יום טבוח אי הכי ניפשוט מינה דחד יום טבוח אימא ימי טבוח ת"ש ב) דתני רבה בר שמואל אמרה תורה מנה ימים וקדש חדש מנה ימים וקדש עצרת מה חדש למנוייה אף עצרת למנוייה מאי לאו גמר מחדש מה חדש יום אחד אף עצרת יום אחד אמר רבא ותסברא אטו עצרת יומי מנינן שבועי לא מנינן והאמר אביי ג) מצוה למימני יומי דכתיב ב) תספרו חמשים יום ומצוה למימני שבועי דכתיב ג) שבעה שבועות תספר לך ועוד חג שבועות כתיב דבי ר"א בן יעקב תנא אמר קרא ד) וקראתם ה) ובקצרכם איזהו חג שאתה קורא וקוצר בו הוי אומר זה חג עצרת אימת אילימא ביו"ט קצירה ביום טוב מי שרי אלא לאו לתשלומין ואע"ג דאיתמר דר"א א"ר אושעיא אצטריך דר"א בן יעקב דאי מדר"א א"ר אושעיא הוה אמינא מה תשלומין של חג המצות אסור בעשיית מלאכה אף תשלומי עצרת נמי אסור בעשיית מלאכה קמשמע לן דר"א בן יעקב ואי מדר"א בן יעקב לא

רש"י

ופנית בבקר. שהוא חול המועד דאלו ביו"ט תחומין אסור: אין לה יום טבוח כלל. אם לא הקריבם ביו"ט עוד אין להן תשלומין: אבל בהא. בעצרת שחל להיות בערב שבת אימא מודו לב"ה ויקרבו ביו"ט דהא מחר שבת היא ולא קרבי ומתוך שאתה מתיישב מהן אתה בא לפשוע שלא תקריבם עוד: מנה ימים. שלשים יום: וקדש חדש. למוספין: מנה ימים. חמשים יום: וקדש עצרת. בקרבנותיו: מה חדש. קדושו באחד ממנוייו: אף עצרת. קדושו באחד ממנוייה: האמר אביי. במס' מנחות מצוה למימני יומי ומצוה למימני שבועי: דבי ר"א בן יעקב תנא. מהכא נפקא לן תשלומין לעצרת: וקראתם בעצם היום הזה. ובחג השבועות כתיב וסמיך ליה ובקצרכם את קציר ארצכם שאתה קורא מקרא קדש וקוצר: הוי אומר זה עצרת. דהכי קרא' בעצרת כתיבי: אלא לתשלומין. לאחר יו"ט קאי וקורא אותו מקרא קדש לענין תשלומין ומותרין במלאכה:

תוספות

דכתיב ופנית בבקר. פרש"י בחוה"מ דאי ביו"ט אסור משום תחומין ולא יתכן דהתניא לר"ע ג) לרבנן מאי איכא למימר דליכא איסור תחומין לדאורייתא וי"מ די"ב מילין אית להו שפיר לרבנן תחומין והכי איתא בירושלמי המחוור מכולן י"ב מילין כנגד מחנה ישראל והש"ס שלנו לא ס"ל (ג) דהא בפ' כלל גדול (שבת סט.) גבי שכח עיקר שבת דבעי דלידע ליה לשבת במאי דלידע לה בתחומין ולאיבא דר"ע ולא קאמר לדברי הכל וכן בפ' בתרא דבילה (דף לו:) גבי אין רוכבין מוקי טעמא בגמרא שמא ילך חוץ לתחום ופריך ת"מ תחומין לדאורייתא אלא גזירה שמא יחתוך זמורה אלמא דרבנן לא מודו כלל בתחומין ובפ"ק דר"ה (ד' ה.) פרש"י דלאו (ג) משום י"ט פשיטא [שהרי הוא יום] שיתחייב להתראות פנים בעזרה ור' עזריאל מלא בתוספתא (ד) דתניא בליל יו"ט האחרון חוזרין לבתיהן כדכתיב ביום השמיני שלח את העם (מלכים א ח) יכול שאין טעונים לינה ת"ל ה) וביום עשרים ושלשה לחדש שלח את העם הא כיצד נפטרו (ה) והשכימו והולכי' לאמרת יום שמיני שהוא כ"ג ועוד הביא הר"י ראיה מההיא דלולב וערבה בשמעתין דלאמר זמן בשמיני של חג שהבכורים טעונין לינה משמע לינה דומיא דבכורים שהם יום אחד ועוד תני בספרי בפרשת ראה והלכת לאהליך מלמד שטעונין לינה רגלים אין לי אלא אלו מנין לרבות עופות ומנחות יין לבונה ועצים תלמוד לומר ופנית בבוקר כל פינות שאתה פונה לא יהיו אלא מן הבקר ואילך רבי יהודה אומר יכול יהא פסח קטן כו' ומשמע מיהא דלינת רגלים אינו רק דומיא דהני והיינו (ו) יום ולילה וכי מקשה פ' לולב וערבה (סוכה מז.) זמן כל ז' ימים מי איכא הוה מצי לאקשויי וליטעמיך לינה (ז) דלא מקשי כלל לאקשויי ויש להקשות דאמרינן זובחים פרק דם החטאת (דף מ.) דרבי טרפון אומר אם בשל בה מתחלת הרגל כו' מותר לבשל בה בסוף הרגל מ"ט דכתיב ופנית בבקר הכתוב עשאן בקר אחד אלמא מדלענין נותר מחשב יום אחד משמע שטעון לינה כל ז' ומירץ הר"י דלפי המסקנא משני התם טעמא אחרינא משום שכל יום ויום נעשה גיעול לחברו והר"ר אלחנן מירץ דב' עניני לינה הם אחת משום יו"ט והשנית משום קרבן שטעון לינה והתם אף בחוה"מ והכי משמע בההיא דבכורים (ח) לינה וקרבן משמע שטעונין לינה משום ט) יו"ט וכן מצינו בירושלמי גבי ההיא משנה דבכורים הדא אימתר כשאין עמהן קרבן אבל יש עמהן קרבן בלא כך טעונין לינה מחמת הקרבן: נפשוט מינה דחד יומא טבוח. וממתני' לא אלימא ליה לאקשויי (ט) ומודים כשחל להיות בשבת שיום טבוח לאחר השבת ולא אית ליה תשלומין כל שבעה ימתינו (י) לגיבורא עד אחרי בשבת וי"ל דהא לא רצו כל כך לאחר: אמרה תורה מנה ימים וכו'. היה קשה להר"ר ריבנו משולם היכן אמרה תורה למנות ימים ולקדש חדש והיה מגיה מנה שנים וקדש יובל והכי איתא בתורת כהנים דמצוה למימני שמיטין לקדש יובלות וכן היה מגיה בפ"ק דר"ה (דף ה.) ובמנחות (דף סה: ושם) בשמעתא דלדוקין שהיו אומרים עצרת לאחר השבת אך קשה להר"ם למחוק הספרים ולהגיה גירסא שאינה בשום מקום ומפרש דודאי ר"ה נמי דאורייתא הוא למימני ביה יומי ודאמרינן בפ"ק דמגילה (דף ה.) מנין שאין מחשבין שעות לחדשים ת"ל עד חדש ימים ימים אתה מונה ואי אתה מונה שעות ואל תתמה על הלשון שאע"פ שאין רק דרשה מצינו כי האי לישנא בפרק בתרא דמגילה (דף כט:) אמרה תורה חדש והביא קרבן מתרומה חדשה אע"פ (כ) כי אותה דרשה אינה פשוטה שהרי לדוקין חולקין בה לומר שהיחיד מתנדב ומביא תמיד הר"ר אלחנן וכן יש לגרוס כאן חדש למנוייו שכן מצינו בפ"ק דר"ה (דף י:) בגמרא ולגנטיעה מה חדש למנוייו אף שנה למנויה: אף עצרת למנוייו. לענין קרבן קאמר דאי לענין יום טוב לא צריך קרא: מצוה למימני יומי ומצוה למימני שבועי. ותרוייהו איתנהו יומי לקדש עצרת שבועי לתשלומין והקשה הר"ר אלחנן ליגמר מיובל דלא מקדשין ליה לענין שמיטין רק לשנים וא"כ לא (ל) נימא כלל הכא מנין שבועי לקדש ומירך להכי אצטריך חג השבועות לומר שמקדשין בו ימים ושבועות דאי לא תימא הכי למה לי קרא מדרשה דחג השבועות דמדרשה דרבה בר שמואל ומנה ימים וקדש חדש לאפוקי מלבן של לדוקין וצ"ל דלא גמרינן מיובל דלדון ימים מימים עלרת מחדש ולא יוכיח יובל דשנים ניהנו והכא שמעינן דמלוה למימני יומי ושבועי בספירת העומר דקי"ל כאביי: אלא לאו לתשלומין. דשרי לקצור ולעשות מלאכה ביום טבוח ומסיים בה בירושלמי א"ר יוסי ברבי בון ובלבד שיכלם לעיסקו כהדא דתנינן לה (מ) אמר איתם ליהוו עלוואי עאין ובכורים ואומר הרי עלים הרי עלים למזבח וגיזרין למערכה אסור בהספד ובתענית ולמעשות מלאכה בו ביום כלומר ואע"פ שהתורה התירה מלאכה לתשלומין לא מצי למיעבד רק לצורך אילמלו אם כלה עיסקו כמו שמצינו שאסור לאדם לעשות מלאכה ביום הקריבו את קרבנו והא דקאמר בסמוך ואי מדר"א הוה אמינא מה תשלומין בחג המצות אסור בעשיית מלאכה אף של עצרת (נ) מדאורייתא ואע"ג דחול המועד אינו אלא מדרבנן בדבר שאינו אבוד משום שביעי דאורייתא נקטיה אבל מ"מ אף הש"ס שלנו לא פליג בהא דמדרבנן מיהא מיתסר יום טבוח כדפרישית: ואיצטריך דר"א (ס) ואיצטריך דרבי אושעיא. הקשה הר"ר אלחנן מברייתא דלעיל ליעבד לריכותא דתני רבה בר שמואל ועל ר"א בן יעקב ומחג השבועות דאמר ר"א ורבי אושעיא למה לי דמשמע מיניה שיש לו תשלומין כל ז' וי"ל דהסיא בריייתא אתיא למסור דרשת הלדוקין במנחות (דף סה: ושם):

אלא

עין משפט נר מצוה

כ א ב מיי' פ"ז מהל' תמידין הלכה כב סמג עשין ר טוש"ע א"ח סי' תפט סעיף א:
[רב אלפס סוף ערבי פסחים דף קא. וברא"ש שם סי' מ]:

הגהות הגר"א

[א] גמ'. תיבת הראשון נמחק:

תורה אור השלם

א) וּבִשַּׁלְתָּ וְאָכַלְתָּ בַּמָּקוֹם אֲשֶׁר יִבְחַר יְיָ אֱלֹהֶיךָ בּוֹ וּפָנִיתָ בַבֹּקֶר וְהָלַכְתָּ לְאֹהָלֶיךָ: [דברים טז, ז]

ב) עַד מִמָּחֳרַת הַשַּׁבָּת הַשְּׁבִיעִת תִּסְפְּרוּ חֲמִשִּׁים יוֹם וְהִקְרַבְתֶּם מִנְחָה חֲדָשָׁה לַייָ: [ויקרא כג, טז]

ג) שִׁבְעָה שָׁבֻעֹת תִּסְפָּר לָךְ מֵהָחֵל חֶרְמֵשׁ בַּקָּמָה תָּחֵל לִסְפֹּר שִׁבְעָה שָׁבֻעוֹת: [דברים טז, ט]

ד) וּקְרָאתֶם בְּעֶצֶם הַיּוֹם הַזֶּה מִקְרָא קֹדֶשׁ יִהְיֶה לָכֶם כָּל מְלֶאכֶת עֲבֹדָה לֹא תַעֲשׂוּ חֻקַּת עוֹלָם בְּכָל מוֹשְׁבֹתֵיכֶם לְדֹרֹתֵיכֶם: [ויקרא כג, כא]

ה) וּבְקֻצְרְכֶם אֶת קְצִיר אַרְצְכֶם לֹא תְכַלֶּה פְּאַת שָׂדְךָ בְּקֻצְרֶךָ וְלֶקֶט קְצִירְךָ לֹא תְלַקֵּט לֶעָנִי וְלַגֵּר תַּעֲזֹב אֹתָם אֲנִי יְיָ אֱלֹהֵיכֶם: [ויקרא כג, כב]

ליקוטי רש"י

ופנית בבקר. לבקרו של שני מלמד שטעון לינה ליל של מוצאי יו"ט [דברים טז, ז]. בי"ט לא קאמר קרא שהרי הוא יום שחייבו ליראות בעזרה. מנה ימים. שנאמר עד חדש ימים (במדבר יא). וקדש חדש. בקרבנות [ר"ה ה.]. מנה ימים וקדש חדש. עד חדש ימים (לחדש) מנה תשעה ועשרים יום ויקדש חדש ביום שלשים [מנחות סה:]. מה חדש. קדושו אחד ממנויו ביום ראש חדש הוא מקריבן זמן הוקבע להם אחד מן הימים שהוא נמנה על ידם [ר"ה שם]. אף עצרת. הבאת קרבנותיה באחד ממנוייה. שבועי לא מנינן. והרי היא נמנית על ידי שבועים שנאמר (ויקרא כג) שבע שבתות תמימות תהיינה [ר"ה שם].

מסורת הש"ס

א) ר"ה ה. מנחות סה: ע"ש סו., ב) [ר"ה ה. ע"ש מנחות סו.], ג) [סוטה מ:], ד) [דס"ג ז], ה) [קרבן יו"ט כצ"ל].

הגהות הב"ח

(א) גמ' דאפשר למחר אבל בהא אימא מודו: (ב) תוס' ד"ה דכתיב וכו' והש"ס שלנו לא סבירא ליה הכי דהא: (ג) בא"ד ובפ"ק דר"ה פרש"י דלאי ביום טוב כצ"ל ותיבת משום נמחק: (ד) בא"ד ורבי עזריאל מלא בתוספתא בס"פ בתרא דסוכה דתניא: (ה) בא"ד כילד נפטרו מבע"י והשכימו וכו' בשמעתא דלאמר זמן וכו' דומיא דבכורים שהוא לילה אחת ועוד תני: (ו) בא"ד אינו רק דומיא דהני והיינו לילה אחת וכי מקשה כצ"ל ותיבת יום נמחק: (ז) בא"ד הוה מצי לאקשויי וליטעמיך לינה אלא דלא חש לאקשויי כלל ויש להקשות: (ח) בא"ד בההיא דבכורים דתני לינה וכו' הדא דתימר כשאין: (ט) ד"ה נפשוט וכו' לאקשויי דתנן ומודים. נ"ב דלאחר שבת תני אין כ"ג מתלבש בכליו מפני הלדוקין ולאי אית ליה תשלומין וכו' ימתינו עד אחרי בשבת דאין בו משום לדוקין: (י) בא"ד ימתינו עד אחרי בשבת דיש לומר דלא רצו כל כך לאחר לגיבורא הס"ד: (כ) ד"ה אמרה וכו' אע"פ שאותה דרשה כו' בפ"ק דר"ה גמרא לנטיעה: (ל) ד"ה מצוה וכו' וא"כ לא לימני כלל הכא וכו' למה לי קרא. נ"ב פי' דאי אין מקדשין שבעה לעצרת למה לי קרא דבחג המצות ובחג השבועות ובחג הסוכות היינו בחג המצות ובחג הסוכות לאקושי לחג המצות דטעון לינה אבל חג השבועות לא אילטריך ולא קשיא נמי השתא דכתיב חה"ש דיש תשלומין שבעה לעצרת הך דתני רבה דמנה ימים כו' למה לי דהלא אילטריך לאפוקי מלבן של לדוקים אבל קשה דאילטריך קרא דחג השבועות דטעון לינה [והשאר חסר]: (מ) ד"ה אלא וכו' כהדא דתנינן כל איגש ליהוו עלוואי עאין ובכורים פי' האומר הרי עלי עלים וכו' כלומר דאע"פ: (נ) בא"ד אף של עצרת היינו מדאורייתא: (ס) ד"ה ואיצטריך דר' אליעזר ב"י ואיצטריך דר"א אמר ר' אושעיא וכו' דתני רבה בר שמואל למה לי הא כתיב חג השבועות דאמר רבי אלעזר א"ר אושעיא דמשמע מיניה כצ"ל ומיבת למה לי נמחק:

The Gemara answers:

דִּכְתִיב – For it is written: "וּפָנִיתָ בַבֹּקֶר וְהָלַכְתָּ לְאֹהָלֶיךָ", – ***and in the morning you may turn back and go to your tents.***[1]

The Gemara challenges R' Oshaya's ruling that Shavuos has a seven-day compensation period:

תְּנַן – We learned in our **Mishnah:** עֲצֶרֶת שֶׁחָל לִהְיוֹת עֶרֶב שַׁבָּת – WHEN SHAVUOS FALLS ON FRIDAY – בֵּית שַׁמַּאי אוֹמְרִים יוֹם טְבוֹחַ אַחַר הַשַּׁבָּת – BEIS SHAMMAI SAY: THE DAY OF SLAUGHTER for the festival offerings IS AFTER THE SABBATH, i.e. on Sunday. וּבֵית הִלֵּל אוֹמְרִים אֵין לָהּ יוֹם טְבוֹחַ – BEIS HILLEL, HOWEVER, SAY: IT HAS NO DAY OF SLAUGHTER. מַאי לָאו אֵין לָהּ יוֹם טְבוֹחַ כְּלָל – Now, **what** do Beis Hillel mean? Is it **not** that **it has no day of slaughter at all?!**[2] We see then that Shavuos does not have a seven-day compensation period.[3] – ? –

The Gemara deflects the challenge:

לֹא – No! שֶׁאֵינָהּ צְרִיכָה יוֹם טְבוֹחַ – Beis Hillel mean **that it does not *need* a Day of Slaughter,** since the festival offerings may be brought on Yom Tov itself.[4]

The Gemara counters:

וּמַאי קָא מַשְׁמַע לָן – But if that is the interpretation of Beis Hillel's statement, **what is it teaching us?** דִּמְקַרְבִינַן בְּיוֹמֵיהּ – **That we may bring** the *olas re'iyah* **on its** appointed **day** (Shavuos itself)?! הָא אִפְלִיגוּ בָּהּ חֲדָא זִימְנָא – **But [Beis Hillel and Beis Shammai] have argued over this** very issue **once** before,[5] דִּתְנַן – **for we learned** earlier **in** our **Mishnah:** בֵּית שַׁמַּאי אוֹמְרִים – BEIS SHAMMAI SAY: מְבִיאִין שְׁלָמִים וְאֵין סוֹמְכִין עֲלֵיהֶם – WE MAY BRING *SHELAMIM* OFFERINGS on Yom Tov BUT WE MAY NOT PERFORM *SEMICHAH* ON THEM; אֲבָל לֹא עוֹלוֹת – HOWEVER, we may NOT bring *OLAH* OFFERINGS. וּבֵית הִלֵּל אוֹמְרִים – BUT BEIS HILLEL SAY: מְבִיאִין שְׁלָמִים וְעוֹלוֹת – WE MAY BRING both *SHELAMIM* AND *OLAH* OFFERINGS on Yom Tov, וְסוֹמְכִין עֲלֵיהֶם – AND WE MAY PERFORM *SEMICHAH* ON THEM. Thus, Beis Hillel have already taught, here in this first section of the Mishnah, that the *olas re'iyah* may be offered on Shavuos itself! – ? –

The Gemara deflects the second challenge as well:

צְרִיכָא – Indeed, the correct interpretation of Beis Hillel's latter statement is as we have said – that Shavuos *does not need* a day of slaughter. Nevertheless, **it was necessary** to teach both cases of the Mishnah. דְּאִי אַשְׁמְעִינַן בְּהָא – **For if [the Tanna] had taught us** their dispute only **in this** first case (where Yom Tov falls on any weekday other than Friday), בְּהָא קָא אָמְרֵי בֵּית שַׁמַּאי – I might think that **in this** case **Beis Shammai stated** that the festival offerings may not be brought on Yom Tov – מִשּׁוּם דְּאֶפְשָׁר לְמָחָר – **because it is possible** to bring them **on the following day;**[6] אֲבָל (הכא) [בְּהָא][7] – **however, in this** second case of the Mishnah (where Shavuos falls on Friday), אֵימָא מוֹדוּ לְהוּ לְבֵית הִלֵּל – **I would say** that **[Beis Shammai] concede to Beis Hillel** that the *olas re'iyah* may be offered on Yom Tov, since the following day is the Sabbath and it certainly may not be brought at that time.[8] וְאִי אַשְׁמְעִינַן בְּהָא – **And,** conversely, **if [the Tanna] had taught us** their dispute only **in this** second case (where Shavuos falls on Friday), בְּהָא קָאָמְרֵי בֵּית הִלֵּל – I might think that **in this** case **Beis Hillel stated** that the festival offerings may be brought on Yom Tov – מִשּׁוּם דְּלָא אֶפְשָׁר לְמָחָר – **because it is impossible** to bring them **on the following**

NOTES

1. *Deuteronomy* 16:7. The verse reads: *You shall roast it* [the *pesach* offering] *and eat it in the place that Hashem, your God, will choose, and in the morning you may turn back and go to your tents.* This apparently means that one may return home the morning after eating the *pesach* – i.e. on the first day of Pesach. That cannot be, however, because one may not travel beyond the *techum* on Yom Tov (*Rashi*; see below). Moreover, one is obligated to appear that day in the Temple and offer the *olas re'iyah* [and *chagigah*] (*Rashi, Rosh Hashanah* 5a ד״ה ופנית and to *Succah* 47a ד״ה ולינה; see *Rashi* to *Pesachim* 95b [א] ד״ה טעון לינה who gives both reasons). Rather, the verse means that one must stay in Jerusalem the night *after* the first day of Pesach, and return home on the first day of Chol HaMoed (*Rashi*).

[*Tosafos* question *Rashi's* assertion that one is Biblically forbidden from returning home on the first day of Pesach because of the *techum* prohibition. The Gemara states in several places (see *Shabbos* 69a et al.) that the prohibition to travel beyond the *techum* boundary (a distance of 2,000 *amos* from the place of one's Sabbath residence) is a Biblical prohibition only according to R' Akiva, whereas the majority of Tannaim consider it to be merely a Rabbinic prohibition. How then can this Rabbinic prohibition be a factor in the interpretation of the verse? *Tosafos,* however, note that some Rishonim maintain that even the Rabbis agree that there is a Biblical *techum* prohibition to travel beyond 12 *mil* (24,000 *amos*) from one's Sabbath residence, and it is only the smaller, 2,000-*amah* measure that is subject to the dispute between R' Akiva and the Rabbis. This indeed is the view of the *Rif* (at the end of the first chapter of *Eruvin,* fol. 5a in the Vilna Shas) and *Rambam* (*Hil. Shabbos* 27:1). According to this view, the Gemara may be referring to this prohibition.]

The Rishonim raise the following difficulty: *Sifrei* (*Deuteronomy* §181) derives from this verse a general requirement that one stay overnight in Jerusalem after offering *any* sacrifice. Why, then, is a special exposition needed to teach that this obligation applies after the first day of Succos, when one is required to offer sacrifices in any event? *Tosafos* (citing *Rabbeinu Elchanan*) answer that the law with regard to Pesach is that one must remain in Jerusalem after the first day even if he had not offered any sacrifices that day. The *hekeish* between Pesach and Succos is then required to apply that law to Succos as well.

Other Rishonim suggest that the law in regard to Pesach is that one may not leave Jerusalem until the morning after all seven days of Pesach. In their view, it is for the sake of teaching this law in regard to Succos that the *hekeish* between Pesach and Succos is required (*Tosafos,* in name of *R' Azriel; Rashba* and *Ritva* to *Rosh Hashanah* 5a; see *Tosafos* there; from *Rashi* cited in note 24 to 17a it is clear that he does not share this view).

2. That is, if one fails to bring the festival offerings on Yom Tov itself, there is no compensation on the following six days (*Rashi*). This refutes R' Oshaya, who ruled (above, 17a) that Shavuos has a full week of compensation.

3. The commentators ask: How could the Gemara infer that Beis Hillel do not grant Shavuos any days of compensation? The Mishnah goes on to say that Beis Hillel concede that when Shavuos falls on the Sabbath, compensation can be made on Sunday! *Turei Even* (see also *Maharsha*) answers that at this point the Gemara assumes that Beis Hillel consider the compensation period for Shavuos to be just *one day* (and for that reason allow compensation on Sunday when Shavuos falls on the Sabbath, the day before). The Gemara does not think, however, that Beis Hillel allow the full week sanctioned by R' Oshaya (cf. *Meromei Sadeh*).

Maharsha offers another explanation: The challenger understands that Shavuos has no day of slaughter only when one may offer the sacrifices on Yom Tov. Since the sacrifices are forbidden when Shavuos falls on the Sabbath, however, Beis Hillel agree that there is one day of compensation (Sunday).

4. Nevertheless, if one failed to bring them on Shavuos, he may do so on the following six days – as per R' Oshaya's ruling.

5. And therefore why repeat the argument?

6. Since it is not the Sabbath.

7. *Bach* emends הָכָא (*here*) to בְּהָא (*in this*). בְּהָא appears in *Rashi's* text as well. We have translated according to *Bach's* emendation.

8. If a person were forced to abandon the idea of bringing his festival offerings on these two days (Friday, which is Yom Tov, and the Sabbath), he might neglect to bring them afterward (*Rashi*). [According to this understanding of their view, Beis Shammai would prohibit bringing the festival offerings on Yom Tov only by Rabbinic decree (and not by Biblical law, as we explained in the Mishnah). Therefore, where the decree might lead to a failure to bring the offerings at all, the Rabbis relaxed their decree.]

דכתיב א) ופנית בבקר והלכת לאהליך תנן עצרת שחל להיות ערב שבת ב"ש אומרים יום טבוח אחר השבת וב"ה אומרים אין לה יום טבוח מאי לאו אין לה יום טבוח כלל לא שאינה צריכה יום טבוח ומאי קמ"ל דמקרבינן ביומיה הא איפליגו בה חדא זימנא דתנן ב"ש אומרים מביאין שלמים ואין סומכין עליהם אבל לא עולות וב"ה אומרים מביאין שלמים ועולות וסומכין עליהם צריכא דאי אשמעינן בהא בהא קא אמרי ב"ש משום דאפשר למחר אבל (א) הכא אימא מודו להו לב"ה ואי אשמעינן בהא בהא קאמרי ב"ה משום דלא אפשר למחר אבל בהא אימא מודו לב"ש צריכא ת"ש מי שלא חג שבעת ימי הפסח ושמונת ימי החג ויו"ט [א] הראשון של עצרת שוב אינו חוגג מאי לאו יו"ט של עצרת לא יום טבוח אי הכי ניפשוט מינה דחד יומא אימא ימי טבוח ת"ש ה) דתני רבה בר שמואל אמרה תורה מנה ימים וקדש חדש מנה ימים וקדש עצרת מה חדש למנוייו אף עצרת למנוייה מאי לאו מה מחדש מה חדש יום אחד אף עצרת יום אחד אמר רבא ותסברא אטו עצרת יומי מנינן שבועי לא מנינן והאמר אביי ג) א מצוה למימני יומי דכתיב ב) תספרו חמשים יום ב ומצוה למימני שבועי דכתיב ג) שבעה שבועות תספר לך ועוד חג שבועות כתיב דבי ר"א בן יעקב תנא אמר קרא ד) וקראתם ה) ובקצרכם איזהו חג שאתה קורא וקוצר בו הוי אומר זה חג עצרת אילימא ביו"ט קצירה ביום טוב מי שרי אלא לאו לתשלומין ואע"ג דאיתמר דר"א א"ר אושעיא אצטריך דר"א בן יעקב דאי מדר"א א"ר אושעיא הוה אמינא מה תשלומין של חג המצות אסור בעשיית מלאכה אף תשלומי עצרת נמי אסור בעשיית מלאכה קמשמע לן דר"א בן יעקב ואי מדר"א בן יעקב

לא

רש"י

ופנית בבקר. שהוא חול המועד דאלו ביו"ט תחומין אסור: אין לה יום טבוח כלל. אם לא הקריבם ביו"ט עוד אין לכן תשלומין: אבל בהא. בעצרת שחל להיות בערב שבת אימא מודו לב"ה ויקרבו ביו"ט דהא מחר שבת היא ולא קרבי ומתוך שאתה מתייאש מהן אתה בא לפשוע שלא תקריבם עוד: מנה ימים. שלשים יום: וקדש חדש. למוספין: מנה ימים. חמשים יום: וקדש עצרת. בקרבנותיו: מה חדש. קדושתו באחד ממנוייו: אף עצרת. קדושתו באחד ממנוייה: והאמר אביי. במס' מנחות מצוה למימני יומי ומצוה למימני שבועי: דבי ר"א בן יעקב תנא. מהכא נפקא לן תשלומין לעצרת: וקראתם בעצם היום הזה. ובחג השבועות כתיב וסמיך ליה ובקצרכם את קציר ארצכם שאתה קורא מקרא קדש וקוצר: הוי אומר זה עצרת. דהכי קראי בעצרת כתיבי: אלא לאו לתשלומין. לאחר יו"ט קאי וקורא אותו מקרא קדש לענין תשלומין ומותרין במלאכה:

תוספות

דכתיב ופנית בבקר. פרש"י בחוש"מ דאי ביו"ט אסור משום תחומין ולא יתכן דהתינח לר"ע ג) לרבנן מאי איכא למימר דליכא איסור תחומין דאורייתא וי"מ די"ב מילין אית להו שפיר לרבנן תחומין והכי איתא בירושלמי המחוור מכולן י"ב מילין כנגד מחנה ישראל והש"ס שלנו לא ס"ל (ב) דהא בפ' כלל גדול (שבת סט.) גבי שכח עיקר שבת דבעי דידע ליה לשבת במאי דידע לה בתחומין ואליבא דר"ע ולא קאמר לדברי הכל וכן בפ' בתרא דבילה (דף לו:) גבי אין רוכבין מוקי טעמא בגמרא שמא ילך מחוץ לתחום ופריך ש"מ תחומין דאורייתא אלא גזירה שמא יחתוך זמורה אלמא דרבנן לא מודו כלל בתחומין ובפ"ק דר"ה (ד' ה.) פרש"י דאי (ג) משום י"ט פשיטא [שהרי הוא יום] שיתחייב להתראות פנים בעזרה ור' עוזיאל מלא בתוספתא (ד) דתניא בליל יו"ט האחרון חוזרין לבתיהן כדכתיב ביום השמיני שלח את העם (מלכים א ח) יכול שאין טעונים לינה ת"ל ד) וביום עשרים ושלשה לחדש שלח את העם הא כיצד נפטרו (ה) והשכימו והולכי' למחרת יום שמיני שהוא כ"ג ועוד הביא הר"י ראיה מההיא דלולב וערבה בשמעתין דאמר זמן בשמיני של חג שהבכורים טעונין לינה משמע לינה דומיא דבכורים שהם יום אחד ועוד תני בספרי בפרשת ראה והלכת לאהליך מלמד שטעונין לינת רגלים אין לי אלא אלו מניין לרבות עופות ומנחות יין לבונה ועצים תלמוד לומר ופנית בבוקר כל פינות שאתה פונה לא יהיו אלא מן הבקר ואילך רבי יהודה אומר יכול יהא פסח קטן כו' ומשמע מיהא דלינת רגלים אינו רק דומיא דהני והיינו (ו) יום ולילה וכי מקשה פ' לולב וערבה (סוכה מז:) זמן כל ז' ימים מי איכא הוה מצי לאקשויי וליטעמיך לינה (ז) דלא מקשי כלל ויש להקשות דאמרינן בזבחים פרק דם החטאת (דף צז.) דרבי טרפון אומר אם בשל בה מתחלת הרגל כו' מותר לבשל בה בסוף הרגל מ"ט דכתיב ופנית בבקר הכתוב עשאן בקר אחד אלמא מדלענין נותר מחשב יום אחד משמע שטעון לינה כל ז' ותירץ הר"י דלפי המסקנא משני התם טעמא אחרינא משום שכל יום ויום נעשה גיעול לחברו והר"ר אלחנן תירץ דב' ענייני לינה הם אחת משום יו"ט והשנית משום קרבן שטעון לינה והתם אף בחוש"מ והכי משמע בההיא דבכורים (ח) לינה וקרבן משמע שטעונין לינה משום ט) יו"ט וכן מלינו בירושלמי גבי ההיא משנה דבכורים הדא איתמר כשאין עמהן קרבן אבל יש עמהן קרבן בלא כך טעונין לינה מחמת הקרבן: נפשוט מינה דחד יומא טבוח. וממתני' לא אלימא ליה לאקשויי (ט) ומודים כשחל להיות בשבת שיום טבוח לאחר השבת ואי אית ליה תשלומין כל שבעה ימתינו (י) לגיבורא עד תרי בשבת וי"ל דהא לא רצו כל כך לאחר: אמרה תורה מנה ימים וכו'. היה קשה להרב רבינו משולם היכן אמרה תורה למנות ימים לקדש חדש והיה מגיה מנה שנים וקדש יובל והכי איתא בתורת כהנים דמצוה למימני שמיטין לקדש יובלות וכן היה מגיה בפ"ק דר"ה (דף ה.) ובמנחות (דף סה: ושם) בשמעתא דצדוקין שהיו אומרים עצרת לאחר השבת אך קשה לר"ת למחוק הספרים והגיה גירסא שאינה בשום מקום ומפרש דודאי ר"ח נמי דאורייתא הוא למימני ביה יומי וכדאמרינן בפ"ק דמגילה (דף ה.) מנין שאין מחשבין שעות לחדשים ת"ל עד חדש ימים ימים אתה מונה ואי אתה מונה שעות ואל תתמה על הלשון שאע"פ שאין רק דרשה מלינו כי האי לישנא בפרק בתרא דמגילה (דף כט:) אמרה תורה חדש והבא קרבן מתרומה חדשה אע"פ (כ) כי אותה דרשה אינה פשוטה שהרי לדוקין חולקין בה לומר שהיחיד מתנדב ומביא תמיד הר"ר אלחנן וכן יש לגרוס כאן חדש למנוייו שכן מלינו בפ"ק דר"ה (דף י:) בגמרא ולנטיעה מה חדש למנוייו אף שנה למנוייה: אף עצרת למנוייו. לענין קרבן קאמר דאי לענין יום טוב לא צריך קרא: מצוה למימני יומי ומצוה למימני שבועי. ותרוייהו איתנהו יומי לקדש עצרת שבועי לתשלומין והקשה הר"ר אלחנן ליגמר מיובל דלא מקדשין ליה לענין שמיטין רק לשנים וא"כ לא (ל) נימא כלל הכא מנין שבועי לקדש ותירץ דלהכי אצטריך חג השבועות לומר שמקדשין בו ימים ושבועות דאי לא תימא הכי למה לי קרא מדרשה דחג השבועות למדרשה דרבה בר שמואל ומנה ימים וקדש חדש לאפוקי מלבן של לדוקין וע"ל דלא גמרינן מיובל דדנין ימים מימים עצרת מחדש ואל יוכיח יובל דשנים ניניהו ומהכא שמעינן דמלוה למימני יומי ושבועי בספירת העומר דקי"ל כאביי: אלא לאו לתשלומין. דשרי לקצור ולעשות מלאכה ביום טבוח ומסיים בה בירושלמי א"ר יוסי ברבי בון ובלבד שיכלס לעיסתו כהדא דתנינן לה (מ) אמר אינם ליהוו עלוואי אעין ובכורים ואומר הרי עצים למזבח וגיזרין למערכה אסור בהספד ובתענית ומלעשות מלאכה בו ביום כלומר ואע"פ שהתורה התירה מלאכה לתשלומין לא מצי למיעבד רק לצורך אכילתו אם כלה עיסתו כמו שמצינו שאסור לאדם לעשות מלאכה ביום הקריבו את קרבנו והא דקאמר בסמוך ואי מדר"א הוה אמינא מה תשלומין בחג המצות אסור בעשיית מלאכה אף של עצרת (נ) מדאורייתא ואע"ג דחול המועד אינו אלא מדרבנן בדבר שאינו אבוד משום שביעי דאורייתא נקטיה אבל מ"מ אף הש"ס שלנו לא פליג בהא דמדרבנן מיהא מיתסר יום טבוח כדפרישית: ואצטריך דר"א (ס) ואיצטריך דרבי אושעיא. הקשה הר"ר אלחנן מברייתא דלעיל ליעבד נריכותא דתני רבה בר שמואל ועל ר"א בן יעקב וחג השבועות לאמר ר"א ורבי אושעיא למה לי דמשמע מיניה שיש לו תשלומין כל ז' וי"ל דההיא ברייתא אתיא לסתור דרשת הצדוקין במנחות (דף סה: ושם):

אלא

עין משפט נר מצוה

כ א ב מיי' פ"ו מהל' תמידין הלכה כב סמג עשין ר טוש"ע א"ח סי' תצד סעיף א: [רב אלפס סוף ערבי פסחים דף קא. וברא"ש שם סי' מ]:

הגהות הגר"א

[א] גמ' ויו"ט הראשון נמחק:

תורה אור השלם

א) וּבִשַּׁלְתָּ וְאָכַלְתָּ בַּמָּקוֹם אֲשֶׁר יִבְחַר יְיָ אֱלֹהֶיךָ בּוֹ וּפָנִיתָ בַבֹּקֶר וְהָלַכְתָּ לְאֹהָלֶיךָ: [דברים טז, ז]

ב) עַד מִמָּחֳרַת הַשַּׁבָּת הַשְּׁבִיעִת תִּסְפְּרוּ חֲמִשִּׁים יוֹם וְהִקְרַבְתֶּם מִנְחָה חֲדָשָׁה לַיְיָ: [ויקרא כג, טז]

ג) שִׁבְעָה שָׁבֻעֹת תִּסְפָּר לָךְ מֵהָחֵל חֶרְמֵשׁ בַּקָּמָה תָּחֵל לִסְפֹּר שִׁבְעָה שָׁבֻעוֹת: [דברים טז, ט]

ד) וּקְרָאתֶם בְּעֶצֶם הַיּוֹם הַזֶּה מִקְרָא קֹדֶשׁ יִהְיֶה לָכֶם כָּל מְלֶאכֶת עֲבֹדָה לֹא תַעֲשׂוּ חֻקַּת עוֹלָם בְּכָל מוֹשְׁבֹתֵיכֶם לְדֹרֹתֵיכֶם: [ויקרא כג, כא]

ה) וּבְקֻצְרְכֶם אֶת קְצִיר אַרְצְכֶם לֹא תְכַלֶּה פְּאַת שָׂדְךָ בְּקֻצְרֶךָ וְלֶקֶט קְצִירְךָ לֹא תְלַקֵּט לֶעָנִי וְלַגֵּר תַּעֲזֹב אֹתָם אֲנִי יְיָ אֱלֹהֵיכֶם: [ויקרא כג, כב]

ליקוטי רש"י

ופנית בבקר. לבקרו של שני מלמד שטעון לינה ליל של מוצאי יו"ט [דברים טז, ז]. בי"ט לא קאמר קרא שהרי הוא יום שחייבו ליראות בעזרה. מנה ימים. שנאמר עד חדש ימים [במדבר יא, כ] וקדש חדש. בקרבנות [ר"ה ה.]. מנה ימים וקדש חדש. עד חדש ימים (לחדש) מנה תשעה ועשרים יום ויקדש חדש ביום שלשים [מנחות סה:]. מה חדש. קדושו אחד ממנוייו ביום ראש חדש הוא מקריבין קרבנות שהוא אחד מן הימים שהוא נמנה על ידם [ר"ה שם]. אף עצרת. הבאת קרבנותיה ממנוייה. שבועי לא מנינן. והרי היא נמנית על ידי שבועים שנאמר [ויקרא כג] שבע שבתות תמימות תהיינה [ר"ה שם].

מסורת הש"ס

א) ר"ה ה. מנחות סה: ע"ש סו., ב) [ר"ה ה. ע"ש מנחות סו.], ג) [סוטה מו:], ד) [דה"ב ז], ה) [קרבן יו"ט כל"ז].

הגהות הב"ח

(א) גמ' דאפשר למחר אבל בהא אימא מודו: (ב) תוס' ד"ה דכתיב וכו' והש"ס שלנו לא סבירא ליה הכי דהא: (ג) בא"ד ליה פרש"י דאי ביום טוב כל"ל ותיבת משום נמחק: (ד) בא"ד ורבי עוזיאל מלא בתוספתא בס"פ בתרא דסוכה דתניא: (ה) בא"ד כילד נפטרו מביתו והשכימו והולכי' וכו' בשמעתין דאמר זמן וכו' דומיא דבכורים שהוא לילה אחת ועוד תני: (ו) בא"ד אינו רק דומיא דהני והיינו לילה אחת ולא מקשה כל"ל ותיבת יום נמחק: (ז) בא"ד הוה מצי לאקשויי וליטעמיך לינה אלא דלא הוה לאקשויי כלל ויש להקשות: (ח) בא"ד דההיא דבכורים דמשנה לינה וכו' דהא דמימר כשאין: (ט) ד"ה נפשוט וכו' לאקשויי דתנן ומודים. נ"ב לאמר שבת שני אין כו' מתבשל בכליו מפני הצדוקין ולא אית ליה תשלומין וכו' ימתינו עד תרי בשבת דלאו בו משום לצדוקין: (י) בא"ד ימתינו עד תרי בשבת דיש לומר דלא רצו כל כך לאחר לגיבורא הס"ד: (כ) ד"ה אמרה וכו' אע"פ שאותה דרשה כו' בפ"ק דר"ה גמרא דלנטיעה: (ל) ד"ה מצוה וכו' וא"כ לא לימני כלל הכא וכו' למה לי קרא. נ"ב פי' דאי אין מקדשין שבעה בעצרת למה לי קרא דחג המצות ובחג השבועות ובחג הסוכות היינו בחג המצות ובחג הסוכות דטעון לינה אבל בחג השבועות לא איצטריך ולא קשיא מידי גמי השתא דכתיב חג השבועות דיש תשלומין שבעה בעצרת כך דתני רבה למנה ימים כו' למה לי דהא לא איצטריך לאפוקי מלבן של לדוקים אבל קשה לאיצטריך קרא דחג השבועות דטעון לינה [והשאר מסך]: (מ) ד"ה אלא וכו' כהדא דתנינן אלו איכם ליהוו עלוואי אעין ובכורים פי' שהאומר הרי עלי עצים וכו' דאע"פ: (נ) בא"ד אף של עלרת היינו מדאורייתא: (ס) ד"ה ואיצטריך דר' אליעזר ב"י ואיצטריך דר"א אמר ר' אושעיא וכו' דתני רבה בר שמואל ולמה לי הא כתיב חג השבועות דאמר רבי אלעזר א"ר אושעיא דמשמע מיניה כל"ל ותיבת למה לי נמחק:

day, which is the Sabbath; אֲבָל בְּהָא – **however, in this** first case of the Mishnah (where Shavuos falls on other days of the week), אֵימָא מוֹדוּ לְבֵית שַׁמַּאי – **I would say** that **[Beis Hillel] concede to Beis Shammai** that the *olas re'iyah* may not be offered on Yom Tov, since it can be brought on the following day, which is a weekday. צְרִיכָא – **It was** therefore **necessary** to teach their dispute in both cases.[9]

Accordingly, we may say that Beis Hillel's latter statement means that Shavuos "does not need" a day of slaughter, and so R' Oshaya's ruling stands.

The Gemara again attempts to refute R' Oshaya:

תָּא שְׁמַע – **Come** and **learn** a rebuttal from a Baraisa: מִי שֶׁלֹּא חָג שִׁבְעַת יְמֵי הַפֶּסַח – WHOEVER DID NOT OFFER A *CHAGIGAH* during THE SEVEN DAYS OF PESACH וּשְׁמוֹנַת יְמֵי הֶחָג – OR THE EIGHT DAYS OF SUCCOS וְיוֹם טוֹב (הראשון) שֶׁל עֲצֶרֶת – OR THE YOM TOV[10] OF SHAVUOS שׁוּב אֵינוֹ חוֹגֵג – MAY NO LONGER OFFER THE *CHAGIGAH.* מַאי לָאו יוֹם טוֹב שֶׁל עֲצֶרֶת – Now, **what** is the case of Shavuos? Is it **not the** actual **festival day of Shavuos**?!

The Gemara rejects this interpretation:

לֹא יוֹם טְבוֹחַ – **No!** It is **the Day of Slaughter.**[11]

The Gemara counters:

אִי הָכִי נִיפְשׁוֹט מִינָּהּ דְּחַד יוֹם טְבוֹחַ – **If so, let us derive from [the Baraisa] that** there is only **one day of slaughter** for Shavuos, and not the six allowed by R' Oshaya. – ? –

The Gemara answers the challenge, and thereby upholds R' Oshaya's ruling:

אֵימָא יְמֵי טְבוֹחַ – **Say** in the text of the Baraisa, **"the** six **days of slaughter."**

The Gemara again attempts to refute R' Oshaya:

תָּא שְׁמַע דְּתָנֵי רַבָּה בַּר שְׁמוּאֵל – **Come** and **learn** a proof from a Baraisa **that Rabbah bar Shmuel taught:** אָמְרָה תּוֹרָה – THE TORAH SAID: מְנֵה יָמִים וְקַדֵּשׁ חֹדֶשׁ – COUNT (thirty) DAYS AND SANCTIFY the beginning of THE MONTH by bringing the prescribed *mussaf* offerings. מְנֵה יָמִים וְקַדֵּשׁ עֲצֶרֶת – COUNT (fifty) DAYS AND SANCTIFY the festival of SHAVUOS by bringing its *olas re'iyah* and *chagigah* offerings.[12] מַה חֹדֶשׁ לִמְנוּיָיו – This analogy teaches that JUST AS the beginning of THE MONTH is sanctified FOR a length of time equal to one of THE UNITS BY WHICH IT IS COUNTED, אַף עֲצֶרֶת לִמְנוּיֶיהָ – so TOO SHAVUOS is sanctified FOR a period equal to one of THE UNITS BY WHICH IT IS COUNTED. מַאי לָאו גָּמַר מֵחֹדֶשׁ – And **do we not,** then, **extrapolate from** the case of **the** new **month** as follows: מַה חֹדֶשׁ יוֹם אֶחָד – **Just as** the beginning of **the month** is sanctified with offerings for **one day,**[13] אַף עֲצֶרֶת יוֹם אֶחָד – so **too Shavuos** is sanctified with the bringing of its offerings for only **one day**[14] – i.e. the day of Shavuos itself!? This contradicts R' Oshaya, who ruled that the Shavuos festival offerings may be brought for seven days. – ? –

The Gemara deflects the challenge:

אָמַר רָבָא – **Rava said:** וְתִסְבְּרָא – **But do you** really **maintain [this]?!** אַטּוּ עֲצֶרֶת יוֹמֵי מָנֵינַן שָׁבוּעֵי לֹא מָנֵינַן – **Is it** so that for **Shavuos we count days** but **we do not count weeks?!** וְהָאָמַר אַבַּיֵּי – **But Abaye has said:** מִצְוָה לְמִימְנֵי יוֹמֵי – There is **a commandment to count days,** דִּכְתִיב ,,תִּסְפְּרוּ חֲמִשִּׁים יוֹם'' – **for it is written:**[15] ***you shall count fifty days;*** וּמִצְוָה לְמִימְנֵי שָׁבוּעֵי – **and** there is **a commandment to count weeks,** דִּכְתִיב ,,שִׁבְעָה שָׁבֻעֹת תִּסְפָּר־לָךְ'' – **for it is written:**[16] ***You shall count seven weeks for yourself.***[17] וְעוֹד ,,חַג שָׁבֻעֹת'' כְּתִיב – **And, furthermore,** ***the Festival of Weeks*** **is written**[18] when referring to Shavuos.[19] Hence, R' Oshaya's position, that compensation for Shavuos lasts a full seven days, has been upheld.

The Gemara offers a new source for the law of compensation for Shavuos:

דְּבֵי רַבִּי אֱלִיעֶזֶר בֶּן יַעֲקֹב תָּנָא – The sages **of the academy of R' Eliezer ben Yaakov taught** in a Baraisa: אָמַר קְרָא – THE VERSE STATED: ,,וּקְרָאתֶם'' ,,וּבְקֻצְרְכֶם'' – *YOU SHALL CONVOKE . . . WHEN YOU REAP.*[20] אֵיזֶהוּ חַג שֶׁאַתָּה קוֹרֵא וְקוֹצֵר בּוֹ – Now,

NOTES

9. The first case reveals to us the extent of Beis Hillel's leniency [they permit the festival offerings on Yom Tov even though these sacrifices could be brought on the morrow], while the second case reveals to us the extent of Beis Shammai's stringency [they prohibit these offerings on Shavuos even though compensation must wait for two days].

10. Emendation follows *Hagahos HaGra,* who deletes the word הָרִאשׁוֹן. We shall elucidate the Gemara according to his emendation, disregarding that word. See *Siach Yitzchak,* who preserves it.

11. The argument here is over the oral text of the Baraisa. The challenger thought it was "Yom Tov," while the defender maintains it is "Yom Tevo'ach," which is phonetically similar (see Gemara below, end of 18a). [See, however, *Rashash,* who writes that at the time of this dispute the Baraisos were already recorded, and the argument revolved around the interpretation of the abbreviation יו"ט, which is how the words actually appear in the written text of the Baraisa.]

12. [Rosh Chodesh and Shavuos are alike in that the Torah specifies a period of time that must elapse before the day arrives. This suffices to create a *hekeish* (analogy) between them, which allows us to infer that they are alike in certain other respects as well.]

13. [I.e. the *mussaf* offerings are all brought on the day of Rosh Chodesh, since a single day is the unit for counting to the new month.]

14. [Since a single day is the unit for counting to Shavuos as well.]

15. *Leviticus* 23:16.

16. *Deuteronomy* 16:9.

17. That is, the Torah requires us to count both the days *and* the weeks between Pesach and Shavuos. [For example, on the seventh day we say: "Seven days, which are one week." The Rishonim debate whether the current week is mentioned every day or only upon its completion (our custom is to mention it every day).] Since it is obligatory to count the weeks, we are justified in using the analogy between Shavuos and Rosh Chodesh to teach that the period for the Shavuos offerings lasts one full week, as per R' Oshaya's ruling. See note 19 below.

18. *Exodus* 34:22, *Deuteronomy* 16:10,16.

19. By using the term "Festival of Weeks," the Torah teaches that the primary unit used in counting to this festival is the week. Thus, the analogy between Shavuos and Rosh Chodesh teaches that just as the period for bringing the sacrifices of Rosh Chodesh (one day) is the same as the unit of time used for counting to it, so too the period for bringing the festival offerings of Shavuos is the same as the unit of time (one week) used for counting to it – one week (*Rashi, Rosh Hashanah* 5a ד"ה אף עצרת).

[According to this exposition, it should emerge that the *mussaf* offerings of Shavuos may also be brought for an entire week! See *Rashash* to *Rosh Hashanah* for a resolution.]

The Gemara's first answer ["There is a commandment to count weeks, etc."] is flawed, because it runs counter to the rule mentioned above (17a) that where an analogy can be drawn to both a small and large measure, the small measure is given priority [תָּפַשְׂתָּ מְרֻבֶּה לֹא תָפַשְׂתָּ וכו']. According to that rule, since the count is made with both days and weeks, we should use the smaller unit (viz. a day) to define the period for the Shavuos compensation offerings. Because of this problem, the Gemara adduced a second proof ["the Festival of Weeks"] to teach that the primary unit is indeed the week (see *Rashba, Ritva, Tos. HaRosh* and *Chidushei HaRan* to *Rosh Hashanah* 5a; cf. *Rashash* there).

20. *Leviticus* 23:21,22. [The verse reads in pertinent part: *You shall convoke on this very day – there shall be a holy convocation for yourselves – you shall do no laborious work . . . When you reap the harvest of your land . . .*] Verse 21 (*You shall convoke . . . laborious work*) appears in the passage that discusses the festival of Shavuos. Verse 22 (*When you reap* etc.) actually discusses agricultural gifts to the poor. Nevertheless, its juxtaposition to the Shavuos verse links the two subjects exegetically, thus intimating: You shall convoke a holy convocation [Shavuos] and [thereupon] reap (*Rashi*).

עין משפט
נר מצוה

כ א ב מיי' פ"ז מהל' תמידין הלכה כב סמג עשין ר טוש"ע א"ח סי' תפט סעיף א: [רב אלפס סוף ערבי פסחים דף קא. וברא"ש שם סי' מ]:

מסורת הש"ס

א) ר"ה ה. מנחות סה: ע"ש סו., ב) [ר"ה ה. ע"ש מנחות סו.], ג) [סוטה מ:], ד) [דה"כ ז], ה) [קרבן יו"ט כל"ל].

דכתיב א) ופנית בבקר והלכת לאהליך תנן עצרת שחל להיות ערב שבת ב"ש אומרים יום טבוח אחר השבת וב"ה אומרים אין לה יום טבוח מאי לאו אין לה יום טבוח כלל לא שאינה צריכה יום טבוח ומאי קמ"ל דמקרבינן ביומיה הא איפליגו בה חדא זימנא דתנן ב"ש אומרים מביאין שלמים ואין סומכין עליהם אבל לא עולות וב"ה אומרים מביאין שלמים ועולות וסומכין עליהם צריכא דאי אשמעינן בהא בהא קא אמרי ב"ש משום דאפשר למחר אבל (א) הכא אימא מודו להו לב"ה ואי אשמעינן בהא בהא קאמרי ב"ה משום דלא אפשר למחר אבל בהא אימא מודו לב"ש צריכא ת"ש מי שלא חג שבעת ימי הפסח ושמונת ימי החג ויו"ט [א] הראשון של עצרת שוב אינו חוגג מאי לאו יו"ט של עצרת לא יום טבוח אי הכי ניפשוט מינה דחד יום טבוח אימא ימי טבוח ת"ש א) דתני רבה בר שמואל אמרה תורה מנה ימים וקדש חדש מנה ימים וקדש עצרת מה חדש למנוייו אף עצרת למנוייה מאי לאו גמר מחדש מה חדש יום אחד אף עצרת יום אחד אמר רבא ותסברא אטו עצרת יומי מנינן שבועי לא מנינן והאמר אביי ב) מצוה למימני יומי דכתיב ב) תספרו חמשים יום ומצוה למימני שבועי דכתיב ג) שבעה שבועות תספר לך ועוד חג שבועות כתיב דבי ר"א בן יעקב תנא אמר קרא ד) וקראתם ה) ובקצרכם איזהו חג שאתה קורא וקוצר בו הוי אומר זה חג עצרת אילימא ביו"ט קצירה ביום טוב מי שרי אלא לאו לתשלומין ואע"ג דאיתמר דר"א א"ר אושעיא אצטריך דר"א בן יעקב דאי מדר"א א"ר אושעיא הוה אמינא מה תשלומין של חג המצות אסור בעשיית מלאכה אף תשלומי עצרת נמי אסור בעשיית מלאכה קמשמע לן דר"א בן יעקב ואי מדר"א בן יעקב לא

ופנית בבקר. שהוא חול המועד דאילו ביו"ט תחומין אסור: אין לה יום טבוח כלל. אם לא הקריבם ביו"ט עוד אין להן תשלומין: אבל בהא. בעצרת שחל להיות בערב שבת אימא מודו לב"ה ויקרבו ביו"ט דהא מחר שבת היא ולא קרבי ומתוך שאתה מתייאש מהן אתה בא לפשוע שלא תקריבם עוד: מנה ימים. שלשים יום: וקדש חדש. למוספין: מנה ימים. חמשים יום: וקדש עצרת. בקרבנותיו: מה חדש. קדושתו באחד ממנויו: אף עצרת. קדושתו באחד ממנוייה: האמר אביי. במס' מנחות מצוה למימני יומי ומצוה למימני שבועי: דבי ר"א בן יעקב תנא. מהכא נפקא לן תשלומין לעצרת: וקראתם בעצם היום הזה. ובחג השבועות כתיב וסמיך ליה ובקצרכם את קציר ארצכם שאתה קורא מקרא קדש וקוצר: הוי אומר זה עצרת. דהני קראי בעצרת כתיבי: אלא לתשלומין. לאחר יו"ט קאי וקורא אותן מקרא קדש לענין תשלומין ומותרין במלאכה:

דכתיב ופנית בבקר. פרש"י בחוש"מ דאי ביו"ט אסור משום תחומין ולא יתכן דהסתינח לר"ע ג) לרבנן מאי איכא למימר דליכא איסור תחומין דאורייתא וי"מ די"ב מילין אית להו שפיר לרבנן תחומין והכי איתא בירושלמי המחוור מכולן י"ב מילין כנגד מחנה ישראל והש"ס שלנו לא ס"ל (ג) דהא בפ' כלל גדול (שבת סט.) גבי שכח עיקר שבת דבעי דידע ליה לשבת במאי דידע לה בתחומין ואליבא דר"ע ולא קאמר לדברי הכל וכן בפ' בתרא דעירובין (דף נו:) גבי אין רוכבין מוקי טעמא בגמרא שמא ילך חוץ לתחום ופריך ש"מ תחומין דאורייתא אלא גזירה שמא יחתוך זמורה אלמא דרבנן לא מודו כלל בתחומין ובפ"ק דר"ה (ד' ה.) פרש"י דלאי (ג) משום י"ט פשיטא [שהרי הוא יוס] שיתחייב להתראות פנים בעזרה ור' עזיאל מלא בתוספתא (ד) דתניא בליל יו"ט האחרון חוזרין לבתיהן דכתיב ביום השמיני שלח את העם (מלכים א ח) יכול שאין טעונים לינה ת"ל ד) וביום עשרים ושלשה לחדש שלח את העם הא כילד נפטרו (ה) והשכימו והולכי' למחרת יום שמיני שהוא כ"ג ועוד הביא הר"י ראיה מההיא דלולב וערבה בשמעתין דלאמר זמן בשמיני של חג שהבכורים טעונין לינה משמע לינה דומיא דבכורים שהם יום אחד ועוד תני בספרי בפרשת ראה והלכת לאהליך מלמד שטעונין לינת רגלים אין לי אלא אלו מנין לרבות עופות ומנחות יין לבונה ועצים תלמוד לומר ופנית בבוקר כל פינות שאתה פונה לא יהיו אלא מן הבקר ואילך רבי יהודה אומר יכול יהא פסח קטן כו' ומשמע מיהא דלינת רגלים אינו רק דומיא דהני והיינו (ו) יום ולילה וכי מקשה פ' לולב וערבה (סוכה מז:) זמן כל ז' ימים מי איכא הוה מצי לאקשויי וליטעמיך לינה (ז) דלא מקשי כלל ויש להקשות דאמרינן בזבחים פרק דם החטאת (דף צז.) דרבי טרפון אומר אם בשל בה מתחלת הרגל כו' מותר לבשל בה בסוף הרגל מ"ט דכתיב ופנית בבקר הכתוב עשאן בקר אחד אלמא מדלענין נותר מחשב יום אחד משמע שטעון לינה כל ז' ותירץ הר"י דלפי המסקנא משני התם טעמא אחרינא משום שכל יום ויום נעשה גיעול לחברו והר"ר אלחנן תירץ דב' ענייני לינה הם אחת משום יו"ט והשנית משום קרבן שטעון לינה והתם אף בחוש"מ והכי משמע בההיא דבכורים (ח) לינה וקרבן משמע שטעונין לינה משום ה) יו"ט וכן מצינו בירושלמי גבי ההיא משנה דבכורים הדא איתמר כשאין עמהן קרבן אבל יש עמהן קרבן בלא כך טעונין לינה מחמת הקרבן: נפשוט מינה דחד יומא טבוח. וממתני' לא אלימא ליה לאקשויי (ט) ומודים כשחל להיות בשבת שיום טבוח לאחר השבת ואי אית ליה תשלומין כל שבעה ימתינו (י) לאיבורא עד תרי בשבת וי"ל דהא לא רצו כל כך לאחר: אמרה תורה מנה ימים וכו'. היה קשה להרב רבינו משולם היכן אמרה תורה למנות ימים לקדש חדש והיה מגיה מנה שנים וקדש יובל והכי איתא בתורת כהנים דמצוה למימני שמיטין לקדש יובלות וכן היה מגיה בפ"ק דר"ה (דף ה.) ובמנחות (דף סה: ושם) בשמעתא דצדוקין שהיו אומרים עצרת לאחר השבת אך קשה לר"ת למחוק הספרים והגיה גירסא שאינה בשום מקום ומפרש דודאי ר"ח נמי דאורייתא הוא למימני ביה יומי וכדאמרינן בפ"ק דמגילה (דף ה.) מנין שאין מחשבין שעות לחדשים ת"ל עד חדש ימים ימים אתה מונה ואי אתה מונה שעות ואל תתמה על הלשון שאע"פ שאין רק דרשה מצינו כי האי לישנא בפרק בתרא דמגילה (דף כט:) אמרה תורה חדש והבא קרבן מתרומה חדשה אע"פ (כ) כי אותה דרשה אינה פשוטה שהרי לדוקין חולקין בה לומר שהיחיד מתנדב ומביא תמיד הר"ר אלחנן וכן יש לגרוס כאן חדש למנויו שכן מצינו בפ"ק דר"ה (דף י:) בגמרא ולנטיעה מה חדש למנויו אף שנה למנוייה: אף עצרת למנוייו. לענין קרבן קאמר דאי לענין יום טוב לא צריך קרא: מצוה למימני יומי ומצוה למימני שבועי. ותרוייהו איתנהו יומי לקדש עצרת שבועי לתשלומין והקשה הר"ר אלחנן ליגמר מיובל דלא מקדשין ליה לענין שמיטין רק לשנים וא"כ לא (ל) נימא כלל הכא מנין שבועי לקדש ותירץ דלהכי אצטריך חג השבועות לומר שמקדשין בו ימים ושבועות דאי לא תימא הכי למה לי קרא מדרשה דחג השבועות למדרשה דרבה בר שמואל ומנה ימים וקדש חדש לאפוקי מלבן של לדוקין וי"ל דלא גמרינן מיובל דדנין ימים מימים עצרת מחדש ואל יוכיח יובל דשנים נינהו ומהכא שמעינן דמצוה למימני יומי ושבועי בספירת העומר דקי"ל כאביי: אלא לאו לתשלומין. דשרי לקצור ולעשות מלאכה ביום טבוח ומסיים בה בירושלמי א"ר יוסי ברבי בון ובלבד שיכלם לעיסתו כהדא דתנינן לה (מ) אמר איניש דליהוו עלוואי אעין ובכורים ואומר הרי עלים למזבח וגיזרין למערכה אסור בהספד ובתענית ומלעשות מלאכה בו ביום כלומר ואע"פ שהתורה התירה מלאכה לתשלומין לא מצי למיעבד רק לצורך אכילתו אם כלה עיסתו כמו שמצינו שאסור לאדם לעשות מלאכה ביום הקריבו את קרבנו והא דקאמר בסמוך ואי מדר"א הוה אמינא מה תשלומין בחג המצות אסור בעשיית מלאכה אף של עצרת (נ) מדאורייתא ואע"ג דחול המועד אינו אלא מדרבנן בדבר שאינו אבוד משום שביעי דאורייתא נקטיה אבל מ"מ אף הש"ס שלנו לא פליג בהא דמדרבנן מיהא מיתסר יום טבוח כדפרישית: ואצטריך דר"א (ס) ואיצטריך דרבי אושעיא. הקשה הר"ר אלחנן מברייתא דלעיל ליעבד צריכותא דתני רבה בר שמואל ועל ר"א בן יעקב וחג השבועות דאמר ר"א ורבי אושעיא למה לי דמשמע מיניה שיש לו תשלומין כל ז' וי"ל דההיא ברייתא אתיא לסתור דרשת הצדוקין במנחות (דף סה: ושם):

אלא

הגהות הב"ח

(א) גמ' דאפשר למחר אבל בהא אימא מודו: (ב) תוס' ד"ה דכתיב וכו' והש"ס שלנו לא סבירא ליה הכי דהא: (ג) באר"ד ובפ"ק דר"ה פרש"י דאי ביום טוב כל"ל ותיבת משום נמחק: (ד) באר"ד ורבי עוזיאל מלא בתוספתא בס"פ בתרא דסוכה דתניא: (ה) באר"ד כילד נפטרו מבע"י והשכימו וכו' בשמעתא דאמר זמן וכו' דומיא דבכורים שהוא לילה אחת ועוד תני: (ו) באר"ד אינו רק דומיא דהני והיינו לילה אחת וכי מקשה כל"ל ותיבת יום נמחק: (ז) באר"ד הוה מצי לאקשויי וליטעמיך לינה אלא דלא חש לאקשויי כלל ויש להקשות: (ח) באר"ד בההיא דבכורים דתני לינה וכו' הדא דתימר כשאין: (ט) ד"ה נפשוט וכו' לאקשויי דתנן ומודים. נ"ב דלאחר שבת תני אין כ"ג מתלבש בכליו מפני הצדוקין ואי אית ליה תשלומין וכו' ימתינו עד תרי בשבת דאין בו משום לדוקין: (י) באר"ד ימתינו עד תרי בשבת דיש לומר דלא רצו כל כך לאחר לציבורא הס"ד: (כ) ד"ה אמרה וכו' בפ"ק דר"ה גמרא לנטיעה: (ל) ד"ה מצוה וכו' וא"כ לא נימא כלל הכא וכו' ואי לא ימני לכהו למה לי קרא. נ"ב פי' דאי אין מקדשין שבועי בעצרת למה לי קרא דבחג המצות ובחג השבועות ובחג הסוכות ואיצטריך לאקושי לחג השבועות לא איצטריך ולא קשיא נמי השמטה דחדש. הס"ד ויש תשלומין שבעה לעצרת כמו דתני רבה דמנה ימים כו' למה לי דהכא לא איצטריך לאפוקי מלבן של לדוקים אבל קשה דלא איצטריך קרא דחג השבועות דטעון לינה [והאי תנא קמן]: (מ) ד"ה אלא וכו' כהדא דתניא לה אמר איניש דליהוו עלוואי עלים ובכורים פי' האומר הרי עלי עלים וכו' כלומר דלאע"פ: (נ) באר"ד אף של עצרת היינו מדאורייתא: (ס) ד"ה ואיצטריך דר"א לאליעזר ב"י ואיצטריך דר"א אמר רבה בר אושעיא וכו' ולמני רבה בר שמואל למה לי הא כל כתיב חג השבועות ובחג לאלעזר א"ר למשמע מיניה כל"ל ותיבת למה לי נמחק:

הגהות הגר"א

[א] גמ'. תיבת הראשון נמחק:

תורה אור השלם

א) וּבִשַּׁלְתָּ וְאָכַלְתָּ בַּמָּקוֹם אֲשֶׁר יִבְחַר יְיָ אֱלֹהֶיךָ בּוֹ וּפָנִיתָ בַבֹּקֶר וְהָלַכְתָּ לְאֹהָלֶיךָ: [דברים טז, ז]

ב) עַד מִמָּחֳרַת הַשַּׁבָּת הַשְּׁבִיעִת תִּסְפְּרוּ חֲמִשִּׁים יוֹם וְהִקְרַבְתֶּם מִנְחָה חֲדָשָׁה לַייָ: [ויקרא כג, טז]

ג) שִׁבְעָה שָׁבֻעֹת תִּסְפָּר לָךְ מֵהָחֵל חֶרְמֵשׁ בַּקָּמָה תָּחֵל לִסְפֹּר שִׁבְעָה שָׁבֻעוֹת: [דברים טז, ט]

ד) וּקְרָאתֶם בְּעֶצֶם הַיּוֹם הַזֶּה מִקְרָא קֹדֶשׁ יִהְיֶה לָכֶם כָּל מְלֶאכֶת עֲבֹדָה לֹא תַעֲשׂוּ חֻקַּת עוֹלָם בְּכָל מוֹשְׁבֹתֵיכֶם לְדֹרֹתֵיכֶם: [ויקרא כג, כא]

ה) וּבְקֻצְרְכֶם אֶת קְצִיר אַרְצְכֶם לֹא תְכַלֶּה פְּאַת שָׂדְךָ בְּקֻצְרֶךָ וְלֶקֶט קְצִירְךָ לֹא תְלַקֵּט לֶעָנִי וְלַגֵּר תַּעֲזֹב אֹתָם אֲנִי יְיָ אֱלֹהֵיכֶם: [ויקרא כג, כב]

ליקוטי רש"י

ופנית בבקר. לבקרו של שני מלמד שטעון לינה ליל של מוצאי יו"ט [דברים טז, ז]. ביו"ט לא קאמר קרא שהרי לא היו יוצאים לירושלים בעזרה. מנה ימים. שנאמר עד חדש ימים (במדבר יא). וקדש חדש. בקרבנות [ר"ה ה.]. מנה ימים וקדש חדש. עד חדש ימים (דחדש) מנה מעשה ועשרים יום ויקדש חדש ביום שלשים [מנחות סה:]. מה חדש. קדושו אחד ממנויו ביום ראש חדש הוא מקריבין זמן הוקבע לכם אחד מן הימים שהוא נמנה על יום [ר"ה שם]. אף עצרת. הבאת קרבנותיה באחד ממנוייה. שבועי לא מנינן. והכי היא נמנות על ידי שבועים שנאמר (ויקרא כג) שבע שבתות תמימות תהיינה [ר"ה שם].

WHAT IS THE FESTIVAL ON WHICH YOU CONVOKE AND REAP? **הֱוֵי אוֹמֵר זֶה חַג עֲצֶרֶת** – SAY that THIS IS THE FESTIVAL OF SHAVUOS.[21] **אִילֵימָא אֵימַת** – And WHEN exactly do you convoke and reap? **בְּיוֹם טוֹב** – IF YOU SAY ON THE FESTIVAL DAY itself, that cannot be – **קְצִירָה בְּיוֹם טוֹב מִי שָׁרֵי** – for IS REAPING PERMITTED ON A FESTIVAL DAY?![22] **אֶלָּא לָאו לְתַשְׁלוּמִין** – IS IT NOT, RATHER, after the festival day, and yet Scripture calls that day "a holy convocation" WITH RESPECT TO THE COMPENSATION that may be made at that time?![23]

The Gemara now explains why both R' Oshaya's source and R' Eliezer ben Yaakov's source are necessary:

וְאַף עַל גַּב דְּאִיתְּמַר דְּרַבִּי אֶלְעָזָר אָמַר רַבִּי אוֹשַׁעְיָא – **And even though** the source **of R' Elazar in the name of R' Oshaya was stated,**[24] **אִצְטְרִיךְ דְּרַבִּי אֱלִיעֶזֶר בֶּן יַעֲקֹב** – the source **of R' Eliezer ben Yaakov is** still **needed.** **דְּאִי מִדְּרַבִּי אֶלְעָזָר אָמַר רַבִּי אוֹשַׁעְיָא** – **For if** we knew the law of compensation for Shavuos only **from** the teaching **of R' Elazar in the name of R' Oshaya,** **הֲוָה אָמֵינָא** – **I might say** as follows: **מַה תַּשְׁלוּמִין שֶׁל חַג הַמַּצּוֹת אָסוּר בַּעֲשִׂיַּית מְלָאכָה** – **Just as** during **the** six days of **compensation of the Festival of Matzos** (Pesach) one **is forbidden** to engage **in the performance of labor,**[25] **אַף תַּשְׁלוּמֵי עֲצֶרֶת נַמִּי אָסוּר בַּעֲשִׂיַּית מְלָאכָה** – **so too** during **the compensation [days] of Shavuos** one **is forbidden** to engage **in the performance of labor.** **קָמַשְׁמַע לָן דְּרַבִּי אֱלִיעֶזֶר בֶּן יַעֲקֹב** – **[The Gemara]** therefore **teaches us** the Baraisa **of R' Eliezer ben Yaakov,** which establishes that reaping and all other *melachos* may be performed on Shavuos' compensation days. **וְאִי מִדְּרַבִּי אֱלִיעֶזֶר בֶּן יַעֲקֹב** – **And,** conversely, **if** we knew the law of compensation for Shavuos only **from** the teaching **of R' Eliezer ben Yaakov,**

NOTES

21. Although we "convoke" the festival of Pesach on the fifteenth of Nissan and "reap" the *Omer* offering on the following day (see *Siach Yitzchak*), we must nonetheless say that the verses here refer to Shavuos, since they are recorded in the Shavuos passage (*Rashi*).

22. Although one may perform on Yom Tov any labor (*melachah*) needed for the preparation of food (אוֹכֶל נֶפֶשׁ), reaping [as well as certain other *melachos*] are forbidden even for this purpose.

[From this statement of the Gemara it would seem that reaping is Biblically forbidden on Yom Tov. This is actually the subject of much dispute and discussion among the Rishonim (see *Rosh, Beitzah* 3:1; *Ran*, to the beginning of chapter 3 of *Beitzah; Beis Yosef, Orach Chaim* 495). Indeed, *Tur* and *Shulchan Aruch* (ibid.) rule that it is only Rabbinically forbidden if it is done for the sake of providing food for that day. See *Turei Even* (on 18a) for an explanation of the derivation according to this view.]

23. Since Scripture actually intends a day after Yom Tov, *melachah* is permitted. Hence, one may reap and perform all manner of work in addition to those labors involved in bringing his festival sacrifices (see *Tosafos*). Nevertheless, that day is called "a holy convocation" – even though *melachah* is then permitted – because the festival sacrifices are offered on it (see *Rashi, Tosafos*). These verses in *Leviticus* thus provide another source for compensation days for the festival offerings of Shavuos.

24. Above, 17a, where Shavuos was linked to Pesach via a *hekeish*.

25. Many *melachos* are prohibited during the entire festival of Pesach, even during Chol HaMoed (see Gemara below, 18a), as outlined in tractates *Beitzah* and *Moed Katan*.

לֹא יָדְעָנָא כַּמָּה – I would not know how many days of compensation there are. Perhaps the only compensation day is the day after Shavuos. **קָא מַשְׁמַע לָן דְּרַבִּי אֶלְעָזָר אָמַר רַבִּי אוֹשַׁעְיָא – [The teaching] of R' Elazar in the name of R' Oshaya,** which exegetically links Shavuos to Pesach, therefore **informs us** that just as the festival offerings may be brought on all seven days of Pesach, so too they may be brought for seven days from Shavuos.

The Gemara presents yet another source for this law:

וְרֵישׁ לָקִישׁ אָמַר – And Reish Lakish said: "וְחַג הַקָּצִיר„ – The Torah states:[1] ***And the Festival of the Harvest*** *of the first fruits of your labor . . .* **אֵיזֶהוּ חַג שֶׁאַתָּה חוֹגֵג וְקוֹצֵר בּוֹ – Now, what is the festival on which you bring a *chagigah*** (חַג) **and reap** [harvest] (הַקָּצִיר)? **הֱוֵי אוֹמֵר זֶה עֲצֶרֶת – Say** that **this is Shavuos.**[2] **אֵימַת – Now when** exactly do you both bring a *chagigah* and reap? **אִילֵימָא בְּיוֹם טוֹב – If you say on Yom Tov** itself, that cannot be – **קְצִירָה בְּיוֹם טוֹב מִי שָׁרֵי – for is reaping permitted on a festival day?** Certainly not![3] **אֶלָּא לָאו לְתַשְׁלוּמִין – Is it not, rather,** after the festival day, and the verse speaks **with respect to** the **compensation** period?[4]

The Gemara challenges this interpretation:

אֶלָּא אָמַר רַבִּי יוֹחָנָן[5] **– R' Yochanan said** to Reish Lakish: **מֵעַתָּה – But now** according to your understanding, the other festival name mentioned in that same verse should be similarly expounded: "חַג הָאָסִף„ – For the verse also speaks of ***the Festival of the Ingathering,***[6] which by the previous understanding should be expounded as follows: **אֵי זֶהוּ חַג שֶׁיֵּשׁ בּוֹ אֲסִיפָה – What is the festival that contains** an aspect of **ingathering** of the year's crops? **הֱוֵי אוֹמֵר זֶה חַג הַסּוּכּוֹת – Say** that **this is the festival of Succos.**[7] **אֵימַת – Now when** exactly are the crops gathered in from the fields? **אִילֵימָא בְּיוֹם טוֹב – If you say on Yom Tov** itself, that cannot be – **מְלָאכָה בְּיוֹם טוֹב מִי שָׁרֵי – for is labor permitted on Yom Tov?!**[8] Certainly not! **אֶלָּא בְּחוּלוֹ שֶׁל מוֹעֵד –** And if you say, **rather,** that they are gathered in **on Chol HaMoed, חוּלוֹ שֶׁל מוֹעֵד מִי שָׁרֵי –** that, too, cannot be, for **is** labor **permitted** on **Chol HaMoed?!**[9] **אֶלָּא חַג הַבָּא בִּזְמַן אֲסִיפָה – Rather,** you must say that the phrase *the Festival of the Ingathering* means simply **a festival that comes at the time of ingathering. הָכָא נַמִּי חַג הַבָּא בִּזְמַן קְצִירָה –** Therefore, **here also** you must say that the phrase *the Festival of the Harvest* means simply **a festival that comes at the time of harvesting.**[10]

The Gemara now seeks the source of the prohibition against performing labor (*melachah*) on Chol HaMoed:

מִכְּלָל דְּתַרְוַיְיהוּ סְבִירָא לְהוּ – It follows **by implication** from the previous discussion **that both of them** (R' Yochanan and Reish Lakish) **hold דְּחוּלוֹ שֶׁל מוֹעֵד אָסוּר בַּעֲשִׂיַּית מְלָאכָה – that Chol HaMoed is** subject to **a prohibition on the performance of labor.**[11] **מְנָהָנֵי מִילֵּי – From where** do we know **this law?**

The Gemara answers:

דְּתָנוּ רַבָּנָן – From that **which the Rabbis taught in a Baraisa:** "אֶת־חַג הַמַּצּוֹת תִּשְׁמֹר שִׁבְעַת יָמִים„ – The Torah states:[12] *YOU SHALL GUARD THE FESTIVAL OF MATZOS SEVEN DAYS . . .* **לִימֵּד עַל חוּלוֹ שֶׁל מוֹעֵד –** [THE VERSE] TEACHES REGARDING CHOL HAMOED **שֶׁאָסוּר בַּעֲשִׂיַּית מְלָאכָה –** THAT IT IS SUBJECT TO A PROHIBITION ON THE PERFORMANCE OF LABOR;[13] **דִּבְרֵי רַבִּי יֹאשִׁיָּה –** these are THE WORDS OF R' YOSHIYAH. **רַבִּי יוֹנָתָן אוֹמֵר –** However, R' YONASAN SAYS: **אֵינוֹ צָרִיךְ –** [A VERSE] IS NOT NEEDED to

NOTES

1. *Exodus* 23:16.

2. This verse speaks of the festival of Shavuos, since that is the time of the year when you harvest "the first fruits of your labor" (*Rashi;* see above, 17b note 21).

3. See above, 17b note 27.

4. [Thus, the verse teaches that the festival days of Shavuos is followed by a compensation period in which one may bring his festival offerings and yet reap his field.]

Like R' Eliezer ben Yaakov, Reish Lakish agrees with R' Oshaya's exegesis, for it instructs as to the length of the compensation period. Reish Lakish adds his own exegesis to teach that *melachah* is indeed permitted at that time (*Sfas Emes*). He eschews R' Eliezer ben Yaakov's teaching, which also establishes that point, because he prefers a derivation from a verse that concerns Shavuos itself (חַג הַקָּצִיר, *the Festival of the Harvest*) to one from a juxtaposition of two verses (וּקְרָאתֶם . . . וּבְקֻצְרְכֶם, *You shall convoke . . . When you reap*), one of which ostensibly has nothing to do with Shavuos (*Siach Yitzchak;* see there for another explanation).

5. *Mesoras HaShas* emends this to: אָמַר לֵיהּ רַבִּי יוֹחָנָן, *R' Yochanan said to him* [*Reish Lakish*].

6. The verse reads: *And the Festival of the Harvest of the first fruits of your labor that you sow in the field; and the Festival of Ingathering at the close of the year, when you gather in your work from the field.*

7. Which occurs at the time of year when the crops are brought into the storehouses.

8. *Tosafos* (to *Moed Katan* 12b ד״ה מכניס) confess to not knowing which of the thirty-nine forbidden labors (*melachos*) gathering in the crops would violate. However, *Rashash* there and *Turei Even* here identify it as מְעַמֵּר, *gathering together.*

9. *Tosafos* (ד״ה חולו של מועד) state that *melachah* on Chol HaMoed is only Rabbinically proscribed. Nevertheless, since the Rabbis based their prohibition on a Scriptural support (אַסְמַכְתָּא; see note 13 below), the Gemara here is not inclined to derive from another verse (חַג הָאָסִף, *the Festival of the Ingathering*) that *melachah* on Chol HaMoed is, in fact, permitted.

Tosafos' view, however, is not universally accepted. Many Rishonim consider the prohibition of *melachah* on Chol HaMoed to be Biblical, based on the derivations cited by the Gemara below. For fuller discussion of this issue, see *Rosh, Moed Katan* 1:1; *Beis Yosef* and *Bach, Orach Chaim* 530; see also *Be'ur Halachah* there for a lengthy list of the views of the Rishonim concerning this issue.

10. Since the two festival names appear together in one verse, logic dictates that they be expounded in similar fashion. R' Yochanan has just established that *the Festival of the Ingathering* must be interpreted "a festival that comes etc." It stands to reason, then, that *the Festival of the Harvest* is similarly rendered, which perforce precludes the interpretation of Reish Lakish ["a festival on which you bring a *chagigah* and reap"] (see *Rashi*).

11. I.e. from the fact that R' Yochanan incorporated in his refutation of Reish Lakish the proposition that *melachah* is forbidden on Chol HaMoed, and Reish Lakish did not respond in his own defense that it is permitted, we can infer that both of these Amoraim hold that *melachah* is indeed forbidden on Chol HaMoed (*Rashi*).

12. *Exodus* 23:15.

13. Every Scriptural mention of the word תִּשְׁמֹר (*you shall guard, observe, keep*) is an admonition not to perform a particular act or acts. The verse thus enjoins us to "guard the Festival of Matzos" against the performance of *melachos* for "seven days" [i.e. for the entire duration of the festival, which perforce includes Chol HaMoed] (*Rashi*).

While this verse establishes a prohibition against *melachah* for the Chol HaMoed of Pesach, how do we know that a similar prohibition exists for the Chol HaMoed of Succos? *Turei Even* explains that R' Yoshiyah relied on R' Yose HaGlili's teaching below (see further in the Gemara) for that law, while R' Yose in turn relied on R' Yoshiyah's exegesis for the Pesach Chol HaMoed prohibition.

According to those Rishonim who maintain that *melachah* is only Rabbinically forbidden on Chol HaMoed (see note 9 above), the various verses the Gemara cites here as sources are not actual Biblical teachings. Rather, they are אַסְמַכְתּוֹת, Scriptural supports for a Rabbinic prohibition (*Tosafos,* cited above in note 9; *Rosh, Moed Katan* 1:1). In fact, the simple meaning of this verse does not refer to *melachah* at all, for the verse reads: *You shall guard the Festival of Matzos; seven days shall you eat matzos.* According to the plain meaning of the verse, *seven days* belongs with the requirement to *eat matzos,* not with the requirement to *guard the festival* (*Rosh Mashbir*).

לא ידענא כמה קא משמע לן דרבי אלעזר
א"ר אושעיא וריש לקיש אמר א) וחג הקציר
איזהו חג שאתה חוגג וקוצר בו הוי אומר זה
עצרת אימת אילימא ביו"ט קצירה ביו"ט מי
שרי אלא לאו לתשלומין א) א"ר יוחנן אלא
מעתה א) חג האסיף אי זהו חג שיש בו אסיפה
הוי אומר זה חג הסוכות אימת אילימא ביו"ט
מלאכה ביו"ט מי שרי אלא בחולו של מועד
ג) חולו של מועד מי שרי אלא חג הבא בזמן
אסיפה הכא נמי חג הבא בזמן קצירה מכלל
דתרוייהו סבירא להו דחולו של מועד אסור
בעשיית מלאכה מנהני מילי דתנו רבנן ב) את
חג המצות תשמור שבעת ימים א לימד על
חולו של מועד שאסור בעשיית מלאכה דברי
רבי יאשיה רבי יונתן אומר אינו צריך קל
וחומר ומה ראשון ושביעי שאין קדושה
לפניהן ולאחריהן אסור בעשיית מלאכה חולו
של מועד שיש קדושה לפניהן ולאחריהן אינו
דין שיהא אסור בעשיית מלאכה ששת ימי
בראשית יוכיחו שיש קדושה לפניהן ולאחריהן
ומותרין בעשיית מלאכה מה לששת ימי
בראשית שאין בהן קרבן מוסף תאמר בחולו
של מועד שיש בו קרבן מוסף ראש חדש
יוכיח שיש בו קרבן מוסף ומותר בעשיית
מלאכה מה לראש חדש שאין קרוי מקרא
קדש תאמר בחולו של מועד שקרוי מקרא
קדש הואיל וקרוי מקרא קדש דין הוא שאסור
בעשיית מלאכה תניא אידך ג) כל מלאכת
עבודה לא תעשו לימד על חולו של מועד
שאסור בעשיית מלאכה דברי ר' יוסי הגלילי
רבי עקיבא אומר אינו צריך הרי הוא אומר
ד) אלה מועדי ה' וגו' במה הכתוב מדבר אם
בראשון הרי כבר נאמר ה) שבתון אם בשביעי
הרי כבר נאמר שבתון הא אין הכתוב מדבר
אלא בחולו של מועד ללמדך שאסור
בעשיית מלאכה תניא אידך ו) ששת ימים
תאכל מצות וביום השביעי עצרת לה' מה שביעי עצור אף ששת ימים עצורין
אי מה שביעי עצור בכל מלאכה אף ששת ימים עצורין בכל מלאכה ת"ל
וביום השביעי עצרת ג) השביעי עצור בכל מלאכה ואין ששה ימים עצורין
בכל מלאכה הא ד) ב לא מסרן הכתוב אלא לחכמים לומר לך אי זה יום
אסור ואי זה יום מותר אי זו מלאכה אסורה ואי זו מלאכה מותרת:
ומותרין בהספד ותענית שלא לקיים את דברי האומרין עצרת אחר
השבת: (ה) והאיתמר) מעשה ומת אלכסא בלוד ונכנסו כל ישראל
לסופדו ולא הניחם רבי טרפון מפני שיום טוב של עצרת היה יו"ט ס"ד
אי ביום טוב מי קאתו אלא אימא מפני שיום טבוח היה לא קשיא
כאן ביו"ט שחל להיות אחר השבת כאן ביום טוב שחל להיות בשבת:
מתני'

רש"י

לא ידענא. כמה ימים יהיו לתשלומין קמ"ל דרבי אלעזר מה חג המצות שבעה אף כאן שבעה: וחג הקציר בכורי מעשיך. בחג שבועות כתיב: ה"נ חג הבא בזמן קצירה. קאמר ולאו חוגג וקוצר בו אתא לאשמועינן: מכלל דתרווייהו כו'. מדקאמר רבי יוחנן אסיפה בחולו של מועד מי שרי ולא מהדר ליה ריש לקיש אין מכלל דתרוייהו סבירא להו אסור: את חג המצות תשמור שבעת ימים וגו'. לימד על חולו של מועד שאסור בעשיית מלאכה. דרוש ביה את חג המצות תשמור י) וכל תשמור אזהרת לא תעשה הוא שומריהו מן המלאכה: ששת ימי בראשית. ימי כל שבוע ושבוע בין שתי שבתות הן יושבין הרי קדושה לפניהן ולאחריהן: ראש חדש יוכיח כו'. אף אתה אל תתמה על חולו של מועד כו': (א) כל מלאכת עבודה לא תעשו וכו'. וסמיך ליה שבעת ימים תקריבו אשה: לימד על חולו של מועד וכו'. והכי דריש ביה לא תעשו שבעת ימים ובחג הסוכות כתיב ועליה קיימא הך מתניתא בתורת כהנים: מקראי קדש. משמע קדשיהו בעשיית מלאכה: עצור ממלאכה. כדכתיב בהאי קרא גופיה לא תעשה מלאכה: הא הרי לא מסרן הכתוב אלא לחכמים. כלומר מאחר שאמר לך הכתוב שהן עצורין ממלאכה ולא בכולן ולא פירש אי זו המותרת ואי זו אסורה דע וראה שלא מסרן אלא לחכמים היודעים להבין על איזהו להטיל ההיתר ועל אי זו להטיל האיסור והם יאמרו אי זהו י"ט על פי קידוש הראייה ואסור בכל מלאכה ואי זהו חולו של מועד שאינו אסור בכל מלאכה ועל חולו של מועד יגידו לך אי זו מלאכה אסורה דבר שאינו אבד ואיזו מלאכה מותרת דבר האבד: ולא הניחן ר' טרפון. ומתני' תני שמותרים בהספד: בי"ט שחל להיות בשבת. שיום טבוח אחר שבת מותר בהספד מפני האומרים עצרת אחר שבת והאי דאלכסא בלוד יו"ט שחל להיות בחול הוא דאין יום טבוח שלו בא' בשבת:

תוספות

אלא חג הבא בזמן אסיפה. הקשה הר"ר אלחנן דאמר פ"ק דר"ה (ובגמרא דסנהדרין) (דף יג.) א"ל רבי זירא לרבי אסי ודלמא לא עייל כלל וקאמר רחמנא תשמט ותיזיל עד חג הסוכות לא ס"ד דכתיב חג האסיף מאי האסיף אילימא חג הבא בזמן אסיפה הכתיב באספך את מעשיך אלא מאי אסיף קציר אלמא לא אמרי' חג הסוכות הבא בזמן אסיפה ותירץ מורי כיון דמבאספך שמעינן חג הבא בזמן אסיפה ואמר חג האסיף משמע ליקצר אבל אי לאו האי קרא [באספך וגו'] הוה דרשינן חג [האסיף] הבא בזמן אסיפה א"כ גם חג הקציר נימא הכי הואיל וליכא שום משמעות דמפיק ליה: חולו של מועד אסור בעשיית מלאכה. לכאורה משמע דמלאכה דמיתסרא ביה מדאורייתא דמפיק ליה מפסוק וכן בפרק ב' דמו"ק (דף יא: ושם) לא מיבעיא אבל דמדרבנן אלא אפילו חוה"מ דאורייתא וכן פי' התם בקונטרס וקשה לר"ת דא"כ דבר האבד וכמה מלאכות דשרינן התם היכי משתרו וכי היכן מצינו איסור דאורייתא מקצתו אסור ומקצתו מותר ועוד דתנן בפ"ג דמגילה (דף כא.) כל מקום שאין יו"ט ויש מוסף קורין ד' כגון חוה"מ ור"ח אלמא לא מיתסר מלאכה מדקאמר דאין יו"ט ועוד דכייל ליה בהדי ר"ח דרבנן כדאמרינן בירושלמי דתענית ומקום שנהגו הלין נשיא דרגילין דלא למיעבד עבידתא בריש ירחא מנהגא הוא ועוד מצינו בירושלמי בפרק שני דמו"ק כלום אסרו מלאכה (ג) אלא כדי שיהו אוכלין ושותין ויהיו יגעים בתורה והם פוחזין ואוכלין ושותין משמע לישנא דמדרבנן הוא וכן בפ"ב דמו"ק (דף יב:) גבי ובלבד שלא יכוין מלאכתו במועד ובעי בגמרא כיון ומת מהו שיקנסו בנו אחריו את"ל גרס אחן הבכור ומת קנסו בנו אחריו התם איסורא דאורייתא משמע דמלאכה במועד הוי דרבנן ומיהו יש לדחות דאמכוין מלאכתו במועד קאי דהשתא מיהא ליכא איסורא דאורייתא כיון דדבר האבד הוא מ"מ משמע לפי האמת דלא מיתסר רק מדרבנן וכי קאמר התם בריש פירקא לא מיבעיא אבל דרבנן אלא אפילו חוה"מ דאורייתא כעין דאורייתא קאמר לפי שיש לו סמך (ג) ו) [מקרא דאורייתא אבל ימי האבל ליכא אסמכתא אלא] מדברי קבלה דכתיב והפכתי חגיכם לאבל (עמוס ח) ודקאמר הכא אלא בחוה"מ מי שרי א"כ משמע לאסור מן התורה וי"ל לאו משום דלא משתרי מדאורייתא אלא כיון דאקרא סמכינן ליה למיתסר לא (ד) מסברא ליה לאוקמי קרא דשרי בהדיא בהכי וכן פירש הריב"ס בשם רבינו יב"א דמלאכה דמועד מדרבנן ולא כפירוש רבינו שמואל שפירש בערבי פסחים (פסחים דף קיח.) גבי כל המבזה את המועדות כגון עושה מלאכה בחוה"מ והא ליתא דמדרבנן הוי וכדפי' והא דאמרינן ח) גבי כותים ותיפוק ליה משום לפני עור לא תתן מכשול במלאכה דחוה"מ משום דסמך ט) פשטא דקרא הוי והוי ליה לדוקין מודין בה: מה ראשון ושביעי כו'. הוה מצי למפרך מה להני שכן דבר האבד מיתסר אלא שאין זה ק"ו גמור רק גלוי מילתא בעלמא לפי מה שפיר' דמלאכה לא מיתסר רק דרבנן: ראש חדש יוכיח. דשרי בעשיית מלאכה שכן אינו קרוי יו"ט (ה) כפ"ג דמגילה (דף כב: ושם) וגם אינו נאסר רק משום מנהג כדפרי' וכי קאמר בר"ה (דף כג.) משום בטול מלאכה לעם בב' ימים דר"ח של ראש השנה מיירי אי נמי משום נשים דנוהגות שלא לעשות מלאכה כדאיתא בפירקי דרבי אליעזר י) וכן פרש"י במגילה (דף כב:): מה לראש חודש שכן אינו קרוי מקרא קדש. ° הוה מצי למימר מה לחול המועד דאיכא תרתי מוסף וקדושה לפניו ולאחריו: קשיא

עין משפט נר מצוה

כא א ב מיי' פ"ז מהל' יו"ט הלכה א טור ש"ע א"ח סי' תקל [רב אלפס ריש מו"ק דף רעח. וברא"ש שם סי' א]:

רבינו חננאל

ת"ר את חג המצות תשמור לימד על חולו של מועד שאסור' בעשיית מלאכה דברי ר' יאשיה כלומר אמרה תורה ושמרתם את המצות עוד את חג המצות תשמור למה לי אלא ללמדך שכל שבעת ימים צריכין שמירה. ר' (יוחנן) [יונתן] אמר ק"ו ומה ראשון ושביעי כו'. תניא אידך כל מלאכת עבודה לא תעשו לימד על חולו של מועד שאסור בעשיית מלאכה דברי ר' יוסי הגלילי. ר"ע אומר [לא] אצטריך הרי הוא אומר אלה מועדי ה' מקראי קודש במה הכתוב מדבר אי ביו"ט ראשון הרי הוא אומר ביום ראשון שבתון אי בשמיני הרי הוא אומר ביום השמיני שבתון הא אין הכתוב מדבר מועדי ה' אלא בחולו של מועד שאסור בעשיית מלאכה. ולא מסרך הכתוב אלא לחכמים לומר איזו מלאכה אסורה [ואיזו מותרת] א) עצרת שחלה להיות ע"ש. בית שמאי אומרים יום טבוח לאחר השבת. וב"ה אומרים אין לה יום טבוח ומודים שאם חלה להיות בשבת כו': ירושלמי עצרת שחלה להיות ע"ש ב"ש אומרים יום טבוח לאחר השבת וב"ה אומרים אין לה יום טבוח אלא יומה היא טביחה. ואין כ"ג מתלבש בכליו ומותרין בהספד ובתענית שלא לקיים דברי האומרים עצרת אחר השבת. ומודין שאם חלה בשבת שיום טבוח לאחר השבת. (ומודים שאם חלה בשבת) ומותרין בו ביום בהספד ובתעני'. אבל אם חלה להיות באמצע שבת אסורין בהספד ובתענית:

חשק שלמה על ר"ח

א) מכאן עד מתני' נוטלין לדיס שייך לעיל דף יז ע"א.

ליקוטי רש"י

וחג הקציר. הוא חג שבועות. חג האסיף. הוא חג הסוכות. שיש בו אסיפה. שכל ימות החמה התבואה מתייבשת בשדות ובחג אוספי' אותה אל הבית מפני הגשמים [שמות כג, טז]. ששת ימים תאכל מצות. ובמקום אחר הוא אומר (שמות יב) שבעת ימים שבעה מן הישן וששה מן החדש ד"א למד על אכילת מצה בשביעית שאינה חובה ומכאן אתה למד לששת ימים שהרי שביעי בכלל היה ויצא מן הכלל ללמד שאין אכילת מצה בו חובה אלא רשות ולא ללמד על עצמו יצא אלא ללמד על הכלל כולו יצא מה שביעי רשות אף כולם רשות חוץ מלילה הראשון שהכתוב קבעו חובה שנאמר (שמות יב) בערב

מסורת הש"ס

א) [נ"ל א"ל], ב) [עי' תוס' מו"ק יב: ד"ה מכוונים], ג) [מה"ת ימירה קדריש עמוס' מו"ק ב. ד"ה משקין], ד) [בכורות כו:], ה) [נ"ל והתניא והוא בתוספתא פ"ב], ו) [תשמור שבעת ימים וכל תשמור כצ"ל], ז) רש"א, ח) [ע"ז כב. ושם], ט) [וע' תוס' ע"ז כב. ד"ה תיפוק ליה], י) [פרק מ"ה].

הגהות הב"ח

(א) רש"י ד"ה ראש חדש וכו' של מועד כו' הס"ד ואח"כ מה"ד מקרא קדש וכו' מלאכה הס"ד ואח"כ מה"ד כל מלאכת וכו' אשה לימד וכו' בתורת כהנים הס"ד ואח"כ מה"ד עצור ממלאכה: (ב) תום' ד"ה חולו וכו' כלום אסרו מלאכה בחוה"מ אלא כדי שיהו אוכלין ושותין ויגעים בתורה והם אוכלים ושותין ופוחזין משמע לישנא כצ"ל: (ג) בא"ד כעין דאורייתא קאמר לפי שיש לו סמך כדמשמע מהאי דרשה אבל מימה אבל נמי דאסור במלאכה קא סמיך לה מדברי קבלה וכו' ודקאמר נמי הכא אלא בחולו של מועד חוה"מ מי שרי משמע כצ"ל ותיבת א"כ נמחק: (ד) בא"ד לא מיסתבר ליה: (ה) ד"ה ראש חדש וכו' פ"ג דמגילה. נ"ב פי' דבפ"ג דמגילה תנן בר"ח ובחוה"מ קורין ארבעה כו' זה הכלל כל שיש בו מוסף ואינו יו"ט קורין ארבעה אלמא דר"ח אינו קרוי יו"ט:

גליון הש"ס

תוס' ד"ה מה לר"ח וכו' הו"מ למימר. עי' תשובת מהר"י בן לב ח"ג סימן י"ג:

תורה אור השלם

א) וְחַג הַקָּצִיר בִּכּוּרֵי מַעֲשֶׂיךָ אֲשֶׁר תִּזְרַע בַּשָּׂדֶה וְחַג הָאָסִף בְּצֵאת הַשָּׁנָה בְּאָסְפְּךָ אֶת מַעֲשֶׂיךָ מִן הַשָּׂדֶה: [שמות כג, טז]

ב) אֶת חַג הַמַּצּוֹת תִּשְׁמֹר שִׁבְעַת יָמִים תֹּאכַל מַצּוֹת כַּאֲשֶׁר צִוִּיתִךָ לְמוֹעֵד חֹדֶשׁ הָאָבִיב כִּי בוֹ יָצָאתָ מִמִּצְרָיִם וְלֹא יֵרָאוּ פָנַי רֵיקָם: [שמות כג, טו]

ג) בַּיּוֹם הָרִאשׁוֹן מִקְרָא קֹדֶשׁ כָּל מְלֶאכֶת עֲבֹדָה לֹא תַעֲשׂוּ: שִׁבְעַת יָמִים תַּקְרִיבוּ אִשֶּׁה לַייָ בַּיּוֹם הַשְּׁמִינִי מִקְרָא קֹדֶשׁ יִהְיֶה לָכֶם וְהִקְרַבְתֶּם אִשֶּׁה לַייָ עֲצֶרֶת הִוא כָּל מְלֶאכֶת עֲבֹדָה לֹא תַעֲשׂוּ: [ויקרא כג, לה-לו]

ד) אֵלֶּה מוֹעֲדֵי יְיָ מִקְרָאֵי קֹדֶשׁ אֲשֶׁר תִּקְרְאוּ אֹתָם בְּמוֹעֲדָם: ה) אַךְ בַּחֲמִשָּׁה עָשָׂר יוֹם לַחֹדֶשׁ הַשְּׁבִיעִי בְּאָסְפְּכֶם אֶת תְּבוּאַת הָאָרֶץ תָּחֹגּוּ אֶת חַג יְיָ שִׁבְעַת יָמִים בַּיּוֹם הָרִאשׁוֹן שַׁבָּתוֹן וּבַיּוֹם הַשְּׁמִינִי שַׁבָּתוֹן: [ויקרא כג, לט] ו) שֵׁשֶׁת יָמִים תֹּאכַל מַצּוֹת וּבַיּוֹם הַשְּׁבִיעִי עֲצֶרֶת לַייָ אֱלֹהֶיךָ לֹא תַעֲשֶׂה מְלָאכָה: [דברים טז, ח]

תאכלו מצות. עצרת לה'. עצור עצמך מן המלאכה דבר אחר כנופיא של מאכל ומשתה לשון (שופטים יג) נעצרה נא אותך [דברים טז, ח]. לא מסרן הכתוב אלא לחכמים. הואיל ולא גילה לך איזו שיעור וכו' ודאי לחכמים מסרך שיפרשו לך הטעם ואחריהם תלך [בכורות כו:].

establish this law, קַל וָחוֹמֶר – for it can be derived with **A *KAL VACHOMER*** argument, as follows: וּמָה רִאשׁוֹן וּשְׁבִיעִי – **NOW, IF THE FIRST AND SEVENTH** days of Pesach,[14] שֶׁאֵין קְדוּשָּׁה לִפְנֵיהֶן וּלְאַחֲרֵיהֶן – **WHERE THERE IS NO HOLINESS BEFORE OR AFTER THEM,**[15] אָסוּר בַּעֲשִׂיַּית מְלָאכָה – **ARE** nevertheless **SUBJECT TO A PROHIBITION ON THE PERFORMANCE OF LABOR,** חוּלּוֹ שֶׁל מוֹעֵד – then the days of **CHOL HAMOED,** שֶׁיֵּשׁ קְדוּשָּׁה לִפְנֵיהֶן וּלְאַחֲרֵיהֶן – **WHERE THERE IS HOLINESS BEFORE AND AFTER THEM,**[16] אֵינוֹ דִּין שֶׁיְּהֵא אָסוּר בַּעֲשִׂיַּית מְלָאכָה – **IS IT NOT LOGICAL THAT THEY ARE SUBJECT TO A PROHIBITION ON THE PERFORMANCE OF LABOR?!**

The Baraisa attempts to rebut R' Yonasan's *kal vachomer*:

שֵׁשֶׁת יְמֵי בְרֵאשִׁית יוֹכִיחוּ – **"THE SIX DAYS OF CREATION,"** i.e. the ordinary days of each and every week, Sunday through Friday, **WILL REFUTE** the above reasoning, שֶׁיֵּשׁ קְדוּשָּׁה לִפְנֵיהֶן וּלְאַחֲרֵיהֶן – **FOR THERE IS HOLINESS BEFORE AND AFTER THEM,**[17] וּמוּתָּרִין בַּעֲשִׂיַּית מְלָאכָה – **AND** yet **THE PERFORMANCE OF LABOR IS PERMITTED DURING THEM!** Evidently, then, the mere fact that Chol HaMoed is preceded and followed by holy days should not subject it to a prohibition against performing labor. — ? —

The Baraisa rejects this rebuttal:

מַה לְשֵׁשֶׁת יְמֵי בְרֵאשִׁית – **WHAT** comparison can be made **TO "THE SIX DAYS OF CREATION"** שֶׁאֵין בָּהֶן קָרְבַּן מוּסָף – **WHICH DO NOT CONTAIN A *MUSSAF* OFFERING** in their daily Temple service? Perhaps it is the lack of that stringent feature that explains why the ordinary weekdays do not carry a prohibition against labor. תֹּאמַר בְּחוּלּוֹ שֶׁל מוֹעֵד – **CAN THE SAME BE SAID OF CHOL HAMOED,** שֶׁיֵּשׁ בּוֹ קָרְבַּן מוּסָף – **WHICH DOES CONTAIN A *MUSSAF* OFFERING** in its daily Temple service?! Since the cases of Chol HaMoed and ordinary weekdays are not comparable, the latter cannot be used in a refutation involving the former, and so the *kal vachomer* stands.

The Baraisa challenges this argument:

רֹאשׁ חֹדֶשׁ יוֹכִיחַ – **ROSH CHODESH WILL REFUTE** this argument, שֶׁיֵּשׁ בּוֹ קָרְבַּן מוּסָף – **FOR IT CONTAINS A *MUSSAF* OFFERING** in its Temple service, וּמוּתָּר בַּעֲשִׂיַּית מְלָאכָה – **AND** yet **THE PERFORMANCE OF LABOR IS PERMITTED** on it! We should not be surprised, then, to find that, although Chol HaMoed contains a *mussaf* offering in its Temple service, it is not subject to a prohibition against labor![18] — ? —

The Baraisa now refutes this challenge, and thus preserves the *kal vachomer*:

מַה לְרֹאשׁ חֹדֶשׁ – **WHAT** comparison can be made **TO** the case of **ROSH CHODESH,** שֶׁאֵין קָרוּי ,,מִקְרָא קֹדֶשׁ" – **WHICH IS NOT CALLED** by Scripture **"A HOLY CONVOCATION"**? Perhaps it is the lack of that stringent feature that explains why Rosh Chodesh is not subject to a *melachah* prohibition of labor. תֹּאמַר בְּחוּלּוֹ שֶׁל מוֹעֵד – **CAN THE SAME BE SAID OF CHOL HAMOED,** שֶׁקָּרוּי מִקְרָא קֹדֶשׁ – **WHICH IS CALLED "A HOLY CONVOCATION"?!**[19] הוֹאִיל וְקָרוּי מִקְרָא קֹדֶשׁ – Thus, **SINCE [CHOL HAMOED] IS CALLED "A HOLY CONVOCATION,"** דִּין הוּא שֶׁאָסוּר בַּעֲשִׂיַּית מְלָאכָה – **IT IS LOGICAL THAT IT IS SUBJECT TO A PROHIBITION ON THE PERFORMANCE OF LABOR,** as established by the *kal vachomer*.

The Gemara now presents other sources for the prohibition against performing labor on Chol HaMoed:

תַּנְיָא אִידָךְ – **It was taught in another Baraisa:** ,,כָּל־מְלֶאכֶת עֲבֹדָה לֹא תַעֲשׂוּ" – The Torah states: ***YOU SHALL NOT DO ANY LABORIOUS WORK.*** *For a seven-day period . . .*[20] לִימֵּד עַל חוּלּוֹ שֶׁל מוֹעֵד – **[THE JUXTAPOSITION]** of these phrases **TEACHES REGARDING CHOL HAMOED** (the "seven-day period")[21] שֶׁאָסוּר בַּעֲשִׂיַּית מְלָאכָה – **THAT IT IS SUBJECT TO A PROHIBITION ON THE PERFORMANCE OF LABOR;** דִּבְרֵי רַבִּי יוֹסֵי הַגְּלִילִי – these are **THE WORDS OF R' YOSE HAGLILI.** רַבִּי עֲקִיבָא אוֹמֵר – However, **R' AKIVA SAYS:** אֵינוֹ צָרִיךְ – **THIS [EXEGESIS] IS NOT NEEDED,** הֲרֵי הוּא אוֹמֵר – **FOR [THE TORAH] STATES** the prohibition vis-a-vis Chol HaMoed itself: ,,אֵלֶּה מוֹעֲדֵי ה' וגו' " – ***THESE ARE THE APPOINTED FESTIVALS OF HASHEM* etc.** [*that you shall proclaim as holy convocations*].[22] בַּמֶּה הַכָּתוּב מְדַבֵּר – Now, **REGARDING WHAT** "appointed festivals" **IS SCRIPTURE SPEAKING?** אִם בָּרִאשׁוֹן – **IF** you say it speaks **REGARDING THE FIRST** day of the Succos festival, that cannot be – הֲרֵי כְּבָר נֶאֱמַר ,,שַׁבָּתוֹן" – **FOR** concerning that day **IT IS ALREADY STATED:** *On the first day is* ***A DAY OF REST.***[23] אִם (בשביעי) [בַּשְּׁמִינִי][24] – **IF** you say **REGARDING THE EIGHTH** day, that too cannot be – הֲרֵי כְּבָר נֶאֱמַר ,,שַׁבָּתוֹן" – **FOR** concerning that day too **IT IS ALREADY STATED:** *and on the eighth day is* ***A DAY OF REST.***[25] הָא אֵין הַכָּתוּב מְדַבֵּר אֶלָּא בְּחוּלּוֹ שֶׁל מוֹעֵד – **THIS** compels one to conclude that **SCRIPTURE** in this verse **SPEAKS ONLY OF CHOL HAMOED,** לְלַמֶּדְךָ שֶׁאָסוּר בַּעֲשִׂיַּית מְלָאכָה – **TO TEACH YOU THAT [CHOL HAMOED]** as well **IS SUBJECT TO A PROHIBITION ON THE PERFORMANCE OF LABOR.**[26]

The Gemara presents yet another source for the prohibition against performing labor on Chol HaMoed:

תַּנְיָא אִידָךְ – **It was taught in another Baraisa:** ,,שֵׁשֶׁת יָמִים תֹּאכַל מַצּוֹת וּבַיּוֹם הַשְּׁבִיעִי עֲצֶרֶת לַה' " – The Torah states:[27] ***FOR A SIX-DAY PERIOD YOU SHALL EAT MATZOS, AND ON THE SEVENTH DAY***

NOTES

14. The first and seventh days of Pesach are Yom Tov days; the days in between comprise Chol HaMoed.

15. I.e. neither day is preceded and followed by another holy (Yom Tov) day.

16. Chol HaMoed is preceded by the first day of Pesach, a Yom Tov, and followed by the seventh day, also a Yom Tov.

17. Each set of ordinary weekdays sits between two Sabbath days (*Rashi*).

18. *Rashi.* [Thus, the *kal vachomer* is undermined.]

Tosafos ask why the Baraisa does not defend the *kal vachomer* by saying that Chol HaMoed not only contains a *mussaf* offering, but is also preceded and followed by holy days, while Rosh Chodesh is not preceded and followed by such days. See *Teshuvos Mahari Ibn Lev* 3:13 and *Siach Yitzchak* at length.

19. See *Leviticus* 23:37.

20. These are the concluding words of *Leviticus* 23:35 and the opening words of verse 36 (*Rashi*).

21. The verse speaks of Succos, whose Chol HaMoed runs from the second through the seventh days of the Festival (*Rashi;* see *Siach Yitzchak*).

22. *Leviticus* 23:37. The phrase מִקְרָאֵי קֹדֶשׁ, *holy convocations,* implies: Make it holy by abstaining from laborious work (*Rashi*).

From the fact that the prohibition against *melachah* is derived from מִקְרָאֵי קֹדֶשׁ, *holy convocations,* it would have been logical for those words to appear in the Baraisa's quote. Indeed, in *Rashi's* text they do (*Menachem Meishiv Nefesh*).

23. *Leviticus* 23:39. The word שַׁבָּתוֹן, *day of rest,* mandates a resting from *melachah* performance.

24. Our emendation of the text follows *Turei Even, Mitzpeh Eisan* and *Meromei Sadeh.* This is the reading found in the texts of *Rabbeinu Chananel* here and *Rif* (to *Moed Katan*), and it is also the version of the Baraisa that appears in *Toras Kohanim.* The verse quoted here is speaking of Succos, whose seventh day is not Yom Tov. Although a similar verse appears in regard to Pesach (*Leviticus* 23:4), the word שַׁבָּתוֹן (*day of rest*) is never stated vis-a-vis the *seventh* day of Pesach (*Turei Even*).

25. *Leviticus* 23:39.

26. The phrase מִקְרָאֵי קֹדֶשׁ, *holy convocations,* which appears in this verse implies a prohibition of *melachah* (*Rashi*).

27. *Deuteronomy* 16:8.

לא ידענא כמה קא משמע לן דרבי אלעזר
א"ר אושעיא וריש לקיש אמר א) וחג הקציר
איזהו חג שאתה חוגג וקוצר בו הוי אומר זה
עצרת אימת אילימא ביו"ט קצירה ביו"ט מי
שרי אלא לאו לתשלומין א) א"ר יוחנן אלא
מעתה ב) חג האסיף אי זהו חג שיש בו אסיפה
הוי אומר זה חג הסוכות אימת אילימא ביו"ט
מלאכה ביו"ט מי שרי אלא בחולו של מועד
ג) חולו של מועד מי שרי אלא חג הבא בזמן
אסיפה הכא נמי חג הבא בזמן קצירה מכלל
דתרווייהו סבירא להו דחולו של מועד אסור
בעשיית מלאכה מנהני מילי דתנו רבנן ב) את
חג המצות תשמור שבעת ימים א) לימד על
חולו של מועד שאסור בעשיית מלאכה דברי
רבי יאשיה רבי יונתן אומר אינו צריך קל
וחומר ומה ראשון ושביעי שאין קדושה
לפניהן ולאחריהן אסור בעשיית מלאכה חולו
של מועד שיש קדושה לפניהן ולאחריהן אינו
דין שיהא אסור בעשיית מלאכה ששת ימי
בראשית יוכיחו שיש קדושה לפניהן ולאחריהן
ומותרין בעשיית מלאכה מה לששת ימי
בראשית שאין בהן קרבן מוסף תאמר בחולו
של מועד שיש בו קרבן מוסף ראש חדש
יוכיח שיש בו קרבן מוסף ומותר בעשיית
מלאכה מה לראש חדש שאין קרוי מקרא
קדש תאמר בחולו של מועד שקרוי מקרא
קדש הואיל וקרוי מקרא קדש דין הוא שאסור
בעשיית מלאכה תניא אידך ג) כל מלאכת
עבודה לא תעשו לימד על חולו של מועד
שאסור בעשיית מלאכה דברי ר' יוסי הגלילי
רבי עקיבא אומר אינו צריך הרי הוא אומר
ד) אלה מועדי ה' וגו' במה הכתוב מדבר אם
בראשון הרי כבר נאמר ה) שבתון אם בשביעי
הרי כבר נאמר שבתון הא אין הכתוב מדבר
אלא בחולו של מועד ללמדך שאסור
בעשיית מלאכה תניא אידך ו) ששת ימים
תאכל מצות וביום השביעי עצרת לה' מה שביעי עצור אף ששת ימים עצורין
אי מה שביעי עצור בכל מלאכה אף ששת ימים עצורין בכל מלאכה ת"ל
וביום השביעי עצרת ג) השביעי עצור בכל מלאכה ואין ששה ימים עצורין
בכל מלאכה הא ד) ב) לא מסרן הכתוב אלא לחכמים לומר לך אי זה יום
אסור ואי זה יום מותר אי זו מלאכה אסורה ואי זו מלאכה מותרת:
ומותרין בהספד ותענית שלא לקיים את דברי האומרין עצרת אחר
השבת: (ה) והאיתמר) מעשה ומת אלכסא בלוד ונכנסו כל ישראל
לסופדו ולא הניחם רבי טרפון מפני שיום טוב של עצרת היה יו"ט ס"ד
אי ביום טוב מי קאתו אלא אימא מפני שיום טבוח היה לא קשיא
כאן ביו"ט שחל להיות אחר השבת כאן ביום טוב שחל להיות בשבת:
מתני'

רש"י

לא ידענא. כמה ימים יהיו לתשלומין קמ"ל דרבי אלעזר מה חג המצות שבעה אף כאן שבעה: וחג הקציר בכורי מעשיך. בחג שבועות כתיב: ה"ג חג הבא בזמן קצירה. קאמר ולאו חוגג וקוצר בו אתא לאשמועינן: מכלל דתרווייהו כו'. מדקאמר רבי יוחנן אסיפה בחולו של מועד מי שרי ולא מהדר ליה ריש לקיש אין מכלל דתרווייהו סבירא להו אסור: את חג המצות תשמור שבעת ימים וגו'. לימד על חולו של מועד שאסור בעשיית מלאכה. דרוש ביה את חג המצות תשמור י) וכל תשמור אזהרת לא תעשה הוא שומריהו מן המלאכה: ששת ימי בראשית. ימי כל שבוע ושבוע בין שתי שבתות הן יושבין הרי קדושה לפניהן ולאחריהן: ראש חדש יוכיח כו'. אף אתה אל תתמה על חולו של מועד כו': (א) כל מלאכת עבודה לא תעשו וכו'. וסמיך ליה שבעת ימים תקריבו אשה: לימד על חולו של מועד וכו'. והכי דריש ביה לא תעשו שבעת ימים ובחג הסוכות כתיב ועליה קיימא הך מתניתא בתורת כהנים: מקראי קדש. משמע קדשיהו בעשיית מלאכה: עצור ממלאכה. כדכתיב בהאי קרא גופיה לא תעשה מלאכה: הא הרי לא מסרן הכתוב אלא לחכמים. כלומר מאחר שאמר לך הכתוב שהן עצורין ממלאכה ולא בכולן ולא פירש אי זו המותרת ואי זו אסורה דע וראה שלא מסרן אלא לחכמים היודעים להבין על איזהו להטיל ההיתר ועל אי זו להטיל האיסור והם יאמרו אי זהו י"ט על פי קידוש הראייה ואסור בכל מלאכה ואי זהו חולו של מועד שאינו אסור בכל מלאכה ועל חולו של מועד יגידו לך אי זו מלאכה אסורה דבר שאינו אבד ואיזו מלאכה מותרת דבר האבד: ולא הניחן ר' טרפון. ומתני' תני שמותרים בהספד: ביו"ט שחל להיות בשבת. שיום טבוח אחר שבת מותר בהספד מפני האומרים עצרת אחר שבת והאי דאלכסא בלוד יו"ט שחל להיות בחול הוא דאין יום טבוח שלו בא' בשבת:
מתני'

תוספות

אלא חג הבא בזמן אסיפה. הקשה הר"ר אלחנן דאמר פ"ק דר"ה (ובגמרא דסנהדרין) (דף יג.) א"ל רבי זירא לרבי אסי ולדמא לא עייל כלל וקאמר רחמנא תשמע ותיזיל עד חג הסוכות לא ס"ד דכתיב חג האסיף מאי האסיף אילימא חג הבא בזמן אסיפה הכתיב באספך את מעשיך אלא מאי אסיף קציר אלמא לא אמרי' חג הסוכות הבא בזמן אסיפה ותירץ מורי כיון דמבאספך שמעינן אסיפה חג הבא בזמן אסיפה ולמר חג האסיף משמע ליקצר אבל אי לאו האי קרא [באספך וגו'] הוה דרשינן חג [האסיף] הבא בזמן אסיפה א"כ גם חג הקציר נימא הכי הואיל וליכא שום משמעות דמפיק ליה: חולו של מועד אסור בעשיית מלאכה. לכאורה משמע דמלאכה דמיתסרא ביה מדאורייתא דמפיק ליה מפסוק וכן בפרק ב' דמו"ק (דף יא: ושם) לא מיבעיא אבל דמדרבנן אלא אפילו חוש"מ דאורייתא וכן פי' התם בקונטרס וקשה לר"ת דא"כ דבר האבד וכמה מלאכות דשרינן התם היכי משתרו ועוד היכן מצינו איסור דאורייתא מקלתו אסור ומקלתו מותר ועוד דתנן בפ"ג דמגילה (דף כא.) כל מקום שאין יו"ט ויש מוסף קורין ד' כגון חוש"מ ור"ח אלמא לא מיתסר מלאכה מדקאמר דאין יו"ט ועוד דכייל ליה בהדי ר"ח דרבנן כדאמרינן בירושלמי דתענית ובמקום שנהגו הלין נשיא דרגילין דלא למיעבד עבידתא בריש ירחא מנהגא הוא ועוד מצינו בירושלמי בפרק שני דמו"ק כלום אסרו מלאכה (ג) אלא כדי שיהו אוכלין ושותין ויהיו יגעים בתורה והם פוחזין ואוכלין ושותין משמע לישנא דמדרבנן הוא וכן בפ"ב דמו"ק (דף יב:) גבי ולבלב שלא יכון מלאכתו שיכנסו בנו אחריו את"ל לרס אוזן הבכור ומת קנסו בנו אחריו התם איסורא דאורייתא משמע דמלאכה במועד הוי דרבנן ומיהו יש לדחות דאמכוין מלאכתו במועד קאי דהשתא מיהא ליכא איסורא דאורייתא כיון דדבר האבד הוא ה"מ משמע לפי האמת דלא מיתסר רק מדרבנן וכי קאמר התם בריש פירקא לא מיבעיא אבל דרבנן אלא אפילו חוש"מ דאורייתא כעין דאורייתא קאמר לפי שיש לו סמך (ג) ז) [מקרא דאורייתא אבל ימי האבל ליכא אסמכתא אלא] מדברי קבלה דכתיב והפכתי חגיכם לאבל (עמוס ח) ודקאמר הכא אלא בחוש"מ מי שרי א"כ משמע דאסור מן התורה וי"ל לאו משום דלא משתרי מדאורייתא אלא כיון דאקרא סמכינן ליה למיתסר לא (ד) מסברא ליה לאוקמי קרא דשרי בהדיא בהכי וכן פירש הריב"ס בשם רבינו יב"א דמלאכה דמועד מדרבנן ולא כפירוש רבינו שמואל שפירש בערבי פסחים (פסחים דף קיח.) גבי כל המבזה את המועדות כגון עושה מלאכה בחוש"מ והא ליתא דמדרבנן הוי וכדפי' והא דאמרינן ח) גבי כותים ותיפוק ליה משום לפני עור לא תתן מכשול במלאכה דחוש"מ משום דסמך ט) פשטא דקרא הוי והוי ליה לדוקין מודין בה: מה ראשון ושביעי כו'. הוה מצי למפרך מה להני שכן דבר האבד מיתסר אלא שאין זה ק"ו גמור רק גלוי מילתא בעלמא לפי מה שפירש דמלאכה לא מיתסר רק מדרבנן: ראש חדש יוכיח. דשרי בעשיית מלאכה שכן אינו קרוי יו"ט (ה) כפ"ג דמגילה (דף כב:) (ושם) וגם אינו נאסר רק משום מנהג כדפרי' וכי קאמר בר"ה (דף כג.) משום בטול מלאכה לעם בב' ימים דר"ח של ראש השנה מיירי אי נמי נשים נהגו שלא לעשות מלאכה כדאיתא בפרקי דרבי אליעזר י) וכן פרש"י במגילה (דף כב:): מה לראש חודש שכן אינו קרוי מקרא קדש. כ הוה מצי למימר מה לחול המועד דאיכא תרתי מוסף וקדושה לפניו ולאחריו:
קשיא

מסורת הש"ם

א) [נ"ל א"ל], ב) [עי' תוס' מו"ק יב: ד"ה מכנים], ג) [מה"א יתירה קדרים עתוס' מו"ק ב. ד"ה משקין], ד) [בכורות כו:], ה) [נ"ל והתניא והוא בתוספתא פ"ב], ו) [תשמור שבעת ימים וכל נשמור כנ"ל], ז) רש"א, ח) [ע"ז כב. ושם], ט) [וע' תוס' ע"ז כב. ד"ה תיפוק ליה], י) [פרק מ"ה].

הגהות הב"ח

(א) רש"י ד"ה ראש חדש וכו' של מועד כו' הס"ד ואח"כ מה"ד מקרא קדש וכו' מלאכה הס"ד ואח"כ מה"ד כל מלאכת וכו' אשה לימד וכו' בתורת כהנים הס"ד ואח"כ מה"ד עצור ממלאכה: (ב) תוס' ד"ה חולו וכו' כלום אסרו מלאכה בחוש"מ אלא כדי שיהו אוכלין ושותין ויגעים בתורה והם אוכלים ושותין ופוחזין משמע לישנא כנ"ל: (ג) בא"ד כעין דאורייתא קאמר לפי שיש לו סמך כדמשמע מהאי דרשה אבל תימה אבל נמי דאסור במלאכה קא סמיך לה מדברי קבלה וכו' ודקאמר נמי הכא אלא בחולו של מועד חוש"מ מי שרי משמע כנ"ל ותיבת א"כ נמחק: (ד) בא"ד לא מיסתבר ליה: (ה) ד"ה ראש חדש וכו' פ"ג דמגילה. נ"ב פי' דבפ"ג דמגילה תנן בר"ח ובחוש"מ קורין ארבעה כו' זה הכלל כל שיש בו מוסף ואינו יו"ט קורין ארבעה אלמא דר"ח אינו קרוי יו"ט:

גליון הש"ס

תוס' ד"ה מה לר"ח וכו' הו"מ למימר. עי' תשובת מהרי"ט בן לב ח"ג סימן י"ג:

תורה אור השלם

א) וְחַג הַקָּצִיר בִּכּוּרֵי מַעֲשֶׂיךָ אֲשֶׁר תִּזְרַע בַּשָּׂדֶה וְחַג הָאָסִף בְּצֵאת הַשָּׁנָה בְּאָסְפְּךָ אֶת מַעֲשֶׂיךָ מִן הַשָּׂדֶה: [שמות כג, טז]

ב) אֶת חַג הַמַּצּוֹת תִּשְׁמֹר שִׁבְעַת יָמִים תֹּאכַל מַצּוֹת כַּאֲשֶׁר צִוִּיתִךָ לְמוֹעֵד חֹדֶשׁ הָאָבִיב כִּי בוֹ יָצָאתָ מִמִּצְרָיִם וְלֹא יֵרָאוּ פָנַי רֵיקָם: [שמות כג, טו]

ג) בַּיּוֹם הָרִאשׁוֹן מִקְרָא קֹדֶשׁ כָּל מְלֶאכֶת עֲבֹדָה לֹא תַעֲשׂוּ: שִׁבְעַת יָמִים תַּקְרִיבוּ אִשֶּׁה לַייָ בַּיּוֹם הַשְּׁמִינִי מִקְרָא קֹדֶשׁ יִהְיֶה לָכֶם וְהִקְרַבְתֶּם אִשֶּׁה לַייָ עֲצֶרֶת הִוא כָּל מְלֶאכֶת עֲבֹדָה לֹא תַעֲשׂוּ: [ויקרא כג, לה-לו]

ד) אֵלֶּה מוֹעֲדֵי יְיָ מִקְרָאֵי קֹדֶשׁ אֲשֶׁר תִּקְרְאוּ אֹתָם בְּמוֹעֲדָם: [ויקרא כג, ד]

ה) אַךְ בַּחֲמִשָּׁה עָשָׂר יוֹם לַחֹדֶשׁ הַשְּׁבִיעִי בְּאָסְפְּכֶם אֶת תְּבוּאַת הָאָרֶץ תָּחֹגּוּ אֶת חַג יְיָ שִׁבְעַת יָמִים בַּיּוֹם הָרִאשׁוֹן שַׁבָּתוֹן וּבַיּוֹם הַשְּׁמִינִי שַׁבָּתוֹן: [ויקרא כג, לט]

ו) שֵׁשֶׁת יָמִים תֹּאכַל מַצּוֹת וּבַיּוֹם הַשְּׁבִיעִי עֲצֶרֶת לַייָ אֱלֹהֶיךָ לֹא תַעֲשֶׂה מְלָאכָה: [דברים טז, ח]

עין משפט נר מצוה

כא א ב מיי' פ"ז מהל' יו"ט הלכה א טור ש"ע א"ח סי' תקל [רב אלפס ריש מו"ק דף רעת. ורא"ש שם סי' א]:

רבינו חננאל

ת"ר את חג המצות תשמור לימד על חולו של מועד שאסו' בעשיית מלאכה דברי ר' יאשיה כלומר אמרה תורה ושמרתם את המצות עוד את חג המצות תשמור למה לי אלא ללמדך שכל שבעת ימים צריכין שמירה. ר' (יוחנן) [יונתן] אמר ק"ו ומה ראשון ושביעי כו'. תניא אידך כל מלאכת עבודה לא תעשו לימד על חולו של מועד שאסור בעשיית מלאכה דברי ר' יוסי הגלילי. ר"ע אומר [לא] אצטריך הרי הוא אומר אלה מועדי ה' מקראי קודש במה הכתוב מדבר אי ביו"ט ראשון הרי הוא אומר ביום ראשון שבתון אי בשמיני הרי הוא אומר ביום השמיני שבתון הא אין הכתוב מדבר מועדי ה' אלא בחולו של מועד שאסור בעשיית מלאכה. ולא מסרך הכתוב אלא לחכמים לומר איזו מלאכה אסורה [ואיזו מותרת] א) עצרת שחלה להיות ע"ש. בית שמאי אומרים יום טבוח לאחר השבת. וב"ה אומרים אין לה יום טבוח ומודים שאם חלה להיות בשבת כו': ירושלמי עצרת שחלה להיות ע"ש ב"ש אומרים יום טבוח לאחר השבת וב"ה אומרים אין לה יום טבוח אלא יומה היא טביחה. ואין כ"ג מתלבש בכליו ומותרין בהספד ובתענית שלא לקיים דברי האומרים עצרת אחר השבת. ומודים שאם חלה בשבת שיום טבוח לאחר השבת. (ומודים שאם חלה בשבת) ומותרין בו ביום בהספד ובתענ'. אבל אם חלה להיות באמצע שבת אסורין בהספד ובתענית.

חשק שלמה על ר"ח

א) מכאן עד מתני' נעתק לקמן שייך לעיל דף יז ע"ב.

ליקוטי רש"י

וחג הקציר. הוא חג שבועות. חג האסיף. הוא חג הסוכות. שיש בו אסיפה. שכל ימות החמה התבואה מתייבשת בשדות ובחג אוספי' אותה אל הבית מפני הגשמים [שמות כג, טז]. ששת ימים תאכל מצות. ובמקום אחר הוא אומר (שמות יב) שבעת ימים שבעה מן הישן וששה מן החדש ד"א למד על אכילת מצה בשביעית שאינה חובה ומכאן אתה למד לששת ימים שהרי שביעי בכלל היה ויצא מן הכלל ללמד שאין אכילת מצה בו חובה אלא רשות ולא ללמד על עצמו יצא אלא ללמד על הכלל כולו יצא מה שביעי רשות אף כולם רשות חוץ מלילה הראשון שהכתוב קבעו חובה שנאמר (שמות יב) בערב תאכלו מצות. עצרת לה'. עצור עצמך מן המלאכה דבר אחר כנופיה של מאכל ומשתה לשון (שופטים יג) נעצרה נא אותך [דברים טז, ח]. לא מסרן הכתוב אלא לחכמים. הואיל ולא גילה לך איזו עצור ואיזו מותר ואילו לחכמים מסרן שיפרשו לך הטעם ולאיסורים תלך [בכורות כו:].

SHALL BE A RESTRAINT[28] ***TO HASHEM,*** *your God; you shall not perform laborious work.* **מַה שְּׁבִיעִי עָצוּר** – This verse links the first six days of the festival, which include Chol HaMoed, with the seventh day of Pesach, which is Yom Tov, to teach you that **JUST AS** the **SEVENTH** day **IS RESTRAINED** from the performance of labor,[29] **אַף שֵׁשֶׁת יָמִים עֲצוּרִין** – so **TOO** the previous **SIX DAYS** of the festival **ARE RESTRAINED** from the performance of labor. **אִי מַה שְּׁבִיעִי עָצוּר בְּכָל מְלָאכָה** – But **IF** that is so, one might say that **JUST AS** on the **SEVENTH** day **IS RESTRAINED FROM** the performance of **ALL** manner of **LABOR,**[30] **אַף שֵׁשֶׁת יָמִים עֲצוּרִין בְּכָל מְלָאכָה** – so **TOO** the previous **SIX DAYS ARE RESTRAINED FROM** the performance of **ALL** manner of **LABOR.** **תַּלְמוּד לוֹמַר ,,וּבַיּוֹם הַשְּׁבִיעִי עֲצֶרֶת״** – **[THE TORAH]** therefore **STATES:** ***AND ON THE SEVENTH DAY SHALL BE A RESTRAINT.*** **הַשְּׁבִיעִי עָצוּר בְּכָל מְלָאכָה** – This implies: **THE SEVENTH** day **IS RESTRAINED FROM** the performance of **ALL** manner of **LABOR,** **וְאֵין שִׁשָּׁה יָמִים עֲצוּרִין בְּכָל מְלָאכָה** – **BUT** the other **SIX DAYS**[31] **ARE NOT RESTRAINED** from the performance of **ALL** manner of **LABOR.**[32] **הָא לֹא מְסָרָן הַכָּתוּב אֶלָּא לַחֲכָמִים** – **FROM HERE** we see that **SCRIPTURE GAVE OVER** the legal particulars of **[THESE DAYS] ONLY TO THE SAGES,** **לוֹמַר לְךָ אֵי זֶה יוֹם אָסוּר** – **TO TELL YOU WHICH DAY IS** a Yom Tov,[33] when all labor is **PROHIBITED,** **וְאֵי זֶה יוֹם מוּתָּר** – **AND WHICH DAY IS** Chol HaMoed, when certain labors are **PERMITTED;** **אֵי זוֹ מְלָאכָה אֲסוּרָה** – and regarding Chol HaMoed itself, **WHICH LABOR IS PROHIBITED** in it, **וְאֵי זוֹ מְלָאכָה מוּתֶּרֶת** – **AND WHICH LABOR IS PERMITTED.**[34]

The Mishnah concluded:

וּמוּתָּרִין בְּהֶסְפֵּד וְתַעֲנִית – **AND IT IS PERMITTED** to engage **IN EULOGY AND FASTING** on the Day of Slaughter **שֶׁלֹּא לְקַיֵּים אֶת דִּבְרֵי הָאוֹמְרִין** – **SO AS NOT TO UPHOLD THE WORDS OF THOSE WHO SAY** **עֲצֶרֶת אַחַר הַשַּׁבָּת** – that **SHAVUOS IS** always on the day **AFTER THE SABBATH,** i.e. Sunday.

The Gemara challenges this ruling:

[35](והאיתמר) [וְהַתַנְיָא] – **But it was taught** otherwise **in a Baraisa:** **מַעֲשֶׂה וּמֵת אֲלֶכְסָא בְּלוֹד** – **IT HAPPENED THAT ALEXA DIED IN LOD** **וְנִכְנְסוּ כָּל יִשְׂרָאֵל לְסוֹפְדוֹ** – **AND ALL OF ISRAEL ENTERED TO EULOGIZE HIM,** **וְלֹא הִנִּיחָם רַבִּי טַרְפוֹן** – **BUT R' TARFON WOULD NOT ALLOW THEM** to do so **מִפְּנֵי שֶׁיּוֹם טוֹב שֶׁל עֲצֶרֶת הָיָה** – **BECAUSE [THAT DAY] WAS THE YOM TOV OF SHAVUOS.**

The Gemara analyzes the Baraisa:

יוֹם טוֹב סָלְקָא דַעְתָּךְ – **Does it enter your mind** that it was the actual day of **Yom Tov?!** **אִי בְּיוֹם טוֹב מִי קָאָתוּ** – **If** this incident occurred **on a Yom Tov, would [all of Israel] have come** to eulogize him? Of course not![36] **אֶלָּא אֵימָא מִפְּנֵי שֶׁיּוֹם טְבוֹחַ הָיָה** – **Rather, say** that R' Tarfon prevented the people from eulogizing Alexa **because it was** Shavuos' **Day of Slaughter.**[37] The Baraisa thus contradicts our Mishnah, which approves of eulogizing and fasting on that day. – ? –

The Gemara reconciles the Mishnah with the Baraisa:

לֹא קַשְׁיָא – There is **no difficulty.** **כָּאן בְּיוֹם טוֹב שֶׁחָל לִהְיוֹת אַחַר הַשַּׁבָּת** – **Here** in the Baraisa we are speaking of a case **in which Yom Tov fell after the Sabbath,** **כָּאן בְּיוֹם טוֹב שֶׁחָל לִהְיוֹת בְּשַׁבָּת** – while **here** in the Mishnah we are speaking a case **in which Yom Tov fell on the Sabbath** itself.[38]

NOTES

28. The word עֲצֶרֶת, which is usually translated as "assembly" in this context, can also connote a "restraining." The Baraisa uses that sense of the word in its interpretation of the verse, and we have translated it accordingly (see also *Rashi* to this verse).

29. As it states explicitly at the end of the verse: *you shall not perform laborious work* (*Rashi*).

30. Except those *melachos* immediately involved in the preparation of food (אֹכֶל נֶפֶשׁ).

31. Actually, the five days of Chol HaMoed. The first and last days are of equal stringency.

32. The letter ה (*the*) in the word הַשְּׁבִיעִי (*the seventh*) is expounded to teach that the seventh day of Pesach has a stringent aspect that Chol HaMoed lacks (*Tosafos* to *Moed Katan* 2a ד״ה משקין).

33. The Sages are empowered to establish Rosh Chodesh based on the sighting of the new moon. The prescribed times of Yom Tov are figured from that date (*Rashi*).

34. I.e. to tell you that *melachah* is permitted on Chol HaMoed, to prevent financial loss [דָּבָר הָאָבֵד] and that it is forbidden when no loss is involved [see Mishnah, *Moed Katan* 2a, 11b] (*Rashi;* cf. *Siach Yitzchak*) [The fact that the Torah delegated this authority to the Sages is consistent with the authority it delegated to them to determine Rosh Chodesh (see previous note). For in deciding whether to declare Rosh Chodesh on the thirtieth day of the previous month rather than on the thirty-first, for example, the Sages in effect declare that fifteen days later will be the first day of Chol HaMoed rather than Yom Tov, and thus a day on which some *melachah* is permitted. Therefore, just as the Torah granted them the power to determine the date and thus the *degree* of *melachah* permitted on a given day, so too the Torah granted them the power to determine the *types* of *melachah* permitted on those days, and which are forbidden. Thus, the lack of specificity in the verse expounded here is understood to grant license to the Sages to determine what to forbid and what to permit (see *Rashi*).]

Rashi's comments here indicate that he holds that *melachah* on Chol HaMoed is *Biblically* prohibited [and the Rabbis were charged only with determining which situations involved a forbidden labor]. As noted above (see note 9), *Tosafos* and other Rishonim rule that the *melachah* prohibition of Chol HaMoed is only *Rabbinic* in origin, and the verses cited by the Gemara here are merely אַסְמַכְתּוֹת, Scriptural texts that support – but do not command – the Rabbinic law. [According to this opinion, it is the Rabbis themselves who established that *melachah* that prevents a loss is forbidden on Chol HaMoed and *melachah* that does not is permitted.] See above, note 9, and Schottenstein ed. of *Moed Katan,* 2a note 1.

35. The word אִיתְּמַר (*it is stated*) invariably introduces an Amoraic statement. Since, however, the following teaching appears in *Tosefta, Mesoras HaShas* emends the Gemara to read וְהַתַנְיָא. Our translation follows his emendation.

36. [Why would people have come to participate in a eulogy? They certainly knew that eulogizing is forbidden on Yom Tov.]

37. [Thus, the people – who were not aware that eulogies are forbidden on this day – came expecting to hear eulogies.]

38. The Mishnah permitted eulogizing on the Day of Slaughter only when it falls on Sunday, so as to avoid giving credence to the claim that Shavuos must always be postponed to Sunday (see 17a note 11). This happens (according to Beis Hillel) only when Shavuos falls on the Sabbath. This is the case of which the Mishnah speaks. However, in the Baraisa's case Shavuos fell during the week, so that the Day of Slaughter did not occur on Sunday. Hence, a concern for the Sadducee opinion was not a factor, and so R' Tarfon did not allow eulogies (*Rashi*).

The commentators question the Gemara's answer: If in the Baraisa's case Shavuos fell on a weekday, then in Beis Hillel's view (which the halachah follows) *there is no Day of Slaughter,* for the festival offerings can be brought on Yom Tov itself! Why, then, does the Gemara call the day of Alexa's funeral Shavuos' "Day of Slaughter"?

Tos. Rid (see also *Yad David*) explains that the Gemara calls the day after of a weekday Shavuos a "Day of Slaughter" because (in the Temple era) many people were unable to bring their festival offerings on Shavuos itself, which lasts only one day, and thus brought them on the next day (אִסְרוּ חַג) before leaving Jerusalem. Although these offerings could be brought at any time during the six compensation days that follow Shavuos, the great majority were brought on the first possible day because people were anxious to return home. The Rabbis therefore declared this day a day on which eulogizing and fasting are prohibited [for these are forbidden to the individual on any day that he brings a sacrifice (*Yad David*)]. R' Tarfon, who lived after the destruction of the Temple, continued this prohibition, and therefore disallowed eulogies at Alexa's funeral, which took place on the day after a weekday Shavuos. (See, however, *Mishneh LaMelech, Hil. Klei HaMikdash* 6:10, who explains at length that the prohibition is, in fact, on account of this day's status as אִסְרוּ חַג, *the day after the festival,*

לא ידענא. כמה ימים יהיו לתשלומין קמ"ל דרבי אלעזר מה חג המצות שבעה אף כאן שבעה: וחג הקציר בכורי מעשיך. בחג שבועות כתיב: ה"ג חג הבא בזמן קצירה. קאמר ולאו חוגג וקוצר בו אתא לאשמועינן: מכלל דתרווייהו כו'. מדקאמר רבי יוחנן אסיפה בחולו של מועד מי שרי ולא מהדר ליה ריש לקיש אין מכלל דתרווייהו סבירא להו אסור: את חג המצות תשמור שבעת ימים וגו'. ללמד על חולו של מועד שאסור בעשיית מלאכה. דרוש ביה את חג המצות תשמור ז) וכל תשמור אזהרת לא תעשה הוא שומריהו מן המלאכה: ששת ימי בראשית. ימי כל שבוע ושבוע בין שתי שבתות הן יושבין הרי קדושה לפניהן ולאחריהן: ראש חדש יוכיח כו'. אף אתה אל תתמה על חולו של מועד כו': (א) כל מלאכת עבודה לא תעשו וגו'. וסמיך ליה שבעת ימים תקריבו אשה: לימד על חולו של מועד וכו'. והכי דריש ביה לא תעשו שבעת ימים ובחג הסוכות כתיב ועליה קיימא הך מתניתא בתורת כהנים: מקרא קדש. משמע קדשיהו בעשיית מלאכה: עצור ממלאכה. כדכתיב בהאי קרא גופיה לא תעשה מלאכה: הא הרי לא מסרן הכתוב אלא לחכמים. כלומר מאחר שאמר לך הכתוב שהן עצורין ממלאכה ולא בכולן ולא פירש אי זו המותרת ואי זו אסורה דע ודאי שלא מסרן אלא לחכמים היודעים להבחין על איזהו להטיל היתר ועל אי זו להטיל האיסור והם יאמרו אי זהו י"ט על פי קידוש הראייה ואסור בכל מלאכה ואי זהו חולו של מועד שאינו אסור בכל מלאכה ועל חולו של מועד יגידו לך אי זו מלאכה אסורה דבר שאינו אבד ואיזו מלאכה מותרת דבר האבד: ולא הניחן רבי טרפון. ומתני' תני שמותרים בהספד: בי"ט שחל להיות בשבת. שיום טבוח אחר שבת והאי דאלכסא בלוד יו"ט שחל להיות בחול הוא דלאין יום טבוח שלו בא' בשבת: מתני'

לא ידענא כמה קא משמע לן דרבי אלעזר
א"ר אושעיא וריש לקיש אמר א) וחג הקציר
איזהו חג שאתה חוגג וקוצר בו הוי אומר זה
עצרת אימת אילימא ביו"ט קצירה ביו"ט מי
שרי אלא לאו לתשלומין ה) א"ר יוחנן אלא
מעתה א) חג האסיף אי זהו חג שיש בו אסיפה
הוי אומר זה חג הסוכות אימת אילימא ביו"ט
מלאכה ביו"ט מי שרי אלא בחולו של מועד
ו) חולו של מועד מי שרי אלא חג הבא בזמן
אסיפה הכא נמי חג הבא בזמן קצירה מכלל
דתרווייהו סבירא להו דחולו של מועד אסור
בעשיית מלאכה מנהני מילי דתנו רבנן ב) את
חג המצות תשמור שבעת ימים ז) ללמד על
חולו של מועד שאסור בעשיית מלאכה דברי
רבי יאשיה רבי יונתן אומר אינו צריך קל
וחומר ומה ראשון ושביעי שאין קדושה
לפניהן ולאחריהן אסור בעשיית מלאכה חולו
של מועד שיש קדושה לפניהן ולאחריהן אינו
דין שיהא אסור בעשיית מלאכה ששת ימי
בראשית יוכיחו שיש קדושה לפניהן ולאחריהן
ומותרין בעשיית מלאכה מה לששת ימי
בראשית שאין בהן קרבן מוסף תאמר בחולו
של מועד שיש בו קרבן מוסף ראש חדש
יוכיח שיש בו קרבן מוסף ומותר בעשיית
מלאכה מה לראש חדש שאין קרוי מקרא
קדש תאמר בחולו של מועד שקרוי מקרא
קדש הואיל וקרוי מקרא קדש דין הוא שאסור
בעשיית מלאכה תניא אידך ג) כל מלאכת
עבודה לא תעשו ללמד על חולו של מועד
שאסור בעשיית מלאכה דברי ר' יוסי הגלילי
רבי עקיבא אומר אינו צריך הרי הוא אומר
ד) אלה מועדי ה' וגו' במה הכתוב מדבר אם
בראשון הרי כבר נאמר ה) שבתון אם בשביעי
הרי כבר נאמר שבתון הא אין הכתוב מדבר
אלא בחולו של מועד ללמדך שאסור
בעשיית מלאכה תניא אידך ו) ששת ימים
תאכל מצות וביום השביעי עצרת לה' מה שביעי עצור אף ששת ימים עצורין
אי מה שביעי עצור בכל מלאכה אף ששת ימים עצורין בכל מלאכה ת"ל
וביום השביעי עצרת ג) השביעי עצור בכל מלאכה ואין ששה ימים עצורין
בכל מלאכה הא ד) ב) לא מסרן הכתוב אלא לחכמים לומר לך אי זה יום
אסור ואי זה יום מותר אי זו מלאכה אסורה ואי זו מלאכה מותרת:
ומותרין בהספד ותענית שלא לקיים את דברי האומרין עצרת אחר
השבת: (ה) והאיתמר) מעשה ומת אלכסא בלוד ונכנסו כל ישראל
לסופדו ולא הניחם רבי טרפון מפני שיום טוב של עצרת היה יו"ט ס"ד
אי ביום טוב מי קאתו אלא אימא מפני שיום טבוח היה לא קשיא
כאן ביו"ט שחל להיות אחר השבת כאן ביום טוב שחל להיות בשבת:
מתני'

אלא חג הבא בזמן אסיפה. הקשה הר"ר אלחנן דאמר פ"ק דר"ה (ובגמרא דסנהדרין) (דף יג.) א"ל רבי זירא לרבי אסי ודלמא לא עייל כלל וקאמר רחמנא תשמט ותיזיל עד חג הסוכות לא ס"ד דכתיב חג האסיף מאי האסיף אילימא חג הבא בזמן אסיפה הכתיב באספך את מעשיך אלא מאי אסיף קציר אלמא לא אמרי' חג הסוכות הבא בזמן אסיפה ומירץ מורי כיון דמבאספך שמעינן חג הבא בזמן אסיפה ואמר חג האסיף משמע ליקצר אבל אי לאו האי קרא [באספך וגו'] הוה דרשינן חג [האסיף] הבא בזמן אסיפה א"כ גם חג הקציר נימא הכי הואיל וליכא שום משמעות דמפיק ליה: חולו של מועד אסור בעשיית מלאכה. לכאורה משמע דמלאכה דמיתסרא ביה מדאורייתא דמפיק ליה מפסוק וכן בפרק ב' דמו"ק (דף יח: ושם) לא מיבעיא אבל מדרבנן אלא אפילו חוש"מ דאורייתא וכן פי' התם בקונטרס וקשה לר"ת דא"כ דבר האבד וכמה מלאכות דשרינן התם היכי משתרו וכי היכן מצינו איסור דאורייתא מקצתו אסור ומקצתו מותר ועוד דתנן בפ"ג דמגילה (דף כא.) כל מקום שאין יו"ט ויש מוסף קורין ד' כגון חוש"מ ור"ח אלמא לא מיתסר מלאכה מדקאמר דאין יו"ט ועוד דכייל ליה בהדי ר"ח דרבנן כדאמרינן בירושלמי דתענית ובמקום שנהגו הלין נשיא דרגילין דלא למיעבד עבידתא בריש ירחא מנהגא הוא ועוד מצינו בירושלמי בפרק שני דמו"ק כלום אסרו מלאכה (ב) אלא כדי שיהו אוכלין ושותין ויהיו יגעים בתורה והם פוחזין ואוכלין ושותין משמע לישנא דמדרבנן הוא וכן בפ"ב דמו"ק (דף יב:) גבי ובלבד שלא יכוין מלאכתו במועד ובעי בגמרא כיון ומת מהו שיקנסו בנו אחריו את"ל גרס אוןן הבכור ומת קנסו בנו אחריו התם איסורא דאורייתא משמע דמלאכה במועד הוי דרבנן ומיהו יש לדחות דאמכוין מלאכתו במועד קאי דהשתא מיהא ליכא איסורא דאורייתא כיון דדבר האבד הוא מ"מ משמע לפי האמת דלא מיתסר רק מדרבנן וכי קאמר התם בריש פירקא לא מיבעיא אבל דרבנן אלא אפילו חוש"מ דאורייתא כעין דאורייתא קאמר לפי שיש לו סמך (ג) [מקרא דאורייתא אבל ימי האבל ליכא אסמכתא אלא] מדברי קבלה דכתיב והפכתי חגיכם לאבל (עמוס ח) ודקאמר הכא אלא בחוש"מ מי שרי א"כ משמע דאסור מן התורה וי"ל לאו משום דלא משתרי מדאורייתא אלא כיון דאקרא סמכינן ליה למיתסר לא (ד) מסברא ליה לאוקמי קרא דשרי בהדיא בהכי וכן פירש הריב"ס בשם רבינו יב"א דמלאכה דמועד מדרבנן ולא כפירוש רבינו שמואל שפירש בערבי פסחים (פסחים דף קיח.) גבי כל המבזה את המועדות כגון עושה מלאכה בחוש"מ והא ליתא דמדרבנן הוי וכדפי' והא דאמרינן ח) גבי כותים ותיפוק ליה משום לפני עור לא תתן מכשול במלאכה דחוש"מ משום דסמך ט) פשטא דקרא הוי והוי ליה לדוקין מודין בה: מה ראשון ושביעי כו'. הוה מצי למפרך מה להני שכן דבר האבד מיתסר אלא שאין זה ק"ו גמור רק גלוי מילתא בעלמא לפי מה שפיר' דמלאכה לא מיתסר רק דרבנן: ראש חדש יוכיח. דשרי בעשיית מלאכה שכן אינו קרוי יו"ט (ה) בפ"ג דמגילה (דף כב: ושם) וגם אינו נאסר רק משום מנהג כדפרי' וכי קאמר בר"ה (דף כג.) משום בטול מלאכה לעם בב' ימים דר"ח של ראש השנה מיירי אי נמי משום נשים דנוהגות שלא לעשות מלאכה כדאיתא בפירקי דרבי אליעזר י) וכן פרש"י במגילה (דף כב:): מה לראש חודש שכן אינו קרוי מקרא קדש. ט) הוה מצי למימר מה לחול המועד דאיכא תרתי מוסף וקדושה לפניו ולאחריו: קשיא

ששת ימים תאכל מצות. עצרת לה'. עצור עצמך מן המלאכה דבר אחר כנופיה של מאכל ומשתה לשון (שופטים יג) נעצרה נא אותך: לא מסרן הכתוב אלא לחכמים. הואיל ולא גילה לך שיעור וכו' ודאי לחכמים מסרך שיפרשו לך הטעם ולאחריהם תלך [בכורות כו:]

מסורת הש"ס

א) [נ"ל א"ל], ב) [עי' תוס' מו"ק יב: ד"ה מכנים], ג) [מה"א יתירה קדרים עמוס' מו"ק ב. ד"ה משקין], ד) [בכורות כו:], ה) [נ"ל והתניא והוא בתוספתא פ"ב], ו) [תשמור שבעת ימים וכל תשמור כל"ל], ז) רש"א, ח) [ע"ז כב. ושם], ט) [ועי' תוס' ע"ז כב. ד"ה תיפוק ליה], י) [פרק מ"ה].

הגהות הב"ח

(א) רש"י ד"ה ראש חדש וכו' של מועד כו' הס"ד ואח"כ מה"ד מקרא קדש וכו' מלאכה הס"ד ואח"כ מה"ד כל מלאכת וכו' אשה לימד וכו' בתורת כהנים הס"ד ואח"כ מה"ד עצור ממלאכה: (ב) תוס' ד"ה חולו וכו' כלום אסרו מלאכה בחוש"מ אלא כדי שיהו אוכלין ושותין ויגעים בתורה והם אוכלים ושותין ופוחזין משמע לישנא כצ"ל: (ג) בא"ד כעין דאורייתא קאמר לפי שיש לו סמך כדמשמע מהאי דרשה אבל תימה אבל נמי דאסור במלאכה קא סמיך לה מדברי קבלה וכו' ודקאמר נמי הכא אלא בחולו של מועד חוש"מ מי שרי משמע כצ"ל ותיבת א"כ נמחק: (ד) בא"ד לא מיסתבר ליה: (ה) ד"ה ראש חדש וכו' פ"ג דמגילה. נ"ב פי' דברפ"ג דמגילה תנן בר"ח ובחוש"מ קורין ארבעה כו' זה הכלל כל שיש בו מוסף ואינו יו"ט קורין ארבעה אלמא דר"ח אינו קרוי יו"ט:

גליון הש"ס

תוס' ד"ה מה לר"ח וכו' הו"מ למימר. עי' תשובת מהר"י בן לב ח"ג סימן י"ג:

תורה אור השלם

א) וְחַג הַקָּצִיר בִּכּוּרֵי מַעֲשֶׂיךָ אֲשֶׁר תִּזְרַע בַּשָּׂדֶה וְחַג הָאָסִף בְּצֵאת הַשָּׁנָה בְּאָסְפְּךָ אֶת מַעֲשֶׂיךָ מִן הַשָּׂדֶה: [שמות כג, טז]

ב) אֶת חַג הַמַּצּוֹת תִּשְׁמֹר שִׁבְעַת יָמִים תֹּאכַל מַצּוֹת כַּאֲשֶׁר צִוִּיתִךָ לְמוֹעֵד חֹדֶשׁ הָאָבִיב כִּי בוֹ יָצָאתָ מִמִּצְרָיִם וְלֹא יֵרָאוּ פָנַי רֵיקָם: [שמות כג, טו]

ג) בַּיּוֹם הָרִאשׁוֹן מִקְרָא קֹדֶשׁ כָּל מְלֶאכֶת עֲבֹדָה לֹא תַעֲשׂוּ: שִׁבְעַת יָמִים תַּקְרִיבוּ אִשֶּׁה לַייָ בַּיּוֹם הַשְּׁמִינִי מִקְרָא קֹדֶשׁ יִהְיֶה לָכֶם וְהִקְרַבְתֶּם אִשֶּׁה לַייָ עֲצֶרֶת הִוא כָּל מְלֶאכֶת עֲבֹדָה לֹא תַעֲשׂוּ: [ויקרא כג, לה-לו]

ד) אֵלֶּה מוֹעֲדֵי יְיָ מִקְרָאֵי קֹדֶשׁ אֲשֶׁר תִּקְרְאוּ אֹתָם בְּמוֹעֲדָם: ה) אַךְ בַּחֲמִשָּׁה עָשָׂר יוֹם לַחֹדֶשׁ הַשְּׁבִיעִי בְּאָסְפְּכֶם אֶת תְּבוּאַת הָאָרֶץ תָּחֹגּוּ אֶת חַג יְיָ שִׁבְעַת יָמִים בַּיּוֹם הָרִאשׁוֹן שַׁבָּתוֹן וּבַיּוֹם הַשְּׁמִינִי שַׁבָּתוֹן: [ויקרא כג, לט] ו) שֵׁשֶׁת יָמִים תֹּאכַל מַצּוֹת וּבַיּוֹם הַשְּׁבִיעִי עֲצֶרֶת לַייָ אֱלֹהֶיךָ לֹא תַעֲשֶׂה מְלָאכָה: [דברים טז, ח]

עין משפט נר מצוה

כא א ב מיי' פ"ז מהל' יו"ט הלכה א טור ש"ע א"ח סי' תקל [רב אלפס ריש מו"ק דף רעח. וברא"ש שם סי' א]:

רבינו חננאל

ת"ר את חג המצות תשמור לימד על חולו של מועד שאסו' בעשיית מלאכה דברי ר' יאשיה כלומר אמרה תורה ושמרתם את המצות עוד את חג המצות תשמור למה לי אלא ללמדך שכל שבעת ימים צריכין שמירה. ר' (יוחנן) [יונתן] אמר ק"ו ומה ראשון ושביעי כו'. תניא אידך כל מלאכת עבודה לא תעשו לימד על חולו של מועד שאסור בעשיית מלאכה דברי ר' יוסי הגלילי. ר"ע אומר [לא] אצטריך הרי הוא אומר אלה מועדי ה' מקראי קודש במה הכתוב מדבר אי ביו"ט ראשון הרי הוא אומר ביום ראשון שבתון אי בשמיני הרי הוא אומר ביום השמיני שבתון הא אין הכתוב מדבר מועדי ה' אלא בחולו של מועד שאסור בעשיית מלאכה. ולא מסרך הכתוב אלא לחכמים לומר איזו מלאכה אסורה [ואיזו מותרת] א) עצרת שחלה להיות ע"ש. בית שמאי אומרים יום טבוח לאחר השבת. וב"ה אומרים אין לה יום טבוח ומודים שאם חלה להיות בשבת כו': ירושלמי עצרת שחלה להיות ע"ש ב"ש אומרים יום טבוח לאחר השבת וב"ה אומרים אין לה יום טבוח אלא יומה היא טביחה. ואין כ"ג מתלבש בכליו ומותרין בהספד ובתענית שלא לקיים דברי האומרים עצרת אחר השבת. ומודין שאם חלה בשבת שיום טבוח לאחר השבת. (ומודים שאם חלה בשבת) ומותרין בו ביום בהספד ובתעני'. אבל אם חלה להיות באמצע שבת אסורין בהספד ובתענית:

חשק שלמה על ר"ח

א) מכאן עד מתני' נוטלין לידים שייך לעיל דף יז ע"א.

ליקוטי רש"י

וחג הקציר. הוא חג שבועות. חג האסיף. הוא חג הסוכות. שיש בו אסיפה. שכל ימות החמה התבואה מתייבשת בשדות ובחג אוספי' אותה אל הבית מפני הגשמים [שמות כג, טז]. ששת ימים תאכל מצות. ובמקום אחר הוא אומר (שמות יב) שבעת ימים שבעה מן הישן וששה מן החדש ד"א למד על אכילת מצה בשביעית שאינה חובה ומכאן אתה למד לששת ימים שהרי שביעי בכלל היה ויצא מן הכלל ללמד שאין אכילת מצה בו חובה אלא רשות ולא ללמד על עצמו יצא אלא ללמד על הכלל כולו יצא מה שביעי רשות אף כולם רשות חוץ מלילה הראשון שהכתוב קבעו חובה שנאמר (שמות יב) בערב

NOTES

rather than its status as the Day of Slaughter. See *Beur HaGra* and *Mishnah Berurah* §6 to *Orach Chaim* 494:3, and *Sfas Emes* here. See also *Toras Rafael* §78).

[According to this understanding of the Gemara's conclusion, the prohibition against fasting applies only on the day after the festival day of Shavuos; see *Orach Chaim* 494:3 and *Magen Avraham* ibid. §3. For this reason, *Tachanun* is not said on this day. With regard to the other compensation days of Shavuos, however, fasting and eulogizing are technically permitted, and the *Tachanun* prayer is recited on them. *Raavyah* (§806), however, concludes that fasting and eulogizing are forbidden on all Shavuos' days of compensation. His view is cited by *Hagahos HaAsheri* to *Moed Katan* Chapter 3 §87, and *Beis Yosef, Yoreh Deah* 401. The custom of some communities follows this view and *Tachanun* is not recited in these communities throughout the compensation days (*Orach Chaim* 131, with *Magen Avraham* §18 and *Mishnah Berurah* §36). See further, *Moadim U'Zemanim* §317.]

לא ידענא כמה קא משמע לן דרבי אלעזר א"ר אושעיא וריש לקיש אמר א) וחג הקציר איזהו חג שאתה חוגג וקוצר בו הוי אומר זה עצרת אימת אילימא ביו"ט קצירה ביו"ט מי שרי אלא לאו לתשלומין א) א"ר יוחנן אלא מעתה א) חג האסיף אי זהו חג שיש בו אסיפה הוי אומר זה חג הסוכות אימת אילימא ביו"ט מלאכה ביו"ט מי שרי אלא בחולו של מועד ב) חולו של מועד מי שרי אלא חג הבא בזמן אסיפה הכא נמי חג הבא בזמן קצירה מכלל דתרווייהו סבירא להו דחולו של מועד אסור בעשיית מלאכה מנהני מילי דתנו רבנן ב) את חג המצות תשמור שבעת ימים א) ללמד על חולו של מועד שאסור בעשיית מלאכה דברי רבי יאשיה רבי יונתן אומר אינו צריך קל וחומר ומה ראשון ושביעי שאין קדושה לפניהן ולאחריהן אסור בעשיית מלאכה חולו של מועד שיש קדושה לפניהן ולאחריהן אינו דין שיהא אסור בעשיית מלאכה ששת ימי בראשית יוכיחו שיש קדושה לפניהן ולאחריהן ומותרין בעשיית מלאכה מה לששת ימי בראשית שאין בהן קרבן מוסף תאמר בחולו של מועד שיש בו קרבן מוסף ראש חדש יוכיח שיש בו קרבן מוסף ומותר בעשיית מלאכה מה לראש חדש שאין קרוי מקרא קדש תאמר בחולו של מועד שקרוי מקרא קדש הואיל וקרוי מקרא קדש דין הוא שאסור בעשיית מלאכה תניא אידך ג) כל מלאכת עבודה לא תעשו ללמד על חולו של מועד שאסור בעשיית מלאכה דברי ר' יוסי הגלילי רבי עקיבא אומר אינו צריך הרי הוא אומר ד) אלה מועדי ה' וגו' במה הכתוב מדבר אם בראשון הרי כבר נאמר ה) שבתון אם בשביעי הרי כבר נאמר שבתון הא אין הכתוב מדבר אלא בחולו של מועד ללמדך שאסור בעשיית מלאכה תניא אידך ו) ששת ימים תאכל מצות וביום השביעי עצרת לה' מה שביעי עצור אף ששת ימים עצורין אי מה שביעי עצור בכל מלאכה אף ששת ימים עצורין בכל מלאכה ת"ל וביום השביעי עצרת ג) השביעי עצור בכל מלאכה ואין ששה ימים עצורין בכל מלאכה הא ד) ה) לא מסרן הכתוב אלא לחכמים לומר לך אי זה יום אסור ואי זה יום מותר אי זו מלאכה אסורה ואי זו מלאכה מותרת: ומותרין בהספד ותענית שלא לקיים את דברי האומרין עצרת אחר השבת: ו) (והאיתמר) מעשה ומת אלכסא בלוד ונכנסו כל ישראל לסופדו ולא הניחם רבי טרפון מפני שיום טוב של עצרת היה יו"ט ס"ד אי ביום טוב מי קאתו אלא אימא מפני שיום טבוח היה לא קשיא כאן ביו"ט שחל להיות אחר השבת כאן ביום טוב שחל להיות בשבת: מתני'

לא ידענא. כמה ימים יהיו לתשלומין קמ"ל דרבי אלעזר מה חג המצות שבעה אף כאן שבעה: **וחג הקציר** בכורי מעשיך. בחג שבועות כתיב: ה"ג **חג הבא בזמן קצירה.** קאמר ולאו חוגג וקוצר בו אתא לאשמועינן: **מכלל דתרווייהו כו'.** מדקאמר רבי יוחנן אסיפה בחולו של מועד מי שרי ולא מהדר ליה ריש לקיש אין מכלל דתרווייהו סבירא להו אסור: **את חג המצות תשמור שבעת ימים וגו'.** לימד על חולו של מועד שאסור בעשיית מלאכה. דרוש ביה את חג המצות תשמור ו) וכל תשמור אזהרת לא תעשה הוא שומריהו מן המלאכה: **ששת ימי בראשית.** ימי כל שבוע ושבוע בין שתי שבתות הן יושבין הרי קדושה לפניהן ולאחריהן: **ראש חדש יוכיח כו'.** אף אתה אל תתמה על חולו של מועד כו': (א) **כל מלאכת עבודה לא תעשו וכו'.** וסמיך ליה שבעת ימים תקריבו אשה: **לימד על חולו של מועד וכו'.** והכי דריש ביה לא תעשו שבעת ימים ובחג הסוכות כתיב ועליה קיימא הך מתניתא בתורת כהנים: **מקראי קדש.** משמע קדשיהו בעשיית מלאכה: **עצור ממלאכה.** כדכתיב בהאי קרא גופיה לא תעשה מלאכה: **הא הרי לא מסרן הכתוב אלא לחכמים.** כלומר מאחר שאמר לך הכתוב שהן עצורין ממלאכה ולא בכולן ולא פירש אי זו המותרת ואי זו אסורה דע וראה שלא מסרן אלא לחכמים שיודעים להבין על איזהו להטיל היתר ועל אי זו להטיל האיסור והם יאמרו אי זהו י"ט על פי קידוש הראייה ואסור בכל מלאכה ואי זהו חולו של מועד שאינו אסור בכל מלאכה ועל חולו של מועד יגידו לך אי זו מלאכה אסורה דבר שאינו אבד ואיזו מלאכה מותרת דבר האבד: **ולא הניחן ר' טרפון.** ומתני' תני שמותרים בהספד: **ביו"ט שחל להיות בשבת.** שיום טבוח אחר שבת והאי דאלכסא בלוד יו"ט שחל להיות בחול הוא דאין יום טבוח שלו בא' בשבת: מתני'

אלא חג הבא בזמן אסיפה. הקשה הר"ר אלחנן דאמר פ"ק דר"ה (ובגמרא דסנהדרין) (דף יג.) א"ל רבי זירא לרבי אסי ודלמא לא עייל כלל וקאמר רחמנא תשמט ותיזיל עד חג הסוכות לא ס"ד דכתיב חג האסיף מאי האסיף אילימא חג הבא בזמן אסיפה הכתיב באספך את מעשיך אלא מאי אסיף קציר אלמא לא אמרי' חג הסוכות הבא בזמן אסיפה ותירץ מורי כיון דמבאספך שמעינן חג הבא בזמן אסיפה ואמר חג האסיף משמע ליקצר אבל אי לאו האי קרא [באספך וגו'] הוה דרשינן חג [האסיף] הבא בזמן אסיפה א"כ גם חג הקציר נימא הכי הואיל וליכא שום משמעות למפיק ליה: **חולו של מועד אסור בעשיית מלאכה.** לכאורה משמע דמלאכה דמיתסרא ביה מדאורייתא למפיק ליה מפסוק וכן בפרק ב' דמו"ק (דף יב: ושם) לא מיבעיא אבל דמדרבנן אלא אפילו חוה"מ דאורייתא וכן פי' התם בקונטרס וקשה לר"ת דא"כ דבר האבד וכמה מלאכות דשרינן התם היכי משתרו וכי היכן מצינו איסור דאורייתא מקצתו אסור ומקצתו מותר ועוד דתנן בפ"ג דמגילה (דף כא.) כל מקום שאין יו"ט ויש מוסף קורין ד' כגון חוה"מ ור"ח אלמא לא מיתסר מלאכה מדקאמר דלאו יו"ט ועוד דכייל ליה בהדי ר"ח דרבנן כדאמרינן בירושלמי לתענית ובמקום שנהגו הלין נשיא דרגילין דלא למיעבד עבידתא בריש ירחא מנהגא הוא ועוד מצינו בירושלמי בפרק שני דמו"ק כלום אסרו מלאכה (ג) אלא כדי שיהו אוכלין ושותין ויהיו יגעים בתורה והם פוחזין ואוכלין ושותין משמע לישנא דמדרבנן הוא וכן בפ"ב דמו"ק (דף יב:) גבי ובלבד שלא יכוון מלאכתו במועד ובעי בגמרא כיון ומת מהו שיקנסו בנו אחריו א"ל לרס אחן הבכור ומת קנסו בנו אחריו התם איסורא דאורייתא משמע דמלאכה במועד הוי דרבנן ומיהו יש לדחות דלמכוין מלאכתו במועד קאי השתא מיהא ליכא איסורא דאורייתא כיון דדבר האבד הוא מ"מ משמע לפי האמת דלא מיתסר רק מדרבנן וכי קאמר התם בריש פירקא לא מיבעיא אבל דרבנן אלא אפילו חוה"מ דאורייתא כעין דאורייתא קאמר לפי שיש לו סמך (ג) [מקרא דאורייתא אבל] ימי האבל ליכא אסמכתא אלא] מדברי קבלה דכתיב והפכתי חגיכם לאבל (עמוס ח) ודקאמר הכא אלא בחוה"מ מי שרי א"כ משמע דאסור מן התורה וי"ל לאו משום דלא משתרי מדאורייתא אלא כיון דלקרא סמכינן ליה לאיתסר לא (ד) מסברא ליה לאוקמי קרא לדרי דבהדיא בהכי וכן פירש הריב"ם בשם רבינו יב"א דמלאכה דמועד מדרבנן ולא כפירוש רבינו שמואל שפירש בערבי פסחים (פסחים דף קיח.) גבי כל המבזה את המועדות כגון עושה מלאכה בחוה"מ והא ליתא דמדרבנן הוי וכדפי' והא דאמרינן ט) גבי כותים ותיפוק ליה משום לפני עור לא תתן מכשול דמלאכה דחוה"מ משום דסמך ט) פשטא דקרא הוי והוי ליה לדוקין מודין בה: **מה ראשון ושביעי כו'.** הוה מצי למפרך מה להני שכן דבר האבד מיתסר אלא שאין זה ק"ו גמור רק גלוי מילתא בעלמא לפי מה שפי' דמלאכה לא מיתסר רק דרבנן: **ראש חדש יוכיח.** דשרי בעשיית מלאכה שכן אינו קרוי יו"ט (ה) בפ"ג דמגילה (דף כב:) וגם אינו נאסר רק משום מנהג כדפרי' וכי קאמר בר"ה (דף כג.) משום בטול מלאכה לעם בב' ימים דר"ח של ראש השנה מיירי אי נמי משום נשים דנוהגות שלא לעשות מלאכה כדאיתא בפרקי דרבי אליעזר י) וכן פרש"י במגילה (דף כב:): **מה לראש חודש שכן אינו קרוי מקרא קדש.** הוה מצי למימר מה לחול המועד דאיכא תרתי מוסף וקדושה לפניו ולאחריו: קשיא

מסורת הש"ס

א) [נ"ל א"ל], ב) [עי' תוס' מו"ק יב: ד"ה מכנים], ג) [מה"א יתירה קדרים עמוס' מו"ק ב. ד"ה משקין], ד) [בכורות כו:], ה) [נ"ל והתניא והוא בתוספתא פ"ב], ו) [תשמור שבעת ימים וכל תשמור כנ"ל], ז) רש"א, ח) [ע"ז כב. ושם], ט) [וע' תוס' ע"ז כב. ד"ה תיפוק ליה], י) [פרק מ"ה].

הגהות הב"ח

(א) רש"י ד"ה ראש חדש וכו' של מועד כו' הס"ד ואח"כ מה"ד מקרא קדש וכו' מלאכה הס"ד ואח"כ מה"ד כל מלאכת וכו' אשה לימד וכו' בתורת כהנים הס"ד ואח"כ מה"ד עצור ממלאכה: (ב) תוס' ד"ה חולו וכו' כלום אסרו מלאכה בחוה"מ אלא כדי שיהו אוכלין ושותין ויגעים בתורה והם אוכלים ושותין ופוחזין משמע לישנא כנ"ל: (ג) בא"ד כעין דאורייתא קאמר לפי שיש לו סמך כדמשמע מהאי דרשה אבל תימה אבל נמי דאסור במלאכה קא סמיך לה מדברי קבלה וכו' ודקאמר נמי הכא אלא בחולו של מועד חוה"מ מי שרי משמע כנ"ל ותיבת א"כ נמחק: (ד) בא"ד לא מיסתבר ליה: (ה) ד"ה ראש חדש וכו' פ"ג דמגילה. נ"ב פי' דברפ"ג דמגילה תנן בר"ח ובחוה"מ קורין ארבעה כו' זה הכלל כל שיש בו מוסף ואינו יו"ט קורין ארבעה אלמא דר"ח אינו קרוי יו"ט:

גליון הש"ס

תוס' ד"ה מה לר"ח וכו' הו"מ למימר. עי' תשובת מהר"י בן לב ח"ג סימן י"ג:

תורה אור השלם

א) וְחַג הַקָּצִיר בִּכּוּרֵי מַעֲשֶׂיךָ אֲשֶׁר תִּזְרַע בַּשָּׂדֶה וְחַג הָאָסִף בְּצֵאת הַשָּׁנָה בְּאָסְפְּךָ אֶת מַעֲשֶׂיךָ מִן הַשָּׂדֶה: [שמות כג, טז]

ב) אֶת חַג הַמַּצּוֹת תִּשְׁמֹר שִׁבְעַת יָמִים תֹּאכַל מַצּוֹת כַּאֲשֶׁר צִוִּיתִךָ לְמוֹעֵד חֹדֶשׁ הָאָבִיב כִּי בוֹ יָצָאתָ מִמִּצְרָיִם וְלֹא יֵרָאוּ פָנַי רֵיקָם: [שמות כג, טו]

ג) בַּיּוֹם הָרִאשׁוֹן מִקְרָא קֹדֶשׁ כָּל מְלֶאכֶת עֲבֹדָה לֹא תַעֲשׂוּ: שִׁבְעַת יָמִים תַּקְרִיבוּ אִשֶּׁה לַייָ בַּיּוֹם הַשְּׁמִינִי מִקְרָא קֹדֶשׁ יִהְיֶה לָכֶם וְהִקְרַבְתֶּם אִשֶּׁה לַייָ עֲצֶרֶת הִוא כָּל מְלֶאכֶת עֲבֹדָה לֹא תַעֲשׂוּ: [ויקרא כג, לה-לו]

ד) אֵלֶּה מוֹעֲדֵי יְיָ מִקְרָאֵי קֹדֶשׁ אֲשֶׁר תִּקְרְאוּ אֹתָם בְּמוֹעֲדָם:

ה) אַךְ בַּחֲמִשָּׁה עָשָׂר יוֹם לַחֹדֶשׁ הַשְּׁבִיעִי בְּאָסְפְּכֶם אֶת תְּבוּאַת הָאָרֶץ תָּחֹגּוּ אֶת חַג יְיָ שִׁבְעַת יָמִים בַּיּוֹם הָרִאשׁוֹן שַׁבָּתוֹן וּבַיּוֹם הַשְּׁמִינִי שַׁבָּתוֹן: [ויקרא כג, לט]

ו) שֵׁשֶׁת יָמִים תֹּאכַל מַצּוֹת וּבַיּוֹם הַשְּׁבִיעִי עֲצֶרֶת לַייָ אֱלֹהֶיךָ לֹא תַעֲשֶׂה מְלָאכָה: [דברים טז, ח]

עין משפט נר מצוה

כא א ב מיי' פ"ז מהל' יו"ט הלכה א טור ש"ע א"ח סי' תקל [רב אלפס ריש מו"ק דף רעח. וברא"ש שם סי' א]:

רבינו חננאל

ת"ר את חג המצות תשמור לימד על חולו של מועד שאסור' בעשיית מלאכה דברי ר' יאשיה כלומר אמרה תורה ושמרתם את המצות עוד את חג המצות תשמור למה לי אלא ללמדך שכל שבעת ימים צריכין שמירה. ר' (יוחנן) [יונתן] אמר ק"ו ומה ראשון ושביעי כו'. תניא אידך כל מלאכת עבודה לא תעשו לימד על חולו של מועד שאסור בעשיית מלאכה דברי ר' יוסי הגלילי. ר"ע אומר [לא] אצטריך הרי הוא אומר אלה מועדי ה' מקראי קודש במה הכתוב מדבר אי ביו"ט ראשון הרי הוא אומר ביום ראשון שבתון אי בשמיני הרי הוא אומר ביום השמיני שבתון הא אין הכתוב מדבר מועדי ה' אלא בחולו של מועד שאסור בעשיית מלאכה. ולא מסרך הכתוב אלא לחכמים לומר איזו מלאכה אסורה [ואיזו מותרת] א) עצרת שחלה להיות ע"ש. בית שמאי אומרים יום טבוח לאחר השבת. וב"ה אומרים אין לה יום טבוח ומודים שאם חלה להיות בשבת כו': **ירושלמי** עצרת שחלה להיות ע"ש ב"ש אומרים יום טבוח לאחר השבת וב"ה אומרים אין לה יום טבוח אלא יומה היא טביחה. ואין כ"ג מתלבש בכליו ומותרין בהספד ובתענית שלא לקיים דברי האומרים עצרת אחר השבת. ומודין שאם חלה בשבת שיום טבוח לאחר השבת. (ומודים שאם חלה בשבת) ומותרין בו ביום בהספד ובתעני'. אבל אם חלה להיות באמצע שבת אסורין בהספד ובתענית:

חשק שלמה על ר"ח

א) מכאן עד מתני' נטלין לידים שייך לעיל דף יז ע"א.

ליקוטי רש"י

וחג הקציר. הוא חג שבועות. **חג האסיף.** הוא חג הסוכות. **שיש בו אסיפה.** שכל ימות החמה התבואה מתייבשת בשדות ובחג אוספי' אותה אל הבית מפני הגשמים [שמות כג, טז]. **ששת ימים תאכל מצות.** ובמקום אחר הוא אומר (שמות יב) שבעת ימים שבעה מן הישן וששה מן החדש ד"א למד על אכילת מצה בשביעית שאינה חובה ומכאן אתה למד לששת ימים שהרי שביעי בכלל היה ויצא מן הכלל ללמד שאין אכילת מצה בו חובה אלא רשות ולא ללמד על עצמו יצא אלא ללמד על הכלל כולו יצא מה שביעי רשות אף כולם רשות חוץ מלילה הראשון שהכתוב קבעו חובה שנאמר (שמות יב) בערב תאכלו מצות. **עצרת לה'.** עצור עצמך מן המלאכה דבר אחר כנופיה של מאכל ומשתה כמו לשון (שופטים יג) נעצרה נא אותך [דברים טז, ח]. **לא מסרן הכתוב אלא לחכמים.** הואיל ולא גילה לך שיעור וכו' והאי לחכמים מסרך שיפרשו לך הטעם ואחריהם תלך [בכורות כו:].

מתני' נוטלין לידים לחולין ולמעשר ולתרומה ולקודש מטבילין ולחטאת אם נטמאו ידיו נטמא גופו טבל לחולין הוחזק לחולין אסור למעשר טבל למעשר הוחזק למעשר אסור לתרומה טבל לתרומה הוחזק לתרומה אסור לקודש טבל לקודש הוחזק לקודש אסור לחטאת טבל לחמור מותר לקל טבל ולא הוחזק כאילו לא טבל בגדי עם הארץ מדרס לפרושין בגדי פרושין מדרס לאוכלי תרומה בגדי אוכלי תרומה מדרס לקודש בגדי קודש מדרס לחטאת יוסף בן יועזר היה חסיד שבכהונה והיתה מטפחתו מדרס לקודש יוחנן בן גודגדא היה אוכל על טהרת הקודש כל ימיו והיתה מטפחתו מדרס לחטאת: גמ' חולין ומעשר מי בעו נטילת ידים ורמינהי התרומה והביכורים חייבין עליהן מיתה וחומש ואסור לזרים והן נכסי כהן ועולין באחד ומאה וטעונין נטילת ידים והערב שמש הרי אלו בתרומה וביכורים מה שאין כן במעשר וכל שכן בחולין קשיא מעשר אמעשר קשיא חולין אחולין בשלמא מעשר אמעשר לא קשיא הא ר' מאיר והא רבנן דתנן כל הטעון ביאת מים מדברי סופרים מטמא את הקודש ופוסל את התרומה ומותר לחולין ולמעשר דברי רבי מאיר וחכמים אוסרים במעשר אלא חולין אחולין קשיא לא קשיא כאן באכילה כאן בנגיעה מתקיף לה רב שימי בר אשי עד כאן לא פליגי רבנן עליה דרבי מאיר אלא באכילה דמעשר אבל בנגיעה דמעשר ובאכילה דחולין לא פליגי אלא אידי ואידי באכילה ולא קשיא כאן באכילה דנהמא (א) כאן באכילה דפירי דאמר רב נחמן כל הנוטל ידיו לפירות הרי זה מגסי הרוח ת"ר הנוטל ידיו נתכוון ידיו טהורות לא נתכוון ידיו טמאות וכן המטביל ידיו נתכוון ידיו טהורות לא נתכוון ידיו טמאות והתניא בין נתכוון בין לא נתכוון ידיו טהורות אמר רב נחמן לא קשיא כאן לחולין כאן

רש"י

מתני' נוטלין לידים לחולין ולמעשר ולתרומה. די להן בנטילה דכלי שאין בו אלא רביעית מים: ולקודש מטבילין. אבל לאכול שלמים או חטאת ואשם לכהנים יש מעלה שצריך להטביל ידים בארבעים סאה ואע"פ שאינן אלא סתם ידים שלא נגעו בטומאה דאורייתא המטמאה את כל הגוף: ולחטאת. ליגע במי חטאת מים המקודשים באפר פרה להזות מהן על טמאי מתים יש מעלה יתירה שאם נטמאו ידיו באחת מן הדברים המטמאין את הידים ולא את הגוף כגון ולד הטומאה וכגון ספר וכל טומאות שהן מדברי סופרים: נטמא הגוף. וכל הגוף צריך טבילה וכל מעלות הללו שזה גבוה מזה מדברי סופרים והאי דנקט להו הכא גבי הלכות הרגל לפי שיש בסופן הלכות רגל שעמי הארץ חשובין טהורים ברגל ולא בשאר ימות השנה בסוף חומר בקדש: טבל לחולין הוחזק לחולין. ועוד זו מעלה טבל לחולין הוחזק לחולין כלומר נתכוון לטבול לשם חולין: אסור למעשר. הוחזק לשון כוונה כלומר נתכוון להעמיד גופו בחזקת טהור לחולין: למעשר. למעשר שני הנאכל בירושלים: ולא הוחזק. לא נתכוון לשם טבילת טהרה אלא לרחיצה בעלמא: מדרס. אב הטומאה לטמא אדם וכלים כמדרס הזב שמטמא אדם וכלים דכתיב ואיש אשר יגע במשכבו יכבס בגדיו (ויקרא טו): לפרושין. לאוכלי חולין בטהרה: לאוכלי תרומה. כהנים וכל אלו מעלות מדברי סופרים שאמרו שאין שמירת טהרתן של אלו חשובה שמירה אצל אלו ומתוך שהן אלו אצל אלו כאילו לא שמרום גזרו בהן בבגדיהן שמא ישבה בהן אשתו נדה והרי הן מדרס הנדה הכי מפרש לה בפ' השוכר: גמ' בכורים. קרוין תרומה דאמר מר ותרומת ידך אלו הבכורים (מכות דף יז.) לכך הן כתרומה: חייבין עליהן מיתה. זר האוכלן מזיד דכתיב ומתו בו כי יחללוהו וסמיך ליה וכל זר לא יאכל קדש וכל הענין מדבר בתרומה: וחומש. האוכלן שוגג דכתיב ואיש כי יאכל קדש בשגגה ויסף חמישיתו עליו (ויקרא כב): ואסור לזרים. בלאו: והן נכסי כהן. לקדש בהן את האשה וליקח בדמיהן עבדים וקרקעות ובהמה טמאה: ועולין באחד ומאה. אבל בפחות אין עולין אלא כל החולין אסור לזרים: וטעונין רחיצת ידים. לפי שהשני עושה שלישי וידים גזרו עליהם טומאת שני לפיכך פוסלות את התרומה אם לא נטלן: והערב שמש. אם נטמא טומאה דאורייתא וטבל אינו אוכל בתרומה עד שיעריב שמשו ביבמות (דף עד:) ילפינן מקראי: מה שאין כן במעשר. אין מיתה ואין חומש [ואין] אסור לזרים שהרי כל עצמו נאכל לזרים וחומש שמוסיף בפדיונו לא איירי (ג) בחומש הכא כי האי גוונא דאין בתרומה פדיון ונכסי הדיוט נמי לא הוי לקנות בו עבדים וקרקעות דלא ניתן אלא לאכילה ושתיה וסיכה ואין טעון רחיצת ידים שאין השני פוסל בו לעשות שלישי ואינו טעון הערב שמש דקי"ל טבל ועלה אוכל במעשר ומקראי ילפינן לה ביבמות פרק הערל: כל הטעון ביאת מים מדברי סופרים. כל שהוא טהור מן התורה וחכמים גזרו עליו טומאה (ג) כל הנך דאמרי במסכת שבת בפ"ק (דף יג:) שהן פוסלין את התרומה האוכל אוכל ראשון ואוכל שני כו': מטמא את הקודש. כלומר נתנו עליהן טומאת שני לטומאה והשני מטמא את הקודש להיות קרוי טמא ופוסל (ד) עליהן עוד את הרביעי: ופוסל את התרומה. להיפסל היא עצמה אבל אינה פוסלת אחר לעשות רביעי: ומותר לחולין. לאכול חולין מדלא קתני ואינו פוסל את החולין ונקט לישנא דמותר אפילו לאוכלן משמע: באכילה. מתני' דמצריך נטילה באכילה קאמר: עד כאן לא פליגי כו'. (ה) דקתני אסור במעשר לשון אכילה היא דאי בנגיעת שני לא פסיל במעשר דשמעינן לר' מאיר דאמר מותר באכילה ואיפליג עליה באכילה דמעשר ואילו בחולין כולהו מודו דמותר אפילו באכילה ומתני' מני: כאן באכילה דפירי. הא דקתני מה שאין כן במעשר באכילה דפירי קאמר ומיהו בתרומה בעי נטילה שאפילו במגעו הוא פוסל [פוסלן] דשני פוסל את התרומה: נוטל. בכלי: מטביל. בארבעים סאה:

כאן

תוספות

קשיא חולין אחולין. ולא בעי למימר בחולין עד הפרק קאמר מה שאין כן במעשר דלישנא לא משמע ליה (ו):

כאן באכילה וכאן בנגיעה. הקשה הר"ר אלחנן מעשר אמעשר נמי לישני הכי ולוקמי אפילו כרבנן ותירץ מורי דאף (ז) בנגיעה דמעשר נמי פליגי רבנן ואסרי לה וכן משמע בסמוך דקאמר עד כאן לא פליגי אלא באכילה דמעשר משמע דמעיקרא סד"א דבכל ענין פליגי וכן בפ' שני דחולין (דף לג: ושם) דקאמר ודלמא לא פליגי רבנן אלא באכילה דמעשר כו' משמע דדבר ברור אינו מיהו הוי מצי לאקשויי וליטעמיך מתניתין דשבת פ"ק (דף יד) דתנן ואלו פוסלין את התרומה לא מיתוקמא כרבנן דמאי איריא תרומה אפילו מעשר נמי אלא לא חש לאקשויי ליה ומכח דההיא משמע דאמת הוא כי אתקפתא דרב שימי והא דנקט בפ"ב דחולין (דף לג: ושם) ודלמא לישנא קלילא הוא דלעולם אמת הוא בנגיעת מעשר ואכילת חולין לא פליגי דלכ"ע אין שני עושה שלישי (בחולין) ואל תתמה היכי ס"ד דלרבנן לא בעי אכילת חולין נטילה וי"ל דאיירי בפירי דלא בעו נטילה: הא בנהמא הא בפירי. והשתא לא הוצרך לתרץ תו גבי מעשר הא רבי מאיר והא רבנן והוא הדין דמצי למימר הא באכילה (ח) הא בנגיעה אלא כולה באכילה עדיפא ליה: הנוטל ידיו לפירות. וכי אמר בפ' כיצד מברכין (ברכות דף מג.) אורחין שהיו מסובין לשתות אצל בעל הבית נוטלין כל אחד ידו אחת התם משום נקיות הוי וכן משמע לישנא דידו אחת דקתני: כאן לחולין כאן למעשר. משמע דאם לא כוון למעשר לא מהני וכ"ש בתרומה והקשה הר"ר אלחנן דאמר בפ' אלו דברים בברכות (דף נב:) ב"ש אומרים נוטלים את הידים ואח"כ מוזגין את הכוס שאם ימזגו את הכוס שמא יגע במשקים שאחורי הכוס והשתא אפילו נוטלן נמי כיון דלא מהניא הך נטילה לתרומה הויא ליה פוסל את התרומה ותנן כל הפוסל את התרומה מטמא משקין להיות תחילה ותירץ דכיון דנטל ידיו לחולין לא פסיל תרומה והכי משמע דאי לא תימא הכי אין לך אדם אף חבר אוכל חולין בטהרה שלא יטמא משקין:

נגזור

Mishnah As mentioned in the Introduction to this tractate, commencing with this Mishnah and continuing until the end of the tractate the Tanna discusses laws of *tumah* and *taharah.*[1] Specifically, the Mishnah will discuss how the laws of *tumah* and *taharah* differ for items of different levels of sanctity/*tumah* receptibility. Five levels will be enumerated by the Mishnah. In ascending order these are:

(1) *chullin,* ordinary, unsanctified food;

(2) *maaser sheni,* the one-tenth portion separated by the farmer from his crop and consumed by him in Jerusalem [in certain years];[2]

(3) *terumah,* the portion of the crop given by the farmer to the Kohen;

(4) *kodesh,* sacrificial food;

(5) (*mei*) *chatas,* water mixed with the ashes of the *parah adumah,* used for purifying people and utensils contaminated with corpse *tumah.*

In general, the higher an item ranks in the above hierarchy, the more susceptible it is to *tumah,* and the stricter the rules for safeguarding its *taharah.*[3] The Mishnah opens with a discussion of the required method of purifying one's hands from their ritual state of impurity before involvement with items of each of the five levels:[4]

NOTES

1. Various reasons for the inclusion of this topic in our tractate are offered by the commentators. *Rashi* (ד״ה נטמא הגוף) explains that it is because towards the end of the coming series of laws the Mishnah will teach a certain leniency in the laws of *tumah* that applies uniquely to the festival period (see the first Mishnah to 26a). Once the Mishnah found it necessary to teach that law, it included many other laws of *tumah* and *taharah* as well. Alternatively, these laws are pertinent to Tractate *Chagigah* because all Jews are required to ritually purify themselves at the time of the festivals in order to be able to offer their holiday sacrifices (*Meiri,* introduction to the tractate). See also *Emes LeYaakov.*

[Organizationally speaking, it would have seemed more logical for the Tanna to have begun a new chapter with this Mishnah, rather than change topics abruptly in the middle of a chapter. In this way all the laws of *tumah* and *taharah* could have been included in a single chapter, the third one of this tractate (which is, in fact, devoted *exclusively* to the subject of ritual purity). However, following this arrangement would have required the second chapter to conclude with the Mishnah on 17a, which mentions the heretical view of the Sadducees that Shavuos must always fall on a Sunday. The Tanna was loath to conclude a chapter with words of heresy (*Tiferes Yisrael* to Mishnah 2:1).]

2. [This level is referred to throughout the *sugya* simply as "*maaser.*" Nevertheless the intention is always specifically to *maaser* ***sheni*** (see *Rashi* below ד״ה למעשר). Other types of *maaser,* namely *maaser rishon,* which is awarded to the Levi, and *maaser ani,* which goes to the poor, have no more sanctity than *chullin,* and their laws of *tumah* and *taharah* are therefore the same as those of *chullin.*]

3. (There are, however, several exceptions to this rule, mentioned by the Mishnahs on 24b ff., in which the laws for *terumah* are actually more *strict* than those for *kodesh.* This anomaly will be discussed in the Gemara on 22a and in note 21 to the Mishnah on 24b.)

4. The discussion in the Mishnah and Gemara that follows requires a knowledge of the following basic principles of *tumah.* These have been more fully explained in the General Introduction, and we repeat them here in brief:

The severity of *tumah* and the ability of one contaminated person or object to convey *tumah* to another are not uniform, but vary according to the degree of *tumah* and the class of contaminated object.

The strictest level of *tumah,* אֲבִי אֲבוֹת הַטֻּמְאָה [literally: father of fathers of *tumah*], is limited to a human corpse. The next, and far more common level, is known as אַב הַטֻּמְאָה, *av hatumah* (literally: father of *tumah*), or in its abbreviated form, *av.* An object that is contaminated by an *av hatumah* becomes a רִאשׁוֹן לְטֻמְאָה, *rishon* (first degree) *of tumah.* Food items that touch a *rishon* become a שֵׁנִי לְטֻמְאָה, *sheni* (second degree) *of tumah.* In the case of *chullin,* i.e. unconsecrated foods, contamination can go no further than a *sheni.*

Terumah and *kodesh* (sacrificial matter), due to their respectively greater degrees of sanctity, are subject to levels of contamination beyond *sheni. Terumah* that touches a *sheni* becomes a שְׁלִישִׁי לְטֻמְאָה, *shelishi* (third degree) *of tumah. Kodesh* that touches a *shlishi* becomes a רְבִיעִי לְטֻמְאָה, *revii* (fourth degree) *of tumah.*

An object that can convey its *tumah* to another object of its kind is referred to as טָמֵא [*tamei*], *contaminated.* An object that cannot convey its *tumah* in this way is called פָּסוּל [*pasul*], *invalid,* rather than *tamei.* Thus, a *shelishi* (third degree) in the case of *terumah,* and a *revii* (fourth degree) in the case of *kodesh,* are called *pasul.* They are unfit for consumption on account of their *tumah* but cannot convey it to another object of their genre.

Tumas yadayim – tumah of the hands

Biblically speaking, the notion of only one part of the body, such as the hands, becoming *tamei* while the rest of the body remains *tahor* does not exist. Contact with *tumah* by one part of the body renders the entire body *tamei.* It follows, therefore, that the concept of purifying the hands alone, whether through *netilas yadayim* (rinsing the hands in a specific, halachically prescribed manner) or even by immersing them in a *mikveh,* is foreign to Biblical law.

There are, however, many cases of *tumah* through contact in which the person is *tahor* according to Biblical law but *tamei* by Rabbinic enactment. In some of these situations, rather than declare the person's entire body to be *tamei,* the Rabbis decreed that only his hands, which made the actual contact with the contaminating object, become *tamei.* Furthermore, the level of *tumah* the Rabbis assigned to the hands in these cases is only that of *sheni,* so that while such hands can contaminate or invalidate *terumah* and *kodesh,* which are susceptible to becoming a *shelishi* and *revii* respectively, they cannot affect *chullin,* whose level of *tumah* can go no lower than a *sheni.* Additionally, the Rabbis allowed this *tumah* to be removed through purifying the hands alone, either by rinsing them from a vessel or through immersing them in a *mikveh,* without the need for the person to immerse his entire body. Below are two examples of such Rabbinically decreed *tumah.*

Example #1: A person who touches an *av hatumah* becomes a *rishon.* Since the person in this case is *tamei* by Biblical law (see the General Introduction), his entire body is *tamei,* even if he touched the *tumah* only with his hands, and he can become *tahor* only by immersing his entire body in a *mikveh.* The Rabbis, however, decreed that one who touches even only a *rishon letumah* is contaminated, i.e. he becomes a *sheni.* (This is the opinion of the Sages in *Yadayim* 3:1; R' Yehoshua there maintains that even a *sheni* can render a person *tamei,* but the halachah does not follow his view.) In such a case, however, the Rabbis were lenient and declared only the person's hands, the part of the body that came into direct contact with the *tamei* object, to be *tamei,* but not the rest of his body. Additionally, they permitted this *tumah* to be removed through the performance of *netilas yadayim* or by immersing just the hands in a *mikveh.*

Example #2: There is a Rabbinic prohibition against touching a scroll of Scripture with one's bare hands; the Rabbis enacted this prohibition because they viewed such direct handling as disrespectful to the holy volume. In order to encourage compliance with this law, the Rabbis declared that hands that touch a scroll of Scripture become *sheni letumah.* Again, this *tumah* is removable through *netilas yadayim* or through immersing the hands alone in a *mikveh* (*Shabbos* 14a).

The above are two specific examples of Rabbinically decreed *tumah* upon the hands alone. In addition to the above decrees, however, the Rabbis declared a *general* status of *sheni* on *all* unrinsed hands, even where the hands were not known to have touched anything contaminating. [This decree, known as the decree of סְתָם יָדַיִם, *ordinary hands,* was originally promulgated by King Solomon in regard to *kodesh* alone, and was later extended by the academies of Beis Shammai and Beis Hillel to *terumah* (*Shabbos* 14b-15a).]

The reason for this enactment is that it is quite likely that without knowing, the person touched parts of his body that were perspired or otherwise unclean. Were he then to touch *terumah* or *kodesh,* the holy food could become repugnant or even inedible. To avoid such irreverent treatment of holy food, the Rabbis declared that unrinsed hands always

מתני' נוטלין לידים לחולין ולמעשר ולתרומה ולקודש מטבילין ולחטאת אם נטמאו ידיו נטמא גופו טבל לחולין הוחזק לחולין אסור למעשר טבל למעשר הוחזק למעשר אסור לתרומה טבל לתרומה הוחזק לתרומה אסור לקודש טבל לקודש הוחזק לקודש אסור לחטאת טבל לחמור מותר לקל טבל ולא הוחזק כאילו לא טבל בגדי עם הארץ מדרס לפרושין בגדי פרושין מדרס לאוכלי תרומה בגדי אוכלי תרומה מדרס לקודש בגדי קודש מדרס לחטאת יוסף בן יועזר היה חסיד שבכהונה והיתה מטפחתו מדרס לקודש יוחנן בן גודגדא היה אוכל על טהרת הקודש כל ימיו והיתה מטפחתו מדרס לחטאת: גמ' חולין ומעשר מי בעו נטילת ידים ורמינהי התרומה והביכורים חייבין עליהן מיתה וחומש ואסור לזרים והן נכסי כהן ועולין באחד ומאה וטעונין נטילת ידים והערב שמש הרי אלו בתרומה וביכורים מה שאין כן במעשר וכל שכן בחולין קשיא חולין אחולין קשיא מעשר אמעשר בשלמא מעשר אמעשר לא קשיא הא ר' מאיר והא רבנן דתנן כל הטעון ביאת מים מדברי סופרים מטמא את הקודש ופוסל את התרומה ומותר לחולין ולמעשר דברי רבי מאיר וחכמים אוסרים במעשר אלא חולין אחולין קשיא לא קשיא כאן באכילה כאן בנגיעה מתקיף לה רב שימי בר אשי עד כאן לא פליגי רבנן עליה דרבי מאיר אלא באכילה דמעשר אבל בנגיעה דמעשר ובאכילה דחולין לא פליגי אלא אידי ואידי באכילה ולא קשיא כאן באכילה דנהמא כאן באכילה דפירי דאמר רב נחמן כל הנוטל ידיו לפירות הרי זה מגסי הרוח תנו רבנן הנוטל ידיו נתכוון ידיו טהורות לא נתכוון ידיו טמאות וכן המטביל ידיו נתכוון ידיו טהורות לא נתכוון ידיו טמאות והתניא בין נתכוון בין לא נתכוון ידיו טהורות אמר רב נחמן לא קשיא כאן לחולין כאן

כאן

רש"י

מתני' נוטלין לידים. לחולין ולמעשר ולתרומה. די להן בנטילה בכלי שאין בו אלא רביעית מים: ולקודש מטבילין. אבל לאכול שלמים או חטאת ואשם לכהנים יש מעלה שצריך להטביל ידים בארבעים סאה ואף על פי שאינן אלא סתם ידים שלא נגעו בטומאה דאורייתא המטמאה את כל הגוף: ולחטאת. ליגע במי חטאת מים המקודשים באפר פרה להזות מהן על טמאי מתים יש מעלה יתירה שאם נטמאו ידיו באחת מן הדברים המטמאין את הידים ולא את הגוף כגון וולד הטומאה וכגון ספר וכל טומאות שהן מדברי סופרים: נטמא הגוף. וכל הגוף צריך טבילה וכל מעלות הללו שזה גבוה מזה מדברי סופרים והאי דנקט להו הכא גבי הלכות הרגל לפי שיש בסופן הלכות רגל שעמי הארץ חשובין טהורים ברגל ולא בשאר ימות השנה בסוף חומר בקדש: טבל לחולין הוחזק לחולין. ועוד זו מעלה טבל לחולין הוחזק לחולין כלומר נתכוון לטבול לשם חולין: אסור למעשר. הוחזק לשון כוונה כלומר נתכוון להעמיד גופו בחזקת טהור לחולין: למעשר. למעשר שני הנאכל בירושלים: ולא הוחזק. לא נתכוון לשם טבילת טהרה אלא לרחיצה בעלמא: מדרס. אב הטומאה לטמא אדם וכלים כמדרס הזב שמטמא אדם וכלים כדכתיב ואיש אשר יגע במשכבו יכבס בגדיו (ויקרא טו): לפרושין. לאוכלי חוליהן בטהרה: לאוכלי תרומה. כהנים וכל אלו מעלות מדברי סופרים שאמרו שאין שמירת טהרתן של אלו חשובה שמירה אצל אלו ומתוך שהן אלו אצל אלו כאילו לא שמרוה גזרו בהן בבגדיהן שמא ישבה בהן אשתו נדה והרי הן מדרס הנדה הכי מפרש לה בפ' השוחט: גמ' בכורים. קרויין תרומה דאמר מר ותרומת ידך אלו הבכורים (מכות דף יז.) לכך הן כתרומה: חייבין עליהן מיתה. זר האוכלן מזיד דכתיב ומתו בו כי יחללוהו וסמיך ליה וכל זר לא יאכל קדש וכל הענין מדבר בתרומה: וחומש. האוכלן שוגג דכתיב ואיש כי יאכל קדש בשגגה ויסף חמישיתו עליו (ויקרא כב): ואסור לזרים. בלאו: והן נכסי כהן. לקדש בהן את האשה וליקח בדמיהן עבדים וקרקעות ובהמה טמאה: ועולין באחד ומאה. אבל בפחות אין עולין אלא כל החולין אסור לזרים: וטעונין רחיצת ידים. לפי שהסתמא ידים שניות הן וגזרו עליהם טומאת שני לפיכך פוסלות את התרומה אם לא נטלן: והערב שמש. אם נטמא טומאה דאורייתא וטבל אינו אוכל בתרומה עד שיעריב שמשו ביבמות (דף עד:) ילפינן מקראי: מה שאין כן במעשר. אין מיתה ואין חומש [ואין] אסור לזרים שהרי כל עצמו נאכל לזרים וחומש שמוסיף בפדיונו לא איירי (ב) בחומש הכא כי האי גוונא דאין בתרומה פדיון ונכסי הדיוט נמי לא הוי לקנות בו עבדים וקרקעות דלא ניתן אלא לאכילה ושתיה וסיכה ואין טעון רחילת ידים שאין השני פוסל בו לעשות שלישי ואינו טעון הערב שמש דקי"ל טבל ועלה אוכל במעשר ומקראי ילפינן לה ביבמות פרק הערל: כל הטעון ביאת מים מדברי סופרים. כל שהוא טהור מן התורה וחכמים גזרו עליו טומאה (ג) כל הנך דאמרי במסכת שבת בפ"ק (דף יג:) אלו פוסלין את התרומה האוכל אוכל ראשון ואוכל שני כו': מטמא את הקודש. כלומר נתנו עליהן טומאת שני לטומאה והשני מטמא את הקודש להיות קרוי טמא ופוסל (ד) עליהן עוד את הרביעי: ופוסל את התרומה. להיפסל היא עצמה אבל אינה פוסלת אחר לעשות רביעי: ומותר לחולין. לאכול חולין מדלא קתני ואינו פוסל את החולין ונקט לישנא דמותר אפילו לאוכלן משמע: באכילה. מתני' דמצריך נטילה באכילה קאמר: עד כאן לא פליגי כו'. (ה) דקתני אסור במעשר לשון אכילה היא דאי בנגיעת שני לא פסיל במעשר דשמעינן לר' מאיר דאמר מותר באכילה ואיפליג עליה באכילה דמעשר ואילו בחולין כולהו מודו דמותר אפילו באכילה ומתני' מני: כאן באכילה דפירי. הא דקתני מה שאין כן במעשר באכילה דפירי קאמר ומיהו בתרומה בעי נטילה שאפילו במגעו הוא [פוסל] דשני פוסל את התרומה: נוטל. בכלי: מטביל. בארבעים סאה:

כלי

תוספות

קשיא חולין אחולין. ולא בעי למימר בחולין עד הפרק קאמר מה שאין כן במעשר לישנא לא משמע ליה (ו):

כאן באכילה וכאן בנגיעה. הקשה הר"ר אלחנן מעשר אמעשר נמי לישני הכי ולוקמי אפילו כרבנן ותירץ מורי דאף (ז) בנגיעה למעשר נמי פליגי רבנן ואסרי לה וכן משמע בסמוך דקאמר עד כאן לא פליגי אלא באכילה דמעשר משמע דמעיקרא סד"א דבכל ענין פליגי וכן בפ' שני דחולין (דף לג: ושם) דקאמר ודלמא לא פליגי רבנן אלא באכילה למעשר כו' משמע דדבר ברור אינו מיהו הוי מצי לאקשויי ולטעמיך מתניתין דשבת פ"ק (דף יד) דתנן ואלו פוסלין את התרומה לא מיתוקמא כרבנן דמאי איריא תרומה אפילו מעשר נמי אלא לא חש לאקשויי ליה ומכל דהסיא משמע דלאמת הוא כי אתקפתא דרב שימי והא דנקט בפ"ב דחולין (דף לג: ושם) ודלמא לישנא קלילא הוא דלעולם אמת הוא בנגיעת מעשר ואכילת חולין לא פליגי דלכ"ע אין שני עושה שלישי (ט) בחולין ולא תתמה היכי ס"ד דלרבנן לא בעי אכילת חולין נטילה וי"ל דאיירי בפירי דלא בעו נטילה: הא בנהמא הא בפירי. והשתא לא הוצרך לתרץ תו גבי מעשר הא רבי מאיר והא רבנן והוא הדין דמצי למימר הא באכילה (ח) הא בנגיעה אלא כולה באכילה עדיפא ליה: הנוטל ידיו לפירות. וכי אמר בפ' כיצד מברכין (ברכות דף מג.) אורחין שהיו מסובין לשתות אבל בעל הבית נוטלין כל אחד ידו אחת התם משום נקיות הוי וכן משמע לישנא דידו אחת דקתני:

כאן לחולין כאן למעשר. משמע דאם לא כוון לא למעשר לא מהני וכ"ש בתרומה והקשה הר"ר אלחנן דאמר בפ' אלו דברים בברכות (דף נב:) ב"ש אומרים נוטלים את הידים ואח"כ מוזגין את הכוס שאם ימזגו את הכוס שמא יטמאו משקים שאחורי הכוס והשתא אפילו נוטלן נמי כיון דלא מהניא הך נטילה לתרומה הויא ליה פוסל את התרומה ותנן (י) כל הפוסל את התרומה מטמא משקין להיות תחילה ותירץ דכיון דנטל ידיו לחולין לא פסיל תרומה והכי משמע דאי לא תימא הכי אין לך אדם אף חבר אוכל חולין בטהרה שלא יטמא משקין:

נגזור

עין משפט נר מצוה

כב א מיי' פ"ו מהלכות ברכות הלכה ב סמג עשין כז טוש"ע א"ח סי' קנח סעיף א:
כג ב מיי' פי"א מהלכות תרומות הלכה ז ופי"ב מהלכות אבות הטומאות הלכה ח ופי"א מהלכות מקוואות הלכה יא:
כד ג מיי' פ"ח מהלכות אבות הטומאות הלכה ז סמג עשין רמב:
כה ד מיי' פי"ג מהלכות פרה אדומה הלכה ד:
כו ה מיי' פי"ג מהלכות אבות הטומאות הלכה ב:
כז ו מיי' שם ופ"א מהל' מקוואות הלכה ח ופי"ג הלכה יג:
כח ז מיי' פי"ג מהל' אבות הטומאות הלכה א ופי"ג מהלכות מטמאי משכב ומושב הלכה א:
כט ח מיי' פי"ג מהל' אבות הטומאה' שם:
ל ט מיי' שם ופ"ג שם הלכה ד:
לא י מיי' פי"ג מהלכות אבות הטומאות שם ופי"ג מהלכות פרה אדומה הלכה ב:
לב כ מיי' פי"ג מהל' פרה אדומה שם:
לג ל מיי' פ"ו מהלכות תרומות הלכה ה ופ"ג מהלכות בכורים הלכה א:
לד מ מיי' פ"ו מהל' תרומות שם ופ"ו הלכה ו:
לה נ מיי' פ"ו שם הלכה ד ופ"ד מהלכות בכורים הלכה טו:
לו ס מיי' פ"ו מהלכות בכורים הלכה יח:
לז ע מיי' פי"ג מהלכות תרומות הלכה ג ופ"ג מהל' בכורים הלכה טו:
לח פ מיי' פי"א מהל' תרומות הלכה ז:
לט צ מיי' שם פ"ו הלכה ג ופ"ג מהלכות מעשר שני הלכה יא:
מ ק מיי' פי"ג מהלכות מעשר שני הלכה א הלכה י הלכה כג ופ"ג שם הלכה יא:
מא ר ש מיי' פ"ו מהל' תרומות הלכה ה ופ"ו מהלכות ברכות הלכה א סמג עשין כז טוש"ע א"ח סי' קנח סעיף א:
מב ת מיי' פ"ו מהלכות ברכות הלכה ג טוש"ע שם סעיף ד:
מג א ב מיי' פי"ג מהל' שאר אבות הטומאות הלכה ג ופ"א מהלכות מקוואות הלכה ח טור ש"ע א"ח סי' קנט סעיף יג:

רבינו חננאל

מתני' נוטלין לידים לחולין ולמעשר כו'. פי' נוטלין לידים לחולין ולמעשר אבל לתרומה ולקודש מטבילין כך סוגיא דשמעתא. ומקשינן [חולין ומעשר מי בעו נט"י] והתנן התרומה והבכורים טעונין רחיצת ידים מה שאין כן במעשר ושנינן הא ר' מאיר היא דתני בענין מי שטעון ביאת מים מדברי סופרים כגון רחיצת ידים מותר בחולין ובמעשר ומתניתין דלא כר' מאיר ולא כחכמים דפליגי עליה ואסרי במעשר ומקשינן והא אפילו חכמים דפליגי על ר' מאיר לא פליגי אלא

מסורת הש"ס

א) [פרה פרק י"ב מ"ז], ב) חולין לג:, ג) [חולין לה. נדה עג:], ועיין תוס' לקמן יט: ד"ה בגדי, ד) בכורים פ"ב מ"א יבמות עג. ב"מ נג:, ה) [חלה פ"א מ"ט], ו) פרה פי"א מ"ה סוטה ל. חולין לג:, ז) ברכות מד. חולין קו., ח) [זבחים פ"ב מי"ג ועיין לה שבת פ"ק יג: כל"ג], ט) [צ"ל במעשר], י) [ע"ש תוס' ד"ה כל אחד ותוס' פסחים קטו. ד"ה כל שטיבולו], כ) [פרה פ"ח מ"ז פסחים יד:].

הגהות הב"ח

(א) גמ' באכילה דנהמא כאן. נ"ב [ובכתבי מלוין] דכרבנן לא מיתוקמא דלאו [לרבנן אפילו מאכלי] דפירי אוסרין: (ב) רש"י ד"ה מה שאין וכו' לא איירי הכא בחומש כי האי גוונא: (ג) ד"ה כל הטעון וכו' טומאה כגון הנך: (ד) ד"ה מטמא וכו' ופוסל עוד את הרביעי כל"ל ותיבת עליהן נמחק: (ה) ד"ה עד כאן וכו' כו' כצ"ל הא דקתני אסור וכו' מדשמעינן לר"מ: (ו) תוס' ד"ה קשיא וכו' לא משמע ליה הכי הס"ד: (ז) ד"ה כאן וכו' דבנגיעה למעשר וכו' נטילה דיש לומר דאיירי: (ח) ד"ה הא בנהמא וכו' הא באכילה. נ"ב [פי' מתניתין דנהמא דקתני נוטלין לחולין וזהו דבכורים] בנגיעה דנהמא אין נוטלין אף למעשר וכ"ש לחולין וכר"מ מתוקמא אפילו כי מוקים לה כולה באכילה [ולא מתוקמא] אלא כר"מ:

ליקוטי רש"י

לחולין. לאכול חולין הוחזק נתכוון בטבילה [חולין לא:]. מדרס לפרושין. הרי הן אצל פרושין כמדרס הזב לטמא אדם וכלים [נדה לג:]. בגדי אוכלי תרומה מדרס לקודש. אין שמירת תרומה חשובה שמירה אצל הקודש [חולין שם].

חשק שלמה על ר"ח א) נראה דצ"ל ובאכילה דחולין אפילו ר"מ מודה וכו'.

נוֹטְלִין לַיָּדַיִם לְחוּלִין וּלְמַעֲשֵׂר וְלִתְרוּמָה – We rinse the hands for *chullin,* for *maaser* sheni and for *terumah;* i.e. before involvement with any of these three types of food, one must first purify his hands by pouring water over them from a vessel.[5] **וּלְקוֹדֶשׁ מַטְבִּילִין – But for *kodesh*** [sacrificial food] **we must immerse** the hands in a *mikveh.*[6] **וּלְחַטָּאת – And** before handling ***chatas*** water [i.e. water mixed with ashes of a *parah adumah*],[7] the law is even more stringent in that אִם נִטְמְאוּ יָדָיו נִטְמָא גּוּפוֹ **– if one's hands became *tamei,* his** entire **body is** considered ***tamei,*** and he must immerse his entire body in a *mikveh.*[8]

The Mishnah teaches a second law pertaining to the five levels of sanctity:
טָבַל לְחוּלִין הוּחְזַק לְחוּלִין – If **one immersed himself for *chullin*** and **intended** to purify himself only **for *chullin,* אָסוּר לְמַעֲשֵׂר – he is prohibited from** eating ***maaser*** *sheni.*[9] **טָבַל לְמַעֲשֵׂר הוּחְזַק לְמַעֲשֵׂר –** If **he immersed himself for *maaser*** *sheni* and **intended** to purify himself only **for *maaser*** *sheni,* **אָסוּר לִתְרוּמָה – he is prohibited from** eating ***terumah.*** **טָבַל לִתְרוּמָה הוּחְזַק לִתְרוּמָה –** If **he immersed himself for *terumah*** and **intended** to purify himself only **for *terumah,* אָסוּר לְקוֹדֶשׁ – he is prohibited from *kodesh.*** **טָבַל לְקוֹדֶשׁ הוּחְזַק לְקוֹדֶשׁ –** If **he immersed himself for *kodesh*** and **intended** to purify himself only **for *kodesh,*** **אָסוּר לְחַטָּאת – he is prohibited from** handling ***chatas*** water.

In short, immersion with intention for involvement with an item of lesser stringency is ineffective in purifying the person for involvement with items of greater stringency. However:
טָבַל לְחָמוּר מוּתָּר לַקַּל – If **one immersed himself for** involvement with **[an item of] greater stringency, he is permitted to** involve himself with **[an item of] lesser stringency.**

On the other hand:
טָבַל וְלֹא הוּחְזַק – If **he immersed himself without intention** for purification at all, but merely to bathe, **כְּאִילּוּ לֹא טָבַל – it is** considered **as if he did not immerse himself.**

Having taught two laws pertaining to the five levels of sanctity, the Mishnah teaches a third:
בִּגְדֵי עַם הָאָרֶץ מִדְרָס לִפְרוּשִׁין – The clothing of an *am haaretz* is considered *tamei* through ***midras* for *Perushim.***[10] **בִּגְדֵי פְרוּשִׁין מִדְרָס לְאוֹכְלֵי תְרוּמָה – The clothing of *Perushim* is** considered *tamei* through ***midras* for those who eat**

NOTES

have the status of a *sheni,* thereby obligating anyone who intended to handle *terumah* or *kodesh* to rinse his hands beforehand (*Rashi* to *Shabbos* 14a ד״ה עסקניות הן; cf. *Rashi* there in the name of his teachers, *Rambam* to *Tohoros* 7:8, *Meiri* to *Shabbos* there; see *Shaar HaTziyun, Orach Chaim* 158:1). As in the previous two cases of Rabbinically decreed hand-contamination, this *tumah* too is removable through the performance of *netilas yadayim* or immersing the hands alone in a *mikveh.* The hands then remain *tahor* as long as the person does not divert his attention from them (הֶסַּח הַדַּעַת) and is mindful of what he touches.

(Although the decree of ordinary hands is much more encompassing than the first two decrees, in that the first two decrees apply to specific scenarios of hand-contamination while the decree of ordinary hands imposes a *general* status of *tumah* on *all* hands, the first two decrees are still relevant. If a person performs *netilas yadayim,* his hands are rendered *tahor.* If, without diverting attention from his hands, he then touches a *rishon* or a scroll of Scripture, his hands are *tahor* insofar as the decree of ordinary hands, but are still *tamei* on account of the two specific decrees – see *Tosafos* to *Shabbos* 14b ד״ה כיון and *Aruch HaShulchan HeAsid, Hil. Shaar Avos HaTumah* 138:1.)

[Note that for the present when we discuss *netilas yadayim* we are referring specifically to the removal of *tumah* in order to permit the handling of *terumah* and *kodesh.* There is another, more familiar law, which requires one to perform *netilas yadayim* even nowadays – when the laws of *tumah* and *taharah* are no longer practiced – before the eating of *bread.* The reason for this law will be discussed below in note 30.]

We now proceed to the study of the Mishnah.

5. The Gemara will explain what type of involvement we are referring to.

Even hands that are not known to have touched anything contaminating – i.e. they are "ordinary hands" – require cleansing in order to purify them (see previous note). However, for purposes of *chullin, maaser sheni* and *terumah* it is sufficient if *netilas yadayim,* or hand-rinsing, is performed. This involves pouring water over the hands from a vessel containing at least a *reviis* (a quarter-*log* – approx. 4 ounces) of water (*Rashi;* cf. *Meiri*).

6. Before partaking of foods such as *chatas, asham* and *shelamim* meat, it is insufficient to simply rinse the hands – even "ordinary hands," which were not known to have come in contact with *tumah* – with a *reviis* of water. Rather, one must immerse them in a *mikveh* containing forty *se'ah* of water (see *Rashi* and *Rashash;* cf. *Meiri*).

7. [*Parah Adumah* water is referred to by the appellation "*chatas*" on account of the verse regarding the *parah adumah* (*Numbers* 19:9): חַטָּאת הִוא, *it is a chatas.*] Cf. *Rabbeinu Chananel* to 20a who understands "*chatas*" to be referring to *kodshei kodashim.*

8. If he touched one of the items that the Rabbis declared capable of contaminating the hands but not the body, such as a *rishon* or a scroll of Scripture, it is insufficient for him to perform *netilas yadayim* or even immerse his hands in a *mikveh.* Rather, he must immerse his *entire body* in a *mikveh* (see *Rashi* with *Rashash*). [If, however, the person did not touch anything contaminating, and his hands are simply "ordinary hands," it is sufficient if he immerses only them alone in a *mikveh,* just as for *kodesh.* This is why the Mishnah says: אִם "נִטְמְאוּ" יָדָיו, *if his hands **became** tamei* (*Sfas Emes,* in explanation of *Rashi;* see also *Beur HaGra* to *Orach Chaim* 158:1 ד״ה אפילו).]

9. This too is a Rabbinic stringency. By Torah law, one who immerses himself in a *mikveh* is *tahor* even if he had no particular intention at the time of his immersion. The Rabbis, however, decreed (a) that immersion requires intent for *taharah,* and (b) that even if one had intention for *taharah,* if he intended to immerse himself for a lower level of sanctity, his immersion is ineffective for items of a higher level (*Meiri*). Thus, the Mishnah states that one who immersed himself with the intention to purify himself for eating *chullin* is still considered *tamei* for *maaser sheni.*

[Strictly speaking, the eating of *chullin* does not require one to be *tahor.* The Mishnah, however, is discussing a *Parush,* someone who is extra scrupulous and always eats even his *chullin* food in *taharah* (see next note). This was the common practice of Torah scholars.]

10. *Midras* (literally: treading) refers to the *tumah* acquired by an object when a *zav* (or *zavah* or *niddah*) rests his (or her) weight upon it. It is an *av hatumah,* and therefore contaminates people and utensils, as it is written (*Leviticus* 15:5): *A person who will touch his* [the *zav's*] *bedding shall immerse his garments and immerse himself.* An *am haaretz* is an ignorant person who eats *chullin* without regard to its state of *taharah.* He is therefore presumed to be careless concerning the laws affecting *tumah* and *taharah* (see *Berachos* 47b). *Perushim* (literally: separated ones) (sing. *Parush*) are people who are careful to eat even *chullin* only in a state of *taharah.*

The Mishnah teaches that all clothing of an *am haaretz* must be regarded by *Perushim* as having been contaminated through *midras.* Although the *am haaretz* contends that his clothing is *tahor, Perushim* cannot rely upon his assertion, since he is careless in this regard. They must therefore be concerned for the possibility that the *am haaretz's* wife sat upon the clothing while she was a *niddah.* This, along with the other laws mentioned in this Mishnah, is a stringent practice enacted by the Rabbis (*Rashi* ד״ה לאוכלי; *Tosafos* to 19b ד״ה בגדי; cf. *Rambam, Hil. Avos HaTumah* 13:1).

מתני' נוטלין לידים לחולין ולמעשר ולתרומה ולקודש מטבילין ולחטאת אם נטמאו ידיו נטמא גופו טבל לחולין הוחזק לחולין אסור למעשר טבל למעשר הוחזק למעשר אסור לתרומה טבל לתרומה הוחזק לתרומה אסור לקודש טבל לקודש הוחזק לקודש אסור לחטאת טבל לחמור מותר לקל טבל ולא הוחזק כאילו לא טבל בגדי עם הארץ מדרס לפרושין בגדי פרושין מדרס לאוכלי תרומה בגדי אוכלי תרומה מדרס לקודש בגדי קודש מדרס לחטאת יוסף בן יועזר היה חסיד שבכהונה והיתה מטפחתו מדרס לקודש יוחנן בן גודגדא היה אוכל על טהרת הקודש כל ימיו והיתה מטפחתו מדרס לחטאת: גמ' חולין ומעשר מי בעו נטילת ידים ורמינהי התרומה והביכורים חייבין עליהן מיתה וחומש ואסורין לזרים והן נכסי כהן ועולין באחד ומאה וטעונין נטילת ידים והערב שמש הרי אלו בתרומה וביכורים מה שאין כן במעשר וכל שכן בחולין קשיא מעשר אמעשר קשיא חולין אחולין בשלמא מעשר אמעשר לא קשיא הא ר' מאיר והא רבנן דתנן כל הטעון ביאת מים מדברי סופרים מטמא את הקודש ופוסל את התרומה ומותר לחולין ולמעשר דברי רבי מאיר וחכמים אוסרים במעשר אלא חולין אחולין קשיא לא קשיא כאן באכילה כאן בנגיעה מתקיף לה רב שימי בר אשי עד כאן לא פליגי רבנן עליה דרבי מאיר אלא באכילה דמעשר אבל בנגיעה דמעשר ובאכילה דחולין לא פליגי אלא אידי ואידי באכילה ולא קשיא כאן באכילה דנהמא כאן באכילה דפירי דאמר רב נחמן כל הנוטל ידיו לפירות הרי זה מגסי הרוח ת"ר הנוטל ידיו נתכוון ידיו טהורות לא נתכוון ידיו טמאות וכן המטביל ידיו נתכוון ידיו טהורות לא נתכוון ידיו טמאות והתניא בין נתכוון בין לא נתכוון ידיו טהורות אמר רב נחמן לא קשיא כאן לחולין כאן

רש"י

מתני' נוטלין לידים לחולין ולמעשר ולתרומה. די להן בנטילה דכלי שאין בו אלא רביעית מים: ולקודש מטבילין. אבל לאכול שלמים או חטאת ואשם לכהנים יש מעלה שצריך להטביל ידים בארבעים סאה ואע"פ שאינן אלא סתם ידים שלא נגעו בטומאה דאורייתא המטמאה את כל הגוף: ולחטאת. ליגע במי חטאת מים המקודשים באפר פרה להזות מהן על טמאי מתים יש מעלה יתירה שאם נטמאו ידיו באחת מן הדברים המטמאין את הידים ולא את הגוף כגון ולד הטומאה וכגון ספר וכל טומאות שהן מדברי סופרים: נטמא הגוף. וכל הגוף צריך טבילה וכל מעלות הללו שזה גבוה מזה מדברי סופרים והאי דנקט להו הכא גבי הלכות הרגל לפי שיש בסופן הלכות רגל שעמי הארץ חשובין טהורים ברגל ולא בשאר ימות השנה בסוף חומר בקדש: טבל לחולין הוחזק לחולין. ועוד זו מעלה טבל לחולין הוחזק לחולין כלומר נתכוין לטבול לשם חולין: אסור למעשר. הוחזק לשון כוונה כלומר נתכוין להעמיד גופו בחזקת טהור לחולין: למעשר. למעשר שני הנאכל בירושלים: ולא הוחזק. לא נתכוון לשם טבילת טהרה אלא לרחיצה בעלמא: מדרס. אב הטומאה לטמא אדם וכלים כמדרס הזב שמטמא אדם וכלים דכתיב ואיש אשר יגע במשכבו יכבס בגדיו (ויקרא טו): לפרושין. לאוכלי חוליהן בטהרה: לאוכלי תרומה. כהנים וכל אלו מעלות מדברי סופרים שאמרו שאין שמירת טהרתן של אלו חשובה שמירה אצל אלו ומתוך שהן אלו אצל אלו כאילו לא שמרום גזרו בהן בבגדיהן שמא ישבה בהן אשתו נדה והרי הן מדרס הנדה הכי מפרש לה בפ' השוחט: גמ' בכורים. קרויין תרומה דאמר מר ותרומת ידך אלו הבכורים (מכות דף יז.) לכך הן כתרומה: חייבין עליהן מיתה. זר האוכלן מזיד דכתיב ומתו בו כי יחללוהו וסמיך ליה וכל זר לא יאכל קדש וכל הענין מדבר בתרומה: וחומש. האוכלן שוגג דכתיב ואיש כי יאכל קדש בשגגה ויסף חמישיתו עליו (ויקרא כב): ואסור לזרים. בלאו: והן נכסי כהן. לקדש בהן את האשה וליקח בדמיהן עבדים וקרקעות ובהמה טמאה: ועולין באחד ומאה. אבל בפחות אין עולין אלא כל החולין אסור לזרים: וטעונין רחיצת ידים. לפי שהשני עושה שלישי וידים גזרו עליהם טומאת שני לפיכך פוסלות את התרומה אם לא נטלן: והערב שמש. אם נטמא טומאה דאורייתא וטבל אינו אוכל בתרומה עד שיעריב שמשו ביבמות (דף עד:) ילפינן מקראי: מה שאין כן במעשר. אין מיתה ואין חומש [ואין] אסור לזרים שהרי כל עצמו נאכל לזרים וחומש שמוסיף בפדיונו לא איירי (ג) בחומש הכא כי האי גוונא דאין בתרומה פדיון ונכסי הדיוט נמי לא הוי לקנות בו עבדים וקרקעות דלא ניתן אלא לאכילה ושתיה וסיכה ואין טעון רחיצת ידים שאין השני פוסל בו לעשות שלישי ואינו טעון הערב שמש דקי"ל טבל ועלה אוכל במעשר ומקראי ילפינן לה ביבמות פרק הערל: כל הטעון ביאת מים מדברי סופרים. כל שהוא טהור מן התורה וחכמים גזרו עליו טומאה (ג) כל הנך דאמרי במסכת שבת בפ"ק (דף יג:) אלו פוסלין את התרומה האוכל אוכל ראשון ואוכל שני כו': מטמא את הקודש. כלומר נתנו עליהן טומאת שני לטומאה והשני מטמא את הקודש להיות קרוי טמא ופוסל (ד) עליהן עוד את הרביעי: ופוסל את התרומה. להיפסל היא עצמה אבל אינה פוסלת אחר לעשות רביעי: ומותר לחולין. לאכול חולין מדלא קתני ואינו פוסל את החולין ונקט לישנא דמותר אפילו לאוכלן משמע: באכילה. מתני' דמצריך נטילה באכילה קאמר: עד כאן לא פליגי כו'. (ה) דקתני אסור במעשר לשון אכילה היא דאי בנגיעת שני לא פסיל במעשר דשמעינן לר' מאיר דאמר מותר באכילה ואיפליג עליה באכילה למעשר ואילו בחולין כולהו מודו דמותר אפילו באכילה ומתני' מני: כאן באכילה דפירי. הא דקתני מה שאין כן במעשר באכילה דפירי קאמר ומיהו בתרומה בעי נטילה שאפילו במגעו הוא [פוסל] דשני פוסל את התרומה: נוטל. בכלי: מטביל. בארבעים סאה:

כאן

תוספות

קשיא חולין אחולין. ולא בעי למימר בחולין עד הפרק קאמר מה שאין כן במעשר דלישנא לא משמע ליה (ו):

כאן באכילה וכאן בנגיעה. הקשה הר"ר אלחנן מעשר אמעשר נמי ליעני הכי ולוקמי אפילו כרבנן ותירץ מורי דאף (ז) בנגיעה דמעשר נמי פליגי רבנן ואסרי לה וכן משמע בסמוך דקאמר עד כאן לא פליגי אלא באכילה דמעשר משמע דמעיקרא סד"א דבכל ענין פליגי וכן בפ' שני דחולין (דף לג: ושם) דקאמר ודלמא לא פליגי רבנן אלא באכילה דמעשר כו' משמע דדבר ברור אינו מיהו הוי מצי לאקשויי ולטעמיך מתניתין (ח) דשבת פ"ק (דף יד) דתנן ואלו פוסלין את התרומה לא מיתוקמא כרבנן דמאי איריא תרומה אפילו מעשר נמי אלא לא חש לאקשויי ליה ומכח דההיא משמע דאמת הוא כי אתקפתא דרב שימי והא דנקט בפ"ב דחולין (דף לג: ושם) ודלמא לישנא קלילה הוא לעולם אמת הוא בנגיעת מעשר ואכילת חולין לא פליגי דלכ"ע אין שני עושה שלישי (ט בחולין) ולא תתמה היכי ס"ד דלרבנן לא בעי אכילת חולין נטילה וי"ל דאיירי בפירי דלא בעו נטילה:

הא בנהמא הא בפירי. והשתא לא הוצרך לתרץ תו גבי מעשר הא רבי מאיר והא רבנן והוא הדין דמצי למימר הא באכילה (י) הא בנגיעה אלא כולה באכילה עדיפא ליה:

הנוטל ידיו לפירות. וכי אמר בפ' כיצד מברכין (ברכות דף מג.) אורחין שהיו מסובין לשתות אבל בעל הבית נוטלין כל אחד ידו אחת התם משום נקיות הוי וכן משמע לישנא דידו אחת דקתני:

כאן לחולין כאן למעשר. משמע דאם לא כוון למעשר לא מהני וכ"ש בתרומה והקשה הר"ר אלחנן דאמר בפ' אלו דברים בברכות (דף נב:) ב"ש אומרים נוטלים את הידים ואח"כ מוזגין את הכוס שאם ימזגו את הכוס שמא יגעו משקים שאחורי הכוס והשתא אפילו נוטלן נמי כיון דלא מהניא הך נטילה לתרומה הויא ליה פוסל את התרומה ותנן (כ) כל הפוסל את התרומה מטמא משקין להיות תחלה ותירץ דכיון דנטל ידיו לחולין לא פסיל תרומה והכי משמע דאי לא תימא הכי אין לך אדם אף חבר אוכל חולין בטהרה שלא יטמא משקין:

נגזור

terumah.[11] בִּגְדֵי אוֹכְלֵי תְרוּמָה מִדְרָס לְקוֹדֶשׁ – **The clothing of those who eat *terumah* is** considered *tamei* through ***midras* for** those who eat ***kodesh.*** בִּגְדֵי קוֹדֶשׁ מִדְרָס לְחַטָּאת – **The clothing of** those who eat ***kodesh* is** considered *tamei* through ***midras* for** those who handle ***chatas*** water.

The Mishnah illustrates the last two laws:

יוֹסֵף בֶּן יוֹעֶזֶר הָיָה חָסִיד שֶׁבַּכְּהוּנָּה – **Yosef ben Yoezer was the most devout** Kohen **in the priesthood,** וְהָיְתָה מִטְפַּחְתּוֹ מִדְרָס לְקוֹדֶשׁ – **yet his** cloth **napkin was** considered *tamei* through ***midras* for** those who ate ***kodesh.***[12] יוֹחָנָן בֶּן גּוּדְגְּדָא הָיָה אוֹכֵל עַל טָהֳרַת הַקּוֹדֶשׁ כָּל יָמָיו – **Yochanan ben Gudgeda ate** even his *chullin* food **according to the *taharah*** standard **of *kodesh* his entire lifetime,** וְהָיְתָה מִטְפַּחְתּוֹ מִדְרָס לְחַטָּאת – **yet his** cloth **napkin was** deemed *tamei* through ***midras* for** those who handled ***chatas*** water.[13]

Gemara The Mishnah stated that *chullin, maaser sheni* and *terumah* all require hand-rinsing prior to involvement with them. The Gemara asks:

חוּלִין וּמַעֲשֵׂר מִי בָּעוּ נְטִילַת יָדַיִם – **Do *chullin* and *maaser* sheni indeed require hand-rinsing?** וּרְמִינְהִי – **But contrast [this Mishnah] with [a Mishnah in *Bikkurim*]**[14] and note the contradiction: הַתְּרוּמָה וְהַבִּיכּוּרִים – The following laws are true of both ***TERUMAH* AND *BIKKURIM*:**[15] חַיָּיבִין עֲלֵיהֶן מִיתָה – **[NON-KOHANIM] ARE LIABLE TO** premature **DEATH FOR** consuming **THEM** intentionally[16] וְחוֹמֶשׁ – **AND TO** a penalty of **A FIFTH** for consuming them unintentionally;[17] וְאָסוּר לְזָרִים – **AND THEY ARE FORBIDDEN TO NON-KOHANIM,**[18] וְהֵן נִכְסֵי כֹּהֵן – **AND THEY ARE THE PROPERTY OF THE KOHEN;**[19] וְעוֹלִין בְּאֶחָד וּמֵאָה – **AND** if they became mixed with ordinary produce **THEY ARE NULLIFIED IN** a mixture of one in **A HUNDRED AND ONE;**[20] וּטְעוּנִין נְטִילַת יָדַיִם – **AND THEY REQUIRE HAND-RINSING** before involvement with them,[21] וְהֶעֱרֵב שֶׁמֶשׁ – **AND** one who has immersed himself requires the arrival of **SUNSET** before partaking of them.[22] הֲרֵי אֵלּוּ בִּתְרוּמָה וּבִיכּוּרִים – **THESE LAWS APPLY FOR *TERUMAH* AND *BIKKURIM*** מַה שֶּׁאֵין כֵּן בְּמַעֲשֵׂר – **BUT ARE NOT TRUE FOR *MAASER*** *sheni,* וְכָל שֶׁכֵּן בְּחוּלִין – **and** (the Gemara adds) **all the more so for *chullin.***[23] Thus, we see that hand-rinsing is not required for *chullin* and *maaser sheni.* Accordingly, קַשְׁיָא מַעֲשֵׂר אַמַּעֲשֵׂר – we have **a contradiction between** one Mishnah's ruling regard-

NOTES

11. I.e. Kohanim. *Terumah* requires an added degree of protection from *tumah.* Therefore, although *Perushim* eat their *chullin* in a state of *taharah,* Kohanim, who eat *terumah,* must consider the *Perushim's* clothing as *tamei* due to the possibility of its having been sat on by a *niddah.* The *Perushim's* guarding against this possibility does not match the degree of meticulousness expected of *terumah* eaters (*Rashi;* cf. *Meiri*).

[Notice that unlike in the listing of hierarchies given in regard to the previous two laws, here the Mishnah omits the level of *maaser sheni,* going straight from *chullin* (i.e. the level of *Perushim,* who eat their *chullin* in *taharah*) to *terumah.* The Gemara (19b) will discuss this omission.]

12. Though Yosef ben Yoezer, the *Nasi* and preeminent Torah sage of his generation, was surely careful to avoid *tumah,* since, as a Kohen, he was continuously eating *terumah,* his napkin [i.e. the cloth on which he wiped his hands during his meals (*Tiferes Yisrael*)] was nonetheless deemed *tamei midras* for the next highest level, those who eat *kodesh.*

[For an item to be susceptible to *midras tumah* it must be one which is *made* for the purpose of lying or sitting on. A napkin [מִטְפַּחַת] qualifies as such an item, because although its primary function is for wiping the hands, it is sometimes used to cover a cushion for sleeping on (see *Keilim* 24:14 with *Rav* and *Mishnah Acharonah*).]

13. [The *Tosefta* (3:1) has Onkelos the Convert in place of Yochanan ben Gudgeda.]

As mentioned earlier, *kodesh* has a higher-than-average level of receptiveness to *tumah* in that it can be contaminated up till a *revii.* Being careful to avoid *tumah* for *kodesh* can therefore be difficult, especially since the ordinary fare of people is *chullin,* which possesses a significantly lower level of receptiveness to contamination than *kodesh.* Accordingly, some very pious people, such as Yochanan ben Gudgeda [a Levite (*Arachin* 11b) whose family was renowned for its scrupulousness in matters of ritual purity (see *Tosefta, Terumos* 1:1)], adopted the practice of eating even their *chullin* food with the same exacting standard of *taharah* as *kodesh,* in order to train themselves in the proper scrupulousness necessary for those times in which they would eat *kodesh* (see *Rashi* to 19b ד״ה שנעשו). Nevertheless, despite his scrupulousness, the Mishnah teaches that even Yochanan ben Gudgeda's napkin was considered *tamei* through *midras* for the next highest level, those who handle *chatas* water.

By these illustrations the Mishnah means to teach that no exceptions are made for the Mishnah's rule. Rather, the garments of even such saintly people as Yosef ben Yoezer and Yochanan ben Gudgeda, whose scrupulous adherence to the laws of *taharah* was surely impeccable, were considered *tamei* for higher levels of sanctity (*Meiri*). See also *Tiferes Yisrael* §53.

14. 2:1.

15. *Bikkurim* (first fruits) are also referred to by the Torah as *terumah* (see *Makkos* 17a). They therefore share with it the laws that follow.

16. *Leviticus* 22:9 states: *and they will die because they have desecrated it,* and the next verse begins: *No non-Kohen shall eat of the holy* (i.e. *terumah*). This juxtaposition implies that non-Kohanim who eat *terumah* incur death (*Rashi,* in accordance with the opinion of Rav Kahana and Rav Assi in *Sanhedrin* 83b; cf. *Tos. Rid* and *Rashi* to *Yevamos* 73a ד״ה מיתה).

17. As it is written (ibid. v. 14): *If a man* (i.e. non-Kohen) *will eat of the holy* (i.e. *terumah*) *inadvertently, he shall add its fifth to it.*

18. This seems obvious after the previous statement. In fact it is unnecessary per se; its purpose is only to contrast *terumah* and *bikkurim* with *maaser sheni,* which, as the Mishnah proceeds to teach, is completely permitted to non-Kohanim (*Rashi* to *Bava Metzia* 53a ד״ה ואסורים לזרים; cf. *Tosafos* to *Yevamos* 73a ד״ה ואסורים).

19. Once a Kohen receives *terumah* or *bikkurim,* it is his personal property; for example, he can use it to betroth a woman. Additionally, he is entitled to buy with it [even nonfood items such as] slaves, land and non-kosher animals. [This is in contrast to *maaser sheni,* which must be used for consumption] (see *Rashi;* see also *Rashi* to *Yevamos* ibid. ד״ה והן נכסי כהן).

20. If a *se'ah* (a measure of volume) of *terumah* fell into one hundred *se'ahs* of *chullin* of the same type of food, for a total mixture of one hundred and one *se'ahs,* the *terumah* is nullified and the mixture may be eaten by a non-Kohen. If there was less than one hundred times as much *chullin* as *terumah,* the entire mixture is forbidden to a non-Kohen (*Rashi*). [This is unlike the law for most other forbidden foods, which are nullified in a ratio of two parts permitted foods to one part forbidden food.]

21. Because ordinary hands were declared by the Rabbis to have a status of *sheni,* and a *sheni* is capable of rendering *terumah* a *shelishi* (*Rashi*).

22. Someone who was *tamei* under Biblical law and immersed himself is a *tevul yom* and remains forbidden to eat *terumah* until sunset after his immersion (*Rashi,* from *Yevamos* 74b).

23. In regard to *maaser sheni* neither the death punishment nor the penalty of a fifth applies, nor is there even so much as a prohibition for a non-Kohen to eat it; to the contrary, the mitzvah of *maaser sheni* requires that it be consumed by the owner irrespective of whether he is a Kohen or a Yisrael. (We do find a payment of a fifth associated with *maaser sheni,* but that is added in the case of the *redemption* of *maaser sheni;* the Mishnah, however, is not discussing redemption, for there is no such thing as redeeming *terumah.*) Similarly, *maaser sheni* is not the property of the owner to do with as he pleases, for he is restricted from using it for anything but eating, drinking and anointing. It also does not require *netilas yadayim,* since a *sheni,* such as unrinsed hands, cannot render something else a *shelishi* in regard to anything but *terumah* and *kodesh.* Finally, there is no requirement of waiting for sunset in regard to *maaser sheni,* because the law is that even someone who is *tamei* by Biblical law may eat *maaser sheni* as soon as he has immersed himself (*Rashi*). And, the Gemara adds, it goes without saying that this Mishnah would hold that all of the above stringencies certainly do not apply to *chullin,* since *chullin* is even less stringent than *maaser sheni.*

מתני' נוטלין לידים לחולין ולמעשר ולתרומה ולקודש מטבילין ולחטאת אם נטמאו ידיו נטמא גופו טבל לחולין הוחזק לחולין אסור למעשר טבל למעשר הוחזק למעשר אסור לתרומה טבל לתרומה הוחזק לתרומה אסור לקודש טבל לקודש הוחזק לקודש אסור לחטאת טבל לחמור מותר לקל טבל ולא הוחזק כאילו לא טבל בגדי עם הארץ מדרס לפרושין בגדי פרושין מדרס לאוכלי תרומה בגדי אוכלי תרומה מדרס לקודש בגדי קודש מדרס לחטאת יוסף בן יועזר היה חסיד שבכהונה והיתה מטפחתו מדרס לקודש יוחנן בן גודגדא היה אוכל על טהרת הקודש כל ימיו והיתה מטפחתו מדרס לחטאת: **גמ'** חולין ומעשר מי בעו נטילת ידים ורמינהי התרומה והביכורים חייבין עליהן מיתה וחומש ואסור לזרים והן נכסי כהן ועולין באחד ומאה וטעונין נטילת ידים והערב שמש הרי אלו בתרומה וביכורים מה שאין כן במעשר וכל שכן בחולין קשיא חולין אחולין בשלמא מעשר אמעשר לא קשיא הא ר' מאיר והא רבנן דתנן כל הטעון ביאת מים מדברי סופרים מטמא את הקודש ופוסל את התרומה ומותר לחולין ולמעשר דברי רבי מאיר וחכמים אוסרים במעשר אלא חולין אחולין קשיא לא קשיא כאן באכילה כאן בנגיעה מתקיף לה רב שימי בר אשי עד כאן לא פליגי רבנן עליה דרבי מאיר אלא באכילה דמעשר אבל בנגיעה דמעשר ובאכילה דחולין לא פליגי אלא אידי ואידי באכילה ולא קשיא כאן באכילה דנהמא כאן באכילה דפירי דאמר רב נחמן כל הנוטל ידיו לפירות הרי זה מגסי הרוח ת"ר הנוטל ידיו נתכוון ידיו טהורות לא נתכוון ידיו טמאות וכן המטביל ידיו נתכוון ידיו טהורות לא נתכוון ידיו טמאות והתניא בין נתכוון בין לא נתכוון ידיו טהורות אמר רב נחמן לא קשיא כאן לחולין כאן

רש"י

מתני' נוטלין לידים לחולין ולמעשר ולתרומה. די להן בנטילה דכלי שאין בו אלא רביעית מים: **ולקודש מטבילין.** אבל לאכול שלמים או חטאת ואשם לכהנים יש מעלה שצריך להטביל ידים בארבעים סאה ואע"פ שאין אלא סתם ידים שלא נגעו בטומאה דאורייתא המטמאה את כל הגוף: **ולחטאת.** ליגע במי חטאת מים המקודשים באפר פרה להזות מהן על טמאי מתים יש מעלה יתירה שאם נטמאו ידיו באחת מן הדברים המטמאין את הידים ולא את הגוף כגון וולד הטומאה וכגון ספר וכל טומאות שהן מדברי סופרים: **נטמא הגוף.** וכל הגוף צריך טבילה וכל מעלות הללו שזה גבוה מזה מדברי סופרים והאי דנקט להו הכא גבי הלכות הרגל לפי שיש בסופן הלכות רגל שעמי הארץ חשובין טהורים ברגל ולא בשאר ימות השנה בסוף חומר בקדש: **טבל לחולין הוחזק לחולין.** ועוד זו מעלה טבל לחולין הוחזק לחולין כלומר נתכוון לטבול לשם חולין: **אסור למעשר.** הוחזק לשון כוונה כלומר נתכוון להעמיד גופו בחזקת טהור לחולין: **למעשר.** למעשר שני הנאכל בירושלים: **ולא הוחזק.** לא נתכוון לשם טבילת טהרה אלא לרחיצה בעלמא: **מדרס.** אב הטומאה לטמא אדם וכלים כמדרס הזב שמטמא אדם וכלים דכתיב ואיש אשר יגע במשכבו יכבס בגדיו (ויקרא טו): **לפרושין.** לאוכלי חולין בטהרה: **לאוכלי תרומה.** כהנים וכל אלו מעלות מדברי סופרים שאמרו שאין שמירת טהרתן של אלו חשובה שמירה אצל אלו ומתוך שהן אלו אצל אלו כאילו לא שמרום גזרו בהן בבגדיהן שמא ישבה בהן אשתו נדה והרי הן מדרס הנדה הכי מפרש לה בפ' השוחט: **גמ' בכורים.** קרויין תרומה דאמר מר ותרומת ידך אלו הבכורים (מכות דף יז.) לכך הן כתרומה: **חייבין עליהן מיתה.** זר האוכלן מזיד דכתיב ומתו בו כי יחללוהו וסמיך ליה וכל זר לא יאכל קדש וכל העניין מדבר בתרומה: **וחומש.** האוכלן שוגג דכתיב ואיש כי יאכל קדש בשגגה ויסף חמישיתו עליו (ויקרא כב): **ואסור לזרים.** בלאו: **והן נכסי כהן.** לקדש בהן את האשה וליקח בדמיהן עבדים וקרקעות ובהמה טמאה: **ועולין באחד ומאה.** אבל בפחות אין עולין אלא כל החולין אסור לזרים: **וטעונין רחיצת ידים.** לפי שהשני עושה שלישי וידים גזרו עליהם טומאת שני לפיכך פוסלות את התרומה אם לא נטלן: **והערב שמש.** אם נטמא טומאה דאורייתא וטבל אינו אוכל בתרומה עד שיעריב שמשו ביבמות (דף עד:) ילפינן מקראי: **מה שאין כן במעשר.** אין מיתה ואין חומש [ואין] אסור לזרים שהרי כל עצמו נאכל לזרים וחומש שמוסיף בפדיונו לא איירי (ג) בחומש הכא כי האי גוונא דאין בתרומה פדיון ונכסי הדיוט נמי לא הוי לקנות בו עבדים וקרקעות דלא ניתן אלא לאכילה ושתיה וסיכה ואין טעון רחיצת ידים שאין השני פוסל בו לעשות שלישי ואינו טעון הערב שמש דקי"ל טבל ועלה אוכל במעשר ומקראי ילפינן לה ביבמות פרק הערל: **כל הטעון ביאת מים מדברי סופרים.** כל שהוא טהור מן התורה וחכמים גזרו עליו טומאה (ג) כל הנך דאמרי במסכת שבת בפ"ק (דף יג:) אלו פוסלין את התרומה האוכל אוכל ראשון ואוכל שני כו': **מטמא את הקודש.** כלומר נתנו עליהן טומאת שני לטומאה והשני מטמא את הקודש להיות קרוי טמא ופוסל (ד) עליהן עוד את הרביעי: **ופוסל את התרומה.** להיפסל היא עצמה אבל אינה פוסלת אחר לעשות רביעי: **ומותר לחולין.** לאכול חולין מדלא קתני ואינו פוסל את החולין ונקט לישנא דמותר אפילו לאוכלן משמע: **באכילה.** מתני' דמצריך נטילה באכילה קאמר: **עד כאן לא פליגי כו'.** (ה) דקתני אסור במעשר לשון אכילה היא דאי בנגיעת שני לא פסיל במעשר דשמעינן לר' מאיר דאמר מותר באכילה ואיפליג עליה באכילה דמעשר ואילו בחולין כולהו מודו דמותר אפילו באכילה ומתני' מני: **כאן באכילה דפירי.** הא דקתני מה שאין כן במעשר באכילה דפירי קאמר ומיהו בתרומה בעי נטילה שאפילו במגעו הוא [פוסלן] דשני פוסל את התרומה: **נוטל.** בכלי: **מטביל.** בארבעים סאה:

תוספות

קשיא חולין אחולין. ולא בעי למימר בחולין עד הפרק קאמר מה שאין כן במעשר דלישנא לא משמע ליה (ו):

כאן באכילה וכאן בנגיעה. הקשה הר"ר אלחנן מעשר אמעשר נמי לישני הכי ולוקמי אפילו כרבנן ותירץ מורי דאף (ז) בנגיעה דמעשר נמי פליגי רבנן ואסרי לה וכן משמע בסמוך דקאמר עד כאן לא פליגי אלא באכילה דמעשר משמע דמעיקרא סד"א דבכל ענין פליגי וכן בפ' שני דחולין (דף לג: ושם) דקאמר ודלמא לא פליגי רבנן אלא באכילה דמעשר כו' משמע לדבר ברור אינו מיהו הוי מצי לאקשויי וליטעמיך מתניתין דשבת פ"ק (דף יד.) דתנן ואלו פוסלין את התרומה לא מיתוקמא כרבנן דמאי איריא תרומה אפילו מעשר נמי אלא לא חש לאקשויי ליה ומכח דהיא משמע דאמת הוא אלא כי אתקפתא דרב שימי והא דנקט בפ"ב דחולין (דף לג: ושם) ודלמא לישנא קלילא הוא לעולם אמת הוא בנגיעת מעשר ואכילת חולין לא פליגי לכ"ע אין שני עושה שלישי (ח) בחולין ולא תתמה היכי ס"ל לרבנן לא בעי אכילת חולין נטילה וי"ל דאיירי בפירי דלא בעו נטילה:

הא בנהמא הא בפירי. והשתא לא הוצרך לתרץ תו גבי מעשר הא רבי מאיר והא רבנן והוה הדין דמצי למימר הא באכילה (ח) הא בנגיעה אלא כולה באכילה עדיפא ליה:

הנוטל ידיו לפירות. וכי אמר בפ' כיצד מברכין (ברכות דף מג.) אורחין שהיו מסובין לשתות אלא בעל הבית נוטלין כל אחד ידו אחת התם משום נקיות הוי וכן משמע לישנא לידו אחת דקתני:

כאן לחולין כאן למעשר. משמע דאם לא כוון למעשר לא מהני ול"ש בתרומה והקשה הר"ר אלחנן דאמר בפ' אלו דברים בברכות (דף נב:) ב"ש אומרים נוטלים את הידים ואח"כ מוזגין את הכוס שאם ימזגו את הכוס שמא יגע משקים שאחורי הכוס והשתא אפילו נוטלן נמי כיון דלא מהניא הך נטילה לתרומה הוי ליה פוסל את התרומה ותנן (ט) כל הפוסל את התרומה מטמא משקין להיות תחילה ותירץ דכיון דנטל ידיו לחולין לא פסיל תרומה והכי משמע דאי לא תימא הכי אין לך אדם אף חבר אוכל חולין בטהרה שלא יטמא משקין:

עין משפט נר מצוה

כב א מיי' פ"ו מהלכות ברכות הלכה ה סמג עשין כז טוש"ע א"ח סי' קנח סעיף א:
כג ב מיי' פי"א מהלכות מקואות הלכה י ופ"ח מהלכות אבות הטומאות הלכה ח ופי"א מהלכות מקואות הלכה ג:
כד ג מיי' פי"ג מהלכות אבות הטומאה הלכה ז סמג עשין רמח:
כה ד מיי' פי"ג מהלכות פרה אדומה הלכה ד:
כו ה מיי' פי"ג מהלכות אבות הטומאות ה"ב:
כז ו מיי' שם ופי"ג מהל' מקואות הלכה ח ופי"ג הלכה יב:
כח ז מיי' פי"ג מהל' אבות הטומאות הלכה א ופי"א מהלכות מטמאי משכב ומושב הלכה א:
כט ח מיי' פי"ג מהל' אבות הטומאות שם:
ל ט מיי' שם ופ' י"ב שם הלכה ד:
לא י מיי' פי"ג מהלכות אבות הטומאות שם ופי"ג מהלכות פרה אדומה הלכה כ:
לב כ מיי' פי"ג מהל' פרה אדומה שם:
לג ל מיי' פ"ו מהל' תרומות הלכה ו ופ"ג מהלכות בכורים הלכה א:
לד מ מיי' פ"ו מהל' תרומות שם ופ"ג הלכה יא:
לה נ מיי' פ"ג שם הלכה ז ופ"ד מהלכות בכורים הלכה טו:
לו ס מיי' פ"ג מהלכות בכורים הלכה יד:
לז ע מיי' פי"ג מהלכות תרומות הלכה ו ופ"ד מהל' בכורים הלכה טו:
לח פ מיי' פ"ז מהל' תרומות הלכה ז:
לט צ מיי' שם פ"ח הלכה ב ופ"ג מהלכות מעשר שני הלכה יא:
מ ק מיי' פי"ג מהלכות מעשר שני הלכה א והלכה ט והלכה כד ופ"ה שם הלכה יא:
מא ר ש מיי' פ"ח מהל' תרומות הלכה ו ופ"ו מהלכות ברכות הלכה א סמג עשין כז טוש"ע א"ח סי' קנח סעיף א:
מב ת מיי' פ"ו מהלכות ברכות הלכה ג טוש"ע א"ח שם סעיף ט:
מג א ב מיי' פי"ג מהל' שאר אבות הטומאות הלכה ב ופי"א מהלכות מקואות הלכה יז טור ש"ע א"ח סי' קנט סעיף יג:

מסורת הש"ס

א) [פרה פרק י"ב מ"ז], ב) חולין לג:, ג) [חולין לג. נדה לג: ועיין תוס' לקמן יט. ד"ה נגדי], ד) בכורים פ"ב מ"א יבמות עג. ב"מ נג:, ה) [חלה פ"א מ"ט], ו) פרה פ"א מ"ה סוטה ל. חולין לג., ז) ברכות מד. חולין קו:

רבינו חננאל

מתני' נוטלין לידים לחולין ולמעשר כו'. פי' נוטלין לידים לחולין ולמעשר אבל לתרומה ולקודש מטבילין כך סוגיא דשמעתא. ומקשינן [חולין] ומעשר מי בעו נטי' והתנן התרומה והבכורים טעונין רחיצת ידים מה שאין כן במעשר ושנינן הא לר' מאיר היא דתנן בענין מי שטעון ביאת מים מדברי סופרים כגון רחיצת ידים מותר בחולין ובמעשר ומתניתין דלא כר' מאיר אלא כחכמים דפליגי עליה ואסרי במעשר ומקשינן והא אפילו חכמים לא פליגי על ר' מאיר לא פליגי אלא …

ing ***maaser*** *sheni* **and** the other Mishnah's ruling regarding ***maaser*** *sheni,* קַשְׁיָא חוּלִּין אַחוּלִּין – and we also have **a contradiction between** one Mishnah's ruling regarding ***chullin*** **and** the other Mishnah's (implied) ruling regarding ***chullin.*** – ? –

The Gemara narrows down the question:

בִּשְׁלָמָא מַעֲשֵׂר אַמַּעֲשֵׂר לֹא קַשְׁיָא – **It is well** that the one ruling regarding ***maaser*** *sheni* **and** the other ruling regarding ***maaser*** *sheni* **do not** necessarily **contradict,** for we can say that הָא רַבִּי מֵאִיר – **this** Mishnah **is** in accordance with **R' Meir** וְהָא רַבָּנָן – **while that** Mishnah **is** in accordance with **the Rabbis.** דִּתְנַן – **For we learned in a Mishnah:**[24] כָּל הַטָּעוּן בִּיאַת מַיִם מִדִּבְרֵי סוֹפְרִים – ANYTHING THAT REQUIRES IMMERSION IN the WATER of a *mikveh* UNDER RABBINICAL LAW, i.e. anything that is *tahor* under Biblical law but is *tamei* under Rabbinical law and is a *sheni,*[25] מְטַמֵּא אֶת הַקּוֹדֶשׁ – CONTAMINATES *KODESH* through contact וּפוֹסֵל אֶת הַתְּרוּמָה – AND INVALIDATES *TERUMAH* for consumption through contact,[26] וּמוּתָּר לְחוּלִּין וּלְמַעֲשֵׂר – BUT IS PERMITTED IN REGARD TO *CHULLIN* AND *MAASER sheni;* דִּבְרֵי רַבִּי מֵאִיר – these are THE WORDS OF R' MEIR. וַחֲכָמִים אוֹסְרִים בְּמַעֲשֵׂר – BUT THE SAGES FORBID IN REGARD TO *MAASER sheni.* Thus, we can say that our Mishnah, which requires hand-rinsing for *maaser sheni,* follows the Rabbis, while the Mishnah in *Bikkurim,* which states that *maaser sheni* does not require hand-rinsing, is in accordance with R' Meir. אֶלָּא חוּלִּין אַחוּלִּין קַשְׁיָא – **But** our Mishnah's ruling regarding ***chullin*** **and** the ruling of the Mishnah in *Bikkurim* regarding ***chullin*** **are** still **contradictory.**[27] – ? –

The Gemara answers:

לֹא קַשְׁיָא – There is **no contradiction.** כָּאן בַּאֲכִילָה – **Here,** in our Mishnah, we are dealing **with eating;** thus the Tanna requires hand-rinsing even for *chullin,* כָּאן בִּנְגִיעָה – whereas **here,** in the Mishnah in *Bikkurim,* we are dealing **with touching;** thus no hand-rinsing for *chullin* is required.[28]

This answer is challenged:

מַתְקִיף לָהּ רַב שִׁימִי בַּר אַשִׁי – **Rav Shimi bar Ashi objected to this:** עַד כָּאן לֹא פְּלִיגֵי רַבָּנָן עֲלֵיהּ דְּרַבִּי מֵאִיר – **Thus far the Rabbis do not dispute R' Meir** אֶלָּא בַּאֲכִילָה דְּמַעֲשֵׂר – **except in regard to the eating of** ***maaser*** *sheni;* whereas R' Meir permits eating *maaser sheni* with unrinsed hands, the Rabbis forbid it. אֲבָל בִּנְגִיעָה דְּמַעֲשֵׂר וּבַאֲכִילָה דְּחוּלִּין – **But concerning the touching of** ***maaser sheni*** **and the eating of** ***chullin,*** לֹא פְּלִיגֵי – **[the Rabbis] do not dispute** him.[29]

The Gemara offers a different answer:

אֶלָּא אִידִי וְאִידִי בַּאֲכִילָה – **Rather,** both **this** Mishnah **and that refer to eating,** וְלֹא קַשְׁיָא – **yet there is no contradiction.** כָּאן בַּאֲכִילָה דְּנַהֲמָא – **Here,** in our Mishnah, we are discussing **the eating of bread.** This requires hand-rinsing even for *chullin.* כָּאן בַּאֲכִילָה דְּפֵירֵי – **Here,** however, in the Mishnah in *Bikkurim,* we are discussing **the eating of other produce.** This does not require hand-rinsing. דְּאָמַר רַב נַחְמָן – **For Rav Nachman said:** כָּל הַנּוֹטֵל יָדָיו לְפֵירוֹת – **Whoever rinses his hands for produce** other than bread, הֲרֵי זֶה מִגַּסֵּי הָרוּחַ – **he is from the haughty of spirit.**[30]

NOTES

24. *Parah* 11:5.

25. The Mishnah refers to a specific list of items mentioned in the Gemara in *Shabbos* 13b [and in the last Mishnah in *Zavim*] upon which the Rabbis decreed a status of *sheni* (see *Rashi*). Included in this list are unrinsed hands (see *Rashi* to *Chullin* 33b ד״ה כל הטעון). [Although the Mishnah specifies that it is speaking of items that require בִּיאַת מַיִם (literally: coming into water), which implies immersion in a *mikveh,* and hands require (for purposes of *terumah* at least) only *netilas yadayim,* the Mishnah's law applies to unrinsed hands as well. The Mishnah mentions immersion in a *mikveh* only because in context in Tractate *Parah* it is contrasting the laws of items that are *tamei* Rabbinically with those that are *tamei* by Biblical law, and items that are *tamei* by Biblical law can indeed be purified only through immersion in a *mikveh.*]

26. I.e. the Rabbis gave these items a status of a *sheni.* As explained earlier, in Rabbinic parlance the term *contaminates* [מְטַמֵּא] means that besides rendering the affected object *tamei,* the contaminator conveys to that object the capacity to transmit *tumah* to another object of its genre. The term *invalidates* [פּוֹסֵל] means that the contaminator merely renders the affected object *tamei* (and unfit for consumption) but does not give it the capacity to convey *tumah* to another one of its genre. Thus the Mishnah states that items that are *sheni* are capable of "contaminating" *kodesh,* because they render it a *shelishi,* enabling it in turn to render other *kodesh* items a *revii. Terumah,* on the other hand, can only be "invalidated" by a *sheni,* for while the *terumah* itself becomes a *shelishi* and unfit for consumption, it cannot pass on its *tumah* to other *terumah* items [since *terumah* is not subject to *tumah* beyond the degree of *shelishi*] (*Rashi*).

27. [For we do not find a Tanna anywhere who requires *netilas yadayim* for *chullin.*]

28. [That *netilas yadayim* is not required for *chullin* is true only if one plans on merely *touching* the *chullin.* However if one wishes to *eat* it, he must indeed rinse his hands; see note 30.]

29. R' Meir's ruling in the Mishnah that *maaser sheni* and *chullin* do not require *netilas yadayim* was stated in regard to *eating* these foods. This can be proven from an analysis of R' Meir's words. R' Meir had previously stated that a person with unrinsed hands "contaminates *kodesh* and invalidates *terumah,*" meaning that he imparts *tumah* to these foods through contact. If R' Meir then wished to state that the person does not impart *tumah* to *chullin* and *maaser sheni* through contact, he would have said "but does not *invalidate chullin* and *maaser.*" Since he said, "but *is permitted* in regard to *chullin* and *maaser,*" it is evident that he means to say that the person may even *eat* these foods. Accordingly, there is no reason to assume that the Sages, who dispute R' Meir's lenient ruling, mean anything more than to prohibit the *eating* of *maaser sheni.* As far as *touching* food of *maaser sheni* and eating food of *chullin,* however, we must assume that they agree with R' Meir that *netilas yadayim* is not required (see *Rashi* ד״ה ומותר וד״ה עד כאן; cf. *Rashi* to *Chullin* 33b ד״ה דלמא עד כאן).

[The fact that the Sages permit the person with unwashed hands to touch *maaser sheni* is irrelevant to our discussion here. The Gemara mentions it merely because it is relevant to a parallel discussion in Tractate *Chullin* (33b). The critical point here is that the Sages agree that eating *chullin* is permitted (*Tos. Rid*).]

30. By Rabbinic decree one who eats bread, even of *chullin,* must rinse his hands beforehand. There are two reasons for this. One is that eating with clean hands is a form of holiness, and the Jewish people are bidden by God to be holy (*Berachos* 53b). The second is as a safeguard for Kohanim, whose staple is *terumah.* As explained previously, the Rabbis gave ordinary hands the status of *sheni letumah.* A Kohen who eats *terumah,* therefore, is constrained to always perform *netilas yadayim* beforehand, since a *sheni* is capable of rendering *terumah* a *shelishi.* In order to accustom Kohanim to do this, the Rabbis enacted that *all* people, even non-Kohanim, must rinse their hands before eating (*Chullin* 106a). [Although according to this second reason hand-rinsing should be required even before *touching* food of *chullin,* since merely *touching* food of *terumah* with unrinsed hands renders it a *shelishi,* the Rabbis were lenient and imposed their decree only for *eating chullin* (*Aruch HaShulchan* 158:1).]

However, the Rabbis required hand-rinsing only before eating *bread,* since the consumption of bread constitutes a meal rather than a snack, and the holiness inherent in hand-washing is most evident when performed prior to a full-fledged meal (*Aruch HaShulchan* 158:3). Alternatively, according to the second reason given above, they required hand-rinsing specifically for bread because most [Biblical] *terumah* is separated from grain, as it is written (*Deuteronomy* 18:4): *the first of your grain,* and most grain is eaten as bread (*Mishnah Berurah* 158:2, in the name of *Levush*). For other foods the Rabbis did not require *netilas yadayim.* Moreover, Rav Nachman teaches that one who does perform *netilas yadayim* for foods other than bread is acting haughtily [because he thereby makes the statement about himself that he is careful with mitzvos even beyond the letter of the law (*Mishnah Berurah* 158:22)].

Thus we can resolve the contradiction by saying that our Mishnah,

מתני' נוטלין לידים לחולין ולמעשר ולתרומה ולקודש מטבילין ולחטאת אם נטמאו ידיו נטמא גופו טבל לחולין הוחזק לחולין אסור למעשר טבל למעשר הוחזק למעשר אסור לתרומה טבל לתרומה הוחזק לתרומה אסור לקודש טבל לקודש הוחזק לקודש אסור לחטאת טבל לחמור מותר לקל טבל ולא הוחזק כאילו לא טבל בגדי עם הארץ מדרס לפרושין בגדי פרושין מדרס לאוכלי תרומה בגדי אוכלי תרומה מדרס לקודש בגדי קודש מדרס לחטאת יוסף בן יועזר היה חסיד שבכהונה והיתה מטפחתו מדרס לקודש יוחנן בן גודגדא היה אוכל על טהרת הקודש כל ימיו והיתה מטפחתו מדרס לחטאת: גמ' חולין ומעשר מי בעו נטילת ידים ורמינהי התרומה והביכורים חייבין עליהן מיתה וחומש ואסור לזרים והן נכסי כהן ועולין באחד ומאה וטעונין נטילת ידים והערב שמש הרי אלו בתרומה וביכורים מה שאין כן במעשר וכל שכן בחולין קשיא מעשר אמעשר קשיא חולין אחולין בשלמא מעשר אמעשר לא קשיא הא ר' מאיר והא רבנן דתנן כל הטעון ביאת מים מדברי סופרים מטמא את הקודש ופוסל את התרומה ומותר לחולין ולמעשר דברי רבי מאיר וחכמים אוסרים במעשר אלא חולין אחולין קשיא לא קשיא כאן באכילה כאן בנגיעה מתקיף לה רב שימי בר אשי עד כאן לא פליגי רבנן עליה דרבי מאיר אלא באכילה דמעשר אבל בנגיעה דמעשר ובאכילה דחולין לא פליגי אלא אידי ואידי באכילה ולא קשיא כאן באכילה דנהמא (א) כאן באכילה דפירי דאמר רב נחמן כל הנוטל ידיו לפירות הרי זה מגסי הרוח ת"ר הנוטל ידיו נתכוון ידיו טהורות לא נתכוון ידיו טמאות וכן המטביל ידיו נתכוון ידיו טהורות לא נתכוון ידיו טמאות והתניא בין נתכוון בין לא נתכוון ידיו טהורות אמר רב נחמן לא קשיא כאן לחולין כאן

קשיא חולין אחולין. ולא בעי למימר בחולין עד הפרק קאמר מה שאין כן במעשר לישנא לא משמע ליה (ו):

כאן באכילה וכאן בנגיעה. הקשה הר"ר אלחנן מעשר אמעשר נמי לישני הכי ולוקמי אפילו כרבנן ותירץ מורי דאף (ז) בנגיעה למעשר נמי פליגי רבנן ואסרי לה וכן משמע בסמוך דקאמר עד כאן לא פליגי אלא באכילה למעשר משמע דמעיקרא סד"א דבכל ענין פליגי וכן בפ' שני דחולין (דף לג: ושם) דקאמר ודלמא לא פליגי רבנן אלא באכילה למעשר כו' משמע דלדבר ברור מיני מיהו הוי מצי לאקשויי ולטעמיך מתניתין דשבת פ"ק (דף יד) דתנן ואלו פוסלין את התרומה לא מיתוקמא כרבנן דמאי איריא תרומה אפילו מעשר נמי אלא לא חש לאקשויי ליה ומכח דהכא משמע דאמת הוא כי תקפתא דרב שימי והא דנקט בפ"ב דחולין (דף לג: ושם) ודלמא לישנא קלילא הוא לעולם אמת הוא בנגיעת מעשר ואכילת חולין לא פליגי דלכ"ע אין שני עושה שלישי (בחולין) ואל תתמה היכי ס"ד דלרבנן לא בעי אכילת חולין נטילה וי"ל דאיירי בפירי דלא בעו נטילה:

הא בנהמא הא בפירי. והשתא לא הוצרך לתרץ תו גבי מעשר הא רבי מאיר והא רבנן והוה הדין דמצי למימר הא באכילה (ח) הא בנגיעה אלא כולה באכילה עדיפא ליה:

הנוטל ידיו לפירות. וכי אמר בפ' כילד מברכין (ברכות דף מג.) אורחין שהיו מסובין לשתות אבל בעל הבית נוטלין כל אחד ידו אחת התם משום נקיות הוי וכן משמע לישנא דידו אחת דקתני:

כאן לחולין כאן למעשר. משמע דאם לא כוון למעשר לא מהני וכ"ש בתרומה והקשה הר"ר אלחנן דאמר בפ' אלו דברים בברכות (דף נא:) ב"ש אומרים נוטלים את הידים ואח"כ מוזגין את הכוס שאם ימזגו את הכוס שמא יגע במשקים שאחורי הכוס והשתא אפילו נוטלן נמי כיון דלא מהניא הך נטילה לתרומה הויא ליה פוסל את התרומה ותנן כל הפוסל את התרומה מטמא משקין להיות תחילה ותירץ דכיון דנטל ידיו לחולין לא פסיל תרומה והכי משמע דאי לא תימא הכי אין לך אדם אף חבר אוכל חולין בטהרה שלא יטמא משקין:

נגזור

מתני' נוטלין לידים לחולין ולמעשר ולתרומה. די להן בנטילה דכלי שאין בו אלא רביעית מים: ולקודש מטבילין. אבל לאכול שלמים או חטאת ואשם לכהנים יש מעלה שצריך להטביל ידים בארבעים סאה ואע"פ שאין אלא סתם ידים שלא נגעו בטומאה דאורייתא המטמאה את כל הגוף: ולחטאת. ליגע במי חטאת מים המקודשים באפר פרה להזות מהן על טמאי מתים יש מעלה יתירה שאם נטמאו ידיו באחת מן הדברים המטמאין את הידים ולא את הגוף כגון וולד הטומאה וכגון ספר וכל טומאות שהן מדברי סופרים: נטמא הגוף. וכל הגוף צריך טבילה וכל מעלות הללו שזה גבוה מזה מדברי סופרים והאי דנקט להו הכא גבי הלכות הרגל לפי שיש בסופן הלכות רגל שעמי הארץ חשובין טהורים ברגל ולא בשאר ימות השנה בסוף חומר בקדש: טבל לחולין הוחזק לחולין. ועוד זו מעלה טבל לחולין הוחזק לחולין כלומר נתכוין לטבול לשם חולין: אסור למעשר. הוחזק לשון כוונה כלומר נתכוין להעמיד גופו בחזקת טהור לחולין: למעשר. למעשר שני הנאכל בירושלים: ולא הוחזק. לא נתכוון לשם טבילת טהרה אלא לרחילה בעלמא: מדרס. אב הטומאה לטמא אדם וכלים כמדרס הזב שמטמא אדם וכלים כדכתיב ואיש אשר יגע במשכבו יכבס בגדיו (ויקרא טו): לפרושין. לאוכלי חוליהן בטהרה: לאוכלי תרומה. כהנים וכל אלו מעלות מדברי סופרים שאמרו שאין שמירת טהרתן של אלו חשובה שמירה אצל אלו ומתוך שהן אלו אצל אלו כאילו לא שמרום גזרו בהן בבגדיהן שמא ישבה בהן אשתו נדה והרי הן מדרס הנדה הכי מפרש לה בפ' השוחט: גמ' בכורים. קרויין תרומה דאמר מר ותרומת ידך אלו הבכורים (מכות דף יז.) לכך הן כתרומה: חייבין עליהן מיתה. זר האוכלן מזיד דכתיב ומתו בו כי יחללוהו וסמיך ליה וכל זר לא יאכל קדש וכל הענין מדבר בתרומה: וחומש. האוכלן שוגג דכתיב ואיש כי יאכל קדש בשגגה ויסף חמישיתו עליו (ויקרא כב): ואסור לזרים. בלאו: והן נכסי כהן. לקדש בהן את האשה וליקח בדמיהן עבדים וקרקעות ובהמה טמאה: ועולין באחד ומאה. אבל בפחות אין עולין אלא כל החולין אסור לזרים: וטעונין רחיצת ידים. לפי שהשני עושה שלישי וידים גזרו עליהם טומאת שני לפיכך פוסלות את התרומה אם לא נטלן: והערב שמש. אם נטמא טומאה דאורייתא וטבל אינו אוכל בתרומה עד שיעריב שמשו ביבמות (דף עד:) ילפינן מקראי: מה שאין כן במעשר. אין מיתה ואין חומש [ואין] אסור לזרים שהרי כל עלמו נאכל לזרים וחומש שמוסיף בפדיונו לא איירי (ב) בחומש הכא כי האי גוונא דאין בתרומה פדיון ונכסי הדיוט נמי לא הוי לקנות בו עבדים וקרקעות דלא ניתן אלא לאכילה ושתיה וסיכה ואין טעון רחיצת ידים שאין השני פוסל בו לעשות שלישי ואין טעון הערב שמש דקי"ל טבל ועלה אוכל במעשר ומקראי ילפינן לה ביבמות פרק הערל: כל הטעון ביאת מים מדברי סופרים. כל שהוא טהור מן התורה וחכמים גזרו עליו טומאה (ג) כל הנך דאמרי במסכת שבת בפ"ק (דף יג:) אלו פוסלין את התרומה האוכל אוכל ראשון ואוכל שני כו': מטמא את הקודש. כלומר נתנו עליהן טומאת שני לטומאה והשני מטמא את הקודש להיות קרוי טמא ופוסל (ד) עליהן עוד את הרביעי: ופוסל את התרומה. להיפסל היא עצמה אבל אינה פוסלת אחר לעשות רביעי: ומותר לחולין. לאכול חולין מדלא קתני ואינו פוסל את החולין ונקט לישנא דמותר אפילו לאוכלן משמע: באכילה. מתני' דמצריך נטילה באכילה קאמר: עד כאן לא פליגי כו'. (ה) דקתני אסור במעשר לשון אסור הוא דלאו בנגיעת שני לא פסיל במעשר דשמעינן לר' מאיר דאמר מותר באכילה ואיפליגו עליה באכילה דמעשר ואילו בחולין כולהו מודו דמותר אפילו באכילה ומתני' מני: כאן באכילה דפירי. הא דקתני מה שאין כן במעשר באכילה דפירי קאמר ומיהו בתרומה בעי נטילה שאפילו במגעו הוא [פוסל] דשני פוסל את התרומה: נוטל. בכלי: מטביל. בארבעים סאה: כאן

עין משפט נר מצוה

כב א מיי' פ"ו מהלכות ברכות הלכה ב סמג עשין כז טוש"ע א"ח סי' קנח סעיף א:
כג ב מיי' פי"א מהלכות תרומות הלכה ז ופ"ח מהלכות אבות הטומאות הלכה ח ופי"א מהלכות מקואות הלכה יא:
כד ג מיי' פ"ח מהלכות אבות הטומאות הלכה ז סמג עשין רמז:
כה ד מיי' פ"ט מהלכות פרה אדומה הלכה ד:
כו ה מיי' פי"ג מהלכות אבות הטומאות הלכה ב:
כז ו מיי' שם ופ"א מהל' מקואות הלכה ח ופי"ג הלכה ב:
כח ז מיי' פי"ג מהל' אבות הטומאות הלכה א ופי"ב מהלכות מטמאי משכב ומושב הלכה א:
כט ח מיי' פי"ג מהל' אבות הטומאות שם:
ל ט מיי' שם ופ' י הלכה ד:
לא י מיי' פי"ג מהלכות אבות הטומאות שם ופי"א מהלכות פרה אדומה הלכה ג:
לב כ מיי' פי"ג מהל' פרה אדומה שם:
לג ל מיי' פ"ו מהלכות תרומות הלכה ו ופ"ג מהלכות בכורים הלכה א:
לד מ מיי' פ"ו מהל' תרומות שם ופ"ג הלכה א:
לה נ מיי' פ"ו שם הלכה ה ופ"ד מהלכות בכורים הלכה טו:
לו ס מיי' פ"ד מהלכות בכורים הלכה יד:
לז ע מיי' פי"ג מהלכות תרומות הלכה ו ופ"ג מהלכ' בכורים הלכה טו:
לח פ מיי' פי"א מהל' תרומות הלכה ז:
לט צ מיי' פ"ו מהלכות ברכות הלכה ב ופ"ז מהלכות מעשר שני הלכה יא:
מ ק מיי' פי"ג מהלכות מעשר שני הלכה א והלכה ז והלכה ט ופי"א שם הלכה יא:
מא ר ש מיי' פי"א מהל' תרומות הלכה ז ופ"ו מהלכות ברכות הלכה ב סמג עשין כז טוש"ע א"ח סי' קנח סעיף א:
מב ת מיי' פ"ו מהלכות ברכות הלכה ג טוש"ע שם סעיף ה:
מג א ב ג מיי' פי"ג מהל' שאר אבות הטומאות הלכה ג (ופ"ב מהלכות מקואות הלכה יז) טור ש"ע א"ח סי' קנט סעיף יג:

רבינו חננאל

מתני' נוטלין לידים לחולין ולמעשר כו'. פי' נוטלין לידים לחולין ולמעשר אבל לתרומה ולקודש מטבילין כך סוגיא דשמעתא. גמ' [חולין ומעשר מי] בעו נט' והתנן התרומה והבכורים טעונין רחיצת ידים מה שאין כן במעשר ושנינן הא לר' מאיר היא דתני בענין מי שטעון ביאת מים מדברי סופרים כגון רחיצת ידים מותר לחולין ובמעשר ומתניתין דלא כר' מאיר אלא כחכמים דפליגי עליה ואסרי במעשר ומקשינן והא אפילו חכמים דפליגי על ר' מאיר לא פליגי אלא

מסורת הש"ס

א) פרה פרק י"ב מ"ז, ב) חולין לג., ג) [חולין לה. נדה נג. ועיין תוס' לקמן יט: ד"ה בגדי], ד) כתובות פ"ב מ"א יבמות עג. ב"מ נג:, ו) פרה פי"א מ"ה סוטה ל. חולין קו., ז) ברכות מב. חולין קו., ח) [זבין פ"ה מי"ב ועיין שבת פ"ק יג:], ט) [צ"ל במעשר], י) [וע"ש תוס' ד"ה כל אחד ותוס' שם ד"ה כל שעיקרו], כ) [פרה פ"ח מ"ז פסחים יד:].

הגהות הב"ח

(א) גמ' באכילה דנהמא כאן. נ"ב [וכרבי מאיר דכרבנן לא מיתוקמא אפי' באכילה דפירי]: (ב) רש"י ד"ה מה שאין כן וכו' לא איירי הכא בחומש כי האי גוונא: (ג) ד"ה כל הטעון וכו' טומאה כגון הנך: (ד) ד"ה מטמא וכו' ופוסל עוד את הרביעי כל"ל ותיבת עליהן נמחק: (ה) ד"ה עד כאן פליגי כו' בע"כ הא דקתני אסור וכו' מדשמעינן לר"מ: (ו) תוס' ד"ה קשיא וכו' לא משמע ליה הכי הס"ד: (ז) ד"ה כאן וכו' בנגיעה למעשר וכו' נטילה דיש לומר דאיירי: (ח) ד"ה הא בנהמא וכו' נ"ב פי' מתניתין באכילה דנהמא נוטלין לחולין והא דבכורים באכילה דפירי אין נוטלין לחולין וכ"ש לחולין ולכך מוקמא אפילו כרבנן [ולא מוקמא] אלא לר"מ:

ליקוטי רש"י

לחולין. לאכול חולין הוחזק נתכוין בשעת טבילה לכך [חולין לא:]. מדרס לפרושין. הרי הן אצל פרושין כמדרס הזב שמטמא אדם וכלים כך בגדי עם הארץ מדרס לפרושים [נדה לג:]. פרושין. אוכלי חולין בטהרה [חולין שם]. בגדי אוכלי תרומה מדרס לקודש. אין שמירת תרומה חשובה שמירה אצל קודש והם חוששין לבגדי תרומה שמא נטמאו [שם לה:].

The Gemara discusses whether the purification of hands requires intention:

תָּנוּ רַבָּנָן – The Rabbis taught in a Baraisa: הַנּוֹטֵל יָדָיו – ONE WHO RINSES HIS HANDS, נִתְכַּוֵּון – IF HE HAD INTENTION for *taharah,* יָדָיו טְהוֹרוֹת – HIS HANDS ARE *TAHOR;* לֹא נִתְכַּוֵּון – IF HE DID NOT HAVE INTENTION for *taharah,* יָדָיו טְמֵאוֹת – HIS HANDS REMAIN *TAMEI.* וְכֵן הַמַּטְבִּיל יָדָיו – AND SO TOO ONE WHO IMMERSES HIS HANDS, נִתְכַּוֵּון יָדָיו טְהוֹרוֹת – IF HE HAD INTENTION for *taharah,* HIS HANDS ARE *TAHOR;* לֹא נִתְכַּוֵּון יָדָיו טְמֵאוֹת – IF HE DID NOT HAVE INTENTION for *taharah,* HIS HANDS REMAIN *TAMEI.*

The Gemara asks:

וְהָתַנְיָא – **But it was taught in a** different **Baraisa:** בֵּין נִתְכַּוֵּון בֵּין לֹא נִתְכַּוֵּון יָדָיו טְהוֹרוֹת – WHETHER HE HAD INTENTION OR HE DID NOT HAVE INTENTION, HIS HANDS ARE *TAHOR*! – ? –

The Gemara answers:

אָמַר רַב נַחְמָן – **Rav Nachman said:** לֹא קַשְׁיָא – There is no difficulty. כַּאן לְחוּלִין – **Here,** in the second Baraisa, the person purifies his hands **for *chullin,***

NOTES

which requires hand-rinsing for *chullin* and *maaser sheni,* refers to the eating of bread, and follows the opinion of everyone (*Rabbeinu Chananel, Tosafos*). (Although from the Mishnah in *Parah* it is evident that no Tanna requires *netilas yadayim* for eating *chullin,* that Mishnah is discussing foods other than bread.) The Mishnah in *Bikkurim,* however, which does not require hand-washing for *chullin* and *maaser sheni* – even for eating them – is referring to all other foods, and follows the opinion of R' Meir.

כָּאן לְמַעֲשֵׂר – whereas **here,** in the first Baraisa, he purifies them **for *maaser*** *sheni. Chullin* do not require specific intention for purification, while *maaser sheni*, and certain higher levels of sanctified foods, do.

The Gemara gives the source for this distinction:

וּמְנָא תֵּימְרָא דְּחוּלִּין לֹא בָּעוּ כַּוָּונָה – **And from where do you** know to **say that *chullin* do not require intention? דִּתְנַן – For we learned in a Mishnah:**[1] גַּל שֶׁנִּתְלַשׁ וּבוֹ אַרְבָּעִים סְאָה – IF A WAVE CONTAINING FORTY *SE'AH* BECAME DETACHED from the sea וְנָפַל עַל הָאָדָם וְעַל הַכֵּלִים – AND FELL ON A PERSON OR ON UTENSILS, i.e. in a strong tide a wave broke away from the sea, flying through the air and falling upon a *tamei* person or utensils resting on shore, טְהוֹרִין – THEY BECOME *TAHOR.*[2] **קָתָנֵי אָדָם דּוּמְיָא דְּכֵלִים – The Mishnah teaches** the case of **the person parallel to** the case of **the utensils,** i.e. by grouping them together, and thus indicates that the circumstances of the cases are similar. **מָה כֵּלִים דְּלָא מְכַוְּונֵי – Just as utensils do not intend** to immerse themselves (for they have no mind of their own), **אַף אָדָם דְּלָא מְכַוֵּין – so also the person does not intend** to immerse himself.[3] Yet the Mishnah states that he is *tahor*. This proves that intention for purification is not required for *chullin*.[4]

The Gemara challenges this proof:

וּמִמַּאי – And from what evidence do you say this? **דִּלְמָא בְּיוֹשֵׁב וּמְצַפֶּה אֵימָתַי יִתָּלֵשׁ הַגַּל עָסְקִינַן – Perhaps we are dealing with** a case **where [the person] is sitting** on the shore **and anticipating when the wave will become detached** from the sea and fall upon him, **וְכֵלִים דּוּמְיָא דְּאָדָם – and,** it is the case of **the utensils** which **is parallel to** the case of **the person,** as follows: **מָה אָדָם דְּבַר כַּוָּונָה – Just as the person is capable of intent, אַף כֵּלִים דִּמְכַוֵּין לְהוּ – so also** regarding **the utensils** the Mishnah discusses a case **where [the person] had intent for them. וְכִי תֵּימָא – And if you should counter בְּיוֹשֵׁב וּמְצַפֶּה** – that if the case is **where [the person] sits and anticipates** the wave's arrival **מַאי לְמֵימְרָא – what** need is there for the Mishnah **to state** its ruling, since it is obvious that the immersion is effective, I would respond that the ruling is still necessary. **סַלְקָא דַעְתָּךְ אָמִינָא – For it could have entered your mind to say לִיגְזוֹר דִּלְמָא אָתֵי לְמִיטְבַּל בְּחַרְדְּלִית שֶׁל גְּשָׁמִים – that we should decree** the immersion invalid as a precaution **lest one come to perform immersion in a torrent of rainwater running down a** steep mountain **slope;**[5] **אִי נַמִּי – alternatively, נִגְזוֹר רָאשִׁין אַטּוּ כֵּיפִּין – that we should decree** invalid immersion in the **heads** of detached waves[6] **on account of** immersion in their **arches.**[7] **קָא מַשְׁמַע לָן דְּלָא גָּזְרִינָן – [The Tanna]** therefore **informs us that we do not** so **decree.**

The Gemara clarifies its last point:

וּמְנָא תֵּימְרָא דְּלָא מַטְבִּילִין בְּכֵיפִּין – And from where do you know **to say that we may not** in fact **perform immersion in** the **arches** of detached waves? **דְּתַנְיָא – For it was taught in a Baraisa:** מַטְבִּילִין בְּרָאשִׁין – WE IMMERSE utensils IN THE HEADS of detached waves, וְאֵין מַטְבִּילִין בְּכֵיפִּין – BUT WE DO NOT IMMERSE them IN THE ARCHES of those waves, לְפִי שֶׁאֵין מַטְבִּילִין בָּאֲוִיר – FOR ONE MAY NOT PERFORM IMMERSION IN MIDAIR.[8]

Having rejected the previously cited Mishnah as the source for the law that intention for immersion in regard to *chullin* is not required, the Gemara offers another source:

אֶלָּא מֵהָא – Rather, the source is **from the following. דִּתְנַן – For we learned in a Mishnah:**[9] פֵּירוֹת שֶׁנָּפְלוּ לְתוֹךְ אַמַּת הַמַּיִם –

NOTES

1. *Mikvaos 5:6.*

2. Though the wave was no longer connected to the sea at the time it fell upon the person or utensils, they are still *tahor,* provided that it contained at least forty *se'ah* of water at the time.

Among the conditions necessary for a body of water to constitute a valid *mikveh* are (a) that it possess a minimum of forty *se'ah* (approx. 200 gallons) of water, and (b) that the water be stationary [אֲשְׁבוֹרֶן] (i.e. nonflowing). These two conditions apply, however, only to a collection of *rainwater.* A natural spring, or a stream fed by a natural spring, need not contain any minimum amount of water, and may even be flowing [זוֹחֲלִין]. Such a body of water is not, technically speaking, called a *mikveh* at all, but rather a *mayan.*

Now, whether the seas have the status of a *mikveh* or a *mayan* is the subject of a dispute of Tannaim in *Mikvaos* 5:4. The Mishnah quoted here follows the view of R' Yose there that a sea is considered a *mayan.* Thus, the wave under discussion, since it emanated from the sea, is capable of effecting *taharah* despite the fact that it is in motion (*Rosh, Hilchos Mikvaos* §13). Though it no longer is attached to the sea (i.e. it broke away upon reaching shore), it nevertheless retains the status of a *mayan* in regard to the motion rule as long as its motion is due to the natural forward thrust of the sea (*Maharik,* cited by *Tos. Yom Tov*). On the other hand, because it has become detached from the sea, it acquires the status of a *mikveh* insofar as requiring forty *se'ah* to effect *taharah* (*Shach* to *Yoreh Deah* 201:5; cf. *Bach* and *Taz* ibid.).

At any rate, the Gemara draws an inference from this Mishnah in regard to the question at hand.

3. Rather, the wave fell upon him without his having intended to become purified by it.

4. [Since at the very least the Mishnah is discussing *chullin,* we have proof that purification for *chullin* does not require intention.]

5. A stream of rainwater running down a steep mountain slope, even if the stream contains forty *se'ah* of water from end to end, is invalid for immersion, because the steepness of the incline causes us to regard each drop of water as disconnected from the others, with the result that they do not constitute a single, unified mass of forty *se'ah.* Alternatively, even if the incline is not that steep as to prevent the water from being considered a single mass of forty *se'ah,* the law is that rainwater is invalid for immersion unless it is standing still [see above, note 2] (*Rashi*). Accordingly, we might have thought that the Rabbis prohibited immersion in a detached wave as a precaution lest one come to immerse himself in a current streaming down a mountain.

[In actual fact the wave is unlike a current streaming down a mountain on both of the above accounts. It is considered to be a single mass of water, since it was thrust out of the sea with one burst of force and travels forward as a unit (*Chidushim U'Veurim*). Similarly, the fact that it is in motion does not invalidate it, since it was cast out by the sea, which is a *mayan* according to the view of this Mishnah, and is still traveling forward due to the sea's thrust (see above, note 2). Nevertheless it could have been *thought* that the wave is invalid for immersion because it is liable to be *confused* with a current streaming down a mountain.]

6. I.e. the case of the Mishnah in *Mikvaos,* where the person or utensils stood under the *head* of a detached wave as it fell to earth (*Rashi*).

7. I.e. where one extended [or threw] a utensil skyward into the arching middle section of a detached wave (*Rashi*). A Mishnah cited presently will state that such an immersion is invalid.

8. When the head of a wave falls upon a utensil as it lies on the shore, there is an immersion in water that is connected to the ground. This is a valid immersion. However if one extends or throws a utensil skyward into the arch of a wave, the immersion is invalid, for it is performed in a mass of water that is in midair. When discussing immersion, the Torah never speaks of a body of water that is suspended in midair (*Rashi*), only of a spring or a pit (*Leviticus* 11:36), which is on the ground (*Kesef Mishnah, Hil. Mikvaos* 9:18; cf. *Avnei Nezer, Yoreh Deah* 271:5).

[From the Baraisa's language it would appear that even after the head of the wave has made contact with the ground, the arched portion is still considered "in midair" and is invalid for immersion. If so, *Chidushim U'Veurim* wonders why we would in fact *not* decree invalid immersion in the heads of waves on account of immersion in their arches, since it is surely very difficult to say with certainty, when somebody is enveloped by a wave, that none of the water that enveloped him was part of the arch. *Chidushim U'Veurim* therefore leans toward saying that once the head has made contact with the ground, immersion is valid even in that part of the wave that is still arched.]

9. *Machshirin* 4:7.

כאן למעשר ומנא תימרא דחולין לא בעו כוונה דתנן א) גל שנתלש ובו ארבעים סאה ונפל על האדם ועל הכלים טהורין קתני אדם דומיא דכלים מה כלים דלא מכווני אף אדם דלא מכוין וממאי דלמא ביושב ומצפה אימתי יתלש הגל עסקינן וכלים דומיא דאדם מה אדם דבר כוונה אף כלים דמכוין להו וכי תימא ביושב ומצפה מאי למימרא סלקא דעתך אמינא ליגזור דלמא אתי למיטבל בחרדלית של גשמים א"נ נגזור ראשין אטו כיפין קמ"ל דלא גזרינן ומנא תימרא דלא מטבילין בכיפין דתניא ב) מטבילין בראשין ואין מטבילין בכיפין לפי שאין מטבילין באויר אלא מהא דתנן ג) פירות שנפלו לתוך אמת המים ופשט מי שידיו טמאות ונטלן ידיו טהורות ופירות אינן בכי יותן ואם בשביל שיודחו ידיו ידיו טהורות והפירות הרי הן בכי יותן איתיביה רבה לרב נחמן הטובל לחולין והוחזק לחולין אסור למעשר הוחזק אין לא הוחזק לא ה"ק אע"פ שהוחזק לחולין אסור למעשר איתיביה ד) טבל ולא הוחזק כאילו לא טבל מאי לאו כאילו לא טבל כלל לא כאילו לא טבל למעשר אבל טבל לחולין הוא סבר דחי קא מדחי ליה נפק דק ואשכח דתניא טבל ולא הוחזק אסור למעשר ומותר לחולין אר"א טבל ועלה מחזיק עצמו לכל מה שירצה מיתיבי עודהו רגלו אחת במים הוחזק לדבר קל מחזיק עצמו לדבר חמור עלה שוב אינו מחזיק מאי לאו אינו מחזיק כלל לא עודהו אע"פ שהוחזק מחזיק עלה אם לא הוחזק מחזיק ואם הוחזק אינו מחזיק מאן תנא עודהו רגלו אחת במים א"ר פדת ר' יהודה היא דתנן ה) מקוה שנמדד ויש בו ארבעים סאה מכוונות וירדו שנים וטבלו זה אחר זה הראשון טהור והשני טמא רבי יהודה אומר אם היו רגליו של ראשון נוגעות במים אף השני טהור אמר רב נחמן אמר רבה בר אבוה מחלוקת במעלות דרבנן אבל מטומאה לטהרה דברי הכל [א] (אף) השני טמא והיינו דרבי פדת איכא דאמרי אמר רב נחמן אמר רבה בר אבוה מחלוקת מטומאה לטהרה אבל במעלות דרבנן דברי הכל אף השני טהור ופליגא דרבי פדת אמר עולא (א) בעי מיניה מרבי יוחנן לרבי יהודה מהו להטביל מחטין וצינוריות בראשו של ראשון גוד אחית אית ליה לרבי יהודה גוד אסיק לית ליה או דלמא גוד אסיק נמי אית ליה א"ל תניתוה ו) שלש גממיות בנחל העליונה התחתונה והאמצעית העליונה והתחתונה של עשרים עשרים סאה והאמצעית של ארבעים סאה וחרדלית של גשמים עוברת ביניהן רבי יהודה אומר מאיר היה אומר מטביל בעליונה והתניא רבי יהודה אומר מאיר

רש"י

כאן למעשר. בעי כוונה וכ"ש בתרומה: הכי גרסינן מה כלים דלא מיכווני אף אדם נמי דלא מיכוון: **חרדלית.** שטופת ויורדת ממקום גבוה ויש בה ארבעים סאה והטובל בה לא עלתה לו טבילה משום דמקום קטפרס הוא מקום זקוף יותר מדאי ומי' סאה שבו אינן במקום אחד ותנן הנצוק והקטפרס אינו חיבור (טהרות פ"ח מ"ט) ואף אם אינו קטפרס נמי אין טובלין בו לפי שאין מי גשמים מטהרים דרך זחילתן עד שיהו נקוין דרך אשבורן דתניא בת"כ אי מה מעיין מטהר בזוחלין אף מקוה מטהר בזוחלין ת"ל אך מעין ובור מקוה מים יהיה טהור (ויקרא יא) המעיין מטהר בזוחלין והמקוה באשבורן ורבינו האי גריס הרדלית: **ראשין.** אחד מראשי הגל כשהוא מגיע לארץ: **כיפין.** אמצעיתו של גל שעומד באויר כמין כיפה ואם הושיט כלים למעלה והטבילן בכיפה אינה טבילה כדמפרש ואזיל: **שאין מטבילין באויר.** שלא אמרה תורה מקוה של אויר לטבילה: **ידיו טהורות.** אע"פ שלא נתכוון: **ופירות אינן בכי יותן.** דבעינן גבי הכשר יותן דומיא דכי יתן דניחא ליה: **ואם בשביל שיודחו ידיו.** נתכוון ליטול פירות הרי הוא בכי יותן ומקבלין טומאה מעכשיו וכיון דנתכוון להדיח ידיו גלי דעתיה דניחא ליה בהך נפילה שעל ידיה הדיח ידיו: **הוחזק אין.** אם נתכוון הוא דהויא טבילה לחולין: **טבל.** ולא ועלה מן המים: **מחזיק עצמו.** בטבילה שטבל כבר לכל מה שירצה: **מאי לאו אינו מחזיק כלל.** כלומר בין שהחזיק עצמו בשעת טבילה בדבר קל בין שלא החזיק עצמו לכלום שוב אינו מחזיק: **אם לא הוחזק.** לשום דבר שטבל סתם מחזיק לכל מה שירצה אבל אם הוחזק לקל אינו מוחזק לחמור דהא אינתיק ליה לדבר קל: **מאן תנא.** דמשום עודנו במים חשיב ליה כתחילת טבילה ואע"פ שהוחזק מחזיק: **והשני טמא.** שהרי חסר השיעור במים שעל הראשון: **מחלוקת.** דרבי יהודה ורבנן כשהיתה טבילתו בשביל אחת ממעלות של חכמים כגון האונן והמחוסר כפורים שצריכין טבילה לקודש ואינו טמא טומאה דאורייתא בההיא קאמר רבי יהודה דמהני ליה רגליו של ראשון נוגעות במים דאמרינן גוד אחית מים שעליו כאילו הן במקוה: **והיינו דרבי פדת.** דאוקי לעיל הא דעודיהו כרבי יהודה ולא כרבנן אלמא לרבנן אפי' לגבי מעלות לא מהני עודיהו דהא חזקה דאמר הוחזק לקל אסור לחמור מעלות נינהו: **איכא דאמרי כו'.** הכא גרסי' ופליגא דר' פדת דאילו לרב נחמן הא דעודיהו הוחזק לקל הוחזק לחמור דברי הכל הוא דהא לא פליגי רבנן עליה דר"י אלא מטומאה דאורייתא לטהרה: **צינורות.** שטווין בו זהב ועשוין כמין מזלג קטן מאד: **בראשו של ראשון.** בעודו במים: **גממיות.** גומות בנחל שיפולי הריס שקורין וולו"א בלע"ז וכן נחל איתן נחל ארנון תחתונה עליונה ואמצעית שנחל מדרון משופע הוא: **עוברת ביניהן.** ומחברתן:

תוספות

נגזור אטו חרדלית. פרש"י שיורדת מהר גבוה ויש בה מ' סאה ולא עלתה שם טבילה דקטפרס אינו חיבור והר"י פי' וכן כתוב בכמה פירושים של רש"י דפסול מטעם דאין מקוה מטהר בזוחלין אלא באשבורן כדתניא בת"כ ומיהו אומר הר"ר אלחנן ע"כ טעם ראשון עיקר מדגזרינן בגל של ים דאי משום זחילה (ב) אז בגל של ים מהני אי לא מוקמינן לה כר' [מאיר] דאמר במס' מקואות (פ"ה מ"ד) כל הימים כמקוה והיא קשה למורי מאי קאמר משום חרדלית של מי גשמים הא בגל של ים נמי לא מהני כדתנן ב"ה אומרים אין מטבילין בחרדלית ומשמע דבכל חרדלות מיירי מדלא הוזכר ליה בהדיא גשמים ולפי' ראשון ניחא ומיהו הכי יש להקשות דקטפרס הוה חיבור לענין מקוואות כדפירש הר"י ואם כן למה לא מהני ואי הוה טעמא משום זחילה יתכן טפי:

לא כאילו לא טבל למעשר. ורבותא דמתני' משום חולין הויא דמהניא אף בלא כוונה דאי משום מעשר אף כי הוחזק לחולין קתני רישא דלא מהני הר"ר אלחנן ועוד י"ל דאי משום רישא הייתי אומר דטפי עדיף לא הוחזק כלל למעשר מהוחזק לחולין דהא עקר דעתו לגמרי ממעשר:

טבל ועלה כו'. ועודנו לא ובכמה ספרים כתיב בהדיא לא:

רבי יהודה אומר מאיר היה אומר מטבילין בעליונה. ל"ג רש"י מכלל דר"י כו' והכי פירש מטבילין בעליונה מטעם גוד אסיק וכ"ש גוד אחית ולא פליג עליה רבי יהודה מדלא קתני ליה ואני חולק עליו והא תניא רבי מאיר אומר בין בעליונה בין בתחתונה ואני אומר בתחתונה ולא בעליונה וכו' ולשון הכתוב בספרים אין להעמידה דא"כ מתנייתא קשיין אהדדי ומאי חזית דליית לבתרייתא כל זה פרש"י. ומיהו יש ליישב גירסת הספרים (ג) וכן היא הלעת הגי' בפר"ח ר' יהודה אומר ר' מאיר היה אומר בתחתונה ולא בעליונה דאית ליה גוד אחית ולא גוד אסיק מכלל דר' יהודה אית ליה גוד אסיק דמדקאמר רבי מאיר אומר משמע דאין הוא מודה לו ופריך והתניא ר' יהודה אומר ר"מ אומר בין בתחתונה בין בעליונה ואני אומר בתחתונה ולא בעליונה אלמא לית ליה גוד אסיק ומתני' אהדדי לא קשיין דקמייתא דר"י אומר מאיר אומר ולא בעליונה היינו לפי דעתו של רבי יהודה אבל לסברא של ר"מ אף בעליונה. בשם מורי:

רבינו חננאל

ומנא לן דלחולין לא בעינן כוונה דתנן גל שנתלש ובו מ' סאה ונפל על האדם ועל הכלים טהורים ואמרינן אדם דומיא דכלים מה כלים לא בעי כוונה אף אדם לא בעי כוונה ונדחת דאית לן לאוקומה במתכוין והיכי דמי ביושב ומצפה מתי יתלש הגל. וכי תימא אי הכי מאי למימרא הא קא מיכוון אצטריך סד"א נגזור גל שנתלש ושתי ראשין מעורבין במי הים אטו חרדלית שהן מי גשמים אי נמי מהו ותימא נגזור ראשים אטו כיפים פי' אמצעית הגל העשוי כמין כיפה שחלקתו הרוח מן הים והפריחתו כמו באויר שאין טבילה עולה בהן. כדתנן מטבילין בראשים ואין מטבילין בכיפים קמ"ל לא גזרינן ראשים אטו כיפים אלא מהא דתנן פירות שנשרו לתוך אמת המים ופשט מי שידיו טמאות ונטלן ידיו טהורות הנה בלא מתכוון כדי להטביל ידיו וקתני טהרו ש"מ לא בעינן כוונה ואסקי' מהא דלא בעינן כוונה לחולין דתניא טבל ולא הוחזק מותר בחולין ואסור במעשר. א"ר אלעזר טבל ועלה מחזיק עצמו לכל מה שירצה. ומותבינן עליה והתנינן עודהו רגלו במים הוחזק לדבר הקל מחזיק עצמו לדבר חמור. פי' אם הוחזק למעשר ועודהו רגלו במים מחזיק עצמו בתרומה עלה שוב אינו מחזיק. קשיא לר' אלעזר דאמר אפילו עלה מחזיק עצמו לכל מה שירצה. ופריק הא דתני עלה שוב אינו מחזיק בשכבר הוחזק לדבר ידוע ועודהו במים וכי אמינא אנא דמחזיק עצמו לכל מה שירצה. כשעלה סתם ועדיין לא הוחזק והחזיק עתה. מאן תנא עודהו רגלו במים אע"פ שהוחזק חוזר ומחזיק א"ר פדת ר' יהודה היא דתנן מקוה שיש בו מ' סאה מכוונות וירדו שנים וטבלו זה אחר זה הראשון טהור והשני טמא ר"י אומר אם היו רגליו של ראשון נוגעות במים אף השני טהור אמר רב נחמן אמר רבה בר אבוה מחלוקת ר' יהודה ות"ק דפליג עליה ואמר השני טמא בעולה מטומאה לטהרה. אבל במעלות דרבנן בין חולין למעשר לתרומה לקדש ולחטאת להחזיק עצמו מן הקל לחמור א) ולפיכך תני אף השני טהור ופליגא דר' פדת דאוקמה לר' יהודה במעלות דרבנן מכלל דת"ק פליג עליה דהא דתניא עודהו רגלו במים הוחזק לדבר הקל כו' במעלות דרבנן הוא. איכא דאמרי אמר רב נחמן אמר רבה בר אבוה מחלוקת במעלות דרבנן ור' יהודה מטהר השני אבל מטומאה לטהרה דברי הכל השני טמא והיינו דר' פדת דאוקמה להא ברייתא כר' יהודה. אמר עולא בעאי מיניה דר' יוחנן מהו להטביל אליבא דר' יהודה מחטין וצינוריות בראשו של ראשון גוד אחית אית ליה לר' יהודה ורואה כי המים שהן בגופו של ראשון יורדין במקוה וכאילו מעכשיו ישנן בתוך המקוה אבל גוד אסיק לית ליה שאין אומרים ראה כאלו מי המקוה נקיים ועומדים בראשו של ראשון או גוד אסיק נמי אית ליה וא"ל ר' יוחנן ת"ש נחל שיורד ממעלה למטה ויש בו ג' גממיות פי' ג' חפירות כל אחת למטה מחברתה וגומא העליונה והתחתונה של עשרין עשרין סאה ואמצעית של מ' סאה פי' הוצרך לומר העליונה והאמצעית של מ' כדי להכשיר חרדלית של גשמים שעוברת ביניהן ומצרפה שכל מקוה שהוא פחות ממ' סאה מי גשמים פוסלין אותו וחרדלית של גשמים עוברת ביניהן. ר' יהודה אומר מאיר היה אומר מטבילין בתחתונה דהלא אמרינן גוד אחית ולא אמרינן גוד אסיק מדקתני ר' יהודה מאיר היה אומר מטבילין ב) בין בתחתונה לאו מכלל דר' יהודה סבר חלופו ואומר מטבילין אף בעליונה אלמא גוד אסיק נמי

מסורת הש"ס

א) חולין לא. מקוואות פ"ה מ"ו, ב) חולין לא: [תוספתא דמקוואות פ"ד], ג) חולין שם מכשירין פ"ד מ"ז, ד) מקוואות פרק ז מ"ו גיטין טז. ע"ש, ה) תוספתא פרק ג דמקוואות.

הגהות הב"ח

(א) גמ' אמר עולא בעיא מיניה וכו' ואמר לי תניתוה: (ב) תוס' ד"ה נגזור וכו' דאי משום זחילה הא בגל של ים וכו' כשירין בפ"ה דמקוואות בית הלל: (ג) ד"ה ר' יהודה וכך היא הגהות וה"ג בפר"ח וכו' לא קשיין והא דקא מיימי:

הגהות הגר"א

[א] גמ' דברי הכל השני טמא. כצ"ל ותיבת אף נמחק:

ליקוטי רש"י

אף כלים דמכוין להו. אדם. גל שנתלש. מן הים. מה כלים דלא מכווני. דהא לית להו דעת [חולין לא.]. בחרדלית של גשמים. זרם גשמים המקלח מן ההר בכח ואין טובלין בו [דתנן הנילוק] והקטפרס אינו חיבור ולא הוו מקוה דארבעים סאה שהרי אין מ' סאה במקום אחד ואע"פ שיש הרבה למטה ולמעלה הא קתני אינו חיבור. חרדלית היינו קטפרס מדרון ורב האי גאון גריס הרדלית שבאין מגזור ראשין אטו כיפין. דתנן מטבילין כלים בראש הגל הנתלש מן הים והלך למרחוק ובא לחוף ונכנס אדם תחת ראשו ומקבלו דהוי טבילה זו במחובר לקרקע. קמ"ל דלא גזרינן. לשון קושיא הוא ודלא בעינן כוונה לחולין מנלן. ואין מטבילין בכיפין. שלא תרוק כלים בכיפי הגל דהיינו באמצעיתו שהוא עשוי כיפה וטעמא כדמפרש מפני שהיא טבילה אויר ואין מטבילין באויר. ידיו טהורות. דלא בעינן כוונה לחולין. אינן בכי יותן. דלא אחשבה להך נפילה. ואם בשביל שיודחו ידיו. נתכוון ליטול את הפירות מן המים. ידיו טהורות. כ"ש שנתכוון. והפירות הרי הן בכי יותן. ומקבלין טומאה מכאן ואילך דאחשבה להך נפילת פירות ליטול ידיו בהגבהתן והוה ליה משקה שסופו לרצון ותנן מכשירין (פ"א מ"א) כל משקה שסופו לרצון אע"פ שאין תחלתו לרצון מכשיר. לחולין. לאכול חולין הוחזק נתכוון בשעת טבילה לכך. ה"ק אע"פ וכו'. לעולם חולין לא בעו כוונה והאי דתנא בהו הוחזק דלאלטריך לאשמועינן דאע"ג דאיכוון לטבילת טהרה לא הויא כוונת חולין כוונה למעשר [שם לא:]. מכוונות. לא פחות ולא יותר. והשני טמא. שחסר המקוה על ידי הראשון. נוגעות במים. בשעת טבילת השני. אף השני טהור. דכמאן דמחברי מים שעל הראשון למי המקוה דמו [גיטין טז.]. צינוריות. מזלגות קטנות של טווי זהב [זבחים כב.].

עין משפט נר מצוה

מד א מיי' פ"ט מהל' מקוואות הלכה יז סמג עשין רמח:
מה ב מיי' שם הל' יח סמג שם:
מו ג מיי' פי"ב מהל' טומאת אוכלין הל' י סמג עשין רמו:
מז ד מיי' פי"א מהל' מקוואות הלכה יג:
מח ה מיי' שם הל' יב טוש"ע י"ד סי' רא סעיף סב:
מט ו מיי' שם הל' ח טוש"ע שם סעיף ס:

חשק שלמה על ר"ח א) לכאורה צ"ל דברי הכל אף השני טהור. ב) עי' בתוס' בד"ה ר"י גירסת רבינו כמותן.

In the case of **PRODUCE THAT** accidentally **FELL INTO A CHANNEL OF WATER,** וּפָשַׁט מִי שֶׁיָּדָיו טְמֵאוֹת וּנְטָלָן – **AND ONE WHOSE HANDS WERE *TAMEI* REACHED** into the water **AND TOOK THEM,** יָדָיו טְהוֹרוֹת – **HIS HANDS ARE *TAHOR*** [10] וּפֵירוֹת אֵינָן בְּ,,כִי יֻתַּן" – **AND THE PRODUCE ARE NOT INCLUDED IN** the law of ***IF WATER IS PLACED.*** [11] וְאִם בִּשְׁבִיל שֶׁיּוּדְחוּ יָדָיו – **BUT IF FOR THE SAKE OF RINSING HIS HANDS** he reached into the water and took the produce, יָדָיו טְהוֹרוֹת – **HIS HANDS ARE *TAHOR*** וְהַפֵּירוֹת הֲרֵי הֵן בְּ,,כִי יֻתַּן" – **AND THE PRODUCE ARE INCLUDED IN** the law of ***IF [WATER] IS PLACED.*** [12] The first ruling of this Mishnah indicates that intent for purification is unnecessary for *chullin.*

The Gemara adduces a contradiction to this law:

אֵיתִיבֵיהּ רַבָּה לְרַב נַחְמָן – **Rabbah challenged Rav Nachman** from our Mishnah: הַטּוֹבֵל לְחוּלִּין וְהוּחְזַק לְחוּלִּין – **IF ONE IMMERSED HIMSELF FOR *CHULLIN* AND INTENDED** to purify himself only **FOR *CHULLIN,*** אָסוּר לְמַעֲשֵׂר – **HE IS PROHIBITED FROM** eating ***MAASER*** *sheni.* הוּחְזַק אִין – The Mishnah implies that if **he intended** to immerse himself in order to eat *chullin,* he is **indeed** permitted to do so, לֹא הוּחְזַק לֹא – but if **he did not** so **intend,** he is **not** permitted.[13] – ? –

The Gemara eliminates the difficulty by reinterpreting the Mishnah:

הָכִי קָאָמַר – [**The Tanna**] **is** actually **saying this:** אַף עַל פִּי שֶׁהוּחְזַק לְחוּלִּין – ***Even though*** **he intended** to immerse himself **for *chullin,*** אָסוּר לְמַעֲשֵׂר – **he is** nonetheless **prohibited from** eating ***maaser*** *sheni.* [14]

Continuing to quote from our Mishnah, the Gemara persists in its challenge:

אֵיתִיבֵיהּ – [**Rabbah**] again **challenged** [**Rav Nachman**]: The Mishnah states further: טָבַל וְלֹא הוּחְזַק – **IF ONE IMMERSED HIMSELF WITHOUT INTENTION** for *taharah* at all, but merely to bathe, כְּאִילּוּ לֹא טָבַל – **IT IS AS IF HE DID NOT IMMERSE HIMSELF.** מַאי לָאו כְּאִילּוּ לֹא טָבַל כְּלָל – Now, **is it not** the Mishnah's intent to say that we consider it **as if he did not immerse himself *at all?*** Hence, we see that even for *chullin* one must intend to perform a ritual immersion. – ? –

Rav Nachman rejects this interpretation:

לֹא – **No,** the Tanna means כְּאִילּוּ לֹא טָבַל לְמַעֲשֵׂר – it is considered **as if he did not immerse himself for *maaser*** *sheni* (or any object of greater sanctity); אֲבָל טָבַל לְחוּלִּין – **however, he did** effectively **immerse himself for** purposes of ***chullin.*** [15]

Rabbah was originally unconvinced by Rav Nachman's retort:

הוּא סָבַר דָּחֵי קָא מַדְחֵי לֵיהּ – **He thought that [Rav Nachman] was** merely **pushing him off.**[16] נְפַק דַּק וְאַשְׁכַּח – However, **he went out, investigated and discovered** that Rav Nachman was indeed correct. דְּתַנְיָא – **For it was taught in a Baraisa:** טָבַל וְלֹא הוּחְזַק – **IF ONE IMMERSED HIMSELF AND DID NOT INTEND** for *taharah,* אָסוּר לְמַעֲשֵׂר וּמוּתָּר לְחוּלִּין – **HE IS FORBIDDEN TO** eat ***MAASER*** *sheni* **BUT IS PERMITTED TO** eat ***CHULLIN.***

We have learned that one who immerses himself with intention for a lower level of sanctity is considered *tamei* for all higher levels. The Gemara discusses this law:

אָמַר רַבִּי אֶלְעָזָר – **R' Elazar said:** טָבַל וְעָלָה – **One who immersed himself and ascended** from the *mikveh* without having intended for which level he was purifying himself, מַחֲזִיק עַצְמוֹ לְכָל מַה שֶּׁיִּרְצֶה – **may,** after ascending, **intend** to purify **himself for whatever** level **he wishes.**[17]

NOTES

10. Even though he did not intend to purify them (*Rashi*).

11. The law is that a food does not become susceptible to contracting *tumah* unless it has first been moistened by a liquid, as it is written (*Leviticus* 11:34): *Any food that is edible, upon which water comes, shall become contaminated* (i.e. eligible for contamination). Our Mishnah alludes to a detail of this law. Scripture states (ibid. v. 38): וְכִי יֻתַּן־מַיִם עַל־זֶרַע, *But if water is placed upon a seed [and then their carcass* (i.e. the carcass of a dead *sheretz*) *falls upon it, it is tamei to you].* Now, this vowelization of the word יתן as יֻתַּן, yielding the meaning *is placed,* is based on an oral tradition from Sinai. Technically speaking, however, since there are no vowel points written in the Torah, and the word is not spelled יותן (with a *vav*), it should have been vocalized יִתֵּן, meaning *he will place.* The Sages (*Bava Metzia* 22b; *Kiddushin* 59b) derive from this duality (actual spelling vs. traditional reading) the following rule: Just as where someone *places* [יִתֵּן] water on food he does so willingly, so when water is *indirectly placed* [יֻתַּן] on food, the moistening must occur with a person's approval. Our Mishnah thus teaches that the produce that fell into the channel "is not included in the law of *if water is placed*" – i.e. it does not become susceptible to *tumah* – because its fall was accidental; that is, it did not occur with a person's approval (see *Rashi*).

12. Since he intended to rinse his hands, he evinces his approval of the produce's having fallen into the water, inasmuch as their fall has become a means for him to have rinsed his hands (*Rashi*). This is a case of moistening that, while not initially agreeable to the owner, ultimately became so, and the Mishnah (*Machshirin* 1:1) states that such a moistening renders produce susceptible to contracting *tumah* (*Rashi* to *Chullin* 31b ד״ה ופירות).

[The commentaries puzzle over *Rashi's* explanation, arguing that the person could certainly have rinsed his hands without recourse to the produce's falling in (*Turei Even; Sfas Emes; Rashash; Mishnah Acharonah* to *Machshirin* ibid.). They suggest instead that the Mishnah means that since the person approves of the water being on his hands, *that* water renders the produce susceptible to contracting *tumah,* in accordance with the law that if the person approves of water having moistened *another* item, and that water then falls upon produce, that water renders the produce susceptible to *tumah,* even if the person does not necessarily approve of the *produce's* having become wet (see *Machshirin* 1:1 with commentators; see also *Rashi* to *Shabbos* 11b ד״ה הרי הוא). See *Menachem Meishiv Nefesh* for a possible explanation of *Rashi.*]

13. [Although the Gemara has already proven Rav Nachman's rule that *chullin* do not require intent from the Mishnah in *Machshirin,* Rabbah argues that perhaps the rule holds true only for *netilas yadayim.* In regard to immersing the entire body for *chullin* (i.e. in order to observe the stringency of eating even *chullin* in *taharah*), however, perhaps intent for purification *is* required (see *Tosafos* to *Chullin* 31b ד״ה הוא סבר).]

14. The Tanna agrees that intent for purification is not required for *chullin.* He mentions this intent only to teach that even though the person intended for a ritual purification (as opposed to merely intending to bathe), his intent for *chullin* is not tantamount to having intent for *maaser sheni* (*Rashi* to *Chullin* 31b ד״ה הכי קאמר).

15. If only for the Mishnah's first clause, one could have thought that it is just the intention for *chullin* that prevents the immersion for *maaser sheni* from working; however where the person had no intention for purification at all, but rather merely to bathe, he *would* be considered *tahor* for *maaser sheni.* The Mishnah therefore informs us, with its second clause, that specific intention for purification for *maaser sheni* is required (*Tosafos* ד״ה לא, second answer).

16. [Because it seems forced to say that the phrase "it is as if he did not immerse himself" means he did not immerse himself for *maaser sheni* but he did immerse himself for *chullin.*]

17. The Mishnah which stated that one who immersed himself without intention is considered as if he had not immersed himself was referring to one who entered the *mikveh* merely in order to *bathe.* In that case the person remains *tamei* for all levels but *chullin,* and having intention later for *taharah* will not alter matters. R' Elazar, however, is discussing one who in fact had intention for purification, but only in a general sense, that is, he did not have in mind for a *specific level* of sanctity. Such a person may decide after emerging from the *mikveh* for what level he had purified himself, and the immersion is then effective for that and all lower levels (*Siach Yitzchak* to *Rashi* 18b ד״ה ולא הוחזק; *Turei Even* to Mishnah ד״ה טבל; *Zevach Todah* ד״ה נפק דק; *Chidushim U'Veurim;* cf. *Siach Yitzchak* to *Tosafos* ד״ה טבל and *Zevach Todah* ibid. for an alternative explanation according to *Tosafos*).

Tosafos explain that this post-immersion intention is effective only if it occurs immediately while the person's body is still wet. Since the

כאן למעשר ומנא תימרא דחולין לא בעו כוונה דתנן א) גל שנתלש ובו ארבעים סאה ונפל על האדם ועל הכלים טהורין קתני אדם דומיא דכלים מה כלים דלא מכווני אף אדם דלא מכוין וממאי דלמא ביושב ומצפה אימתי יתלש הגל וכלים דומיא דאדם מה אדם דבר כוונה אף כלים דמכוין להו וכי תימא ביושב ומצפה מאי למימרא סלקא דעתך אמינא ליגזור דלמא אתי למיטבל בחרדלית של גשמים א"נ נגזור ראשין אטו כיפין קמ"ל דלא גזרינן ומנא תימרא דלא מטבילין בכיפין דתניא ב) מטבילין בראשין ואין מטבילין בכיפין לפי שאין מטבילין באויר אלא מהא דתנן ג) פירות שנפלו לתוך אמת המים ופשט מי שידיו טמאות ונטלן ידיו טהורות ופירות אינן בכי יותן ואם בשביל שיודחו ידיו ידיו טהורות והפירות הרי הן בכי יותן איתיביה רבה לרב נחמן הטובל לחולין והוחזק לחולין אסור למעשר הוחזק אין לא הוחזק לא ה"ק אע"פ שהוחזק לחולין אסור למעשר איתיביה ד) טבל ולא הוחזק כאילו לא טבל מאי לאו כאילו לא טבל כלל לא כאילו לא טבל למעשר אבל טבל לחולין הוא סבר דחי קא מדחי ליה נפק דק ואשכח דתניא טבל ולא הוחזק אסור למעשר ומותר לחולין אר"א טבל ועלה מחזיק עצמו לכל מה שירצה מיתיבי עודהו רגלו אחת במים הוחזק לדבר קל מחזיק עצמו לדבר חמור עלה שוב אינו מחזיק מאי לאו אינו מחזיק כלל לא עודהו אע"פ שהוחזק מחזיק עלה אם לא הוחזק מחזיק ואם הוחזק אינו מחזיק מאן תנא עודהו רגלו אחת במים א"ר פדת ר' יהודה היא דתנן ה) מקוה שנמדד ויש בו ארבעים סאה מכוונות וירדו שנים וטבלו זה אחר זה הראשון טהור והשני טמא אמר רבי יהודה אם היו רגליו של ראשון נוגעות במים אף השני טהור אמר רב נחמן אמר רבה בר אבוה מחלוקת במעלות דרבנן אבל מטומאה לטהרה דברי הכל [א] (אף) השני טמא והיינו דרבי פדת איכא דאמרי אמר רב נחמן אמר רבה בר אבוה מחלוקת מטומאה לטהרה אבל במעלות דרבנן דברי הכל אף השני טהור ופליגא דרבי פדת אמר עולא א) בעי מיניה מרבי יוחנן לרבי יהודה מהו להטביל מחטין וצינוריות בראשו של ראשון גוד אחית אית ליה לרבי יהודה גוד אסיק לית ליה או דלמא גוד אסיק נמי אית ליה א"ל תניתוה ו) שלש גממיות בנחל העליונה התחתונה והאמצעית העליונה והתחתונה של עשרים עשרים סאה והאמצעית של ארבעים סאה וחרדלית של גשמים עוברת ביניהן רבי יהודה אומר מאיר היה אומר מטביל בעליונה והתניא רבי יהודה אומר מאיר

רש"י

כאן למעשר. בעי כוונה וכ"ש בתרומה: הכי גרסינן מה כלים דלא מיכווני אף אדם נמי דלא מיכוון: **חרדלית.** שטוטפת ויורדת ממקום גבוה ויש בה ארבעים סאה והטובל בה לא עלתה לו טבילה משום דמקום קטפרס הוא מקום זקוף יותר מדאי ומ' סאה שבו אינן במקום אחד ותנן הנצוק והקטפרס אינו חיבור (טהרות פ"ח מ"ט) ואף אם אינו קטפרס נמי אין טובלין בו לפי שאין מי גשמים מטהרים דרך זחילתן עד שיהו נקוין דרך אשבורן דתניא בת"כ אי מה מעיין מטהר בזוחלין אף מקוה מטהר בזוחלין ת"ל אך מעין ובור מקוה מים יהיה טהור (ויקרא יא) המעיין מטהר בזוחלין והמקוה באשבורן ורבינו האי גרים הרדלית: **ראשין.** אחד מראשי הגל כשהוא מגיע לארץ: **כיפין.** אמצעיתו של גל שעומד באויר כמין כיפה ואם הושיט כלים למעלה והטבילן בכיפה אינה טבילה כדמפרש ואזיל: **שאין מטבילין באויר.** שלא אמרה תורה מקוה של אויר לטבילה: **ידיו טהורות.** אע"פ שלא נתכוון: **ופירות אינן בכי יותן.** דבעינן גבי הכשר יותן דומיא דכי יתן דניחא ליה: **ואם בשביל שיודחו ידיו.** נתכוון ליטול פירות הרי הוא בכי יותן ומקבלין טומאה מעכשיו וכיון דנתכוון להדיח ידיו גלי דעתיה דניחא ליה בהך נפילה שעל ידיה הדיח ידיו: **הוחזק אין.** אם נתכוון הוא דהויא טבילה לחולין: **טבל.** ויצא ועלה מן המים: **מחזיק עצמו.** בטבילה שטבל כבר לכל מה שירצה: **מאי לאו אינו מחזיק כלל.** כלומר בין שהחזיק עצמו בשעת טבילה בדבר קל בין שלא החזיק עצמו לכלום שוב אינו מחזיק: **אם לא הוחזק.** לשום דבר שטבל סתם מחזיק לכל מה שירצה אבל אם הוחזק לקל אינו מוחזק לחמור דהא איפתיק ליה לדבר קל: **מאן תנא.** דמשום עודהו במים חשיב ליה כתחילת טבילה ואע"פ שהוחזק מחזיק: **והשני טמא.** שחסר השיעור במים שעל הראשון: **מחלוקת.** דרבי יהודה ורבנן כשהיתה טבילתו בשביל אחת ממעלות של חכמים כגון האונן והמחוסר כפורים שצריכין טבילה לקודש ואינו טמא טומאה דאורייתא בהכי קאמר רבי יהודה דמהני ליה רגליו של ראשון נוגעות במים דאמרינן גוד אחית מים שעליו כאילו הן מקוה: **והיינו דרבי פדת.** דאוקי לעיל הא דעודהו כרבי יהודה ולא כרבנן אלמא לרבנן אפי' לגבי מעלות לא מהני עודהו דהא חזקה דאמר הוחזק לקל אסור לחמור מעלות ניהו: **איכא דאמרי כו'.** הכא גרסי' ופליגא דר' פדת דאילו לרב נחמן הא דעודהו הוחזק לקל הוחזק לחמור דברי הכל הוא דהא לא פליגי רבנן עליה דר"י אלא מטומאה דאורייתא לטהרה: **צינורות.** שטווין בו זהב ועשוין כמין מזלג קטן מלא: **בראשו של ראשון.** בעודו במים: **גממיות.** גומות בנחל שיפולי הריס שקורין וולו"א בלע"ז וכן נחל איתן נחל ארכון תחתונה עליונה ואמצעית שנחל מדרון משופע הוא: **עוברת ביניהן.** ומחברתן: ה"ג

תוספות

נגזור אטו חרדלית. פרש"י שיורדת מהר גבוה ויש בה מ' סאה ולא עלתה שם טבילה דקטפרס אינו חיבור והר"י פי' וכן כתוב בכמה פירושים של רש"י דפסול מטעם דאין מקוה מטהר בזוחלין אלא באשבורן כדתניא בת"כ ומיהו אומר הר"ר אלחנן ע"כ טעם ראשון עיקר מדגזרינן בגל של ים דאי משום זחילה (ג) אז בשל ים מהני אי לא מוקמינן לה כר' [מאיר] דאמר במס' מקואות (פ"ה מ"ד) כל הימים כמקוה והיה קשה למורי מאי קאמר משום חרדלית של מי גשמים הא בשל ים נמי לא מהני כדתנן ב"ה אומרים אין מטבילין בחרדלית ומשמע דבכל חרדלית מיירי מדלא הוזכר ליה בהדיא גשמים ולפי' ראשון ניחא ומיהו אכתי יש להקשות דקטפרס הוה חיבור לענין מקואות כדפירש הר"י ואם כן למה לא מהני ואי הוה טעמא משום זחילה יתכן טפי:

לא כאילו לא טבל למעשר. ורבותא דמתני' משום חולין הויא דמהניא אף בלא כוונה דאי משום מעשר אף כי הוחזק לחולין קתני רישא דלא מהני הר"ר אלחנן ועוד י"ל דאי משום רישא הייתי אומר דטפי עדיף לא הוחזק כלל למעשר מהוחזק לחולין דהא עקר דעתו לגמרי ממעשר:

טבל ועלה כו'. ועודנו לא ובכמה ספרים כתיב בהדיא לא:

רבי יהודה אומר מאיר היה אומר מטבילין בעליונה. ל"ג רש"י מכלל דר"י כו' והכי פירש מטבילין בעליונה מטעם גוד אסיק וכ"ש גוד אחית ולא פליג עליה רבי יהודה מדלא קתני ליה ואני חולק עליו והא תניא רבי מאיר אומר בין בעליונה בין בתחתונה ואני אומר בתחתונה ולא בעליונה וכו' ולשון הכתוב בספרים אין להעמידה דא"כ מתנייתא קשיין אהדדי ומאי חזית דליית לבתרייתא כל זה פרש"י. ומיהו יש ליישב גירסת הספרים (ג) וכן היא הגעת הגי' בפר"ח ר' יהודה אומר ר' מאיר היה אומר בתחתונה ולא בעליונה דאית ליה גוד אחית ולא גוד אסיק מכלל דר' יהודה אית ליה גוד אסיק דמדקאמר רבי מאיר אומר משמע דאין הוא מודה לו ופריך והתניא ר' יהודה אומר ר"מ אומר בין בתחתונה בין בעליונה ואני אומר בתחתונה ולא בעליונה אלמא לית ליה גוד אסיק ומתני' אהדדי לא קשיין דקמייתא דר"י אומר מאיר אומר ולא בעליונה היינו לפי דעתו של רבי יהודה אבל לסברא של ר"מ אף בעליונה. בשם מורי:

בתחתונה

עין משפט נר מצוה

מד א מיי' פ"ט מהל' מקואות הלכה יז סמג עשין רמח:
מה ב מיי' שם הל' יח סמג שם:
מו ג מיי' פי"ב מהל' טומאת אוכלין הל' י סמג עשין רמו:
מז ד מיי' פי"א מהל' מקואות הלכה יב:
מח ה מיי' שם פ"ח הל' יב טוש"ע י"ד סי' רא סעיף כב:
מט ו מיי' שם הל' ח טוש"ע שם סעיף ס:

רבינו חננאל

ומנא לן דלחולין לא בעינן כוונה דתנן גל שנתלש ובו מ' סאה ונפל על האדם ועל הכלים טהורים ואמרינן אדם דומיא דכלים מה כלים לא בעי כוונה אף אדם לא בעי כוונה ונדחת דאית לן לאוקומה במתכוון היכי דמי ביושב ומצפה מתי יתלש הגל. וכי תימא אי הכי מאי למימרא הא קא מיכוון אצטריך סד"א נגזור גל שנתלש ושתי ראשין מעורבין במי הים אטו חרדלית שהן מי גשמים אי נמי מהו דתימא נגזור ראשים אטו כיפים פי' אמצעית הגל העשוי כמין כיפה שחלקתו הרוח מן הים והפריחתו כמו באויר שאין טבילה עולה בהן. כדתנן מטבילין בראשים ואין מטבילין בכיפים קמ"ל דלא גזרינן ראשים אטו כיפים אלא מהא דתנן פירות שנשרו לתוך אמת המים ופשט מי שידיו טמאות ונטלן ידיו טהורות הנה בלא מתכוון כדי להטביל ידיו וקתני טהרו ש"מ לא בעינן כוונה ואסיקנ' מהא דלא בעינן כוונה לחולין דתניא טבל ולא הוחזק מותר בחולין ואסור במעשר. א"ר אלעזר טבל ועלה מחזיק עצמו לכל מה שירצה. ומותבינן עליה והתנינן עודהו רגלו במים הוחזק לדבר הקל מחזיק עצמו לדבר חמור. פי' אם הוחזק למעשר ועודהו רגליו במים מחזיק עצמו בתרומה עלה שוב אינו מחזיק. קשיא לר' אלעזר דאמר אפילו עלה מחזיק עצמו לכל מה שירצה. ופריק הא דתני עלה שוב אינו מחזיק בשכבר הוחזק לדבר ידוע ועודהו במים וכי אמינא אנא דמחזיק עצמו לכל מה שירצה. כשעלה סתם ועדיין לא הוחזק והוחזק עתה. מאן תנא עודהו רגלו במים אע"פ שהוחזק חוזר ומחזיק א"ר פדת ר' יהודה היא דתנן מקוה שיש בו מ' סאה מכוונות וירדו שנים וטבלו זה אחר זה הראשון טהור והשני טמא ר"י אומר אם היו רגליו של ראשון נוגעות במים אף השני טהור אמר רב נחמן אמר רבה בר אבוה מחלוקת ר' יהודה ות"ק דפליג עליה ואמר השני טמא בעולה מטומאה לטהרה. אבל במעלות דרבנן בין חולין למעשר לתרומה לקדש ולחטאת להחזיק עצמו מן הקל לחמור א) ולפיכך תני אף השני טהור ופליגא דר' פדת דאוקמה לר' יהודה במעלות דרבנן מכלל דת"ק פליג עליה דהא דתניא עודהו רגלו במים הוחזק לדבר הקל כו' במעלות דרבנן הוא. איכא דאמרי אמר רב נחמן אמר רבה בר אבוה מחלוקת במעלות דרבנן ור' יהודה מטהר השני אבל מטומאה לטהרה דברי הכל השני טמא והיינו דר' פדת דאוקמה להא בריתא כר' יהודה. אמר עולא בעאי מיניה דר' יוחנן מהו להטביל אליבא דר' יהודה מחטין וצינורות בראשו של ראשון גוד אחית אית ליה לר' יהודה וראה כי המים שהן בגופו של ראשון יורדין במקוה וכאילו מעכשיו ישנן בתוך המקוה אבל גוד אסיק לית ליה שאין אומרים ראה כאלו מי המקוה נקוים ועומדים בראשו של ראשון או גוד אסיק נמי אית ליה וא"ל ר' יוחנן ת"ש נחל שיורד ממעלה למטה ויש בו ג' גממיות פי' ג' חפירות כל אחת למטה מחברתה וגומא העליונה והתחתונה של עשרים עשרים סאה והאמצעית של מ' סאה פי' הצריך לומר העליונה והתחתונה של עשרים עשרים סאה והאמצעית של מ' כדי להכשיר חרדלית של גשמים שעוברת ביניהן ומצרפם שכל מקום שהוא פחות ממ' סאה פסול כי מי גשמים זוחלין פוסלין אותו וחרדלית של גשמים עוברת ביניהן. ר' יהודה אומר מאיר היה אומר מטבילין בתחתונה דהלמא אמרינן גוד אחית ולא אמרינן גוד אסיק מדקתני ר' יהודה מאיר היה אומר מטבילין (ג) בין בתחתונה לאו מכלל דר' יהודה סבר חלופו ואומר מטבילין אף בעליונה אלמא גוד אסיק נמי

מסורת הש"ס

א) חולין לא. מקואות פ"ה מ"ו, ב) חולין לא: [תוספתא דמקואות פ"ד], ג) חולין שם מכשירין פ"ד מ"ז, ד) מקואות פרק ז מ"ו גיטין טז. ע"ש, ה) תוספתא פרק ג דמקואות.

הגהות הב"ח

(א) גמ' אמר עולא בעיא מיניה וכו' ואמר לי תניתוה: (ג) תוס' ד"ה נגזור וכו' דאי משום זחילה הא בשל ים וכו' כדתנן פ"ה דמקואות בית הלל: (ג) ד"ה ר' יהודה וכך היא הגלעה וה"ג בפר"ח וכו' לא קשיין דהא דקא מייתי:

הגהות הגר"א

[א] גמ' דברי הכל השני טמא. נ"ל ותיבת אף נמחק:

ליקוטי רש"י

אף כלים דמכוין להו. אדם. גל שנתלש. מן הים. מה כלים דלא מכווני. דהא לית להו דעת [חולין לא.]. בחרדלית של גשמים. זרם גשמים המקלח מן ההר בכח ואין טובלין בו [דתנן הניצוק] והקטפרס אינו חיבור ולא הוו מקוה דארבעים סאה שהרי אין מ' סאה במקום אחד ואע"פ שיש הרבה למטה ולמעלה הא קתני אינו חיבור, חרדלית היינו קטפרס מדרון ורב האי גאון גרים הרדלית שבאין מלמעלה של הר. נגזור ראשין אטו כיפין. דתנן מטבילין כלים בראש הגל הנתלש מן הים והלך למרחוק ובא לארץ נכנס אדם תחת ראשו ומקבלו דהוי טבילה זו כמחובר לקרקע. קמ"ל דלא גזרינן. לשון קושיא הוא ודלא בעינן כוונה לחולין מנלן. ואין מטבילין בכיפין. שלא יזרוק כלים בכיפי הגל דהיינו באמצעיתו שהוא עשוי כיפה וטעמא כדמפרש מפני שהיא טבילת אויר ואין מטבילין באויר. ידיו טהורות. דלא בעינן כוונה לחולין. אינן בכי יותן. דלא אחשבה להך נפילה. ואם בשביל שיודחו ידיו. נתכוון ליטול את הפירות מן המים. ידיו טהורות. כ"ש שנתכוון. והפירות הרי הן בכי יותן. ומקבלין טומאה מכאן ואילך דאחשבה להך נפילת פירות ליטול ידיו בהגבהתן והוה ליה משקה שסופו לרצון ותנן מכשירין (פ"א מ"א) כל משקה שסופו לרצון אע"פ שאין תחלתו לרצון מכשיר. לחולין. לאכול חולין נתכוון בשעת טבילה לכך. ה"ק אע"פ וכו'. לעולם חולין לא בעו כוונה והאי דתנא בהו הוחזק לאשמועינן דלאיצטריך דאע"ג דאיכוון לטבילה טהרה לא הויא כוונת חולין כוונה למעשר [שם לא:]. מכוונות. לא פחות ולא יותר. והשני טמא. שחסר המקוה על ידי הראשון. נוגעות במים. בשעת טבילת השני. אף השני טהור. דכמאן דמחברי מים שעל הראשון למי המקוה דמו [גיטין טז.]. צינורות. מזלגות קטנות של טווי זהב [זבחים כב.].

חשק שלמה על ר"ח א) נלפע"ד דצ"ל דברי הכל אף השני טהור. ב) עי' בתוס' בד"ה ר"י גירסת רבינו ככאן.

R' Elazar's ruling is questioned:

מֵיתִיבֵי – They challenged this ruling from a Baraisa: עוֹדֵהוּ רַגְלוֹ אַחַת בַּמַּיִם – IF ONE STILL HAS ONE FOOT IN THE WATER, הוּחְזַק לְדָבָר קַל – then IF HE originally HAD INTENTION FOR A LESS STRINGENT ITEM, מַחֲזִיק עַצְמוֹ לְדָבָר חָמוּר – HE MAY change and INTEND FOR A MORE STRINGENT ITEM. עָלָה – However, if HE ASCENDED TOTALLY, שׁוּב אֵינוֹ מַחֲזִיק – HE CAN NO LONGER INTEND. מַאי לָאו אֵינוֹ מַחֲזִיק כְּלָל – Now, **is it not** presumable that the Baraisa means that **he cannot intend at all,** i.e. no matter whether he intended at the time of the immersion for a less stringent level of sanctity or whether he did not intend for any level at all, he may no longer intend once he has emerged? This refutes R' Elazar! – **?** –

The Gemara answers:

לֹא – No, the Baraisa is to be understood as follows: עוֹדֵהוּ – **If he still has** one foot in the water, אַף עַל פִּי שֶׁהוּחְזַק מַחֲזִיק – then **even if he had** originally **intended** for a less stringent level, **he may** switch and **intend** for a more stringent level. עָלָה – Once **he ascended,** אִם לֹא הוּחְזַק מַחֲזִיק – then **if he had not intended** for any level, **he may intend** for a particular level, וְאִם הוּחְזַק אֵינוֹ מַחֲזִיק – **but if he had intended** for a particular level, **he may not** switch and **intend** for a different level.

The Baraisa mentioned that if the person still has one foot in the water he may even switch his intention to a higher level of sanctity. The Gemara seeks to identify the sage who espouses this view:

מַאן תַּנָּא – **Who is the Tanna** who taught עוֹדֵהוּ רַגְלוֹ אַחַת בַּמַּיִם – that if **he still has one foot in the water** it is regarded as if he is still immersing and he may even change his previous intention and intend for a higher sanctity? אָמַר רַבִּי פְּדָת – **R' Pedas said:** רַבִּי יְהוּדָה הִיא – **It is R' Yehudah.** דִּתְנַן – **For we learned in a Mishnah:**[18] מִקְוֶה שֶׁנִּמְדַּד וְיֵשׁ בּוֹ אַרְבָּעִים סְאָה מְכֻוָּונוֹת – IF A *MIKVEH* WAS MEASURED AND was found to CONTAIN EXACTLY FORTY *SE'AH* (the minimum volume of water in a valid *mikveh*), וְיָרְדוּ שְׁנַיִם וְטָבְלוּ זֶה אַחַר זֶה – AND TWO *tamei* people WENT DOWN into it AND IMMERSED THEMSELVES ONE AFTER THE OTHER,[19] הָרִאשׁוֹן טָהוֹר וְהַשֵּׁנִי טָמֵא – THE FIRST ONE IS *TAHOR* AND THE SECOND ONE IS *TAMEI.*[20] אָמַר רַבִּי יְהוּדָה – R' YEHUDAH SAID: אִם הָיוּ רַגְלָיו שֶׁל רִאשׁוֹן נוֹגְעוֹת בַּמַּיִם – IF THE FEET OF THE FIRST ONE WERE still TOUCHING THE WATER when the second person immersed himself, אַף הַשֵּׁנִי טָהוֹר – THE SECOND ONE IS ALSO *TAHOR.*[21]

The Gemara comments on the aforementioned Tannaic dispute:

אָמַר רַב נַחְמָן אָמַר רַבָּה בַּר אֲבוּהַּ – **Rav Nachman said in the name of Rabbah bar Avuha:** מַחֲלוֹקֶת בְּמַעֲלוֹת דְּרַבָּנָן – **The dispute has reference** only **to the heightened standards of the Rabbis,** i.e. to cases in which the person is *tahor* on the Biblical level and is immersing himself only in order to comply with a Rabbinic stringency.[22] אֲבָל מִטּוּמְאָה לְטָהֳרָה – **But** if he is immersing to go **from** a state of ***tumah* to** a state of ***taharah,*** i.e. he is *tamei* on the Biblical level and is immersing to achieve Biblical *taharah,* דִּבְרֵי הַכֹּל (אַף)[23] הַשֵּׁנִי טָמֵא – **all agree** (i.e. even R' Yehudah) that **the second** person **is *tamei.***

The Gemara comments:

וְהַיְינוּ דְּרַבִּי פְּדָת – **And this** statement of Rav Nachman **is** in agreement with **that of R' Pedas.**[24]

An alternative version of Rav Nachman's statement is presented:

אִיכָּא דְּאָמְרֵי – **There are those who say** it this way: אָמַר רַב נַחְמָן אָמַר רַבָּה בַּר אֲבוּהַּ – **Rav Nachman said in the name of Rabbah bar Avuha:** מַחֲלוֹקֶת מִטּוּמְאָה לְטָהֳרָה – **The**

NOTES

physical effect of the immersion is still evident, an intention necessary for the immersion can still be specified (see *Meromei Sadeh*). Alternatively, *Turei Even* suggests that this post-immersion intention is effective in accordance with the principle of *bereirah* (retroactive clarification). In essence, the principle of *bereirah* dictates that the present legal status of a thing or a person can be retroactively clarified through some future event. In our case this means that the person's decision upon emerging from the *mikveh* to become purified for a specific degree of sanctity determines that the immersion was indeed performed for that purpose. See also *Maharatz Chayes.*

18. *Mikvaos* 7:6.

19. I.e. the second person immersed himself only after the first person had completely emerged from the *mikveh.*

20. Since the *mikveh* contained the entire forty *se'ah* at the time of the first person's immersion, that person is *tahor.* When that person departed from the *mikveh,* however, some water inevitably adhered to his body and departed with him. Since originally the *mikveh* contained precisely forty *se'ah,* it was perforce deficient at the time of the second person's immersion, making his immersion invalid (*Rashi*).

21. The Gemara will state shortly that R' Yehudah's ruling is based on the principle of גוד אחית, *gud achis* (literally: extend [and] lower), which allows us to consider an object as having descended downward. In R' Yehudah's case, as long as the first person has not completely exited the *mikveh,* the water on his body is connected to it, and we apply *gud achis* and regard the water on his body as having extended downward into the *mikveh.* Hence, the water adhering to his body halachically remains joined to the water in the *mikveh,* raising the total volume of water in the *mikveh* to the requisite forty *se'ah.* R' Pedas assumes by extension (as R' Yochanan originally did in the Gemara that follows) that R' Yehudah similarly subscribes to the related principle of *gud achis* known as גוד אסיק, *gud asik* (literally: extend [and] raise), which allows us to view an object as having ascended upward. Accordingly, the water in the *mikveh,* which is connected to the water on the person's body, is halachically viewed as extending upward and submerging the person, permitting him (since he is legally still submerged in the *mikveh*) to change his intention from immersion for a lower level of sanctity to immersion for a higher level (*Turei Even,* see note 2 to 19b; cf. *Rishon LeTzion; Chazon Yechezkel, Tosefta* 3:1, *Chidushim*). The Tanna Kamma, however, who disputes the principle of *gud asik,* would not permit the person who is partially out of the *mikveh* to change his intention.

22. For example, the Mishnah on 21a will state that an *onein* and "one who is lacking atonement" (*mechusar kippurim*) require immersion by Rabbinic law before partaking of sacrificial food after their forbidden status ends. [An *onein* is one whose relative died that day. "One who is lacking atonement" is someone who, having become contaminated with a severe degree of *tumah,* has completed his requisite count of *taharah* days (such as a *zav,* who must observe seven "clean" days), immersed himself in a *mikveh,* experienced the arrival of nightfall after his immersion and is waiting to offer his sacrifices on the next day. Once the *onein* has emerged from his *onein* status (i.e. the day of death has passed and the deceased has been buried) and the "one who is lacking atonement" has offered his sacrifices, they are Biblically fit to partake of sacrificial food. Nevertheless the Rabbis forbade them to do so until they immerse themselves.] It is in reference to such people, Rav Nachman states, whose immersion is required only as a Rabbinic stringency, that R' Yehudah applies the rule of *gud achis* and regards the water on the person's body as if it had descended into the *mikveh* (*Rashi*).

23. (*Hagahos HaGra, Turei Even* and *Dikdukei Soferim* delete this word.)

24. R' Pedas stated above that the Baraisa which ruled that one whose feet are still in the *mikveh* may change his intent from a lower to a higher level of sanctity follows R' Yehudah and not the Rabbis (i.e. the Tanna Kamma). Evidently, R' Pedas maintains that the Rabbis do not attach any significance to the person's feet being in the water, even in regard to Rabbinic stringencies, because the rule requiring a person to have in mind at the time of his immersion the level of sanctity for which he is immersing himself is merely a Rabbinic stringency (*Rashi*).

כאן למעשר ומנא תימרא דחולין לא בעו כוונה דתנן [א] גל שנתלש ובו ארבעים סאה ונפל על האדם ועל הכלים טהורין קתני אדם דומיא דכלים מה כלים דלא מכווני אף אדם דלא מכוון וממאי דלמא ביושב ומצפה אימתי יתלש הגל עסקינן וכלים דומיא דאדם מה אדם דבר כוונה אף כלים דמכוין להו וכי תימא ביושב ומצפה מאי למימרא סלקא דעתך אמינא ליגזור דלמא אתי למיטבל בחרדלית של גשמים א"נ נגזור ראשין אטו כיפין קמ"ל דלא גזרינן ומנא תימרא דלא מטבילין בכיפין דתניא [ג] מטבילין בראשין ואין מטבילין בכיפין לפי שאין מטבילין באויר אלא מהא דתנן [ג] פירות שנפלו לתוך אמת המים ופשט מי שידיו טמאות ונטלן ידיו טהורות ופירות אינן בכי יותן ואם בשביל שיודחו ידיו ידיו טהורות והפירות הרי הן בכי יותן איתיביה רבה לרב נחמן הטובל לחולין והוחזק לחולין אסור למעשר הוחזק אין לא הוחזק לא ה"ק אע"פ שהוחזק לחולין אסור למעשר איתיביה [ד] טבל ולא הוחזק כאילו לא טבל מאי לאו כאילו לא טבל כלל לא כאילו לא טבל למעשר אבל טבל לחולין הוא סבר דחי קא מדחי ליה נפק דק ואשכח דתניא טבל ולא הוחזק אסור למעשר ומותר לחולין אר"א טבל ועלה מחזיק עצמו לכל מה שירצה מיתיבי עודהו רגלו אחת במים הוחזק לדבר קל מחזיק עצמו לדבר חמור עלה שוב אינו מחזיק מאי לאו אינו מחזיק כלל לא עודהו אע"פ שהוחזק מחזיק עלה אם לא הוחזק מחזיק ואם הוחזק אינו מחזיק מאן תנא עודהו רגלו אחת במים א"ר פדת ר' יהודה היא דתנן [ה] מקוה שנמדד ויש בו ארבעים סאה מכוונות וירדו שנים וטבלו זה אחר זה הראשון טהור והשני טמא אמר רבי יהודה אם היו רגליו של ראשון נוגעות במים אף השני טהור אמר רב נחמן אמר רבה בר אבוה מחלוקת במעלות דרבנן אבל מטומאה לטהרה דברי הכל [א] (אף) השני טמא והיינו דרבי פדת איכא דאמרי אמר רב נחמן אמר רבה בר אבוה מחלוקת מטומאה לטהרה אבל במעלות דרבנן דברי הכל אף השני טהור ופליגא דרבי פדת אמר עולא (א) בעי מיניה מרבי יוחנן לרבי יהודה מהו להטביל מחטין וצינוריות בראשו של ראשון גוד אחית אית ליה לרבי יהודה גוד אסיק לית ליה או דלמא גוד אסיק נמי אית ליה א"ל תניתוה [ו] שלש גממיות בנחל העליונה התחתונה והאמצעית העליונה והתחתונה של עשרים עשרים סאה והאמצעית של ארבעים סאה וחרדלית של גשמים עוברת ביניהן רבי יהודה אומר מאיר היה אומר מטביל בעליונה והתניא רבי יהודה אומר מאיר

רש"י

כאן למעשר. בעי כוונה וכ"ש בתרומה: הכי גרסינן מה כלים דלא מיכווני אף אדם נמי דלא מיכוון: חרדלית. ששוטפת ויורדת ממקום גבוה ויש בה ארבעים סאה והטובל בה לא עלתה לו טבילה משום דמקום קטפרס הוא מקום זקוף יותר מדאי ומי' סאה שבו אינן במקום אחד ותנן הנצוק והקטפרס אינו חיבור (טהרות פ"ח מ"ט) ואף אם אינו קטפרס נמי אין טובלין בו לפי שאין מי גשמים מטהרים דרך זחילתן עד שיהו נקוין דרך אשבורן דתניא בת"כ אי מה מעיין מטהר בזוחלין אף מקוה מטהר בזוחלין ת"ל אך מעין ובור מקוה מים יהיה טהור (ויקרא יא) המעיין מטהר בזוחלין והמקוה באשבורן ורבינו האי גרים הרדלית: ראשין. אחד מראשי הגל כשהוא מגיע לארץ: כיפין. אמצעיתו של גל שעומד באויר כמין כיפה ואם הושיט כלים למעלה והטבילן בכיפה אינה טבילה כדמפרש ואזיל: שאין מטבילין באויר. שלא אמרה תורה מקוה של אויר לטבילה: ידיו טהורות. אע"פ שלא נתכוון: ופירות אינן בכי יותן. דבעינן גבי הכשר יותן דומיא דכי יתן דניחא ליה: ואם בשביל שיודחו ידיו. נתכוון ליטול פירות הרי הוא בכי יותן ומקבלין טומאה מעכשיו וכיון דנתכוון להדיח ידיו גלי דעתיה דניחא ליה בהך נפילה שעל ידיה הדיח ידיו: הוחזק אין. אם נתכוון הוא דהויא טבילה לחולין: טבל. ויצא ועלה מן המים: מחזיק עצמו. בטבילה שטבל כבר לכל מה שירצה: מאי לאו אינו מחזיק כלל. כלומר בין שהחזיק עצמו בשעת טבילה לדבר קל בין שלא החזיק עצמו לכלום שוב אינו מחזיק: אם לא הוחזק. לשום דבר שטבל סתם מחזיק לכל מה שירצה אבל אם הוחזק לקל אינו מוחזק לחמור דהא אינתיק ליה לדבר קל: מאן תנא. דמשום עודנו במים חשיב ליה כתחילת טבילה ואע"פ שהוחזק מחזיק: והשני טמא. שהרי חסר השיעור במים שעל הראשון: מחלוקת. דרבי יהודה ורבנן כשהיתה טבילתו בשביל אחת ממעלות של חכמים כגון האונן והמחוסר כפורים שצריכין טבילה לקודש ואינו טמא טומאה דאורייתא בההיא קאמר רבי יהודה דמהני ליה רגליו של ראשון נוגעות במים דאמרינן גוד אחית מים שעליו כאילו הן במקוה: והיינו דרבי פדת. דאוקי לעיל הא דעודיהו כרבי יהודה ולא כרבנן אלמא לרבנן אפי' לגבי מעלות לא מהני עודיהו דהא חזקה דאמר הוחזק לקל אסור לחמור מעלות נינהו: איכא דאמרי כו'. הכא גרסי' ופליגא דר' פדת דאילו לרב נחמן הא דעודיהו הוחזק לקל הוחזק לחמור דברי הכל הוא דהא לא פליגי רבנן עליה דר"י אלא מטומאה דאורייתא לטהרה: צינורות. שטווין בו זהב ועשוין כמין מזלג קטן מאד: בראשו של ראשון. בעודו במים: גממיות. גומות בנחל שיפולי הרים שקורין וולור"א בלע"ז וכן נחל איתן (דברים כא) וכן נחל ארנון תחתונה עליונה ואמצעית שנחל מדרון משופע הוא: עוברת ביניהן. ומחברתן: ה"ג

תוספות

נגזור אטו חרדלית. פרש"י שיורדת מהר גבוה ויש בה מ' סאה ולא עלתה שם טבילה דקטפרס אינו חיבור והר"י פי' וכן כתוב בכמה פירושים של רש"י דפסול מטעם דאין מקוה מטהר בזוחלין אלא באשבורן כדתניא בת"כ ומיהו אומר הר"ר אלחנן ע"כ טעם ראשון עיקר מדגזרינן בגל של ים דאי משום זחילה (ג) או בגל של ים מהני אי לא מוקמינן לה כר' [מאיר] דאמר במס' מקוות (פ"ה מ"ד) כל הימים כמקוה והיא קשה למורי מאי קאמר משום חרדלית של מי גשמים הא בגל של ים נמי לא מהני כדתנן ב"ה אומרים אין מטבילין בחרדלית ומשמע דבכל חרדלית מיירי מדלא הזכיר ליה בהדיא גשמים ולפי' ראשון ניחא ומיהו אכתי יש להקשות דקטפרס הוה חיבור לענין מקוות כדפירש הר"י ואם כן למה לא מהני ואי הוה טעמא משום זחילה יתכן טפי:

לא כאילו לא טבל למעשר. ורבותא דמתני' משום חולין הוא דמהניא אף בלא כוונה דאי משום מעשר אף כי הוחזק לחולין קתני רישא דלא מהני הר"ר אלחנן ועוד י"ל דאי משום רישא הייתי אומר דטפי עדיף לא הוחזק כלל למעשר מהוחזק לחולין דהא עקר דעתו לגמרי ממעשר:

טבל ועלה כו'. ועודנו לא ובכמה ספרים כתיב בהדיא לא:

רבי יהודה אומר מאיר היה אומר מטבילין בעליונה. ל"ג רש"י מכלל דר"י כו' והכי פירש מטבילין בעליונה מטעם גוד אסיק וכ"ש גוד אחית ולא פליג עליה רבי יהודה מדלא קתני ליה ואני חולק עליו והא תניא רבי מאיר אומר בין בעליונה בין בתחתונה ואני אומר בתחתונה ולא בעליונה וכו' ולשון הכתוב בספרים אין להעמידה דא"כ מתנייתא קשיין אהדדי ומאי חזית דליית לבתרייתא כל זה פרש"י. ומיהו יש ליישב גירסת הספרים (ג) וכן היא הגעת הגי' בפר"ח ר' יהודה אומר ר' מאיר היה אומר בתחתונה ולא בעליונה דאית ליה גוד אחית ולא גוד אסיק מכלל דר' יהודה אית ליה גוד אסיק דמדקאמר רבי מאיר אומר משמע דאין הוא מודה לו ופריך והתניא ר' יהודה אומר ר"מ אומר בין בתחתונה בין בעליונה ואני אומר בתחתונה ולא בעליונה אלמא לית ליה גוד אסיק ומתני' אהדדי לא קשיין דקמייתא דר"י אומר מאיר אומר ולא בעליונה היינו לפי דעתו של רבי יהודה אבל לסברא של ר"מ אף בעליונה. בשם מורי: בתחתונה

מסורת הש"ס

א) חולין לא. מקוואות פ"ה מ"ו, ב) חולין לא: [תוספתא דמקוואות פ"ד], ג) חולין שם מכשירין פ"ד מ"ג, ד) מקוואות פרק ז מ"ז גיטין טז. ע"ש, ה) תוספתא פרק ג דמקוואות.

הגהות הב"ח

(א) גמ' אמר עולא בעיא מיניה וכו' ואמר לי תניתוה: (ב) תוס' ד"ה נגזור וכו' דאי משום זחילה הא בגל של ים וכו' כדתנן פ"ה דמקוואות בית הלל: (ג) ד"ה ר' יהודה וכו' היא הגהה וה"ג בפר"ח וכו' לא קשיין דהא דקא מיירי:

הגהות הגר"א

[א] גמ' דברי הכל השני טמא. נ"ל ותיבת אף נמחק:

ליקוטי רש"י

אף כלים דמכוין להו. אדם. גל שנתלש. מן הים. מה כלים דלא מכווני. דהא לית להו דעת [חולין לא.]. בחרדלית של גשמים. זרם גשמים המקלח מן ההר בכח ואין טובלין בו [דתנן הנוצק] והקטפרס אינו חיבור ולא הוי מקוה דארבעים סאה שהרי אין מ' סאה במקום אחד ולא שוה רחבה למטה ולמעלה הא קתני אינו חיבור, חרדלית היינו קטפרס ורב האי גאון גרים הרדלית שבאין מלוין של הר. נגזור ראשין אטו כיפין. דתנן מטבילין כלים כראש הגל המקלח מן הים והלך למרחוק ובא לארץ נכנס אדם תחת ראשו ומקבלו דהוי טבילה זו כמחובר לקרקע. קמ"ל דלא גזרינן. לשון קושיא הוא ודלא בעינן כוונה לחולין מנלן. ואין מטבילין בכיפין. שלא יחזוק כלים בכיפי הגל דהיינו באמצעיתו שהוא עשוי כיפה וטעמא כדמפרש מפני שהיא טבילה באויר ואין מטבילין באויר. ידיו טהורות. דלא בעינן כוונה לחולין. אינן בכי יותן. דלא אחשבה להך נפילה. ואם בשביל שיודחו ידיו. נתכוון ליטול את הפירות מן המים. ידיו טהורות. כ"ש שנתכוון. והפירות הרי הן בכי יותן. ומקבלין טומאה מכאן ואילך דאחשבה להך נפילה פירות שנפלו להם ליטול ידיו בהגבהתן והוה ליה משקה שספוקו לרצון ותנן מכשירין (פ"א מ"א) כל משקה שתחלתו לרצון אע"פ שאין סופו לרצון מכשיר. לחולין. לאכול חולין הוחזק נתכוון בשעת טבילה לכך. הכי קאמר אע"פ וכו'. לעולם חולין לא בעו כוונה ומיהו אם נתכוון בהדיא הוא דאיכא חוזק למעשר לאסרוך דלאשמועינן דאע"פ דאיכוון לטבילה טהרה לא הוא כוונה תולין כוונה לחולין ולא למעשר [שם לא:]. מכוונות. לא פחות ולא יותר. והשני טמא. שחסר המקוה על ידי הראשון. נוגעות במים. בשעת טבילת השני.

רבינו חננאל

ומנא לן דלחולין לא בעינן כוונה דתנן גל שנתלש ובו מ' סאה ונפל על האדם ועל הכלים טהורים ואמרינן אדם דומיא דכלים מה כלים לא בעי כוונה אף אדם לא בעי כוונה ונדחת דאית לן לאוקומה במתכוון היכי דמי ביושב ומצפה מתי יתלש הגל. וכי תימא אי הכי מאי למימרא הא קא מיכוון אצטריך סד"א נגזור גל שנתלש ושתי ראשין מעורבין במי הים אטו חרדלית שהן מי גשמים אי נמי מהו דתימא נגזור ראשים אטו כיפים פי' אמצעית הגל העשוי כמין כיפה שחלקתו הרוח מן הים והפרידתו כמו באויר שאין טבילה עולה בהן. כדתנן מטבילין בראשים ואין מטבילין בכיפים קמ"ל דלא גזרינן ראשים אטו כיפים אלא מהא דתנן פירות שנשרו לתוך אמת המים ופשט מי שידיו טמאות ונטלן ידיו טהורות הנה בלא מתכוון להטביל ידיו וקתני טהרו ש"מ לא בעינן כוונה ואסיקנא דלא בעינן כוונה לחולין דתניא טבל ולא הוחזק מותר בחולין ואסור במעשר. א"ר אלעזר טבל ועלה מחזיק עצמו לכל מה שירצה. ומותבינן עליה והתניא עודהו רגלו במים הוחזק לדבר הקל מחזיק עצמו לדבר חמור. פי' אם הוחזק לחולין למעשר ועודהו רגליו במים מחזיק עצמו בתרומה עלה שוב אינו מחזיק. קשיא לר' אלעזר דאמר אפילו עלה מחזיק עצמו לכל מה שירצה. ופריק הא דתני עלה שוב אינו מחזיק בשכבר הוחזק לדבר ידוע ועודהו במים וכי אמרינן אנא דמחזיק עצמו לכל מה שירצה. כשעלה סתם ועדיין לא הוחזק ולא החזיק עתה. מאן תנא עודהו רגלו במים אע"פ שהוחזק חוזר ומחזיק א"ר פדת ר' יהודה היא דתנן מקוה שיש בו מ' סאה מכוונות וירדו שנים וטבלו זה אחר זה הראשון טהור והשני טמא ר"י אומר אם היו רגליו של ראשון נוגעות במים אף השני טהור אמר רב נחמן אמר רבה בר אבוה מחלוקת ר' יהודה ות"ק דפליג עליה ואמר השני טמא בעולה מטומאה לטהרה. אבל במעלות דרבנן בין חולין למעשר לתרומה לקדש ולחטאת להחזיק עצמו מן הקל לחמור (א) ולפיכך תני אף השני טהור ופליגא דר' פדת דאוקמה לר' יהודה במעלות דרבנן מכלל דת"ק פליג עליה דהא דתניא עודהו רגלו במים החזק עצמו לדבר הקל

עין משפט נר מצוה

מד א מיי' פי"ט מהל' מקוואות הלכה ח סמג עשין רמח:
מה ב מיי' שם הל' יח סמג שם:
מו ג מיי' פי"ב מהל' טומאת אוכלין הל' י סמג עשין רמו:
מז ד מיי' פי"ג מהל' מקוואות הלכה יב:
מח ה מיי' שם פ"ט הל' יג טוש"ע יו"ד סי' רא סעיף סב:
מט ו מיי' שם הל' ח טוש"ע שם סעיף ס:

כו' במעלות דרבנן הוא. איכא דאמרי אמר רב נחמן אמר רבה בר אבוה מחלוקת במעלות דרבנן ור' יהודה מטהר השני אבל מטומאה לטהרה דברי הכל השני טמא והיינו דר' פדת דאוקמה להא ברייתא כר' יהודה. אמר עולא בעאי מיניה דר' יוחנן מהו להטביל אליבא דר' יהודה מחטין וצינורות בראשו של ראשון גוד אחית אית ליה לר' יהודה ורואה כי המים שהן בגופו של ראשון יורדין במקוה וכאילו מעכשיו ישנן בתוך המקוה אבל גוד אסיק לית ליה שאין אומרים ראה כאלו מי המקוה נקוים ועומדים בראשו של ראשון או גוד אסיק נמי אית ליה וא"ל ר' יוחנן ת"ש נחל שיורד ממעלה למטה ויש בו ג' גממיות פי' ג' חפירות כל אחת למטה מחברתה וגומא העליונה והתחתונה של עשרים עשרים סאה והאמצעית של מ' סאה פי' הצורך לומר והאמצעית של מ' כדי להכשיר חרדלית של גשמים שעוברת ביניהן ומצרפן שכל מקום שהוא פחות מארבעים סאה אם יש מי גשמים פוסלין אותו חרדלית של גשמים עוברת ביניהן. ר' יהודה אומר מאיר היה אומר מטבילין בתחתונה דאלמא אמרינן גוד אחית ולא אמרינן גוד אסיק דקתני ר' יהודה מאיר היה אומר מטבילין (ג) בין בתחתונה לאו מכלל דר' יהודה סבר חלופו אף בעליונה אלמא גוד אסיק נמי

וצינוריות. המשמרין טבעות נגינין לוי הלקוחין המקוה דמו [גיטין טז.] קטנות של עור וזהב [זבחים כב.]. אף השני טהור. דכמאן דמחברי מים שעל הראשון למי המקוה דמו. צינוריות. מזלגות

חשק שלמה על ר"ח א) לכאורה נ"ל דברי הכל אף השני טהור. ב) עי' בתוס' בד"ה ר"י גירסת רבינו כבכאן.

dispute refers to where the person **is** immersing himself in order to go **from** a state of Biblical ***tumah*** **to** a state of Biblical ***taharah.*** אֲבָל בְּמַעֲלוֹת דְּרַבָּנָן – **But** if the person immerses only **for the heightened standards of the Rabbis** (i.e. because of a Rabbinic stringency), דִּבְרֵי הַכֹּל אַף הַשֵּׁנִי טָהוֹר – **all agree** (i.e. even the Rabbis) that **the second** person **is also** ***tahor.***

According to this version the Gemara comments:

וּפְלִיגָא דְּרַבִּי פְּדָת – **And [this statement of Rav Nachman] disagrees with that of R' Pedas.**[25]

The Gemara probes the extent of R' Yehudah's lenient ruling:

אָמַר עוּלָּא – **Ulla said:** בְּעֵי מִינֵּיהּ מֵרַבִּי יוֹחָנָן – **I inquired**[26] **of R' Yochanan:** לְרַבִּי יְהוּדָה – **According to** the opinion of **R' Yehudah,** מַהוּ לְהַטְבִּיל מְחָטִין וְצִינּוֹרִיּוֹת בְּרֹאשׁוֹ שֶׁל רִאשׁוֹן – **what is [the law] as far as immersing needles and spinning forks on the head of the first** person while his feet are still in the water?[27] גּוּד אַחִית אִית לֵיהּ לְרַבִּי יְהוּדָה – Do we say that the principle of **"extend and lower" R' Yehudah accepts,**[28] גּוּד אַסִּיק לֵית לֵיהּ – but the principle of **"extend and raise" he does not accept?** Thus the needles and spinning forks cannot be said to have been immersed in a valid *mikveh* while on the person's head. אוֹ דִּלְמָא – **Or perhaps** גּוּד אַסִּיק נַמִּי אִית לֵיהּ – the principle of **"extend and raise" he also accepts?**

R' Yochanan replies:

אָמַר לִי – **He said to [Ulla]:** תְּנֵיתוּהָ – **You have learned [the answer] in a Baraisa:** שָׁלֹשׁ גְּמָמִיּוֹת בַּנַּחַל – THREE HOLES containing water are situated ON the slope of A VALLEY, הָעֶלְיוֹנָה הַתַּחְתּוֹנָה וְהָאֶמְצָעִית – AN UPPER ONE, A LOWER ONE AND A MIDDLE ONE. הָעֶלְיוֹנָה וְהַתַּחְתּוֹנָה שֶׁל עֶשְׂרִים עֶשְׂרִים סְאָה – THE UPPER ONE AND THE LOWER ONE CONTAIN TWENTY *SE'AH* EACH וְהָאֶמְצָעִית שֶׁל אַרְבָּעִים סְאָה – AND THE MIDDLE ONE CONTAINS FORTY *SE'AH,* וְחַרְדְּלִית שֶׁל גְּשָׁמִים עוֹבֶרֶת בֵּינֵיהֶן – AND A TORRENT OF RAINWATER PASSES BETWEEN the three holes and connects THEM all – רַבִּי יְהוּדָה אוֹמֵר – R' YEHUDAH SAYS: מֵאִיר הָיָה אוֹמֵר – MEIR[29] USED TO SAY: מַטְבִּיל בָּעֶלְיוֹנָה – ONE MAY IMMERSE things IN THE UPPER ONE, because we say "extend and raise" the water of the middle hole and view it as if it were in the upper hole.[30] And since R' Yehudah quotes R' Meir's ruling without comment, we can assume that he concurs with it.

Ulla counters:

וְהָתַנְיָא – **But it was taught in a** second **Baraisa:** רַבִּי יְהוּדָה אוֹמֵר – R' YEHUDAH SAYS:

NOTES

25. For according to Rav Nachman the Baraisa's statement permitting one whose feet are still in the *mikveh* to change his intent is agreed to by everyone, since the Rabbis dispute R' Yehudah only in regard to a Biblically required immersion (*Rashi*).

26. [Translation follows *Rabbeinu Chananel's* reading, which is בְּעָאִי, and *Hagahos HaBach* who emends בעי likewise (although בְּעָאִי is misspelled there). Cf. *Dikdukei Soferim*.]

27. Spinning forks are tiny forklike implements used to spin strands of gold. Needles, too, are very small. May these miniscule utensils be immersed [in the small amount of water gathered] on the head of the first person while his feet are still in the *mikveh*? (*Rashi*).

28. [Since the water on the person's body naturally runs down.]

29. [I.e. R' Meir. Being R' Meir's colleague, R' Yehudah refers to him without his honorific.]

30. Though the upper hole does not contain the requisite amount of water, since it is connected via the torrent to the middle hole, we employ the principle of *gud asik* and view the water in the middle hole as extending upward into the upper hole. And it goes without saying that R' Meir would permit immersion in the lower hole, for if he subscribes to the principle of *gud asik,* he surely subscribes to the principle of *gud achis* (*Rashi,* printed on 19b).

א) חולין לג. מקוואות פ"ה מ"ו, ב) חולין לג: [תוספתא דמקוואות פ"ד], ג) חולין שם מכשירין פ"ד מ"ו, ד) מקוואות פרק ז מ"ו גיטין טז. ע"ש, ה) תוספתא פרק ג דמקוואות.

מד א מיי' פי"ג מהל' מקוואות הלכה יא סמג עשין רמח:
מה ב מיי' שם הל' יא סמג שם:
מו ג מיי' פי"ב מהל' טומאת אוכלין הל' י סמג עשין רמו:
מז ד מיי' פי"א מהל' מקוואות הלכה יג:
מח ה מיי' שם הל' יב טוש"ע יו"ד סי' רא סעיף נב:
מט ו מיי' שם הל' ח טוש"ע שם סעיף מ:

כאן למעשר ומנא תימרא דחולין לא בעו כוונה דתנן א) גל שנתלש ובו ארבעים סאה ונפל על האדם ועל הכלים טהורין קתני אדם דומיא דכלים מה כלים דלא מכווני אף אדם דלא מכוין וממאי דלמא ביושב ומצפה אימתי יתלש הגל עסקינן וכלים דומיא דאדם מה אדם דבר כוונה אף כלים דמכווין להו וכי תימא ביושב ומצפה מאי למימרא סלקא דעתך אמינא ליגזור דלמא אתי למיטבל בחרדלית של גשמים א"נ נגזור ראשין אטו כיפין קמ"ל דלא גזרינן ומנא תימרא דלא מטבילין בכיפין דתניא ב) מטבילין בראשין ואין מטבילין בכיפין לפי שאין מטבילין באויר אלא מהא דתנן ג) פירות שנפלו לתוך אמת המים ופשט מי שידיו טמאות ונטלן ידיו טהורות ופירות אינן בכי יותן ואם בשביל שיודחו ידיו ידיו טהורות והפירות הרי הן בכי יותן איתיביה רבה לרב נחמן הטובל לחולין והוחזק לחולין אסור למעשר הוחזק אין לא הוחזק לא ה"ק אע"פ שהוחזק לחולין אסור למעשר איתיביה ד) טבל ולא הוחזק כאילו לא טבל מאי לאו כאילו לא טבל כלל לא כאילו לא טבל למעשר אבל טבל לחולין הוא סבר דחי קא מדחי ליה נפק דק ואשכח דתניא טבל ולא הוחזק אסור למעשר ומותר לחולין אר"א טבל ועלה מחזיק עצמו לכל מה שירצה מיתיבי עודהו רגלו אחת במים הוחזק לדבר קל מחזיק עצמו לדבר חמור עלה שוב אינו מחזיק מאי לאו אינו מחזיק כלל לא עודהו אע"פ שהוחזק מחזיק עלה אם לא הוחזק מחזיק ואם הוחזק אינו מחזיק מאן תנא עודהו רגלו אחת במים א"ר פדת ר' יהודה היא דתנן ה) מקוה שנמדד ויש בו ארבעים סאה מכוונות וירדו שנים וטבלו זה אחר זה הראשון טהור והשני טמא אמר רבי יהודה אם היו רגליו של ראשון נוגעות במים אף השני טהור אמר רב נחמן אמר רבה בר אבוה מחלוקת במעלות דרבנן אבל מטומאה לטהרה דברי הכל [א] (אף) השני טמא והיינו דרבי פדת איכא דאמרי אמר רב נחמן אמר רבה בר אבוה מחלוקת מטומאה לטהרה אבל במעלות דרבנן דברי הכל אף השני טהור ופליגא דרבי פדת אמר עולא (א) בעי מיניה מרבי יוחנן לרבי יהודה מהו להטביל מחטין וצינוריות בראשו של ראשון גוד אחית איתא ליה לרבי יהודה גוד אסיק לית ליה או דלמא גוד אסיק נמי אית ליה א"ל תניתוה ו) שלש גממיות בנחל העליונה והתחתונה של עשרים עשרים סאה והאמצעית של ארבעים סאה וחרדלית של גשמים עוברת ביניהן רבי יהודה אומר מאיר היה אומר מטביל בעליונה והתניא רבי יהודה אומר מאיר

רש"י

כאן למעשר. בעי כוונה וכ"ש בתרומה: הכי גרסינן מה כלים דלא מיכווני אף אדם נמי דלא מיכוון: חרדלית. שטופת ויורדת ממקום גבוה ויש בה ארבעים סאה והטובל בה לא עלתה לו טבילה משום דמקום קטפרס הוא מקום זקוף יותר מדאי ומי סאה שבו אינן במקום אחד ותנן הנצוק והקטפרס אינו חיבור (טהרות פ"ח מ"ט) ואף אם אינו קטפרס נמי אין טובלין בו לפי שאין מי גשמים מטהרים דרך זחילתן עד שיהו נקוין דרך אשבורן דתניא בת"כ אי מה מעיין מטהר בזוחלין אף מקוה מטהר בזוחלין ת"ל אך מעין ובור מקוה מים יהיה טהור (ויקרא יא) המעיין מטהר בזוחלין והמקוה באשבורן ורבינו האי גרים הרדלית: ראשין. אחד מראשי הגל כשהוא מגיע לארץ: כיפין. אמצעיתו של גל שעומד באויר כמין כיפה ואם הושיט כלים למעלה והטבילן בכיפה אינה טבילה כדמפרש ואזיל: שאין מטבילין באויר. שלא אמרה תורה מקוה של אויר לטבילה: ידיו טהורות. אע"פ שלא נתכוון: ופירות אינן בכי יותן. דבעינן גבי הכשר יותן דומיא דכי יתן דניחא ליה: ואם בשביל שיודחו ידיו. נתכוון ליטול פירות הרי הוא בכי יותן ומקבלין טומאה מעכשיו וכיון דנתכוון להדיח ידיו גלי דעתיה דניחא ליה בהך נפילה שעל ידיה הדיח ידיו: הוחזק אין. אם נתכוון הוא דהויא טבילה לחולין: טבל. ולא ועלה מן המים: מחזיק עצמו. בטבילה שטבל כבר לכל מה שירצה: מאי לאו אינו מחזיק כלל. כלומר בין שהחזיק עצמו בשעת טבילה לדבר קל בין שלא החזיק עצמו לכלום שוב אינו מחזיק: אם לא הוחזק. לשום דבר שטבל סתם מחזיק לכל מה שירצה אבל אם הוחזק לקל אינו מוחזק לחמור דהא אינתיק ליה לדבר קל: מאן תנא. דמשום עודנו במים חשיב ליה כתחילת טבילה ואע"פ שהוחזק מחזיק: והשני טמא. שהרי חסר השיעור במים שעל הראשון: מחלוקת. דרבי יהודה ורבנן כשהיתה טבילתו בשביל אחת ממעלות של חכמים כגון האונן והמחוסר כפורים שצריכין טבילה לקודש ואינו טמא טומאה דאורייתא בהכי קאמר רבי יהודה דמהני ליה רגליו של ראשון נוגעות במים דאמרינן גוד אחית מים שעליו כאילו הן במקוה: והיינו דרבי פדת. דאוקי לעיל הא דעודיהו כרבי יהודה ולא כרבנן אלמא לרבנן אפי' לגבי מעלות לא מהני עודיהו דהא חזקה דאמר הוחזק לקל אסור לחמור מעלות ניהו: איכא דאמרי כו'. הכא גרסי' ופליגא דר' פדת דאילו לרב נחמן הא דעודיהו הוחזק לקל הוחזק לחמור דברי הכל הוא דהא לא פליגי רבנן עליה דר"י אלא מטומאה דאורייתא לטהרה: צינורות. שפוין בו זהב ועשוין כמין מזלג קטן מלמד: בראשו של ראשון. בעודו במים: גממיות. גומות בנחל שיפולי הרים שקורין וולו"א בלע"ז וכן נחל איתן נחל ארנון תחתונה עליונה ואמצעית שנחל מדרון משופע הוא: עוברת ביניהן. ומחברתן: ה"ג

תוספות

נגזור אטו חרדלית. פרש"י שיורדת מהר גבוה ויש בה מ' סאה ולא עלתה שם טבילה דקטפרס אינו חיבור והר"י פי' וכן כתוב בכמה פירושים של רש"י דפסול מטעם דאין מקוה מטהר בזוחלין אלא באשבורן כדתניא בת"כ ומיהו אומר הר"ר אלחנן ע"כ טעם ראשון עיקר מדגזרינן בגל של ים דלאו משום זחילה (ב) אז בגל של ים מהני אי לא מוקמינן לה כר' [מאיר] דאמר במס' מקוואות (פ"ה מ"ד) כל הימים כמקוה והיא קשה למורי מאי קאמר משום חרדלית של מי גשמים הא בגל של ים נמי לא מהני כדתנן ב"ה אומרים אין מטבילין בחרדלית ומשמע דבכל חרדלית מיירי מדלא הוזכר ליה בהדיא גשמים ולפי' ראשון ניחא ומיהו אכתי יש להקשות דקטפרס הוי חיבור לענין מקוואות כדפירש הר"י ואם כן למה לא מהני ולי הוי טעמא משום זחילה יתכן טפי:

לא כאילו לא טבל למעשר. ורבותא דמתני' משום חולין הויא דמהניא אף בלא כוונה דלאו משום מעשר אף כי הוחזק לחולין קתני רישא דלא מהני הר"ר אלחנן ועוד אי"ל דאי משום רישא הייתי אומר דטפי עדיף לא הוחזק כלל למעשר מהוחזק לחולין דהא עקר דעתו לגמרי ממעשר:

טבל ועלה כו'. ועודו לא ובכמה ספרים כתיב בהדיא לא:

רבי יהודה אומר מאיר היה אומר מטבילין בעליונה. ל"ג רש"י מכלל דר"י כו' והכי פירש מטבילין בעליונה מטעם גוד אסיק וכ"ש גוד אחית ולא פליג עליה רבי יהודה מדלא קתני ליה ואני חולק עליו והא תניא רבי מאיר אומר בין בעליונה בין בתחתונה ואני אומר בתחתונה ולא בעליונה וכו' ולשון הכתוב בספרים אין להעמידה דא"כ מתנייתא קשיין אהדדי ומאי חזית דלייח לבתרייתא כל זה פרש"י. ומיהו יש ליישב גירסת הספרים (ג) וכן היא הגעת הגי' בפר"ח ר' יהודה אומר ר' מאיר היה אומר בתחתונה ולא בעליונה דלית ליה גוד אחית ולא גוד אסיק מכלל דר' יהודה אית ליה גוד אסיק דמדקאמר רבי מאיר אומר משמע דלאין הוא מודה לו ופריך והתניא ר' יהודה אומר ר"מ אומר בין בתחתונה בין בעליונה ואני אומר בתחתונה ולא בעליונה אלמא לית ליה גוד אסיק ומתני' אהדדי לא קשיין דקמייתא דר"י אומר מאיר אומר ולא בעליונה היינו לפי דעתו של רבי יהודה אבל לסברא של ר"מ אף בעליונה. בשם מורי: בתחתונה

רבינו חננאל

ומנא לן דלחולין לא בעינן כוונה דתנן גל שנתלש ובו מ' סאה ונפל על האדם ועל הכלים טהורים ואמרינן אדם דומיא דכלים מה כלים לא בעי כוונה אף אדם לא בעי כוונה ונדחת דאית לן לאוקומה במתכוון היכי דמי ביושב ומצפה מתי יתלש הגל. וכי תימא אי הכי מאי למימרא הא קא מיכוון אצטריך סד"א נגזור גל שנתלש ושתי ראשין מעורבין במי הים אטו חרדלית שהן מי גשמים אי נמי מהו דתימא נגזור ראשים אטו כיפים פי' אמצעית הגל העשוי כמין כיפה שחלקתו הרוח מן הים והפריחתו כמו באויר שאין טבילה עולה בהן. כדתנן מטבילין בראשים ואין מטבילין בכיפים קמ"ל דלא גזרינן ראשים אטו כיפים אלא מהא דתנן פירות שנשרו לתוך אמת המים ופשט מי שידיו טמאות ונטלן ידיו טהורות הנה בלא מתכוון כדי להטביל ידיו וקתני טהרו שמע מינה לא בעינן כוונה ואסיקנ' מהא דלא בעינן כוונה לחולין דתניא טבל ולא הוחזק מותר בחולין ואסור במעשר. א"ר אלעזר טבל ועלה מחזיק עצמו לכל מה שירצה. ומותבינן עליה והתנינן עודהו רגליו במים הוחזק לדבר הקל מחזיק עצמו לדבר חמור. פי' אם הוחזק למעשר ועודהו רגליו במים מחזיק עצמו בתרומה עלה שוב אינו מחזיק. קשיא לר' אלעזר דאמר אפילו עלה מחזיק עצמו לכל מה שירצה. ופריק הא דתני עלה שוב אינו מחזיק בשכבר הוחזק לדבר ידוע ועודהו במים וכי אמינא אנא דמחזיק עצמו לכל מה שירצה. כשעלה סתם ועדיין לא הוחזק ולא הוחזק עתה. מאן תנא עודהו רגלו במים אע"פ שהוחזק חוזר ומחזיק א"ר פדת ר' יהודה היא דתנן מקוה שיש בו מ' סאה מכוונות וירדו שנים וטבלו זה אחר זה הראשון טהור והשני טמא ר"י אומר אם היו רגליו של ראשון נוגעות במים אף השני טהור אמר רב נחמן אמר רבה בר אבוה מחלוקת ר' יהודה ות"ק דפליג עליה ואמר השני טמא בעולה מטומאה לטהרה. אבל במעלות דרבנן בין חולין למעשר בין לתרומה לקדש ולחטאת להחזיק עצמו מן הקל לחמור ולפיכך תני אף השני טהור ופליגא דר' פדת דאוקמה לר' יהודה במעלות דרבנן מכלל דת"ק פליג עליה דהא דתניא עודהו רגלו במים הוחזק לדבר הקל כו' במעלות דרבנן הוא. איכא דאמרי אמר רב נחמן אמר רבה בר אבוה מחלוקת במעלות דרבנן ור' יהודה מטהר השני אבל מטומאה לטהרה דברי הכל השני טמא והיינו דר' פדת דאוקמה להא ברייתא כר' יהודה. אמר עולא בעאי מיניה דר' יוחנן מהו להטביל אליבא דר' יהודה מחטין וצינורות בראשו של ראשון גוד אחית אית ליה לר' יהודה ורואה כי המים שהן בגופו של ראשון יורדין במקוה וכאילו מעכשיו ישנן בתוך המקוה אבל גוד אסיק לית ליה שאין אומרים ראה כאלו מי המקוה נקוים ועומדים בראשו של ראשון או גוד אסיק נמי אית ליה וא"ל ר' יוחנן ת"ש נחל שיורד ממעלה למטה ויש בו ג' גממיות פי' ג' חפירות כל אחת למטה מחברתה וגומא העליונה והתחתונה של עשרין עשרין סאה ואמצעית של מ' סאה פי' הוצרך לומר והאמצעית של מ' כדי להכשיר חרדלית של גשמים שעוברת ביניהן ומצרפו שכל מקוה שהוא פחות ממ' סאה מי גשמים פוסלין אותו וחרדלית של גשמים עוברת ביניהן. ר' יהודה אומר מאיר היה אומר מטבילין ב) בין בתחתונה לאו מכלל דר' יהודה סבר חלופו ואומר מטבילין אף בעליונה אלמא גוד אסיק נמי

הגהות הב"ח

(א) גמ' אמר עולא בעיא מיניה וכו' ואמר לי תניתוה: (ב) תוס' ד"ה נגזור וכו' דלאו משום זחילה הא בגל של ים וכו' דתנן פ"ה דמקוואות בית הלל: (ג) ד"ה ר' יהודה וכו' היא הגהה וה"ג בפר"ח וכו' לא קשיין דהא דקא מיירי:

הגהות הגר"א

[א] גמ' דברי הכל השני טמא. כצ"ל ותיבת אף נמחק:

ליקוטי רש"י

אף כלים דמכוין להו. אדם. גל שנתלש. מן הים. מה כלים דלא מכווני. דהא לית להו דעת [חולין לא.]. בחרדלית של גשמים. זרם גשמים המקלח מן ההר בכח ואין טובלין בו [דתנן הנצוק] והקטפרס אינו חיבור ולא הוי מקוה דארבעים סאה שהרי אין מ' סאה במקום אחד ואע"פ שיש הרבה למטה ולמעלה הא קתני אינו חיבור, חרדלית היינו קטפרס מדרון וכך רבי האי גאון גרים הרדלית שבאין מלמעלה של הר. נגזור ראשין אטו כיפין. דתנן מטבילין כלים בראש הגל הנתלש מן הים והולך למרחוק ונח לארץ בכגון אדם תחת ראשו ומקבלו דהוי טבילה זו במחובר לקרקע. קמ"ל דלא גזרינן. לשון קושיא הוא ולא בעינן כוונה לחולין מנלן. ואין מטבילין בכיפין. שלא יחזור כלים בכיפי הגל דהיינו באמצעיתו שהוא עשוי כיפה וטעמא דמפרש מפני שאין טבילה אויר ואין מטבילין באויר. ידיו טהורות. דלא בעינן כוונה לחולין. אינן בכי יותן. דלא אחשבה להך נפילה. ואם בשביל שיודחו ידיו. נתכוון ליטול את הפירות מן המים. ידיו טהורות. כ"ש שנתכוון. והפירות הרי הן בכי יותן. ומקבלין טומאה מכאן ואילך דאחשבה להך נפילה ליטול ידיו בהגבהתן והוה ליה משקה שסופו לרצון ותנן מכשירין (פ"ד מ"א) כל משקה שסופו לרצון אע"פ שאין תחלתו לרצון מכשיר. לחולין. לאכול חולין הוחזק מכוין בשעת טבילה לכך. ה"ק אע"פ וכו'. לעולם חולין לא בעו כוונה והאי דקתני הכא דהוחזק לאלעוריך לאשמועינן דאע"ג דאיכוון לטבילה טהרה לא הויא כוונת חולין כוונה למעשר [שם לא:]. מכוונות. לא פחות ולא יותר. והשני טמא. שחסר המקוה על ידי הראשון. נוגעות במים. בשעת טבילת השני. אף השני טהור. דכמאן דמחברי מים שעל הראשון למי המקוה דמו [גיטין טז.]. צינוריות. מזלגות קטנות של טווי זהב [זבחים כב.].

חשק שלמה על ר"ח א) לכאורה צ"ל דברי הכל אף השני טהור. ב) עי' בתוס' בד"ה ר"י גירסת רבינו בכאן.

מאיר היה אומר מטביל בעליונה [ה] ואני אומר בתחתונה ולא בעליונה א"ל [ג] אי תניא תניא: הטובל לחולין והוחזק לחולין כו': מני מתניתין רבנן היא דשני להו בין חולין למעשר אימא סיפא בגדי עם הארץ מדרס לפרושין בגדי פרושין מדרס לאוכלי תרומה אתאן לר' מאיר דאמר חולין ומעשר כהדדי נינהו רישא רבנן וסיפא ר' מאיר אין רישא רבנן וסיפא ר' מאיר רב אחא בר אדא [א] מתני לה בסיפא חמש מעלות ומוקי לה כולה כרבנן אמר רב מרי שמע מינה [ג] חולין שנעשו על טהרת הקודש כקודש דמו ממאי מדלא

רש"י

ה"ג מאיר היה אומר מטבילין בעליונה. ול"ג מכלל דר' יהודה וה"פ ר' יהודה אומר מאיר היה אומר מטבילין בעליונה דאמר גוד אסיק את מי אמצעיתה למעלה ע"י חרדלית של גשמים להכשיר את העליונה וכל שכן דמטבילין בתחתונה דכיון דאית ליה גוד אסיק כ"ש דאית ליה גוד אחית ומדלא קתני ואני חולק עליו לומר כך וכך ש"מ דר' יהודה כר"מ ס"ל: והא תניא. לחלוק עליו וה"ג מאיר היה אומר מטבילין בעליונה ואני אומר בתחתונה ולא בעליונה אלמא פליג עליה: אמר להו אי תניא. בהדיא דחולקין תניא ונלך אחריה וחוזר אני בי ובלשון הכתוב בספרים אינו יכול להעמידה דא"כ מתנייתא קשיין אהדדי ומאי חזית דלייט לבתרייתא: רבנן היא. דפליגי עליה דר"מ בכל הטעון ביאת מים מדברי סופרים ואסרוהו במעשר: מדרס לאוכלי תרומה. ולא אמר מדרס למעשר: חמש מעלות. פרושים ואוכלי מעשר ואוכלי תרומה ואוכלי קודש וחטאת: שנעשו על טהרת הקודש. אדם הרגיל לאכול קדשים מקבל עליו לאכול חוליו בטהרת הקודש כדי שיהו בני ביתו זהירין ובקיאין בטהרת הקודש: מדלא

תוספות

בתחתונה ולא בעליונה. משמע הכא דקטפרס הוי חיבור (א) ואנן תנן ומייתי לה פ"ב דגיטין (דף טז. ושם) הנצוק והקטפרס ומשקה טופח אינו חיבור לא לטומאה ולא לטהרה ועוד למה לי ג' גממיות בתרי סגי בזה כ' ובזה כ' וחרדלית מחברתן ותירץ ר"ת דשאני הכא דאיכא מקוה שלם באמצע וכן משמע בפ' בתרא דע"ז (דף עב. ושם) מתוך פרש"י שפי' קטפרס גממיות בזה כ' ובזה כ' וחרדלית מחברתן ולא נקט ג' כדאיתא הכא אלמא מסתבר ליה טעמא שיש לחלק ואל תתמה היכי מדמה ליה למיפשט מהך דהכא (ב) בעייתו מהו להטביל מחטין וצינורות בראשו של ראשון כההוא דלעיל ולא קאמר דשאני התם משום מקוה שלם דהתם לעיל איכא טעמא אחרינא (ג) קטפרס שסופו לירד מה שבראשו של ראשון ובהכי מתרצין קושיא אחרי' דקשיא לר"ת דמשמע התם בגיטין דנצוק וקטפרס אינו חיבור ומסיק לענין מקוואות ור' יהודה היא משמע דאף ר' יהודה מודי ליה ולעיל קאמר אם היו רגליו של ראשון נוגעות במים אף שני טהור אלמא קטפרס חיבור אלא ודאי שאני הכא שסופו לירד ומיהו יש לדחות הך דלא מוקי כר' יהודה רק ההיא דטופח ע"מ להטפיח ולא תניא בהדיא ההוא דנצוק וקטפרס וההוא דפ' בתרא דע"ז (ג"ז סס:) גבי המערה (ד) יין נסך מחבית לבור דלא חשיב נצוק חיבור אע"ג דסופו לירד יש לחלק בין נצוק לקטפרס דאין דרך נצוק לבא כי אם דרך אויר וכי (ה) מדייק התם מגישתא ובת גישתא דאנח נכרי ידיה עילויה ואסריה רבא שמע מינה נצוק חיבור ולא מחשב קטפרס י"ל דלא דמי לרגליו של שני נוגעות במים דהאי יין שבתוך הגישתא אין סופו לירד בתוך החבית ולפי מה שפירש הר"י התם ההיא דנצוק וקטפרס מיתניא לענין השקה במס' טהרות (פ"ח מ"ט) דומיא דרישא דמקל מלא משקין טמאין והשיקו למקוה אז יתכן שפיר ההיא דהכא לענין טבילה מהני נצוק וקטפרס ואפי' לית ביה מ' סאה נמי מטבילין בתחתונה וכי נקט מ' סאה לרבותא דעליונה דאין מטבילין בה ור' יהודה היא א"כ לאשמעינן דאפ"ה קתני בסיפא בתוספתא וחכ"א אין מטבילין אלא באמצעית (ו) ואע"פ שיש ארבעים באמצעית אין מטבילין בתחתונה והתם הארכתי ולא שייך הכא כלל רק לקמן אפרש:

בגדי ע"ה מדרס לפרושים. (בפ' חומר בקודש דף כג: בד"ה כשוביה) דחיישינן שמא ישבה אשתו נדה עליהן כדאיתא בפ"ב דחולין (דף לה: ושם) אבל משום (ז) עצמו לא חיישינן דאינו מטמא בהסיטו וכן משמע שילהי הניזקין (גיטין דף סא: ושם) דפריך וליחוש שמא תסיטם אשתו נדה וכן תנן פרק שביעי דטהרות (מ"ו) הגנבים שנכנסו לבית אינו טמא אלא מקום רגלי הגנבים אבל משכבות ומושבות וכלי חרס המוקפים טהורין אלמא דלא מטמא לא משא ולא היסט וכי תנן התם (פ"ח מ"א) הדר עם ע"ה בחצר ושכח כלים בחצר אפי' חביות המוקפות צמיד פתיל טמאים התם בשביל אשתו שהיא לשם תדע מדנקט לישנא דדירה אך קשיא דתנן התם לעיל מינה (בפ"ז מ"ה) המניח ע"ה בחצרו בזמן שרואה הנכנסין והיוצאין כו' בזמן שאינו רואה הנכנסין והיוצאין אפי' מוכל אפי' כפות כלומר גידם שאינו יכול לילך הכל טמא ואין לומר דהתם נמי בשביל אשתו דהא מניח קתני לשון אקראי ועוד מאי אפילו מוכל איזה רבותא הוי כיון דלא הוי טומאה בשביל זה והיה נראה לי דלאו טעמא אלא משום היסט אלא משום דטרח ומזייף וכי רואה את הנכנסין (ח) מרתת דנתפס כגנב אבל קשיא לי דתנן התם (פ"י מ"א) הנועל בית הבד בפני הבדדין והיו שם כלים טמאים מדרס משמע דמטמא מדרס ובסמוך קאמר א"ר יוסי וכי מפני מה טמאים אלא שאין ע"ה בקיאין בהיסט ועוד כיון דחכמים גזרו עליהם להיות כזבין לכל דבריהם אמאי אין מטמאין בהיסט ומדרס כדין זב ועוד דגזרו עליהן מעיינות לקמן דגזרו על רוקו כדין משקה זב וזבה ועוד מצינו בפ' בנות כותים (נדה דף לג: ושם) הכא בכותי שטבל ודרס על בגדי חבר דאי משום טומאת ע"ה הא טביל ליה אלמא אי לא טביל מטמא מדרס ותירץ ר"ת דודאי אינו מטמא מדרס והיסט דמשום תקנת השוק נגעו בה כדאמרינן (ט) לפי שלעולם לא ימלאו אדם מעביר חבית ממקום למקום ואין גוזרין גזירה על הצבור אא"כ יכולין לעמוד בה והכי משמע לקמן בפרקין שאינו מטמא בהיסט הרי שהיו חמריו ופועליו טעונין טהרות כו' טהרות טהורות ואם אמר לכך כו' ומסיק מאי שנא רישא ומאי שנא סיפא רישא לא מסר מפתחותיו לכך משמע דלא מוקי לה במטהר רק משום דק"ל רישא לסיפא ולא קשיא ליה דמטמא ליה בהיסט משום דקים ליה דלא מטמא והיא דנדה בלא טבל מטמא ליה במגע והא דנקט ודרס משום דבעי למיהוי בגד חבר לתחת רגלו של כותי דהכי קתני התם במתני' ומטמא משכב תחתון כעליון ואין להקשות (י) דלא מוקי לה בשלא טבל וכשדרס דבר חוצץ בין רגלו לבגד משום דע"כ לא אצטריך לאוקמי כשטבל כי היכי דליהוי ספק ספיקא דאי לא טבל מה לי טבל מה לי בועל בקרוב מה לי בועל ברחוק והרב רבי משה מפונטוייז"א מפרש משום דע"ה אינו מטמא כזב אלא רק מטעם בגדיו משום שהוא נושא המדרס שהוא לבוש בגדיו שישבה עליהם אשתו נדה וליעורא שלו טמא משום שנגעה בשפתיו וקשה דאמרינן בפ' בנות כותים מעשה בכ"ג שהלך בשוק ונתזה ליעורא של עם הארץ על בגדיו וקרב אצל אשתו כו' ופריך ותיפוק ליה משום ליעורא דע"ה (כ) כלומר אפילו לא היה טמא בשביל אשתו הועיל דלאו בועל נדה היא היה טמא הוא ובגדיו כנושא רוקו של זב ואי משום ליעורא דע"ה בגד לחוד הוא דנטמא ואין לומר דמשום גופו לא היה חש רק משום בגדיו דאדרבה טומאת גופו חמירא לן ועוד קשה דכי מוקי לה בכותי ערום למה לי טבל (ל) נמי כיון דהאידנא לאו נושא המדרס הוי לא הוי אלא ראשון ואינו מטמא כלי ועוד קשה למור"י דתניא בהדיא בתוספתא (פ"ג) ספק (מ) רשות ע"ה מדרסו והסיטו ואילו טהור לחולין וטמא לתרומה ע"כ היה נראה לפרש דלגבי תרומה מטמא כל דבר כזב אבל טהור לחולין וכל הני דאשכחן דמטמא מוקמינן בתרומה וכי קפריך בגיטין (דף סא:) וליחוש שמא תסיטם אשתו נדה אע"ג דבתרומה קיימא התם מילתא דפסיקא ליה נקט ואתאי ועוד דחייש לטומאה דאורייתא ולא לשל טומאה דרבנן וכי קאמר בחולין (דף לה:) שמא תשב עליהם אשתו נדה משום איך נקטיה וראיה לדבריו מצינו בירושלמי דקאמר בגדי פרושים מדרס לאוכלי תרומה ובעי גופו של פרוש מהו שיעשה כזב אצל תרומה התיב והתנינן המניח ע"ה בתוך ביתו לשמרו כיון שהוא רואה את הנכנסין ואת היוצאין כו' אבל משכבות וכלי חרס מוקפין טהורין ואי תימא עשו גופו כזב אצל תרומה אפי' מוקפין טמאים א"ר יהודה תפתר בע"ה אבל פרוש ולית את כלום והשתא לא מיבעיא ליה אלא פרוש אבל תרומה אבל ע"ה אצל תרומה פשיטא ליה א"ל ר' מנא כל מה דאנו קיימין בתרומה אנו קיימין תדע לך שכן הוא דתנינן אפי' מוכל אפי' כפות הכל טמא כלום יהיו טמאים אלא משום היסט ולא כן א"ר יוחנן ולא אלילות ולא הסיטות ולא רה"י ולא רשות ע"ה אצל תרומה כלומר דלא שייך כלל רשות ע"ה אצל תרומה שמטמא בהיסט ומתני' בע"ה איירי אבל פרוש אינו מטמא מדרס והיסט והקשה לו הר"י דאמר שילהי פ' הניזקין (גיטין סב.) אין עושין חלת ע"ה בטהרה לפי שכבר טימא אותה אבל עושין עיסתו בטהרה ונוטל הימנה כדי חלה ומניחה בכפישא או באנחותא וכשבא ע"ה נוטל שתיהן ואינו חושש לפי שהכלי אינו מקבל טומאה ואמאי כיון שהוא מטמא היסט לתרומה הא קא מטמא לחלה וי"ל דהתם כיון שלא קרא לו שם עדיין הו"ל חולין דפתיכי בהו חלה דלא מטמאו בהיסט וכן משמע לישנא דנקט כדי חלה ולא חלה עדיין ואיהו במגע מטמא ולהכי פריך דלמא נגע:

רבי

עין משפט נר מצוה

נ א מיי' פי"ג מהל' אבות הטומאות הל' א:

רבינו חננאל

נמי אית ליה א) ואמר עולא אמרו ליה והתניא בהדיא ר' יהודה אומר מאיר היה אומר מטבילין בין בתחתונה בין בעליונה ואני אומר בתחתונה ולא בעליונה. אלמא לר"י גוד אחית אית ליה גוד אסיק לית ליה א"ל אי תניא הכי בהדיא הא אפשיטא בעיא דילך: מתני' טבל לחולין והוחזק לחולין אסור למעשר כו'. פי' זה מעשר שני הוא דכתיב ביה ואכלת לפני ה' אלהיך מעשר דגנך וגו' ומתניתין רבנן הוא דאמרי יש מעלה למעשר מן החולין ומקשינן אימא סיפא בגדי עם הארץ מדרס לפרושין פירוש הפרושין שהן חברים האוכלים חוליהן בטהרה וכשנוגעין בבגדי עם הארץ כאילו נטמאו מדרס וצריכין טבילה לאכול חוליהן בטהרה וקתני בתר הא בגדי פירושין מדרס לאוכלי תרומה ודייקינן מדלא קתני מדרס לאוכלי מעשר ש"מ חולין ומעשר שני כי הדדי נינהו לית בינייהו מעלה

חשק שלמה על ר"ח

א) אולי צ"ל ואמר ליה עולא והתניא וכו'.

גליון הש"ס

תוס' ד"ה בגדי וכו' היה נטמא הוא ובגדיו כנושא רוקו של זב. עיין תוס' פ"ח מ"ג דכלים.

ליקוטי רש"י

אי תניא תניא. שמעתי אני וכו' מה שאמרתי אבל אתם הוא"ל ויש משנה בידכם לכו אחריה [נדה כג.]. שנעשו על טהרת הקודש. דקבל עליה לאכול חולין בטהרת קודש שהוא רגיל לאכול עצמו בטהרת קדשים שאם יאכל שלמים לא יהא בקי בשמירתן [חולין ב:]. כגון אדם הרגיל לאכול קדשים ורוצה לאכול חולין בטהרת קדשים ושומר אף חולין מכל טומאות הפוסלות בקדש [שם לג.]. בקודש דמו. ותייבן להבדל מדרבנן מכל טומאות הפוסלות בכהן [שם ב:].

מסורת הש"ס

א) [תוספתא מקוואות פ"ג], ב) [שבת קטו. וש"נ], ג) [חולין ב: נדה עא:], ד) שייך מעגל"ל, ה) ע"ל שייך לע"א, ו) [טהרות פ"ח מ"ט], ז) [נד"א ולא לטהרה], ח) צ"ל דשאני הכא, ט) מהרש"א, י) [דף עב:], כ) שייך לעיל במשנה יח:, ל) [צ"ל בתוך ביתו], מ) [דף כג., מ) [דף כ:].

הגהות הב"ח

(א) תוס' ד"ה בתחתונה וכו' הוי חיבור ואלו במסכת טהרות פרק שמיני תנן ומייתי לה וכו' שלם באמצע וכן משמע בפ' שני דגיטין מתוך פרש"י. נ"ב אבל בפרק בתרא דמסכת ע"ז פי' בדרך אחר: (ב) בא"ד למפשט מהך דהכא דהיה בעייתו לדעיל מהו להטביל וכו' בראשו של ראשון כההוא דלעיל ולא קאמר דשאני התם משום מקוה כל"ל ותיבות כדאיתא לעיל נמחק: (ג) בא"ד דקטפרס שסופו וכו' של ראשון הוה חיבור והכי מתרלינן וכו' התם בגיטין דקטפרס אינו חיבור ודמסיק לענין וכו' יש לדחות הך קושיא דלא מוקי וכו' ע"מ להטפיח ולא הוה דנלוק כל"ל ותיבות תניא בהדיא נמחק: (ד) בא"ד גבי המערה מחבית לבור כל"ל ותיבות יין נסך נמחק: (ה) בא"ד וכי מדמה לגישתא ובת גישתא וכו' דלא דמי לרגליו של ראשון נוגעות וכו' הר"י התם דהאי ההוא דנלוק כל"ל ותיבות ההיא נמחק: (ו) בא"ד דאע"פ שיש ארבעים וכו' לקמן אפרש נ"ב בדף כג: (ז) ד"ה בגדי עם הארץ וכו' אבל משום ע"ה עלמו לא חיישינן וכו' אבל המשכבות והמושבות וכלי חרס המוקפים למיד פתיל טהורין אלמא לא מטמא בהיסט וכו' תנן התם וכו' ופלינו חביות המוקפים למיד פתיל הרי אלו טמאים התם וכו' המניח עם הארץ בתוך ביתו לשומרו בזמן שהוא רואה: (ח) בא"ד וכי רואה את הנכנסין והיולאין מרתת דנתפס כגנב (אבל קשיא לי וכו' ע"ה בקיאין בהיסט) תא"מ ונ"ב לא מלאתיו בתוספתא פ' בנות כותים ולא במקומות אחרים ולא מלאתי כ"א בירושלמי פ"ב דדמאי ולפי' ע"ה מלבד הכלים טמאים משום היסט ואין ספק דבריו מטעות סופר הם בכריכותו לכנין

מֵאִיר הָיָה אוֹמֵר – MEIR USED TO SAY: מַטְבִּיל בָּעֶלְיוֹנָה – ONE MAY IMMERSE things IN THE UPPER ONE, וַאֲנִי אוֹמֵר – BUT I SAY בַּתַּחְתּוֹנָה וְלֹא בָעֶלְיוֹנָה – IN THE LOWER ONE BUT NOT IN THE UPPER ONE. Thus we see that R' Yehudah maintains that we employ the rule of "extend and lower" but *not* the rule of "extend and raise"![1] – ? –

R' Yochanan concedes:

אָמַר לֵיהּ – **He said to [Ulla]:** אִי תַּנְיָא תַּנְיָא – **If it was taught** so explicitly **in a Baraisa, it was taught,** and I retract my proof.[2]

The Mishnah continues:

הַטּוֹבֵל לְחוּלִּין וְהוּחְזַק לְחוּלִּין כו׳ – ONE WHO IMMERSES HIMSELF FOR *CHULLIN* AND INTENDS to purify himself only FOR *CHULLIN* etc. [is prohibited to eat *maaser sheni*].

The Gemara notes an inconsistency in the Mishnah's rulings:

מַנִּי מַתְנִיתִין – **Who is** the Tanna of **our Mishnah?** רַבָּנָן הִיא – **It is the Rabbis** of the Mishnah in *Parah* cited on 18b, דְּשָׁנֵי לְהוּ בֵּין חוּלִּין לְמַעֲשֵׂר – **who distinguish between *chullin* and *maaser sheni*.**[3] אֵימָא סֵיפָא – **But consider the latter section** of the Mishnah: בִּגְדֵי עַם הָאָרֶץ מִדְרָס לַפְּרוּשִׁין – THE CLOTHING OF AN *AM HAARETZ* IS considered *tamei* through *MIDRAS* FOR *PERUSHIN;* בִּגְדֵי פְרוּשִׁין מִדְרָס לְאוֹכְלֵי תְרוּמָה – THE CLOTHING OF *PERUSHIN* IS considered *tamei* through *MIDRAS* FOR THOSE WHO EAT *TERUMAH.* Here the Mishnah strikingly skips over the level of *maaser sheni,* going straight from the level of *chullin* (i.e. *Perushin,* who eat their *chullin* in purity) to that of *terumah.* אֲתָאן לְרַבִּי מֵאִיר – **This follows R' Meir,** דְּאָמַר חוּלִּין וּמַעֲשֵׂר כַּהֲדָדֵי נִינְהוּ – **who maintains** that ***chullin* and *maaser sheni* are identical to one another** in standard of *taharah.* רֵישָׁא רַבָּנָן וְסֵיפָא רַבִּי מֵאִיר – Are we to say that **the first part** of the Mishnah **is** in accordance with **the Rabbis and the latter part** with **R' Meir?**

The Gemara answers:

אִין – **Indeed,** we have no alternative but to say this. רֵישָׁא רַבָּנָן וְסֵיפָא רַבִּי מֵאִיר – **The first part is** in accordance with **the Rabbis and the latter part** with **R' Meir.**

The foregoing question is predicated on the version of the Mishnah we have before us, which delineates only four levels of *taharah* in its latter section. The Gemara offers another answer to the question based on a different reading of the Mishnah's latter section:

רַב אַחָא בַּר אַדָּא מַתְנֵי לָהּ בְּסֵיפָא חָמֵשׁ מַעֲלוֹת – **Rav Acha bar Adda taught the latter part** of the Mishnah **as containing five levels,**[4] וּמוֹקֵי לָהּ כּוּלָּהּ כְּרַבָּנָן – **and he** thereby **established [the entire Mishnah]** as being **in accordance with the Rabbis.**

Scrutinizing our Mishnah further, the Gemara draws an inference therefrom:

אָמַר רַב מָרִי – **Rav Mari said:** שְׁמַע מִינָּהּ – **Learn from [our Mishnah]** חוּלִּין שֶׁנַּעֲשׂוּ עַל טָהֳרַת הַקּוֹדֶשׁ – that ***chullin* that was prepared according to the *taharah*** standard **of *kodesh*** כְּקוֹדֶשׁ דָּמוּ – **is like *kodesh*** itself.[5]

The Gemara asks:

מִמַּאי – **From what** evidence do you deduce this?

NOTES

1. [It appears that Ulla was aware all along of this Baraisa describing R' Yehudah's disallowance of immersion in the upper hole. If so, why did he inquire as to R' Yehudah's position regarding immersion on the head of the first person? From *Rabbeinu Chananel* it seems that the objection from the Baraisa was indeed not raised by Ulla. Rather, others, upon hearing R' Yochanan's response to Ulla's inquiry, raised it, and Ulla recounted their objection and R' Yochanan's response (*Chidushim U'Veurim;* cf. *Sfas Emes*).]

2. According to this conclusion, we must say that the Baraisa on 19a which allows a person whose feet are still in the *mikveh* to change his intention from a lower to a higher sanctity follows R' Meir, who subscribes to the principle of *gud asik.* R' Yehudah, however, who holds of the principle of *gud achis* but not of *gud asik,* would *dispute* that ruling (unlike that which R' Pedas had said above) and maintain that a person may assume a new intention only while he is totally submerged in the *mikveh* (*Turei Even* to 19a ד"ה אמר רבי פדת; cf. *Chazon Ish, Orach Chaim* 129).

3. The fact that our Mishnah rules that someone who immersed himself with intention for *chullin* is forbidden to eat *maaser sheni* indicates that *maaser sheni* is subject to a higher standard in regard to the laws of ritual purity than to *chullin.* This point is the subject of a Tannaic dispute in the Mishnah in *Parah* cited on 18b. The Mishnah there discusses a person who is Biblically *tahor* but requires immersion by Rabbinical law: R' Meir maintains that he is permitted to eat both *chullin* (even if he normally is particular to eat such food in purity) and *maaser sheni,* while the Rabbis rule that he is permitted to eat *chullin* but is prohibited from eating *maaser sheni.* Our Mishnah, then, follows the view of the Rabbis, who assign a higher level to *maaser sheni* than *chullin.*

4. His version contained the additional clauses: "The clothing of *Perushim* is considered *tamei* through *midras* for those who eat *maaser sheni;* the clothing of those who eat *maaser sheni* is considered *tamei* through *midras* for those who eat *terumah.*"

5. As explained on 18b, there were very pious people who frequently ate sacrificial food and adopted the practice of eating even their nonsanctified food according to the same exacting *taharah* standard as *kodesh,* in order to train and familiarize their family members with these standards (*Rashi*). Thus, while *chullin* can technically not contract *tumah* beyond the level of *sheni,* these people would guard their *chullin* even from contact with a *shelishi,* since such contact would invalidate *kodesh* and renders it a *revii.*

Now, there is a Tannaic dispute in *Chullin* 35a-b as to whether *chullin* that are treated in this stringent manner actually assume the *tumah* properties of *kodesh.* According to one opinion they do, meaning that the Rabbis enacted that if *chullin* that were prepared according to the standard of *taharah* of *kodesh* are touched by a *sheni,* they are considered a full-fledged *shelishi,* and are capable of rendering even real *kodesh* a *revii.* [Furthermore, one is *required,* by Rabbinic law, to refrain from contaminating such *chullin,* just as he is required to refrain from contaminating actual *kodesh* (*Rashi* to *Chullin* 2b ד"ה בקדש דמי; cf. *Ramban* ad loc.).] The other opinion maintains that the Rabbis never enacted that *chullin,* even those prepared according to the *taharah* standard of *kodesh,* should assume the *tumah* properties of actual *kodesh,* and a person does not have the power, on his own, to assign to his *chullin* properties that will make them be considered *tamei* when in fact they are *tahor.*

Rav Mari now states that it is evident that our Mishnah subscribes to the view that *chullin* prepared according to the *taharah* standard of *kodesh* are in fact treated as full-fledged *kodesh.*

מִדְּלָא קָתָנֵי בְּהוּ מַעֲלָה – Since the Mishnah does not teach a separate **level regarding them.**[1]

The Gemara asks:

וְדִלְמָא הַאי דְּלָא קָתָנֵי בְּהוּ מַעֲלָה – But perhaps the reason the Mishnah does not teach a separate **level regarding them** **דְּאִי דָמוּ לִתְרוּמָה – is that if they are similar** in level **to *terumah,*** **הָא תָּנֵי תְּרוּמָה – the Mishnah has** already **taught *terumah,*** **וְאִי דָמוּ לְחוּלִּין – and if they are similar** in level **to *chullin,*** **הָא תָּנֵי לְחוּלִּין – the Mishnah has** already **taught *chullin.***[2] **דִּתְנַן – For we learned in a Mishnah:**[3] **חוּלִּין שֶׁנַּעֲשׂוּ עַל טָהֳרַת הַקּוֹדֶשׁ – *CHULLIN* THAT WERE PREPARED ACCORDING TO THE *TAHARAH*** standard **OF *KODESH*** **הֲרֵי הֵן כְּחוּלִּין – ARE LIKE** ordinary ***CHULLIN.*** **רַבִּי אֶלְעָזָר בְּרַבִּי צָדוֹק אוֹמֵר – R' ELAZAR THE SON OF R' TZADOK SAYS:** **הֲרֵי הֵן כִּתְרוּמָה – THEY ARE LIKE *TERUMAH.* – ? –**

The Gemara suggests a different proof that our Mishnah maintains that *chullin* produced according to the standard of *kodesh* are like *kodesh:*

אֶלָּא מִסֵּיפָא – Rather the proof is **from the end** of our Mishnah: **יוֹסֵי בֶּן יוֹעֶזֶר הָיָה חָסִיד שֶׁבִּכְהוּנָּה – YOSE BEN YOEZER WAS THE MOST DEVOUT** Kohen **IN THE PRIESTHOOD,** **וְהָיְתָה מִטְפַּחְתּוֹ מִדְרָס לְקוֹדֶשׁ – YET HIS** cloth **NAPKIN WAS** considered *tamei* through ***MIDRAS* FOR** those who ate ***KODESH.*** **יוֹחָנָן בֶּן גּוּדְגְּדָא הָיָה אוֹכֵל עַל טָהֳרַת הַקּוֹדֶשׁ כָּל יָמָיו – YOCHANAN BEN GUDGEDA ATE** his *chullin* **ACCORDING TO THE *TAHARAH*** standard **OF *KODESH* HIS ENTIRE LIFETIME,** **וְהָיְתָה מִטְפַּחְתּוֹ מִדְרָס לְחַטָּאת – YET HIS** cloth **NAPKIN WAS** considered *tamei* through ***MIDRAS* FOR** those who handled ***CHATAS*** water. **לְחַטָּאת אֵין – The implication is that for *chatas*** water, **yes,** his napkin was considered a *midras* contaminant, **לְקוֹדֶשׁ לֹא – but for** those who ate ***kodesh,* no,** it was not. **אַלְמָא קָסָבַר – Evidently [the Mishnah] maintains** **חוּלִּין שֶׁנַּעֲשׂוּ עַל טָהֳרַת קוֹדֶשׁ כְּקוֹדֶשׁ דָּמוּ – that *chullin* that were produced according to the *taharah* standard of *kodesh* are considered like *kodesh.***

The law is that for people who are extrastringent with the laws of *tumah* and *taharah* (i.e. *Perushim,* who eat their *chullin* food in a state of purity), *tahor* objects are considered to retain their state of *taharah* only as long as they are consciously and uninterruptedly guarded from contact with *tumah.* Should they be the subject of הֶסַּח הַדַּעַת, *diversion of attention,* by the person in possession of them, even for a moment, they became *tamei,* even though the person has no specific knowledge of their having come in contact with a contaminant.[4] The Gemara cites several rulings relevant to the law of הֶסַּח הַדַּעַת:

אָמַר רַבִּי יוֹנָתָן בֶּן אֶלְעָזָר – R' Yonasan ben Elazar said: **נָפְלָה מַעֲפָרְתּוֹ הֵימֶנּוּ – If someone's** [i.e. a *Parush's*] **shawl fell from him,** **אָמַר לַחֲבֵירוֹ – and he said to his fellow,** **תְּנָה לִי – "Give it to me,"** **וּנְתָנָהּ לוֹ – and he gave it to him,** **טְמֵאָה – it is** considered ***tamei.***[5]

A second ruling:

אָמַר רַבִּי יוֹנָתָן בֶּן עַמְרָם – R' Yonasan ben Amram said: **נִתְחַלְּפוּ לוֹ כֵּלִים שֶׁל שַׁבָּת בְּכֵלִים שֶׁל חוֹל וּלְבָשָׁן – If someone's Sabbath clothes became exchanged with his weekday clothes and he put them on,** i.e. he intended to take his weekday garments out of the closet and instead he inadvertently took out and donned his Sabbath garments, **נִטְמְאוּ – they have become *tamei.***[6]

A third ruling:

אָמַר רַבִּי אֶלְעָזָר בַּר צָדוֹק – R' Elazar ben Tzadok said: **מַעֲשֶׂה בִּשְׁתֵּי נָשִׁים חֲבֵירוֹת – An incident** occurred **with two women who were *chaveiros*** [7] **שֶׁנִּתְחַלְּפוּ לָהֶן כְּלֵיהֶן בְּבֵית הַמֶּרְחָץ – that their clothing became exchanged in the bathhouse,** **וּבָא מַעֲשֶׂה לִפְנֵי רַבִּי עֲקִיבָא – and the incident came before R' Akiva** for a ruling, **וְטִימְאָן – and he declared [the clothing] *tamei.***[8]

The last two rulings – which are, as the Gemara presumes now, based on the concept that guarding an item on the assumption that it is a different item is not considered a valid guarding – are challenged:

מַתְקִיף לָהּ רַבִּי אוֹשַׁעְיָא – R' Oshaya objected to this: **אֶלָּא מֵעַתָּה – But if so,** **הוֹשִׁיט יָדוֹ לַסַּל לִיטּוֹל פַּת חִטִּין – if someone extended his hand into a basket to remove** a loaf of **wheat bread** **וְעָלְתָה בְּיָדוֹ פַּת שְׂעוֹרִים – and** instead a loaf of **barley bread came up in his hand,** **הָכִי נַמִּי דְּנִטְמֵאת – will you say that it** [the barley bread] **has been rendered *tamei*?**[9] **וְכִי תֵּימָא הָכִי נַמִּי – And if you will say** that it **is indeed so,** **וְהָתַנְיָא – but it was taught in a Baraisa:** **הַמְשַׁמֵּר אֶת הֶחָבִית בְּחֶזְקַת שֶׁל יַיִן – IF ONE GUARDS A BARREL ON THE PRESUMPTION THAT IT IS OF**

NOTES

1. From the fact that the Mishnah does not state that the clothing of *Perushim,* who eat their *chullin* according to the *taharah* standard of *chullin,* is considered *tamei* through *midras* for those who eat their *chullin* according to the standard of *kodesh,* it may be deduced that such food is considered like *kodesh* itself (see *Rashi*). Therefore it is not listed, for the Mishnah already enumerated *kodesh* as a separate level (*Rashi;* cf. *Maharsha* here and *Tosafos* to 21b ד"ה אחרונות).

2. [In bringing his proof, Rav Mari had assumed that if *chullin* produced according to the standard of *kodesh* are not like *kodesh,* they assume their own, separate level, one notch above that of ordinary *chullin* and one notch below that of *terumah* (since they are, after all, produced according to a higher standard of purity than ordinary *chullin* but still do not possess the holiness of *terumah*). The Gemara now questions this assumption, arguing that] perhaps either the Rabbis did not authorize a person to impose a higher standard of *taharah* on his *chullin* than that which they innately possess (see above, 19b note 5), or else their level is the same as that of *terumah,* for there are in fact Tannaim who espouse each of these views, as the Gemara goes on to show. Thus the Mishnah does not list *chullin* produced according to the *taharah* standard of *kodesh* as a separate level, since if they are on a level similar to ordinary *chullin* they are included in the Mishnah's listing of *chullin,* and if they are on a level similar to *terumah,* they are included in the listing of *terumah* (*Rashi*).

3. *Tohoros* 2:8 (see *Rashash*).

4. *Rashi* ד"ה טמאה; see *Chazon Ish, Orach Chaim* 129.

5. For since the garment was not constantly in the possession of the original watcher, it underwent a "diversion of attention" [הֶסַּח הַדַּעַת], which, as explained above, for people who are extrapunctilious with the laws of *taharah* renders the article in question *tamei* (see below, note 25 and Gemara below). [The Gemara will discuss why the owner of the garment, who was standing nearby and presumably watched the garment from the time it fell from his hand until his fellow retrieved it and handed it back to him, is not considered to have guarded it] (see *Rashi*).

6. At present the Gemara assumes the reason of R' Yonasan ben Amram's ruling to be that an item which is guarded on the presumption that it is one article but is later discovered to be a different article is not considered guarded (*Rashi*).

7. I.e. careful with the laws of *tumah* and *taharah.* [A *chaver* (also known as a *Parush*) is a man who is careful with the laws of *tumah* and *taharah.* A *chaverah* (pl. *chaveiros*) is the daughter or wife of such a man, who, being under her father's or husband's good influence, is assumed to be similarly careful (see *Rambam, Hil. Metam'ei Mishkav U'Moshav* 10:5, from *Avodah Zarah* 39a).]

8. The Gemara assumes at this point that the women had been unaware that they had exchanged clothes, and that therefore each one had, for at least some time, been guarding the garment she had donned on the presumption that it was her own. Accordingly, the reason for R' Akiva's ruling was the same as that for the previous one, because guarding an item on the presumption that it is a different item is not a valid guarding (*Meiri*).

9. [Since during the brief time between when he grasped the loaf and when he noticed what he was holding, he was guarding the item on the assumption that it was a different item.]

עין משפט נר מצוה

נא א מיי' פי"א מהל' אבות הטומאות הל' טו ופי"ב הלכה טו:
נב ב ג ד ה ו מיי' פי"ג מהלכות מטמאי משכב ומושב הלכה ו:
נג ז מיי' שם הלכה א:

מסורת הש"ס

א) [נ"ל דתניא], ב) [חולין לה: ע"ש], ג) זבחים לט:, ד) ג"ז שם. ע"ש [תוספתא דטהרות פ"ח], ה) [ברכות נג: פסחים דף יט:], ו) [תוספ' דכלים ב"ב פ"א], ז) [טהרות פ"ח מ"ז], ח) [דף כג.].

גמרא

מדלא קתני בהו מעלה ודלמא האי דלא קתני בהו מעלה דאי דמו לתרומה הא תני תרומה ואי דמו לחולין הא תני לחולין (א) דתנן ג) א חולין שנעשו על טהרת הקודש הרי הן כחולין ר' אלעזר ברבי צדוק אומר הרי הן כתרומה אלא מסיפא יוסי בן יועזר היה חסיד שבכהונה והיתה מטפחתו מדרס לקודש יוחנן בן גודגדא היה אוכל על טהרת הקודש כל ימיו והיתה מטפחתו מדרס לחטאת לחטאת אין לקודש לא אלמא קסבר חולין שנעשו על טהרת קודש כקודש דמו א"ר יונתן בן אלעזר ב נפלה מעפרתו הימנו אמר לחבירו תנה לי ונתנה לו טמאה א"ר יונתן בן עמרם ג נתחלפו לו כלים של שבת בכלים של חול ולבשן נטמאו א"ר אלעזר בר צדוק ד מעשה בשתי נשים חבירות שנתחלפו להן כליהן בבית המרחץ ובא מעשה לפני ר"ע וטימאן מתקיף לה רבי אושעיא אלא מעתה הושיט ידו לסל ליטול פת חטין ועלתה בידו פת שעורים הכי נמי דנטמאת וכי תימא הכי נמי והתניא המשמר את החבית בחזקת של יין ונמצאת של שמן טהורה מלטמא ולטעמיך אימא סיפא ואסורה מלאכול אמאי א"ר ירמיה ג באומר שמרתיה מדבר המטמאה ולא מדבר הפוסלה ומי איכא נטירותא לפלגא אין והתניא ד הושיט ידו בסל והסל על כתיפו והמגריפה בתוך הסל והיה בלבו על הסל ולא היה בלבו על המגריפה הסל טהור והמגריפה טמאה הסל טהור תטמא המגריפה לסל ה אין כלי מטמא כלי וליטמא מה שבסל אמר רבינא ו באומר שמרתיו מדבר שמטמאו ולא מדבר הפוסלו מכל מקום קשיא ועוד מותיב רבה בר אבוה י מעשה באשה אחת שבאת לפני ר' ישמעאל ואמרה לו רבי בגד זה ארגתיו בטהרה ולא היה בלבי לשומרו בטהרה ומתוך בדיקות שהיה רבי ישמעאל בודקה אמרה לו רבי נדה משכה עמי בחבל א"ר ישמעאל כמה גדולים דברי חכמים שהיו אומרים בלבו לשומרו טהור אין בלבו לשומרו טמא שוב מעשה באשה אחת שבאת לפני ר' ישמעאל אמרה לו רבי מפה זו ארגתיה בטהרה ולא היה בלבי לשומרה (א) ומתוך בדיקות שהיה רבי ישמעאל בודקה אמרה לו רבי נימא נפסקה לי וקשרתיה בפה אמר רבי ישמעאל כמה גדולים דברי חכמים שהיו אומרים בלבו לשומרו טהור אין בלבו לשומרו טמא בשלמא לרבי אלעזר בר צדוק כל אחת ואחת אומרת חברתי אשת עם הארץ ומסחה דעתה מינה לרבי יונתן בן עמרם נמי כיון דכלים דשבת עביד להו שימור טפי מסח דעתיה מינייהו אלא לרבי יונתן בן אלעזר נעביד להו שימור בידיה דחבריה אמר רבי יוחנן ז חזקה אין אדם משמר מה שביד חבירו ולא

והתניא

רש"י

מדלא קתני בהו מעלה. לומר בגדי פרושין האוכלין חולין בטהרת חולין מדרס לאוכלי חולין בטהרת הקודש שמע מינה בכלל קודש הן והא תנא ליה קודש: דלמא. או כחולין דמו דלא מהני בהו מאי דלאמר האי גברא דבטלה דעתו או כתרומה דמו דאיכא תנאי דפליגי במילתא כדמפרש ואזיל הלכך לא תנא בהו מעלה דאי דמו לחולין הא תני ליה חולין ואי דמו לתרומה הא תנן ליה במתניתין תרומה: דתנן כו'. כלומר הא אשכחן תנאי דפליגי בה חד אמר כחולין וחד אמר כתרומה אבל כקודש לא אמרינן: מעפרתו. סודר: טמאה. ואפילו זה טהור ולקמן מפרש טעמא חזקה אין אדם משמר מה שביד חבירו לפיכך הוא לא שמרה ביד חבירו וגם זה שנתנה לו לא היה חש לשומרה דמימר אמר כיון שאמר ליה תנה לי והוא אינו יודע אם טמא אני אם טהור לא חש לטהרתו ויש כאן היסח הדעת ולמחמירין בטהרות הוי היסח הדעת טומאה: כלים של שבת בכלים של חול. כסבור ליטול בגדיו של חול ונטל של שבת: נטמאו. קא סלקא דעתיה השתא דסבירא ליה משמר הדבר בחזקת שהוא דבר זה ונמצא שהוא דבר אחר אינו שמור: אמר רבי ירמיה. הא דפרכת אימא סיפא (ב) אסורה מלאכול לא מסייע ליה מידי: באומר שמרתיה מדבר המטמאה ולא מדבר הפוסלה. אבל כמה שמשמרה הימנו הוא שמירתו שמירה ואע"פ שאינו זה: הסל. של תאנים על כתיפו: ומגריפה בתוכה. כלי ברזל הוא שקורין וודי"ל שגורפין בו אפר הכירה וגם מבדלין בו תאנים המודבקות זו בזו: (ג) המטמאה. הנותן לה טומאה לטמא אחרים: (ד) הפוסלה. מלהשתמש בה טהרות לכתחילה אי נמי נפקא מינה לאוכל הדבוק בה שהוא פסול באכילה ומכל מקום אם נגעה בטהרות אינה פוסלתן אלמא איכא נטירותא לפלגא ובכי האי גוונא נמי מילתא מתניתין לעיל ומיתוקמא היא: קשיא. הך דקתני בה טהורה מלטמא: ארגתיו בטהרה. יודעת אני שמשעה שנארג בו ג' על ג' אצבעות שנראה לטומאה לא נגעה בו טומאה ומ"מ לא היה בלבי לשומרו: ומתוך בדיקות כו'. הואיל ולא היה בלבך לשומרו שמא אירע בו כך וכך ולא נזהרת: משכה עמי בחבל. שקשרה בו החבל בכלי האריגה ושמא הסיטתו: נפסקה לי. קודם שארגתי בה כלום (ה) וקשרתיה בפה קודם שארגתי בה כלום שלא היתה ראויה לטומאה ולא נזהרתי בה ולא הייתי טבולה לנדתי ויש לחוש שמא כשארגה בה שלש אצבעות עדיין הרוק לח ורוק הנדה אב הטומאה הוא כך נראה בעיני ורבותי מפרשין משום לינורות עם הארץ המטמאה כל זמן שהיא לחה ואני אומר ע"כ האשה זו חבירה היתה דאי לא חבירה היתה מי אתיא קמי רבנן לישאל על הטהרות ועוד מי מהימנא למימר ארגתיה בטהרה קתני מיהת בלבו לשומרן טהור כלומר אחר כוונת השמירה הן הן הדברים: כיון דכלים של שבת עביד להו שימור טפי. וזה סבור שאלו של חול (ו) אסחא דעתיה משמירה מעלייתא שהיה רגיל לשומרן וכאין בלבו לשומרן דמי:

תוספות

רבי אלעזר בר' צדוק אומר הרי הוא כתרומה. הקשה הר"ר אלחנן (ז) דאמרינן בפרק בתרא דנדה (דף עא:) בראשונה היו אומרים יושבת על דם טוהר מערה מים לפסח ודייק בגמ' מערה אין נוגע לא אלמא חולין שנעשו על טהרת הקודש כקודש דמו ומגליה דלמא דהוו כתרומה דטבול יום פוסל תרומה ונראה למורי דלאי כתרומה הוו אפי' נוגע בה לא הוי אלא פוסל דלא הוי ליה אלא שלישי * ואין שלישי בתרומה מטמא רביעי בקודש שאין המים עושין בו רביעי וקלת משמע כן מתוך פרש"י ור"ח: שמרתיה מדבר המטמאה ולא מדבר הפוסלה. והיה קשה להר"ר אלחנן במאי איפסלא הך מגריפה אי בראשון או בשני אין אדם וכלים מקבלין טומאה אלא מאב הטומאה ואי באב הטומאה האי פסול טמא הוי ותירץ שנפסלה במשקין דמשקין טמאין פוסלין בכלי כדאמרינן אחורי כלים שנטמאו במשקין: נימא נפסקה לי וקשרתיה בפה. פרש"י קודש (ח) שלא היתה נארגת שלא היתה ראויה לטומאה ולא נזהרתי בה ולא הייתי טבולה לנידותי ויש לחוש שמא כשארגתי בה ג' עדיין הרוק לח בבגד ואב הטומאה הוי לטמאות ורבותי הוו מפרשי מטעם לינורא דע"ה המטמאה כל זמן שהיא לחה ואני אומר ע"כ אשה זו חברה היתה מדקאתיא קמיה דר' ישמעאל לישאל ועוד מי מהימנא לומר ארגתיה בטהרה כל זה פרש"י וירושלמי מייתי כל הני עובדי על מתניתין דלאידך פרקין (ט) בכלים הנגמרים בטהרה צריכים טבילה לקודש וקאמר ליה רבי ישמעאל כמה גדולים מעשה חכמים דאמרי כלים הנגמרים כו' משמע דבאשה חברה אורגת עסקינן ובעי טבילה משום דמשמשי בהדיה קודם שנארג כולו כפרש"י וקשה הר"ר יוסף לפי' רש"י היה לו לומר נדה הייתי כמו נדה משכה באידך עובדה ונראה לו לפרש דמתוך שקשרה בפה היה שם רוק לח ובשעה שארגה נגעה ברוק וידים שניות הן ובפרק בתרא דעירובין (דף לט. ושם) משמע דרוק מיחשב משקה וחזר הרוק וטמאה למפה כדתנן י) אחורי כלים שנטמאו במשקין אך לפי שיטת הירושלמי דמדמי לה לכלים הנגמרים (י) ומוקמי לה לקמן ט) משום לינורא דע"ה ומאי אירא משום הכי אפי' בלינורא לחבר נמי איכא למיחש מטעם מגע ידים ומיהו נוכל לומר דלא עיקר טעם נקט לקמן אלא חדא מינייהו נקט:

והתניא

רבינו חננאל

מני ר' מאיר היא דקתני כל הטענין ביאת מים מדברי סופרים מטמא קודש ופוסל את התרומה ומותר בחולין ובמעשר דברי ר' מאיר רישא רבנן וסיפא ר' מאיר ומפרקי' אין רישא רבנן וסיפא ר' מאיר. רב אחא בר אדא מתני בסיפא חמש מעלות והכי קתני בגדי עם הארץ מדרס לפרושין לאוכלי חוליהן בטהרה בגדי פרושין מדרס לאוכלי מעשר בגדי אוכלי מעשר לאוכלי תרומה. בגדי אוכלי תרומה מדרס לקודש בגדי אוכלי קודש כגון זבחי שלמים בכור ומעשר שהן קדשים קלים מדרס לאוכלי חטאת שהוא קדש קדשים הרי אלו ה' מעלות מעלות הפרושין אוכלי חוליהן בטהרה על שאר העם שאין אוכלין חוליהן בטהרה. ומעלת מעשר שני על החולין ומעלת טהרת תרומה שהיא חובה שנאמר כל טהור בביתך יאכל אותה וכתיב בה ובא השמש וטהר ואחר יאכל מן הקדשים כי לחמו הוא על המעשר. ומעלת הקדש על התרומה ומעלת החטאת על הקדש ומוקים לה לסיפא כרישא דקתני טבל לחולין אסור במעשר טבל למעשר אסור בתרומה טבל לתרומה אסור בקודש טבל לקודש אסור לחטאת וכולה רבנן היא אמר רב מרי ש"מ חולין שנעשו על טהרת הקודש כקודש דמו ואין בגדיהן מדרס לקודש ממאי מדלא קתני בהו מעלה בהדיא לפני עצמו ודחינן לה וממאי דלמא האי דלא קתני להו מעלה בפ"ע לאו משום דכי קדש דמו אלא משום דפליגי בהו אית תנא דמשוי להו לחולין ואית תנא דמשוי ליה כתרומה דתנן חולין שנעשו על טהרת הקודש הרי הן כחולין ור' אלעזר בר' צדוק אומר הרי הן כתרומה וחזרנו לומר אלא אמר רב מרי מסיפא דמתניתין שמע לה דקתני יוחנן בן גודגדא היה אוכל על טהרת הקדש כל ימיו והיתה מטפחתו מדרס לחטאת ולא לקדש אלמא חולין שנעשו על טהרת הקדש כקדש דמו. א"ר יונתן בן אלעזר נפלה מעפרתו. פי' מצנפתו ממנו וא' לחבירו שהוא פרוש ונאמן כמותו (א"ל) תנה לי ונתנה לו נטמאת. ומקשינן עליה אמאי נטמאת נעביד לה שימור בידא דחבריה. ופריק ר' יוחנן חזקה אין אדם משמר מה שביד חבירו. ומקשינן ולא והתניא הרי שהיו חמריו ופועליו טעונין טהרות אע"פ שהפליגו יותר מכדי מיל טהרותיו טהורות ופריק ר' יצחק במטהר חמריו ופועליו לכך אי הכי סיפא נמי ואוקימנא אין ע"ה מקפיד כו' א"ר יונתן בן עמרם נתחלפו לו כלים של שבת בכלים של חול ולבשם נטמאו. ואקשינן עליה אמאי נטמאו והלא הן בשמירתו וברשותו וכן בשתי נשים חבירות שנתחלפו כליהם וטמאום אמאי הלא מעתה הושיט ידו ליטול פת חטין ועלה בידו פת שעורים וכל הפת היתה טהורה ומשומרת הכי נמי דכיון שנתחלפה לה נטמאת וכי תימא הכי נמי והתניא היה משמר את החבית בחזקת שהיא של יין ונמצאת של שמן טהורה מלטמא ולטעמיך אימא סיפא אסורה מלאכול ואי טהורה היא אמאי אסורה מלאכול ומפרקינן אמר ר'

חמריו

הגהות הב"ח

(א) גמ' לשומרה בטהרה ומתוך בדיקות: (ב) רש"י ד"ה אמר ר' ירמיה וכו' ואסורה מלאכול לא מסייע לך מידי: (ג) ד"ה המטמאו הנותן לו טומאה: (ד) ד"ה הפוסלו וכו' הד"א עם ד"ה וקשיא הך: (ה) ד"ה נפסקה וכו' כלום הס"ד ואח"כ מה"ד וקשרתיה וכו' ורבותי מפרשים משום לינורא של עם הארץ: (ו) ד"ה כיון דכלים וכו' חו סבורה שאילו של חול הן אסחא: (ז) תוס' ד"ה ר' אלעזר וכו' רבי אלחנן דתנן בפרק: (ח) ד"ה נימא וכו' פרש"י קודם שהיתה כל"ל ותיבת שלא נמחק: (ט) בא"ד דאידך פירקין דתנן כלים וכו' וקאמר ר' ישמעאל כמה גדולים דברי חכמים וכו' דמשמשי בהדה וקודם שנארג כולו נטמא כפרש"י וכו' ובפ' בתרא דעירובין דף לט ע"א. נ"ב ע"ש בתוספות בד"ה היה אוכל: (י) בא"ד לכלים הנגמרים בטהרה ומוקמי לה לקמן משום לינורא דע"ה קשה מאי אירא וכו' דנקט לקמן:

גליון הש"ס

תוס' ד"ה רבי אלעזר וכו' ואין שלישי בתרומה מטמא רביעי בקודש. עיין פסחים דף יד ע"ב תוספות ד"ה ואילו הכא:

ליקוטי רש"י

הרי הן כחולין. ואין כאן לכלל שלישי [חולין לה:]. לא פסיל בהא שלישי דבטל דעתו ואין יכול להתפיס על חולין טהרת הקדש [שם לג:]. הרי הן כתרומה. כדמפרש לטמא שניים ולפסול אחד כלומר הראשון והשני טמא בהן והשלישי פסול ואינו טמא לעשות רביעי אפילו בקדש וכיון דאשמעינן בדידי דלא שייך בהו רביעי תו לא מיקרי שלישי דידי טמא אלא פסול ולא עביד רביעי בקדש [חולין לה:]. דבטלה דעתו ואין שם טהרת הקדש נתפסת עליהם אבל טהרת תרומה [יכול להתפיס ונתפסים] [שם לד.]. מגריפה. כלי ברזל הוא וראשו רחב ומבדילים בו גרוגרות הנדבקות זו בזו. והיה בלבו על הסל. לשם לשומרו [זבחים צט:]. אין כלי. שאינו אב הטומאה מטמא כלי ולא אדם [ברכות נב:]. דאין אוכל ולא כלי שאינו אב הטומאה מטמאין כלים אפילו מדרבנן ולא גזרו חכמים מדבריהם טומאה על הכלים אלא שיטמאו מן המשקין ומשום משקה זב וזבה [פסחים יט:]. שמרתיו מדבר שמטמאו. אב הטומאה שמטמא כלי וכן מטומאות דרבנן המטמאות אותה לטמא חולין ותרומה (מדרבנן). ולא מדבר הפוסלו. לחולין ולתרומה ומיהו טמאה היא להשתמש בה קדשים [זבחים שם].

WINE, וְנִמְצֵאת שֶׁל שֶׁמֶן – **AND IT IS** later **DISCOVERED TO BE OF OIL,** טְהוֹרָה מִלְּטַמֵּא – **IT IS *TAHOR* INSOFAR AS RENDERING** other things ***TAMEI***. Thus we see that a misconception regarding the identity of an item one is guarding does not invalidate its guarding.[10] – ? –

The Gemara counters:

וּלְטַעְמֵיךְ – **But according to your reasoning** (that a misconception regarding the nature of an article does not invalidate its guarding), אֵימָא סֵיפָא – **consider the end** of the Baraisa: וַאֲסוּרָה מִלֶּאֱכוֹל – **BUT [THE OIL] IS FORBIDDEN FOR CONSUMPTION.**[11] אַמַּאי – **Why** should this be so?[12]

The Gemara answers:

אָמַר רַבִּי יִרְמְיָה – **R' Yirmiyah said:** Actually, guarding an item on the assumption that it is a different item is a valid guarding. And the Baraisa is discussing a case בְּאוֹמֵר – **where [the person] says:** שְׁמַרְתִּיהָ מִדָּבָר הַמְטַמְּאָהּ – **"I guarded [the contents of the barrel] from something that would render it *tamei*,** וְלֹא מִדָּבָר הַפּוֹסְלָהּ – **but** I did **not** guard it **from something that would render it *pasul*."**[13]

The Gemara asks:

וּמִי אִיכָּא נְטִירוּתָא לְפַלְגָא – **And is there** such a thing as **a partial guarding,** i.e. is such a guarding valid?

The Gemara answers:

אִין – **Indeed** it is. וְהָתַנְיָא – **For it was taught in a Baraisa:** הוֹשִׁיט יָדוֹ בְּסַל – **IF ONE EXTENDED HIS HAND INTO A BASKET** containing figs, וְהַסַּל עַל כְּתֵיפוֹ – **AND THE BASKET WAS ON HIS SHOULDER,** וְהַמַּגְרֵיפָה בְּתוֹךְ הַסַּל – **AND A SHOVEL**[14] **WAS IN THE BASKET,** וְהָיָה בְּלִבּוֹ עַל הַסַּל – **AND HIS MIND WAS ON THE BASKET** and the figs וְלֹא הָיָה בְּלִבּוֹ עַל הַמַּגְרֵיפָה – **BUT HIS MIND WAS NOT ON THE SHOVEL,** i.e. he guarded the basket and its contents from contracting *tumah*, but not the shovel, הַסַּל טָהוֹר וְהַמַּגְרֵיפָה טְמֵאָה – the law is that **THE BASKET** with its contents **IS *TAHOR*, AND THE SHOVEL IS *TAMEI*.**[15]

In order to show that the Baraisa accepts the concept of "partial guarding from *tumah*," the Gemara analyzes the Baraisa:[16]

הַסַּל טָהוֹר – **The basket is *tahor*?** תְּטַמֵּא הַמַּגְרֵיפָה לַסַּל – **But the shovel should contaminate the basket!**[17] How can the Baraisa rule that only the shovel is *tamei*, and the basket is not?

The Gemara answers:

אֵין כְּלִי מְטַמֵּא כְּלִי – **A utensil cannot contaminate** another **utensil.**[18]

The Gemara persists:

וְלִיטַמֵּא מַה שֶּׁבַּסַּל – **But [the shovel] should contaminate what is in the basket,** i.e. the figs! – ? –

The Gemara explains the Baraisa:

אָמַר רָבִינָא – **Ravina said:** בְּאוֹמֵר – The Baraisa deals **with one who says:** שְׁמַרְתִּיו מִדָּבָר שֶׁמְּטַמְּאוֹ – **"I guarded [the shovel] from something that would render it *tamei*,** וְלֹא מִדָּבָר הַפּוֹסְלוֹ – **but** I did **not** guard it **from something that would render it *pasul*."**[19]

Having ironed out the internal difficulties in the Baraisa regarding the barrel, the Gemara returns to its point:

מִכָּל מָקוֹם קַשְׁיָא – **At any rate, it is difficult.** How can R' Yonasan ben Amram and R' Elazar ben Tzadok say that guarding an object on the assumption that it is another object is not a valid guarding, when the Baraisa states that the barrel of oil which the owner guarded on the presumption it contained wine is *tahor* from contaminating other objects?

The Gemara compounds this difficulty with another one:[20]

וְעוֹד – **And furthermore,** מוֹתִיב רַבָּה בַּר אֲבוּהּ – **Rabbah bar Avuha challenged** the foregoing rulings from another Baraisa: מַעֲשֶׂה בְּאִשָּׁה אַחַת – **AN INCIDENT** occurred **WITH ONE WOMAN**

NOTES

10. [*R' Akiva Eiger* wonders why R' Oshaya posed his objection from a scenario which he himself invented – of one who extended his hand into a basket to remove one type of bread but instead removed another type of bread – when, in order to prove the law in that case, he needed to cite the Baraisa regarding the barrel, and the Baraisa itself is sufficient grounds for his objection.

At any rate, we see that a mistake as to the identity of an item one is guarding does not negate that guarding.]

11. [Although the oil cannot convey *tumah* to other items, it itself is contaminated and may not be eaten.]

12. If the guarding of an item on the belief that it is a different item is a valid guarding, why would the oil be forbidden for consumption?

13. As explained above, the term *tamei* describes an item that is both contaminated itself and is capable of passing on its *tumah* to another item of its kind. The term *pasul* denotes an item that is *tamei* itself, but cannot transfer that *tumah* to a like item. The Baraisa is discussing a person who says that he guarded the liquid in the barrel from becoming contaminated to such a degree that it could transmit *tumah* to another *chullin* item, but he did not guard it *itself* from contracting *tumah* (i.e. he protected it from touching an *av hatumah*, which would render it a *rishon* and enable it, in turn, to render another *chullin* item a *sheni*, but he did not protect it from touching a *rishon*, which would render it a *sheni* but would not allow it to contaminate another *chullin* item). Thus, to the degree that he did guard the oil, his guarding is valid, even though he was under the mistaken impression that the item was something else (*Rashi*).

[According to this explanation, the reason the Baraisa mentions that the person thought the barrel contained wine is to teach an extra novelty, that even though his guarding was doubly flawed – he had intention for only a partial guarding *and* he was mistaken as to the identity of what he was was guarding – his guarding is still valid (*Chazon Ish*).]

14. An iron tool used to remove ashes from an oven. It was also used [as in this case] to separate dried figs that were clumped together (*Rashi*).

15. The basket is *tahor* because it was guarded from *tumah*. But the shovel, which was not guarded, is *tamei*.

[The fact that the person extended his hand into the basket seems irrelevant, since it was the person's lack of guarding of the shovel, not his touch, that rendered the shovel *tamei*. In the *Tosefta* of *Tohoros* 8:9, from which this Baraisa is taken, and in *Zevachim* 99a-b, where it is also quoted, the words הוֹשִׁיט יָדוֹ בְּסַל do not appear.]

16. [No proof can be inferred from the Baraisa's distinction between the basket and the shovel, because they are two separate objects. The issue under discussion is whether a *single* object can be partially guarded from *tumah*.]

17. Since the shovel is deemed *tamei* and is touching the basket.

18. A utensil can contract *tumah* only from an *av hatumah*. Since it is uncommon for a utensil to be an *av hatumah*, the shovel cannot contaminate the basket (see *Rashash*, second explanation).

19. The Gemara is interpreting the words, "My mind was not on the shovel," to mean that he did not guard the shovel *itself* from contracting *tumah*. But he did guard it from contracting *tumah* to such a degree that it could transmit *tumah* to other items. (I.e. he protected the shovel from becoming an *av* or a *rishon*, but he did not protect it from becoming a *sheni*. See *Tosafos* for how it is possible for a utensil to become a *sheni*.) Accordingly, the figs are not *tamei*, but the shovel, being contaminated itself, may not initially be used with *tahor* food (even though if it is so used the food will remain *tahor*). Alternatively, in saying that the shovel is *pasul*, the Gemara means that any food that adheres to the shovel becomes unfit for consumption [because it is subordinate to the shovel] (see *Rashi;* cf. *Rashi* to *Zevachim* 99b ד״ה לבי and *Tosafos* ibid. 99a ד״ה מדבר).

At any rate, the Baraisa states, according to the above interpretation, that if the shovel touches *tahor* food, it does not contaminate it, even though it itself is *pasul*. Hence, we have proven that the concept of a partial guarding does indeed exist, and we can thus interpret the earlier-cited Baraisa regarding the barrel to be discussing such a guarding as well (*Rashi*).

20. [The previous challenge from the Baraisa which discussed the barrel applied only to the last two of the original three rulings cited above. The following challenge applies to all three rulings.]

א) [נ"ל דתניא], ב) [חולין לה: ע"ש], ג) זבחים לט:, ד) [ג"ז שם. ע"ש [תוספתא דטהרות פ"ח], ה) [ברכות נב: פסחים דף יז:], ו) [תוספ' דכלים ב"ב פ"א], ז) [טהרות פ"ח מ"ז], ח) [דף כג.]

נא א מיי' פי"א מהל' אבות הטומאות הל' טו ופי"ב הלכה טז:
נב ב ג ד ה ו מיי' פי"ג מהלכות מטמאי משכב ומושב הלכה ו:
נג ז מיי' שם הלכה א:

מדלא קתני בהו מעלה ודלמא האי דלא קתני בהו מעלה דאי דמו לתרומה הא תני תרומה ואי דמו לחולין הא תני לחולין (א) דתנן) ג א חולין שנעשו על טהרת הקודש הרי הן כחולין ר' אלעזר ברבי צדוק אומר הרי הן כתרומה אלא מסיפא יוסי בן יועזר היה חסיד שבכהונה והיתה מטפחתו מדרס לקודש יוחנן בן גודגדא היה אוכל על טהרת הקודש כל ימיו והיתה מטפחתו מדרס לחטאת לחטאת אין לקודש לא אלמא קסבר חולין שנעשו על טהרת קודש כקודש דמו א"ר יונתן בן אלעזר ב נפלה מעפרתו הימנו אמר לחבירו תנה לי ונתנה לו טמאה א"ר יונתן בן עמרם ג נתחלפו לו כלים של שבת בכלים של חול ולבשן נטמאו א"ר אלעזר בר צדוק ד מעשה בשתי נשים חבירות שנתחלפו להן כליהן בבית המרחץ ובא מעשה לפני ר"ע וטימאן מתקיף לה רבי אושעיא אלא מעתה הושיט ידו לסל ליטול פת חטין ועלתה בידו פת שעורים הכי נמי דנטמאת וכי תימא הכי נמי והתניא המשמר את החבית בחזקת של יין ונמצאת של שמן טהורה מלטמא ולטעמיך אימא סיפא ואסורה מלאכול אמאי א"ר ירמיה ג באומר שמרתיה מדבר המטמאה ולא מדבר הפוסלה ומי איכא נטירותא לפלגא אין והתניא ה ז הושיט ידו בסל והסל על כתיפו והמגריפה בתוך הסל והיה בלבו על הסל ולא היה בלבו על המגריפה הסל טהור והמגריפה טמאה הסל טהור תטמא המגריפה לסל ה אין כלי מטמא כלי וליטמא מה שבסל אמר רבינא ו באומר שמרתיו מדבר שמטמאו ולא מדבר הפוסלו מכל מקום קשיא ועוד מותיב רבה בר אבוה ו מעשה באשה אחת שבאת לפני ר' ישמעאל ואמרה לו רבי בגד זה ארגתיו בטהרה ולא היה בלבי לשומרו בטהרה ומתוך בדיקות שהיה רבי ישמעאל בודקה אמרה לו רבי נדה משכה עמי בחבל א"ר ישמעאל כמה גדולים דברי חכמים שהיו אומרים בלבו לשומרו טהור אין בלבו לשומרו טמא מעשה שוב באשה אחת שבאת לפני ר' ישמעאל אמרה לו רבי מפה זו ארגתיה בטהרה ולא היה בלבי לשומרה (א) ומתוך בדיקות שהיה רבי ישמעאל בודקה אמרה לו רבי נימא נפסקה לי וקשרתיה בפה אמר רבי ישמעאל כמה גדולים דברי חכמים שהיו אומרים בלבו לשומרו טהור אין בלבו לשומרו טמא בשלמא לרבי אלעזר בר צדוק כל אחת ואחת אומרת חברתי אשת עם הארץ ומסחה דעתה מינה לרבי יונתן בן עמרם נמי כיון דכלים דשבת עביד להו שימור טפי מסח דעתיה מיניהו אלא לרבי יונתן בן אלעזר נעביד להו שימור בידיה דחבריה אמר רבי יוחנן ז חזקה אין אדם משמר מה שביד חברו ולא והתניא

רש"י

מדלא קתני בהו מעלה. לומר בגדי פרושין האוכלין חוליהן בטהרת חולין מדרס לאוכלי חולין בטהרת הקודש שמע מינה בכלל קודש הן והא תנא ליה קודש: דלמא. הא כחולין דמו דלא מהני בהו מאי דאמר האי גברא לבטלה דעתו או כתרומה דמו דליכא תנאי דפליגי במילתא כדמפרש ואזיל הלכך לא תנא בהו מעלה דאי דמו לחולין הא תני ליה חולין ואי דמו לתרומה הא תנן ליה במתניתין תרומה: דתנן כו'. כלומר הא אשכחן תנאי דפליגי בה חד אמר כחולין וחד אמר כתרומה אבל כקודש לא אמרינן: מעפרתו. סודר: טמאה. ואפילו זה טהור ולקמן מפרש טעמא חזקה אין אדם משמר מה שביד חבירו לפיכך הוא לא שמרה ביד חבירו וגם זה שנתנה לו לא היה חש לשומרה דמימר אמר כיון שאמר ליה תנה לי והוא אינו יודע אם טמא אני אם טהור לא חש לטהרתו ויש כאן היסח הדעת ולמתמירין בטהרות הוי היסח הדעת טומאה: כלים של שבת בכלים של חול. כסבור ליטול בגדיו של חול ונטל של שבת: נטמאו. קא סלקא דעתיה השתא דסבירא ליה משמר הדבר בחזקת שהוא דבר זה ונמצא שהוא דבר אחר אינו שמור: אמר רבי ירמיה. הא דקרכת אימא סיפא (ב) אסורה מלאכול לא מסייע ליה מידי: באומר שמרתיה מדבר המטמאה ולא מדבר הפוסלה. אבל במה שמשמרה הימנו הויא שמירתו שמירה ואע"פ שאינו זה: הסל. של תאנים על כתיפו: ומגריפה בתוכה. כלי ברזל הוא שקורין וודי"ל שגורפין בו אפר הכירה וגם מבדלין בו תאנים המודבקות זו בזו: (ג) המטמאה. הנותן לה טומאה לטמא אחרים: (ד) הפוסלה. מלהשתמש בה טהרות לכתחילה אי נמי נפקא מינה לאוכל הדבוק בה שהוא פסול באכילה ומכל מקום אם נגעה בטהרות אינה פוסלתן אלמא איכא נטירותא לפלגא וכבי האי גוונא נמי מיתרצא מתניתין דלעיל ומיתוקמא היא: קשיא. הך דקתני בה טהורה מלטמא: ארגתיו בטהרה. יודעת אני שמשעה שנארג בו ג' על ג' אצבעות שנראה לטומאה לא נגעה בו טומאה ומ"מ לא היה בלבי לשומרו: ומתוך בדיקות כו'. הואיל ולא היה בלבך לשומרו שמא אירע בו כך וכך ולא נזהרת: משכה עמי בחבל. שקשרה בו החבל בכלי האריגה ושמא הסיטתו: נפסקה לי. קודם שארגתי בה כלום (ה) וקשרתיה בפה קודם שארגתי בה כלום שלא היתה ראויה לטומאה ולא נזהרתי בה ולא הייתי טבולה לנדתי ויש לחוש שמא כשארגה בה שלש אצבעות עדיין הרוק לח ורוק הנדה אב הטומאה הוא כך נראה בעיני ורבותי מפרשין משום ליגורות עם הארץ המטמאה כל זמן שהיא לחה ואני אומר ע"כ האשה זו חבירה היתה דאי לא חבירה היתה מי אתיא קמי רבנן לישאל על הטהרות ועוד מי מהימנא למימר ארגתיה בטהרה קתני מיהת בלבו לשומרו טהור כלומר אחר כוונת השמירה הן הן הדברים: כיון דכלים של שבת עביד להו שימור טפי. וזה סבור שאלו של חול (ו) אסחא לדעתיה משמירה מעלייתא שהיה רגיל לשומרן ולכן בלבו לשומרן דמי:

תוספות

רבי אלעזר בר' צדוק אומר הרי הוא כתרומה. הקשה הרב ר' אלחנן (ז) דאמרינן בפרק בתרא דנדה (דף עא:) בראשונה היו אומרים יושבת על דם טהור מערה מים לפסח ודייק בגמ' מערה אין נוגע לא אלמא חולין שנעשו על טהרת הקודש כקודש דמו ומגליה דלמא דהוו כתרומה דטבול יום פוסל תרומה ונראה למורי דאי כתרומה הוו אפי' מגע בה לא הוי אלא פוסל דלא הוי ליה אלא שלישי ואין שלישי בתרומה מטמא רביעי בקודש שאין המים עושין בו רביעי וקלת משמע כן מתוך פרש"י ור"ת: שמרתיה מדבר המטמאה ולא מדבר הפוסלה. והיא קשה להר"ר אלחנן במאי איפסלא הך מגריפה אי בראשון או בשני אין אדם וכלים מקבלין טומאה אלא מאב הטומאה ואי באב הטומאה האי פסול טמא הוי ותירץ שנפסלה במשקין דמשקין טמאין פוסלין בכלי כדאמרינן אחורי כלים שנטמאו במשקין: נימא נפסקה לי וקשרתיה בפה. פרש"י קודם (ח) שלא היתה נארגת שלא היתה ראויה לטומאה ולא נזהרתי בה ולא הייתי טבולה לנידותי ויש לחוש שמא כשארגתי בה ג' עדיין הרוק לח בבגד ואב הטומאה הוי לטמאות ורבותי הוו מפרשי מטעם ליגורא דע"ה המטמאה כל זמן שהיא לחה ואני אומר ע"כ אשה זו חברה היתה מדקאתיא קמיה דר' ישמעאל לישאל ועוד מי מהימנא לומר ארגתיה בטהרה כל זה פרש"י וירושלמי מייתי כל הני עובדי על מתניתין דלהלן פרקין (ט) בכלים הנגמרים בטהרה צריכים טבילה לקודש וקאמר ליה רבי ישמעאל כמה גדולים מעשה חכמים דאמרי כלים הנגמרים כו' משמע דאשה חברה אורגת עסקינן ובעי טבילה משום דמשמשי בהדיה קודש שנארג כולו כפרש"י והקשה הר"ר יוסף לפי' רש"י היה לו לומר נדה הייתי כמו נדה משכה באידך עובדא ונראה לו לפרש דמתוך שקשרה בפה היה שם רוק לח ובשעה שארגה נגעה ברוק וידים שניות הן ומשמע דרוק מיחשב משקה וחזר הרוק ומטמא למפה כדתנן ח) אחורי כלים שנטמאו במשקין אך לפי שיטת הירושלמי דמדמי לה לכלים הנגמרים (י) ומוקי לה לקמן משום ליגורא דע"ה ומאי איריא משום הכי אפי' בליגורא לחבר נמי איכא למיחש מטעם מגע ידים ומיהו נוכל לומר דלא עיקר טעם נקט לקמן אלא חדא מינייהו נקט:

רבינו חננאל

מני ר' מאיר היא דקתני כל הטוען ביאת מים מדברי סופרים מטמא קודש ופוסל את התרומה ומותר בחולין ובמעשר דברי ר' מאיר רישא רבנן וסיפא ר' מאיר ומפרקי' אין רישא רבנן וסיפא ר' מאיר. רב אחא בר אדא מתני בסיפא חמש מעלות והכי קתני בגדי עם הארץ מדרס לפרושים לאוכלי חוליהן בטהרה בגדי פרושין מדרס לאוכלי מעשר בגדי אוכלי מעשר לאוכלי תרומה. בגדי אוכלי תרומה מדרס לקודש בגדי אוכלי קודש כגון זבחי שלמים בכור ומעשר שהן קדשים קלים מדרס לאוכלי חטאת שהוא קדש קדשים הרי אלו ה' מעלות מעלות הפרושין אוכלי חוליהן בטהרה שבדו עשר הם עם הארץ שאין אוכלין חוליהן בטהרה. ומעלת מעשר שני על החולין ומעלת טהרת תרומה שהיא חובה שנאמר כל טהור בביתך יאכל אותה וכתיב בה ובא השמש וטהר ואחר יאכל מן הקדשים כי לחמו הוא על המעשר. ומעלת הקדש על התרומה ומעלת החטאת על הקדש ומוקים לה לסיפא כרישא דקתני טבל לחולין אסור במעשר טבל למעשר אסור בתרומה טבל לתרומה אסור בקודש טבל לקודש אסור לחטאת וכולה רבנן היא אמר רב מרי ש"מ חולין שנעשו על טהרת הקודש כקודש דמו ואין בגדיהן מדרס לקודש ממאי מדלא קתני בהו מעלה בהדיא בפני עצמו ודחינן לה ומאי דלמא האי דלא קתני להו מעלה בפ"ע לאו משום דכי קדש דמו אלא משום דפליגי בהו איכא תנא דמשוי להו לחולין ואית תנא דמשוי ליה כתרומה דתנן חולין שנעשו על טהרת הקודש הרי הן כחולין ור' אלעזר בר' צדוק אמר הרי הן כתרומה וחזרנו לומר אלא אמר רב מרי מסיפא דמתניתין שמע לה דקתני יוחנן בן גודגדא היה אוכל על טהרת הקדש כל ימיו והיתה מטפחתו מדרס לחטאת ולא לקדש אלמא חולין שנעשו על טהרת הקודש כקודש דמו. א"ר יונתן בן אלעזר נפלה מעפרתו. פי' מצנפתו ממנו וא' לחבירו שהוא פרוש ונאמן כמותו (א"ל) תנה לי ונתנה לו נטמאת. ומקשינן עליה אמאי נטמאת נעביד לה שימור בידא דחבריה. ופריק ר' יוחנן חזקה אין אדם משמר מה שביד חבירו. ומקשינן ולא והתניא הרי שהיו חמריו ופועליו טעונין טהרות אע"פ שהפליגו יותר מכדי מיל טהרותיו טהורות ופריק ר' יצחק במטהר חמריו ופועליו לכך אי הכי סיפא נמי ואוקימנא אין ע"ה מקפיד כו' א"ר יונתן בן עמרם נתחלפו לו כלים של שבת בכלים של חול ולבשם נטמאו. ואקשינן עליה אמאי נטמאו והלא הן בשמירתו וברשותו וכן בשתי נשים חבירות שנתחלפו כליהם וטמאם אמאי הלא מעתה הושיט ידו ליטול פת חטין ועלה בידו פת שעורים וכל הפת היתה טהורה ומשמרת הכי נמי דכיון שנתחלפה לה נטמאת וכי תימא הכי נמי והתניא היה משמר את החבית בחזקת שהיא של יין ונמצאת של שמן טהורה מלטמא ולטעמיך אימא סיפא אסורה מלאכול ואי טהורה היא אמאי אסורה מלאכול ופרקינן אמר ר'

הגהות הב"ח

(א) גמ' לשומרה בטהרה ומתוך בדיקות: (ב) רש"י ד"ה אמר ר' ירמיה וכו' ואסורה מלאכול לא מסייע לך מידי: (ג) ד"ה המטמאה הנותן לו טומאה: (ד) ד"ה הפוסלו וכו' הס"ד עם ד"ה וקשרה בפה: (ה) ד"ה נפסקה וכו' כלום קודם וכו' ואח"כ מה"ד וקשרתיה וכו' ורבותי מפרשים משום ליגורא של עם הארץ: (ו) ד"ה כיון דכלים וכו' חזו סבורה שאלו של חול הן אסחא: (ז) תוס' ד"ה ר' אלעזר וכו' רבי אלחנן דתנן בפרק: (ח) ד"ה נימא וכו' פרש"י קודם שהיתה נארגת וכו' ותיבת שלא נמחק: (ט) בא"ד דאידך פירקין דתנן כלים וכו' וקאמר ליה ר' ישמעאל כמה גדולים דברי חכמים וכו' דמשמשי בהדה וקודם שנארג כולו טומאה כפרש"י וכו' ובפ' בתרא דעירובין דף נט ע"א. נ"ב ע"ש בתוספות בד"ה היה אוכל: (י) בא"ד לכלים הנגמרים בטהרה ומוקמי לה לקמן משום ליגורא דע"ה קשה מאי איריא וכו' דנקט לקמן:

גליון הש"ס

תוס' ד"ה רבי אלעזר וכו' ואין שלישי בתרומה מטמא רביעי בקודש. עיין פסחים דף יז ע"ב תוספות ד"ה ואלו הכא:

ליקוטי רש"י

הרי הן כחולין. ואין באין לכלל שלישי [חולין לה:]. לא פסיל בהו שלישי דבטל דעתו ואין יכול להחמיר על חולין טהרת הקדש [שם לג:]. הרי הן כתרומה. ממפרש לטמא שניים ולפסול אחד כלומר הראשון והשני טמא בכהן והשלישי פסול ואינו טמא לעשות רביעי אפילו בקדש וכיון דאשמעינן בדידי דלא שייך בהו רביעי תו לא מיקרי שלישי דידי טמא אלא פסול ולא עביד רביעי בקדש [חולין לה:]. דבטלה דעתו ואין עשויה מטמא הקדש נתפסת עליהם אבל טהרת תרומה [יכול] להתפיסם ונתפסים [שם לד:]. מגריפה. כלי כעין כף הוא ורחב ומבדלים בו גרוגרות המדבקות זו בזו. והיה בלבו על הסל. לשמור [זבחים צג:]. אין כלי. שאינו אב הטומאה מטמא כלי ולא אדם [ברכות נב:]. דאין אוכל ולא כלי שאינו אב הטומאה מטמאין כלים אפילו מדרבנן ולא גזרו חכמים מדרבנן טומאה על הכלים אלא שיטמאו מן המשקין ומשום משקה זב וזבה [פסחים יז:]. שמרתיו מדבר שמטמאו. אב הטומאה שמטמאת כלי וכן מטומאות דרבנן המטמאות אותה לטמא חולין ותרומה (מדרבנן). ולא מדבר הפוסלו. לחולין ולתרומה ומיהו טמאה היא להשתמש בה קדשים [זבחים שם].

שֶׁבָּאת לִפְנֵי רַבִּי יִשְׁמָעֵאל – WHO CAME BEFORE R' YISHMAEL וְאָמְרָה לוֹ – AND SAID TO HIM: רַבִּי – "MY TEACHER, בֶּגֶד זֶה אֲרַגְתִּיו בְּטָהֳרָה – THIS GARMENT I WOVE IN PURITY, וְלֹא הָיָה בְלִבִּי לְשׁוֹמְרוֹ בְּטָהֳרָה – BUT I DID NOT HAVE IN MIND TO GUARD IT IN PURITY." I.e. she stated that she was certain that from the moment during the weaving process that the cloth had reached the size of three by three fingers, which is the point at which a piece of cloth becomes susceptible to *tumah,* it did not come in contact with anything capable of contaminating it. But she admitted that she had not *consciously* guarded it from *tumah* during that time.[21] R' Yishmael proceeded to interrogate her, probing to see if perhaps, due to her lack of attentiveness to the matter, something had in fact occurred which might have rendered the garment *tamei.* וּמִתּוֹךְ בְּדִיקוֹת שֶׁהָיָה רַבִּי יִשְׁמָעֵאל בּוֹדְקָהּ – AND AMIDST THE INTERROGATIONS WITH WHICH R' YISHMAEL INTERROGATED HER, אָמְרָה לוֹ – SHE SAID TO HIM, רַבִּי – "MY TEACHER, נִדָּה מָשְׁכָה עִמִּי בַּחֶבֶל – A *NIDDAH* DREW TOGETHER WITH ME THE ROPE that was attached to the loom."[22] אָמַר רַבִּי יִשְׁמָעֵאל – R' YISHMAEL EXCLAIMED, כַּמָּה גְּדוֹלִים דִּבְרֵי חֲכָמִים – "HOW GREAT ARE THE WORDS OF THE SAGES, שֶׁהָיוּ אוֹמְרִים – WHO WOULD SAY, בְּלִבּוֹ לְשׁוֹמְרוֹ טָהוֹר – 'If ONE HAD IN MIND TO GUARD IT, IT IS *TAHOR,* אֵין בְּלִבּוֹ לְשׁוֹמְרוֹ טָמֵא – but if ONE DID NOT HAVE IN MIND TO GUARD IT, IT IS *TAMEI*'!"[23]

שׁוּב מַעֲשֶׂה בְּאִשָּׁה אַחַת שֶׁבָּאת לִפְנֵי רַבִּי יִשְׁמָעֵאל – YET ANOTHER INCIDENT occurred WITH ONE WOMAN WHO CAME BEFORE R' YISHMAEL. אָמְרָה לוֹ – SHE SAID TO HIM, רַבִּי – "MY TEACHER, מַפָּה זוֹ אֲרַגְתִּיהָ בְּטָהֳרָה – THIS CLOTH I WOVE IN PURITY, וְלֹא הָיָה בְּלִבִּי לְשׁוֹמְרָהּ – BUT I DID HAVE IN MIND TO GUARD IT in purity." וּמִתּוֹךְ בְּדִיקוֹת שֶׁהָיָה רַבִּי יִשְׁמָעֵאל בּוֹדְקָהּ – AND AMIDST THE INTERROGATIONS WITH WHICH R' YISHMAEL INTERROGATED HER, אָמְרָה לוֹ – SHE SAID TO HIM, רַבִּי – "MY TEACHER, נִימָא נִפְסְקָה לִי – A THREAD I was using SNAPPED, וְקָשַׁרְתִּיהָ בַּפֶּה – AND I TIED IT BY using my MOUTH."[24] אָמַר רַבִּי יִשְׁמָעֵאל – R' YISHMAEL EXCLAIMED, כַּמָּה גְּדוֹלִים דִּבְרֵי חֲכָמִים – "HOW GREAT ARE THE WORDS OF THE SAGES, שֶׁהָיוּ אוֹמְרִים – WHO WOULD SAY: בְּלִבּוֹ לְשׁוֹמְרוֹ טָהוֹר – 'If ONE HAD IN MIND TO GUARD IT, IT IS *TAHOR,* אֵין בְּלִבּוֹ לְשׁוֹמְרוֹ טָמֵא – but if ONE DID NOT HAVE IN MIND TO GUARD IT, IT IS *TAMEI*'!"

Now, R' Yishmael stated, "If one had in mind to guard it, it is *tahor,*" implying that the only problem with a diversion of attention is that the item might have become contaminated in the interim. If so, what difference does it make, in the last two cases, if the person who was guarding the object thought that it was a different item? Similarly, in the first case, why should the fact that the shawl fell from the person and was retrieved by somebody else render it *tamei*? Since the garment was guarded from *tumah* uninterruptedly, it should remain *tahor!*[25] – ? –

The Gemara eliminates the question on the last two laws, but retains its question on the first one:

בִּשְׁלָמָא לְרַבִּי אֶלְעָזָר בַּר צָדוֹק – **It is well as far as** the law of **R' Elazar bar Tzadok** (viz. the garments exchanged in the bathhouse), for we can say that the reason R' Akiva ruled the garments *tamei* is because in cases such as this, כָּל אַחַת וְאַחַת אוֹמֶרֶת – **each [woman] says** to herself, חֲבֶרְתִּי אֵשֶׁת עַם הָאָרֶץ – **"My fellow** bather **is the wife of an *am haaretz,*"** וּמַסְּחָה דַּעְתָּהּ מִינָּהּ – **and she** therefore **diverts her attention from** guarding **[the garment].**[26] לְרַבִּי יוֹנָתָן בֶּן עַמְרָם נַמִּי – **As far as** the law of **R' Yonasan ben Amram also** (viz. the case of the person who intended to take his weekday garments but instead took his Sabbath ones), כֵּיוָן דִּכְלִים דְּשַׁבָּת עָבִיד לְהוּ שִׁימּוּר טְפֵי – **since one** generally **guards his Sabbath garments more zealously** than his weekday ones, and now, due to the switch, he guarded them only as much as his weekday ones, מַסַּח דַּעְתֵּיהּ מִינַּיְיהוּ – it is considered as if **he diverts his attention from them.**[27] אֶלָּא לְרַבִּי יוֹנָתָן בֶּן אֶלְעָזָר – **But as far as** the law of **R' Yonasan ben Elazar** (that if one dropped his shawl and another person retrieved it for him it is *tamei*), נַעֲבִיד לְהוּ שִׁימּוּר בִּידֵיהּ דְּחַבְרֵיהּ – **let [the owner] guard it while it is in his fellow's hand!**[28] – ? –

NOTES

21. [Apparently, the woman was aware of the Rabbinic requirement that an object needs to be guarded in order for it to be considered *tahor,* or else she would have not have bothered inquiring regarding its status. Nevertheless, she reasoned that since the rationale for this enactment was only so that the article would not unknowingly become *tamei,* and she, thinking back, was positive that the garment had *not* become *tamei,* it should be considered *tahor.*]

22. Her memory jogged by the questions R' Yishmael posed, she recalled that a *niddah* had helped her tie a rope to the loom [after the cloth had reached the size at which it was susceptible to contracting *tumah* (*Meiri*)], allowing for the possibility that the *niddah* had contaminated it through indirectly moving it [הֶסֵּט] (*Rashi*).

23. [They knew that without a conscious effort to guard an item, the item might become *tamei* without the owner even realizing it.]

24. Before I had even begun to weave, one of the threads snapped, and I tied it using my mouth. I had previously menstruated, and had not yet immersed myself, but I thought nothing of it, since at that point no cloth sizable enough to contract *tumah* had yet been woven. R' Yishmael, however, realized that the possibility existed that after the woman had woven the cloth to the size of three by three fingers, there was still some moist saliva left on it, and the saliva of a *niddah* is considered an *av hatumah* capable of contaminating utensils (*Rashi;* cf. alternative explanation cited by *Rashi* in the name of his teachers; *Tosafos* here and to *Eruvin* 99a ד״ה היה).

25. [If not for the Baraisa of R' Yishmael, we could have explained that the Sages considered any unexpected change in the guarding of an object, such as the fact that the person thought that he was guarding one item when he was in fact guarding another, or the fact that the item was in one person's possession and then unexpectedly (e.g. due to its having been dropped) came into the possession of another, a "diversion of attention," even if that change did not give rise to the possibility that the item had become *tamei.* But then] how could R' Yishmael have exclaimed that the incidents with the women corroborated the words of the Sages? The Sages' enactment had nothing to do with fear of contamination! Clearly, the rule of diversion of intention was enacted out of concern that the item became contaminated, and applies only where there was an actual lapse in the guarding (*Rashi,* with elaboration of *Chazon Ish, Tohoros* 10:10; *Melo HaRo'im,* second explanation; cf. *Chidushei R' Akiva Eiger*).

26. As soon as she realizes that she has exchanged her garment with her neighbor, whom she suspects of being the wife of an *am haaretz* (who, along with her husband, is not careful with the laws of *tumah* and *taharah*), she despairs of guarding it on her neighbor (*Meiri;* cf. *Tos. Rid*).

Thus, the reason R' Akiva declared the garments *tamei* had nothing to do with the women having had a misimpression as to the garments' identity. In fact, a mistaken impression as to the identity of the item one is guarding does *not* negate its guarding (*Meiri; Tos. Rid*). Rather, R' Akiva ruled the garments *tamei* because the women had stopped guarding them for a time.

27. Even though one also guards his weekday clothes from *tumah,* and that level of guarding is sufficient for his Sabbath garments as well, nevertheless since he guards his Sabbath garments more carefully than his weekday ones, and now, due to the mix-up, his guarding of his Sabbath garments was lessened somewhat, the Sages considered it as a full-fledged diversion of attention. This is no contradiction to R' Yishmael's statement, "If one had in mind to guard it, it is *tahor,*" because a decrease in the level of vigilance regarding an item lessens the surety of its *taharah* (*Chazon Ish;* see also *Meiri* and *Gilyonei HaShas;* cf. *Tos. Rid*).

28. Where the owner of the garment kept his eye on it from the time it fell from him until his friend retrieved it and handed it to him, why should it be deemed *tamei*? It was guarded continuously! [The Gemara assumes that R' Yonasan ben Elazar is discussing a case in which the owner of the garment recognized the person he asked to retrieve it as a *Parush,* for if he did not, the garment would obviously be *tamei,* having been touched by an *am haaretz* (*Rishon LeTzion*).]

עין משפט נר מצוה

נא א מיי' פי"א מהל' אבות הטומאות הל' טו ופי"ב הלכה טו:
נב ב ג ד ה ו מיי' פי"ג מהלכות מטמאי משכב ומושב הלכה ו:
נג ז מיי' שם הלכה ה:

מסורת הש"ס

א) [נ"ל דתניא], ב) [חולין לה: ע"ש], ג) זבחים לג: ד) ג"ז שם. ע"ש [תוספתא דטהרות פ"ח], ה) [ברכות נב: פסחים דף יט:], ו) [כלים פ"א], ז) [טהרות פ"ח מ"ז], ח) [דף כג.].

מדלא קתני בהו מעלה ודלמא האי דלא
קתני בהו מעלה דאי דמו לתרומה הא תני
תרומה ואי דמו לחולין הא תני לחולין
(א) דתנן) ג א חולין שנעשו על טהרת הקודש
הרי הן כחולין ר' אלעזר ברבי צדוק אומר
הרי הן כתרומה אלא מסיפא יוסי בן יועזר
היה חסיד שבכהונה והיתה מטפחתו מדרס
לקודש יוחנן בן גודגדא היה אוכל על
טהרת הקודש כל ימיו והיתה מטפחתו
מדרס לחטאת לחטאת אין לקודש לא אלמא
קסבר חולין שנעשו על טהרת קודש כקודש
דמו א"ר יונתן בן אלעזר ב נפלה מעפרתו
הימנו אמר לחבירו תנה לי ונתנה לו טמאה
א"ר יונתן בן עמרם ג נתחלפו לו כלים של
שבת בכלים של חול ולבשן נטמאו א"ר
אלעזר בר צדוק ד מעשה בשתי נשים חבירות
שנתחלפו להן כליהן בבית המרחץ ובא
מעשה לפני ר"ע וטימאן מתקיף לה רבי
אושעיא אלא מעתה הושיט ידו לסל ליטול
פת חטין ועלתה בידו פת שעורים הכי נמי
דנטמאת וכי תימא הכי נמי והתניא המשמר
את החבית בחזקת של יין ונמצאת של
שמן טהורה מלטמא ולטעמיך אימא סיפא
ואסורה מלאכול אמאי א"ר ירמיה ג באומר
שמרתיה מדבר המטמאה ולא מדבר
הפוסלה ומי איכא נטירותא לפלגא אין
והתניא ד ה הושיט ידו בסל והסל על כתיפו
והמגריפה בתוך הסל והיה בלבו על הסל
ולא היה בלבו על המגריפה הסל טהור
והמגריפה טמאה הסל טהור תטמא המגריפה
לסל ו אין כלי מטמא כלי וליטמא מה שבסל
אמר רבינא ז באומר שמרתיו מדבר שמטמאו
ולא מדבר הפוסלו מכל מקום קשיא ועוד
מותיב רבה בר אבוה ח מעשה באשה
אחת שבאת לפני ר' ישמעאל ואמרה לו
רבי בגד זה ארגתיו בטהרה ולא היה בלבי
לשומרו בטהרה ומתוך בדיקות שהיה רבי
ישמעאל בודקה אמרה לו רבי נדה משכה
עמי בחבל א"ר ישמעאל כמה גדולים דברי
חכמים שהיו אומרים בלבו לשומרו טהור
אין בלבו לשומרו טמא שוב מעשה באשה
אחת שבאת לפני ר' ישמעאל אמרה לו
רבי מפה זו ארגתיה בטהרה ולא היה
בלבי לשומרה (א) ומתוך בדיקות שהיה רבי
ישמעאל בודקה אמרה לו רבי נימא נפסקה
לי וקשרתיה בפה אמר רבי ישמעאל כמה
גדולים דברי חכמים שהיו אומרים בלבו לשומרו טהור אין בלבו
לשומרו טמא בשלמא לרבי אלעזר בר צדוק כל אחת ואחת אומרת
חברתי אשת עם הארץ ומסחה דעתה מינה לרבי יונתן בן עמרם
נמי כיון דכלים דשבת עביד להו שימור טפי מסח דעתיה מינייהו
אלא לרבי יונתן בן אלעזר נעביד להו שימור בידיה דחבריה
אמר רבי יוחנן ז חזקה אין אדם משמר מה שביד חברו ולא
והתניא

רש"י

מדלא קתני בהו מעלה. לומר בגדי פרושין האוכלין בטהרת חולין מדרס לאוכלי חוליהן בטהרת הקודש שמע מינה בכלל קודש הן והא תנא ליה קודש: דלמא. או כחולין דמו דלא מהני בהו מאי דאמר האי גברא דבטלה דעתו או כתרומה דמו דאיכא תנאי דפליגי במילתא כדמסיים ואזיל הלכך לא תנא בהו מעלה דאי דמו לחולין הא תני ליה חולין ואי דמו לתרומה הא תנן ליה במתניתין תרומה: דתנן כו'. כלומר הא אשכחן תנאי דפליגי בה חד אמר כחולין וחד אמר כתרומה אבל כקודש לא אמרינן: מעפרתו. סודר: טמאה. ואפילו זה טהור ולקמן מפרש טעמא חזקה אין אדם משמר מה שביד חבירו לפיכך הוא לא שמרה ביד חבירו וגם זה שנתנה לו לא היה חש לשומרה דמימר אמר כיון שאמר ליה תנה לי והוא אינו יודע אם טמא אני אם טהור לא חש לטהרתו ויש כאן היסח הדעת ולמחמירין בטהרות הוי היסח הדעת טומאה: כלים של שבת בכלים של חול. כסבור ליטול בגדיו של חול ונטל של שבת: נטמאו. קא סלקא דעתיה השתא דסבירא ליה משמר הדבר בחזקת שהוא דבר זה ונמצא שהוא דבר אחר אינו שמור: אמר רבי ירמיה. הא דפרכת אימא סיפא (ב) אסורה מלאכול לא מסייע ליה מידי: באומר שמרתיה מדבר המטמאה ולא מדבר הפוסלה. אבל במה שמשמרה הימנו הויא שמירתו שמירה ואע"פ שאינו זה: הסל. של תאנים על כתיפו: ומגריפה בתוכה. כלי ברזל הוא שקורין ודי"ל שגורפין בו אפר הכירה וגם מבדילין בו תאנים המודבקות זו בזו: (ג) המטמאה. הנותן לה טומאה לטמא אחרים: (ד) הפוסלה. מלהשתמש בה טהרות לכתחילה אי נמי נפקא מינה לאוכל הדבוק בה שהוא פסול באכילה ומכל מקום אם נגעה בטהרות אינה פוסלתן אלמא איכא נטירותא לפלגא ובכי האי גוונא נמי מיתרצא מתניתין דלעיל ומיתקנא היא: קשיא. הך דקתני בה טהורה מלטמא: ארגתיו בטהרה. יודעת אני שמשעה שנארג בו ג' על ג' אצבעות שנראה לטומאה לא נגעה בו טומאה ומ"מ לא היה בלבי לשומרו: ומתוך בדיקות כו'. הואיל ולא היה בלבך לשומרו שמא אירע בו כך וכך ולא נזהרת: משכה עמי בחבל. שקשרה בו החבל בכלי האריגה ושמא הסיטתו: נפסקה לי. קודש שארגתי בה כלום (ה) וקשרתיה בפה קודם שארגתי בה כלום שלא היתה ראויה לטומאה ולא נזהרתי בה ולא הייתי טבולה לנדותי ויש לחוש שמא כשארגה בה שלש אצבעות עדיין הרוק לח ורוק הנדה אב הטומאה הוא כך נראה בעיני ורבותי מפרשין משום לינורות עם הארץ המטמאה כל זמן שהיא לחה ואני אומר ע"כ האשה זו חבירה היתה דאי לא חבירה היתה מי אתיא קמי רבנן לישאל על הטהרות ועוד מי מהימנא למימר ארגתיה בטהרה קתני מיהת בלבו לשומרן טהור כלומר אחר כוונת השמירה הן הן הדברים: כיון דכלים של שבת עביד להו שימור טפי. וזה סבור שאלו של חול (ו) אסחא דעתיה משמירה מעלייתא שהיה רגיל לשומרן וכאין בלבו לשומרן דמי:

תוספות

רבי אלעזר בר' צדוק אומר הרי הוא כתרומה. הקשה הרב ר' אלחנן (ז) דאמרינן בפרק בתרא דנדה (דף עא:) בראשונה היו אומרים יושבת על דם טוהר מערה מים לפסח ודייק בגמ' מערה אין נוגע לא אלמא חולין שנעשו על טהרת הקודש כקודש דמו ומגליה דלמא דהוו כתרומה דטבול יום פוסל תרומה ונראה למורי דאי כתרומה הוו נמי מיפסל הוה בה לא הוי אלא פוסל דלא הוי ליה אלא שלישי * ואין שלישי בתרומה מטמא רביעי בקודש שאין המים עושין בו רביעי וקלת משמע כן מתוך פרש"י ור"ת: שמרתיה מדבר המטמאה ולא מדבר הפוסלה. והיה קשה להר"ר אלחנן במאי איפסלא הך מגריפה אי בראשון או בשני אין אדם וכלים מקבלין טומאה אלא מאב הטומאה ואי באב הטומאה האי פסול טמא הוי ותירץ שנפסלה במשקין דמשקין טמאין פוסלין בכלי כדאמרינן אחורי כלים שנטמאו במשקין: נימא נפסקה לי וקשרתיה בפה. פרש"י קודש (ח) שלא היתה נארגת שלא היתה ראויה לטומאה ולא נזהרתי בה ולא הייתי טבולה לנידותי ויש לחוש שמא כשארגתי בה ג' עדיין הרוק לח בבגד ואב הטומאה הוי לטמאות ורבותי הוו מפרשי מטעם לנורא דע"ה המטמאה כל זמן שהיא לחה ואני אומר ע"כ אשה זו חברה היתה מדקאתיא קמיה דר' ישמעאל לישאל ועוד מי מהימנא לומר ארגתיה בטהרה כל זה פרש"י ובירושלמי מייתי כל הני עובדי על מתניתין דאידך פרקין (ט) בכלים הנגמרים בטהרה צריכים טבילה לקודש וקאמר ליה רבי ישמעאל כמה גדולים מעשה חכמים דאמרי כלים הנגמרים כו' משמע דבאשה חברה אורגת עסקינן ובעי טבילה משום דמשמשי בהדיה קודם שנארג כולו כפרש"י והקשה הר"ר יוסף לפי' רש"י היה לו לומר נדה הייתי כמו נדה משכה באידך עובדא ונראה לו לפרש דמתוך שקשרה בפה היה שם רוק לח ובשעה שארגה נגעה ברוק וידים שניות הן ובפרק בתרא דעירובין (דף לט. ושם) משמע דרוק מיחשב משקה וחזר הרוק ומטמא למפה כדתנן י) אחורי כלים שנטמאו במשקין אך לפי שיטת הירושלמי דמדמי לה לכלים הנגמרים (י) ומוקמי לה לקמן ח) משום לינורא דע"ה ומאי איריא משום הכי אפי' בלינורא דחבר נמי איכא למיחש מטעם מגע ידים ומיהו נוכל לומר דלא עיקר טעם נקט לקמן אלא חדא מינייהו נקט:

רבינו חננאל

מני ר' מאיר היא דקתני כל הטעון ביאת מים מדברי סופרים מטמא קודש ופוסל את התרומה ומותר בחולין ובמעשר דברי ר' מאיר רישא רבנן וסיפא ר' מאיר ומפרקי' אין רישא רבנן וסיפא ר' מאיר. רב אחא בר אדא מתני בסיפא חמש מעלות והכי קתני בגדי עם הארץ מדרס לפרושים לאוכלי חוליהן בטהרה בגדי פרושין מדרס לאוכלי מעשר בגדי אוכלי מעשר מדרס לאוכלי תרומה. בגדי אוכלי תרומה מדרס לקודש בגדי אוכלי קודש כגון זבחי שלמים בכור ומעשר שהן קדשים קלים מדרס לאוכלי חטאת שהוא קדש קדשים הרי אלו ה' מעלות מעלות הפרושין אוכלי חוליהן בטהרה על שאר העם שאין אוכלין חוליהן בטהרה. ומעלת מעשר שני על החולין ומעלת טהרת תרומה שהיא חובה שנאמר כל טהור בביתך יאכל אותה וכתיב בה ובא השמש וטהר ואחר יאכל מן הקדשים כי לחמו הוא על המעשר. ומעלת הקדש על התרומה ומעלת החטאת על הקדש ומוקים לה לסיפא כרישא דקתני טבל לחולין אסור במעשר טבל למעשר אסור בתרומה טבל לתרומה אסור בקודש טבל לקודש אסור לחטאת וכולה רבנן היא אמר רב מרי ש"מ חולין שנעשו על טהרת הקודש כקודש דמו ואין בגדיהן מדרס לקודש ממאי מדלא קתני בהו מעלה בהדיא בפני עצמו ודחינן לה וממאי דלמא האי דלא קתני להו מעלה בפ"ע לאו משום דכי קדש דמו אלא משום דפליגי בהו איכא דמשוי להו לחולין ואית תנא דמשוי ליה כתרומה דתנן חולין שנעשו על טהרת הקודש הרי הן כחולין ור' אלעזר בר' צדוק אומר הרי הן כתרומה וחזרנו לומר אלא אמר רב מרי מסיפא דמתניתין שמע לה דקתני יוחנן בן גודגדא היה אוכל על טהרת הקודש כל ימיו והיתה מטפחתו מדרס לחטאת ולא לקדש אלמא חולין שנעשו על טהרת הקודש כקודש דמו. א"ר יונתן בן אלעזר נפלה מעפרתו. פי' מצנפתו ממנו וא' לחבירו שהוא פרוש ונאמן כמותו (א"ל) תנה לי ונתנה לו נטמאת. ומקשינן עליה אמאי נטמאת נעביד לה שימור בידא דחבריה. ופריק ר' יוחנן חזקה אין אדם משמר מה שביד חבירו. ומקשינן ולא והתניא הרי שהיו חמריו ופועליו טעונין טהרות אע"פ שהפליגו יתר מכדי מיל טהרותיו טהורות ופריק ר' יצחק במטהר חמריו ופועליו לכך אי הכי סיפא נמי ואוקימנא אין ע"ה מקפיד כו' א"ר יונתן בן עמרם נתחלפו לו כלים של שבת בכלים של חול ולבשם נטמאו. ואקשינן עליה אמאי נטמאו והלא הן בשמירתו וברשותו וכן בשתי נשים חבירות שנתחלפו כליהם וטמאום אמאי הלא מעתה הושיט ידו ליטול פת חטין ועלה בידו פת שעורים וכל הפת היתה טהורה ומשומרת הכי נמי דכיון שנתחלפה לה נטמאת וכי תימא הכי נמי והתניא היה משמר את החבית בחזקת שהיא של יין ונמצאת של שמן טהורה מלטמא ולטעמיך אימא סיפא אסורה מלאכול ואי טהורה היא אמאי אסורה מלאכול ומפרקינן אמר ר'

הגהות הב"ח

(א) גמ' לשומרה בטהרה ומתוך בדיקות: (ב) רש"י ד"ה אמר ר' ירמיה וכו' ואסורה מלאכול לא מסייע לך מידי: (ג) ד"ה המטמאה הנותן לו טומאה: (ד) ד"ה הפוסלה וכו' הד"א עם ד"ה וקשיא הך: (ה) ד"ה נפסקה וכו' כלום קודש שארגתי ואח"כ מה"ד וקשרתיה וכו' ורבותי מפרשים משום לינורא של עם הארץ: (ו) ד"ה כיון דכלים של חול הן אסחא: (ז) תוס' ד"ה ר' אלעזר וכו' הקשה הר"ר אלחנן דתנן בפרק: (ח) ד"ה נימא וכו' פרש"י קודש שכיסה כל"ל ותיבת שלא היתה נמחק: (ט) בא"ד דאיקן פרקין דתנן כלים וכו' וקאמר ר' ישמעאל כמה גדולים דברי חכמים וכו' דמשמשי בהדיה קודם שנארג כולו נטמא כפרש"י וכו' ובפ' בתרא דעירובין דף לט ע"א. נ"ב ע"ש בתוספות בד"ה היה אוכל: (י) בא"ד לכלים הנגמרים בטהרה ומוקמי לה לקמן משום לינורא דע"ה קשה מאי איריא וכו' דנקט לקמן:

גליון הש"ס

תוס' ד"ה רבי אלעזר וכו' ואין שלישי בתרומה מטמא רביעי בקודש. עיין פסחים דף יד ע"ב תוספות ד"ה ואלו הכא:

ליקוטי רש"י

הרי הן כחולין. ואין בהן לכלל שלישי [חולין לה:] לא פסיל בהא שלישי דבטל דעתו ואין יכול להחמיר על חולין טהרת הקדש [שם לג:]. הרי הן כתרומה. [illegible] ... אדם [ברכות נב:]. דאין אוכל ולא כלי שאינו אב הטומאה מטמאין כלים אפילו מדרבנן ולא הכלים אלא שיטמאו מן המשקין ומשום משקה זב וזבה [פסחים יט:]. שמרתיו מדבר [illegible] לי וכן מטומאות דרבנן המטמאות אותה לטמא חולין ותרומה (מדרבנן). ולא מדבר [illegible] ולין ולתרומה ומיהו טמאה היא להשתמש בה קדשים [זבחים שם].

The Gemara questions this principle:

וְלֹא – **And** does one indeed **not** guard that which is in his fellow's hand?

The Gemara answers:

אָמַר רַבִּי יוֹחָנָן – **R' Yochanan said:** חֲזָקָה אֵין אָדָם מְשַׁמֵּר מַה שֶּׁבְּיַד חֲבֵרוֹ – There is **a presumption** that **a man does not guard that which is in his fellow's hand.**[29]

NOTES

29. Likewise, the person who retrieved it [even if he too was *tahor* (*Meiri*)] did not guard it while it was in his own hand, because he reasoned, "My friend here does not know whether or not I am *tamei*, yet he asked me to retrieve his garment. Obviously, he is not particular about its *taharah.*" Hence, for a brief time, the garment was not guarded by anyone (*Rashi* above ד״ה טמאה; cf. *Rambam, Hil. Metam'ei Mishkav U'Moshav* 13:6, end, and *Zevach Todah*).

[According to this answer of R' Yochanan, we no longer need to say in the case of the women in the bathhouse that each one stopped guarding the garment because she suspected the other of being the wife of an *am haaretz*. Rather, she ceased guarding it because a person does not guard that which is in the possession of his fellow (*Mirkeves HaMishneh* to *Rambam* ibid.]

מסורת הש"ס

א) [צ"ל דתניא], ב) [חולין לה: ע"ש], ג) זבחים לט:, ד) ג"ז שם. ע"ש [תוספתא דטהרות פ"ח], ה) [ברכות נב: פסחים דף יט:], ו) [תוספ' דכלים ב"ב פ"א], ז) [טהרות פ"ח מ"ז], ח) [דף כג.].

עין משפט נר מצוה

נא א מיי' פי"א מהל' אבות הטומאות הל' טו ופי"ב הלכה טז:
נב ב ג ד ה ו מיי' פי"ג מהלכות מטמאי משכב ומושב הלכה ו:
נג ז מיי' שם הלכה א:

גמרא

מדלא קתני בהו מעלה ודלמא האי דלא קתני בהו מעלה דאי דמו לתרומה הא תני תרומה ואי דמו לחולין הא תני לחולין (א) דתנן [ג] חולין שנעשו על טהרת הקודש הרי הן כחולין ר' אלעזר ברבי צדוק אומר הרי הן כתרומה אלא מסיפא יוסי בן יועזר היה חסיד שבכהונה והיתה מטפחתו מדרס לקודש יוחנן בן גודגדא היה אוכל על טהרת הקודש כל ימיו והיתה מטפחתו מדרס לחטאת לחטאת אין לקודש לא אלמא קסבר חולין שנעשו על טהרת קודש כקודש דמו א"ר יונתן בן אלעזר [ב] נפלה מעפרתו הימנו אמר לחבירו תנה לי ונתנה לו טמאה א"ר יונתן בן עמרם [ג] נתחלפו לו כלים של שבת בכלים של חול ולבשן נטמאו א"ר אלעזר בר צדוק [ד] מעשה בשתי נשים חבירות שנתחלפו להן כליהן בבית המרחץ ובא מעשה לפני ר"ע וטימאן מתקיף לה רבי אושעיא אלא מעתה הושיט ידו לסל ליטול פת חטין ועלתה בידו פת שעורים הכי נמי דנטמאת וכי תימא הכי נמי והתניא המשמר את החבית בחזקת של יין ונמצאת של שמן טהורה מלטמא ולטעמיך אימא סיפא ואסורה מלאכול אמאי א"ר ירמיה [ו] באומר שמרתיה מדבר המטמאה ולא מדבר הפוסלה ומי איכא נטירותא לפלגא אין והתניא [ז] ה הושיט ידו בסל והסל על כתיפו והמגריפה בתוך הסל והיה בלבו על הסל ולא היה בלבו על המגריפה הסל טהור והמגריפה טמאה הסל טהור תטמא המגריפה לסל [ח] אין כלי מטמא כלי וליטמא מה שבסל אמר רבינא [ט] באומר שמרתיו מדבר שמטמאו ולא מדבר הפוסלו מכל מקום קשיא ועוד מותיב רבה בר אבוה [י] מעשה באשה אחת שבאת לפני ר' ישמעאל ואמרה לו רבי בגד זה ארגתיו בטהרה ולא היה בלבי לשומרו בטהרה ומתוך בדיקות שהיה רבי ישמעאל בודקה אמרה לו רבי נדה משכה עמי בחבל אמר לה ר' ישמעאל כמה גדולים דברי חכמים שהיו אומרים בלבו לשומרו טהור אין בלבו לשומרו טמא שוב מעשה באשה אחת שבאת לפני ר' ישמעאל אמרה לו רבי מפה זו ארגתיה בטהרה ולא היה בלבי לשומרה (א) ומתוך בדיקות שהיה רבי ישמעאל בודקה אמרה לו רבי נימא נפסקה לי וקשרתיה בפה אמר רבי ישמעאל כמה גדולים דברי חכמים שהיו אומרים בלבו לשומרו טהור אין בלבו לשומרו טמא בשלמא לרבי אלעזר בר צדוק כל אחת ואחת אומרת חברתי אשת עם הארץ ומסחה דעתה מינה לרבי יונתן בן עמרם נמי כיון דכלים דשבת עביד להו שימור טפי מסח דעתיה מיניהו אלא לרבי יונתן בן אלעזר נעביד להו שימור בידיה דחבריה אמר רבי יוחנן חזקה אין אדם משמר מה שביד חברו ולא והתניא

רש"י

מדלא קתני בהו מעלה. לומר בגדי פרושין האוכלין חולין בטהרת חולין מדרס לאוכלי חוליהן בטהרת הקודש שמע מינה בכלל קודש הן והא תנא ליה קודש: דלמא. או כחולין דמו דלא מהני בהו מאי דאמר האי גברא דבטלה דעתו או כתרומה דמו דאיכא תנאי דפליגי במילתא כדמסיים ואזיל הלכך לא תנא בהו מעלה דאי דמו לחולין הא תני ליה חולין ואי דמו לתרומה הא תנן ליה במתניתין תרומה: דתנן כו'. כלומר הא אשכחן תנאי דפליגי בה חד אמר כחולין וחד אמר כתרומה אבל כקודש לא אמרינן: מעפרתו. סודר: טמאה. ואפילו זה טהור ולקמן מפרש טעמא חזקה אין אדם משמר מה שביד חבירו לפיכך הוא לא שמרה ביד חבירו וגם זה שנתנה לו לא היה חש לשומרה דמימר אמר כיון שאמר ליה תנה לי והוא אינו יודע אם טמא אני אם טהור לא חש לטהרתו ויש כאן היסח הדעת ולמחמירין בטהרות הוי היסח הדעת טומאה: כלים של שבת בכלים של חול. כסבור ליטול בגדיו של חול ונטל של שבת: נטמאו. קא סלקא דעתיה השתא דסבירא ליה משמר הדבר בחזקת שהוא דבר זה ונמצא שהוא דבר אחר אינו שמור: אמר רבי ירמיה. הא דפרכת אימא סיפא (ב) אסורה מלאכול לא מסייע ליה מידי: באומר שמרתיה מדבר המטמאה ולא מדבר הפוסלה. אבל במה שמשמרה הימנו הויא שמירתו שמירה ואע"פ שאינו זה: הסל. של תאנים על כתיפו: ומגריפה בתוכה. כלי ברזל הוא שקורין וודי"ל שגורפין בו אפר הכירה וגם מבדילין בו תאנים המודבקות זו בזו: (ג) המטמאה. הנותן לה טומאה לטמא אחרים: (ד) הפוסלה. מלהשתמש בה טהרות לכתחילה אי נמי נפקא מינה לאוכל הדבוק בה שהוא פסול באכילה ומכל מקום אם נגעה בטהרות אינה פוסלתן אלמא איכא נטירותא לפלגא וכי האי גוונא נמי מיתרצא מתניתין דלעיל ומיתקנא היא: קשיא. הך דקתני בה טהורה מלטמא: ארגתיו בטהרה. יודעת אני משעה שנארג בו ג' על ג' אצבעות שנראה לטומאה לא נגעה בו טומאה ומ"מ לא היה בלבי לשומרו: ומתוך בדיקות כו'. הואיל ולא היה בלבך לשומרו שמא אירע בו כך וכך ולא נזהרת: משכה עמי בחבל. שקשרה בו החבל בכלי האריגה ושמא הסיטתו: נפסקה לי. קודם שארגתי בה כלום (ה) וקשרתיה בפה קודם שארגתי בה כלום שלא היתה ראויה לטומא' ולא נזהרתי בה ולא הייתי טבולה לנדתי ויש לחוש שמא כשארגה בה שלש אצבעות עדיין הרוק לח ורוק הנדה אב הטומאה הוא כך נראה בעיני ורבותי מפרשין משום ליגורות עם הארץ המטמאה כל זמן שהיא לחה ואני אומר ע"כ האשה זו חבירה היתה דאי לא חבירה היתה מי אתיא קמי רבנן לישאל על הטהרות ועוד מי מהימנא למימר ארגתיה בטהרה קתני מיהת בלבו לשומרן טהור כלומר אחר כוונת השמירה הן הן הדברים: כיון דכלים של שבת עביד להו שימור טפי. וזה סבור שאלו של חול (ו) אסחא דעתיה משמירה מעלייתא שהיה רגיל לשומרן וכלן בלבו לשומרן דמי:

תוספות

רבי אלעזר בר' צדוק אומר הרי הוא כתרומה. הקשה הרב ר' אלחנן (ז) דאמרינן בפרק בתרא דנדה (דף עא.) בראשונה היו אומרים יושבת על דם טהור מערה מים לפסח ודייק בגמ' מערה אין נוגע לא אלמא חולין שנעשו על טהרת הקודש כקודש דמו ומגליא דלמא להוו כתרומה דטבול יום פוסל תרומה ונראה למורי דלאו כתרומה הוו אפי' תגע בה לא הוי אלא פוסל דלא הוי ליה אלא שלישי * ואין שלישי בתרומה מטמא רביעי בקודש שאין המים עושין בו רביעי וקצת משמע כן מתוך פרש"י ור"ת: שמרתיה מדבר המטמאה ולא מדבר הפוסלה. והיה קשה להר"ר אלחנן במאי איפסלא הך מגריפה אי בראשון או בשני אין אדם וכלים מקבלין טומאה אלא מאב הטומאה ואי באב הטומאה האי פסול טמא הוי ותירץ שנפסלה במשקין דמשקין טמאין פוסלין בכלי כדאמרינן אחורי כלים שנטמאו במשקין: נימא נפסקה לי וקשרתיה בפה. פרש"י קודש (ח) שלא היתה נארגת שלא היתה ראויה לטומאה ולא נזהרתי בה ולא הייתי טבולה לנדותי ויש לחוש שמא כשארגתי בה ג' עדיין הרוק לח בבגד ואב הטומאה הוי לטמאות ורבותי הוו מפרשי מטעם ליגורת דע"ה המטמאה כל זמן שהיא לחה ואני אומר ע"כ אשה זו חברה היתה מדקאתיא קמיה דר' ישמעאל לישאל ועוד מי מהימנא לומר ארגתיה בטהרה כל זה פרש"י והירושלמי מייתי כל הני עובדי על מתניתין דלהלן פרקין (ט) בכלים הנגמרים בטהרה צריכים טבילה לקודש וקאמר ליה רבי ישמעאל כמה גדולים מעשה חכמים דאמרי כלים הנגמרים כו' משמע דבאשה חברה אורגת עסקינן ובעי טבילה משום דמשמשי בהדיה קודש שנארג כולו כפרש"י והקשה הר"ר יוסף לפי' רש"י היה לו לומר נדה הייתי כמו נדה משכה באליך עובדא ונראה לו לפרש דמתוך שקשרה בפה היה שם רוק לח ובשעה שארגה נגעה ברוק וידים שניות הן ובפרק בתרא דעירובין (דף צט. ושם) משמע דרוק מיחשב משקה וחזר הרוק ומטמא למפה כדתנן (י) אחורי כלים שנטמאו במשקין אך לפי שיטת הירושלמי דמדמי לה לכלים הנגמרים (י) ומוקמי לה לקמן (כ) משום ליגורת דע"ה ומאי איריא משום הכי אפי' בליגורת לחבר נמי איכא למיחש מטעם מגע ידים ומיהו נוכל לומר דלא עיקר טעם נקט לקמן אלא חדא מינייהו נקט: והתניא

רבינו חננאל

מני ר' מאיר היא דקתני כל הטעון ביאת מים מדברי סופרים מטמא קודש ופוסל את התרומה ומותר בחולין ובמעשר דברי ר' מאיר רישא רבנן וסיפא ר' מאיר ומפרקי' אין רישא רבנן וסיפא ר' מאיר. רב אחא בר אדא מתני בסיפא חמש מעלות והכי קתני בגדי עם הארץ מדרס לפרושים לאוכלי חוליהן בטהרה בגדי פרושין מדרס לאוכלי מעשר בגדי אוכלי מעשר לאוכלי תרומה. בגדי אוכלי תרומה מדרס לקודש בגדי אוכלי קודש כגון זבחי שלמים בכור ומעשר שהן קדשים קלים מדרס לאוכלי חטאת שהוא קדש קדשים הרי אלו ה' מעלות מעלות הפרושין אוכלי חוליהן בטהרה על שאר העם שאין אוכלין חוליהן בטהרה. ומעלת מעשר שני על החולין ומעלת טהרת תרומה שהיא חובה שנאמר כל טהור בביתך יאכל אותה וכתיב בה ובא השמש וטהר ואחר יאכל מן הקדשים כי לחמו הוא על המעשר. ומעלת הקדש על התרומה ומעלת החטאת על הקדש ומוקים לה לסיפא כרישא דקתני טבל לחולין אסור במעשר טבל למעשר אסור בתרומה טבל לתרומה אסור בקודש טבל לקודש אסור לחטאת וכולה רבנן היא אמר רב מרי ש"מ חולין שנעשו על טהרת הקודש כקודש דמו ואין בגדיהן מדרס לקודש ממאי מדלא קתני בהו מעלה בהדיא בפני עצמו ודחינן לה וממאי דלמא האי דלא קתני להו מעלה בפ"ע לאו משום דכי קדש דמו אלא משום דפליגי בהו אית תנא דמשוי להו לחולין ואית תנא דמשוי ליה כתרומה דתנן חולין שנעשו על טהרת הקודש הרי הן כחולין ור' אלעזר בר' צדוק אמר הרי הן כתרומה וחזרנו לומר אלא אמר רב מרי מסיפא דמתניתין שמע לה דקתני יוחנן בן גודגדא היה אוכל על טהרת הקדש כל ימיו והיתה מטפחתו מדרס לחטאת ולא לקדש אלמא חולין שנעשו על טהרת הקדש כקדש דמו. א"ר יונתן בן אלעזר נפלה מעפרתו. פי' מצנפתו ממנו וא' לחבירו שהוא פרוש ונאמן כמותו (א"ל) תנה לי ונתנה לו נטמאת. ומקשינן עליה אמאי נטמאת נעביד לה שימור בידא דחבריה. ופריק ר' יוחנן חזקה אין אדם משמר מה שביד חבירו. ומקשינן ולא והתניא הרי שהיו חמריו ופועליו טעונין טהרות אע"פ שהפליגו יותר מכדי מיל טהרותיו טהורות ופריק ר' יצחק במטהר חמריו ופועליו לכך אי הכי סיפא נמי ואוקימנא אין ע"ה מקפיד כו' א"ר יונתן בן עמרם נתחלפו לו כלים של שבת בכלים של חול ולבשם נטמאו. ואקשינן עליה אמאי נטמאו והלא הן בשמירתו וברשותו וכן בשתי נשים חבירות שנתחלפו להן כליהם וטמאום אמאי הלא מעשה הושיט ידו ליטול פת חטין ועלה בידו פת שעורים וכל הפת היתה טהורה ומשמרה נטמאת וכי תימא הכי נמי דכיון שנתחלפה לה נטמאת והתניא היה משמר את החבית בחזקת שהיא של יין ונמצאת של שמן טהורה מלטמא ולטעמיך אימא סיפא ואסורה מלאכול ומפרקינן אמר ר'

הגהות הב"ח

(א) גמ' לשומרה בטהרה ומתוך בדיקות: (ב) רש"י ד"ה אמר ר' ירמיה וכו' ואסורה מלאכול לא מסייע לך מידי: (ג) ד"ה המטמאו הנותן לו טומאה: (ד) ד"ה הפוסלו וכו' הד"א עם ד"ה וקשיא הך: (ה) ד"ה נפסקה וכו' כלום הס"ד ואח"כ מה"ד וקשרתיה וכו' ורבותי מפרשים משום ליגורא של עם הארץ: (ו) ד"ה כיון דכלים וכו' וזו סבורה שאילו של חול הן אסחא: (ז) תוס' ד"ה ר' אלעזר וכו' רבי אלחנן דתנן בפרק: (ח) ד"ה נימא וכו' פרש"י קודם שהיתה כצ"ל ותיבת שלא נמחק: (ט) בא"ד דאידך פירקין דתנן כלים וכו' וקאמר ר' ישמעאל כמה גדולים דברי חכמים וכו' דמשמשי בהדה וקודם שנארג כולו נטמא כפרש"י וכו' ובפ' בתרא דעירובין דף צט ע"א. נ"ב ע"ש בתוספות בד"ה היה אוכל: (י) בא"ד לכלים הנגמרים בטהרה ומוקמי לה לקמן משום ליגורא דע"ה קשה מאי איריא וכו' דנקט לקמן:

גליון הש"ס

תוס' ד"ה רבי אלעזר וכו' ואין שלישי בתרומה מטמא רביעי בקודש. עיין פסחים דף יד ע"ב תוספות ד"ה ואילו הכא:

ליקוטי רש"י

הרי הן כחולין. ואין באין לכלל שלישי [חולין לה:]. לא פסיל בהא שלישי דבטל דעתו ואין יכול להתפיס על חולין טהרת הקדש [שם לג:]. הרי הן כתרומה. כדמפרש לטמא שניים ולפסול אחד כלומר הראשון והשני טמא בהן והשלישי פסול ואינו טמא לעשות רביעי אפילו בקדש וכיון דאשמעינן בדידי דלא שייך בהו רביעי תו לא מיקרי שלישי דידי טמא אלא פסול ולא עביד רביעי בקדש [חולין לה:]. דבטלה דעתו ואין שם טהרת הקדש נתפסת עליהם אבל טהרת תרומה [יכול להתפיס ונתפסים] [שם לד.]. מגריפה. כלי ברזל הוא וראשו רחב ומבדילים בו גרוגרות הנדבקות זו בזו. והיה בלבו על הסל. לשם לשומרו [זבחים צט:]. אין כלי. שאינו אב הטומאה מטמא כלי ולא אדם [ברכות נב:]. דאין אוכל ולא כלי שאינו אב הטומאה מטמאין כלים אפילו מדרבנן ולא גזרו חכמים מדבריהם טומאה על הכלים אלא שיטמאו מן המשקין ומשום משקה זב וזבה [פסחים יט:]. שמרתיו מדבר שמטמאו. אב הטומאה שמטמא כלי וכן מטומאות דרבנן המטמאות אותה לטמא חולין ותרומה (מדרבנן). ולא מדבר הפוסלו. לחולין ולתרומה ומיהו טמאה היא להשתמש בה קדשים [זבחים שם].

עין משפט
נר מצוה

נד א מיי' פי"ג מהל' מטמאי משכב ומושב הלכה ה:

א ב הכל במיי' פי"ב מהל' אבות הטומאות מהלכה א עד הלכה ז ומהל' יא עד הל' טו:

רבינו חננאל

ירמיה באומר שמרתיה מדבר המטמאה ולא שמרתיה מדבר הפוסלה וש"מ דאיכא נטירותא לפלגא ואסתייעא מן הסל ומן המגריפה ובמעשה דשתי נשים שארגו בטהרה ואמרו לא היה בלבנו לשמרה וטמאן ר' ישמעאל. פשוטות הן:

הדרן עלך אין דורשין בעריות

פרק ג חומר בקדש מבתרומה שמטבילין כלים בתוך כלים לתרומה אבל לא לקדש כו'.

ליקוטי רש"י

מאי שנא רישא ומאי שנא סיפא. עיין רש"י ע"ז סט. ובתוס' כאן ושם. **במטהר חמריו.** שהטבילן ומגען טהור. **על מגע חבירו.** הפוגע בו בדרך ולא נטהר לכך. **רישא נמי.** כיון שהפליג איכא למיחש הכי. **בבא להן דרך עקלתון.** כשבעל הבית יכול לבא דרך עקלתון דמירתת השתא אתי [ע"ז סט:]. **הכלי מצרף מה שבתוכו.** עריבה ארוכה וכה אוכלי קודש מכאן ואוכלי קודש מכאן ואין נוגעין זה בזה ונגע טמא באוכלין שבראש אחד וכבלי לא נגע ואוכל אין מטמא כלי אפילו מדרבנן ואפילו הכי האוכלין שבשני ראשיה טמאים שהכלי מצרפן [פסחים יט.]. שאם נגע טבול יום במקצתו פסל את כולו [מנחות כד.].

והתניא וכו'. אלמא אדם משמר מה שביד חברו ובפ' בתרא דע"ז (דף סט.) פרש"י גבי מאי שנא רישא ומאי שנא סיפא דהא (א) חזי ליה דנגע דקתני טעונין טהרות והני לא בחביות מיירי שהיו סתומות אלא באוכלין מיירי בלא חביות אך קשה להר"ר אלחנן לוקמי בחביות ולא תקשה ליה ועוד דהכא כי אקשי ור"ל שאדם משמר מה שביד חברו היכי מצי משמר ליה כיון דאינו בחביות ותו למה לי נתעלמו עיניו מהם לטמאותם תיפוק ליה שהוא נוגע בהם ועוד אפי' בלא סיפא נמי תיקשי ליה מ"ט דרישא ופי' הר"י דהכא בחביות מיירי ואמנם פתוחות הן דאי סתומות לא יטמאו בהעלמת עין (ג) ועוד לא היה צורך לאוקמי רישא במטהר לכך כיון שלא הודיעו שהוא מפליג ומיהו זה יש לדחות דאגב דמוקי ליה הכא משום סיפא דשני' ליה אוקמ' גם התם בע"ז ופריך מינה מכח ההיא דהכא דאי לא תימא הכי אלא אקשי ליה מסברא כי יש לחוש שמא נגעו בהן ברישא א"כ הכא בשמעתין כי פריך מ"ש רישא משום מה שביד חבירו כו' אכתי תיקשי ליה ליחוש שמא יגע בהם אלא ודאי מסברא לא קשיא דלא נגעו דמרתתי כיון שלא הודיעום שהוא מפליג ומיהו הוה מצי לאקשויי ולטעמיך רישא גופא ליחוש שמא נגע וכן בכמה דוכתי ולא פריך ליה:

מאי שנא רישא ומאי שנא סיפא א"ר יצחק רישא במטהר חמריו ופועליו לכך. כך כתוב בספרים ויש פי' כתוב ולא גרסינן ליה אך בפי' שלפני מצאתי כתוב ופירוש לעולם אין אדם משמר מה שביד חבירו וכי תימא מאי שנא רישא במטהר חמריו ופועליו לכך ולפיכך מרתת ובפי' ישנים כתוב וכן פי' מורי דהוי כמו וליטעמיך כלומר אדמוכחת מרישא דאדם משמר מה שביד חבירו תיקשי לסיפא והיינו מאי שנא רישא ומאי שנא סיפא דלאי אדם משמר סיפא אמאי לא אלא במטהר לכך:

בבא להם דרך עקלתון. ואפ"ה בעינן שיטהרם לכך כדי שיהו מרתתים ליגע בו (ג) ואי לאו הכי לא מירתתי הואיל ומוסרין להם הטהרות ומחזיקים עצמם כטהורים ואפי' מזהירין אותן שלא ליגע סברי דלא קפדי אהך אבל בנכרי סגי בדרך עקלתון לחוד דלעולם יודע הוא שמקפיד על מגעו ומרתת:

והתניא [א] *הרי שהיו חמריו ופועליו טעונין טהרות אע"פ שהפליג מהן יותר ממיל טהרותיו טהורות ואם אמר להם לכו ואני אבוא אחריכם כיון שנתעלמו עיניו מהן טהרותיו טמאות מאי שנא רישא ומאי שנא סיפא א"ר יצחק נפחא רישא במטהר חמריו ופועליו לכך אי הכי סיפא נמי אין ע"ה מקפיד על מגע חבירו אי הכי רישא נמי בבא להם דרך עקלתון אי הכי סיפא נמי כיון דאמר להו לכו ואני אבוא אחריכם מיסמך סמכא דעתייהו:

הדרן עלך אין דורשין

חומר [ב] בקדש מבתרומה שמטבילין כלים בתוך כלים לתרומה אבל לא לקדש אחוריים ותוך ובית הצביטה בתרומה אבל לא בקדש הנושא את המדרס נושא את התרומה אבל לא את הקדש בגדי אוכלי תרומה מדרס לקדש לא כמדת הקדש מדת התרומה שבקדש מתיר ומנגב ומטביל ואח"כ קושר ובתרומה קושר ואח"כ מטביל כלים הנגמרים בטהרה צריכין טבילה לקדש אבל לא לתרומה [ג] הכלי מצרף מה שבתוכו לקדש אבל לא לתרומה הרביעי בקדש פסול והשלישי בתרומה ובתרומה אם נטמאת אחת מידיו חבירתה טהורה ובקדש מטביל שתיהן שהיד מטמא את חבירתה בקדש אבל לא בתרומה אוכלין אוכלים נגובין בידים מסואבות בתרומה אבל לא בקדש

האונן

חמריו ופועליו. עמי הארץ: **טעונין טהרות.** כגון יין בחביות של חרס והן אינן נוגעין בתוכן וכלי חרס אינו מיטמא מגבו: **טהרותיו טהורות.** ואין חוששין שמא נגעו דכיון דלא הודיען שהוא מפליג כל שעתא סברי השתא אתי אלמא אדם משמר מה שביד חברו: **מאי שנא רישא ומאי שנא סיפא.** לא גרסי' ליה ואי גרסי' הכי פירושו ואי ס"ד אין אדם משמר מה שביד חברו מאי שנא רישא מאי שנא סיפא: **א"ר יצחק במטהר חמריו ופועליו לכך.** לעולם אין אדם משמר מה שביד חברו והכי אין צריכין שימור דלאו נמי נגעו לא איכפת להו דכשהטבילן לכך עסקינן: **בבא להן דרך עקלתון.** כשיכול לבוא להם פתאום דרך עקלתון שלא ידעו הלכך דחלי מיניה:

הדרן עלך אין דורשין

חומר בקדש מבתרומה כו'. שמטבילים כלי בתוך כלי שכניסים (ד) טמאים: **אבל לא לקדש.** בגמרא מפרש טעמא: **אחוריים ותוך ובית הצביטה לתרומה.** כלי הראוי להשתמש בתוכו ומאחוריו וניטמאו אחוריו ובית צביטתו כל תשמיש ותשמיש שבו חשוב כלי בפני עצמו לענין תרומה שאם נטמא זה לא נטמא זה ובטומאות דרבנן קאמר כדמפרש בגמ': **אבל לא לקדש.** שאם נטמא אחד מהן כולו טמא לקדש: **הנושא את המדרס.** מנעל של זב: **נושא את התרומה.** בחבית (ה) שאינו נוגע באוירה: **אבל לא את הקדש.** בגמרא מפרש טעמא: **לא כמדת הקדש.** בתחלת טבילותיו מדת התרומה: **שבקדש.** אם יש בגד טמא ובא להטבילו אם קשור הוא מתיר את קשרו משום דדמי לחציצה: **ומנגב.** אם לח הוא מנגבו תחלה ואח"כ מטבילו וכל זה משום דדמי לחציצה הוא: **ובתרומה.** אם רצה לקושרו קושר ואח"כ מטביל: **כלים הנגמרים בטהרה.** שנזהר בהן משנגמרו לגמרן שראויין לקבל טומאה: **צריכין טבילה לקדש.** ובגמרא מפרש טעמא: **הכלי מצרף את מה שבתוכו.** (ו) אוכלים חתיכות הרבה בכלי אחד ונגע טמא באחד מהן הכלי מצרפן להיות כולן חתיכה אחת ונטמאו כולן: **אבל לא לתרומה.** אלא אותה שנגע בה הויא ראשון והנוגעת בה הויא שניה והנוגעת בשניה שלישית והשאר טהורות: **פסול.** ואינו פוסל עוד אחר: **אם נטמאת אחת מידיו.** בטומאה דרבנן שאינה מטמאה אלא ידים ולא את הגוף: **נגובין.** שהיו נוגבין מימיהן שלא הוכשרו לטומאה מעולם: **בידים מסואבות.** שניות לתרומה דכיון דלא הוכשרה לא מיפסלא: **אבל לא לקדש.** בגמ' מפרש טעמא:

האונן

הדרן עלך אין דורשין

חומר בקדש. י"א מעלות חשיב לרבה ולרבי אילא י' מעלות והיה קשה להר"ר אלחנן ליתני הסיא דלעיל (דף יח:) נוטלין לידים לחולין ולמעשר ולתרומה ולקדש מטבילין טבל והוחזק לתרומה לא הוחזק לקדש ונראה למורי דלא קא חשיב במתני' אלא היכא דליכא דררא דטומאה כלל ואפי' בבתרייתא נמי אבל הך ליכא כלל דררא דטומאה (ז) והכי נמי בפ"ק דנדה (דף ו.) לא חשיב מעת לעת שבנדה משום דליכא דררא דטומאה ובגדי אוכלי תרומה מדרס לקדש איכא דררא לטומאה אף דאורייתא שמא ישבה עליהן אשתו נדה: **הנושא** את המדרס. מנעל של זב נושא את התרומה (ח) ובלבד שלא יגע בה רק נושא את החבית וכי תניא בתורת כהנים הנושא את המדרס מטמא שנים ופוסל אחד פי' מטמא שנים ופוסל אחד דהוי אב הטומאה ועושה ראשון ושני בחולין ופוסל בתרומה התם בנוגע בה ועל מה שפרש"י נושא מדרס שנושא את התרומה בחבית ואינו נוגע באוירה וקשה לפירושו דחשיב ליה להאי נושא אב הטומאה לטמא כלי כמו זב וא"כ ליטמא האי חבית ותרומה שבתוכו בהיסט מי לא תניא משכב ומושב בכף מאזנים ואוכלין ומשקין בכף שניה הכריע המשכב טימא האוכלין ועוד תניא בת"כ הנוגע במשכבו יכבס בגדיו (ויקרא טו) אין לי אלא בגדים שהוא לבוש בגדים אחרים מנלן ת"ל (ט) בגד בגדיו א"כ מה ת"ל בגדיו לפרט פי' לפרט אדם וכלי חרס אלמא דנושא המדרס לא יטמא כלי אפי' בעת נשאו את המדרס אלא ודאי אפי' יגע באוירה אין לחוש:

לא כמדת התרומה מדת הקדש. לפי שמפרש בו הרבה דינים ביניהם נקט האי לישנא: **הכלי** מצרף מה שבתוכו. הקשה הרב רבי אפרים דבפ"ק דחולין (דף כד: ושם) דרשינן מכל אשר בתוכו יטמא לימד על כלי חרס שאפי' מלא חרדל טמא ומנא ליה דטעמא הכי דלמא התם מטעמא דצירוף ותירץ הר"י דלא מצינו צירוף לחולין [י]:

כלים הנגמרים וכו'. אומר הר"ר אלחנן דלהכי נקט נגמרים ולא נעשים משום דאין רגילות לשומרם בטהרה בזמן עשייתן עד עת גומרם לפי שאין מקבלין טומאה עדיין אבל כי נגמרו שמקבלין טומאה נותנין לב (י) להן לשומרם בטהרה:

האונן

מסורת הש"ס

א) [תוספתא דטהרות פ"ו] ע"ז סט. ע"ש, ב) פסחים יט. [מנחות כד.], ג) [ועי' תוספות חולין כד: ד"ה התורה].

הגהות הב"ח

(א) **תוס'** ד"ה והתניא וכו' ומאי שנא סיפא דהא קא חזי להו דנגעו דקתני: (ב) **בא"ד** לא יטמאו בהעלמת עין אלא בכדי שישמוט ויסמוט ויגוע כדתנן בפ' בתרא דמסכת ע"ז ועוד לא היה צורך לאוקמי בפרק בתרא דמסכת ע"ז רישא במטהר וכו' משום שנויא דשני ליה אין אדם משמר כו' אוקמה גם התם במסכת ע"ז וכו' כי פריך מ"ש רישא משום אין אדם משמר מה שביד חבירו כו' בלאו הכי תיקשי ליה ליחוש שמא יגעו בהם וכו' שמא נגעו וכן: (ג) ד"ה בבא וכו' דאי לאו הכי: (ד) **רש"י** ד"ה חומר וכו' שניהם טמאין. נ"ב עי' בדף כ"ב בתוס' ד"ה מאי איכא: (ה) ד"ה נושא את התרומה בחבית של חרס שאינו נוגע: (ו) ד"ה הכלי מצרף את מה שבתוכו חתיכות אוכלין הרבה: (ז) **תוס'** ד"ה חומר וכו' ליכא כלל דררא דטומאה והכי נמי לא חשיב מעת לעת שבנדה משום דליכא דררא דטומאה כלל כדאמרינן בפרק קמא דנדה ובגדי אוכלי תרומה: (ח) ד"ה הנושא וכו' את התרומה בכלי חרס ובלבד שלא יגע בה וכו' את התרומה בחבית של חרס ואינו נוגע באוירה קשה לפירושו דכיון דחשיב ליה וכו' לטמא כלי חרס כמו זב אם כן: (ט) **בא"ד** בגדים אחרים מנלן תלמוד לומר טמא אם כן מה ת"ל בגדיו פרט לאדם וכלי חרס וכו' לא יטמא כלי חרס ואפילו כנ"ל ותיבת לפרט פי' נמחק: (י) ד"ה כלים וכו' נותנין לב עליהן לשומרן:

וְהָתַנְיָא – But it was taught in a Baraisa: הֲרֵי שֶׁהָיוּ חַמָּרָיו וּפוֹעֲלָיו טְעוּנִין טָהֳרוֹת – IF SOMEONE'S hired DONKEY DRIVERS OR WORKERS[1] WERE CARRYING his *TAHOR* ITEMS, such as barrels of wine, from place to place,[2] אַף עַל פִּי שֶׁהִפְלִיג מֵהֶן יוֹתֵר מִמִּיל – EVEN IF HE DISTANCED HIMSELF FROM THEM MORE THAN A *MIL*,[3] טָהֳרוֹתָיו טְהוֹרוֹת – HIS *TAHOR* ITEMS REMAIN *TAHOR*.[4] וְאִם אָמַר לָהֶם – BUT IF HE SAID TO THEM, לְכוּ – "GO ahead, וַאֲנִי אָבוֹא אַחֲרֵיכֶם – AND I WILL FOLLOW YOU later," כֵּיוָן שֶׁנִּתְעַלְּמוּ עֵינָיו מֵהֶן – then AS SOON AS THEY DISAPPEAR FROM HIS VIEW, טָהֳרוֹתָיו טְמֵאוֹת – HIS *TAHOR* ITEMS ARE *TAMEI*.[5] And if you should think that a man does not guard that which is in his fellow's hand, מַאי שְׁנָא רֵישָׁא וּמַאי שְׁנָא סֵיפָא – **why is the first** case of the Baraisa **different from the last?** Even in the first case the wine should be considered unguarded and therefore *tamei*![6] – ? –

The Gemara answers:

אָמַר רַבִּי יִצְחָק נַפָּחָא – R' Yitzchak Nafcha said: In fact a person does not guard that which is in his fellow's hand. רֵישָׁא בִּמְטַהֵר חַמָּרָיו וּפוֹעֲלָיו לְכָךְ – And **the first** case is discussing **where [the boss] purifies his donkey drivers and workers for this** purpose, i.e. he requires them to immerse in a *mikveh* before having them transport the barrels.[7]

The Gemara asks:

אִי הָכִי – If so, סֵיפָא נַמִּי – in **the** Baraisa's **last case as well** the wine should be *tahor*.[8] – ? –

The Gemara answers:

אֵין עַם הָאָרֶץ מַקְפִּיד עַל מַגַּע חֲבֵירוֹ – An *am haaretz* is not particular about contact by his fellow *am haaretz*.[9]

Having successfully explained how the Baraisa does not contradict the rule of R' Yochanan that a man does not guard that which is in the possession of his fellow, the Gemara turns to explain the Baraisa itself:

אִי הָכִי – If so, רֵישָׁא נַמִּי – in **the first case as well** the barrels should be *tamei*.[10] – ? –

The Gemara answers:

בְּבָא לָהֶם דֶּרֶךְ עֲקַלָּתוֹן – The Baraisa is discussing **where [the boss] could come upon them via a circuitous route** that they could not anticipate.[11]

The Gemara asks:

אִי הָכִי סֵיפָא נַמִּי – If so, in the Baraisa's **last case as well** the wine should be *tahor*.[12] – ? –

The Gemara answers:

כֵּיוָן דְּאָמַר לְהוּ – Since he told them, לְכוּ וַאֲנִי אָבוֹא אַחֲרֵיכֶם – "**Go ahead and I will follow you** later," מִיסְמַךְ סָמְכָא דַּעְתַּיְיהוּ – **they are confident** that he will not arrive for some time.

הדרן עלך אין דורשין

WE SHALL RETURN TO YOU, EIN DORSHIN

NOTES

1. Who were *amei haaretz* (*Rashi*).

2. The barrels were made of earthenware, and the workers were touching them only on the outside. The law is that earthenware vessels are capable of contracting *tumah* only from within (*Rashi;* cf. *Rashi* to *Avodah Zarah* 69a ד״ה מאי שנא).

3. [A measure of distance between 3,000 and 4,000 feet.]

4. We are not worried that the workers touched the barrels from within, for since he did not tell them that he was going far away, they were apprehensive that he might show up any minute and catch them in the act (*Rashi*).

[Actually, earthenware vessels are capable of contracting *tumah* even from the outside if they are *moved* [הֶסֵּט] (and not just *touched*) by a *zav, niddah,* or woman who has given birth (see *Rashi* to *Niddah* 6a ד״ה וכלי חרס). Accordingly, since the Rabbis gave the *am haaretz* the status of a *zav* (see Gemara below, 23a with *Rashi* ד״ה עדיין), why should the barrels transported by the *am haaretz* workers not be rendered *tamei*? *Tosafos* to 19b ד״ה בגדי, in the name of *Rabbeinu Tam*, answer that the Rabbis, as a special leniency, specifically withheld from the *am haaretz* the ability to contaminate through moving. Since most porters are *amei haaretz,* to decree that the *am haaretz* contaminates through moving would effectively prevent any *Parush* from engaging a porter to transport his things. See also *Tosafos* to *Gittin* 61b ד״ה וליחוש and to *Niddah* 33b ד״ה ותיפוק ליה.]

5. Since the workers feel confident that the owner will not arrive for some time, we are afraid that they touched the inside of the barrels.

6. The fact that the workers would not open the barrels due to fear of the owner catching them is tantamount to the owner guarding the barrels. Accordingly, if it is true that the Rabbis do not consider the guarding of an item that is in the hand of another person a valid guarding, this "guarding through the instillment of fear" should also be invalid (*Chazon Ish*).

7. Thus the barrels do not need to be guarded [from the workers], because even if the workers do touch them from the inside, the wine would remain *tahor* (*Rashi*). The only guarding necessary is from *other* sources of contamination, and this the workers themselves do. As such, this is not a case of someone guarding something which is in the hand of *another,* but rather a case of someone guarding something which is in his *own* hand (see *Ramban* to *Avodah Zarah* 69b ד״ה מאי שנא; *Chazon Ish; Chidushim U'Veurim*).

8. Had we not said that the Baraisa refers to where the employer required his workers to be purified, the difference between the first and last cases would be clear: In the first case he did not tell them he was going far away, so they were afraid of his appearing suddenly, while in the last case he told them he would be far away, so they felt confident that he would not surprise them. But now that we have explained the Baraisa to mean that they were purified, why should the wine not be *tahor* even in the last case? How could it possibly have become *tamei*? (*Yad David,* cited by *Menachem Meishiv Nefesh*).

9. Although the boss immersed them in a *mikveh,* they consider this to have been a superfluous act of excessive piety. In their view, they – as well as all other *amei haaretz* – are fully *tahor,* even without immersion. Hence, should they meet a fellow *am haaretz* along the way, they would have no compunctions about allowing him to touch the barrel from the inside, as long as there is no possibility that their boss will see this occur.

10. If in the Baraisa's second case, where the boss indicated that he was going far away, the workers are suspect to open the barrels and touch within because they are unafraid that the boss will catch them, then in the first case as well, where the boss did not tell them that he was going far, this concern should also exist [because the workers can easily peer down the road to see if their boss is in the distance]. If he is not, they can quickly open the barrels, take some wine and close them before he appears (*Tosafos* to *Avodah Zarah* 69a ד״ה מאי in the name *Ri*).

[Although the Gemara prefaces its question with the words "if so," the question is not predicated on the Gemara's immediately preceding explanation that the concern is specifically for contamination by the workers' friends. The question is rather on the Baraisa per se, and would be just as valid even if we were to say that the fear was that the workers themselves had contaminated the wine (see *Ritva* to *Avodah Zarah* 69b ד״ה אי הכי and *Chazon Ish* here).]

11. [Peering down the road would not suffice, because] the boss could surprise them by taking an alternate route that they cannot anticipate. They know that he has this capability, and this keeps them in check (*Rashi*).

12. If they fear his arrival by a circuitous route, they will be afraid to open the barrels even when he told them that he would follow later.

והתניא [א] הרי שהיו חמריו ופועליו טעונין טהרות אע"פ שהפליג מהן יותר ממיל טהרותיו טהורות ואם אמר להם לכו ואני אבוא אחריכם כיון שנתעלמו עיניו מהן טהרותיו טמאות מאי שנא רישא ומאי שנא סיפא א"ר יצחק נפחא רישא במטהר חמריו ופועליו לכך אי הכי סיפא נמי אין ע"ה מקפיד על מגע חבירו אי הכי רישא נמי בבא להם דרך עקלתון אי הכי סיפא נמי כיון דאמר להו לכו ואני אבוא אחריכם מיסמך סמכא דעתייהו:

הדרן עלך אין דורשין

חומר [ב] בקדש מבתרומה שמטבילין כלים בתוך כלים לתרומה אבל לא לקדש אחוריים ותוך ובית הצביטה בתרומה אבל לא בקדש הנושא את המדרס נושא את התרומה אבל לא את הקדש בגדי אוכלי תרומה מדרס לקדש לא כמדת הקדש מדת התרומה שבקדש מתיר ומנגב ומטביל ואח"כ קושר ובתרומה קושר ואח"כ מטביל כלים הגמורים בטהרה צריכין טבילה לקדש אבל לא לתרומה [ג] הכלי מצרף מה שבתוכו לקדש אבל לא לתרומה הרביעי בקדש פסול והשלישי בתרומה ובתרומה אם נטמאת אחת מידיו חבירתה טהורה ובקדש מטביל שתיהן שהיד מטמא את חבירתה בקדש אבל לא בתרומה אוכלין אוכלים נגובין בידים מסואבות בתרומה אבל לא בקדש

האונן

חמריו ופועליו. עמי הארץ: טעונין טהרות. כגון יין בחביות של חרס והן אין נוגעין בתוכן וכלי חרס אינו מיטמא מגבו: טהרותיו טהורות. ואין חוששין שמא נגעו דכיון דלא הודיען שהוא מפליג כל שעתא סברי השתא אתי אלמא אדם משמר מה שביד חברו: מאי שנא רישא ומאי שנא סיפא. לא גרסי' ליה ואי גרסי' הכי פירושו ואי ס"ד אין אדם משמר מה שביד חברו מאי שנא רישא ומאי שנא סיפא: א"ר יצחק במטהר חמריו ופועליו לכך. לעולם אין אדם משמר מה שביד חברו והני אין לריכין שימור דאי נמי נגעו לא איכפת להו דכשהטבילן לכך עסקינן: בבא להן דרך עקלתון. כשיכול לבוא להם פתאום דרך עקלתון שלא ידעו הלכך דחלי מיניה:

הדרן עלך אין דורשין

חומר בקדש מבתרומה כו'. שמטבילים כלי בתוך כלי שניהם (ד) טמאים: אבל לא לקדש. בגמרא מפרש טעמא: אחוריים ותוך ובית הצביטה לתרומה. כלי הראוי להשתמש בתוכו ומאחוריו ויש לביטתו כל תשמיש ותשמיש שבו חשוב כלי בפני עצמו לענין תרומה שאם נטמא זה לא נטמא זה ובטומאות דרבנן קאמר כדמפרש בגמ': אבל לא לקדש. שאם נטמא אחד מהן כולו טמא לקדש: הנושא את המדרס. מנעל של זב: נושא את התרומה. בחבית (ה) שאינו נוגע באוירה: אבל לא את הקדש. בגמרא מפרש טעמא: לא כמדת הקדש. בחליצת טבילותיו מדת התרומה: שבקדש. אם יש בגד טמא ובא להטבילו אם קשור הוא מתיר את קשרו משום דדמי לחלילה: ומנגב. אם לח הוא מנגבו תחלה ואח"כ מטבילו וכל זה משום דדמי לחלילה הוא: ובתרומה. אם רלה לקושרו קושר ואח"כ מטביל: כלים הנגמרים בטהרה. שנזהר בהן משגמרו סמוך לגמרן שראויין לקבל טומאה: צריכין טבילה לקדש. ובגמרא מפרש טעמא: הכלי מצרף את מה שבתוכו. (ו) אוכלים חתיכות הרבה בכלי אחד ונגע טמא באחד מהן הכלי מצרפן להיות כולן חתיכה אחת ונטמאו כולן: אבל לא לתרומה. אלא אותה שנגע בה הויא ראשון והנוגעת בה הויא שניה והנוגעת בשניה שלישית והשאר טהורות: פסול. ואינו פוסל עוד אחר: אם נטמאת אחת מידיו. בטומאה דרבנן שאינה מטמאה אלא ידים ולא את הגוף: נגובין. שהיו נגובין מימיהן שלא הוכשרו לטומאה מעולם: בידים מסואבות. שניות לתרומה דכיון דלא הוכשרה לא מיפסלא: אבל לא לקדש. בגמ' מפרש טעמא:

האונן

והתניא וכו'. אלמא אדם משמר מה שביד חברו וכפ' בתרא דע"ז (דף סט.) פרש"י גבי מאי שנא רישא ומאי שנא סיפא דהא (א) חזי ליה דנגע דקתני טעונין טהרות והכי לא בחביות מיירי שהיו סתומות אלא באוכלין מיירי בלא חביות אך קשה להר"ר אלחנן לוקמי בחביות ולא תקשה ליה ועוד דהכא כי אקשי ור"ל שאדם משמר מה שביד חברו היכי מצי משמר ליה כיון דאינו בחביות ותו למה לי נתעלמו עיניו מהם לטמאותם תיפוק ליה שהוא נוגע בהם ועוד אפי' בלא סיפא נמי תיקשי ליה מ"ט דרישא ופי' הר"י דהכא בחביות מיירי ואמנם פתוחות הן דאי סתומות לא יטמאו בהעלמת עין (ג) ועוד לא היה צורך לאוקמי רישא במטהר לכך כיון שלא הודיעו שהוא מפליג ומיהו זה יש לדחות דאגב דמוקי ליה הכא משום שינויא דשני ליה אוקמ' גם התם בע"ז ופריך מינה מכח הסיא דהכא דאי לא תימא הכי אלא אקשי ליה מסברא כי יש לחוש שמא נגעו בהן ברישא א"כ הכא בשמעתין כי פריך מ"ש רישא משום מה שביד חבירו כו' אכתי תיקשי ליה ליחוש שמא יגע בהם אלא ודאי מסברא לא קשיא דלא נגעו למרתתי כיון שלא הודיעום שהוא מפליג ומיהו הוה מצי לאקשויי ולטעמיך רישא גופה ליחוש שמא נגע וכן בכמה דוכתי ולא פריך ליה:

מאי שנא רישא ומאי שנא סיפא א"ר יצחק רישא במטהר חמריו ופועליו לכך. כך כתוב בספרים ויש פי' כתוב ולא גרסינן ליה אך בפי' שלפני מלאתי כתוב ופירוש לעולם אין אדם משמר מה שביד חבירו וכי תימא מאי שנא רישא במטהר חמריו ופועליו לכך ולפיכך מרתת ובפי' ישנים כתוב וכן פי' מורי דהוי כמו ולטעמיך כלומר אדמוכחת מרישא דאדם משמר תיקשי לסיפא והיינו מאי שנא רישא ומאי שנא סיפא דאי אדם משמר סיפא אמאי לא אלא במטהר לכך:

בבא להם דרך עקלתון. ואפ"ה בעינן שיטהרם לכך כדי שיהו מרתתים ליגע בו (ג) ואי לאו הכי לא מירתתי הואיל ומוסרין להם הטהרות ומחזיקים עלמם כטהורים ואפי' מזהירין אותן שלא ליגע סברי דלא קפדי אהך אבל בנכרי סגי בדרך עקלתון לחוד דלעולם יודע הוא שמקפיד על מגעו ומרתת:

הדרן עלך אין דורשין

חומר בקדש. י"א מעלות חשיב לרבא ולרבי אילא י' מעלות והיה קשה להר"ר אלחנן ליתני ההיא דלעיל (דף יח:) נוטלין לידים לחולין ולתרומה ולקדש מטבילין טבל והוחזק לתרומה לא הוחזק לקדש ונראה למורי דלא קא חשיב במתני' אלא היכא דאיכא דררא דטומאה קלת ואפי' בבתרייתא נמי אבל הך ליכא כלל דררא דטומאה (ז) והכי נמי בפ"ק דנדה (דף ו.) לא חשיב מעת לעת שבנדה משום דליכא דררא דטומאה ובגדי אוכלי תרומה מדרס לקדש איכא דררא דטומאה אף דאורייתא שמא ישבה עליהן אשתו נדה: הנושא את המדרס. מנעל של זב נושא את התרומה (ח) ובלבד שלא יגע בה רק נושא את החבית וכי תניא בתורת כהנים הנושא את המדרס מטמא שנים ופוסל אחד פי' מטמא שנים ופוסל אחד דהוה אב הטומאה ועושה ראשון ושני בחולין ופוסל בתרומה התם בנוגע בה ועל מה שפרש"י נושא מדרס שנושא את התרומה בחבית ואינו נוגע באוירה וקשה לפירושו דחשיב ליה להאי נושא אב הטומאה לטמא כלי כמו זב וא"כ ליטמא האי חבית ותרומה שבתוכו בהיסט מי לא תניא משכב ומושב בכף מאזנים ואוכלין ומשקין בכף שניה הכריע המשכב טימא האוכלין ועוד תניא בת"כ הנוגע במשכבו יכבס בגדיו (ויקרא טו) אין לי אלא בגדים שהוא לבוש בגדים אחרים מנלן ת"ל (ט) בגד בגדיו א"כ מה ת"ל בגדיו לפרט פי' לפרט אדם וכלי חרס אלמא דנושא המדרס לא יטמא כלי אפי' בעת נשאו את המדרס אלא ודאי אפי' יגע באוירה אין לחוש:

לא כמדת התרומה מדת הקדש. לפי שמפרש בו הרבה דינים בייהס נקט האי לישנא: הכלי מצרף מה שבתוכו. הקשה הרב רבי אפריס דבפ"ק דחולין (דף כד: ושם) דרשינן מכל אשר בתוכו יטמא לימד על כלי חרס שאפי' מלא חרדל טמא ומנא ליה דטעמא הכי דלמא התם מטעמא דלירוף ותירץ הר"י דלא מלינו לירוף לחולין [ג]:

כלים הנגמרים וכו'. אומר הר"ר אלחנן דלהכי נקט נגמרים ולא נעשים משום דאין רגילות לשומרם בטהרה בזמן עשייתן עד עת גומרם לפי שאין מקבלין טומאה עדיין אבל כי נגמרו שמקבלין טומאה נותנין לב (י) להן לשומרם בטהרה:

עין משפט
נר מצוה

נד א מיי' פי"ג מהל' מטמאי משכב ומושב הלכה ה:

א ב הכל במיי' פי"ב מהל' אבות הטומאות מהלכה א עד הלכה ז ומהל' יא עד הל' טו:

רבינו חננאל

ירמיה באומר שמרתיה מדבר המטמאה ולא שמרתיה מדבר הפוסלה וש"מ דאיכא נטירותא לפלגא ואסתייעא מן הסל ומן המגריפה ובמעשה דשתי נשים שארגו בטהרה ואמרו לא היה בלבנו לשמרה וטמאן ר' ישמעאל. פשוטות הן:

הדרן עלך אין דורשין בעריות

פרק ג חומר בקדש מבתרומה שמטבילין כלים בתוך כלים לתרומה אבל לא לקדש כו'.

ליקוטי רש"י

מאי שנא רישא ומאי שנא סיפא. עיין רש"י ע"ז סט. ובתוס' כאן ושם. במטהר חמריו. שהטבילן ומגען טהור. על מגע חבירו. הפוגע בו בדרך ולא נטהר לכך. רישא נמי. כיון שהפליג איכא למיחש הכי. בבא להן דרך עקלתון. כשבעל הבית יכול לבא דרך עקלתון דמירתת השתא אתי [ע"ז סט.]. הכלי מצרף מה שבתוכו. עריבה ארוכה וכה אוכלי קודש מכאן ואוכלי קודש מכאן ואין נוגעין זה בזה ונגע טמא באוכלין שבראש אחד ובכלי לא נגע ואוכל אין מטמא כלי אפילו מדרבנן ואפילו הכי האוכלין שבשני ראשיה טמאים שהכלי מצרפן [פסחים יט.]. שאם נגע טבול יום במקצתו פסל את כולו [מנחות כד.].

מסורת הש"ס

א) [תוספתא דטהרות פ"ין ע"ז סט. ע"ש, ב) פסחים יט. [מנחות כד.], ג) [ועי' תוספות חולין כד: ד"ה התורה].

הגהות הב"ח

(א) תוס' ד"ה והתניא וכו' ומאי שנא סיפא דהא קא חזי להו דנגעו דקתני: (ב) בא"ד לא יטמאו בהעלמת עין אלא בכדי שישתוס ויסתוס ויגוב כדתנן בפ' בתרא דמסכת ע"ז ועוד לא היה לורך לאוקמי בפרק בתרא דמסכת ע"ז רישא במטהר וכו' משום שנויא דשני ליה אין אדם משמר כו' אוקמה גם התם במסכת ע"ז וכו' כי פריך מ"ש רישא משום אין אדם משמר מה שביד חבירו כו' בלאו הכי תיקשי ליה ליחוש שמא יגעו בהם וכו' שמא נגעו וכן: (ג) ד"ה בבא וכו' דאי לאו הכי: (ד) רש"י ד"ה חומר וכו' שניהם טמאין. נ"ב עי' בדף כ"ב במ"ש התוס' בד"ה מאי איכא: (ה) ד"ה נושא את התרומה בחבית של חרס שאינו נוגע: (ו) ד"ה הכלי מצרף את מה שבתוכו חתיכות אוכלין הרבה: (ז) תוס' ד"ה חומר וכו' ליכא כלל דררא דטומאה והכי נמי לא חשיב מעת לעת שבנדה משום דליכא דררא דטומאה כלל כדאמרינן בפרק קמא דנדה ובגדי אוכלי תרומה: (ח) ד"ה הנושא וכו' את התרומה בכלי חרס ובלבד שלא יגע בה וכו' את התרומה בחבית של חרס ואינו נוגע באוירה קשה לפירושו דכיון דחשיב ליה וכו' לטמא כלי חרס כמו זב אם כן: (ט) בא"ד בגדים אחרים מנלן תלמוד לומר טמא אם כן מה ת"ל בגדיו פרט לאדם וכלי וכו' לא יטמא כלי חרס אפילו כצ"ל ותיבת לפרט פי' נמחק: (י) ד"ה כלים וכו' נותנין לב עליהן לשומרן:

Chapter Three

Mishnah As taught above (18b), the Rabbis imposed stringent safeguards to protect the *taharah* of various types of sacred items. The most stringent safeguards were imposed for *mei chatas* [water mixed with the ashes of the *parah adumah*], followed by קֹדֶשׁ, *kodesh* [sacrificial foods and substances]. The degree of sanctity just below *kodesh* is that of *terumah*. This Mishnah lists many instances in which the Rabbis decreed a higher standard of *taharah* for *kodesh* than for *terumah*. Such standards are referred to in the Gemara (21b) as מַעֲלוֹת, *maalos*.

חוֹמֶר בַּקֹּדֶשׁ מִבַּתְּרוּמָה – The stringency of *kodesh* over *terumah* is[1] **שֶׁמַּטְבִּילִין כֵּלִים בְּתוֹךְ כֵּלִים לִתְרוּמָה – (1) that we may immerse vessels within** other **vessels for *terumah*, אֲבָל לֹא לַקֹּדֶשׁ – but not for *kodesh*.**[2] **אֲחוֹרַיִים וְתוֹךְ וּבֵית הַצְּבִיטָה בַּתְּרוּמָה – (2) The outside and the inside and the *tzevitah* place**[3] of a vessel are considered separate vessels **with regard to *terumah*, אֲבָל לֹא בַקֹּדֶשׁ – but not with regard to *kodesh*.**[4] **הַנּוֹשֵׂא אֶת הַמִּדְרָס – (3) One who is carrying a *midras***[5] **נוֹשֵׂא אֶת הַתְּרוּמָה – may** simultaneously **carry *terumah*, אֲבָל לֹא אֶת הַקֹּדֶשׁ – but not *kodesh*.**[6] **בִּגְדֵי אוֹכְלֵי תְרוּמָה מִדְרָס לַקֹּדֶשׁ – (4) The garments of those who eat *terumah* are** regarded as **a *midras* for** those who eat ***kodesh*.**[7] **לֹא כְמִדַּת הַקֹּדֶשׁ מִדַּת הַתְּרוּמָה – (5) Unlike the rule of *kodesh* is the rule of *terumah*,** with regard to the laws of "interposition,"[8] as the Mishnah proceeds to explain. **שֶׁבַּקֹּדֶשׁ מַתִּיר וּמְנַגֵּב וּמַטְבִּיל וְאַחַר כָּךְ קוֹשֵׁר – For in** the case of ***kodesh*, one** who wishes to purify a garment **must untie** the knots, **and** he must **dry** the garment if it is wet, **and** only then **immerse** it, **and then retie** the knots;[9] **וּבִתְרוּמָה קוֹשֵׁר וְאַחַר כָּךְ מַטְבִּיל – but in** the case of ***terumah*, he may tie** the knots first **and then immerse** the garment.[10] **כֵּלִים הַנִּגְמָרִים בְּטָהֳרָה – (6) Vessels that were completed in** a state of ***taharah*** **צְרִיכִין טְבִילָה לַקֹּדֶשׁ – require immersion for** use

NOTES

1. The Mishnah proceeds to enumerate eleven stringencies that apply to *kodesh* but not to *terumah*. [According to one Amora (21b), there are in fact only ten such stringencies, as he explains that two of the Mishnah's eleven cases are two examples of the same stringency.]

2. When immersing two vessels that are *tamei* (*Rashi;* see, however, *Tosafos* to 22a ד״ה מאי איכא; see *Maharsha* to *Rashi* there, and *Gilyon Maharsha* and *Rashash* here) in a *mikveh* in order to purify them for use with *terumah* (or something with lesser sanctity), one may keep the smaller vessel inside the larger one during the immersion. If the vessels are to be used for *kodesh,* however, the Rabbis required that the two vessels be immersed separately. The Gemara (21a-b) will explain the reason for this requirement.

3. The Gemara (22b) will define the term "*tzevitah* place."

4. A vessel is sometimes made in a way that each of its separate parts can function as an independent vessel. For example, in addition to the inside of a vessel (the part used most conventionally), the outside of the vessel (see end of note) may also be used as an independent utensil.

Our Mishnah rules that each functional part of the vessel is treated as a vessel unto itself. Thus, if one of the parts of the vessel was touched by something that conveys *tumah* to it only by Rabbinic decree (i.e. *tamei* liquids – see Gemara 22b), only that part becomes *tamei;* the rest of the vessel remains *tahor.* In regard to *kodesh,* however, if one part of the vessel became *tamei,* the entire vessel (with all its constituent parts) becomes *tamei* (*Rashi*). In the case of Biblical *tumah,* however, the law is always that the entire vessel is *tamei* if the *tumah* touches but one part of it. [*Rashi's* comments would seem to suggest that in the case of *terumah,* even if the inside of a vessel contracts Rabbinic *tumah,* only the inside is *tamei* but not the rest of the vessel. From the Mishnah in *Keilim* 25:6 quoted in the Gemara below (22b), however, it emerges that if the inside becomes *tamei,* the entire vessel is *tamei* in all cases. The independence of the various parts is relevant only to where the outside or *tzevitah* place of the vessel contracted *tumah;* in that case, only the part that actually touched the *tumah* is *tamei,* but the rest of the vessel is *tahor* (see *Rashash* here; see also *Meiri* and *Rav*).]

Some explain that the term אֲחוֹרַיִים, *outside,* in this context refers specifically to the base of the vessel where that base has a hollow that can serve as a receptacle. The simple outside of the vessel, however, is called גַּבּוֹ, *its outside* (see *Meiri,* and see *Rashi* to *Shabbos* 16a ד״ה ומיטמאין מאחוריהן; see also *Tosafos* there). Others, however, explain that both terms refer to the simple outside of the vessel (see *Meiri; Rambam, Commentary to the Mishnah, Keilim* 2:1 – see there for an explanation of why both terms are sometimes used even in the same Mishnah; see also *Rashi* to *Bechoros* 38a ד״ה תוכו אוגנו, first explanation). See also 22b note 28.

5. מִדְרָס, *midras,* is the term used to refer to an article which supported in any of various ways the weight of a *zav*, *zavah* or a *niddah* [see *Zavim* 2:4] – e.g. the *zav's* shoe (see *Rashi;* see also *Meiri*). See 18b note 10.

6. One who carries a *midras* may simultaneously carry *terumah* in a barrel [made of earthenware (*Hagahos HaBach*)], provided that he does not bring the *midras* within the airspace of the barrel (*Rashi,* as interpreted by *Siach Yitzchak* and *Rashash;* cf. *Tosafos* ד״ה הנושא). Since an earthenware vessel can contract *tumah* only through its inside, we need not be concerned that the *midras* may touch the barrel's outside, for that would not affect the *taharah* of the barrel or its contents in any way (see *Meiri*). However, one who carries a *midras* may not simultaneously carry a vessel containing *kodesh.* The Gemara (23a) will provide the rationale for this restriction.

[One who carries a *midras* is himself *tamei* and indeed contaminates most types of vessels that he touches while he carries the *midras.* He does *not,* however, contaminate *earthenware* vessels that he touches at that time, even if he touches the inside of the vessel (see *Rambam, Hil. Metam'ei Mishkav U'Moshav* 6:2; see also *Tosafos* here, but see *Rashash*).]

7. See Mishnah above, 18b, and notes 10-11 there.

8. In order for an immersion to be valid, there must be no interposition [חֲצִיצָה] of any foreign substance that prevents the water of the *mikveh* from reaching all surfaces of the person or object being immersed.

The Mishnah now states that the laws of interposition regarding vessels to be used with *terumah* are not as stringent as the laws dealing with vessels to be used for *kodesh* (*Rashi;* cf. *Rashash*).

9. The reference is to a garment such as a cloth or sheet whose corners are tied loosely to one another, in which case the water does indeed penetrate to the material inside the knots. Nevertheless, the Rabbis decreed with regard to *kodesh* that before immersing the *tamei* garment, the knots first must be untied, because they *resemble* an interposition that prevents the water from reaching the material that is inside the knot. Similarly, if the garment to be immersed is already wet, the Rabbis decreed with regard to *kodesh* that it must be dried before being immersed. For the water in the garment causes it to swell, which can result in the garment becoming bunched in places, and this bunching, too, resembles an interposition (*Rashi,* as elaborated by *Meiri*).

10. Since these knots do not actually prevent the water from entering the material that is within them [see preceding note]. And needless to say, the garment does not have to be dried before being immersed [since the bunching caused by being wet is even less of an interposition than the loose knots] (*Meiri*).

[As explained, the Mishnah here refers to knots that do not prevent water from entering the material within them. As regards tight knots that do prevent the entry of water, see *Mikvaos* 10:3-4.]

והתניא [א] הרי שהיו חמריו ופועליו טעונין טהרות אע"פ שהפליג מהן יותר ממיל טהרותיו טהורות ואם אמר להם לכו ואני אבוא אחריכם כיון שנתעלמו עיניו מהן טהרותיו טמאות מאי שנא רישא ומאי שנא סיפא א"ר יצחק נפחא רישא במטהר חמריו ופועליו לכך אי הכי סיפא נמי אין ע"ה מקפיד על מגע חבירו אי הכי רישא נמי בבא להם דרך עקלתון אי הכי סיפא נמי כיון דאמר להו לכו ואני אבוא אחריכם מיסמך סמכא דעתייהו:

הדרן עלך אין דורשין

חומר [ב] בקדש מבתרומה שמטבילין כלים בתוך כלים לתרומה אבל לא לקדש אחוריים ותוך ובית הצביטה בתרומה אבל לא בקדש הנושא את המדרס נושא את התרומה אבל לא את הקדש בגדי אוכלי תרומה מדרס לקדש לא כמדת הקדש מדת התרומה שבקדש מתיר ומנגב ומטביל ואח"כ קושר ובתרומה קושר ואח"כ מטביל כלים הנגמרים בטהרה צריכין טבילה לקדש אבל לא לתרומה [ג] הכלי מצרף מה שבתוכו לקדש אבל לא לתרומה הרביעי בקדש פסול והשלישי בתרומה ובתרומה אם נטמאת אחת מידיו חבירתה טהורה ובקדש מטביל שתיהן שהיד מטמא את חבירתה בקדש אבל לא בתרומה אוכלין אוכלים נגובין בידים מסואבות בתרומה אבל לא בקדש
האונן

חמריו ופועליו. עמי הארץ: טעונין טהרות. כגון יין בחביות של חרס והן אין נוגעין בתוכן וכלי חרס אינו מיטמא מגבו: טהרותיו טהורות. ואין חוששין שמא נגעו דכיון דלא הודיען שהוא מפליג כל שעתא סברי השתא אתי אלמא אדם משמר מה שביד חברו: מאי שנא רישא ומאי שנא סיפא. לא גרסי' ליה ואי גרסי' הכי פירושו ואי ס"ד אין אדם משמר מה שביד חברו מאי שנא רישא מאי שנא סיפא: א"ר יצחק במטהר חמריו ופועליו לכך. לעולם אין אדם משמר מה שביד חברו והני אין צריכין שימור דאי נמי נגעו לא איכפת להו דכשהטבילן לכך עסקינן: בבא להן דרך עקלתון. כשיכול לבוא להם פתאום דרך עקלתון שלא ידינו הלכך דחלי מיניה:

הדרן עלך אין דורשין

חומר בקדש מבתרומה כו'. שמטבילים כלי בתוך כלי שניהם (ד) טמאים: אבל לא לקדש. בגמרא מפרש טעמא: אחוריים ותוך ובית הצביטה לתרומה. כלי הראוי להשתמש בתוכו ומאחוריו וביתם לביטתו כל תשמיש ותשמיש שבו חשוב כלי בפני עצמו לענין תרומה שאם נטמא זה לא נטמא זה ובטומאות דרבנן קאמר כדמפרש בגמ': אבל לא לקדש. שאם נטמא אחד מהן כולו טמא לקדש: הנושא את המדרס. מנעל של זב: נושא את התרומה. בחבית (ה) שאינו נוגע באוירה: אבל לא את הקדש. בגמרא מפרש טעמא: לא כמדת הקדש. בחלילת טבילותיו מדת התרומה: שבקדש. אם יש בגד טמא ובא להטבילו אם קשור הוא מתיר את קשרו משום דדמי לחציצה: ומנגב. אם לח הוא מנגבו תחלה ואח"כ מטבילו וכל זה משום דדמי לחציצה הוא: ובתרומה. אם רצה לקושרו קושר ואח"כ מטביל: כלים הנגמרים בטהרה. שנזהר בהן משבאו סמוך לגמרן שראויין לקבל טומאה: צריכין טבילה לקדש. ובגמרא מפרש טעמא: הכלי מצרף את מה שבתוכו. (ו) אוכלים חתיכות הרבה בכלי אחד ונגע טמא באחד מהן הכלי מצרפן להיות כולן חתיכה אחת ונטמאו כולן: אבל לא לתרומה. אלא אותה שנגע בה הויא ראשון והנוגעת בה הויא שניה והנוגעת בשניה שלישית והשאר טהורות: פסול. ואינו פוסל עוד אחר: אם נטמאת אחת מידיו. בטומאה דרבנן שאינה מטמאה אלא ידים ולא את הגוף: נגובין. שהיו נגובין מימיהן שלא הוכשרו לטומאה מעולם: בידים מסואבות. שניות לתרומה דכיון דלא הוכשרה לא מיפסלא: אבל לא לקדש. בגמ' מפרש טעמא:
האונן

והתניא וכו'. אלמא אדם משמר מה שביד חברו וכפ' בתרא דע"ז (דף סט.) פרש"י גבי מאי שנא רישא ומאי שנא סיפא דהא (א) חזי ליה דנגע דקתני טעונין טהרות והכי לא בחביות מיירי שהיו סתומות אלא באוכלין מיירי בלא חביות אך קשה להר"ר אלחנן לוקמי בחביות ולא תקשה ליה ועוד דהכא כי אקשי ור"ל שאדם משמר מה שביד חברו היכי מצי משמר ליה כיון דאינו בחביות ותו למה לי נתעלמו עיניו מהם לטמאותם תיפוק ליה שהוא נוגע בהם ועוד אפי' בלא סיפא נמי תיקשי ליה מ"ט דרישא ופי' הר"י דהכא בחביות מיירי ואמנם פתוחות הן דאי סתומות לא יטמאו בהעלמת עין (ב) ועוד לא היה צורך לאוקמי רישא במטהר לכך כיון שלא הודיעו שהוא מפליג ומיהו זה יש לדחות דאגב דמוקי ליה הכא משום שינויא דשני' ליה אוקמ' גם התם בע"ז ופריך מינה מכח ההיא דהכא דאי לא תימא הכי אלא אקשי ליה מסברא כי יש לחוש שמא נגעו בהן ברישא א"כ הכא בשמעתין כי פריך מ"ש רישא משום מה שביד חבירו כו' אכתי תיקשי ליה ליחוש שמא יגע בהם אלא ודאי מסברא לא קשיא דלא נגעו דמרתתי כיון שלא הודיעם שהוא מפליג ומיהו הוה מצי לאקשויי ולטעמיך רישא גופא ליחוש שמא נגע וכן בכמה דוכתי ולא פריך ליה:

מאי שנא רישא ומאי שנא סיפא א"ר יצחק רישא במטהר חמריו ופועליו לכך. כך כתוב בספרים ויש פי' כתוב ולא גרסינן ליה אך בפי' שלפני מצאתי כתוב ופירוש לעולם אין אדם משמר מה שביד חבירו וכי תימא מאי שנא רישא במטהר חמריו ופועליו לכך ולפיכך מרתת ובפי' ישנים כתוב וכן פי' מורי דהוי כמו ולטעמיך כלומר אדמוכחת מרישא דאדם משמר תיקשי לסיפא והיינו מאי שנא רישא ומאי שנא סיפא דאי אדם משמר סיפא אמאי לא אלא במטהר לכך:

בבא להם דרך עקלתון. ואפ"ה בעינן שיטהרם לכך כדי שיהו מרתתים ליגע בו (ג) ואי לאו הכי לא מירתתי הואיל ומוסרין להם הטהרות ומחזיקים עצמם כטהורים ואפי' מזהירין אותן שלא ליגע סברי דלא קפדי אהך אבל בנכרי סגי בדרך עקלתון לחוד דלעולם יודע הוא שמקפיד על מגעו ומרתת:

הדרן עלך אין דורשין

חומר בקדש. י"א מעלות חשיב לרבא ולרבי אילא י' מעלות והיה קשה להר"ר אלחנן ליתני ההיא דלעיל (דף יח:) נוטלין לידים לחולין ולתרומה ולקדש מטבילין טבל והוחזק לתרומה לא הוחזק לקדש ונראה למורי דלא קא חשיב במתני' אלא היכא דאיכא דררא דטומאה קצת ואפי' בבתרייתא נמי אבל הך ליכא כלל דררא דטומאה (ז) והכי נמי בפ"ק דנדה (דף ו.) לא חשיב מעת לעת שבנדה משום דליכא דררא דטומאה ובגדי אוכלי תרומה מדרס לקדש איכא דררא דטומאה אף דאורייתא שמא ישבה עליהן אשתו נדה: **הנושא** את המדרס. מנעל של זב נושא את התרומה (ח) ובלבד שלא יגע בה רק נושא את החבית וכי תניא בתורת כהנים הנושא את המדרס מטמא שנים ופוסל אחד פי' מטמא שנים ופוסל אחד דהוה אב הטומאה ועושה ראשון ושני בחולין ופוסל בתרומה התם בנוגע בה ועל מה שפרש"י נושא מדרס שנושא את התרומה בחבית ואינו נוגע באוירה וקשה לפירושו דחשיב ליה להאי נושא אב הטומאה לטמא כלי כמו זב וא"כ ליטמא האי חבית ותרומה שבתוכו בהיסט מי לא תניא משכב ומושב בכף מאזנים ואוכלין ומשקין בכף שניה הכריע המשכב טימא האוכלין ועוד תניא בת"כ הנוגע במשכבו יכבס בגדיו (ויקרא טו) אין לי אלא בגדים שהוא לבוש בגדים אחרים מנלן ת"ל (ט) בגד בגדיו א"כ מה ת"ל בגדיו לפרט פי' לפרט אדם וכלי חרס אלמא דנושא המדרס לא יטמא כלי אפי' בעת נשאו את המדרס אלא ודאי אפי' יגע באוירה אין לחוש:

לא כמדת התרומה מדת הקדש. לפי שמפרש בו הרבה דינים ביניהם נקט האי לישנא: **הכלי** מצרף מה שבתוכו. הקשה הרב רבי אפרים דבפ"ק דחולין (דף כה: ושם) דרשינן מכל אשר בתוכו יטמא לימד על כלי חרס שאפי' מלא חרדל טמא ומנא ליה דטעמא הכי דלמא התם מטעמא דצירוף ותירץ הר"י דלא מצינו צירוף לחולין [ג]:

כלים הנגמרים וכו'. אומר הר"ר אלחנן דלהכי נקט נגמרים ולא נעשים משום דאין רגילות לשומרם בטהרה בזמן עשייתן עד עת גומרם לפי שאין מקבלין טומאה עדיין אבל כי נגמרו שמקבלין טומאה נותנין לב (י) להן לשומרם בטהרה:
האונן

עין משפט נר מצוה

נד א מיי' פי"ג מהל' מטמאי משכב ומושב הלכה ה:

א ב בכל במי' פי"ב מהל' אבות הטומאות מהלכה א עד הלכה ז ומהל' יא עד הל' טו:

רבינו חננאל

ירמיה באומר שמרתיה מדבר המטמאה ולא שמרתיה מדבר הפוסלה וש"מ דאיכא נטירותא לפלגא ואפחייעא מן הסל ומן המגריפה ובמעשה דשתי נשים שארגו בטהרה ואמרו לא היה בלבנו לשמרה וטמאן ר' ישמעאל. פשוטות הן:

הדרן עלך אין דורשין בעריות

פרק ג חומר בקדש מבתרומה שמטבילין כלים בתוך כלים לתרומה אבל לא לקדש כו':

ליקוטי רש"י

מאי שנא רישא ומאי שנא סיפא. עיין רש"י ע"ז סט. ובתוס' כאן ושם. במטהר חמריו. שהטבילן ומגען טהור. על מגע חבירו. הסוגא כו בדרך ולא נזהר לכך. רישא נמי. כיון שהפליג איכא למימש הכי. בבא להן דרך עקלתון. שבעת הכים יכול לבא דרך עקלתון למירתת השתא אתי [עי' סט.]. הכלי מצרף מה שבתוכו. עריבה ארוכה וכה אוכלי קודש מכאן ומכאן ואין נוגעין זה בזה ונגע טמא באוכלין שבראשה אחד וכלי לא נגע ואוכל אין נטמאת כלי אפילו מדרבנן ואפילו הכי האוכלין שבשני ראשיה טמאים שהכלי מצרפן [פסחים יט.]. שאם נגע טבול יום באחד מהן פסל את כולו [מנחות כד.].

מסורת הש"ס

א) [תוספתא דטהרות פ"ח] ע"ז סט. ע"ש, ב) פסחים יט. [מנחות כד.], ג) [ועי' תוספות חולין כד: ד"ה האומר].

הגהות הב"ח

(א) תוס' ד"ה והתניא וכו' ומאי שנא סיפא דהא קא חזי להו דנגעו דקתני: (ב) באד"ה לא יטמאו בהעלמת עין אלא כגון שישתמש ויסתום ויגע כדתניא בפ' בתרא דמסכת ע"ז ועוד לא היה צורך לאוקמי בפרק בתרא דמסכת ע"ז רישא במטהר כו' משום שגיא דשני ליה אין אדם משמר כו' אוקמה גם התם במסכת ע"ז וכו' כי פריך מ"ש רישא משום אין אדם משמר מה שביד חבירו כו' כלומר הכי תיקשי ליה ליחוש שמא נגעו בהם וכו': (ג) ד"ה בבא וכו' דאי לאו הכי: (ד) רש"י ד"ה חומר וכו' שניהם טמאין. נ"ב ע' בדף כ"ב בתוס' ד"ה ה תום' כד"ה מאי איכא: (ה) ד"ה נושא את התרומה בחבית של חרס שאינו נוגע: (ו) ד"ה הכלי מצרף את מה שבתוכו חתיכות אוכלין הרבה: (ז) תוס' ד"ה חומר וכו' ליכא כלל דררא דטומאה והכי נמי לא חשיב מעת לעת בנדה וכו' כלל כדאמרינן בפרק קמא דנדה ובגדי אוכלי תרומה: (ח) ד"ה הנושא וכו' את התרומה בכלי חרס ובלבד שלא יגע בה וכו' את התרומה בחבית של חרס ואינו נוגע באוירה קשה לפירושו דכיון דחשיב ליה וכו' לטמא כלי חרס כמו זב וכו' כן: (ט) באד"ה בגדים אחרים מנין תלמוד לומר טמא אם כן מה ת"ל בגדיו פרט לאדם וכלי חרס אפילו כל"ג ומינה קשה לפרש פי' נמחק: (י) ד"ה כלים וכו' נותנין לב עליהן לשומרן:

with ***kodesh,*** אֲבָל לֹא לַתְּרוּמָה – **but not for** use with ***terumah.***[11] הַכְּלִי מְצָרֵף מַה שֶּׁבְּתוֹכוֹ לַקֹּדֶשׁ – (7) **A vessel combines what is in it with regard to *kodesh,***[12] אֲבָל לֹא לַתְּרוּמָה – **but not with regard to *terumah.***[13] הָרְבִיעִי בַּקֹּדֶשׁ פָּסוּל – (8) **The *revii* in** the case of ***kodesh* is unfit,** וְהַשְּׁלִישִׁי בַּתְּרוּמָה – **but** it is only **the *shelishi*** that is unfit **in** the case of ***terumah.***[14] וּבַתְּרוּמָה – (9) **And with regard to *terumah,*** אִם נִטְמֵאת אַחַת מִיָּדָיו – **if one of [a person's] hands has become *tamei,*** חֲבֵירְתָּהּ טְהוֹרָה – **its counterpart** [i.e. the other hand] **is** still ***tahor;*** וּבַקֹּדֶשׁ – **but with regard to *kodesh,*** מַטְבִּיל שְׁתֵּיהֶן – **he must immerse**[15] **both of them.**[16] שֶׁהַיָּד מְטַמָּא אֶת חֲבֵירְתָּהּ בַּקֹּדֶשׁ – **For a hand makes its counterpart *tamei* with regard to *kodesh,*** אֲבָל לֹא בַּתְּרוּמָה – **but not with regard to *terumah.***[17] אוֹכְלִין אוֹכָלִים נְגוּבִין בְּיָדַיִם מְסוֹאָבוֹת בַּתְּרוּמָה – (10) **We may eat dry foods with contaminated hands in** the case of ***terumah*** foods, אֲבָל לֹא בַּקֹּדֶשׁ – **but not in** the case of ***kodesh*** foods.[18]

NOTES

11. [While a vessel is still in the process of being made, it cannot become *tamei,* even if touched by a corpse or a *zav.* Therefore, no matter what may have happened to it earlier, as long as the completion of the vessel took place in a state of *taharah,* and it was safeguarded from then on, it cannot have become *tamei.*] In the Mishnah's case, the one who made the vessel protected it from becoming *tamei* from the finishing stages of its production and onward. Therefore, it may be used for *terumah* without being immersed. The Gemara (23a) will explain why it cannot be used for *kodesh* (*Rashi*).

12. If many separate pieces of *kodesh* food were in one vessel and a person who was *tamei* touched one of them, all the pieces become *tamei* [even if they were not touching one another (*Rashi* to *Pesachim* 19a ד״ה הכלי מצרף)]. They are not regarded as separate and unrelated items because the vessel that contains them gives them the status of *one* piece, causing them all to be *tamei* [in the same manner that a large piece of food becomes *tamei* in its entirety even if only a small part of it comes into contact with *tumah*] (*Rashi*).

13. In the case of *terumah,* the various pieces in the vessel are not regarded as forming one unit.

Though the pieces of *terumah* are regarded as separate and distinct, if they are touching one another they will transmit *tumah* one to the other according to the usual chain of transmission that applies to *terumah.* Thus, the first piece could convey *tumah* to the second, and the second to a third, and the rest would remain *tahor* [as will be explained in the next note] (*Rashi*).

14. *Tumah* is a communicable condition, and is transmitted by contact from the primary source to a recipient person or object, which in turn becomes a carrier to transmit the *tumah* further. Upon transmission, however, the *tumah* generally becomes weakened and the recipient acquires a lower degree of *tumah* than that of the transmitter. Thus, a person or object that contracts *tumah* from an *av hatumah* (see *Keilim* ch. 1) is known as a רִאשׁוֹן לְטֻמְאָה, *rishon of tumah,* i.e. one contaminated with *the first degree* of derived *tumah,* or, in short: a *rishon.* The *rishon,* in turn, creates upon contact a שֵׁנִי לְטֻמְאָה, *sheni of tumah,* i.e. one contaminated with *the second degree* of derived *tumah,* or, in short: a *sheni.* Our Mishnah rules that in regard to *terumah,* the *tumah* can be transmitted one step further. Thus, the *sheni,* upon contact, creates a שְׁלִישִׁי לְטֻמְאָה, *shelishi of tumah,* i.e. one contaminated with *the third degree* of *tumah,* or, in short: a *shelishi.* With regard to *terumah,* the *tumah* can be transmitted no further. Thus, although the *shelishi* is technically *tamei,* it is called פָּסוּל, *pasul* [unfit], rather than *tamei;* that is, it itself is unfit to be eaten, but it would not render unfit another piece of *terumah* that it touches (see *Rashi*).

In regard to *kodesh,* however, the chain of *tumah* transmission continues one level further to רְבִיעִי לְטֻמְאָה, *the revii* [fourth degree] of *tumah,* or, in short: a *revii.* A *kodesh* object that is a *revii* is called פָּסוּל, *unfit,* for although it is *tamei,* it cannot convey *tumah* even to another object of its genre.

15. [As taught in the Mishnah above (18b), purifying the hands for *kodesh* requires that they be *immersed.*]

16. Certainly, a source of Biblical *tumah* that has the capacity to contaminate a person contaminates his entire body by touching but one part of it. The Mishnah here, however, refers to sources of Rabbinic *tumah* that contaminate only the hands and not the rest of the body. In regard to such sources of *tumah,* the Mishnah rules that if someone touched them with only one hand, only that hand becomes *tamei* with regard to *terumah,* but not the other one. With regard to *kodesh,* however, both hands are *tamei* (see *Rashi;* see next note).

17. [The Gemara (24b) will explain what this last clause means to add.]

In order for it to make the second hand *tamei,* the first hand must actually touch it. But if the *tamei* hand did *not* touch the second hand, then the second hand remains *tahor* even for *kodesh* (see *Rambam, Commentary to the Mishnah* and *Rav* here; *Rambam, Hil. She'ar Avos HaTumos* 8:7 with *Kesef Mishneh; Rambam, She'ar Avos HaTumos* 12:12 with *Raavad*). [According to *Rambam* and *Rav* (loc. cit.), if the hand that became *tamei* is wet, the second hand becomes *tamei* for *kodesh* even if the second hand did *not* touch the first hand (cf. *Raavad* loc. cit.).]

18. Scripture (*Leviticus* 11:37-38) provides that food cannot contract *tumah* unless it has become מֻכְשָׁר [*muchshar;* "prepared" or "made fit" to receive *tumah*] through being moistened by water or one of the other liquids [dew, wine, oil, blood, milk, bee's honey] listed in *Machshirin* 6:4-8. Thus, our Mishnah rules that one whose hands are *tamei* [and have the status of *sheni*] may hold and eat dry *terumah,* which was not *muchshar* and is thus impervious to *tumah* (see *Rashi*).

Once a food has become *muchshar* through wetness, it retains its susceptibility to *tumah* even after becoming dry. Thus, by "dry *terumah,*" our Mishnah must refer to *terumah* that has *never* come into contact with liquids [i.e. from the time it was harvested; while the plant is still connected to the ground, however, wetness does not make it *muchshar*] (see *Rashi*).

The Gemara below (24b) will explain why one may not eat dry *kodesh* food with hands that are *tamei* (see *Rashi*).

[*Rashi* has explained our initial understanding of this stringency. The Gemara below (24b, as explained by *Rashi* there) will conclude, however, that the Mishnah means something else.]

הָאוֹנֵן וּמְחוּסַּר כִּפּוּרִים – (11) THE *ONEIN*[1] AND THE *MECHUSSAR KIPPURIM*[2] צְרִיכִין טְבִילָה לַקֹּדֶשׁ – REQUIRE IMMERSION FOR *KODESH*,[3] אֲבָל לֹא לַתְּרוּמָה – BUT NOT FOR *TERUMAH*.[4]

Gemara The first stringency stated by the Mishnah was that we may immerse one vessel within another for purposes of *terumah* but not for purposes of *kodesh*. The Gemara inquires:

בַּקֹּדֶשׁ מַאי טַעְמָא לֹא – **In** the case of ***kodesh*****, what is the reason** that we may **not** immerse a vessel within another vessel?

The Gemara answers:

אָמַר רַבִּי אִילָא – **R' Ila said:** מִפְּנֵי שֶׁכּוֹבְדוֹ שֶׁל כְּלִי חוֹצֵץ – **Because the weight of the** inner **vessel creates an interposition** between the water and the vessels.[5]

The Gemara questions this explanation:

וְהָא מִדְּסֵיפָא מִשּׁוּם חֲצִיצָה – **But from that which the latter section** of the Mishnah disallows a type of immersion specifically for *kodesh* **due to** considerations of **interposition,** רֵישָׁא לָאו מִשּׁוּם חֲצִיצָה – we may infer that **the first section** of the Mishnah, which disallows specifically for *kodesh* the immersion of vessels within other vessels, **is *not* due to** considerations of **interposition.**[6] The Gemara elaborates: דְּקָתָנֵי סֵיפָא – **For the latter section** (the fifth case) of the Mishnah **states:** וְלֹא כְּמִדַּת הַקֹּדֶשׁ מִדַּת הַתְּרוּמָה – AND UNLIKE THE RULE OF *KODESH* IS THE RULE OF *TERUMAH*. שֶׁבַּקֹּדֶשׁ מַתִּיר וּמְנַגֵּב וּמַטְבִּיל וְאַחַר כָּךְ קוֹשֵׁר – FOR IN the case of ***KODESH*****,** ONE MUST UNTIE the knots, DRY, IMMERSE the garment, AND only THEN RETIE the knots; וּבַתְּרוּמָה קוֹשֵׁר וְאַחַר כָּךְ מַטְבִּיל – BUT IN the case of ***TERUMAH*****,** HE MAY TIE the knots loosely AND THEN IMMERSE the garment. Now, this special stringency of *kodesh* is certainly due to considerations of interposition.[7] We may therefore deduce that in the Mishnah's *first* case (the stringency of not immersing vessels within vessels for use with *kodesh*), the stringency is *not* due to considerations of interposition.[8] – ? –

The Gemara answers:

רֵישָׁא וְסֵיפָא מִשּׁוּם חֲצִיצָה – In fact I will tell you that indeed, both **the** stringencies of the **first and latter sections** of the Mishnah (i.e. cases one and five) are **due to** considerations of **interposition,** וּצְרִיכָא – **and it was nonetheless necessary** for the Tanna to teach us both cases. דְּאִי אַשְׁמְעִינַן רֵישָׁא – **For if he had taught us** only **the first section** (the case of immersing vessels within vessels), הֲוָה אֲמִינָא הַיְינוּ טַעְמָא דְּלַקֹּדֶשׁ לֹא – **I would have said** that **the reason** a vessel may **not** be immersed within another vessel **for *kodesh*** מִשּׁוּם כּוֹבְדוֹ שֶׁל כְּלִי דְּאִיכָּא – is **because of the weight of the** inner **vessel that is** there, which creates an interposition. אֲבָל סֵיפָא – **But** in the case **of the latter section** of the Mishnah (a knot in the garment), דְּלֵיכָּא כּוֹבְדוֹ שֶׁל כְּלִי – **where there is no weight of an** inner **vessel** to create an interposition, אֵימָא לַקֹּדֶשׁ נַמִּי לֹא הָוֵי חֲצִיצָה – **I would say that for *kodesh*, too, [the knot] does not constitute an interposition.**[9] וְאִי אַשְׁמְעִינַן סֵיפָא – **And if [the Mishnah] has taught us** only the case of **the latter section** (a knot in the garment), הֲוָה אֲמִינָא הַיְינוּ טַעְמָא דְּלַקֹּדֶשׁ לֹא – **I would have said that this is the reason** the knots may **not** be left tied when immersing the garment **for *kodesh*:** מִשּׁוּם – **because**

NOTES

1. Upon the death of any of one's seven closest relatives (father, mother, brother, sister, son, daughter, or spouse), a person enters a state of mourning. The first stage of the mourning period is called אֲנִינוּת, *aninus;* the mourner is then known as an אוֹנֵן, *onein.*

Biblically, the mourner is an *onein* and forbidden to partake of sacrificial food [see *Leviticus* 10:19 and *Deuteronomy* 26:14] until nightfall on the day that death occurred, even if the deceased has already been buried (see *Turei Even* here; see, however, *Yerushalmi, Pesachim* 8:8; *Rashi* to *Pesachim* 90b ד״ה האונן and to *Zevachim* 15b ד״ה אונן). [With regard to the night following that day, see *Zevachim* 99b-101a.]

2. A *mechussar kippurim* [one who lacks atonement] is one who requires an offering at the conclusion of his (or her) *tumah* and has immersed and waited until nightfall, but has not yet brought the required offering. A *mechussar kippurim* may not eat *kodesh* until he brings the required atonement offerings.

For example, a *zav* (a man who has had a certain type of seminal discharge three times within three days) is instructed to count a seven-day period (in which he does not see a discharge), and immerse himself [in spring water] on the seventh day. And on the eighth day, he must bring a pair of bird offerings [see *Leviticus* 15:1-15]. After immersion and the subsequent nightfall, he is called a *mechussar kippurim* (one who lacks atonement); for the final stage of his purification is attained by means of his bringing the required atonement offerings (see *Rashi*).

[In such cases, the *tamei* becomes *tahor* in successive stages. After immersion, until nightfall, he is a *tevul yom* ("one who has immersed that day"); he may eat *maaser sheni* but not *terumah* or *kodesh*. After nightfall until he brings his offerings, he is a *mechussar kippurim;* he may eat *terumah* but not *kodesh*. After he brings his offerings, his *taharah* is complete and he may resume eating *kodesh* (see *Yevamos* 74b and *Negaim* 14:3).]

3. [Even after the *aninus* period passes and one ceases to be an *onein*, or] even after the *mechussar kippurim* has brought his offering, he may not eat *kodesh* without first immersing himself in a *mikveh*. The Gemara below (24b) will explain the reason for this [Rabbinic] immersion requirement (*Rashi*).

[Our Mishnah refers even to an *onein* who has not contracted *tumah* from his deceased relative. Though he has not become *tamei*, he may nevertheless not resume eating *kodesh* without first immersing himself in a *mikveh* (see *Rashi*).]

4. For the *onein* and *mechussar kippurim* are in fact permitted to eat *terumah* while in those states [see *Bikkurim* 2:2, and end of note 2 above] (*Rav; Rashi* to 24b ד״ה כיון דעד האידנא).

5. I.e. it is possible that the inner vessel would weigh so heavily upon the outer one that the *mikveh* water could not circulate freely in between them. Were this to happen, the immersion could not be valid since parts of each of the vessels would not have been touched by water. Although this situation does not constitute genuine interposition on a Biblical level, for in fact the water forces its way into the narrow area between the vessels, nonetheless the Rabbis forbid such an immersion for *kodesh*, because it has the appearance of an interposition.

In regard to *terumah*, however, only that which constitutes a Biblically recognized interposition is deemed to be an interposition (see *Rashi* below ד״ה והא מדסיפא; *Meiri*).

The Gemara below (22a) will discuss why the interposition created by a vessel within a vessel is not an interposition with regard to *terumah* as well (*Rashi*).

6. Otherwise, there would be no need for the Mishnah to state both cases – see note 8.

7. See 20b notes 8 through 10.

8. For if the stringency in both cases was based on considerations of interposition, there would have been no need for the Mishnah to state both cases. Rather, the Mishnah could have stated only one of the cases, and thereby taught that whereas in regard to *terumah* only a bona fide (i.e. Biblically recognized) interposition invalidates the immersion, in regard to *kodesh* anything that *resembles* an interposition invalidates the immersion [see *Siach Yitzchak* to 23a ד״ה שם עבר ונשא מהו and *Chazon Ish* there; cf. *Tosafos* to 22a ד״ה אבא שאול with *Rashash*]. And whichever of the two cases the Mishnah would have chosen to illustrate this stringency would have served as a model from which the other case could be derived as well (see *Rashi*).

9. Since these knots are tied loosely (see 20b notes 9 and 10).

א) האונן ומחוסר כפורים צריכין טבילה לקדש אבל לא לתרומה: גמ' בקדש מ"ט לא א"ר אילא מפני שכבידו של כלי חוצץ והא מדסיפא משום חציצה רישא לאו משום חציצה דקתני סיפא ולא כמדת הקדש מדת התרומה שבקדש מתיר ומנגיב ומטביל ואחר כך קושר ובתרומה קושר ואחר כך מטביל רישא וסיפא משום חציצה וצריכא דאי אשמעינן רישא הוה אמינא היינו טעמא דלקדש לא משום כבידו של כלי דאיכא אבל סיפא דליכא כבידו של כלי אימא לקדש נמי לא הוי חציצה ואי אשמעינן סיפא הוה אמינא היינו טעמא דלקדש לא משום

רש"י

האונן. שלא נטמא במתו: והמחוסר כפורים. כגון זב שטבל ליום שביעי לספירתו והעריב שמשו ולמחרת הוא קרוי מחוסר כפורים שעדיין גמר טהרתו תלויה בקרבנו: צריכין טבילה. לאחר שהביא קרבנו אם רצה לאכול קדש וגמרא מפרש טעמא: גמ' שכבידו של כלי חוצץ. כבידו של כלי הפנימי המכביד על החיצון שהוא מונח בתוכו חוצץ בפני המים ואין טבילה עולה לא לזה ולא לזה ולקמן (דף כג.) פריך אי הכי אפילו תרומה נמי: והא מדסיפא. מעלה אחריתי דחשיב בסיפא הוה טעמא משום חציצה רישא לאו משום חציצה דאי טעמא דתרווייהו משום חציצה ולאשמעינן דגבי קדש כל דדמי לחציצה פוסל בו ובתרומה לא פסלה אלא חציצה גמורה דאורייתא ליתני חדא מינייהו:

תוספות

האונן ומחוסר כפורים צריכים טבילה לקדש אבל לא לתרומה. משמע לישנא טבילה (א) אבל הערב שמש לא כדדייק לקמן (דף כג.) בכלים הנגמרים והכי נמי משמע בזבחים בריש טבול יום (דף צט.) דקא דייק על הך משנה היכי דמי אי דלאו דעתיה מטומאה שרץ טמא מעליא הוי אם כן משמע דלא הערב שמש בעי וגם רש"י פי' כן התם דלא בעי הערב שמש והא דתנן התם טבול יום ומחוסר כפורים אין חולקין בקדשים לאכול לערב משמע דמחוסר כפורים בעי הערב שמש איכא למימר משום טבול יום נקטיה אבל קשה לר"י דאמר בעירובין בפרק בכל מערבין (דף לב.) האשה שהיתה עליה לידה או זיבה מביאה מעות ונותנת בשופר טובלת ואוכלת בקדשים לערב והתם לא תני טבול יום וי"ל דלערב דנקט מיירי שאינה עומדת שם בשעת הקרבה אלא סומכת לה על חזקת ב"ד אוכלת לערב דחזקה אין ב"ד מתעצלין וק"ל דלאחר חצות תשתרי שכן מצינו גבי עומר (מנחות דף סח.) הרחוקים מחצות ואילך מותרין לפי שאין ב"ד מתעצלין ואין לחלק דהתם בקרבן צבור ממהר טפי לעשות עד חצות אבל קרבן יחיד ממתינין כל היום אבל טפי לא כדי שלא יוכל על ידם וכי תימא אחר תמיד של ערב תשתרי דתו לא תשתרי (ב) כיון דכתיב עליה העולה ומינה ילפינן ג) עשה להשלמה דאין מקריבין אחרי עולת התמיד בין הערבים כלום ויש לומר דאיכא למימר שפעמים מאחרין התמיד עד הערב שמש כדאמרינן ריש תפלת השחר (ברכות דף כו:) שהולך וקרב עד הערב הלכך כיון שאין לו זמן קבוע מספקינן לה בכל הספק אי נמי כרבי ישמעאל בנו של רבי יוחנן בן ברוקה דאמר ריש תמיד נשחט (פסחים דף נט.) שחטאת העוף קרב אחר תמיד הערב והכי מפרש הר"י בריש תמיד נשחט גבי מחוסר כפורים שטובל ואוכל בקדשים לערב דלא נקט ערב משום הערב שמש אלא לפי שאינו עומד לעולם על קרבנו כדפי' וסומך על חזקת כהנים וכן יש לפרש ההיא דכריתות בריש פרק מחוסרי כפרה (דף ח:) [גר] מעוכב לאכול בקדשים עד שיביא קנו הביא פרידה אחת שחרית אוכל קדשים לערב (ג) דרבותא נקט ואע"ג דאם הביאום שחרית תרווייהו לא יאכל עד הערב היכא דסומך על חזקה כדפרי' אבל ליכא למימר התם משום הערב שמש דלא צריך כדפרי' ועוד דלא מזכיר התם טבילה וגם לא מצינו מחוסר כפרה הצריך טבילה רק מחוסר כפרה דטומאה אבל בגר לא מצינו וכן תנן (פרה פי"א מ"ה) כל הטעון ביאת מים מדברי סופרים מטמא (ד) הקדש וכו' אחר ביאתו מותר בכולן משמע כל שהוא מדרבנן מותר מיד בלא הערב שמש ומההיא דפרישית תירץ הר"ר שמואל מרא"ם הא דתניא בפ"ב דבילה (דף יח. ושם) גבי מתני' דכלי שנטמא בולד הטומאה מטבילין אותו ביו"ט ואמאי והא בעי הערב שמש ותירץ דכיון דולד טומאה דרבנן לא בעי הערב שמש והכי משמע בירושלמי דתרומות פ"ב גמרא המטביל כליו בשבת וכי מתקן מנא לכתחילה תני נפל כליו לתוך הבור מערים עליו ומטבילו כלומר ביום טוב ובשבת תרי אמוראי חד אמר בכלי שנטמא באב הטומאה וחד אמר בכלי שנטמא בולד הטומאה מתיב מאן דאמר ולד הטומאה למאן דאמר באב הטומאה אפי' בחול הא טעון הערב שמש כלומר התינח לדידי דאוקימנא ליה בולד הטומאה שפיר דלא בעי הערב שמש אלא לדידך דמוקמית ליה באב הטומאה צריך ליה הערב שמש ולא חזיא לאשתמושי ביה רק בחול א"כ הוה ליה מטביל משבת לחול ומוקי לה ברוצה להשתמש (ה) לצורך חולין דטבול יום שרי בחולין בלא הערב שמש והשתא לדבריו מוקמי מתני' דבילה (שם) דאין מטבילין כלים שנטמאו באב הטומאה בכהן מיירי לאכול תרומה אי נמי באוכל חולין על טהרת תרומה ולא שרי בטומאה דרבנן רק ע"י הערמה גם שמעתתא דבילה ע"י הערמה מיירי ובאב הטומאה אפילו על ידי הערמה לא וכי שרי התם במתני' מדלין בדלי טמא והוא טהור מאליו הך הערמה עדיפא שפיר מאילו החזירו ריקן ואותה גירסא שפיר מייתי לה בירושלמי גם בפ"ב דבילה [ג"ז שם] כתוב בשיבוש בספרים אמנם האמת הגירסא כמו שפי' ועוד היה מביא הר"י סייעתא דאמר בפרק האשה (פסחים דף צ:) אמר רב אין שוחטין וזורקין על טמא שרץ דילמא פשע ולא טביל ואלו במחוסר כפרה אמר התם שוחטין וזורקין עליו ולא חיישינן דילמא פשע דהואיל וטהור מעליא הוי מדאורייתא לא העמידו חכמים דבריהם במקום כרת לפוטרו בכך מפסח ושפיר שוחטין וזורקין עליו ואל תתמה דאמר בפרק הוציאו לו (יומא דף מז.) גבי ר' ישמעאל בן קמחית כהן גדול שסיפר עם נכרי בשוק ונתזה צינורא מפיו נכנס ישבב אחיו ושימש תחתיו ואמאי ליזיל וליטבול כיון דטומאה דרבנן הרי לא בעי הערב שמש התם י"ל כיון דחכמים שוינהו לנכרים כזבים לכל דבריהם החמירו בהן והצריכו הערב שמש ובצינורא דע"ה משמע לקמן (דף כג.) בההיא דשפופרת דבעי הערב שמש דקאמר אמאי יטמא ויטבול הא מטמא (ו) וקיימא ליה ומאי קאמר הא בטומאה קמייתא לא בעי הערב שמש וליכא היכירא ואי מטמאין (ז) בעי הערב שמש ושפיר איכא היכירא לצדוקין אלא ודאי דאף של ע"ה צריך הערב שמש ועוד תנן (פרה פ"ג מ"ז) שהיו מטמאין כהן השורף את הפרה ותניא בתוספתא ג) שהיו נוגעין בו כדפירש לעיל דבגדי אוכלי קדש מדרס לחטאת ואיזה היכירא לצדוקין איכא כיון דלא בעי הערב שמש כדפרי' ותירץ הר"ר שמעון דעשאוהו כטמא מת בשביעי שלו כדלעיל הלכך אף הערב שמש בעי אך רש"י לא פירש הכי לקמן אלא פירש עשאוהו כטמא מת בז' שלו למימני ביה ראשון ושני ולא לענין הערב שמש והשתא קשה דמשמע דאיכא הערב שמש אף בטומאה דרבנן ואלו בההיא דכל הטעון ביאת מים משמע דליכא הערב שמש ואמר הר"י (ח) דמטמא כהן השורף את הפרה מיירי כדי שיהיה טמא לטמא חולין במגעו וכן בההיא [צינורא דע"ה וצינורא דנכרי שנתזה מפיו] שמטמא חולין במגעו לפיכך בעו הערב שמש אך לישנא לא משמע שיטמא חולין במגעו בההיא דכהן השורף את הפרה וכן לקמן גבי שפופרת לא קאמר עשאוהו כטמא מת בז' שלו רק לענין הערב שמש ולא לענין לטמאות חולין במגעו והא דבעי הערב שמש איכא למימר דבפרה החמירו וגם בשפופרת טפי מבכלים הנגמרים דסגי להו בטבילה בלא הערב שמש היינו גבי חולין ותרומה לקדש ולא לחטאת וההיא דפסחים פרק אלו דברים (דף ע.) דאמר סכין שנמצא בי"ג שוחט ומטביל אותה בי"ד שוחט בה מיד כלומר דמסתמא הטבילוה מאתמול כדי לעשות לה הערב שמש וכ"ת ליחוש דילמא נטמא בטומאה דרבנן דלא בעי הערב שמש ונטר ליה עד לצפרא להטביל דהא הויא ספק דרבנן ולקולא ועוד דרגילות להטביל מאורתא דלמא מטריד כ"כ ולא טביל כ"כ וליכא לאתמוהי האי סכין שנמצא היכא אי בירושלים אפי' בי"ג נמי ואי חוץ לירושלים אפי' בי"ד נמי לא כדאמרינן התם בשילהי פרק קמא דפסחים (דף יט:) דהא י"ל דמיירי חוץ מירושלים אי נמי בירושלים ובגזייתא שאינו לא דרך ירידה ולא דרך עליה ובי"ד דאיכא הוכחא דאטבלה שריא והקשה הר"ר אליהו לפסול האי סכין בהיסח הדעת כדאמר לעיל שילהי פ"ב (דף כ.) דאמר לבי על הסל ולא על המגריפה ופסלינה ליה בהיסח הדעת ותירץ הר"י דלא שייך היסח הדעת לפסול רק דומיא דהתם שהיו בידו ואסח דעתיה הימנה אבל היכא שאין בידו כגון שאבד לא שייך התם היסח הדעת ליפסול ° והביא הר"ר אלחנן סעד לדבריו מפרק [ז' דשקלים מ"ג] דאמר התם נמצא בעזרה אברים עולות חתיכות חטאות ומשמע שעולה נקריבה וחטאת ד) תאכל ולא מיפסלה בהיסח הדעת והקשה הר"ר אלחנן מאי האי דקאמר לישנא דשוחט ומטביל דמשמע שכבר הוטבל ותירץ לו הר"י דלפי' הכיר בה שהטבילוה נמי מטבילין דאימא לא נשמרה בטהרה הואיל ואית ליה שהות כולי יומא ובההיא דבילה דאמרינן כלי שנטמא בולד הטומאה מטבילין ואקשינן הא בעי הערב שמש היה אומר הר"ר אלחנן דביו"ט שחל להיות בע"ש עסקינן דיו"ט מכין לשבת הלכך מטבילין אפילו ליומא אחרינא אך לישנא דמתני' לא משמע ליה אלא בכל יו"ט מיירי:

דקיטרא

מסורת הש"ס

א) זבחים צט., ב) [פסחים נח: ע"ש], ג) [דפרה פ"ב], ד) [עי' שם במשנה ובירושלמי].

הגהות הב"ח

(א) תוס' ד"ה האונן וכו' משמע לישנא טבילה אין אבל וכו' משמע דלא בעי הערב שמש וגם: (ב) בא"ד אחר תמיד של ערב תשתרי דתו לא ממתינין כיון דכתיב עליה גבי עולה ומינה: (ג) בא"ד ורבותא נקט דאע"ג דהביאוהו שחרית כצ"ל ותיבת דאם נמחק: (ד) בא"ד מטמא את הקדש וכו': (ה) בא"ד להשתמש בהן לצורך חולין וכו' הערמה עדיפא טפי מאילו וכו' מביא הר"י סייעתא מהא דאמר וכו' ואל תתמה מההיא דאמרינן: (ו) בא"ד אמאי יטמא ויטבול הא מיטמא וקאי ומאי קאמר כצ"ל ותיבת וקיימא ליה נמחק: (ז) בא"ד ואי מטמאין ליה בעי הערב שמש וכו' אלא ודאי דאף בצינורא של ע"ה צריך הערב שמש ועוד דקאמר לקמן שהיו מטמאין את הכהן השורף וכו' בשביעי שלו כדלקמן הלכך: (ח) בא"ד ואמר הר"י דההיא דמטמאין לכהן השורף וכו' וכן בההיא דאמר בצינורא מיירי שמטמא חולין וכו' במגעו דבההיא דכהן וכו' וגם בשפופרת החמירו טפי וכו' לא משמע הכי אלא בכל יו"ט מיירי:

גליון הש"ס

תוס' ד"ה האונן וכו' והביא הר"ר אלחנן סעד וכו'. חתיכות חטאת זה וזה תעובר צורתו ויצא לבית השריפה כך היא במתני' פ"ז דשקלים משנה ג' ודברי תוס' צלע"ג:

רבינו חננאל

ואמרינן מ"ט דמתניתין א"ר אילא משום חציצה פי' חיישינן שמא כבידו של כלי יש בו בקרקעית הכלי החיצון ואין טבילה עולה לו. וה"מ דחיישינן כולי האי לקדש אבל לתרומה לא חיישינן כולי האי. ומקשינן אי משום חציצה הא קתני לה לקמן מדת הקדש מתיר מטביל ומנגב כו' ופרקינן לעולם רישא וסיפא משום חציצה ואצטריך לתרווייהו דאי תנא מטבילין כלים בתוך כלים בלבד היינו אומרים שזה מפני כבידו של כלי אבל התרת חבל אין צריך ואלו תנא מתיר ומטביל בלבד היינו אומרים משום שהקשר במים ואין מים באים לתוכו אבל כלים בתוך כלים אימא המים מצפים אותו ובאין עליו מכל צד קמ"ל דחיישינן בהא

ליקוטי רש"י

האונן והמחוסר כפורים צריכין טבילה לקדש. מתוך שנאסרו עד עכשיו בקדשים אצרכינהו רבנן טבילה ואע"פ שמחוסר כפורים טבל אתמול [פסחים צא:].

עין משפט נר מצוה

ב א מיי' פרק יב מהל' אבות הטומאות ה"א:
ג ב מיי' פ"ח מהלכות מקואות הלכה א ה טוש"ע י"ד סימן רא סעיף נג:
ד ג מיי' שם הלכה ו טור וש"ע שם סעיף מ:

(א) דקיטרא במיא אהדוקי מיהדק אבל רישא דמיא אקפויי מקפו ליה למנא לא הויא חציצה צריכא רבי אילא לטעמיה דאמר רבי אילא א"ר חנינא בר פפא עשר מעלות שנו כאן חמש ראשונות בין לקדש בין לחולין שנעשו על טהרת הקדש אחרונות לקדש אבל לא לחולין שנעשו על טהרת הקדש מ"ט חמש קמייתא דאית להו דררא דטומאה מדאורייתא גזרו בהו רבנן בין לקדש בין לחולין שנעשו על טהרת הקדש בתרייתא דלית להו דררא דטומאה (א) מדאורייתא לקדש גזרו בהו רבנן לחולין שנעשו על טהרת הקדש לא גזרו בהו רבנן רבא אמר מדסיפא הוי משום חציצה רישא לאו משום חציצה ורישא היינו טעמא א גזירה שלא יטביל מחטין וצינורות בכלי שאין בפיו כשפופרת הנוד (ב) כדתנן ב עירוב מקוואות כשפופרת הנוד ג כעוביה וכחללה

רש"י

אהדוקי מיהדק. וקרוב הוא להיות חוצץ: אקפויי מקפי ליה למנא. מציפות ומגביהות אותו: רבי אילא. לאוקי טעמא דרישא משום חציצה: לטעמיה. דאמר עשר מעלות שנו כאן אלו שבין תרומה לקודש ותנן בה י"א אלא הני תרתי דחד טעמא חשיב להו כחדא: בין לחולין שנעשו על טהרת הקדש. אף הן נטלו יותר מן התרומה במעלות הללו: דררא דטומאה דאורייתא. חשש טומאה דאורייתא כלי בתוך כלי אי איכא חציצה טומאה דאורייתא היא אחוריים ותוך אף על גב דבכלים שנטמאו אחוריו במשקין דטומאה דרבנן היא עסקינן מיהו הא דאמור רבנן משקין מטמאין כלי משום גזרה דמשקה זב וזבה הוא כגון רוקו ומימי רגליו והני מטמאין כלי מדאורייתא ובטומאה דאורייתא אין חילוק בכלי שטף בין אחוריים לתוכו שבכל מקום שטומאה נוגעת בו נטמא כולו נושא את המדרס נמי חשש טומאה דאורייתא היא כדמפרש בגמרא מעשה היה שנפלה רצועת הסנדל לאויר חבית בגדי אוכלי תרומה מדרס לקדש שמא ישבה עליהן אשתו נדה חשש טומאה דאורייתא היא כלים הנגמרים כו' משום ליגורא דעם הארץ שמא זב הוא: בכלי שאין בפיו כשפופרת הנוד. והיא לאו טבילה היא שאין המים הנכנסין לתוכו חיבור למי המקוה ולא עלו המחטין אלא במיעוט מים שבכלי ותנן כו' דלאו חיבור הוא: עירוב מקוואות. מקוה חסר בצד מקוה שלם והליגור ביניהן המחברן אם יש ברוחבו כשפופרת הנוד. קנה שנותנין בפי הנוד של עור (ג): וכחללה

תוספות

דקיטרא במיא אהדוקי מיהדק. ומנגיב דמתניתין הוי משום חציצה כדפירש רש"י והא דלא עביד צריכותא ממנגיב משום דקים ליה (ד) דלא ידעינן מאידך ויש מפרשים דמנגיב טעמא אחרינא איכא משום שהמים חוזרים ומטמאין ליה ולא סלקא להו השקה משום מעלה דקדש וקשה למורי דאם כן לרבא הוי שנים עשר ולרבי אילא אחד עשר וי"ל דרביעי בקדש לא חשיב ליה או לירוץ דאורייתא:

אחרונות לקדש ולא לחולין כו'. תימה להר"ר אלחנן דמוכח רב מרי לעיל באידך פירקא (דף יט:) ש"מ חולין שנעשו על טהרת הקדש כקדש דמו מדלא קתני להו גבי מעלות כלומר בגדי אוכלי תרומה מדרס לחולין שנעשו על טהרת הקדש בגדי חולין (ה) מדרס לקדש ומאי הוכחה היא דילמא לאו כקדש דמו בעלמא ולענין מעלה ולו הוו כקדש שכן מתניתין סבירא גבי ה' ראשונות כקדש דמו ואפ"ה לא חשיב לה גבי מעלות ושמא דלא קאמר הש"ס רק לענין הך מעלה לחוד:

בתרייתא דלית בהו דררא דטומאה דאורייתא לקדש גזור ולא לחולין שנעשו על טהרת הקדש. וקשה לר"י דאמרינן בפ"ק דנדה (דף ו.) מעת לעת שבנדה לקדש אבל לא לתרומה אי הכי לתנויי גבי מעלות כי קתני מילתא דלית ליה דררא דטומאה דאורייתא לא קתני ומאי קא משני ליה הא גבי בתרייתא חשיב הכא דדררא דטומאה דרבנן והיא להתם דדררא דטומאה דרבנן (ו) ותו קשה מאי שנא הני בתרייתא דהכא דלא הוו לחולין שנעשו על טהרת הקדש והתם מסקינן מעת לעת אף לחולין שנעשו על טהרת הקדש וריב"א היה מפרש דהתם לא מקשה ולימנייה גבי מעלות רק מקמייתא דגבי בתרייתא לא דמו דהתם אף לחולין שנעשו על טהרת הקדש והכא דוקא לקדש ולא יתכן להר"י דלהכי לא קים ליה בהא כי פריך ליה עד דלמסקנא ועוד כי משני דלא דמי לקמייתא משום דלית ליה דררא דטומאה הכא מקשי ליה מ"ש דהתם לחולין שנעשו עט"ה והכא דווקא לקדש להכי נראה להר"י לפרש ונימנייה גבי מעלות או קמייתא או בתרייתא ומשני דליכא דררא דטומאה כלל אפילו דרבנן ולא דמי אף לבתרייתא דהא כי מטמינן לה מעת לעת קים לן דטהורה היתה ולא תמיה היכי מסקינן התם אף לחולין כיון דליכא דררא דטומאה כלל לפי שרגילות הוא קצת שנעקר הדם לפני ראייתה לכך גזרו רבנן אף בחולין עט"ה ומכל מקום לית להו דררא דטומאה התם כיון דבשעה דעסקה בטהרות לא אין שם ספק טומאה ואין לה להניח מלעסוק בטהרות שאינה יודעת מתי תראה אחרי כן:

בתרייתא דלית להו דררא דטומאה דאורייתא. תימה להר"י הרי רביעי בקדש דקתני ושלישי בתרומה דהוו דאורייתא בסוטה פרק כשם (דף כט.) ולקמן (דף כג:) אפרש בע"ה ודלא כפי' רש"י שפירש דהוי דרבנן רביעי בקדש ועוד קשה למורי דרב נחמן אמר רבה בר אבוה דקתני גבי י"א מעלות לקמייתא כו' אחרונות לקדש דוקא אם כן סבירא ליה כל אלו דבתרייתא לית להו דררא דטומאה דאורייתא ואילו לקמן (דף כג.) שמעינן ליה דצירוף של דאורייתא דמשני ליה למימרא דרבי חנין כגון שצברו על גבי (ז) קרטבלא דאורייתא יש לו תוך מצרף אלמא הוי דאורייתא בכלי שיש לו תוך ותירץ הר"י כיון דלא שייך לחולין לא חשיב ליה לדררא דטומאה והיינו שייכות דטומאה:

כעוביה וכחללה. פירש"י שתי אצבעות חוזרות למקומן והקשה ר"ת דתנן ומייתי לה פרק שני דגיטין (דף טז. ושם) ובפרק בתרא דע"ז (דף עב.) הנצוק והקטפרס ומשקה טופח אינן חיבור הא טופח על מנת להטפיח חיבור ואומר ר"ת דבמים סגי בטופח על מנת להטפיח אבל בנקב בעינן ב' אצבעות אך קשה להר"י דתנן בפרק חמישי דפרה [מ"ח] שתי שקתות שבאבן (ח) קדש אחת מהם מים שבשניה אינן מקודשים אם היו נקובות זה בתוך זה כשפופרת הנוד או שהיו מים צפין על גביו אפי' כקליפת השום קדש אחת מהן מים שבשניה מקודשות משמע מדקתני סיפא או שהיו מים צפין על גביו משמע דבכותל דבעינן שפופרת הנוד אפי' ממים דלקליפת השום ותנן במסכת מקוות (פ"ו מ"ט) כותל שבין שני מקוות שנסדק לשתי מצטרף על שיהא במקום אחד כשפופרת הנוד ר' אומר חלוף הדברים נפרצו זה לתוך זה על רום כקליפת השום ועל רוחב כשפופרת [הנוד] כלומר שתי אצבעות חוזרות למקומן וכיון דבעינן חצי הנקב מלא מים איכא טפי מטופח על מנת להטפיח ועוד אי מיתניא ההיא דנצוק וקטפרס לענין מקוות מאי האי דקאמר בגיטין (ט) ולענין מקוות ור"י הוא מכלל דמעיקרא לא מיתוקמא לענין מקוות ונראה לר"י דלענין השקה מיתניא דומיא דרישא [מקל] שהוא מלא משקין טמאין כיון שהשיקו למקוה טהור דברי ר' יהושע וחכ"א עד שיטביל את כולו הנצוק והקטפרס כו' ובסוף פרק שמיני דטהרות מיתני' [דילמא] לענין מקוות ור"י היא דאמר גוד אחית וכיון דלא לאוקמי כרבנן דלית להו על מנת להטפיח אפי' בגוד אחית וכ"ש בקרקע שוה לעולם לית להו חיבור עד שיהא כקליפת השום ברוחב שפופרת והכי משמע לישנא דידהו לעולם לא הוי חיבור ועוד דליכא למימר לר"י נמי לית ליה רק היכא דשייך גוד אחית אבל בקרקע שוה לא אמרינן ולעיל (דף יט. בד"ה בתחתונה) פירשתי דנקט ובאמצעית ארבעים לרבותא דר"י דאע"ג דליכא מ' סאה באמצעית אין טובלין בעליונה אי נמי רבותא לחכמים דלפי' הכי קתני (י) סיפא בתוספתא ובאמצעית אין מטבילין אלא באמצעית אך תימה להר"ר אלחנן דסברא הפוכה דגבי השקה חזינן דקטפרס אינו חיבור בהשקה דנצוק וקטפרס ולענין מקוות מהני כדאמר לעיל גבי שלשה גממיות (שם) דטובלין בתחתונה דהוי חבור ואלו טופח על מנת להטפיח מהני לענין השקה ולענין מקוות בעינן מים צפין על גביו ותירץ הר"י דטומאה וטהרה והשקה הלכתא גמירי להו ולא בסברא תליא מילתא ועוד קשיא לו דגבי טופח על מנת להטפיח הוי חיבור להשקה ובמקוות בעינן מים צפין וכי קאמרינן דילמא לענין מקוות קאמר רוצה לומר דלגבי השקה לא הוי חיבור וים לומר דהוה הדין להשקה במקום דליכא למימר גוד אחית או גוד אסיק והא דנקט לר' יהודה משום דלא הוי חיבור ביה נקטינה ומיהו יש לחלק מעיקרא וליישב כל המשניות דבקרקע שוה היכא דליכא למימר גוד אסיק היכא דליכא בכותל נקב בעינן ברוחב שפופרת הנוד ועל גבי כותל סגי בקליפת השום ועל רוחב כשפופרת הנוד: [וע' תוס' יבמות טו. ד"ה עירוב]:

רבינו חננאל

ובהא ור' אילא שפירש זה הפירוש א) לטע' ששם שתיהם לחציצה ומחשב להו חדא לפיכך תני עשר מעלות. ורבא דמוקים לה סיפא משום חציצה דרישא גזרה גזרו שלא להטביל כלים בתוך כלים דחיישינן שמא יטבול מחטין וצינורות בכלי שאין בו נקב מרווח כשפופרת הנוד תני אחת עשרה מעלות. כי כל כלי שאין בו נקב מרווח כשפופרת הנוד שיעור כשתי אצבעות שוחקות אין מטבילין בהן כלים אחרים כדתנן במקוואות פרק ו' השידה והתיבה שבים אין מטבילין בהם אלא אם כן היו נקובין כשפופרת הנוד. וכשפופרת הנוד תנן בעוביה ובחללה כב' אצבעות חוזרות למקומן עכשיו חיישינן משום הרואה שמטבילין כלים בתוך כלים לקדש שבפיו נקב מרווח כב' אצבעות שוחקות. ואמרינן מפני שהן כלים גדולין כגון סכינין וכיוצא בהן אבל מחטין וצינורות של קדש שהן דקין לא בעי נקב כולי האי ואתי לאטבולי בנקב פחות מב' אצבעות לפיכך גזרו שלא להטביל כלים בתוך כלים לקדש כלל וזה חשבון המעלות מטבילין כלים בתוך כלים לתרומה אבל לא לקדש זו אחת אחוריים ותוך ובית הצביעה לתרומה אבל לא לקדש הרי שתים הנושא את המדרס הוא נושא את התרומה אבל לא את הקדש הרי שלש בגדי אוכלי תרומה מדרס לקדש הרי ד'. מתיר ומטביל ומנגב ב) ואחר הגגמרים בטהרה צריכה טבילה לקדש אבל לא לתרומה הרי ו' לדברי רבא ולדברי ר' אילא דתני להו לתרוייהו משום חציצה הויין להו תרוייהו חדא לפיכך תני להו חמש ואמר דאלו נוהגין בין בקדש בין בחולין שנעשו על טהרת הקדש: כיון דאית להון דררא דטומאה. פי' עיקר טומאה שהנה ודאי יש בהן טומאה ובאין לעלות ממנה וגזרו בהו רבנן אפילו בחולין שנעשו על טהרת הקדש אבל חמש האחרונות שעדיין לא חלה טומאה עלייהו לא גזרו בהו. לפיכך אמרנו שנשארו חמש מעלות אחרות שנוהגין בקדש ואין נוהגין בחולין שנעשו על טהרת הקדש ואלו הן הכלי מצרף מה שבתוכו לקדש אבל לא לתרומה. הרביעי בקדש פסול. והשלישי בתרומה היד מטמא את חברתה לקדש אבל לא לתרומה. אוכלין אוכלין נגובים בידים מסואבות בתרומה אבל לא בקדש אונן ומחוסר כפורים צריכין טבילה לקדש אבל לא לתרומה נמצאו מעלות הללו לר' אילא דמשוי להו

מסורת הש"ס

א) [עי' תוספות חולין לה. ד"ה אין לך], ב) מקוואות פ"ו מ"ז יבמות טו., ג) [כג: ד"ה והא ודף כד. ד"ה מנין], ד) טהרות פ"ח מ"ט.

הגהות הב"ח

(א) גמ' משום דקיטרא אהדוקי כצ"ל ותיבת במיא נמחק: (ב) שם כשפופרת הנוד ותנן עירוב: (ג) רש"י ד"ה עירוב וכו' המחברן הס"ד ואח"כ מה"ד אם יש וכו' של עור כחללה ועוביה והד"א: (ד) תוס' ד"ה דקיטרא וכו' דקים ליה דמדא ידעינן מאידך: (ה) ד"ה אחרונות וכו' הקדש בגדי אוכלי חולין שנעשו עטה"ק מדרס לקדש ומאי הוכחה: (ו) ד"ה בתרייתא וכו' דרבנן היא ותו קשה וכו' דלית ליה דררא דטומאה: (ז) ד"ה בתרייתא וכו' על גבי קרטבלא דאורייתא: (ח) ד"ה כעוביה וכו' שתי שקתות שבאבן אחת קדש אחת מהם המים שבשניה אינן מקודשין ואם היו וכו' המים לפין וכו' וקדש אחת מהן המים שבשניהם מקודשים מדקתני סיפא או שהיו המים כצ"ל ותיבת משמע נמחק: (ט) בא"ד וכיון דבעינן רוחב הנקב מלא מים וכו' דקאמר בגיטין במסקנא דילמא לענין מקוואות: (י) בא"ד קתני בסיפא בתוספתא וכו' דסברא הפוכה היא דגבי:

ליקוטי רש"י

קיטרא. קשר [ע"פ יבמות קז: ועוד]. אקפויי מקפו. אקפו לשון דבר הצף ואין מכביד כדמתרגמינן ויצף הברזל וקפא ברזלא (מלכים ב ו) [לעיל טז:]. מתקפי, כמו אקפו ידייכו בחגיגה (דף טז:) וכמו קפא תהומא דסוכה (דף נג.) צף התהום ועלה [עירובין נג:]. קפא תהומא, צף התהום למעלה ויצא, ויצף הברזל מתרגמינן וקפא פרזלא (מלכים ב ו) [סוכה נג.]. קופיא לשון צף כמו (חגיגה דף טז:) אקפו ידייכו וכמו (מלכים ב ו) ויצף הברזל תרגום וקפא ברזלא ויש לו [דמיון] במסכת יומא (דף נ:) [זבחים ו.]. מנא. כלי [ע"פ שבת נח:]. עירוב מקוואות. מקוה חסר שבצד מקוה שלם ומתערבים המים דרך חריץ ונקב ושיעור הנקב לצרף המקוואות ולהכשיר החסר. כשפופרת הנוד. קנה שנותנים בפי הנוד שיהא שיעור חלל החריץ כעוביה וחללה של שפופרת דהיינו כשתי אצבעות [יבמות טו.].

חשק שלמה על ר"ח א) נראה דצ"ל לטעמיה דאמר דעשר מעלות שנו כאן ששם שתיהן וכו'. ב) נ"ל ואחר זה כלים הנגמרים כו'.

מאי

אֲבָל דְּקִיטְרָא בְּמַיָּא אַהֲדוּקֵי מִיהֲדַק – a knot is tight in water.[1] **רֵישָׁא – But in** the case of **the first section** of the Mishnah (vessels within vessels), I would say that **דְּמַיָּא אַקְפּוּיֵי מַקְפּוּ לֵיהּ – since water** in fact **causes a vessel to float,**[2] **לָא הָוְיָא חֲצִיצָה – it** [the presence of the inner vessel inside the outer one] **would not constitute an interposition** on *any* level. **צְרִיכָא – It is necessary,** therefore, for the Mishnah to state both cases of interposition.

The Gemara comments:

רַבִּי אִילָא לְטַעְמֵיהּ – R' Ila (who explained that the decree against immersing vessels within other vessels is based on considerations of interposition) **is consistent with his opinion** expressed in a different statement. **דְּאָמַר רַבִּי אִילָא אָמַר רַבִּי חֲנִינָא בַּר פָּפָּא – For** in another statement **R' Ila said in the name of R' Chanina bar Pappa: עֶשֶׂר מַעֲלוֹת שָׁנוּ כָּאן – They taught here in the Mishnah ten heightened standards** decreed for *kodesh* but not for *terumah.*[3] **חָמֵשׁ רִאשׁוֹנוֹת – The first five** apply **בֵּין לְקֹדֶשׁ בֵּין לְחוּלִּין שֶׁנַּעֲשׂוּ עַל טָהֳרַת הַקֹּדֶשׁ – both to *kodesh* and to *chullin* that were prepared according to the *taharah* standard of *kodesh.***[4] **אַחֲרוֹנוֹת לְקֹדֶשׁ – The last** five apply **to *kodesh,* אֲבָל לֹא לְחוּלִּין שֶׁנַּעֲשׂוּ עַל טָהֳרַת הַקֹּדֶשׁ – but not to *chullin* that were prepared according to the *taharah* standard of *kodesh.***

The Gemara explains:

מַאי טַעְמָא – What is the reason that the first five stringencies apply even to *chullin* prepared according to the *taharah* standard of *kodesh,* whereas the last five do not? **חָמֵשׁ קַמַּיְיתָא – In the** case of **the first five** stringencies, **דְּאִית לְהוּ דְּרָרָא דְטוּמְאָה מִדְּאוֹרַיְיתָא – which involve the concern of *tumah* according to Biblical law,**[5] **גָּזְרוּ בְּהוּ רַבָּנַן – the Rabbis decreed them בֵּין לְקֹדֶשׁ בֵּין לְחוּלִּין שֶׁנַּעֲשׂוּ עַל טָהֳרַת הַקֹּדֶשׁ – both for *kodesh* and *chullin* that were prepared according to the *taharah* standard of *kodesh.***[6] **בַּתְרַיְיתָא – In the case of the last** five stringencies, **דְּלֵית לְהוּ דְּרָרָא דְטוּמְאָה מִדְּאוֹרַיְיתָא – which do not involve the concern of *tumah* according to Biblical law,**[7]

NOTES

1. [A knot's immersion in water does nothing to loosen it (in contrast to the immersion of vessels within vessels, as stated next in the Gemara). Moreover, the absorption of water swells the material, causing the knot to tighten (see *Meromei Sadeh*).]

[*Hagahos HaBach,* though, deletes the word בְּמַיָּא, *in water.* Accordingly, the Gemara is saying only that a knot is somewhat tight (whereas a vessel within a vessel is loose when immersed, as stated next by the Gemara).]

Since a knot is tight in water, it is therefore closer to being an interposition [than a vessel within a vessel; see further in the Gemara] (*Rashi*).

2. I.e. the buoyancy of the water tends to push the inner vessel up and away from the outer vessel.

3. It is this part of R' Ila's statement that reflects the explanation of the Mishnah he proposes in his other statement. For our Mishnah lists *eleven* cases, yet R' Ila here reckons them as ten. The reason he does so is that he counts both the first case (immersing vessels within vessels) and the fifth case (untying the knots) as one, since both (in his view) are based on considerations of interposition. Thus, R' Ila's two statements are consistent with one another (*Rashi*).

4. As explained above (18b note 13), *"chullin* that were prepared according to the *taharah* standard of *kodesh"* are unconsecrated foods that a person undertook to treat and handle according to the exacting standard of *taharah* normally reserved for *kodesh.*

R' Ila rules that the Mishnah's first five stringencies for *kodesh* – i.e. cases one through six (one and five are the same, in his view) – apply equally to *chullin* that were prepared according to the *taharah* standard of *kodesh.* Thus, in regard to these stringencies, *chullin* prepared according to the *taharah* standard of *kodesh* are also treated more stringently than *terumah* (*Rashi*).

5. Each of the first five stringencies involves a concern of *tumah* on the Biblical level, as follows [from *Rashi's* commentary]:

Stringency one (the restriction against immersing vessels within vessels): If the two vessels would actually be pressed together so that water cannot come between them, the interposition would invalidate the immersion [Biblically, in some cases], leaving the vessel Biblically *tamei.* [Likewise, with regard to the stringency of untying a garment's knots before immersion (the Mishnah's fifth case), were the knot to actually be tight and prevent the water from entering, the resulting interposition would invalidate the immersion (Biblically, in some cases), leaving the garment Biblically *tamei.*]

Stringency two (the decree that if one part of a compound vessel becomes *tamei,* all its parts are considered *tamei* for *kodesh*): Now, it is true that this decree is relevant only for the Rabbinic *tumah* conveyed to a vessel by *tamei* liquids (see 20b note 4). However, that Rabbinic *tumah* is itself based on a concern about Biblical *tumah.* For the Rabbis decreed that a *tamei* liquid transmits *tumah* to a vessel on account of the secretions of a *zav* or *zavah* (such as his saliva or urine), which do transmit *tumah* to vessels on a Biblical level. [That is, if we did not consider the vessel touched by *tamei* liquids to be *tamei,* people would come to treat the vessel as *tahor* even if it were touched by a *zav's* secretions. Therefore, the Rabbis decreed that *all* liquids that are *tamei* shall contaminate vessels.] Now, in the case of our ultimate concern – namely, the secretions of a *zav* or *zavah* – the *tumah's* contact with one part of a compound vessel (e.g. its bottom) would contaminate the entire vessel on a Biblical level. [We refer here to a vessel made of wood, metal or the like. An earthenware utensil, however, cannot contract *tumah* at all from its outside – see Mishnah, *Keilim* 2:1.] Therefore, with regard to *kodesh,* the Rabbis decreed that the same shall apply even if the vessel is touched by *tamei* liquids; and this is considered to be a decree that is ultimately based on a concern of Biblical *tumah.* [With regard to *terumah,* however, the Rabbis deemed it sufficient for purposes of their decree to consider *tamei* only the section of the compound vessel touched by the *tamei* liquid.]

Stringency three (one may not carry a *midras* and *kodesh* at the same time): This, too, involves a concern of Biblical *tumah.* For, as the Gemara explains below (23a), this decree was promulgated on account of an incident in which a man transporting a barrel of consecrated wine was wearing a *midras* sandal; the sandal strap broke, and the man retrieved it and placed it on the barrel, whereupon it slipped into the barrel's airspace, rendering the wine Biblically *tamei.*

Stringency four (the garments of those who eat *terumah* are considered *midras* for those who eat *kodesh*): This, too, involves a concern of Biblical *tumah,* because we are concerned that one who observes *taharah* on lower levels may not be conscientious enough in his observance, and perhaps his wife sat upon these garments during her *niddah* state, thus contaminating them on a Biblical level.

Stringency five (vessels completed in *taharah* require immersion for *kodesh* [this is case six in the Mishnah]): This, too, involves the concern of Biblical *tumah,* because the concern is that the saliva of an *am haaretz,* who may be a *zav,* might have fallen upon it [see Gemara 23a]. [See *Tosafos* to *Pesachim* 19a ד"ה לא לישתמיט for another explanation of this passage, as well as a variant reading of the text.]

6. Since in all the aforementioned cases there is a concern of Biblical *tumah,* the Rabbis enacted their decrees both for *kodesh* and for *chullin* that were prepared according to the standard of *kodesh.*

7. As will be explained, the last five stringencies of *kodesh* over *terumah* are not based on any concern of Biblical *tumah.* Thus, the Rabbis enacted them solely for *kodesh,* but not for *chullin* that were prepared according to the *taharah* standard of *kodesh.*

The first of the last five stringencies (the Mishnah's seventh case: that a vessel combines whatever is in it for *kodesh*) is simply a Rabbinic stringency. [This is true according to the opinion of R' Chiya bar Abba on 24a, and the Gemara here follows his opinion (*Tos. Rid* ad loc.; cf. *Tosafos* here ד"ה בתרייתא [ב].)] Likewise, the second of the last five stringencies (case eight: that *tumah* in the case of *kodesh* extends to the fourth degree) is simply a Rabbinic decree (see *Rashi* to 24a ד"ה אינו דין שיעשה רביעי לקדש; cf. *Tosafos* there ד"ה מנין לרביעי and *Tosafos* here ד"ה בתרייתא [ב]). The last three stringencies (one hand contaminates the other with regard to *kodesh;* one may not eat dry *kodesh* foods with contaminated hands; one who was an *onein* or lacked atonement must immerse before eating *kodesh*) are all strictly Rabbinic decrees to treat *kodesh* with a higher standard of purity, and are not intended to avoid the possibility of Biblical *tumah.*

ב א מיי' פרק יג מהל' אבות הטומאות ה"ח:
ג ב מיי' פ"ח מהלכות מקוואות הלכה א ה טוש"ע י"ד סימן רא סעיף נב:
ד ג מיי' שם הלכה ו טור וש"ע שם סעיף מ:

רבינו חננאל

ובהא ור' אילא שפירש זה הפירוש א) לטע' ששם שתיהם לחציצה ומחשב להו חדא לפיכך תני עשר מעלות. ובהא דמוקים לה סיפא משום חציצה דרישא גזרה גזרו שלא להטביל כלים בתוך כלים דחיישינן שמא יטביל מחטין וצינורות בכלי שאין בו נקב מרווח כשפופרת הנוד תני אחת עשרה מעלות. כי כל כלי שאין בו נקב מרווח כשפופרת הנוד שיעור כשתי אצבעות שוחקות אין מטבילין בהן כלים אחרים כדתנן במקוואות פרק ו' השידה והתיבה שבים אין מטבילין בהם אלא אם כן היו נקובין כשפופרת הנוד. וכשפופרת הנוד תנן בעוביה ובחללה כב' אצבעות חוזרות למקומן עכשיו חיישינן משום הרואה שמטבילין כלים בתוך כלים לקדש שבפיו נקב מרווח כב' אצבעות שוחקות. ואמרינן מפני שהן כלים גדולין כגון סכינין וכיוצא בהן אבל מחטין וצינורות של קדש שהן דקין לא בעי נקב כולי האי ואתי לאטבולי בנקב פחות מב' אצבעות לפיכך גזרו שלא להטביל כלים בתוך כלים לקדש כלל וזה חשבון המעלות מטבילין כלים בתוך כלים לתרומה אבל לא לקדש זו אחת אחורים ותוך ובית הצביעה לתרומה אבל לא לקדש הרי שתים הנושא את המדרס נושא את התרומה אבל לא את הקדש הרי שלש בגדי אוכלי תרומה מדרס לקדש הרי ד'. מתיר ומטביל ומנגב ג) ואחר הנגמרים בטהרה צריכה טבילה לקדש אבל לא לתרומה הרי ו' לדברי רבא ולדברי ר' אילא דתני להו לתרווייהו משום חציצה הוויין להו תרווייהו חדא לפיכך תני להו חמש ואמר דאלו נוהגין בין בקדש בין בחולין שנעשו על טהרת הקדש: כיון דאית להון דררא דטומאה. פי' עיקר טומאה שהנה ודאי יש בהן טומאה ובאין לעלות ממנה גזרו בהו רבנן אפילו בחולין שנעשו על טהרת הקדש אבל חמש שעשרין חלה טומאה עלייהו לא גזרו בהו. לפיכך אמרנו שנשארו חמש מעלות אחרונות שנוהגין בקדש ואין נוהגין בחולין שנעשו על טהרת הקדש ואלו הן הכלי מצרף מה שבתוכו לקדש אבל לא לתרומה. הרביעי בקדש פסול. והשלישי בתרומה הידי מטמא את חברתה לקדש אבל לא לתרומה. אוכלין אוכלין נגובים בידים מסואבות בתרומה אבל לא בקדש אונן ומחוסר כפורים צריכין טבילה לקדש אבל לא לתרומה נמצאו מעלות הללו לר' אילא דמשוי להו

דקיטרא במיא אהדוקי מיהדק. ומנגיב דמתניתין הוי משום חצילה כדפירש רש"י והא דלא עביד לריכותא ממנגיב משום דקים ליה (ד) דלא ידעינן מאידך ויש מפרשים דמנגיב טעמא אחרינא איכא משום שהמים חוזרים ומטמאין ליה ולא סלקא להו השקה משום מעלה דקדש וקשה למורי דאם כן לרבא הוי שנים עשר ולרבי אילא אחד עשר וי"ל רביעי בקדש לא חשיב ליה או צירוף דאורייתא: **אחרונות** לקדש ולא לחולין כו'. תימה להר"ר אלחנן דמוכח רב מרי לעיל באידך פירקא (דף יט:) ש"מ חולין שנעשו על טהרת הקדש כקדש דמו מדלא קתני להו גבי מעלות כלומר בגדי אוכלי תרומה מדרס לחולין שנעשו על טהרת הקדש בגדי חולין (ה) מדרס לקדש ומאי הוכחה היא דילמא לאו כקדש דמו בעלמא ולענין מעלה זו הוו כקדש שכן מתניתין סבירא גבי ה' ראשונות כקדש דמו ואפ"ה לא חשיב לה גבי מעלות ושמא דלא קאמר הש"ס רק לענין הך מעלה לחוד:

(א) דקיטרא במיא אהדוקי מיהדק אבל רישא דמיא אקפויי מקפו ליה למנא לא הויא חציצה צריכא רבי אילא לטעמיה דאמר רבי אילא א"ר חנינא בר פפא עשר מעלות שנו כאן חמש ראשונות בין לקדש בין לחולין שנעשו על טהרת הקדש אחרונות לקדש אבל לא לחולין שנעשו על טהרת הקדש מ"ט חמש קמייתא דאית להו דררא דטומאה מדאורייתא גזרו בהו רבנן בין לקדש בין לחולין שנעשו על טהרת הקדש בתרייתא דלית להו דררא דטומאה (א) מדאורייתא גזרו בהו רבנן לקדש לחולין שנעשו על טהרת הקדש לא גזרו בהו רבנן רבא אמר מדסיפא הוי משום חציצה רישא לאו משום חציצה ורישא היינו טעמא א גזירה שלא יטביל מחטין וצינורות בכלי שאין בפיו כשפופרת הנוד (ג) כדתנן ג) ב עירוב מקוואות כשפופרת הנוד ג כעוביה וכחללה

אהדוקי מיהדק. וקרוב הוא להיות חוצץ: אקפויי מקפי ליה למנא. מציפות ומגביהות אותו: רבי אילא. לאוקי טעמא דרישא משום חצילה: לטעמיה. דאמר עשר מעלות שנו כאן אלו שבין תרומה לקודש ואנן י"א תנן ביה אלא הני תרתי דחד טעמא חשיב להו כחדא: בין לחולין שנעשו על טהרת הקדש. אף הן נתעלו יותר מן התרומה במעלות הללו: דררא דטומאה דאורייתא. חשש טומאה דאורייתא כלי בתוך כלי אי איכא חצילה טומאה דאורייתא היא אחוריים ותוך אף על גב דכלים שנטמאו אחוריו במשקין דטומאה דרבנן היא עסקינן מיהו הא דאמור רבנן משקין מטמאין כלי משום גזרה דמשקה זב וזבה הוא כגון רוקו ומימי רגליו והני מטמאין כלי מדאורייתא ובטומאה דאורייתא אין חילוק בכלי שטף בין אחוריים לתוכו שבכל מקום שטומאה נוגעת בו נטמא כולו נושא את המדרס נמי חשש טומאה דאורייתא היא כדמפרש בגמרא מעשה היה שנפלה רצועת הסנדל לאויר חבית בגדי אוכלי תרומה מדרס לקדש שמא ישבה עליהן אשתו נדה חשש טומאה דאורייתא היא כלים הנגמרים כו' משום ליגורא דעם הארץ שמא זב הוא: בכלי שאין בפיו כשפופרת הנוד. והיא לאו טבילה היא שאין המים הנכנסין לתוכו חיבור למי המקוה ולא טבלו המחטין אלא במיעוט מים שבכלי ותנן כו' דלאו חיבור הוא: עירוב מקוואות. מקוה חסר בצד מקוה שלם והציור ביניהן המחברן: אם יש ברוחבו כשפופרת הנוד. כקנה שמוטנין בפי הנוד של עור (ג): וכחללה

בתרייתא דלית בהו דררא דטומאה דאורייתא לקדש גזור ולא לחולין שנעשו על טהרת הקדש. וקשה לר"י דאמרינן בפ"ק דנדה (דף ו.) מעת לעת שבנדה לקדש אבל לא לתרומה אי הכי לתנוי גבי מעלות כי קתני מילתא דאית ליה דררא כו' דלית ליה דררא דטומאה דאורייתא לא קתני ומאי קא משני ליה הא גבי בתרייתא חשיב הכא דררא דטומאה דרבנן והיא דהתם דררא דטומאה דרבנן (ו) ותו קשה מאי שנא הני בתרייתא דהכא דלא הוו לחולין שנעשו על טהרת הקדש והתם מסקינן דמעת לעת אף לחולין שנעשו על טהרת הקדש וריב"א היה מפרש דהתם לא מקשה וליתנייה גבי מעלות רק מקמייתא דגבי בתרייתא לא דמו דהתם אף לחולין שנעשו על טהרת הקדש והכא דוקא לקדש ולא יתכן להר"י דאכתי לא קים ליה בהא כי פריך ליה עד דלמסקנא ועוד כי משני דלא דמי לקמייתא משום דלית דררא דטומאה אכתי תקשי ליה מ"ש דהתם לחולין שנעשו עט"ה והכא דווקא לקדש להכי נראה להר"י לפרש וניתנייה גבי מעלות או קמייתא או בתרייתא ומשני דליכא דררא דטומאה כלל אפילו דרבנן ולא דמי אף לבתרייתא דהא כי מטמינן לה מעת לעת קים לן דטהורה היתה ואל תתמה היכי מסקינן התם אף לחולין כיון דליכא דררא דטומאה כלל לפי שרגילות הוא קלת שנעקר הדם לפני ראייתה לכך גזרו רבנן אף בחולין שנעשו עט"ה ומכל מקום לית להו דררא דטומאה התם כיון דבשעה דעסקה בטהרות או אין שם ספק טומאה ואין לה להניח מלעסוק בטהרות שאינה יודעת מתי תראה אחרי כן:

בתרייתא דלית להו דררא דטומאה דאורייתא. תימה להר"י הרי רביעי בקדש דקתני ושלישי בתרומה דהוו דאורייתא כדאיתא בסוטה פרק כשם (דף כט.) ולקמן ג) אפרש בע"ה ודלא כפי' רש"י שפירש דהוי דרבנן רביעי בקדש ועוד קשה למורי דרב נחמן אמר רבה בר אבוה דקתני גבי י"א מעלות לקמייתא כו' אחרונות לקדש דווקא אם כן סבירא ליה כל אלו דבתרייתא לית להו דררא דטומאה דאורייתא ואילו לקמן (דף כד.) שמעינן ליה דצירוף סל הוי דאורייתא דמשני ליה למימרא דרבי חנין כגון שכברו על גבי (ז) קטבליא דאורייתא יש לו תוך מצרף אלמא הוי דאורייתא בכלי שיש לו תוך ותירץ הר"י כיון דלא שייך לחולין לא חשיב ליה דררא דטומאה והיינו שייכות דטומאה:

כעוביה וכחללה. פירש"י שתי אצבעות חוזרות למקומן והקשה ר"ת דתנן ד) ומייתי לה פרק שני דגיטין (דף טו. ושם) ובפרק בתרא דע"ז (דף עב.) הנצוק והקטפרס ומשקה טופח אינן חיבור הא טופח על מנת להטפיח חיבור ואומר ר"ת דכמים סגי בטופח על מנת להטפיח אבל בנקב בעינן ב' אצבעות אך קשה להר"י דתנן בפרק חמישי דפרה [מ"ח] שתי שקתות שבאבן (ח) קדש אחת מהם מים שבשניה אינן מקודשות אם היו נקובות זה בתוך זה כשפופרת נוד או שהיו מים לפין על גביו אפי' כקליפת השום קדש אחת מהן מים שבשניה מקודשות משמע מדקתני סיפא או שהיו מים לפין על גביו משמע דבכותל בעינן שפופרת הנוד אפי' ממים דדוקא בסיפא סגי כקליפת השום ותו תנן במסכת מקוואות (פ"ו מ"ט) כותל שבין שתי מקוואות שנסדק לשתי מצטרף לערב אין מצטרף עד שיהא במקום אחד כשפופרת הנוד ר"י אומר חילוף הדברים נפרצו זה לתוך זה על רום כקליפת השום ועל רוחב כשפופרת [הנוד] כלומר שתי אצבעות חוזרות למקומן וכיון דבעינן חלי הנקב מלא מים איכא טפי מטופח על מנת להטפיח ועוד אי מיתניא ההיא דנצוק וקטפרס לענין מקוואות מאי האי דקאמר בגיטין (ט) ולענין מקוואות ור"י הוא מכלל דמעיקרא לא מיתוקמא לענין מקוואות ונראה לר"י דלענין השקה מיתניא דומיא דרישא [מקל] שהוא מלא משקין טמאין כיון שהשיקו למקוה טהורה דברי ר' יהושע וחכ"א עד שיטביל את כולה הנצוק והקטפרס כו' ובסוף פרק שמיני דטהרות מיתני' אבל לענין מקוואות מועיל כדאיתא לעיל (דף יט.) גבי שלש גממיות דטובלין בתחתונה וכי מוקמינן בגיטין [דילמא] לענין מקוואות ור"י היא דאמר גוד אחית לא מצי לאוקמי כרבנן דלית להו טופח על מנת להטפיח אפי' בגוד אחית וכ"ש בקרקע שוה דלעולם לית להו חיבור עד שיהא כקליפת השום ברוחב שפופרת והכי משמע לישנא דידהו דלעולם לא הוי חיבור ועוד דאיכא למימר לר"י נמי לית ליה רק היכא דשייך גוד אחית אבל בקרקע שוה לא אמרינן ולעיל (דף יט: בד"ה בתחתונה) פירשתי דנקט ובאמצעית ארבעים לרבותא דר"י דלע"ג דאיכא מ' סאה באמצעית אין טובלין בעליונה אי נמי רבותא דחכמים דלאפי' הכי קתני (י) סיפא בתוספתא וחכ"א אין מטבילין אלא באמצעית אך תימה להר"ר אלחנן דסברא הפוכה דגבי השקה חזינן דקטפרס אינו חיבור בההיא דנצוק וקטפרס ולענין מקוואות מהני כדאיתא לעיל גבי שלשה גממיות (שם) דטובלין בתחתונה דהוי חבור ואלו טופח על מנת להטפיח מהני לענין השקה ולענין מקוואות בעינן מים לפין על גביו ותירץ הר"י דטומאה וטהרה והשקה הלכתא גמירי לה ולא בסברא תליא מילתא ועוד קשיא לו דגבי טופח על מנת להטפיח הוי חיבור להשקה ובמקוואות בעינן מים לפין וכי קאמרינן דילמא לענין מקוואות קאמר רוצה לומר דלגבי השקה לא הוי חיבור ויש לומר דהוא הדין להשקה במקום דליכא למימר גוד אחית הוי חיבור לרבי יהודה והא דנקט מקוואות משום דאיירי ביה נקטיה ומיהו יש לחלק מעיקרא וליישב כל המשניות דבקרקע שוה היכא דליכא כותל כלל סגי בטופח על מנת להטפיח והיכא דאיכא נקב בכותל בעינן כרוחב שפופרת הנוד ועל גבי כותל סגי כקליפת השום ועל רוחב כשפופרת הנוד: [וע' תוס' יבמות טו. ד"ה עירוב]:

מאי

א) [ע' תוספות חולין לה. ד"ה אין לך], ב) מקוואות פ"ו מ"ז יבמות טו, ג) [כ: ד"ה והא ודף כד. ד"ה מנין], ד) טהרות פ"ח מ"ט.

הגהות הב"ח

(א) גמ' משום דקיטרא אהדוקי כל"ל ותיבת במיא נמחק: (ג) שם כשפופרת הנוד ותנן עירוב: (ג) רש"י ד"ה עירוב וכו' המחברן הס"ד ואח"כ מה"ד אם יש וכו' של עור כחללה ועוביה והס"ד: (ד) תוס' ד"ה דקיטרא וכו' דקים ליה דלא ידעינן מאידך: (ה) ד"ה אחרונות וכו' בקדש בגדי אוכלי חולין שנעשו עט"ק מדרס לקדש ומאי הוכחה: (ו) ד"ה בתרייתא וכו' דרבנן היא ותו קשה וכו' דלית ליה דררא דטומאה: (ז) ד"ה בתרייתא וכו' על גבי קרטבלא וכו': (ח) ד"ה כעוביה וכו' שתי שקתות שבאבן אחת קדש אחת מהם המים שבשניה אינן מקודשין ואם היו וכו' המים לפין או על גביו וכו' קדש אחת מהן המים שבשניהם מקודשים מדקתני סיפא או שהיו המים כל"ל ותיבת משמע נמחק: (ט) בא"ד וכיון דבעינן רוחב הנקב מלא מים וכו' דקאמר בגיטין במסכתא דילמא לענין מקוואות: (י) בא"ד קתני סיפא בתוספתא וכו' דסברא הפוכה היא דגבי:

ליקוטי רש"י

קיטרא. קשר [ע"פ יבמות קו: ועוד]. אקפויי מקפי. אקפו לשון דבר הצף ואין מכביד כדמתרגמינן ויצף הברזל וקפא פרזלא (מלכים ב ו) [לעיל טו:]. מתקפי, כמו אקפו דיידי בחגיגה (דף טו:) וכמו קפא תהומא דסוכה (דף נג.) לף התהום ועלה [עירובין נג:]. קפא תהומא, לף התהום למעלה ועלה, ויצף הברזל כדמתרגמינן וקפא פרזלא (מלכים ב ו) [סוכה נג.]. קופיא לשון לף כמו אקפו דיידי דף טו: אקפו ויצף כמו (מלכים ב ו) ויצף ברזלא ויש לו [דמיון] במסכת יומא (דף נ:) [זבחים ו.]. מנא. כלי [ע"פ שבת נח:]. עירוב מקוואות. מקוה חסר שבצד מקוה שלם ומתערבים המים דרך חריץ ונקב ושיעור הנקב לצרף המקוואות ולהכשיר החסר. כשפופרת הנוד. קנה שמוטנים בפי הנוד שיהא שיעור חלל החריץ כעוביה וחלל השפופרת דהיינו כשתי אצבעות [יבמות טו.].

גָּזְרוּ בְּהוּ רַבָּנָן לְקֹדֶשׁ – **the Rabbis decreed them only for *kodesh;*** לְחוּלִּין שֶׁנַּעֲשׂוּ עַל טָהֳרַת הַקֹּדֶשׁ – but **for *chullin* that were prepared according to the *taharah*** standard **of *kodesh,*** לֹא גָּזְרוּ בְּהוּ רַבָּנָן – **the Rabbis did not decree them.**

Rava, however, disputes R' Ila's explanation of our Mishnah: רָבָא אָמַר – **Rava says:** מִדְּסֵיפָא הָוֵי מִשּׁוּם חֲצִיצָה – **From that which** the disallowance of a type of immersion specifically for *kodesh* in **the latter section** of the Mishnah (case six) **is due to** considerations of **interposition,** רֵישָׁא לָאו מִשּׁוּם חֲצִיצָה – we may infer that **the first section** of the Mishnah (case one), which disallows specifically for *kodesh* the immersion of vessels within other vessels, **is *not* due to** considerations of **interposition.**[8] וְרֵישָׁא הַיְינוּ טַעְמָא – **And** in **the first section** of the Mishnah, **the reason** for the stringency that vessels may not be immersed within vessels גְּזֵירָה שֶׁלֹּא יַטְבִּיל מְחָטִין וְצִינוֹרוֹת – is that the Rabbis issued **a decree** to this effect **so that one not** come to **immerse needles and spinning hooks** בִּכְלִי שֶׁאֵין בְּפִיו כִּשְׁפוֹפֶרֶת הַנּוֹד – **within a vessel whose opening is not** at least **the size of a skin-bottle's tube.**[9] כְּדִתְנַן – And such an immersion would be invalid, **as we have learned in a Mishnah:**[10] עֵירוּב מִקְוָאוֹת כִּשְׁפוֹפֶרֶת הַנּוֹד – THE MINGLING OF *MIKVAOS* is accomplished through a connection THE SIZE OF A SKIN-BOTTLE'S TUBE;[11] כְּעוֹבְיָהּ – THE SIZE OF ITS THICKNESS

NOTES

8. As the Gemara indeed argued (in challenging R' Ila) on 21a (see note 8 there).

9. [Skin bottles (i.e. leather bags for holding liquids) had a tube attached as a spout. This tube, called שְׁפוֹפֶרֶת הַנּוֹד, *the skin-bottle's tube,* had a standard size.] If the opening of the outer vessel is smaller than the size of a skin-bottle's tube, then the water inside the vessel is considered to be separate from the rest of the *mikveh* (see below). Consequently, the needles, spinning hooks, or other small objects that can be placed inside the narrow-necked container are regarded as having been immersed within the small amount of water of the outer vessel rather than in the water of the actual *mikveh.* Their immersion, then, is invalid (see *Rashi*).

10. *Mikvaos* 6:7. [Since there exists a case in which a vessel cannot be validly immersed within a larger one, the Rabbis decreed that *no* vessel shall be immersed within another vessel for *kodesh,* lest people gain the erroneous impression that they may immerse *tamei* needles within narrow-necked jars.]

11. [To be valid, a *mikveh* must contain at least forty *se'ah* of water. A *mikveh* that lacks the required amount of forty *se'ah* can be made valid for immersion by connecting it to a complete and valid *mikveh.* It is the connection of the two *mikvaos* by allowing their waters to mingle – a process known as הַשָּׁקָה, *hashakah* – that is the subject of this Mishnah.] There were two adjacent *mikvaos,* one containing forty *se'ah* and the other deficient, joined by an aperture in the dividing wall. The Mishnah rules that for a valid *hashakah,* the aperture must be at least the size of a skin-bottle's tube (*Rashi*).

וּכְחַלָּלָה – AND THE SIZE OF ITS HOLE,[1] בִּשְׁתֵּי אֶצְבָּעוֹת חוֹזְרוֹת לִמְקוֹמָן – a space that is measured WITH TWO FINGERS THAT CAN ROTATE inside of it.[2]

The Gemara comments:

סָבַר לָהּ כְּהָא דְּאָמַר רַב נַחְמָן אָמַר רַבָּה בַּר אֲבוּהַּ – [Rava], who explains that the decree against immersing vessels within other vessels is not based on the concern of interposition, but rather on the concern lest one immerse needles and spinning hooks in a vessel whose opening is smaller than a skin-bottle's tube, **agrees with that which Rav Nachman said in the name of Rabbah bar Avuha:** אַחַת עֶשְׂרֵה מַעֲלוֹת שָׁנוּ כָּאן – **They taught here in the Mishnah eleven heightened standards** decreed for *kodesh* but not for *terumah*.[3] שֵׁשׁ רִאשׁוֹנוֹת – **The first six** apply בֵּין לַקּוֹדֶשׁ בֵּין לְחוּלִּין שֶׁנַּעֲשׂוּ עַל טׇהֳרַת הַקּוֹדֶשׁ – **both to *kodesh* and to *chullin* that were prepared according to the *taharah* standard of *kodesh*.** אַחֲרוֹנוֹת לַקּוֹדֶשׁ – **The last** five apply **to *kodesh*,** אֲבָל לֹא לְחוּלִּין שֶׁנַּעֲשׂוּ עַל טׇהֳרַת הַקּוֹדֶשׁ – **but not to *chullin* that were prepared according to the *taharah*** standard **of *kodesh*.**[4]

The Gemara inquires:

מַאי אִיכָּא בֵּין דְּרָבָא לִדְרַבִּי אִילָא – **What** practical difference **is there between** the explanation **of Rava and** that **of R' Ila?**[5]

The Gemara answers:

אִיכָּא בֵּינַיְיהוּ – **There is** a practical difference **between them** סַל וְגַרְגּוּתְנִי שֶׁמִּילְאָן כֵּלִים וְהִטְבִּילָן – in the case of **a basket or large strainer**[6] **that one filled with vessels and immersed.** לְמַאן דְּאָמַר מִשּׁוּם חֲצִיצָה אִיכָּא – **According to the one** [R' Ila] **who says** that the decree against immersing vessels within vessels for *kodesh* is **due to** considerations of **interposition, there is** the same consideration in the case of a basket or large strainer as well: The weight of the inner vessel might create an interposition between it and the basket or strainer. Thus, the Mishnah's first stringency serves to disallow even the immersion of vessels that were immersed within a basket or large strainer. לְמַאן דְּאָמַר מִשּׁוּם גְּזֵירָה שֶׁמָּא יַטְבִּיל מְחָטִין וְצִינּוֹרִיּוֹת בִּכְלִי שֶׁאֵין בְּפִיו כִּשְׁפוֹפֶרֶת הַנּוֹד – But **according to the one** [Rava] **who says** that the stringency not to immerse vessels within vessels for *kodesh* is **due to the decree lest one** come to **immerse needles and spinning hooks within a vessel whose opening is not** at least **the size of a skin-bottle's tube,** then this decree would not apply to vessels immersed within a basket or large strainer, סַל וְגַרְגּוּתְנִי שֶׁאֵין בְּפִיהֶן כִּשְׁפוֹפֶרֶת הַנּוֹד לֵיכָּא – because **there is no basket or large strainer whose opening is not the size of a skin-bottle's tube.**[7] Therefore, according to Rava it would be permitted to immerse vessels within a basket or large strainer even for *kodesh*. For baskets and large strainers, which never suffer from the drawback of having an opening smaller than a skin-bottle's tube, were never included in the decree against immersing vessels within vessels.

The Gemara comments:

וְאַזְדָּא רָבָא לְטַעְמֵיהּ – **And Rava** (who explains that the stringency not to immerse vessels within vessels was decreed lest one immerse needles and spinning hooks in a vessel whose opening is not the size of a skin-bottle's tube) **is consistent with his opinion** stated elsewhere. דְּאָמַר רָבָא – **For Rava said:** סַל וְגַרְגּוּתְנִי שֶׁמִּילְאָן כֵּלִים וְהִטְבִּילָן טְהוֹרִין – **If one filled a basket or large strainer with vessels and immersed them, they are *tahor*.**[8] וּמִקְוֶה שֶׁחִלְּקוֹ בְּסַל וְגַרְגּוּתְנִי – **And if one divided a *mikveh* with a basket or large strainer,**[9] הַטּוֹבֵל שָׁם לֹא עָלְתָה לוֹ טְבִילָה – **if one immerses himself there the immersion has not been effective for him.**[10] דְּהָא אַרְעָא כּוּלָּהּ חַלְחוּלֵי מְחַלְחֲלָא – **For the entire ground is porous,** וּבְעִינַן דְּאִיכָּא אַרְבָּעִים סְאָה בְּמָקוֹם

NOTES

1. It is not sufficient for the hole between the two *mikvaos* to be as large as the hole (the bore) of the skin-bottle's tube. Rather, the hole must be as large as the tube's hole plus the thickness of its walls (*Gulos Iliyos* and *Tiferes Yisrael* to *Mikvaos* ibid.). In other words, the aperture for *hashakah* must be as large as the *outer* circumference of the tube, not its inner circumference. [And the *hashakah* is valid only if the mingling waters fill the requisite minimum aperture (*Yoreh Deah* 201:52).]

2. [In other texts, the reading is: כִּשְׁתֵּי אֶצְבָּעוֹת, *"like" [the space needed for] two fingers* . . . The intent of both versions is the same.] The *hashakah* aperture must be large enough for the average person to freely rotate in it the two fingers closest to his thumb – i.e. the index and middle fingers (*Rav* ad loc.; *Meiri* here). [The received measure was that of "a skin-bottle's tube." The Rabbis gave the equivalent in terms of a person's fingers for the benefit of those who cannot identify a skin-bottle's tube (*Gulos Iliyos* ad loc.).]

(*Rashi* adds that [when the two *mikvaos* are thus connected] מַטְבִּילִין אַף כֵּלִים, *we may immerse even utensils.* What *Rashi* means by this is unclear [see *Rashash* for a suggestion; see also *Dikdukei Soferim* §1, who proposes an emendation of *Rashi*].)

According to Rava, the reason for the Mishnah's first stringency (not to immerse vessels within vessels for purposes of *kodesh*) is the concern that one might come to immerse small utensils, such as needles or spinning hooks (which fit into a narrow-necked container), in a vessel whose neck is smaller than a skin-bottle's tube. Since the outer vessel's opening is smaller than a skin-bottle's tube, the water inside would be deemed disconnected from the *mikveh* and the immersion of the needles or spinning hooks would be Biblically invalid (see *Rashi*).

3. Our Mishnah lists eleven cases of stringency. These constitute eleven different heightened standards only if each of the eleven cases illustrates a different stringency. This is indeed so according to Rava, who understands case one as embodying a different stringency than case five. [According to R' Ila (above, 21a-b), however, who takes the first and fifth cases of our Mishnah as reflecting the same stringency (the disqualification of even the *semblance* of interposition for purposes of *kodesh*), the Mishnah's eleven cases reflect only *ten* heightened standards (as the Gemara has stated there).]

4. As explained above (21b), the distinction between the former and latter groups is with regard to the concern of *tumah* on the Biblical level. The first six stringencies address a concern of Biblical *tumah* (see end of note 2 above, and 21b note 5). Therefore, the Rabbis extended the stringency even to *chullin* prepared according to the *taharah* standard of *kodesh*. The last five stringencies, which are not based on the concern for Biblical *tumah* (see 21b note 7), however, were enacted only for actual *kodesh*, but not for *chullin* prepared according to the *taharah* standard of *kodesh*.

5. What practical difference is there whether we explain the stringency of not immersing vessels within vessels as based on considerations of the outer vessel's opening being too small (Rava) or the weight of the inner vessel creating an interposition (R' Ila)?

6. A גַּרְגּוּתְנִי is a very large basket placed in between the winepress and the holding pit. It is used to strain the freshly pressed grape juice as it flows into the holding pit (*Rashi*).

7. These vessels are always made with wide mouths, and their openings will thus never be smaller than a skin-bottle's tube (*Rabbeinu Chananel* here, and *Meiri* to the Mishnah; cf. below, note 12).

8. I.e. even for *kodesh*. Rava's ruling here, then, is consistent with his previously stated explanation. Since the decree against immersing vessels within vessels is based upon the concern that one may immerse vessels within vessels whose opening is not the size of a skin-bottle's tube, then it stands to reason that this decree does not apply to baskets or large strainers, which are not subject to the concern that their openings will be smaller than a skin-bottle's tube (*Rashi*).

9. That is, one partitioned a *mikveh* with a wicker partition, so that neither half of the *mikveh* contains by itself the requisite forty *se'ah* of water (*Rashi*).

10. For although the waters of the two halves are connected through the many holes in the wicker partition, that partition makes the *mikveh* into two separate *mikvaos* [since no single hole in the partition is as large as a skin-bottle's tube] and neither of the two *mikvaos* has the minimum required for immersion (*Rashi*).

וכחללה בשתי אצבעות חוזרות למקומן סבר לה כהא דאמר ר"נ אמר רבה בר אבוה א"א מעלות שנו כאן שש ראשונות בין לקודש בין לחולין שנעשו על טהרת הקודש אחרונות לקודש אבל לא לחולין שנעשו על טהרת הקודש מאי איכא בין דרבא לדר' אילא איכא בינייהו סל וגרגותני שמילאן כלים והטבילן למ"ד משום חציצה איכא למ"ד משום גזירה שמא יטביל מחטין וצינוריות בכלי שאין בפיו כשפופרת הנוד סל וגרגותני שאין בפיהן כשפופרת הנוד ליכא ואזדא רבא לטעמיה דאמר רבא סל וגרגותני שמילאן כלים והטבילן טהורין ומקוה שחלקו בסל וגרגותני הטובל שם לא עלתה לו טבילה דהא ארעא כולה חלחולי מחלחלא ובעינן דאיכא מ' סאה במקום אחד והני מילי בכלי טהור אבל בכלי טמא מיגו דסלקא טבילה לכוליה גופיה דמנא סלקא להו נמי לכלים דאית ביה דתנן כלים שמילאן כלים והטבילן הרי אלו טהורין ואם לא טבל המים המעורבים עד שיהו מעורבין כשפופרת הנוד מאי קאמר ואם לא טבל ה"ק ואם אינו צריך להטבילו (א) ומים המעורבין עד שיהו מעורבין כשפופרת הנוד והא דרבא ודר' אילא תנאי היא דתניא סל וגרגותני שמילאן כלים והטבילן טהורין בין לקודש בין לתרומה אבא שאול אומר לתרומה אבל לא לקודש אי הכי תרומה נמי למאן קאמרינן חברים חברים מידע ידעי א"ה קודש נמי חזי ליה ע"ה ואזיל מטביל תרומה נמי חזי ליה ע"ה ואזיל מטביל לא מקבלינן מינייהו קודש נמי לא נקביל מינייהו הויא ליה איבה תרומה נמי הויא ליה איבה לא איכפת ליה דאזיל יהיב ליה לכהן עם הארץ חבריה ומאן תנא דחייש לאיבה רבי יוסי היא דתניא א"ר יוסי מפני מה הכל נאמנין על טהרת יין ושמן כל ימות השנה כדי שלא יהא כל אחד ואחד הולך ובונה במה לעצמו ושורף פרה אדומה לעצמו אמר רב פפא כמאן מקבלינן האידנא סהדותא מע"ה כמאן כרבי יוסי וניחוש לשאלה דתנן כלי חרס מציל על הכל דברי ב"ה ב"ש אומרים אינו מציל אלא על אוכלים ועל המשקים ועל כלי חרס אמרו להם ב"ה לב"ש מפני מה אמרו ב"ש מפני שהוא טמא ע"ג ע"ה ואין כלי טמא חוצץ אמרו להם ב"ה והלא טיהרתם אוכלין ומשקין שבתוכו אמרו להם בית שמאי כשטיהרנו אוכלין ומשקין שבתוכו לעצמו

רש"י

וכחללה ועוביה. והן ב' אצבעות חוזרות למקומן שאדם יכול לגלגל בתוך חללו ב' אצבעות לכל צד הוי עירוב ומטבילין אף כלים והאי נמי חשש טומאה דאורייתא היא: גרגותני. כלי גדול מאד שבו מסננין היין בעת הבציר ונותנין אותו תחת קילוח הגת והיין מסתנן בו ויורד לבור כדאמרינן במסכת ע"ז (דף נו:) שלא החזיר גרגותני לגת: טהורין. אף לקודש ורבא לטעמיה דאוקי טעמא גזירה משום כלי שאין בפיו כשפופרת הנוד וסל וגרגותני ליכא למיחש להכי: לא עלתה לו טבילה. שעשאן כב' מקוואות ואין שיעור לא בזה ולא בזה אע"פ שהמים מחברן בין אויר הנקבים אין זה חיבור: דהא ארעא כולא מחלחלא. והמים הנובעין כאן מאין מנהר גדול ולא חשבינן כמחובר דבעינן מ' סאה במקום אחד: והני מילי. (ג) דאמרינן המטביל בכלי שאין בפיו כשפופרת הנוד טמאים בכלי טהור שלא היה הכלי החיצון צריך להטביל: אבל. אם הוא צריך להטביל: מיגו דסלקא טבילה לגופו של כלי. ליטהר תוכו ע"י מים הנכנסין דרך פיו לכשותמלאו כן טהרתו סלקא נמי טבילה לכלים שבתוכו: הרי אלו טהורין. לתרומה ולא חלק בין פיו רחב לפיו קצר: ואם לא טבל כו'. כדמפרש לה ואם אין צריך להטבילו: המים המעורבים. למקוה ואתה בא לטהר על ידיהן כלים שבתוכם עד שיהו מעורבין דרך פה רחב כשפופרת הנוד: והא דר' אילא. דאוקי טעמא משום חציצה וסל וגרגותני נמי כשאר כלים דמו והמטביל כלים לתוכן אינן טהורין לקודש ורבא דאוקי טעמא דמתני' משום עירוב מקוואות והא בסל וגרגותני ליכא למיחש וטהורין תנאי היא: למאן קאמרינן חברים. למי אנו אומרים הוראה זו שלא יטביל כלי בתוך כלי לחבר דאילו עם הארץ לא אתי קמן למשאל הלכך לתרומה ליכא למיחש דהא מידע ידיע שיעור עירוב מקוואות ולענין כבידו של כלי נמי אם כבד הוא מגביהין אותו: א"ה קודש נמי. על כרחך מתני' דקתני אבל לא לקודש בחבר עסקינן דאי ע"ה מי ציית לך ומי אתי קמן למשאל טעמא: תרומה נמי חזי ליה. ישראל עם הארץ ומטביל ומשתמש בו תרומה ואח"כ נותנה לכהן: לא מקבלינן. תרומה מעם הארץ אלא בשעת הגיתות והבדים שהכל מטהרים את כליהן ע"פ חכמים כדתנן (לקמן דף כה:) עברו הגיתות והבדים והביאו לו חבית של תרומה לא יקבלנה ממנו: על טהרת יין ושמן. (ג) לקבל מידם יין לנסכים ושמן למנחות כדתנן במתניתין (לקמן דף כה:) חומר בתרומה שביהודה נאמנין על טהרת יין ושמן: ובונה במה. בשעת איסור הבמות ומקטיר לשמים: כר' יוסי. דאילו לרבנן לא מקבלינן כדאמר בפסחים בפ' אלו עוברין (דף מט:): וניחוש לשאלה. לא נטבול כלי בתוך כלי לתרומה דלמא חזי עם הארץ ועביד הכי ואנו שואלין את כליהן ומשמשין בהן: דתנן. במתני' דשיילינן מנייהו: כלי חרס מציל על הכל. אם מוקף צמיד פתיל באהל המת א"נ המת בבית וטהרות בעלייה וארובה פתוחה מן הבית לעלייה והשיבו כלי חרס בפתחה וכלי חרס חוצץ בפני הטומאה דאינו מטמא מגבו ומציל על כל מה שבעלייה: שהוא טמא כו'. הכלי הזה היה טמא מתחילתו קודם שנתנו ע"ה על פי הארובה: והלא טיהרתם אוכלין ומשקין שבתוכו. אם היה מוקף צמיד פתיל באהל המת והיא היא:

תוספות

מאי איכא בין רבא לר' אילא. קשיא למורי איכא בינייהו טובא כלי חילון כשהטביל כלי בתוך כלי למאן דמוקי לה משום חצילה שייך בין בחילון בין בפנימי ולמאן דמוקי משום גזרה שאין בפיו כשפופרת הנוד ליכא למגזר רק בפנימי דבחילון ליכא למגזר דבכל ענין טהור והכי משמע לקמן (ד) ה"מ בכלי טהור אבל בכלי טמא מגו דמהניא טבילה לחילון מהני לפנימי ותירץ לו הר"ר אלחנן דמתניתין בחילון טהור ופנימי טמא וכן משמע לישנא דקתני מטבילין כלי בתוך כלי הלכך לא שייך ביה טעמא דכבידו של כלי לגבי חילון וגם רבא מוקי לה הכי בסמוך דקאמר והני מילי בכלי טהור והיינו מתניתין דמיתוקמא הכי ומיהו רש"י מפרש במתניתין מטבילין כלי בתוך כלי בשניהם טמאים ולא נראה דהא אפי' בכלי שאין בפיו כשפופרת הנוד אם היו שניהם טמאים מהני שפיר דמגו דסלקא לחילון והשתא לפי סברת רש"י איכא למימר דמצי למימר הכי איכא בינייהו חילון אלא כח דהתירא עדיף ליה דאשכח אף בפנימית סלקא טבילה:

אבא שאול אומר לתרומה וכו'. צ"ע אמאי לא שרינן בעבר והטביל והטבילן קאמר בעבר:

שלא יהא בונה במה לעצמו ושורף פרה לעצמו. דהא לכך נאמנין ע"ה על שמירתה והכי תניא בתוספתא דחגיגה ר' יוסי אומר הכל נאמנין על שמירתה:

לא מקבלין מינייהו. רש"י פירש דבשעת הגיתות נאמנים לפי שחבירים מטהרין כליהן עברו הגיתות והבדים אמרינן דלא מהימן ול"נ דפותח בחביתו לא התירו אם לא סופו משום תחילתו כדקאמר ליה בפרק קמא דנדה (דף ו:) ואם היו טהורים בדין בלאו הכי נמי משתרי אלא משמע דחכמים ורבי יהודה שוין בטהורים כל ימות הרגל לחוד וכן משמע בש"ס (לקמן דף כו.) כל ישראל כאיש אחד חברים נעשו כולם חברים ברגל והכי משמע בתוספתא בסיפא:

כמאן מקבלין סהדותא מע"ה כרבי יוסי. הר"ר אלחנן אומר דקיימא לן כרבי יוסי וחיישינן לאיבה לפיכך מזמנין עכשיו בכל ע"ה אף על גב דאמרינן בברכות (דף מז:) אין מזמנים על ע"ה וגם רב מנשיא בר תחליפא לא רצה לזמן עליהם והר"י מפרש דלא כל הרוצה ליטול את השם להחזיק לעצמו כתלמיד חכם שלא לזמן על ע"ה בידו ליטול ואין אנו מחזיקים עצמנו כתלמיד חכם לענין זה:

ניחוש לשאלה. צ"ע מאי סלקא דעתך דהאי מקשה פשיטא דבעי טבילה משום מגע עם הארץ: כלום

רבינו חננאל

לתרתי משום מעלה אחת משום חציצה עשר ולרבא אחת עשרה. ואמרינן מאי איכא בין לר' אילא ובין רבא איכא בינייהו סל וגרגותני שמילאן כלים והטבילן שרבי אילא סבר כבידן חוצץ ואין טבילה עולה להן ורבא סבר כי אמרינן אין מטבילין בתוך כלים כגון כוסות בכוסות או כוסות בקערות או קערות בקערות וכיוצא בהן שיש בהן מי שפיהן צר וחיישינן דלמא אתי לאטבולי במי שפיו צר פחות מב' אצבעות שוחקות אבל סל וגרגותני פומייהו רויחן טובא לא חיישינן דהא ליכא סל וגרגותני פחות פומייהו מב' אצבעות ואזדא רבא לטעמיה דאמר סל וגרגותני שמילאן כלים והטבילן טהורין מקוה שחלקה בסל וגרגותני הטובל שם לא עלתה לו טבילה מפני שחולקת את המים ואינן נמצאין מ' סאה במקום אחד. ואי אמרת האיכא נקבים קטנים שהמים מבצבצין בהן כמו נביעת מים לא מטהרין כהאי גוונא דהא ארעא כולה חלחולי מחלחלא ובעינן עד דאיכא מ' סאה במקום אחד וה"מ (א) בסל וגרגותני שהן טהורין אבל אם הן טמאין וצריך להטבילן מגו דסלקא להו טבילה סלקא נמי טבילה להני כלים דבגווייהו כמו הדלי דתנן במקוואות פ"ו דלי שהוא מלא כלים והטבילן הרי אלו טהורין אם לא טבל המים מעורבין עד שיהא מעורבין כשפופרת הנוד ותריצנא הכי אם לא טבל הכלי אלא הוא טמא וצריך להטבילו כמים מעורבין הן שאין כלי טמא חוצץ ועלתה טבילה לכלי. ואם הדלי טהור שאין צריך טבילה עד שיהו המים מעורבין עם המים שבתוך הדלי כשפופרת הנוד. ואם אין שם זה השיעור הדלי כיון שהיה טהור חולק המים כמין כותל בתוך המקוה. ואוקימנא לדר' אילא ודרבא כתנאי. ומקשה מ"ט לא חיישינן לתרומה אלא מטהרין ובקדש לא מטהרין דגזרינן בקדש שמא יטבול מחטין וצינוריות בכלי שאין בפיו כשפופרת הנוד בתרומה נמי נגזור ופריק רבא כי מטהרין בהטבלת כלין בתוך כלין בתרומה לחבירים מטהרינן דידעי ולא אתו לאטבולי בכלי שאין בפיו כשפופרת הנוד. ומקשינן אי הכי קדש נמי נשרי ונימא לחבר שרינן ליה דידע ולא אתי למיטעא. ופרקינן בקדש חיישינן דלמא חזי ליה עם הארץ דטביל כלי בתוך כלי שבפיו כשפופרת הנוד. ומקשינן תרומה נמי נגזור משום עמי הארץ. ופרקינן בכלי שאומר ע"ה אני הטבלתיו בתרומה אין מקבלין הימנו לפיכך לא אכפת לן. אי הכי בקדש נמי לא נקבל מיניה ונטהר כלין הנטבלין בתוך כלי בקדש כמו שמטהרין בתרומה. ופרקינן אם לא נקבל מע"ה טהרת כלין בקדש קושרין איבה על החבירין שיאמרו וכי אנן אין אנו מאמינים אותנו. אי חיישת משום איבת ע"ה אפילו בתרומה ניחוש. ופרקינן בתרומה אין חוששין אם לא יקבלה הכהן ממנו הולך ונותנה לע"ה כהן כמותו אבל הקדש לא יכיל למיהביה אלא [illegible] איבת ע"ה לא מטהרין כלים בתוך כלים לקדש אפילו לחברים ור' יוסי הוא דחייש לאיבה של ע"ה. וכר' יוסי מקבלין עדותו של ע"ה. ומקשינן ותוב וניחוש לשאלה דלמא שאיל חבר כלי מע"ה [illegible]

מסורת הש"ס

א) מקוואות פרק ו מ"ב [וע"ש בר"ש וברמב"ם ובתוי"ט], ב) [במשנה דמקוואות איתא דלי שהוא מלא ולכך כתב הר"ש דהא דליתא כאן הוא ברייתא ע"ש ולפ"ד הר"ש יש לגרוס הכא דתניא אבל גירסא דהמשנה], ג) תוספתא פ"ג, ד) עדיות פ"א מ"ד, ה) [משנה איתא כדברי], ו) כלים פ"י מ"א, ז) אמרו להם כו'.

הגהות הב"ח

(א) גמ' ומים המעורבין. נ"ב כלומר או מים המעורבין בשניהם צריך עירוב כשפופרת הנוד: (ב) רש"י ד"ה והני מילי הא דאמרינן: (ג) ד"ה על טהרת יין ושמן ומותר לקבל מידם: (ד) תוס' ד"ה מאי איכא וכו' משמע לקמן דקאמר והני מילי:

גליון הש"ס

גמ' שלא יהא כל אחד ואחד הולך. עי' תוס' רפ"ה דפרה:

ליקוטי רש"י

חוזרות למקומן. מתהפכות בחלל הנקב כריום [יבמות טו.]. שנעשו על טהרת הקודש. אדם הרגיל לאכול קדשים מקבל עליו לאכול חולין בטהרת הקודש כדי שיהו כני ביתו זריזין ונקיין בטהרת הקודש [לעיל יט:]. גרגותני. סל גדול וקורין קולדוי"ר [גיטין נו:]. הוא סל גדול שקשור בכנור והיין יורד מן הכנור לתוכו ומתוכו לבור כדי לסנן היין מזגין ומלכלכין [ע"ז נו:]. האידנא. עכשיו [סוכה יח:].

עין משפט נר מצוה

ה א מיי' פי"ג מהלכות אבות הטומאות ה"א:
ו ב מיי' שם הלכה טו:
ז ג ד ה מיי' שם הלכה א ופ"ג מהלכות מקוואות הלכה כו ופ"ו הלכה א טוש"ע י"ד סימן רא סעיף ט:
ח ו מיי' שם פי"ג הלכה כו ופ' יג מהלכות מטמאי משכב ומושב הלכה א:
ט ז מיי' פי"א מהלכות מטמאי משכב ומושב הלכה א:
י ח מיי' פי"א מהל' עדות הלכה ג וע' שם כס"מ טוש"ע ח"מ סימן לד סעיף יז:
יא ט י כ מיי' פכ"ג מהלכות טומאת מת הלכה א:

אֶחָד – yet we require that there be forty *se'ah* of water **in one place.**[11],[12]

A qualifying statement:

וְהָנֵי מִילֵּי – And these words[13] apply **בִּכְלִי טָהוֹר** – only **where the** large outer **vessel is *tahor,*** and thus does not require immersion.[14] **אֲבָל בִּכְלִי טָמֵא – But where the** large outer **vessel is *tamei,*** and thus requires immersion, **מִיגוֹ דְסָלְקָא טְבִילָה לְכוּלֵּיהּ גּוּפֵיהּ דְמָנָא – since the immersion is effective for the entire body of the** outer **vessel,** including its inside, **סָלְקָא לְהוּ נַמִּי לְכֵלִים דְּאִית בֵּיהּ – it is effective also for the vessels that are in it.**[15] **דִּתְנַן – For we learned in a Mishnah:**[16] **כֵּלִים שֶׁמִּילְּאָן כֵּלִים וְהִטְבִּילָן – IF VESSELS WERE FILLED WITH** other **VESSELS AND ONE IMMERSED THEM, הֲרֵי אֵלּוּ טְהוֹרִין – THEY BECOME *TAHOR.***[17] **וְאִם לֹא טָבַל – BUT IF HE DID NOT IMMERSE** the outer vessel,[18] **מַיִם הַמְעוֹרָבִים** – then **THE WATER** in the outer vessel **THAT IS MINGLED** with the water of the *mikveh* cannot purify what is contained in the outer vessel[19] **עַד שֶׁיְּהוּ מְעוֹרָבִין כִּשְׁפוֹפֶרֶת הַנּוֹד – UNLESS THEY ARE MINGLED** through an interface **THE SIZE OF A SKIN-BOTTLE'S TUBE.** The Gemara clarifies the meaning of this last clause: **מַאי קָאָמַר וְאִם לֹא טָבַל – Now, what does [the Tanna]** mean to **say** by **"BUT IF HE DID NOT IMMERSE . . ."? הָכִי קָאָמַר** – Certainly, **this is what he is saying: וְאִם אֵינוֹ צָרִיךְ לְהַטְבִּילוֹ – But if he does not *need* to immerse [the outer vessel]** – that is, if the outer vessel is *tahor* – **וּמַיִם הַמְעוֹרָבִין – and** he wishes for the immersion to be effective for the inner vessels through **the water** in the outer **that is mingled** with the water of the *mikveh,*[20] **עַד שֶׁיְּהוּ מְעוֹרָבִין כִּשְׁפוֹפֶרֶת הַנּוֹד** – then the waters are not deemed to be connected **unless [the waters] are mingled** through an interface **the size of a skin-bottle's tube.**[21]

The Gemara comments:

וְהָא דְרָבָא וּדְרַבִּי אִילָא תַּנָּאֵי הִיא – And this Amoraic dispute **of Rava and R' Ila is** actually an earlier dispute between **Tannaim. דְּתַנְיָא – For it was taught in a Baraisa: סַל וְגַרְגּוּתְנִי שֶׁמִּילְּאָן כֵּלִים וְהִטְבִּילָן – IF ONE FILLED A BASKET OR LARGE STRAINER WITH**

NOTES

11. Water that oozes from the ground comes from [and is connected through the porous earth to] a large river. Nevertheless, the law requires that the pool formed by water oozing from the ground contain at least forty *se'ah* in order for immersion in it to be valid. This proves that the connection of waters through a porous partition, such as earth or wickers, is not deemed a valid connection (*Rashi*).

[*Tos. Rid* understands *Rashi* as referring to a מַעְיָן, *mayan* (spring), that bubbles forth from the ground (see also *Tosafos* to *Pesachim* 17b ד״ה אלא, and *Rosh, Hil. Mikvaos* end of §1). It would emerge, then, that a *mayan,* too, must contain forty *se'ah* of water in order for a person's immersion in it to be valid. (And the Mishnahs which state that a *mayan* is valid for immersion no matter how little water it contains [provided that the immersed article is completely enveloped by the water] – see, for example, *Mikvaos* 1:7 – would refer only to the immersion of utensils.) *Tos. Rid,* however, maintains that there is no requirement of forty *se'ah* for a *mayan* whatsoever – even for the immersion of a person. (This is a major dispute among the Rishonim, whose opinions in this matter are summarized by *Beis Yosef* towards the beginning of *Yoreh Deah* 201.) Accordingly, he explains that the Gemara here cannot be referring to a *mayan* (which is valid for immersion no matter how little water it contains), but rather to two adjacent pools of collected water. Even though the waters of the two pools are connected through the porous earthen wall between them, one may not immerse there since neither contains forty *se'ah*. (See also *Rabbeinu David* and *Chiddushei HaRan* to *Pesachim* ibid., and *Beur HaGra* to *Yoreh Deah* 201:6.)]

12. We have explained the *sugya* according to *Rabbeinu Chananel* and *Meiri* (see above, note 7). Others, however, explain the Gemara to mean that (according to Rava) the basket and large strainer were not included in the decree against immersing vessels within vessels because *it makes no difference* whether their openings are the size of a skin-bottle's tube. Even if their openings are smaller, the immersion is effective for the spinning hooks or needles inside them, since the water inside is connected to the *mikveh* outside through the many holes in the wicker [see *Mikvaos* 6:5]. [And when the Gemara says that there is no basket or large strainer whose opening is not the size of a skin-bottle's tube, it means that there is no basket or large strainer that *suffers from the deficiency* of having an opening smaller than a skin-bottle's tube.] Nevertheless, Rava states that if one divided the *mikveh* with a wicker partition so that neither side contains the requisite forty *se'ah,* the *mikveh* is invalidated despite the connection of the waters through the wicker, since they are deemed separate *mikvaos*. The connection of waters through the wicker suffices only to connect a small body of water to an already valid *mikveh*. In order to combine two small bodies of water to comprise the requisite forty *se'ah,* however, connection through the many small wicker holes is insufficient; rather, a contiguous hole the size of a skin-bottle's tube is required (see *Siach Yitzchak* [to *Rashi* ד״ה לא עלתה and ד״ה טהורין] and references cited there; see also *Rash* to *Mikvaos* loc. cit.; *Yoreh Deah* 201:52 with *Shach* §113 and *Beur HaGra* §100). [See also *Tos. Rid* here, who (in one approach) distinguishes between a porous barrier *within* the *mikveh* (in which case the waters are deemed connected through the pores) and a porous barrier that *divides* the *mikveh* into completely separate halves (in which case the waters are deemed separate unless there is a hole the size of a skin-bottle's tube in one place).]

13. I.e. the law that vessels immersed within a vessel whose opening is smaller than a skin-bottle's tube remain *tamei* (*Rashi;* cf. *Tosafos* ד״ה מאי with *Maharsha* to *Rashi* ד״ה הרי אלו טהורין).

14. In that case, if its opening is smaller than a skin-bottle's tube the vessels inside it have not undergone a valid immersion, since the water inside it is not connected to the *mikveh.*

15. A *tamei* vessel can be immersed as is, even if its opening is smaller than a skin-bottle's tube; for a vessel need not be configured for purification any differently than it was configured when it became *tamei* [cf. *Taz, Yoreh Deah* 201:17, but see *Mishnah Acharonah, Mikvaos* 6:2]. Thus, since the water entering the inside of the vessel purifies the inner part of the vessel even though the opening is smaller than a skin-bottle's tube, it purifies as well the small vessels that are inside at that time (*Rashi*). [Since the water inside the outer vessel is deemed connected to the *mikveh* with regard to the purification of that vessel itself, it is also deemed connected to the *mikveh* with regard to the inner vessels.]

16. The following citation is actually a Baraisa that resembles the Mishnah taught in *Mikvaos* 6:2 (see *Rash* there, and *Mesoras HaShas* here).

17. I.e. for *terumah* [but not for *kodesh,* with respect to which the Rabbis disallowed the immersion of vessels within vessels] (*Rashi;* see end of note 21). This applies even if the opening of the outer vessel is smaller than a skin-bottle's tube, as is evident from the fact that the Mishnah here does not distinguish between where the opening is the size of a skin-bottle's tube and where it is smaller [as it does in the next clause] (*Rashi*).

18. The Gemara will soon explain what this means.

19. [Our rendering of these words follows *Rashi.* An alternative understanding is presented in the next note.]

20. [See preceding note. *Hagahos HaBach,* however, explains as follows: *Or if the waters are [simply] mixed* – i.e. or in a case *not* dealing with the immersion of a vessel within a vessel, but simply with two pools of water connected by a hole in the barrier that separates them (cf. *Tos. Yom Tov* to *Mikvaos* 6:2).]

21. Thus, we see that this Mishnah distinguishes between where the outer vessel requires immersion (the first clause) and where it does not require immersion (the second clause). Where the outer vessel requires immersion, the immersion is effective for the vessels inside it even if its opening is smaller than a skin-bottle's tube. Where the outer vessel does not require immersion, the immersion is not effective for the vessels inside it unless its opening is at least the size of a skin-bottle's tube.

[From *Rashi's* comments (see note 17), it emerges that vessels cannot be immersed within vessels for *kodesh* even if the outer vessel is *tamei* and requires immersion (see *Maharsha*). *Tosafos* ד״ה מאי, however, maintain that where the outer vessel also requires immersion, the immersion of the inner vessels is valid (according to Rava) even for *kodesh.*]

מסורת הש"ס

א) מקואות פרק ו מ"ב [וע"ש בר"ש וברמב"ם ובתוי"ט], ב) [במשנה דמקואות איתא דלי שהוא מלא ולכך כתב הר"ש דהא דאיתא כאן הוא ברייתא ע"ש ולפ"ד הר"ש יש לגרוס הכא דתניא אכן היא גופא צ"ע מ"ט לא הביא הש"ס המשנה], ג) [תוספתא פ"ג], ד) עדיות פ"א מי"ד, ה) [במשנה איתא כדברי], ו) כלים פ"י מ"א, ז) אמרו להם כצ"ל.

הגהות הב"ח

(א) גמ' ומים המעורבין. נ"ב כלומר או מים המעורבין בשניהם צריך עירוב כשפופרת הנוד: (ב) רש"י ד"ה והני מילי הא דאמרינן: (ג) ד"ה על טהרת יין ושמן ומותר לקבל מידם: (ד) תוס' ד"ה מאי איכא וכו' משמע לקמן דקאמר והני מילי:

גליון הש"ס

גמ' שלא יהא כל אחד ואחד הולך. עי' תוי"ט רפ"ה דפרה:

ליקוטי רש"י

חוזרות למקומן. מתהפכות בחלל הנקב בריוח [יבמות טו.]. שנעשו על טהרת הקודש. אדם הרגיל לאכול קדשים מקבל עליו לאכול חוליו בטהרת הקודש כדי שיהו בני ביתו זהירין ובקיאין בטהרת הקודש [לעיל יט:]. גרגותני. סל גדול שאוספים בו ענבים לגתו וקורין קולדור"א [גיטין נג:]. הוא סל גדול שקושר בגת והיין יורד לבור לסנן היין מזוגין וחרצנין [ע"ז נו:]. האידנא. עכשיו [סוכה יח.].

ובחללה ועביה. והן ב' אצבעות חוזרות למקומן שאדם יכול לגלגל בתוך חללו ב' אצבעות לכל צד הוי עירוב ומטבילין אף כלים והאי נמי חשש טומאה דאורייתא היא: **גרגותני.** סל גדול מאד שבו מכניסין היין בעת הבציר ונותנין אותו תחת קילוח הגת והיין מסתנן בו ויורד לבור כדאמרינן במסכת ע"ז (דף נו:) שלא החזיר גרגותני לגת: **טהורין.** אף לקודש ורבא לטעמיה דאוקי טעמא גזירה משום כלי שאין בפיו כשפופרת הנוד ובסל ובגרגותני ליכא למיחש להכי: **לא עלתה לו טבילה.** שעכשיו כב' מקואות ואין שיעור לא בזה ולא בזה אע"פ שהמים מחברין בין אויר הנקבים אין זה חיבור: **דהא ארעא כולא מחלחלא.** והמים הנובעים כאן מנהר גדול ולא חשבינן כמחובר דבעינן מ' סאה במקום אחד: **והני מילי.** (ב) דאמרינן המטביל בכלי שאין בפיו כשפופרת הנוד טמאים בכלי טהור שלא היה הכלי החיצון צריך להטביל: **אבל.** אם הוא צריך להטביל: **מיגו דסלקא טבילה לגופו של כלי.** ליטהר תוכו ע"י מים הנכנסין דרך פיו לכשמותו כן טהרתו סלקא נמי טבילה לכלים שבתוכו: **הרי אלו טהורין.** לתרומה ולא חלק בין פיו רחב לפיו קצר: **ואם לא טבל כו'.** כדמפרש לה ואם אין צריך להטבילו: **המים המעורבים.** למקוה ואתה בא לטהר על ידיהן כלים שבתוכו עד שיהו מעורבין דרך פה רחב כשפופרת הנוד: **והא דר' אילא.** דאוקי טעמא משום חציצה וסל וגרגותני נמי כשאר כלים דמו והמטביל כלים לתוכן אינן טהורין לקודש ורבא דאוקי טעמא דמתני' משום עירוב מקואות והא בסל וגרגותני ליכא למיחש וטהורין תנאי היא: **למאן קאמרינן חברים.** למי אנו אומרים הוראה זו שלא יטביל כלי בתוך כלי לחבר דאילו עם הארץ לא אתי קמן למשאל הלכך לתרומה ליכא למיחש דהא מידע ידיע שיעור עירוב מקואות ולענין כבידו של כלי נמי אם כבד הוא מגביהין אותו: **א"ה קודש נמי.** על כרחך מתני' דקתני אבל לא לקודש בחבר עסקינן דאי ע"ה מי ליית לך ומי אתי קמן למשאל טעמא: **תרומה נמי חזי ליה.** ישראל עם הארץ ומטביל ומשמש בו תרומה ואח"כ נותנה לכהן: **לא מקבלינן.** תרומה מעם הארץ אלא בשעת הגיתות והבדים שהכל מטהרים את כליהן ע"פ חכמים כדתנן (לקמן דף כו.) עברו הגיתות והבדים והביאו לו חבית של תרומה לא יקבלנה ממנו: **על טהרת יין ושמן.** (ג) לקבל מידם יין לנסכים ושמן למנחות כדתנן במתניתין (לקמן דף כה:) חומר בתרומה שביהודה נאמנין על טהרת יין ושמן: **ובונה במה.** בשעת איסור הבמות ומקטיר לשמים: **כר' יוסי.** דאילו לרבנן לא מקבלינן כדאמר בפסחים בפ' אלו עוברין (דף מט:): **וניחוש לשאלה.** לא נטבול כלי בתוך כלי לתרומה דלמא חזי עם הארץ ועביד הכי ואנו שואלין את כליהן ומשמשין בהן: **דתנן.** במתני' דשיילינן מנייהו: **כלי חרס מציל על הכל.** אם מוקף צמיד פתיל באהל המת אע"ג המת בבית וטהרות בעלייה וארובה פתוחה מן הבית לעלייה והשיבו כלי חרס בפתחה וכלי חרס חוצץ בפני הטומאה דאינו מטמא מגבו ומציל על כל מה שבעלייה: **שהוא טמא כו'.** הכלי הזה היה טמא מתחילתו קודם שנתנו ע"ה על פי הארובה: **והלא טיהרתם אוכלין ומשקין שבתוכו.** אם היה מוקף צמיד פתיל באהל המת והיא היא:

ובחללה בשתי אצבעות חוזרות למקומן סבר לה כהא דאמר ר"נ אמר רבה בר אבוה א"א מעלות שנו כאן שש ראשונות בין לקודש בין לחולין שנעשו על טהרת הקודש אחרונות לקודש אבל לא לחולין שנעשו על טהרת הקודש מאי איכא בין דרבא לדר' אילא איכא בינייהו סל וגרגותני שמילאן כלים והטבילן למ"ד משום חציצה איכא למ"ד משום גזירה שמא יטביל מחטין וצינוריות בכלי שאין בפיו כשפופרת הנוד סל וגרגותני שאין בפיהן כשפופרת הנוד ליכא ואזדא רבא לטעמיה דאמר רבא סל וגרגותני שמילאן כלים והטבילן טהורין ומקוה שחלקו בסל וגרגותני הטובל שם לא עלתה לו טבילה דהא ארעא כולה חלחולי מחלחלא ובעינן דאיכא מ' סאה במקום אחד והני מילי בכלי טהור אבל בכלי טמא מיגו דסלקא טבילה לכוליה גופיה דמנא סלקא להו נמי לכלים דאית ביה דתנן כלים שמילאן כלים והטבילן הרי אלו טהורין ואם לא טבל מים המעורבים עד שיהיו מעורבין כשפופרת הנוד מאי קאמר ואם לא טבל ה"ק ואם אינו צריך להטבילו (א) ומים המעורבין עד שיהו מעורבין כשפופרת הנוד והא דרבא ודר' אילא תנאי היא דתניא סל וגרגותני שמילאן כלים והטבילן בין לקודש בין לתרומה טהורין אבא שאול אומר לתרומה אבל לא לקודש אי הכי תרומה נמי למאן קאמרינן חברים חברים מידע ידעי א"ה קודש נמי חזי ליה ע"ה ואזיל מטביל לא מקבלינן מינייהו קודש נמי לא נקביל מינייהו הויא ליה איבה תרומה נמי הויא ליה איבה לא איכפת ליה דאזיל יהיב ליה לכהן עם הארץ חבריה ומאן תנא דחייש לאיבה רבי יוסי היא דתניא א"ר יוסי מפני מה הכל נאמנין על טהרת יין ושמן כל ימות השנה כדי שלא יהא כל אחד ואחד הולך ובונה במה לעצמו ושורף פרה אדומה לעצמו אמר רב פפא כמאן מקבלינן האידנא סהדותא מע"ה כמאן כרבי יוסי וניחוש לשאלה דתנן כלי חרס מציל על הכל דברי ב"ה וב"ש אומרים אינו מציל אלא על אוכלים ועל המשקים ועל כלי חרס אמרו להם ב"ה לב"ש מפני מה אמרו ב"ש מפני שהוא טמא ע"ג ע"ה ואין כלי טמא חוצץ אמרו להם ב"ה והלא טיהרתם אוכלין ומשקין שבתוכו אמרו להם בית שמאי כשטיהרנו אוכלין ומשקין שבתוכו לעצמו

מאי איכא בין רבא לר' אילא. קשיא למורי איכא בינייהו טובא כלי חילון כשהטביל כלי בתוך כלי למאן דמוקי לה משום חציצה שייך בין בחילון בין בפנימי ולמאן דמוקי משום גזרה שאין בפיו כשפופרת הנוד ליכא למגזר רק בפנימי דבחילון ליכא למגזר דבכל ענין טהור והכי משמע לקמן (ד) ה"מ בכלי טהור אבל בכלי טמא מגו דמהניא טבילה לחילון מהני לפנימי ותירץ לו הר"ר אלחנן דמתניתין בחילון טהור ופנימי טמא וכן משמע לישנא דקתני מטבילין כלי בתוך כלי הלכך לא שייך ביה טעמא דכבידו של כלי לגבי חילון וגם רבא מוקי לה הכי בסמוך דקאמר והני מילי בכלי טהור והיינו מתניתין דמיתוקמא הכי ומיהו רש"י מפרש במתניתין מטבילין כלי בתוך כלי בששניהם טמאים ולא נראה דהא אפי' בכלי שאין בפיו כשפופרת הנוד אם היו שניהם טמאים מהני שפיר דמגו דסלקא לחילון והשתא לפי סברת רש"י איכא למימר דמצי למימר הכי איכא בינייהו חילון אלא כח דהתירא עדיף ליה דאשכח אף בפנימית סלקא טבילה:

אבא שאול אומר לתרומה וכו'. צ"ע אמאי לא שרינן בעבר והטביל והטבילן קאמר בעבר:

שלא יהא בונה במה לעצמו ושורף פרה לעצמו. דהא לכך נאמנין ע"ה על שמירתה והכי תניא בתוספתא דחגיגה ר' יוסי אומר הכל נאמנין על שמירתה:

לא מקבלין מינייהו. רש"י פירש דבשעת הגיתות נאמנים לפי שחבירים מטהרין כליהן עברו הגיתות והבדים אמרינן דלא מהימן ול"נ דפותח בחביתו לא התירו אם לא סופו משום תחילתו כדקאמר ליה בפרק קמא דנדה (דף יא:) ואם היו טהורים בדין בלאו הכי נמי משתרי אלא משמע דחכמים ורבי יהודה שוין בטהורים כל ימות הרגל לחוד וכן משמע בש"ס (לקמן דף כו.) כל ישראל כאיש אחד חברים נעשו כולם חברים ברגל והכי משמע בתוספתא בסיפא:

כמאן מקבלין סהדותא מע"ה כרבי יוסי. הר"ר אלחנן אומר דקיימא לן כרבי יוסי וחיישינן לאיבה לפיכך מזמנין עכשיו בכל ע"ה אף על גב דאמרינן בברכות (דף מז:) אין מזמנים על ע"ה וגם רב מנשיא בר תחליפא לא רצה לזמן עליהם והר"י מפרש דלא כל הרוצה ליטול את השם להחזיק לעצמו כתלמיד חכם שלא לזמן על ע"ה בידו ליטול ואין אנו מחזיקים עצמנו כתלמיד חכם לענין זה:

ניחוש לשאלה. נ"ע מאי סלקא דעתך דהאי מקשה פשיטא דבעי טבילה משום מגע עם הארץ: כלוס

עין משפט נר מצוה

ה א מיי' פי"ב מהלכות אבות הטומאות ה"א:
ו ב מיי' שם הלכה טז:
ז ג ד ה מיי' שם הלכה א ופ"ג מהלכות מקואות הלכה כו ופ"ו הלכה ח טוש"ע י"ד סימן רא סעיף ט:
ח ו מיי' שם פ"ג הלכה כו ופ' יב מהלכות מטמאי משכב ומושב הלכה א:
ט ז מיי' פי"א מהלכות מטמאי משכב ומושב הלכה א:
י ח מיי' פי"א מהל' עדות הלכה ג ועי' שם בכ"מ טוש"ע ח"מ סימן לד סעיף יז:
יא ט י כ מיי' פכ"ג מהלכות טומאת מת הלכה א:

רבינו חננאל

לתרתי משום מעלה אחת משום חציצה עשר ולרבא אחת עשרה. ואמרינן מאי איכא בין לר' אילא ובין רבא איכא בינייהו סל וגרגותני שמילאן כלים והטבילן שרבי אילא סבר כבידן חוצץ ואין טבילה עולה להן ורבא סבר כי אמרינן אין מטבילין בתוך כלים כגון כוסות בכוסות או כוסות בקערות או קערות בקערות וכיוצא בהן שיש בהן מי שפיהן צר וחיישינן דלמא אתי לאטבולי במי שפיו צר פחות מב' אצבעות שוחקות אבל סל וגרגותני פומייהו רויחן טובא לא חיישינן דהא ליכא סל וגרגותני פחות פומייהו מב' אצבעות ואזדא רבא לטעמיה דאמר סל וגרגותני שמילאן כלים והטבילן טהורין מקוה שחלקה בסל וגרגותני הטובל שם לא עלתה לו טבילה מפני שחולקת את המים ואינן נמצאין מ' סאה במקום אחד. ואי אמרת האיכא נקבים קטנים שהמים מבצבצין בהן כמו נביעת מים לא מטהרין כהאי גוונא דהא ארעא כולה חלחולי מחלחלא ובעינן עד דאיכא מ' סאה במקום אחד וה"מ (א) בסל וגרגותני שהן טהורין אבל אם הן טמאין וצריך להטבילן מגו דסלקא להו טבילה סלקא נמי טבילה להני כלין דבגווייהו כמו הדלי דתנן במקואות פ"ו דלי שהוא מלא כלים והטבילן הרי אלו טהורין אם לא טבל המים מעורבין עד שיהא מעורבין כשפופרת הנוד ותריצנה הכי אם לא טבל הכלי אלא הוא טמא וצריך להטבילו כמים מעורבין הן שאין כלי טמא חוצץ ועלתה טבילה לכלי. ואם הדלי טהור שאין צריך טבילה עד שיהו המים מעורבין מה שבמקוה עם המים שבתוך הדלי כשפופרת הנוד. ואם אין שם זה השיעור הדלי כיון שהיה טהור חולק המים כמין כותל בתוך המקוה. ואוקימנא לדר' אילא ודרבא כתנאי. ומקשה מ"ט לא חיישינן לתרומה אלא מטהרינן ובקודש לא מטהרינן דגזרינן בקודש שמא יטבול מחטין וצינוריות בכלי טהור שאין בפיו כשפופרת הנוד בתרומה נמי נגזור ופריק רבא כי מטהרינן בהטבלת כלין בתוך כלין בתרומה לחבירים מטהרינן דידעי ולא אתו לאטבולי בכלי שאין בפיו כשפופרת הנוד. ומקשינן אי הכי קדש נמי נשרי ונימא לחבר שרינן ליה דידע ולא אתי למיטעא. ופרקינן בקדש חיישינן דלמא חזי ליה עם הארץ דטביל כלי בתוך כלי שבפיו כשפופרת הנוד. ומקשינן תרומה נמי נגזור משום עמי הארץ. ופרקינן בכלי שאומר ע"ה אני הטבלתיו בתרומה אין מקבלין הימנו לפיכך לא אכפת לן. אי הכי בקדש נמי לא נקבל מיניה ונטהר כלין הנטבלין בתוך כלי בקדש כמו שמטהרין בתרומה. ופרקינן אם לא נקבל מע"ה טהרת כלין בקדש קושרין איבה על החבירין שיאמרו וכי אנן אין אנו מבני ישראל שאינכם מאמינים אותנו. אי חיישת משום איבת ע"ה אפילו בתרומה ניחוש. ופרקינן בתרומה אין חוששין אם לא יקבלה הכהן חבר ממנו הולך ונותנה לע"ה כהן כמותו אבל הקדש לא יכיל למיהביה אלא לחבר ועלתה משום איבת ע"ה לא מטהרין כלים בתוך כלים לקדש אפילו לחברים ור' יוסי הוא דחייש לאיבה של ע"ה. וכר' יוסי מקבלין עדותו של ע"ה. ומקשינן ותוב וניחוש לשאלה דלמא שאיל חבר כלי מע"ה לא שאיל. והא מדתנינן כשטיהרת את הכלי טיהרתו לך ולו אלמא שאלו חברים מהם. ופריק רבא כי שאלינן כלים מהם מטבילינן להו אי הכי עד דאמרי ב"ה. והלא טהרתן אוכלין ומשקין שבתוכו לימרו דמטבלינן להו ופריק התם לא יכלי למימר

חשק שלמה על ר"ח א) מש"כ רבינו וה"מ בסל וגרגותני נ"ע דהא בסל וגרגותני לעולם יש בהן כשפופרת הנוד ומותר לטבול בהם אף אם הן טהורין ועי' רש"י ד"ה וה"מ ול"ע.

בֵּין לְקוֹדֶשׁ בֵּין לִתְרוּמָה טְהוֹרִין – VESSELS AND IMMERSED THEM, WHETHER FOR purposes of *KODESH* OR FOR purposes of *TERUMAH*, THEY ARE *TAHOR*. אַבָּא שָׁאוּל אוֹמֵר – ABBA SHAUL SAYS: לִתְרוּמָה – They become *tahor* FOR *TERUMAH*, אֲבָל לֹא לְקוֹדֶשׁ – BUT NOT FOR *KODESH*.[22]

The Gemara asks according to either explanation of the Mishnah's first stringency:[23]

אִי הָכִי – **If so,** that there is a legitimate concern about the validity of immersing vessels within other vessels, as has been explained in accounting for why the Mishnah disallows it for *kodesh*,[24] תְּרוּמָה נַמִּי – then we should have this concern in regard to ***terumah* as well,** and disallow such an immersion even for *terumah*. – ? –

The Gemara answers:

לְמַאן קָאַמְרִינַן – **To whom do** you propose that **we say** this ruling that vessels should not be immersed within vessels for *terumah*? חֲבֵרִים – You must mean that we are to say this to ***chaverim*.**[25] חֲבֵרִים מֵידַע יָדְעֵי – But ***chaverim* are completely knowledgeable** about the laws of immersion.[26] Thus, it would be unnecessary to make a rule for them that one should not immerse vessels within vessels for *terumah*.

The Gemara asks:

אִי הָכִי – **If so,** that we must be dealing exclusively with *chaverim*, קוֹדֶשׁ נַמִּי – then the Mishnah should permit immersing vessels within vessels for ***kodesh* too!**[27] – ? –

The Gemara replies:

חָזֵי לֵיהּ עַם הָאָרֶץ וְאָזִיל מַטְבִּיל – In the case of *kodesh*, we are concerned that **an *am haaretz* may see him** immersing vessels within vessels for use with *kodesh*, **and [the *am haaretz*] may go and** likewise **immerse** vessels within other vessels for use with *kodesh*.[28] To prevent such an eventuality, the Mishnah prohibits even a *chaver* to immerse vessels within other vessels for *kodesh*.

The Gemara asks:

תְּרוּמָה נַמִּי חָזֵי לֵיהּ עַם הָאָרֶץ וְאָזִיל מַטְבִּיל – But in the case of ***terumah*, too,** we should be concerned that **an *am haaretz* may see him** immersing vessels within vessels for use with *terumah*, **and [the *am haaretz*] may go and** likewise **immerse** vessels within other vessels for use with *terumah*.[29] The Mishnah should therefore forbid immersing utensils within utensils for *terumah* just as it forbids doing so for *kodesh*! – ? –

The Gemara answers:

לֹא מְקַבְּלִינַן מִינַּיְיהוּ – **We do not accept** *terumah* **from [*amei haaretz*].**[30] Thus, there is no concern that a *chaver's* immersion of vessels within other vessels for *terumah* will result in a Kohen receiving *terumah* that is *tamei* from an *am haaretz* who imitated the *chaver* and immersed vessels within vessels for *terumah*.[31]

The Gemara asks:

קוֹדֶשׁ נַמִּי לֹא נְקַבֵּיל מִינַּיְיהוּ – By the same token, **we should not accept *kodesh* from them** either. – ? –

The Gemara answers:

הָוְיָא לֵיהּ אֵיבָה – Were we not to accept *kodesh* from an *am haaretz*, **he would have enmity** towards us *chaverim*, who refuse to accept his *kodesh*.

The Gemara asks:

תְּרוּמָה נַמִּי הָוְיָא לֵיהּ אֵיבָה – Then by our refusing to accept his ***terumah*, too, he will have enmity** towards us! – ? –

The Gemara answers:

לֹא אִיכְפַּת לֵיהּ – **It does not concern him** that we do not accept his *terumah*, דְּאָזִיל יָהֵיב לֵיהּ לְכֹהֵן עַם הָאָרֶץ חַבְרֵיהּ – **for he can go** and **give it** instead **to a Kohen who is a fellow *am haaretz*.** Thus, no enmity is created by our refusal to accept his *terumah*. The administrators of *kodesh*, however, were all *chaverim*. Rejecting the *kodesh* of *amei haaretz*, therefore, would exclude *amei haaretz* entirely from the realm of *kodesh*, thereby arousing their enmity.[32]

NOTES

22. The Tanna Kamma understands the stringency not to immerse vessels within vessels for *kodesh* as based on the concern that the opening of the outer vessel might be smaller than a skin-bottle's tube. Accordingly, he rules that where the outer vessel is a basket or large strainer, which is not subject to this concern, the immersion is valid even for *kodesh*. Abba Shaul, however, understands the stringency as based on the concern that the inner vessel will weigh upon the outer vessel and create an interposition. Hence, this concern is applicable even where the outer vessel is a basket or large strainer. Thus, Rava's explanation is that of the Tanna Kamma, and R' Ila's explanation is that of Abba Shaul.

[The wording of this Baraisa indicates that where the stringency not to immerse vessels within vessels applies, it serves not only to disallow the immersion initially, but even to disqualify it after the fact (see *Tosafos* ד״ה אבא שאול; see also *Turei Even* and *Rashash;* see also 23a note 15).]

23. See *Rashi* above, 21a ד״ה שכבידו, and *Siach Yitzchak* here ד״ה שם אי הכי תרומה.

24. See *Turei Even*.

25. [A *chaver* (pl. *chaverim*) is one who has accepted upon himself the meticulous observance of the *tumah* laws with all their attendant customs (see *Tosefta Demai* 2:2). An *am haaretz* (pl. *amei haaretz*), on the other hand, although basically an observant Jew, is one who is lax in his observance of certain laws, especially those with numerous and complex details (e.g. *tumah* and *taharah*).]

Certainly, you do not mean to ask that we should say this ruling to *amei haaretz*, for they do not approach us to inquire about how to properly immerse vessels. Thus, you must mean that we should say this ruling to *chaverim* (see *Rashi*).

26. I.e. a *chaver* knows that the opening of the outer vessel must be as large as a skin-bottle's tube if the immersion of the inner vessels is to be valid. (And similarly [according to R' Ila's explanation], he knows that the immersion is invalid if the inner vessels weigh so heavily on the outer one that an interposition is created.) A *chaver*, then, will be careful to avoid such pitfalls (*Rashi*).

27. I.e. according to your reasoning, the stringencies stated in the Mishnah must also be addressed only to *chaverim*. For *amei haaretz* would not listen to you [if you would instruct them about these stringencies] nor do they approach us to inquire about these laws (*Rashi;* see, though, *Siach Yitzchak* to *Rashi* here). What then, is the purpose of the Mishnah's stringency not to immerse vessels within vessels for *kodesh*?

28. The *am haaretz*, however, is not conversant with the laws of immersion, and thus might do so even if the opening of the outer vessel is smaller than a skin-bottle's tube, or even if the inner vessel weighs heavily upon the outer one.

29. The Israelite *am haaretz* will then give the *terumah* he has prepared in the improperly immersed vessels to a Kohen [who will not realize that the *terumah* he has received is *tamei*] (*Rashi*).

30. The Mishnah (below, 24b) states that *amei haaretz* are believed concerning the *taharah* of *terumah* only during the wine-pressing and olive-pressing seasons (when they are careful to purify their utensils according to the instructions of the Sages). At all other times, however, a Kohen should not accept a barrel of wine from an *am haaretz* (*Rashi*).

31. For the Kohen will not accept the *terumah* from him. [And during the pressing season, when the Kohen will accept *terumah* from him, the *am haaretz* will indeed have immersed his vessels properly, as explained in the preceding note (see *Meiri*).]

32. See *Rabbeinu Chananel*.

Thus, in the case of *kodesh*, which we must accept from an *am haaretz*, we disallow immersing vessels within vessels, lest the *am haaretz* imitate this practice and compromise the *taharah* of his *kodesh*. But in the case of *terumah*, which we do not accept from an *am haaretz*, we permit the immersion of vessels within vessels, since the *am haaretz's* imitation of this practice would have no adverse effect on us. [And we are not concerned that the *am haaretz* might thereby come to

מאי איכא בין רבא לר' אילא. קשיא למורי איכא בינייהו טובא דלרבא מטביל כלי בתוך כלי למאן דמוקי לה משום חציצה שייך בין בחיצון בין בפנימי ולמאן דמוקי משום גזרה שאין בפיו כשפופרת הנוד ליכא למגזר רק בפנימי דבחיצון ליכא למגזר דבכל ענין טהור והכי משמע לקמן (ד) ה"מ בכלי טהור אבל בכלי טמא מגו דמהניא טבילה לחיצון מהני לפנימי ותירץ לו הר"ר אלחנן דמתניתין בחיצון טהור ופנימי טמא וכן משמע לישנא דקתני מטבילין כלי בתוך כלי הלכך לא שייך ביה טעמא דכבידו של כלי לגבי חיצון וגם רבא מוקי לה הכי בסמוך דקאמר והני מילי בכלי טהור והיינו מתניתין דמיתוקמא הכי ומיהו רש"י מפרש במתניתין מטבילין כלי בתוך כלי בששניהם טמאים ולא נראה דהא אפי' בכלי שאין בפיו כשפופרת הנוד אם היו שניהם טמאים מהני שפיר דמגו דסלקא לחיצון והשתא לפי סברת רש"י איכא למימר דמצי למימר הכי איכא בינייהו חיצון אלא כח דהתירא עדיף ליה דאשכח אף בפנימית סלקא טבילה:

אבא שאול אומר לתרומה וכו'. צ"ע אמאי לא שרינן בעבר והטביל והטבילן קאמר בעבר:

שלא יהא בונה במה לעצמו ושורף פרה לעצמו. דהא לכך נאמנין ע"ה על שמירתה והכי תניא בתוספתא דחגיגה ר' יוסי אומר הכל נאמנין על שמירתה:

לא מקבלין מינייהו. רש"י פירש דבשעת הגיתות נאמנים לפי שחבירים מטהרין כליהן עברו הגיתות והבדים אמרינן דלא מהימן ול"נ דפותח בחביתו לא התירו אם לא סופו משום תחילתו כדקחשיב ליה בפרק קמא דנדה (דף יא:) ואם היו טהורים בדין בלאו הכי נמי משתרי אלא משמע דחכמים ורבי יהודה שוין בטהורים כל ימות הרגל לחוד וכן משמע בש"ס (לקמן דף כו.) כל ישראל כאיש אחד חברים נעשו כולם חברים ברגל והכי משמע בתוספתא בסיפא:

כמאן מקבלין סהדותא מע"ה כרבי יוסי. הר"ר אלחנן אומר דקיימא לן כרבי יוסי וחיישינן לאיבה לפיכך מזמנינן עכשיו בכל ע"ה אף על גב דאמרינן בברכות (דף מז:) אין מזמנים על ע"ה וגם רב מנשיא בר תחליפא לא רצה לזמן עליהם והר"י מפרש דלא כל הרוצה ליטול את השם להחזיק לעצמו כתלמיד חכם שלא לזמן על ע"ה בידו ליטול ואין אנו מחזיקים עצמנו כתלמיד חכם לענין זה:

ניחוש לשאלה. צ"ע מאי סלקא דעתך דהאי מקשה פשיטא דבעי טבילה משום מגע עם הארץ:

כלום

וכחללה בשתי אצבעות חוזרות למקומן סבר
לה כהא דאמר ר"נ אמר רבה בר אבוה א"א
מעלות שנו כאן ששש ראשונות בין לקודש בין
לחולין שנעשו על טהרת הקודש אחרונות
לקודש אבל לא לחולין שנעשו על טהרת
הקודש מאי איכא בין דרבא לדר' אילא
איכא בינייהו סל וגרגותני שמילאן כלים
והטבילן למ"ד משום חציצה איכא למ"ד
משום גזירה שמא יטביל מחטין וצינוריות
בכלי שאין בפיו כשפופרת הנוד סל וגרגותני
שאין בפיהן כשפופרת הנוד ליכא ואזדא
רבא לטעמיה דאמר רבא סל וגרגותני
שמילאן כלים והטבילן טהורין ומקוה שחלקו
בסל וגרגותני הטובל שם לא עלתה לו
טבילה דהא ארעא כולה חלחולי מחלחלא
ובעינן דאיכא מ' סאה במקום אחד ג והני
מילי בכלי טהור אבל בכלי טמא מיגו
דסלקא טבילה לכוליה גופיה דמנא סלקא
להו נמי לכלים דאית ביה א) דתנן ג כלים
שמילאן כלים והטבילן ד הרי אלו טהורין
ואם לא טבל מים המעורבים עד שיהיו
מעורבין כשפופרת הנוד מאי קאמר ואם
לא טבל ה"ק ואם אינו צריך להטבילו (א) ומים
המעורבין עד שיהו מעורבין כשפופרת הנוד
והא דרבא ודר' אילא תנאי היא דתניא ה סל
וגרגותני שמילאן כלים והטבילן בין לקודש
בין לתרומה טהורין אבא שאול אומר לתרומה
אבל לא לקודש אי הכי תרומה נמי למאן
קאמרינן ו חברים חברים מידע ידעי א"ה
קודש נמי חזי ליה ע"ה ואזיל מטביל תרומה
נמי חזי ליה ע"ה ואזיל מטביל לא מקבלינן
מינייהו קודש נמי לא נקביל מינייהו הויא
ליה איבה תרומה נמי הויא ליה איבה לא
איכפת ליה דאזיל יהיב ליה לכהן עם
הארץ חבריה ומאן תנא דחייש לאיבה רבי
יוסי היא דתניא א"ר יוסי מפני מה הכל
נאמנין על טהרת יין ושמן כל ימות השנה
כדי שלא יהא כל אחד ואחד הולך ובונה
במה לעצמו ושורף פרה אדומה לעצמו
אמר רב פפא ח כמאן מקבלינן האידנא
סהדותא מע"ה כמאן כרבי יוסי וניחוש
לשאלה דתנן ז כלי חרס מציל על הכל
ח דברי ב"ה ב"ש אומרים ט אינו מציל אלא
על אוכלים ועל המשקים ועל כלי חרס
אמרו להם ב"ה לב"ש מפני מה י אמרו
ב"ש מפני שהוא טמא ע"ג ע"ה כ ואין כלי
טמא חוצץ אמרו להם ב"ה והלא טיהרתם
אוכלין ומשקין שבתוכו אמרו להם בית
שמאי כשטיהרנו אוכלין ומשקין שבתוכו
לעצמו

וכחללה ועוביה. והן ב' אצבעות חוזרות למקומן שאדם יכול לגלגל בתוך חללו ב' אצבעות לכל צד הוי עירוב ומטבילין אף כלים והאי נמי חשש טומאה דאורייתא היא: גרגותני. סל גדול מאד שבו מסננין היין בעת הבציר ונותנין אותו תחת קילוח הגת והיין מסתנן בו ויורד לבור כדאמרינן במסכת ע"ז (דף עה:) שלא החזיר גרגותני לגת: טהורין. אף לקודש ורבא לטעמיה דלאוקי טעמא גזירה משום כלי שאין בפיו כשפופרת הנוד ובסל וגרגותני ליכא למיחש להכי: לא עלתה לו טבילה. שעשאן כב' מקואות ואין שיעור לא בזה ולא בזה ואע"פ שהמים מתחברין בין אויר הנקבים אין זה חיבור: דהא ארעא כולא מחלחלא. והמים הנובעין כאן באין מנהר גדול ולא חשבינן כמחובר דבעינן מ' סאה במקום אחד: והני מילי. (ב) דאמרינן המטביל בכלי שאין בפיו כשפופרת הנוד טמאים בכלי טהור שלא היה הכלי החיצון צריך להטביל: אבל. אם הוא צריך להטביל: מיגו דסלקא טבילה לגופו של כלי. ליטהר תוכו ע"י מים הנכנסין לדרך פיו דכטומאתו כן טהרתו סלקא נמי טבילה לכלים שבתוכו: הרי אלו טהורין. לתרומה ולא חלק בין פיו רחב לפיו קצר: ואם לא טבל כו'. כלומר דמפרש לה ואם אין צריך להטבילו: המים המעורבים. למקוה ואתה בא לטהר על ידיהן כלים שבתוכוס עד שיהו מעורבין לדרך פה רחב כשפופרת הנוד: והא דר' אילא. דלאוקי טעמא משום חציצה וסל וגרגותני נמי כשאר כלים דמו והמטביל כלים לתוכן אינן טהורין לקודש ורבא דלאוקי טעמא דמתני' משום עירוב מקואות והא בסל וגרגותני ליכא למיחש וטהורין תנאי היא: למאן קאמרינן חברים. למי אנו אומרים הוראה זו שלא יטביל כלי בתוך כלי לחבר דאילו עם הארץ לא אתי קמן למשאל הלכך לתרומה ליכא למיחש דהא מידע ידיע שיעור עירוב מקואות ולענין כבידו של כלי נמי אם כבד הוא מגביהין אותו: א"ה קודש נמי. על כרחך מתני' דקתני אבל לא לקודש בחבר עסקינן דאי ע"ה מי לייט לך ומי אתי קמן למשאל טעמא: תרומה נמי חזי ליה. ישראל עם הארץ ומטביל ומשתמש בו תרומה ואח"כ נותנה לכהן: לא מקבלינן. תרומה מעם הארץ אלא בשעת הגיתות והבדים שהכל מטהרים את כליהן ע"פ חכמים כדתנן (לקמן דף כו:) עברו הגיתות והבדים והביאו לו חבית של תרומה לא יקבלנה ממנו: על טהרת יין ושמן. (ג) לקבל מידם יין לנסכים ושמן למנחות כדתנן במתניתין (לקמן דף כו:) חומר בתרומה שביהודה נאמנין על טהרת יין ושמן: ובונה במה. בשעת איסור הבמות ומקטיר לשמים: כר' יוסי. דאילו לרבנן לא מקבלינן כדאמר בפסחים בפ' אלו עוברין (דף מט:): וניחוש לשאלה. לא נטבול כלי בתוך כלי לתרומה דלמא חזי עם הארץ ועביד הכי ואתו שואלין את כליהן ומשמשין בהן: דתנן. במתני' דשיילינן מינייהו: כלי חרס מציל על הכל. אם מוקף צמיד פתיל באהל המת א"נ המת בבית וטהרות בעלייה וארובה פתוחה מן הבית לעלייה והשיבו כלי חרס בפתחה וכלי חרס חוצץ בפני הטומאה דאינו מטמא מגבו ומציל על כל מה שבעלייה: שהוא טמא כו'. הכלי הזה היה טמא מתחילתו קודם שנתנו ע"ה על פי הארובה: והלא טיהרתם אוכלין ומשקין שבתוכו. אם היה מוקף צמיד פתיל באהל המת והיא היא:

מסורת הש"ס

א) מקוואות פרק ו מ"ב [וע"ש בר"ש וברמב"ם ובתוי"ט], ב) [משנה למקוואות איתא דלי שהוא מלא ולכך כתב הר"ש דהא דאיתא כאן הוא ברייתא ע"ש ולפ"ד הר"ש יש לגרוס הכא דתניא אבן היא גופא צ"ע מ"ט לא הביא הש"ס המשנה], ג) [תוספתא פ"ג], ד) עדיות פ"א מ"ד, ה) [במשנה איתא כדברי], ו) כלים פ"י מ"א, ז) אמרו להם כל"ל.

הגהות הב"ח

(א) גמ' ומים המעורבין. נ"ב כלומר או מים המעורבין בשניהם צריך עירוב כשפופרת הנוד: (ב) רש"י ד"ה והני מילי הא דאמרינן: (ג) ד"ה על טהרת יין ושמן ומותר לקבל מידם: (ד) תוס' ד"ה מאי איכא וכו' משמע לקמן דקאמר והני מילי:

גליון הש"ס

גמ' שלא יהא כל אחד ואחד הולך. עי' תוי"ט רפ"ד דפרה:

ליקוטי רש"י

חוזרות למקומן. מתהפכות בחלל הנקב בריוח [יבמות טו.]. שנעשו על טהרת הקודש. אדם הרגיל לאכול קדשים מקבל עליו לאכול חוליו בטהרת הקודש שיהיו בני ביתו זהירין ונקיין בטהרת הקודש [לעיל יט:]. סל גדול שמסננים בו יין מגת לבור וקורין קולדו"ר [גיטין נו.]. הוא סל גדול שקשור בבור והיין יורד מן הגת לתוכו ומתוכו לבור כדי לסנן היין מזגין וחרצנין [ע"ז נו.]. האידנא. עכשיו [סוכה יח.].

עין משפט נר מצוה

ה א מיי' פי"ג מהלכות אבות הטומאות ה"א:
ו ב מיי' שם הלכה טו:
ז ג ד ה מיי' שם הלכה א ופ"ג מהלכות מקוואות הלכה כו ופ"ו הלכה א טוש"ע יו"ד סימן רא סעיף ט:
ח ו מיי' שם פ"ג הלכה כו ופי' יג מהלכות מטמאי משכב ומושב הלכה א:
ט ז מיי' פי"א מהלכות מטמאי משכב ומושב הלכה א:
י ח מיי' פי"א מהל' עדות הלכה ג ועי' שם בכ"מ טוש"ע ח"מ סימן לד סעיף יז:
יא ט י כ מיי' פכ"ג מהלכות טומאת מת הלכה א:

רבינו חננאל

לתרתי משום מעלה אחת משום חציצה עשר ולרבא אחת עשרה. ואמרינן מאי איכא בין לר' אילא ובין רבא איכא בינייהו סל וגרגותני שמילאן כלים והטבילן שרבי אילא סבר כבידן חוצץ ואין טבילה עולה להן ורבא סבר כי אמרינן אין מטבילין בתוך כלים כגון כוסות בכוסות או כוסות בקערות או קערות בקערות וכיוצא בהן שיש בהן מי שפיהן צר וחיישינן דלמא אתי לאטבולי במי שפיו צר פחות מב' אצבעות שוחקות אבל סל וגרגותני פומייהו רויחן טובא לא חיישינן דהא ליכא סל וגרגותני פחות פומייהו מב' אצבעות ואזדא רבא לטעמיה דאמר סל וגרגותני שמילאן כלים והטבילן טהורין מקוה שחלקה בסל וגרגותני הטובל שם לא עלתה לו טבילה מפני שחולקת את המים ואינן נמצאין מ' סאה במקום אחד. ואי אמרת האיכא נקבים קטנים שהמים מבצבצין בהן כמו נביעת מים לא מטהרין כהאי גוונא דהא ארעא כולה חלחלי מחלחלא ובעינן עד דאיכא מ' סאה במקום אחד וה"מ א) בסל וגרגותני שהן טהורין אבל אם הן טמאין וצריך להטבילן מגו דסלקא להו טבילה סלקא נמי טבילה להני כלין דבגווייהו כמו הדלי דתנן במקואות פ"ו דלי שהוא מלא כלין והטבילן הרי אלו טהורין אם לא טבל המים מעורבין עד שיהא מעורבין כשפופרת הנוד ותריצנה הכי אם לא טבל הכלי אלא הוא טמא וצריך להטבילן כמים מעורבין הן שאין כלי טמא חוצץ ועלתה טבילה לכלי. ואם הדלי טהור שאין צריך טבילה עד שיהו המים מעורבין מה שבמקוה עם המים שבתוך הדלי כשפופרת הנוד. ואם אין שם זה השיעור הדלי כיון שהיה טהור חולק המים כמין כותל בתוך המקוה. ואוקימנא לדר' אילא ודרבא כתנאי. ומקשה מ"ט לא חיישינן לתרומה אלא מטהרינן ובקדש לא מטהרינן דגזרינן בקדש שמא יטבול מחטין וצינוריות בכלי טהור שאין בפיו כשפופרת הנוד בתרומה נמי נגזור ופריק רבא כי מטהרינן בהטבלת כלין בתוך כלין בתרומה לחבירים מטהרינן דידעי ולא אתו לאטבולי בכלי שאין בפיו כשפופרת הנוד. ומקשינן אי הכי קדש נמי נשרי ונימא לחבר שרינן ליה דידע ולא אתי למיטעא. ופרקינן בקדש חיישינן דלמא חזי ליה עם הארץ דטביל כלי בתוך כלי שבפיו כשפופרת הנוד. ומקשינן תרומה נמי נגזור משום עמי הארץ. ופרקינן בכלי שאומר ע"ה אני הטבלתיו בתרומה אין מקבלין הימנו לפיכך לא אכפת לן. אי הכי בקדש נמי לא נקבל מיניה ונטהר כלין הנטבלין בתוך כלי בקדש כמו שמטהרין בתרומה. ופרקינן אם לא נקבל מע"ה טהרת כלין בקדש קשרין איבה על החבירין שיאמרו וכי אנן אין אנו מבני ישראל שאינכם מאמינים אותנו. אי חיישת משום איבת ע"ה אפילו בתרומה ניחוש. ופרקינן בתרומה אין חוששין אם לא יקבלה הכהן חבר ממנו הולך ונותנה לע"ה כהן כמותו אבל הקדש לא יכיל למיהביה אלא לחבר ועלתה משום איבת ע"ה לא מטהרין כלים בתוך כלים לקדש אפילו לחברים ור' יוסי הוא דחייש לאיבה של ע"ה. וכר' יוסי מקבלין עדותו של ע"ה. ומקשינן ותוב וניחוש לשאלה דלמא שאיל חבר כלי מע"ה לא שאיל. והא מדתנינן כשטיהרת את הכלי טיהרתו לך ולו אלמא שאלו חברים מהם. ופריק רבא כי שאלינן כלים מהם מטבילינן להו אי הכי עד דאמרי ב"ה. והלא טהרתן אוכלין ומשקין שבתוכו לימרו דמטבלינן להו ופריק התם לא יכלי למימר

חשק שלמה על ר"ח

א) מש"כ רבינו וה"מ בסל וגרגותני צ"ע דהא בסל וגרגותני לעולם יש בהן כשפופרת הנוד ומותר לטבול בהם אף אם הן טהורין ועי' רש"י ד"ה וה"מ וצ"ע.

The Gemara comments:

וּמַאן תַּנָּא דְּחָיֵישׁ לְאֵיבָה – And who is the Tanna of our Mishnah, **who is concerned for** this possibility of **enmity?**[33] **רַבִּי יוֹסֵי הִיא – It is** a Mishnah authored by **R' Yose,** who is concerned for the possibility of enmity. **דְּתַנְיָא – For it was taught in a Baraisa: אָמַר רַבִּי יוֹסֵי – R' YOSE SAID: מִפְּנֵי מָה הַכֹּל נֶאֱמָנִין עַל טָהֳרַת יַיִן וְשֶׁמֶן כָּל יְמוֹת הַשָּׁנָה – WHY ARE ALL BELIEVED CONCERNING THE *TAHARAH* OF WINE AND OIL** for sacrifices **THROUGHOUT THE YEAR?** I.e. why is any Jew – even an *am haaretz* – who brings to the Temple wine or oil for offerings trusted to assert that the wine or oil is *tahor,* regardless of the time of year?[34] **כְּדֵי שֶׁלֹּא יְהֵא כָּל אֶחָד וְאֶחָד הוֹלֵךְ – SO THAT** it **NOT** come about that **EACH AND EVERY PERSON** will **GO וּבוֹנֶה בָּמָה לְעַצְמוֹ – AND BUILD A *BAMAH* FOR HIMSELF,**[35] **וְשׂוֹרֵף פָּרָה אֲדוּמָּה לְעַצְמוֹ – AND BURN A *PARAH ADUMAH* FOR HIMSELF.**[36]

The Gemara comments:

אָמַר רַב פָּפָּא – Rav Pappa said: כְּמַאן מְקַבְּלִינַן הָאִידְנָא סַהֲדוּתָא מֵעַם הָאָרֶץ – In accordance with whom do we accept nowadays testimony from an *am haaretz*? כְּמַאן – In accordance with whom? כְּרַבִּי יוֹסֵי – It is **in accordance with R' Yose,** who is concerned for the possibility of enmity. By rights, we should not accept testimony from an *am haaretz.* Nevertheless, because of the enmity such a policy would create,[37] we accept the testimony of an *am haaretz.*[38]

The Gemara returns its focus to the assertion that one may immerse vessels within vessels for *terumah* because in any event we will not accept *terumah* from an *am haaretz.* The Gemara asks: **וְנֵיחוּשׁ לִשְׁאֵלָה – But let us be concerned for** the possibility of a *chaver's* **borrowing** of an *am haaretz's* vessels for *terumah* use![39] The Gemara now documents the premise of its question; namely, that such borrowing of the *am haaretz's* vessels is indeed permitted: **דְּתְנַן – For we learned in a Mishnah:**[40] **כְּלִי חֶרֶס מַצִּיל עַל הַכֹּל – AN EARTHENWARE VESSEL PROTECTS ALL** substances from becoming *tamei.* **דִּבְרֵי בֵית הִלֵּל –** These are **THE WORDS OF BEIS HILLEL.**[41] **בֵּית שַׁמַּאי אוֹמְרִים –** But **BEIS SHAMMAI SAY: אֵינוֹ מַצִּיל אֶלָּא עַל אוֹכָלִים וְעַל הַמַּשְׁקִים וְעַל כְּלֵי**

NOTES

immerse vessels within vessels *even for kodesh.* For *amei haaretz* realize that the *taharah* standards for *kodesh* are higher; thus, they will not immerse vessels within vessels for *kodesh* simply because they have seen us doing so for *terumah* (*Meiri*).]

33. The Tanna of our Mishnah is concerned for the possibility of enmity, as evidenced by the fact that he disallows immersing vessels within vessels for *kodesh* lest an *am haaretz* do the same and we will be unable to refuse his *kodesh.* Had our Tanna disregarded the concern of enmity, he would have allowed immersing vessels within vessels even for *kodesh;* and he would have been unconcerned that *amei haaretz* might imitate this practice, as we would simply refuse to accept their *kodesh.*

34. *Rashi,* based on the Mishnah below, 24b. That is, he is believed even when it is *not* the pressing season, and thus it is a time when he is *not* believed regarding the *taharah* of *terumah* (see note 30). [For elaboration, see 24b note 21].

35. [A *bamah* (literally: high place) is the term used for a private altar. Although there were times in early Jewish history during which it was permitted to offer a sacrifice on a *bamah* in a location of a person's choosing, once the First Temple was built, *bamos* became permanently forbidden (see *Zevachim* Chapter 14).] R' Yose is concerned that were we to reject the wine and oil brought for the Temple service by *amei haaretz,* they might feel disenfranchised and resentful, and build their own *bamos* and offer sacrifices to God upon them, which is a serious transgression (see *Rashi*). [To prevent this development, the Rabbis did not issue a decree against the *kodesh* of an *am haaretz;* hence, *amei haaretz* remain trusted to declare their *kodesh* free of *tumah,* and it may be offered on the Altar in the Temple.]

36. [A *parah adumah* is the red cow whose ashes are used in the purification of a person or utensil that has contacted *tumah* from a human corpse (see *Numbers* 19:1-22).] R' Yose is now addressing the unspoken question as to why an *am haaretz* is believed to say that a vessel to be used in the *parah adumah* service is free of *tumah* [see *Parah* 5:1]. To this R' Yose answers that the Rabbis were loath to reject the vessels of an *am haaretz* for use in the *parah adumah* service, since this might cause *amei haaretz* to feel resentful and lead to a schism in which they would perform their own *parah adumah* service (see *Tosafos* ד״ה שלא and *Turei Even*).

37. Here, too, the concern is that were the *amei haaretz* to feel disenfranchised within the judicial system, they would establish a parallel judicial system of their own (see *Rosh, Pesachim* 3:10).

38. The Rabbis, however, disagree with R' Yose, and maintain in a Baraisa (*Pesachim* 49b) that the testimony of an *am haaretz* is not accepted (*Rashi*).

It would seem that according to *Rashi* the Rabbis who disagree with R' Yose and are unconcerned about the enmity of *amei haaretz* thus dispute our Mishnah as well: The Rabbis would maintain that since we are not concerned about enmity, we do indeed reject the *kodesh* of *amei haaretz;* thus, we may immerse vessels within vessels even for *kodesh,* for it is of no consequence to us if the *amei haaretz* will imitate our method of immersion. Similarly, those Rabbis would dispute the Mishnah on 24b, which states that *amei haaretz* are believed all year with regard to the *taharah* or *kodesh* – a ruling also based on the concern of enmity (as explained here in the Baraisa). This would indeed seem to be borne out by the Gemara's attribution of our Mishnah to R' Yose, which implies that the Rabbis disagree. [See also *Ran* to *Pesachim,* folio 16a.] *Ramban* (here), however, suggests that no Tannaim dispute R' Yose – either with regard to our Mishnah, the Mishnah on 24b or the acceptance of testimony from an *am haaretz.* And the Gemara here does not mean that R' Yose is the Tanna of our Mishnah *to the exclusion of the Rabbis.* Rather, it means that our Mishnah is based on the concern of enmity, a concern that is stated explicitly by R' Yose, though universally accepted. [See also *Chazon Ish, Parah* 10:4.] See also *Rif* to *Pesachim* (folio 16a), who explains that the Baraisa cited by *Rashi* refers to an inferior type of *am haaretz,* whose testimony even R' Yose would disqualify. See also *Turei Even. Meromei Sadeh* suggests that even *Rashi* would agree that all Tannaim are concerned for enmity in the case of *kodesh* (and thus all agree with the rulings of our Mishnah and the Mishnah on 24b). The Rabbis disregard the concern of enmity only with respect to accepting testimony from *amei haaretz.* See also *Chazon Ish, Tohoros* 8:1, who suggests that the Rabbis agree with the ruling of the Mishnah for a reason different from R' Yose's reason of enmity.

39. And it should therefore be forbidden to immerse vessels within vessels even for *terumah,* lest an *am haaretz* imitate this practice and lend the vessel to a *chaver* (*Rashi*).

40. *Eduyos* 1:14.

41. This is a Biblical law. An earthenware vessel affords protection from corpse *tumah* because of a unique characteristic of earthenware vessels. Whereas other vessels contract *tumah* if the source of *tumah* touches either its interior or exterior surfaces (see *Ramban, Hil. Keilim* 1:1-13), an earthenware vessel cannot contract *tumah* through its exterior surface. This characteristic enables an earthenware vessel to protect other substances from *tumah.* For example, if any item susceptible to *tumah* is located under the same roof as a corpse, that item becomes *tamei,* for it is considered to be in contact with the *tumah* emanating from the corpse. However, an earthenware vessel with a cover fastened on it does not become *tamei* (see *Numbers* 19:15). This is because only its exterior surface is exposed to the *tumah,* and an earthenware vessel cannot contract *tumah* through its exterior surface. In such a case, the contents of the earthenware vessel are also protected from the *tumah.* Similarly, if a corpse is located on the lower floor of a house under the open hatchway between the first and second floors, everything on the second floor is considered to be under the same roof as the corpse and is *tamei.* If, however, the hatchway opening is blocked by an earthenware vessel whose exterior faces the lower floor, the *tumah* cannot pass through the hatchway to the upper floor, since it is blocked by the exterior surface of the earthenware vessel (see *Rashi*).

Beis Hillel hold that we follow this Biblical law in practice, and there is no Rabbinic decree to exclude various items from the "protection" of an earthenware vessel.

וכחללה בשתי אצבעות חוזרות למקומן סבר לה כהא דאמר ר"נ אמר רבה בר אבוה א"א מעלות שנו כאן שש ראשונות בין לקודש בין לחולין שנעשו על טהרת הקודש אחרונות לקודש אבל לא לחולין שנעשו על טהרת הקודש מאי איכא בין דרבא לדר' אילא איכא בינייהו סל וגרגותני שמילאן כלים והטבילן למ"ד משום חציצה איכא למ"ד משום גזירה שמא יטביל מחטין וצינוריות בכלי שאין בפיו כשפופרת הנוד סל וגרגותני שאין בפיהן כשפופרת הנוד ליכא ואזדא רבא לטעמיה דאמר רבא סל וגרגותני שמילאן כלים והטבילן בים טהורין ומקוה שחלקו בסל וגרגותני הטובל שם לא עלתה לו טבילה דהא ארעא כולה חלחולי מחלחלא ובעינן דאיכא מ' סאה במקום אחד והני מילי בכלי טהור אבל בכלי טמא מיגו דסלקא טבילה לכוליה גופיה דמנא סלקא להו נמי לכלים דאית ביה דתנן כלים שמילאן כלים והטבילן הרי אלו טהורין ואם לא טבל מים המעורבים עד שיהיו מעורבין כשפופרת הנוד מאי קאמר ואם לא טבל ה"ק ואם אינו צריך להטבילו (א) ומים המעורבין עד שיהו מעורבין כשפופרת הנוד והא דרבא ודר' אילא תנאי היא דתניא סל וגרגותני שמילאן כלים והטבילן בין לקודש בין לתרומה טהורין אבא שאול אומר לתרומה אבל לא לקודש אי הכי תרומה נמי למאן קאמרינן חברים חברים מידע ידעי א"ה קודש נמי חזי ליה ע"ה ואזיל מטביל תרומה נמי חזי ליה ע"ה ואזיל מטביל לא מקבלינן מינייהו קודש נמי לא נקביל מינייהו הויא ליה איבה תרומה נמי הויא ליה איבה לא איכפת ליה דאזיל יהיב ליה לכהן עם הארץ חבריה ומאן תנא דחייש לאיבה רבי יוסי היא דתניא א"ר יוסי מפני מה הכל נאמנין על טהרת יין ושמן כל ימות השנה כדי שלא יהא כל אחד ואחד הולך ובונה במה לעצמו ושורף פרה אדומה לעצמו אמר רב פפא כמאן מקבלינן האידנא סהדותא מע"ה כמאן כרבי יוסי וניחוש לשאלה דתנן כלי חרם מציל על הכל דברי ב"ה וב"ש אומרים אינו מציל אלא על אוכלים ועל המשקים ועל כלי חרם אמרו להם ב"ה לב"ש מפני מה אמרו להם ב"ש מפני שהוא טמא מע"ה ואין כלי טמא חוצץ אמרו להם ב"ה והלא טיהרתם אוכלין ומשקין שבתוכו אמרו להם ב"ש כשטיהרנו אוכלין ומשקין שבתוכו לעצמו

רש"י

וכחללה ועוביה. והן ב' אצבעות חוזרות למקומן שאדם יכול לגלגל בתוך חללו ב' אצבעות לכל לד הוי עירוב ומטבילין אף כלים והאי נמי חשש טומאה לאורייתא היא: **גרגותני.** סל גדול מאד שבו מסננין היין בעת הבציר ונותנין אותו תחת קילוח הגת והיין מסתנן בו ויורד לבור כדאמרינן במסכת ע"ז (דף עד:) שלא החזיר גרגותני לגת: **טהורין.** אף לקודש ורבא לטעמיה דאוקי טעמא גזירה משום כלי שאין בפיו כשפופרת הנוד ובסל ובגרגותני ליכא למיחש להכי: **לא עלתה לו טבילה.** שעשאן כב' מקוואות ואין שיעור לא בזה ולא בזה אע"פ שהמים מתחברין בין אויר הנקבים אין זה חיבור: **דהא ארעא כולא מחלחלא.** והמים הנובעין כאן מנהר גדול ולא חשבינן כמחובר דבעינן מ' סאה במקום אחד: **והני מילי.** (ב) דאמרינן המטביל בכלי שאין בפיו כשפופרת הנוד טמאים בכלי טהור שלא היה הכלי החיצון צריך להטביל: **אבל.** אם הוא צריך להטביל: **מיגו דסלקא טבילה לגופו של כלי.** ליטהר תוכו ע"י מים הנכנסין דרך פיו דכטומאתו כן טהרתו סלקא נמי טבילה לכלים שבתוכו: **הרי אלו טהורין.** לתרומה ולא חלק בין פיו רחב לפיו קצר: **ואם לא טבל כו'.** כדמפרש לה ואם אין צריך להטבילו: **המים המעורבים.** למקוה ולאותה בא לטהר על ידיהן כלים שבתוכו עד שיהו מעורבין דרך פה רחב כשפופרת הנוד: **והא דר' אילא.** דאוקי טעמא משום חציצה וסל וגרגותני נמי כשאר כלים דמו והמטביל כלים לתוכן אינן טהורין לקודש ורבא דאוקי טעמא דמתני' משום עירוב מקוואות והא בסל וגרגותני ליכא למיחש וטהורין תנאי היא: **למאן קאמרינן חברים.** למי אנו אומרים הוראה זו שלא יטביל כלי בתוך כלי לחבר דאילו עם הארץ לא אתי קמן למשאל הלכך לתרומה ליכא למיחש דהא מידע ידיע שיעור עירוב מקוואות ולענין כבודו של כלי נמי אם ככד הוא מגביהין אותו: **א"ה קודש נמי.** על כרחך מתני' דקתני אבל לא לקודש בחבר עסקינן דאי ע"ה מי ליית לך ומי אתי קמן למשאל טעמא: **תרומה נמי חזי ליה.** ישראל עם הארץ ומטביל ומשתמש בו תרומה ואח"כ נותנה לכהן: **לא מקבלינן.** תרומה מעם הארץ אלא בשעת הגיתות והבדים שהכל מטהרים את כליהן ע"פ חכמים כדתנן (לקמן דף כו:) עברו הגיתות והבדים והביאו לו חבית של תרומה לא יקבלנה ממנו: **על טהרת יין ושמן.** (ג) לקבל מידם יין לנסכים ושמן למנחות כדתנן במתניתין (לקמן דף כו:) חומר בתרומה שביהודה נאמנין על טהרת יין ושמן: **ובונה במה.** בשעת איסור הבמות ומקטיר לשמים: **כר' יוסי.** דאילו לרבנן לא מקבלינן כדאמר בפסחים בפ' אלו עוברין (דף מט:) **וניחוש לשאלה.** לא נטבול כלי בתוך כלי לתרומה דלמא חזי עם הארץ ועביד הכי ואתו שואלין את כליהן ומשתמשין בהן: **דתנן.** במתני' דשיילינן מינייהו: **כלי חרם מציל על הכל.** אם מוקף למיד פתיל באהל המת א"נ המת בבית וטהרות בעלייה וארובה פתוחה מן הבית לעלייה והשיבו כלי חרס בפתחה וכלי חרס חוצץ בפני הטומאה דאינו מטמא מגבו ומציל על כל מה שבעלייה: **שהוא טמא כו'.** הכלי הזה היה טמא מתחילתו קודם שנתנו ע"ה על פי הארובה: **והלא טיהרתם אוכלין ומשקין שבתוכו.** אם היה מוקף למיד פתיל באהל המת והיא היא:

תוספות

מאי איכא בין רבא לר' אילא. קשיא למורי איכא בינייהו טובא כלי חילון כשהטביל כלי בתוך כלי למאן דמוקי לה משום חלילה שייך בין בחילון בין בפנימי ולמאן דמוקי משום גזרה שאין בפיו כשפופרת הנוד ליכא למגזר רק בפנימי דבחילון ליכא למגזר דבכל ענין טהור והכי משמע לקמן (ד) ה"מ בכלי טהור אבל בכלי טמא מגו דמהניא טבילה לחילון מהני לפנימי ותירץ לו הר"ר אלחנן דמתניתין בחילון טהור ופנימי טמא וכן משמע לישנא דקתני מטבילין כלי בתוך כלי הלכך לא שייך ביה טעמא דכבידו של כלי לגבי חילון וגם רבא מוקי לה הכי בסמוך דקאמר והני מילי בכלי טהור והיינו מתניתין דמיתוקמא הכי ומיהו רש"י מפרש במתניתין מטבילין כלי בתוך כלי כשניהם טמאים ולא נראה דהא אפי' בכלי שאין בפיו כשפופרת הנוד אם היו שניהם טמאים מהני שפיר דמגו דסלקא לחילון והשתא לפי סברת רש"י איכא למימר דמאי למימר הכי איכא בינייהו חילון אלא כח דהתירא עדיף ליה דאשכח אף בפנימית סלקא טבילה:

אבא שאול אומר לתרומה וכו'. נ"ע אמאי לא שרינן בעבר והטביל והטבילן קאמר בעבר:

שלא יהא בונה במה לעצמו ושורף פרה לעצמו. דהא לכך נאמנין ע"ה על שמירתה והכי תניא בתוספתא דחגיגה ר' יוסי אומר הכל נאמנין על שמירתה:

לא מקבלין מינייהו. רש"י פירש דבשעת הגיתות נאמנים לפי שחבירים מטהרין כליהן עברו הגיתות והבדים אמרינן דלא מהימן ול"נ דפותח בחביתו לא התירו אם לא סופו משום תחילתו כדקאמר ליה בפרק קמא דבילה (דף יא:) ואם היו טהורים בדין בלאו הכי נמי משתרי אלא משמע דחכמים ורבי יהודה שוין בטהורים כל ימות הרגל לחוד וכן משמע בש"ס (לקמן דף כו.) כל ישראל כאיש אחד חברים נעשו כולם חברים ברגל והכי משמע בתוספתא בסיפא:

כמאן מקבלין סהדותא מע"ה כרבי יוסי. הר"ר אלחנן אומר דקיימא לן כרבי יוסי וחיישינן לאיבה לפיכך מזמנין עכשיו בכל ע"ה אף על גב דאמרינן בברכות (דף מז:) אין מזמנים על ע"ה וגם רב מנשיא בר תחליפא לא רצה לזמן עליהם והר"י מפרש דלא כל הרוצה ליטול את השם להחזיק לעצמו כתלמיד חכם שלא לזמן על ע"ה בידו ליטול ואין אנו מחזיקים עצמנו כתלמיד חכם לענין זה:

ניחוש לשאלה. נ"ע מאי סלקא דעתך דהאי מקשה פשיטא דבעי טבילה משום מגע עם הארץ:

כלוס

עין משפט נר מצוה

ה א מיי' פי"ב מהלכות אבות הטומאות ה"א:
ו ב מיי' שם הלכה טו:
ז ג ד ה מיי' שם הלכה א ופ"ג מהלכות מקואות הלכה כו ופ"ו הלכה ח טוש"ע י"ד סימן רא סעיף ט:
ח ו מיי' שם פ"ג הלכה כו ופ' יב מהלכות מטמאי משכב ומושב הלכה א:
ט ז מיי' פי"א מהלכות מטמאי משכב ומושב הלכה א:
י ח מיי' פי"א מהל' עדות הלכה ג ועי' שם בכ"מ טוש"ע ח"מ סימן לד סעיף יח:
יא ט י כ מיי' פכ"ג מהלכות טומאת מת הלכה א:

רבינו חננאל

לתרתי משום מעלה אחת משום חציצה עשר ולרבא אחת עשרה. ואמרינן מאי איכא בין לר' אילא ובין רבא איכא בינייהו סל וגרגותני שמילאן כלים והטבילן שרבי אילא סבר כבידן חוצץ ואין טבילה עולה להן ורבא סבר כי אמרינן אין מטבילין בתוך כלים כגון כוסות בכוסות או כוסות בקערות או קערות בקערות וכיוצא בהן שיש בהן מי שפיהן צר וחיישינן דלמא אתי לאטבולי במי שפיו צר פחות מב' אצבעות שוחקות אבל סל וגרגותני פומייהו רויחן טובא לא חיישינן דהא ליכא סל וגרגותני פחות פומייהו מב' אצבעות ואזדא רבא לטעמיה דאמר סל וגרגותני שמילאן כלים והטבילן טהורין מקוה שחלקה בסל וגרגותני הטובל שם לא עלתה לו טבילה מפני שחולקת את המים ואינן נמצאין מ' סאה במקום אחד. ואי אמרת האיכא נקבים קטנים שהמים מבצבצין בהן כמו נביעת מים לא מטהרין כהאי גוונא דהא ארעא כולה חלחולי מחלחלא ובעינן עד דאיכא מ' סאה במקום אחד וה"מ א) בסל וגרגותני שהן טהורין אבל אם הן טמאין וצריך להטבילן מגו דסלקא להו טבילה סלקא נמי טבילה להני כלין דבגווייהו כמו הדלי דתנן במקואות פ"ו דלי שהוא מלא כלין והטבילן הרי אלו טהורין אם לא טבל המים מעורבין עד שיהא מעורבין כשפופרת הנוד ותריצנה הכי אם לא טבל הכלי אלא הוא טמא וצריך להטבילן כמים מעורבין הן שאין כלי טמא חוצץ ועלתה טבילה לכלי. ואם הדלי טהור שאין צריך טבילה עד שיהו המים מעורבין מה שבמקוה עם המים שבתוך הדלי כשפופרת הנוד. ואם אין שם זה השיעור הדלי כיון שהיה טהור חולק המים כמין כותל בתוך המקוה. ואוקימנא לדר' אילא ודרבא כתנאי. ומקשה מ"ט לא חיישינן לתרומה אלא מטהרינן ובקדש לא מטהרינן דגזרינן בקדש שמא יטבול מחטין וצינוריות בכלי טהור שאין בפיו כשפופרת הנוד בתרומה נמי נגזור ופריק רבא כי מטהרינן בהטבלת כלין בתוך כלין בתרומה לחבירים מטהרינן דידעי ולא אתו לאטבולי בכלי שאין בפיו כשפופרת הנוד. ומקשינן אי הכי קדש נמי נשרי ונימא לחבר שרינן ליה דידע ולא אתי למיטעא. ופרקינן בקדש חיישינן דלמא חזי ליה עם הארץ דטביל כלי בתוך כלי שבפיו כשפופרת הנוד. ומקשינן תרומה נמי נגזור משום עמי הארץ. ופרקינן בכלי שאומר ע"ה אני הטבלתיו בתרומה אין מקבלין הימנו לפיכך לא אכפת לן. אי הכי בקדש נמי לא נקבל מיניה ונטהר כלין הנטבלין בתוך כלי בקדש כמו שמטהרין בתרומה. ופרקינן אם לא נקבל מע"ה טהרת כלין בקדש קושרין איבה על החבירין שיאמרו וכי אנן אין אנו מבני ישראל שאינכם מאמינים אותנו. אי חיישת משום איבת ע"ה אפילו בתרומה ניחוש. ופרקינן בתרומה אין חוששין אם לא יקבלה הכהן חבר ממנו הולך ונותנה לע"ה כהן כמותו אבל הקדש לא יכיל למיהביה אלא לחבר ועלתה משום איבת ע"ה לא מטהרין כלים בתוך כלים לקדש אפילו לחברים ור' יוסי הוא דחייש לאיבה של ע"ה. וכר' יוסי מקבלין עדותו של ע"ה. ומקשינן ותוב וניחוש לשאלה דלמא שאיל חבר כלי מע"ה לא שאיל. והא מדתנינן כשטיהרת את הכלי טיהרתו לך ולו אלמא שאלו חברים מהם. ופריק רבא כי שאלינן כלים מהם מטבילינן להו אי הכי עד דאמרי ב"ה. והלא טהרתן אוכלין ומשקין שבתוכו לימרו דמטבלינן להו ופריק התם לא יכלי למימר

חשק שלמה על ר"ח א) מש"כ רבינו וה"מ בסל וגרגותני נ"ע דהא בסל וגרגותני לעולם יש בהן כשפופרת הנוד ומותר לטבול בהם אף אם הן טהורין ועי' רש"י ד"ה וה"מ ול"ע.

מסורת הש"ס

א) מקואות פרק ו מ"ב [וע"ש בר"ש וברמב"ם ובתוי"ט], ב) [במשנה דמקואות איתא דלי שהוא מלא ולכך כתב הר"ש דהא דאיתא כאן הוא ברייתא ע"ש ולפ"ד הר"ש יש לגרוס הכא דתניא אכן היא גופא צ"ע מ"ט לא הביא הש"ס המשנה], ג) [תוספתא פ"ג], ד) עדיות פ"א מי"ד, ה) [במשנה איתא כדברי], ו) כלים פ"י מ"א, ז) אמרו להם כל"ל.

הגהות הב"ח

(א) גמ' ומים המעורבין. נ"ב כלומר או מים המעורבין בשניהם צריך עירוב כשפופרת הנוד: (ב) רש"י ד"ה והני מילי הא דאמרינן: (ג) ד"ה על טהרת יין ושמן ומותר לקבל מידם: (ד) תוס' ד"ה מאי איכא וכו' משמע לקמן דקאמר והני מילי:

גליון הש"ס

גמ' שלא יהא כל אחד ואחד הולך. עי' תוי"ט רפ"ה דפרה:

ליקוטי רש"י

חוזרות למקומן. מתהפכות בחלל הנקב בריות [יבמות טו.]. שנעשו על טהרת הקודש. אדם הרגיל לאכול קדשים מקבל עליו לאכול חוליו בטהרת הקודש כדי שיהו בני ביתו זהירין ונקיאין בטהרת הקודש [לעיל יט:]. גרגותני. סל גדול שמסננין בו יין מגת לבור וקורין קולדוי"ר [גיטין נו:]. סל של גרגותני שמקבל בלנור והיין יורד מן הגנור לתוכו ומתוכו לבור כדי לסנן היין מזגין והרלנין [ע"ז נו:]. האידנא. עכשיו [סוכה יח:].

חֶרֶס – IT PROTECTS ONLY FOODS, BEVERAGES AND other EARTHENWARE VESSELS from becoming *tamei;* it does not, however, protect non-earthenware vessels from becoming *tamei.*[42] אָמְרוּ לָהֶם בֵּית הִלֵּל לְבֵית שַׁמַּאי – BEIS HILLEL SAID TO BEIS SHAMMAI: מִפְּנֵי מָה – WHY do you draw a distinction between food, liquids and earthenware vessels on the one hand (which are protected by an earthenware vessel), and non-earthenware vessels on the other hand (which are not protected by an earthenware vessel)? אָמְרוּ בֵּית שַׁמַּאי – BEIS SHAMMAI SAID: מִפְּנֵי שֶׁהוּא טָמֵא עַל גַּבֵּי עַם הָאָרֶץ – BECAUSE IT [the earthenware vessel that you would have protect the non-earthenware vessels from *tumah*] IS *TAMEI* ON ACCOUNT OF AN *AM HAARETZ,* וְאֵין כְּלִי טָמֵא חוֹצֵץ – AND the law is that A VESSEL WHICH IS itself *TAMEI* CANNOT INTERPOSE between a corpse and things that are *tahor* to protect them from *tumah.*[43] אָמְרוּ לָהֶם בֵּית הִלֵּל – BEIS HILLEL REPLIED TO [BEIS SHAMMAI]: וַהֲלֹא טִיהַרְתֶּם אוֹכָלִין וּמַשְׁקִין שֶׁבְּתוֹכוֹ – BUT HAVE YOU NOT DECLARED *TAHOR* THE FOODS AND BEVERAGES WITHIN [THE EARTHENWARE VESSEL]?![44] אָמְרוּ לָהֶם בֵּית שַׁמַּאי – BEIS SHAMMAI REPLIED TO THEM: כְּשֶׁטִּיהַרְנוּ אוֹכָלִין וּמַשְׁקִין שֶׁבְּתוֹכוֹ – WHEN WE DECLARED *TAHOR* THE FOODS AND BEVERAGES WITHIN [THE EARTHENWARE VESSEL],

NOTES

42. According to Beis Shammai, there is a Rabbinic decree that excludes non-earthenware vessels and people from being protected from corpse *tumah* by an earthenware vessel. (The rationale for this decree will emerge in the course of the *sugya.*)

43. There is a Biblical requirement that the earthenware vessel affording the protection must itself be *tahor.* If the earthenware vessel is *tamei,* however, it cannot protect anything from *tumah.* Accordingly, Beis Shammai reason as follows: If the earthenware vessel blocking the hatchway belongs to an *am haaretz,* it cannot block the *tumah* from passing through the hatchway. For the vessels of an *am haaretz* are deemed *tamei* (by Rabbinic decree). Thus, even before the *am haaretz* placed his earthenware vessel in the hatchway, it was deemed *tamei,* and therefore it cannot protect other vessels from contracting *tumah.* [Beis Shammai will soon explain why this earthenware vessel *does* protect foods and other earthenware vessels.]

This Mishnah is discussing specifically the shielding properties of an earthenware vessel that belongs to an *am haaretz.* Only in that case do Beis Shammai rule that the earthenware vessel (because it belongs to an *am haaretz* and is thus itself *tamei*) does not serve to protect people and non-earthenware vessels from *tumah.* But even Beis Shammai agree that a *chaver's* earthenware vessel (which is *tahor*) protects all substances, even on the Rabbinic level (*Tos. Shantz* to *Eduyos* ad loc.; *Rash* to *Keilim* 9:2 and *Oholos* 5:3, cited by *Tos. Yom Tov* to *Eduyos* loc. cit.; *Rashi* here, as understood by *Meiri,* by *Tos. Yom Tov* ibid. and by *Siach Yitzchak* 22b [to *Tosafos*] end of ד״ה בא״ד ועוד כי מסקי). [Others, however, explain that Beis Shammai extend their decree to *all* earthenware vessels – even those of a *chaver* (*Rambam, Commentary to the Mishnah* and *Rav* to *Eduyos* ad loc.; *Rambam, Hil. Tumas Meis* 23:1, cited by *Tos. Yom Tov* ibid.).]

Although Beis Hillel agree that a *tamei* earthenware vessel cannot protect from corpse *tumah,* they maintain that the *am haaretz's* earthenware vessel *does* protect. For since the earthenware vessel in question is *tamei* only on account of the special *tumah* decreed by the Rabbis on the vessels of an *am haaretz,* the vessel does not lose its capacity to protect from corpse *tumah.* Beis Shammai, however, disagree, and maintain that this Rabbinic *tumah* does cause the vessel to lose its capacity to protect from corpse *tumah* (see *Siach Yitzchak* ד״ה שם כלי חרס מציל על הכל).

44. I.e. you agree that this very earthenware vessel would, if sealed and in a house containing a corpse, protect the food and beverage within it from corpse *tumah* [as stated by Beis Shammai in the beginning of the Mishnah]. Why, then, does it not protect non-earthenware vessels? (see *Rashi*). [If you deem it *tamei,* it should protect nothing; and if you deem it *tahor,* it should protect everything!]

וכחללה ועוביה. והן ד׳ אצבעות חוזרות למקומן שאדם יכול לגלגל בתוך חללו ד׳ אצבעות לכל צד הוי עירוב ומטבילין אף כלים והאי נמי חשש טומאה דאורייתא היא: גרגותני. כלי גדול מאד שבו מסננין היין בעת הבציר ונותנין אותו תחת קילוח הגת והיין מסתנן בו ויורד לבור כדאמרינן במסכת ע״ז (דף נו:) שלא החזיר גרגותני לגת: טהורין. אף לקודש ורבא לטעמיה דאוקי טעמא גזירה משום כלי שאין בפיו כשפופרת הנוד ובסל ובגרגותני ליכא למיחש להכי: לא עלתה לו טבילה. שעשאן כב׳ מקואות ואין שיעור לא בזה ולא בזה אע״פ שהמים מחברן בין אויר הנקבים אין זה חיבור: דהא ארעא כולא מחלחלא. והמים הנובעין כאן באין מנהר גדול ולא חשבינן כמחובר דבעינן מ׳ סאה במקום אחד: והני מילי. (ג) דאמרינן המטביל בכלי שאין בפיו כשפופרת הנוד טמאים בכלי טהור שלא היה הכלי החיצון צריך להטביל: אבל. אם הוא צריך להטביל: מיגו דסלקא טבילה לגופו של כלי. ליטהר תוכו ע״י מים הנכנסין דרך פיו דכטומאתו כן טהרתו סלקא נמי טבילה לכלים שבתוכו: הרי אלו טהורין. לתרומה ולא חלק בין פיו רחב לפיו קצר: ואם לא טבל כו׳. כדמפרש לה ואם אין צריך להטבילו: המים המעורבים. למקוה ואתה בא לטהר על ידיהן כלים שבתוכו עד שיהו מעורבין דרך פה רחב כשפופרת הנוד: והא דר׳ אילא. דאוקי טעמא משום חציצה וסל וגרגותני נמי כשאר כלים דמו והמטביל כלים לתוכן אינן טהורין לקודש ורבא דאוקי טעמא דמתני׳ משום עירוב מקואות והא בסל וגרגותני ליכא למיחש וטהורין תנאי היא: למאן קאמרינן חברים. למי אנו אומרים הוראה זו שלא יטביל כלי בתוך כלי לחבר דאילו עם הארץ לא אתי קמן לשאול הלכך לתרומה ליכא למיחש דהא מידע ידיע שיעור עירוב מקואות ולענין כבידו של כלי נמי אם כבד הוא מגביהין אותו: א״ה קודש נמי. על כרחך מתני׳ דקתני אבל לא לקודש בחבר עסקינן דאי ע״ה מי לייט לך ומי אתי קמן לשאול טעמא: תרומה נמי חזי ליה. ישראל עם הארץ ומטביל ומשתמש בו תרומה ואח״כ נותנה לכהן: לא מקבלינן. תרומה מעם הארץ אלא בשעת הגיתות והבדים שהכל מטהרים את כליהן ע״פ חכמים כדתנן (לקמן דף כד:) עברו הגיתות והבדים והביאו לו חבית של תרומה לא יקבלנה ממנו: על טהרת יין ושמן. (ג) לקבל מידם יין לנסכים ושמן למנחות כדתנן במתניתין (לקמן דף כד:) חומר בתרומה שביהודה נאמנין על טהרת יין ושמן: ובונה במה. בשעת איסור הבמות ומקטיר לשמים: כר׳ יוסי. דאילו לרבנן לא מקבלינן כדאמר בפסחים בפ׳ אלו עוברין (דף מט:): וניחוש לשאלה. לא נטבול כלי בתוך כלי לתרומה דלמא חזי עם הארץ ועביד הכי ואנו שואלין את כליהן ומשמשין בהן: דתנן. במתני׳ דשיילינן מינייהו: כלי חרס מציל על הכל. אם מוקף צמיד פתיל באהל המת אע״ג המת בבית וטהרות בעלייה וארובה פתוחה מן הבית לעלייה והשיבו כלי חרס בפתחה וכלי חרס חוצץ בפני הטומאה דאינו מטמא מגבו ומציל על כל מה שבעלייה: שהוא טמא כו׳. הכלי הזה היה טמא מתחילתו קודם שנתנו ע״ה על פי הארובה: והלא טיהרתם אוכלין ומשקין שבתוכו. אם היה מוקף צמיד פתיל באהל המת והיא היא:

מאי איכא בין רבא לר׳ אילא. קשיא למורי איכא בינייהו טובא כלי חיצון כשהטביל כלי בתוך כלי דלמאן דמוקי לה משום חציצה שייך בין בחיצון בין בפנימי ולמאן דמוקי משום גזרה שאין בפיו כשפופרת הנוד ליכא למגזר רק בפנימי דבחיצון ליכא למגזר דבכל ענין טהור והכי משמע לקמן (ד) ה״מ בכלי טהור אבל בכלי טמא מגו דמהניא טבילה לחיצון מהני לפנימי ותירץ לו הר״ר אלחנן דמתניתין בחיצון טהור ופנימי טמא וכן משמע לישנא דקתני מטבילין כלי בתוך כלי הלכך לא שייך ביה טעמא דכבידו של כלי לגבי חיצון וגם רבא מוקי לה הכי בסמוך דקאמר והני מילי בכלי טהור והיינו מתניתין דמיתוקמא הכי ומיהו רש״י מפרש במתניתין מטבילין כלי בתוך כלי בשניהם טמאים ולא נראה דהא אפי׳ בכלי שאין בפיו כשפופרת הנוד אם היו שניהם טמאים מהני שפיר דמגו דסלקא לחיצון והשתא לפי סברת רש״י איכא למימר דמצי למימר הכי איכא בינייהו חיצון אלא כח דהתירא עדיף ליה דאשכח אף בפנימית סלקא טבילה:

אבא שאול אומר לתרומה וכו׳. ל״ע אמאי לא שרינן בעבר והטביל והטבילן קאמר בעבר: שלא יהא בונה במה לעצמו ושורף פרה לעצמו. דהא לכך נאמנין ע״ה על שמירתה והכי תניא בתוספתא דחגיגה ר׳ יוסי אומר הכל נאמנין על שמירתה:

לא מקבלין מינייהו. רש״י פירש דבשעת הגיתות נאמנים לפי שחבירים מטהרין כליהן עברו הגיתות והבדים אמרינן דלא מהימן ול״נ דפותח בחביתו לא התירו אם לא סופו משום תחילתו כדקאמר ליה בפרק קמא דבילה (דף יא:) ואם היו טהורים בדין בלאו הכי נמי משתרי אלא משמע דחכמים ורבי יהודה שוין בטהורים כל ימות הרגל לחוד וכן משמע בש״ס (לקמן דף כו.) כל ישראל כאיש אחד חברים נעשו כולם חברים ברגל והכי משמע בתוספתא בסיפא:

כמאן מקבלין סהדותא מע״ה כרבי יוסי. הר״ר אלחנן אומר דקיימא לן כרבי יוסי וחיישינן לאיבה לפיכך מזמנין עכשיו בכל ע״ה אף על גב דאמרינן בברכות (דף מז:) אין מזמנים על ע״ה וגם רב מנשיא בר תחליפא לא רצה לזמן עליהם והר״י מפרש דלא כל הרוצה ליטול את השם להחזיק לעצמו כתלמיד חכם שלא לזמן על ע״ה בידו ליטול ואין אנו מחזיקים עצמנו כתלמיד חכם לענין זה:

ניחוש לשאלה. ל״ע מאי סלקא דעתך דהאי מקשה פשיטא דבעי טבילה משום מגע עם הארץ כלום:

וכחללה בשתי אצבעות חוזרות למקומן סבר לה כהא דאמר ר״נ אמר רבה בר אבוה [א] מעלות שנו כאן [ב] שש ראשונות בין לקודש בין לחולין שנעשו על טהרת הקודש אחרונות לקודש אבל לא לחולין שנעשו על טהרת הקודש מאי איכא בין דרבא לדר׳ אילא איכא בינייהו סל וגרגותני שמילאן כלים והטבילן למ״ד משום חציצה איכא למ״ד משום גזירה שמא יטביל מחטין וצינוריות בכלי שאין בפיו כשפופרת הנוד סל וגרגותני שאין בפיהן כשפופרת הנוד ליכא ואזדא רבא לטעמיה דאמר רבא סל וגרגותני שמילאן כלים והטבילן טהורין ומקוה שחלקו בסל וגרגותני הטובל שם לא עלתה לו טבילה דהא ארעא כולה חלחולי מחלחלא ובעינן דאיכא מ׳ סאה במקום אחד [ג] והני מילי בכלי טהור אבל בכלי טמא מיגו דסלקא טבילה לכוליה גופיה דמנא סלקא להו נמי לכלים דאית ביה [א] דתנן [ג] כלים שמילאן כלים והטבילן [ד] הרי אלו טהורין ואם לא טבל מים המעורבים עד שיהיו מעורבין כשפופרת הנוד מאי קאמר ואם לא טבל ה״ק ואם אינו צריך להטבילו [ב] ומים המעורבין עד שיהו מעורבין כשפופרת הנוד והא דרבא ודר׳ אילא תנאי היא דתניא [ג] הסל וגרגותני שמילאן כלים והטבילן בין לקודש בין לתרומה טהורין אבא שאול אומר לתרומה אבל לא לקודש אי הכי תרומה נמי למאן קאמרינן [ו] חברים חברים מידע ידעי א״ה קודש נמי חזי ליה ע״ה ואזיל מטביל תרומה נמי חזי ליה ע״ה ואזיל מטביל לא מקבלינן מינייהו קודש נמי לא נקביל מינייהו הויא ליה איבה תרומה נמי הויא ליה איבה לא איכפת ליה דאזיל יהיב ליה לכהן עם הארץ חבריה ומאן תנא דחייש לאיבה רבי יוסי היא דתניא א״ר יוסי מפני מה [ז] הכל נאמנין על טהרת יין ושמן כל ימות השנה כדי [°] שלא יהא כל אחד ואחד הולך ובונה במה לעצמו ושורף פרה אדומה לעצמו אמר רב פפא [ח] כמאן מקבלינן האידנא סהדותא מע״ה כמאן כרבי יוסי וניחוש לשאלה דתנן [ד] כלי חרס מציל על הכל [ה] דברי ב״ה ב״ש אומרים [ו] [ט] אינו מציל אלא על אוכלים ועל המשקים ועל כלי חרס אמרו להם ב״ה לב״ש מפני מה [ז] אמרו ב״ש [י] מפני שהוא טמא ע״ג ע״ה [כ] ואין כלי טמא חוצץ אמרו להם ב״ה והלא טיהרתם אוכלין ומשקין שבתוכו אמרו להם בית שמאי כשטיהרנו אוכלין ומשקין שבתוכו לעצמו

ה״מ בכלי טהור אבל בכלי טמא מגו דמהניא טבילה לחיצון מהני לפנימי ותירץ לו הר״ר אלחנן דמתניתין בחיצון טהור

מסורת הש״ס

א) מקוואות פרק ו מ״ב [וע״ש בר״ש וברמב״ם ובתוי״ט], ב) [במשנה דמקוואות איתא דלי שהוא מלא ולכך כתב הר״ש דהא דאיתא כאן הוא בריית׳ ע״ש ולפ״ד הר״ש יש לגרוס הכא דתניא אכן היא גופא ל״ע מ״מ לא הוזכ׳ הש״ס המשנה], ג) [תוספתא פ״ג], ד) עדיות פ״א מ״ד, ה) [במשנה איתא כדברי], ו) כלים פ״י מ״א, ז) אמרו להם כצ״ל.

הגהות הב״ח

(א) גמ׳ ומים המעורבין. נ״ב כלומר או מים המעורבים בשניהם צריך עירוב כשפופרת הנוד: (ב) רש״י ד״ה והני מילי הא דאמרינן: (ג) ד״ה על טהרת יין ושמן ומותר לקבל מידם: (ד) תום׳ ד״ה מאי איכא וכו׳ משמע לקמן דקאמר והני מילי:

גליון הש״ס

גמ׳ שלא יהא כל אחד ואחד הולך. ע׳ תוי״ט רפ״ה דפרה:

ליקוטי רש״י

חוזרות למקומן. מתפספסות בחלל הנקב כרוח [יבמות עו.]. שנעשו על טהרת הקודש. אדם הרגיל לאכול קדשים מקבל עליו לאכול חולין בטהרת הקודש כדי שיהו בני ביתו זהירין ונקיין בטהרת הקודש [לעיל יט:]. סל גדול שפופים בו יין מגת לבור וקורין קולדו״ר [גיטין נו:]. הוא כלי גדול שקשור בצנור והיין יורד מן הצנור לתוכו ומתוכו לבור כדי לסנן היין מזגין ותרכין [ע״ז נו:]. האידנא. עכשיו [סוכה יח:].

עין משפט נר מצוה

ה א מיי׳ פ״ב מהלכות אבות הטומאות ה״א: ו ב מיי׳ שם הלכה טז: ז ג ד ה מיי׳ שם הלכה א ופ״ג מהלכות מקוואות הלכה כו והלכה ח טוש״ע י״ד סימן רא סעיף ט: ח ו מיי׳ שם פ״ג הלכה כו ופ׳ יב מהלכות מטמאי משכב ומושב הלכה א: ט ז מיי׳ פי״א מהלכות מטמאי משכב ומושב הלכה א: י ח מיי׳ פי״א מהל׳ עדות הלכה ג ועי׳ שם בכ״מ טוש״ע ח״מ סימן לד סעיף יז: יא ט י כ מיי׳ פכ״ג מהלכות טומאת מת הלכה א:

רבינו חננאל

לתרתי משום מעלה אחת משום חציצה עשר ולרבא אחת עשרה. ואמרינן מאי איכא בין לר׳ אילא ובין רבא איכא בינייהו סל וגרגותני שמילאן כלים והטבילן שרבי אילא סבר כבידן חוצץ ואין טבילה עולה להן ורבא סבר כי אמרינן אין מטבילין בתוך כלים כגון כוסות בכוסות או כוסות בקערות וכיוצא בהן שיש בהן מי שפיהן צר וחיישינן דלמא אתי לאטבולי במי שפיו צר פחות מב׳ אצבעות שוחקות אבל סל וגרגותני פומייהו רווחן טובא ליכא למיחש דהא ליכא פומייהו מב׳ אצבעות ואזדא רבא לטעמיה דאמר סל וגרגותני שמילאן כלים והטבילן טהורין מקוה שחלקה בסל וגרגותני הטובל שם לא עלתה לו טבילה מפני שחולקת את המים ואינן נמצאין מ׳ סאה במקום אחד. ואי אמרת האיכא נקבים קטנים שהמים מבצבצין בהן כמו נביעת מים לא מטהרין כהאי גוונא דהא ארעא כולה חלחולי מחלחלא ובעינן עד דאיכא מ׳ סאה במקום אחד וה״מ (א) בכסל וגרגותני שהן טהורין אבל אם הן טמאין וצריך להטבילן מגו דסלקא להו טבילה סלקא נמי טבילה להני כלים דבגוויהו כמו הדלי דתנן במקוואות פ״ו דלי שהוא מלא כלים והטבילן הרי אלו טהורין אם לא טבל המים מעורבין עד שיהא מעורבין כשפופרת הנוד ותריצנה הכי אם לא טבל הכלי אלא הוא טהור וצריך להטבילן כמים מעורבין הן שאין כלי טמא חוצץ ועלתה טבילה לכלי. ואם הדלי טהור שאין צריך טבילה עד שיהו המים מעורבין מה שבמקוה עם המים שבתוך הדלי כשפופרת הנוד. ואם אין שם זה השיעור הדלי כיון שהיה טהור חולק המים כמין כותל בתוך המקוה. ואוקימנא לדר׳ אילא ודרבא כתנאי. ומקשה מ״ט לא חיישינן לתרומה אלא מטהרינן ובקודש לא מטהרינן דגזרינן בקודש שמא יטבול מחטין וצינוריות בכלי טהור שאין בפיו כשפופרת הנוד בתרומה נמי נגזור ופריק

רבא כי מטהרינן בהטבלה כלין בתוך כלין בתרומה לחבירים מטהרינן דידעי ולא אתו לאטבולי בכלי שאין בפיו כשפופרת הנוד. ומקשינן אי הכי קדש נמי נשרי ונימא לחבר שרינן ליה דידע ולא אתי למיטעא. ופרקינן […]

יב א ב מיי' פכ"ג מהלכות טומאת מת הלכה ב:
יג ג ד מיי' שם הל' א:
יד ה מיי' פי"א מהלכות פרה הלכה א:
טו ו מיי' פי"א מהלכות מטמאי משכב ומושב הלכה יב:
טז ז מיי' פט"ו מהל' טומאת אוכלין הלכה ג:
יז ח מיי' פי"א מהל' פרה אדומה הל' ג:
יח ט י מיי' פרק ז מהל' אבות הטומאות הלכה ג ופי"ב שם הל' ג ופי"ג מהלכות כלים הלכה ד:
יט כ ל מיי' פרק י"ב מהל' אבות הטומאו' הלכה ג:

רבינו חננאל

למימר דמטבילין להו משום דבטומאת מת פליגי דלאו טבילתו מטהרתו אלא צריך נמי הזאה שלישי ושביעי וכלים לשבעה יומי לא מושלי. זה שהיה רבי יהושע אומר בוש אני מדבריכם ב"ש שהיו אומרים אין כלי ע"ה טהור אלא לגבי אוכלין ומשקין וכלי חרס בלבד אבל כלי ע"ה הנוגע בו טמא מכלל שהכלי עצמו טמא. נמצא אשה שלשה בכלי ע"ה האשה והכלי טמאין והבצק טהור. נמצאו דברים הללו בלא טעם וכשפירש לו אותו תלמיד ב"ש טעם ב"ש ואמר לו כי טעמן של ב"ש מפני שכל כלי ע"ה בחזקת טומאה הן ואע"פ שהן צמיד פתיל וכלי שטף בתוכן כלי מתכת וכיוצא בהן שנמצא זה הכלי כיון שהוא צמיד פתיל חוצץ בפני הטומאה אינו מציל דכיון דבחזקת טומאה הוא קיי"ל אין כלי טמא חוצץ וכי תאמר אי הכי אפילו אוכלים ומשקין נמי ליהוו טמאין. אמר לך ב"ש אוכלין ומשקין דלעצמן הוא מפני שהוא צריך לאכול אתם אם תאמר לו אינם טהורין אינו מקבל ממך שאני (אני) וכליי טהורין מכם הלכך אוכלין ומשקין דלעצמו הן שאין חבר מתארח אצל ע"ה ורואי אוכל מטמאין ואם אוכל אתם והם טמאין דינו מסור לשמים אבל בכלים שאנו שואלים מהם חיישינן ומחזקינן להו בטומאה דע"ה לא מהימן בטהרות. חזר ר' יהושע ואמר נעניתי לכם עצמות ב"ש כו'. ומקשינן וכי ע"ה אם יאמר כי אני הטבלתי הכלים הללו אינו נאמן דאמרת כי שאלינן מינייהו מטבלינן להו. והתנן נאמנים ע"ה על טהרת טבילות טמא מת ופריק אביי כי תניא ההיא דנאמן בגופו וכי אמרינן דאינו נאמן בכליו. רבא אמר הא והא בכליו. והא דתניא נאמן באומר לא הטבלתי כלי בתוך כלי מעולם וכי האי שאלינן מינייהו מטבילינן להו. אבל אם אמר הין כלי בתוך כלי הטבלתים והוה בפי הכלי רוחב כב' אצבעות שוחקות כי האי גוונא לא מקבלינן מיניה אפילו בתרומה. וכדתניא נאמן ע"ה לומר פירות הללו לא הוכשרו כלל כלומר לא ניתנו עליהן מים מעולם אבל אין נאמנים לומר

כלום משגיח בך. פרש"י אבל כלי שטף ישמע שפיר ויטבול ותימה היא למה ישמע בזה טפי מבאוכלים ומשקין ואי משום דלית להו טהרה במקוה משקין מאי איכא למימר הרי יכול להשיקן ועוד כי מסקינן דמטבלינן להו ואי לצורכן למה יטבול להו טפי מכלי חרס אלא נראה לפרש כלום משגיח בך לפיכך לא ישאול לעולם אבל לא על כלי שטף שישאלם מהם ולעולם טמאין לחברים:

טמא מת הזאה ג' ושביעי. בהכי לעיל דקאמר כי שיילינן מטבילין ז) ודנפלה מעפורת ממנו ובבנות כותים (נדה דף לג: ושם) שטבל ודרס אבגדי חבר דלא טמאו אלא משום עם הארץ ולא חיישינן אטומאת מת כיון דלא שכיחי לא גזרינן ליה:

ואטבילה לא מהימני והתניא נאמן עם הארץ לומר כו'. פרש"י כיון דאמר השואל ממנו צריך להטביל אלמא לא מהימן אטבילה וקשיא להר"ר אלחנן מאי פריך ליה ממתני' דנאמן אטומאת מת הא ע"כ לא קאמר השואל צריך להטביל רק טומאת ערב אבל טומאת ז' לא קאמר דכלי לז' לא מושלי אינשי כדמסיק ותירץ מורי דקאי אהא דקאמר נהדרו ב"ה לב"ש דמטבילין לכלים ומסיק דלא דמי דכיון דמטמא בית שמאי מטעם שאין כלי חרס מציל מטומאת אהל א"כ בעי הזאה ג' וז' ואם נשתמש בכליהם נאמן שהם נאמנים להציל על הכל שלא נטמאו במת ואמטו להכי פריך אטבילת טמא מת לטהרת כליו בטבילה ממגע טמא מת דקאמרת שבשאר טומאות מטבילין לפי שהוא טומאת ערב אבל הכא בעי הזאה לכך לא אהדרי תו ב"ה לב"ש דלא מהני מידי טבילה לדברי ב"ש דחיישינן בכלים שלא הציל עם הארץ אותו מטומאת אהל ולהכי פריך למימרא דלא מהימן לומר שהצילם מאהל והא תניא נאמן כו':

מתוך חומר שהחמרת עליו בתחלתו הקלת עליו בסופו. פירש רש"י תחילתו הזאתו סופו טבילה ולא יצטרך עוד לחזור ולטבול וצ"ע דניליף מק"ו מה כלים שאין נאמן על טבילתן נאמן על הזאתן גופו שנאמן על טבילתו אינו דין שנאמן על הזאתו ואמר מורי דעד כאן לא מהימן בהזאת כלים אלא כשבא לפנינו ואמר שלא נטמאו במת דלא שכיח אבל אם בא להזות אינו נאמן אפי' בלא גופו ותניא נמי הכי בתוספתא ע"ה שבא להזות מזין עליו ועל כליו אחר ג' ימים י"מ תחילתו בא להזות סופו אומר הזיתי אך היה להם למיגרס טהרת מת ואילו בתוספתא תניא טבילת מת:

כלי שנטמא אחוריו במשקין. דמדאורייתא אין אוכל ומשקה מטמא כלי ורבנן הוא דגזור משום משקה זב וזבה כדאיתא בנדה (דף ז:) ועבוד ביה רבנן היכרא לגביה כי היכי דלא לישרוף עליה תרומה וקדשים כדאמרינן פרק אלו מומין (בכורות דף לח. ושם):

מקום שנקיי הדעת צובעין. פרש"י חוקקין בשולי הקערה בית קיבול והגובה סביב ונותנין בתוך הקיבול חומץ וחרדל והקשה הר"ר אלחנן א"כ לתרומה תטמא כולה כיון דלאיטמי החקק מי גרע מתוך תוכו וצריך לדחוק ולומר דהכי פי' המתני' אחורים ותוך ובית הצביטה אם נטמא אחוריו לא נטמא תוכו ובית הצביטה נטמא תוכו ובית הצביטה נטמא אחוריו א"כ לפירוש זה רב יהודה אמר שמואל ורב אסי חלוקין הן בפירוש המשנה וצ"ע:

לעצמו טהרנו אבל נטהר את הכלי שטהרתו לך ולו תניא א"ר יהושע בושני מדבריכם ב"ש אפשר אשה לשה בעריבה אשה ועריבה טמאין שבעה ובצק טהור לוגין מלא משקין [לוגין] טמא טומאת שבעה ומשקין טהורין נטפל לו תלמיד אחד מתלמידי ב"ש אמר לו אומר לך טעמן של ב"ש אמר לו אמור אמר לו כלי טמא חוצץ או אינו חוצץ א"ל אינו חוצץ כלי של עם הארץ טמא או טהור אמר לו טמא ואם אתה אומר לו טמא כלום משגיח עליך ולא עוד אלא שאם אתה אומר לו טמא אומר לך שלי טהור ושלך טמא וזהו טעמן של ב"ש מיד הלך ר' יהושע ונשתטח על קברי ב"ש אמר נעניתי לכם עצמות ב"ש ומה סתומות שלכם כך מפורשות על אחת כמה וכמה אמרו כל ימיו הושחרו שיניו מפני תעניותיו קתני מיהת לך ולו אלמא שאלינן מינייהו כי שיילינן מינייהו מטבלינן להו אי הכי ניהדרו להו ב"ה לב"ש כי שאלינן מינייהו מטבלינן להו טמא מת בעי הזאה ג' וז' ומנא לז' יומי לא מושלי אינשי ואטבילה לא מהימני והתניא נאמנין עמי הארץ על טהרת טבילת טמא מת אמר אביי ל"ק הא בגופו הא בכליו רבא אמר אידי ואידי בכליו ולא קשיא הא דאמר מעולם לא הטבלתי כלי בתוך כלי והא דאמר הטבלתי אבל לא הטבלתי בכלי שאין בפיו כשפופרת הנוד והתניא נאמן עם הארץ לומר פירות לא הוכשרו אבל אינו נאמן לומר פירות הוכשרו אבל לא נטמאו ואגופו מי מהימן והתניא חבר שבא להזות מזין עליו מיד עם הארץ שבא להזות אין מזין עליו עד שיעשה בפנינו שלישי ושביעי אלא אמר אביי מתוך חומר שהחמרת עליו בתחילתו הקלת עליו בסופו: אחורים ותוך: מאי אחורים ותוך כדתנן כלי שנטמא אחוריו במשקין אחוריו טמאין תוכו אוגנו אזנו וידיו טהורין נטמא תוכו כולו טמא: ובית הצביטה וכו': מאי בית הצביטה א"ר יהודה אמר שמואל מקום שצובטו וכן הוא אומר ויצבט לה קלי רבי אסי א"ר יוחנן מקום שנקיי הדעת צובעין תני רב ביבי קמיה דר"נ כל הכלים אין להם אחורים ותוך אחד קדשי המקדש ואחד קדשי הגבול א"ל קדשי הגבול מאי נינהו תרומה והתנן אחורים ותוך ובית הצביטה לתרומה דלמא לחולין שנעשו על טהרת הקודש קאמרת אדכרתן מילתא דאמר רבה בר אבוה אחת עשרה מעלות שנו כאן שש ראשונות בין לקודש בין לחולין שנעשו על טהרת הקודש אחרונות לקודש אבל לא לחולין שנעשו על טהרת הקודש: הנושא את המדרס נושא את התרומה אבל לא את הקודש: קודש מאי טעמא לא משום מעשה שהיה דאמר רב יהודה אמר שמואל מעשה באחד שהיה מעביר חבית של יין קודש ממקום למקום ונפסקה

לעצמו טהרנו. הוא יאכלם שהרי החברים בדלין מהן וממגען ובלאו הכי מאכלו טמא: טהרת לך ולו. שמא תשאלנו ותשמש בו: אשה לשה בעריבה. בעלייה זו: כלום משגיח עליך. לפיכך טהרו לו ב"ש אוכלין ומשקין וכלי חרס שאין להן טהרה אלא שבירתן ואם באת לאוסרן עליו לא ישמע לך אבל בכלי שטף ישמע לך ויטבילנו: מטבילין להו. שמא הטבילם כלי בתוך כלי: ואטבילה לא מהימני. דאמר השואל ממנו צריך להטביל: בגופו. מהימן: והתניא. בניחותא: לא הוכשרו. לא נראו לטומאה: חבר שבא להזות. ואמר ראוי לקבל הזאה ראשונה שכבר עברו ג' ימים לטומאתו שהיום יום ג': מתוך חומר שהחמרת עליו בתחילה. כשבא לפניך להזאותיו ולא האמנתו הקלת עליו בסופו להאמינו על הטבילה לפי שהוא נזהר בטבילתו שלא יצטרך לו עוד: כלי שנטמאו אחוריו. כלי עץ או של מתכת קאמר שמטמאין מגבן: במשקין. דטומאה דרבנן היא דמדאורייתא אין אוכל ומשקה מטמא כלי שאין כלי מקבל טומאה אלא מאב הטומאה וגזרו חכמים שיהו משקין מטמאין כלי לפי שיש משקה שהוא אב הטומאה ומטמא כלי מן התורה כגון רוקו של זב ומימי רגליו הלכך הואיל וטומאה זו מדברי סופרים אחוריו טמאין ושאר תשמישין שבו טהורים דעבדו רבנן היכר להודיע שטומאה זו מדבריהם ולא ישרפו עליה תרומה וקדשים כך היא מפורשת במסכת נדה פ"ק: אוגנו. שפתו הכפולה לצד חוץ וראוי לתשמיש: אזנו. כגון אוזן החבית: וידיו. כלי שיש לו בית יד כגון מחבת: נטמא תוכו. אפי' בטומאה דרבנן כולו טמא: שצובטו. שאוחז בו ומושיטו לאחרים: ויצבט לה קלי. תרגום ואושיט לה: נקיי הדעת. אסתניסים: צובעין. מטבילין אוכלין בחרדל או בחומץ שחוקקין בשולי הקערה בית קיבול לעצמו וגובה לו סביב ונותנין שם חומץ וחרדל: אין להן אחורים. אין חילוק (א) להם של אחורים ותוך אלא משנטמא אחד מהן הכל טמא בין לקדשי המקדש בין לקדשי הגבול: תרומה. הנאכלת בכל גבול א"י: דלמא. האי קדשי גבול חולין שנעשו על טהרת קודש קאמרת וע"י משנתך זו הוזכרתי דבר ששמעתי מרבה בר אבוה רביה דרב נחמן: ונפסקה

א) [תוספתא דאהלות פ"ה], ב) [אהלות פ"ה מ"ד], ג) [שם במשנה ולקמן כו.], ד) [נזיר נג:], ה) ברכות נב. כלים פכ"ה מ"ז נדה ז:, ו) בכורות לח., ז) [עי' פירוש נכון בערוך ערך [בית] צבע], ח) [לעיל כ.].

הגהות הב"ח

(א) רש"י ד"ה אין להם אחוריים אין חילוק של אחוריים ותוך להם אלא:

תורה אור השלם

א) ויאמר לה בעז לעת האכל גשי הלם ואכלת מן הלחם וטבלת פתך בחמץ ותשב מצד הקצרים ויצבט לה קלי ותאכל ותשבע ותתר: [רות ב, יד]

ליקוטי רש"י

לוגין. גדול מכוס וקטן מחבית [שבת קלט:]. לוגין מלא משקין. כלי חרס המלא את המשקין שבתוכו ואין מציל על כלי שטף שבלגין טמאין טומאת שבעה והמשקין טהורין [לקמן כו.]. נטפל. נתקרב [עירובין סד:]. נעניתי לכם. דברתי לכם [ברכות כח.]. דברתי יותר מדאי [כתובות סז:]. כלי שנטמא אחוריו במשקין. כלי שטף קאמר דאילו כלי חרס אין מטמאין מגבן אפילו בטומאה דאורייתא. שנטמא אחוריו במשקין. אין לך משקה שאינו ראשון לטומאה שאף שם נגע בשרץ עשאוהו חכמים תחלה. אחוריו טמאין. אף על פי שאין אוכלין וכלים מקבלין טומאה מן התורה אלא מאב הטומאה גזרו חכמים שיהו משקין מטמאין כלים מפני משקה שהוא אב הטומאה כגון רוקו של זב ומימי רגליו [ברכות נב.]. תוכו אוגנו אזנו וידיו טהורין. דכיון דטומאה זו דרבנן היא עבדו בה היכירא כי היכי דלא לישרוף עליה תרומה וקדשים [בכורות לח.]. אוגנו. שפתו הכפולה לצד חוץ [שם]. אזנו. כמו אזן החבית [בכורות לח.]. ויצבט לה קלי. ויושט לה [illegible]

הוכשרו אבל לא נטמאו הכא נמי נאמן לומר לא הטבלתי כלי בתוך כלי מעולם [אבל] לומר הטבלתי כלי בתוך כלי שפיו רחב כשפופרת הנוד אינו נאמן. ואקשינן ואגופיה מי מהימן. והתניא חבר שבא להזות ואמר היום יום שלישי הוא לטומאתי מזין עליו מיד. עם הארץ אין מזין עליו עד שיעשה שלישי ושביעי בפנינו [illegible]

חשק שלמה על ר"ח א) עי' בערוך ערך בית צבע.

לְעַצְמוֹ טִהַרְנוּ – IT WAS only FOR the *am haaretz* HIMSELF THAT WE DECLARED them *TAHOR*.[1] אֲבָל נְטַהֵר אֶת הַכְּלִי – BUT SHALL WE also DECLARE *TAHOR* THE non-earthenware VESSEL protected by the earthenware, שֶׁטָּהֳרָתוֹ לְךָ וְלוֹ – WHOSE *TAHARAH* pertains both TO YOU [the *chaver*] AND TO HIM [the *am haaretz*]?[2]

Before articulating its question, the Gemara cites a related Baraisa:

תַּנְיָא – **It was taught in a Baraisa:** אָמַר רַבִּי יְהוֹשֻׁעַ – R' YEHOSHUA SAID: בּוֹשְׁנִי מִדִּבְרֵיכֶם בֵּית שַׁמַּאי – I AM ASHAMED OF YOUR WORDS, BEIS SHAMMAI![3] אֶפְשָׁר אִשָּׁה לָשָׁה בַּעֲרֵיבָה – IS IT POSSIBLE that A WOMAN on the upper floor of the house whose hatchway is blocked by the earthenware vessel[4] KNEADS dough IN A TROUGH[5] אִשָּׁה וַעֲרֵיבָה טְמֵאִין שִׁבְעָה – and THE WOMAN AND TROUGH ARE *TAMEI* for SEVEN days, וּבָצֵק טָהוֹר – BUT THE DOUGH itself remains *TAHOR*?! לוּגִין[6] מָלֵא מַשְׁקִין – And similarly, is it possible in the case of A FLASK FULL OF BEVERAGES that is situated on this upper floor of the house [לוּגִין] טָמֵא טוּמְאַת שִׁבְעָה – that THE FLASK IS *TAMEI* with A *TUMAH* OF SEVEN days, וּמַשְׁקִין טְהוֹרִין – BUT THE BEVERAGES inside the flask remain *TAHOR*?![7] נִטְפַּל לוֹ תַּלְמִיד אֶחָד מִתַּלְמִידֵי בֵּית שַׁמַּאי – A CERTAIN DISCIPLE AMONG THE DISCIPLES OF BEIS SHAMMAI ENGAGED [R' YEHOSHUA] in discourse אָמַר לוֹ – and SAID TO HIM: אוֹמַר לְךָ טַעְמָן שֶׁל בֵּית שַׁמַּאי – Permit me and I WILL TELL YOU BEIS SHAMMAI'S REASON for their ruling. אָמַר לוֹ אֱמוֹר – [R' YEHOSHUA] SAID TO HIM: SPEAK. אָמַר לוֹ – [THE DISCIPLE] SAID TO HIM: כְּלִי טָמֵא חוֹצֵץ אוֹ אֵינוֹ חוֹצֵץ – A VESSEL THAT IS already *TAMEI* – DOES IT INTERPOSE between a corpse and things that are *tahor* OR DOES IT NOT INTERPOSE? אָמַר לוֹ אֵינוֹ חוֹצֵץ – [R' YEHOSHUA] SAID TO HIM: IT DOES NOT INTERPOSE. כְּלִי שֶׁל עַם הָאָרֶץ טָמֵא אוֹ טָהוֹר – Continued the disciple: THE VESSEL OF AN *AM HAARETZ* – IS IT *TAMEI* OR *TAHOR*? אָמַר לוֹ טָמֵא – [R' YEHOSHUA] SAID TO HIM: IT IS *TAMEI*. וְאִם אַתָּה אוֹמֵר לוֹ טָמֵא – Said the disciple: AND IF YOU WERE TO TELL HIM [the *am haaretz*] that IT IS *TAMEI*, כְּלוּם מַשְׁגִּיחַ עָלֶיךָ – WOULD HE PAY ANY ATTENTION TO YOU? Certainly not! וְלֹא עוֹד – AND NOT ONLY THAT, אֶלָּא שֶׁאִם אַתָּה אוֹמֵר לוֹ טָמֵא – BUT IF YOU WERE TO TELL HIM that IT IS *TAMEI*, אוֹמֵר לְךָ – HE WOULD SAY TO YOU in angry response: שֶׁלִּי טָהוֹר וְשֶׁלְּךָ טָמֵא – MINE IS *TAHOR*, AND *YOURS* IS *TAMEI*! וְזֶהוּ טַעְמָן שֶׁל בֵּית שַׁמַּאי – AND THAT IS BEIS SHAMMAI'S REASON.[8] מִיָּד הָלַךְ רַבִּי יְהוֹשֻׁעַ – IMMEDIATELY, R' YEHOSHUA WENT וְנִשְׁתַּטַּח עַל קִבְרֵי בֵּית

NOTES

1. A *chaver* refrains in any event from the *am haaretz's* food and drink, which the *chaver* deems to be *tamei* [regardless of whether or not it contracted *tumah* from the corpse in this particular case]. Our declaring *tahor* the *am haaretz's* foodstuffs and beverages, then, affects only the *am haaretz* who will eat them (*Rashi*). [See *Mishnah Acharonah* to *Keilim* 9:2 (in a slightly different context), who, while conceding the futility of declaring something *tamei* for an *am haaretz,* nonetheless questions the propriety of declaring it *tahor* for him.]

2. The status of the *am haaretz's* non-earthenware vessel affects a *chaver* as well, since he might borrow the *am haaretz's* vessel and use it (*Rashi*). [As the Gemara will explicate below, we see from here that *chaverim* do indeed borrow non-earthenware vessels from *amei haaretz.*]

[Beis Shammai's reason, then, is as follows: *Chaverim* will borrow the non-earthenware vessels of an *am haaretz,* and use them, after immersing them to purify them from the *tumah* decreed on *amei haaretz.* (The *chaverim* cannot borrow the earthenware vessels of an *am haaretz* or his food, however, since there is no way to purify these items from the *tumah* decreed on *amei haaretz.*) Therefore, the Rabbis had to ensure that these non-earthenware vessels borrowed from the *am haaretz* would be free of corpse *tumah.* (For, as the Gemara will explain below, people do not generally lend their vessels for seven days – the time that would be required to purify the borrowed vessel from corpse *tumah.* And – as explained by *Raavad* to *Eduyos* ad loc. – the Rabbis could not simply decree that a *chaver* should not borrow any vessels from an *am haaretz,* as this would create undue hardship on the *chaver,* who would then not be able to obtain sufficient vessels for his use.) The Rabbis accomplished this by decreeing that the *am haaretz's* earthenware vessel shall not protect from corpse *tumah.* In this way, we need not be concerned that the *am haaretz* will lend us a vessel of his that was protected by his earthenware vessel (which we deem *tamei*) in a house containing a corpse. For the *am haaretz* will adhere to our rule that his earthenware vessels do not protect non-earthenware vessels. Thus, when lending his non-earthenware vessel, he will truthfully represent whether it had never been in a house containing a corpse, or whether it had been and had become *tamei* even though it was protected by an earthenware vessel. And if it has become *tamei,* he will apprise us of its status, or have it sprinkled upon and purified (see *Siach Yitzchak* [to *Tosafos*] ד״ה בא״ד ועוד כי מסקי; see also *Tosafos* below ד״ה מתוך חומר and *Siach Yitzchak* there). The Rabbis did not have to similarly decree that the *am haaretz's* earthenware vessel shall not protect foods and other earthenware, because the *chaver* will not borrow these things from an *am haaretz* in any event. [And, in fact, it would be *counterproductive* for the Rabbis to decree that the *am haaretz's* earthenware should not protect his food and earthenware – see below, note 8.]

3. [R' Yehoshua was rhetorically "addressing" the sages of Beis Shammai, who had long since died.]

R' Yehoshua was responding to the ruling of Beis Shammai recorded in the Mishnah in *Eduyos* (*Tos. Shantz* to *Eduyos* ad loc.).

4. *Rashi.*

5. I.e. a non-earthenware trough. Likewise, the flask mentioned below refers to one not made of earthenware (see *Meiri*).

6. [*Rashash* emends this to read: לָגִין. See also *Dikdukei Soferim* §3.]

7. These are two rulings that emerge from Beis Shammai's view, and are in fact stated explicitly in *Oholos* 5:4 (*Siach Yitzchak*). The non-earthenware trough and the woman kneading the dough contract *tumah* from the corpse [as the earthenware vessel in the hatchway does *not* serve to shield them], whereas the dough (a food) that she is kneading in the trough does *not* contract *tumah* from the corpse [as the earthenware vessel in the hatchway *does* serve to shield it]. Similarly, the non-earthenware flask is *not* shielded by the earthenware blocking the hatchway, whereas the contents of the flask *are* shielded. [Even though the *tamei* woman, trough and flask are touching the food and beverage, Beis Shammai have to rule that the food and beverage do not contract *tumah* from the *tamei* person or vessel in contact with them. Otherwise, Beis Shammai's ruling that the food and beverage are shielded by the earthenware vessel would be all but irrelevant, since they would contract *tumah* from the person or vessel in contact with them in any event (see *Meiri*).]

R' Yehoshua asks why Beis Shammai are inconsistent, ruling that the very earthenware utensil that does not protect (because it is deemed *tamei*) the woman or non-earthenware trough or flask does protect the dough or contents of the flask.

8. That is, the *am haaretz* will not accept that his foods, drinks and earthenware vessels are not protected by the earthenware vessel and thus contaminated with corpse *tumah,* as the *tumah* of these items can never be removed. But he will accept that his non-earthenware vessels are not protected and thus contaminated with corpse *tumah* [for these can be purified through sprinkling with *mei chatas* and immersion]. Thus, the *chaver* who borrows the non-earthenware vessel from the *am haaretz* need only immerse it [to purify it from the *tumah* decreed on *amei haaretz*] (*Rashi,* as explained by *Siach Yitzchak* [to *Tosafos*] ד״ה בא״ד ועוד כי מסקי; see also *Rosh Mashbir*).

[In other words: The *am haaretz* knows the Biblical law that an earthenware vessel which is *tahor* protects from corpse *tumah.* And he will not accept that his earthenware vessel (which *he* deems to be *tahor*) does not protect his food and other earthenware from corpse *tumah,* since he would have no way of purifying these items. But he will accept that his earthenware does not protect his non-earthenware vessels, since he has the option of purifying them through sprinkling with *mei chatas* and immersion. Therefore, although by rights we should rule that the *am haaretz's* earthenware vessel (which we deem to be *tamei*) protects *nothing,* issuing that ruling would simply cause the *am haaretz* to disregard our ruling entirely, with the result that we would be unable to borrow and use any of his non-earthenware vessels (out of concern that they are contaminated with corpse *tumah*). The only way of ensuring the *am haaretz's* cooperation to be truthful with us and inform us whether the non-earthenware vessel we wish to borrow from him was

לעצמו טהרנו אבל נטהר את הכלי שטהרתו לך ולו תניא א"ר יהושע בושני מדבריכם ב"ש אפשר אשה לשה בעריבה אשה ועריבה טמאין שבעה ובצק טהור לוגין מלא משקין [לוגין] טמא טומאת שבעה ומשקין טהורין נטפל לו תלמיד אחד מתלמידי ב"ש אמר לו אומר לך טעמן של ב"ש אמר לו אמור אמר לו כלי טמא חוצץ או אינו חוצץ א"ל אינו חוצץ כלי של עם הארץ טמא או טהור אמר לו טמא ואם אתה אומר לו טמא כלום משגיח עליך ולא עוד אלא שאם אתה אומר לו טמא אומר לך שלי טהור ושלך טמא וזהו טעמן של ב"ש מיד הלך ר' יהושע ונשתטח על קברי ב"ש אמר נעניתי לכם עצמות ב"ש ומה סתומות שלכם כך מפורשות על אחת כמה וכמה אמרו כל ימיו הושחרו שיניו מפני תעניותיו קתני מיהת לך ולו אלמא שאלינן מינייהו כי שיילינן מינייהו מטבלינן להו אי הכי ניהדרו להו ב"ה לב"ש כי שאלינן מינייהו מטבלינן להו טמא מת בעי הזאה ג' וז' ומנא לן יומי לא מושלי אינשי ואטבילה לא מהימני והתניא נאמנין עמי הארץ על טהרת טבילת טמא מת אמר אביי ל"ק הא בגופו הא בכליו רבא אמר אידי ואידי בכליו ולא קשיא הא דאמר מעולם לא הטבלתי כלי בתוך כלי והא דאמר הטבלתי בכלי אבל לא הטבלתי בכלי שאין בפיו כשפופרת הנוד והתניא נאמן עם הארץ לומר פירות לא הוכשרו אבל אינו נאמן לומר פירות הוכשרו אבל לא נטמאו ואגופו מי מהימן והתניא חבר שבא להזות מזין עליו מיד עם הארץ שבא להזות אין מזין עליו עד שיעשה בפנינו שלישי ושביעי אלא אמר אביי מתוך חומר שהחמרת עליו בתחילתו הקלת עליו בסופו: אחורים ותוך כדתנן כלי שנטמא אחוריו במשקין אחוריו טמאין תוכו אוגנו אזנו וידיו טהורין נטמא תוכו כולו טמא: ובית הצביטה וכו': מאי בית הצביטה א"ר יהודה אמר שמואל מקום שצובטו וכן הוא אומר ויצבט לה קלי רבי אסי א"ר יוחנן מקום שנקיי הדעת צובעין תני רב ביבי קמיה דר"נ כל הכלים אין להם אחורים ותוך אחד קדשי המקדש ואחד קדשי הגבול א"ל קדשי הגבול מאי ניניהו תרומה והתנן אחורים ותוך ובית הצביטה לתרומה דלמא לחולין שנעשו על טהרת הקודש קאמרת אדכרתן מילתא דאמר רבה בר אבוה אחת עשרה מעלות שנו כאן שש ראשונות בין לקודש בין לחולין שנעשו על טהרת הקודש אחרונות לקודש אבל לא לחולין שנעשו על טהרת הקודש: הנושא את המדרס נושא את התרומה אבל לא את הקודש: קודש מאי טעמא לא משום מעשה שהיה דאמר רב יהודה אמר שמואל מעשה באחד שהיה מעביר חבית של יין קודש ממקום למקום
ונפסקה

רש"י

לעצמו טהרנו. הוא יאכלם שהרי החברים בדלין מהן וממגען ובלאו הכי מאכלו טמא: טהרת לך ולו. שמא תשאלנו ותשמש בו: אשה לשה בעריבה. בעלייה זו: כלום משגיח עליך. לפיכך טהרו לו ב"ש אוכלין ומשקין וכלי חרס שאין להן טהרה אלא שבירתן ואם באת לאוסרן עליו לא ישמע לך אבל כלי שטף ישמע לך ויטבילנו: מטבילין להו. שמא הטבילם כלי בתוך כלי: ואטבילה לא מהימני. דאמר השואל ממנו צריך להטביל: בגופו. מהימן: והתניא. בניחותא: לא הוכשרו. לא נראו לטומאה: חבר שבא להזות. ואמר ראוי לקבל הזאה לראשונה שכבר עברו ג' ימים לטומאתו שהיום יום ג': מתוך חומר שהחמרת עליו בתחילה. כשבא לפניך להזאותיו ולא האמנתו הקלת עליו בסופו להאמינו על הטבילה לפי שהוא זהיר בטבילתו שלא יצטרך לו עוד: כלי שנטמאו אחוריו. כלי עץ או של מתכת קאמר שמטמאין מגבן במשקין. דטומאה דרבנן היא דמדאורייתא אין אוכל ומשקה מטמא כלי שאין כלי מקבל טומאה אלא מאב הטומאה וגזרו חכמים שיהו משקין מטמאין כלי לפי שיש משקה שהוא אב הטומאה ומטמא כלי מן התורה כגון רוקו של זב ומימי רגליו הלכך הואיל וטומאה זו מדברי סופרים אחוריו טמאין ושאר תשמישין שבו טהורים דעבדו רבנן היכר להודיע שטומאה זו מדבריהם ולא ישרפו עליה תרומה וקדשים כך היא מפורשת במסכת נדה פ"ק: אוגנו. שפתו הכפולה לצד חוץ וראוי לתשמיש: אזנו. כגון אוזן החבית. וידיו. כלי שיש לו בית יד כגון מחבת: נטמא תוכו. אפי' בטומאה דרבנן כולו טמא: שצובטו. שאוחזו בו ומושיטו לאחרים: ויצבט לה קלי. תרגום ומושיט לה: נקיי הדעת. אסטניסים: צובעין. מטבילין אוכלין בחרדל או בחומץ שחוקקין בשולי הקערה בית קיבול לעצמו וגובה לו סביב ונותנין שם חומץ וחרדל: אין להן אחורים. אין חילוק (א) להם של אחורים ותוך אלא משנטמא אחד מהן הכל טמא בין לקדשי המקדש בין לקדשי הגבול: תרומה. הנקראת בכל גבול א"י: דלמא. האי קדשי גבול חולין שנעשו על טהרת קודש קאמרת וע"י משנתך זו הזכרתי דבר ששמעתי מרבה בר אבוה רביה דרב נחמן: ונפסקה

תוספות

כלום משגיח בך. פרש"י אבל כלי שטף ישמע שפיר ויטבול ותימה היא למה ישמע בזה טפי מבאוכלים ומשקין מאי איכא למימר הרי יכול להשיקן ועוד כי משקין להו ולאו לצורכן למה יטבול להו משום דלית להו טהרה במקום משקין טפי מכלי חרס אלא נראה לפרש כלום משגיח בך לפיכך לא ישאלם לעולם אבל לא על כלי שטף שישאלם מהם ולעולם טמאין לחברים:

טמא מת הזאה ג' ושביעי. בהכי לעיל דקאמר כי שיילינן מטבלינן ודנפלה מעפורת ממנו ובבנות כותים (נדה דף לג: ושם) שטבל ודרס אבגדי חבר דלא טמאו אלא משום עם הארץ ולא חיישינן לטומאת מת כיון דלא שכיחי לא גזרינן ליה:

ואטבילה לא מהימני והתניא נאמן עם הארץ לומר כו'. פרש"י כיון דאמר השואל ממנו צריך להטביל אלמא לא מהימן אטבילה וקשיא להר"ר אלחנן מאי פריך ליה ממתני' דנאמן לטומאת מת הא ע"כ לא קאמר השואל צריך להטביל רק טומאת ערב אבל טומאת ז' לא קאמר דכלי לז' לא מושלי אינשי כדמסיק ומירך מורי דקאי אהא דקאמר ונהדרו ב"ה לב"ש דמטבילין לכלים ומסיק דלא דמי דכיון דמטמאת בית שמאי מטעם שאין כלי חרס מציל מטומאת אהל א"כ בעי הזאה ג' וז' ואם נשתמש בכליהם נאמן שהם נאמנים להציל על הכל שלא נטמאו במת ולאמתו הכי פריך אטבילת טמא מת לטהרת כליו בטבילה ממגע טומאת מת דקאמרת שבשאר טומאות מטבילין לפי שהוא טומאת ערב אבל הכא בעי הזאה לכך לא אהדרו ב"ה לב"ש דלא מהני מידי טבילה לדברי ב"ש דחיישינן בכלים שלא הציל עם הארץ אותו מטומאת אהל ולהכי פריך למימרא דלא מהימן לומר שהצילם מאהל והא תניא נאמן כו':

מתוך חומר שהחמרת עליו בתחלתו הקלת עליו בסופו. פירש רש"י תחילתו הזאתו סופו טבילה ולא יצטרך עוד לחזור ולטבול וצ"ע דנילף מק"ו מה כלים שאין נאמן על טבילתן נאמן על הזאתן גופו שנאמן על טבילתו אינו דין שנאמן על הזאתו ואמר מורי דעד כאן לא מהימן בהזאת כלים אלא כשבאת לפנינו ואמר שלא נטמאו במת דלא שכיח אבל אם בא להזות אינו נאמן אפי' בלא גופו ותניא נמי הכי בתוספתא ע"ה שבא להזות מזין עליו ועל כליו אחר ג' ימים י"מ תחילתו בא להזות סופו אומר הזיתי אך היה להם למיגרס טהרת מת ואולי בתוספתא תניא טבילת מת:

כלי שנטמא אחוריו במשקין. דמדאורייתא אין אוכל ומשקה מטמא כלי ורבנן הוא דגזור משום משקה זב וזבה כדאיתא בנדה (דף ז:) ועבוד ביה רבנן היכרא לגביה כי היכי דלא לישרוף עליה תרומה וקדשים כדאמרינן פרק אלו מומין (בכורות דף לח. ושם):

מקום שנקיי הדעת צובעין. פרש"י חוקקין בשולי הקערה בית קיבול והגובה סביב ונותנין בתוך הקיבול חומץ וחרדל והקשה הר"ר אלחנן א"כ לתרומה תטמא כולה כיון דלאיטמי החקק מי גרע מתוך וצריך לדחוק ולומר דהכי פי' המתני' אחורים ותוך הצביטה אם נטמא אחוריו לא נטמא תוכו ובית הצביטה נטמא אחוריו א"כ לפירוש זה רב יהודה אמר שמואל ורב אסי חלוקין הן בפירוש המשנה וצ"ע:
ונפסקה

עין משפט נר מצוה

יב א ב מיי' פכ"ג מהלכות טומאת מת הלכה ג:
יג ג ד מיי' שם הל' א:
יד ה מיי' פי"א מהלכות פרה הלכה א:
טו ו מיי' פי"א מהלכות מטמאי משכב ומושב הלכה יב:
טז ז מיי' פט"ו מהל' טומאת אוכלין הלכה ב:
יז ח מיי' פ"ח מהל' פרה אדומה הל' ב:
יח ט י מיי' פרק ז מהל' אבות הטומאות הלכה ג ופי"ב שם הל' ב ופי"ב מהלכות כלים הלכה ד:
יט כ ל מיי' פרק י"ג מהל' אבות הטומאו' הלכה ג:

רבינו חננאל

למימר דמטבילין להו משום דבטומאת מת פליגי דלאו טבילתו מטהרתו אלא צריך נמי הזאה שלישי ושביעי וכלים לשבעה יומי לא מושלי. זה שהיה רבי יהושע אומר בוש אני מדבריכם ב"ש שהיו אומרים אין כלי ע"ה טהור אלא לגבי אוכלין ומשקין וכלי חרס בלבד אבל כלי שטף כגון הנוגע בו טמא מכלל שהכלי ע"ה טמא. נמצא אשה שלשה בכלי ע"ה האשה והכלי טמאין והבצק טהור. נמצאו דברים הללו בלא טעם וכשפירש לו אותו תלמיד ב"ש טעם ב"ש ואמר לו כי טעמן של ב"ש מפני שכל כלי ע"ה שהן צמיד פתיל וכלי שטף בתוכן כלי מתכת וכיוצא בהן שאין נטמאין בטומאת אהל אי כי כלי טומאה הן ואע"פ שהן צמיד פתיל וכלי הכלי כיון שהוא צמיד פתיל חוצץ בפני הטומאה אינו מציל דכיון דבחזקת טומאה הוא קיי"ל אין כלי טמא חוצץ וכי תאמר אי הכי כליו אוכלין ומשקין נמי ליהוו טמאין. אמר לך ב"ש אוכלין ומשקין דלעצמן הוא מפני שהוא צריך לאכול אתם אם תאמר לו אינם טהורין אינו מקבל ממך שאני (אני) וכליו טהורין מכם הלכך אוכלין ומשקין דלעצמו הן שאין חבר מתארח אצל ע"ה ואינו אוכל ממטעמיו ואם אוכל אתם הם טמאים דינו מסור לשמים אבל בכלים שאנו שואלים מהם חיישינן ומחזקינן להו בחזקת טומאה דע"ה לא מהימן בטהרות. חזר ר' יהושע ואמר נעניתי לכם עצמות ב"ש כו'. ומקשינן וכי ע"ה אם יאמר כי אני הטבלתי הכלים הללו אינו נאמן דאמרת כי שאלינן מינייהו מטבלינן להו. והתניא נאמנים ע"ה על טהרת טבילות טמא מת ופריק אביי כי תניא היא נאמנין בגופו וכי אמרינן דאינו נאמן בכליו. רבא אמר הא והא בכליו. והא דתניא נאמן בדאמר לא הטבלתי כלי בתוך כלי מעולם וכי האי שאלינן מינייהו לתרומה. אבל אם אמר הין כלי בתוך כלי רוחב כב' אצבעות שוחקות כי האי גוונא לא מקבלינן מיניה אפילו בתרומה. וכדתניא נאמן ע"ה לומר פירות הללו לא ניתנו עליהן מים מעולם אבל אין נאמנים לומר הוכשרו אבל לא נטמאו הכא נמי נאמן לומר לא הטבלתי כלי בתוך כלי מעולם [אבל] לומר הטבלתי כלי בתוך כלי שפיו רחב כשפופרת הנוד אינו נאמן. ואקשינן ואגופיה מי מהימן. והתניא חבר שבא להזות ואמר היום יום שלישי הוא לטומאתי מזין עליו מיד. ע"ה שבא להזות אין מזין עליו עד שיעשה שלישי ושביעי בפנינו. ופריק אביי מתוך חומר שהחמרת עליו בתחלתו שאין מזין עליו עד שיעשה שלישי ושביעי בפנינו הקלת עליו בסופו כשיאמר טהרתי להיותו נאמן. ועלתה שמועה זו כרבא שאמר אין מטבילין כלי בתוך כלי לקדש מעלה היא לקדש גזירה משום כלי שאין בפיו כשפופרת הנוד. והן אחת עשרה מעלות: מעלה שניה אחורים ותוך [ובית] הצביעה לתרומה אבל לא לקדש. פי' אם נפלו משקין טמאין באחורי הכלים או בבית הצביעה שלהן והוא מקום שתופסו באצבעו תוכו של כלי טהור. ואם יש בתוכו תרומה לא נטמאת ואם יש בתוכו קדש נטמא וזהו שאמרו כלי שנטמאו אחוריו במשקין אחוריו טמאין. תוכו אוגנו אזנו ידיו טהורין לתרומה אבל לא לקדש נטמא תוכו נטמא כולו. בית הצביעה א) פירש ר' יוחנן מקום שנקיי הדעת שותין בו והוא אצל אזן הכלי שאין דרך בני אדם ליגע בו כי דרך בני אדם להטות הכלי ולשתות מכנגד אזנו מפני שאוחזין אותו באזניו ונקיי הדעת משנין ואין שותין ממקום שכל אדם שותה בו אלא שותין מאצל אזנו כמו שאמרנו ודין אחוריים ותוך מפורש בכלים פרק כ"ה כל הכלים יש להם אחוריים ותוך כגון הכרים והכסתות והשקין והמרצופין כו'. פי' כי הכרים והכסתות משתמשים בהן באחוריהם בשינה שישינים עליהן ומשתמשין עוד בתוכן כדרך אמתחת שמכניסין בתוכן כלים אחרים או תבן וכיוצא בו וישינין עליהן. ותנן נמי כל הכלים יש להן אחוריים ותוך ובית הצביעה ר' טרפון אומר לעריבה גדולה של עץ. ר' עקיבא אומר לכוסות. ר' מאיר אומר לידים טמאות וטהורות. א"ר יוסי לא אמרו אלא לידים הטהורות בלבד. כיצד היו ידיו טהורות ואחורי הכוס טמאין ואחזו בבית צביעתו אינו חושש שמא נטמאו ידיו באחורי הכוס היה שותה בכוס שאחוריו טמאין אינו חושש שמא נטמא משקה שבפיו מאחורי הכוס חזר ונטמא את הכוס. קומקומוס שהוא מרתיח אינו חושש שמא יצאו משקין מתוכו ונגעו באחוריו וחזרו לתוכו: כלי הקודש אין להם אחוריים ותוך ואין להם בית הצביעה כו' ואסיקנא אמר רבה בר אבוה אחת עשרה מעלות שנו כאן שש ראשונות בין לקדש בין לחולין שנעשו על טהרת הקדש אחרונות לקדש אבל לא לחולין שנעשו על טהרת הקדש: מעלה שלישית הנושא את המדרס נושא את התרומה אבל לא את הקדש. ואמרינן מכדי לא נגע קדש אמאי לא. ואמרינן משום מעשה שהיה שהיה אחד מעביר חבית של יין קדש ממקום למקום
ונפסקה

חשק שלמה על ר"ח א) עי' בערוך ערך בית לבע.

מסורת הש"ס

א) [תוספתא דאהלות פ"ה], ב) [אהלות פ"ה מ"ד], ג) [שם במשנה ולקמן כו.], ד) [נזיר נב:], ה) ברכות נב. כלים פכ"ה מ"ו נדה ית:, ו) בכורות לח:, ז) [עי' פירוש נכון בערוך ערך [בית] לבע], ח) [לעיל כ.].

הגהות הב"ח

(א) רש"י ד"ה אין להם אחורים אין חילוק של אחוריים ותוך להם אלא:

תורה אור השלם

א) וַיֹּאמֶר לָהּ בֹעַז לְעֵת הָאֹכֶל גֹּשִׁי הֲלֹם וְאָכַלְתְּ מִן הַלֶּחֶם וְטָבַלְתְּ פִּתֵּךְ בַּחֹמֶץ וַתֵּשֶׁב מִצַּד הַקּוֹצְרִים וַיִּצְבָּט לָהּ קָלִי וַתֹּאכַל וַתִּשְׂבַּע וַתֹּתַר: [רות ב, יד]

ליקוטי רש"י

לוגין. גדול מכוס וקטן מחבית [שבת קלט:]. לוגין מלא משקין. כלי חרס המלא את המשקין שבתוכו ואין מציל כל כלי שטף שבלוגין טמאין טומאת שבעה והמשקין טהורין [לקמן כו.]. נטפל. נתקרב [עירובין סד:]. נעניתי לכם. דברתי לנחוך יותר מן הראוי [ברכות כח.]. דברתי יותר מדאי [כתובות סז:]. כלי שנטמא אחוריו במשקין. כגון כלי שטף דאילו כלי חרס אין מטמאין מגבו אפילו בטומאה דאורייתא. שנטמא אחוריו במשקין. אין לך משקה שאינו ראשון לטומאה שלא אם נגע בשני עשאוהו חכמים תחלה. אחוריו טמאין. אף על פי שאין אדם וכלים מקבלין טומאה מן התורה אלא מאב הטומאה גזרו חכמים שיהו משקין מטמאין כלים מפני שיש משקה שהוא אב הטומאה כגון משקין של זב או זבה ורוקו ומימי רגליו גזרו על כל המשקין שיטמאו כלים [ברכות נב.]. תוכו אוגנו אזנו וידיו טהורין. דכיון דטומאה זו דרבנן עבדו בה היכרא כדי שלא ישרפו עליה תרומה וקדשים [נדה ז:]. וכן מפורש בבכורות (דף לח.). אוגנו. שפתו הכפולה לצד חוץ וראוי לתשמיש [שם]. דהיינו בית קיבול התחתון שיושב עליו ל"א אוגנו [היינו] שפתו [בכורות לח.]. אזנו. כמו אוזן החבית [ברכות שם]. והן הן שעושין בתחתית של חרס לאחיזה [בכורות שם]. וידיו. כלי שיש לו יד כגון מחבת [ברכות שם]. כגון קדש שעושין לו ידות לאחוז בו [בכורות שם]. ויצבט לה קלי. ויושיט לה קלי. תרגום [ויצבט] לה [ואושיט] לה קלי [רות ב, יד].

שָׁמַאי – AND HE PROSTRATED HIMSELF ON THE GRAVES OF BEIS SHAMMAI, אָמַר נַעֲנֵיתִי לָכֶם עַצְמוֹת בֵּית שַׁמַּאי – AND HE EXCLAIMED: I HAVE SPOKEN EXCESSIVELY AGAINST YOU,[9] BONES OF BEIS SHAMMAI. וּמַה סְתוּמוֹת שֶׁלָּכֶם כָּךְ – IF YOUR CRYPTIC RULINGS ARE now shown to be SO logical, מְפוֹרָשׁוֹת עַל אַחַת כַּמָּה וְכַמָּה – HOW MUCH MORE SO THE ONES whose reasoning is readily EXPLAINED! אָמְרוּ – THEY SAID: כָּל יָמָיו הוּשְׁחֲרוּ שִׁינָּיו מִפְּנֵי תַּעֲנִיּוֹתָיו – ALL [R' YEHOSHUA'S] remaining DAYS, HIS TEETH WERE BLACKENED BECAUSE OF HIS many FASTS that he undertook to atone for having spoken so improperly about the sages of Beis Shammai.[10]

Having cited the Mishnah and the related Baraisa, the Gemara articulates its question:

קָתָנֵי מִיהַת לְךָ וְלוֹ – **The Mishnah states, at any rate,** that Beis Shammai said to Beis Hillel that the *taharah* of the *am haaretz's* non-earthenware vessel pertains both TO YOU [the *chaver*] AND TO HIM. אַלְמָא שְׁאָלִינַן מִינַּיְיהוּ – **Thus,** it is evident that **we** *chaverim* **may borrow** vessels **from them!**[11] Accordingly, we ask: Why does the Mishnah permit us to immerse vessels within vessels for *terumah*? Why is the Mishnah not concerned that an *am haaretz* might imitate that practice and then lend his vessel to a *chaver*?

The Gemara answers:

כִּי שְׁיְילִינַן מִינַּיְיהוּ – **When we borrow** vessels **from them,** מַטְבְּלִינַן לְהוּ – **we immerse [those vessels]** ourselves before using them.[12]

The Gemara asks:

אִי הָכִי – **If so,** that we immerse what we borrow from them, נִיהַדְרוּ לְהוּ בֵּית הִלֵּל לְבֵית שַׁמַּאי – then **let Beis Hillel reply to Beis Shammai** in the Mishnah: כִּי שְׁאָלִינַן מִינַּיְיהוּ – **When we borrow** vessels **from them,** מַטְבְּלִינַן לְהוּ – **we immerse [those vessels]** ourselves before using them![13] – ? –

The Gemara answers:

טְמֵא מֵת בָּעֵי הַזָּאָה שְׁלִישִׁי וּשְׁבִיעִי – **That which has become** *tamei* **through a corpse requires sprinkling on the third and seventh** days of the *taharah* process,[14] וּמָנָא לְשִׁבְעָה יוֹמֵי לָא מוֹשְׁלֵי אִינָשֵׁי – **and people** generally **do not lend a vessel for** so long a period as **seven days.**[15]

The Gemara asks:

וְאַטְבִילָה לֹא מְהֵימְנֵי – **And** is it so that [*amei haaretz*] **are not believed in regard to immersion,** as asserted earlier in the Gemara?[16] וְהָתַנְיָא – **But surely it was taught in a Baraisa:** נֶאֱמָנִין עַמֵּי הָאָרֶץ עַל טָהֳרַת טְבִילַת טְמֵא מֵת – *AMEI HAARETZ* ARE BELIEVED WITH RESPECT TO THE *TAHARAH* BY IMMERSION OF THAT WHICH IS *TAMEI* ON ACCOUNT OF A CORPSE.[17]

The Gemara answers:

אָמַר אַבַּיֵי – **Abaye said:** לֹא קַשְׁיָא – **There is no difficulty.** הָא בְּגוּפוֹ – **This** Baraisa, which states that an *am haaretz* is believed, **refers to** the *taharah* of **his body.**[18] הָא בְּכֵלָיו – But **this** assertion of the Gemara above (to the effect that the *am haaretz* is not believed) **refers to** the *taharah* of **his vessels.**[19]

NOTES

"protected" from corpse *tumah* by his earthenware vessel (and – if so – subsequently purified through *mei chatas* and immersion) is to allow that earthenware vessel to protect his food and earthenware, but not his non-earthenware vessels.]

[From the Baraisa's statement that the woman kneading the dough is *tamei,* we see that the *am haaretz's* earthenware vessel does not protect people either. For the same line of reasoning used for non-earthenware applies to people as well: We must be able to "borrow" *amei haaretz* to help us (after having them immerse themselves to be purified from the *tumah* decreed on *amei haaretz*). They will accept that their earthenware vessel does not protect them from corpse *tumah,* since they can purify themselves through sprinkling and immersion. Thus, we will be able to rely on them that they are indeed free of corpse *tumah* (see *Raavad* to *Eduyos* loc. cit.).]

[Thus, the two reasons advanced by Beis Shammai – one in the Mishnah and the other in the Baraisa – are complementary. In the Mishnah, Beis Shammai explain why there is no harm in allowing the *am haaretz's* earthenware vessel to protect his food and earthenware from corpse *tumah.* In the Baraisa, the disciple of Beis Shammai explains why it would, in fact, have been *counterproductive* to rule otherwise. (Cf. *Turei Even* to 22a ד״ה אין מצילין.)]

9. Translation based on *Rashi* to *Berachos* 28a and to *Kesubos* 67b. Alternatively: "I am humbled before you" (see *Rashash* to *Berachos* ibid.).

10. And because of this change in attitude, the school of Hillel retracted and adopted the ruling of Beis Shammai in this matter, as the Mishnah explicitly concludes in *Eduyos* 1:14 (see *Raavad* to *Eduyos* loc. cit.).

11. For that is the only way that the *taharah* of the *am haaretz's* vessel would pertain to a *chaver.*

12. Since, as explained, we consider the *am haaretz* to be *tamei,* we will have to immerse any vessel we borrow from the *am haaretz* in order to purify it from the *tumah* decreed on *amei haaretz.* And that immersion will also satisfy the concern that the *am haaretz* immersed this vessel within another vessel when seeking to purify it from a *tumah* he knew it had contracted (*Rashi,* as explained by *Siach Yitzchak* [to *Tosafos*] ד״ה בא״ד ועוד כי מסקי; cf. *Zeicher L'Chagigah,* cited in *Menachem Meishiv Nefesh*).

Thus, there is no reason to forbid a *chaver* to immerse vessels within vessels for *terumah* lest an *am haaretz* imitate him and lend us the vessel, because even if the *am haaretz* were to do so, we would immerse the borrowed vessel before using it.

13. In the Mishnah cited above, Beis Shammai defended their ruling that the non-earthenware vessels protected by the *am haaretz's* earthenware vessel are considered *tamei,* by explaining that we cannot declare them *tahor* because that would pertain to the *chaver* who borrows them as well. But if you are correct in your assertion that the *chaver* who borrows a vessel from an *am haaretz* must immerse it before use, then Beis Hillel should have used that assertion to reject Beis Shammai's defense. That is, Beis Hillel should have replied that declaring the non-earthenware vessel *tahor* would *not* pertain to the *chaver,* since he would first immerse the borrowed vessel himself in any event.

14. A vessel (or person) that contracts *tumah* from a human corpse must undergo a seven-day process of purification. On the third and seventh days after the *tumah* is contracted, water mixed with the ash of the red cow (*parah adumah*) is sprinkled upon the *tamei* item. After the second sprinkling, the item is immersed in a *mikveh,* and becomes *tahor* upon nightfall (see *Numbers* 19:11-12, 19).

15. Thus, although a *chaver* immerses a vessel that he borrows from an *am haaretz* (which is, ultimately, why our Mishnah allows immersing vessels within vessels for *terumah* – see note 12), that immersion is insufficient where the concern is that the *am haaretz's* vessel contracted corpse *tumah.* Hence, Beis Shammai rightly assert that if we were to declare the *am haaretz's* "protected" vessel to be *tahor* from corpse *tumah,* that declaration would pertain to the *chaver* who borrows the vessel as well, since he will not have the borrowed vessel in his possession long enough to purify it himself from corpse *tumah.*

16. For the Gemara stated earlier that one who borrows a vessel from an *am haaretz* must immerse it himself (*Rashi; Rabbeinu Chananel;* cf. *Tosafos* ד״ה ואטבילה). The implication is that the *chaver* who borrows it must *always* immerse it – even if the *am haaretz* avers that he has properly immersed it and not touched it since [in which case the requirement to immerse it would not be based on its contact with an *am haaretz*] (*Siach Yitzchak* [to *Tosafos*] ד״ה ולעיקר קושייתם, in explanation of *Rashi*). We see, then, that we do not trust an *am haaretz* to state that he has immersed the vessel properly.

17. [As mentioned above (note 14), a person or vessel contaminated with corpse *tumah* must be sprinkled with the *parah adumah* waters on the third and seventh days, and then immersed in a *mikveh* to become *tahor.*]

18. An *am haaretz* is believed when he says that he immersed his body properly to become *tahor.*

19. An *am haaretz* attaches greater importance to his own personal *taharah* than to the *taharah* of his vessels. He is therefore more careful to adhere to the requirements of immersion when immersing himself

לעצמו טהרנו אבל נטהר את הכלי שטהרתו לך ולו תניא א"ר יהושע בושני מדבריכם ב"ש אפשר אשה לשה בעריבה ועריבה טמאין שבעה ובצק טהור לוגין מלא משקין [לוגין] טמא טומאת שבעה ומשקין טהורין נטפל לו תלמיד אחד מתלמידי ב"ש אמר לו אומר לך טעמן של ב"ש אמר לו אמור אמר לו כלי טמא חוצץ או אינו חוצץ א"ל אינו חוצץ כלי של עם הארץ טמא או טהור אמר לו טמא ואם אתה אומר לו טמא כלום משגיח עליך ולא עוד אלא שאם אתה אומר לו טמא אומר לך שלי טהור ושלך טמא וזהו טעמן של ב"ש מיד הלך ר' יהושע ונשתטח על קברי ב"ש אמר נעניתי לכם עצמות ב"ש ומה סתומות שלכם כך מפורשות על אחת כמה וכמה אמרו כל ימיו הושחרו שיניו מפני תעניותיו קתני מיהת לך ולו אלמא שאלינן מינייהו כי שיילינן מינייהו מטבלינן להו אי הכי ניהדרו להו ב"ה לב"ש כי שאלינן מינייהו מטבלינן להו טמא מת בעי הזאה ג' וז' ומנא לז' יומי לא מושלי אינשי ואטבילה לא מהימני והתניא נאמנין עמי הארץ על טהרת טבילת טמא מת אמר אביי ל"ק הא בגופו הא בכליו רבא אמר אידי ואידי בכליו ולא קשיא הא דאמר מעולם לא הטבלתי כלי בתוך כלי והא דאמר הטבלתי אבל לא הטבלתי בכלי שאין בפיו כשפופרת הנוד והתניא נאמן עם הארץ לומר פירות לא הוכשרו אבל אינו נאמן לומר פירות הוכשרו אבל לא נטמאו ואגופו מי מהימן והתניא חבר שבא להזות מזין עליו מיד עם הארץ שבא להזות אין מזין עליו עד שיעשה בפנינו שלישי ושביעי אלא אמר אביי מתוך חומר שהחמרת עליו בתחילתו הקלת עליו בסופו: אחורים ותוך: מאי אחורים ותוך כדתנן כלי שנטמא אחוריו במשקין אחוריו טמאין תוכו אוגנו אזנו וידיו טהורין נטמא תוכו כולו טמא: ובית הצביטה וכו': מאי בית הצביטה א"ר יהודה אמר שמואל מקום שצובטו וכן הוא אומר ויצבט לה קלי רבי אסי א"ר יוחנן מקום שנקיי הדעת צובעין תני רב ביבי קמיה דר"נ כל הכלים אין להם אחורים ותוך ואחד קדשי המקדש ואחד קדשי הגבול א"ל קדשי הגבול מאי ניניהו תרומה והתנן אחורים ותוך ובית הצביטה לתרומה דלמא לחולין שנעשו על טהרת הקודש קאמרת אדכרתן מילתא דאמר רבה בר אבוה אחת עשרה מעלות שנו כאן שש ראשונות בין לקודש בין לחולין שנעשו על טהרת הקודש אחרונות לקודש אבל לא לחולין שנעשו על טהרת הקודש: הנושא את המדרס נושא את התרומה אבל לא את הקודש: קודש מאי טעמא לא משום מעשה שהיה דאמר רב יהודה אמר שמואל מעשה באחד שהיה מעביר חבית של יין קודש ממקום למקום ונפסקה

רש"י

לעצמו טהרנו. הוא יאכלם שהרי החברים בדלין מהן וממגען ובלאו הכי מאכלו טמא: טהרת לך ולו. שמא תשאלנו ותשמש בו: אשה לשה בעריבה. בעלייה זו: כלום משגיח עליך. לפיכך טהרו לו ב"ש אוכלין ומשקין וכלי חרס שאין להן טהרה אלא שבירתן ואם באת לאוסרן עליו לא ישמע לך אבל בכלי שטף ישמע לך ויטבילנו: מטבילין להו. שמא הטבילם כלי בתוך כלי: ואטבילה לא מהימני. דאמר השואל ממנו צריך להטביל: בגופו. מהימן: והתניא. בניחותא: לא הוכשרו. לא נראו לטומאה: חבר שבא להזות. ואמר ראוי לקבל הזאה ראשונה שכבר עברו ג' ימים לטומאתו שהיום יום ג': מתוך חומר שהחמרת עליו בתחילה. כשבא לפניך להזאותיו ולא האמנתו הקלת עליו בסופו להאמינו על הטבילה לפי שהוא נזהר בטבילתו שלא יצטרך לו עוד: כלי שנטמאו אחוריו. כלי עץ או של מתכת קאמר שמטמאין מגבן: במשקין. דטומאה דרבנן היא דמדאורייתא אין אוכל ומשקה מטמא כלי שאין כלי מקבל טומאה אלא מאב הטומאה וגזרו חכמים שיהו משקין מטמאין כלי לפי שיש משקה שהוא אב הטומאה ומטמא כלי מן התורה כגון רוקו של זב ומימי רגליו הלכך הואיל וטומאה זו מדברי סופרים אחוריו טמאין ושאר תשמישין שבו טהורים דעבדו רבנן היכר להודיע שטומאה זו מדבריהם ולא ישרפו עליה תרומה וקדשים כך היא מפורשת במסכת נדה פ"ק: אוגנו. שפתו הכפולה לצד חוץ וראוי לתשמיש: אזנו. כגון אוזן החבית: וידיו. כלי שיש לו בית יד כגון מחבת: נטמא תוכו. אפי' בטומאה דרבנן כולו טמא: שצובטו. שאוחז בו ומושיטו לאחרים: ויצבט לה קלי. תרגום ואושיט לה: נקיי הדעת. אסתניסים: צובעין. מטבילין אוכלין בחרדל או בחומץ שחוקקין בשולי הקערה בית קיבול לעצמו וגובה לו סביב ונותנין שם חומץ וחרדל: אין להן אחורים. אין חילוק (א) להם של אחורים ותוך אלא משנטמא אחד מהן הכל טמא בין לקדשי המקדש בין לקדשי הגבול: תרומה. הנאכלת בכל גבול א"י: דלמא. האי קדשי גבול חולין שנעשו על טהרת קודש קאמרת וע"י משנתך זו הוזכרתי דבר ששמעתי מרבה בר אבוה רביה דרב נחמן: ונפסקה

תוספות

כלום משגיח בך. פרש"י אבל כלי שטף ישמע שפיר ויטבול ותימה היא למה ישמע בזה טפי מבאוכלים ומשקין ואי משום דלית להו טהרה במקוה משקין מאי איכא למימר הרי יכול להשיקן ועוד כי משקין דמטבלינן להו ואי לצורכן למה יטבול להו טפי מכלי חרס אלא נראה לפרש כלום משגיח בך לפיכך לא ישאול לעולם אבל לא על כלי שטף שישאלם מהם ולעולם טמאין לחברים:

טמא מת הזאה ג' ושביעי. בהני דלעיל דקאמר כי שיילינן מטבילין ודנפלה מעפורת ממנו ובבנות כותים (נדה דף לג: ושם) שטבל ודרס אבגדי חבר דלא טמאו אלא משום עם הארץ ולא חיישינן אטומאת מת כיון דלא שכיחי לא גזרינן ליה:

ואטבילה לא מהימני והתניא נאמן עם הארץ לומר כו'. פרש"י כיון דאמר השואל ממנו צריך להטביל אלמא לא מהימן אטבילה וקשיא להר"ר אלחנן מאי פריך ליה ממתני' דנאמן אטומאת מת הא ע"כ לא קאמר השואל צריך להטביל רק טומאת ערב אבל טומאת ז' לא קאמר דכלי לז' לא מושלי אינשי כדמסיק ותירץ מורי דקאי אהא דקאמר נהדרו ב"ה לב"ש דמטבילין לכלים ומסיק דלא דמי דכיון דמטמא בית שמאי מטעם שאין כלי חרס מציל מטומאת אהל א"כ בעי הזאה ג' וז' ואם נשתמש בכליהם נאמן שהם נאמנים להציל על הכל שלא נטמאו במת ואמטו להכי פריך אטבילת טמא מת לטהרת כליו בטבילה ממגע טמא מת דקאמרת שבשאר טומאות מטבילין לפי שהוא טומאת ערב אבל הכא בעי הזאה לכך לא אהדרי תו ב"ה לב"ש דלא מהני מידי טבילה לדברי ב"ש דחיישינן בכלים שלא הציל עם הארץ אותו מטומאת אהל ולהכי פריך למימרא דלא מהימן לומר שהצילם מאהל והא תניא נאמן כו':

מתוך חומר שהחמרת עליו בתחלתו הקלת עליו בסופו. פירש רש"י תחילתו הזאתו סופו טבילה ולא יצטרך עוד לחזור ולטבול וצ"ע דנילף מק"ו מה כלים שאין נאמן על טבילתן נאמן על הזאתן גופו שנאמן על טבילתו אינו דין שנאמן על הזאתו ואמר מורי דעד כאן לא מהימן בהזאת כלים אלא כשבא לפנינו ואמר שלא נטמאו במת דלא שכיח אבל אם בא להזות אינו נאמן אפי' בלא גופו ותניא נמי הכי בתוספתא ע"ה שבא להזות מזין עליו ועל כליו אחר ג' ימים וי"מ תחילתו בא להזות סופו אומר הזיתי אך היה להם למיגרס טהרת מת ואילו בתוספתא תניא טבילת מת:

כלי שנטמא אחוריו במשקין. דמדאורייתא אין אוכל ומשקה מטמא כלי ורבנן הוא דגזור משום משקה זב וזבה כדאיתא בנדה (דף ז:) ועבוד ביה רבנן היכרא לגביה כי היכי דלא לישרוף עליה תרומה וקדשים כדאמרינן פרק אלו מומין (בכורות דף לח. ושם): מקום שנקיי הדעת צובעין. פרש"י חוקקין בשולי הקערה בית קיבול והגובה סביב ונותנין בתוך הקיבול חומץ וחרדל והקשה הר"ר אלחנן א"כ לתרומה תטמא כולה כיון דלאיטמי החקק מי גרע מתוך תוכו וצריך לדחוק ולומר דהכי פי' המתני' אחורים ותוך הצביטה אם נטמא אחוריו לא נטמא תוכו ובית הצביטה נטמא אחוריו א"כ לפירוש זה רב יהודה אמר שמואל ורב אסי חלוקין הן בפירוש המשנה וצ"ע:

עין משפט נר מצוה

יב א ב מיי' פי"ג מהלכות טומאת מת הלכה ב:
יג ג ד מיי' שם הל' א:
יד ה מיי' פי"א מהלכות פרה הלכה א:
טו ו מיי' פי"א מהלכות מטמאי משכב ומושב הלכה יב:
טז ז מיי' פט"ו מהל' טומאת אוכלין הלכה ב:
יז ח מיי' פ"ז מהל' פרה אדומה הל' ב:
יח ט י מיי' פרק ז מהל' אבות הטומאות הלכה ג ופי"ג מהלכות כלים הלכה ד:
יט כ ל מיי' פרק י"ב מהל' אבות הטומאות הלכה ג:

רבינו חננאל

למימר דמטבילין להו משום דבטומאת מת פליגי דלאו טבילתו מטהרתו אלא צריך נמי הזאה שלישי ושביעי וכלים לשבעה יומי לא מושלי. זה שהיה רבי יהושע אומר בוש אני מדבריכם ב"ש שהיו אומרים אין כלי ע"ה טהור אלא לגבי אוכלין ומשקין וכלי חרס בלבד אבל כלי ע"ה הנוגע בו טמא מכלל שהכלי עצמו טמא. נמצא אשה שלשה בכלי ע"ה האשה והכלי טמאין והבצק טהור. נמצאו דברים הללו בלא טעם וכשפירש לו אותו תלמיד ב"ש טעם ב"ש ואמר לו כי טעמן של ב"ש מפני שכל כלי ע"ה בחזקת טומאה הן ואע"פ שהן צמיד פתיל וכלי שטף בתוכן כלי מתכת וכיוצא בהן שנמצא זה הכלי כיון שהוא צמיד פתיל חוצץ בפני הטומאה אינו מציל דכיון דבחזקת טומאה הוא קיי"ל אין כלי טמא חוצץ וכי תאמר אי הכי אפילו אוכלים ומשקין נמי ליהוו טמאין. אמר לך ב"ש אוכלין ומשקין דלעצמן הוא מפני שהוא צריך לאכול אתם אם תאמר לו אינם טהורין אינו מקבל ממך שאני (אני) וכליי טהורין מכם הלכך אוכלין ומשקין דלעצמו הן שאין חבר מתארח אצל ע"ה ואינו אוכל ממטעמיו ואם אוכל אתם והם טמאין דינו מסור לשמים אבל בכלים שאנו שואלים מהם חיישינן ומחזקינן להו בחזקת טומאה דע"ה לא מהימן בטהרות. חזר ר' יהושע ואמר נעניתי לכם עצמות ב"ש כו'. ומקשינן וכי ע"ה אם יאמר כי אני הטבלתי הכלים הללו אינו נאמן דאמרת כי שאלינן מינייהו מטבלינן להו. והתנן נאמנים ע"ה על טהרת טבילות טמא מת ופריק אביי כי תניא ההיא נאמן בגופו וכי אמרינן דאינו נאמן בכליו. רבא אמר הא והא בכליו.

הוכשרו אבל לא נטמאו הכא נמי נאמן לומר לא הטבלתי כלי בתוך כלי מעולם [אבל] לומר הטבלתי כלי בתוך כלי שפיו רחב כשפופרת הנוד אינו נאמן. ואקשינן ואגופיה מי מהימן. והתניא חבר שבא להזות ואמר היום יום שלישי הוא לטומאתי מזין עליו מיד. ע"ה שבא להזות אין מזין עליו עד שיעשה שלישי ושביעי בפנינו.

מסורת הש"ס

א) [תוספתא דאהלות פ"ה], ב) [אהלות פ"ה מ"ד], ג) [שם במשנה ולקמן כו.], ד) [נזיר נב:], ה) ברכות נב. כלים פכ"ה מ"ו נדה ז: בכורות לח., ו) [עי' פירוש נכון בערוך ערך [בית לבע], ז) [לעיל כ.].

הגהות הב"ח

(א) רש"י ד"ה אין להם אחורים אין חילוק של אחורים ותוך והכל אלא:

תורה אור השלם

א) וַיֹּאמֶר לָהּ בֹעַז לְעֵת הָאֹכֶל גֹּשִׁי הֲלֹם וְאָכַלְתְּ מִן הַלֶּחֶם וְטָבַלְתְּ פִּתֵּךְ בַּחֹמֶץ וַתֵּשֶׁב מִצַּד הַקּוֹצְרִים וַיִּצְבָּט לָהּ קָלִי וַתֹּאכַל וַתִּשְׂבַּע וַתֹּתַר: [רות ב, יד]

ליקוטי רש"י

לוגין. גדול מכוס וקטן מחבית [שבת קלט:]. לוגין מלא משקין. כלי חרס המלא את המשקין שבתוכו ואין מציל כל כלי שטף שבתוכן טמאין טומאת שבעה והמשקין טהורין [לקמן כו.]. נטפל. נתקרב [עירובין סד:].

חשק שלמה על ר"ח

א) עי' בערוך ערך בית לבע.

Another answer:

רָבָא אָמַר – Rava says: אִידִי וְאִידִי בְּכֵלָיו – This Baraisa **and that** assertion of the Gemara above might both **refer to** believing the *am haaretz* with respect to **his vessels, וְלָא קַשְׁיָא – and** still **there is no difficulty. הָא דְּאָמַר מֵעוֹלָם לֹא הִטְבַּלְתִּי כְּלִי בְּתוֹךְ כְּלִי – This** Baraisa, which states that an *am haaretz* is believed, refers to **where he says, "Never did I immerse a vessel within a vessel," וְהָא דְּאָמַר הִטְבַּלְתִּי אֲבָל לֹא הִטְבַּלְתִּי בִּכְלִי שֶׁאֵין בְּפִיו כִּשְׁפוֹפֶרֶת הַנּוֹד – whereas this** assertion of the Gemara above to the effect that an *am haaretz* is not believed, refers to **where he says, "I have immersed** one vessel within another, **but I have not immersed** it **in a vessel whose opening was not the size of a skin-bottle's tube."**[20] **וְהָתַנְיָא – And surely it was taught in a Baraisa** that which supports this distinction: **נֶאֱמָן עַם הָאָרֶץ לוֹמַר פֵּירוֹת לֹא הוּכְשְׁרוּ – AN *AM HAARETZ* IS BELIEVED TO SAY,** "These **FRUITS HAVE NOT BEEN PREPARED** to become susceptible to *tumah,*"[21] **אֲבָל אֵינוֹ נֶאֱמָן לוֹמַר – BUT HE IS NOT BELIEVED TO SAY, פֵּירוֹת הוּכְשְׁרוּ אֲבָל לֹא נִטְמְאוּ – "THE FRUITS WERE** indeed **PREPARED** to become susceptible, **BUT DID NOT** actually **CONTRACT *TUMAH.*"**[22]

The Gemara stated above that an *am haaretz* is believed to say that he immersed his own body properly. The Gemara asks:

וְאַגּוּפוֹ מִי מְהֵימַן – But is he indeed **believed concerning** the *taharah* of **his** own **body? וְהָתַנְיָא – But surely it was taught in a Baraisa: חָבֵר שֶׁבָּא לְהַזּוֹת – IF A *CHAVER* COMES TO** have us **SPRINKLE** upon him the *parah adumah* waters, **מַזִּין עָלָיו מִיָּד – WE SPRINKLE** them **UPON HIM IMMEDIATELY.**[23] **עַם הָאָרֶץ שֶׁבָּא לְהַזּוֹת –** But **IF AN *AM HAARETZ* COMES TO** have us **SPRINKLE** upon him the *parah adumah* waters, **אֵין מַזִּין עָלָיו עַד שֶׁיַּעֲשֶׂה בְּפָנֵינוּ שְׁלִישִׁי וּשְׁבִיעִי – WE DO NOT SPRINKLE** them **UPON HIM UNTIL HE OBSERVES IN OUR PRESENCE THE THIRD AND SEVENTH** days.[24] If an *am haaretz* is not believed to say that he is fit for sprinkling, why is he believed to say that he immersed himself properly?

The Gemara answers:

אֶלָּא אָמַר אַבַּיֵי – Rather,[25] **Abaye said: מִתּוֹךְ חוֹמֶר שֶׁהֶחְמַרְתָּ עָלָיו בִּתְחִילָּתוֹ – Because of the severity with which you were severe with him at the beginning,** by not believing him to say that the requisite number of days needed for sprinkling has passed, **הֵקַלְתָּ עָלָיו בְּסוֹפוֹ – you have made it lighter for him at the end,** for you can now believe him that he has immersed himself properly after the final sprinkling.[26]

The Gemara now discusses the Mishnah's second case. The Mishnah stated:

אֲחוֹרַיִם וְתוֹךְ – THE OUTSIDE AND THE INSIDE and the handle of a vessel are considered separate vessels with regard to *terumah,* but not with regard to *kodesh.*

NOTES

than when immersing his vessels (see *Siach Yitzchak* ד״ה אלא אמר אביי). Alternatively, he is not believed about the *taharah* of his vessels because we are concerned that he might have immersed vessels within vessels. But there is no similar concern in the case of his immersing his body; hence, he is believed regarding that immersion (*Chazon Ish, Tohoros* 8:2).

20. We do not suspect the *am haaretz* of deliberately lying. Hence, if he says that he never immersed one vessel within another, there is no reason to question the *taharah* of the vessel that he claims to have immersed. But if he admits that he has immersed vessels within vessels but insists that he made sure the opening of the outer vessel was at least the size of a skin-bottle's tube, we must question the *taharah* of his immersed vessel. For we do not trust that he is sufficiently expert or meticulous to ensure that the opening of the outer vessel was indeed the size of a skin-bottle's tube (see *Meiri;* see also *Rambam, Commentary to the Mishnah, Keilim,* end of 10:1).

[The simple meaning of Rava's statement is that the *am haaretz* is believed only if he claims *never* to have immersed a vessel within a vessel. But if he admits doing so on occasion, then he is not believed regarding the validity of immersion even if he claims not to have immersed a vessel within a vessel this time. It is not clear, however, why the *am haaretz* should not be believed in the latter case. See also *Chidushim U'Veurim.*]

21. As explained above, food cannot become susceptible to *tumah* unless it is first "prepared" through contact with one of the seven "beverages." And once prepared, a food remains susceptible even after it has dried (see 20b note 18).

22. [Thus, this Baraisa contains a parallel to Rava's distinction. For in the Baraisa, too, the *am haaretz* is believed to say that a problematic situation did not arise, but not to say that it did arise but he resolved it properly.]

23. [The first sprinkling of the *parah adumah* waters is ineffective if it took place before the third day since the person or vessel contracted *tumah.*] If a *chaver* comes and claims that three days have already elapsed since he contracted corpse *tumah* and he is thus ready to receive the first sprinkling, he is believed (*Rashi*).

24. Unlike the *chaver,* the *am haaretz* is *not* believed when he tells us which day of his *tumah* it is. We must therefore consider the possibility that today is the very first day of his *tumah.* Thus, he must remain with us for three days to receive his first sprinkling [which is valid on the third day or any day thereafter], and then another four days to receive his second sprinkling. [Even though these sprinklings might be taking place long after the person has become *tamei,* they are referred to as sprinklings that take place on the "third" and "seventh" days, because those are the minimum number of days that must elapse in order for the sprinklings to be valid. (There is a dispute whether the second sprinkling must be done specifically four days after the first one, or whether it can be done on a later day as well – see *Rambam, Hil. Parah Adumah* 11:2 with *Raavad* and *Kesef Mishneh.*)

25. Usually, the word אֶלָּא, *rather,* indicates that the Gemara is retracting a previous assertion and replacing it with another. In the present instance, though, it is not clear how the statement to follow constitutes a retraction of previous assertions. See *Chazon Ish* (*Tohoros* 8:3), who suggests that the word אֶלָּא, *rather,* should indeed be deleted from the text. See also *Dikdukei Soferim* §60, who records that the word אלא is not found in two manuscripts. See, however, *Mishmeros Kehunah* (cited in *Yalkut Yeshayahu*) and *Chidushim U'Veurim,* who suggest that Abaye means to retract his earlier distinction between the *am haaretz's* own body and his vessels. Abaye now asserts that in both cases, he is believed only with regard to the immersion following the second sprinkling (as Abaye will now explain). See, however, *Siach Yitzchak* to *Tosafos* ד״ה מתוך חומר.

26. Your initial questioning of his credibility regarding how many days have elapsed since he contracted *tumah* makes the *am haaretz* especially meticulous with the immersion afterwards, so that he should not have to repeat the immersion (see *Rashi* [as cited by *Tosafos*]; cf. *Tosafos's* own explanation and *Meiri*).

In summary: Our Mishnah forbids a *chaver* to immerse a vessel within a vessel for *kodesh,* lest an *am haaretz* imitate the practice and invalidate the immersion (because of interposition or because the opening of the outer vessel is too small). The *am haaretz* would thereby contaminate the *kodesh* that he prepares in that vessel, which we must accept in order to prevent enmity. But a *chaver* may immerse a vessel within a vessel for *terumah,* since the *am haaretz's* imitation of this practice would not affect us, as we do not accept his *terumah.* And though we do borrow his non-earthenware vessels, we first immerse those borrowed vessels in any event (and wait until sundown before using them), since he is not believed to say that he immersed them properly. [It is true that according to Rava, the *am haaretz* is believed regarding their immersion if he says that he never immersed a vessel within a vessel. Obviously, though, this does not make it necessary for us to forbid a *chaver* to immerse a vessel within a vessel lest an *am haaretz* imitate him. Similarly, while it is true that Abaye might agree that the *am haaretz* is believed concerning the immersion of his vessel that follows the second sprinkling (see note 25), the *am haaretz* is especially careful to perform that immersion properly, as explained above. Hence, it is unnecessary for us to forbid the *chaver* to immerse a vessel within a vessel lest an *am haaretz* imitate him.]

לעצמו טהרנו אבל נטהר את הכלי שטהרתו לך ולו תניא א) א"ר יהושע בושני מדבריכם ב"ש אפשר ב) א אשה לשה בעריבה אשה ועריבה טמאין שבעה ובצק טהור ג) ב לוגין מלא משקין [לוגין] טמא טומאת שבעה ומשקין טהורין נטפל לו תלמיד אחד מתלמידי ב"ש אמר לו אומר לך טעמן של ב"ש אמר לו אמור אמר לו כלי טמא חוצץ או אינו חוצץ א"ל ג אינו חוצץ כלי של עם הארץ טמא או טהור אמר לו טמא ואם אתה אומר לו טמא כלום משגיח עליך ולא עוד אלא שאם אתה אומר לו טמא אומר לך שלי טהור ושלך טמא וזהו טעמן של ב"ש מיד הלך ר' יהושע ונשתטח על קברי ב"ש אמר נעניתי לכם עצמות ב"ש ומה סתומות שלכם כך מפורשות על אחת כמה וכמה אמרו כל ימיו ד) הושחרו שיניו מפני תעניותיו קתני מיהת לך ולו אלמא שאלינן מינייהו ד כי שיילינן מינייהו מטבלינן להו אי הכי ניהדרו להו ב"ה לב"ש כי שאלינן מינייהו מטבלינן להו ה טמא מת בעי הזאה ג' וז' ומנא לז' יומי לא מושלי אינשי ואטבילה לא מהימני והתניא ו נאמנין עמי הארץ על טהרת טבילת טמא מת אמר אביי ל"ק הא בגופו הא בכליו רבא אמר אידי ואידי בכליו ולא קשיא הא דאמר מעולם לא הטבלתי כלי בתוך כלי והא דאמר הטבלתי אבל לא הטבלתי בכלי שאין בפיו כשפופרת הנוד והתניא ז נאמן עם הארץ לומר פירות לא הוכשרו אבל אינו נאמן לומר פירות הוכשרו אבל לא נטמאו ואגופו מי מהימן והתניא ח חבר שבא להזות מזין עליו מיד עם הארץ שבא להזות אין מזין עליו עד שיעשה בפנינו שלישי ושביעי אלא אמר אביי מתוך חומר שהחמרת עליו בתחילתו הקלת עליו בסופו: ט אחורים ותוך: מאי אחורים ותוך כדתנן ה) כלי שנטמא אחוריו במשקין אחוריו טמאין תוכו אוגנו אזנו וידיו טהורין נטמא תוכו כולו טמא: ובית הצביטה וכו': מאי בית הצביטה א"ר יהודה אמר שמואל מקום שצובטו וכן הוא אומר א) ויצבט לה קלי רבי אסי א"ר יוחנן מקום שנקיי הדעת ו) צובעין תני רב ביבי קמיה דר"נ כל הכלים אין להם אחורים ותוך אחד קדשי המקדש ואחד קדשי הגבול א"ל קדשי הגבול מאי נינהו תרומה והתנן אחורים ותוך ובית הצביטה לתרומה דלמא לחולין שנעשו על טהרת הקודש קאמרת אדכרתן מילתא דאמר רבה בר אבוה אחת עשרה מעלות שנו כאן שש ראשונות בין לקודש בין לחולין שנעשו על טהרת הקודש אחרונות לקודש אבל לא לחולין שנעשו על טהרת הקודש: כ הנושא את המדרס נושא את התרומה אבל לא את הקודש: קודש מאי טעמא לא ל משום מעשה שהיה דאמר רב יהודה אמר שמואל מעשה באחד שהיה מעביר חבית של יין קודש ממקום למקום ונפסקה

רש"י

לעצמו טהרנו. הוא יאכלם שהרי החברים בדלין מהן וממגען ובלאו הכי מאכלו טמא: טהרת לך ולו. שמא תשאלנו ותשמש בו: אשה לשה בעריבה. בעלייה זו: כלום משגיח עליך. לפיכך טהרו לו ב"ש אוכלין ומשקין וכלי חרס שאין להן טהרה אלא שבירתן ואם באת לאוסרן עליו לא ישמע לך אבל בכלי שטף ישמע לך ויטבילנו: מטבילין להו. שמא הטבילם כלי בתוך כלי: ואטבילה לא מהימני. דאמר השואל ממנו צריך להטביל: בגופו. מהימן: והתניא. בניחותא: לא הוכשרו. לא נראו לטומאה: חבר שבא להזות. ואמר ראוי לקבל הזאה ראשונה שכבר עברו ג' ימים לטומאתו שהיום יום ג': מתוך חומר שהחמרת עליו בתחילה. כשבא לפניך להזאותיו ולא האמנתו הקלת עליו בסופו להאמינו על הטבילה לפי שהוא זהיר בטבילתו שלא יצטרך לו עוד: כלי שנטמאו אחוריו. כלי עץ או של מתכת קאמר שמטמאין מגבן: במשקין. דטומאה דרבנן היא דמדאורייתא אין אוכל ומשקה מטמא כלי שאין כלי מקבל טומאה אלא מאב הטומאה וגזרו חכמים שיהו משקין מטמאין כלי לפי שיש משקה שהוא אב הטומאה ומטמא כלי מן התורה כגון רוקו של זב ומימי רגליו הלכך הואיל וטומאה זו מדברי סופרים אחוריו טמאין ושאר תשמישין שבו טהורים דעבדו רבנן היכר להודיע שטומאה זו מדרבנן ולא ישרפו עליה תרומה וקדשים כך היא מפורשת במסכת נדה פ"ק: אוגנו. שפתו הכפולה לצד חוץ ולאוי לתשמיש: אזנו. כגון אוזן הכדים: וידיו. כלי שיש לו בית יד כגון מחבת: נטמא תוכו. אפי' בטומאה דרבנן כולו טמא: שצובטו. שאוחזו בו ומושיטו לאחרים: ויצבט לה קלי. תרגום ואושיט לה: נקיי הדעת. אסטניסים: צובעין. מטבילין אוכלין בחרדל או בחומץ שחוקקין בשולי הקערה בית קיבול לעצמו וגובה לו סביב ונותנין שם חומץ וחרדל: אין להן אחורים. אין חילוק (א) להם של אחורים ותוך אלא משנטמא אחד מהן הכל טמא בין לקדשי המקדש בין לקדשי הגבול: תרומה. הנאכלת בכל גבול א"י: דלמא. האי קדשי גבול חולין שנעשו על טהרת קודש קאמרת ועי"ז משנתך זו הוזכרתי דבר ששמעתי מרבה בר אבוה רביה דרב נחמן:

ונפסקה

תוספות

כלום משגיח בך. פרש"י אבל כלי שטף ישמע שפיר ויטבול ותימה היא למה ישמע בזה טפי מבאוכלים ומשקין ואי משום דלית להו טהרה במקוה משקין מאי איכא למימר הרי יכול להשיקן ועוד כי מסקינן דמטבלינן להו ואי לצורכן למה יטבול להו טפי מכלי חרס אלא נראה לפרש כלום משגיח בך לפיכך לא ישאול לעולם אבל לא על כלי שטף שישאלם מהם ולעולם טמאין לחברים:

טמא מת הזאה ג' ושביעי. בהכי דלעיל דקאמר כי שיילינן מטבילין י) ודנפלה מעפורת ממנו ובבנות כותים (נדה דף לג: ושם) שטבל ודרס אבגדי חבר דלא טמאו אלא משום עם הארץ ולא חיישינן אטומאת מת כיון דלא שכיחי לא גזרינן ליה:

ואטבילה לא מהימני והתניא נאמן עם הארץ לומר כו'. פרש"י כיון דאמר השואל ממנו צריך להטביל אלמא לא מהימן אטבילה וקשיא להר"ר אלחנן מאי פריך ליה ממתני' דנאמן אטומאת מת הא ע"כ לא קאמר השואל צריך להטביל רק טומאת ערב אבל טומאת ז' לא קאמר דכלי לז' לא מושלי אינשי כדמסיק ותירץ מורי דקאי אהא דקאמר נהדרו ב"ה לב"ש דמטבלינן לכלים ומסיק דלא דמי דכיון דמטמאת בית שמאי מטעם שאין כלי חרס מציל מטומאת אהל א"כ בעי הזאה ג' וז' ואם נשתמש בכליהם נאמן שהם נאמנים להציל על הכל שלא נטמאו במת ואמתו להכי פריך אטבילת טמא מת דקאמרת שבשאר טומאות מטבילין לפי שהוא טומאת ערב אבל הכא בעי הזאה לכך לא אהדרי תו ב"ה לב"ש דחיישינן בכלים שלא הציל עם הארץ אותו מטומאת אהל ולהכי פריך למימרא דלא מהימן לומר שהכלים מאהל והא תניא נאמן כו':

מתוך חומר שהחמרת עליו בתחלתו הקלת עליו בסופו. פירש רש"י תחילתו הזאתו סופו טבילה ולא יצטרך עוד לחזור ולטבול וצ"ע דילפ מק"ו מה כלים שאין נאמן על טבילתן נאמן על הזאתן גופו שנאמן על טבילתו אינו דין שנאמן על הזאתו ואמר מורי דעד כאן לא מהימן בהזאת כלים אלא כשבא לפנינו ואמר שלא נטמאו במת דלא שכיח אבל אם בא להזות אינו נאמן אפי' בלא גופו ותניא נמי הכי בתוספתא ע"ה שבא להזות מזין עליו ועל כליו אחר ג' ימים י"מ תחילתו בא להזות סופו אומר הזיתי אך היה להם למיגרס טהרת מת ואילו בתוספתא תניא טבילת מת:

כלי שנטמא אחוריו במשקין. דמדאורייתא אין אוכל ומשקה מטמא כלי ורבנן הוא דגזור משום משקה זב וזבה כדאיתא בנדה (דף ז:) ועבוד ביה רבנן היכרא לגביה כי היכי דלא לישרוף עליה תרומה וקדשים כדאמרינן פרק אלו מומין (בכורות דף לח. ושם):

מקום שנקיי הדעת צובעין. פרש"י חוקקין בשולי הקערה בית קיבול והגובה סביב ונותנין בתוך הקיבול חומץ וחרדל והקשה הר"ר אלחנן א"כ לתרומה תטמא כולה כיון דליטמי החקק מי גרע מתוך תוכו וצריך לדחוק ולומר דהכי פי' המתני' אחורים ותוך הצביטה אם נטמא אחוריו לא נטמא תוכו ובית הצביטה נטמא אחוריו א"כ לפירוש זה רב יהודה אמר שמואל ורב אסי חלוקין הן בפירוש המשנה וצ"ע:

ונפסקה

עין משפט נר מצוה

יב א ב מיי' פכ"ג מהלכות טומאת מת הלכה ב:
יג ג ד מיי' שם הל' א:
יד ה מיי' פי"א מהלכות פרה הלכה א:
טו ו מיי' פי"א מהלכות מטמאי משכב ומושב הלכה יב:
טז ז מיי' פט"ו מהל' טומאת אוכלין הלכה ב:
יז ח מיי' פי"א מהל' פרה אדומה הל' ב:
יח ט י מיי' פרק ז מהל' אבות הטומאות הלכה ג ופי"ב שם הל' ב ופי"ג מהלכות כלים הלכה ד:
יט כ ל מיי' פרק י"ב מהל' אבות הטומאו' הלכה ג:

רבינו חננאל

למימר דמטבילין להו משום דבטומאת מת פליגי דלאו טבילתו מטהרתו אלא צריך נמי הזאה שלישי ושביעי וכלים לשבעה יומי לא מושלי. זה שהיה רבי יהושע אומר בוש אני מדבריכם ב"ש שהיו אומרים אין כלי ע"ה טהור אלא לגבי אוכלין ומשקין וכלי חרס בלבד אבל כלי ע"ה הנוגע בו טמא מכלל שהכלי עצמו טמא. נמצא אשה שלשה בכלי ע"ה האשה והכלי טמאין והבצק טהור. נמצאו דברים הללו בלא טעם וכשפירש לו אותו תלמיד ב"ש טעם ב"ש ואמר לו כי טעמן של ב"ש מפני שכל כלי ע"ה בחזקת טומאה הן ואע"פ שהן צמיד פתיל וכלי שטף בתוכן כלי מתכת וכיוצא בהן שנמצא זה הכלי כיון שהוא צמיד פתיל חוצץ בפני הטומאה אינו מציל דכיון דבחזקת טומאה הוא קיי"ל אין כלי טמא חוצץ וכי תאמר אי הכי אפילו אוכלים ומשקין נמי ליהוו טמאין. אמר לך ב"ש אוכלין ומשקין דלעצמן הוא מפני שהוא צריך לאכול אתם אם תאמר לו אינם טהורין אינו מקבל ממך שאני (אני) וכליי טהורין מכם הלכך אוכלין ומשקין דלעצמו הן שאין חבר מתארח אצל ע"ה ואינו אוכל ממטעמיו ואם אוכל אתם והם טמאין דינו מסור לשמים אבל בכלים שאנו שואלים מהם חיישינן ומחזקינן להו בחזקת טומאה דע"ה לא מהימן בטהרות. חזר ר' יהושע ואמר נעניתי לכם עצמות ב"ש כו'. ומקשינן וכי ע"ה אם יאמר כי אני הטבלתי הכלים הללו אינו נאמן דאמרת כי שאלינן מינייהו מטבלינן להו. והתנן נאמנים ע"ה על טהרת טבילות טמא מת ופריק אביי כי תניא ההיא דנאמן בגופו וכי אמרינן דאינו נאמן בכליו. רבא אמר הא והא בכליו. והא דתניא נאמן בדאמר לא הטבלתי כלי בתוך כלי מעולם וכי האי שאלינן מינייהו לתרומה. אבל אם אמר הין כלי בתוך כלי הטבלתיהו והוה בפי הכלי רוחב כב' אצבעות שוחקות כי האי גוונא לא מקבלינן מיניה אפילו בתרומה. וכדתניא נאמן ע"ה לומר פירות הללו לא הוכשרו כלל כלומר לא ניתנו עליהן מים מעולם אבל אין נאמנים לומר הוכשרו אבל לא נטמאו הכא נמי נאמן לומר לא הטבלתי כלי בתוך כלי מעולם [אבל] לומר הטבלתי כלי בתוך כלי שפיו רחב כשפופרת הנוד אינו נאמן. ואקשינן ואגופיה מי מהימן. והתניא חבר שבא להזות ואמר היום יום שלישי הוא לטומאתי מזין עליו מיד. ע"ה שבא להזות אין מזין עליו עד שיעשה שלישי ושביעי בפנינו. ופריק אביי מתוך חומר שהחמרת עליו בתחלתו שאין מזין עליו עד שיעשה שלישי ושביעי בפנינו הקלת עליו בסופו כשיאמר טהרתי להיותו נאמן. ועלתה שמועה זו כרבא שאמר אין מטבילין כלי בתוך כלי לקדש מעלה היא לקדש גזירה משום כלי שאין בפיו כשפופרת הנוד. והן אחת עשרה מעלות: מעלה שניה אחורים ותוך [ובית] הצביעה לתרומה אבל לא לקדש. פי' אם נפלו משקין טמאין באחורי הכלים או בבית הצביעה שלהן והוא מקום שתופסו באצבעו תוכו של כלי טהור. ואם יש בתוכו תרומה לא נטמאת ואם יש בתוכו קדש נטמא וזהו שאמרו כלי שנטמאו אחוריו במשקין אחוריו טמאין. תוכו אוגנו אזנו ידיו טהורין לתרומה אבל לא לקדש נטמא תוכו נטמא כולו. בית הצביעה א) פירש ר' יוחנן מקום שנקיי הדעת שותין בו והוא אצל אזן הכלי שאין דרך בני אדם ליגע בו כי דרך בני אדם להטות הכלי ולשתות מכנגד אזנו מפני שאוחזין אותו באזניו ונקיי הדעת משנין ואין שותין ממקום שכל אדם שותה בו אלא שותין מאצל אזנו כמו שאמרנו ודין אחוריים ותוך מפורש בכלים פרק כ"ה כל הכלים יש להם אחוריים ותוך כגון הכרים והכסתות והשקין והמרצופין כו'. פי' כי הכרים והכסתות משתמשים בהן באחוריהם בשינה שישינים עליהן ומשתמשין עוד בתוכן כדרך אמתחת שמכניסין בתוכן כלים אחרים או תבן וכיוצא בו וישינין עליהן. ותנן נמי כל הכלים יש להן אחוריים ותוך ובית הצביעה ר' טרפון אומר לעריבה גדולה של עץ. ר' עקיבא אומר לכוסות. ר' מאיר אומר לידים טמאות וטהורות. א"ר יוסי לא אמרו אלא לידים הטהורות בלבד. כיצד היו ידיו טהורות ואחורי הכוס טמאין ואחזו בבית צביעתו אינו חושש שמא נטמאו ידיו באחורי הכוס היה שותה בכוס שאחוריו טמאין אינו חושש שמא נטמא משקה שבפיו מאחורי הכוס חזר ונטמא את הכוס. קומקומוס שהוא מרתיח אינו חושש שמא יצאו משקין מתוכו ונגעו באחוריו וחזרו לתוכו: כלי הקודש אין להם אחוריים ותוך ואין להם בית הצביעה כו' ואסיקנא אמר רבה בר אבוה אחת עשרה מעלות שנו כאן שש ראשונות בין לקדש בין לחולין שנעשו על טהרת הקדש אחרונות לקדש אבל לא לחולין שנעשו על טהרת הקדש: מעלה שלישית הנושא את המדרס נושא את התרומה אבל לא את הקדש. ואמרינן מכדי לא נגע קדש אמאי לא. ואמרינן משום מעשה שהיה שהיה אחד מעביר חבית של יין קדש ממקום למקום ונפסקה

מסורת הש"ס

א) [תוספתא דאהלות פ"ה], ב) [אהלות פ"ה מ"ד], ג) [שם במשנה ולקמן כו.], ד) [נזיר נב:], ה) ברכות נג. כלים פכ"ה מ"ו נדה ז:, ו) [עי' פירוש נכון בערוך ערך [בית] לבע], ז) [לעיל כ.].

הגהות הב"ח

(א) רש"י ד"ה אין להם אחורים אין חילוק של אחורים ותוך להם אלא:

תורה אור השלם

א) וַיֹּאמֶר לָהּ בֹעַז לְעֵת הָאֹכֶל גֹּשִׁי הֲלֹם וְאָכַלְתְּ מִן הַלֶּחֶם וְטָבַלְתְּ פִּתֵּךְ בַּחֹמֶץ וַתֵּשֶׁב מִצַּד הַקֹּצְרִים וַיִּצְבָּט לָהּ קָלִי וַתֹּאכַל וַתִּשְׂבַּע וַתֹּתַר: [רות ב, יד]

ליקוטי רש"י

לוגין. גדול מכוס וקטן מחבית [שבת קלט:]. לוגין מלא משקין. כלי חרס המלא את המשקין שבתוכו ואין מציל כל כלי שטף שהלוגין טמאין טומאת שבעה והמשקין טהורין [לקמן כו.]. נטפל. נתקרב [עירובין סד:]. נעניתי לכם. דכתיב למולך יותר מן הראוי [ברכות כח.]. דברתי יותר מדאי [כתובות סו:]. כלי שנטמא אחוריו במשקין. כלי שטף קאמר דאלו כלי חרס אין מטמאין מגבו ואפילו בטומאה דאורייתא. שנטמא אחוריו במשקין. אין לך משקה שאינו ראשון לטומאה שאף הם גזרו בהן עשאום כתחלה. אחוריו טמאין. אף על פי שאין משקין מטמאין כלים מן התורה שאין כלי מקבלין טומאה מן התורה אלא מאב הטומאה גזרו חכמים שיהו משקין מטמאין כלים מפני משקין שהוא אב הטומאה כגון משקה זב וזבה וכלים מן התורה כגון זוב ורוקו ומימי רגליו גזרו במשקין סתם שיטמאו כלים [ברכות נב.]. תוכו אוגנו אזנו וידיו טהורין. דכיון דטומאה זו דרבנן היא עבדו בה היכרא דלידעו דמדרבנן היא כי היכי דלא לשרוף עליה תרומה וקדשים וכן מפורש בבכורות (דף לח.). אוגנו. שפתו הכפולה לצד חוץ לתשמיש [שם:]. בית קיבול התחתון שיושב עליו. שפתו [בכורות לח.]. אזנו. כמו אזן החבית [ברכות שם]. וידיו. כלי שיש לו בית יד כגון מחבת [ברכות שם]. כגון כלי חרס שעושין לו זנב לאחוריו. ויצבט לה קלי. ויושט לה ואין לו דמיון במקרא אלא בלשון משנה אחורים ותוך ובית הצביטה [רות ב, יד].

חשק שלמה על ר"ח א) עי' בערוך ערך בית לבע.

The Gemara explains:

מַאי אֲחוֹרַיִם וְתוֹךְ – What does the Mishnah mean when it says **"the outside and the inside** etc."? **כְּדִתְנַן – It is as we learned in a Mishnah:**[27] **כְּלִי שֶׁנִּטְמָא אֲחוֹרָיו בְּמַשְׁקִין – IF A VESSEL'S OUTSIDE CONTRACTED *TUMAH* THROUGH** coming in contact with *tamei* **LIQUIDS,**[28] **אֲחוֹרָיו טְמֵאִין – ITS OUTSIDE IS *TAMEI*, תוכו אוגנו אָזְנוֹ וְיָדָיו טְהוֹרִין –** but **ITS INSIDE, ITS RIM,**[29] **ITS EAR**[30] **AND ITS HANDLES**[31] **ARE *TAHOR*.**[32] **נִטְמָא תוכו –** But if **ITS INSIDE CONTRACTED *TUMAH*,**[33] **כולו טָמֵא – ITS ENTIRETY IS *TAMEI*** (i.e. its inside, outside, rim, ears and handles).[34] Thus, our Mishnah means that the outside, the inside and the *tzevitah* place are deemed separate vessels for *terumah*: If the vessel's outside contracts *tumah* from *tamei* liquids, only the outside is *tamei,* but not the other parts of the vessel. If, however, the *tamei* liquids touched the vessel's *inside,* then the entirety of the vessel becomes *tamei*. This is the law with regard to *terumah.* With regard to *kodesh,* however, even if the vessel's outside surface contracts *tumah* from *tamei* liquids, the entirety of the vessel becomes *tamei.*[35]

The Mishnah stated:

וּבֵית הַצְּבִיטָה וכו' – AND THE *TZEVITAH* PLACE etc.

The Gemara defines the *"tzevitah* place":

מַאי בֵּית הַצְּבִיטָה – What is the *tzevitah* place? אָמַר רַב יְהוּדָה אָמַר שְׁמוּאֵל – R' Yehudah said in the name of Shmuel: מָקוֹם שֶׁצּוֹבְטוֹ – It is **the place by which one hands it** to others. **וְכֵן הוּא אוֹמֵר – And so it states** in Scripture: "וַיִּצְבָּט-לָהּ קָלִי" – ***and he handed her parched grain.***[36]

A different definition:

רַבִּי אַסִּי אָמַר רַבִּי יוֹחָנָן – R' Assi says in the name of R' Yochanan: מָקוֹם שֶׁנְּקִיֵּי הַדַּעַת צוֹבְעִין – It is **the place in which delicate individuals dip** the food.[37]

A related Baraisa:

תָּנֵי רַב בִּיבִי קַמֵּיהּ דְּרַב נַחְמָן – Rav Bivi taught the following **Baraisa in the presence of Rav Nachman: כָּל הַכֵּלִים אֵין לָהֶם אֲחוֹרַיִם וְתוֹךְ – ALL VESSELS HAVE NO** distinction between their **OUTSIDE AND INSIDE, אֶחָד קָדְשֵׁי הַמִּקְדָּשׁ – WHETHER** with regard to **HOLY THINGS OF THE TEMPLE,** i.e. *kodesh,* **וְאֶחָד קָדְשֵׁי הַגְּבוּל – OR** with regard to **HOLY THINGS OF THE BORDERS.**[38] In regard to all these holy things, there is no distinction between the outside and inside of the vessel; once either part becomes *tamei* – even through the Rabbinic *tumah* conveyed by *tamei* liquids – all parts of the vessel become *tamei.*[39]

The Gemara asks:

אָמַר לֵיהּ – [Rav Nachman] said to [Rav Bivi]: קָדְשֵׁי הַגְּבוּל מַאי נִינְהוּ – What are "the holy things of the borders" mentioned in the Baraisa? **תְּרוּמָה –** Do you mean ***terumah?*** For *terumah* – in contradistinction to sacrificial foods, which may be eaten only in the Temple or within the confines of Jerusalem – may be eaten throughout the borders of Eretz Yisrael. **וְהָתְנַן – But surely we have learned in our Mishnah: אֲחוֹרַיִם וְתוֹךְ וּבֵית הַצְּבִיטָה לִתְרוּמָה – THE OUTSIDE, INSIDE AND *TZEVITAH* PLACE** are considered separate vessels **WITH REGARD TO *TERUMAH.*** How, then, can the Baraisa state that they are *not* considered separate vessels with regard to "holy things of the borders"? **דִּלְמָא לְחוּלִּין שֶׁנַּעֲשׂוּ עַל טָהֳרַת הַקּוֹדֶשׁ**

NOTES

27. *Keilim* 25:6.

28. *Rashi* notes that the Mishnah refers to a vessel made from wood or metal, which can contract *tumah* through contact with its outside. (Earthenware, however, cannot contract *tumah* from its outside; see Mishnah *Chullin* 24b.)

[*Rashi* seems to mean that were the vessel to be earthenware, it could not contract *tumah* from its אֲחוֹרַיִים, *outside.* This suggests that *Rashi* interprets אֲחוֹרַיִים, *outside,* as referring to the simple outside of the vessel. (For if it referred to the receptacle-like base of the vessel [see 20b, end of note 4], then it would contract *tumah* even in the case of an earthenware vessel through the inside of that base.) It is possible, though, that *Rashi* indeed defines אֲחוֹרַיִים as the receptacle-like base. And the reason he interprets the Mishnah as referring to non-earthenware is to explain why the rim, ear and handle of the vessel (which generally do *not* have a receptacle) would contract *tumah* [see beginning of the Mishnah there] (*Meiri* to our Mishnah).]

29. This refers to the rim of the vessel, which curls outward and is fit for use (*Rashi;* see *Tiferes Yisrael* to *Keilim* ibid. §32).

30. [I.e. an ear-shaped handle,] like those found on pitchers (*Rashi*).

31. [I.e. a straight handle,] like those found on skillets (*Rashi*).

32. According to Biblical law, vessels can contract *tumah* only from an *av hatumah* (primary source of *tumah*). Thus, a liquid that contracted *tumah* (and the liquid is thus only a *rishon*) cannot transmit *tumah* to a vessel from a Biblical standpoint. The Rabbis, however, decreed that a *tamei* liquid *does* transmit *tumah* to a vessel. This decree was enacted on account of liquids that are the secretions of a *zav* (such as his saliva or urine), which are *avos hatumah* and do transmit *tumah* to vessels on the Biblical level (see 21b note 5). The Rabbis, however, wanted people to realize that the *tumah* contracted by a vessel from a liquid that has become *tamei* is only Rabbinic, so that they should not mistakenly burn *terumah* or *kodesh* that contracts *tumah* from that vessel. [One may not burn *terumah* or *kodesh* that is Rabbinically *tamei* but Biblically *tahor* (except in specific cases – see *Tohoros* 4:5, cited in *Shabbos* 15b), for to do so would be a violation of the Biblical prohibition against destroying *terumah* or *kodesh* that is *tahor*. Rather, one simply refrains from eating the *terumah* or *kodesh* that is Rabbinically *tamei.*] Therefore, the Rabbis marked this Rabbinic *tumah* with a distinguishing characteristic: Whereas ordinarily a vessel that contracts *tumah* through any of its parts becomes *tamei* in its entirety, a vessel whose outside contracts *tumah* through *tamei* liquids remains *tamei* only on its outside; its inside, however, or any other part of the vessel that can function independently remains *tahor.* This distinguishing characteristic will remind people that the vessel's *tumah* is Rabbinic rather than Biblical (*Rashi,* from *Niddah* 7b).

33. Even a Rabbinical *tumah* (*Rashi*).

34. The Sages did not institute in this case that the inside of the vessel alone should be *tamei* and the outside *tahor,* because they felt that a single case of distinction between the Rabbinic *tumah* and the Biblical *tumah* was sufficient to remind people of the Rabbinic nature of the *tumah.* And they preferred to create this distinction in the case where the *tumah* touches the outside of the vessel rather than in the case where it touches the inside, since the inside of the vessel has greater stringency according to Biblical law – namely, in the case of an earthenware vessel, which contracts *tumah* only from its inside but not from its outside (*Tiferes Yisrael* to *Keilim* 25:1 §1).

[Regarding whether the entire vessel must be immersed where only one of its parts has contracted *tumah,* see *Tiferes Yisrael, Keilim* 25:*Boaz* §4, and *Mishneh LaMelech* to *Hil. Keilim* 28:3.]

35. See *Meiri* and *Rashash* to the Mishnah.

36. *Ruth* 2:14. We see from this verse that the root צבט (from which the term בֵּית הַצְּבִיטָה, *tzevitah place,* is derived) means *to hand.* Thus, the *tzevitah place* is that part of the vessel which one grasps in order to hand it to someone else (see *Rashi*).

37. A separate cavity was made in the bottom of the vessel, where mustard or vinegar was placed and the food dipped into it (*Rashi*). Those who were not so fastidious would place these condiments in their cups, and dip their foods into their cups. When they were ready to drink, they would spill out the condiment and fill the cup with their beverage. Delicate individuals, however, would use their cups for drinking only, and thus needed this cavity for dipping (*Tos. Rid*).

According to this explanation, the root צבט is related to the root צבע, *tzava,* which means *to immerse in liquid* [see, for example, *Targum Onkelos* to *Leviticus* 13:58 with *Rashi* ad loc.]. Accordingly, the verse in *Ruth* (cited previously by the Gemara) would be rendered: *And he dipped parched grain [into vinegar] for her . . .* (*Tos. Rid;* cf. *Yad David;* see also *Siach Yitzchak*).

38. The Gemara will explain what "holy things of the borders" refers to.

39. *Rashi.*

גמרא

לעצמו טהרנו אבל נטהר את הכלי שטהרתו לך ולו תניא ^(א) א"ר יהושע בושני מדבריכם ב"ש אפשר ^(ב) אשה לשה בעריבה ^(א) ועריבה טמאין שבעה ובצק טהור ^(ג) לוגין מלא משקין [לוגין] טמא טומאת שבעה ומשקין טהורין נטפל לו תלמיד אחד מתלמידי ב"ש אמר לו אומר לך טעמן של ב"ש אמר לו אמור אמר לו כלי טמא חוצץ או אינו חוצץ א"ל ^(ג) אינו חוצץ כלי של עם הארץ טמא או טהור אמר לו טמא ואם אתה אומר לו טמא כלום משגיח עליך ולא עוד אלא שאם אתה אומר לו טמא אומר לך שלי טהור ושלך טמא וזהו טעמן של ב"ש מיד הלך ר' יהושע ונשתטח על קברי ב"ש אמר נעניתי לכם עצמות ב"ש ומה סתומות שלכם כך מפורשות על אחת כמה וכמה אמרו כל ימיו ^(ד) הושחרו שיניו מפני תעניותיו קתני מיהת לך ולו אלמא שאלינן מינייהו ^(ד) כי שיילינן מינייהו מטבלינן להו אי הכי ניהדרו להו ב"ה לב"ש כי שאלינן מינייהו מטבלינן להו ^(ה) טמא מת בעי הזאה ג' וז' ומנא לן יומי לא מושלי אינשי ואטבילה לא מהימני והתניא ^(ו) נאמנין עמי הארץ על טהרת טבילת טמא מת אמר אביי ל"ק הא בגופו הא בכליו רבא אמר אידי ואידי בכליו ולא קשיא הא דאמר מעולם לא הטבלתי כלי בתוך כלי והא דאמר הטבלתי אבל לא הטבלתי בכלי שאין בפיו כשפופרת הנוד והתניא ^(ז) נאמן עם הארץ לומר פירות לא הוכשרו אבל אינו נאמן לומר פירות הוכשרו אבל לא נטמאו ואגופו מי מהימן והתניא ^(ח) חבר שבא להזות מזין עליו מיד עם הארץ שבא להזות אין מזין עליו עד שיעשה בפנינו שלישי ושביעי אלא אמר אביי מתוך חומר שהחמרת עליו בתחילתו הקלת עליו בסופו: ^(ט) אחורים ותוך: כדתנן ^(י) כלי שנטמא אחוריו במשקין אחוריו טמאין תוכו אוגנו אזנו וידיו טהורין נטמא תוכו כולו טמא: ובית הצביטה וכו': מאי בית הצביטה א"ר יהודה אמר שמואל מקום שצובטו וכן הוא אומר ^(א) ויצבט לה קלי א"ר אסי א"ר יוחנן מקום שנקיי הדעת ^(ז) צובעין תני רב ביבי קמיה דר"נ כל הכלים אין להם אחורים ותוך ואחד קדשי המקדש ואחד קדשי הגבול א"ל קדשי הגבול מאי נינהו תרומה והתנן אחורים ותוך ובית הצביטה לתרומה דלמא לחולין שנעשו על טהרת הקודש קאמרת אדכרתן מילתא דאמר רבה בר בר אבוה אחת עשרה מעלות שנו כאן שש ראשונות בין לקודש בין לחולין שנעשו על טהרת הקודש אחרונות לקודש אבל לא לחולין שנעשו על טהרת הקודש: ^(כ) הנושא את המדרס נושא את התרומה אבל לא את הקודש: קודש מאי טעמא לא ^(ל) משום מעשה שהיה דאמר רב יהודה אמר שמואל מעשה באחד שהיה מעביר חבית של יין קודש ממקום למקום ונפסקה

רש"י

לעצמו טהרנו. הוא יאכלם שהרי החברים בדלין מהן וממגען ובגלוי הכי מאכלו טמא: טהרת לך ולו. שמא תשאלנו ותשמע בו: אשה לשה בעריבה. בעלייה זו: כלום משגיח עליך. לפיכך טהרו לו ב"ש אוכלין ומשקין וכלי חרס שאין להן טהרה אלא שבירתן ואם באת לאוסרן עליו לא ישמע לך אבל בכלי שטף ישמע לך ויטבילנו: מטבילין להו. שמא הטבילם כלי בתוך כלי: ואטבילה לא מהימני. דאמר השואל ממנו לא צריך להטביל: בגופו. מהימן: והתניא. בניחותא: לא הוכשרו. לא נראו לטומאה: חבר שבא להזות. ואמר ראוי לקבל הזאה ראשונה שכבר עברו ג' ימים לטומאתו שהיום יום ג': מתוך חומר שהחמרת עליו בתחילה. כשבא לפניך להזאותיו ולא האמנתו הקלת עליו בסופו להאמינו על הטבילה לפי שהוא זהיר בטבילתו שלא יצטרך לו עוד: כלי שנטמאו אחוריו. כלי עץ או של מתכת דקאמר שמטמאין מגבן במשקין. דטומאה דרבנן היא דמדאורייתא אין אוכל ומשקה מטמא כלי שאין כלי מקבל טומאה אלא מאב הטומאה וגזרו חכמים שיהו משקין מטמאין כלי לפי שיש משקה שהוא אב הטומאה ומטמא כלי מן התורה כגון רוקו של זב ומימי רגליו הלכך הואיל וטומאה זו מדברי סופרים אחוריו טמאין ושאר תשמישין שבו טהורים דעבדו רבנן היכר להודיע שטומאה זו מדבריהם ולא ישרפו עליה תרומה וקדשים כך היא מפורשת במסכת נדה פ"ק: אוגנו. שפתו הכפולה לצד חוץ וראוי לתשמיש: אזנו. כגון אוזן הכבית: וידיו. כלי שיש לו בית יד כגון מחבת: נטמא תוכו. אפי' בטומאה דרבנן כולו טמא: שצובטו. שאוחזו בו ומושיטו לאחרים: ויצבט לה קלי. תרגום ואושיט לה: נקיי הדעת. אסטניסים: צובעין. מטבילין אוכלין בחרדל או בחומץ שחוקקין בשולי הקערה בית קיבול לו סביב ונותנין שם חומץ וחרדל: אין להן אחורים. אין חילוק ^(א) להם של אחורים ותוך אלא משנטמא אחד מהן הכל טמא בין לקדשי המקדש בין לקדשי הגבול: תרומה. הנאכלת בכל גבול א"י: דלמא. האי קדשי גבול חולין שנעשו על טהרת קודש קאמרת וע"י משנתך זו הזכרתי דבר שמעתי מרבה בר אבוה רביה דרב נחמן: ונפסקה

תוספות

כלום משגיח בך. פרש"י אבל כלי שטף ישמע שפיר ויטבול ותימה היא למה ישמע בזה טפי מבאוכלים ומשקין ואי משום דלית להו טהרה במקוה משקין מאי איכא למימר הרי יכול להשיקן ועוד כי משקין דמטבלינן להו ואי לצורכן למה יטבול להו טפי מכלי חרס אלא נראה לפרש כלום משגיח בך לפיכך לא ישאול לעולם אבל לא על כלי שטף שישאלם מהם ולעולם טמאין לחברים:

טמא מת הזאה ג' ושביעי. בהני דלעיל דקאמר כי שיילינן מטבילין ^(ז) ודנפלה מעפורת ממנו ובבנות כותים (נדה דף לג: ושם) שטבל ודרס אבגדי חבר דלא טמאו אלא משום עם הארץ ולא חיישינן אטומאת מת כיון דלא שכיחי לא גזרינן ליה:

ואטבילה לא מהימני והתניא נאמן עם הארץ לומר כו'. פרש"י כיון דאמר השואל ממנו צריך להטביל אלמא לא מהימן אטבילה וקשיא להר"ר אלחנן מאי פריך ליה ממתני' דנאמן אטומאת מת הא ע"כ לא קאמר השואל צריך להטביל רק טומאת ערב אבל טומאת ז' לא קאמר דכלי לז' לא מושלי אינשי כדמסיק ותירץ מורי דקאי אהא דקאמר נהדרו ב"ה לב"ש דמטבילין לכלים ומסיק דלא דמי דכיון דמטמא בית שמאי מטעם שאין כלי חרס מציל מטומאת אהל א"כ בעי הזאה ג' וז' ואם נשתמש בכליהם נאמן שהם נאמנים להציל על הכל שלא נטמאו במת ואמטו להכי פריך אטבילת טמא מת לטהרת כליו בטבילה ממגע טמא מת דקאמרת שבשאר טומאות מטבילין לפי שהוא טומאת ערב אבל הכא בעי הזאה לכך לא אהדרי תו ב"ה לב"ש דלא מהני מידי טבילה לדברי ב"ש דחיישינן בכלים שלא הציל עם הארץ אותו מטומאת אהל ולהכי פריך למימרא דלא מהימן לומר שהצילם מאהל והא תניא נאמן כו':

מתוך חומר שהחמרת עליו בתחלתו הקלת עליו בסופו. פירש רש"י תחילתו הזאתו סופו טבילה ולא יצטרך עוד לחזור ולטבול וצ"ע דנילף מק"ו מה כלים שאין נאמן על טבילתן נאמן על הזאתן גופו שנאמן על טבילתו אינו דין שנאמן על הזאתו ואמר מורי דעד כאן לא מהימן בהזאת כלים אלא כשבא לפנינו ואמר שלא נטמאו במת דלא שכיח אבל אם בא להזות אינו נאמן אפי' בלא גופו ותניא נמי הכי בתוספתא ע"ה שבא להזות מזין עליו ועל כליו אחר ג' ימים י"מ תחילתו בא להזות סופו אומר הזיתי אך היה להם למיגרס טהרת מת ואילו בתוספתא תניא טבילת מת:

כלי שנטמא אחוריו במשקין. דמדאורייתא אין אוכל ומשקה מטמא כלי ורבנן הוא דגזור משום משקה זב וזבה כדאיתא בנדה (דף ז:) ועבוד ביה רבנן היכרא לגביה כי היכי דלא לישרוף עליה תרומה וקדשים כדאמרינן פרק אלו מומין (בכורות דף לח. ושם):

מקום שנקיי הדעת צובעין. פרש"י חוקקין בשולי הקערה בית קיבול והגובה סביב ונותנין בתוך הקיבול חומץ וחרדל והקשה הר"ר אלחנן א"כ לתרומה תטמא כולה כיון דלאיטמי החקק מי גרע מתוך תוכו וצריך לדחוק ולומר דהכי פי' המתני' אחורים ותוך הצביטה אם נטמא אחוריו לא נטמא תוכו ובית הצביטה נטמא תוכו ובית הצביטה נטמא אחוריו א"כ לפירוש זה רב יהודה אמר שמואל ורב אסי חלוקין הן בפירוש המשנה וצ"ע: ונפסקה

רבינו חננאל

למימר דמטבילין להו משום דבטומאת מת פליגי דלאו דטבילות מטהרתו אלא צריך נמי הזאה שלישי ושביעי וכלים לשבעה יומי לא מושלי. זה שהיה רבי יהושע אומר בוש אני מדבריכם ב"ש שהן אומרים אין כלי ע"ה טהור אלא אצל אוכלין ומשקין וכלי חרס בלבד אבל כלי ע"ה הנוגע בו טמא מכלל שהכלי עצמו טמא. נמצא אשה שלשה בכלי ע"ה האשה והכלי טמאין והבצק טהור. נמצאו דברים הללו לא טעם וכשפירש לו אותו תלמיד ב"ש טעם ב"ש אמר לו כי ב"ש מפני שכל כלי ע"ה בחזקת טומאה הן ואע"פ שהן צריך פתיל וכלי שטף בתוכן כלי מתכת וכיוצא בהן שנמצא זה כלי ביניהן שהוא צמיד פתיל חוצץ בפני הטומאה אינו מציל דכיון דבחזקת טומאה הוא קיי"ל אין כלי טמא חוצץ וכי תאמר אי הכי אפילו אוכלים ומשקין נמי ליהוו טמאין. אמר לך ב"ש דלעצמן הוא מטהרו ואוכלין ומשקין שהוא צריך לאכול אתם אם תאמר לו אינם טהורין אינו מקבל ממך שאני (אני) וכליו טהורין מכם הלכך אוכלין ומשקין דלעצמו הן שאין חבר מתארח אצל ע"ה ואינו אוכל מטמעמיו ואם אוכל אתם והם טמאין דינו מסור לשמים אבל בכלים שאנו שואלים מהם חיישינן ומחזקינן להו בחזקת טומאה דע"ה לא מהימן בטהרות. חזר ר' יהושע ואמר נעניתי לכם עצמות ב"ש כו'. ומקשינן כי ע"ה אם יאמר כי אני הטבלתי הכלים הללו אינו נאמן דאמרת כי שאלינן מינייהו מטבלינן להו. והתנן נאמנים ע"ה על טהרת טבילות טמא מת ופריק אביי כי תניא ההיא דנאמן בגופו וכי אמרינן אינו נאמן בכליו. רבא אמר הא והא בכליו. והא דתניא נאמן בדאמר לא הטבלתי כלי בתוך כלי והא דאמר שאלינן מינייהו היכי אם אמר הין כלי בתוך כלי הטבלתים והוה בפי הכלי רוחב כב' אצבעות שוחקות כי האי גוונא לא מקבלינן מיניה אפילו בתרומה. וכדתניא נאמן ע"ה לומר פירות הללו לא הוכשרו כלל כלומר לא ניתנו עליהן מים מעולם אבל אין נאמנים לומר הוכשרו אבל לא נטמאו הכא נמי נאמן לומר לא הטבלתי כלי בתוך כלי מעולם [אבל] לומר הטבלתי כלי בתוך כלי שפיו רחב כשפופרת הנוד אינו נאמן. ואקשינן ואגופיה מי מהימן. והתניא חבר שבא להזות ואמר היום יום שלישי הוא לטומאתי מזין עליו מיד. ע"ה שבא להזות אין מזין עליו עד שיעשה שלישי ושביעי בפנינו. ופריק אביי מתוך חומר שהחמרת עליו בתחלתו שאין מזין עליו עד שיעשה שלישי ושביעי בפנינו הקלת עליו בסופו כשיאמר טהרתי להיותו נאמן. ועלתה שמועה זו כרבא שאמר אין מטבילין כלי בתוך כלי לקדש מעלה היא לקדש גזירה משום כלי שאין בפיו כשפופרת הנוד. והן אחת עשרה מעלות: מעלה שניה אחורים ותוך [ובית] הצביעה לתרומה אבל לא לקדש. פי' אם נפלו משקין טמאין באחורי הכלים או בבית הצביעה שלהן והוא מקום שתופסו באצבעו תוכו של כלי טהור. ואם יש בתוכו תרומה לא נטמאת ואם יש בתוכו קדש נטמא וזהו שאמרו כלי שנטמאו אחוריו במשקין אחוריו טמאין. תוכו אוגנו אזנו ידיו טהורין לתרומה אבל לא לקדש נטמא תוכו נטמא כולו. בית הצביעה ^(א) פירש ר' יוחנן מקום שנקיי הדעת שותין בו והוא אצל אזן הכלי שאין דרך בני אדם ליגע בו כי דרך בני אדם להטות הכלי ולשתות מכנגד אזנו מפני שאוחזין אותו באזניו ונקיי הדעת משנין ואין שותין ממקום שכל אדם שותה בו אלא שותין מאצל אזנו כמו שאמרנו ודין אחוריים ותוך מפורש בכלים פרק כ"ה כל הכלים יש להם אחוריים ותוך כגון הכרים והכסתות והשקין והמרצופין כו'. פי' כי הכרים והכסתות משתמשים בהן באחוריהם בשינה שישנים עליהן ומשתמשין עוד בתוכן כדרך אמתחת שמכניסין בתוכן כלים אחרים או תבן וכיוצא בו וישנין עליהן. ותנן נמי כל הכלים יש להן אחוריים ותוך ובית הצביעה ר' טרפון אומר לעריבה גדולה של עץ. ר' עקיבא אומר לכוסות. ר' מאיר אומר לידים טמאות וטהורות. א"ר יוסי לא אמרו אלא לידים הטהורות בלבד. כיצד היו ידיו טהורות ואחורי הכוס טמאין ואחזו בבית צביעתו אינו חושש שמא נטמאו ידיו באחורי הכוס היה שותה בכוס שאחוריו טמאין אינו חושש שמא נטמא משקה שבפיו מאחורי הכוס חוזר ונטמא את הכוס. קומקומוס שהוא מרתיח אינו חושש שמא יצאו משקין מתוכו ונגעו באחוריו וחזרו לתוכו: כלי הקודש אין להם אחוריים ותוך ואין להם בית הצביעה כו' ואסיקנא אמר רבה בר אבוה אחת עשרה מעלות שנו כאן שש ראשונות בין לקדש בין לחולין שנעשו על טהרת הקדש אחרונות לקדש אבל לא לחולין שנעשו על טהרת הקדש: מעלה שלישית הנושא את המדרס נושא את התרומה אבל לא את הקדש. ואמרינן מכדי לא נגע קדש אמאי לא. ואמרינן משום מעשה שהיה באחד שהיה מעביר חבית של יין קדש ממקום למקום ונפסקה

עין משפט נר מצוה

יב א ב מיי' פי"ג מהלכות טומאת מת הלכה ב:
יג ג ד מיי' שם הל' א:
יד ה מיי' פי"א מהלכות פרה הלכה א:
טו ו מיי' פי"א מהלכות מטמאי משכב ומושב הלכה יב:
טז ז מיי' פט"ו מהל' טומאת אוכלין הלכה ג:
יז ח מיי' פי"א מהל' פרה אדומה הל' ב:
יח ט י מיי' פרק ז מהל' אבות הטומאות הלכה ג ופי"ב שם הל' ג ופ"ו מהלכות כלים הלכה ד:
יט כ ל מיי' פרק י"ג מהל' אבות הטומאות הלכה ג:

מסורת הש"ס

א) [תוספתא דאהלות פ"ה], ב) [אהלות פ"ה מ"ד], ג) [שם במשנה ולקמן כו.], ד) [נזיר נב:], ה) ברכות נז. כלים פכ"ה מ"ו נדה ז: בכורות לח., ו) [עי' פירוש נכון בערוך ערך [בית לבע], ז) [לעיל כ.]

הגהות הב"ח

(א) רש"י ד"ה אין להם אחורים אין חילוק של אחורים ותוך להם אלא:

תורה אור השלם

א) וַיֹּאמֶר לָהּ בֹעַז לְעֵת הָאֹכֶל גֹּשִׁי הֲלֹם וְאָכַלְתְּ מִן הַלֶּחֶם וְטָבַלְתְּ פִּתֵּךְ בַּחֹמֶץ וַתֵּשֶׁב מִצַּד הַקּוֹצְרִים וַיִּצְבָּט לָהּ קָלִי וַתֹּאכַל וַתִּשְׂבַּע וַתֹּתַר: [רות ב, יד]

ליקוטי רש"י

לוגין. גדול מכום וקטן מחבית [שבת קלט:]. לוגין מלא משקין. כלי חרס המוקף את המשקין שבתוכו ואין מציל כל כלי שטף שבלגין טומאת שבעה והמשקין טהורין [לקמן כו.]. נטפל. נתקרב [עירובין סד:]. נעניתי לכם. דברתי למולך יותר מן הראוי [ברכות כח.]. דברתי יותר מדאי [כתובות סז:]. כלי שנטמא אחוריו במשקין. כלי שטף קאמר דאילו כלי חרס אין מטמאין מגבן ואפילו בטומאה דאורייתא. שנטמאו אחוריו במשקין. אין לך משקה שאינו ראשון לטומאה אף על פי שנגע בראשון שאף שעשאוהו חכמים תחלה. אחוריו טמאין. אף על פי שאין אדם מטמא מן התורה מקבלין טומאה שאין מקבל אלא מאב הטומאה גזרו חכמים שיהו משקין מטמאין כלים מפני שמצינו משקה שהוא אב הטומאה לטמא אדם וכלים מן התורה כגון זובו ורוקו ומימי רגליו גזרו על כל המשקין שיטמאו כלים [ברכות נב.]. תוכו אוגנו אזנו וידיו טהורין. דכיון דטומאה זו דרבנן עבדו בה היכרא דליתי למישרף עליה תרומה וקדשים והטבילו אותו כדי שלא תאכל ביה. [בכורות לח.] אוגנו. שפתו [שם]. אזנו. כמו אזן החבית [ברכות שם]. וידיו. כלי שיש לו יד כגון מחבת [בכורות שם]. כגון כלי חרס שעושין לו זכר לאחוריו [לאחוז בו] [בכורות שם]. ויצבט לה קלי. ויושט לה ואין לו דמיון במקרא אלא בלשון משנה אחוריים ותוך ובית הצביטה [רות ב, יד].

קָאָמְרַתְּ – **Perhaps,** then, by "holy things of the borders" **you refer to *chullin* that were prepared according to the *taharah*** standard **of *kodesh*.**[40] אַדְכַּרְתַּן מִילְּתָא דְּאָמַר רַבָּה בַּר אֲבוּהַ – **You have** thus **reminded me of the** following **statement that Rabbah bar Avuha said:**[41] אַחַת עֶשְׂרֵה מַעֲלוֹת שָׁנוּ כָּאן – **They taught here in the Mishnah eleven heightened standards** decreed for *kodesh* but not for *terumah.* שֵׁשׁ רִאשׁוֹנוֹת – **The first six** apply בֵּין לְקוֹדֶשׁ בֵּין לְחוּלִּין שֶׁנַּעֲשׂוּ עַל טָהֳרַת הַקּוֹדֶשׁ – **both to *kodesh* and to *chullin* that were prepared according to the *taharah*** standard **of *kodesh*.** אַחֲרוֹנוֹת לְקוֹדֶשׁ – The **last** five apply **to *kodesh*,** אֲבָל לֹא לְחוּלִּין שֶׁנַּעֲשׂוּ עַל טָהֳרַת הַקּוֹדֶשׁ – **but not to *chullin* that were prepared according to the *taharah*** standard **of *kodesh*.**[42]

The Gemara now discusses the third heightened standard listed in the Mishnah, which stated:

הַנּוֹשֵׂא אֶת הַמִּדְרָס נוֹשֵׂא אֶת הַתְּרוּמָה – ONE WHO IS CARRYING A *MIDRAS* MAY simultaneously CARRY *TERUMAH,* אֲבָל לֹא אֶת הַקּוֹדֶשׁ – BUT NOT *KODESH.*

The Gemara explains:

קוֹדֶשׁ מַאי טַעְמָא לֹא – **What is the reason** that he may **not** carry ***kodesh*?** מִשּׁוּם מַעֲשֶׂה שֶׁהָיָה – It is **on account of an incident that** once **occurred.** דְּאָמַר רַב יְהוּדָה אָמַר שְׁמוּאֵל – **For Rav Yehudah said in the name of Shmuel:** מַעֲשֶׂה בְּאֶחָד שֶׁהָיָה מַעֲבִיר חָבִית שֶׁל יֵין קוֹדֶשׁ מִמָּקוֹם לְמָקוֹם – **There was** once **an incident involving someone who was transporting a barrel of consecrated wine from place to place,**

NOTES

40. *Chullin* prepared according to the *taharah* standard of *kodesh* may be referred to as "holy things of the borders" because they, like *terumah,* may be eaten throughout Eretz Yisrael.

41. Rav Nachman told Rav Bivi that his recitation of the Baraisa (and Rav Nachman's subsequent interpretation) reminded Rav Nachman of a statement he had heard from his teacher, Rabbah bar Avuha (*Rashi*). [This statement of Rabbah bar Avuha was cited by the Gemara at the beginning of 22a.]

42. [Thus, if we interpret "the holy things of the borders" as a reference to *chullin* prepared according to the *taharah* standard of *kodesh,* the Baraisa confirms in part this statement of Rabbah bar Avuha. For the Baraisa states that the heightened standard of considering all parts of a vessel as one with regard to *kodesh* applies even to *chullin* prepared according to the *taharah* standard of *kodesh.* And this heightened standard is one of the first six mentioned by our Mishnah – all of which apply even to *chullin* prepared according to the *taharah* standard of *kodesh,* as taught by Rabbah bar Avuha.]

וְנִפְסְקָה רְצוּעָה שֶׁל סַנְדָּלוֹ – and the strap of his sandal broke off, וּנְטָלָהּ וְהִנִּיחָהּ עַל פִּי חָבִית – and he took it and placed it on the barrel וְנָפְלָה לַאֲוִיר הֶחָבִית – and it fell into the airspace of the barrel, וְנִטְמֵאת – which therefore **contracted *tumah*.**[1] **בְּאוֹתָהּ שָׁעָה אָמְרוּ – At that time they said: הַנּוֹשֵׂא אֶת הַמִּדְרָס נוֹשֵׂא אֶת הַתְּרוּמָה – One who is carrying a *midras* may** simultaneously **carry *terumah*, אֲבָל לֹא אֶת הַקֹּדֶשׁ – but not *kodesh*.**

The Gemara asks:

אִי הָכִי – If so, that this stringency was decreed because of an actual incident, **תְּרוּמָה נַמִּי** – the same restriction should apply **to *terumah* too!** Such incidents are as likely to happen with *terumah* as with *kodesh*![2] **– ? –**

The Gemara answers:

הָא מַנִּי – Who is the Tanna of **this** Mishnah, which restricts the decree prompted by an incident to the same circumstances as the original incident? **רַבִּי חֲנַנְיָה בֶּן עֲקַבְיָא הִיא – It is** a Mishnah authored by **R' Chananyah ben Akavya, דְּאָמַר – who says** with respect to a similar situation in which the Rabbis issued a decree because of an incident that occurred: **לֹא אָסְרוּ אֶלָּא בַּיַּרְדֵּן וּבִסְפִינָה** – [THE RABBIS] DID NOT PROHIBIT the nonground transport of *chatas* water or *chatas* ashes[3] EXCEPT IN a case that involves THE JORDAN River AND travel IN A BOAT, **וּכְמַעֲשֶׂה שֶׁהָיָה** – WHICH IS HOW THE INCIDENT prompting the decree OCCURRED.[4] Similarly, in our Mishnah, the decree against carrying *midras* together with *tahor* things, which was prompted by the incident recorded above, is restricted to the same circumstances as the original incident – i.e. *kodesh* and not *terumah*.

The Gemara elaborates:

מַאי הִיא – What is this case upon which R' Chananyah ben Akavya made his statement? **דְּתַנְיָא – For it was taught in a** Baraisa: **לֹא יִשָּׂא אָדָם מֵי חַטָּאת וְאֵפֶר חַטָּאת** – A PERSON SHOULD NOT TAKE *CHATAS* WATER OR *CHATAS* ASHES[5] **וְיַעֲבִירֵם בַּיַּרְדֵּן וּבִסְפִינָה** – AND TRANSPORT THEM ACROSS THE JORDAN AND IN A BOAT,[6] **וְלֹא יַעֲמוֹד בְּצַד זֶה וְיִזְרְקֵם לְצַד אַחֵר** – NOR SHOULD HE STAND ON ONE SIDE of a river[7] AND THROW THEM across TO THE OTHER SIDE, **וְלֹא יְשִׁיטֵם עַל פְּנֵי הַמַּיִם** – NOR SHOULD HE FLOAT THEM ACROSS THE WATER, **וְלֹא יִרְכַּב עַל גַּבֵּי בְהֵמָה וְלֹא עַל גַּבֵּי חֲבֵירוֹ** – NOR SHOULD HE RIDE UPON AN ANIMAL OR UPON HIS FRIEND, **אֶלָּא אִם כֵּן הָיוּ רַגְלָיו נוֹגְעוֹת בַּקַּרְקַע** – UNLESS HIS FEET WERE TOUCHING THE GROUND.[8] **אֲבָל מַעֲבִירָן עַל גַּבֵּי הַגֶּשֶׁר וְאֵינוֹ חוֹשֵׁשׁ** – BUT HE MAY BRING THEM OVER ON A BRIDGE AND HE NEED NOT BE CONCERNED that he would thereby be in violation of this decree.[9] **אֶחָד הַיַּרְדֵּן וְאֶחָד שְׁאָר הַנְּהָרוֹת** – This rule applies WHETHER the transport takes place over THE JORDAN OR ANY OTHER RIVER. **רַבִּי חֲנַנְיָה בֶּן עֲקַבְיָא אוֹמֵר** – R' CHANANYAH BEN AKAVYA SAYS: **לֹא אָסְרוּ אֶלָּא בַּיַּרְדֵּן וּבִסְפִינָה** – [THE RABBIS] DID NOT PROHIBIT the nonground transport of *chatas* water or ashes EXCEPT IN a case that involves THE JORDAN River AND travel IN A BOAT,[10] **וּכְמַעֲשֶׂה שֶׁהָיָה** – WHICH IS HOW THE INCIDENT prompting the decree OCCURRED. **מַאי מַעֲשֶׂה שֶׁהָיָה – What was the incident that occurred? דְּאָמַר רַב יְהוּדָה אָמַר רַב – For Rav Yehudah said in the name of Rav: מַעֲשֶׂה בְּאָדָם אֶחָד – There was an incident involving a certain person שֶׁהָיָה מַעֲבִיר מֵי חַטָּאת וְאֵפֶר חַטָּאת בַּיַּרְדֵּן וּבִסְפִינָה – who was transporting *chatas* water and *chatas* ashes over the Jordan in a boat, וְנִמְצָא כְּזַיִת מֵת תָּחוּב בְּקַרְקָעִיתָהּ שֶׁל סְפִינָה – and an olive-sized piece of** a human **corpse was found lodged in the floor of the boat.**[11] **בְּאוֹתָהּ שָׁעָה אָמְרוּ – At that time [the Rabbis] said: לֹא יִשָּׂא אָדָם מֵי חַטָּאת וְאֵפֶר חַטָּאת – A person should not take *chatas* water and *chatas* ashes וְיַעֲבִירֵם בַּיַּרְדֵּן בִּסְפִינָה – and transport them across the Jordan in a boat.**[12]

NOTES

1. This sandal was the *midras* of a *zav*. In the process of taking the strap [which is likewise *tamei*], it fell into the barrel [and rendered the barrel and its contents *tamei*] (*Rashi*). [*Rashash* surmises that *Rashi* did not have the reading in the Gemara: "and he took it and placed it on the barrel." See, however, *Siach Yitzchak*.]

[The barrel was earthenware, and thus would not contract *tumah* directly from the person wearing the sandal (see *Rambam, Hil. Metam'ei Mishkav U'Moshav* 6:2), nor from the strap's lying on top of it. It contracted *tumah* only from the strap entering its airspace.]

Tosafos ד"ה ונפסקה ask: The rule is that something that is not a utensil cannot contract or transmit *tumah* (see note 18 below). Why, then, did this severed strap [which is no longer functional and hence no longer deemed a utensil] transmit *tumah*? They answer (based on *Keilim* 26:1) that this strap is still considered a utensil, because there is enough of it left so that even an amateur can reattach it. Thus, it is deemed a utensil, and can retain and transmit *tumah*. Alternatively, they cite the account of this incident recorded in *Yerushalmi* here, according to which it was the sandal itself that entered the airspace of the barrel and rendered it *tamei*. [This cannot, however, be the meaning of our Gemara (according to our versions), which states וְנָפְלָה, *and it (feminine) fell* . . . – a reference to the feminine noun רְצוּעָה, *strap*, rather than to the masculine noun סַנְדָּל, *sandal* (see *Tos. Rid*).] See also *Meiri* at length.

2. See *Siach Yitzchak*.

3. See below, note 5.

4. The Gemara will explain shortly.

5. "*Chatas* ashes" are the ashes of the *parah adumah* (which the Torah refers to as a *chatas* – see *Numbers* 19:9). In order to purify from corpse *tumah*, these ashes must be mixed with spring water and then sprinkled; the mixture is called "*chatas* water" [*mei chatas*] (see *Parah* 9:6; *Rambam, Hil. Parah Adumah* 10:2).

6. For, as the Gemara will detail below, a disqualifying situation once arose when *chatas* water and ashes were being ferried across the Jordan River in a boat.

7. *Rashi*.

8. According to the Tanna Kamma, the incident involving the transport of *chatas* water and ashes across the Jordan River in a boat prompted the Rabbis to prohibit any similar kind of transport – namely, any transport through the air when the feet of the carrier do not touch the ground (*Rashi*).

[*Rashi's* wording here would seem to indicate that the Tanna Kamma prohibits a rider (whose feet do not touch the ground) to transport *chatas* water or ashes even over *land*. *Rashi* to *Yevamos* 116b ד"ה לא ירכיבם, however, clearly states that the reference is to a rider crossing a *river*. (See *Beur HaGra* and *Minchas Bikkurim* to *Tosefta Parah* 9:6, and *Rambam, Hil. Parah Adumah* 10:3 with *Kesef Mishneh;* see also *Siach Yitzchak* here.)]

9. Though he is, in a sense, transporting the *chatas* water or ashes over a river, he is not subject to the decree, since his feet are in contact with the surface of the bridge (*Rashi*).

10. But it is permitted to transport the *chatas* water or ashes in a boat across other rivers, or across the Jordan by throwing them or floating them [in a container] (see *Rashi*, as explained by *Ikvei Yaakov* [cited in *Yalkut Yeshayahu*]; cf. *Menachem Meishiv Nefesh*).

11. [An olive-sized piece of a human corpse can convey *tumah* "via a roof."] In this case, the *chatas* water and *chatas* ashes passed over the piece of corpse, thereby rendering them *tamei* (*Rashi*). [See *Turei Even* regarding how mere ashes (which are not a utensil, food or beverage) can contract *tumah*.]

12. Our Gemara seems to say, then, that our Mishnah (which permits one who carries a *midras* to carry *terumah* at the same time) follows specifically the view of R' Chananyah ben Akavya, who restricts decrees based on incidents to circumstances rigidly similar to those of the original incident. In the case of our Mishnah, since the original incident involved *kodesh* and not *terumah*, the decree was issued only with regard to *kodesh* and not with regard to *terumah*. According to the Tanna Kamma of the Baraisa [which is also the view of the anonymous Tanna in *Parah* 9:6], however, such decrees are applied broadly. Thus, he would rule, unlike our Mishnah, that one who carries a *midras* may *not* carry *terumah* at the same time. (See, however, *Rambam, Hil. Parah Adumah* 10:2-3 and *Hil. Avos HaTumos* 12:3, with *Kesef Mishneh* to *Hil.*

ונפסקה רצועה של סנדלו ונטלה והניחה ע"פ חבית ונפלה לאויר החבית ונטמאת באותה שעה אמרו הנושא את המדרס נושא את התרומה אבל לא את הקדש אי הכי תרומה נמי [א]הא מני [ג] ר' חנניה בן עקביא היא דאמר לא אסרו אלא בירדן ובספינה וכמעשה שהיה מאי היא דתניא [ב] [ב]לא ישא אדם מי חטאת ואפר חטאת ויעבירם בירדן ובספינה ולא יעמוד בצד זה ויזרקם לצד אחר ולא ישיטם על פני המים ולא ירכב ע"ג בהמה ולא על גבי חבירו אלא אם כן היו רגליו נוגעות בקרקע אבל מעבירן על גבי הגשר ואינו חושש אחד הירדן ואחד שאר הנהרות [ג] ר' חנניה בן עקביא אומר לא אסרו אלא בירדן ובספינה וכמעשה שהיה [ד] מאי מעשה שהיה דאמר רב יהודה אמר רב מעשה באדם אחד שהיה מעביר מי חטאת ואפר חטאת בירדן ובספינה ונמצא כזית מת תחוב בקרקעיתה של ספינה באותה שעה אמרו לא ישא אדם מי חטאת ואפר חטאת ויעבירים בירדן בספינה איבעיא להו סנדל טמא סנדל טהור מהו חבית פתוחה חבית סתומה מהו עבר ונשא מהו ר' אילא אמר אם עבר ונשא טמא רבי זירא אמר [ג]עבר ונשא טהור: [ד]כלים הנגמרים בטהרה כו': דגמרינהו מאן אילימא דגמרינהו חבר למה להו טבילה אלא דגמרינהו עם הארץ נגמרין בטהרה קרי להו אמר רבה בר בר שילא אמר רב מתנה אמר שמואל לעולם דגמרינהו חבר [ה]ומשום צינורא דעם הארץ דנפל אימת אילימא מקמי דליגמריה הא לאו מנא הוא אלא בתר דגמריה מיזהר זהיר בהו לעולם מקמיה דגמריה [ו]ודלמא בעידנא דגמריה לחה היא [ז]הערב שמש לא מתני' דלא כר"א דתנן [ח] [ח]שפופרת שחתכה לחטאת ר"א אומר יטבול מיד ר' יהושע אומר יטמא ואחר כך יטבול והוינן בה דחתכה מאן אילימא דחתכה חבר למה לי טבילה ואלא דחתכה עם הארץ בהא לימא ר' יהושע יטמא ויטבול הא טמא וקאי ואמר רבה בר שילא אמר רב מתנה אמר שמואל לעולם דחתכה חבר ומשום צינורא דעם הארץ דנפל אימת אילימא מקמי דליחתכה הא לאו מנא הוא ואלא בתר דחתכה מיזהר זהיר בה לעולם מקמי דליחתכה דלמא בעידנא דחתכה עדיין לחה היא בשלמא לר' יהושע היינו דאיכא היכירא לצדוקין דתנן [י] [ט]מטמאין היו את הכהן השורף את הפרה להוציא מלבן של צדוקין שהיו אומרים במעורבי שמש היתה נעשית אלא לר"א אי אמרת בשלמא בעלמא בעינן הערב שמש היינו דאיכא היכירא לצדוקין אלא אי אמרת בעלמא לא בעינן הערב שמש מאי היכירא לצדוקין איכא אמר רב עשאוה

רש"י

ונפסקה רצועה של סנדלו. מדרס הזב היתה ונטלה בידו ומתוך כך נפלה לאויר החבית: ר' חנניה בן עקביא. דאמר כל מקום שגזרו חכמים על דבר על מעשה שהיה לא גזרו אלא כדוגמת המעשה וכאותו דבר הלכך בקודש היה מעשה ובקודש גזרו: ולא יעמוד בצד זה. של נהר: אא"כ רגליו נוגעות בקרקע. משום מעשה שהיה בספינה כדלקמן וכל ספינה מהלכת באויר וגזרו על האוירות כולן: אבל מעבירן על הגשר. הואיל ורגליו נוגעות בו: אלא בירדן. ולא בשאר נהרות אבל משיטן על פניו ועומד בצד זה ויזרקם לצד אחר: כזית מת תחוב. והאהילו עליו ונטמאו: איבעיא להו סנדל טמא. הא דאמרת דגזרו עליו שלא ישא קודש עמו: סנדל טהור מאי. מי גזור סנדל טהור אטו טמא או לא: חבית פתוחה. ודאי גזור עליו חבית סתומה מאי: ומשום צינורא דעם הארץ. שמא ניתז עליה רוק מפי עם הארץ כשחבר אוחז בו: הא לאו מנא הוא. ולא ליטמא בכך: עדיין לחה היא. ומטמאה משום שמא זב הוא ובמסכת נדה (דף נד:) תנן הזוב והרוק מטמאין לחין ואין מטמאין יבשין: לחטאת. לתת בתוכו אפר פרה: יטבול מיד. שכל תשמישי פרה העשויין בכלי המקבל טומאה טעונין טבילה וקודם שיעריב שמשו ישתמשו בהן לפרה כדלקמן: [י][מטמאין היו כו'. נוגעין היו בו שרץ]: להוציא מלבן של צדוקין שהיו אומרים במעורבי שמש היתה נעשית. ולרבנן טבול יום כשר בה דנפקא להו מריבויא דקרא והזה הטהור על הטמא טהור מכלל שהוא טמא לימד על טבול יום שכשר בפרה מכדי בטהור עסקינן ואתי דכתיב לעיל מיניה ולקח אזוב וטבל במים איש טהור (במדבר יט) למה לי למיהדר ולמיכתב והזה הטהור ליכתוב והזה על הטמא אלא טהור כל דהו ואשכחן טבול יום דאיקרי טהור דכתיב ורחץ במים וטהר: יטבול מיד. ואין צריך לטמאה טומאה אחרת שהרי טמאה ועומדת כלמפרש ואזיל: למה לי טבילה. וכיון דאין לה טומאה אין היכר לצדוקים בטבול יום שבה: בשלמא לר' יהושע. המצריכה לטמא היינו דאיכא היכר לצדוקין שהרי טימאוהו טומאה גמורה הצריכה הערב שמש וכאן ישתמשו בה טבולת יום הוי היכר: אלא לרבי אליעזר. שאינו מצריכה אלא טומאה זו: אי אמרת בשלמא בעלמא הצריכו חכמים הערב שמש. בעלמא בטבילת כלים הנגמרים בטהרה ולא כמתני' היינו דהכא לא מצריכין לה איכא היכירא:

תוספות

ונפסקה רצועה של סנדלו. אע"ג דגבי טומאה כתיב כלי והאי רצועה לאו כלי הוא מדלא שרינן ליה לטלטל בפרק אלו קשרים (שבת דף קיב.) אביי [מ] קא אזיל בתר רב יוסף איפסיק ליה רצועה דסנדלא ומוכחא דאסור לטלטלה אלמא לאו מנא הוא צריך למימר כגון דנשתייר בהך רצועה דאיכא מנא דהדיוט יכול להחזירו ומיהו בירושלמי מצינו [ט] ונפסקה סנדלו:

לא ישא אדם מי חטאת. ואפילו רבנן דלא בעו כמעשה שהיה מ"מ לא אחמור מיהא לקדש רק לחטאת:

מת תחוב בקרקעיתה של ספינה. והא דאמר בפרק דם חטאת (זבחים דף צג.) מי חטאת שנטמאו מטהרין שכן נדה מקבלת הזאה היינו בשאר טומאות אבל בטומאת מת נפסלו:

לעולם דגמרינהו חבר. הנוהג לאכול על טהרת קודש משום צינורא דע"ה איכא שאינו אוכל על טהרת הקדש רק על טהרת תרומה שטהרתה טומאה היא אצל הקדש ואי אין צינורא דחבר טמא מוקמינן ליה בע"ה ממש והיה קשה למורי אמאי מוקמינן הכי לוקמי אפי' בחבר עצמו וניטמא מחמת הצינורא למשקה ניהו וניטמא הכל מחמת הידים דשניות הן [*] ונראה לו דידים שניות הן אין להם דררא דאורייתא רק דרבנן וידים מטמא כלי ומשקה דרבנן והוה ליה מעלות בתרייתא ולא קמייתא:

טבילה אין הערב שמש לא. מדלא תנא בהדיא וכי תימא א"כ הייתי אומר לתרומה טבילה מיהא בעיא וי"ל דליכא למטעי בהכי דא"כ לימא בהדיא צריכין טבילה לתרומה והערב שמש לקדש. הר"ר אלחנן:

שפופרת שחתכה לחטאת. והא דאמרי' (יומא ב.) כל מעשיה היו נעשין בכלי גללים כלי אבנים כלי אדמה והכא שפופרת של עץ הויא וכן תנן [י] ללוחית שהניחה מגולה ומצאה מכוסה וסתם ללוחית של חרס התם דוקא בשעת עשייה בתוך ז' ימים לפי שהיו מקילים לעשותה במעורבי שמש היו מחמירין בה שאר חומרות דלא לזלזלו בה אבל בשאר ימים אין לחוש [כ]:

מטמאין היו את הכהן השורף את הפרה. פרש"י נוגעים היו בו שרץ אך בתוספתא לא משמע ליה רק במגע עצמו לחוד והכי [ל] תניא בתוספתא כל ז' ימים היו אחיו הכהנים רגילין לפרוש הימנו וביום השמיני היו נוגעים בו ומטמאין אותו וחוזרין ומטבילין אותו ונעשית בטבול יום וז"ל התוספתא [מ] מעשה בצדוקי הכהן שביקש לשרוף את הפרה והיה רוצה לשורפה במעורבי שמש ושמע רבן יוחנן בן זכאי וסמך ידיו עליו ואמר לו אישי כ"ג כמה נאה לך להיות כהן גדול ירד וטבל כו' נהי שאין הצדוקין מודים שיהיו נוגעין בו אבל כשהיה נוגע בו ולא היה רוצה ליטמא היה מוטעה:

עשאוה כטמא מת בו' שלו. כלומר לבתר הזאה וכי תימא א"כ טבילה לא לבעי איכא למימר דאף לאחר הזאה בעי טבילה כדמפרש [ר"ת] [ס] בפ"ג דמגילה דשתי טבילות יש אחת לפני הזאה ואחת לאחר הזאה:

רבינו חננאל

ונפסקה רצועת סנדלו ונטלה והניחה על פי החבית ונפלה לאויר החבית ונטמאת החבית באותה שעה אמרו הנושא את המדרס לא ישא את הקדש ומתניתין רבי חנניה בן עקביא היא דאמר לא גזרו אלא כמו המעשה שהיה שהיה בחבית של הקדש היה ולא בחבית של תרומה לפיכך לא גזרו על התרומה ומאי היא ר' חנניה בן עקביא דתניא [רבי חנניא] בן עקביא אומר לא אסרו אלא בירדן ובספינה כמעשה שהיה מאי היא דאמר רב מעשה באחד שהיה מעביר מי חטאת ואפר חטאת בירדן ובספינה ונמצא כזית מת תחוב בקרקעיתה של ספינה באותה שעה אמרו לא ישא אדם מי חטאת ואפר חטאת ויעבירם בירדן ובספינה. ומיבעיא לן התינח לא ישא אדם סנדל טמאה בידו ובידו האחרת יין קדש. סנדל טהור מאי גזרו טהור אטו טמא או לא. התינח חבית פתוחה חבית סתומה מאי גזרו או לא. ועוד אמרינן עבר ונשא המדרס והקדש ולא הגיע זה לזה ולא טימא מאי ופשטנא בכולן ר' אילא אומר עבר ונשא טמא. ר' זירא אומר כיון שבריא לן שלא נגע טהור. וכיון דמעלות מדרבנן נינהו קיי"ל כל דרבנן עבדינן כדברי המיקל: מעלה רביעית בגדי אוכלי תרומה מדרס לקדש. פי' הכהנים הטהורים לאכול התרומה בבגדיהם מדרס למי שמבקש לאכול הקדש. ובגדי אוכלי הקדש מדרס לכהן אוכל חטאת כי הקדש קדשים קלים והחטאת קדשי קדשים אלו כולן השנויין בסוף פרק של מעלה מזה כולן מעלה אחת הן חשובין. בגדי ע"ה ובגדי הפרושין ובגדי אוכלי תרומה כולן מדרס לקדש וכ"ש זולתם: מעלה חמישית שבקדש מתיר מטביל ומנגב ואח"כ קושר שהחבל הקשור בכלי חיישינן משום חציצה לקדש אבל בתרומה קושר ואח"כ מטביל. וקיי"ל נימא אחת קשורה חוצצת שלש אין חוצצות שאינן נהדקות בקשירה והמים באין בהן כ"ש חבל שאינו נהדק כל כך והמים באים ולגבי קדש מעלה בעלמא: מעלה ששית כלים הנגמרין בטהרה צריכין טבילה לקדש אבל לא לתרומה אוקימנא כגון שגמרו חבר ומשום שמא נתזה צינורא של רוק מפי ע"ה קודם שיגמרו ונשאר אותו הרוק לאחר שנגמרו.

ליקוטי רש"י

ויעבירם בירדן ובספינה. משום מעשה שהיה בירדן ובספינה ונטמאו כדאמרינן לקמן. ויזרקם לצד אחר. של נהר דהיינו נמי דומיא דספינה שפורחין באויר על פני המים. ולא ירכב ע"ג בהמה. כתוך המים דהיינו נמי דומיא דספינה שהאדם הנושאו יושב במקומו וספינתו נוטלתו ומוליכתו וספינה פעמים שאין אוירה נוגעת בקרקע. אלא אם כן היו רגליו. של עליון נוגעות כמים בקרקע. אבל מעבירן על גבי הגשר. דלכרעא קמיכתא היא והאדם המעבירו הולך כל שעה ברגליו ואינו דומה לספינה [יבמות קטז:]. לא אסרו אלא בירדן ושאר נהרות דגזירה שגזרו מחמת מאורע אין להם לגזור אלא כעין המאורע [שבת טו.]. תחוב בקרקעיתה. והאהיל הכלי של מי חטאת עליהן ונטמאו [יבמות שם].

גליון הש"ס

תוס' ד"ה לעולם וכו' ונ"ל דידים שניות. עיין לעיל דף כ ע"א תוספות ד"ה ימתין.

עין משפט נר מצוה

כ א מיי' פי"ב מהל' אבות הטומאות הל' ג:
כא ב מיי' פ"ב מהלכות פרה אדומה הל' כ:
כב ג מיי' פי"ב מהל' אבות הטומאות הלכה ג:
כג ד ה ו ז מיי' שם הלכה ו:
כד ח מיי' פ"א מהל' פרה אדומה הל' טו:
כה ט מיי' שם הלכה יד:

מסורת הש"ס

א) תוספתא דפרה פ"ח, ב) פרה פ"ט מ"ו יבמות קטז:, ג) [שבת טו:], ד) יבמות קטז:, ה) פרה פ"ה מ"ד, ו) יומא ב. פרה פ"ג מ"ז, ז) נ"ל, ח) [בכ"ד כתוב הוה קאי קמיה], ט) [לשון הירושלמי שנקפה חוטו ופקקה בסנדלו], י) [פרה פי"א מ"ה], כ) [ועיין תוספות יומא ב. ד"ה שכל ותוספות זבחים כא. ד"ה נפל ותוספות חולין ע: ד"ה טומאה ותוספות נדה מט. ד"ה כשר], ל) [בתוספות יומא ב. ד"ה להוציא הביאו ממשנה דפרה פ"ג מ"ח שמכו כו' ע"ש קצת], מ) דפרה פ"ב, נ) שייך לע"ב, ס) [נ"ל בפ"ב דמגילה כ. בד"ה ולא].

The Gemara presents an inquiry regarding this ruling of our Mishnah:

אִיבַּעְיָא לְהוּ – They inquired: סַנְדָּל טָמֵא – The Mishnah certainly forbids carrying *kodesh* together with **a sandal that is *tamei*.** סַנְדָּל טָהוֹר מַהוּ – But **what is [the law]** with regard to carrying *kodesh* together with **a sandal that is *tahor*?** Is this also included in the decree or not?[13]

Another inquiry:

חָבִית פְּתוּחָה – The Mishnah's ruling certainly applies to one who is carrying **an open barrel** of *kodesh.* חָבִית סְתוּמָה מַהוּ – But **what is [the law]** with regard to carrying a *midras* together with **a closed barrel** of *kodesh*? Is this also included in the decree or not?[14]

A third inquiry:

עָבַר וְנָשָׂא מַהוּ – **What is [the law]** where **one transgressed** the decree **and carried** a *midras* together with a barrel of *kodesh*? Does the barrel of *kodesh* automatically become *tamei* or not?[15]

The Gemara records responses to this last inquiry:

רַבִּי אִילָא אָמַר – **R' I'la says:** אִם עָבַר וְנָשָׂא טָמֵא – **If one transgressed and carried** a *midras* together with a barrel of *kodesh,* the *kodesh* automatically becomes ***tamei.*** רַבִּי זֵירָא אָמַר – **R' Zeira,** however, **says:** עָבַר וְנָשָׂא טָהוֹר – **If one transgressed and carried** a *midras* together with a barrel of *kodesh,* the *kodesh* remains ***tahor.***

The Gemara now discusses the sixth case listed in the Mishnah:

כֵּלִים הַנִּגְמָרִים בְּטָהֳרָה כו' – **VESSELS THAT WERE COMPLETED IN** a state of ***TAHARAH* etc.** [require immersion for *kodesh*].[16]

The Gemara inquires:

דְּגַמְרִינְהוּ מַאן – The Mishnah refers to **where** the manufacture of **[these vessels] were completed by whom?** אִילֵימָא דְּגַמְרִינְהוּ חָבֵר – **If you say** it refers to **where a *chaver* completed them,** לָמָּה לְהוּ טְבִילָה – then **why would they require immersion?** Surely a *chaver* is careful that they should not become *tamei* after completion! אֶלָּא דְּגַמְרִינְהוּ עַם הָאָרֶץ – Will you say, **rather,** that it refers to **where an *am haaretz* completed them?** נִגְמָרִין בְּטָהֳרָה קָרֵי לְהוּ – But **would [the Tanna]** then **call them** vessels that are **"completed in** a state of ***taharah*"?** Certainly not! Since we are concerned that an *am haaretz* is *tamei,* the Tanna would definitely not call vessels completed by an *am haaretz* vessels that are "completed in a state of *taharah*"! To what, then, does the Mishnah refer?

The Gemara answers:

אָמַר רַבָּה בַּר שִׁילָא אָמַר רַב מַתְנָה אָמַר שְׁמוּאֵל – **Rabbah bar Shila said in the name of Rav Masnah, who said in the name of Shmuel:** לְעוֹלָם דְּגַמְרִינְהוּ חָבֵר – **Actually,** as originally suggested, the Mishnah refers to **where a *chaver* completed them.** וּמִשּׁוּם צִינּוֹרָא דְעַם הָאָרֶץ – **And** it is **on account of** the possibility that they contracted *tumah* from **the spittle of an *am haaretz*** that the Mishnah requires immersion for *kodesh.*[17]

The Gemara analyzes Shmuel's interpretation:

דְּנָפַל אֵימַת – Shmuel means **that [the spittle] fell** on the vessel **when?** אִילֵימָא מִקַּמֵּי דְלִיגַמְרֵיהּ – **If you say** that it might have fallen on the vessel **before [the *chaver*] completed it,** then why does the Mishnah state that it requires immersion for *kodesh*? הָא לָאו מָנָא הוּא – **Why, it is not** legally deemed **a vessel** before completion, and thus cannot yet contract *tumah*![18] אֶלָּא בָּתַר דְּגַמְרֵיהּ – Will you say, **rather,** that the spittle might have fallen on the vessel **after [the *chaver*] completed it?** But this, too, cannot be what Shmuel meant, because once the *chaver* completes the vessels, מִיזְהַר זְהִיר בְּהוּ – **he is certainly careful with them** and guards them from any source of *tumah.* What, then, does Shmuel mean?

The Gemara answers:

לְעוֹלָם מִקַּמֵּיהּ דְּגַמְרֵיהּ – **Actually,** as originally suggested, Shmuel means that the *am haaretz's* spittle might have fallen upon the vessel **before [the *chaver*] completed it.** וְדִלְמָא בְּעִידְּנָא דְּגַמְרֵיהּ עֲדַיִין לַחָה הִיא – **And** though the vessel cannot contract *tumah* before it is complete, the concern is that **perhaps at the time that [the *chaver*] completes it, [the spittle] is still moist.**[19]

The Gemara draws an inference from the Mishnah, which states that vessels completed in a state of *taharah* require immersion for *kodesh:*

טְבִילָה אֵין הֶעֱרֵב שֶׁמֶשׁ לֹא – They require **immersion – yes;** but the passage of **nightfall – no,** they do not require it. Rather, they become *tahor* for *kodesh* immediately upon their immersion, even before the arrival of nightfall.[20] מַתְנִיתִין דְּלֹא כְּרַבִּי אֱלִיעֶזֶר –

NOTES

Avos HaTumos ad loc.; see also *Siach Yitzchak* here, and *Chazon Ish, Parah* 5:26.)

13. Did the Rabbis forbid carrying with *kodesh* even a sandal that is *tahor* out of concern that this might lead to carrying a sandal that is *tamei*? (*Rashi*). And perhaps, this is indeed what the Mishnah means by "one who carries a *midras*" – that is, a shoe, which is *fit* to become *tamei* through *midras,* even if it has not yet actually become *tamei* (*Siach Yitzchak*).

14. Though the closed earthenware barrel of *kodesh* cannot become *tamei* through contact with the *midras,* perhaps the Rabbis included a closed barrel in their decree lest this lead to carrying a *midras* together with an open barrel (see *Rabbeinu Chananel*).

15. It would seem that it is only with regard to this stringency that the Gemara considers whether the *kodesh* is *tamei* after the fact, and that one Amora below indeed concludes that it is not *tamei* after the fact. For this stringency is not based on a real concern for the possibility of *tumah,* but was enacted simply because of an incident that occurred. In the case of all the other stringencies, however, the Rabbinic decree certainly applies even after the fact [i.e. it is *tamei*] (see *Chazon Ish* here [*Moed* §129]; *Siach Yitzchak;* cf. *Tosafos* to 22a ד״ה אבא שאול with *Rashash;* see above, 21a note 8).

16. See 20b note 11.

17. We are concerned that perhaps [unbeknownst to the *chaver*] the spittle of an *am haaretz* spurted onto the vessel while the *chaver* was holding it (*Rashi*). And since the spittle of an *am haaretz* is treated (Rabbinically) like the spittle of a *zav* [since the *am haaretz* might indeed be a *zav* – see *Rashi* ד״ה עדיין לחה היא and to 21b ד״ה דררא דטומאה], it would render the vessel *tamei* [see *Leviticus* 15:8]. (See *Tosafos* above, 19b ד״ה בגדי regarding the degree of *tumas zav* decreed on *amei haaretz* and the circumstances under which this is decreed. See also *Tosafos* to *Gittin* 61b ד״ה וליחוש, to *Chullin* 35b ד״ה שמא and to *Niddah* 33b ד״ה ותיפוק.)

18. As long as a utensil is not completely formed, it is not susceptible to *tumah* (see *Shabbos* 52b and *Rashi* there ד״ה בגלמי; *Rambam, Hil. Keilim* 5:1).

19. As long as the vessel is incomplete, and thus unsusceptible to *tumah,* the *chaver* does not guard it from contact with an *am haaretz.* Thus, it is possible that an *am haaretz's* spittle spurted upon the incomplete vessel. Now, once spittle has evaporated or dried up, it can no longer transmit *tumah* (see Mishnah, *Niddah* 54b). Our concern, however, is that the spittle was still moist at the time the vessel was completed and that it thus rendered the vessel *tamei* (see *Rashi*).

20. A person or utensil that has become *tamei* on the Biblical level and has then been immersed in a *mikveh* retains a vestige of the prior *tumah* for the remainder of the day until nightfall. [Between the immersion and nightfall, the person or utensil is called a טבול יום, *tevul yom* (one that has been immersed that day).] At nightfall, the person or utensil becomes completely *tahor.* The Gemara infers from the Mishnah that the stringency of immersing vessels completed in a state of *taharah* dictates only that the vessels be immersed, not that they must also await nightfall. Presumably, the rationale is that since this *tumah* is only Rabbinical and applies only to vessels to be used for *kodesh,* the Rabbis decreed a more lenient *taharah* process, requiring only immersion but

ונפסקה רצועה של סנדלו ונטלה והניחה ע"פ חבית ונפלה לאויר החבית ונטמאת באותה שעה אמרו הנושא את המדרס נושא את התרומה אבל לא את הקדש אי הכי תרומה נמי א הא מני א) ר' חנניה בן עקביא היא דאמר לא אסרו אלא בירדן ובספינה וכמעשה שהיה מאי היא דתניא ב) ב לא ישא אדם מי חטאת ואפר חטאת ויעבירם בירדן ובספינה ולא יעמוד בצד זה ויזרקם לצד אחר ולא ישיטם על פני המים ולא ירכב ע"ג בהמה ולא על גבי חבירו אלא אם כן היו רגליו נוגעות בקרקע אבל מעבירן על גבי הגשר ואינו חושש אחד הירדן ואחד שאר הנהרות ג) ר' חנניה בן עקביא אומר לא אסרו אלא בירדן ובספינה וכמעשה שהיה ד) מאי מעשה שהיה דאמר רב יהודה אמר רב מעשה באדם אחד שהיה מעביר מי חטאת ואפר חטאת בירדן ובספינה ונמצא כזית מת תחוב בקרקעיתה של ספינה באותה שעה אמרו לא ישא אדם מי חטאת ואפר חטאת ויעבירם בירדן בספינה איבעיא להו סנדל טמא סנדל טהור מהו חבית פתוחה חבית סתומה מהו עבר ונשא מהו ר' אילא אמר אם עבר ונשא טמא רבי זירא אמר ג עבר ונשא טהור: ד כלים הנגמרים בטהרה כו': דגמרינהו מאן אילימא דגמרינהו חבר למה להו טבילה אלא דגמרינהו עם הארץ נגמרין בטהרה קרי להו אמר רבה בר שילא אמר רב מתנה אמר שמואל לעולם דגמרינהו חבר ה ומשום צינורא דעם הארץ דנפל אימת אילימא מקמי דליגמריה הא לאו מנא הוא אלא בתר דגמריה מיזהר זהיר בהו לעולם מקמיה דגמריה ו ודלמא בעידנא דגמריה עדיין לחה היא טבילה אין הערב שמש לא מתני' דלא כר"א דתנן ה) ז שפופרת שחתכה לחטאת ר"א אומר יטבול מיד ר' יהושע אומר יטמא ואחר כך יטבול והוינן בה דחתכה מאן אילימא דחתכה חבר למה לי טבילה ואלא דחתכה עם הארץ בהא לימא ר' יהושע יטמא ויטבול הא טמא וקאי ואמר רבה בר שילא אמר רב מתנה אמר שמואל לעולם דחתכה חבר ומשום צינורא דעם הארץ דנפל אימת אילימא מקמי דליחתכה הא לאו מנא הוא ואלא בתר דחתכה מיזהר זהיר בה לעולם מקמי דליחתכה דלמא בעידנא דחתכה עדיין לחה היא בשלמא לר' יהושע היינו דאיכא היכירא לצדוקין דתנן י) ט מטמאין היו את הכהן השורף את הפרה להוציא מלבן של צדוקין שהיו אומרים במעורבי שמש היתה נעשית אלא לר"א אי אמרת בשלמא בעלמא בעינן הערב שמש היינו דאיכא היכירא לצדוקין אלא אי אמרת בעלמא לא בעינן הערב שמש מאי היכירא לצדוקין איכא אמר רב
עשאוה

רש"י

ונפסקה רצועה של סנדלו. מדרס הזב היתה ונטלה בידו ומתוך כך נפלה לאויר החבית: ר' חנניה בן עקביא. דאמר כל מקום שגזרו חכמים על דבר על מעשה שהיה לא גזרו אלא כדוגמת המעשה וכלותו דבר הלכך בקודש היה מעשה ובקודש גזרו: ולא יעמוד בצד זה. של נהר: אא"כ רגליו נוגעות בקרקע. משום מעשה שהיה בספינה כדלקמן וכל ספינה מהלכת באויר וגזרו על האוירות כולן: אבל מעבירן על הגשר. הואיל ורגליו נוגעות בו: אלא בירדן. ולא בשאר נהרות אבל משיטן על פניו ועומד בצד זה וזורקם לצד אחר: כזית מת תחוב. והאהילו עליו ונטמאו: איבעיא להו סנדל טמא. הא דאמרת דגזרו עליו שלא ישא קודש עמו: סנדל טהור מאי. מי גזור סנדל טהור אטו טמא או לא: חבית פתוחה. דאי גזור עליו חבית סתומה מאי: ומשום צינורא דעם הארץ. שמא ניתז עליה רוק מפי עם הארץ כשגמר אותו בו: הא לאו מנא הוא. ולא ליטמא בכך: עדיין לחה היא. ומטמאה משום שמא זב הוא ובמסכת נדה (דף נד:) תנן הזוב והרוק מטמאין לחין ואין מטמאין יבשין: לחטאת. לתת בתוכו אפר פרה: יטבול מיד. שכל תשמישי פרה העשויין בכלי המקבל טומאה טעונין טבילה וקודם שיעריב שמשו ישתמשו בהן לפרה כדלקמן: מטמאין היו כו'. נוגעין היו בו שרץ: להוציא מלבן של צדוקין שהיו אומרים במעורבי שמש היתה נעשית. ולרבנן טבול יום כשר בה דנפקא להו מריבויא דקרא והזה הטהור על הטמא טהור מכלל שהוא טמא לימד על טבול יום שכשר בפרה מכדי בטהור עסקינן ואמאי דכתיב לעיל מיניה ולקח אזוב וטבל במים איש טהור (במדבר יט) למה לי למיהדר ולמיכתב והזה הטהור ליכתוב והזה על הטמא אלא טהור כל דהו ואפילו טבול יום דלאיקרי טהור דכתיב ורחץ במים וטהר: יטבול מיד. ואין צריך לטמאה טומאה אחרת שהרי טמאה ועומדת כדמפרש ואזיל: למה לו טבילה. וכיון דאין לה טומאה אין היכר לצדוקים בטבול יום שבה: בשלמא לר' יהושע. המצריכה לטמא היינו דאיכא היכר לצדוקין שהרי טימאוהו טומאה גמורה הצריכה הערב שמש וכאן ישתמשו בה טבולת יום הוי היכר: אלא לרבי אליעזר. שאינו מצריכה אלא טומאה זו: אי אמרת בשלמא בעלמא הצריכו חכמים הערב שמש. בעלמא בטבילת כלים הנגמרים בטהרה ולא כמתני' היינו דהכא לא מצריכין לה איכא היכירא:

תוספות

ונפסקה רצועה של סנדלו. אע"ג דגבי טומאה כתיב כלי והאי רצועה לאו כלי הוא מדלא שרינן ליה לטלטל בפרק אלו קשרים (שבת דף קיב.) אביי ח) קא אזיל בתר רב יוסף איפסיק ליה רצועה דסנדלא ומוכחא דאסור לטלטלה אלמא לאו מנא הוא צריך למימר כגון דנשתייר בהן רצועה דאיכא מנא דהדיוט יכול להחזירו ומיהו בירושלמי מלינו ט) ונפסקה סנדלו:

לא ישא אדם מי חטאת. ואפילו רבנן דלא בעו כמעשה שהיה מ"מ לא אחמור מיהא לקדש רק לחטאת: מת תחוב בקרקעיתה של ספינה. והא דאמר בפרק דם חטאת (זבחים דף צג.) מי חטאת שנטמאו מטהרין שכן נדה מקבלת הזאה היינו בשאר טומאות אבל בטומאת מת נפסלו:

לעולם דגמרינהו חבר. הנוהג לאכול על טהרת קודש משום צינורא דע"ה איכא שאינו אוכל על טהרת הקדש רק על טהרת תרומה שטהרתה טומאה היא אצל הקדש ואי אין צינורא דחבר טמא מוקמינן ליה בע"ה ממש והיה קשה למורי אמאי מוקמינן הכי לוקמי אפי' בחבר עצמו וניטמא מחמת הצינורא דמשקה נינהו וניטמא הכל מחמת הידים דשניות הן י) ונראה לו דידים שניות הן אין להם דררא דאורייתא רק דרבנן וידים מטמא כלי ומשקה דרבנן והוה ליה מעלות בתרייתא ולא קמייתא:

טבילה אין הערב שמש לא. מדלא תנא בהדיא וכי תימא א"כ הייתי אומר דלתרומה טבילה מיהא בעיא וי"ל דליכא למטעי בהכי דא"כ לימא בהדיא צריכין טבילה לתרומה והערב שמש לקדש. הר"ר אלחנן:

שפופרת שחתכה לחטאת. והא דאמרי' (יומא ג.) כל מעשיה היו נעשין בכלי גללים כלי אבנים כלי אדמה והכא שפופרת של עץ הויא וכן תנן כ) צלוחית שהניחה מגולה ומצאה מכוסה וסתם צלוחית של חרס התם דוקא בשעת עשייה בתוך ז' ימים לפי שהיו מקילים לעשותה במעורבי שמש היו מחמירין בה שאר חומרות דלא לזלזלו בה אבל בשאר ימים אין לחוש ל):

מטמאין היו את הכהן השורף את הפרה. פרש"י נוגעים היו בו שרץ אך בתוספתא לא משמע ליה רק במגע עצמו לחוד והכי ל) תניא בתוספתא כל ז' ימים היו אחיו הכהנים רגילין לפרוש הימנו וביום השמיני היו נוגעים בו ומטמאין אותו וחוזרין ומטבילין אותו ונעשית בטבול יום וז"ל התוספתא מ) מעשה בצדוקי הכהן שביקש לשרוף את הפרה והיה רוצה לשורפה במעורבי שמש ושמע רבן יוחנן בן זכאי וסמך ידיו עליו ואמר לו אישי כ"ג כמה נאה לך להיות כהן גדול ירד וטבל כו' נהי שאין הצדוקין מוספין אותה טומאה מה שנוגעין בו עכשיו ולא מעלה של פרה מה שלא נגעו בו כל ז' מ"מ הכל רואין לדברי חכמים שמגע ע"ה מטמא ונגעו בו ביום ח' שיש לעשותה בטבול יום:

עשאוה כטמא מת בז' שלו. כלומר לבתר הזאה וכי תימא א"כ טבילה לא לבעי איכא למימר דאף לאחר הזאה בעי טבילה כדמפרש [ר"ת] מ) בפ"ג דמגילה דשתי טבילות יש אחת לפני הזאה ואחת לאחר הזאה:

עין משפט נר מצוה

כ א מיי' פי"ב מהל' אבות הטומאות ה"ג:
כא ב מיי' פ"י מהלכות פרה אדומה הל' ב:
כב ג מיי' פי"ב מהל' אבות הטומאות הלכה ג:
כג ד ה ו ז מיי' שם הלכה ו:
כד ח מיי' פ"א מהל' פרה אדומה הל' טו:
כה ט מיי' שם הלכה יד:

רבינו חננאל

ונפסקה רצועת סנדלו ונטלה והניחה על פי החבית ונפלה לאויר החבית ונטמאת החבית באותה שעה אמרו הנושא את המדרס לא ישא את הקדש ומתניתין רבי חנניה בן עקביא היא דאמר אין גוזרין אלא כמו המעשה שהיה ומעשה שהיה בחבית של הקדש היה ולא בחבית של תרומה לפיכך לא גזרו על התרומה ומאי היא ר' חנניה בן עקביא דתניא [רבי חנניא] בן עקביא אומר לא אסרו אלא בירדן ובספינה כמעשה שהיה מאי היא דאמר רב מעשה באחד שהיה מעביר מי חטאת ואפר חטאת בירדן ובספינה ונמצא כזית מת תחוב בקרקעיתה של ספינה באותה שעה אמרו לא ישא אדם מי חטאת ואפר חטאת ויעבירם בירדן ובספינה. ומיבעיא לן התינח לא ישא אדם סנדל טמאה בידו ובידו האחרת יין קדש. סנדל טהור מאי גזרו טהור אטו טמא אי לא. התינח חבית פתוחה דחיישינן שמא תכנס רצועה באוירה ויטמאנה. חבית סתומה מאי גזרו סתומה אטו פתוחה אי לא. ועוד אמרינן עבר ונשא המדרס והקדש ולא הגיע זה לזה ולא טימא מאי ופשטנא בכולן ר' אילא אומר עבר ונשא טמא. ר' זירא אומר כיון שבריא לן שלא נגע טהור. וכיון דמעלות מדרבנן נינהו קיי"ל כל בדרבנן עבדינן כדברי המיקל: מעלה רביעית בגדי אוכלי תרומה מדרס לקדש. פי' הכהנים הטהורים לאכול התרומה בגדיהם מדרס למי שמבקש לאכול הקדש. ובגדי אוכלי הקדש מדרס לכהן אוכל חטאת כי הקדש קדשים קלים והחטאת קדשי קדשים אלו כולן השנויין בסוף פרק של מעלה מזה כולן מעלה אחת הן חשובין. בגדי ע"ה ובגדי הפרושין ובגדי אוכלי תרומה כולן מדרס לקדש וכ"ש זולתם: מעלה חמישית שבקדש מתיר מטביל ומנגב ואח"כ קושר שהחבל הקשור בכלי חיישינן משום חציצה לקדש אבל בתרומה קושר ואח"כ מטביל. וקיי"ל נימא אחת קשורה חוצצת שלש אינן חוצצות שאינן נהדקות בקשירה והמים באין בהן כ"ש חבל שאינו נהדק כל כך והמים באים ולגבי קדש מעלה בעלמא: מעלה ששית כלים הנגמרין בטהרה צריכין טבילה לקדש אבל לא לתרומה אוקימנא כגון שגמרה חבר ומשום שמא נתזה צינורא של רוק מפי ע"ה קודם שיגמרו ונשאר אותו הרוק לאחר שנגמרו. ואמאי אוקימנא הכי למפשט [משום] דמקמי גמירתן לא מקבלי טומאה ובתר גמירתן חבר מזהר זהיר בהו א) ונתזה צינורא של רוק מפיו עליהן ונשאר הרוק עליהן לח. וצריכין טבילה ולא בעו הערב שמש מדלא מפרש במתניתין הערב שמש אלא טבילה בלבד. ואמרינן נימא מתני' ב) דלא כר' יהושע דתנינן שפופרת שחתכה למי חטאת רבי אליעזר אומר יטבול מיד. ר' יהושע אומר יטמא ויטבול. ואוקימנא בשחתכה חבר ומשום צינורא דע"ה דחיישינן דלמא תיכף לחתיכה יגע בה ע"ה ונתן רוק מפיו ונשאר לח על שפופרת זו אחר חתיכה ומשום הכי מצרכינן להטבילה וסבר בעלמא צריכה הערב שמש והכא משום דהוא לגבי חטאת אינה צריכה הערב שמש וכיון דסבר בעלמא כי האי גוונא צריכין הערב שמש נמצאת משנתנו דלא כר' יהושע. ואמרינן בשלמא לר' יהושע היינו דאיכא היכירא לצדוקין דאפילו אם נטמאת אינה צריכה הערב שמש. וכיון דסבר ר' יהושע יטמא ויטבול וטהרה מיד ולא בעינן הערב שמש. כדתנן מטמאין היו הכהן השורף את הפרה מפני הצדוקין שלא יהו אומרין במעורבי שמש היתה נעשית. פי' אלא היו מטמאין אותו והיה יורד וטובל ומיד עושה הפרה אלא לר' אליעזר אי אמרת בעלמא נמי לא בעי הערב שמש הכא בשפופרת גבי מי חטאת מאי היכירא לצדוקין

חשק שלמה על ר"ח א) אולי צ"ל משו"ה אוקמינן דחיישינן שמא נתזה צינורא של רוק מפיו עליהן קודם שיגמרו ונשאר הרוק וכו'. ב) משמע דרבינו גרים נימא מתני' דלא כר"י וכן מסיים בסמוך נמצאת משנתנו דלא כר"י וצ"ע. דאינו נראה כלל וכמו דמסיק בגמ' בסמוך ואולי דט"ס נפל בדברי רבינו וצ"ע.

מסורת הש"ס

א) תוספתא דפרה פ"ח, ב) פרה פ"ט מ"ו יבמות קטז:, ג) [שבת ס:], ד) יבמות קטז:, ה) פרה פ"ה מ"ד, ו) יומא ב. ע"ש זבחים כא. פרה פ"ג מ"ז, ז) נ"א, ח) [בנ"ד כתוב הוה קאי קמיה], ט) [לשון הירושלמי שנקבה חביתו ופקקה בסנדלו], י) [פרה פי"א מ"א], כ) [ועיין תוספות יומא ב. ד"ה שכל ותוספות סוכה לז. ד"ה נפל ותוספות חולין ט: ד"ה טמאה ותוספות נדה מט. ד"ה כשר], ל) [בתוספות יומא ב. ד"ה להוציא הביאו ממשנה דפרה פ"ג מ"ח סמכו כו' נ"ע קלח], מ) דפרה פ"ב, נ) שייך לע"ב, ס) [צ"ל בפ"ב דמגילה כ. בד"ה ולא].

גליון הש"ס

תוס' ד"ה לעולם וכו' ונ"ל דידים שניות. עיין לעיל דף כ ע"א תוספות ד"ה נימא:

ליקוטי רש"י

ויעבירם בירדן ובספינה. משום מעשה שהיה בירדן ובספינה ונטמאו כדאמרינן לקמן. ויזרקם לצד אחר. של נהר דהיינו נמי דומיא דספינה שפורחין באויר על פני המים. ולא ירכב ע"ג בהמה. בתוך המים דהיינו נמי דומיא דספינה שהאדם הנושאו יושב במקומו וספינתו נוטלתו ומוליכתו וספינה פעמים שהיא גוששת ונוגעת בקרקע. אלא אם כן היו רגליו. של עליון נוגעות במים בקרקע. על גבי הגשר. דכארעא סמיכתא היא והאדם המעבירו הולך כל שעה ברגליו ואינו דומה לספינה [יבמות קטז:]. לא אסרו אלא בירדן ובספינה. ולא גשר ושאר נהרות דגזירה שגזרו מחמת מאורע אין להם לגזור אלא מעין המאורע [שבת ס:]. תחוב בקרקעיתה. והאהיל הכלי של מי חטאת עליהן ונטמאו [יבמות שם].

The Mishnah, then, **is not in accordance with** the view of **R' Eliezer,** who (as the Gemara will attempt to demonstrate) holds that the passage of nightfall *is* required for vessels completed in a state of *taharah*. **דִּתְנַן – For we learned in a Mishnah:**[21] **שְׁפוֹפֶרֶת שֶׁחֲתָכָהּ לְחַטָּאת** – In the case of A reed TUBE THAT ONE CUT FOR putting *CHATAS* ash in it,[22] **רַבִּי אֱלִיעֶזֶר אוֹמֵר** – R' ELIEZER SAYS: **יִטְבּוֹל מִיָּד** – HE IMMERSES it IMMEDIATELY. **רַבִּי יְהוֹשֻׁעַ אוֹמֵר** – But R' YEHOSHUA SAYS: **יְטַמֵּא וְאַחַר כָּךְ יִטְבּוֹל** – HE first RENDERS IT *TAMEI*, AND THEN IMMERSES it.[23]

In order to demonstrate its assertion, the Gemara first explains the Mishnah cited:

וְהָוִינַן בָּהּ – **And we asked** in the traditional discussion **concerning this** Mishnah: **דַּחֲתָכָהּ מַאן** – The Mishnah refers to **where who cut [the tube]?** **אִילֵימָא דַּחֲתָכָהּ חָבֵר** – **If you will say that a *chaver* cut it,** **לָמָּה לִי טְבִילָה** – then **why would I need** the tube to undergo **immersion?**[24] **וְאֶלָּא דַּחֲתָכָהּ עַם הָאָרֶץ** – **Then** will you say, **rather, that an *am haaretz* cut it?** **בְּהָא לֵימָא רַבִּי יְהוֹשֻׁעַ יְטַמֵּא וְיִטְבּוֹל** – But **would R' Yehoshua say in this** case that **he** first **renders it *tamei* and** then **immerses** it? **הָא טָמֵא וְקָאֵי** – **Why, it is already *tamei*** on account of the *am haaretz* who cut it![25] **וְאָמַר רַבָּה בַּר שִׁילָא אָמַר רַב מַתְנָה אָמַר שְׁמוּאֵל** – **And** in answer to this question, **Rabbah bar Shila said in the name of Rav Masnah, who said in the name of Shmuel:** **לְעוֹלָם דַּחֲתָכָהּ חָבֵר** – **Actually,** as originally suggested, the Mishnah refers to **where a *chaver* cut it.** **וּמִשּׁוּם צִינוֹרָא דְּעַם הָאָרֶץ** – **And it is on account of** the possibility that the tube contracted *tumah* from **the spittle of an *am haaretz*** that it requires immersion.

The Gemara analyzes this interpretation:

דְּנָפַל אֵימַת – Shmuel means **that [the spittle] fell** on the tube **when?** **אִילֵימָא מִקַּמֵּי דְּלִיחַתְּכָהּ** – **If you say** that it might have fallen on the tube **before [the *chaver*] cut it,** then why does it require immersion? **הָא לָאו מָנָא הוּא** – **Why, it is not** legally deemed **a vessel** before it is cut, and thus cannot contract *tumah*! **וְאֶלָּא בָּתַר דַּחֲתָכָהּ** – **Then** will you say, **rather,** that the spittle might have fallen on the tube **after [the *chaver*] cut it?** But this, too, cannot be what Shmuel meant, because once the *chaver* cuts the tube, rendering it a vessel, **מִיזְהַר זְהִיר בָּהּ** – **he is certainly careful with it** and guards it from any source of *tumah*.[26] What, then, does Shmuel mean?

The Gemara answers:

לְעוֹלָם מִקַּמֵּי דְּלִיחַתְּכָהּ – **Actually,** as originally suggested, Shmuel means that the *am haaretz's* spittle might have fallen on the tube **before [the *chaver*] cut it.** **דִּלְמָא בְּעִידְנָא דַּחֲתָכָהּ עֲדַיִין לַחָה הִיא** – And though the tube cannot contract *tumah* before it is cut, the concern is that **perhaps at the time that [the *chaver*] cuts it, [the spittle] is still moist.**[27]

The Gemara now concludes its original point, that the Mishnah does not accord with the view of R' Eliezer:

בִּשְׁלָמָא לְרַבִּי יְהוֹשֻׁעַ – **All is well according to R' Yehoshua,** who says that the tube is first rendered *tamei* and only then immersed, **הַיְינוּ דְּאִיכָּא הֶיכֵּירָא לַצְּדוֹקִין** – for **that is how there is a demonstration to** negate the view of **the Sadducees.**[28] Before proceed-

NOTES

not the passage of nightfall. See *Parah* 11:5. [There are, however, cases of Rabbinical *tumah* in which both immersion *and* the passage of nightfall are required – see *Tosafos* to 21a ד״ה האונן and *Kesef Mishneh* to *Hil. She'ar Avos HaTumos* 10:2.]

21. *Parah* 5:4.

22. The tube is used as a container for ashes of the *parah adumah* (*Rashi*). Once the reed is hollowed out and fashioned into a tube, it is a receptacle that is susceptible to contracting *tumah* (*Tos. Yom Tov* ad loc.). [A wooden utensil is not susceptible to *tumah* on the Biblical level unless it is a receptacle.]

23. [Both R' Eliezer and R' Yehoshua agree that] any *tumah*-susceptible vessel used in the service of the *parah adumah* must first be deemed *tamei,* immersed and then used for the *parah adumah* service *before* nightfall [in order to repudiate the view of the Sadducees] (see *Rashi*). [As will be explained below (see note 31), the Sadducees maintained that the service of the *parah adumah* could not be done by a person or with a vessel that was a *tevul yom,* but rather required people and vessels that were absolutely *tahor*. The Rabbis, however, teach us that a *tevul yom* is fit for the *parah adumah* service. In order to openly repudiate the Sadducee view, the Rabbis decreed that any *tumah*-susceptible vessels used for the *parah adumah* service shall first be deemed *tamei* and then immersed and used before the arrival of nightfall, so that all should see that the service is being done by means of a *tevul yom.*]

R' Eliezer holds that there is no need to deliberately contaminate the reed tube after it is fashioned. For the tube is already deemed *tamei* by virtue of the stringency that "vessels completed in *taharah* require immersion for *kodesh*" [which certainly applies to *parah adumah* as well (*Rambam, Commentary to the Mishnah* ad loc.)]. Thus, one simply immerses the tube immediately upon its completion, and then uses it for the *parah adumah* ashes before nightfall. R' Yehoshua, however, holds that the vessel's automatic *tumah* as "a vessel completed in *taharah*" is insufficient; rather, one must first deliberately contaminate the vessel with some *tumah* [e.g. by touching a *sheretz* to it (*Meiri*)] and then immerse it and use it before nightfall. [Their respective points of view will be elaborated upon below.]

24. I.e. what purpose would immersing it immediately serve according to R' Eliezer? There was never a time when the tube could have contracted *tumah*. Thus, immersing it after completion would be a meaningless act, since everyone would realize that it is not *tamei* at all. R' Eliezer could not say, then, that one immerses it immediately, for that would not serve to negate the Sadducee view, as all would know that the tube is, in fact, absolutely *tahor*. Rather, R' Eliezer would have to agree in this case that the tube first be contaminated deliberately (see *Rashi* and *Meiri*).

25. For purposes of repudiating the Sadducee view, R' Yehoshua requires that the tube be widely recognized as *tamei* before being immersed. The Gemara reasons that the *tumah* decreed by the Rabbis on *amei haaretz* is indeed widely recognized and thus fully serves the purpose of repudiating the Sadducee view if the tube fashioned by an *am haaretz* is immersed and then used before nightfall. If so, the Mishnah in *Parah* could not be referring to a tube cut by an *am haaretz,* for R' Yehoshua would not then rule that the tube must first be deliberately contaminated before being immersed (see *Meiri*).

[From the fact that the Gemara sees no advantage, according to R' Yehoshua, in deliberately contaminating (e.g. through contact with a *sheretz*) a tube cut by an *am haaretz,* it is evident that the *taharah* of a vessel touched by an *am haaretz* requires not only immersion but also the passage of nightfall. Otherwise, the Gemara could have answered simply that R' Yehoshua requires that the tube be deliberately contaminated in order to infect it with a *tumah* that requires the passage of nightfall for complete removal, whereas the *tumah* of an *am haaretz* is completely removed with immersion alone (see *Tosafos* to 21a ד״ה האונן). The Gemara's statement above (that vessels completed in *taharah* require immersion but not nightfall), then, refers only to vessels that are *tamei* because of the *possibility* that the moist spittle of an *am haaretz* contaminated them. But a vessel that was *definitely* handled and thus contaminated by an *am haaretz* requires both immersion *and* nightfall for its *taharah* to be complete.]

26. [One might ask: Why, indeed, would the *chaver* be careful that the tube should not contract *tumah*? On the contrary, he *wants* it to become *tamei* so that it should be a *tevul yom* after immersion! *Turei Even* answers that to avoid potential *tumah* accidents, they were careful to keep the vessels *tahor* until just prior to the immersion. Hence, the Gemara here states that the *chaver* would be certain to guard the tube from *tumah* after it was cut.]

27. [This is the general concern because of which the Rabbis decreed that vessels completed in *taharah* require immersion for *kodesh*. R' Eliezer considers this immersion requirement sufficient to serve as the basis for repudiating the Sadducee view should the tube be used after immersion but before nightfall. R' Yehoshua, however, considers it insufficient, and therefore requires that the tube first be contaminated deliberately.]

28. By using the *sheretz*-contaminated tube after immersion but before nightfall.

ונפסקה רצועה של סנדלו ונטלה והניחה ע"פ חבית ונפלה לאויר החבית ונטמאת באותה שעה אמרו הנושא את המדרס נושא את התרומה אבל לא את הקדש אי הכי תרומה נמי ^אהא מני ^א) ר' חנניה בן עקביא היא דאמר לא אסרו אלא בירדן ובספינה וכמעשה שהיה מאי היא דתניא ^ב) ^בלא ישא אדם מי חטאת ואפר חטאת ויעבירם בירדן ובספינה ולא יעמוד בצד זה ויזרקם לצד אחר ולא ישיטם על פני המים ולא ירכב ע"ג בהמה ולא על גבי חבירו אלא אם כן היו רגליו נוגעות בקרקע אבל מעבירן על גבי הגשר ואינו חושש אחד הירדן ואחד שאר הנהרות ^ג) ר' חנניה בן עקביא אומר לא אסרו אלא בירדן ובספינה וכמעשה שהיה ^ד) מאי מעשה שהיה דאמר רב יהודה אמר רב מעשה באדם אחד שהיה מעביר מי חטאת ואפר חטאת בירדן ובספינה ונמצא כזית מת תחוב בקרקעיתה של ספינה באותה שעה אמרו לא ישא אדם מי חטאת ואפר חטאת ויעבירם בירדן בספינה איבעיא להו סנדל טמא סנדל טהור מהו חבית פתוחה חבית סתומה מהו עבר ונשא מהו ר' אילא אמר אם עבר ונשא טמא רבי זירא אמר ^געבר ונשא טהור: ^דכלים הנגמרים בטהרה כו': דגמרינהו מאן אילימא דגמרינהו חבר למה להו טבילה אלא דגמרינהו עם הארץ נגמרין בטהרה קרי להו אמר רבה בר בר שילא אמר רב מתנה אמר שמואל לעולם דגמרינהו חבר ^המשום צינורא דעם הארץ דנפל אימת אילימא מקמי דליגמריה הא לאו מנא הוא אלא בתר דגמריה מיזהר זהיר בהו לעולם מקמיה דגמריה ^ודלמא בעידנא דגמריה עדיין לחה היא טבילה אין ^זהערב שמש לא מתני' דלא כר"א דתנן ^ה) ^חשפופרת שחתכה לחטאת ר"א אומר יטבול מיד ר' יהושע אומר יטמא ואחר כך יטבול והוינן בה דחתכה מאן אילימא דחתכה חבר למה לי טבילה ואלא דחתכה עם הארץ בהא לימא ר' יהושע יטמא ויטבול הא טמא וקאי ואמר רבה בר בר שילא אמר רב מתנה אמר שמואל לעולם דחתכה חבר ומשום צינורא דעם הארץ דנפל אימת אילימא מקמי דליחתכה הא לאו מנא הוא ואלא בתר דחתכה מיזהר זהיר בה לעולם מקמי דליחתכה דלמא בעידנא דחתכה עדיין לחה היא בשלמא לר' יהושע היינו דאיכא היכירא לצדוקין דתנן ^י) ^טמטמאין היו את הכהן השורף את הפרה להוציא מלבן של צדוקין שהיו אומרים במעורבי שמש היתה נעשית אלא לר"א אי אמרת בשלמא בעלמא בעינן הערב שמש היינו דאיכא היכירא לצדוקין אלא אי אמרת בעלמא לא בעינן הערב שמש מאי היכירא לצדוקין איכא אמר רב עשאוה

רש"י

ונפסקה רצועה של סנדלו. מדרס הזב היתה ונטלה בידו ומתוך כך נפלה לאויר החבית: ר' חנניה בן עקביא. דאמר כל מקום שגזרו חכמים על דבר על מעשה שהיה לא גזרו אלא כדוגמת המעשה וכאותו דבר הלכך בקודש היה מעשה ובקודש גזרו: ולא יעמוד בצד זה. של נהר: אא"כ רגליו נוגעות בקרקע. משום מעשה שהיה בספינה כדלקמן וכל ספינה מהלכת באויר וגזרו על האוירות כולן: אבל מעבירן על הגשר. הואיל ורגליו נוגעות בו: אלא בירדן. ולא בשאר נהרות אבל משיטן על פניו ועומד בצד זה וזורקם לצד אחר: כזית מת תחוב. והאהילו עליו ונטמאו: איבעיא להו סנדל טמא. הא דאמרת דגזרו עליו שלא ישא קודש עמו: סנדל טהור מאי. מי גזור סנדל טהור אטו טמא או לא: חבית פתוחה. ודאי גזור עליו חבית סתומה מאי: ומשום צינורא דעם הארץ. שמא ניתז עליה רוק מפי עם הארץ כשחבר אוחז בו: הא לאו מנא הוא. ולא ליטמא בכך: עדיין לחה היא. ומטמאה משום שמא זב הוא ובמסכת נדה (דף נה:) תנן הזוב והרוק מטמאין לחין ואין מטמאין יבשין: לחטאת. לתת בתוכו אפר פרה: יטבול מיד. שכל תשמישי פרה העשויין בכלי המקבל טומאה טעונין טבילה וקודם שיעריב שמשו ישתמשו בהן לפרה כדלקמן: ^י)[מטמאין היו כו'. נוגעין היו בו שרץ]: להוציא מלבן של צדוקין שהיו אומרים במעורבי שמש היתה נעשית. ולרבנן טבול יום כשר בה דנפקא להו מריבויא דקרא והזה הטהור על הטמא טהור מכלל שהוא טמא לימד על טבול יום שכשר בפרה מכדי בטהור עסקינן ואתי דכתיב לעיל מיניה ולקח אזוב וטבל במים איש טהור (במדבר יט) למה לי למיהדר ולמיכתב והזה הטהור ליכתוב והזה על הטמא אלא טהור כל דהו ואשכחן טבול יום דאיקרי טהור דכתיב ורחץ במים וטהר: יטבול מיד. ואין צריך לטמאה טומאה אחרת שהרי טמאה ועומדת כדמפרש ואזיל: למה לו טבילה. וכיון דאין לה טומאה אין היכר לצדוקים בטבול יום שבה: בשלמא לר' יהושע. המצריכה לטמא היינו דאיכא היכר לצדוקין שהרי טימאוהו טומאה גמורה הצריכה הערב שמש ובכן ישתמשו בה טבולת יום הוי היכר: אלא לרבי אליעזר. שאינו מצריכה אלא טומאה זו: אי אמרת בשלמא בעלמא הצריכו חכמים הערב שמש. בעלמא בטבילת כלים הנגמרים בטהרה ולא כמתני' היינו דהכא לא מצרכינן לה איכא היכירא:

תוספות

ונפסקה רצועה של סנדלו. אע"ג דגבי טומאה כתיב כלי והאי רצועה לאו כלי הוא מדלא שרינן ליה לטלטל בפרק אלו קשרים (שבת דף קיג.) אביי ^ל) קא אזיל בתר רב יוסף איפסיק ליה רצועה דסנדלא ומוכחא דאסור לטלטלה אלמא לאו מנא הוא צריך למימר כגון דנשתייר בהך רצועה דאיכא מנא להדיוט יכול להחזירו ומיהו בירושלמי מצינו ^מ) ונפסקה סנדלו:

לא ישא אדם מי חטאת. ואפילו רבנן דלא בעו כמעשה שהיה מ"מ לא אמור מיהא לקדש רק לחטאת:

מת תחוב בקרקעיתה של ספינה. והא דאמר בפרק דם חטאת (זבחים דף צג.) מי חטאת שנטמאו מטהרין שכן נדה מקבלת הזאה היינו בשאר טומאות אבל בטומאת מת נפסלו:

לעולם דגמרינהו חבר. הנוהג לאכול על טהרת קודש משום ליגורא דע"ה איכא שאינו אוכל על טהרת הקדש רק על טהרת תרומה שטהרתה טומאה היא אצל הקדש ואי אין ליגורא דחבר טמא מוקמינן ליה בע"ה ממש והיה קשה למורי אמאי מוקמינן הכי לוקמי אפי' בחבר עצמו וניטמא מחמת הליגורא דמשקה נינהו וניטמא הכל מחמת הידים דשניות הן ^נ ונראה לו דידים שניות הן אין להם דרגא דאורייתא רק דרבנן וידים מטמא כלי ומשקה דרבנן והוה ליה מעלות בתרייתא ולא קמייתא:

טבילה אין הערב שמש לא. מדלא תנא בהדיא וכי תימא א"כ הייתי אומר דלתרומה טבילה מיהא בעיא וי"ל דליכא למטעי בהכי דא"כ לימא בהדיא צריכין טבילה לתרומה והערב שמש לקדש. הר"ר אלחנן:

שפופרת שחתכה לחטאת. והא דאמרי' (יומא ב.) כל מעשיה היו נעשין בכלי גללים כלי אבנים כלי אדמה והכא שפופרת של עץ הויא וכן תנן ^ס) צלוחית שהניחה מגולה ומצאה מכוסה וסתם צלוחית של חרס התם דוקא בשעת עשייה בתוך ז' ימים לפי שהיו מקילים לעשותה במעורבי שמש היו מחמירין בה שאר חומרות דלא לזלזלו בה אבל בשאר ימים אין לחוש ^ע):

מטמאין היו את הכהן השורף את הפרה. פרש"י נוגעים היו בו שרץ אך בתוספתא לא משמע ליה רק במגע עצמו לחוד והכי ^פ) תניא בתוספתא כל ז' ימים היו אחיו הכהנים רגילין לפרוש הימנו וביום השמיני היו נוגעים בו ומטמאין אותו וחוזרין ומטבילין אותו ונעשית בטבול יום וז"ל התוספתא ^צ) מעשה בצדוקי הכהן שביקש לשרוף את הפרה והיה רוצה לשורפה במעורבי שמש ושמע רבן יוחנן בן זכאי וסמך ידיו עליו ואמר לו אישי כ"ג כמה נאה לך להיות כהן גדול ירד וטבל כו' נהי שאין הצדוקין מטמאין אותה טומאה מה שנוגעין בו עכשיו ולא מעלה של פרה מה שלא נגעו בו כל ז' מ"מ הכל רואין לדברי חכמים שמגע ע"ה מטמא ונגעו בו ביום ח' שיש לעשותה בטבול יום:

עשאוה כטמא מת בז' שלו. כלומר לבתר הזאה וכי תימא א"כ טבילה לא לבעי איכא למימר דאף לאחר הזאה בעי טבילה כדמפרש [ר"ת] ^ק) בפ"ג דמגילה דשתי טבילות יש אחת לפני הזאה ואחת לאחר הזאה:

רבינו חננאל

ונפסקה רצועת סנדלו ונטלה והניחה על פי החבית ונפלה לאויר החבית ונטמאת החבית באותה שעה אמרו הנושא את המדרס לא ישא את הקדש ומתניתין רבי חנניה בן עקביא היא דאמר אין גוזרין אלא כמו המעשה שהיה ומעשה שהיה בחבית של קדש היה ולא בחבית של תרומה לפיכך לא גזרו על התרומה ומאי היא ר' חנניה בן עקביא דתניא [רבי חנניא] בן עקביא אומר לא אסרו אלא בירדן ובספינה כמעשה שהיה מאי היא דאמר רב מעשה באחד שהיה מעביר מי חטאת ואפר חטאת בירדן ובספינה ונמצא כזית מת תחוב בקרקעיתה של ספינה באותה שעה אמרו לא ישא אדם מי חטאת ואפר חטאת ויעבירם בירדן ובספינה. ומיבעיא לן התינח לא ישא אדם סנדל טמאה בידו ובידו האחרת יין קדש. סנדל טהור מאי גזרו טהור אטו טמא אי לא. התינח חבית פתוחה דחיישינן שמא תכנס רצועה באוירה ויטמאנה. חבית סתומה מאי גזרו סתומה אטו פתוחה או לא. ועוד אמרינן עבר ונשא המדרס והקדש ולא הגיע זה לזה ולא טמאו מאי ופשטנא בכולן ר' אילא אומר עבר ונשא טמא. ר' זירא אומר כיון שבריא לן שלא נגע טהור. וכיון דמעלות מדרבנן נינהו ופשיטא לן כר"ז כל דרבנן עבדינן כדברי המיקל: מעלה רביעית בגדי אוכלי תרומה מדרס לקדש. פי' הכהנים הטהורים לאכול התרומה בגדיהם מדרס למי שמבקש לאכול הקדש. ובגדי אוכלי הקדש מדרס לכהן אוכל חטאת מאי כי הקדש קדשי קלים והחטאת קדשי קדשים אלו כולן השנויין בסוף פרק של מעלה מזה כולן מעלה אחת הן חשובין. בגדי ע"ה ובגדי הפרושין ובגדי אוכלי תרומה כולן מדרס לקדש וכ"ש זולתם: מעלה חמישית שבקדש מתיר מטביל ומנגב ואח"כ קושר שהחבל הקשור בכלי חיישינן משום חציצה לקדש אבל בתרומה קושר ואח"כ מטביל. וקיי"ל נימא אחת קשורה חוצצת שלש אינן חוצצות שאינן נהדקות בקשירה והמים באין בהן כ"ש חבל שאינו נהדק כל כך והמים באים ולגבי קדש מעלה בעלמא: מעלה ששית כלים הנגמרין בטהרה צריכין טבילה לקדש אבל לא לתרומה אוקימנא כגון שגמרה חבר ומשום שמא נתזה צינורא של רוק מפי ע"ה קודם שיגמרו ונשאר אותו הרוק לאחר שנגמרו.

ואמאי אוקימנא הכי למפשט [משום] דמקמי גמירתן לא מקבלי טומאה ובתר גמירתן חבר מזהר זהיר בהו א) ונתזה צינורא של רוק מפיו עליהן ונשאר הרוק עליהן לח. וצריכין טבילה ולא בעו הערב שמש מדלא מפרש במתניתין הערב שמש אלא טבילה בלבד. ואמרינן נימא מתני' ב) דלא כר' יהושע דתנינן שפופרת שחתכה למי חטאת רבי אליעזר אומר יטבול מיד. ר' יהושע אומר יטמא ויטבול. ואוקימנא בשחתכה חבר ומשום צינורא דע"ה דחיישינן דלמא תיכף לחתיכה יגע בה ע"ה ונתן רוק מפיו ונשאר לח על שפופרת זו אחר חתיכה ומשום הכי מצרכינן להטבילה וסבר בעלמא צריכה הערב שמש והכא משום דהוא לגבי מי חטאת אינה צריכה הערב שמש. וכיון דסבר בעלמא כי האי גוונא צריכין הערב שמש נמצאת משנתנו דלא כר' יהושע. ואמרינן בשלמא לר' יהושע היינו דאיכא היכירא לצדוקין דאפילו חטאת אינה צריכה הערב שמש לגבי חטאת ומשום הכי דייקינן מינה דקתני יטמא ויטבול וטהורה מיד ולא בעינן הערב שמש. כדתנן מטמאין היו הכהן השורף את הפרה מפני הצדוקין שלא יהו אומרין במעורבי שמש היתה נעשית. פי' אלא היו מטמאין אותו והיה יורד וטובל ומיד עושה הפרה אלא לר' אליעזר אי אמרת בעלמא נמי לא בעי הערב שמש הכא בשפופרת גבי מי חטאת מאי היכירא לצדוקין

חשק שלמה על ר"ח א) אולי צ"ל משו"ה אוקימנן דחיישינן שמא נתזה ליגורא של רוק מפיו עליהן קודם שיגמרו ונשאר הרוק וכו'. ב) משמע דרבינו גריס נימא מתני' דלא כר"י וכן מפרש בסמוך נמצאת משנתינו דלא כר"י וצ"ע דאינו דומה כלל וכמו למפסיק בגמ' בסמוך ואולי דע"ס נפל בדברי רבינו וצ"ע.

עין משפט נר מצוה

כ א מיי' פי"ג מהל' אבות הטומאות ה"ג:
כא ב מיי' פ"י מהלכות פרה אדומה הל' ב:
כב ג מיי' פ"י מהל' אבות הטומאות הלכה ג:
כג ד ה ו ז מיי' שם הלכה ו:
כד ח מיי' פ"א מהל' פרה אדומה הל' טו:
כה ט מיי' שם הלכה יד:

מסורת הש"ס

א) תוספתא דפרה פ"ח, ב) פרה פ"ט מ"ו יבמות קטו:, ג) [שבת כ:], ד) יבמות קטו:, ה) פרה פ"ה מ"ד, ו) יומא ב. ע"ש זבחים כא. פרה פ"ג מ"ז, ז) [ע"ש], ח) [נ"א בכתוב הזה קאי קמיה], ט) [לשון הירושלמי שנקבה חבית ופקקה בסנדלו], י) [פרה פ"ג מ"ג], כ) [ועיין תוספות יומא ב. ד"ה שכל ותוספות חולין ט: ד"ה נפל ותוספות נדה מט. ד"ה טמאה ותוספות יומא ג. ד"ה להוציא], ל) מתמה דפרה פ"ג מ"ח, מ) סמוך כו' ע"ש, נ) לפרה פ"ג, ס) [צ"ל בפ"ב דמגילה כ. בד"ה ולא].

גליון הש"ס

תוס' ד"ה לעולם וכו' ונ"ל דידים שניות. עיין לעיל דף כ ע"א תוספות ד"ה נימא.

ליקוטי רש"י

ויעבירם בירדן ובספינה. משום מעשה שהיה בירדן ובספינה ונטמאו כדאמרינן לקמן. ויזרקם לצד אחר. של נהר דהיינו נמי דומיא דספינה שפורחין באויר על פני המים. ולא ירכב ע"ג בהמה. בתוך המים דהיינו נמי דומיא דספינה שהאדם יושב במקומו ומוליכתו וספינה פעמים שהיא גוששת ונוגעת בקרקע. אלא אם כן היו רגליו. של עליון נוגעות במים בקרקע. על גבי הגשר. דלארץ סמיכתה היא והאדם המעבירו הולך כל שעה ברגליו ואינו דומה לספינה [יבמות קטו:]. לא אסרו אלא בירדן ובספינה. ולא בשאר נהרות דגזירה שגזרו מחמת מאורע אין להם לגזור אלא מעין המאורע [שבת כ:]. תחוב בקרקעיתה. והאהיל הכלי על מי חטאת עליהן ונטמאו [יבמות שם].

ing to address the view of R' Eliezer, the Gemara first presents the source for requiring a demonstration to negate the view of the Sadducees: דִּתְנַן – **For we learned in a Mishnah:**[29] מְטַמְּאִין הָיוּ אֶת הַכֹּהֵן הַשּׂוֹרֵף אֶת הַפָּרָה – THEY WOULD purposely MAKE *TAMEI* THE KOHEN WHO WAS TO BURN THE *PARAH ADUMAH*[30] לְהוֹצִיא מִלִּבָּן שֶׁל צְדוֹקִין – in order TO DISCREDIT THE OPINION OF THE SADDUCEES, שֶׁהָיוּ אוֹמְרִים בִּמְעוֹרְבֵי שֶׁמֶשׁ הָיְתָה נַעֲשֵׂית – WHO USED TO SAY THAT [THE SERVICE OF THE *PARAH ADUMAH*] COULD BE PERFORMED BY [KOHANIM] WHO had become *tamei* only if they had already EXPERIENCED NIGHTFALL after their immersion.[31] Now, according to R' Yehoshua, it is understandable how immersing the cut tube and using it before nightfall serves to repudiate the Sadducee view. For he requires that the tube first be deliberately contaminated. Thus, the tube is being used for the *parah adumah* ashes despite the fact that it is a *tevul yom.* אֶלָּא לְרַבִּי אֱלִיעֶזֶר – **But according to R' Eliezer,** who maintains that the tube was not deliberately contaminated, but immersed simply in order to render it *tahor* from the *tumah* of "vessels completed in a state of *taharah,*" how does use of the tube repudiate the Sadducee view? אִי אָמְרַתְּ בִּשְׁלָמָא בְּעָלְמָא בְּעִינַן הֶעֱרֵב שֶׁמֶשׁ – **It is well if you say** that, according to R' Eliezer, **ordinarily we require** the passage of **nightfall** after immersion for vessels completed in *taharah* to become *tahor.* הַיְינוּ דְּאִיכָּא הֶיכֵּירָא לַצְּדוֹקִין – For then we can understand **that there is a demonstration** in R' Eliezer's cut-tube procedure **to** negate the view of **the Sadducees.** For whereas other vessels completed in a state of *taharah* require immersion *and* the passage of nightfall to become completely *tahor,* the cut tube is used for the service of the *parah adumah* after immersion but before nightfall, while it still has the status of a *tevul yom.* אֶלָּא אִי אָמְרַתְּ בְּעָלְמָא לֹא בְּעִינַן הֶעֱרֵב שֶׁמֶשׁ – **But if you say** that, according to R' Eliezer, **ordinarily we do *not* require** the passage of **nightfall** after immersion for vessels completed in a state of *taharah,* מַאי הֶיכֵּירָא לַצְּדוֹקִין אִיכָּא – then **what demonstration to** negate the view of **the Sadducees** is there in R' Eliezer's cut-tube procedure? In his view, the vessel (completed in a state of *taharah*) is always deemed completely *tahor* immediately upon its immersion! R' Eliezer *must* hold, then, that vessels completed in a state of *taharah* generally require both immersion and the passage of nightfall to become completely *tahor,* unlike the inference drawn from our Mishnah. Thus, we have apparently demonstrated that our Mishnah does not accord with the view of R' Eliezer.

The Gemara counters:

אָמַר רַב – **Rav said:** It might be that our Mishnah accords even with the view of R' Eliezer.

NOTES

29. *Parah* 3:7.

30. By touching a dead *sheretz* to him (*Rashi;* see also *Meiri,* and *Rambam, Hil. Parah Adumah* 1:14; cf. *Tosafos*).

31. [The Sadducees were a heretical sect active during the Second Temple era. They denied the validity of the Oral Tradition, maintaining that only the literal sense of the Torah was binding.]

The Torah states in regard to the service of the *parah adumah* (*Numbers* 19:19): *And the tahor one shall sprinkle on the tamei.* [The Sadducees interpreted this to mean that the person doing the sprinkling must be absolutely *tahor.* Thus, if the Kohen designated to perform the *parah adumah* service became *tamei,* he would have to immerse himself and then wait until nightfall before performing that service.] The Rabbis, however, explain that, on the contrary, the expression *"the tahor one"* indicates the *validity* of a *tevul yom* for the *parah adumah* service. For the previous verse (v. 18) has already stated: *and a tahor man shall take hyssop and dip [it] in water . . .* The Torah's mention of *and "the tahor one" shall sprinkle* in v. 19 is thus unnecessary; for the Torah could have stated simply *and "he" shall sprinkle,* and we would have readily understood that the reference is to the *"tahor man"* mentioned in the previous verse. The otherwise superfluous designation *"the tahor one"* in v. 19 therefore indicates that one who is even somewhat *tahor* (i.e. a *tevul yom*) is fit. For we indeed find that the Torah sometimes designates a *tevul yom* as *"tahor"* – namely, in *Leviticus* 14:8, with regard to *maaser sheni,* which a *tamei* person is permitted to eat immediately after immersion, even though he is still a *tevul yom* (see *Rashi*). [The law validating a *tevul yom* for the *parah adumah* service is part of the Oral Tradition reaching back to Sinai. The Rabbinic exposition of the verse is meant only to show how the validity of a *tevul yom* for the *parah adumah* service is *indicated* in the Written Torah (see *Rambam, Hil. Parah Adumah* 1:14).]

ונפסקה רצועה של סנדלו ונטלה והניחה
ע"פ חבית ונפלה לאויר החבית ונטמאת
באותה שעה אמרו הנושא את המדרס
נושא את התרומה אבל לא את הקדש אי
הכי תרומה נמי (א) הא מני (ה) ר' חנניה בן
עקביא היא דאמר לא אסרו אלא בירדן
ובספינה וכמעשה שהיה מאי היא דתניא
(ג) ב לא ישא אדם מי חטאת ואפר חטאת
ויעבירם בירדן ובספינה ולא יעמוד בצד
זה ויזרקם לצד אחר ולא ישיטם על פני
המים ולא ירכב ע"ג בהמה ולא על גבי
חבירו אלא אם כן היו רגליו נוגעות בקרקע
אבל מעבירן על גבי הגשר ואינו חושש
אחד הירדן ואחד שאר הנהרות (ג) ר' חנניה
בן עקביא אומר לא אסרו אלא בירדן
ובספינה וכמעשה שהיה (ד) מאי מעשה שהיה
דאמר רב יהודה אמר רב מעשה באדם
אחד שהיה מעביר מי חטאת ואפר חטאת
בירדן ובספינה ונמצא כזית מת תחוב
בקרקעיתה של ספינה באותה שעה אמרו
לא ישא אדם מי חטאת ואפר חטאת ויעבירם
בירדן בספינה איבעיא להו סנדל טמא
סנדל טהור מהו חבית פתוחה חבית סתומה
מהו עבר ונשא מהו ר' אילא אמר אם עבר
ונשא טמא רבי זירא אמר ג עבר ונשא טהור:
ד כלים הנגמרים בטהרה כו': דגמרינהו
מאן אילימא דגמרינהו חבר למה להו
טבילה אלא דגמרינהו עם הארץ נגמרין
בטהרה קרי להו אמר רבה בר שילא אמר רב
מתנה אמר שמואל לעולם דגמרינהו
חבר ה ומשום צינורא דעם הארץ דנפל
אימת אילימא מקמי דליגמריה הא לאו
מנא הוא אלא בתר דגמריה מיזהר זהיר
בהו לעולם מקמיה דגמריה ו ודלמא בעידנא
דגמריה עדיין לחה היא טבילה אין ז הערב
שמש לא מתני' דלא כר"א דתנן (ח) ח שפופרת
שחתכה לחטאת ר"א אומר יטבול מיד ר'
יהושע אומר יטמא ואחר כך יטבול והוינן
בה דחתכה מאן אילימא דחתכה חבר למה
לי טבילה ואלא דחתכה עם הארץ בהא
לימא ר' יהושע יטמא ויטבול הא טמא
וקאי ואמר רבה בר שילא אמר רב מתנה
אמר שמואל לעולם דחתכה חבר ומשום
צינורא דעם הארץ דנפל אימת אילימא
מקמי דליחתכה הא לאו מנא הוא ואלא
בתר דחתכה מיזהר זהיר בה לעולם מקמי
דליחתכה דלמא בעידנא דחתכה עדיין
לחה היא בשלמא לר' יהושע היינו דאיכא
היכירא לצדוקין דתנן (י) ט מטמאין היו את הכהן השורף את הפרה להוציא
מלבן של צדוקין שהיו אומרים במעורבי שמש היתה נעשית אלא לר"א אי
אמרת בשלמא בעלמא בעינן הערב שמש היינו דאיכא היכירא לצדוקין אלא אי
אמרת בעלמא לא בעינן הערב שמש מאי היכירא לצדוקין איכא אמר רב
עשאוה

רש"י

ונפסקה רצועה של סנדלו. מדרס הזב היתה ונטלה בידו ומתוך כך נפלה לאויר החבית: ר' חנניה בן עקביא. דאמר כל מקום שגזרו חכמים על דבר על מעשה שהיה לא גזרו אלא כדוגמת המעשה וכאותו דבר הלכך בקודש היה מעשה ובקודש גזרו: ולא יעמוד בצד זה. של נהר: אא"כ רגליו נוגעות בקרקע. משום מעשה שהיה בספינה כדלקמן וכל ספינה מהלכת באויר וגזרו על האוירות כולן: אבל מעבירן על הגשר. הואיל ורגליו נוגעות בו: אלא בירדן. ולא בשאר נהרות אבל משיטן על פניו ועומד בצד זה וזורקם לצד אחר: כזית מת תחוב. והאהילו עליו ונטמאו: איבעיא להו סנדל טמא. הא דאמרת דגזרו עליו שלא ישא קודש עמו: סנדל טהור מאי. מי גזור סנדל טהור אטו טמא או לא: חבית פתוחה. ודאי גזור עליו אבל חבית סתומה מאי: ומשום צינורא דעם הארץ. שמא ניתז עליה רוק מפי עם הארץ כשחבר אוחז בו: הא לאו מנא הוא. ולא ליטמא בכך: עדיין לחה היא. ומטמאה משום שמא זב הוא והרוק מטמא ובמסכת נדה (דף נד:) תנן הזוב והרוק מטמאין לחין ואין מטמאין יבשין: לחטאת. לתת בתוכו אפר פרה: יטבול מיד. שכל תשמישי פרה העשויין בכלי המקבל טומאה טעונין טבילה וקודם שיעריב שמשו ישתמשו בהן לפרה כדלקמן: ז מטמאין היו כו'. נוגעין היו בו שרץ: להוציא מלבן של צדוקין שהיו אומרים במעורבי שמש היתה נעשית. ולרבנן טבול יום כשר בה דנפקא להו מריבויא דקרא והזה הטהור על הטמא טהור מכלל שהוא טמא לימד על טבול יום שכשר בפרה מכדי בטהור עסקינן ואתי דכתיב לעיל מיניה ולקח אזוב וטבל במים איש טהור (במדבר יט) למה לי למיהדר ולמיכתב והזה הטהור לכתוב והזה על הטמא אלא טהור כל דהו ואשכחן טבול יום דאיקרי טהור דכתיב ורחץ במים וטהר: יטבול מיד. ואין צריך לטמאה טומאה אחרת שהרי טמאה ועומדת כדמפרש ואזיל: למה לי טבילה. וכיון דאין לה טומאה אין היכר לצדוקים בטבול יום שבה: בשלמא לר' יהושע. המצריכה לטמאה היינו דאיכא היכר לצדוקין שהרי טימאוהו טומאה גמורה הצריכה הערב שמש וכאן ישתמשו בה טבולת יום הוי היכר: אלא לרבי אליעזר. שאינו מצריכה אלא טומאה זו: אי אמרת בשלמא בעלמא הצריכו חכמים הערב שמש. בעלמא בטבילת כלים הנגמרים בטהרה ולא כמתני' היינו דהכא לא מצרכינן לה איכא היכירא:

תוספות

ונפסקה רצועה של סנדלו. והאי רצועה לאו כלי הוא מדלא שרינן ליה לטלטל בפרק אלו קשרים (שבת דף קיב.) אביי (ח) קא אזיל בתר רב יוסף איפסיק ליה רצועה דסנדלא ומוכחא דאסור לטלטלה אלמא לאו מנא הוא וצריך למימר כגון דנשתייר בהך רצועה דאיכא מנא להדיוט יכול להחזירו ומיהו בירושלמי מלינו (ט) ונפסקה סנדלו:

לא ישא אדם מי חטאת. ואפילו רבנן דלא בעו כמעשה שהיה מ"מ לא אחמור מילתא לקדש רק לחטאת: מת תחוב בקרקעיתה של ספינה. והא דאמר בפרק דם חטאת (זבחים דף צג.) מי חטאת שנטמאו מטהרין שכן נדה מקבלת הזאה היינו בשאר טומאות אבל בטומאת מת נפסלו:

לעולם דגמרינהו חבר. הנוהג לאכול על טהרת קודש משום צינורא דע"ה איכא שאינו אוכל על טהרת הקדש רק על טהרת תרומה שטהרתה טומאה היא אצל הקדש ואי אין צינורא דחבר טמא מוקמינן ליה בע"ה ממש והיא קשה למורי אמאי מוקמינן הכי לוקמי אפי' בחבר עצמו ונטמא מחמת הצינורא דמשקה ניהו ונטמא הכל מחמת הידים דשניות הן (י) ונראה לו דידים שניות הן אין להם דרגא לאורייתא רק לרבנן וידים מטמא כלי ומשקה דרבנן והוה ליה מעלות בתרייתא ולא קמייתא:

טבילה אין הערב שמש לא. מדלא תנא נמי בהדיא הערב שמש וכי תימא א"כ הייתי אומר לתרומה טבילה מיהא בעיא וי"ל דליכא למטעי בהכי דא"כ לימא בהדיא צריכין טבילה לתרומה והערב שמש לקדש. הר"ר אלחנן:

שפופרת שחתכה לחטאת. והא דאמרי' (יומא ג.) כל מעשיה היו נעשין בכלי גללים כלי אבנים כלי אדמה והכא שפופרת של עץ היא וכן תנן (כ) ללוחית שכוסה מגולה ומלאה מכוסה ופתח ללוחית של חרס התם דוקא בשעת עשייה בתוך ז' ימים לפי שהיו מקילים לעשותה במעורבי שמש היו מחמירין בה שאר טומרות דלא לזלזלו בה אבל בשאר ימים אין לחוש (ל):

מטמאין היו את הכהן השורף את הפרה. פרש"י נוגעים היו בו שרץ אך בתוספתא לא משמע ליה רק במגע עצמו לחוד והכי (נ) תניא בתוספתא כל ז' ימים היו אחיו הכהנים רגילין לפרוש הימנו וביום השמיני היו נוגעים בו ומטמאין אותו וחוזרין ומטבילין אותו ונעשית בטבול יום וז"ל התוספתא (מ) מעשה בצדוקי הכהן שביקש לשרוף את הפרה והיה רוצה לשורפה במעורבי שמש ושמע רבן יוחנן בן זכאי וסמך ידיו עליו ואמר לו אישי כ"ג כמה נאה לך להיות כהן גדול ירד וטבל כו' נהי שאין הצדוקין חוששין אותה טומאה מה שנוגעין בו עכשיו ולא מעלה של פרה מה שלא נגעו בו כל ז' מ"מ הכל רואין לדברי חכמים שמגע ע"ה מטמא ונגעו בו ביום ח' שיש לעשותה בטבול יום:

(י) עשאוה כטמא מת בז' שלו. כלומר לבתר הזאה וכי תימא א"כ טבילה לא לבעי איכא למימר דאף לאחר הזאה בעי טבילה כדמפרש [ר"ת] (ס) בפ"ג דמגילה דשתי טבילות יש אחת לפני הזאה ואחת לאחר הזאה:

עין משפט נר מצוה

כ א מיי' פי"ב מהל' אבות הטומאות ה"ג:
כא ב מיי' פ"י מהלכות פרה אדומה הל' ג:
כב ג מיי' פי"ב מהל' אבות הטומאות הלכה ג:
כג ד ה ו ז מיי' שם הלכה ו:
כד ח מיי' פ"א מהל' פרה אדומה הל' טו:
כה ט מיי' שם הלכה יד:

רבינו חננאל

ונפסקה רצועת סנדלו ונטלה והניחה על פי החבית ונפלה לאויר החבית ונטמאת החבית באותה שעה אמרו הנושא את המדרס לא ישא את הקדש ומתניתין רבי חנניה בן עקביא היא דאמר אין גוזרין אלא כמו המעשה שהיה ומעשה שהיה בחבית של הקדש היה ולא בחבית של תרומה לפיכך לא גזרו על התרומה ומאי היא ר' חנניה בן עקביא דתניא [רבי חנניא] בן עקביא אומר לא אסרו אלא בירדן ובספינה כמעשה שהיה מאי היא דאמר רב מעשה באחד שהיה מעביר מי חטאת ואפר חטאת בירדן ובספינה ונמצא כזית מת תחוב בקרקעיתה של ספינה באותה שעה אמרו לא ישא אדם מי חטאת ואפר חטאת ויעבירם בירדן ובספינה. ומיבעיא לן התינח לא ישא אדם סנדל טמאה בידו ובידו האחרת יין קדש. סנדל טהור מאי גזרו טהור אטו טמא אי לא. התינח חבית פתוחה דחיישינן שמא תכנס רצועה באוירה ויטמאנה. חבית סתומה מאי גזרו סתומה אטו פתוחה אי לא. ועוד אמרינן עבר ונשא המדרס והקדש ולא הגיע זה לזה ולא טימא מאי ופשטנא בכולן ר' אילא אומר עבר ונשא טמא. ר' זירא אומר כיון שבריא לן שלא נגע טהור. וכיון דמעלות מדרבנן נינהו קיי"ל כל דרבנן עבדינן כדברי המיקל: מעלה רביעית בגדי אוכלי תרומה מדרס לקדש. פי' הכהנים הטהורים לאכול התרומה בגדיהם מדרס למי שמבקש לאכול הקדש. ובגדי אוכלי הקדש מדרס לכהן אוכל חטאת כי הקדש קדשים קלים והחטאת קדשי קדשים אלו כולן השנויין בסוף פרק של מעלה מזה כולן מעלה אחת הן חשובין. בגדי ע"ה ובגדי הפרושין ובגדי אוכלי תרומה כולן מדרס לקדש וכ"ש זולתם: מעלה חמישית שבקדש מתיר מטביל ומנגב ואח"כ קושר שהחבל הקשור בכלי חיישינן משום חציצה לקדש אבל בתרומה קושר ואח"כ מטביל. וקיי"ל נימא אחת קשורה חוצצת שלש אינן חוצצות שאינן נהדקות בקשירה והמים באין בהן כ"ש חבל שאינו נהדק כל כך והמים באים ולגבי קדש מעלה בעלמא: מעלה ששית כלים הנגמרין בטהרה צריכין טבילה לקדש אבל לא לתרומה אוקימנא כגון שגמרה חבר ומשום שמא נתזה צינורא של רוק מפי ע"ה קודם שיגמרו ונשאר אותו הרוק לאחר שנגמרו.

ואמאי אוקימנא הכי למפשט [משום] דמקמי גמירתן לא מקבלי טומאה ובתר גמירתן חבר מזהר זהיר בהו א) ונתזה צינורא של רוק מפיו עליהן ונשאר הרוק עליהן לח. וצריכין טבילה ולא בעו הערב שמש מדלא מפרש במתניתין הערב שמש אלא טבילה בלבד. ואמרינן נימא מתני' ב) דלא כר' יהושע דתנינן שפופרת שחתכה למי חטאת רבי אליעזר אומר יטבול מיד. ר' יהושע אומר יטמא ויטבול. ואוקימנא בשחתכה חבר ומשום צינורא דע"ה דחיישינן דלמא תיכף לחתיכה יגע בה ע"ה ונתן רוק מפיו ונשאר לח על שפופרת זו אחר חתיכה ומשום הכי מצרכינן להטבילה וסבר בעלמא צריכה הערב שמש והכא משום דהוא לגבי מי חטאת אינה צריכה הערב שמש. וכיון דסבר בעלמא כי האי גוונא צריכין הערב שמש נמצאת משנתנו דלא כר' יהושע. ואמרינן בשלמא לר' יהושע היינו דאיכא היכירא לצדוקין דאפילו אם נטמאת אינה צריכה הערב שמש לגבי חטאת ומשום הכי דייקינן מינה דקתני יטמא ויטבול וטהורה מיד ולא בעינן הערב שמש. כדתנן מטמאין היו הכהן השורף את הפרה מפני הצדוקין שלא יהו אומרין במעורבי שמש היתה נעשית. פי' אלא היו מטמאין אותו והיה יורד וטובל ומיד עושה הפרה אלא לר' אליעזר אי אמרת בעלמא נמי לא בעי הערב שמש הכא בשפופרת גבי מי חטאת מאי היכירא לצדוקין

מסורת הש"ס

א) תוספתא דפרה פ"ט, ב) פרה פ"ט מ"ו יבמות קטז:, ג) [שבת ס:], ד) יבמות קטז., ה) פרה פ"ה מ"ד, ו) יומא ב. ע"ש זבחים כא. פרה פ"ג מ"ז, ז) נ"ל, ח) [נב"ל כתוב הוא קאי קמיה], ט) [לשון הירושלמי שנקבה חביתו ופקקה בסנדלו], י) [פרה פ"ג מ"א], כ) [ועיין תוספות יומא ב. ד"ה בכל ותוספות סוכה לג. ד"ה נפל ותוספות חולין ט: ד"ה טמאה ותוספות נדה מט. ד"ה כשר], ל) [בתוספות יומא ב. ד"ה להוציא הביאו ממשנה דפרה פ"ג מ"ה שמנו כו' ע"ש קצת], מ) דפרה פ"ג, נ) ל"ל ע"ש, ס) [ל"ל בפ"ב דמגילה כ. ד"ה ולא].

גליון הש"ס

תוס' ד"ה לעולם וכו' ונ"ל דידים שניות. עיין לעיל דף כ ע"א תוספות ד"ה נימא.

ליקוטי רש"י

ויעבירם בירדן ובספינה. משום מעשה שהיה בירדן ובספינה ונטמאו כדאמרינן לקמן. ויזרקם לצד אחר. של נהר דהיינו נמי דומיא דספינה שפורחין באויר על פני המים. ולא ירכב ע"ג בהמה. כנוף המים הדומיא לספינה שהאדם הנושאם במקומו וספינתו מוליכתו וספינה פעמים שהיא גוששת ונוגעת בקרקע. אלא אם כן היו רגליו. של עליון נוגעות במים בקרקע. על גבי הגשר. דלרעת ממחיצה היא והאדם המעבירו הולך על שפת הגשר ואינו דומה לספינה [יבמות קטז:]. לא אסרו אלא בירדן ובספינה. ולא גשר ושאר נהרות דגזירה שגזרו מחמת מאורע אין להם לגזור אלא מעין המאורע [שבת ס:]. תחוב בקרקעיתה. והאהיל הכלי של חטאת עליהן ונטמאו [יבמות שם].

חשק שלמה על ר"ח א) אולי צ"ל משו"ה אוקמינן דחיישינן שמא נתזה צינורא של רוק מפיו עליהן קודם שיגמרו ונשאר הרוק וכו'. ב) משמע דרבינו גרים נימא מתני' דלא כר"י וכן מפיס בסמוך נמצאת משנתינו דלא כר"י וצ"ע דאינו ראיה כלל וכמו דמסיק בגמ' בסמוך ואולי דט"ס נפל בדברי רבינו וצ"ע.

עשאוה כטמא שרץ אלא מעתה לא תטמא אדם אלמה תניא א חותכה ומטבילה טעון טבילה ואלא ב עשאוה כטמא מת אי הכי תיבעי הזאת שלישי ושביעי אלמה תניא חותכה ומטבילה טעון טבילה אין ג הזאת שלישי ושביעי לא אלא עשאוה כטמא מת בשביעי שלו והתניא מעולם לא חידשו דבר בפרה אמר אביי שלא אמרו קודרום מטמא מושב כדתניא א) והיושב על הכלי ד יכול כפה סאה ויושב עליה תרקב ויושב עליה יהא טמא ת"ל והיושב על הכלי אשר ישב עליו יטמא מי שמיוחד לישיבה יצא זה שאומרים לו עמוד ונעשה מלאכתנו: ה הכלי מצרף מה שבתוכו לקדש אבל לא לתרומה: מנה"מ ו א"ר חנין דאמר קרא ב) כף אחת עשרה זהב מלאה קטרת הכתוב עשאו לכל מה שבכף אחת מתיב רב ג כהנא ז הוסיף ר"ע הסלת והקטרת והלבונה והגחלים שאם נגע טבול יום במקצתו פסל את כולו והא דרבנן היא ממאי מדקתני רישא העיד רבי שמעון בן בתירא ז על אפר חטאת שנגע הטמא במקצתו שטימא את כולו וקתני הוסיף ר"ע אמר ר"ל משום בר קפרא
לא

רש"י

עשאוה כטמא שרץ. לעולם בעלמא לא בעי הערב שמש ר"א לכלים הנגמרים בטהרה ואפ"ה איכא היכירא לפי ששפופרת של חטאת (א) עשאוה כאילו נגעו בשרץ לענין מנין ראשון ושני הלכך אי לאו דפרה נעשית בטבולי יום זו היתה צריכה הערב שמש: אלא מעתה. דלא עשאוה אלא כטמא שרץ: לא תטמא אדם. דהא טמא שרץ לאו אב הטומאה הוא ואינו מטמא אדם שלא מצינו טומאה לאדם וכלים הנוגעין בטמא שקיבל טומאה מאחרים חוץ מטמא מת שנאמר והנפש הנוגעת תטמא עד הערב (במדבר יט): כטמא מת. כאילו נטמא במת מטמאת אדם: לא חידשו דבר בפרה. אע"פ שעשו בה מעלות הרבה בשביל הזלזול הזה שהיו מטמאין כהן השורפה לעשותו טבול יום לא חידשו בגזרות מעלותיה דבר שאינו מצוי בשום מקום ואם כשאמרת שעשו בה כלים הנגמרין בטהרה כטמאת מת הרי אין לך חדוש גדול מזה: שלא אמרו קודרום מטמא מושב. כלומר לא נתנו טומאה בפרה לכלי שאינו ראוי לטומאה כגון לומר קודרום שאינו מיוחד לישיבה ואינו נעשה אב הטומאה במושב הזב (ב) כפרה אבל בכלי הראוי לקבל טומאה חידשו בה לעשות שאינו נוגע במת כנוגע במת: תרקב. חצי סאה: אשר (ג) ישב. מדלא קרינן אשר ישב למדנו שאינו מדבר אלא באשר מיוחד לישב שם תמיד: הוסיף ר"ע כו'. רישא קתני העיד ר"ש על אפר חטאת שנגע טמא במקצתו פסל את כולו: לבונה וגחלים. אע"ג דלאו אוכל נינהו חיבת הקדש מכשרתן לטומאה: פסל את כולן. לפי שהכלי מצרפן יחד והך עדות מדרבנן היא מדקתני רישא על אפר חטאת כו' וההיא ודאי על כרחך דרבנן היא דאי מקרא דר' חנין ליכא למילף אלא קדשי מזבח אבל אפר פרה לא:
לא

תוספות

יצא זה שאומרים לו עמוד ונעשה מלאכתנו. בפרק ר"ע (שבת דף פד: ושם) עביד ק"ו ומה פכין קטנים שטהורים בזב כו' שאין להם תוך הראוי למגע בשר בזב טמאים במת מפץ שטמא במדרס אינו דין שטמא במת והקשה הר"ר אברהם מכל הכלים ליעבד ק"ו שאין בני מדרס כדאמרינן הכא עמוד ונעשה מלאכתנו טמאים במת מפץ כו' ועוד קשה לר"י ליעבד ק"ו מכלי חרס גדולים שטהורים אפי' פתוחים במדרס הזב כדאיתא בפרק ר"ע (ג"ז שם) [דיליף מדכתיב (במדבר יט) וכל כלי פתוח אשר אין] צמיד פתיל עליו בטומאת מת משתעי קרא מפץ כו' וי"ל דלא דמי לכל הכלים הא דלא מטמאו מדרס לאו משום דכלי הן אלא משום דלאו בני מדרס נינהו דלא שייך שם וכן כלי חרס גדולים דטהורים במדרס וטמאים בשאר טומאת הזב התם משום טומאת מת ושרץ [בתוך] רחמנא תליא דאיתקש לשק כל כלי עץ אבל טומאת מדרס לאו מטעם תוך הוי אלא מטעם מיוחד לישיבה הלכך מפץ שמטמאת מדרס והוא דינו לא יטמא במת כיון דלית ליה תוך אבל השתא דעדיפין ק"ו מפכין קטנים שטהור בהם מגע והיינו שישנן בכלל גדולים ושייך ביה מטעם תוך והכא טהור מטעם גזרת הכתוב דכיון דלא שייך ביה מגע בשר הזב גם מגע שערו ומעיינו לא שייך ביה ושוו אפ"ה הן לטומאת מת כגדולים כ"ש דמפץ שיש שם גם טומאה דזב כגון מדרס שיטמא במת ותו לא שייך לחלק שכן מיוחד לישיבה דהואיל ומהני בו יחוד ישיבה דלא שייך לפכין קטנים מטעם תוך ואפ"ה יהו טמאים מדרס הזב הוי הק"ו גמור הואיל ולית להו טומאת תוך דשייכא בהו. הר"י:

שאם נגע טבול יום במקצתו. הקשה הר"ר נסים גאון דמשמע הכא דנתקדשו בכלי מדמהני בהו צרוף ואילו בשילהי פרק טרף בקלפי ביומא (דף מד: ושם) נתפזרו לו קב גחלים מכבדן לאמה והיכי מכבדן הא מפסיד בקדש ותירץ דבירושלמי דמכילתין מוקמי לה (ד) בשל יום הכפורים היא דהכא וזה לשון ירושלמי ר' יוסי בר חנינא בשם ר' יוחנן מפני מה אומרים שירי מנחות מחברין את עצמן מפני שנזקקו לכליין ר' אחא אומר בשם ר"ל יודעים היו שכלי שרת מחברן מה באו להעיד על הסלתות על הלבונה ועל הקטורת ועל הגחלים ניחא סולת קטורת ולבונה גחלים מאי א"ר בון תיפתר בגחלים של יוה"כ שבמה שהיה חותה היה מכניס אבל של כל יום לא כההיא דתנן נתפזר ממנו קב גחלים מכבדו לאמה ומיהו הר"י היה מפרש הירושלמי הכי גחלים מאי כלומר למה פוסל את כולם כיון שיש הרבה שאינו צריך ומוקי לה בשל יוה"כ דהכל צריך וה"ה דמצי לאוקמי במחתה של כל יום אלא משום דלא פסיק ליה אי מחתה של כסף שחותה בה קדושה אי לא וכלי שרת מחברן משמע כל כלי שמכניסין דומיא דלבונה וקטורת וכ"ת הא אמרינן בסמוך דמדרבנן מיהא אפילו שאינו צריך לכלי כלי נמי מצרף איכא למימר היינו למ"ד צירוף דאורייתא אבל למ"ד צירוף דרבנן לא יועיל כלום והשתא דאתינן להכי גם מה שהקשה הרב ר' נסים יתכן דכלי אינו מצרף רק הראוי לו ומה שאין צריך לו בו ביום אין בכך כלום אם מפסידו ור"ת מתרץ דכלי שרת אין מקדשין אלא לדעת אך קשה להר"ר אלחנן דפלוגתא היא שילהי לולב וערבה (סוכה דף מט: ושם) וי"א מקדשין ומיהו פ"ק דמנחות (דף ז.) ובהתודה (שם דף עח: ושם) איכא מאן ח דמוכח מן ולקחו את כל כלי השרת (במדבר ד) דאין מקדשין אלא לדעת ופלוגתא דאמוראי הוא דהוי דלא אשכחן פלוגתא דתנאי וי"מ מחתה דכסף אינה קדושה כי אם חותה שמערה בה ונתפזרו לו קב גחלים דמכבדן לאמה איירי במחתה של כסף וקשה להר"ר אלחנן דהא מזבח מקדש את דבר הראוי לו ולא ידענא מאי תיובתיה דהא מוריד גחלים מן המזבח לארץ פליגי בה רבי יוחנן ור"ל משמע דלא שייך בגחלים ראוי למזבח ט:

והא דרבנן הוא. משמע הא לאו הכי הוה שייך שפיר צירוף דאורייתא מדלא קדייק רק מהוסיף ועוד מדקאמר ממאי דהאי צירוף מדרבנן אלמא דאית ליה דאורייתא וכן בפ"ב דפסחים (דף לה.) והבשר כל טהור יאכל בשר לרבות עצים ולבונה וכן בפ"ב דחולין (דף לו:) אלא חיבת הקדש מכשרת דאורייתא מנלן כו' אלא מסיפא כל טהור יאכל בשר לרבות עצים ולבונה ובפרק כל הפסולים (זבחים דף לג.) טמא שאכל קדש לפני זריקה חד אומר לוקה וחד אומר אינו לוקה אבל בטומאת בשר דברי הכל לוקה דאמר קרא והבשר כו' ואמר מר לרבות עצים ולבונה אלמא עיקר קרא להכי הוא דאתא ובפרק כל שעה (פסחים דף כד:) והבשר למה לי לרבות עצים ולבונה בשר למה לי לרבות אימורין כו' והא דקאמר בזבחים שילהי ב"ש (דף מו:) והאמר מר והבשר לרבות עצים ולבונה ומשני לפסול בעלמא התם מדאורייתא מיהא הוי פסול להקרבה ולא קאמר דהוי פסול אלא לאפוקי איכא דאמר התם לוקה וכי אומרים בפסחים (דף לה.) עצים ולבונה בני קבלת טומאה נינהו וכי אוכלין נינהו אלא מעלה דאורייתא מיהא הוי ומעלה דלאו אוכל הוא ושוי ליה אוכל וכן מייתי התם העריב שמשו אוכל בתרומה כו' הביא כפרתו כו' והאי גברא חזי אלא מעלה והתם דאורייתא הוא דהא דהא בהערל (יבמות דף עד:) מפיק ליה מקרא דקאמר ג' קראי כתיבי והשתא משמע דלעולם הוי צירוף דאורייתא גבי עצים ולבונה וכי קאמר הש"ס בפרק הקומץ רבה (מנחות דף כח.) יצאו עצים ולבונה שאין מקבלין טומאה י"ל דר"ל בלי הכשר אע"ג דחיבת הקדש מכשרתו דאורייתא מ"מ לא פסיק ליה כיון דעצי חולין לא מקבלי טומאה דאורייתא אפי' בהכשר אי לאו יתורא דקרא א"כ איכא למימר דלא מרבינן אלא בהכשר וכי קאמר בפסחים (דף יט.) אלמא צירוף דרבנן דעדותו דר"ע דרבנן אבל עצים ולבונה לעולם דאורייתא ולא כפרש"י דקאמר דדייק התם צירוף דגבי מעלות דרבנן ולר"ע דעצים ולבונה לאו בנות קבולי טומאה נינהו דאורייתא דלאו אוכל הוא לא יתכן כדפרישית בכל הני שהבאתי וגם משמעות דשמעתין לא משמע הכי אלא דייק דצירוף דרבנן מהא דקתני רישא העיד רבי שמעון על אפר חטאת וכו' ואפר
חטאת

עין משפט נר מצוה

כו א ב ג מיי' פ"א מהלכות פרה אדומה הלכה טו:
כז ד מיי' פ"ז מהלכות משכב ומושב ה"ח:
כח ה ו מיי' פרק י"ב מהל' אבות הטומאות הלכה ז:
כט ז מיי' פי"ג מהל' פרה אדומה הל' ה:

רבינו חננאל

לצדוקין איכא ופריק ר' זירא עשאוה לשפופרת זו כטמא שרץ חילוף כל הכלים הנגמרין בטהרה וכל טמא שרץ בעי הערב שמש וזו להוציא מן הצדוקין לא הצריכוה הערב שמש. ומקשינן אי הכי דשפופרת זו כטמא שרץ היא לא תטמא אדם אלמא תניא חותכה ומטבילה וטעון טבילה פי' החותכה נמי בעי טבילה. ואסיקנא אלא עשאוה לשפופרת זו כטמא מת ביום שביעי שלו דלא בעי הזאה ובעי הערב שמש. ומקשינן איני דלעלמא כלין הנגמרין בטהרה מטבלינן להו משום חששא דלמא ניתזה צינורא מפי ע"ה עליה ונשארה לחה עד אחר גמירתה ולגבי מי חטאת עשאוה לשפופרת שחתכה למי חטאת כטמא מת בשביעי שלו ומשום הכי מטבלינן לה. והתניא לא חדשו דבר בפרה כלומר לא החמירו בפרה משאר טמאות דעלמא. ופריק אביי מאי לא חדשו שלא אמרו קודרום מטמא מושב משום חומרא דפרה אלא כיון דעלמא לא הוי קודרום מטמא מושב לגבי פרה נמי לא הוי מושב. כדתניא והיושב על הכלי אשר ישב עליו הזב יטמא. אשר ישב מי שמיוחד לישיבה יצא זה שאומרים לו עמוד ונעשה מלאכתנו. אלו שש מעלות נוהגות בקדש ובחולין שנעשו על טהרת הקדש וכדרב נחמן אבל חמש האחרונות נוהגות בקדש ואין נוהגות בחולין שנעשו על טהרת הקדש: מעלה שביעית הכלי מצרף מה שבתוכו לקדש אבל לא לתרומה. וא"ר חנין צירוף זה מן התורה שנאמר כף אחת עשרה זהב וגו' כיון שכתיב כף ידענו שהיא אחת אחת דכתב רחמנא למה לי אלא ללמדך שכל מה שבכף אחת. ומותיב רב כהנא הוסיף ר' עקיבא הסולת והקטרת והלבונה והגחלים שאם נגע טבול יום במקצתו שפסל כולו. והא מדרבנן היא מדקתני רישא העיד ר' שמעון בן בתירא על אפר חטאת שנגע טמא

מסורת הש"ס

א) שבת נט. נדה מט:, ב) [פסחים יט.], ג) [עיין תוספות מנחות כד. ד"ה שאין וכו' וכד"ה צירוף דאורייתא], ד) פסחים שם יומא מח. [עדיות פ"ח מ"א], ה) [הוכחה זו לא מצאתי וכן נשאלתי מהגאב"ד מהר"י ז"ל], ו) [ועי' תוס' יומא מו: ד"ה כי פליגי].

הגהות הב"ח

(א) רש"י ד"ה עשאוה וכו' של חטאת עשאוהו כאילו נגע בשרץ: (ב) ד"ה שלא אמרו וכו' במושב הזב שיהא טמא בפרה: (ג) ד"ה אשר ישב מדלא קרינן אשר יֵשֵׁב: (ד) תוס' ד"ה שאם וכו' דבירושלמי דמכילתין מוקמי לה הסוא דהכא בשל יום הכפורים חה לשון ירושלמי:

תורה אור השלם

א) וְהַיֹּשֵׁב עַל הַכְּלִי אֲשֶׁר יֵשֵׁב עָלָיו הַזָּב יְכַבֵּס בְּגָדָיו וְרָחַץ בַּמַּיִם וְטָמֵא עַד הָעָרֶב: [ויקרא טו, ו]
ב) כַּף אַחַת עֲשָׂרָה זָהָב מְלֵאָה קְטֹרֶת: [במדבר ז, יד]

ליקוטי רש"י

והיושב על הכלי. אפילו לא נגע אפי' עשרה כלים זה על זה כולן מטמאין משום מושב וכן במשכב [ויקרא טו, ו]. כדתניא וכו'. ה"ג לה בת"כ וכל הכלי אשר ישב עליו [כן הגירסא שם ועי' להלן בד"ה אשר ישב], רישא דקרא וכל המשכב וגו' יכול כל כלי במשמע ואפילו אין עשוי לישיבה [שבת נט.]. סאה וכו' תרקב. שאין מדרס הזב לטמא אדם וכלים אבל טמאין הם טומאת מגע הזב להיות ראשונים ובמת נעשין אב הטומאה [נדה מט:]. תרקב. חצי סאה פי' תרי וקב. אשר ישב. מדלא כתיב גבי משכב אשר שכב וגבי מושב אשר ישב וכתיב ישכב ישב משמע שישכב עליו תמיד וישב עליו תמיד במיוחד לשכיבה ולישיבה וגבי משכב נמי דריש ליה התם הכי ובכל הספרים כתיב והיושב על הכלי אשר ישב עליו וקרא אחר הוא ומפרשים אותו התלמידים מדכתיב היושב על הכלי אשר ישב עליו שתי ישיבות ריבה הכתוב ללמדך דבמיוחד לישיבה קאמר ולא היא דשתי ישיבות דקאמר טובא צריכי כדמפרש התם יושב אע"פ שלא נגע אלא ישב או נתלה ולא נגע טמא דאיצטריך למיכתב גבי זב שטימא כלי בישיבתו ואע"פ שלא נגע ואיצטריך גבי טהור נמי שנטמא גם הוא ביושבו עליו אע"פ שלא נגע ועוד בת"כ לאו אההוא קרא קתני לה [שבת שם]. מי שמיוחד לישיבה. הוא דהוו אב הטומאה דכתיב וכבס בגדיו וגו' [נדה שם]. כף אחת. בקטורת כתיב קודש הוא (פסחים יט.). עשרה זהב. כתרגומו משקל עשר שקלי הקדש היה בה. מלאה קטרת. לא מצינו קטרת ליחיד ולא על מזבח החיצון אלא זו בלבד והוראת שעה היתה [במדבר ז, יד]. הוסיף ר"ע. בעדות. והלבונה והגחלים. אע"ג דלאו אוכלין נינהו חיבת הקודש מכשרתן ומשוויא להו אוכל ובפרק כל שעה (דף לה.). פסל את כולו. אלמא מצרף כלי מה שבתוכו לא משום דבעי הכלי נמי דגחלת שנגע בה טמאה את חברתה אבל חברתה מן לא מטמאה לאם בן כהן לא היה שני ושביעי נמי לא היה אלא מחמת מעלות שעשו על מים (פסחים יט.). שזו היא מעלה שבעה מעלות שנאמרו בקדש (חגיגה דף כ:) שהכלי מצרף כל מה שבתוכו לא היות כאלו נגע בכולו [יומא מח.].

עֲשָׂאוּהָ כִּטְמֵא שֶׁרֶץ – [The Rabbis] made it [the tube cut for the ashes of the *parah adumah*] **the equivalent of a *sheretz*-contaminated object.**[1]

The Gemara asks:

אֶלָּא מֵעַתָּה – But if this is **now** so that the tube is treated like a *sheretz*-contaminated object, **לֹא תְּטַמֵּא אָדָם – then it ought not** have the capacity to **render a person *tamei*.**[2] **אַלְמָּה תַּנְיָא – Why,** then, **has it been taught** otherwise **in the** following **Baraisa: חוֹתְכָהּ וּמַטְבִּילָהּ טָעוּן טְבִילָה – THE ONE WHO CUTS [THE TUBE] OR IMMERSES IT REQUIRES IMMERSION?**[3] We see, then, that the tube *does* contaminate the person who touches it! – ? –

The Gemara considers a revision of the previous explanation:

וְאֶלָּא עֲשָׂאוּהָ כִּטְמֵא מֵת – But will you say, **rather,** that **they treated it like a corpse-contaminated object?**[4] **אִי הָכִי – If so, תִּיבָּעֵי הַזָּאַת שְׁלִישִׁי וּשְׁבִיעִי – it should require sprinkling** on **the third and seventh** days in order for it to become *tahor.*[5] **אַלְמָּה תַּנְיָא – Why,** then, **was it taught** otherwise **in the** following **Baraisa? חוֹתְכָהּ וּמַטְבִּילָהּ טָעוּן טְבִילָה – THE ONE WHO CUTS [THE TUBE] OR IMMERSES IT REQUIRES IMMERSION. טְבִילָה אֵין הַזָּאַת שְׁלִישִׁי וּשְׁבִיעִי לֹא** – The Baraisa's wording implies: **Immersion – yes;** but **sprinkling** on the **third and seventh** days **– no,** it is not required![6] – ? –

The Gemara therefore presents a different revision:

אֶלָּא עֲשָׂאוּהָ כִּטְמֵא מֵת בִּשְׁבִיעִי שֶׁלּוֹ – Rather, they treated it like a corpse-contaminated object on the seventh day of its purification process.[7]

The Gemara asks:

וְהָתַנְיָא – But it was apparently **taught** otherwise **in the** following **Baraisa: מֵעוֹלָם לֹא חִידְּשׁוּ דָּבָר בְּפָרָה – NEVER DID [THE RABBIS] INNOVATE A MATTER** of *tumah* with regard to the preparation of **THE *PARAH* *adumah*,** despite the highest standards of *taharah* instituted for it.[8] How, then, can you say that the cut tube is treated as if it contracted *tumah* from a corpse, unlike other vessels completed in a state of *taharah*? Would this not constitute an innovation of the highest order?!

The Gemara answers:

אָמַר אַבַּיֵי – Abaye said: שֶׁלֹּא אָמְרוּ קוֹרְדוֹם מְטַמֵּא מוֹשָׁב – The intent of that Baraisa is **that they never said** any complete innovation that assigns an article *tumah* to which it is not susceptible, such as **"a spade becomes *tamei* as the seat** of a *zav*."[9] For

NOTES

1. True, the *tumah* of the tube stems from the fact that it is "a vessel completed in *taharah*," which ordinarily does *not* require the passage of nightfall. But the Rabbis assigned to this particular "vessel completed in *taharah*" (made to be used for the *parah adumah*) a greater *tumah* than usual [see *Tos. Yeshanim* to *Yoma* 2a-b ד"ה מטמאין היו]. Usually, a vessel completed in *taharah* does not have the status of a *rishon* (but rather the status of a *sheni,* or possibly a *shelishi* – see *Chazon Ish* here). In the case of a *chatas* tube "completed in *taharah*," however, the Rabbis decreed [and this was well known to the Sadducees (*Meiri*)] that it have the *tumah* of something touched by a *sheretz;* that is, the tube is a *rishon,* and has the capacity to make foods that it touches a *sheni* and so on. Now, a *tumah* of this magnitude generally requires the passage of nightfall after immersion in order to be removed completely. Thus, using the tube for the *parah adumah* ashes *immediately* after immersion serves to publicly repudiate the Sadducee view that a *tevul yom* is unfit for the *parah adumah* service (see *Rashi* and *Meiri* here). [Regarding *Rashi's* comments here, and regarding whether the tube must actually await nightfall for complete *taharah* (or whether the meaning is only that the *tumah* is a *type* that usually requires the awaiting of nightfall), see *Tosafos* to 21a ד"ה האונן with *Siach Yitzchak* and *Chazon Ish* ad loc., and *Chazon Ish, Tohoros* 10:9 and *Parah* 5:1.]

Thus, the Gemara answers that our Mishnah could accord even with the view of R' Eliezer. For R' Eliezer might agree (with our Mishnah) that vessels completed in *taharah* generally do *not* require the passage of nightfall after immersion. And nevertheless, he holds that the tube completed for use with the *parah adumah* need not be deliberately contaminated, because the Rabbis assigned to it a *tumah* equivalent to a *sheretz*-contaminated object.

2. Persons or utensils can contract *tumah* only from an *av hatumah,* not from a *rishon.* Now, the *sheretz* itself is an *av hatumah.* If, then, the tube is considered like a *sheretz*-contaminated object, it is but a *rishon,* which cannot transmit *tumah* to a person or utensil. Accordingly, the person who handles the tube should not become *tamei* (*Rashi*).

3. The tube, which is *tamei,* transmits *tumah* to the person who touches it while cutting or immersing it.

[Though it emerges that the immersed tube is being held by a person who is himself *tamei,* the tube remains fit for use with the *parah adumah* ashes, since the Rabbis did not go so far as to disqualify the tube as a result (*Chazon Ish, Tohoros* 10:8).]

[See the question raised by *Turei Even* from *Parah* 12:7, but see *Meromei Sadeh,* and see *Chazon Ish* loc. cit.]

4. A person or utensil that touches a corpse has the capacity to convey *tumah* to another person or utensil, for it is written (*Numbers* 19:22): *And the person who touches [the one who touched the corpse] shall become tamei until evening* (*Rashi*).

5. The word תִּיבָּעֵי, which means literally: she should require, apparently refers to the feminine noun שְׁפוֹפֶרֶת, *tube.* That is, if you say that the Rabbis gave the tube the status of something touched by a human corpse, then the tube should require sprinkling with *mei chatas* on the third and seventh days. See also *Rishon LeTziyon.* (See, however, end of next note for an alternative understanding of the Gemara.)

6. It is not clear how the Gemara proves from this Baraisa that the tube does not require sprinkling. [The Baraisa states only that the person who handles the tube does not require sprinkling, which would be true even if the tube itself *did* require sprinkling.] *Meromei Sadeh* suggests that the proof is from the fact that the Baraisa did not also include "the one who sprinkles on it" [and presumably touches it in the process] among those who require immersion. The implication, then, is that it does *not* require sprinkling. (See also *Chazon Ish, Tohoros* 10:8.)

[Some Rishonim maintain that a wooden utensil that touches a corpse becomes like the corpse itself, according to the principle of חֶרֶב הֲרֵי הוּא כֶּחָלָל, *the sword is like the corpse itself.* One who then touches the utensil would – like one who touches the corpse itself – become an *av hatumah* and require sprinkling on the third and seventh days. (All agree that this principle applies to metal utensils, and that it does not apply to earthenware. There is a dispute among Rishonim, though, whether it applies to utensils, such as those made from wood, which are neither metal nor earthenware; see references cited in *Minchas Chinuch* 263 [§18].) Accordingly, the Gemara's question here could be explained as follows: If the tube is deemed to be something contaminated by a corpse, then the *person who handles it* should require sprinkling on the third and seventh days, just like a person who touches the actual corpse. Why, then, does the Baraisa say that the one who cuts or immerses the tube requires immersion, but (by implication) does *not* require sprinkling? (see *Rashash* and *Minchas Chinuch* loc. cit. [§20]; see also *Chiddushim U'Veurim*).]

7. That is, the Rabbis assigned to the tube the status of a corpse-contaminated utensil on the seventh day following its second sprinkling (the first sprinkling having taken place on the third day). Such a utensil will still render *tamei* the person who handles it, but it requires only an additional immersion (and the passage of nightfall) to become *tahor* (see *Tosafos* printed on 23a ד"ה עשאוה).

[According to the alternative explanation of the Gemara (cited at the end of the preceding note), the Gemara's answer indicates that a "sword-like-a-corpse" cannot make something more *tamei* than the "sword" itself. Thus, if the "sword" requires only immersion and nightfall at the time the person touches it, the person, too, requires only immersion and nightfall (see *Rashash*).]

8. The Rabbis were concerned that the deliberate contamination of the Kohen who was to burn the *parah adumah* (necessary in order to publicly repudiate the Sadducee view) might lead to a general attitude of laxity with respect to the *taharah* of the *parah adumah.* To counteract such an attitude, the Rabbis instituted certain extraordinary *taharah* stringencies to impress the public with the need for *taharah* in the *parah adumah's* preparation. This Baraisa states that while the Rabbis instituted extraordinary stringencies, never did they create for this purpose a form [of *tumah*] that heretofore had not existed (*Rashi*).

9. The "seat of a *zav*" has special stringencies. It contracts *tumah* from the *zav* who sits or leans his weight on it even if the *zav* does not touch i

עשאוה כטמא שרץ אלא מעתה לא תטמא אדם אלמה תניא א חותכה ומטבילה טעון טבילה ואלא ב עשאוה כטמא מת אי הכי תיבעי הזאת שלישי ושביעי אלמה תניא חותכה ומטבילה טעון טבילה אין ג הזאת שלישי ושביעי לא אלא עשאוה כטמא מת בשביעי שלו והתניא מעולם לא חידשו דבר בפרה אמר אביי שלא אמרו קורדום מטמא מושב כדתניא א) א והיושב על הכלי ד יכול כפה סאה וישב עליה תרקב וישב עליה יהא טמא ת"ל והיושב על הכלי אשר ישב עליו יטמא מי שמיוחד לישיבה יצא זה שאומרים לו עמוד ונעשה מלאכתנו: ה הכלי מצרף מה שבתוכו לקדש אבל לא לתרומה: מנה"מ ב) א"ר חנין ו דאמר קרא ב) כף אחת עשרה זהב מלאה קטרת הכתוב עשאו לכל מה שבכף אחת מתיב רב ג) כהנא ד) הוסיף ר"ע הסלת והקטרת והלבונה והגחלים שאם נגע טבול יום במקצתו פסל את כולו והא דרבנן היא ממאי מדקתני רישא העיד רבי שמעון בן בתירא ז על אפר חטאת שנגע הטמא במקצתו שטימא את כולו וקתני הוסיף ר"ע אמר ר"ל משום בר קפרא לא

רש"י

עשאוה כטמא שרץ. לעולם בעלמא לא בעי הערב שמש ר"א לכלים הנגמרים בטהרה ואפ"ה איכא היכרא לפי ששפופרת של חטאת (א) עשאן כאילו נגעו בשרץ לענין מנין ראשון ושני הלכך אי לאו דפרה נעשית בטבולי יום זו היתה צריכה הערב שמש: אלא מעתה. דלא עשאוה אלא כטמא שרץ: לא תטמא אדם. דהא טמא שרץ לאו אב הטומאה הוא ואינו מטמא אדם שלא מצינו טומאה לאדם וכלים הנוגעין בטמא שקיבל טומאה מאחרים חוץ מטמא מת שנאמר והנפש הנוגעת תטמא עד הערב (במדבר יט): כטמא מת. כאילו נטמא במת שמטמא אדם: לא חידשו דבר בפרה. אע"פ שעשו בה מעלות הרבה בשביל הזלזול הזה שהיו מטמאין כהן השורפה לעשותו טבול יום לא חידשו בגזרות מעלותיה דבר שאינו מצוי בשום מקום ואם כשאמרת שעשו בה כלים הנגמרין בטהרה כטמא מת הרי אין לך חדוש גדול מזה: שלא אמרו קורדום מטמא מושב. כלומר לא נתנו טומאה בפרה לכלי שאינו ראוי לטומאה כגון לומר קורדום שאינו מיוחד לישיבה ואינו נעשה אב הטומאה במושב הזב (ב) בפרה אבל בכלי הראוי לקבל טומאה חידשו בה לעשות שאינו נוגע במת כנוגע במת: תרקב. חצי סאה: אשר ישב. (ג) מדלא קרינן אשר ישב למדנו שאינו מדבר אלא באשר מיוחד לישב שם תמיד: הוסיף ר"ע. רישא קתני העיד ר"ש על אפר חטאת שנגע טמא במקצתו פסל את כולו:

לבונה וגחלים. אע"ג דלאו אוכל נינהו חיבת הקדש מכשרתן לטומאה: פסל את כולו. לפי שהכלי מצרפן יחד והך עדות מדרבנן היא מדקתני רישא על אפר חטאת כו' והיינו דאי על כרחך דרבנן היא דהא מקרא דר' חנין ליכא למילף אלא קדשי מזבח אבל אפר פרה לא:

תוספות

יצא זה שאומרים לו עמוד ונעשה מלאכתנו. בפרק ר"ע (שבת דף פד: ושם) עביד ק"ו ומה פכין קטנים שטהורים בזב כו' שאין להם תוך הראוי למגע בשר בזב טמאים במת מפץ שטמא במדרס אינו דין שטמא במת והקשה הר"ר אברהם מכל הכלים ליעבד ק"ו שאין בני מדרס כדאמרינן הכא עמוד ונעשה מלאכתנו טמאים במת מפץ כו' ועוד קשה לר"י ליעבד ק"ו מכלי חרס גדולים שטהורים אפי' פתוחים במדרס הזב כדאיתא בפרק ר"ע (ג"ז שם) [דיליף מדכתיב (במדבר יט) וכל כלי פתוח אשר אין] צמיד פתיל עליו בטומאת מת משתעי קרא מפץ כו' וי"ל דלא דמי דכל הכלים הא דלא מטמאו מדרס לאו משום דכלי הן אלא משום דלאו בני מדרס נינהו דלא שייך שם וכן כלי חרס גדולים דטהורים במדרס וטמאים בשאר טומאת הזב התם משום טומאת מת ושרץ [בתוך] רחמנא תליא דאיתקש לשק כל כלי עץ אבל טומאת מדרס לאו מטעם תוך הוי אלא מטעם מיוחד לישיבה הלכך מפץ שמטמא מדרס והוא דינו לא יטמא במת כיון דלית ליה תוך אבל השתא עבדינן ק"ו מפכין קטנים שטהור בהם מגע והיסט שישנן בכלל גדולים ושייך ביה מטעם תוך והכא טהור מטעם גזרת הכתוב דכיון דלא שייך ביה מגע בשר הזב גם מגע שערו ומעיינו לא שייך ביה ושוו אפ"ה הן לטומאת מת כגדולים כ"ש דמפץ שיש שם גם טומאה דזב כגון מדרס שיטמא במת ותו לא שייך לחלק שכן מיוחד לישיבה דהואיל ומהני בו יחוד ישיבה דלא שייך לפכין קטנים מטעם תוך ואפ"ה יהו טמאים מדרס הזב הוי הק"ו גמור הואיל ולית להו טומאת תוך דשייכא בהו. הר"י:

שאם נגע טבול יום במקצתו. הקשה הר"ר נסים גאון דמשמע הכא דנתקדשו בכלי מדמהני בהו צירוף ואילו בשלהי פרק טרף בקלפי ביומא (דף מד: ושם) נתפזרו לו קב גחלים מכבדן לאמה והיכי מכבדן הא מפסיד בקדש ותירץ דבירושלמי דמוקמי לה (ד) בשל יום הכפורים היא דהכא וזה לשון ירושלמי ר' יוסי בר חנינא בשם ר' יוחנן מפני מה אומרים שירי מנחות מחברין את עצמן מפני שמזקקו לכליין ר' אחא אומר בשם ר"ל יודעים היו שכלי שרת מחברין מה באו להעיד על הסלתות ועל הלבונה ועל הקטורת ועל הגחלים ניחא סולת קטורת ולבונה גחלים מאי א"ר בון תיפתר בגחלים של יוה"כ שכמה שהיה חותה היה מכניס אבל של כל יום לא כההיא דתנן נתפזר ממנו קב גחלים מכבדו לאמה ומיהו הר"י היה מפרש הירושלמי הכי גחלים מאי כלומר למה פוסל את כולם כיון שיש הרבה שאינו צריך ומוקי לה בשל יוה"כ דהכל צריך וה"ה דמצי לאוקמי במחתה של כל יום אלא משום דלא פסיק ליה אי מחתה של כסף שחותה בה קדושה אי לא וכלי שרת מחברין משמע כל כלי שמכניסין דומיא ללבונה וקטורת וכ"ת הא אמרינן בסמוך דמדרבנן מיהא אפילו שאינו צריך לכלי כלי נמי מצרף איכא למימר היינו למ"ד צירוף דאורייתא אבל למ"ד צירוף דרבנן לא יועיל כלום והשתא דלאמינן להכי גם מה שהקשה הרב ר' נסים יתכן דכלי אינו מצרף רק הראוי לו ומה שאין צריך לו בו ביום אין בכך כלום אם מפסידו ור"ת מתרץ דכלי שרת אין מקדשין אלא לדעת אך קשה להר"ר אלחנן דפלוגתא היא בשילהי לולב וערבה (סוכה דף מט: ושם) וי"א מקדשין ומיהו פ"ק דמנחות (דף ז.) ובהתודה (שם דף עח:) איכא מאן ה) דמוכח מן ולקחו את כל כלי השרת (במדבר ד) דאין מקדשין אלא לדעת ופלוגתא דאמוראי הוא דהוי דלא לדעת אשכחן פלוגתא דתנאי וי"מ מחתה דכסף אינה קדושה כי אם חותה שמערה בה ונתפזרו לו קב גחלים מכבדן לאמה איירי במחתה של כסף וקשה להר"ר אלחנן דהא מזבח מקדש את הדבר הראוי לו ולא ידענא מאי תיובתיה דהא מוריד גחלים מן המזבח לארץ פליגי בה רבי יוחנן ור"ל משמע דלא שייך בגחלים ראוי למזבח ו):

והא דרבנן הוא. משמע הא לאו הכי הוה שייך שפיר צירוף לאורייתא מדלא קדייק רק מהוסיף ועוד מדקאמר ממאי דהאי צירוף מדרבנן אלמא דאית ליה דאורייתא וכן בפ"ב דפסחים (דף לה.) והבשר כל טהור יאכל בשר לרבות עצים ולבונה וכן בפ"ב דחולין (דף לו:) אלא חיבת הקדש מכשרת מדאורייתא מנלן כו' אלא מסיפא כל טהור יאכל בשר לרבות עצים ולבונה ובפרק כל הפסולים (זבחים דף לג.) טמא שאכל קדש לפני זריקה חד אומר לוקה וחד אומר אינו לוקה אבל בטומאת בשר דברי הכל לוקה דאמר קרא והבשר כו' ואמר מר לרבות עצים ולבונה אלמא עיקר קרא להכי הוא דאתא ובפרק כל שעה (פסחים דף כד:) והבשר לרבות עצים ולבונה בשר למה לי לרבות אימורין כו' והא דקאמר בזבחים שילהי ב"ש (דף מו:) והאמר מר והבשר לרבות עצים ולבונה ומשני לפסול בעלמא התם מדאורייתא מיהא הוי פסול להקרבה ולא קאמר דהוי פסול אלא לאפוקי איכא דאמר התם לוקה וכי אומרים בפסחים (דף לה.) עצים ולבונה בני קבלת טומאה נינהו וכי אוכלין נינהו אלא מעלה דאורייתא מיהא הוי ומעלה דלאו אוכל הוא ושוו ליה אוכל וכן מייתי התם והעריב שמשו אוכל בתרומה כו' והאי גברא חזי אלא מעלה והתם דאורייתא הוא דהא בהערב (יבמות דף עד:) מפיק ליה מקרא דקאמר ג' קראי כתיבי והשתא משמע דלעולם הוי צירוף דאורייתא גבי עצים ולבונה וכי קאמר הש"ס בפרק הקומץ רבה (מנחות דף כד.) יתאו עצים ולבונה שאין מקבלין טומאה י"ל דר"ל בלי הכשר אע"ג דחיבת הקדש מכשרתו דאורייתא מ"מ לא פסיק ליה כיון דעצי חולין לא מקבלי טומאה אפי' דאורייתא אפי' בהכשר אי לאו יתורא דקרא א"כ איכא למימר דלא מרבינן אלא בהכשר וכי קאמר בפסחים (דף יט.) אלמא צירוף דרבנן דעדותו דר"ע דרבנן אבל עצים ולבונה לעולם דאורייתא ולא כפרש"י דקאמר דדייק התם צירוף דגבי מעלות דרבנן ולר"ע דעצים ולבונה נמי ולאו בנות קבולי טומאה נינהו דאורייתא דלאו אוכל הוא ולא יתכן לפרש בכל הני שהבאתי וגם משמעות דשמעתין לא משמע הכי אלא דייק לצירוף דרבנן מהא דקתני רישא העיד רבי שמעון על אפר חטאת וכו' ואפר חטאת

עין משפט נר מצוה

כו א ב ג מיי' פ"א מהלכות פרה אדומה הלכה טו:
כז ד מיי' פ"ו מהלכות משכב ומושב ה"ח:
כח ה ו מיי' פרק י"ב מהל' אבות הטומאות הלכה יז:
כט ז מיי' פי"ג מהל' פרה אדומה הל' ה:

רבינו חננאל

לצדוקין איכא ופריק ר' זירא עשאוה לשפופרת זו כטמא שרץ הילוך כל הכלים הנגמרין בטהרה וכל טמא שרץ בעי הערב שמש וזו להוציא מן הצדוקין לא הצריכוה הערב שמש. ומקשינן אי הכי דשפופרת זו כטמא שרץ היא לא תטמא אדם אלמא תניא חותכה ומטבילה וטעון טבילה פי' החותכה נמי בעי טבילה. ואסיקנא אלא עשאוה לשפופרת זו כטמא מת ביום שביעי שלו דלא בעי הזאה ובעי הערב שמש. ומקשינן איני דלעלמא כלים הנגמרין בטהרה מטבלינן להו משום חשש דלמא ניתזה צינורא מפי ע"ה עליה ונשארה לחה עד אחר גמירתה ולגבי מי חטאת עשאוה לשפופרת שחתכה למי חטאת כטמא מת בשביעי שלו ומשום הכי מטבלינן לה. והתניא לא חדשו דבר בפרה כלומר לא החמירו בפרה משאר טמאות דעלמא. ופריק אביי מאי לא חדשו שלא אמרו קורדום מטמא מושב דפרה אלא כיון דעלמא לא הוי קורדום מטמא מושב לגבי פרה נמי לא הוי מושב. כדתניא והיושב על הכלי אשר ישב עליו הזב יטמא. אשר ישב מי שמיוחד לישיבה יצא זה שאומרים לו עמוד ונעשה מלאכתנו. אלו שש מעלות שנעשו על טהרת הקדש ובחולין שנעשו על טהרת הקדש וכדרב נחמן אבל חמש האחרונות נוהגות בקדש ואין נוהגות בחולין שנעשו על טהרת הקדש: מעלה שביעית הכלי מצרף מה שבתוכו לקדש אבל לא לתרומה. ואר"ח חנין צירוף זה מן התורה שנאמר כף אחת עשרה זהב וגו' כיון שכתוב כף ידענו שהיא אחת אחת דכתב רחמנא אחת מה לי אלא ללמדך שכל מה שבכף אחת. ומותיב רב כהנא הוסיף ר' עקיבא הסולת והקטרת והלבונה והגחלים שאם נגע טבול יום במקצתו שפסל כולו. והא מדרבנן היא מדקתני רישא העיד ר' שמעון בן בתירא על אפר חטאת שנגע טמא

מסורת הש"ס

א) שבת נג. נדה מט:, ב) [פסחים יט.], ג) [עיין תוספות מנחות כד. ד"ה שאין וכו' ובד"ה צירוף דאורייתא], ד) פסחים שם יומא מח. [עדיות פ"ח מ"א], ה) [הוכחה זו לא מצאתי וכן נשאלתי מהגאון מהר"י ז"ל], ו) [ועי' תוס' יומא מו: ד"ה כי פליגי].

הגהות הב"ח

(א) רש"י ד"ה עשאוה וכו' של חטאת עשאוה כאילו נגע בשרץ: (ב) ד"ה שלא אמרו וכו' במושב הזב היה טמא בפרה: (ג) ד"ה אשר ישב מדלא קרינן אשר ישב: (ד) תוס' ד"ה שאם וכו' דבירושלמי מוקמי לה ההוא הכא בשל יום הכפורים חס לשון ירושלמי:

תורה אור השלם

א) וְהַיֹּשֵׁב עַל הַכְּלִי אֲשֶׁר יֵשֵׁב עָלָיו הַזָּב יְכַבֵּס בְּגָדָיו וְרָחַץ בַּמַּיִם וְטָמֵא עַד הָעָרֶב: [ויקרא טו, ו]
ב) כַּף אַחַת עֲשָׂרָה זָהָב מְלֵאָה קְטֹרֶת: [במדבר ז, יד]

ליקוטי רש"י

והיושב על הכלי. אפילו לא נגע אפי' עשרה כלים זה על זה כולן מטמאין משום מושב הזב במשכב [ויקרא טו, ו]. כדתניא וכו'. ה"ג לה בת"כ וכל הכלי אשר ישב עליו [בן הגירסא שם ועי' להלן בד"ה אשר ישב]. רישא דקרא וכל המשכב וגו' יכול כל כלי במשמע ואפילו אין עשוי לכך [שבת נט.]. סאה וכו' תרקב. שאין מדרס הזב ולכים אלא לטמא אדם וכלים בגדים אלא שהטמאה במגע הזב להיות לראשונים וכמות נעשין אב הטומאה [נדה מט.]. תרקב. חצי סאה פי' חרי וקב. אשר ישב. מדלא כתיב גבי משכב אשר שכב וגבי מושב אשר ישב וכתיב ישכב ישב משמע שישכב עליו תמיד וישב עליו תמיד דמשמע שמיוחד לשכיבה ולישיבה וגבי משכב נמי דריש ליה התם הכי ובכלל הכלי אשר ישב עליו וקרא אחר הוא ומפרשים אותו המלמדים מדכתיב היושב על הכלי אשר ישב עליו שני ישיבות ריבה הכתוב ללמדך דבמיוחד לישיבה קאמר ולא היא דשני ישיבות דקאמר טובא צריכי לכדמפרש התם יושב או"ש שלא נגע אשר ישב עליו או נתלה ולא נגע טמא עליו לאליטריך למיכתב גבי זב טמאות ג' כלי רישיבות ואו"ש שלא נגע ולאליטריך גבי טהור נמי שנטמא הוא טיבוש עליו או"ש שלא נגע ועוד בת"ל לא להוסיף קרא קתני לה [שבת שם]. מי שמיוחד לישיבה. הוא דהוי אב הטומאה דכתיב וכבס בגדיו וגו' [נדה שם]. כף אחת. בקטרת כתיב

קדוש הוא (פסחים יט.). עשרה זהב. בתרגומו משקל עשר סלעי הקדש היה בה. מלאה קטרת. לא מצינו קטרת ליחיד ולא על מזבח החיצון אלא זו לבלד והוראת שעה היתה (במדבר ז, יד). הוסיף ר"ע. עצים, והלבונה והגחלים. אע"ג דלאו אוכלין נינהו חיבת הקודש מכשרתן ומשויא להו אוכל כבפרק כל שעה (דף לה.). פסל את כולו. אלמא מצרף הכלי את מה שבתוכו לקדש אבל לתרומה לא ומנא ליה להני דהכלי מצרף משום דנגעי אהדדי אין דנגלות שנגע בה מטמאת את חברתה אבל אפר חטאת לא מטמא לאשם כן כיון ליה שני ושביעי עד מאה (פסחים יט.). שזו היא אחת מן המעלות שעשו בקדש (חגיגה דף כ:) שהכלי מצרף כל מה שבתוכו להיות כאילו נגע בכולו (יומא מח.).

a spade is not at all susceptible to becoming *tamei* as the seat of a *zav,* **כִּדְתַנְיָא – as it was taught in a Baraisa:** ,,וְהַיֹּשֵׁב עַל־הַכְּלִי'' – The verse states: ***AND ONE WHO SITS UPON A UTENSIL*** *upon which the zav sits shall immerse his garments and immerse himself in the water and remain tamei until the evening.*[10] **יָכוֹל כָּפָה סְאָה וְיָשַׁב עָלֶיהָ – IT WOULD BE POSSIBLE** to think that **IF [A ZAV] TURNED OVER A *SE'AH*** container **AND SAT ON IT, תַּרְקַב וְיָשַׁב עָלֶיהָ** – or if he turned over **A *TARKAV*** container[11] **AND SAT ON IT, יְהֵא טָמֵא – IT WOULD BE *TAMEI.***[12] **תַּלְמוּד לוֹמַר** – To dispel this notion **[THE TORAH] STATES:** ,,וְהַיֹּשֵׁב עַל־הַכְּלִי אֲשֶׁר־יֵשֵׁב עָלָיו . . . יִטְמָא'' – ***AND ONE WHO SITS UPON A VESSEL UPON WHICH [THE ZAV] "SITS" WILL BECOME TAMEI.***[13] **מִי שֶׁמְּיוּחָד לִישִׁיבָה** – The use of the future tense implies that this *tumah* is contracted only by **[A UTENSIL] THAT IS RESERVED FOR SITTING.**[14] **יָצָא זֶה – EXCLUDED,** then, **IS** a utensil such as **THIS** measuring container, **שֶׁאוֹמְרִים לוֹ עֲמוֹד וְנַעֲשֶׂה מְלַאכְתֵּנוּ** – regarding **WHICH WE SAY TO [THE ZAV]** who is sitting upon it, **"STAND, AND LET US DO OUR WORK** with this utensil!"[15] Similarly, a spade – which is not reserved for sitting – is not at all susceptible to becoming *tamei* as the seat of a *zav,* and the Rabbis never innovated that in regard to *parah adumah* it would. But the Rabbis might very well have treated a cut tube as if it contracted *tumah* from a corpse, though in fact it did not, since the tube is indeed susceptible to such a *tumah.*[16]

The Gemara now discusses the seventh case listed in the Mishnah:

הַכְּלִי מְצָרֵף מַה שֶּׁבְּתוֹכוֹ לְקֹדֶשׁ אֲבָל לֹא לִתְרוּמָה – A VESSEL COMBINES WHAT IS IN IT WITH REGARD TO *KODESH,* BUT NOT WITH REGARD TO *TERUMAH.*

The Gemara cites a source for this law:

מְנָא הָנֵי מִילֵּי – From where are these things known? **אָמַר רַבִּי חָנִין – R' Chanin said: דְּאָמַר קְרָא – For the verse states:** ,,כַּף אַחַת עֲשָׂרָה זָהָב מְלֵאָה קְטֹרֶת'' – ***One gold ladle of ten [shekels], filled with incense.***[17] **הַכָּתוּב עֲשָׂאוֹ לְכָל מַה שֶּׁבַּכַּף אַחַת – Scripture made everything that is in the ladle** like **one** entity.[18]

The Gemara asks:

מְתִיב רַב כָּהֲנָא – Rav Kahana challenged this contention (that the combination rule with regard to *kodesh* is Biblical) from the following Mishnah:[19] **הוֹסִיף רַבִּי עֲקִיבָא הַסֹּלֶת וְהַקְּטֹרֶת וְהַלְּבוֹנָה וְהַגֶּחָלִים – R' AKIVA ADDED THE FINE FLOUR** of *kodesh,* **THE INCENSE, THE FRANKINCENSE AND THE COALS**[20] as being subject to the rule **שֶׁאִם נָגַע טְבוּל יוֹם בְּמִקְצָתוֹ פָּסַל אֶת כּוּלּוֹ – THAT IF A *TEVUL YOM* TOUCHED PART OF IT, HE HAS RENDERED UNFIT ALL OF IT.**[21] **וְהָא דְּרַבָּנָן הִיא – Now, this** testimony of R' Akiva concerning the flour, incense, etc., being regarded as one entity surely **is** meant to disqualify them only on the **Rabbinic** level. **מִמַּאי – From where** do we see this? **מִדְּקָתָנֵי רֵישָׁא – From that which the first part of the Mishnah states: הֵעִיד רַבִּי שִׁמְעוֹן בֶּן בְּתֵירָא – R' SHIMON BEN BESEIRA TESTIFIED עַל אֵפֶר חַטָּאת שֶׁנָּגַע הַטָּמֵא בְּמִקְצָתוֹ – REGARDING *CHATAS* ASHES, THAT IF A *TAMEI* TOUCHED PART OF IT, שֶׁטִּימֵּא אֶת כּוּלּוֹ – HE HAS RENDERED *TAMEI* ALL OF IT.** The testimony of R' Shimon ben Beseira (that all the pieces of *chatas* ash within a vessel are considered as one) definitely concerns a Rabbinic decree.[22] **וְקָתָנֵי הוֹסִיף רַבִּי עֲקִיבָא – And the Mishnah** then **states: R' AKIVA ADDED** fine flour, incense etc. It follows, then, that R' Akiva's testimony, too, concerns a Rabbinic decree. This contradicts R' Chanin who says that the combination rule with regard to *kodesh* is derived from Scripture! – ? –

The Gemara counters:

אָמַר רֵישׁ לָקִישׁ מִשּׁוּם בַּר קַפָּרָא – Reish Lakish said in the name of Bar Kappara:

NOTES

directly, and it thereby becomes an *av hatumah* having the capacity to contaminate utensils that touch it or people that touch or carry it. A spade, however, never becomes "the seat of a *zav,*" even if a *zav* sits or leans on it, as the Gemara proceeds to demonstrate.

10. *Leviticus* 15:6. The *zav* contaminates the utensil with *tumah* by sitting [or otherwise placing his weight] on it. Similarly, the one who then sits [or otherwise places his weight] on the utensil contracts *tumah* from it.

11. A תַּרְקַב, *tarkav,* is half a *se'ah* (*Rashi*). The word means תְּרֵי וְקַב, *two [kavs] and a kav,* i.e. three *kavs* (*Rashi* to *Shabbos* 59a ד״ה תרקב). [A *se'ah* is six *kavs;* thus, three *kavs* is half a *se'ah.*]

12. I.e. one might have thought that since the container is being used as a seat, it would become *tamei* through the *zav's* sitting on it.

13. The word יִטְמָא, *will become tamei,* does not appear in this verse, and should be deleted from the text of the Baraisa (*Dikdukei Soferim* §3). [Possibly, though, the word יִטְמָא, *will become tamei,* is simply the Baraisa's short paraphrase of the verse's conclusion: *shall immerse his garments and immerse himself in the water and remain tamei until the evening.*]

14. One would have expected the verse to state: ,,אֲשֶׁר יָשַׁב'' עָלָיו הַזָּב, *upon which the zav "sat"* (past tense), since the reference is to a utensil upon which the *zav* has already sat, thereby rendering it *tamei.* The Torah's use of the future tense יֵשֵׁב (literally: will sit), which is also used to denote *ongoing* activity, indicates that it is not enough for the utensil to have once been sat upon by the *zav.* Rather, the utensil must be one upon which the *zav* [or any other person] always sits – i.e. a utensil that is reserved for sitting (see *Rashi* and *Hagahos HaBach;* see also *Rashi* to *Shabbos* 59a ד״ה ת״ל).

15. Since the primary function of the container is to be used as a measure, the *zav* will not always be able to sit on it, for he will be asked to rise so that the vessel can fulfill its primary function. Thus, the container is not a utensil that the *zav* "sits" on, and the verse (as expounded here) excludes it from contracting the *tumah* of "a *zav's* seat."

16. *Rashi.* Cf. *Meiri.*

17. *Numbers* 7:14 et al. [This was part of each *Nasi's* gift for the inauguration of the Mishkan.]

18. The Torah could have written *a spoon* instead of *one spoon.* The superfluous word *one* teaches that all the granules of incense contained in the ladle were considered a single entity [with regard to *tumah* (*Rabbeinu Chananel*). The incense of which the verse speaks was *kodesh* (*Rashi* to *Pesachim* 19a ד״ה כף). Thus, this novel "combination" rule is indicated only with regard to *kodesh.*

19. *Eduyos* 8:1. The first section of that Mishnah (soon to be cited by the Gemara) reads: *R' Shimon ben Beseira testified concerning chatas ashes that if a tamei touched part of it, he has rendered tamei all of it* (*Rashi*). The Gemara now cites the next section of that Mishnah, in which R' Akiva testifies that the same rule applies to other substances as well.

20. The incense is the *ketores* that was offered twice daily on the Inner Altar. The frankincense is the *levonah* that accompanied certain *minchah* offerings. The coals referred to here are those that are taken from the Outer Altar for the burning of the incense (see *Rambam* and *Raavad Hil. Tumas Ochalin* 8:9).

21. [I.e. if a *tevul yom* touched one edge of a heap of fine flour, incense granules, frankincense granules, or coals, he has contaminated the entire heap.] The basis for this law is that the vessel containing them combines them into one entity with regard to *tumah.* [As has been explained previously, a *tevul yom* renders unfit *kodesh* or *terumah* that he touches. "Rendering unfit" is the same as "rendering *tamei,*" except that the former expression is used when the *tumah* cannot then be transmitted any further.]

Although inedible items are normally not susceptible to *tumah,* and [incense (*Meiri*),] frankincense and coals are not edible, they are nonetheless susceptible to *tumah* because of their sanctity. The esteem in which holy things are held [חִבַּת הַקֹּדֶשׁ] makes them equal to foods in this respect (*Rashi,* based on *Pesachim* 35a).

22. The rule that a vessel combines all the pieces of *chatas* ash and gives them the status of one piece cannot be Biblical in nature. For the verse cited by R' Chanin could serve as a Scriptural source only for sanctified substances offered upon the Altar (similar to incense [the subject of that verse]), and not for *chatas* ash [which is neither sanctified nor offered upon the Altar] (*Rashi,* see *Tosafos* to *Pesachim* 19a ד״ה אלמא).

לֹא נִצְרְכָא אֶלָּא לְשִׁירֵי מִנְחָה – This testimony of R' Akiva **is needed only for the** fine flour **remainders of a *minchah*** offering, to which the Biblical rule that a vessel combines its *kodesh* contents does not apply.[1] **דְּאוֹרָיְיתָא צָרִיךְ לִכְלִי הַכְּלִי מְצָרְפוֹ – For Biblically, that which requires a vessel, the vessel combines it** into one entity; **שֶׁאֵין צָרִיךְ לִכְלִי אֵין כְּלִי מְצָרְפוֹ** – but **that which does not require a vessel, the vessel does not combine it** into one entity.[2] **וְאָתוּ רַבָּנָן וְגָזְרוּ – And the Rabbis came and decreed דְּאַף עַל גַּב דְּאֵינוֹ צָרִיךְ לִכְלִי – that even if it does not require a vessel, כְּלִי מְצָרְפוֹ** – nonetheless **the vessel combines it** into one entity.[3]

The Gemara asks:

תֵּינַח סֹלֶת – This answer **would be appropriate for fine flour,** which does not require a vessel. **קְטוֹרֶת וּלְבוֹנָה מַאי אִיכָּא לְמֵימַר –** But **what can be said for incense and frankincense,** which *do* require a vessel?[4]

The Gemara answers:

אָמַר רַב נַחְמָן אָמַר רַבָּה בַּר אֲבוּהָ – Rav Nachman said in the name of Rabbah bar Avuha:[5] **כְּגוֹן שֶׁצְּבָרָן עַל גַּבֵּי קַרְטַבְלָא** – R' Akiva is dealing **where, for example, one piled them** [the incense or frankincense] **on a leather-spread. דְּאוֹרָיְיתָא יֵשׁ לוֹ תּוֹךְ מְצָרֵף – Biblically,** only a vessel **that has an interior combines** its *kodesh* contents into one entity, **אֵין לוֹ תּוֹךְ אֵינוֹ מְצָרֵף** – but a vessel **that does not have an interior does not combine** its contents into one entity.[6] **וְאָתוּ רַבָּנָן וְתִיקְנוּ – And the Rabbis came and decreed דְּאַף עַל גַּב דְּאֵין לוֹ תּוֹךְ מְצָרֵף – that even though [a vessel] does not have an interior,** nonetheless **it combines** its *kodesh* contents into one entity.

Having reconciled R' Chanin's statement (that a vessel Biblically combines its *kodesh* contents) with R' Akiva's testimony (which implies that the combination rule is Rabbinic), the Gemara now presents another opinion that takes the combination rule in *all* cases to be Rabbinic:

וּפְלִיגָא דְּרַבִּי חָנִין אַדְּרַבִּי חִיָּיא בַּר אַבָּא – And the statement **of R' Chanin** (that the combination rule is of Biblical origin) **is in dispute with** the following statement **of R' Chiya bar Abba. דְּאָמַר רַבִּי חִיָּיא בַּר אַבָּא אָמַר רַבִּי יוֹחָנָן – For R' Chiya bar Abba said in the name of R' Yochanan: מֵעֵדוּתוֹ שֶׁל רַבִּי עֲקִיבָא נִשְׁנֵית מִשְׁנָה זוֹ** – It was **on the basis of R' Akiva's testimony** (recorded by the Mishnah in *Eduyos* cited above) that **this Mishnah** of ours here in *Chagigah* **was taught.** That is, our Mishnah's statement that a vessel combines its *kodesh* contents is *derived* from R' Akiva's testimony that the fine flour, the incense, the frankincense and the coals are subject to the rule that if a *tevul yom* touched part of it, he has rendered all of it unfit. And since R' Akiva's testimony involves a Rabbinic rule, as proven by the Gemara above, our Mishnah's stringency (based as it is upon R' Akiva's testimony) is also a Rabbinical stringency and not a Biblical law.[7]

The Gemara now discusses the eighth case listed in the Mishnah:

הָרְבִיעִי בַּקֹּדֶשׁ פָּסוּל – THE *REVII* IN the case of ***KODESH* IS UNFIT.**

The Gemara provides the source for this rule:

תַּנְיָא – It was taught in a Baraisa: אָמַר רַבִּי יוֹסֵי – R' YOSE SAID: מִנַּיִן לִרְבִיעִי בַּקֹּדֶשׁ שֶׁהוּא פָּסוּל – FROM WHERE do we derive **CONCERNING A *REVII* IN THE CASE OF *KODESH* THAT IT IS UNFIT?**[8] **וְדִין הוּא – WHY, IT IS A *KAL VACHOMER*: וּמָה מְחוּסַּר כִּפּוּרִים שֶׁמּוּתָּר בִּתְרוּמָה פָּסוּל בַּקֹּדֶשׁ – IF EVEN A *MECHUSSAR KIPPURIM*, WHO IS PERMITTED TO** eat ***TERUMAH*, IS UNFIT** to eat ***KODESH*,**[9] **שְׁלִישִׁי שֶׁפָּסוּל בִּתְרוּמָה** – then concerning a ***SHELISHI*, WHICH IS UNFIT IN** the case of ***TERUMAH*,**[10] **אֵינוֹ דִין שֶׁיַּעֲשֶׂה רְבִיעִי לַקֹּדֶשׁ – IS IT NOT LOGICAL THAT IT SHOULD CREATE A *REVII* IN** the case of ***KODESH*?**[11] **וְלָמַדְנוּ שְׁלִישִׁי לַקֹּדֶשׁ מִן הַתּוֹרָה – AND WE LEARN** that a ***SHELISHI*** is *tamei* **IN** the case of ***KODESH* FROM** an explicit verse in **THE TORAH,**[12] **וּרְבִיעִי בְּקַל וָחוֹמֶר – AND** that a ***REVII*** is unfit in the case of *kodesh* **THROUGH A *KAL VACHOMER*.**[13]

NOTES

1. I.e. R' Akiva might agree with R' Chanin that a vessel combines its *kodesh* contents into one entity on the Biblical level. And R' Akiva's testimony (which deals with a *Rabbinic* rule, as proven above) concerns a situation not covered by the Biblical rule – namely, the particular case of the fine flour remainders of a *minchah* offering.

2. The verse from which we derive the rule that a vessel combines its contents for *kodesh* speaks of incense in a ladle. Accordingly, this Biblical rule applies only to such cases where there is a requirement that the substance be in the vessel, like the incense in the ladle. [The incense must be put into the ladle, so that the ladle (a sacred service vessel) will consecrate it prior to its being offered upon the Inner Altar (*Meiri* 23b; *Turei Even;* see *Rash* and *Rosh* to *Taharos* 1:9; cf. *Meromei Sadeh*).] It does not apply, however, to the fine flour remainders of a *minchah* offering that are eaten by a Kohen, for there is no requirement that they be in a vessel [and even if they happen to be in a vessel, the vessel does not combine them into one entity] (*Rashi*). [The incense had to be sanctified by a vessel and it is *still* sacred as a result of having been placed in the vessel. Thus, the vessel continues to Biblically combine it into one entity. The fine-flour remainders of a *minchah,* though originally requiring the sanctification of a vessel, no longer have that original sanctity, as they are no longer fit to be placed on the Altar. Thus, the vessel no longer combines them on the Biblical level. (See *Tosafos* to *Menachos* 24a ד״ה שאין צריך לכלי.)]

3. Thus, R' Akiva added that the fine flour remainders of a *minchah,* though they do not require a vessel, are nonetheless combined by a vessel into one entity on the *Rabbinic* level with regard to *tumah* of *kodesh.*

4. R' Akiva added not only "fine flour," but "incense and frankincense" as well. Why are incense and frankincense, which do require a vessel, not combined into one entity on the *Biblical* level?

5. [Some explain that the answer to follow is a retraction of the previous one, not simply a complement to it (see *Tzur Devash,* cited in *Yalkut Yeshayahu;* see also *Chidushim U'Veurim*).]

6. Since the verse uses the case of an incense ladle to teach the combination rule, that rule applies only to vessels that, like the ladle, have an interior. Excluded, then, is a flat leather-spread, which has no interior.

7. According to R' Chiya bar Abba, the exposition of *one ladle* is simply an *asmachta* [the attachment of a Rabbinic rule to a Scriptural verse] and does not indicate a Biblical rule (see *Meiri;* see also *Rambam* and *Rav* to *Eduyos* 8:1).

8. I.e. what is the source of the rule that *kodesh* is subject to *tumah* on the *revii* level, and that *kodesh* is thus unfit for consumption if it comes into contact with a *shelishi?*

9. A *mechussar kippurim* [one who lacks atonement] is one who requires an offering at the conclusion of his (or her) *tumah* and has immersed and waited until nightfall, but has not yet brought the required offering. With nightfall, only a vestige of the original *tumah* remains. This vestige does not disqualify him from eating *terumah,* but does disqualify him from eating *kodesh* until he brings the offering, as derived by the Gemara in *Yevamos* 74b (see *Rashi,* and above, 21a note 2).

10. *Rashi* cites *Sotah* 29a, where the Gemara derives this rule through a *kal vachomer.*

11. In other words: The *tumah* of a *shelishi* is more severe than that of a *mechussar kippurim.* For the *mechussar kippurim* level is compatible with *terumah* (as evidenced by the fact that a *mechussar kippurim* may eat it), whereas the *shelishi* level of *tumah* is incompatible with *terumah* (as evidenced by the fact that *terumah* which is a *shelishi* is unfit). [If the *mechussar kippurim* level were incompatible with *terumah,* then a *mechussar kippurim* would not be allowed to ingest *terumah* despite the fact that his contact with it would not disqualify it. Cf. *Dvar Shmuel* to *Pesachim* 18b.] Thus, if *shelishi* is incompatible with a food even where *mechussar kippurim* is compatible (i.e. in the case of *terumah*), then all the moreso is *shelishi* incompatible with a food where even *mechussar kippurim* is incompatible (i.e. in the case of *kodesh*), and therefore *shelishi,* which is simply unfit in the case of *terumah,* would actually make a *revii* in the case of *kodesh.* See note 13 for further clarification.

12. As the Gemara will demonstrate shortly.

13. R' Yose makes this last statement in order to anticipate the following

לא נצרכא אלא לשירי מנחה דאורייתא א) צריך לכלי הכלי מצרפו שא"צ לכלי אין כלי מצרפו ואתו רבנן וגזרו דאע"ג דאינו צריך לכלי כלי מצרפו תינח סלת קטורת ולבונה מאי איכא למימר אמר רב נחמן אמר רבה בר אבוה כגון שצברן על גבי קרטבלא דאורייתא יש לו תוך מצרף אין לו תוך אינו מצרף ואתו רבנן ותיקנו דאע"ג דאין לו תוך מצרף ופליגא דר' חנין אדר' חייא בר אבא דא"ר חייא בר אבא א"ר יוחנן מעדותו של רבי עקיבא נשנית משנה זו: הרביעי בקדש פסול: תניא א"ר יוסי מנין לרביעי בקדש שהוא פסול ודין הוא ומה מחוסר כפורים שמותר בתרומה פסול בקדש שלישי שפסול בתרומה אינו דין שיעשה רביעי לקדש ולמדנו שלישי לקדש מן התורה ורביעי בק"ו שלישי לקדש מן התורה מנין דכתיב א) והבשר אשר יגע בכל טמא לא יאכל מי לא עסקינן דנגע בשני וקאמר רחמנא לא יאכל רביעי מקל וחומר הא דאמרן: ובתרומה אם נטמאת כו': אמר רב שיזבי בחיבורין שנו אבל שלא בחיבורין לא איתיביה אביי יד נגובה מטמא חבירתה לטמא לקדש אבל לא לתרומה דברי רבי ר' יוסי ברבי יהודה אומר לפסול אבל לא לטמא אי אמרת בשלמא שלא בחיבורין היינו רבותיה דנגובה אלא אי אמרת בחיבורין אין שלא בחיבורין לא מאי רבותא דנגובה א] איתמר נמי אמר ריש לקיש לא שנו אלא ידו אבל

רש"י

לא נצרכא. להאי עדות דר' עקיבא דמדרבנן אלא לסולת של שירי מנחה: דאלו מדאורייתא הצריך לכלי. דומיא דקטורת שבכף דאיירי בה קרא כלי מצרפו ושאינו צריך לכלי כגון שירי מנחה שהן אכילת כהן אין הכלי מצרפן: מאי איכא למימר. הרי צריכין לכלי: קרטבלא. עור שלוק: ופליגא הא דר' חנין. דאמר לעיל צירוף דאורייתא אדר' חייא בר אבא: מחוסר כפורים כשר לתרומה ופסול לקדש. ביבמות ילפינן לה מקראי בפרק הערל (דף עד:): שלישי שפסול בתרומה. כדנפקא לן ק"ו במסכת סוטה (דף כט.) ומה טבול יום שמותר במעשר אסור בתרומה שני שפסול במעשר אינו דין שיעשה שלישי בתרומה (א): אינו דין שיעשה רביעי לקדש. וא"ת דיו לבא מן הדין להיות כנדון א"כ ק"ו לא צריך שהרי למדנו שלישי לקדש מן התורה והיכא דמיפריך ק"ו לא אמרינן דיו לבא מן הדין להיות כנדון כדאמרינן בבבא קמא (דף כה.) ולמ"ד נמי אמרינן דיו הני מעלות דרבנן נינהו ולאו דאורייתא והאי דנקט ולמדנו שלישי לקדש מלתא בעלמא היא דאשמעינן דשלישי לקדש מן התורה הוא: מי לא עסקינן כו'. מי לא משתמע (כו') נמי מהאי קרא: דנגע בשני. דהא אשכחן דאיקרי שני טמא דכתיב כל אשר בתוכו יטמא וה"ל הכלי ראשון ומה שבתוכו שני וקרי ליה טמא וקאמר רחמנא והבשר אשר יגע בכל טמא (ב) בשני וה"ל שלישי לא יאכל והאי קרא בבשר שלמים כתיב: בחיבורין שנו. מתניתין דקתני יד מטמאה את חבירתה לקדש כגון שבעוד שהיד הטמאה נוגעת לטהורה היתה טהורה נוגעת בקדש דגזור רבנן דלמא אתי למינגע טמאה בקדש ולמ"ד (ג) פסול לקמן לפסול דמעלה בעלמא היא: אבל שלא בחיבורין. שלאחר שפירשה מן הטהורה חזרה טהורה ונגעה בקדש טהור ואין יד מטמאה חבירתה לעשותה אפי' שלישית לפסול: יד נגובה. אע"פ שאין בה משקין: לטמא את הקדש. לעשות רביעי: ר' יוסי בר' יהודה אומר. חבירתה פוסלת את הקדש אבל לא מטמאה: אי אמרת בשלמא שלא בחיבורין. קאמר דמטמאה היינו רבותא דנגובה (ד) ואע"ג דנגובה היא כשנגעה בזו ואין לחוש שמא נגעה היד הטהורה במשקין שבטמאה שהן ראשונים דכל הפוסל את התרומה מטמא משקין להיות תחילה והויא לה הך יד נמי שניה מחמת המשקין כמו חבירתה אפילו הכי מטמאה למעלה דרבנן היא שהיד מטמאה את חבירתה להעשות שניה כמותה לקדש אלא אי אמרת לא אמרינן אלא בחיבורין וטעמא משום דלמא נגע טמא לקדש מאי רבותא דנגובה הא אטו יד קמייתא לא מטמיא לה לקדש בלא משקין הלא שניה היא:

תוספות

חטאת מדרבנן דאינו קודש אלא חול כדמוכח בהתכלת (מנחות דף נב. ושם) שאין מועלין באפר פרה וקתני הוסיף ר"ע דמשמע דהוי דרבנן כמו רישא כדדייק הכא והשתא מתוקמא דרשה דמייתי בכולי הש"ס והבשר לרבות עצים ולבונה כר"י דפרק המנחות והנסכים (שם דף קב: ושם) דאי לרבנן הא משמע אף בשר בתר שחיטה יש לה פדיון ומיהו יכילנא לאוקומי כרבנן והוקדשו בכלי וכדמוקמינן לה בפסחי' אך איכא לדחות דלא קאי רק אלבונה ולא אעצים וכן בריש המנחות והנסכים פי' בשם הר"י דעיקר קרא לא קאי רק אלבונה אבל אעצים לא הוי רק אסמכתא בעלמא והתם הארכתי ולא שייך הכא ואין להביא ראיה מהא דלא חשיב עצים בפרק שני דמעילה (דף ט.) כי חשיב אינך הוכשר ליפסל בטבול יום ובמחוסרי כפרה משום דלא שייך ביה פיגול אף בהולכה ובהקטרה דלא קרבן גמור הוא ז):

דאורייתא יש לו תוך מצרף. הקשה הר"ר אלחנן אמאי לא קאמר כגון שצברו בכלי חול דאורייתא כלי שרת מצרף ולא של חול דבעינן דומיא דכף ואע"פ שיש לו תוך וצ"ע:

מנין לרביעי בקדש שהוא פסול. פרש"י ולמ"ד דיו הני מעלות דרבנן נינהו ולא דאורייתא והאי דקאמר ולמדנו שלישי מן התורה מילתא בעלמא הוא ולא קאמר נמי מק"ו אלא מלתא בעלמא הוא ובפ"ק דפסחים (דף יט.) פי' רש"י גבי ההיא דר' יוסי ור' שמעון דאין משקה מטמא באוכל ואין טומאה עושה כיוצא בה היכי אשכחן רביעי בקדש אלמא ודאי דרבנן הוא ומביא ראיה דמכילתין חשיב גבי מעלות דרבנן בתרייתא וקשה לר"י לר' חנין דאית ליה צירוף כלי דאורייתא וקחשיב ליה גבי מעלות דרבנן ולר' יוחנן דאית ליה צירוף דרבנן הוא הא מוקי לה כר' עקיבא ור"ע סבר שלישי בחולין דאורייתא וא"כ רביעי בקדש נמי דאורייתא קרי כאן והבשר אשר יגע בכל טמא לא יאכל דמי לא עסקינן דנגע וכו' ותירץ הר"י דקרי להו דרבנן משום דלא משכח לה לחולין שנעשו על טהרת הקדש [דהוי דאורייתא] וכן אר"ת דמשכחת לה לרביעי בקדש [דאורייתא] ע"י עצים ולבונה דטמאין ע"י חיבת הקדש וכי מיבעי ליה לר"ל בגליד של מנחות (מנחות דף קב:) אי מונין בו ראשון ושני אי לא דאי מהני חיבת הקדש למנות בו ראשון ושני למ"ד אין אוכל מטמא אוכל פשיטא ליה האי והיה קשה להר"ר אלחנן לפר"ת דמוקי לה ע"י עצים ולבונה וכי עדיפא מאוכל גמור דלא מהני חיבת הקדש למימני ביה ראשון ושני:

בחיבורין שנו. פרש"י שבשעה שהיד טמאה נוגעת לטהורה היתה טהורה נוגעת לקדש וקשה לפי' דא"כ השניה אינה טמאה כלל והקדש טמא מחמת גזרה שמא יגע בראשונה הטמאה ומאי קאמר ובקדש יטבול שתיהן יטבול טמאה ויש לישבו דה"ק הא נטמאה ידו אחת חבירתה טהורה ובקדש בתחילתו הצריכו חכמים להטביל שתיהן שמא נטמאו שתיהן ועי"ל בחיבורין שנו ביד אחת נוגעת בספר הפוסלה ויד האחרת הנוגעת בה מדין כאילו נגעה בספר דגזרינן לה שמא תגע וכן הא דתנן לקמן יד מטמאה חברתה ועושה אותה שניה בקדש מוקמינן לה בשמעתין הכי לפי מאי דס"ד לדברי ר' יהושע דיד מטמאה חברתה להיות שניה ומאיזה טעם לא תהיה שלישית אלא ודאי דגזרינן שמא נגעה בספר עצמה ואפי' לא נגע ביד השניה טמאה שמא נגעה בספר ותניא בתוספתא המטביל את ידו אחת מהן כל טהרות שעשה בטהורה עד שלא הטביל את הטמאה טמאות שהיד מטמאת חברתה לקדש משמע דבלא נגיעה מטמאת לה והשתא יתכן דהוי מעלה לר' יוסי שאינה אלא בכלל רביעי ליפסול בקדש אבל לא לתרומה דבתרומה אין יותר משלישי לכן אינה מטמאה רק קדש דעושה רביעי ולית ליה יד מטמאה את חברתה להיות שניה אלא מטמאה להיות שלישית והקשה הר"ר אלחנן אמאי חשיב האי מעלה במתני' הא הויא בכלל רביעי בקדש ותירץ דמ"מ מעלה אחרת היא דיד מטמאה את חברתה דס"ד כיון דאין גופו נטמא אלא מאב הטומאה גם ידיו נמי לא קמ"ל:

אלא אי אמרת בחיבורין אין וכו' מאי רבותא. ואי משום תרומה דלא מטמאה אף בחיבורין לא נחית להו רבותא אלא רבותא דקדש:

אחד ידו ואחד יד חבירו לפסול. דהואיל ומטמא יד חברו די לנו בכך אם יפסל אבל לריש לקיש דאמר דוקא ידו מוקי טעמא משום איחלופי יד טהורה ביד טמאה לפיכך כי היכי דידו טמאה מטמאה קדש דשניה היא אף טהורה נמי וכן משמע בסמוך כי הדר ביה ריש לקיש פירש לדבריו לפסול אבל לא לטמא משמע דמעיקרא סבירא ליה לטמא בשם רבינו שמואל:

דתנן

עין משפט נר מצוה

לז א ב מיי' פי"ג מהל' אבות הטומאות ה"ז:
לח ג מיי' שם הל' יא ופי"א הלכה ב:
לט ד ה מיי' שם פי"א הלכה ד:
מ ו ז מיי' שם פי"א הלכה י"ב ופ"ח שם הלכה ז:

מסורת הש"ס

א) [מנחות דף כד.], ב) [פסחים יט.], ג) פסחים יח: סוטה כט: [תוספתא פ"ג], ד) [עי' בעל המאור ועוד תמצא שם פי' הגון לכל הסוגיא זו], ה) [ע"ש ועיין רש"י פסחים יח: ד"ה שלישי בתרומה], ו) [עי' תוספות מנחות כה. ד"ה ילמון], ז) שייך לע"ב.

הגהות הב"ח

(א) רש"י ד"ה שלישי וכו' שני שפסול במעשר אינו דין שיעשה שלישי בתרומה וכיון דשלישי פסול לתרומה דין הוא שיעשה רביעי בקדש: (ב) ד"ה דנגע בשני וכו' והוה ליה בשר שלישי: (ג) ד"ה בחיבורין וכו' ולמ"ד לקמן פסול לפסול: (ד) ד"ה אי אמרת וכו' דאף על גב דנגובה:

הגהות מהר"ב רנשבורג

א] גמ' אתמר נמי אמר ריש לקיש. ע"כ עי' בספר טורי אבן מהו האתמר נמי:

תורה אור השלם

א) וְהַבָּשָׂר אֲשֶׁר יִגַּע בְּכָל טָמֵא לֹא יֵאָכֵל בָּאֵשׁ יִשָּׂרֵף וְהַבָּשָׂר כָּל טָהוֹר יֹאכַל בָּשָׂר: [ויקרא ז, יט]

רבינו חננאל

טמא במקצתו שטימא את כולו וקתני הוסיף ר' עקיבא אלמא צירוף דרבנן הוא ופריק ר"ל אליבא דרבי חנין לעולם צירוף דאורייתא ור' עקיבא שירי מנחות אתא לאשמעינן דמדאורייתא דבר הצריך לכלי כלי מצרפו שאין צריך לכלי אין כלי מצרפו. ואתו רבנן ועשו מעלה וגזרו אפי' בדבר שאין צריך לכלי ומקשינן תינח מצרף הכלי הסלת מפני שצריכה כלי קטורת לבונה וגחלים מאי כלי צריכי. ופריק רב נחמן כגון שצברן ע"ג קטבליא מדאורייתא יש לו תוך מצרף. אין לו תוך אינו מצרף. ואתו רבנן תקינו דאע"ג דאין לו תוך מצרף ופליגא דר' חייא בר אבא דאמר משמיה דר' יוחנן מעדותו של ר' עקיבא נשנית משנה זו הכלי מצרף מה שבתוכו לקדש ומסתברא דצירוף כלי מדרבנן היא דהא ר' יוחנן מוקים לה למתניתין מעדותו של ר' עקיבא ומשנתנו מעלה מדרבנן וכבר פירשנוהו בפסחים בפ' הראשון: מעלה שביעית הרביעי בקדש פסול והשלישי בתרומה פי' טמא מת הוא אבי הטומאה וטומאתו ז' דכתיב וכל אשר יגע על פני השדה בחלל חרב או במת או בעצם אדם או בקבר יטמא שבעת ימים והנוגע בו טמא טומאת ערב שנאמר וכל אשר יגע בו הטמא יטמא והנפש הנוגעת תטמא עד הערב. עוד קדשים הנוגעים בטמא השני שהוא טמא טומאת ערב נטמאו שנאמר והבשר אשר יגע בכל טמא לא יאכל נמצא שלישי לקדש טמא מן התורה כמו שפירשנו. ורביעי מק"ו כדתניא מניין לרביעי בקדש שפסול ודין הוא ומה מחוסר כפורים שמותר בתרומה שנא' ובא השמש וטהר ואחר יאכל מן הקדשים כי לחמו הוא. ותנן נמי העריב שמשו אוכל בתרומה פסול הוא זה המחוסר כפורים בקדשים כדתנן הביא כפרתו אוכל (בתרומה) [בקדשים] וכתיב וכפר עליה הכהן וטהרה מכלל שעד שלא הביאה כפרתה לא נגמרה טהרתה ובמאי אי לתרומה הא כתיב ובא השמש וטהר ואחר יאכל מן הקדשים כי לחמו הוא והיא התרומה שגם היא נקראת קדשים. אלא לאו בטהרות קדשים הכתוב מדבר עכשיו שלישי שפסול לתרומה אינו דין שיעשה רביעי בקדש וזו היא מעלת הקדש על התרומה: מעלה שמינית שהיד מטמא לחברתה בקדש אבל לא בתרומה אמר רב שיזבי בחבורין שנו. פי' כגון שחיבר ידו לידו האחרת אבל אם לא חיבר היד הטמאה לטהורה לא. ומותיב אביי עלה יד נגובה מטמאה לחברתה לקדש וכו'. ואע"ג דלא פריק רב שיזבי כיון דא"ר יוחנן אחד

ליקוטי רש"י

מעדותו. ע"י עדותו [פסחים יט.]. מנין לרביעי בקדש שהוא פסול. ולא אמרינן טהור הוא כבתרומה. מחוסר כפורים. כגון זב וזבה יולדת ומצורע [סוטה כט:]. שמותר בתרומה. כדילפינן ביבמות פרק הערל (דף עד:) מקראי טבל ועלה ואוכל במעשר העריב שמשו אוכל בתרומה כדכתיב ובא השמש וטהר ואחר יאכל מן הקדשים. פסול בקדש. כדיליף התם מוכפר עליה הכהן וטהרה מכלל שעד עכשיו טמאה. שלישי שפסול בתרומה. לרבנן דפליגי אדר' עקיבא ונפקא לן בק"ו ומה מטבול יום שמותר במעשר אסור בתרומה שני שפסול במעשר אינו דין שיעשה שלישי בתרומה [פסחים יח:]. ולא תימא דיו לבא מן הדין להיות כנדון מה תרומה עושה שלישי ותו לא אף קדש יעשה שלישי ותו לא דהיכא דמיפרך קל וחומר לא אמרינן דיו [פסחים יח:]. ולמדנו שלישי לקדש מן התורה. הילכך אי אמרינן דיו איפרך ליה ק"ו כו' והיינו דקאמר למדנו שלישי לקודש מן התורה [סוטה שם]. ולא תימא דיו לבא מן הדין להיות כנדון מה תרומה עושה שלישי ותו לא אף קדש שלישי ותו לא דהא ליכא למימר דיו דהא קל וחומר לרביעי הוא דאתא דהא שלישי קיימא לן מן התורה למדנו שלישי וכי אתא קל וחומר לרביעי לא אצטריך לן קל וחומר דמן התורה הוא דאתא דקיימא לן בבבא קמא פרק שני (דף כה.) דהיכא דמיפרך קל וחומר לא אמרינן דיו [פסחים יח:]. והבשר. של קדשים אשר יגע בכל טמא לא יאכל. והבשר, לרבות אבר שיצא מקצתו שהפנימי מותר [ויקרא ז, יט]. מי לא עסקינן דנגע בשני. דהא שני נקרא טמא כל אשר בתוכו יטמא [פסחים יט.]. מי לא מצינן למישמע מינה דאפי' נגע בשני נמי קאמר לא יאכל דהא נמי טמא כתיב ושני איקרי טמא דכתיב כל אשר בתוכו יטמא והאי בבשר שלמים כתיב דקדש נינהו [סוטה שם].

The Gemara explains this last statement:

שְׁלִישִׁי לַקֹּדֶשׁ מִן הַתּוֹרָה מִנַּיִן – When R' Yose states that "a ***shelishi*** is *tamei* **in** the case of ***kodesh*** **from** an explicit verse in **the Torah," from where** does he know this?[14] דִּכְתִיב – **For it is written** concerning meat of *kodesh:* "וְהַבָּשָׂר אֲשֶׁר יִגַּע בְּכָל־טָמֵא לֹא יֵאָכֵל" – ***And the meat that touches anything tamei shall not be eaten.***[15] מִי לֹא עָסְקִינַן דְּנָגַע בְּשֵׁנִי – Since the verse refers to meat that touches *anything tamei,* **are we not dealing** even **with** a case **where [the meat] touched a *sheni*?**[16] וְקָאָמַר רַחֲמָנָא "לֹא יֵאָכֵל" – **And the Merciful One states** in His Torah that ***it shall not be eaten.*** Thus, an explicit verse teaches that *kodesh* which touches a *sheni* and thereby becomes a *shelishi* is unfit for consumption. רְבִיעִי מִקַּל וָחוֹמֶר – And when R' Yose states that we learn that "a ***revii*** is unfit in the case of *kodesh* **through a *kal vachomer,*"** הָא דַּאֲמָרָן – he refers to **that** *kal vachomer* **which we stated** above at the beginning of the Baraisa.

The Gemara now discusses the Mishnah's ninth case:

וּבִתְרוּמָה אִם נִטְמֵאת כו׳ – **AND IN THE CASE OF *TERUMAH,* IF** one of a person's hands **BECOMES *TAMEI* etc.** [the other one is still *tahor,* but in the case of *kodesh,* he must immerse them both].

A qualifying statement:

אָמַר רַב שִׁיזְבִי – **Rav Shizvi said:** בְּחִיבּוּרִין שָׁנוּ – **They taught** this law in **the Mishnah** only with regard to **where** the hands are **joined** at the time that the second hand touches the *kodesh.*[17] אֲבָל שֶׁלֹּא בְּחִיבּוּרִין לֹא – **But where** they are **not joined** at the time the second hand touches the *kodesh,* then the first hand does **not** make the second one *tamei.*[18]

The Gemara asks:

אֵיתִיבֵיהּ אַבָּיֵי – **Abaye challenged [Rav Shizvi]** from the following Baraisa: יָד נְגוּבָה מְטַמְּאָה חֲבֶירְתָּהּ – **A DRY HAND** that is *tamei* **MAKES ITS COUNTERPART *TAMEI*** לְטַמֵּא לַקֹּדֶשׁ – **TO MAKE *KODESH*** that it touches ***TAMEI,***[19] אֲבָל לֹא לִתְרוּמָה – **BUT NOT TO** make ***TERUMAH*** that it touches *tamei;* דִּבְרֵי רַבִּי – these are **THE WORDS OF REBBI.** רַבִּי יוֹסֵי בְּרַבִּי יְהוּדָה אוֹמֵר – **R' YOSE THE SON OF R' YEHUDAH SAYS:** לִפְסוּל – The dry hand that is *tamei* makes its counterpart *tamei* only **TO MAKE** the *kodesh* that it touches **UNFIT,** אֲבָל לֹא לְטַמֵּא – **BUT NOT TO MAKE** it ***TAMEI.***[20] אִי אָמְרַתְּ בִּשְׁלָמָא

NOTES

objection: *Kal vachomer* derivations are governed by the principle of דַּיּוֹ, *dayyo* ["it is sufficient"], which states that *kal vachomer* can take a stringent law found in a lenient context, and extend that law *as is* to a more stringent context. But *kal vachomer* cannot make that law have greater stringencies in the target context than it does in the source. [See *Bava Kamma* 24b-25a for a discussion of this principle.] Now, in the present case, the source of the *kal vachomer* is the law that *tumah* in the case of *terumah* extends to the *shelishi* level. According to the principle of *dayyo,* then, the *kal vachomer* should be able to teach only that *tumah* in the case of *kodesh* likewise extends to the *shelishi* level. How can *kal vachomer* teach that *tumah* in the case of *kodesh* extends to the *revii* level – a level to which *tumah* does not extend in the source context of *terumah*? To forestall this argument, R' Yose states that an explicit verse teaches that *tumah* in the case of *kodesh* extends to the *shelishi* level. Since we do not need the *kal vachomer* to teach us this law, limiting the effectiveness of the *kal vachomer* to this law would in effect nullify the *kal vachomer,* as it would teach us nothing new. Now, we have a rule that whenever invoking the principle of *dayyo* would nullify a *kal vachomer, dayyo* indeed does not apply. In our case, then, the *kal vachomer* indeed teaches that *kodesh* is subject to a *greater* disqualification than *terumah* – namely, *kodesh* is susceptible to the *revii* level of *tumah.* Thus, R' Yose states that since we learn *shelishi* with regard to *kodesh* from an explicit verse (without resort to *kal vachomer*), the *kal vachomer* from *terumah* can therefore teach that *revii* is unfit in the case of *kodesh* (see *Rashi*).

There is, however, a Tannaic opinion in *Bava Kamma* 25a which holds that *dayyo* is invoked even if by doing so the *kal vachomer* will be nullified. If we are to reconcile R' Yose's statement with that opinion, his statement will have to be explained differently. R' Yose is simply informing us that *shelishi* is unfit for *kodesh* by virtue of an explicit verse, and thus by Biblical law [whereas the extension of *tumah* to *revii* in the case of *kodesh* is only a Rabbinic stringency, according to this view] (see *Rashi*). [And the Rabbinic stringency is expounded in terms of a *kal vachomer,* for which *dayyo* is not invoked since the *kal vachomer* is but an *asmachta* for the Rabbinic stringency.]

14. I.e. to which verse does R' Yose refer when he asserts that *shelishi* in the case of *kodesh* is explicit in the Torah?

15. *Leviticus* 7:19.

16. The Torah calls a *sheni "tamei."* For it is written (*Leviticus* 11:33) that if a dead *sheretz* falls into an earthenware vessel, *whatever is within its interior shall become "tamei."* Now, the *sheretz* is *av hatumah;* it renders the vessel whose airspace it enters a *rishon;* and the vessel thereupon renders the food inside a *sheni* [see *Pesachim,* end of 20a]. And the Torah calls these *sheni* contents *"tamei."* Thus, when the Torah states concerning the meat of *shelamim* (in the verse cited here by the Gemara): *And the meat that touches anything "tamei" shall not be eaten,* it refers even to meat that touched a *sheni* (*Rashi*).

17. I.e. it is only while the first hand (the originally *tamei* one, which is a *sheni*) is actually touching the second hand that the second hand contaminates the *kodesh* that it touches. For in that case the Rabbis decreed that the second hand shall contaminate the *kodesh,* lest the first hand that is joined to the second at the time come to touch the *kodesh* as well (*Rashi;* see end of next note, regarding how Rav Shizvi interprets the words of the Mishnah).

[There is a Tanna below who explains the stringency under discussion to mean that the second hand does not make the *kodesh* a *shelishi* (as the first one does) but simply disqualifies it (i.e. makes it a *revii*). This would apparently contradict Rav Shizvi. For if the second hand contaminates *kodesh* only when joined to the first, for fear that the first hand itself will touch the *kodesh,* then the second hand should contaminate the *kodesh* to the same degree that the first hand does! Nevertheless, Rav Shizvi's statement can be reconciled with that Tanna as well. For since the decree is but a heightened standard established for *kodesh,* it is possible that the Rabbis gave the second hand only the capacity to make the *kodesh* a *revii,* even though the first hand would make the *kodesh* a *shelishi* (*Rashi,* as understood by *Siach Yitzchak* – see there).]

18. Even if the first hand did at one point touch the second one, if they are no longer in contact when the second hand touches the *kodesh,* it remains *tahor.* For the first hand does not make the second one even a *shelishi,* and the second hand, therefore, does not even disqualify the *kodesh* that it touches (see *Rashi*).

The foregoing is *Rashi's* explanation of what Rav Shizvi means by "joined." *Tosafos* (ד״ה בחיבורין), however, object that this does not seem to fit with our Mishnah, which states that in the case of *kodesh* "he must immerse both [hands]." Why, according to this explanation, would the person have to immerse both hands? Since the second hand never actually becomes *tamei,* all he should have to immerse is the *first* hand. And once the first hand is immersed, the second hand, too, can no longer contaminate, since it can no longer be joined to a *tamei* first hand! In defense of *Rashi, Tosafos* suggest that the Mishnah means as follows: With regard to *terumah,* the *tumah* of one hand in no way affects the second hand [even when they are joined]. With regard to *kodesh,* however, the *tumah* of one hand affects the second in two ways. Firstly, the Sages decreed that one should immerse *both* hands, because of the possibility that the second hand touched the *tumah* as well. [If, however, the person did not immerse the second hand and touched *kodesh* with it, the *kodesh* remains fit for consumption.] And secondly, the first hand (before its immersion) contaminates via the second hand while they are joined.

[Other Rishonim, however, propose different explanations of what Rav Shizvi means by "joined" – see *Tosafos* and *Ramban,* and *Baal HaMaor* and *Raavad* (printed in the *Vilna Shas* at the end of *Rif* to *Moed Katan*); see also *Meiri* here.]

19. The second hand renders *kodesh* that it touches *"tamei,"* i.e. a *shelishi,* which in turn can make other *kodesh* a *revii* (see *Rashi*).

20. According to R' Yose the son of R' Yehudah, the second hand renders *kodesh* that it touches "unfit," i.e. a *revii,* which is itself *tamei* but cannot convey that *tumah* any further (see *Rashi*).

Rebbi and R' Yose the son of R' Yehudah argue as to the scope of the Mishnah's stringency that one hand contaminates its counterpart with

לא נצרכא אלא לשירי מנחה דאורייתא
א) צריך לכלי הכלי מצרפו שא"צ לכלי אין
כלי מצרפו ואתו רבנן וגזרו דאע"ג דאינו
צריך לכלי כלי מצרפו תינח סלת קטורת
ולבונה מאי איכא למימר אמר רב נחמן
אמר רבה בר אבוה כגון שצברן על גבי
קרטבלא דאורייתא יש לו תוך מצרף אין
לו תוך אינו מצרף * ואתו רבנן ותיקנו דאע"ג
דאין לו תוך מצרף ופליגא דר' חנין אדר'
חייא בר אבא ג) דא"ר חייא בר אבא א"ר
יוחנן ד) מעדותו של רבי עקיבא נשנית משנה
זו: ה) הרביעי בקדש פסול: תניא א"ר יוסי
ו) מנין לרביעי בקדש שהוא פסול ודין הוא
ז) ומה מחוסר כפורים שמותר בתרומה פסול
בקדש שלישי שפסול בתרומה אינו דין
שיעשה רביעי לקדש ולמדנו שלישי לקדש
מן התורה ורביעי בק"ו שלישי לקדש מן
התורה ח) מנין דכתיב א) והבשר אשר יגע
בכל טמא לא יאכל מי לא עסקינן דנגע
בשני וקאמר רחמנא לא יאכל רביעי מקל
וחומר הא דאמרן: ובתרומה אם נטמאת
כו': אמר רב שיזבי בחיבורין שנו אבל
שלא בחיבורין לא איתיביה אביי יד
נגובה מטמא חבירתה לטמא לקדש אבל
לא לתרומה דברי רבי ר' יוסי ברבי יהודה
אומר י) לפסול אבל לא לטמא אי אמרת
בשלמא שלא בחיבורין היינו רבותיה
דנגובה אלא אי אמרת בחיבורין אין שלא
בחיבורין לא מאי רבותא דנגובה א] איתמר
ד) נמי אמר ריש לקיש לא שנו אלא ידו
אבל

רש"י

לא נצרכא. להאי עדות דר' עקיבא דמדרבנן אלא לסולת של שירי מנחה: **דאלו מדאורייתא הצריך לכלי.** דומיא דקטורת שבכף דאיירי בה קרא כלי מצרפו ושאינו צריך לכלי כגון שירי מנחה שהן אכילת כהן אין הכלי מצרפן: **מאי איכא למימר.** הרי צריכין לכלי: **קרטבלא.** עור שלוק: **ופליגא הא דר' חנין.** דאמר לעיל צירוף דאורייתא אדר' חייא בר אבא: **מחוסר כפורים כשר לתרומה ופסול לקדש.** ביבמות ילפינן לה מקראי בפרק הערל (דף עד:): **שלישי שפסול בתרומה.** כדנפקא לן ק"ו במסכת סוטה (דף כט.) ומה טבול יום שמותר במעשר אסור בתרומה שני שפסול במעשר אינו דין שיעשה שלישי בתרומה (א): **אינו דין שיעשה רביעי לקדש.** וא"ת דיו לבא מן הדין להיות כנדון א"כ ק"ו לא צריך שהרי למדנו שלישי לקדש מן התורה והיכא דמיפריך ק"ו לא אמרינן דיו לבא מן הדין להיות כנדון כדאמרינן בבבא קמא (דף כה.) ולמ"ד נמי אמרינן דיו הני מעלות דרבנן ניהנו ולאו דאורייתא והאי דנקט ולמדנו שלישי לקדש מלתא בעלמא היא דאשמעינן דשלישי לקדש מן התורה הוא: **מי לא עסקינן כו'.** מי לא משתמע (כו') נמי מהאי קרא: **דנגע בשני.** דהא אשכחן לאיקרי שני טמא דכתיב כל אשר בתוכו יטמא וה"ל הכלי ראשון ומה שבתוכו שני וקרי ליה טמא וקאמר רחמנא והבשר אשר יגע בכל טמא (ב) בשני וה"ל שלישי לא יאכל והאי קרא בבשר שלמים כתיב: **בחיבורין שנו.** מתניתין דקתני יד מטמאה את חבירתה לקדש כגון שבעוד שהיד הטמאה נוגעת לטהורה היתה טהורה נוגעת בקדש דגזור רבנן דלמא אתי למינגע טמאה בקדש ולמ"ד (ג) פסול לקמן למעלה בעלמא היא: **אבל שלא בחיבורין.** שלאחר שפירשה מן הטהורה חזרה טהורה ונגעה בקדש טהור ואין יד מטמאה חבירתה לעשותה אפי' שלישית לפסול: **יד נגובה.** אע"פ שאין בה משקין: **לטמא את הקדש.** לעשות רביעי: **ר' יוסי בר' יהודה אומר.** חבירתה פוסלת את הקדש אבל לא מטמאה: **אי אמרת בשלמא שלא בחיבורין.** קאמר דמטמאה היינו רבותא דנגובה (ד) ואע"ג דנגובה היא כשנגעה בזו ואין לחוש שמא נגעה היד הטהורה במשקין שבטמאה שהן ראשונים דכל הפוסל את התרומה מטמא משקין להיות תחילה והויא לה הך יד נמי שניה מחמת המשקין כמו חבירתה אפילו הכי מטמאה למעלה דרבנן היא שהיד מטמאה את חבירתה להעשות שניה כמותה לקדש אלא אי אמרת לא אמרינן אלא בחיבורין וטעמא משום דלמא נגע טמא לקדש מאי רבותא דנגובה אטו יד קמייתא לא מטמיא לה לקדש בלא משקין הלא שניה היא:

תוספות

חטאת מדרבנן דאינו קודש אלא חול כדמוכח בהתכלת (מנחות דף נב. ושם) שאין מועלין באפר פרה וקתני הוסיף ר"ע דמשמע דהוי דרבנן כמו רישא כדדייק הכא והשתא מתוקמא דרשה דמייתי בכולי הש"ס והבשר לרבות עצים ולבונה כר"י דפרק המנחות והנסכים (שם דף קב: ושם) דאי לרבנן הא משמע אף בשר כתר שמיטה יש לה פדיון ומיהו יכילנא לאוקומי כרבנן והוקשו כלי וכדמוקמינן לה בפסחי' אך איכא לדחות דלא קאי רק אלבונה ולא אעצים וכן בריש המנחות והנסכים פי' בשם הר"י דעיקר קרא לא קאי רק אלבונה אבל אעצים לא הוי רק אסמכתא בעלמא והשתא הארכתי ולא שייך הכא ואין להביא ראיה מהא דלא חשיב עצים בפרק שני דמעילה (דף ט.) כי חשיב אינך הוכשר ליפסל בטבול יום ובמחוסרי כפרה משום דלא שייך ביה פיגול אף בהולכה והקטרה דלא קרבן גמור הוא:

דאורייתא יש לו תוך מצרף. הקשה הר"ר אלחנן אמאי לא קאמר כגון שצברו בכלי חול דאורייתא כלי שרת מצרף ולא של חול דבעינן דומיא דכף ואע"פ שיש לו תוך ול"ע:

מנין לרביעי בקדש שהוא פסול. פרש"י ולמ"ד דיו הני מעלות דרבנן ניהנו ולא דאורייתא והאי דקאמר ולמדנו שלישי מן התורה מילתא בעלמא הוא ולא קאמר נמי מק"ו אלא מלתא בעלמא הוא ובפ"ק דפסחים (דף יט.) פי' רש"י גבי ההיא דר' יוסי ור' שמעון דלאין דאין משקה מטמאה באוכל ואין טומאה עושה כיוצא בה היכי אשכחן רביעי בקדש אלמא ודאי דרבנן הוא ומביא ראיה דמכילתין חשיב גבי מעלות דרבנן בתרייתא וקשה לר"י לר' חנין דלית ליה צירוף כלי דאורייתא וקחשיב ליה גבי מעלות דרבנן ולר' יוחנן דלית ליה צירוף דרבנן הוא הא מוקי לה כר' עקיבא ור"ע סבר שלישי בחולין דאורייתא וא"כ רביעי בקדש נמי דאורייתא קרי כאן והבשר אשר יגע בכל טמא לא יאכל דמי לא עסקינן דנגע וכו' ותירץ הר"י דקרי להו דרבנן משום דלא משכח לה לחולין שנעשו על טהרת הקדש [דהוי דאורייתא] וכן אר"ת דמשכחת לה לרביעי בקדש [דאורייתא] ע"י עצים ולבונה דטמאין ע"י חיבת הקדש וכי מיבעי ליה לר"ל בגריד של מנחות (מנחות דף קב:) אי מונין בו ראשון ושני אי לא דאי מהני חיבת הקדש למנות בו ראשון ושני למ"ד אין אוכל מטמא אוכל פשיטא ליה האי והיה קשה להר"ר אלחנן לפר"ת דמוקי לה ע"י עצים ולבונה וכי עדיפא מאוכל גמור דלא אהני חיבת הקדש למימני ביה ראשון ושני:

בחיבורין שנו. פרש"י שבשעה שהיד טמאה נוגעת לטהורה היתה טהורה נוגעת לקדש וקשה לפי' דא"כ השניה אינה טמאה כלל והקדש טמא מחמת גזרה שמא יגע בראשונה הטמאה ואמאי קאמר ובקדש יטבול שתיהן יטבול טמאה ויש לייאבו דה"ק הא נטמאה ידו אחת חבירתה טהורה ובקדש בתחילתו הצריכו חכמים להטביל שתיהן שמא נטמאו שתיהן ועי"ל בחיבורין שנו דיד אחת נוגעת בספר הפוסלה ויד האחרת הנוגעת בה תדון כאילו נגעה בספר דגזרינן לה שמא תגע וכן הא דתנן לקמן יד מטמאה חברתה ועושה אותה שניה בקדש מוקמינן לה בשמעתין הכי לפי מאי דס"ד לדברי ר' יהושע דיד מטמאה חברתה להיות שניה ומאיזה טעם לא תהיה שלישית אלא ודאי דגזרינן שמא נגעה בספר עצמה ואפי' לא נגע ביד השניה טומאה שמא נגעה בספר ותניא בתוספתא המטביל את ידו אחת מהן כל טהרות שעשה בטהורה עד שלא הטביל את הטמאה טמאות שהיד מטמאת חברתה לקדש משמע דבלא נגיעה מטמאת לה והשתא יתכן דהוי מעלה לר' יוסי שאינה אלא בכלל רביעי ליפסול בקדש אבל לא לתרומה דבתרומה אין יותר משלישי לכן אינה מטמאה רק קדש דעושה רביעי ולית ליה יד מטמאה את חברתה להיות שניה אלא מטמאה להיות שלישית והקשה הר"ר אלחנן אמאי חשיב האי מעלה במתני' הא הויא בכלל רביעי בקדש ותירץ דמ"מ מעלה אחרת היא דיד מטמאה את חברתה דס"ד כיון דאין גופו נטמא אלא מאב הטומאה גם ידיו נמי לא קמ"ל:

אלא אי אמרת בחיבורין אין וכו' מאי רבותא. ואי משום תרומה דלא מטמאה אף בחיבורין לא נחית להו רבותא אלא רבותא דקדש:

ז) **אחד** ידו ואחד יד חברו לפסול. דהואיל ומטמא יד חברו די לנו בכך אם יפסל אבל לר"ל לקיש דאמר דוקא ידו מוקי טעמא משום איחלופי יד טהורה ביד טמאה לפיכך כי היכי דידו טמאה מטמאה קדש דשניה היא אף טהורה נמי וכן משמע בסמוך כי הדר ביה ר"ל לקיש פירש לדבריו לפסול אבל לא לטמא משמע דמעיקרא סבירא ליה לטמא בשם רבינו שמואל:
דתנן

מסורת הש"ס

א) [מנחות דף כד.], ב) [פסחים יט.], ג) פסחים יח: סוטה כט: [תוספתא פ"ג], ד) [ע' בעל המאור ועוד תמלא שם פי' הגון לכל הסוגיא זו], ה) [פ"ח ועיין רש"י פסחים שם: ד"ה שלישי שפסול בתרומה], ו) [וע' תוספות מנחות כד. ד"ה ילפי], ז) שייך לע"ב.

הגהות הב"ח

(א) רש"י ד"ה שלישי וכו' שני שפסול במעשר אינו דין שיעשה שלישי בתרומה וכיון דשלישי פסול לתרומה דין הוא שיעשה רביעי לקודש: (ב) ד"ה דנגע בשני וכו' בכל טמא אפילו בשני והוה ליה בשר שלישי: (ג) ד"ה בחיבורין וכו' ולמ"ד לקמן פסול לפסול: (ד) ד"ה אי אמרת וכו' דלאף על דנגובה:

הגהות מהר"ב רנשבורג

א] גמ' אתמר נמי אמר ריש לקיש. נ"ב עי' בספר טורי אבן מהו האתמר נמי:

תורה אור השלם

א) וְהַבָּשָׂר אֲשֶׁר יִגַּע בְּכָל טָמֵא לֹא יֵאָכֵל בָּאֵשׁ יִשָּׂרֵף וְהַבָּשָׂר כָּל טָהוֹר יֹאכַל בָּשָׂר: [ויקרא ז, יט]

ליקוטי רש"י

מעדותו. ע"י עדותו [פסחים יט.]. מנין לרביעי בקדש שהוא פסול. ולא אמרינן טהור הוא כבתרומה. מחוסר כפורים. בטומאות הצריכות קרבן כגון זב וזבה ויולדת ומצורע [סוטה כט.]. שמותר בתרומה. כדילפינן ביבמות בפרק הערל (דף עד:) מקראי טבול יום אוכל במעשר העריב אוכל בתרומה דכתיב ובא השמש וטהר ואחר יאכל מן הקדשים. פסול בקדש. כדיליף התם מוכפר עליה הכהן וטהרה מכלל שהיא טמאה עד עכשיו. שלישי שפסול בתרומה. לרבנן דפליגי אדר' עקיבא ונפקא לן בקל וחומר מטבול יום דמותר בחולין ואסור בתרומה שני שפסול בחולין אינו דין שיעשה שלישי בתרומה במסכת סוטה בפרק כשם שהמים בודקין (דף כט ע"א). אינו דין שיעשה רביעי לקדש. מקל וחומר ממחוסר כפורים [פסחים יח:]. ולא תימא דיו לבא מן הדין להיות כנדון ונימא הכי שלישי שפסול בתרומה דיו הוא שיהא פסול לקודש דאם כן בטיל ליה האי קל וחומר דשלישי בקודש לא איצטריך דלא מיבעיא דכי היכי דבתרומה איתיה בקל וחומר מטבול יום הכי נמי אתי קודש בההוא קל וחומר אלא אפילו מן התורה למדנוהו והיינו דקאמר למדנו שלישי לקודש מן התורה הילכך לא אמרינן דיו איפרך ליה ק"ו כו' [סוטה שם]. ולמדנו שלישי לקדש מן התורה. ודלא תימא דיו לבא מן הדין להיות כנדון מה תרומה עושה שלישי ותו לא אף זה קודש יעשה שלישי ותו לא דמשום שלישי לא אצטריך לן קל וחומר דמן התורה למדנו שלישי וכי אתא קל וחומר לרביעי הוא דאתא דקיימא לן בבבא קמא פרק שני (דף כה.) דהיכא דמיפרך קל וחומר לא אמרינן דיו [פסחים יח:]. והבשר. של קדש שלמים אשר יגע בכל טמא לא יאכל. והבשר, לרבות אבר שיצא מקצתו שהפנימי מותר [ויקרא ז, יט] [פסחים יט.]. מי לא עסקינן דנגע בשני. מי לא מצינו למישמע מינה דאפי' נגע בשני נמי קאמר לא יאכל דהא בכל טמא כתיב ושני איקרי טמא דכתיב כל אשר בתוכו יטמא והאי בבשר שלמים כתיב דקדש ניהו [סוטה שם].

עין משפט נר מצוה

לז א ב מיי' פי"ג מהל' אבות הטומאות ה"ז:
לח ג מיי' שם הל' יא ופי"א הלכה ד:
לט ד ה מיי' שם פי"א הלכה ד:
מ ו ז מיי' שם פי"ב הלכה י"ב ופ"ח שם הלכה ז:

רבינו חננאל

טמא במקצתו שטימא את כולו וקתני הוסיף ר' עקיבא אלמא צירוף דרבנן הוא ופריק ר"ל אליבא דרבי חנין לעולם צירוף דאורייתא ור' עקיבא שירי מנחות אתא לאשמעינן דמדאורייתא דבר הצריך לכלי כלי מצרפו שאין צריך לכלי אין כלי מצרפו. ואתו רבנן ועשו מעלה וגזרו אפי' בדבר שאין צריך לכלי ומקשינן תינח דמצרף הכלי הסלת מפני שצריכה כלי קטורת לבונה וגחלים מאי כלי צריכי. ופריק רב נחמן כגון שצברן ע"ג קטבליא מדאורייתא יש לו תוך מצרף. אין לו תוך אינו מצרף. ואתו רבנן תקינו דאע"ג דאין לו תוך מצרף ופליגא דר' חייא בר אבא דאמר משמיה דר' יוחנן מעדותו של ר' עקיבא נשנית משנה זו הכלי מצרף מה שבתוכו לקדש ומסתברא דצירוף כלי מדרבנן היא דהא ר' יוחנן מוקים לה כמתניתין מעדותו של ר' עקיבא ומשנתנו מעלה מדרבנן וכבר פירשנוהו בפ' הראשון: מעלה שביעית הרביעי בקדש פסול והשלישי בתרומה פי' טמא מת הוא אבי הטומאה וטומאתו ז' דכתיב וכל אשר יגע על פני השדה בחלל חרב או במת או בעצם אדם או בקבר יטמא שבעת ימים והנוגע בו טמא טומאת ערב שנאמר וכל אשר יגע בו הטמא יטמא והנפש הנוגעת תטמא עד הערב. עוד קדשים הנוגעים בטמא השני שהוא טמא טומאת ערב נטמאו שנאמר והבשר אשר יגע בכל טמא לא יאכל נמצא שלישי לקדש טמא מן התורה כמו שפירשנו. ורביעי מק"ו כדתניא מנין לרביעי בקדש שפסול ודין הוא ומה מחוסר כפורים שמותר בתרומה שנא' ובא השמש וטהר ואחר יאכל מן הקדשים כי לחמו הוא. ותנן נמי העריב שמשו אוכל בתרומה פסול הוא וזה המחוסר כפורים בקדשים כדתנן הביא כפרתו אוכל (בתרומה) [בקדשים] וכתיב וכפר עליה הכהן וטהרה מכלל שעד שלא הביאה כפרתה לא נגמרה טהרתה ובמאי אי לתרומה הא כתיב ובא השמש וטהר ואחר יאכל מן הקדשים כי לחמו הוא והיא התרומה שגם היא נקראת קדשים. אלא לאו בטהרת קדשים הכתוב מדבר עכשיו שלישי שפסול לתרומה אינו דין שיעשה רביעי בקדש וזו היא מעלת הקדש על התרומה: מעלה שמינית שהיד מטמא לחברתה בקדש אבל לא בתרומה אמר רב שיזבי בחבורין שנו. פי' כגון שחיבר ידו לידו האחרת אבל אם לא חיבר היד הטמאה לטהורה לא. ומותיב אביי עלה יד נגובה מטמאה לחברתה לקדש וכו'. ואע"ג דלא פריק רב שיזבי כיון דא"ר יוחנן אחד

שֶׁלֹּא בְּחִיבּוּרִין – Now, it is well if you say that the stringency of one hand contaminating the other applies even where they are **not joined** when the second hand touches the *kodesh,* **הַיְינוּ רְבוּתֵיהּ דִּנְגוּבָה** – for **that is the novelty of** Rebbi saying that the stringency applies when the first hand is **dry.**[21] **אֶלָּא אִי אָמְרַתְּ בְּחִיבּוּרִין אִין – But if you say,** as Rav Shizvi does, that, when the hands are **joined – yes,** the stringency applies, **שֶׁלֹּא בְּחִיבּוּרִין לֹא** – but when they are **not joined – no,** the stringency does not apply,[22] **מַאי רְבוּתָא דִּנְגוּבָה** – then **what is the novelty** of Rebbi stating that the decree applies even when the first hand is **dry?** If our concern is that the first hand itself might have touched the *kodesh* (as emerges according to Rav Shizvi), then the concern is the same whether the first hand is wet or dry. For even a dry hand that is *tamei* (thus having the status of a *sheni*) clearly has the capacity to render *tamei* any *kodesh* that it touches![23] Why, then, did Rebbi emphasize that the stringency applies even if the first hand is dry?

Abaye thus rejects Rav Shizvi's assertion that the stringency applies only where the hands are joined when the second hand touches the *kodesh.*[24]

The Gemara cites another Amoraic dispute regarding the scope of the Rabbinic decree that one hand contaminates the other with regard to *kodesh*:

אִיתְּמַר נַמִּי – It was also stated:[25] **אָמַר רֵישׁ לָקִישׁ – Reish Lakish said:** **לֹא שָׁנוּ אֶלָּא יָדוֹ – They taught** this stringency **in our Mishnah only** with regard to **his** other **hand.**

NOTES

regard to *kodesh.* (According to Rebbi, the second hand has the capacity to actually "make *tamei.*" According to R' Yose the son of R' Yehudah, the second hand has only the capacity to "make unfit.") Hence, if we can prove that their dispute involves the case of hands that are *not* joined, we will have proven that the Mishnah involves that case as well.

21. Rebbi's emphasis that the stringency applies [even] if the first hand is dry indicates that there is a greater novelty in the stringency applying in that case than in the stringency applying where the first hand is wet. This is understandable, though, only if we assume that the stringency applies even when the hands are *not* joined when the second hand touches the *kodesh.* For it is then a novelty that if the first hand (a *sheni*) touches the second hand, the latter becomes a *sheni* as well (having the capacity to make *kodesh* that it touches into a *shelishi*). This is indeed a novelty, since a dry *sheni* (the first hand) generally does *not* have the capacity to make the hand that it touches into a *sheni.* This ruling would be far less novel, however, if the first hand had been wet. For the rule is that anything which renders *terumah* unfit through contact (i.e. any *sheni*) makes liquids that it touches into a *rishon* (see *Parah* 8:7). Thus, it is not such a novelty that the wet, first hand should render the second hand a *sheni* by touching it, since that second hand might have touched not only the first hand (a *sheni*) but also the liquid on it (a *rishon*), which clearly has the capacity to make the second hand a *sheni* (see *Rashi*).

22. And accordingly, the stringency is based on the concern that when the second hand touched the *kodesh,* the first hand (which was joined to the second at that time) touched the *kodesh* as well (*Rashi*).

23. [It is true that there would be a difference whether the *kodesh* touched a liquid on the first hand (the *kodesh* would be a *sheni*) or whether it touched only the first hand itself (the *kodesh* would be only a *shelishi*). The issue here, however, is the Rabbinic decree that the second hand makes the *kodesh* a *shelishi.* If that decree is based on the concern that the first hand touched the *kodesh,* it is not a greater novelty to teach this with regard to where the first hand is wet than with regard to where it is dry.]

24. [And the Gemara does not record any defense of Rav Shizvi's view. Apparently, then, Rav Shizvi's view is rejected. See, however, *Rabbeinu Chananel.*]

25. The word נַמִּי, *also,* implies that the dispute which follows is somehow related to the previous dispute, between Rav Shizvi and Abaye. Since the connection is not readily apparent, however, some delete the word נַמִּי, *also,* from the text (see *Dikdukei Soferim* §70, who cites several manuscript editions and Rishonim that do not have this word in the Gemara). Other commentators, however, endeavor to explain the connection between these two matters. See *Rabbeinu Chananel; Turei Even; Siach Yitzchak; Chazon Ish, Yadayim* 7:3.

לא נצרכא אלא לשירי מנחה דאורייתא א) צריך לכלי הכלי מצרפו שא"צ לכלי אין כלי מצרפו ואתו רבנן וגזרו דאע"ג דאינו צריך לכלי כלי מצרפו תינח סלת קטורת ולבונה מאי איכא למימר אמר רב נחמן אמר רבה בר אבוה כגון שצברן על גבי קרטבלא **דאורייתא** יש לו תוך מצרף אין לו תוך אינו מצרף א ואתו רבנן ותיקנו דאע"ג דאין לו תוך מצרף ופליגא דר' חנין אדר' חייא בר אבא ג) דא"ר חייא בר אבא א"ר יוחנן ג מעדותו של רבי עקיבא נשנית משנה זו: ג הרביעי בקודש פסול: תניא א"ר יוסי ג) **מנין** לרביעי בקודש שהוא פסול ודין הוא ד ומה מחוסר כפורים שמותר בתרומה פסול בקודש שלישי שפסול בתרומה אינו דין שיעשה רביעי לקדש ולמדנו שלישי לקדש מן התורה ורביעי בק"ו שלישי לקדש מן התורה ה מנין דכתיב א) והבשר אשר יגע בכל טמא לא יאכל מי לא עסקינן דנגע בשני וקאמר רחמנא לא יאכל רביעי מקל וחומר הא דאמרן: ו ובתרומה אם נטמאת כו': אמר רב שיזבי בחיבורין שנו אבל שלא בחיבורין לא איתיביה אביי יד נגובה מטמא חבירתה לטמא לקדש אבל לא לתרומה דברי רבי ר' יוסי ברבי יהודה אומר ז לפסול אבל לא לטמא אי אמרת בשלמא שלא בחיבורין היינו רבותיה דנגובה אלא אי אמרת בחיבורין אין שלא בחיבורין לא מאי רבותא דנגובה א) איתמר ד) נמי אמר ריש לקיש לא שנו אלא ידו אבל **אחד** ידו ואחד יד חבירו לפסול.

רש"י

לא נצרכא. להאי עדות דר' עקיבא דמדרבנן אלא לסולת של שירי מנחה: **דאלו מדאורייתא הצריך לכלי.** דומיא דקטורת שבכף דאיירי בה קרא כלי מצרפו ושאינו צריך לכלי כגון שירי מנחה שאין אכילת כהן אין הכלי מצרפן: **מאי איכא למימר.** הרי צריכין לכלי: **קרטבלא.** עור שלוק: **ופליגא הא דר' חנין.** דאמר לעיל צירוף דאורייתא אדר' חייא בר אבא: **מחוסר כפורים כשר לתרומה ופסול לקדש.** ביבמות ילפינן לה מקראי בפרק הערל (דף עד:): **שלישי שפסול בתרומה.** כדנפקא לן ק"ו במסכת סוטה (דף כט.) ומה טבול יום שמותר במעשר אסור בתרומה שני שפסול במעשר אינו דין שיעשה שלישי בתרומה (א): **אינו דין שיעשה רביעי לקדש.** וא"ת דיו לבא מן הדין להיות כנדון א"כ ק"ו לא צריך שהרי למדנו שלישי לקדש מן התורה והיכא דמיפריך ק"ו לא אמרינן דיו לבא מן הדין להיות כנדון כדאמרינן בבבא קמא (דף כה.) ולמ"ד נמי אמרינן דיו הני מעלות דרבנן נינהו ולאו דאורייתא והאי דנקט ולמדנו שלישי לקדש מלתא בעלמא היא דאשמעינן דשלישי לקדש מן התורה הוא: **מי לא עסקינן כו'.** מי לא משתמע (כו') נמי מהאי קרא: **דנגע בשני.** דהא אשכחן דאיקרי שני טמא דכתיב כל אשר בתוכו יטמא וה"ל הכלי ראשון ומה שבתוכו שני וקרי ליה טמא וקאמר רחמנא והבשר אשר יגע בכל טמא (ב) בשני וה"ל שלישי לא יאכל והאי קרא בבשר שלמים כתיב: **בחיבורין שנו.** מתניתין דקתני יד מטמאה את חבירתה לקדש כגון שבעוד שהיד הטמאה נוגעת לטהורה היתה טהורה נוגעת בקדש דגזור רבנן דלמא אתי למינגע טמאה בקדש ולמ"ד (ג) פסול לקמן לפסול דמעלה בעלמא היא: **אבל שלא בחיבורין.** שלאחר שפירשה מן הטהורה חזרה טהורה ונגעה בקדש טהור ואין יד מטמאה חבירתה לעשותה אפי' שלישית לפסול: **יד נגובה.** אע"פ שאין בה משקין: **לטמא את הקדש.** לעשות רביעי: **ר' יוסי בר' יהודה אומר.** חבירתה פוסלת את הקדש אבל לא מטמאה: **אי אמרת בשלמא שלא בחיבורין.** קאמר דמטמאה היינו רבותא דנגובה (ד) ואע"ג דנגובה היא כשנגעה בזו ואין לחוש שמא נגעה היד הטהורה במשקין שבטמאה שהן ראשונים דכל הפוסל את התרומה מטמא משקין להיות תחילה והויא לה הך יד נמי שניה מחמת המשקין כמו חבירתה אפילו הכי מטמאה דמעלה דרבנן היא שהיד מטמאה את חבירתה להעשות שניה כמותה לקדש אלא אי אמרת לא אמרינן אלא בחיבורין וטעמא משום דלמא נגע טמא לקדש מאי רבותא דנגובה אטו יד קמייתא לא מטמיא לה לקדש בלא משקין הלא שניה היא:

תוספות

... חטאת מדרבנן דאינו קודש אלא חול כדמוכח בהתכלת (מנחות דף נב. ושם) שאין מועלין באפר פרה וקתני הוסיף ר"ע דמשמע דהוי דרבנן כמו דישא כדדייק הכא והשתא מתוקמא דרשה דמייתי בכולי הש"ס והבשר לרבות עצים ולבונה כר"י דפרק המנחות והנסכים (שם דף קב: ושם) דאי לרבנן הא משמע אף בשר בתר שחיטה יש לה פדיון ומיהו יכילנא לאוקומי כרבנן והוקדשו בכלי ולמקומקינן לה בפסחי' אך איכא למדות דלא קאי רק אלבונה ולא אעצים וכן כרים המנחות והנסכים פי' בשם הר"י דעיקר קרא לא קאי רק אלבונה אבל אעצים לא הוי רק אסמכתא בעלמא והתם הארכתי ולא שייך הכא ואין להביא ראיה מהא דלא חשיב עצים בפרק שני דמעילה (דף ט.) כי חשיב אינך הוכשר ליפסל בטבול יום ובמחוסרי כפרה משום דלא שייך ביה פיגול אף בהולכה ובהקטרה דלא קרבן גמור הוא ו):

דאורייתא יש לו תוך מצרף. הקשה הר"ר אלחנן אמאי לא קאמר כגון שנגברו בכלי חול דאורייתא כלי שרת מצרף ולא של חול דבעינן דומיא דכף ואע"פ שיש לו תוך וצ"ע:

מנין לרביעי בקדש שהוא פסול. פרש"י ולמ"ד דיו הני מעלות דרבנן נינהו ולא דאורייתא והאי דקאמר ולמדנו שלישי מן התורה מילתא בעלמא הוא ולא קאמר נמי מק"ו אלא מלתא בעלמא הוא ובפ"ק דפסחים (דף יט.) פי' רש"י גבי ההיא דר' יוסי ור' שמעון דאין משקה מטמא באוכל ואין טומאה עושה כיוצא בה היכי אשכחן רביעי בקדש אלמא ודאי דרבנן הוא ומביא ראיה דמכילתין חשיב גבי מעלות דרבנן בתרייתא וקשה לר"י לר' חנין דאית ליה צירוף כלי דאורייתא וקחשיב ליה גבי מעלות דרבנן ולר' יוחנן דאית ליה צירוף דרבנן הוא הא מוקי לה כר' עקיבא ור"ע סבר שלישי בחולין דאורייתא וא"כ רביעי בקדש נמי דאורייתא קרי כאן והבשר אשר יגע בכל טמא לא יאכל דמי לא עסקינן דנגע וכו' ותירץ הר"י דקרי להו דרבנן משום דלא משכח לה לחולין שנעשו על טהרת הקדש [דהוי דאורייתא] וכן אר"ת דמשכחת לה לרביעי בקדש [דאורייתא] ע"י עצים ולבונה דטמאין ע"י חיבת הקדש וכי מיבעי ליה לר"ל בגריד של מנחות (מנחות דף קב:) אי מונין בו ראשון ושני אי לא דאי מהני חיבת הקדש למנות בו ראשון ושני למ"ד אין אוכל מטמא אוכל פשיטא ליה האי והיה קשה להר"ר אלחנן לפר"ת דמוקי לה ע"י עצים ולבונה וכי עדיפא מאוכל גמור דלא אהני חיבת הקדש למימני ביה ראשון ושני:

בחיבורין שנו. פרש"י שבשעה שהיד טמאה נוגעת לטהורה היתה טהורה נוגעת לקדש וקשה לפי' דא"כ השניה אינה טמאה כלל והקדש טמא מחמת גזרה שמא יגע בראשונה הטמאה ואמאי קאמר ובקדש יטבול שתיהן יטבול טמאה ויש ליישבו דה"ק הא נטמאה ידו אחת חבירתה טהורה ובקדש בתחילתו הצריכו חכמים להטביל שתיהן שמא נטמאו שתיהן ועי"ל בחיבורין שנו דיד אחת נוגעת בספר הפוסלה ויד האחרת הנוגעת בה תדון כאילו נגעה בספר דגזרינן לה שמא תגע וכן הא דתנן לקמן יד מטמאה חברתה ועושה אותה שניה בקדש מוקמינן לה בשמעתין הכי לפי מאי דס"ד לדברי ר' יהושע דיד מטמאה חברתה להיות שניה ומאיזה טעם לא תהיה שלישית אלא ודאי דגזרינן שמא נגעה בספר עצמה ואפי' לא נגע ביד השניה טמאה שמא נגעה בספר ותניא בתוספתא המטביל את ידו אחת מהן כל טהרות שעשה בטהורה עד שלא הטביל את הטמאה טמאות שהיד מטמא חברתה לקדש משמע דבלא נגיעה מטמאת לה והשתא יתכן דהוי מעלה לר' יוסי שאינה אלא בכלל רביעי ליפסול בקדש אבל לא לתרומה דבתרומה אין יותר משלישי לכן אינה מטמאה רק קדש דעושה רביעי ולית ליה יד מטמאה את חברתה להיות שניה אלא מטמאה להיות שלישית והקשה הר"ר אלחנן אמאי חשיב האי מעלה במתני' הא הויא בכלל רביעי בקדש ותירץ דמ"מ מעלה אחרת היא דיד מטמאה את חברתה דס"ד כיון דאין גופו נטמא אלא מאב הטומאה גם ידיו נמי לא קמ"ל:

אלא אי אמרת בחיבורין אין וכו' מאי רבותא. ואי משום תרומה דלא מטמאה אף בחיבורין לא נחית להו רבותא אלא רבותא דקדש:

אחד ידו ואחד יד חבירו לפסול. דהואיל ומטמא יד חברו די לנו בכך אם יפסל אבל לריש לקיש דאמר דוקא ידו מוקי טעמא משום אחלופי יד טהורה ביד טמאה לפיכך כי היכי דידו טמאה מטמאה קדש דשניה היא אף טהורה נמי וכן משמע בסמוך כי הדר ביה ריש לקיש פירש לדבריו לפסול אבל לא לטמא משמע דמעיקרא סבירא ליה לטמא בשם רבינו שמואל: דתנן

מסורת הש"ס

א) [מנחות דף כד.], ב) [פסחים יט.], ג) פסחים יח: סוטה כט: [תוספתא פ"ג], ד) [עי' בעל המאור ועוד תמלא שם פי' הגון לכל הסוגיא זו], ה) [ע"ש ועיין רש"י פסחים יח: ד"ה שלישי שפסול בתרומה], ו) [ועי' תוספות מנחות כה. ד"ה ילמוד], ז) שייך לע"ב.

הגהות הב"ח

(א) רש"י ד"ה שלישי וכו' שני שפסול במעשר אינו דין שיעשה שלישי בתרומה וכיון דשלישי פסול לתרומה דין הוא שיעשה רביעי בקדש: (ב) ד"ה דנגע בשני וכו' בכל טמא אפילו בשני והוה ליה בשר שלישי: (ג) ד"ה בחיבורין וכו' ולמ"ד לקמן פסול לפסול: (ד) ד"ה אי אמרת וכו' דאף על גב דנגובה:

הגהות מהר"ב רנשבורג

אן גמ' אתמר נמי אמר ריש לקיש. ג"ב עי' בספר טורי אבן מהו האתמר נמי:

תורה אור השלם

א) וְהַבָּשָׂר אֲשֶׁר יִגַּע בְּכָל טָמֵא לֹא יֵאָכֵל בָּאֵשׁ יִשָּׂרֵף וְהַבָּשָׂר כָּל טָהוֹר יֹאכַל בָּשָׂר: [ויקרא ז, יט]

עין משפט נר מצוה

ל' א ב מיי' פי"ב מהל' אבות הטומאות ה"ז:
לא ג מיי' שם הל' יא ופי"א הלכה ד:
לב ד ה מיי' שם פי"א הלכה ד:
לג ו ז מיי' שם פי"א הלכה י"ב ופ"ח שם הלכה ז:

אבל לא יד חבירו ור' יוחנן אמר אאחד ידו ואחד יד חבירו באותה היד לפסול אבל לא לטמא ממאי מדקתני סיפא שהיד מטמאה חבירתה לקדש אבל לא לתרומה הא תו למה לי הא תנא ליה רישא אלא לאו שמע מינה לאתויי יד חבירו ואף ר"ל הדר ביה דא"ר יונה א"ר אמי אמר ר"ל אחד ידו ואחד יד חבירו באותה היד לפסול אבל לא לטמא ולפסול אבל לא לטמא תנאי היא דתנן (א) כל הפוסל בתרומה מטמא ידים להיות שניות ויד מטמא חבירתה דברי ר' יהושע וחכ"א בידים שניות הן ואין שני עושה שני (בחולין) מאי לאו שני הוא דלא עביד הא שלישי עביד דלמא לא שני עביד ולא שלישי אלא כי הני תנאי דתניא יד נגובה מטמאה את חבירתה לטמא בקדש אבל לא לתרומה דברי רבי ר' יוסי בר' יהודה אומר אותה יד לפסול אבל לא לטמא: גאוכלין אוכלים נגובין בידים מסואבות כו': דתניא א"ר חנינא בן אנטיגנוס וכי יש נגובה לקדש והלא חיבת הקדש מכשרתן לא צריכא דכגון שתחב לו חבירו לתוך פיו או שתחב הוא לעצמו בכוש ובכרכר וביקש לאכול צנון ובצל של חולין עמהן לקדש גזרו בהו רבנן לתרומה לא גזרו בהו רבנן: ההאונן ומחוסר כפורים כו': מאי טעמא וכיון דעד האידנא הוו אסירי אצרכינהו רבנן טבילה:

מתני' חומר בתרומה שביהודה זנאמנין על טהרת יין ושמן כל ימות השנה חובשעת הגיתות והבדים אף על התרומה טעברו הגיתות והבדים יוהביאו לו חבית של יין של תרומה לא יקבלנה ממנו אבל מניחה לגת הבאה כואם אמר לו הפרשתי לתוכה רביעית קדש נאמן כדי יין וכדי שמן המדומעות

רש"י

אבל לא יד חבירו. אם נגעה ביד חבירו לא טימאתה: באותה היד. אם נגע ביד הראשונה ביד חבירו אבל השניה אינה מטמאה יד חבירו: ולפסול. את הקדש הוא דאמר יד מטמא חבירתה אבל לא לטמא: הא תנא ליה רישא. ולקדש מטבילין שניהן: אין שני עושה שני. אין יד שהיא שניה עושה את חבירתה שניה מכלל דסמי' לר' יהושע דאמר היד מטמא את חבירתה להיות כמותה: ודלמא לא שני ולא שלישי. דלית להו הך מעלה דמתני' אבל מאן דלית ליה אפי' לטמא אית ליה להכי קאמר ידים לעולם שניות הן לפיכך (א) אין יד מטמא את חבירתה: וכי יש נגובה בקדש. והלא חיבת הקדש מכשרת: אלא אין נגובה זו לומר כשלא הוכשרו אלא כשהוכשרו לטומאה ועכשיו הן נגובין וטומאה הן מקבלין ולא הוצרכה משנתנו לדבר באוכלי קדש נגובין אלא באוכלי חולין נגובין ואוכלי קדש: תחב לו חברו. בידים טהורות וזה האוכל ידיו מסואבות: או שתחב הוא עצמו בכוש או בכרכר. שהן פשוטי כלי עץ ואין מקבלין טומאה: וביקש לאכול צנון או בצל של חולין עמהן. שאין ידים מטמאות את החולין ואפ"ה גזור רבנן שלא יאכלם עם הקדש פן תגע ידו מסואבת באוכלי קדש שבפיו: לענין תרומה. אע"פ שהיד מסואבת פוסלתה לא עשו מעלה אלא אמרינן זהיר ולא נגע וה"ק מתניתין אוכלין חולין בידים מסואבות עם התרומה אבל לא עם הקדש והכי נקט נגובין שאלו עכשיו היו משקין עליהם היו משקין נעשין ראשונים מחמת הידים ועושין את החולין שניים וכשנוגעין בתרומה שבפיו פוסלין אותה או) ואית דמפיק מלתא בנגובים שמעולם לא הוכשרו וקשיא לי חולין מה לי הוכשרו מה לי לא הוכשרו הלא אין ידים מועילות כלום לחולין: כיון דעד האידנא אסירי. דמחוסר כפורים מותר בתרומה ואסור בקדש וכן אונן אע"פ שאסורים במעשר שני מותרין בתרומה כדאמרינן במסכת יבמות ד) מוכל זר יתירה זרות אסרתי לך ולא אנינות: מתני' שביהודה נאמנין. עמי הארץ: על טהרת יין ושמן. של קודש אם הקדישוהו למזבח בשעת הגיתות והבדים נאמנין על שמירתן כל ימות השנה ובגמ' מפרש מאי שנא יהודה דנקט: ובשעת הגיתות והבדים. הכל מטהרין את כליהם: והביאו לו. עמי הארץ לכהן חבר: אבל מניחה. עם הארץ לגת הבאה ואז יתננה לכהן: רביעית לוג שמן נאמן. דמיגו דנאמן אקדש נאמן אתרומה:

תוספות

דתנן כל הפוסל את התרומה כו'. קשה לר"י דאמרינן בפ"ק דשבת (דף יד. ושם) אף הידים הבאות מחמת ספר פוסלות את התרומה משום דר' פרנך דאמר וכו' מאי קאמר אפי' כל מילי נמי דפוסל את התרומה מטמא ידים כדתנן הכא וי"ל דספר גזרה ראשון ואח"כ של שאר מילי ועוד יש לומר דלרבנן איצטריך התם דפליגי עליה דרבי יהושע ומיהו טפי נראה לומר דאף ר' יהושע לא קאמר רק לקדש כדמשמע כולה שמעתין אבל לתרומה לא וכי קאמר בסיפא דמתני' אמר להם רבי יהושע והלא כתבי הקדש שניים מטמאין את הידים אמרו ליה אין למדין דברי תורה כו' ומאי קא מקשי להו הא איהו מודה דכתבי הקדש מיירי אף לתרומה והיינו לכל הפוסל את התרומה דוקא לקדש התם לאו קושיא היא אלא סיומא למלתא קמסיק בה ליתן טעם על דבריו למה שני עושה שני דה"נ מצינו בתרומה כ"ש לקדש אבל קשה להר"ר אלחנן מאי סייעתא מייתי למילתיה מכתבי הקדש שאני התם משום דר' פרנך כל האוחז ס"ת ערום כו' ומיהו הר"י דבספר נמי היכא דלא שייך דר' פרנך קאמר ליה כגון לרצועות של תפילין עם התפילין אבל אכתי היה קשה להר"ר אלחנן בפ"ב דחולין (דף לג.) מצינו לשני עושה שני ע"י משקין ופריך תחילה נמי הוה ומאי לא קאמר ביד שמטמאה את חברתה כי הכא וי"ל דאיהו קאמר ליה במס' ידים לכך לא חש להביא סייעתא ממה שאמר איהו וגם ע"י ספר לא בעי למימר מצינו שני עושה שני דהתם טעמא רבה איכא משום דר' פרנך ומיהו התם לא בעי למימר שני עושה שני משום גזרה דבשבת די"ח דבר דלאמרינן דלמא שדי משקין דתרומה לפיו כי אכיל אוכלין טמאים דהתם נמי לא ידע הא טעמא אלא קממהה כיון שלא מצינו טומאה כהאי גוונא היכי ה) גזרינן וה"ל הכא והיא דהתם דקאמר שלישי שני לקדש ולא לתרומה בחולין שנעשו עטה"ק וקשה מאי לא חשיב לה גבי מעלות הכא וי"ל דהתם מפרש טעמא שאני תרומה שטהרתה טמאה היא אבל הקדש ה"ל לאו משום מעלה היא הר"ר אלחנן ומיהו למאן דלית ליה התם דאהדר ליה הכי ר"א לר' יהושע ולא קמסיק אף אני לא אמרתי דקאמר התם אמוראי ניהו ואליבא דר' יוחנן א"כ אמאי לא חשיב ליה וי"ל דליכא למימר דבתרומה לא גזור משום דזריזין גבי תרומה אבל לא גבי קדש הלכך לא שייך למימר בהן מעלה ודוגמתו מצינו בריש פירקין בירושלמי גבי חומר בקדש ר' חייא בשם ר' יוחנן מפני שאוכלי תרומה זריזין הן ואוכלי קדש אינן זריזין א"ר חנינא קומי ר' מנא הדא היא מעלה אילו דבר שבזה וזה טהור וזה טמא הדא היא מעלה אלמא לא חשבינן ליה מעלה בדבר התלוי בזריזות:

לא צריכא שתחב לו חבירו בפיו או שתחב כו'. משמע דהוי לישנא דהש"ס מיהו בתוספתא גרסינן ליה ר' חנינא בן אנטיגנוס אומר וכי יש נגובה בקודש אלא תחב ליה חבריה או שתחב הוא בכוש או בקיסם ואוכל עמה זית או בצל ו) של תרומה והכי נקט כוש דהוו ליה פשוטי כלי עץ דלא מקבלי טומאה ואפי' מדרבנן לא מקבלי טומאה פשוטים קטנים ודומה לו ההיא דריש חולין (דף ג. ושם) כגון שבדק קרומית של קנה ושחט בה משום דהוה פשוטי כלי עץ דלא מקבל טומאה וכי אמרינן בהמוכר את [הבית] (ב"ב דף סו.) דף של נחתומין טמא אע"ג דלית ליה בית קבול כלל התם טמא משום משמש אדם ומשתמש ממשמשי אדם וכן ההיא דטבלא המתהפכת טמאה דבפרק שתי הלחם (מנחות דף נז:) אף למ"ד מסגרתו למטה היתה אע"ג דלא מחברא לטבלא דכמשמע בריש סוכה (דף ה.) אלא מטעם משמשי אדם הוי והכי איתא בהדיא בת"כ ובריש סוכה ז) פירשתי:

לקדש גזור רבנן. שמא יגע בידיו שניות לקדש שבתוך פיו וכן פירש רש"י ועוד היינו יכולים לפרש דלמא נגע ברוק פיו דחשיב משקה כפרק בתרא דעירובין (דף קד. ושם) גבי אכל דבילה בידים מסואבות:

שביהודה נאמנין על טהרת יין ושמן בכל השנה. פרש"י אם הקדישו למזבח בשעת הבציר כל ימות השנה נאמנין בשמירה ואמר הר"ר אלחנן דכן יתכן לפרש דאי בלא הקדישו בשעת הבציר ה"ל חולין ונטמא בטומאת ע"ה ח) וכי קדש עליו משום דלהקדישו פקע ליה טומאה מיניה א"נ הוה מצינו למימר דאיהו לנכסים נמי ובאנס שידוע לנו שחולין הן שיהן וכי להקדישו איכא למימר שאימת קדש עליו ומעיקרא היה זהיר לשומרו בטהרה וכן מצינו גבי תרומה בסמוך דע"ה מניח תרומה של כל ימות השנה לשנה הבאה בשעת הגיתות ליתנה לחבר ותניא בתוספתא אע"פ שמכירה החבר שהיא שלו ואפי' החבר עצמו משמע בגמרא שיחכה לשנה הבאה רצועה

עין משפט נר מצוה

לד א מיי' פי"ב מהל' אבות הטומאות הלכה יב:
לה ב מיי' שם הל' ג סמג עשין רמז:
לו ג ד מיי' שם פי"ב הלכה יג:
לז ה ו מיי' שם הל' טו:
לח ז ח ט מיי' פי"א מהל' מטמאי משכב ומושב הלכה ח:
לט י מיי' שם הלכה ג:
מ כ מיי' שם הלכה ד:

רבינו חננאל

אחד ידו ואחד ידו של חבירו לפסול אבל לא לטמא ש"מ מדאשרי ליה לידו ליד חבירו בחיבורין סבירא ליה כרב שיובי דאי לא תימא הכי יד חבירו שלא בחיבורין איצטריכא ליה למימר דלא מטמאה אלא לאו בחיבורין סבירא ליה. ור"ל נמי הדר ביה ואמר כרבי יוחנן. ואסיקנא לפסול אבל לא לטמא תנאי היא דתניא יד נגובה מטמאה לחברתה לטמא בקדש אבל לא לתרומה דברי ר' רבי יוסי ב"ר יהודה אומר אותה היד לפסול אבל לא לטמא: מעלה תשיעית אוכלין אוכלים נגובין בידים מסואבות בקדש אבל לא לקדש כיון דבהדיא אמר רחמנא וכי יותן מים על זרע ונפל מנבלתם עליו. פי' אם הוכשרו האוכלין מטמאין ואם לא הוכשרו אין מטמאין ושנינו במשנתנו אוכלין אוכלים נגובין. פי' יבישין שלא הוכשרו ואע"ג שהאוכלין הללו הן תרומה אוכלין אותן בידים מסואבות שכיון שלא הוכשרו אין מקבלין טומאה והני מילי לתרומה אבל לקדש עשו בו מעלה שאע"פ שהם נגובין לא יאכלו לאדם טהור בידים מסואבות. ומתמיה ר' חנינא בן אנטיגנוס וכי יש נגובה לקדש והלא חיבתן מכשרתן. כלומר חיבת הקדש משוה לאוכלין נגובין כאלו הוכשרו והנוגע בהן בידים מסואבות ודאי טימאו כי כמוכשרין הן חשובין למה ליה למתני' ופרקינן ודאי לנגוע בידים מסואבות לאוכלי קדש ואע"פ שהן נגובין לא אצטריכא ליה. כי אצטריך ליה כגון שלא נגע הוא בידו אלא תחב לו אדם טהור וידיו טהורות לתוך פיו של זה שהוא כולו טהור וידיו טמאות שנטמאו בהיסח הדעת או הוא עצמו תחב בכוש או בכרכר והכניס לתוך פיו וביקש לאכול צנון ובצל של חולין עמהן. אם הן אוכלי קדש גזרו בהן שמא יכניס ידו לתוך פיו להפך המאכל בפיו ויגע בהן ויטמאם אבל באוכלי תרומה לא גזרו בהן. וכן עוד אמרו גבי בשר הקדש האי דכתיב והבשר אשר יגע בכל טמא לא יאכל. האי בשר דאתכשר במאי אי נימא דאתכשר בדם קדשים כו' ואסיקנא אלא דאתכשר בחיבת הקדש ואמרינן אימור דמהניא חיבת [הקדש] לא יפסלוה לטמויי כדי למיניינא ביה ראשון ושני נמי דמהניא חיבת הקדש וכבר פירשנוהו בפסחים בפרק ראשון: מעלה עשירית אונן ומחוסר כפורים צריכין טבילה לקדש אבל לא לתרומה זו כבר פרשנוה בפסחים בסוף פרק האשה אונן טובל ואוכל פסחו לערב אבל לא בקדשים מאי טעמא אנינות לילה מדרבנן הוא בקדשים אפילו בלילה בפסח שהוא עשה שיש בו כרת דכתיב וחדל לעשות הפסח ונכרתה לא העמידו דבריהם במקום כרת כו' ודבריהן פשוטין הן: כבר שלמו המעלות שיש לקדש על מעלות התרומה. וחזרו לדבר עוד חומרי התרומה וזו היא ששנינו חומר בתרומה שביהודה נאמנין לקדש על טהרת היין והשמן מדקתני

מסורת הש"ס

א) ידים פ"ג מ"ב, ב) [תוספתא פ"ג], ג) [ע' תוספות זבחים פח. ד"ה מן ותוספות חולין לה: ד"ה ולא], ד) [סוכה ע: עא.], ה) גורסין ליה הכא כצ"ל, ו) בתרומה כצ"ל מהרש"א, ז) [עס כד"ה ומסגרתו], ח) וכי קדשי מאי הוי משום דלהקדשי כצ"ל.

הגהות הב"ח

(א) רש"י ד"ה ודלמא וכו' לפיכך יד מטמא כצ"ל ותיבת אין נמחק:

הגהות מהר"ב רנשבורג

או רש"י ד"ה לענין תרומה וכו' ואית דמפיק מלתא בנגובים שמעולם לא הוכשרו. נ"ב וכן פרש"י במתניתין ע"ש:

ליקוטי רש"י

כוש. פלך פוי"ל בלע"ז שהנשים טוות בו [סוכה לז.]. ובכרכר. עץ יש לאורגין וראשו חד [שבת פא.]. האידנא. עכשיו [סוכה יח.]. על טהרת יין ושמן. ומותר לקבל מידם יין לנסכים ושמן למנחות כדתנן במתניתין (לקמן דף כה:) [לעיל כב.]. לנסכים אם אמרו טהורין הן והימנוהו רבנן כדי שלא יהא כל אחד הולך ובונה במה לעצמו ושורף פרה אדומה לעצמו [חולין לה:]. ובשעת הגיתות והבדים. שהכל מטהרין את כליהן על פי חכמים כדתנן (לקמן דף כו:) עברו הגיתות והבדים והביאו לו חבית של תרומה לא יקבלנה ממנו [לעיל שם]. ואם אמר לו הפרשתי לתוכה. לתוך חבית זו רביעית לנסכים. נאמן. על כולם ומקבלם כהן ושותה [חולין שם].

אֲבָל יַד חֲבֵירוֹ לֹא – **But** they did **not** teach this stringency with regard to **the hand of his fellow.**[1] וְרַבִּי יוֹחָנָן אָמַר – **And R' Yochanan says:** אֶחָד יָדוֹ וְאֶחָד יַד חֲבֵירוֹ – When the Mishnah states that one hand can render *tamei* another hand, it applies **whether** the second hand is **his** other **hand or whether** it his **his fellow's hand.** In either case, the first hand renders the second hand *tamei.*[2] בְּאוֹתָהּ הַיָּד – And this stringency applies only to a hand that was touched **by that hand** which was originally *tamei.*[3] לִפְסוֹל אֲבָל לֹא לְטַמֵּא – And when we say that one hand makes another hand *tamei,* it means that the second hand then has the capacity **to make** *kodesh* **unfit, but not to make** it ***tamei.***[4] R' Yochanan continues: מִמַּאי – **From what** source do I deduce that the first hand has the capacity to contaminate even someone else's hand? מִדְּקָתָנֵי סֵיפָא – I deduce it **from that which the latter clause of the Mishnah states:** שֶׁהַיָּד מְטַמְּאָה חֲבֵירְתָּהּ לַקֹּדֶשׁ אֲבָל לֹא לִתְרוּמָה – FOR A HAND MAKES ITS COUNTERPART *TAMEI* WITH REGARD TO *KODESH,* BUT NOT WITH REGARD TO *TERUMAH.* הָא תּוּ לָמָּה לִי – **Why do I need** the Tanna to state **this further** clause? הָא תָּנָא לֵיהּ רֵישָׁא – **Why, he has already stated it in the first clause,** when he says, "And with regard to *terumah,* if one of [a person's hands] has become *tamei,* its counterpart is [still] *tahor;* but with regard to *kodesh,* he must immerse both of them." Can it be that the latter clause is nothing more than a reformulation of the first one? אֶלָּא לָאו שְׁמַע מִינָּהּ – **Rather, do you not learn from this** לְאַתּוּיֵי יַד חֲבֵירוֹ – that the second clause comes **to include the hand of his fellow** in the law that one hand can contaminate another hand? Indeed, it must be so.

The Gemara notes further:

וְאַף רֵישׁ לָקִישׁ הֲדַר בֵּיהּ – **And even Reish Lakish** subsequently **retracted** his earlier view on this matter (and came to agree with R' Yochanan that a hand can contaminate even someone else's hand), as evidenced by the following teaching of Reish Lakish. דְּאָמַר רַבִּי יוֹנָה אָמַר רַבִּי אַמִּי אָמַר רֵישׁ לָקִישׁ – **For R' Yonah said in the name of R' Ami, who said in the name of Reish Lakish:** אֶחָד יָדוֹ וְאֶחָד יַד חֲבֵירוֹ – The Mishnah's stringency applies **whether** the second hand is **his** other **hand or whether** it his **his fellow's hand.** בְּאוֹתָהּ הַיָּד – And this stringency applies only to a hand that was touched **by that hand** which was originally *tamei.* לִפְסוֹל אֲבָל לֹא לְטַמֵּא – And when we say that one hand makes another hand *tamei,* it means that the second hand then has the capacity **to make** *kodesh* **unfit, but not to make** it ***tamei.***[5]

The Gemara notes:

וְלִפְסוֹל אֲבָל לֹא לְטַמֵּא תַּנָּאֵי הִיא – And the statement that the second hand has the capacity only **to make** *kodesh* **unfit, but not to make** it ***tamei*** **is** in fact a matter of dispute between **Tannaim.** דִּתְנַן – **For we learned in a Mishnah:**[6] כָּל הַפּוֹסֵל בִּתְרוּמָה – ANYTHING THAT MAKES *TERUMAH* UNFIT through contact מְטַמֵּא יָדַיִם לִהְיוֹת שְׁנִיּוֹת – MAKES THE HANDS *TAMEI* AS *SHENIYOS.*[7] וְיָד מְטַמָּא חֲבֵירְתָּהּ – AND A HAND MAKES ITS COUNTERPART *TAMEI.* דִּבְרֵי רַבִּי יְהוֹשֻׁעַ – These are THE WORDS OF R' YEHOSHUA.[8] וַחֲכָמִים אוֹמְרִים – BUT THE SAGES SAY: יָדַיִם שְׁנִיּוֹת הֵן – The HANDS ARE but *SHENIYOS,* וְאֵין שֵׁנִי עוֹשֶׂה שֵׁנִי (בחולין) – AND A *SHENI* CANNOT MAKE that which touches it A *SHENI.*[9] מַאי לָאו שֵׁנִי הוּא דְּלָא עָבִיד – Now, **is it not** that the Sages mean as follows: **It is a only a *sheni* that [the first hand] cannot make** the second one into, הָא שְׁלִישִׁי עָבִיד – **but it** indeed **makes** the second hand into **a *shelishi*?** It emerges, then, that according to R' Yehoshua, the first hand gives the second one the capacity to make *kodesh* into a *tamei.*[10] According to the Sages, however, the first hand gives the second one only the capacity to make the *kodesh* unfit, not to make it *tamei.* Thus, we have apparently shown that the issue of whether the second hand makes *kodesh* that it touches into a *tamei* or whether it simply makes that *kodesh* unfit is a matter of dispute between R' Yehoshua and the Sages.

The Gemara counters:

דִּלְמָא לֹא שֵׁנִי עָבִיד וְלֹא שְׁלִישִׁי – How do you know that the Sages mean that the first hand makes the second one a *shelishi*? **Perhaps** they mean that the **[first hand] neither makes** the second hand **a *sheni* nor a *shelishi*!**[11] Thus, we have no proof from here that Tannaim dispute whether one hand gives the other the capacity to render *tamei* or only to render unfit.[12]

The Gemara replies:

אֶלָּא כִּי הָנֵי תַּנָּאֵי – **Rather,** the issue of whether the second hand has the capacity to make the *kodesh* into a *tamei* or only to make it unfit is **dependent on** the dispute between **these** following

NOTES

1. I.e. when the Mishnah states that "a hand makes its counterpart *tamei,*" it means only that a person's *tamei* hand contaminates *his* other hand by touching it. But if a person's *tamei* hand touches someone else's *tahor* hand, it does not render the second person's hand *tamei* (*Rashi*).

2. I.e. whether his hand that was *tamei* touched his other hand, or the hand of his fellow, it renders it *tamei.*

3. I.e. only the first person's originally *tamei* hand can make someone else's hand *tamei.* The first person's second hand, however, does not make someone else's hand *tamei* [by touching it] (*Rashi*).

4. [As the Gemara will point out below, this follows the view of R' Yose the son of R' Yehudah in the Baraisa cited above, 24a.]

5. In this retraction, Reish Lakish says exactly what R' Yochanan said originally.

6. *Yadayim* 3:2.

7. I.e. if hands touch a *sheni,* they become *sheniyos* as well. [*Sheniyos* is the plural form of *sheni.*]

8. [R' Yehoshua's last statement ("a hand makes its counterpart *tamei*") is a restatement of our Mishnah's stringency, and thus refers specifically to *kodesh* (*Tosafos* ד״ה דתנן; *Rash* and *Rosh* to *Yadayim* ad loc.; cf. *Tosafos Yom Tov* ad loc.). There is some question, however, whether R' Yehoshua's first statement (that a *sheni* makes hands that it touches into *sheniyos*) similarly refers only to *kodesh,* or if it refers even to *terumah* (see sources cited above).]

9. [The word in parentheses (בְּחוּלִין, *in the case of chullin*) should be deleted (see *Dikdukei Soferim* §300).]

This retort of the Sages makes sense only if we say that when R' Yehoshua said, "a hand makes its counterpart *tamei,*" he meant that the second hand becomes a *sheni* just like the first. It is to this that the Sages object and say that the first hand, which is a *sheni,* cannot make the second hand a *sheni* (*Rashi*).

10. That is, the first hand (a *sheni*) makes the second hand a *sheni* as well. The second hand then makes the *kodesh* that it touches *tamei* – i.e. a *shelishi,* which will make unfit some other *kodesh* that *it* in turn touches.

11. That is, perhaps the Sages disagree altogether with this stringency of our Mishnah, and maintain that one hand does not affect the other one at all, even with regard to *kodesh.* But all who *do* subscribe to this stringency agree that its intent is to make the second hand a *sheni* (which can make the *kodesh* it touches *tamei,* not merely unfit). And the Sages mean by their response as follows: The stringency of a hand contaminating its counterpart is untenable, for hands are always *sheniyos.* Thus, the first hand, which is a *sheni,* cannot make the hand that it touches a *sheni* (since a *sheni* does not make something else a *sheni*). Nor can it make the second hand a *shelishi,* since the second hand, were it to be deemed *"tamei,"* would have to be deemed a *sheni* like all other *tamei* hands (*Rashi,* as explained by *Menachem Meishiv Nefesh;* cf. *Hagahos HaBach*).

12. [Rather, all Tannaim who subscribe to this stringency might hold that the first hand gives the second the capacity to render *tamei,* unlike the view espoused by both R' Yochanan *and* Reish Lakish!]

לד א מיי' פי"ג מהל' אבות הטומאות הלכה יב:
לה ב מיי' פ"ח שם הל' ג סמג עשין רמז:
לו ג ד מיי' שם פי"ג הלכה יג:
לז ה ו מיי' שם הל' טו:
לח ז ח ט מיי' פי"א מהל' מטמאי משכב ומושב הלכה יג:
לט י מיי' שם הלכה ג:
מ כ מיי' שם הלכה ד:

אבל יד חבירו לא ור' יוחנן אמר א אחד ידו ואחד יד חבירו באותה היד לפסול אבל לא לטמא ממאי מדקתני סיפא שהיד מטמאה חבירתה לקדש אבל לא לתרומה הא תו למה לי הא תנא ליה רישא אלא לאו שמע מינה לאתויי יד חבירו ואף ר"ל הדר ביה דא"ר יונה א"ר אמי אמר ר"ל אחד ידו ואחד יד חבירו באותה היד לפסול אבל לא לטמא ולפסול אבל לא לטמא תנאי היא ב דתנן כל הפוסל בתרומה מטמא ידים להיות שניות ויד מטמא חבירתה דברי ר' יהושע וחכ"א ג ידים שניות הן ואין שני עושה שני (בחולין) מאי לאו שני הוא דלא עביד הא שלישי עביד דלמא לא שני עביד ולא שלישי אלא כי הני תנאי דתניא יד נגובה מטמא את חבירתה לטמא בקדש אבל לא לתרומה דברי רבי ר' יוסי בר' יהודה אומר אותה יד לפסול אבל לא לטמא: אוכלין אוכלים נגובין בידים מסואבות כו': ד תניא א"ר חנינא בן אנטיגנוס וכי יש נגובה לקדש והלא חיבת הקדש מכשרתן לא צריכא ד כגון שתחב לו חבירו לתוך פיו או שתחב הוא לעצמו בכוש ובכרכר וביקש לאכול צנון ובצל של חולין עמהן לקדש גזרו בהו רבנן לתרומה לא גזרו בהו רבנן: ה האונן ומחוסר כפורים כו': מאי טעמא ו כיון דעד האידנא הוו אסירי אצרכינהו רבנן טבילה:

מתני' חומר בתרומה שביהודה ז נאמנין על טהרת יין ושמן כל ימות השנה ח ובשעת הגיתות והבדים אף על התרומה ט עברו הגיתות והבדים י והביאו לו חבית של יין של תרומה לא יקבלנה ממנו אבל מניחה לגת הבאה ג) כ ואם אמר לו הפרשתי לתוכה רביעית קדש נאמן כדי יין וכדי שמן המדומעות

דתנן כל הפוסל את התרומה כו'. קשה לר"י דאמרינן בפ"ק דשבת (דף יד. ושם) אף הידים הבאות מחמת ספר פוסלות את התרומה משום דר' פרנך דאמר וכו' מאי קאמר אפי' כל מילי נמי דפוסל את התרומה מטמא ידים כדתנן הכא וי"ל דספר גזרה ראשון ואח"כ של שאר מילי ועוד יש לומר דלרבנן איצטריך התם דפליגי עליה דרבי יהושע ומיהו טפי נראה לומר דאף ר' יהושע לא קאמר רק לקדש כדמשמע כולה שמעתין אבל לתרומה לא וכי קאמר בסיפא דמתני' אמר להם רבי יהושע והלא כתבי הקדש שניים מטמאין את הידים אמרו ליה אין למדין דברי תורה כו' ומאי קא מקשי להו הא איהו מודה דכתבי הקדש מיירי אף לתרומה והיינו דכל הפוסל את התרומה דוקא לקדש התם לאו קושיא היא אלא סיומא דמלתא קמסיק בה ליתן טעם על דבריו למה שני עושה שני דה"נ מלינו בתרומה כ"ש לקדש אבל קשה להר"ר אלחנן מאי סייעתא מייתי למלתיה מכתבי הקדש שאני התם משום דר' פרנך כל האוחז ס"ת ערום כו' ותירץ הר"י דבספר נמי היכא דלא שייך דר' פרנך קאמר ליה כגון לרצועות של תפילין עם התפילין אבל אכתי היה קשה להר"ר אלחנן בפ"ב דחולין (דף לג.) מלינו לשני עושה שני ע"י משקין ופריך תחילה נמי הוה ואמאי לא קאמר ביד שמטמאה את חברתה כי הכא וי"ל דאיהו קאמר ליה במס' ידים לכך לא חש להביא סייעתא ממה שאמר איהו וגם ע"י ספר לא בעי למימר מלינו שני עושה שני דהתם טעמא רבה איכא משום דר' פרנך ומיהו התם לא בעי למימר שני עושה שני משום גזרה דשבת די"ח דבר דאמרינן דלמא שדי משקין דתרומה לפיו כי אכיל אוכלין טמאים דהתם נמי ידע הא טעמא אלא קמתמה כיון שלא מלינו טומאה כהאי גוונא היכי ק) גזרינן א"ל הכא והיא דהתם דקאמר שלישי שני לקדש ולא לתרומה בחולין שנעשו עטה"ק וקשה אמאי לא חשיב לה גבי מעלות הכא וי"ל דהתם מפרש טעמא שאני תרומה שטהרתה טמאה היא אבל הקדש א"כ לאו משום מעלה היא הר"ר אלחנן ומיהו למאן דלית ליה התם דאהדר ליה הכי ר"א לר' יהושע ולא קמסיק אף אני לא אמרתי דקאמר התם אמוראי נינהו ואליבא דר' יוחנן א"כ אמאי לא חשיב ליה וי"ל דאיכא למימר דבתרומה לא גזור משום דזריזין גבי תרומה אבל לא גבי קדש הלכך לא שייך למימר בהן מעלה ודוגמתו מלינו בריש פירקין בירושלמי גבי חומר בקדש ר' חייא בשם ר' יוחנן מפני שאוכלי תרומה זריזין הן ואוכלי קדש אינן זריזין א"ר חנינא קומי ר' מנא הדא היא מעלה אילו דבר שבזה ובזה טהור ובזה טמא הדא היא מעלה אלמא לא חשבינן ליה מעלה בדבר התלוי בזריזות:

לא צריכא שתחב לו חבירו בפיו או שתחב כו'. משמע דהוי לישנא דהש"ס מיהו בתוספתא גרסינן ליה ר' חנינא בן אנטיגנוס אומר וכי יש נגובה בקודש אלא תחב ליה חבריה או שתחב הוא בכוש או בקיסם ואוכל עמה זית או בצל ו) של תרומה ולהכי נקט כוש דהוו ליה פשוטי כלי עץ דלא מקבלי טומאה ואפי' מדרבנן לא מקבלי טומאה פשוטים קטנים ודומה לו ההיא דריש חולין (דף ג. ושם) כגון שבדק קרומית של קנה ושחט בה משום דהוה פשוטי כלי עץ דלא מקבל טומאה וכי אמרינן בהמוכר את [הבית] (ב"ב דף סו.) דף של נחתומין טמא אע"ג דלית ליה בית קבול כלל התם טמא משום משמש אדם ומשתמש ממשמשי אדם וכן ההיא דטבלא המתהפכת טמאה דבפרק שתי הלחם (מנחות דף נז:) אף למ"ד מסגרתו למטה היתה אע"ג דלא מחברא לטבלא כדמשמע בריש סוכה (דף ה.) אלא מטעם משמשי אדם הוי והכי איתא בהדיא בת"כ ובריש סוכה ז) פירשתי:

לקדש גזור רבנן. שמא יגע בידיו שניות לקדש שבתוך פיו וכן פירש רש"י ועוד היינו יכולים לפרש דלמא נגע ברוק פיו דחשיב משקה בפרק בתרא דעירובין (דף לט. ושם) גבי אכל דבילה בידים מסואבות:

שביהודה נאמנין על טהרת יין ושמן בכל השנה. פרש"י אם הקדישו למזבח בשעת הבציר כל ימות השנה נאמנין בשמירה ואמר הר"ר אלחנן דכן יתכן לפרש דאי בלא הקדישו בשעת הבציר ה"ל חולין ונטמא בטומאת ע"ה ח) וכי הדר עליו משום דלאקדשיה פקע ליה טומאה מיניה א"כ הוה מלינו למימר דיחדו לנסכים נמי וכגון שידוע לנו שחולין הן שיחדן וכי אקדשיה איכא למימר שאימת קדש עליו ומעיקרא היה זהיר לשמרו בטהרה וכן מלינו גבי תרומה בסמוך דע"ה מניח תרומה של כל ימות השנה לשנה הבאה בשעת הגיתות ליתנה לחבר ותניא בתוספתא אע"פ שמכירה החבר שהיא תרומה ואפי' החבר עצמו משמע בגמרא שישהנה לשנה הבאה [illegible]

אבל יד חברו. אם נגעה ביד חברו לא טימאתה: **באותה היד.** אם נגע ביד הראשונה ביד חברו אבל השניה אינה מטמאה יד חברו: **ולפסול.** את הקדש הוא דאמר יד מטמאה חבירתה אבל לא לטמא: **הא תנא ליה רישא.** ולקדש מטבילין שניהן: **אין שני עושה שני.** אין יד שהיא שניה עושה את חבירתה שניה מכלל דשמעי' לר' יהושע דאמר היד מטמאה את חבירתה להיות כמותה: **ודלמא לא שני ולא שלישי.** דלית להו הך מעלה דמתני' אבל מאן דאית ליה אפי' לטמא אית ליה להכי קאמר ידים לעולם שניות הן לפיכך (א) אין יד מטמאה את חבירתה: **וכי יש נגובה בקדש.** והלא חיבת הקדש מכשרת: אלא אין נגובה זו לומר כשלא הוכשרו אלא כשהוכשרו לטומאה ועכשיו הן נגובין וטומאה הן מקבלין ולא הוצרכה משנתנו לדבר באוכלי קדש נגובין אלא באוכלי חולין נגובין ואוכלי קדש: **תחב לו חברו.** בידים טהורות וזה האוכל ידיו מסואבות: **או שתחבן הוא עצמו בכוש או בכרכר.** שהן פשוטי כלי עץ ואין מקבלין טומאה: **וביקש לאכול צנון או בצל של חולין עמהן.** שאין ידים מטמאות את החולין ואפ"ה גזור רבנן שלא יאכלם עם הקדש פן תגע ידו מסואבת באוכלי קדש שבפיו: **לענין תרומה.** אע"פ שהיד מסואבת פוסלתה לא עשו מעלה אלא אמרינן זהיר ולא נגע וה"ק מתניתין אוכלין חולין בידים מסואבות עם התרומה אבל לא עם הקדש ולהכי נקט נגובין שאילו עכשיו היו משקין עליהם היו משקין נעשין ראשונים מחמת הידים ועושין את החולין שניים וכשנוגעין בתרומה שבפיו פוסלין אותם א] ואית דמסיק מלתא בנגובין שמעולם לא הוכשרו וקשיא לי בחולין מה לי הוכשרו מה לי לא הוכשרו הלא אין ידים מועילות כלום לחולין: **כיון דעד האידנא אסירי.** דמחוסר כפורים מותר בתרומה ואסור בקדש וכן אונן ואע"פ שאסורים במעשר שני מותרין בתרומה כדאמרינן במסכת יבמות ד) מוכל זר יתירה זרות אסרתי לך ולא אנינות: **מתני' שביהודה נאמנין.** עמי הארץ: **על טהרת יין ושמן.** של קודש אם הקדישוהו למזבח בשעת הגיתות והבדים נאמנין על שמירתן כל ימות השנה ובגמ' מפרש מאי שנא יהודה דנקט: **ובשעת הגיתות והבדים.** הכל מטהרין את כליהם: **והביאו לו.** עמי הארץ לכהן חבר: **אבל מניחה.** עם הארץ לגת הבאה ואז יתננה לכהן: **רביעית לוג שמן נאמן.** דמיגו דנאמן אקדש נאמן אתרומה:
המדומעות

רבינו חננאל

אחד ידו ואחד ידו של חבירו לפסול אבל לא לטמא ש"מ דאדאשי ליה לידו ליד חבירו בחיבורין סבירא ליה כרב שיזבי דאי לא תימא הכי יד חבירו שלא בחיבורין איצטריכא ליה למימר דלא מטמאה אלא לאו בחיבורין סבירא ליה. ור"ל נמי הדר ביה ואמר כרבי יוחנן. ואסיקנא לפסול אבל לא לטמא תנאי היא דתניא יד נגובה מטמאה לחברתה לטמא בקדש אבל לא לתרומה דברי ר' רבי יוסי ב"ר יהודה אומר אותה היד לפסול אבל לא לטמא: מעלה תשיעית אוכלין אוכלים נגובין בידים מסואבות בתרומה אבל לא לקדש כיון דבהדיא אמר רחמנא וכי יותן מים על זרע ונפל מנבלתם עליו. פי' אם הוכשרו האוכלין מטמאין ואם לא הוכשרו אין מטמאין ושנינו במשנתנו אוכלין אוכלים נגובין. פי' שיבשין שלא הוכשרו ואע"ג שהאוכלין הללו הן תרומה אוכלין אותן בידים מסואבות שכיון שלא הוכשרו אין מקבלין טומאה והני מילי לתרומה אבל לקדש עשו בו מעלה שאע"פ שלא הוכשרו לא יאכלו לאדם שהוא טהור בידים מסואבות. ומתמיה ר' חנינא בן אנטיגנוס וכי יש נגובה לקדש והלא חיבתן מכשרתן. כלומר חיבת הקדש משוה לאוכלין כאלו הוכשרו והנוגע בהן בידים מסואבות ודאי טימאו כי כמוכשרין הן חשובין למה ליה למתני' ופרקינן ודאי לנגוע בידים מסואבות לאוכלי קדש ואע"פ שהן נגובין לא אצטריכא ליה. כי אצטריך ליה כגון שלא נגע הוא בידו אלא תחב לו אדם טהור וידיו טהורות לתוך פיו של זה שהוא כולו טהור וידיו טמאות שנטמאו בהיסח הדעת או הוא עצמו תחב בכוש או בכרכר והכניס לתוך פיו וביקש לאכול צנון ובצל של חולין עמהן. אוכלי קדש גזרו בהן שמא יכניס ידו לתוך פיו להפך המאכל בפיו ויגע בהן ויטמאם אבל באוכלי תרומה לא גזרו בהן. וכן עוד אמרו גבי בשר הקדש האי דכתיב והבשר אשר יגע בכל טמא לא יאכל. האי בשר דאתכשר במאי אי נימא דאתכשר בדם קדשים כו' ואסיקנא אלא דאתכשר בחיבת הקדש ואמרינן אימור דמהניא חיבת [הקדש] לא יפסוליה לטמויי כדי למיניא ביה ראשון ושני נמי מהניא חיבת הקדש

וכבר פירשנוהו בפסחים בפרק ראשון: מעלה עשירית אונן ומחוסר כפורים צריכין טבילה לקדש אבל לא לתרומה וזו כבר פרשנוה בפסחים בסוף פרק האשה אונן טובל ואוכל פסחו לערב אבל לא בקדשים מאי טעמא אנינות יום הוא מדאורייתא שנאמר לא אכלתי באוני ממנו אבל לא אנינות לילה אלא מדרבנן הוא בקדשים אפילו בלילה בפסח שהוא עשה שיש בו כרת דכתיב חדל לעשות הפסח ונכרתה לא העמידו דבריהם במקום כרת כו' ודבריהן פשוטין הן: כבר שלמו המעלות שיש לקדש על מעלות התרומה. וחזרו לדבר עוד חומרי התרומה וזו היא ששנינו חומר בתרומה שביהודה נאמנין לקדש על הגתות והבדים מדקתני

מסורת הש"ס

א) ידים פ"ג מ"ב, ב) [תוספתא פ"ג], ג) [עי' תוספות זבחים פח. ד"ה מן ותוספות חולין לג: ד"ה והא], ד) [שם: ע"ש], ה) גורסין ליה הכא כל"ל, ו) בתרומה כצ"ל, מהרש"א, ז) [שם בד"ה ומשכחת], ח) וכי קדשי מאי הוי משום דאקדשי' כצ"ל.

הגהות הב"ח

(א) רש"י ד"ה ודלמא וכו' לפיכך אין יד מטמאה כל"ל ותיבת אין נמחק:

הגהות מהר"ב רנשבורג

א] רש"י ד"ה לענין תרומה וכו' ואית דמסיק מלתא בנגובים שמעולם לא הוכשרו. נ"ב וכן פרש"י במתניתין ע"ש:

ליקוטי רש"י

כוש. פלך פח"ל בלע"ז שהנשים טווים בו [סוכה לז.]. ובכרכר. עץ יש לאורגין ולאשה חד [שבת פא.]. האידנא. עכשיו [סוכה יח.]. על טהרת יין ושמן. לנסכים יין לנסכים ושמן למנחות כדתנן במתניתין (לקמן דף כה:) חומר בתרומה שביהודה נאמנין על טהרת יין ושמן [לעיל כב.]. לנסכים אם אמרו טהורין הן והימנוהו רבנן כדי שלא יהא כל אחד הולך ובונה במה לעצמו ושורף פרה אדומה לעצמו [חולין לה:]. ובשעת הגיתות והבדים. שהכל מטהרים את כליהן על פי חכמים כדתנן (לקמן דף כה:) עברו הגיתות והבדים והביאו לו חבית של תרומה לא יקבלנה ממנו [לעיל שם]. ואם אמר לו הפרשתי לתוכה. לתוך חבית זו רביעית לנסכים. נאמן. על כולם ומקבלם כהן ושותה [חולין שם].

Tannaim.[13] **דְּתַנְיָא – For it was taught in a Baraisa: יָד נְגוּבָה מְטַמָּא אֶת חֲבֵירְתָּהּ – A DRY HAND** that is *tamei* **MAKES ITS COUNTERPART** ***TAMEI,*** **לְטַמֵּא בַּקֹּדֶשׁ – TO MAKE** ***KODESH*** that it touches *tamei,* **אֲבָל לֹא לִתְרוּמָה – BUT NOT TO** make ***TERUMAH*** that it touches *tamei* (or even *pasul*); **דִּבְרֵי רַבִּי – these are THE WORDS OF REBBI. רַבִּי יוֹסֵי בְּרַבִּי יְהוּדָה אוֹמֵר – R' YOSE THE SON OF R' YEHUDAH SAYS: אוֹתָהּ יָד –** The stringency applies only to **THAT HAND** which was originally *tamei.* **לִפְסוֹל אֲבָל לֹא לְטַמֵּא –** And the stringency is meant **TO** give the second hand the capacity **TO MAKE** *kodesh* **UNFIT, BUT NOT TO MAKE** it ***TAMEI.*** Thus, it is clearly a Tannaic dispute as to whether the stringency that "a hand makes *tamei* its counterpart" means that the second hand makes the *kodesh* that it touches *tamei,* or whether it merely makes the *kodesh* unfit.

The Gemara now discusses the Mishnah's tenth case:

אוֹכְלִין אוֹכָלִים נְגוּבִין בְּיָדַיִם מְסוֹאָבוֹת כו׳ – WE MAY EAT DRY FOODS WITH CONTAMINATED HANDS etc. [in the case of *terumah* foods, but not in the case of *kodesh* foods].

The Gemara cites a Baraisa that elaborates this stringency:

תַּנְיָא – It was taught in a Baraisa: אָמַר רַבִּי חֲנִינָא בֶּן אַנְטִיגְנוֹס – R' CHANINA BEN ANTIGNOS SAID: וְכִי יֵשׁ נְגוּבָה לְקֹדֶשׁ – BUT IS THERE any advantage to **SOMETHING DRY IN** the case of ***KODESH?*** **וַהֲלֹא חִיבַּת הַקֹּדֶשׁ מַכְשַׁרְתָּן – WHY, DOES NOT THE ESTEEM FOR** ***KODESH*** **PREPARE THEM** to be susceptible to *tumah* even without their becoming wet?[14] **לֹא צְרִיכָא כְּגוֹן שֶׁתָּחַב לוֹ חֲבֵירוֹ לְתוֹךְ פִּיו – IT MUST REFER,**[15] then, **TO A CASE IN WHICH ONE'S COMPANION STUCK** *kodesh* foods **INTO HIS MOUTH FOR HIM, אוֹ שֶׁתָּחַב הוּא לְעַצְמוֹ בְּכוּשׁ וּבִכְרִכָּר – OR IN WHICH HE STUCK** them **INTO HIS OWN** mouth **USING A TOOTHPICK OR STICK,**[16] **וּבִיקֵּשׁ לֶאֱכוֹל צְנוֹן וּבָצָל שֶׁל חוּלִּין עִמָּהֶן – AND HE** then **WISHED TO EAT A RADISH OR ONION OF** ***CHULLIN*** **WITH THEM.**[17] **לְקֹדֶשׁ גָּזְרוּ בְּהוּ רַבָּנָן – FOR** ***KODESH*** food, **THE RABBIS DECREED REGARDING THEM** that they may not be eaten simultaneously with the *chullin* food in his *tamei* hands.[18] **לִתְרוּמָה לֹא גָּזְרוּ בְּהוּ רַבָּנָן –** But **FOR** ***TERUMAH*** foods, **THE RABBIS DID NOT DECREE REGARDING THEM** that they should not be eaten with the *chullin* food in his *tamei* hands.[19]

The Gemara now discusses the last stringency stated in the Mishnah:

הָאוֹנֵן וּמְחוּסַּר כִּפּוּרִים כו׳ – THE ***ONEIN*** **AND THE** ***MECHUSSAR KIPPURIM*** **etc.** [require immersion for *kodesh* but not for *terumah*].

The Gemara explains:

מַאי טַעְמָא – What is the reason that these people require immersion for *kodesh*? **כֵּיוָן דְּעַד הָאִידָּנָא הָווּ אֲסִירֵי – Since until this time they were forbidden** to eat *kodesh,* **אַצְרְכִינְהוּ רַבָּנָן טְבִילָה – the Rabbis required them** to undergo **immersion** before partaking of *kodesh.*[20]

NOTES

13. This Baraisa was cited above on 24a.

14. R' Chanina ben Antignos asks as follows: The meaning of this stringency is apparently that while one may eat dry *terumah* foods [i.e. foods that have *never* been wet – see 20b note 18] with hands that are *sheniyos,* he may not eat dry *kodesh* foods with them. One may eat the dry *terumah* foods with them, because the foods are not *muchshar* to receive *tumah,* and thus remain impervious to the *tumah* of the unwashed hands. He may not, however, eat dry *kodesh* foods with them (though the *kodesh* foods, too, are not *muchshar* to receive *tumah*) because of a special stringency decreed for *kodesh.* R' Chanina objects that this understanding is untenable. For we have a general rule that *kodesh* does not require wetness to become *muchshar* to receive *tumah,* since the very "esteem of *kodesh* prepares them" (see also 23b note 21). Thus, the fact that dry *kodesh* may not be eaten with unwashed hands while *terumah* may be eaten with them emerges from the general differences between *terumah* and *kodesh,* and cannot be what the Mishnah refers to when it speaks of a special stringency decreed for *kodesh*! [See *Siach Yitzchak, Yad David, Meromei Sadeh* and *Kesef Mishneh* to *Hil. She'ar Avos HaTumos* 12:13, who discuss why we cannot say that the Mishnah means to teach this very rule that *kodesh* does not require *hechsher,* because the esteem of *kodesh* prepares it.]

15. [Literally: No, it is necessary . . .]

What follows seems, on the basis of its wording, to be an Amoraic explanation. It very closely parallels, however, the conclusion of this Baraisa as found in *Tosefta* 3:5 [and is thus probably the Gemara's paraphrase of that Baraisa's conclusion] (see *Tosafos* ד״ה לא צריכא).

16. I.e. the Baraisa now retreats from our original understanding of the Mishnah [see, however, end of note 19]. We no longer explain the Mishnah to mean that the *terumah* or *kodesh* foods are dry (for the *kodesh* would be *muchshar* in any case). Rather, the *kodesh* or *terumah* food itself might even be wet, yet it remains unaffected by the person's *tamei* hands because they never touched it. For the Mishnah refers to where the eater's companion (whose hands are *tahor*) stuck the food into his mouth. Alternatively, the eater himself put it into his mouth without touching it directly; rather, he stuck it into his mouth with a toothpick or stick, which are not susceptible to *tumah,* as they are simple pieces of wood [i.e. nonreceptacles] (see *Rashi;* see also *Tosafos* ד״ה לא). [See *Tos. Yom Tov,* who questions the Baraisa's need to say that he used flat wooden sticks. Even if he would use proper metal utensils that are susceptible to *tumah,* the *tumah* of his hands could not be conveyed to the food, since *tamei* hands, which are *sheniyos,* cannot contaminate utensils! See also *Siach Yitzchak* and *Rashash.*]

What the Mishnah means is that the person now wishes to eat *chullin* foods with the *kodesh* or *terumah* still in his mouth, and *those chullin foods* are presently dry, as the Baraisa proceeds to explain. [As will be seen, the significance of these *chullin* foods being dry has nothing to do with their being susceptible or unsusceptible to *tumah.* Hence, it might be that they were once wet and thus became susceptible to *tumah.* It is important only that they be *presently* dry, as will be seen.]

17. The radish or onion, even if it was once wet and is thus susceptible to *tumah,* would not contract *tumah* from the person's *tamei* hands. For the hands are *sheniyos,* and a *sheni* does not make what it touches a *shelishi* in the case of *chullin* (see *Rashi*).

18. Although the *tumah* of his hands cannot be conveyed to the *kodesh* in his mouth via the dry *chullin* foods, the Rabbis were concerned that while he is putting the *chullin* in his mouth with his *tamei* hand, the hand will touch the *kodesh* already in his mouth and thereby render it *tamei* (*Rashi;* see also *Tosafos*).

19. The Rabbis were less stringent in the case of *terumah* and did not forbid eating the dry *chullin* food with his *tamei* hands lest the hands touch the *terumah* already in his mouth. Rather, they relied on the fact that the one eating *terumah* will be careful not to allow his *tamei* hand to touch the *terumah* already in his mouth (*Rashi*).

The Mishnah emphasizes, however, that the *chullin* food must be *dry.* Only then is one whose hands are *tamei* permitted to eat it together with *terumah.* But if the *chullin* food has liquid on it, then this is forbidden even in the case of *terumah.* For we are concerned that the *sheni* hand might touch the liquid, rendering it a *rishon.* [This is based on *Parah* 8:7, which states that anything which invalidates *terumah* (i.e. any *sheni*) makes liquids that it touches into a *rishon.*] The liquid would in turn make the *chullin* food it is touching into a *sheni,* and the *chullin* food would then make unfit the *terumah* food that is together with it in the person's mouth (*Rashi*). [Thus, the *terumah* food would become unfit even if the person bites only into a dry part of the *chullin* food and does not put any of the liquid on that food into his mouth.]

Rashi cites another interpretation of this passage, but rejects it.

According to this conclusion, then, the Mishnah's tenth case means as follows: We may eat dry [*chullin*] foods with contaminated hands while eating *terumah,* but not while eating *kodesh.* [The foregoing is *Rashi's* explanation of the Baraisa. *Rambam* (see *Commentary to the Mishnah,* and *Hil. She'ar Avos HaTumos* 12:13 with *Kesef Mishneh*), however, has a different explanation, according to which the meaning of the Mishnah remains essentially the same as the Gemara thought originally.]

20. Both an *onein* and a *mechussar kippurim* are forbidden to eat *kodesh* (see 21a notes 1 and 2). Since they have now left a state during which they had been forbidden to eat *kodesh,* the Rabbis decreed that they immerse themselves before eating *kodesh.* [For there is the

אבל יד חבירו לא ור' יוחנן אמר א אחד ידו ואחד יד חבירו באותה היד לפסול אבל לא לטמא ממאי מדקתני סיפא שהיד מטמאה חבירתה לקדש אבל לא לתרומה הא תו למה לי הא תנא ליה רישא אלא לאו שמע מינה לאתויי יד חבירו ואף ר"ל הדר ביה דא"ר יונה א"ר אמי אמר ר"ל אחד ידו ואחד יד חבירו באותה היד לפסול אבל לא לטמא ולפסול אבל לא לטמא תנאי היא דתנן ח) כל הפוסל בתרומה מטמא ידים להיות שניות ויד מטמא חבירתה דברי ר' יהושע וחכ"א ב ידים שניות הן ואין שני עושה שני (בחולין) מאי לאו שני הוא דלא עביד הא שלישי עביד דלמא לא שני עביד ולא שלישי אלא כי הני תנאי דתניא יד נגובה מטמא את חבירתה לטמא בקדש אבל לא לתרומה דברי רבי ר' יוסי בר' יהודה אומר אותה יד לפסול אבל לא לטמא: ג אוכלין אוכלים נגובין בידים מסואבות כו': ט) תניא א"ר חנינא בן אנטיגנוס וכי יש נגובה לקדש והלא חיבת הקדש מכשרתן לא צריכא ד כגון שתחב לו חבירו לתוך פיו או שתחב הוא לעצמו בכוש ובכרכר וביקש לאכול צנון ובצל של חולין עמהן לקדש גזרו בהו רבנן לתרומה לא גזרו בהו רבנן: ה האונן ומחוסר כפורים כו': מאי טעמא ו כיון דעד האידנא הוו אסירי אצרכינהו רבנן טבילה:

מתני' חומר בתרומה שביהודה ז נאמנין על טהרת יין ושמן כל ימות השנה ח ובשעת הגיתות והבדים אף על התרומה ט עברו הגיתות והבדים י והביאו לו חבית של יין של תרומה לא יקבלנה ממנו אבל מניחה לגת הבאה ג) כ ואם אמר לו הפרשתי לתוכה רביעית קדש נאמן כדי יין וכדי שמן המדומעות

רש"י

אבל יד חבירו. אם נגעה ביד חברו לא טימאתה: באותה היד. אם נגע ביד הראשונה ביד חברו אבל השניה אינה מטמאה יד חברו: ולפסול. את הקדש הוא דאמר יד מטמאה חבירתה אבל לא לטמא: הא תנא ליה רישא. ולקדש מטבילין שניהן: אין שני עושה שני. אין יד שהיא שניה עושה את חבירתה שניה מכלל דשמעי' לר' יהושע דאמר היד מטמאה את חבירתה להיות כמותה: ודלמא לא שני ולא שלישי. דלית להו הך מעלה דמתני' אבל מאן דאית ליה אפי' לטמא אית ליה להכי קאמר ידים לעולם שניות הן לפיכך (א) אין יד מטמאה את חבירתה: וכי יש נגובה בקדש. והלא חיבת הקדש מכשרת: אלא אין נגובה זו לומר כשלא הוכשרו אלא כשהוכשרו לטומאה ועכשיו הן נגובין וטומאה הן מקבלין ולא הוכשרה משנתנו לדבר באוכלי קדש נגובין אלא באוכלי חולין נגובין ואוכלי קדש: תחב לו חברו. בידים טהורות וזה האוכל ידיו מסואבות: או שתחבן הוא עצמו בכוש או בכרכר. שהן פשוטי כלי עץ ואין מקבלין טומאה: וביקש לאכול צנון או בצל של חולין עמהן. שאין ידים מטמאות את החולין ואפ"ה גזור רבנן שלא יאכלם עם הקדש פן תגע ידו מסואבת באוכלי קדש שבפיו: לענין תרומה. אע"פ שהיד מסואבת פוסלתה לא עשו מעלה אלא אמרינן זהיר ולא נגע וה"ק מתניתין אוכלין חולין בידים מסואבות עם התרומה אבל לא עם הקדש ולהכי נקט נגובין שאילו עכשיו היו משקין עליהם היו משקין נעשין ראשונים מחמת הידים ועושין את החולין שניים וכשנוגעין בתרומה שבפיו פוסלין אותה או ואית דמסיק מלתא בנגובים שמעולם לא הוכשרו וקשיא לי חולין מה לי הוכשרו מה לי לא הוכשרו הלא אין ידים מועילות כלום לחולין: כיון דעד האידנא אסירי. דמחוסר כפורים מותר בתרומה ואסור בקדש וכן אונן ואע"פ שאסורים במעשר שני מותרין בתרומה כדאמרינן במסכת יבמות ד) מוכל זר יתירה זרות אסרתי לך ולא אנינות: מתני' שביהודה נאמנין. עמי הארץ: על טהרת יין ושמן. של קודש אם הקדישוהו למזבח בשעת הגיתות והבדים נאמנין על שמירתן כל ימות השנה ובגמ' מפרש מאי שנא יהודה דנקט: ובשעת הגיתות והבדים. הכל מטהרין את כליהם: והביאו לו. עמי הארץ לכהן חבר: אבל מניחה. עם הארץ לגת הבאה ואז יתננה לכהן: רביעית לוג שמן נאמן. דמיגו דנאמן אקדש נאמן אתרומה:

תוספות

דתנן כל הפוסל את התרומה כו'. קשה לר"י דאמרינן בפ"ק דשבת (דף יד. ושם) אף הידים הבאות מחמת ספר פוסלות את התרומה משום דר' פרנך דאמר וכו' מאי קאמר אפי' כל מילי נמי דפוסל את התרומה מטמא ידים כדתנן הכא וי"ל דספר גזרה ראשון ואח"כ של שאר מילי ועוד יש לומר דלרבנן איצטריך התם דפליגי עליה דרבי יהושע ומיהו טפי נראה לומר דאף ר' יהושע לא קאמר רק לקדש כדמשמע כולה שמעתין אבל לתרומה לא וכי קאמר בסיפא דמתני' אמר להם רבי יהושע והלא כתבי הקדש שניים מטמאין את הידים אמרו ליה אין למדין דברי תורה כו' ומאי קא מקשי להו הא איהו מודה דכתבי הקדש מיירי אף לתרומה והיא דכל הפוסל את התרומה דוקא לקדש התם לאו קושיא היא אלא סיומא דמלתא קמסיק בא ליתן טעם על דבריו למה שני עושה שני דה"נ מצינו בתרומה כ"ש לקדש אבל קשה להר"ר אלחנן מאי סייעתא מייתי למילתיה מכתבי הקדש שאני התם משום דר' פרנך כל האוחז ס"ת ערום כו' ותירץ הר"י דבספר נמי היכא דלא שייך דר' פרנך קאמר ליה כגון רצועות של תפילין עם התפילין אבל אכתי היה קשה להר"ר אלחנן בפ"ב דחולין (דף לד.) מצינו לשני עושה שני ע"י משקין ופריך תחילה נמי הוה ואמאי לא קאמר ביד שמטמאה את חברתה כי הכא וי"ל דאיהו קאמר ליה במס' ידים לכך לא חש להביא סייעתא ממה שאמר איהו וגם ע"י ספר לא בעי למימר מצינו שני עושה שני דהתם טעמא רבה איכא משום דר' פרנך ומיהו התם לא בעי למימר שני עושה שני משום גזרה דשבת די"ח דבר דאמרינן דלמא שדי משקין דתרומה לפיו כי אכיל אוכלין טמאים דהתם נמי ידע הא טעמא אלא קמתמה כיון שלא מצינו טומאה כהאי גוונא היכי ה) גזרינן א"ל הכא והיא דהתם דקאמר שלישי שני לקדש ולא לתרומה בחולין שנעשו עטה"ק וקשה אמאי לא חשיב לה גבי מעלות הכא וי"ל דהתם מפרש טעמא שאני תרומה שטהרתה טמאה היא אבל הקדש א"כ לאו משום מעלה היא הר"ר אלחנן ומיהו למאן דלית ליה התם דאהדר ליה הכי ר"א לר' יהושע ולא קמסיק אף אני לא אמרתי דקאמר התם אמוראי נינהו ואליבא דר' יוחנן א"כ אמאי לא חשיב ליה וי"ל דאיכא למימר דבתרומה לא גזור משום דזריזין גבי תרומה אבל לא גבי קדש הלכך לא שייך למימר בהן מעלה ודוגמתו מצינו בריש פירקין בירושלמי גבי חומר בקדש ר' חייא בשם ר' יוחנן מפני שאוכלי תרומה זריזין הן ואוכלי קדש אינן זריזין א"ר חנינא קומי ר' מנא הדא היא מעלה אילו דבר שבזה ובזה טהור ובזה טמא הדא היא מעלה אלמא לא חשבינן ליה מעלה בדבר התלוי בזריזות:

לא צריכא שתחב לו חבירו בפיו או שתחב כו'. משמע דהוי לישנא דהש"ס מיהו בתוספתא גרסינן ליה ר' חנינא בן אנטיגנוס אומר וכי יש נגובה בקודש אלא תחב ליה חבריה או שתחב הוא בכוש או בקיסם ואוכל עמה זית או בצל י) של תרומה ולהכי נקט כוש דהוו ליה פשוטי כלי עץ דלא מקבלי טומאה ואפי' מדרבנן לא מקבלי טומאה פשוטים קטנים ודומה לו ההיא דריש חולין (דף ג. ושם) כגון שבדק קרומית של קנה ושחט בה משום דהוה פשוטי כלי עץ דלא מקבל טומאה וכי אמרינן בהמוכר את [הבית] (ב"ב דף סו.) דף של נחתומין טמא אע"ג דלית ליה בית קבול כלל התם טמא משום משמש אדם ומשתמש ממשמשי אדם וכן ההיא דטבלא המתהפכת טמאה דבפרק שתי הלחם (מנחות דף נז:) אף למ"ד מסגרתו למטה היתה אע"ג דלא מחברא לטבלא כדמשמע בריש סוכה (דף ה.) אלא מטעם משמשי אדם הוי והכי איתא בהדיא בת"כ ובריש סוכה ז) פירשתי:

לקדש גזור רבנן. שמא יגע בידיו שניות לקדש שבתוך פיו וכן פירש רש"י ועוד היינו יכולים לפרש דלמא נגע ברוק פיו דחשיב משקה בפרק בתרא דעירובין (דף לט. ושם) גבי אכל דבילה בידים מסואבות:

שביהודה נאמנין על טהרת יין ושמן בכל השנה. פרש"י אם הקדישו למזבח בשעת הבציר כל ימות השנה נאמנין בשמירה ואמר הר"ר אלחנן דכן יתכן לפרש דאי בלא הקדישו בשעת הבציר ה"ל חולין ונטמא בטומאת ע"ה ח) וכי קדש עליו משום דאקדשיה פקע ליה טומאה מיניה א"נ הוה מצינו למימר ביחדו לנסכים נמי וכגון שידוע לנו שחולין הן שיחדן וכי אקדשיה איכא למימר שאימת קדש עליו ומעיקרא היה זהיר לשומרו בטהרה וכן מצינו גבי תרומה בסמוך דע"ה מניח לגת הבאה לשנה הבאה בשעת הגיתות ליתנה לחבר ותניא בתוספתא ואפי' לחבר עצמו משמע בגמרא שישהנה לשנה הבאה ברצועה

עין משפט נר מצוה

לד א מיי' פי"ב מהל' אבות הטומאות הלכה יג:
לה ב מיי' פ"ח שם הל' ב סמג עשין רמה:
לו ג ד מיי' שם פי"ג הלכה יג:
לז ה ו מיי' שם הל' טו:
לח ז ח ט מיי' פי"א מהל' מטמאי משכב ומושב הלכה ח:
לט י מיי' שם הלכה ג:
מ כ מיי' שם הלכה ד:

רבינו חננאל

אחד ידו ואחד יד של חבירו לפסול אבל לא לטמא ש"מ דאשוי ליה לידו ליד חבירו בחיבורין סבירא ליה כרב שיזבי דאי לא תימא הכי יד חבירו שלא בחיבורין איצטריכא ליה למימר דלא מטמאה אלא לאו בחיבורין סבירא ליה. ור"ל נמי הדר ביה ואמר כרבי יוחנן. ואסיקנא לפסול אבל לא לטמא תנאי היא דתניא יד נגובה מטמאה לחברתה לטמא בקדש אבל לא לתרומה דברי ר' רבי יוסי ב"ר יהודה אומר אותה היד לפסול אבל לא לטמא: מעלה תשיעית אוכלין אוכלים נגובין בידים מסואבות בתרומה אבל לא לקדש כיון דבהדיא אמר רחמנא וכי יותן מים על זרע ונפל מנבלתם עליו. פי' אם הוכשרו האוכלין מטמאין ואם לא הוכשרו אין מטמאין ושנינן במשנתנו אוכלין אוכלים נגובין. פי' יבישין שלא הוכשרו ואע"ג שהאוכלין הללו הן תרומה אוכלין אותן בידים מסואבות שכיון שלא הוכשרו אין מקבלין טומאה והני מילי לתרומה אבל לקדש עשו בו מעלה שאע"פ שהם נגובין לא יאכלם אדם בידים מסואבות. ומתמהי' ר' חנינא בן אנטיגנוס וכי יש נגובה לקדש והלא חיבתן מכשרתן. כלומר חיבת הקדש משוה לאוכלין נגובין כאלו הוכשרו והנוגע בהן בידים מסואבות ודאי טימאו כי כמוכשרים הן חשובין למה ליה למתני' ופרקינן ודאי לנגוע בידים מסואבות לאוכלי קדש ואע"פ שהן נגובין לא אצטריכא ליה. כי אצטריך ליה כגון שלא נגע הוא בידו אלא תחב לו אדם טהור וידיו טהורות לתוך פיו של זה שהוא כולו טהור וידיו טמאות שנטמאו בהיסח הדעת או הוא עצמו תחב בכוש או בכרכר והכניסם לתוך פיו וביקש לאכול צנון ובצל של חולין עמהן. אם הן אוכלי קדש גזרו בהן שמא יכניס ידו לתוך פיו להפך המאכל בפיו ויגע בהן ויטמאם אבל באוכלי תרומה לא גזרו בהן. וכן עוד אמרו גבי בשר הקדש האי דכתיב והבשר אשר יגע בכל טמא לא יאכל. האי בשר דאתכשר במאי אי נימא דאתכשר בדם קדשים כו' ואסיקנא אלא דאתכשר בחיבת הקדש ואמרינן אימור דמהניא חיבת [הקדש] לא לטמויי ליה מיהא כדי לפסוליה ביה ראשון ושני נמי מהניא חיבת הקדש

וכבר פירשנוהו בפסחים בפרק ראשון: מעלה עשירית אונן ומחוסר כפורים צריכין טבילה לקדש אבל לא לתרומה זו כבר פרשנוה בפסחים בסוף פרק האשה אונן טובל ואוכל פסחו לערב אבל לא בקדשים מאי טעמא אנינות יום הוא מדאורייתא שנאמר לא אכלתי באוני ממנו אבל לא אנינות לילה אלא מדרבנן הוא בקדשים אפילו בלילה בפסח שהוא עשה שיש בו כרת דכתיב וחדל לעשות הפסח ונכרתה לא העמידו דבריהם במקום כרת כו' ודבריהן פשוטין הן: כבר שלמו המעלות שיש לקדש על מעלות התרומה. וחזרו לדבר עוד חומרי התרומה זו היא ששנינו חומר בתרומה שביהודה נאמנין לקדש על הגתות והבדים מדקתני

מסורת הש"ס

א) ידים פ"ג מ"ב, ב) [תוספתא פ"ג], ג) [עי' תוספות זבחים פח. ד"ה מן ותוספות חולין לה: ד"ה ואם], ד) [קח: ע"ש], ה) גורסין ליה הכא כל"ל, ו) בתרומה כל"ל, מהרש"א, ז) [שם בד"ה ומאגרתן], ח) וכי קדשי מאי הוי משום דאקדשיה כל"ל.

הגהות הב"ח

(א) רש"י ד"ה ודלמא וכו' לפיכך יד מטמאה כצ"ל ותיבת אין נמחק:

הגהות מהר"ב רנשבורג

א] רש"י ד"ה לענין תרומה וכו' ואית דמפיק מלתא בנגובים שמעולם לא הוכשרו. נ"ב וכן פרש"י במתניתין ע"ש:

ליקוטי רש"י

כוש. פלך פוה"ל בלע"ז שכונסים טווות בו [סוכה לז.]. ובכרכר. עץ יש לאורג ולאשה חד [שבת סא.]. האידנא. עכשיו [סוכה יח.]. על טהרת יין ושמן. [ומותר] לקבל מידם יין לנסכים ושמן למנחות כדתנן במתניתין [לקמן דף כד:] חומר בתרומה שביהודה נאמנין על טהרת יין ושמן [לעיל כב:]. לנסכים אם אמרו טהורין הן והימנותו רבנן כדי שלא יהא כל אחד הולך ובונה במה לעצמו ושורף פרה אדומה לעצמו [חולין לה:]. ובשעת הגיתות והבדים. שהכל מטהרים את כליהן על פי חכמים כדתנן [לקמן דף כה:] עברו הגיתות והבדים והביאו לו חבית של תרומה לא יקבלנה ממנו [לעיל שם]. ואם אמר לו הפרשתי לתוכה. רביעית קדש נאמן. על כולם ומקבלם כהן ושותה [חולין שם].

Mishnah The previous Mishnah dealt with the stringency of *kodesh* over *terumah.* This Mishnah, and those that follow, deal with the stringencies of *terumah* over *kodesh*:

חוֹמֶר בִּתְרוּמָה – The stringency of *terumah* is as follows: **שֶׁבִּיהוּדָה נֶאֱמָנִין עַל טָהֳרַת יַיִן וָשֶׁמֶן כָּל יְמוֹת הַשָּׁנָה – That in** the province of **Judea they** (i.e. *amei haaretz*) **are trusted regarding the *taharah* of** sacrificial **wine and oil throughout the days of the year,**[21] **וּבִשְׁעַת הַגִּיתּוֹת וְהַבַּדִּים אַף עַל הַתְּרוּמָה – and during the wine-pressing season and the olive-pressing season, regarding** the *taharah* of ***terumah* as well.**[22] The stringency of *terumah* is that whereas *amei haaretz* are trusted to keep *kodesh* in a state of *taharah* throughout the year, they are not trusted to keep *terumah* in a state of *taharah* throughout the year.

The Mishnah presents several laws relating to the trustworthiness of *amei haaretz* regarding *terumah:*

עָבְרוּ הַגִּיתּוֹת וְהַבַּדִּים – If the wine-pressing season and the olive-pressing season have passed, וְהֵבִיאוּ לוֹ חָבִית שֶׁל יַיִן שֶׁל תְּרוּמָה – and they (i.e. *amei haaretz*) **bring him** (i.e. a Kohen who is a *chaver*) **a barrel of *terumah* wine, לֹא יְקַבְּלֶנָּה מִמֶּנּוּ – he may not accept it from them.**[23] **אֲבָל מַנִּיחָהּ לַגַּת הַבָּאָה – However, [the *am haaretz*] may set it aside until the next wine-pressing season,** and present it to the *chaver* then.[24] **וְאִם אָמַר לוֹ – And if** after

NOTES

concern that just as their attention has been diverted from eating *kodesh,* so too was it diverted from guarding their bodies from such *tumah* that would prevent them from eating *kodesh* (see *Tiferes Yisrael*).] Since, however, they were permitted to eat *terumah* even while in those states (see 21a note 4), there is no basis for requiring them to immerse themselves for *terumah.*

[The immersion requirement was instituted only for *eating* the *kodesh.* The one who has brought his atonement offering may, however, *touch* the *kodesh* even before immersing himself, though he would disqualify it had he touched it before bringing his offering (*Rambam, Commentary to the Mishnah*). The *onein,* however, does not disqualify *kodesh* that he touches even while still an *onein* (ibid.; see also *Tos. Yom Tov, Zevachim* 12:1 ד״ה אונן נוגע).]

21. [*Amei haaretz* (sing. *am haaretz*) are those who are ignorant of, and thus generally careless of, the laws of *tumah* and *taharah.* Since many *amei haaretz* cannot be trusted in these matters, the Rabbis decreed that all *amei haaretz* must be regarded as *tamei.*] Our Mishnah teaches that this decree does not apply with regard to *kodesh.* Accordingly, if an *am haaretz* consecrates his new-pressed wine or oil for sacrificial use, he may offer it in the Temple at any time during the year (wine is used in libations; oil is used in *minchah* offerings). We do not bar his offerings on suspicion of *tumah* contamination (*Rashi*).

The decree is lifted for two reasons. Primarily, it is because the Rabbis were not eager to disqualify *amei haaretz* from bringing *kodesh* to the Temple, lest this cause them to feel excluded from Temple services. The Rabbis feared that the feeling of disenfranchisement might lead *amei haaretz* to erect their own altar outside Temple limits and offer sacrifices upon it, which is forbidden. They therefore ruled that *amei haaretz* may declare their *kodesh* free of *tumah,* and offer it upon the Altar in the Temple (see Gemara above, 22a; see *Meiri* here). A secondary reason is that the Rabbis recognized that the sanctity of *kodesh* arouses even in *amei haaretz* a sense of great awe and reverence [אֵימַת הַקֹּדֶשׁ], and the Rabbis assumed that this reverential feeling would impel the *amei haaretz* to do their utmost to prevent harm from befalling the *kodesh.* Therefore, although *amei haaretz* are generally careless of *tumah* laws, with regard to *kodesh* we are reasonably confident that they will take proper precautions, and that they will not dissemble regarding its status. We therefore trust them to keep their *kodesh* free of *tumah* (*Rambam, Commentary to Mishnah* and *Metam'ei Mishkav U'Moshav* 11:1; *Rav;* see *Tosafos* ד״ה שביהודה; see *Chazon Ish, Moed* §129, comments to 24b, and *Parah* 10:4). [It should be noted that the Gemara (on 22a) offers the former reason only; the latter reason is introduced by the aforementioned Rishonim. We have followed the lead of *Chazon Ish* (ibid.; see also *Meromei Sadeh* to 22a) in combining the reasons. He explains that while the decree is *primarily* lifted because of the fear that the *amei haaretz* will build their own altar, the Rabbis would not have taken this step without *some* assurance that they can be trusted to keep *kodesh* free of *tumah.* Their reverence for *kodesh* provides that assurance. For a different approach toward reconciling the two reasons, see *Chazon Ish, Tohoros* 8:1; see also *Aruch HaShulchan HeAsid, Tumas Meis* 49:9.]

Rashi writes that the *amei haaretz* must consecrate the wine or oil at the time of pressing [בִּשְׁעַת הַגִּתּוֹת]. This does not mean that it must be consecrated during the general pressing season, but that the consecration, whenever it takes place, must be accomplished *before* the fruit is rendered susceptible to *tumah.* For were the consecration delayed, the wine or oil would become *tamei* immediately, as does all an *am haaretz's* unconsecrated (*chullin*) food. Once invested with *tumah,* it cannot be made *tahor* by being declared *kodesh* (*Rashi* as understood by *Tosafos* ד״ה שביהודה and *Chazon Ish, Moed* §129, comments to 24b ד״ה והנה). [Note, however, that *Tos. Rid* understands *Rashi* to be saying that the *am haaretz* must consecrate the wine or oil *during* the pressing season (when people customarily purify their vessels); this provides some assurance that the *kodesh* is actually *tahor.* According to this understanding of *Rashi,* an *am haaretz* will not be trusted regarding a late crop of grapes or olives, which are pressed after the general pressing season (see also *Turei Even* to 26a).]

Although the Mishnah mentions the province of Judea only, the fact is that *amei haaretz* of other provinces are also trusted regarding the *taharah* of *kodesh.* The Gemara (26a) will explain why Judea is singled out (*Rashi*).

[We have stated that the primary reason to lift the decree is the fear that the *amei haaretz* will resent being unable to offer sacrifices in the Temple. It follows that the permit applies only to the *amei haaretz* themselves. We, however, may not purchase the *kodesh* of an *am haaretz* to fulfill our own sacrificial obligations (*Chazon Ish, Parah* 10:1).]

[Some Rishonim maintain that the lifting of *am haaretz tumah* in the case of *kodesh* is a matter of dispute; others disagree. For discussion, see 22a note 38.]

22. All through the year, *amei haaretz* are not trusted to declare their *terumah* free of *tumah.* During the pressing season, however, they are trusted to do so. For at these times, it is customary for all Jews – even *amei haaretz* – to purify their vessels [and themselves] in accordance with the instructions of the *chaverim* (those scrupulous in following the *tumah* laws), so as to ensure the *taharah* of the new *terumah* (*Rashi;* see *Rashi* 22a ד״ה לא מקבלינן; *Rambam, Commentary to Mishnah;* cf. *Tosafos* 22a ד״ה לא מקבלין מינייהו). Therefore, we may assume that even *amei haaretz* are free of *tumah* during these periods. Now, this alone would not have sufficed for the Rabbis to lift their decree. For while their *taharah* during the season is *probable,* it is not *certain.* However, the Rabbis had a further consideration also. They knew that the greater part of the produce of Eretz Yisrael was held by *amei haaretz,* and they wanted to ensure that Kohanim who were *chaverim* would share in their *terumos.* They therefore ruled that during the pressing seasons, when *terumah* is generally distributed, *amei haaretz* may be trusted regarding the *taharah* of *terumah* (*Rashi* 25b ד״ה ובמלאין דתרומה). Thus, there are two reason for this permit – the custom to purify vessels, and the need to protect the Kohanim from loss. Without basis to assume that the *terumah* is *tahor,* the Rabbis would not have acted to protect the *chaverim.* Without the threat to the *chaverim,* the Rabbis would not have relied upon the custom to lift their decree, for even during the pressing season one cannot be *entirely* certain that the *terumah* is *tahor* (see *Chazon Ish, Moed* §129, comments to 22a; see also comments to 24b; *Chazon Ish, Parah* 10:4; see *Chazon Ish, Tohoros* 8:1 for another approach).

23. For it is presumed to be *tamei* (*Rambam, Metam'ei Mishkav U'Moshav* 11:2).

[The Rabbis did not fear that refusing to accept *terumah* from *amei haaretz* would cause resentment, as in the case of *kodesh* (see above, note 21). For they knew the *am haaretz* would always have the option of giving the *terumah* to a Kohen who is an *am haaretz;* therefore, he would not feel excluded (see Gemara above, 22a).]

24. The Kohen may then accept it even if he recognizes it as last year's barrel, for he receives it during the pressing season, and the Rabbis did not decree *tumah* upon *amei haaretz* at this time (*Rambam, Metam'ei*

אבל יד חבירו לא ור' יוחנן אמר א אחד ידו ואחד יד חבירו באותה היד לפסול אבל לא לטמא ממאי מדקתני סיפא שהיד מטמאה חבירתה לקדש אבל לא לתרומה הא תו למה לי הא תנא ליה רישא אלא לאו שמע מינה לאתויי יד חבירו ואף ר"ל הדר ביה דא"ר יונה א"ר אמי אמר ר"ל אחד ידו ואחד יד חבירו באותה היד לפסול אבל לא לטמא ולפסול אבל לא לטמא תנאי היא דתנן א) כל הפוסל בתרומה מטמא ידים להיות שניות ויד מטמא חבירתה דברי ר' יהושע וחכ"א ב ידים שניות הן ואין שני עושה שני (בחולין) מאי לאו שני הוא דלא עביד הא שלישי עביד דלמא לא שני עביד ולא שלישי אלא כי הני תנאי דתניא יד נגובה מטמא את חבירתה לטמא בקדש אבל לא לתרומה דברי רבי ר' יוסי בר' יהודה אומר אותה יד לפסול אבל לא לטמא: ג אוכלין אוכלים נגובין בידים מסואבות כו': ד) תניא א"ר חנינא בן אנטיגנוס וכי יש נגובה לקדש והלא חיבת הקדש מכשרתן לא צריכא ד כגון שתחב לו חבירו לתוך פיו או שתחב הוא לעצמו בכוש ובכרכר וביקש לאכול צנון ובצל של חולין עמהן לקדש גזרו בהו רבנן לתרומה לא גזרו בהו רבנן: ה האונן ומחוסר כפורים כו': מאי טעמא ו כיון דעד האידנא הוו אסירי אצרכינהו רבנן טבילה:

מתני' חומר בתרומה שביהודה ז נאמנין על טהרת יין ושמן כל ימות השנה ח ובשעת הגיתות והבדים אף על התרומה ט עברו הגיתות והבדים י והביאו לו חבית של יין של תרומה לא יקבלנה ממנו אבל מניחה לגת הבאה ו) כ ואם אמר לו הפרשתי לתוכה רביעית קדש נאמן כדי יין וכדי שמן המדומעות

רש"י

אבל יד חברו. אם נגעה ביד חברו לא טימאתה: באותה היד. אם נגע ביד הראשונה ביד חברו אבל השניה אינה מטמאה יד חברו: ולפסול. את הקדש הוא דאמר יד מטמא חבירתה אבל לא לטמא: הא תנא ליה רישא. ולקדש מטבילין שתיהן: אין שני עושה שני. אין יד שהיא שניה עושה את חבירתה שניה מכלל דשמעי' לר' יהושע דאמר היד מטמא את חבירתה להיות כמותה: ודלמא לא שני ולא שלישי. דלית להו הך מעלה דמתני' אבל מאן דאית ליה אפי' לטמא אית ליה להכי קאמר ידים לעולם שניות הן לפיכך (א) אין יד מטמא את חבירתה: וכי יש נגובה בקדש. והלא חיבת הקדש מכשרת: אלא אין נגובה זו לומר כשלא הוכשרו אלא כשהוכשרו לטומאה ועכשיו הן נגובין וטומאה הן מקבלין ולא הוצרכה משנתנו לדבר באוכלי קדש נגובין אלא באוכלי חולין נגובין ואוכלי קדש: תחב לו חברו. בידים טהורות וזה האוכל ידיו מסואבות: או שתחבן הוא עצמו בכוש או בכרכר. שהן פשוטי כלי עץ ואין מקבלין טומאה: וביקש לאכול צנון או בצל של חולין עמהן. שאין ידים מטמאות את החולין ואפ"ה גזור רבנן שלא יאכלם עם הקדש פן תגע ידו מסואבת באוכלי קדש שבפיו: לענין תרומה. אע"פ שהיד מסואבת פוסלתה לא עשו מעלה אלא אמרינן זהיר ולא נגע וה"ק מתניתין אוכלין חולין בידים מסואבות עם התרומה אבל לא עם הקדש ולהכי נקט נגובין שאילו עכשיו היו משקין עליהם היו משקין נעשין ראשונים מחמת הידים ועושין את החולין שניים וכשנוגעין בתרומה שבפיו פוסלין אותם או] ואית דמפסיק מלתא בנגובין שמעולם לא הוכשרו וקשיא לי בחולין מה לי הוכשרו מה לי לא הוכשרו הלא אין ידים מועילות כלום לחולין: כיון דעד האידנא אסירי. דמחוסר כפורים מותר בתרומה ואסור בקדש וכן אונן ואע"פ שאסורים במעשר שני מותרין בתרומה כדאמרינן במסכת יבמות ז) מוכל זר יתירה זרות אסרתי לך ולא אנינות: מתני' שביהודה נאמנין. עמי הארץ: על טהרת יין ושמן. של קודש אם הקדישוהו למזבח בשעת הגיתות והבדים נאמנין על שמירתן כל ימות השנה ובגמ' מפרש מאי שנא יהודה דנקט: ובשעת הגיתות והבדים. הכל מטהרין את כליהם: והביאו לו. עמי הארץ לכהן חבר: אבל מניחה. עם הארץ לגת הבאה ואז יתננה לכהן: רביעית לוג שמן נאמן. דמיגו דנאמן אקדש נאמן אתרומה: המדומעות

תוספות

דתנן כל הפוסל את התרומה כו'. קשה לר"י דאמרינן בפ"ק דשבת (דף יד. ושם) אף הידים הבאות מחמת ספר פוסלות את התרומה משום דר' פרנך דאמר וכו' מאי קאמר אפי' כל מילי נמי דפוסל את התרומה מטמא ידים כדתנן הכא וי"ל דספר נגזרה ראשון ואח"כ של שאר מילי ועוד יש לומר דלרבנן איצטריך התם דפליגי עליה דרבי יהושע ומיהו טפי נראה לומר דאף ר' יהושע לא קאמר רק לקדש כדמשמע כולה שמעתין אבל לתרומה לא וכי קאמר בסיפא דמתני' אמר להם רבי יהושע והלא כתבי הקדש שניים מטמאין את הידים אמרו ליה אין למדין דברי תורה כו' ומאי קא מקשי להו הא איהו מודה דכתבי הקדש איירי אף לתרומה והיא דכל הפוסל את התרומה דוקא לקדש התם לאו קושיא היא אלא סיומא דמלתא קמסיק בא ליתן טעם על דבריו למה שני עושה שני דה"נ מלינו בתרומה כ"ש לקדש אבל קשה להר"ר אלחנן מאי סייעתא מייתי למילתיה מכתבי הקדש שאני התם משום דר' פרנך כל האוחז ס"ת ערום כו' ותירץ הר"י דבספר נמי היכא דלא שייך דר' פרנך קאמר ליה כגון רצועות של תפילין עם התפילין אבל אכתי היה קשה להר"ר אלחנן בפ"ב דחולין (דף לד.) מלינו לשני עושה שני ע"י משקין ופריך תחילה נמי הוה ואמאי לא קאמר ביד שמטמאה את חברתה כי הכא וי"ל דאיהו קאמר ליה במס' ידים לכך לא חש להביא סייעתא ממה שאמר איהו וגם ע"י ספר לא בעי למימר מלינו שני עושה שני דהתם טעמא רבה איכא משום דר' פרנך ומיהו התם לא בעי למימר שני עושה שני משום גזרה דשבת די"ח דבר דאמרינן דלמא שדי משקין דתרומה לפיו כי אכיל אוכלין טמאים דהתם נמי ידע הא טעמא אלא קמתמה כיון שלא מלינו טומאה כהאי גוונא היכי ה) גזרינן א"ל הכא והיא דהתם דקאמר שלישי שני לקדש ולא לתרומה בחולין שנעשו עטה"ק וקשה אמאי לא חשיב לה גבי מעלות הכא וי"ל דהתם מפרש טעמא שאני תרומה שטהרתה טמאה היא אבל הקדש א"כ לאו משום מעלה היא הר"ר אלחנן ומיהו למאן דלית ליה התם דאהדר ליה הכי ר"א לר' יהושע ולא קמסיק אף אני לא אמרתי דקאמר התם אמוראי נינהו ואליבא דר' יוחנן א"כ אמאי לא חשיב ליה וי"ל דליכא למימר דבתרומה לא גזור משום דזריזין גבי תרומה אבל לא גבי קדש הלכך לא שייך למימר בהן מעלה ודוגמתו מלינו בריש פירקין בירושלמי גבי חומר בקדש ר' חייא בשם ר' יוחנן מפני שאוכלי תרומה זריזין הן ואוכלי קדש אינן זריזין א"ר חנינא קומי ר' מנא הדא היא מעלה אילו דבר שבזה ובזה טהור ובזה טמא הדא היא מעלה אלמא לא חשבינן ליה מעלה בדבר התלוי בזריזות:

לא צריכא שתחב לו חבירו בפיו או שתחב כו'. משמע דהוי לישנא דהש"ס מיהו בתוספתא גרסינן ליה ר' חנינא בן אנטיגנוס אומר וכי יש נגובה בקודש אלא תחב ליה חבריה או שתחב הוא בכוש או בקיסם ואוכל עמה זית או בצל ו) של תרומה ולהכי נקט כוש דהוו ליה פשוטי כלי עץ דלא מקבלי טומאה ואפי' מדרבנן לא מקבלי טומאה פשוטים קטנים ודומה לו ההיא דריש חולין (דף ג. ושם) כגון שבדק קרומית של קנה ושחט בה משום דהוה פשוטי כלי עץ דלא מקבל טומאה וכי אמרינן בהמוכר את [הבית] (ב"ב דף סו.) דף של נחתומין טמא אע"ג דלית ליה בית קבול כלל התם טמא משום משמש אדם ומשתמש ממשמשי אדם וכן ההיא דטבלא המתהפכת טמאה דבפרק שתי הלחם (מנחות דף צו:) אף למ"ד מסגרתו למטה היתה אע"ג דלא מחברא לטבלא כדמשמע בריש סוכה (דף ה.) אלא מטעם משמשי אדם הוי והכי איתא בהדיא בת"כ ובריש סוכה ז) פירשתי:

לקדש גזור רבנן. שמא יגע בידיו שניות לקדש שבתוך פיו וכן פירש רש"י ועוד היינו יכולים לפרש דלמא נגע ברוק פיו דחשיב משקה בפרק בתרא דעירובין (דף עט. ושם) גבי אכל דבילה בידים מסואבות:

שביהודה נאמנין על טהרת יין ושמן בכל השנה. פרש"י אם הקדישו למזבח בשעת הבציר כל ימות השנה נאמנין בשמירה ואמר הר"ר אלחנן דכן יתכן לפרש דאי בלא הקדישו בשעת הבציר ה"ל חולין ונטמא בטומאת ע"ה ח) וכי קדש עליו משום דאקדשיה פקע ליה טומאה מיניה א"נ הוה מצינו למימר ביחדו לנסכים נמי וכגון שידוע לנו שחולין הן שיחדן וכי אקדשיה איכא למימר שאימת קדש עליו ומעיקרא היה נזהר לשומרו בטהרה וכן מצינו גבי תרומה בסמוך דע"ה מניח תרומה של כל ימות השנה לשנה הבאה בשעת הגיתות ליתנה לחבר ותניא בתוספתא אע"פ שמכירה שהיא טהורה היא ואפי' לחבר עצמו משמע בגמרא שישהנה לשנה הבאה [illegible]

עין משפט נר מצוה

לד א מיי' פ"ב מהל' אבות הטומאות הלכה יג:
לה ב מיי' פ"ח שם הל' ב סמג עשין רמז:
לו ג ד מיי' שם פי"ב הלכה יג:
לז ה ו מיי' שם הל' טו:
לח ז ח ט מיי' פי"א מהל' מטמאי משכב ומושב הלכה א:
לט י מיי' שם הלכה ג:
מ כ מיי' שם הלכה ד:

רבינו חננאל

אחד ידו ואחד ידו של חבירו לפסול אבל לא לטמא ש"מ מדאשוי ליה לידו ליד חבירו בחיבורין סבירא ליה כרב שיזבי דאי לא תימא הכי יד חבירו שלא בחיבורין איצטריכא ליה למימר דלא מטמאה אלא לאו בחיבורין סבירא ליה. ור"ל נמי הדר ביה ואמר כרבי יוחנן. ואסיקנא לפסול אבל לא לטמא תנאי היא דתניא יד נגובה מטמאה לחברתה לטמא בקדש אבל לא לתרומה דברי ר' רבי יוסי ב"ר יהודה אומר אותה היד לפסול אבל לא לטמא: מעלה תשיעית אוכלין אוכלים נגובין בידים מסואבות לתרומה אבל לא לקדש כיון דבהדיא אמר רחמנא וכי יותן מים על זרע ונפל מנבלתם עליו. פי' אם הוכשרו האוכלין מטמאין ואם לא הוכשרו אין מטמאין ושנינו במשנתנו אוכלין אוכלים נגובין. פי' יבישין שלא הוכשרו ואע"ג שהאוכלין הללו הן תרומה אוכלין אותן בידים מסואבות שכיון שלא הוכשרו אין מקבלין טומאה והני מילי לתרומה אבל לקדש עשו בו מעלה שאע"פ שהם נגובין לא יאכלו לאדם טהור בידים מסואבות. ומתמיה ר' חנינה בן אנטיגנוס וכי יש נגובה לקדש והלא חיבתן מכשרתן. כלומר חיבת הקדש משוה לאוכלין נגובין כאלו הוכשרו והנוגע בהן בידים מסואבות ודאי טימאו כי כמוכשרין הן חשובין למה ליה למתני' ופרקינן ודאי לנגוע בידים מסואבות לאוכלי קדש ואע"פ שהן נגובין לא אצטריכא ליה. כי אצטריך ליה כגון שלא נגען הוא בידו אלא תחב לו אדם טהור וידיו טהורות לתוך פיו של זה שהוא כולו טהור וידיו טמאות שנטמאו בהיסח הדעת או הוא עצמו תחב בכוש או בכרכר והכניסם לתוך פיו וביקש לאכול צנון ובצל של חולין עמהן. אם הן אוכלי קדש גזרו בהן שמא יכניס ידו לתוך פיו להפך המאכל בפיו ויגע בהן ויטמאם אבל באוכלי תרומה לא גזרו בהן. וכן עוד אמרו גבי בשר הקדש האי דכתיב והבשר אשר יגע בכל טמא לא יאכל. האי בשר דאתכשר במאי אי נימא דאתכשר בדם קדשים כו' ואסיקנא אלא דאתכשר בחיבת הקדש ואמרינן אימור דמהניא חיבת [הקדש] לא למיפסליה ביה ראשון ושני נמי מהניא חיבת הקדש

וכבר פירשנו בפסחים בפרק ראשון: מעלה עשירית אונן ומחוסר כפורים צריכין טבילה לקדש אבל לא לתרומה זו כבר פרשנוה בפסחים בסוף פרק האשה אונן טובל ואוכל פסחו לערב אבל לא בקדשים מאי טעמא אנינות יום הוא מדאורייתא שנאמר לא אכלתי באוני ממנו אבל אנינות לילה אלא מדרבנן הוא בקדשים אפילו בלילה בפסח שהוא עשה שיש בו כרת דכתיב וחדל לעשות הפסח ונכרתה לא העמידו דבריהם במקום כרת כו' ודבריהן פשוטין הן: כבר שלמו המעלות שיש לקדש על מעלות התרומה. וחזרו לברר עוד חומרי התרומה וזו היא ששנינו חומר בתרומה שביהודה נאמנין לקדש על הגתות והבדים מדקתני

מסורת הש"ס

א) ידים פ"ג מ"ב, ב) [תוספתא פ"ג], ג) [עי' תוספות זבחים פח. ד"ה מן ותוספות חולין לה: ד"ה ואם], ד) [סח: ע: עא.], ה) גזרינן ליה הכא כצ"ל, ו) בתרומה כצ"ל, מהרש"א, ז) [שם בד"ה ומסגרתו], ח) וכי קדשי מאי הוי משום דאקדשי' כצ"ל.

הגהות הב"ח

(א) רש"י ד"ה ודלמא וכו' לפיכך יד מטמאה כצ"ל ותיבת אין נמחק:

הגהות מהר"ב רנשבורג

א] רש"י ד"ה לענין תרומה וכו' ואית דמפסיק מלתא בנגובים שמעולם לא הוכשרו. נ"ב וכן פרש"י במתניתין ע"ש:

ליקוטי רש"י

כוש. פלך פוז"ל בלע"ז שהנשים טוות בו [סוכה לז.]. ובכרכר. עץ יש לאורגין וראשו חד [שבת פא.]. האידנא. עכשיו [סוכה יח.]. על טהרת יין ושמן. [ומותר] לקבל מידם יין לנסכים ושמן למנחות כדתנן במתניתין (לקמן דף כד:) חומר בתרומה שביהודה נאמנין על טהרת יין ושמן [לעיל כב.]. לנסכים אם אמרו טהורין הן והימנוהו רבנן כדי שלא יהא כל אחד הולך ובונה במה לעצמו ושורף פרה אדומה לעצמו [חולין לה:]. ובשעת הגיתות והבדים. שהכל מטהרים את כליהן על פי חכמים כדתנן (לקמן דף כד:) עברו הגיתות והבדים והביאו לו חבית של תרומה לא יקבלנה ממנו [לעיל שם]. ואם אמר לו הפרשתי לתוכה. לתוך חבית זה רביעית לנסכים. נאמן. על כולם ומקבלם כהן ושותה [חולין שם].

the close of the pressing season **he said to him** (i.e. the *am haaretz* to the *chaver*), **הִפְרַשְׁתִּי לְתוֹכָהּ רְבִיעִית קֹדֶשׁ** – **"I separated within [this barrel] a quarter-*log*[25] of oil as *kodesh*," נֶאֱמָן** – **he is trusted** regarding the *taharah* of all the oil in the barrel, even the *terumah* portion.[26]

Another stringency of *terumah* over *kodesh:*

כַּדֵּי יַיִן וְכַדֵּי שֶׁמֶן – In the case of **jugs of wine and jugs of oil**

NOTES

Mishkav U'Moshav 11:2). Although the *am haaretz* had it in his possession all through the year, we may assume that he put it aside and refrained from handling it until the next season. For even *amei haaretz* possess a certain reverence for *terumah;* this provides a measure of assurance that they will do their utmost to prevent it from being contaminated. Thus, even if the wine or oil was first separated *after* the pressing season, the Kohen may accept it, since it is now the pressing season, and because of the *am haaretz's* reverence for *terumah* (*Tosafos* ד״ה שביהודה with *Chazon Ish, Moed* §129, comments to 24b; see *Meiri* to 26a; see also *Siach Yitzchak* to *Tosafos;* cf. *Turei Even* to 26a).

25. *Rashi;* cf. *Turei Even;* see *Rashash;* see *Aruch HaShulchan HeAsid, Mishkav U'Moshav* 120:6.

26. The *am haaretz* claims that he designated an unspecified *reviis* (quarter-*log*) within the barrel to be *kodesh.* The principle of *bereirah* (retroactive clarification) allows for a particular *reviis* to be identified at a later date as the one that became *kodesh* through the original designation (*Tosafos, Chullin* 35b ד״ה ואם אמר; see *Turei Even* here and *Dvar Avraham* vol. I 30:1-4; cf. *Tosafos, Zevachim* 88a ד״ה מן).

The Mishnah teaches that if the barrel contains even a small measure of *kodesh,* the *am haaretz* is trusted regarding the *taharah* of its *terumah.* For if we permit him to bring the *kodesh* upon the Altar, we must trust him regarding the *terumah* also, for it would constitute a disgrace to the Altar to offer upon it oil that was mixed with oil that is *tamei.* Therefore, we are compelled to view the *terumah* in the barrel as *tahor* (*Rashi* here and to 25b ד״ה מיגו דמהימן).

הַמְדוּמָּעוֹת – in which are intermixed *terumah, chullin* and *kodesh,* **נֶאֱמָנִין עֲלֵיהֶם בִּשְׁעַת הַגִּיתּוֹת וְהַבַּדִּים – [the** ***amei haaretz*** **] are trusted regarding** the *taharah* of **[the vessels] during the wine-pressing season and the olive-pressing season, וְקוֹדֶם לַגִּיתּוֹת שִׁבְעִים יוֹם – and prior to the wine-pressing season**[1] **for seventy days.**[2] Since the contents of the vessels will be used partly for sacrificial purposes, the *amei haaretz* are trusted regarding the *taharah* of the vessels themselves during this time. In the case of vessels containing *terumah* and not *kodesh,* however, the *amei haaretz* would not be believed to attest to their *taharah.* This constitutes a stringency of *terumah* over *kodesh.*

Gemara The Mishnah stated that in the province of Judea *amei haaretz* are trusted to keep their sacrificial wine and oil in a state of *taharah.* The Gemara infers:

בִּיהוּדָה אֵין וּבַגָּלִיל לֹא – In Judea – yes, the *amei haaretz* are trusted to do this; **but in Galilee – no,** they are not trusted. **מַאי טַעְמָא – What is the reason? אָמַר רֵישׁ לָקִישׁ – Reish Lakish said: מִפְּנֵי שֶׁרְצוּעָה שֶׁל כּוּתִים מַפְסֶקֶת בֵּינֵיהֶן –** It is **because a strip of Cuthean land separates between [these provinces].** This strip is regarded as "the land of the nations," and as such, imparts *tumah* to foods transported through it.[3] Because of this *tumah,* Galilean wine and oil cannot be used in the Temple, for the Temple is situated in Judea, and the food will inevitably become *tamei* during the journey there. Thus, the reason the Mishnah does not mention the *amei haaretz* of Galilee is because Galilean produce may not be used sacrificially in any case.[4]

The Gemara asks:

וְנֵיתִיב בְּשִׁידָּה תֵּיבָה וּמִגְדָּל – But let us bring it to the Temple **in a carriage,**[5] **a trunk or a closet.** By forming an *ohel* (a roof)

NOTES

1. Or olive-pressing season (*Meiri*).

2. This case concerns a jug of wine or oil of *tevel* (untithed produce), of which the owner plans to designate a portion as *kodesh* after the contents are tithed. *Tevel* is in effect a mixture of *terumah* and *chullin,* which are the elements into which it will be separated upon tithing. In our case, a third element is added to the mix, since a portion of the contents are designated to be *kodesh.* The Mishnah terms this blend an "intermixture," i.e. of *terumah, chullin* and *kodesh.*

The Mishnah teaches that although the vessels of *amei haaretz* are usually regarded as *tamei* (because of probable contamination by the *am haaretz*), the presence of *kodesh* in this vessel compels us to believe the *am haaretz* that it is *tahor.* For it would constitute a disgrace to the Altar if oil would be offered upon it from a *tamei* vessel; perforce, we must trust the *am haaretz* to declare the vessel free of *tumah* (see below, 25b, and *Rashi* there ד״ה במטהר את טבלו לנסכים). The period in which he is believed extends from seventy days prior to the pressing season through the end of the season. Since people purify their vessels at this time (*Rashi*), the Rabbis have ample reason to regard his vessel as *tahor* throughout this period.

Although an *am haaretz* is generally trusted regarding *kodesh* throughout the year (see Mishnah), in this case, he is trusted for only this limited period. For we are not dealing here with actual *kodesh,* but with food set aside for *eventual* designation as *kodesh* (*Tosafos* 25b ד״ה במטהר טבלו). Since set-aside *kodesh* does not command the same reverence as actual *kodesh,* the usual degree of trust is not granted. However, even set-aside *kodesh* does command a certain amount of reverence; therefore, as long as it is within the period in which people purify their vessels, the *am haaretz* is believed to declare this vessel free of *tumah* (see *Chazon Ish, Moed* §129, comments to 25b, and to *Parah* 10:2). Thus, it is the combination of two reasons – the presence of the set-aside *kodesh,* and the custom to purify vessels – that allows the vessels to be declared *tahor.* Neither reason suffices on its own (see 24b note 22). [Note that in describing this intermixture as one of *terumah, chullin* and *kodesh* we have followed the final explanation of the Gemara below, 25b; *Rashi,* however, describes the intermixture as being of *terumah* and *chullin,* in accordance with the Gemara's tentative understanding there.]

[Obviously, the *am haaretz* is trusted regarding these vessels only while they contain *kodesh;* if they are empty, even if they previously contained *kodesh,* he cannot declare them free of *tumah.* See Gemara 25b with *Rashi* ד״ה בריקנין דקדש; *Rambam, Metam'ei Mishkav U'Moshav* 11:3,4; *Chazon Ish, Parah* 10:3.]

[We stated above (24b note 24) that one reason *amei haaretz* are trusted regarding *terumah* during the pressing seasons is because people purify their vessels at that time. Although the period of purification actually begins seventy days before the season, the *am haaretz* is believed regarding *terumah* only during the season itself (*Meiri*). Presumably, this is because the *second* reason to lift the decree – i.e. to ensure that Kohanim *chaverim* will share in the *terumah* of *amei haaretz* – applies only during the season, when the bulk of *terumos* are distributed.]

3. In Talmudic times, the idolatrous gentiles did not always mark their graves; consequently, any place in their lands might actually be a grave site. Since unmarked graves are liable to be plowed over, causing fragments of bone to be strewn about, those walking in gentile lands are in danger of acquiring corpse *tumah* through contact with or by moving a fragment of bone. By Biblical law, one is not required to take these possibilities into account; therefore, someone walking through these lands may assume that he has avoided contact with scattered bones. However, he is *tamei* by Rabbinic decree, because of the possibility that he has touched or moved a piece of bone (see *Rashi, Shabbos* 14b ד״ה על ארץ העמים; Mishnah *Oholos* 2:3 with *Rambam; Rambam, Tumas Meis* 2:16,11:1; *Aruch HaShulchan HeAsid, Tumas Meis* 23:1).

The second stage of the decree on "the land of the nations" concerned *tumah* transmitted through the medium of *ohel,* or "roof." [This is referred to in Tractate *Shabbos* (15a-b) as the decree against אֲוִירָהּ, i.e. the *airspace* of these lands.] Normally, if one shares a roof with a corpse, or himself forms a "roof" over a corpse, he will be contaminated with corpse *tumah.* However, in its initial stage, the decree on the land of the nations did not include this aspect of *tumah* transmission. Accordingly, one who was carried through these lands without coming into contact with them would not contract *tumah,* even though he might have formed a "roof" over a grave. Later, however, the Rabbis expanded their decree to include transmission of *tumah* by way of a roof (*ohel*). Under the second decree, one who is carried across the land of the nations is *tamei,* because of the possibility that he has passed over a human corpse or a fragment thereof (see *Shabbos* 15b with *Rashi* ד״ה ואאוירא; *Tosafos, Nazir* 54b ד״ה ארץ העמים). [The two decrees are not identical in their degree of stringency. For discussion of the differences between them, and of the time frame of the two decrees, see *Shabbos* ibid.]

The Cutheans were a pagan group imported by the Assyrian emperor Shalmanesser from their native Cutha, and from other areas, to populate the section of Eretz Yisrael left desolate by his exile of the Ten Tribes (see *II Kings* 17:24 ff.). They converted to Judaism out of fear of Divine punishment, but in later times reverted to idolatry, and were expelled from the community of Israel (see *Chullin* 6a). Since they are legally regarded as non-Jews, their land, although a part of Eretz Yisrael, is included in the decree against "the land of the nations" (see *Tosafos* ד״ה שרצועה; *Tos. Yom Tov* to *Mikvaos* 8:1; see also *Beis Yosef, Yoreh Deah,* end of §201 ד״ה תניא בתוספתא דמקוואות).

4. The Gemara explains that the provinces of Judea and Galilee were separated by a strip of land populated by Cutheans. Because the land of the nations transmits *tumah* by way of *ohel,* no food could pass between these provinces without contracting corpse *tumah.* This meant that Galilean wine and oil could not be offered upon the Altar even if it belonged to *chaverim!* Although the *amei haaretz* of Galilee are no different than their Judean counterparts, the Mishnah sees no need to discuss their law, since Galilean *kodesh* cannot be brought to the Temple in any case (*Rashi; Meiri* to the Mishnah; cf. *Rambam, Commentary to Mishnah;* see *Rishon LeTzion* here).

5. This refers to a boxlike conveyance, of the type used to carry women and noblemen [like a sedan chair]. It was sometimes mounted on a wagon (*Rashi, Shabbos* 44b ד״ה מוכני שלה; *Eruvin* 14b ד״ה שידה, 30b ד״ה שידה), and sometimes carried on poles by porters (see *Rashi, Gittin* 8b ד״ה שידה תיבה ומגדל).

מסורת הש"ס

א) גיטין ח: עירובין ל: נזיר נה., ב) [צ"ל והתנן], ג) פרה פי"א מ"א, ד) נדה ו:, ה) טהרות פ"ט מ"ד, ו) [צ"ל לעיני עי' תוס' וכן גרס הערוך ערך עין וכן בתוספתא פ"י דטהרות], ז) [תוספתא פ"ג], ח) [דמקוואות פ"ו], ט) [צ"ל כלים].

המדומעות נאמנין עליהם בשעת הגיתות והבדים וקודם לגיתות שבעים יום: **גמ'** ביהודה אין ובגליל לא מ"ט אמר ריש לקיש מפני שרצועה של כותים מפסקת ביניהן וניתיב בשידה תיבה ומגדל הא מני רבי היא דאמר אהל זרוק לאו שמיה אהל דתניא א) הנכנס לארץ העמים בשידה תיבה ומגדל רבי מטמא ור' יוסי בר' יהודה מטהר ולייתוה בכלי חרס המוקף צמיד פתיל אמר רבי אליעזר שונין אין הקודש ניצול בצמיד פתיל ב) והתניא ג) אין חטאת ניצלת בצמיד פתיל מאי לאו הא קדש ניצול לא הא מים שאינן מקודשים ניצולין בצמיד פתיל והאמר עולא ד) חברייא מדכן בגלילא מניחין ולכשיבא אליהו ויטהרנה: ובשעת הגיתות נאמנין אף על התרומה: ורמינהי ה) הגומר זיתיו ישייר קופה אחת ויתננה ו) לעני כהן אמר רב נחמן לא קשיא הא בחרפי הא באפלי א"ל רב אדא בר אהבה כגון מאי כאותן של בית אביך רב יוסף אמר בגלילא שנו איתיביה אביי עבר הירדן וגליל הרי הן כיהודה ז) נאמנין על היין בשעת היין ועל השמן בשעת השמן אבל לא על היין בשעת השמן ולא על השמן בשעת היין אלא מחוורתא כדשנין מעיקרא: עברו הגיתות והבדים והביאו לו חבית של יין לא יקבלנה הימנו אבל מניחה לגת הבאה: בעו מיניה מרב ששת עבר וקיבלה מהו שיניחנה לגת הבאה אמר להו תניתוה חבר

רש"י

המדומעות. מפרש בגמרא והטעם משמע של טבל תרומה וחולין מעורבין: **שבעים יום.** מקדימין לטהר את הכלים. גיתות של יין ובדים של שמן: **גמ' רצועה.** של ארץ העמים מפסקת בין גליל ליהודה וירושלים ביהודה היא וא"א להביאן לירושלים בטהרה לפי שגזרו חכמים טומאה על ארץ העמים ואפילו של חברים שמגליל אינו בא לנסכים: **אהל זרוק.** אהל המיטלטל ונזרק לאו שמיה אהל להיות מפסיק בין אוירה של ארץ העמים והם גזרו על אוירה: **שונין.** תנאים שונין ברייתא שאין הקודש ניצל בצמיד פתיל: **אין חטאת.** מי אפר פרה: **שאינן מקודשין.** שלא ניתן האפר עליהן עדיין: **ניצולין.** וכשירין לקדשן אחר כך: **מדכן.** מטהרין יינן ושמנן למזבח ולי רצועה מפסקת למה מטהרין: **שמא יבא אליהו.** ויראה להן שביל בה שאינו מארץ העמים: **הגומר את זיתיו.** עם הארץ שבא לגמור את זיתיו: **ישייר קופה אחת.** לצורך תרומותיו: **ויתננה לעני כהן.** ויראנה שלא הוכשרו הזיתים והכהן יעשנה בטהרה אלמא בשעת הגיתות והבדים אין נאמנים: **באפלי.** שכבר עבר זמן הגיתות לרובה דעלמא קאמר דלא מהימן: **כשל בית אביך.** אפלי הוו **בגלילא שנו.** ומתני' דקא תני דמהימני ביהודה קאי דקתני רישא שביהודה נאמנין על טהרות יין ושמן ועלה קאי ובשעת הגיתו' והבדים אף על התרומ':

תוספות

שרצועה של כותים מפסקת. הקשה הר"ר אלחנן היאך היו מביאין אפר פרה לגליל דא"א לעשות אלא בירושלים וא"כ נטמאה בהבאת דרך ארץ העמים ושמא דבשביל קטן איכא להביא דרך שם אבל להביא יין ושמן לנסכים בעי שביל גדול אן * אבל צ"ע היאך עולין לרגל מן הגליל: בן כיון דאפסקיה ליה רצועה נטמא ובעי הזאה ג' וז' כדאמר פ' כ"ג בנזיר (דף מד.) הקשה הר"ר אלחנן דתניא בתוספתא ח) ארץ העמים טמאה מקוואותיה ושביליהן טמאין ארץ הכותים טהורה ומקוואותיהן טהורין ושביליהן טהורים כו' ונראה למורי דהתם נשית קודם שקלקלו דלמות יונה כדאיתא פ"ק דחולין (דף ו.) והכי משמע בירושלמי דע"ז פ"ב בעו כותאי קומי רבי אבהו אבותיכם היו מסתפקין משלנו מפני מה אין אתם מסתפקין משלנו אמר להו אבותיכם לא קלקלו מעשיהם אתם קלקלתם מעשיכם דתנינן תמן א"י טהורה מקוואותיה טהורים כו' ולאחר שנתקלקלו שאף רבי מאיר מצינו שגזר עליהן בפ"ק דחולין:

אהל זרוק לאו שמיה אהל. בפרק כ"ג בנזיר (דף נה. ושם) אמר כתנאי הנכנס לארץ העמים בשידה תיבה ומגדל רבי מטמא ורבי יוסי בר יהודה מטהר מאי לאו דרבי סבר משום אוירא גזרו ורבי יוסי סבר לא גזרו משום אוירא לא דכ"ע משום גושא גזרו משום אוירא לא גזרו מר סבר אהל זרוק לא שמיה אהל ומר סבר שמיה אהל והתניא רבי יוסי בר יהודה אומר תיבה מלאה ט) ספרים וזרקה על פני המת באהל טמאה וכו' וקשה מאי קאמר כיון דס"ל שמיה אהל אמאי זרק על פני המת טמאה אהל זרוק הוא וחולין וי"מ והתניא לשון קושיא הוי והכי פריך כדפרשינן וחולין ואח"כ דמסיק וקאמר ולי בעית אימא גר' דכ"ע לא שמיה אהל וגרס דכ"ע משום אוירא ומר סבר דלא שכיח ולא גזרו ביה רבנן והקשה הר"ר אלחנן דבשמעתין משמע דפליגי אי שמיה אהל זרוק אי לא והכי נמי בפ' בכל מערבין (עירובין דף ל: ושם) ודוחק הוא לומר דנקט הכא לישנא דאהל זרוק משום דמעיקרא בעי למימר ליה ולפי המסקנא אינו ועוד קשה להר"י דהתם נמי ל"ל לרבי יוסי בר יהודה דשמיה אהל כי מוקי פלוגתא בשמא יוצא ראשו ורובו ולית ליה טעמא דאוירא לא שכיח ומאי מטהר רבי יוסי אם לא מטעם דאהל זרוק שמיה אהל והדר קושיין לדוכתה מתיבה מלאה ספרים אמאי מטמא ותירץ ר"י דלעולם אמת הוא דפליגי באהל זרוק שמיה אהל ודוקא כגון שידה תיבה ומגדל שהולכים אבל זרק תיבה לא הוי אהל וכן משמע במסכת אהלות (פי"ח מ"ה) עוף הפורח או הקופץ וספינה המטרפת לא הויא אהל ומייתי סייעתא מזורק תיבה מלאה ספרים מדקאמר ואם היתה מונחת טהורה והיינו שהולכת בנחת והיינו אהל זרוק וזרק דרישא לא חשיב אהל זרוק דומיא דעוף הפורח: **שונין** אין הקודש ניצול במוקף צמיד פתיל. ל"ע אמאי לא חשיב ליה גבי מעלות דתרומה מצינו בשלהי הניזקין (גיטין דף סא: ושם) דגלגלת בהא דאמר מפקידין תרומה אצל ע"ה במוקף צמיד פתיל הר"ר אלחנן ויש להקשות על הא דאמר בפ"ק דנדה (דף ה: ושם) ומה כלי חרס המוקף צמיד פתיל הניצול באהל המת אינו מציל במעט לעת שבנדה ומאי קאמר במאי מציל במת היינו בתרומה ולא בקדש כדאיתא הכא דבהכי מציל נמי במעט לעת שבנדה דקאמר התם מעת לעת לא לתרומה וי"ל דבהא לא שייך הצלה אי לא מטמא לה וה"ק ומה כלי חרס המציל באהל המת במאי שמטמאה לה כגון לתרומה אינו מציל במעט לעת במאי שמטמאה דהיינו לקדש דוקא: **יתננה** לעני כהן. פרש"י ויראה שלא הוכשרו הזיתים משמע מהכא דבעינן הכשר בזיתים ולא מכשר ליה בשעת מסיקה ולא כפר"ח שפירש בפ"ק דשבת (דף יז.) אם אתה מקניטני גוזרני על המסיקה ושוב גזר לה וכן משמע בכולה תוספתא דטהרות פרק ג' דתני דבעינן בזיתים הכשר ויש טעם נכון לדבר כדפי' ר"י שמשקה זיתים אינו אלא מוהל בעלמא ולא חשיב משקה. לעיני כהן גר' וכן גרס רש"י והכי איתא בסדר המשנה דטהרות הגומר זיתיו יתננה לעיני כהן דברי רבי מאיר רבי יהודה אומר ימסור לו מפתח ומתן דגרס לעני כהן מיבעי הוא בידו:

בגלילא שנו. שיש להם רוב שמן ומאחרים בבדים ברוב שמן שיש להם לעשות והכי נמי אמר פרק כירה (שבת דף מז. ושם) גבי מטלטלין כונה אגב קיטמא כלומר מחתה אגב קיטמא כדלעיל מינה מחתה אגב אפרה וכן פירש בערוך ועדיף טפי מכלכלה ואבן שבתוכה ואותיב ליה ושוין שאם יש בה שברי פתילה שאסור לטלטלה שבטל הכלי והשמן אגב הפתילה ומוקי לה בגלילא שנו כלומר שעשירים הוו מרוב שמן ולא קפדי עליה בטיל ליה אגב פתילה ודוגמא לדבר הוא דבפ"ק דסנהדרין (דף יא:) טול אגרתא וכתוב לאחנא בני גלילאה עילאי ותתאי כו' לאפרושי מעשרא ממעטנא דזיתא ובנזיר פ' ב"ש (דף לא:) בגלילא שנו דחמרא עדיף ממשחא ויין היה מצוי להם הרבה ורוב שתייתן בכך כדמשמע בהמוציא יין (שבת דף עו.) דקתני מים כדי לשוף את הקילור דחשיב משום דשכיח לרפואה טפי משתיה שלא היו שותין רק יין מתוך עושרם בגליל ואפ"ה הוה עדיף להם היין מן השמן משמע שהיה להם רוב שמן בזול כדפרי' ומיהו פירש רש"י בגלילא שנו דפרק כירה (שם דף מז.) שהיו עניים ולא היו להם פתילות מצויות ובהמוציא (שם דף עח.) פירש מתוך שהיו עניים לא היו עושין רפואה רק ממים ולא מיין ולא משמע כן דא"כ גם שתיית מים שכיח טפי כיון שלא היה להם יין פורתא לשפות הקילור והיה להם לשער בשתיה ועוד מצינו בחולין בפ' אותו ואת בנו (דף פג.) וערב יום הכפורים בגליל משמע שהיו עשירים ומרבים בסעודות ועוד מה שפי' דלא היו פתילות מצויות הא אמרינן בשלהי במה מדליקין (דף קיח:) מקבלין מן הנכסים דבר מועט כלי פשתן בגליל אלמא שמצוי פשתן ביניהם וכי קאמר לישנא דאסור לטלטלה דמשמע דקאי אפתילה דשייך בה לשון נקבה דהא נר לשון זכר דליכא למימר דקאי אקערה דמייתי לה לעיל מותר השמן שבנר ושבקערה אסור וגם מצינו לשון נקבה אצל נר חנוכה כבתה אין זקוק לה (שבת דף כא.) כל זה פי' הר"י וגם רבינו מאיר פירש כן ועוד הוסיף כי מרוב יין היה להם כאב עינים וטוב המים לרפואה: חבר

גליון הש"ס

תוס' ד"ה שרצועה וכו' אבל צ"ע האיך עולין לרגל. עיין מ' שער אפרים סי' לו:

הגהות מהר"ב רנשבורג

א] תוס' ד"ה שרצועה כו' אבל צ"ע איך עולין לרגל מן הגליל כו'. נ"ב ולנלע"ד שהיו עולין ע"י שווריס וע"ג דלמות דהוי אהל מפסיק לכ"ע כמ"ש תוס' בעירובין דף לא ע"א בד"ה ומר סבר וכו' ומה שלא התירו גם הכא ע"י"כ כמו שהקשה בספר טורי אבן יי"ל כמ"ש שם הרש"א בעירובין בתוס' הנ"ל משום דלא שכיח לא התירו אבל לענין עלית רגל דהוי עשה דאורייתא שפיר התירו ודו"ק: ב] שם באד"ה כיון דאפסקי' ליה רצועה נטמא ובעי הזאה ג' וז' וכו'. נ"ב עיין שיח יצחק מ"ש בזה:

ליקוטי רש"י

אהל זרוק לאו שמיה אהל. וכל שאינו אהל אינו חוצץ. לארץ העמים. מטמאה באהל. בשידה. מרכבת נשים עגלה עשויה כקופסא. מגדל. משטי"ר [עירובין ל:]. בשידה תיבה ומגדל. ונושאים אותה באויר. רבי מטמא. קסבר אהל זרוק לא שמיה אהל הכי מפרש בערובין אהל המטלטל אינו אהל בשעת טלטולו הילכך חלילה דקא מפסיק האי אהל בינו לאויר ארץ העמים לאו חלילה היא [גיטין ח:]. חברייא מדכן בגלילא וכו'. חבירים שבגליל מטהרים יינם לנסכים ושמנן למנחות שמא יבנה בהמ"ק בימיהם [נדה ו:]. מחוורתא. דבר ברור הוא כמו במחוורת עליו נזיר (דף סג.) [מעילה טו.].

עין משפט נר מצוה

מא א מיי' פי"א מהל' טומאת מת הל' ה:
מב ב מיי' פי"ד מהל' פרה אדומה הל' ד:
מג ג מיי' שם הלכה ג:
מד ד מיי' שם הלכה ד:

רבינו חננאל

מדקתני ביהודה נאמנין מכלל דבגליל אין נאמנין מ"ט אמר ר"ל מפני שמפסקת ביניהם מדור הכותים וכיון שצריך לעבור בתוכם חיישינן שמא מטמא טומאת ארץ העמים ומקשינן ויתננה להויא חבית בשידה תיבה או במגדל דהא לא נטמאה בטומאת ארץ העמים. ופרקינן מתני' רבי היא דאמר אהל זרוק לא הוי אהל דתניא הנכנס בארץ העמים בשידה תיבה ומגדל ר' מטמא ור' יוסי בר' יהודה מטהר וכבר פירשנוה בעירובין פרק בכל מערבין ומקשינן תוב ולייתוה בכלי חרש המוקף צמיד פתיל. ופרקינן א"ר אלעזר שונין אין קדש ניצל בצמיד פתיל איני והתניא [אין] חטאת ניצלת בצמיד פתיל ומדקתני הכי אין מי חטאת ניצלת בצמיד פתיל הא א) מים שאין מקודשין ניצולין בצמיד פתיל תוב מקשינן וכי לא מצו לאתויי יין ושמן בגליל מפני מדורי הכותים שעוברין בתוכם והא' עולא חברייא מדכו בגלילא פי' חברינו מטהרין האוכלין והמשקין בגליל. ודחי מניחין אותם ואם יבא אליהו וידיע שלא נטמאו אע"פ שהדרך מפסקת אותה שעה מטהרה ב). ובשעת הגיתות והבדים נאמנים אף על התרומה ורמינהו הגומר זיתיו ישייר קופה אחת ויתננה לעיני כהן. ואי מהימן הוא למה לי לעיני כהן. ופריק מתניתין בחרפי. והא דקתני לעיני כהן מכלל הן שאין נאמנין באפלי שכבר עברו הגיתות והבדין ואבותיו של רב נחמן היו להן הרבה והיו מתאחרין הרבה אחרי כל אדם ובא רב יוסף לאוקומה הא דתנא יתננה לעיני כהן בגליל שאינם נאמנים לעולם ומותבינן עליה והא [תניא] עבר הירדן וגליל הרי הן כיהודה נאמנין על היין בשעת היין כו' ואסיקנא אלא מחוורתא באפלי: עברו הגיתות והבדים הביאו לו חבית של יין של תרומה לא יקבלוה כו'. הא דבעו מרב ששת עבר וקיבל מהו שיניחנה לגת הבאה אם לאו פשיט ליה מהא

חשק שלמה על ר"ח

א) נראה דחסר כאן וצ"ל הא קדש ניצול בצמיד פתיל ומשנינן הא מים וכו'. ב) אולי צ"ל שמא יראה שביל שהיא טהורה ועי' רש"י וצ"ע.

between the ground and their interior, these conveyances insulate their contents against the *tumah* of the land of the nations, and make it possible to transport the wine and oil in a state of *taharah*.[6] Thus, Galilean products *can* in fact be brought to the Temple. Why then does the Mishnah limit its law to Judea?

The Gemara answers:

הָא מַנִּי – Who is [the Tanna] of our Mishnah? **רַבִּי הִיא דְּאָמַר אֹהֶל זָרוּק לָאו שְׁמֵיהּ אֹהֶל – It is Rebbi, who says** that **a moving *ohel* is not considered an *ohel*,** and thus will not interpose before *tumah*. **דְּתַנְיָא – For it has been taught in a Baraisa:** הַנִּכְנָס לְאֶרֶץ הָעַמִּים בְּשִׁידָּה תֵּיבָה וּמִגְדָּל – Concerning ONE WHO ENTERS THE LAND OF THE NATIONS IN A CARRIAGE, TRUNK OR CLOSET – רַבִּי מְטַמֵּא – REBBI RULES HIM *TAMEI*, וְרַבִּי יוֹסֵי בְּרַבִּי יְהוּדָה מְטַהֵר – BUT R' YOSE THE SON OF R' YEHUDAH RULES HIM *TAHOR*. Rebbi holds that since the conveyance is moving, it does not interpose before *tumah*. Likewise, then, in our case – a moving conveyance will not insulate the Galileean wine and oil against *tumah*.[7]

The Gemara asks again:

וְלַיְיתוּהָ בִּכְלִי חֶרֶס הַמּוּקָף צָמִיד פָּתִיל – But let them bring it in an earthenware vessel that is **closed all around with a sealed cover.** Surely this will protect the wine and oil from *tumah!*[8] – ? –

The Gemara answers:

אָמַר רַבִּי אֱלִיעֶזֶר – R' Eliezer said: שׁוֹנִין – [The Rabbis] teach in a Baraisa: אֵין הַקֹּדֶשׁ נִיצּוֹל בְּצָמִיד פָּתִיל – *KODESH* IS NOT SAVED from *tumah* BY MEANS OF an earthenware vessel with A SEALED COVER. Although this sort of vessel will generally insulate its contents against *tumah*, it will not do so if the contents are *kodesh*.[9]

The Gemara questions this:

וְהָתַנְיָא – But it has been taught in a Baraisa:[10] אֵין חַטָּאת נִיצֶּלֶת בְּצָמִיד פָּתִיל – *CHATAS* [WATER] (i.e. spring water mixed with the ashes of the Red Cow) IS NOT SAVED from *tumah* BY MEANS OF an earthenware vessel with A SEALED COVER.[11] **מַאי לָאו הָא קֹדֶשׁ נִיצּוֹל – Does this not imply that *kodesh is* saved** from *tumah* in this manner?[12]

The Gemara answers:

לֹא הָא מַיִם שֶׁאֵינָן מְקוּדָּשִׁים נִיצּוֹלִין בְּצָמִיד פָּתִיל – No, it simply implies **that waters that are not** yet **prepared** for purificatory use (by being mixed with the ashes) ***are saved*** from *tumah* **by means of** an earthenware vessel with **a sealed cover.**[13] It implies nothing, however, regarding *kodesh*.

The Gemara stated that because a strip of Cuthean land separates between Galilee and Judea, Galilean wine and oil cannot be used in the Temple. The Gemara now questions this:

וְהָאָמַר עוּלָּא – But Ulla said: חַבְרַיָּיא מְדַכַּן בְּגָלִילָא – In Galilee, the *chaverim* prepare wine and oil **in a state of *taharah*,** to be used as sacrifices when the Holy Temple will be rebuilt.[14] But if the way is blocked by a strip of Cuthean land, why do they bother?[15]

The Gemara explains:

מַנִּיחִין – They set aside the wine and oil for a later time, **וְלִכְשֶׁיָּבֹא אֵלִיָּהוּ וִיטַהֲרֶנָּה – and** hope that **when Elijah will come, he will purify** the strip of Cuthean land, by marking an uncontaminated path through it. They plan at that point to transport the wine and oil to the Temple. At the present time, however, it cannot be transported there.

The Mishnah stated:

וּבִשְׁעַת הַגִּיתּוֹת נֶאֱמָנִין אַף עַל הַתְּרוּמָה – AND DURING THE WINE-PRESSING SEASON [and the olive-pressing season], REGARDING the

---

NOTES

6. It is a rule of *tumah* (with certain exceptions) that when a corpse, or part of a corpse, lies beneath an *ohel* (a "roof"), the *ohel* acts as a barrier to the spread of *tumah* (see *Rambam, Tumas Meis* 13:1). People, food or utensils found above the *ohel* will not contract corpse *tumah,* for the *ohel* interposes between them and the corpse. The Gemara points out that if the wine and oil of the *amei haaretz* of Galilee is transported in a container, it will be protected from *tumah,* and can be offered upon the Altar. Why then does the Mishnah not discuss its law?

It must be noted that an *ohel* formed by a vessel does not interpose before *tumah* (*Oholos* 6:1, with *Rambam*). This is because vessels are themselves susceptible to *tumah,* and therefore cannot serve as barriers before it (see *Rash, Oholos* 8:3). An exception is an *ohel* formed by a vessel of great size; since vessels of this sort are themselves insusceptible to *tumah* (see 26b note 11), they can successfully prevent the transmission of *tumah* to articles that lie above them. The Gemara is speaking here of carriages, trunks and closets of great size. Since they cannot acquire *tumah,* they protect their contents from *tumah* as well (see *Rashi, Eruvin* 30b ד״ה שמיה אהל; see *Sidrei Tohoros, Keilim* 140b).

7. [Note that the Gemara in *Nazir* 55a offers several other interpretations of this Baraisa; see there for details; see also *Tosafos* here ד״ה אהל זרוק.]

8. An earthenware vessel cannot acquire *tumas ohel* except from within. If the mouth of the vessel is stoppered, the *tumah* cannot enter the vessel (see *Numbers* 19:15; *Chullin* 25a). Hence, its contents will not become *tamei.* The Gemara points out that the Galileean wine and oil can be transported in this sort of vessel. This would prevent their contamination with *tumas ohel* in the land of the nations.

9. Because of the stringency of *kodesh,* the Rabbis decreed that it will contract *tumah* even inside a covered earthenware vessel (see *Turei Even* here and in addendum to the tractate; see also *Aruch HaShulchan HeAsid, Parah Adumah* 76:9; *Chazon Ish, Parah* 5:25; but see *Tal Torah,* by *R' Meir Arik,* who maintains that this is a Biblical law).

[The following question must be raised: Why can't the *amei haaretz* bring *chullin* (unconsecrated) wine and oil from Galilee in an earthenware vessel and declare it *kodesh* in Jerusalem? Surely the vessel will insulate *chullin* from becoming *tamei!* Now, this is not a difficulty according to those who limit our trust of *amei haaretz* to *kodesh* consecrated during the pressing season (see 24b note 21), for according to their view, the wine or oil must be made *kodesh* immediately, and cannot wait for transportation to Jerusalem. Others, however, do not require consecration during the pressing season (see ibid.; see also *Tos. Rid* to 24b). They are compelled to say that if at any point during a food's *chullin* period it passed through a *tamei* area under the protection of an earthenware vessel, it may not be declared *kodesh* (*Tos. Rid;* see also *Turei Even; Meromei Sadeh*).]

10. [The wording of this Baraisa is nearly identical to that of the Mishnah in *Parah* 11:1. Accordingly, *Mesoras HaShas* emends וְהָתַנְיָא, which denotes a Baraisa, to וְהָתְנַן, which denotes a Mishnah; see also *Rashash; Chazon Ish, Parah* 14:8. However, *Turei Even* brings several proofs that this is actually not a quote of the Mishnah, and accordingly disputes this emendation; see, however, *Siach Yitzchak.*]

11. This is derived in *Sifrei* from a verse (*Numbers* 19:9) that states that the ashes of the Red Cow must be placed בְּמָקוֹם טָהוֹר, *in an uncontaminated place.* This phrase teaches that if the ashes are in a contaminated place – i.e. an *ohel* containing a corpse – they are *tamei,* even if they are within a sealed earthenware vessel (see *Rash, Parah* ibid.).

12. I.e. does the Baraisa's singling out of *chatas* water as lacking protection not imply that *kodesh will* be protected in a sealed earthenware vessel? (see *Turei Even*).

13. I.e. in singling out *chatas* water, the Baraisa intends no implication concerning *kodesh,* but only concerning water intended for purificatory use, but as yet unprepared.

14. *Rashi* here and to *Niddah* 6b ד״ה חבריא מדכן.

15. [The Gemara now assumes that the *chaverim* transported the wine and oil to Jerusalem, so that when the Temple would be rebuilt, it would be standing ready to be offered. The Gemara questions the existence of the Cuthean strip on the basis of their practice (see *Meromei Sadeh*).]

המדומעות נאמנין עליהם בשעת הגיתות והבדים וקודם לגיתות שבעים יום: **גמ'** ביהודה אין ובגליל לא מ"ט אמר ריש לקיש מפני שרצועה של כותים מפסקת ביניהן וניתיב בשידה תיבה ומגדל הא מני רבי היא דאמר אהל זרוק לאו שמיה אהל דתניא [א] הנכנס לארץ העמים בשידה תיבה ומגדל רבי [א] מטמא ור' יוסי בר' יהודה מטהר ולייתוה בכלי חרס המוקף צמיד פתיל אמר רבי אליעזר שונין [ב] אין הקדש ניצול בצמיד פתיל [ג] והתניא [ג] אין חטאת ניצלת בצמיד פתיל מאי לאו הא קדש ניצול לא [ד] הא מים שאינן מקודשים ניצולין בצמיד פתיל והאמר עולא [ז] חברייא מדכן בגלילא מניחין ולכשיבא אליהו ויטהרנה: ובשעת הגיתות נאמנין אף על התרומה: ורמינהי [ח] הגומר זיתיו ישייר קופה אחת ויתננה [ו] לעיני כהן אמר רב נחמן לא קשיא הא בחרפי הא באפלי א"ל רב אדא בר אהבה כגון מאי כאותן של בית אביך רב יוסף אמר בגלילא שנו איתיביה אביי עבר הירדן וגליל הרי הן כיהודה [ט] נאמנין על היין בשעת היין ועל השמן בשעת השמן אבל לא על היין בשעת השמן ולא על השמן בשעת היין אלא מחוורתא כדשנין מעיקרא: עברו הגיתות והבדים והביאו לו חבית של יין לא יקבלנה הימנו אבל מניחה לגת הבאה: בעו מיניה מרב ששת עבר וקיבלה מהו שיניחנה לגת הבאה אמר להו תניתוה

חבר

רש"י

המדומעות. מפרש בגמרא והשתא משמע של טבל תרומה וחולין מעורבין: **שבעים יום.** מקדימין לטהר את הכלים. גיתות של יין בדים של שמן: **גמ' רצועה.** של ארץ העמים מפסקת בין גליל ליהודה וירושלים ביהודה היא וא"א להביאן לירושלים בטהרה לפי שגזרו חכמים טומאה על ארץ העמים ואפילו של חברים שמגליל אינו בא לנסכים: **אהל זרוק.** אהל המיטלטל ונזרק לאו שמיה אהל להיות מפסיק בין אוירה של ארץ העמים והם גזרו על אוירה: **שונין.** תנאים שונין ברייתא שאין הקודש ניצל בצמיד פתיל: **אין חטאת.** מי אפר פרה: **שאינן מקודשין.** שלא ניתן האפר עליהן עדיין: **ניצולין.** וכשירין לקדשן אחר כך: **מדכן.** מטהרין יינן ושמנן למזבח ואי רצועה מפסקת למה מטהרין: **שמא יבא אליהו.** ויראה להן שביל בה שאינו מארץ העמים: **הגומר את זיתיו.** עם האבק שבא לגמור את זיתיו: **ישייר קופה אחת.** לצורך תרומותיו: **ויתננה לעיני כהן.** ויראנה שלא הוכשרו הזיתים והכהן יעשנה בטהרה אלמא בשעת הגיתות והבדים אין נאמנים: **באפלי.** שכבר עבר זמן הגיתות לרובה דעלמא קאמר דלא מהימן: **כשל בית אביך.** אפלי הוו: **בגלילא שנו.** ומתני' דקא תני דמהימני ביהודה קאי דקתני רישא שביהודה נאמנין על טהרות יין ושמן ועלה קאי ובשעת הגיתות והבדים אף על התרומה':

יכול

תוספות

שרצועה של כותים מפסקת. הקשה הר"ר אלחנן היאך היו מביאין אפר פרה בגליל דא"א לעשות אלא בירושלים וא"כ נטמא בהבאתה דרך ארץ העמים ושמא דבשביל קטן איכא להביא דרך שם אבל להביא יין ושמן לנסכים בעי שביל גדול [א] * אבל ק"ע היאך עולין לרגל מן הגליל כיון דמפסקיה ליה רצועה נטמא ובעי הזאה ג' וז' כדאמר פ' כ"ג בנזיר (דף נד.) הקשה הר"ר אלחנן דתניא בתוספתא [ה] ארץ העמים טמאה מקוואותיה ושביליהן טמאין ארץ הכותים טהורה ומקוואותיהן טהורין ושביליהן טהורים כו' ונראה למורי דהתם נשנית קודם שקלקלו למדות יונה כדאיתא פ"ק דחולין (דף ו.) והכי משמע בירושלמי דע"ז פ"ב בעו כותאי קומי רבי אבהו אבותיכם היו מסתפקין משלנו מפני מה אין אתם מסתפקין משלנו אמר להו אבותיכם לא קלקלו מעשיהם דתניא תמן א"י טהורה מקוואותיה טהורים כו' ולאחר שנתקלקלו שאף רבי מאיר מלינו שגזר עליהן בפ"ק דחולין:

אהל זרוק לאו שמיה אהל. בפרק כ"ג בנזיר (דף נה. ושם) אמר כתנאי הנכנס לארץ העמים בשידה תיבה ומגדל רבי מטמא ורבי יוסי בר יהודה מטהר מאי לאו דרבי סבר משום אוירא גזרו ורבי יוסי סבר לא גזרו משום אוירא לא דכ"ע משום גושא גזרו משום אוירא לא גזרו מר סבר אהל זרוק לא שמיה אהל ומר סבר שמיה אהל והתניא רבי יוסי בר יהודה אומר תיבה מלאה [ט] ספרים חרקה על פני המת באהל טמאה וכו' וקשה מאי קאמר כיון דס"ל שמיה אהל אמאי זרק על פני המת טמאה אהל זרוק הוא וחולץ וי"מ והתניא לשון קושיא הוי והכי פריך כדפרשינן וחולץ וא"כ דמסיק וקאמר ואי בעית אימא גר' דכ"ע לא שמיה אהל וגרס דכ"ע משום אוירא ומר סבר דלא שכיח ולא גזרו ביה רבנן והקשה הר"ר אלחנן דבשמעתין משמע דפליגי אי שמיה אהל בזרוק אי לא והכי נמי בפ' בכל מערבין (עירובין דף ל: ושם) ודוחק הוא לומר דנקט הכא לישנא דאהל זרוק משום דמעיקרא בעי למימר ליה ולפי המסקנא אינו ועוד קשה להר"י דהתם נמי ק"ל לרבי יוסי בר יהודה דשמיה אהל כי מוקי פלוגתא בשמא יוצא ראשו ורובו וליכא ליה טעמא דאוירא לא שכיח ומאי מטהר רבי יוסי אם לא מטעם דאהל זרוק הוא ותהדר קושיין לדוכתה מתיבה מלאה ספרים אמאי מטמאה ותירץ ר"י דלעולם אמת הוא דפליגי באהל זרוק שמיה אהל ודוקא כגון שידה תיבה ומגדל שהולכים אבל זרק תיבה לא הוי אהל וכן משמע במסכת אהלות (פ"ח מ"ה) עוף הפורח או הקופץ וספינה המטרפת לא הויא אהל ומייתי סייעתא מזורק תיבה מלאה ספרים מדקאמר ואם היתה מונחת טהורה והיינו שהולכת בנחת והיינו אהל זרוק וחרק דרישא לא חשיב אהל זרוק דומיא דעוף הפורח: **שונין אין הקדש ניצול במוקף צמיד פתיל.** נ"ע אמאי לא חשיב ליה גבי מעלות דתרומה מלינו בשלהי הניזקין (גיטין דף סא: ושם) דנילגלת בהא דאמר מפקידין תרומה אצל ע"ה במוקף צמיד פתיל הר"ר אלחנן ויש להקשות על הא דאמר בפ"ק דנדה (דף ה: ושם) ומה כלי חרס המוקף צמיד פתיל הניצול באהל המת אינו מציל במעת לעת שבנדה ומאי קאמר מאי מציל במת היינו בתרומה ולא בקדש כדאיתא הכא בהכי מציל נמי במעת לעת שבנדה דקאמר התם מעת לעת שבנדה לקדש אבל לא לתרומה וי"ל דבהא לא שייך הלכה אי לא מטמא לה והכי קאמר ומה כלי חרס המציל באהל המת ואינו מציל במעת לעת במאי שמטמאה דהיינו לקדש דוקא: **יתננה לעיני כהן.** פרש"י ויראנה שלא הוכשרו הזיתים והכשר לכך יעשנה בטהרה ולא מכשר ליה בשעת מסיקה ולכך פירש בפ"ק דשבת (דף יז.) אם אתה מקבלה ממנו גוזרני על המסיקה ושוב גזר לה וכן משמע בכולה תוספתא דטהרות פרק ג' דתני דבעינן בזיתים הכשר ויש טעם נכון לדבר דכדי ר"י שמשקה זיתים אינו אלא מוהל בעלמא ולא חשיב משקה. לעיני כהן גר' וכן גרס רש"י והכי איתא בסדר המשנה דטהרות הגומר זיתיו יתננה לעיני כהן דברי רבי מאיר רבי יהודה אומר ימסור לו מפתח ומאן דגרס לעני כהן שיבוש הוא בידו:

בגלילא שנו. שיש להם רוב שמן ומאחרים בבדים ברוב שמן שיש להם לעשות והכי נמי אמר פרק כירה (שבת דף מז. ושם) גבי מטלטלין כנונא אגב קיטמא כלומר מחתה אגב קיטמא דלעיל מינה מחתה אגב אפרה וכן פירש בערוך ועדיף טפי מכלכלה ואבן שבתוכה ואומר ליה ושוין שאם יש בה שברי פתילה שאסור לטלטלה שבטל הכלי והשמן אגב הפתילה ומוקי לה בגלילא שנו כלומר שעשירים הוו מרוב שמן ולא קפדי עליה בטיל ליה אגב פתילה ודוגמא לדבר הוא דבפ"ק דסנהדרין (דף יא:) טול אגרתא וכתוב לאחנא בני גלילאה עילאי ותתאי כו' לאפרושי מעשרא ממעטנא דזיתא ובנזיר פ' ב"ש (דף לא:) בגלילא שנו דממרא עדיף ממשחא ויין היה מצוי להם הרבה ורוב שתייתן בכך כדמשמע בהמוציא יין (שבת דף עז.) דקתני מים כדי לשוף את הקילור דחשיב משום דשכיח לרפואה טפי משתיה שלא היו שותין רק יין מתוך עושרם בגליל ואפ"ה הוה עדיף להם היין מן השמן משמע שהיה להם רוב שמן בזול כדפרי' ומיהו פירש רש"י בגלילא שנו דפרק כירה (שם דף מז.) שהיו עניים ולא היו להם פתילות מגוזות והמוציא (שם דף עז.) פירש מתוך שהיו עניים לא היו עושין רפואה רק ממים ולא מיין ולא משמע כן דא"כ גם שתיית מים שכיח לא הוה טפי כיון שלא היה להם יין פורתא לשפות הקילור והיה להם לשער בשתיה ועוד מלינו בחולין בפ' אותו ואת בנו (דף פג.) וערב יום הכפורים בגליל משמע שהיו עשירים ומרבים בסעודות ועוד מה שפי' דלא היו פתילות מגוזות הא אמרינן בשלהי בבא קמא (דף קיט:) מקבלין מן הנשים דבר מועט כלי פשתן בגליל אלמא שמצוי פשתן ביניהם ועוד קשה לישנא דאסור לטלטלה דמשמע דקאי אפתילה דשייך בה לשון נקבה דהא נר לשון זכר דאיכא למימר דקאי אקערה דמייתי לה לעיל מותר לטלטל השמן שבנר ושבקערה ומלינו לשון נקבה אצל נר חנוכה כבתה אין זקוק לה (שבת דף כא.) כל זה פי' הר"י וגם רבינו תם מפרש כן ועוד הוסיף כי מרוב יין היה להם כחל עיניים וטוב המים לרפואה:

חבר

מסורת הש"ס

א) גיטין ח: עירובין ל: נזיר נה., ב) [צ"ל והתנן], ג) פרה פי"א מ"א, ד) נדה ו:, ה) טהרות פ"ט מ"ד, ו) [צ"ל לעיני עי' תוס' וכן גרס הערוך ערך עין וכן בתוספתא פ"י דטהרות], ז) [תוספתא פ"ג], ח) [דמקוואות פ"ו], ט) [צ"ל כלים].

גליון הש"ס

תוס' ד"ה שרצועה וכו' אבל צ"ע האיך עולין לרגל. עיין ת' שער אפרים סי' לו:

הגהות מהר"ב רנשבורג

א] תוס' ד"ה שרצועה כו' אבל צ"ע איך עולין לרגל מן הגליל כו'. נ"ב ונלע"ד שהיו עולין ע"י שוורים וע"ג דלתות דהוי אהל מפסיק לכ"ע כמ"ש תוס' בעירובין דף לא ע"א בד"ה ומר סבר וכו' ומה שלא התירו גם הכא עי"כ כמו שהקשה בספר טורי אבן י"ל כמ"ש שם הרש"א בעירובין בתוס' הנ"ל משום דלא שכיח לא התירו אבל לענין עליית רגל דהוי עשה דאורייתא שפיר התירו ודו"ק: **ב]** שם באה"ד כיון דאפסקי' ליה רצועה נטמא ובעי הזאה ג' וז' וכו'. נ"ב עיין שיח יצחק מ"ש בזה:

ליקוטי רש"י

אהל זרוק לאו שמיה אהל. וכל שאינו אהל אינו חוצץ. **לארץ העמים.** מטמאה באהל. **בשידה.** מרכבת נשים עגלה עשויה כקופסא. **מגדל.** משטי"ר [עירובין ל:]. **בשידה תיבה ומגדל.** ונושאים אותה באויר. **רבי מטמא.** קסבר אהל זרוק לא שמיה אהל הכי מפרש בערובין אהל המטלטל אינו אהל בשעת טלטולו הילכך חלילה דקא מפסיק האי אהל בינו לאויר ארץ העמים לאו חלילה היא [גיטין ח:]. **חברייא מדכן בגלילא וכו'.** חבירים שבגליל מטהרים יינם לנסכים ושמנן למנחות שמא יבנה בהמ"ק בימיהם [נדה ו:]. **מחוורתא.** דבר ברור הוא כמו במחוורת עליו נזיר (דף סג.) [מעילה טו.].

עין משפט נר מצוה

מא א מיי' פי"א מהל' טומאת מת הל' ה:
מב ב מיי' פי"ד מהל' פרה אדומה הל' ד:
מג ג מיי' שם הלכה ג:
מד ד מיי' שם הלכה ד:

רבינו חננאל

מדקתני ביהודה נאמנין מכלל דבגליל אין נאמנין מ"ט אמר ר"ל מפני שמפסקת ביניהם מדור הכותים וכיון שצריך לעבור בתוכם חיישינן שמא מטמא טומאת ארץ העמים ומקשינן ויתננה לההיא חבית בשידה תיבה או במגדל דהא לא נטמאה בטומאת ארץ העמים. ופרקינן מתני' רבי היא דאמר אהל זרוק לא הוי אהל דתניא הנכנס בארץ העמים בשידה תיבה ומגדל ר' מטמא ור' יוסי בר' יהודה מטהר וכבר פירשנוה בעירובין פרק בכל מערבין ומקשינן תוב ולייתוה בכלי חרש המוקף צמיד פתיל. ופרקינן א"ר אלעזר שונין אין קדש ניצל בצמיד פתיל איני והתניא [אין] חטאת ניצלת בצמיד פתיל ומדקתני הכי אין מי חטאת ניצלת בצמיד פתיל הא א) מים שאין מקודשין ניצולין בצמיד פתיל תוב מקשינן וכי לא מצו לאתויי יין ושמן בגליל מפני מדורי הכותים שעוברין בתוכם והא' עולא חבריא מדכו בגלילא פי' חברינו מטהרין האוכלין והמשקין בגליל. ודחי מניחין אותם ואם יבא אליהו ויודיע שלא נטמאו אע"פ שהדרך מפסקת אותה שעה מטהרה ב). ובשעת הגיתות והבדים נאמנים אף על התרומה ורמינהו הגומר זיתיו ישייר קופה אחת ויתננה לעיני כהן. ואי מהימן הוא למה לי לעיני כהן. ופריק מתניתין בחרפי. והא דקתני לעיני כהן מכלל הן שאין נאמנין באפלי שכבר עברו הגיתות והבדין ואבותיו של רב נחמן היו להן הרבה והיו מתאחרין הרבה אחרי כל אדם ובא רב יוסף לאוקומה הא דתנא יתננה לעיני כהן בגליל שאינם נאמנים לעולם ומותבינן עליה והא [תניא] עבר הירדן וגליל הרי הן כיהודה נאמנין על היין בשעת היין כו' ואסיקנא אלא מחוורתא באפלי: עברו הגיתות והבדים הביאו לו חבית של יין של תרומה לא יקבלוה כו'. הא דבעו מרב ששת עבר וקיבל מהו שיניחנה לגת הבאה אם לאו פשיט ליה מהא

חשק שלמה על ר"ח

א) נראה דחסר כאן וצ"ל הא קדש ניצול בצמיד פתיל ומשנינן הא מים וכו'. ב) אולי צ"ל שמא יראה שביל שהיא טהורה ועי' רש"י וצ"ע.

taharah of **TERUMAH AS WELL.**

The Gemara notes a contradiction to this ruling:

וּרְמִינְהִי – But contrast [this with the following Mishnah]:[16] הַגּוֹמֵר זֵיתָיו – ONE (i.e. an *am haaretz*) WHO IS COMPLETING the gathering of HIS OLIVES יְשַׁיֵּיר קוּפָּה אַחַת – SHOULD SET ASIDE ONE BOX of olives as *terumah*, וְיִתְּנֶנָּה לְעָנִי כֹּהֵן – AND GIVE IT TO A POOR KOHEN. For the olives do not become susceptible to *tumah* until the gathering is done. The Kohen is thus assured that this box of olives is not *tamei;* therefore, he may accept it from the *am haaretz.*[17]

This Mishnah implies that were the Kohen to receive the olives after the gathering is completed, he would not be permitted to accept them, since the *am haaretz* is not trusted to keep them in a state of *taharah.* This seems to contradict our Mishnah, which states that during the olive-pressing season, *amei haaretz* are trusted to declare their *terumah* free of *tumah.*

The Gemara answers:

אָמַר רַב נַחְמָן – Rav Nachman said: לֹא קַשְׁיָא – There is no difficulty. הָא בְּחָרְפֵי – Here (i.e. in our Mishnah) we are dealing **with the early** crop of olives; **הָא בְּאַפְלֵי – here** (i.e. in the other Mishnah) we are dealing **with the late** crop of olives. By the time the late olives are processed, the pressing season has passed; therefore, the *am haaretz* is not trusted to attest to their *taharah.*[18]

A clarification is requested:

אָמַר לֵיהּ רַב אַדָּא בַּר אַהֲבָה – Rav Adda bar Ahavah said to him (i.e. to Rav Nachman): **כְּגוֹן מַאי – Such as which?** I.e. what sort of olives are considered the late crop?

Rav Nachman answers:

כְּאוֹתָן שֶׁל בֵּית אָבִיךָ – Such as those of your father's house.[19]

The Gemara presents another resolution to the contradiction between the Mishnahs:

רַב יוֹסֵף אָמַר – Rav Yosef said: בְּגָלִילָא שָׁנוּ – They taught this other Mishnah **with regard to Galilee,** where *amei haaretz* are not trusted regarding the *taharah* of *terumah* even during the pressing season. Our Mishnah, however, is discussing Judea, where *amei haaretz* are trusted during this season.[20]

Rav Yosef's answer is challenged:

אֵיתִיבֵיהּ אַבַּיֵּי – Abaye challenged him from the following Baraisa: עֵבֶר הַיַּרְדֵּן וְהַגָּלִיל הֲרֵי הֵן כִּיהוּדָה – TRANSJORDAN AND GALILEE, THEY ARE LIKE JUDEA with regard to the trustworthiness of their *amei haaretz.* נֶאֱמָנִין עַל הַיַּיִן בִּשְׁעַת הַיַּיִן – Therefore, THEY (i.e. the *amei haaretz* of these regions) ARE TRUSTED REGARDING the *taharah* of WINE DURING THE WINE SEASON, וְעַל הַשֶּׁמֶן בִּשְׁעַת הַשֶּׁמֶן – AND REGARDING the *taharah* of OIL DURING THE OIL SEASON, אֲבָל לֹא עַל הַיַּיִן בִּשְׁעַת הַשֶּׁמֶן – BUT NOT REGARDING the *taharah* of WINE DURING THE OIL SEASON, וְלֹא עַל הַשֶּׁמֶן בִּשְׁעַת הַיַּיִן – AND NOT REGARDING the *taharah* of OIL DURING THE WINE SEASON. We see that during the pressing seasons, *amei haaretz* are trusted even in Galilee. Clearly, the contradiction between the Mishnahs cannot be resolved in this manner!

Therefore, the Gemara concludes:

אֶלָּא מְחַוַּורְתָּא כִּדְשָׁנִין מֵעִיקָּרָא – Rather, it is clear as we learned originally, that our Mishnah is discussing the early crop of olives, whereas the other Mishnah is discussing the late crop.

The Mishnah stated:

עָבְרוּ הַגִּיתּוֹת וְהַבַּדִּים וְהֵבִיאוּ לוֹ חָבִית שֶׁל יַיִן לֹא יְקַבְּלֶנָּה הֵימֶנּוּ אֲבָל מַנִּיחָהּ לַגַּת הַבָּאָה – IF THE WINE-PRESSING SEASON AND THE OLIVE-PRESSING SEASON HAVE PASSED, AND [THE *AMEI HAARETZ*] BRING [THE KOHEN *CHAVER*] A BARREL OF *TERUMAH* WINE, HE MAY NOT ACCEPT IT FROM THEM. HOWEVER, [THE *AM HAARETZ*] MAY SET IT ASIDE UNTIL THE NEXT WINE-PRESSING SEASON, and present it to the *chaver* then.

The Gemara presents an inquiry:

בָּעוּ מִינֵּיהּ מֵרַב שֵׁשֶׁת – They inquired of Rav Sheishess: עָבַר וְקִיבְּלָהּ – If [the Kohen] transgressed and accepted it from them, **מַהוּ שֶׁיַּנִּיחֶנָּה לַגַּת הַבָּאָה – what is [the law] regarding whether he may set it aside for the next wine-pressing season** and use it then?[21]

NOTES

16. *Tohoros* 9:4.

17. [Food becomes susceptible to *tumah* through being moistened with water or one of six other liquids (see *Leviticus* 11:34,38; *Machshirin* 6:4), one of which is olive oil. Food that has not come into contact with one of these seven cannot contract *tumah.*]

This Mishnah holds (in accordance with Rabban Gamliel, cited in *Tohoros* 9:1) that even if one's olives are oozing oil, they do not become susceptible to *tumah* until the gathering is done (see *Siach Yitzchak* to *Rashi*). This is because moistening causes susceptibility only if the owner is pleased with it; oil that flows out before the gathering is done does not meet this criterion, since the owner is unhappy to lose it (see *Rash* to *Tohoros* ibid.). Accordingly, the Mishnah suggests that when an *am haaretz* is about to complete the gathering, he should separate a box of olives to give to the Kohen as *terumah.* For if the Kohen receives the olives before the gathering is done, he can see for himself that they are not yet susceptible to *tumah.* Therefore, he may accept them from the *am haaretz,* and prepare them himself in a state of *taharah.* This implies that were the Kohen to receive the olives after the gathering is done, he would not be permitted to accept them, because they have been rendered susceptible to *tumah,* and must be assumed to have been contaminated by the *am haaretz.* Seemingly, even during the pressing season, the *am haaretz* is not trusted to say that the olives are *tahor* (*Rashi*).

[One could ask: How can the Kohen be sure that olives received before the end of the gathering are *tahor*? Perhaps they were rendered susceptible in some other manner (e.g. through moistening with water) before reaching the Kohen's hands! *Siach Yitzchak* answers that although an *am haaretz* cannot attest to an item's *taharah,* he can attest that it is not susceptible to *tumah,* as the Gemara teaches above (22b). Therefore, if the *am haaretz* claims that the olives are not susceptible, the Kohen may take him at his word (see also *Turei Even; Menachem Meishiv Nefesh*).]

[For why the Mishnah specifies a poor Kohen, see following note.]

18. According to Rav Nachman's answer, we understand why the Mishnah specifies a poor Kohen. It is because it is common for the late, leftover crops to be given to the poor, for it is not fitting to present so mean a gift to a wealthy man. If, however, one does wish to give them to a wealthy Kohen, he may do so (see *Rambam; Rav* to the Mishnah; see also *Tos. Yom Tov;* for other explanations, see *Meiri; Meromei Sadeh*). [Others read in the Mishnah: וְיִתְּנֶנָּה לְעֵינֵי כֹּהֵן, *and he puts it before the eyes of a Kohen,* i.e. so that the Kohen will see for himself that it is not susceptible to *tumah* (see *Tosafos; Tos. Rid*).]

19. See *Siach Yitzchak* for an explanation of this exchange.

20. Rav Yosef understands the Mishnah's reference to Judea ("in Judea they are trusted") to apply *both* to its first clause, which speaks of *kodesh,* and to its second clause, which speaks of *terumah.* Thus, the permit to trust *amei haaretz* regarding their *terumah* during the pressing season is limited to the province of Judea. In Galilee, however, *amei haaretz* would not be trusted to declare their *terumah* free of *tumah,* even during the pressing season (*Rashi;* cf. *Tosafos;* see *Turei Even*). This is because Galilee possesses few *chaverim* to oversee the purification of the vessels before the pressing season; consequently, we cannot be certain that it was carried out properly. Since the permit depends, in large measure, upon the knowledge that the vessels have been purified (see 24b note 22), the Rabbis could not extend it to Galilee (*Meromei Sadeh,* explaining *Rashi;* see *Siach Yitzchak* for another explanation).

21. Those posing the inquiry agree that ideally, the Kohen should not accept this *terumah.* If, however, he did accept it, may he set it aside for the next festival and use it then, or must it be destroyed, as *terumah* tainted with *am haaretz tumah*? On the one hand, since many *amei haaretz* do possess a reverence for *terumah,* the Kohen may assume that

המדומעות נאמנין עליהם בשעת הגיתות והבדים וקודם לגיתות שבעים יום: **גמ'** ביהודה אין ובגליל לא מ"ט אמר ריש לקיש מפני שרצועה של כותים מפסקת ביניהן וניתיב בשידה תיבה ומגדל הא מני רבי היא דאמר אהל זרוק לאו שמיה אהל דתניא א) הנכנס לארץ העמים בשידה תיבה ומגדל רבי א מטמא ור' יוסי בר' יהודה מטהר ולייתוה בכלי חרס המוקף צמיד פתיל אמר רבי אליעזר שונין ב אין הקדש ניצול בצמיד פתיל ג) והתניא ג אין חטאת ניצלת בצמיד פתיל מאי לאו הא קדש ניצול לא ד הא מים שאינן מקודשים ניצולין בצמיד פתיל והאמר עולא ד) חברייא מדכן בגלילא מניחין ולכשיבא אליהו ויטהרנה: ובשעת הגיתות נאמנין אף על התרומה: ורמינהי ה) הגומר זיתיו ישייר קופה אחת ויתננה ו) לעני כהן אמר רב נחמן לא קשיא הא בחרפי הא באפלי א"ל רב אדא בר אהבה כגון מאי כאותן של בית אביך רב יוסף אמר בגלילא שנו איתיביה אביי עבר הירדן וגליל הרי הן כיהודה ז) נאמנין על היין בשעת היין ועל השמן בשעת השמן אבל לא על היין בשעת השמן ולא על השמן בשעת היין אלא מחוורתא כדשנין מעיקרא: עברו הגיתות והבדים והביאו לו חבית של יין לא יקבלנה הימנו אבל מניחה לגת הבאה: בעו מיניה מרב ששת עבר וקיבלה מהו שיניחנה לגת הבאה אמר להו תניתוה

חבר

המדומעות. מפרש בגמרא והשתא משמע של טבל תרומה וחולין מעורבין: **שבעים יום.** מקדימין לטהר את הכלים. גיתות של יין בדים של שמן: **גמ' רצועה.** של ארץ העמים מפסקת בין גליל ליהודה וירושלים ביהודה היא וא"א להביאן לירושלים בטהרה לפי שגזרו חכמים טומאה על ארץ העמים ואפילו של חברים שמגליל אינו בא לנסכים: **אהל זרוק.** אהל המיטלטל ונזרק לאו שמיה אהל להיות מפסיק בין אוירה של ארץ העמים והם גזרו על אוירה: **שונין.** תנאים שונין ברייתא שאין הקודש ניצל בצמיד פתיל: **אין חטאת.** מי אפר פרה: **שאינן מקודשין.** שלא ניתן האפר עליהן עדיין: **ניצולין.** וכשירין לקדשן אחר כך: **מדכן.** מטהרין יין ושמן למזבח ואי לרצועה מפסקת למה מטהרין: **שמא יבא אליהו.** ויראה להן שביל בה שאינו מארץ העמים: **הגומר את זיתיו.** עם הארץ שבא לגמור את זיתיו: **ישייר קופה אחת.** לצורך תרומותיו: **ויתננה לעני כהן.** ויראה שלא הוכשרו הזיתים והכהן יעשנה בטהרה אלמא בשעת הגיתות והבדים אין נאמנים: **באפלי.** שכבר עבר זמן הגיתות לרובה דעלמא קאמר דלא מהימן: **כשל בית אביך.** אפלי הוו: **בגלילא שנו.** ומתני' דקא תני דמהימני ביהודה קאי דקתני רישא שביהודה נאמנין על טהרות יין ושמן ועלה קאי ובשעת הגיתו' והבדים אף על התרומ':

יכול

שרצועה של כותים מפסקת. הקשה הר"ר אלחנן היאך היו מביאין אפר פרה לגליל דא"א לעשות אלא בירושלים וא"כ נטמא בהבאתו דרך ארץ העמים ושמא דבשביל קטן איכא להביא דרך שם אבל להביא יין ושמן לנסכים בעי שביל גדול א) * אבל צ"ע היאך עולין לרגל מן הגליל ב) כיון דאפסקיה ליה לרצועה נטמא ובעי הזאה ג' וז' כדאמר פ' כ"ג בנזיר (דף נד.) הקשה הר"ר אלחנן דתניא בתוספתא ח) ארץ העמים טמאה מקוואותיה ושביליהן טמאין ארץ הכותים טהורה ומקוואותיהן טהורין ושביליהן טהורים כו' ונראה למורי דהתם נשנית קודם שקלקלו לדמות יונה כדאיתא פ"ק דחולין (דף ו.) והכי משמע בירושלמי דע"ז פ"ב בעו כותאי קומי רבי אבהו אבותיכם היו מסתפקין משלנו מפני מה אין אתם מסתפקין משלנו אמר להו אבותיכם לא קלקלו מעשיהם אתם קלקלתם מעשיכם דתנינן תמן א"י טהורה מקוואותיה טהורים כו' ולאחר שנתקלקלו שאף רבי מאיר מלינו שגזר עליהן בפ"ק דחולין: **אהל** זרוק לאו שמיה אהל. בפרק כ"ג בנזיר (דף נה. ושם) אמר כתנאי הנכנס לארץ העמים בשידה תיבה ומגדל רבי מטמא ורבי יוסי בר יהודה מטהר מאי לאו דרבי סבר משום אוירא גזרו ורבי יוסי סבר לא גזרו משום אוירא לא דכ"ע משום גושא גזרו משום אוירא לא גזרו מר סבר אהל זרוק לא שמיה אהל ומר סבר שמיה אהל והתניא רבי יוסי בר יהודה אומר תיבה מלאה ט) ספרים וזרקה על פני המת באהל טמאה וכו' וקשה מאי קאמר כיון דס"ל שמיה אהל אמאי זרק על פני המת טמאה אהל זרוק הוא וחוצץ וי"מ והתניא לשון קושיא הוי והכי פריך כדפרשינן וחוצץ ואח"כ דמסיק וקאמר ואי בעית אימא גר' דכ"ע לא שמיה אהל וגרס דכ"ע משום אוירא ומר סבר דלא שכיח ולא גזרו ביה רבנן והקשה הר"ר אלחנן דבשמעתין משמע דפליגי אי שמיה אהל בזרוק אי לא והכי נמי בפ' בכל מערבין (עירובין דף ל: ושם) ודוחק הוא לומר דנקט הכא לישנא דאהל זרוק משום דמעיקרא בעי למימר ליה ולפי המסקנא אינו ועוד קשה להר"י דהתם נמי נ"ל לרבי יוסי בר יהודה דשמיה אהל כי מוקי פלוגתא בשמא יוציא ראשו ורובו ולית ליה טעמא דאוירא לא שכיח ואמאי מטהר רבי יוסי אם לא מטעם דאהל זרוק שמיה אהל ותהדר קושיין לדוכתה מתיבה מלאה ספרים אמאי מטמא ותירץ ר"י דלעולם אמת הוא דפליגי באהל זרוק שמיה אהל ודוקא כגון שידה תיבה ומגדל שהולכים אבל זרק תיבה לא הוי אהל וכן משמע במסכת אהלות (פ"ח מ"ה) עוף הפורח או הקופץ וספינה המטרפת לא הויא אהל ומייתי סייעתא מזורק תיבה מלאה ספרים מדקאמר ואם היתה מונחת טהורה והיינו שהולכת בנחת והיינו אהל זרוק וזרק דרישא לא חשיב אהל זרוק דומיא דעוף הפורח: **שונין** אין הקדש ניצול במוקף צמיד פתיל. צ"ע אמאי לא חשיב ליה גבי מעלות דתרומה מלינו בשילהי הניזקין (גיטין דף סא: ושם) דנילנת בהא דאמר מפקידין תרומה אבל ע"ה במוקף צמיד פתיל הר"ר אלחנן ויש להקשות על הא דאמר בפ"ק דנדה (דף ה: ושם) ומה כלי חרס המוקף צמיד פתיל הניצול באהל המת אינו מציל במעת לעת שבנדה ומאי קאמר במאי מציל במת היינו בתרומה ולא בקדש כדאיתא הכא בהכי מציל נמי במעת לעת שבנדה דקאמר התם מעת לעת שבנדה לקדש אבל לא לתרומה וי"ל דהכא לא שייך הכלה אי לא מטמאה לה וה"ק ומה כלי חרס המציל באהל המת במאי שמטמאה לה כגון לתרומה אינו מציל במעת לעת במאי שמטמאה דהיינו לקדש דוקא: **ויתננה** לעני כהן. פרש"י ויראה שלא הוכשרו הזיתים משמע מהכא דבעינן הכשר בזיתים ולא מכשר ליה בשעת מסיקה ודלא כפר"ת שפירש בפ"ק דשבת (דף יז.) אם אתה מקיטני גוזרני על המסיקה ושוב גזר לה וכן משמע בכולה תוספתא דטהרות פרק ג' דתני דבעינן בזיתים הכשר ויש טעם נכון לדבר כדפי' ר"י שמשקה זיתים אינו אלא מוהל בעלמא ולא חשיב משקה. לעני כהן גר' וכן גרס רש"י והכי איתא בסדר המשנה דטהרות הגומר זיתיו יתננה לעני כהן דברי רבי מאיר רבי יהודה אומר ימסור לו מפתח ומאן דגרס לעני כהן שיבוש הוא בידו:

בגלילא שנו. שיש להם רוב שמן ומאחרים בבדים ברוב שמן שיש להם לעשות והכי נמי אמר פרק כירה (שבת דף מז. ושם) גבי מטלטלין כונא אגב קיטמא כלומר מחתה אגב אפרה וכן פירש בערוך ועדיף טפי מכלכלה ואבן שבתוכה ואותיב ליה ושוין שאם יש בה שברי פתילה שאסור לטלטלה שבטל הכלי והשמן אגב הפתילה ומוקי לה בגלילא שנו כלומר שעשירים הוו מרוב שמן ולא קפדי עליה בטיל ליה אגב פתילה ודוגמא לדבר ההוא דבפ"ק דסנהדרין (דף יא:) טול אגרתא וכתוב לאחנא בני גלילאה עילאי ותתאי כו' לאפרושי מעשרא ממעטנא דזיתא ובנזיר פ' ב"ש (דף לא:) בגלילא שנו דחמרא עדיף ממשחא ויין היה מצוי להם הרבה ורוב שתייתן בכך כדמשמע בהמוציא יין (שבת דף עז.) דקתני מים כדי לשוף את הקילור דחשיב משום דשכיח לרפואה טפי משתיה שלא היו שותין רק יין מתוך עושרם בגליל ואפ"ה הוה עדיף להם היין מן השמן משמע שהיה להם רוב שמן בזול כדפרי' ומיהו פירש רש"י בגלילא שנו דפרק כירה (שם דף מז.) שהיו עניים ולא היו להם פתילות מצויות ובהמוציא (שם דף עח.) פירש מתוך שהיו עניים לא היו עושין רפואה רק ממים ולא מיין ולא משמע כן דא"כ גם שתיית מים שכיח טפי כיון שלא היה להם יין פורתא לשפות הקילור והיה להם לשער בשתיה ועוד מלינו בחולין בפ' אותו ואת בנו (דף פג.) וערב יום הכפורים בגליל משמע שהיו עשירים ומרבים בסעודות ועוד מה שפי' דלא היו פתילות מצויות הא אמרינן בשילהי בבא קמא (דף קיח:) מקבלין מן הנשים דבר מועט כלי פשתן בגליל אלמא שמצוי פשתן ביניהם וכי קאמר לישנא דאסור לטלטלה דמשמע דקאי אפתילה דשייך בה לשון נקבה דהא נר לשון זכר דליכא למימר דקאי אקערה דמייתי לה לעיל מותר השמן שבנר ושבקערה מותר וגם מלינו לשון נקבה אנר נר חנוכה כבתה אין זקוק לה (שבת דף כא.) כל זה פי' הר"י וגם רבינו מאיר פירש כן ועוד הוסיף כי מרוב יין היה להם כאב עינים וטוב המים לרפואה:

סבר

מסורת הש"ס

א) גיטין ח: עירובין ל: נזיר נה., ב) [צ"ל והתנן], ג) פרה פי"א מ"א, ד) נדה ו:, ה) טהרות פ"ט מ"ד, ו) [צ"ל לעני עי' תוס' וכן גרס הערוך ערך עין וכן בתוספתא פ"י דטהרות], ז) [תוספתא פ"ג], ח) [דמקוואות פ"ו], ט) [צ"ל כלים].

גליון הש"ס

תוס' ד"ה שרצועה וכו' אבל צ"ע האיך עולין לרגל. עיין מ' שער אפרים סי' לו:

הגהות מהר"ב רנשבורג

א] תוס' ד"ה שרצועה כו' אבל צ"ע איך עולין לרגל מן הגליל כו'. נ"ב ונלע"ד שהיו עולין ע"י שוורים וע"ג דלתות דהוי אהל מפסיק לכ"ע כמ"ש תוס' בעירובין דף לא ע"א בד"ה ומר סבר וכו' ומה שלא התירו גם הכא עי"כ כמו שהקשה בספר טורי אבן י"ל כמ"ש שם הרש"א בעירובין בתוס' הנ"ל משום דלא שכיח לא התירו אבל לענין עלית רגל דהוי עשה דאורייתא שפיר התירו ודו"ק: **ב]** שם בא"ד כיון דאפסקי' ליה רצועה נטמא ובעי הזאה ג' וז' וכו'. נ"ב עיין שיח יצחק מ"ש בזה:

ליקוטי רש"י

אהל זרוק לאו שמיה אהל. וכל שאינו אהל לארץ העמים. מטמאה באהל. **בשידה.** מרכבת נשים עגלה עשויה כקובה. **מגדל.** משטו"ר [עירובין ל:]. **בשידה תיבה ומגדל.** וטעמא אותה כאהל. **רבי מטמא.** קסבר אהל זרוק לא שמיה אהל הלכך מפרש בעירובין אהל המטלטל אינו אהל בשעת טלטולו הילכך חלילה דקא מפסיק האי אהל בינו לאויר ארץ העמים לאו חלילה היא [גיטין ח.]. **חברייא מדכן בגלילא וכו'.** חבירים בגליל מטהרים יינם לנסכים ושמנם למנחות שמא יבנה בהמ"ק בימיהם [נדה ו:]. **מחוורתא.** דבר ברור הוא כמו במחוורת עליו נזיר (דף סג.) [מעילה טו.].

עין משפט נר מצוה

מא א מיי' פי"א מהל' טומאת מת הל' ה:

מב ב מיי' פי"ד מהל' פרה אדומה הל' ד:

מג ג מיי' שם הלכה ג:

מד ד מיי' שם הלכה ד:

רבינו חננאל

מדקתני ביהודה נאמנין מכלל דבגליל אין נאמנין מ"ט אמר ר"ל מפני שמפסקת ביניהם מדור הכותים וכיון שצריך לעבור בתוכם חיישינן שמא מטמא טומאת ארץ העמים ומקשינן ויתננה להניא חבית בשידה תיבה או במגדל דהא לא נטמאה בטומאת ארץ העמים. ופרקינן מתני' רבי היא דאמר אהל זרוק לא הוי אהל דתניא הנכנס בארץ העמים בשידה תיבה ומגדל ר' מטמא ור' יוסי בר' יהודה מטהר וכבר פירשנוה בעירובין פרק בכל מערבין ומקשינן תוב ולייתוה בכלי חרש המוקף צמיד פתיל. ופרקינן א"ר אלעזר שונין אין קדש ניצל בצמיד פתיל איני והתניא [אין] חטאת ניצלת בצמיד פתיל ומדקתני הכי אין מי חטאת ניצלת בצמיד פתיל הא א) מים שאין מקודשין ניצולין בצמיד פתיל תוב מקשינן וכי לא מצו לאתויי יין ושמן בגליל מפני מדורי הכותים שעוברין בתוכם והא' עולא חבריא מדכו בגלילא פי' חברינו מטהרין האוכלין והמשקין בגליל. ודחי מניחין אותם ואם יבא אליהו ויודיע שלא נטמאו אע"פ שהדרך מפסקת אותה שעה מטהרה ב). ובשעת הגיתות והבדים נאמנים אף על התרומה ורמינהו הגומר זיתיו ישייר קופה אחת ויתננה לעיני כהן. ואי מהימן הוא למה לי לעיני כהן. ופריק מתניתין בחרפי. והא דקתני לעיני כהן מכלל הן שאין נאמנין באפלי שכבר עברו הגיתות והבדין ואבותיו של רב נחמן היו להן הרבה והיו מתאחרין הרבה אחרי כל אדם ובא רב יוסף לאוקומה הא דתנא יתננה לעיני כהן בגליל שאינם נאמנים לעולם ומותבינן עליה והא [תניא] עבר הירדן וגליל הרי הן כיהודה נאמנין על היין בשעת היין כו' ואסיקנא אלא מחוורתא באפלי: עברו הגיתות והבדים הביאו לו חבית של יין של תרומה לא יקבלוה כו'. הא דבעו מרב ששת עבר וקיבל מהו שיניחנה לגת הבאה אם לאו פשיט ליה מהא

חשק שלמה על ר"ח

א) נראה דחסר כאן וצ"ל הא קדש ניצול בצמיד פתיל ומשנינן הא מים וכו'. ב) אולי צ"ל שמא יראה שביל שהיא טהורה ועי' רש"י וצ"ע.

Rav Sheishess answers:
אָמַר לְהוּ – He said to them: תְּנֵיתוּהָ – You have learned the answer to **this in a Mishnah.**

NOTES

they guarded it from *tumah*. Accordingly, at the onset of the pressing season, when the decree on *amei haaretz* is lifted, he may make use of the *terumah* (see *Tosafos* 24b ד״ה שביהודה with *Chazon Ish, Moed* §129, comments to 24b; see also *Siach Yitzchak* there). On the other hand, perhaps the Rabbis did not want the Kohen to hold the *terumah* until the pressing season, lest he inadvertently consume it before the season arrives (*Tos. Rid;* see *Turei Even* to 26a for another approach).

[This inquiry is not limited to *terumah* that the *am haaretz* separates during the pressing season, but applies also to that separated at any time during the year. Ideally, the Kohen should not accept such *terumah* from the *am haaretz;* if, however, he does accept it, perhaps he may set it aside until the next pressing season, because of the *am haaretz's* reverence for *terumah* (see *Tosafos* ibid.; *Chazon Ish* ibid.; see 24b note 24).]

המדומעות נאמנין עליהם בשעת הגיתות והבדים וקודם לגיתות שבעים יום: גמ' ביהודה אין ובגליל לא מ"ט אמר ריש לקיש מפני שרצועה של כותים מפסקת ביניהן וניתיב בשידה תיבה ומגדל הא מני רבי היא דאמר אהל זרוק לאו שמיה אהל דתניא (א) הנכנס לארץ העמים בשידה תיבה ומגדל רבי (א) מטמא ור' יוסי בר' יהודה מטהר ולייתוה בכלי חרס המוקף צמיד פתיל אמר רבי אליעזר שונין (ב) אין הקדש ניצול בצמיד פתיל (ב) והתניא (ג) אין חטאת ניצלת בצמיד פתיל מאי לאו הא קדש ניצול לא (ד) הא מים שאינן מקודשים ניצולין בצמיד פתיל והאמר עולא (ד) חברייא מדכן בגלילא מניחין ולכשיבא אליהו ויטהרנה: ובשעת הגיתות נאמנין אף על התרומה: ורמינהי (ה) הגומר זיתיו ישייר קופה אחת ויתננה (ו) לעני כהן אמר רב נחמן לא קשיא הא בחרפי הא באפלי א"ל רב אדא בר אהבה כגון מאי כאותן של בית אביך רב יוסף אמר בגלילא שנו איתיביה אביי עבר הירדן וגליל הרי הן כיהודה (ז) נאמנין על היין בשעת היין ועל השמן בשעת השמן אבל לא על היין בשעת השמן ולא על השמן בשעת היין

אלא מחוורתא כדשנין מעיקרא: עברו הגיתות והבדים והביאו לו חבית של יין לא יקבלנה הימנו אבל מניחה לגת הבאה: בעו מיניה מרב ששת עבר וקיבלה מהו שיניחנה לגת הבאה אמר להו תניתוה חבר

רש"י

המדומעות. מפרש בגמרא והשתא משמע של טבל תרומה וחולין מעורבין: שבעים יום. מקדימין לטהר את הכלים. גיתות של יין בדים של שמן: גמ' רצועה. של ארץ העמים מפסקת בין גליל ליהודה וירושלים ביהודה היא וא"א להביאן לירושלים בטהרה לפי שגזרו חכמים טומאה על ארץ העמים ואפילו של חברים שמגליל אינו בא לנסכים: אהל זרוק. אהל המיטלטל ונזרק לאו שמיה אהל להיות מפסיק בין אוירה של ארץ העמים והם גזרו על אוירה: שונין. תנאים שונין ברייתא שאין הקודש ניצל בצמיד פתיל: אין חטאת. מי אפר פרה: שאינן מקודשין. שלא ניתן האפר עליהן עדיין: ניצולין. וכשירין לקדשן אחר כך: מדכן. מטהרין יינן ושמנן למזבח ואי רצועה מפסקת למה מטהרין: שמא יבא אליהו. ויראה להן שביל בה שאינו מארץ העמים: הגומר את זיתיו. עם הארץ שבא לגמור את זיתיו: ישייר קופה אחת. לצורך תרומותיו: ויתננה לעני כהן. ויראנה שלא הוכשרו הזיתים והכהן יעשנה בטהרה אלמא בשעת הגיתות והבדים אין נאמנים: באפלי. שכבר עבר זמן הגיתות לרובא דעלמא קאמר דלא מהימני: כשל בית אביך. אפלי הוו: בגלילא שנו. ומתני' דקא תני דמהימני ביהודה קאי דקתני רישא שביהודה נאמנין על טהרות יין ושמן ועלה קאי ובשעת הגיתו' והבדים אף על התרומ': יכול

תוספות

שרצועה של כותים מפסקת. הקשה הר"ר אלחנן היאך היו מביאין אפר פרה לגליל דא"א לעשות אלא בירושלים וא"כ נטמא בהבאתו דרך ארץ העמים ושמא דבשביל קטן איכא להביא דרך שם אבל להביא יין ושמן לנסכים בעי שביל גדול אן] אבל צ"ע היאך עולין לרגל מן הגליל בן] כיון דאפסקיה ליה רצועה נטמא ובעי הזאה ג' וז' כדאמר פ' כ"ג בנזיר (דף מד.) הקשה הר"ר אלחנן דתניא בתוספתא (ח) ארץ העמים טומאה מקוואותיה ושביליהן טמאין ארץ הכותים טהורה ומקוואותיהן טהורין ושביליהן טהורים כו' ונראה למורי דהתם נשנית קודם שקלקלו לדמות יונה כדאיתא פ"ק דחולין (דף ו.) והכי משמע בירושלמי דע"ז פ"ב בעו כותאי קומי רבי אבהו אבותיכם היו מסתפקין משלנו מפני מה אין אתם מסתפקין משלנו אמר להו אבותיכם לא קלקלו מעשיהם אתם קלקלתם מעשיכם דתנינן תמן א"י טהורה מקוואותיה טהורים כו' ולאחר שנתקלקלו שאף רבי מאיר מלינו שגזר עליהן בפ"ק דחולין:

אהל זרוק לאו שמיה אהל. בפרק כ"ג בנזיר (דף נה. ושם) אמר כתנאי הנכנס לארץ העמים בשידה תיבה ומגדל רבי מטמא ורבי יוסי בר יהודה מטהר מאי לאו דרבי סבר משום אוירא גזרו ורבי יוסי סבר לא גזרו משום אוירא לא דכ"ע משום גושא גזרו משום אוירא לא גזרו מר סבר אהל זרוק לא שמיה אהל ומר סבר שמיה אהל והתניא רבי יוסי בר יהודה אומר תיבה מלאה (ט) ספרים וזרקה על פני המת באהל טמאה וכו' וקשה מאי קאמר כיון דס"ל שמיה אהל אמאי אהל זרק על פני המת טמאה אהל זרוק הוא וחוצץ וי"מ והתניא לשון קושיא הוי והכי פריך כדפרשינן וחוצץ ואח"כ דמסיק וקאמר ואי בעית אימא גר' דכ"ע לא שמיה אהל וגרס דכ"ע משום אוירא ומר סבר דלא שכיח ולא גזרו ביה רבנן והקשה הר"ר אלחנן דבשמעתין משמע דפליגי אי שמיה אהל בזרוק אי לא והכי נמי בפ' בכל מערבין (עירובין דף ל: ושם) ודוחק הוא לומר דנקט הכא לישנא דאהל זרוק משום דמעיקרא בעי למימר ליה ולפי המסקנא אינו ועוד קשה להר"ר דהתם נמי ל"ל לרבי יוסי בר יהודה דשמיה אהל כי מוקי פלוגתא בשמא יוצא ראשו ורובו ולית ליה טעמא דאוירא לא שכיח ואמאי מטהר רבי יוסי אם לא מטעם דאהל זרוק שמיה אהל והדר קושיין לדוכתה מתיבה מלאה ספרים אמאי מטמא ותירץ ר"י דלעולם אמת הוא דפליגי באהל זרוק שמיה אהל ודוקא כגון שידה תיבה ומגדל שהולכים אבל זרק תיבה לא הוי אהל וכן משמע במסכת אהלות (פ"ח מ"ה) עוף הפורח או הקופץ וספינה המטרפת לא הויא אהל ומייתי סייעתא מזורק תיבה מלאה ספרים מדקאמר ואם היתה מונחת טהורה והיינו שהולכת בנחת והיינו אהל זרוק וזרק דרישא לא חשיב אהל זרוק דומיא דעוף הפורח: שונין אין הקדש ניצול במוקף צמיד פתיל. צ"ע אמאי לא חשיב ליה גבי מעלות דתרומה מלינו בשילהי הניזקין (גיטין דף סא: ושם) דנילגת בהא דאמר מפקידין תרומה אצל ע"ה במוקף צמיד פתיל הר"ר אלחנן ויש להקשות על הא דאמר בפ"ק דנדה (דף ה: ושם) ומה כלי חרס המוקף צמיד פתיל הניצול באהל המת אינו מציל במעת לעת שבנדה ומאי קאמר במאי מציל במת היינו בתרומה ולא בקדש כדאיתא הכא בהכי מציל נמי במעת לעת שבנדה דקאמר התם מעת לעת שבנדה לקדש אבל לא לתרומה וי"ל דבהא לא שייך הלכה אי לא מטמא לה וה"ק ומה כלי חרס המציל באהל המת במאי שמטמא לה כגון לתרומה אינו מציל במעת לעת במאי שמטמא דהיינו לקדש דוקא: יתננה לעני כהן. פרש"י ויראה שלא הוכשרו הזיתים משמע מהכא דבעינן הכשר בזיתים ולא מכשר ליה בשעת מסיקה ולא כפר"ת שפירש בפ"ק דשבת (דף יז.) אם אתה מקיטני גוזרני על המסיקה ושוב גזר לה וכן משמע בכולה תוספתא דטהרות פרק ג' דתני דבעינן בזיתים הכשר ויש טעם נכון לדבר כדפי' ר"י שמשקה זיתים אינו אלא מוהל בעלמא ולא חשיב משקה. לעני כהן גר' וכן גרס רש"י והכי איתא בסדר המשנה דטהרות הגומר זיתיו יתננה לעני כהן דברי רבי מאיר רבי יהודה אומר ימסור לו מפתח ומאן דגרס לעני כהן שיבוש הוא בידו:

בגלילא שנו. שיש להם רוב שמן ומאחרים בבדים ברוב שמן שיש להם לעשות והכי נמי אמר פרק כירה (שבת דף מז. ושם) גבי מטלטלין כנונא אגב קיטמא כלומר מחתה אגב אפרה וכן פירש בערוך ועדיף טפי מכלכלה ואבן שבתוכה ואותיב ליה ושוין שאם יש בה שברי פתילה שאסור לטלטלה שבטל הכלי והשמן אגב הפתילה ומוקי לה בגלילא שנו כלומר שעשירים הוו מרוב שמן ולא קפדי עליה בטיל ליה אגב פתילה ודוגמא לדבר ההוא דבפ"ק דסנהדרין (דף יא:) טול אגרתא וכתוב לאחנא בני גלילאה עילאי ותתאי כו' לאפרושי מעשרא ממעטנא דזיתא ובנזיר פ' ב"ש (דף לא:) בגלילא שנו דחמרא עדיף ממשחא ויין היה מצוי להם הרבה ורוב שתייתן בכך כדמשמע בהמוציא יין (שבת דף עח.) דקתני מים כדי לשוף את הקילור דחשיב משום דשכיח לרפואה טפי משתיה שלא היו שותין רק יין מתוך עושרם בגליל ואפ"ה הוה עדיף להם היין מן השמן משמע שהיה להם רוב שמן בזול כדפרי' ומיהו פירש רש"י בגלילא שנו דפרק כירה (שם דף מז.) שהיו עניים ולא היו להם פתילות מצויות ובהמוציא (שם דף עח.) פירש מתוך שהיו עניים לא היו עושין רפואה רק ממים ולא מיין ולא משמע כן דא"כ גם שתיית מים שכיח טפי כיון שלא היה להם יין פורתא לשפות הקילור והיה להם לשער בשתיה ועוד מלינו בחולין בפ' אותו ואת בנו (דף פג.) וערב יום הכפורים בגליל משמע שהיו עשירים ומרבים בסעודות ועוד מה שפי' דלא היו פתילות מצויות הא אמרינן בשילהי בבא קמא (דף קיט:) מקבלין מן הנשים דבר מועט כלי פשתן בגליל אלמא שמצוי פשתן ביניהם וכי קאמר לישנא דאסור לטלטלה דמשמע דקאי אפתילה דשייך בה לשון נקבה דהא נר לשון זכר דאיכא למימר דקאי אקערה דמייתי לה לעיל מותר השמן שבנר ושבקערה מותר וגם מלינו לשון נקבה אצל נר חנוכה כבתה אין זקוק לה (שבת דף כא.) כל זה פי' הר"י וגם רבינו מאיר פירש כן ועוד הוסיף כי מרוב יין היה להם כחל עיניים וטוב המים לרפואה:

חבר

מסורת הש"ס

א) גיטין ח: עירובין ל: נזיר נה., ב) [צ"ל והתנן], ג) פרה פי"א מ"א, ד) נדה ו:, ה) טהרות פ"ט מ"ד, ו) [צ"ל לעיני עי' תוס' וכן גרס הערוך ערך עין וכן בתוספתא פ"י דטהרות], ז) [תוספתא פ"ג], ח) [דמקוואות פ"ו], ט) [צ"ל כלים].

גליון הש"ס

תוס' ד"ה שרצועה וכו' אבל צ"ע האיך עולין לרגל. עיין ת' שער אפרים סי' לו:

הגהות מהר"ב רנשבורג

א] תוס' ד"ה שרצועה כו' אבל צ"ע איך עולין לרגל מן הגליל כו'. נ"ב ונלע"ד שהיו עולין ע"י שוורים וע"ג דלמות דהוי אהל מפסיק לכ"ע כמ"ש תוס' בעירובין דף ל' ע"א בד"ה ומר סבר וכו' ומה שלא התירו גם הכא ע"י כמו שהקשה בספר טורי אבן י"ל כמ"ש שם הרש"א בעירובין בתוס' הנ"ל משום דלא שכיח לא התירו אבל לענין עליה רגל דהוי עשה דאורייתא שפיר התירו ודו"ק: ב] שם בא"ד כיון דאפסקי' ליה רצועה נטמא ובעי הזאה ג' וז' וכו'. נ"ב עיין שיח יצחק מ"ש בזה:

ליקוטי רש"י

אהל זרוק לאו שמיה אהל. וכל שאינו אהל אינו חוצץ. לארץ העמים. מטמאה באהל. בשידה. מרכבת נשים עגלה עשויה כקופסא. מגדל. משטי"ר [עירובין ל:]. בשידה תיבה ומגדל. ונושאים אותה באויר. רבי מטמא. קסבר אהל זרוק לא שמיה אהל הכי מפרש בערובין אהל המטלטל אינו אהל בשעת טלטולו הילכך אוירא דקא מפסיק האי אהל בינו לאויר ארץ העמים לאו מידי היא [גיטין ח.]. חברייא מדכן בגלילא וכו'. חברים שבגליל מטהרים יינם לנסכים ושמנם למנחות שמא יבנה בהמ"ק בימיהם [נדה ו:]. מחוורתא. דבר ברור הוא כמו במחוורת עליו נזיר (דף סג.) [מעילה טו.].

עין משפט נר מצוה

מא א מיי' פי"א מהל' טומאת מת הל' ה:
מב ב מיי' פי"ד מהל' פרה אדומה הל' ז:
מג ג מיי' שם הלכה ג:
מד ד מיי' שם הלכה ז:

רבינו חננאל

מדקתני ביהודה נאמנין מכלל דבגליל אין נאמנין מ"ט אמר ר"ל מפני שמפסקת ביניהם מדור הכותים וכיון שצריך לעבור בתוכם חיישינן שמא מטמא טומאת ארץ העמים ומקשינן ויתננה לההיא חבית בשידה תיבה או במגדל דהא לא נטמאה בטומאת ארץ העמים. ופרקינן מתני' רבי היא דאמר אהל זרוק לא הוי אהל דתניא הנכנס בארץ העמים בשידה תיבה ומגדל ר' מטמא ור' יוסי בר' יהודה מטהר וכבר פירשנוה בעירובין פרק בכל מערבין ומקשינן תוב ולייתוה בכלי חרש המוקף צמיד פתיל. ופרקינן א"ר אלעזר שונין אין קדש ניצל בצמיד פתיל איני והתניא [אין] חטאת ניצלת בצמיד פתיל ומדקתני הכי אין מי חטאת ניצלת בצמיד פתיל הא א) מים שאין מקודשין ניצולין בצמיד פתיל תוב מקשינן וכי לא מצו לאתויי יין ושמן בגליל מפני מדורי הכותים שעוברין בתוכם והא' עולא חבריא מדכו בגלילא פי' חברינו מטהרין האוכלין והמשקין בגליל. ודחי מניחין אותם ואם יבא אליהו ויודיע שלא נטמאו אע"פ שהדרך מפסקת אותה שעה מטהרה ב). ובשעת הגיתות והבדים נאמנים אף על התרומה ורמינהו הגומר זיתיו ישייר קופה אחת ויתננה לעיני כהן. ואי מהימן הוא למה לי לעיני כהן. ופריק מתניתין בחרפי. והא דקתני לעיני כהן מכלל הן שאין נאמנין באפלי שכבר עברו הגיתות והבדין ואבותיו של רב נחמן היו להן הרבה והיו מתאחרין הרבה אחרי כל אדם ובא רב יוסף לאוקומה הא דתנא יתננה לעיני כהן בגליל שאינם נאמנים לעולם ומותבינן עליה והא [תניא] עבר הירדן וגליל הרי הן כיהודה נאמנין על היין בשעת היין כו' ואסיקנא אלא מחוורתא באפלי: עברו הגיתות והבדים הביאו לו חבית של יין של תרומה לא יקבלה כו'. הא דבעו מרב ששת עבר וקיבל מהו שיניחנה לגת הבאה אם לאו פשיט ליה מהא

חשק שלמה על ר"ח

א) נראה דחסר כאן וצ"ל הא קדש ניצול בצמיד פתיל ומשנינן הא מים וכו'. ב) אולי צ"ל שמא יראה שביל שהיא טהורה ועי' רש"י וצ"ע.

מה א מיי׳ פי״א מהל׳ מעשר הלכה ו:
מו ב ג מיי׳ פ״ו מהל׳ קרבן פסח הלכה ח:
מז ד ה ו מיי׳ פי״א מהל׳ מטמאי משכב ומושב הלכה ד:
מח ז ח מיי׳ שם הל׳ ה:
מט ט מיי׳ שם הלכה ו:
נ י מיי׳ שם הלכה ז:
נא כ מיי׳ שם הלכה ו:

רבינו חננאל

חבר ועם הארץ שירשו אביהם לא יאמר החבר לעם הארץ טול אתה לח ואני יבש. ותני עלה אותו חבר שורף את הלח ומניח את היבש ואמאי יניחנו לגת הבאה שהוא נאמן בה ופרשי׳ בדבר שאין לו גת כגון דבש וחלב וכיוצא בהן. ואמרינן יניחנו לרגל וכדבעינן למימר לקמן טומאת עם הארץ ברגל רחמנא טהריה. ודחי׳ בדבר שאין משתמר לרגל עליה תנינן שורף את הלח: ואם אמר הפרשתי לתוכה רביעית קדש נאמן. ואם בדק לפסחו מותר לאכול בתרומתו כעולא דדייקא מתניתין כוותיה דקתני אם אמר הפרשתי לתוכה רביעית קדש נאמן. מדמהימן אקדש מהימן נמי אתרומה. הכא נמי מדמהימן אפסח מהימן נמי אתרומה. כדי יין וכדי שמן המדומעות כו׳ אוקימנא להא דתנינן בתוספתא אין נאמנין לא על הקנקנים ולא על התרומה בקנקנים דקדש ריקנים ובשאר ימות השנה במלאין דתרומה [ובשעת הגיתות]. והא דתנן במתניתין כדי יין וכדי שמן המדומעות אוקימנא בקדש. ומקשינן וכי איכא דימוע בקדש. פי׳ תרומה שנפלה בחולין נדמעו זה נקרא דמע אבל אין לשון דימוע בקדש. ושנינן אין איכא דימוע בקדש כגון דמשמר טבלו להפריש ממנו נסכים לקדש. כי האי גוונא משכחת לה דימוע בקדש: מתני׳ מן המודיעין ולפנים כו׳. מודיעין מקום כדתנא מודיעין רחוקה מירושלים ט״ו מיל. אוקימנא כדתנא מודיעין פעמים כלפנים פעמים כלחוץ כיצד קדר יוצא וחבר נכנס כלפנים שניהן נכנסין או שניהן יוצאין מודיעין עצמה כלחוץ. תנא

חבר ועם הארץ שירשו את אביהם. [ט] מתני׳ היא בפ״ו דדמאי] ופירש רש״י טעם של משנה זו מטעם ברירה דמעיקרא הוברר הדבר שאלו לחלקו נפל אבל בשני מינים לא אמרינן הוברר הדבר וכן פירש הוא עצמו משנה אחרת [ט] גר ונכרי שירשו את אביהן יכול לומר טול אתה ע״ז ואני אטול מעות דלית ליה ברירה התם והיא קשה למורי כיון דסתם משנה אית ליה ברירה תקשי מיניה לרבי יוחנן דאמר אחין שחלקו לקוחות הן ומחזירין זה לזה ביובל אלמא אין ברירה וכן בבכורות פרק יש בכור (דף מח.) גבי נתנו עד שלא חלקו מוקי רבה ר׳ מאיר ורבי יהודה כרב אסי דאמר האחין שחלקו מחצה יורשין ומחצה לקוחות אלמא מספקא להו אי יש ברירה או לא ומהאי דלוקח יין מן הכותים (דמאי פ״ז מ״ד) ליכא לאקשויי דשמעינן מינה ברירה דהתם טעמא אחרינא איכא שמפרש דבריו בהדיא אבל ירושה דממילא הויא לא וכן בפ׳ בכל מערבין (עירובין דף לו: ושם) איכא מאן דלית ליה הך סברא וכי תימא דמדרבנן מודה רבי יוחנן דלית ליה ברירה הא שמעינן ליה בשילהי ביצה (דף לז: ושם) אין ברירה אף בעירובי תחומין ומיהו כמה סתמי משניות דמלינו דאין ברירה וכמה מקומות פלוגתא דתנאי ובפרק בכל מערבין (עירובין דף לו: ושם) דדחיק לאתויי תנא דברירה לא מייתי הך משום דעדיפא ליה לאתויי מילתא דהתנא מזכר בה וגם מילתא דאיירי בעירובי תחומין דאיירי בה:

מנפח אדם בית הפרס. [א] פירשתי בברכות (דף יט:) כל אורך הדברים מפרשת רבי יהודה נ״ע:

במטהר טבלו ליקח הימנו נסכים. פירש רש״י דלאכול קדש ותרומה דמהימן דנאמן אתרומה וקנקנים במיגו דמהימן אקדש שגנאי הוא לו אם קנקנים שהיה בו הקדישו טמאים תימה דא״כ אמאי נקט שבעים יום קודם אפילו בשאר ימות השנה נמי דהא תנן ואם אמר הפרשתי לתוכה רביעית קדש נאמן ותירץ הר״ר אלחנן דהכא איירי שייחדו לנסכים כשיצטרך ממנו אבל התם איירי בשכבר הקדישו לכך:

יכול לומר לו טול אתה חטין במקום פלוני. שיודע בהן שהוכשרו ואני אטול חטים במקום פלוני שיודע שלא הוכשרו דכיון דחד מינא הן אמרי׳ יש ברירה שאלו הן חלקו של זה ואלו הן חלקו של זה ולא החליף לו חבר לע״ה חלקו שבטמאין בשביל חלקו של ע״ה בטהורין אבל בשני מינין אין לומר ברירה דכשמת אביהן נפל חלק לזה וחלק לזה בכל המינים ונמצא חבר זה מחליפו לו ועובר בלפני עור לא תתן מכשול (ויקרא יט): שורף את הלח. אם כהן הוא ויש שמן לתרומה מדליקו לנרות: בדבר שאין לו גת. כגון שכר תמרים של תרומה והאי שורף לשון איבוד הוא: ויניחנו לרגל. שטומאת עם הארץ אינה ברגל ויש מכרנה: שבודקין לעושי פסח. בית הפרס כדמפרש ואזיל היה הולך לעשות פסחו ובית הפרס של שדה שנחרש בו קבר מפסיקו בודקו בנפיחה ואם יש עצם כשעורה רואהו ונשמט ממנו ועצם כשעורה אינו מטמא באהל אלא במגע ובמשא לפיכך בודק בנפיחה שלא יסיטנו ברגלו: ואין בודקין לאוכלי תרומה. אין סומכין על בדיקה זו דכיון דאין זמן קבוע לאכילה ימתין שבעה ימים ויזה שלישי ושביעי ויטבול אבל גבי פסח הואיל ובית הפרס דרבנן לא העמידו דבריהם במקום כרת: שנידש. ברגל וזו היא בדיקתו בודק אם נידש או לא נידש: במקום שיש בו חיוב מיתה. כגון טמא האוכל תרומה: מיגו דמהימן אקדש מהימן אתרומה. שגנאי הוא למזבח שתהא תרומה המסובלת לו בחזקת טומאה והקדש יקרב למזבח: בריקנין דקדש. לאחר שעירה מהן קודש והיא סומכן לקדש אינו נאמן על שמירתן: ובשאר כל ימות השנה. כלומר כל ימות השנה לקדש אין חילוק בין שעת הגיתות לשאר ימות השנה: ובמלאין דתרומה בשעת הגיתות. שאע״פ שלא גזרו על תרומתן בשעת הגיתות מפני הפסד כהנים חבירים דנמלאת מפסידן מרוב תרומות ארץ ישראל על הקנקנים לא האמינום ואין הכהנים חברים מקבלין מהן הקנקנים עם התרומה אבל מערין אותה לכליהן ודכוותה אמרינן לקמן אל תתמה שהרי לגין טמאין טומאת שבעה ומשקין טהורים: מאי לאו מדומעות דתרומה. וקתני נאמן אכדין: תוס׳. ומי איכא דימוע לקדש. טבל שלא נתקן מדומע בתרומה אבל קדש לא הוזקקו לפרוש מתוכה שיהא הטבל מדומע בתוכו. ע״כ: במטהר את טבלו לנסכים. דאיכא חולין וקדש ותרומה מיגו דמהימן אקדש מהימן נמי אתרומה ואקנקנים שגנאי לקדש שיהו הקנקנים שעירוהו מהן בחזקת טומאה והוא קרב: מתני׳ מן המודיעים ולפנים. מודיעים שם כרך רחוק מירושלים ט״ו מיל כדאמר במסכת פסחים (דף צג:) ממנו ולפנים לצד ירושלים נאמנין קדרין עמי הארץ ליקח מהן כלי חרס הדקין כגון קדרות כוסות וקיתוניות שאי אפשר בלא הם ובירושלים אין עושין כבשונות מפני העשן לא לסיד ולא לקדרות ולפיכך האמינום שלא לגזור עליהן שאין גוזרין גזירה על הצבור שאין רוב הצבור יכולין לעמוד בה: הוא הקדר. מי שהביאן (י) חוץ למודיעים האמינוהו לפי שא״א אבל אם מסרן ליד קדר עם הארץ היושב במודיעים או לפנים לא האמינוהו: והן הקדירות. על אותן הקדירות שהביא הוא האמינוהו ולא לצרף עמהן קדירות של קדר אחר היושב במודיעים: והן הלוקחין. חברים שראוהו שהביאן נאמן הקדר אצלן ולא אצל לוקחים אחרים: יצא. מן המודיעים לשוב לאחוריו אינו נאמן: גמ׳ מודיעים. הכרך עצמו: פעמים כלפנים כו׳ קדר יוצא. מלפנים מן המודיעים ונכנס למודיעים: וחבר. בא מחוץ למודיעים ונכנס למודיעים: כלפנים. מותר ליקח ממנו שהקדר לא יחזור עוד לאחוריו ואם לא עכשיו יקח אימתי: שניהן נכנסין. מחוץ למודיעים ובאו בתוך הכרך כלחוץ אלא ימתין עד שיהא מן כרך ולפנים:

[א] חבר ועם הארץ שירשו את אביהם עם הארץ יכול לומר לו טול אתה חטין שבמקום פלוני ואני חטין שבמקום פלוני טול אתה יין שבמקום פלוני ואני יין שבמקום פלוני אבל לא יאמר לו טול אתה לח ואני יבש טול אתה חטין ואני שעורים ותני עלה [ב] אותו חבר שורף הלח ומניח את היבש אמאי יניחנה לגת הבאה בדבר שאין לו גת ויניחנו לרגל בדבר שאינו משתמר לרגל: ואם אמר הפרשתי לתוכה רביעית קדש נאמן: [ג] תנן התם מודין בית שמאי ובית הלל שבודקין לעושי פסח ואין בודקין לאוכלי תרומה מאי בודקין אמר רב יהודה [ד] אמר שמואל [ג] מנפח אדם בית הפרס והולך [ה] ור׳ חייא בר אבא משמיה דעולא אמר [ג] בית הפרס שנדש טהור לעושי פסח [ו] לא העמידו דבריהן במקום כרת לאוכלי תרומה העמידו דבריהן במקום מיתה איבעיא להו בדק לפסחו מהו שיאכל בתרומתו עולא אמר בדק לפסחו מותר לאכול בתרומתו רבה בר עולא אמר בדק לפסחו אסור לאכול בתרומתו א״ל ההוא סבא לא תפלוג עליה דעולא דתנן כוותיה ואם אמר הפרשתי לתוכה רביעית קדש נאמן אלמא מדמהימן אקדש מהימן נמי אתרומה הכא נמי מדמהימן אפסח מהימן נמי אתרומה: [ז] כדי יין וכדי שמן כו׳: [ח] תנא אין נאמנין לא על הקנקנים ולא על התרומה קנקנים דמאי אי קנקנים דקדש מיגו דמהימן אקדש מהימן נמי אקנקנים אלא קנקנים דתרומה פשיטא השתא אתרומה לא מהימן אקנקנים מהימן [י] אלא בריקנים דקדש ובשאר ימות השנה ובמלאין דתרומה ובשעת הגיתות תנן כדי יין וכדי שמן המדומעות מאי לאו מדומעות דתרומה אמרי דבי ר׳ חייא מדומעות דקדש ומי איכא דימוע לקדש אמרי דבי ר׳ אלעאי [ל] במטהר את טבלו ליטול ממנו נסכים: [ח] קודם לגיתות שבעים יום: אמר אביי שמע מינה דינא הוא דעיליה אריסא למיטרח אגולפי שבעים יומין מקמי מעצרתא:

מתני׳ [מ] מן המודיעים ולפנים נאמנין על כלי חרס מן המודיעים ולחוץ אין נאמנין כיצד [נ] הקדר שהוא מוכר הקדרות נכנס לפנים מן המודיעים הוא הקדר והן הקדרות והן הלוקחין נאמן יצא אינו נאמן: **גמ׳** [כ] תנא מודיעים פעמים כלפנים פעמים כלחוץ כיצד קדר יוצא וחבר נכנס כלפנים שניהן נכנסין או

עלמות המת ולמא נגע או הסיט המהלך בו את עלם כשעורה שמטמא במגע ובמשא. מנפח אדם בית הפרס, וסומך על כך שאם יש עלם רואהו ואע״ג דמאהיל לא חיישינן דאין עלם כשעורה מטמא באהל ... גולגולת שלמה או רוב בנין או רוב מנין [כתובות כח:]. דעלם כשעורה מטמא במגע ובמשא ולא באהל וכי מנפח ליה מדחיא מקמיה ולא נגע ביה ומיהו בתרומה לא מצי אכיל דאמרינן בחגיגה בפרק חומר ב... לעושי פסח ואין בודקין לאוכלי תרומה וההוא בודקין מפרש התם דהכך בדיקה דבית הפרס קאמר [בכורות כט.]. שדה שנחרש בה קבר ואוקמי רבנן על סביבות הקבר מאה אמה בספק טומאה שדיקדקה ... ומגלגלתן. מנפח, דבשר ליכא ועלם כשעורה לא מטמא אלא במגע ובמשא הלכך מנפח כדי שלא יגעו רגליו בו והולך פרס, לשון דבר שבור ופרוס על שם שנפרסו העלמות [נדה נז.]. שנדש. ברגלים [ברכות שם] ... [עירובין ל:]. ברגל טהור שדריסת הרגלים העבירתן והכא לעשות פסחו יבדוק אם נידש ויעבור אבל לאכילת תרומה לא סמכינן עלה שיכול להמתין ובית הפרס מדבריהם ולא העמידום במקום כרת דפסח ... ברגלים הרבה [כתובות כח:]. שדשוהו בני אדם ברגליהם טהור שאי אפשר לעלם כשעורה שלא יהא נידש ברגל ובית הפרס אין בו שום ספק אלא משום עלם כשעורה דבית הפרס היינו שדה שנחרש בו קבר ... שהרגלים נושאים את העלמות ושחקום [נדה נז.]. מדומעות. חולין ותרומה שנתערבו ואין נאכל אלא לכהן [יבמות קטו:]. דבי ר׳ חייא. דבית רב חייא [ע״פ ברכות יד.]. אגולפי. חביות ...

[א] דמאי פרק ו מ״ט, ב) תוספתא דדמאי פ״ה, ג) פסחים צב: אהלות פי״ח מ״ד, ד) ברכות יט: עירובין ל: פסחים צב: מו״ק ה: כתובות כח: בכורות כט. נדה נז., ה) [ועיין ברכות יט: מ״ש שם על הגליון], ו) [עי׳ תוס׳ פסחים צב: ד״ה בודקין כו׳ ותוס׳ עירובין ל: ד״ה ולכסכן], ז) [צ״ל מחוץ], ח) מתניא פ״ו דדמאי כל״ל, ט) [שם מ״ח].

הגהות הב״ח

(א) תוס׳ ד״ה מנפח כו׳ פירשתי בברכות. נ״ב בש״ס שלנו לא נמלא כלום כי אם בבכורו׳ דף כט בד״ה היכי אזיל האריך בזה:

ליקוטי רש״י

שבודקין. מהלכין בבית הפרס על ידי בדיקה לעשות פסח אם אין לו דרך אחרת. ואין בודקין לאוכלי תרומה. אלא ימתין ויקיף או יום או יומים עד שמגיע אל תרומתו ואוכלה. מאי בודקין. היאך יבדוק [פסחים צב:]. מנפח אדם. לפניו שאם היה שם עלם יראנו דאי דאורייתא הוא לא הוית מזלזלין ביה כולי האי למיסמך אנפיחה והך בדיקה לעושה פסח אישתרי ולא לאוכלי תרומה כדאמרינן בחומר בקדש (חגיגה דף כה:) בית הפרס. דלא מטמא אלא מדרבנן והוא שדה שנחרש בו קבר ותשו חכמים שמא לדלדו כלי המחרישה את העלמות והדורס עליהן מסיטן ועלם כשעורה מטמאה במגע ובמשא ולא באהל [ברכות יט:]. מנפח אדם בית הפרס. שדה שנחרש בה קבר דבלה ספיקא משום עלמות היא ועלמות בלא בשר אינו מטמא באהל וכשמנפח לפני רגליו אם יש שם עלם גדול נראה מאליו ואם קטן נראה בנפיחה ואינו מסיטו ברגליו [עירובין ל:]. הוא שדה שנחרש בה קבר כדתנן (אהלות פרק י״ז מ״א) החורש בית הקבר הרי זה עושה בית הפרס מלא מענה מאה אמה וגזור רבנן שמא ליתמה מחרישה את העלמות ופיזרתן לאורך המענה ויש כאן עלם כשעורה ויעבור ויסיטנו ועלם כשעורה מטמאה במגע ובמשא דהיינו היסט הלכך מנפחו בפיו ואם יש עלם גדול יראנו ועלם כשעורה נדחה בנפיחתו ואהל אין מטמאו דהא אין טומאת אהל בעלמות אלא רוב בנין ורוב מנין [פסחים צב:]. ההולך לשחוט פסחו דאם יש עלם כשעורה המטמאה בהיסט מתפזר ברוח ועושה פסח בבית הפרס אזיל לו. בית הפרס, [מלא] מענה מאה אמה של מאה אמה [מו״ק ה:]. החורש את הקבר הרי זה עושה בית הפרס מאה אמה שכך שיערו שהמחרישה מוליכה את

חָבֵר וְעַם הָאָרֶץ שֶׁיָּרְשׁוּ אֶת אֲבִיהֶם עַם הָאָרֶץ – For it is stated in a Mishnah:[1] In the case of **A *CHAVER* AND AN *AM HAARETZ* WHO INHERITED** the possessions of **THEIR FATHER,** who was **AN *AM HAARETZ*,** **יָכוֹל לוֹמַר לוֹ** – **[THE *CHAVER*] MAY TELL [THE *AM HAARETZ*],** **טוֹל אַתָּה חִטִּין שֶׁבְּמָקוֹם פְּלוֹנִי** – **"YOU TAKE THE WHEAT THAT IS IN THAT PLACE** (which he knows has become susceptible to *tumah*), **וַאֲנִי חִטִּין שֶׁבְּמָקוֹם פְּלוֹנִי** – **AND I** will take **THE WHEAT THAT IS IN THAT** other **PLACE** (which he knows has not become susceptible). **טוֹל אַתָּה יַיִן שֶׁבְּמָקוֹם פְּלוֹנִי** – **YOU TAKE THE WINE THAT IS IN THAT PLACE,** **וַאֲנִי יַיִן שֶׁבְּמָקוֹם פְּלוֹנִי** – **AND I** will take **THE WINE THAT IS IN THAT** other **PLACE."** **אֲבָל לֹא יֹאמַר לוֹ** – **HOWEVER, HE MAY NOT SAY TO HIM,** **טוֹל אַתָּה לַח** – **"YOU TAKE** the **LIQUIDS** (which are susceptible to *tumah*), **וַאֲנִי יָבֵשׁ** – **AND I** will take the **DRY** foods (which he knows have not become susceptible). **טוֹל אַתָּה חִטִּין** – **YOU TAKE** the **WHEAT** (which has become susceptible), **וַאֲנִי שְׂעוֹרִים** – **AND I** will take the **BARLEY** (which has not become susceptible)."[2] Rather, they must divide each item evenly.

Rav Sheishess develops his point:

וְתָנֵי עֲלָהּ – **Now, regarding this** latter ruling **[the Rabbis] taught in a Baraisa:** **אוֹתוֹ חָבֵר שׂוֹרֵף הַלַּח וּמַנִּיחַ אֶת הַיָּבֵשׁ** – If there is *terumah* included in the inheritance, **THIS *CHAVER* BURNS THE LIQUID** *terumah*,[3] on the assumption that it has been made *tamei*, **AND LEAVES THE DRY** *terumah* intact, since it has not acquired *tumah*.[4] **אַמַּאי** – But **why** must he burn the *terumah*? **יַנִּיחֶנָּה לַגַּת הַבָּאָה** – **Let him set it aside for the next pressing season!**[5] We see that if a *chaver* receives the *terumah* of an *am haaretz* after the season, he may not keep it until the next season, but must destroy it.

The Gemara deflects this proof:

בְּדָבָר שֶׁאֵין לוֹ גַּת – Perhaps the Baraisa is speaking **of an item that has no pressing season,** e.g. date beer.[6] In the case of items that have a pressing season, however, such as wine or oil, he may well be permitted to set them aside until the next season.

The Gemara tries another approach:

וְיַנִּיחֶנּוּ לָרֶגֶל – **But let him set it aside for the festival,** when the decree on *amei haaretz* is suspended![7] From the fact that the Baraisa mandates burning, we see that a *chaver* may not set aside the *terumah* of an *am haaretz* for the next period of permissibility.

The Gemara deflects this proof as well:

בְּדָבָר שֶׁאֵינוֹ מִשְׁתַּמֵּר לָרֶגֶל – The Baraisa may be speaking **of an item that will not keep until the festival.** Food that will keep until then, however, may perhaps be set aside until the arrival of the festival.[8]

The Mishnah stated:

וְאִם אָמַר – **AND IF [THE *AM HAARETZ*] SAID TO [THE *CHAVER*],** **הִפְרַשְׁתִּי לְתוֹכָהּ רְבִיעִית קֹדֶשׁ** – **"I SEPARATED WITHIN [THIS BARREL] A QUARTER-*log*** of oil **AS *KODESH*,"** **נֶאֱמָן** – **HE IS TRUSTED** regarding the *taharah* of all the oil in the barrel, even the *terumah* portion.

The Gemara cites a Mishnah:

תְּנַן הָתָם – **We learned in a Mishnah there:**[9] **מוֹדִין בֵּית שַׁמַּאי וּבֵית הִלֵּל שֶׁבּוֹדְקִין לְעוֹשֵׂי פֶּסַח** – **BEIS SHAMMAI AND BEIS HILLEL AGREE THAT WE CHECK** a *beis hapras* for bone chips **FOR** the sake of **THOSE WHO** are on their way to **MAKE THE *PESACH* OFFERING,** so that they might pass through it without incurring corpse *tumah*,[10] **וְאֵין בּוֹדְקִין לְאוֹכְלֵי תְרוּמָה** – **BUT WE DO NOT CHECK** a *beis*

NOTES

1. *Demai* 6:9.

2. In dividing this inheritance, the *chaver*, who is careful to prepare his food in a state of *taharah*, wants to ensure that he will not receive food that is *tamei*. He knows which of his father's wheat was rendered susceptible to *tumah* by being moistened with liquid (see 25a note 17), and which was not, and he fears that the susceptible wheat may have been contaminated by his *am haaretz* father. He therefore keeps the insusceptible wheat for himself, and gives the susceptible wheat to his *am haaretz* brother. The Mishnah teaches that it is permissible to divide a single type of food in this manner, for the division simply clarifies (through the legal mechanism of *bereirah*, retroactive clarification) which portion of the food fell to which heir at the moment of their father's death. It is not regarded as an *exchange* between the *chaver* and the *am haaretz*. [When the father dies, each heir receives one half of the wheat; however, it is not known precisely which half is whose until the wheat is divided. The division clarifies retroactively that the portion each receives is the portion that fell to him originally.] If, however, the susceptible and insusceptible foods are of different types, the *chaver* is forbidden to keep one food for himself and give the other to the *am haaretz*. For at the moment of their father's death, *both* sorts of food fell to each equally; when the *chaver* then divides the food by type, he is in effect *exchanging* his portion of susceptible food for the *am haaretz's* portion of insusceptible food (see *Hagahos Mitzpeh Eisan*). This constitutes a violation of the prohibition against selling food to an *am haaretz* (see end of note); therefore, it is forbidden (*Rashi*). Accordingly, the Mishnah prohibits the *chaver* to take the (insusceptible) dry foods, while leaving the *am haaretz* the (susceptible) liquids. In this case, the liquids are of one species (e.g. wine or oil) and the dry foods of another (e.g. wheat or barley). Therefore, the *chaver* may not divide them according to susceptibility (*Chazon Ish, Sheviis* 4:16; see *Mishnah Rishonah, Demai* 6:9; cf. *Menachem Meishiv Nefesh; Meromei Sadeh;* see *Turei Even*).

[The reason one may not sell food to an *am haaretz* is because the *am haaretz* may render it *tamei*, which is forbidden. This Mishnah takes the view that it is prohibited to generate *tumah* in *tahor* food in Eretz Yisrael – see *Rash* ad loc. and to *Demai* 2:3; see *Avodah Zarah* 55b-56a with *Rashi* and *Tosafos*. One who gives food to an *am haaretz* thus transgresses the law of לִפְנֵי עִוֵּר לֹא תִתֵּן מִכְשֹׁל, *before a blind man you shall not place an obstacle* (*Leviticus* 19:14), whereby one is enjoined against supplying another with the means of violating a Torah law (*Rashi;* see *Chazon Ish, Moed* §129, comments to 22a).]

3. I.e. if the *terumah* is of oil, he may burn it in his lamp for light [but may not consume it] (*Rashi*). [It is burned on the assumption that the *am haaretz* father contaminated it. The rule is that *terumah* contaminated by an *am haaretz* is burned, despite the possibility that it is not actually *tamei* (see *Shabbos* 15b; *Niddah* 33b). Oil may be burned for its light even when *tamei*, as the Kohen is permitted to derive benefit from *terumah* that is *tamei* in this manner (see *Shabbos* 25a).] See *Siach Yitzchak*.

4. [Since it was never rendered susceptible to *tumah*, it cannot have become *tamei*.]

5. [I.e. let him trust in the *am haaretz's* reverence for *terumah*, and assume that he kept it in a state of *taharah*, in which case it may be used at the next pressing season (see 25a note 21).]

6. In order to make *terumah* availabe to *chaverim*, the Rabbis lifted their decree on *amei haaretz* during the pressing season. Items that have no pressing season, however, are always subject to this decree. Therefore, if they are exposed to an *am haaretz*, they must be destroyed.

Obviously, date beer cannot be burned for its light (see note 3). The Gemara now understands "burn" as "destroy" (*Rashi*).

7. And let him sell it [or eat it] then! (*Rashi;* see *Rashash; Menachem Meishiv Nefesh*). [The suspension of the decree at festival time is discussed below, on 26a.]

8. The Gemara has deflected Rav Sheishess' attempt at a proof; therefore, the law of a Kohen who accepts *terumah* from an *am haaretz* after the pressing season remains in doubt (*Likkutei Halachos, Toras HaKodashim* §1). *Tosafos* (24b סד"ה שביהודה) rule that the Kohen may set the *terumah* aside until the next pressing season; *Meiri* and *Tos. Rid* (to 25a) require him to destroy it. See also *Rishon LeTzion* (to 25a); *Turei Even* (to 26a).

9. *Oholos* 18:4.

10. A *beis hapras* is a field containing a grave that has been plowed over (see *Oholos* 18:2-4). The Rabbis feared that the plowing will have scattered fragments of bone throughout the field; such fragments, if they are the size of a grain of barley or larger, can generate corpse *tumah*. The Rabbis therefore decreed that one who passes within a hundred *amos* of the grave in any direction is contaminated with corpse *tumah*.

This Mishnah rules that if one on his way to bring the *pesach* offering

עין משפט נר מצוה

מה א מיי' פי"א מהל' מעשר הלכה ו:
מו ב ג מיי' פ"ו מהל' קרבן פסח הלכה ח:
מז ד ה ו מיי' פי"א מהל' מטמאי משכב ומושב הלכה ד:
מח ז ח מיי' שם הל' ה:
מט ט מיי' שם הלכה ו:
נ י מיי' שם הלכה ז:
נא כ מיי' שם הלכה ו:

רבינו חננאל

חבר ועם הארץ שירשו אביהם לא יאמר החבר לעם הארץ טול אתה לח ואני יבש. ותני עלה אותו חבר שורף את הלח ומניח את היבש ואמאי יניחנו לגת הבאה שהוא נאמן בה ופרשי' בדבר שאין לו גת כגון דבש וחלב וכיוצא בהן. ואמרינן יניחנו לרגל וכדבעינן למימר לקמן טומאת עם הארץ ברגל רחמנא טהריה. ודחי' בדבר שאין משתמר לרגל עליה תנינן שורף את הלח: ואם אמר הפרשתי לתוכה רביעית קדש נאמן. ואם בדק לפסחו מותר לאכול בתרומתו כעולא דדייקא מתניתין כוותיה דקתני אם אמר הפרשתי לתוכה רביעית קדש נאמן. מדמהימן אקדש מהימן נמי אתרומה. הכא נמי מדמהימן אפסח מהימן נמי אתרומה. כדי יין וכדי שמן המדומעות כו' אוקימנא להא דתנינן בתוספתא אין נאמנין לא על הקנקנים ולא על התרומה בקנקנים דקדש ריקנים ובשאר ימות השנה במלאין דתרומה [ובשעת הגיתות]. והא דתנן במתניתין כדי יין וכדי שמן המדומעות אוקימנא בקדש. ומקשינן וכי איכא דימוע בקדש. פי' תרומה שנפלה בחולין נדמעו זה נקרא דמע אבל אין לשון דימוע בקדש. ושנינן אין איכא דימוע בקדש כגון דמשמר טבלו להפריש ממנו נסכים לקדש. כי האי גוונא משכחת לה דימוע בקדש: מתני' מן המודיעין ולפנים כו'. מודיעין מקום כדתנא מודיעין רחוקה מירושלים ט"ו מיל. אוקימנא כדתנא מודיעין פעמים כלפנים פעמים כלחוץ כיצד קדר יוצא וחבר נכנס כלפנים שניהן נכנסין או שניהן יוצאין מודיעין עצמה כלחוץ. תנא

גמרא

א חבר ועם הארץ שירשו את אביהם עם הארץ יכול לומר לו טול אתה חטין שבמקום פלוני ואני חטין שבמקום פלוני טול אתה יין שבמקום פלוני ואני יין שבמקום פלוני אבל לא יאמר לו טול אתה לח ואני יבש טול אתה חטין ואני שעורים ותני עלה ג אותו חבר שורף הלח ומניח את היבש אמאי יניחנה לגת הבאה בדבר שאין לו גת ויניחנו לרגל בדבר שאינו משתמר לרגל: ואם אמר הפרשתי לתוכה רביעית קדש נאמן: תנן התם מודין בית שמאי ובית הלל שבודקין לעושי פסח ואין בודקין לאוכלי תרומה מאי בודקין אמר רב יהודה אמר שמואל ב מנפח אדם בית הפרס והולך ור' חייא בר אבא משמיה דעולא אמר ג בית הפרס שנדש טהור לעושי פסח לא העמידו דבריהן במקום כרת לאוכלי תרומה העמידו דבריהן במקום מיתה איבעיא להו בדק לפסחו מהו שיאכל בתרומתו עולא אמר בדק לפסחו מותר לאכול בתרומתו רבה בר עולא אמר בדק לפסחו אסור לאכול בתרומתו א"ל ההוא סבא לא תפלוג עליה דעולא דתנן כוותיה ואם אמר הפרשתי לתוכה רביעית קדש נאמן אלמא מדמהימן אקדש מהימן נמי אתרומה הכא נמי מדמהימן אפסח מהימן נמי אתרומה: כדי יין וכדי שמן כו': ה תנא אין נאמנין לא על הקנקנים ולא על התרומה קנקנים דמאי אי קנקנים דקדש מיגו דמהימן אקדש מהימן נמי אקנקנים אלא קנקנים דתרומה פשיטא השתא אתרומה לא מהימן אקנקנים מהימן ו אלא בריקנים דקדש ובשאר ימות השנה ובמלאין דתרומה ובשעת הגיתות תנן כדי יין וכדי שמן המדומעות מאי לאו מדומעות דתרומה אמרי דבי ר' חייא מדומעות דקדש ומי איכא דימוע לקדש אין אמרי דבי ר' אלעאי ז במטהר את טבלו ליטול ממנו נסכים: ח קודם לגיתות שבעים יום: אמר אביי שמע מינה דינא הוא דעיילוה אריסא למיטרח אגולפי שבעים יומין מקמי מעצרתא:

מתני' ט מן המודיעים ולפנים נאמנין על כלי חרס מן המודיעים ולחוץ אין נאמנין כיצד י הקדר שהוא מוכר הקדרות נכנס לפנים מן המודיעים הוא הקדר והן הקדרות והן הלוקחין נאמן יצא אינו נאמן: גמ' כ תנא מודיעים פעמים כלפנים פעמים כלחוץ כיצד קדר יוצא וחבר נכנס כלפנים שניהן נכנסין או

רש"י

יכול לומר לו טול אתה חטין במקום פלוני. שיודע בהן שהוכשרו ואני אטול חטים במקום פלוני שיודע שלא הוכשרו דכיון דחד מינא הן אמרי' יש ברירה שאלו הן חלקו של זה ואלו הן חלקו של זה ולא החליף לו חבר לע"ה חלקו שבטמאין בשביל חלקו של ע"ה בטהורין אבל בשני מינין אין לומר ברירה דלשמא אביהן נפל חלק לזה ולזה בכל המינים ונמצא חבר זה מחליפו לו ועובר לפני עור לא תתן מכשול (ויקרא יט): שורף את הלח. אם כהן הוא ויש שמן לתרומה מדליקו לנרות: בדבר שאין לו גת. כגון שכר תמרים של תרומה והאי שורף לשון איבוד הוא: ויניחנו לרגל. שטומאת עם הארץ אינה ברגל: שבודקין לעושי פסח. בית הפרס כדמפרש ואזיל היה הולך לעשות פסחו ובית הפרס של שדה שנחרש בו קבר מפסיקו בודקו בנפיחה ואם יש עצם כשעורה רואהו ונשמט ממנו ועצם כשעורה אינו מטמא באהל אלא במגע ובמשא לפיכך בודק בנפיחה שלא יסיטנו ברגלו: ואין בודקין לאוכלי תרומה. אין סומכין על בדיקה זו דכיון דאין זמן קבוע לאכילה ימתין שבעה ימים ויזה שלישי ושביעי ויטבול אבל גבי פסח הואיל ובית הפרס דרבנן לא העמידו דבריהם במקום כרת: שנידש. ברגל וזו היא בדיקתו בודק אם נידש או לא נידש: במקום שיש בו חיוב מיתה. כגון טמא האוכל תרומה: מיגו דמהימן אקדש מהימן אתרומה. שבגלי הוא למזבח שהחזה תרומה המתוכברת לו בחזקת טומאה והקדש יקרב למזבח: בריקנין דקדש. לאחר שעירה מהן קודש והיה סומכן לקדש אינו נאמן על שמירתן: ובשאר כל ימות השנה. כלומר כל ימות השנה לקדש אין חילוק בין שעת הגיתות לשאר ימות השנה: ובמלאין דתרומה בשעת הגיתות. שאע"פ שלא גזרו על תרומתן בשעת הגיתות מפני הפסד כהנים חברים דנמצאת מפסידין מרוב תרומות ארץ ישראל על הקנקנים לא האמינום ואין הכהנים חברים מקבלין מהן הקנקנים עם התרומה אבל מערין אותה לכליהן ודכוותה אמרינן לקמן אל תתמה שהרי לגין טמאין טומאת שבעה ומשקין טהורים: מאי לאו מדומעות דתרומה. וקתני נאמן אכדין: תוס'. ומי איכא דימוע לקדש. טבל שלא נתקן מדומע בתרומה אבל קדש לא הוזקקו לפרוש מתוכה שיהא הטבל מדומע בתוכו. ע"כ: במטהר את טבלו לנסכים. דאיכא חולין וקדש ותרומה מיגו דמהימן אקדש מהימן נמי אתרומה ואקנקנים שגגאי לקדש שיהו הקנקנים שעירוהו מהן בחזקת טומאה והוא קרב: מתני' מן המודיעים ולפנים. מודיעים שם כרך רחוק מירושלים ט"ו מיל כדאמר במסכת פסחים (דף צג:) ממנו ולפנים לצד ירושלים נאמנין קדרין עמי הארץ ליקח מהן כלי חרס הדקין כגון קדרות כוסות וקיתוניות שאי אפשר בלא הם ובירושלים אין עושין כבשונות מפני העשן לא לסיד ולא לקדרות ולפיכך האמינום שלא לגזור עליהן שאין גוזרין גזירה על הצבור שאין רוב הצבור יכולין לעמוד בה: הוא הקדר. מי שהביאן (ז) חוץ למודיעים האמינוהו לפי שא"א אבל אם מסרן ליד קדר עם הארץ היושב במודיעים או לפנים לא האמינוהו: והן הקדירות. על אותן הקדירות שהביא הוא האמינוהו ולא לצרף עמהן קדירות של קדר אחר היושב במודיעים: והן הלוקחין. חברים שראוהו שהביאן נאמן הקדר אצלן ולא אצל לוקחים אחרים: יצא. מן המודיעים לשוב לאחוריו אינו נאמן: גמ' מודיעים. הכרך עצמו: פעמים כלפנים כו' קדר יוצא. מלפנים מן המודיעים ונכנס למודיעים: וחבר. בא מחוץ למודיעים ונכנס למודיעים: כלפנים. מותר ליקח ממנו שהקדר לא יחזור עוד לאחוריו ואם לא עכשיו יקח אימתי: שניהן נכבסין. מחוץ למודיעים ובאו בתוך הכרך כלחוץ אלא ימתין עד שיהא מן כרך ולפנים: וכן

תוספות

חבר ועם הארץ שירשו את אביהם. [מתני' היא בפ"ו דדמאי] ופירש רש"י טעם של משנה זו מטעם ברירה דמעיקרא הוברר הדבר שאלו לחלקו נפל אבל בשני מינים לא אמרינן הוברר הדבר וכן פירש הוא עצמו משנה אחרת ט) גר ונכרי שירשו את אביהן יכול לומר טול אתה ע"ז ואני אטול מעות דאית ליה ברירה התם והיה קשה למורי כיון דסתם משנה אית ליה ברירה תקשי מיניה לרבי יוחנן דאמר אחין שחלקו לקוחות הן ומחזירין זה לזה ביובל אלמא אין ברירה וכן בבכורות פרק יש בכור (דף מח.) גבי נתנו עד שלא חלקו מוקי רבא ר' מאיר ורבי יהודה כרב אסי דאמר האחין שחלקו מחצה יורשין ומחצה לקוחות אלמא מספקא להו אי יש ברירה או לא ומההיא דהלוקח יין מן הכותים (דמאי פ"ז מ"ד) ליכא לאקשויי דשמעינן מינה ברירה דהתם טעמא אחרינא איכא שמפרש דבריו בהדיא אבל ירושה דממילא הויא לא וכן בפ' בכל מערבין (עירובין דף לז: ושם) איכא מאן דאית ליה הך סברא וכי תימא דמדרבנן מודה רבי יוחנן דלית ליה ברירה הא שמעינן ליה בשילהי ביצה (דף לז: ושם) אין ברירה אף בעירובי תחומין ומיהו כמה סתמי משניות דמלינו דאין ברירה ובכמה מקומות פלוגתא דתנאי ובפרק בכל מערבין (עירובין דף לז: ושם) דדחיק לאתויי תנא דברירה לא מייתי הך משום דעדיפא ליה לאתויי מילתא דהתנא נזכר בה וגם מילתא דאיירי בעירובי תחומין דאיירי בה:

מנפח אדם בית הפרס. (א) פירשתי בברכות (דף יט:) כל אורך הדברים מפרישת רבי יהודה נ"ע:

במטהר טבלו ליקח הימנו נסכים. פירש רש"י דאיכא קדש ותרומה דמהימן דנאמן אתרומה וקנקנים במיגו דמהימן אקדש שגגאי הוא לו אם קנקנים שהיה בו הקדישו טמאים תימה דא"כ אמאי נקט שבעים יום קודם אפילו בשאר ימות השנה נמי דהא תנן ואם אמר הפרשתי לתוכה רביעית קדש נאמן ותירץ הר"ר אלחנן דהכא מיירי שייחדו לנסכים כשיצטרך ממנו אבל התם מיירי בשכבר הקדישו לכך:

הגהות

מסורת הש"ס

א) דמאי פרק ו מ"ט, ב) תוספתא דדמאי פ"ה, ג) פסחים צב: אהלות פי"ח מ"ד, ד) ברכות יט: עירובין לו: פסחים צב: מו"ק ה: כתובות כח: בכורות כט. נדה נז, ה) [ועיין ברכות יט: מ"ש שם על הגליון], ו) [ע' תוס' פסחים צב: ד"ה בודקין כו' ותוס' עירובין כו: ד"ה ולכהן], ז) [צ"ל מחוץ], ח) מתניית' פ"ו דדמאי כל"ל, ט) [שם מ"י].

הגהות הב"ח

(א) תוס' ד"ה מנפח כו' פירשתי בברכות. נ"ב בש"ס שלנו לא נמצא כלום כי אם בבכורות' דף כט בד"ה היכי אזיל האריך בזה:

ליקוטי רש"י

שבודקין. מהלכין בבית הפרס על ידי בדיקה לעשות פסחו אם אין לו דרך אחרת. ואין בודקין לאוכלי תרומה. אלא ימתין [illegible] מאי בודקין. היאך יבדוק [פסחים צב:]. מנפח אדם. [illegible]

עצמות המת ודלמא נגע או הסיט המהלך בו את עצם כשעורה שמטמא במגע ובמשא. מנפח אדם בית הפרס, וסומך על כך שאם יש עצם רואהו ואע"ג דמאהיל לא חיישינן דאין עצם כשעורה מטמא באהל [illegible]

hapras FOR the sake of THOSE WHO are on their way to EAT *TERUMAH*.[11] If they pass through a *beis hapras*, they are contaminated.

The Gemara inquires:

מַאי בּוֹדְקִין – What is meant by WE CHECK a *beis hapras*? How is this examination accomplished?[12]

The Gemara explains:

אָמַר רַב יְהוּדָה אָמַר שְׁמוּאֵל – Rav Yehudah said in the name of Shmuel: **מְנַפֵּחַ אָדָם בֵּית הַפְּרָס וְהוֹלֵךְ – A person blows on** the ground of **the *beis hapras* and walks** through it.[13]

A second opinion:

וְרַבִּי חִיָּיא בַּר אַבָּא מִשְּׁמֵיהּ דְּעוּלָּא אָמַר – And R' Chiya bar Abba said in the name of Ulla: **בֵּית הַפְּרָס שֶׁנִּדַּשׁ טָהוֹר – A *beis hapras* that was trampled** by many people **is *tahor*.**[14] Therefore, one on the way to make the *pesach* must check whether it is sufficiently trampled; if it is, he may traverse it.

This Mishnah differentiates between those on their way to make the *pesach* offering, and those on their way to eat *terumah*. The Gemara explains:

לְעוֹשֵׂי פֶסַח – FOR the sake of **THOSE WHO** are on their way to **MAKE THE *PESACH*** offering, the Rabbis waived the *beis hapras* decree, **לֹא הֶעֱמִידוּ דִּבְרֵיהֶן בִּמְקוֹם כָּרֵת** – for **they did not establish their decree in the case of** a commandment punishable with ***kares*.**[15] **לְאוֹכְלֵי תְרוּמָה – FOR** the sake of **THOSE WHO** are on their way to **EAT *TERUMAH*,** they did not waive the decree, **הֶעֱמִידוּ דִּבְרֵיהֶן בִּמְקוֹם מִיתָה** – for **they did establish their decree in a case** where there is danger **of death** at the hands of Heaven.[16]

The Gemara presents an inquiry:

אִיבַּעְיָא לְהוּ – They inquired: **בָּדַק לְפִסְחוֹ** – If **one checked** a *beis hapras* **for** the purpose of bringing **his *pesach*,** **מַהוּ שֶׁיֹּאכַל בִּתְרוּמָתוֹ – what is [the law]** regarding **whether he may eat his *terumah*** on the basis of that checking?

The Gemara cites two opinions:

עוּלָּא אָמַר – Ulla said: **בָּדַק לְפִסְחוֹ מוּתָּר לֶאֱכוֹל בִּתְרוּמָתוֹ** – If **one checked** a *beis hapras* **for** the purpose of bringing **his *pesach*, he may eat his *terumah*** on that basis. **רַבָּה בַּר עוּלָּא אָמַר – Rabbah bar Ulla said:** **בָּדַק לְפִסְחוֹ אָסוּר לֶאֱכוֹל בִּתְרוּמָתוֹ** – If **one checked** a *beis hapras* **for** the purpose of bringing **his *pesach*, he may not eat his *terumah*** on that basis.

Our Mishnah is cited as proof:

אָמַר לֵיהּ הַהוּא סָבָא – This certain elder said to [Rabbah bar Ulla]: **לֹא תִפְלוֹג עֲלֵיהּ דְּעוּלָּא דִּתְנַן כְּוָותֵיהּ – Do not dispute Ulla** in this matter, **for we have learned a Mishnah in accordance with his view.** The Mishnah states: **וְאִם אָמַר הִפְרַשְׁתִּי לְתוֹכָהּ רְבִיעִית קֹדֶשׁ נֶאֱמָן – AND IF [THE *AM HAARETZ*] SAID TO [THE *CHAVER*], "I SEPARATED WITHIN [THIS BARREL] A QUARTER-*log*** of oil **AS *KODESH*," HE IS TRUSTED** regarding the *taharah* of all the oil in the barrel. **אַלְמָא מִדִּמְהֵימַן אַקֹּדֶשׁ מְהֵימַן נַמִּי אַתְּרוּמָה – We see that since he is trusted regarding** the *taharah* of **the *kodesh*** portion of the oil, **he is trusted also regarding** the *taharah* of **the *terumah*** portion of the oil. **הָכָא נַמִּי מִדִּמְהֵימַן אַפֶּסַח מְהֵימַן נַמִּי אַתְּרוּמָה – Here too,** with regard to the *taharah* of the *beis hapras*, **since he is trusted regarding the *pesach*** offering, **he is trusted also regarding *terumah*.**[17]

NOTES

comes upon such a field, and has no alternative route, he is permitted to check the *beis hapras* for bone chips, and to proceed. The Rabbinic *tumah* generated by a *beis hapras* is lifted in order to allow him to fulfill the *pesach* obligation, which cannot be fulfilled in a state of *tumah* (*Rashi* here and to *Pesachim* 92b ד״ה שבודקין).

[By Biblical law the field does not generate *tumah*, as it is unlikely that the plowshare dug deeply enough into the ground to reach a buried corpse. The Rabbis, however, placed a stringency upon this field, and decreed that it be treated as if strewn with fragments of bone (*Tosafos, Moed Katan* 5b ד״ה מנפח אדם; cf. *Meiri* here). The name בֵּית הַפְּרָס (*beis hapras*) derives from the root פרס, meaning *broken* or *fragmented;* the term refers to the bones that may have been plowed through and broken (*Rashi, Niddah* 57a ד״ה פרס; cf. *Rambam, Oholos* 17:1).]

11. I.e. we do not rely upon this examination for those on their way to eat *terumah*. Even if they check the *beis hapras* before passing through, they are *tamei*, and must undergo a full purification schedule for corpse *tumah* (i.e. sprinkling with purification water on the third and seventh days of a seven-day waiting period, and immersion in a *mikveh*) before eating *terumah*. Although eating *terumah* is a mitzvah (see *Rambam, Sefer HaMitzvos, mitzvas asei* §89), it is one without a set time; therefore, the Rabbis did not allow this leniency for the sake of its performance, but required him to delay eating the *terumah* until after he is purified (*Rashi;* cf. *Rashi, Pesachim* ibid. ד״ה ואין בודקין; see *Meiri; Rishon LeTzion*). [Consumption of *terumah* while in a state of *tumah* is prohibited; see *Leviticus* 22:9 with *Rashi*.]

12. *Rashi, Pesachim* 92b ד״ה ג מאי בודקין; cf. *Tosafos* there ד״ה מאי בודקין, and to *Bechoros* 29a ד״ה היכי אזיל; see also *Rash, Oholos* 18:4; see *Sidrei Tohoros, Oholos* ibid. p. 474 ד״ה שבודקין.

13. As stated above, the reason a *beis hapras* renders one *tamei* is because of the possibility that it is strewn with bone fragments. The Rabbis feared that one walking through the field would acquire corpse *tumah* either by coming into contact with a fragment, or by moving it with his foot. [The former is a form of *contact-generated tumah* (מַגָּע); the latter a form of *carrying tumah* (מַשָּׂא).] Therefore, with each step, one must blow on the ground before him [with a bellows – see *Meiri*]. We assume that the blowing will cause any minute fragments to move; he will notice them, and avoid treading upon them (*Rashi* here and to *Berachos* 19b; see *Rashi* to *Eruvin* 30b and *Pesachim* 92b).

Blowing will alert one only to bone chips lying on the surface of the field, not to those buried beneath the ground. Nevertheless, it suffices, for our one concern is that he might touch or move the fragment with his foot. Although a corpse contaminates one who forms a "roof" (*ohel*) over it, we are not troubled by the possibility that one traversing the *beis hapras* will pass over a buried bit of bone. For contracting *ohel tumah* (from the bones of a corpse) is a consideration only if a majority of the corpse's bones remain extant, or if the large bones that make up the greater part of a person's frame or the entire skull or spine remain extant (see *Oholos* 2:1 with commentaries). A *beis hapras*, however, contains only small bits of bone at worst. Therefore, as long as one ensures that the path he treads is free of visible bone fragments, he may pass through the field (see *Rashi* here and to *Pesachim* ibid. ד״ה מנפח; see *Moed Katan* 5b with *Rashi*). [Of course, if an olive's measure of the corpse's *flesh* remains, it *will* contaminate one who shelters over it; a *beis hapras*, however, is assumed to contain only bone fragments (see *Rashi, Eruvin* 30b ד״ה מנפח).]

14. For any bone fragments lying in the path will inevitably be pushed to the side by the constant tramping of many feet (*Rashi, Pesachim* ibid. ד״ה שנידש). Alternatively, the heavy traffic ensures that any bone chips will be reduced to less than the measure of a grain of barley, the smallest measure at which they generate corpse *tumah* (*Rashi, Eruvin* ibid. ד״ה טהור). [For discussion of a third method of checking a *beis hapras*, see the Schottenstein edition of *Pesachim*, 92b note 6.]

15. I.e. the commandment to bring a *pesach* offering, whose non-performance is punishable with *kares* (excision). In the face of so stringent a commandment, the Rabbis waived their usual decree upon one who passes through a *beis hapras*, and allowed it to be traversed for the sake of the *pesach* offering.

16. This is the penalty meted out to one who partakes of *terumah* while *tamei*. Since one on his way to eat *terumah* is under no time constraint (see note 10), we do not risk his violating so stringent a prohibition by permitting him to pass through the *beis hapras* (*Rashi*).

17. In the case of *kodesh* mixed with *terumah*, the reason the *am haaretz* is trusted is that it would constitute a disgrace to the Temple Altar to offer upon it *kodesh* drawn from a barrel of *tamei* oil. Therefore, if the *kodesh* is regarded as *tahor*, the *terumah* with which it is mixed must also be regarded as *tahor* (*Rashi*). Likewise, concerning the *taharah* of a *beis hapras*, it would constitute a disgrace to the Altar if a person regarded as *tamei* with respect to *terumah* were permitted to bring the *pesach* offering. Therefore, if examining the field renders him fit to bring the offering, it must render him fit also to partake of *terumah*.

[The Gemara's wording, *since he is trusted regarding the pesach offer-*

חבר ועם הארץ שירשו את אביהם עם
הארץ יכול לומר לו טול אתה חטין שבמקום
פלוני ואני חטין שבמקום פלוני טול אתה יין
שבמקום פלוני ואני יין שבמקום פלוני אבל
לא יאמר לו טול אתה לח ואני יבש טול
אתה חטין ואני שעורים ותני עלה אותו
חבר שורף הלח ומניח את היבש אמאי
יניחנה לגת הבאה בדבר שאין לו גת
ויניחנו לרגל בדבר שאינו משתמר
לרגל: ואם אמר הפרשתי לתוכה
רביעית קדש נאמן: תנן התם מודין
בית שמאי ובית הלל שבודקין לעושי
פסח ואין בודקין לאוכלי תרומה מאי בודקין
אמר רב יהודה אמר שמואל מנפח אדם
בית הפרס והולך ור' חייא בר אבא משמיה
דעולא אמר בית הפרס שנדש טהור לעושי
פסח לא העמידו דבריהן במקום כרת
לאוכלי תרומה העמידו דבריהן במקום
מיתה איבעיא להו בדק לפסחו מהו שיאכל
בתרומתו עולא אמר בדק לפסחו מותר
לאכול בתרומתו רבה בר עולא אמר בדק
לפסחו אסור לאכול בתרומתו א"ל ההוא
סבא לא תפלוג עליה דעולא דתנן כוותיה
ואם אמר הפרשתי לתוכה רביעית קדש
נאמן אלמא מדמהימן אקדש מהימן נמי
אתרומה הכא נמי מדמהימן אפסח מהימן
נמי אתרומה: כדי יין וכדי שמן כו':
תנא אין נאמנין לא על הקנקנים ולא על
התרומה קנקנים דמאי אי קנקנים דקדש
מיגו דמהימן אקדש מהימן נמי אקנקנים אלא
קנקנים דתרומה פשיטא השתא אתרומה
לא מהימן אקנקנים מהימן אלא בריקנים
דקדש ובשאר ימות השנה ובמלאין דתרומה
ובשעת הגיתות תנן כדי יין וכדי שמן
המדומעות מאי לאו מדומעות דתרומה
אמרי דבי ר' חייא מדומעות דקדש ומי איכא
דימוע לקדש אמרי דבי ר' אלעאי במטהר
את טבלו ליטול ממנו נסכים: קודם לגיתות
שבעים יום: אמר אביי שמע מינה דינא
הוא דעיליה אריסא למיטרח אגולפי שבעים יומין מקמי מעצרתא:
מתני' מן המודיעים ולפנים נאמנין על כלי חרס מן המודיעים ולחוץ אין
נאמנין כיצד הקדר שהוא מוכר הקדרות נכנס לפנים מן המודיעים הוא הקדר
והן הקדרות והן הלוקחין נאמן יצא אינו נאמן: גמ' תנא מודיעים פעמים
כלפנים פעמים כלחוץ כיצד קדר יוצא וחבר נכנס כלפנים שניהן נכנסין
או

רש"י

יכול לומר לו טול אתה חטין במקום פלוני. שיודע בהן שהוכשרו ואני אטול חטים במקום פלוני שיודע שלא הוכשרו דכיון דחד מינא הן אמרי' יש ברירה שאלו הן חלקו של זה ואלו הן חלקו של זה ולא החליף לו חבר לע"ה חלקו שבטמאין בשביל חלקו של ע"ה בטהורין אבל בשני מינין אין לומר ברירה דכשמת אביהן נפל חלק לזה וחלק לזה בכל המינים ונמצא חבר זה מחליפה לו ועובר בלפני עור לא תתן מכשול (ויקרא יט): שורף את הלח. אם כהן הוא ויש שמן לתרומה מדליקו לנרות: בדבר שאין לו גת. כגון סכר תמרים של תרומה והאי שורף לשון איבוד הוא: ויניחנו לרגל. שטומאת עם הארץ אינה ברגל וימכרנה: שבודקין לעושי פסח. בית הפרס למפרע ואזיל היה הולך לעשות פסחו ובית הפרס של שדה שנחרש בו קבר מפסיקו בודקו בנפיחה ואם יש עצם כשעורה רואהו ונטמא ממנו ועצם כשעורה אינו מטמא באהל אלא במגע ובמשא ולפיכך בודק בנפיחה שלא יסיטנו ברגלו: ואין בודקין לאוכלי תרומה. אין סומכין על בדיקה זו דכיון דאין זמן קבוע לאכילה ימתין שבעה ימים ויזה שלישי ושביעי ויטבול אבל גבי פסח הואיל ובית הפרס דרבנן לא העמידו דבריהם במקום כרת: שנידש. ברגל וזו היא בדיקתו בודק אם נידש או לא נידש: במקום שיש בו חיוב מיתה. כגון טמא האוכל תרומה: מיגו דמהימן אקדש מהימן אתרומה. שגנאי הוא למזבח שתהא תרומה המחוברת לו בחזקת טומאה והקדש יקרב למזבח: בריקנין דקדש. לאחר שעירה מהן קודש והיה סומכן לקדש אינו נאמן על שמירתן: ובשאר כל ימות השנה. כלומר כל ימות השנה לקדש אין חילוק בין שעת הגיתות לשאר ימות השנה: ובמלאין דתרומה בשעת הגיתות. שאע"פ שלא גזרו על תרומתן בשעת הגיתות מפני הפסד כהנים חברים דנמצאת מפסיקן מרוב תרומות ארץ ישראל על הקנקנים לא האמינום ואין הכהנים חברים מקבלין מהן הקנקנים עם התרומה אבל מערין אותה לכליהן ודכוותה אמרינן לקמן אל תתמה שהרי לגין טמאין טומאת שבעה ומשקין טהורים: מאי לאו מדומעות דתרומה. וקתני נאמן אכדין: תוס'. ומי איכא דימוע לקדש. טבל שלא נתקן מדומע בתרומה אבל קדש לא הוחקקו לפרוש מתוכה שיהא הטבל מדומע בתוכו. ע"כ: במטהר את טבלו לנסכים. דאיכא חולין וקדש ותרומה מיגו דמהימן אקדש מהימן נמי אתרומה ואקנקנים שגנאי לקדש שיהו הקנקנים שעירוהו מהן בחזקת טומאה והוא קרב: מתני' מן המודיעים ולפנים. מודיעים שם כרך רחוק מירושלים ט"ו מיל כדאמר במסכת פסחים (דף צג:) ממנו ולפנים לצד ירושלים נאמנין קדרין עמי הארץ ליקח מהן כלי חרס הדקין כגון קדרות כוסות וקיתוניות שאי אפשר בלא הם ובירושלים אין עושין כבשונות מפני העשן לא לסיד ולא לקדרות ולפיכך האמינום שלא לגזור עליהן שאין גוזרין גזירה על הצבור שאין רוב הצבור יכולין לעמוד בה: הוא הקדר. מי שהביאן (חוץ) למודיעים האמינוהו לפי שא"א אבל אם מסרן ליד קדר עם הארץ היושב במודיעים או לפנים לא האמינוהו: והן הקדירות. על אותן הקדירות שהביא הוא האמינוהו ולא לצרף עמהן קדירות של קדר אחר היושב במודיעים: והן הלוקחין. חברים שראוהו שהביאן נאמן הקדר אצלן ולא אצל לוקחים אחרים: יצא. מן המודיעים לשוב לאחוריו אינו נאמן: גמ' מודיעים. הכרך עצמו: פעמים כלפנים כו' קדר יוצא. מלפנים מן המודיעים ונכנס למודיעים: וחבר. בא מחוץ למודיעים ונכנס למודיעים: כלפנים. מותר ליקח ממנו שהקדר לא יחזור עוד לאחוריו ואם לא עכשיו יקח אימתי: שניהן נכנסין. מחוץ למודיעים ובאו בתוך הכרך כלחוץ אלא ימתין עד שיהא מן כרך ולפנים:
וכן

תוספות

חבר ועם הארץ שירשו את אביהם. ופירש רש"י טעם של משנה זו מטעם ברירה דמעיקרא הוברר הדבר שאלו לחלקו נפל אבל בשני מינים לא אמרינן הוברר הדבר וכן פירש הוא עצמו משנה אחרת גר ונכרי שירשו את אביהן יכול לומר טול אתה ע"ז ואני אטול מעות דאית ליה ברירה התם והיא קשה למורי כיון דסתם משנה אית ליה ברירה תקשי מיניה לרבי יוחנן דאמר אחין שחלקו לקוחות הן ומחזירין זה לזה ביובל אלמא אין ברירה וכן בבכורות פרק יש בכור (דף מח.) גבי נתנו עד שלא חלקו מוקי רבא כר' מאיר ורבי יהודה כרב אסי דאמר האחין שחלקו מחצה יורשין ומחצה לקוחות אלמא מספקא להו אי יש ברירה או לא ומהסיא דהלוקח יין מן הכותים (דמאי פ"ז מ"ד) ליכא לאקשויי דשמעינן מינה ברירה דהתם טעמא אחרינא איכא שמפרש דבריו בהדיא אבל ירושה דממילא הויא לא וכן בפ' בכל מערבין (עירובין דף לז: ושם) איכא מאן דאית ליה הך סברא וכי תימא דמדרבנן מודה רבי יוחנן דאית ליה ברירה הא שמעינן ליה בשילהי ביצה (דף לז: ושם) אין ברירה אף בעירובי תחומין ומיהו כמה סתמי משניות דמלינו דאין ברירה ובכמה מקומות פלוגתא דתנאי ובפרק בכל מערבין (עירובין דף לז: ושם) דדחיק לאתויי תנא דברירה לא מייתי הך משום דעדיפא ליה לאתויי מילתא דהתנא נזכר בה וגם מילתא דאיירי בעירובי תחומין דאיירי בה:

מנפח אדם בית הפרס. (א) פירשתי בברכות (דף יט:) כל אורך הדברים מפרישת רבי יהודה נ"ע:

במטהר טבלו ליקח הימנו נסכים. פירש רש"י דאיכא קדש ותרומה דמהימן דנאמן אתרומה וקנקנים במיגו דמהימן אקדש שגנאי הוא לו אם קנקנים שהיה בו הקדישו טמאים תימה דא"כ אמאי נקט שבעים יום קודם אפילו בשאר ימות השנה נמי דהא תנן ואם אמר הפרשתי לתוכה רביעית קדש נאמן ותירץ הר"ר אלחנן דהכא מיירי שייחדו לנסכים כשיצטרך ממנו אבל התם מיירי בשכבר הקדישו לכך:

הגבאין

עין משפט נר מצוה

מה א מיי' פי"א מהל' מעשר הלכה ו:
מו ב ג מיי' פ"ו מהל' קרבן פסח הלכה ח:
מז ד ה ו מיי' פי"א מהל' טומאת משכב ומושב הלכה ד:
מח ז ח מיי' שם הל' ה:
מט ט מיי' שם הלכה ו:
נ י מיי' שם הלכה ז:
נא כ מיי' שם הלכה ו:

רבינו חננאל

חבר ועם הארץ שירשו אביהם לא יאמר החבר לעם הארץ טול אתה לח ואני יבש. ותני עלה אותו חבר שורף את הלח ומניח את היבש ואמאי יניחנו לגת הבאה שהוא נאמן בה ופרשי' בדבר שאין לו גת כגון דבש וחלב וכיוצא בהן. ואמרינן יניחנו לרגל וכדבעינן למימר לקמן טומאת עם הארץ ברגל רחמנא טהריה. ודחי' בדבר שאין משתמר לרגל עליה תנינן שורף את הלח: ואם אמר הפרשתי לתוכה רביעית קדש נאמן. ואם בדק לפסחו מותר לאכול בתרומתו כעולא דדייקא מתניתין כוותיה דקתני אם אמר הפרשתי לתוכה רביעית קדש נאמן. מדמהימן אקדש מהימן נמי אתרומה. הכא נמי מדמהימן אפסח מהימן נמי אתרומה. כדי יין וכדי שמן המדומעות כו' אוקימנא להא דתנינן בתוספתא אין נאמנין לא על הקנקנים ולא על התרומה בקנקנים דקדש ריקנים ובשאר ימות השנה במלאין דתרומה [ובשעת הגיתות]. והא דתנן במתניתין כדי יין וכדי שמן המדומעות אוקימנא בקדש. ומקשינן וכי איכא דימוע בקדש. פי' תרומה שנפלה בחולין נדמעו זה נקרא דמע אבל אין לשון דימוע בקדש. ושנינן אין איכא דימוע בקדש כגון דמשמר טבלו להפריש ממנו נסכים לקדש. כי האי גוונא משכחת לה דימוע בקדש: מתני' מן המודיעין ולפנים כו'. מודיעין מקום כדתנא מודיעין רחוקה מירושלים ט"ו מיל. אוקימנא כדתנא מודיעין פעמים כלפנים פעמים כלחוץ כיצד קדר יוצא וחבר נכנס כלפנים שניהן נכנסין או שניהן יוצאין מודיעין עצמה כלחוץ. תנא

מסורת הש"ס

א) דמאי פרק ו מ"ט, ב) תוספתא דדמאי פ"ה, ג) פסחים צב: אהלות פי"ח מ"ד, ד) ברכות יט: עירובין ל: פסחים צב: מו"ק ה: תמורה כח: בכורות כט. נדה נז. ה) [ועיין ברכות יט: תוס' שם על הגליון], ו) [ע' תוס' פסחים צב: ד"ה בודקן כו' ותוס' עירובין ל: ד"ה ולכהן], ז) [צ"ל מתוך], ח) מהרש"א פ"ו דדמאי כל"ל, ט) [שם מ"ז].

הגהות הב"ח

(א) תוס' ד"ה מנפח כו' פירשתי בברכות. נ"ב בפ"ג שלנו לא נמצא כלום כי אם בבכורות דף כט ע"ב בד"ה היכי אזיל הארץ בזה:

ליקוטי רש"י

שבודקין. מהלכין בבית הפרס על ידי בדיקה לעשות פסח אם אין לו דרך אחרת. ואין בודקין לאוכלי תרומה. אלא ימתין ויזה שלישי ושביעי ויטבול ולערב יאכל. מאי בודקין. היאך בודקין [פסחים צב:]. מנפח אדם. לפניו שאם היה שם עצם יגלנו דלא דאורייתא הוא לא חיישינן דילמא מאהיל ביה כולי האי למיטמא אנפיחה והכן בדיקה לעושה פסח אישתרי ולא לאוכלי תרומה כדאמרינן בחומר בקדש (חגיגה כה:) בית הפרס. שדה שנחרש בה קבר דשמא נמצאו עצמות בה ועצמות בלא בשר אינן מטמאין באהל אלא במגע ובמשא לפי שאין בה עצם כשעורה מטמא באהל. שדה שנחרש בה קבר מטמא במגע ובמשא כשעורה ואינו מטמא באהל [ברכות יט:]. מנפח אדם בית הפרס. שדה שנחרש בה קבר דהוא ספיקא מפום עצמות שיש בה ועצמות בשר אינו מטמא באהל והמנפח לפני רגליו אם יש שם עצם גדול נראה ואינו מסיטו ברגליו [עירובין ל:]. הוא שדה שנחרש בה קבר דתנן (אהלות פרק י"ח מ"ד) החורש את הקבר הרי זה עושה בית הפרס מלא מענה מאה אמה וגזור רבנן שמא יהיו שם עצמות ויפזרו החורש את העצמות על פני השדה וישאום ברגליו או יסיטום ועצם כשעורה מטמא במגע ובמשא ועצם כשעורה מטמא באהל אבל עצם כשעורה אינו מטמא באהל לכך בנפיחתו ואהל. דהא אין טומאת אהל בעצמות אלא ברוב בנין ורוב מנין [פסחים צב:]. ההולך לשחוט פסחו ואם יש עצם כשעורה המטמא במגע במשא מתפזר ברוח בבית הפרס אזיל לו. בית הפרס, [מלא] מענה מלא אחד של מאה אמה [מו"ק ה:]. החורש את הקבר הרי זה עושה בית הפרס מאה אמה שהמחרישה מוליכה

עצמות המת ודלמא נגע או הסיט המהלך בו את עצם כשעורה שמטמא במגע ובמשא. מנפח אדם בית הפרס, וסומך על כך שאם יש עצם כשעורה רואהו ולא חיישינן לאין עצם כשעורה מטמא באהל עד דאיכא ...

גולגולת שלמה או רוב בנין או רוב מנין [כתובות כח:]. דעצם כשעורה מטמא במגע ובמשא ולא באהל ...

[עירובין ל:]. ...

The Mishnah stated:

'כַּדֵּי יַיִן וְכַדֵּי שֶׁמֶן כו – Concerning JUGS OF WINE AND JUGS OF OIL **etc.**

The Gemara cites a related Baraisa:

תָּנָא – A Baraisa has taught: אֵין נֶאֱמָנִין – [AMEI HAARETZ] ARE NOT TRUSTED, לֹא עַל הַקַּנְקַנִּים – NEITHER REGARDING the *taharah* of JUGS, וְלֹא עַל הַתְּרוּמָה – NOR REGARDING the *taharah* of *TERUMAH.*

The Gemara analyzes the Baraisa's first ruling, concerning jugs: קַנְקַנִּים דְּמַאי – **Jugs containing what?** אִי קַנְקַנִּים דְּקֹדֶשׁ – **If they are jugs containing *kodesh,*** מִיגּוֹ דִּמְהֵימַן אַקֹּדֶשׁ – then **just as [the *am haaretz*] is trusted regarding** the *taharah* of **the *kodesh,*** מְהֵימַן נַמִּי אַקַּנְקַנִּים – **so too should he be trusted regarding** the *taharah* of **the jugs** in which it is contained.[18] Why does the Baraisa state that he is not trusted? אֶלָּא קַנְקַנִּים דִּתְרוּמָה – **Perhaps,** then, **they are jugs containing *terumah.*** פְּשִׁיטָא – But their law **is obvious,** הַשְׁתָּא אַתְּרוּמָה לֹא מְהֵימַן – for consider **now, if he is not trusted regarding** the *taharah* of **the *terumah*** itself,[19] אַקַּנְקַנִּים מְהֵימַן – **can he** possibly **be trusted regarding** the *taharah* of **the jugs?** Of course not. There is no need for the Baraisa to state this explicitly. – ? –

The Gemara clarifies the Baraisa:

אֶלָּא בְּרֵיקָנִים דְּקֹדֶשׁ וּבִשְׁאָר יְמוֹת הַשָּׁנָה – **Rather,** the Baraisa is dealing **with empty vessels of *kodesh,* and throughout all the other days of the year,**[20] וּבִמְלֵאִין דִּתְרוּמָה וּבִשְׁעַת הַגִּיתּוֹת – **and with full vessels of *terumah,* and during the pressing season.**[21] The Baraisa teaches that although the *am haaretz* is trusted regarding the *kodesh* that formerly filled the jugs, and regarding the *terumah* that presently fills them, he is not trusted regarding the jugs themselves.

The Gemara questions this interpretation on the basis of our Mishnah:

תְּנַן – **We have learned in the Mishnah:** כַּדֵּי יַיִן וְכַדֵּי שֶׁמֶן הַמְדוּמָּעוֹת – In the case of JUGS OF WINE AND JUGS OF OIL in WHICH ARE INTERMIXED . . ., [the *amei haaretz*] are trusted to declare the vessels themselves free of *tumah* during the wine-pressing and olive-pressing seasons. מַאי לַאו מְדוּמָּעוֹת דִּתְרוּמָה – **Now, is [the Mishnah] not** speaking **of [jugs] in which are intermixed *terumah*** and *chullin*?[22] Presumably, it is. We see that during the pressing season, *amei haaretz* are trusted regarding the *taharah* of vessels containing *terumah!* – ? –

The Gemara answers:

אָמְרֵי דְּבֵי רַבִּי חִיָּיא – **Those of the academy of R' Chiya said:** מְדוּמָּעוֹת דְּקֹדֶשׁ – The Mishnah is dealing with **[jugs] in which are intermixed *kodesh*** and *chullin.* Since the vessels contain *kodesh,* the *am haaretz* is trusted regarding their *taharah.* He is not trusted, however, regarding the *taharah* of vessels containing *terumah.*

The Gemara protests:

וּמִי אִיכָּא דִּימּוּעַ לְקֹדֶשׁ – **And is there** then **"intermixture"** (*dimmua*) **in the case of *kodesh*?** This term connotes the presence of *terumah;* it cannot be employed regarding *kodesh!*[23] – ? –

The Gemara answers:

אָמְרֵי דְּבֵי רַבִּי אִלְעַאי – **Those of the academy of R' Il'ai said:** בִּמְטַהֵר אֶת טִבְלוֹ לִיטּוֹל מִמֶּנּוּ נְסָכִים – The Mishnah is dealing **with one who prepares his *tevel* in a state of *taharah,* so as to take** sacrificial **libations from it.** Since *tevel* is essentially a mixture of *terumah* and *chullin,* the term "intermixture" is appropriate for mixtures containing *tevel.* Since a part of the contents is earmarked for sacrificial use, it is regarded as *kodesh.* Because of the presence of *kodesh,* the *am haaretz* is trusted to attest to the *taharah* of the jugs.[24]

NOTES

ing, he is trusted also regarding terumah, is not precise, for the *taharah* of the *beis hapras* is not a matter of trust. The Gemara employs this wording only as a parallel of sorts to its previous phrase (*Turei Even*).]

18. This is in accordance with the Mishnah's statement regarding an *am haaretz* who separates a quarter-*log* of *kodesh* into a barrel of *terumah.* The Mishnah rules that since he is trusted regarding the *kodesh,* he is trusted regarding the *terumah* as well. The same holds true with regard to the jugs in which the *kodesh* is contained. If the *am haaretz* is believed regarding the *taharah* of the *kodesh,* he must be believed also regarding the *taharah* of the jugs (see *Chazon Ish, Parah* 10:3).

19. [As the Baraisa states, and as is stated in our Mishnah. The rule is that except during the pressing seasons, an *am haaretz* is not believed to say that his *terumah* is *tahor.*]

20. I.e. both during the pressing season, and throughout the year (*Rashi*).

The "empty vessels of *kodesh*" are vessels that contained *kodesh,* and were therefore guarded from *tumah* at the *kodesh* level. [While the vessels are full of *kodesh,* the *am haaretz* is trusted to declare them *tahor,*] both during the pressing season and throughout the year. However, as soon as they are emptied of *kodesh,* he is not trusted regarding their *taharah* (*Rashi;* see *Siach Yitzchak*).

21. As we learned in the Mishnah, an *am haaretz* is believed during the pressing season to declare his *terumah* free of *tumah,* for the Rabbis did not wish Kohanim who are *chaverim* to be excluded from sharing in the bulk of the *terumos* distributed in Eretz Yisrael. However, it is not necessary for the *chaverim* to receive the *terumah* in the vessels of the *amei haaretz;* therefore, the Rabbis did not extend their permit to the containers. Thus, the *am haaretz* is believed regarding the *taharah* of the *terumah,* but not regarding the *taharah* of its container. The *chaverim* must pour the *terumah* out into their own vessels (*Rashi*). [It may seem inconsistent for the *terumah* to be *tahor* while its container is *tamei;* however, this sort of leniency is not uncommon in the sphere of Rabbinic enactments. See, for example, above, 22b, and below, 26a (*Rashi*).]

[We explained in the Mishnah (see 24b note 22) that there are two reasons underlying our trust of *amei haaretz* regarding *terumah* during the pressing season: (a) because of the custom to purify vessels during the season, and (b) to prevent a loss to Kohanim who are *chaverim.* The custom to purify by itself, however, would not constitute sufficient reason for trust. This is borne out by this ruling of the Gemara, that *amei haaretz* are not trusted regarding the vessels even during the pressing season. Clearly, the mere fact that people customarily purify their vessels during this period does not guarantee their *taharah.*]

22. I.e. in the form of *tevel* (untithed produce), which is essentially a mixture of *chullin* and *terumah* (see *Rashi* 25a ד״ה המדומעות). [This is the usual understanding of the term מְדוּמָּעוֹת, *intermixed;* see following note.]

23. The Hebrew root דמע, *dema* (from which מְדוּמָּעוֹת, *intermixed,* and דִּימּוּעַ, *intermixture,* derive), connotes an intermixture that one is obligated to set right through separation; specifically, that of טֶבֶל, *tevel,* the mixture of *chullin* and *terumah* from which the *terumah* must be separated. [See *Exodus* 22:28, which refers to the obligation to separate *terumah* as וְדִמְעֲךָ.] A mixture of *kodesh* and *chullin* cannot be termed דמע, for there exists no *obligation* to separate the *kodesh* (*Tosafos,* printed in *Rashi; Meiri;* cf. *Rabbeinu Chananel*). [For an understanding of the etymologies of דמע and טבל, see *HaKsav VeHaKabbalah* to *Exodus* ibid.]

24. And to the *taharah* of the *terumah* as well. For during the pressing season and seventy days prior to it, an *am haaretz* is trusted to say that the wine or oil that he plans to make *kodesh* is free of *tumah.* It would constitute a disgrace to the Temple Altar to offer upon it [*kodesh* drawn from a jug of *tamei* oil, or] *kodesh* poured from a *tamei* jug. Therefore, if the *kodesh* is to be regarded as *tahor,* both the *terumah* it is mixed with, and the jug from which it is poured, must also be regarded as *tahor* (*Rashi*). [Because this is not actual *kodesh,* but will only be declared *kodesh* later, the *am haaretz* is trusted only before and during the pressing. In the case of actual *kodesh,* however, he is trusted all through the year (*Tosafos;* see 25a note 2).]

[The Mishnah illustrates the *am haaretz's* trustworthiness regarding vessels with the case of jugs filled with *tevel* earmarked for sacrificial use. As to why it does not employ the case of jugs filled with (already-tithed) *chullin* earmarked for sacrificial use, see *Siach Yitzchak; Likkutei Halachos, Toras HaKodashim* §4; *Chazon Ish, Parah* 10:2.]

עין משפט
נר מצוה

מה א מיי' פי"א מהל' מעשר הלכה ו:
מו ב ג מיי' פ"ו מהל' קרבן פסח הלכה ח:
מז ד ה ו מיי' פי"א מהל' מטמאי משכב ומושב הלכה ד':
מח ז ח מיי' שם הל' ה:
מט ט מיי' שם הלכה ו:
נ י מיי' שם הלכה ז:
נא כ מיי' שם הלכה ו:

ה) א חבר ועם הארץ שירשו את אביהם עם הארץ יכול לומר לו טול אתה חטין שבמקום פלוני ואני חטין שבמקום פלוני טול אתה יין שבמקום פלוני ואני יין שבמקום פלוני אבל לא יאמר לו טול אתה לח ואני יבש טול אתה חטין ואני שעורים ותני עלה ג אותו חבר שורף הלח ומניח את היבש אמאי יניחנה לגת הבאה בדבר שאין לו גת ויניחנו לרגל בדבר שאינו משתמר לרגל: ואם אמר הפרשתי לתוכה רביעית קדש נאמן: ג תנן התם מודין בית שמאי ובית הלל שבודקין לעושי פסח ואין בודקין לאוכלי תרומה מאי בודקין אמר רב יהודה ד) אמר שמואל ב מנפח אדם בית הפרס והולך ה) ור' חייא בר אבא משמיה דעולא אמר ג בית הפרס שנדש טהור לעושי פסח ו) לא העמידו דבריהן במקום כרת לאוכלי תרומה העמידו דבריהן במקום מיתה איבעיא להו בדק לפסחו מהו שיאכל בתרומתו עולא אמר בדק לפסחו מותר לאכול בתרומתו רבה בר עולא אמר בדק לפסחו אסור לאכול בתרומתו א"ל ההוא סבא לא תפלוג עליה דעולא דתנן כוותיה ואם אמר הפרשתי לתוכה רביעית קדש נאמן אלמא מדמהימן אקדש מהימן נמי אתרומה הכא נמי מדמהימן אפסח מהימן נמי אתרומה: ד כדי יין וכדי שמן כו': ה תנא אין נאמנין לא על הקנקנים ולא על התרומה קנקנים דמאי אי קנקנים דקדש מיגו דמהימן אקדש מהימן נמי אקנקנים אלא קנקנים דתרומה פשיטא השתא אתרומה לא מהימן אקנקנים מהימן ו אלא בריקנים דקדש ובשאר ימות השנה ובמלאין דתרומה ובשעת הגיתות תנן כדי יין וכדי שמן המדומעות מאי לאו מדומעות דתרומה אמרי דבי ר' חייא מדומעות דקדש ומי איכא דימוע לקדש אמרי דבי ר' אלעאי ז במטהר את טבלו ליטול ממנו נסכים: ח קודם לגיתות שבעים יום: אמר אביי שמע מינה דינא הוא דעיליה אריסא למיטרח אגולפי שבעים יומין מקמי מעצרתא:

מתני' ט מן המודיעים ולפנים נאמנין על כלי חרס מן המודיעים ולחוץ אין נאמנין כיצד י הקדר שהוא מוכר הקדרות נכנס לפנים מן המודיעים הוא הקדר והן הקדרות והן הלוקחין נאמן יצא אינו נאמן: גמ' כ תנא מודיעים פעמים כלפנים פעמים כלחוץ כיצד קדר יוצא וחבר נכנס כלפנים שניהן נכנסין או

רש"י

יכול לומר לו טול אתה חטין במקום פלוני. שיודע בהן שהוכשרו ואני אטול חטים במקום פלוני שיודע שלא הוכשרו דכיון דחד מינא הן אמרי' יש ברירה שאלו הן חלקו של זה ואלו הן חלקו של זה ולא החליף לו חבר לע"ה חלקו שבטמאין בשביל חלקו של ע"ה בטהורין אבל בשני מינין אין לומר ברירה דכשמתת אביהן נפל חלק לזה וחלק לזה בכל המינים ונמצא חבר זה מחליפה לו ועובר בלפני עור לא תתן מכשול (ויקרא יט): שורף את הלח. אם כהן הוא ויש שמן לתרומה מדליקו לנרות: בדבר שאין לו גת. כגון שכר תמרים של תרומה והאי שורף לשון איבוד הוא: ויניחנו לרגל. שטומאת עם הארץ אינה ברגל וימכרנה: שבודקין לעושי פסח. בית הפרס כדמפרש ואזיל היה הולך לעשות פסחו ובית הפרס של שדה שנחרש בו קבר מפסיקו בודקו בנפיחה ואם יש עצם כשעורה רואהו ונשמט ממנו ועצם כשעורה אינו מטמא באהל אלא במגע ובמשא לפיכך בודק בנפיחה שלא יסיטנו ברגליו: ואין בודקין לאוכלי תרומה. אין סומכין על בדיקה זו דכיון דאין זמן קבוע לאכילה ימתין שבעה ימים ויזה שלישי ושביעי ויטבול אבל גבי פסח הואיל ובית הפרס דרבנן לא העמידו דבריהם במקום כרת: שנידש. ברגל וזו היא בדיקתו בודק אם נידש או לא נידש: במקום שיש בו חיוב מיתה. כגון טמא האוכל תרומה: מיגו דמהימן אקדש מהימן אתרומה. שבגלל הוא לחזקת טומאה תרומה המתוכרת לו בחזקת טומאה והקדש יקרב למזבח: בריקנין דקדש. לאחר שעירה מהן קודש והיה סומכן לקדש אינו נאמן על שמירתן: ובשאר כל ימות השנה. כלומר כל ימות השנה לקדש אין חילוק בין שעת הגיתות לשאר ימות השנה: ובמלאין דתרומה בשעת הגיתות. שאע"פ שלא גזרו על תרומתן בשעת הגיתות מפני הפסד כהנים חבירים דנמצאת מפסידן מרוב תרומות ארץ ישראל על הקנקנים לא האמינום ואין הכהנים חברים מקבלין מהן הקנקנים עם התרומה אבל מערין לכליהן ודכוותה אמרינן לקמן לא תתמה שהרי לגין טמאין טומאת שבעה ומשקין טהורים: מאי לאו מדומעות דתרומה. וקתני נאמן אכדין: תוס'. ומי איכא דימוע לקדש. טבל שלא נתקן מדומע בתרומה אבל קדש לא הוחקקו לפרוש מתוכה שיהא הטבל מדומע בתוכו. ע"כ: במטהר את טבלו לנסכים. דאיכא חולין וקדש ותרומה מיגו דמהימן אקדש מהימן נמי אתרומה ואקנקנים שבגלל לקדש שיהו הקנקנים שעירוהו מהן בחזקת טומאה והוא קרב: מתני' מן המודיעים ולפנים. מודיעים שם כפר רחוק מירושלים ט"ו מיל כדאמר במסכת פסחים (דף צג:) ממנו ולפנים לצד ירושלים נאמנין קדרין עמי הארץ ליקח מהן כלי חרס הדקין כגון קדרות כוסות וקיתוניות שאי אפשר בלא הם ובירושלים אין עושין כבשונות מפני העשן לא לסיד ולא לקדרות ולפיכך האמינום שלא לגזור עליהן שאין גוזרין גזירה על הצבור שאין רוב הצבור יכולין לעמוד בה: הוא הקדר. מי שהביאן (י) חוץ למודיעים האמינוהו לפי שע"ה אבל אם מסרן ליד קדר עם הארץ היושב במודיעים או לפנים לא האמינוהו: והן הקדירות. על אותן הקדירות שהביא הוא האמינוהו ולא לצרף עמהן קדירות של קדר אחר היושב במודיעים: והן הלוקחין. חברים שראוהו שהביאן נאמן הקדר אצלן ולא אצל לוקחים אחרים: יצא. מן המודיעים לשוב לאחוריו אינו נאמן: גמ' מודיעים. הכרך עצמו: פעמים כלפנים כו' קדר יוצא. מלפנים מן המודיעים ונכנס למודיעים: וחבר. בא מחוץ למודיעים ונכנס למודיעים: כלפנים. מותר ליקח ממנו שהקדר לא יחזור עוד לאחוריו ואם לא עכשיו יקח אימתי: שניהן נכנסין. מחוץ למודיעים ובאו בתוך הכרך כלחוץ אלא ימתין עד שיהא מן כרך ולפנים:

וכן

תוספות

חבר ועם הארץ שירשו את אביהם. [(פ) מתני' היא בפ"ו דדמאי] ופירש רש"י טעם של משנה זו מטעם ברירה דמעיקרא הוברר הדבר שאלו לחלקו נפל אבל בשני מינים לא אמרינן הוברר הדבר וכן פירש הוא עצמו משנה אחרת (ט) גר ונכרי שירשו את אביהן יכול לומר טול אתה ע"ז ואני אטול מעות דאית ליה ברירה התם והיה קשה למורי כיון דסתם משנה אית ליה ברירה תקשי מיניה לרבי יוחנן דאמר אחין שחלקו לקוחות הן ומחזירין זה לזה ביובל אלמא אין ברירה וכן בבכורות פרק יש בכור (דף מח.) גבי נתנו עד שלא חלקו מוקי רבא ר' מאיר ורבי יהודה כרב אסי דאמר האחין שחלקו מחצה יורשין ומחצה לקוחות אלמא מספקא להו אי יש ברירה או לא ומההיא דהלוקח יין מן הכותים (דמאי פ"ז מ"ד) ליכא לאקשויי דשמעינן מינה ברירה דהתם טעמא אחרינא איכא שמפרש דבריו בהדיא אבל ירושה דממילא הויא לא וכן בפ' בכל מערבין (עירובין דף לז: ושם) איכא מאן דלית ליה הך סברא וכי תימא דמדרבנן מודה רבי יוחנן דלית ליה ברירה הא שמעינן ליה בשילהי ביצה (דף לז: ושם) אין ברירה אף בעירובי תחומין ומיהו כמה סתמי משניות דמלינו דאין ברירה ובכמה מקומות פלוגתא דתנאי ובפרק בכל מערבין (עירובין דף לו: ושם) דדחיק לאתויי תנא דברירה לא מייתי הך משום דעדיפא ליה לאתויי מילתא דהתנא נזכר בה וגם מילתא דאיירי בעירובי תחומין דאיירי בה:

מנפח אדם בית הפרס. (א) פירשתי בברכות (דף יט:) כל אורך הדברים מפרשת רבי יהודה נ"ע:

במטהר טבלו ליקח הימנו נסכים. פירש רש"י דאיכא קדש ותרומה דמהימן דנאמן אתרומה וקנקנים במיגו דמהימן אקדש שבגלל הוא לו אם קנקנים שהיה בו הקדישו טמאים תימה דא"כ אמאי נקט שבעים יום קודם אפילו בשאר ימות השנה נמי דהא תנן ואם אמר הפרשתי לתוכה רביעית קדש נאמן ותירץ הר"ר אלחנן דהכא מיירי שייחדו לנסכים כשיצטרך ממנו אבל התם מיירי בשכבר הקדישו לכך:

הגבאין

רבינו חננאל

חבר ועם הארץ שירשו אביהם לא יאמר החבר לעם הארץ טול אתה לח ואני יבש. ותני עלה אותו חבר שורף את הלח ומניח את היבש ואמאי יניחנו לגת הבאה שהוא נאמן בה ופרשי' בדבר שאין לו גת כגון דבש וחלב וכיוצא בהן. ואמרינן יניחנו לרגל וכדבעינן למימר לקמן טומאת עם הארץ ברגל רחמנא טהריה. ודחי' בדבר שאין משתמר לרגל עליה תנינן שורף את הלח: ואם אמר הפרשתי לתוכה רביעית קדש נאמן. ואם בדק לפסחו מותר לאכול בתרומתו כעולא דדייקא מתניתין כוותיה דקתני אם אמר הפרשתי לתוכה רביעית קדש נאמן. מדמהימן אקדש מהימן נמי אתרומה. הכא נמי מדמהימן אפסח מהימן נמי אתרומה. כדי יין וכדי שמן המדומעות כו' אוקימנא להא דתנינן בתוספתא אין נאמנין לא על הקנקנים ולא על התרומה בקנקנים דקדש ריקנים ובשאר ימות השנה במלאין דתרומה [ובשעת הגיתות]. והא דתנן במתניתין כדי יין וכדי שמן המדומעות אוקימנא בקדש. ומקשינן וכי איכא דימוע בקדש. פי' תרומה שנפלה בחולין נדמעו זה נקרא דמע אבל אין לשון דימוע בקדש. ושנינן אין איכא דימוע בקדש כגון דמשמר טבלו להפריש ממנו נסכים לקדש. כי האי גוונא משכחת לה דימוע בקדש: מתני' מן המודיעין ולפנים כו'. מודיעין מקום כדתנא מודיעין רחוקה מירושלים ט"ו מיל. אוקימנא כדתנא מודיעין פעמים כלפנים פעמים כלחוץ כיצד קדר יוצא וחבר נכנס כלפנים שניהן נכנסין או שניהן יוצאין מודיעין עצמה כלחוץ.

תנא

מסורת הש"ס

א) דמאי פרק ו מ"ע, ב) תוספתא דדמאי פ"ה, ג) פסחים צב: אהלות פי"ח מ"ד, ד) ברכות יט: עירובין ל: פסחים צב: מו"ק ה: כתובות כח: בכורות כט. נדה נז., ה) [ועיין ברכות יט: מ"ש שם על הגליון], ו) [ער' תוס' פסחים צב: ד"ה בודקין כו' ותוס' עירובין כו: ד"ה ולכהן], ז) [צ"ל מתוך], ח) מתניתא פ"ו דדמאי כל"ב, ט) [שם מ"י].

הגהות הב"ח

(א) תוס' ד"ה מנפח כו' פירשתי בברכות. נ"ב בס"פ שלנו לא נמצא כלום כי אם בבכורו' דף כט בד"ה היכי אזיל האריך בזה:

ליקוטי רש"י

שבודקין. מהלכין בבית הפרס על ידי בדיקה לעשות פסח אם אין לו דרך אחרת. ואין בודקין לאוכלי תרומה. אלא ימתין ויקיף או יום או יומים עד שמגיע אל תרומתו ואוכלה. מאי בודקין. היאך יבדוק [פסחים צב:]. מנפח אדם. לפניו שאם היה שם עצם ירלנו דאי דאורייתא הוא לא הוה מזלזלין ביה כולי האי למיסמך אנפיחה והך דבדיקה לעושה פסח איפשרי ולא לאוכלי תרומה כדאמרינן בחומר בקדש (חגיגה דף כה:) בית הפרס. דלא מטמא אלא מדרבנן והוא שדה שנחרש בו קבר ומשו חכמים שמא לדלדלו כלי המחרישה את העצמות והדורס עליהן מסיטן ועצם כשעורה מטמא במגע ובמשא ולא באהל [ברכות יט:]. מנפח אדם בית הפרס. שדה שנחרש בה קבר דכולה ספיקא משום עצמות היא ועצמות בלא בשר אינו מטמא באהל ובמגע ובמשא לפני רגליו אם יש שם עצם גדול נראה מאליו ועצם קטן נראה בנפיחה ואינו מסיטו ברגליו [עירובין ל:]. הוא שדה שנחרש בה קבר כדתנן (אהלות פרק י"ז מ"א) החורש בית הקבר הרי זה עושה בית הפרס מלא מענה מאה אמה וגזור רבנן שמא ניתתה מחרישה את העצמות ופיזרתן לאורך המענה וים כאן עצם כשעורה ויעבור ויסיטנו ועצם כשעורה מטמאה במגע ובמשא דהיינו היסט הלכך מנפחו בפיו ואם יש עצם גדול ירלהו ועצם כשעורה נדחה בנפיחתו ואהל אין מטמאו דהא אין טומאת אהל בעצמות אלא רוב בנין ורוב מנין [פסחים צב:]. ההולך לשחוט פסחו דאם יש עצם כשעורה המטמאה בהיסט מתפזר ברוח ועושה פסח בבית הפרס אזיל לו. בית הפרס, [מלא] מענה מלם אחד של מאה אמה [מו"ק ה:]. החורש את הקבר הרי זה עושה בית הפרס מאה אמה שכך שיערו שמחרישה מולכת את

עצמות המת ודלמא נגע או הסיט המהלך בו את עצם כשעורה שמטמא במגע ובמשא. מנפח אדם בית הפרס, וסומך על כך שאם יש עצם רואהו ואע"ג דמאהיל לא חיישינן דאין עצם כשעורה מטמא באהל אלא עד דאיכא שדרה או גולגולת שלמה או רוב בנין או רוב מנין [כתובות כח:]. דעצם כשעורה מטמא במגע ובמשא ולא באהל וכי מנפח ליה מדחיא מקמיה ולא נגע ביה ומיהו בתרומה לא מצי אכיל דאמרינן בחגיגה בפרק חומר בקודש (דף כה:) בודקין לעושי פסח ואין בודקין לאוכלי תרומה והוא בודקין מפרש התם דבודק בית הפרס כשהוא הולך מנפח כדי שיגלו את העצמות ומגלגלן. מנפח, דבר ליכא ועצם כשעורה לא מטמא באהל אלא במגע ובמשא הלכך מנפח כדי שלא יגעו רגליו בו והולך פרס, לשון דבר שבור ופרוס על שם שנפרסו העצמות [ברכות שם]. שנדש. ברגלים [נדה נז.]. בדריסת רגלי בני אדם [עירובין ל:]. ברגל טהור שדריסת הרגלים העבירתו והבא לעשות פסחו יבדוק אם נידש או לא ויעבור אבל לאכילת תרומה לא סמכינן עלה שיכול להמתין ובית הפרס מדרבנן ולא העמידוהו במקום כרת דפסח [פסחים שם]. דישה רבה ברגלים הרבה [כתובות כח:]. שהרגלים משיטים את העצמות [נדה נז.]. מדומעות. חולין ותרומה שנתערבו ואין נאכל אלא לכהן [יבמות קטו:]. דבי ר' חייא. דבית רב חייא [ע"ש ברכות יד.]. אגולפי. חביות [שבת מב:].

The Mishnah stated:
קוֹדֶם לַגִּיתּוֹת שִׁבְעִים יוֹם – AND PRIOR TO THE WINE-PRESSING SEASON SEVENTY DAYS.

The Gemara infers:
אָמַר אַבַּיֵי – Abaye said: שְׁמַע מִינָּהּ – We learn from here דִּינָא הוּא – that **it is the law דְּעִילָּוֵיהּ אָרִיסָא לְמִיטְרַח אַגּוּלְפֵי – that it is an obligation upon the sharecropper to busy himself with** preparation of **vessels שִׁבְעִים יוֹמִין מִקַּמֵּי מַעֲצַרְתָּא – seventy days prior to the pressing.**[25]

Mishnah

This Mishnah presents another instance in which the law of *terumah* is more stringent than that of *kodesh:*[26]

מִן הַמּוֹדִיעִים וְלִפְנִים – From the town of **Modiim and inwards,** towards Jerusalem, **נֶאֱמָנִין עַל כְּלֵי חֶרֶס – [*amei haaretz*] are trusted regarding** the *taharah* of **earthenware vessels,** which are in short supply in Jerusalem. **מִן הַמּוֹדִיעִים וְלַחוּץ – From Modiim and outwards,** away from Jerusalem, **אֵין נֶאֱמָנִין – they are not trusted.**[27] **כֵּיצַד – How so? הַקַּדָּר שֶׁהוּא מוֹכֵר הַקְּדֵרוֹת – The potter who is selling the pots: נִכְנַס לִפְנִים מִן הַמּוֹדִיעִים – If he entered inward of Modiim, הוּא הַקַּדָּר וְהֵן הַקְּדֵרוֹת וְהֵן הַלּוֹקְחִין – this very potter,** regarding **these very pots, and** by **these very purchasers, נֶאֱמָן – may be trusted.**[28] **יָצָא – If he left** Modiim, heading away from Jerusalem, **אֵינוֹ נֶאֱמָן – he is not trusted.**

Gemara

The Mishnah declared Modiim as a borderline for trusting *amei haaretz* about the *taharah* of earthenware vessels. The Gemara discusses the status of Modiim itself regarding this matter:

תָּנָא – A Baraisa has taught: מוֹדִיעִים – With regard to the trustworthiness of an *am haaretz* potter, the town of MODIIM itself **פְּעָמִים כִּלְפְנִים פְּעָמִים כְּלַחוּץ –** is SOMETIMES regarded AS INWARDS of Modiim, and SOMETIMES AS OUTWARDS of Modiim. **כֵּיצַד –** HOW SO? **קַדָּר יוֹצֵא וְחָבֵר נִכְנָס –** If THE POTTER IS LEAVING the inward area to enter the town, AND THE *CHAVER* IS ENTERING Modiim from the outside, and they meet in Modiim, **כִּלְפְנִים –** the town itself is AS the INWARD area. Thus, the *chaver* may purchase the vessels there.[29] **שְׁנֵיהֶן נִכְנָסִין –** If THEY ARE BOTH ENTERING the town from the outside,

NOTES

25. We see from the Mishnah that this is the normal time to begin purifying vessels for the pressing season. Accordingly, a landlord can compel one sharecropping his vineyard or olive grove to begin preparing vessels at this time (*Meiri*). However, *Rambam* does not cite this law in *Yad HaChazakah;* therefore, *Siach Yitzchak* suggests that Abaye is simply offering helpful advice, but is not asserting an obligation (see also *Zevach Todah*).

26. This distinction is not made explicit in the Mishnah. However, it is stated in the Gemara on 26a; see *Meiri; Tos. Yom Tov* here; see 26a note 3.

27. Modiim was a city 15 *mil* distant from Jerusalem (see *Pesachim* 93b; but see *Turei Even; Meromei Sadeh* here). Between Modiim and Jerusalem, the Rabbis permitted *chaverim* to purchase small earthenware vessels (such as pots, cups and flasks) from *amei haaretz* for use with *kodesh,* trusting the potters that the vessels had been guarded from *tumah.* For it was impermissible to manufacture these vessels in Jerusalem itself; if purchase from *amei haaretz* would be forbidden, it would be well-nigh impossible for *chaverim* to obtain the vessels necessary to bring offerings and to cook and eat sacrificial foods. The Rabbis thus realized that if these items were subject to *am haaretz tumah,* the majority of people would be unable to comply with the decree, for the average person finds it difficult to manage without these small, everyday utensils. As a rule, the Rabbis do not promulgate decrees with which most people cannot comply; therefore, in the area between Jerusalem and Modiim, they excluded small vessels [but not large ones] from the decree (*Rashi; Meiri;* see *Rashi* 26a ד״ה שאין עושין). [*Meiri* adds that the reason they were short of pottery in Jerusalem was because of the law that states that pottery in which sacrificial food has been cooked must be broken (see *Leviticus* 6:21 with *Rashi;* see Schottenstein ed. of *Zevachim,* 95b note 7). There were not enough potters who were *chaverim* in the Jerusalem area to keep apace of the rate of attrition.]

The reason earthenware could not be manufactured in Jerusalem was because kilns were forbidden there (see 26a), lest their smoke blacken the walls of the city (*Rashi* here and to *Bava Kamma* 82b ד״ה קוטרא; see 26a note 23 for another reason).

[*Tos. Yom Tov* notes that the Mishnah does not state that the permit extends a like distance in all directions. He explains that Modiim was a center for pottery; therefore, the permit was established in this area only (see *Turei Even* in a similar vein; cf. *Tos. Rid; Siach Yitzchak; Shulchan Aruch HeAsid, Mishkav U'Moshav* 120:15,19).]

28. I.e. this very potter, who brought the pots inward of Modiim, is trusted. He is trusted only regarding these very pots he imported, and only those very purchasers who observed him entering with his pots may trust him (*Rashi*).

This clause deals with potters from *outside* Modiim who bring pots inward of Modiim to sell. [Although they are coming from an area where *amei haaretz* are not trusted,] we allow them to attest to the *taharah* of their wares, since there is a great need for the pots they bring. However, we limit this permit in three ways: (a) If the importer gives the pots to an *am haaretz* potter living in or inward of Modiim to sell, the second individual is not trusted. Only the importer himself may sell his pots. (b) If the importer mixes his pots with those of a potter living in Modiim, he is not trusted regarding the new pots. We grant him trust regarding his own pots only. (c) If the purchaser does not himself see the potter entering Modiim with the pots, he may not trust him regarding their *taharah* (*Rashi;* see *Meiri;* cf. *Rambam, Commentary to Mishnah* and *Metam'ei Mishkav U'Moshav* 11:7; see *Rishon LeTzion;* see *Chidushim U'Veurim*). [It goes without saying that a potter who lives in Modiim is trusted regarding his own pots; however, he may not sell the pots of an importer, and an importer may not sell his pots (*Meromei Sadeh; Chidushei Maharich,* printed in back of the standard Mishnayos).]

29. For if he does not purchase them now, he may not have an opportunity later, since the potter is leaving the inward area, and will not return there [any time soon] (*Rashi*).

[Presumably, this *chaver* observed the potter entering Modiim at one point. Otherwise, he would not be permitted to purchase pots from him, as was explained in the previous note.]

אוֹ שְׁנֵיהֶן יוֹצְאִין – OR if THEY ARE BOTH LEAVING the inward area for the town, **כְּלַחוּץ** – the town itself is AS the OUTWARD area. Thus, the *chaver* may not purchase the vessels there.[1]

The Gemara proves this distinction from our Mishnah:

אָמַר אַבַּיֵי – **Abaye said:** **אַף אֲנַן נַמִּי תְּנֵינָא** – **We have also learned** this **in our Mishnah.** For the Mishnah first states: **הַקַּדָּר שֶׁמָּכַר אֶת הַקְּדֵירוֹת וְנִכְנַס לִפְנִים מִן הַמּוֹדִיעִים** – THE POTTER WHO SOLD THE POTS: If HE ENTERED INWARD OF MODIIM . . . he may be trusted. **טַעְמָא דְּלִפְנִים מִן הַמּוֹדִיעִים** – This implies that **the reason** he is trusted **is because he is inward of Modiim,** **הָא מוֹדִיעִים גּוּפָהּ לֹא מְהֵימַן** – **but** in **Modiim itself, he would not be trusted.** **אֵימָא סֵיפָא** – But **consider the end** of the Mishnah. **יָצָא אֵינוֹ נֶאֱמָן** – If HE LEFT Modiim, HE IS NOT TRUSTED. This implies that it is only outside of Modiim that he is not trusted, **הָא מוֹדִיעִים גּוּפָהּ נֶאֱמָן** – **but** in **Modiim itself, he is trusted.** Seemingly, the Mishnah's two clauses are in conflict!

Abaye concludes:

אֶלָּא לָאו שְׁמַע מִינָּהּ – **Do we not learn, then, from this** apparent contradiction **כָּאן בְּקַדָּר יוֹצֵא וְחָבֵר נִכְנָס** – that **here** (i.e. in the second clause) the Mishnah speaks of **where the potter is leaving** the inward area for the town **and the *chaver* is entering** the town from the outside, **כָּאן בְּשֶׁשְּׁנֵיהֶן יוֹצְאִין אוֹ שְׁנֵיהֶן נִכְנָסִין** – whereas **here** (i.e. in the first clause) the Mishnah speaks of **where they are both leaving** the inward area **or both entering** from the outside. In the Mishnah's second case, the potter is trusted in Modiim proper; in its first case, he is not.

The Gemara agrees:

שְׁמַע מִינָּהּ – Indeed, we may **learn** this **from here.**

The Mishnah stated that from Modiim inwards, *amei haaretz* are trusted regarding the *taharah* of earthenware vessels. The Gemara qualifies this:

תָּנָא – **A Baraisa has taught:** **נֶאֱמָנִין בִּכְלֵי חֶרֶס הַדַּקִּין לַקּוֹדֶשׁ** – THEY ARE TRUSTED REGARDING the *taharah* of SMALL EARTHENWARE VESSELS that will be used FOR *KODESH.* They are not trusted, however, regarding large vessels,[2] or to use even the small ones for *terumah.*[3]

The Gemara cites an Amoraic dispute regarding this ruling:

אָמַר רֵישׁ לָקִישׁ – **Reish Lakish said:** **וְהוּא שֶׁנִּיטָּלִין בְּיָדוֹ אַחַת** – **And this** permit applies to **those** vessels **that can be carried with one hand.** **וְרַבִּי יוֹחָנָן אָמַר** – **But R' Yochanan said:** **אֲפִילוּ שֶׁאֵין נִיטָּלִין בְּיָדוֹ אַחַת** – It applies **even** to **those that cannot be carried with one hand.**[4]

Another dispute between Reish Lakish and R' Yochanan:

אָמַר רֵישׁ לָקִישׁ – **Reish Lakish said:** **לֹא שָׁנוּ אֶלָּא רֵיקָנִין** – **[The Rabbis] did not teach** this law **except** with regard to **empty [vessels],** **אֲבָל מְלֵאִין לֹא** – **but** in the case of **full [vessels]** – **no,** the *am haaretz* is not trusted.[5] **וְרַבִּי יוֹחָנָן אָמַר** – **But R' Yochanan said:** **אֲפִילוּ מְלֵאִים** – The *am haaretz* is trusted **even** in the case of **full [vessels],** **וַאֲפִילוּ אֲפִיקַרְסוּתוֹ לְתוֹכוֹ** – **and even**

NOTES

1. When both are entering Modiim from the outside, the *chaver* may not purchase the vessels in the town. For both he and the potter will soon be inward of the town, and he can delay his purchase until then. When they are both leaving the inward area for Modiim, he also may not purchase the vessels in town. For he should have purchased them while inward of the town. Since he did not bother to do so then, he may not do so now (*Rashi*).

The Baraisa does not discuss a case in which the *chaver* is leaving the inward area for Modiim and the *am haaretz* is entering Modiim from the outside. However, its law may be deduced from the case in which both are leaving the inward area for the town. [For if in that case, where the *chaver* will have no further opportunity to purchase vessels (since both are leaving town), he is still forbidden to purchase them in Modiim, because of his failure to do so while inward of the town,] then in this case, where if he returns to the inward area he will have ample opportunity to purchase the vessels, he certainly may not purchase them in town, but must travel inwards of the city and buy them there (*Rashi; Meiri;* see *Turei Even; Rashash*).

2. It is almost impossible for the average person to manage without easy access to such small, everyday utensils as pots, cups and flasks. In Jerusalem, people used these items on a daily basis to cook [and eat] their offerings, and to bring their offerings to the Temple. Because the pot sellers of Jerusalem could not possibly fill this need, the Rabbis permitted these small vessels to be purchased from *amei haaretz* in the entire area between Modiim and Jerusalem. Large storage vessels (such as wine barrels), however, are not vital to the needs of most people. Therefore, the Rabbis restricted their purchase from *amei haaretz* to Jerusalem proper [as we shall see in the forthcoming Mishnah and subsequent Gemara] (*Rashi* here and to the Gemara below; see 25b note 27).

[*Rashi* states that he heard others explain the Baraisa differently, but is unhappy with their explanation. These others interpreted "small vessels" as vessels so small that even the *am haaretz's* little finger cannot be inserted into their mouths. Earthenware vessels of this sort are entirely *impervious* to *tumah* transmitted by a *zav* (one contaminated through a particular form of urethral emission), and, by extension, to that transmitted by an *am haaretz,* since his *tumah* is based on the possibility that he is a *zav.* According to this interpretation, the permit to purchase these vessels from *amei haaretz* is based upon their immunity to *am haaretz tumah. Rashi* rejects this explanation on the basis of the forthcoming Gemara, which states that according to R' Yochanan, even if the vessel contains contaminated liquid (whose *tumah* is based on that of a *zav's* secretions – see 22b note 27) or the garment of an *am haaretz,* it does not become *tamei,* despite the apparent inconsistency of a *tahor* vessel and *tamei* contents (see notes 5 and 6). Now, if we are discussing vessels *impervious* to the *tumah* of a *zav* or an *am haaretz,* then the fact that the vessel remains *tahor* while its contents are *tamei* represents no inconsistency at all, since the vessel *cannot* be contaminated! What, then, is the point of R' Yochanan's comment? Clearly, immunity to *tumah* is not the reason the Rabbis permit the purchase of small vessels from *amei haaretz* between Jerusalem and Modiim (*Rashi,* as emended by *Siach Yitzchak* – see note 5, and as explained by *R' Meir Arik* in his *Tal Torah*).

The reasons underlying the immunity of tiny earthenware vessels to *zav* and *am haaretz tumah* are too involved to be entered into here. For further discussion, see *Rashi* to *Shabbos* 84b ד״ה ודין הוא with our note 1 there; *Tosafos, Shabbos* ibid. ד״ה מה פכין, and *Bava Kamma* 25b ד״ה שטהורין. See also *Ritva, Shabbos* ibid.]

3. *Meiri* (to 25b) explains why the Rabbis differentiated between *kodesh* and *terumah: Kodesh* food must be consumed by a certain time, or it becomes invalid as *nossar* (literally: leftover). Therefore, it is vital that there be sufficient vessels in which to prepare it, so that it can be eaten before the time limit expires. To ensure the availability of vessels, the Rabbis were compelled to permit their purchase from *amei haaretz.* Consumption of *terumah,* by contrast, has no time limit, so one seeking a *tahor* vessel in which to prepare *terumah* can wait until he finds a potter who is a *chaver.* Therefore, the Rabbis did not permit him to purchase the vessel from an *am haaretz.* This difference represents a stringency of *terumah* over *kodesh.*

4. Reish Lakish holds that the term "small" describes a vessel that can be carried with one hand. R' Yochanan maintains that a vessel can be described as "small" even if it cannot be carried with one hand, so long as it is conveniently sized for the cooking of sacrificial foods (see *Meiri;* cf. *Kesef Mishneh* to *Metam'ei Mishkav U'Moshav* 11:6).

5. This refers to vessels filled with non-*kodesh* liquid belonging to the *am haaretz* [which must be assumed to be contaminated] (*Rashi,* as emended by *Siach Yitzchak,* in accordance with the Venetian edition of Talmud; see following note). Reish Lakish holds that the status of the vessel must be consistent with that of its contents. Therefore, *taharah* is not granted to vessels containing *tamei* liquid (see *Chagei David*).

The reason *Rashi* states that the vessel is filled with non-*kodesh* liquid is because an *am haaretz* is trusted regarding the *taharah* of *kodesh,* and, by extension, regarding the *taharah* of the vessel in which it is contained (see Mishnah 24b with note 22; 25b notes 17 and 19). Thus, a vessel containing *kodesh* would be *tahor* no matter *where* it was purchased. Perforce, Reish Lakish is discussing vessels filled with non-*kodesh* liquid (see *Turei Even*).

עין משפט נר מצוה

נב א ב מיי' פי"א מהל' מטמאי משכב ומושב הלכה ה:
נג ג ד מיי' שם פי"ב הלכה יב:
נד ה ו מיי' שם הל' יד:
נה ז ח מיי' שם פי"א הלכה ה:
נו ט מיי' שם הל' ט:
נז י מיי' שם הל' י:
נח כ מיי' שם הל' יא:

מסורת הש"ס

א) [תוספתא פרק ג], ב) לעיל כב: אהלות פ"ה מ"ד, ג) טהרות פ"ז מ"ו, ד) [שם פ"ח], ה) ג"ז שם, ו) יבמות כב: ב"ק פב: ב"מ סב. סנהדרין סה., ז) [נ"ל דרבה כ"ה כת"מ וביבמות וסנהדרין וב"ק ליתא להאי מימרא דרב פנחס כשעשו כו'] ובכמה דוכתין בש"ס מייתו רבא וכ"ה ג"ז הגאון בעל סה"ד וכן מפורש בכ"מ סנהדרין סה סוף עמוד א', ח) [ב"ק פב: זבחים צו.], ט) נדה לד., י) בילה יא:, כ) נ"ל ממנו, ל) [פ"ג], מ) כפ"ש הגירסא המסופקין וכן הוא בכ"מ פי"א מהל' מטמאי משכב ומושב הל' ו, נ) [לעיל כב.].

גמרא

או שניהן יוצאין כלחוץ אמר אביי אף אנן נמי תנינא הקדר שמכר את הקדירות ונכנס לפנים מן המודיעים טמא דלפנים מן המודיעים הא מודיעים גופה לא מהימן אימא סיפא יצא אינו נאמן הא מודיעים גופה נאמן אלא לאו ש"מ כאן בקדר יוצא וחבר נכנס כאן בששניהן יוצאין או שניהן נכנסין שמע מינה ^ו תנא נאמנין בכלי חרס הדקין לקודש אמר ר"ל והוא שניטלין בידו אחת ור' יוחנן אמר אפי' שאין ניטלין בידו אחת אמר ר"ל לא שנו אלא ריקנין אבל מלאין לא ^א) ורבי יוחנן ^א אמר אפי' מלאים ואפילו אפיקרסותו לתוכו ואמר רבא ^ז ומודה ר' יוחנן במשקין עצמן שהן טמאין ואל תתמה ^ג שהרי לגין מלא משקין לגין טמאין טומאת שבעה ומשקין טהורין: **מתני'** הגבאין שנכנסו לתוך הבית וכן הגנבים שהחזירו את הכלים נאמנין לומר לא נגענו ובירושלים נאמנין על הקודש ובשעת הרגל אף על התרומה: **גמ'** ורמינהי ^ג הגבאין שנכנסו לתוך הבית הבית כולו טמא ^ג"ק הא דאיכא נכרי בהדייהו הא דליכא נכרי בהדייהו דתנן ^ד אם יש נכרי עמהן נאמנין לומר לא נכנסנו אבל אין נאמנים לומר נכנסנו אבל לא נגענו וכי איכא נכרי בהדייהו מאי הוי ר' יוחנן ור' אלעזר חד אמר ^י אימת נכרי עליהן וחד אמר אימת מלכות עליהן מאי בינייהו איכא בינייהו נכרי שאינו חשוב: ^ה וכן הגנבים שהחזירו את הכלים: ורמינהי ^ה הגנבים שנכנסו לתוך הבית אינו טמא אלא מקום דריסת רגלי הגנבים ^ו אמר רב פנחס משמיה ^(ז) דרב ^י כשעשו תשובה דיקא נמי דקתני שהחזירו את הכלים ש"מ: ^ז ובירושלים נאמנין על הקודש: ^ח תנא נאמנין על כלי חרס גסין לקודש וכל כך למה ^ט שאין עושין כבשונות בירושלים: ^ב ובשעת הרגל אף על התרומה: מנהני מילי אמר רבי יהושע בן לוי ^ט דאמר קרא ^א) ויאסף כל איש ישראל אל העיר כאיש אחד חברים הכתוב עשאן כולן חברים: **מתני'** ^י הפותח את חביתו והמתחיל בעיסתו על גב הרגל ר' יהודה אומר יגמור וחכ"א ^ל לא יגמור: **גמ'** יתיב ר' אמי ורבי יצחק נפחא אקילעא דר' יצחק נפחא פתח חד ואמר מהו שיניחנה לרגל אחר א"ל אידך יד הכל ממשמשין בה ואת אמרת יניחנה לרגל אחר א"ל אטו עד האידנא לאו יד הכל ממשמשין בה א"ל הכי השתא בשלמא עד האידנא טומאת עם הארץ ברגל רחמנא טהרה אלא השתא טמאה היא נימא כתנאי דתני חדא יניחנה לרגל אחר ותניא אידך לא יניחנה לרגל אחר מאי לאו תנאי היא לא הא דקתני יניחנה ר' יהודה והא דקתני לא יניחנה רבנן ותסברא ^(א) הא רבי יהודה יגמור קאמר אלא הא דקתני לא יניחנה רבי יהודה והא דקתני יניחנה רבנן ומאי לא יניחנה שאין צריך להניחה: **מתני'** משעבר הרגל מעבירין על טהרת עזרה עבר הרגל ליום ששי לא היו מעבירין מפני כבוד השבת רבי יהודה אומר אף לא ביום ה' שאין הכהנים פנויין: **גמ'** תנא שאין הכהנים פנויין מלהוציא בדשן: **מתני'** כיצד מעבירין על טהרת עזרה ^כ מטבילין את הכלים שהיו במקדש ואומרין להם הזהרו
שלא

רש"י

וכן שניהם יוצאין. הואיל ומלאו לפנים ושם לא לקח ^(י) וממנו לא יקח עוד וכ"ש קדר נכנס וחבר יוצא הואיל וסוף הקדר ליכנס לפנים יחזור החבר הצריך ליקח ויקח: **תנא נאמנין על כלי חרס הדקין לקודש.** הא דתנן מן המודיעים ולפנים נאמנין על כלי חרס בכלי חרס הדקין אמרו שא"א בלא הם כדפרשינן לעיל אבל גסין כגון חבית לעין אין נאמנין אלא בתוך ירושלים כדלקמן ואני לא כך שמעתי ולבי מגמגם על שמועתי ששמעתי כשפיהן צר שאין אצבעו נכנס לתוכו וסופיהו שאנו מטהרין אותם אפילו מלאים משקין טמאין: **ואפי' אפיקרסותו בתוכו.** אפי' מלאין משקין שלו שאינן של קדש:

ואל תתמה. שכל דברי חכמי' כך הן שהרי שמעתי אצל כלי חרס המציל את המשקין שבתוכו ואין מציל כל כלי שטוף שהלגין טמאין טומאת שבעה והמשקין טהורין: **מתני' הגבאין.** ישראל שהן גבאין למלך נכרי לגבות מיד ישראל גולגליות ומסין וארנוניות: **שנכנסו לתוך הבית.** לעבוט עבוטו וכן הגנבים שגנבו כלי חרס והחזירום: **נאמנים לומר.** שלא נגעו לתוכו לקדש נאמנין אבל לא לתרומה דכולה מתני' אחומר בקדש מתרומה קיימא והכי תניא שניהו בתוספתא ^(ל) הגבאין שנכנסו לתוך הבית נאמנין על טהרת חטאת ואין נאמנין על טהרת תרומה והאי חטאת בשר קדש ולא אפר חטאת כדמוכח התם אף אם עשו תשובה דשין בטומאה היו: **ובירושלים נאמנין** כו'. מפרש בגמרא: **גמ' כל הבית כולו טמא.** כל כלי הבית טמאין שחזקה הגבאין ממשמשין בכלים: **איכא נכרי בהדייהו.** אין נאמנין לומר לא נגענו דמרתתו אם לא יחפשו כל הבית: **אימת נכרי עליהם.** פן יענישם בגוף או בממון: **אימת מלכות.** שמא ילשין עליהן נכרי אצל המלך: **נכרי שאינו חשוב.** אימתו ליכא אימת מלכות איכא: **אלא מקום דריסת רגלי הגנבים.** מ"מ דריסתו מיהא טמא וכ"ש כלים שגנבו והחזירו: **כשעשו תשובה.** ומחמת תשובה החזירום הלכך לא משקרי: **על כלי חרס הגסין.** וכ"ש הדקין והכי תניא בירושלמי נאמנין על טהרת כל הכלים לקדש: **וכל כך למה.** מהדר אף על הדקים מן המודיעים ולפנים: **שאין עושין כבשונות בירושלים.** לא לדקים ולא לגסין ומיהו בדקים הולכך לאנשי ירושלים שכל יחיד ויחיד נסכו ביתו לכך הוסיפו להן טהרה ליחידים מגבול מודיעים אבל בעלי הלשכה ^(מ) המוכרין נסכים לצבור די להם בנכנסין לתוך העיר ולשם בלבד האמינום על החביות א"נ יחידים צריכים לדקים אף לבישול שלמיהן יום יום: **ויאסף כל איש ישראל וגו'.** בפלגש בגבעה כתיב שנאספו כל ישראל בגבעה: **הכתוב עשאן חברים.** ורגל שעת אסיפה הוא: **מתני' הפותח את חביתו.** חבר שפתח את חביתו למכור יין ברגל וכל הבא ליקח ממשמש ואף עמי הארץ ממשמשים: **לא יגמור.** אחר הרגל אע"פ שברגל הן טהורין לא שטהרתן טהרה אלא שברגל הכל חברים אבל לאחר הרגל מגעו טמא כדאמר במתני' עבר הרגל מטבילין כלי העזרה מפני שנגעו בהן ע"ה ברגל: **רבי יהודה אומר יגמור.** וטעמא מפ' במסכת בילה (דף יא:) ג' דברים הותרו סופן משום תחילתם וזה כמו כן שאם אתה אומר לא יגמור אף הוא לא יתחיל ואין מזון מצוי לעולי רגלים: **גמ' מהו שיניחנה כו'.** אליבא דרבנן בעי לה: **אטו האידנא.** כל ימי הרגל לא ממשמשו בה הכל והתרת ברגל: **טמאה היא.** למפרע וחבר אינו רשאי למכור דבר שהוא טמא לעולם וי"מ אותה בע"ה ואי אפשר לומר בע"ה לא יגמור דמי לייט לן והלא אומר שלך טמא ושלי טהור ^(י) וימלא לו מחביריו הרבה שימכור להם ואם בא לאסור שלא יקחו חברים ממנו יקחו ולא יקחו מיבעי ליה ועוד דאמר במסכת בילה שזו היא אחד מג' דברים שהותרו סופן משום תחילתן ואי בע"ה אפי' לא שרית ליה לגמור ניחא (ב) במאי דמזבין ברגל: **ה"ג מאי לאו תנאי היא לא הא דקתני יניחנה ר' יהודה והא דתני לא יניחנה רבנן ותסברא והא רבי יהודה יגמור קאמר אלא הא דתניא יניחנה רבנן והא דתניא לא יניחנה רבי יהודה היא ומאי לא יניחנה כו'.** ואי לאו תנאי היא ואליבא דרבנן ותפשוט בעיא דלעיל דפלוגתא דתנאי היא: **מתני' מעבירין על טהרת עזרה.** מעבירין את הכלים ממקומן ולהטבילן ולטהר את העזרה מטומאת ע"ה שנגעו בהן ברגל שאע"פ שעשאם הכתוב חברים ברגל לא מפני שטהורין הן הלכך לאחר הרגל מגען טמא למפרע: **מפני כבוד השבת.** שהיו הכהנים צריכין להתעסק איש בביתו בצרכי שבת: **אף לא ליום החמישי.** אם עבר הרגל ליום חמישי אין מטבילין אותן עד לאחר השבת: **גמ' לפי שאין הכהנים פנויין.** במוצאי יום טוב להטבילן שטרודין להוציא הדשן שעל התפוח שבאמצע המזבח שקיבלו שם כל ימות הרגל כל דשן של מערכה: **מתני' ואומרים להם.** לכהנים ע"ה ברגל: **הזהרו שלא תגעו בשלחן.** שלא יוכלו להטבילו לאחר הרגל שאי אפשר לסלקו ממקומו דכתיב ביה לחם פנים לפני תמיד (שמות כה):

תוספות

הגבאין שנכנסו לבית וכו'. לקדש ולתרומה קאי ולא לחטאת והכי תניא בתוספתא הגבאים שנכנסו לבית נאמנין לומר לא נגענו על טהרת חטאת ועל טהרת תרומה והא חטאת הוי קדש דקתני התם ולא אפר חטאת ואפי' עשו תשובה. הר"ר שמעון:

ובירושלים נאמנין על טהרת כלי חרס הגסים. וכ"ש הדקין וכן תניא בהדיא בירושלמי נאמנין על טהרת כל הכלים. הר"ר שמעון:

רבינו חננאל

תנא נאמנין על כלי חרס הדקין לקדש אמר ר"ל והוא שניטלין בידו אחת וריקנין אבל מליאין לא כלומר אינם נאמנים ור' יוחנן אמר אע"פ שאינן ניטלין בידו אחת ובין מליאין ובין ריקנין ואפי' אפיקרסתו לתוכן נאמנין אמר רבה אע"ג א) דר"ל אמר אין נאמנין על כלי חרס מליאין [מודה] היה במשקין עצמן שהן טהורין ואל תתמה שהרי לגין טמא טומאת שבעה ומשקין טהורין. ב) קודם לגיתות שבעים יום נאמן אמר אביי ש"מ דיטרח אריסא מקמי הגתות אגולפי שבעים יום: מתני' הגבאים שנכנסו לתוך הבית נאמנים לומר לא נגענו. אוקימנא בדאיכא נכרי בהדייהו כדתנן אם יש נכרי נאמן לומר נכנסנו אבל לא נגענו מ"ט ר' יוחנן ור' אלעזר חד א' אימת נכרי עליהן וחד אמר אימת מלכות עליהן. מאי בינייהו איכא בינייהו נכרי שאינו חשוב דלית להו אימה. והא דתנינן הגבאין שנכנסו לתוך הבית כולו טמא אוקימנא בדליכא נכרי בהדייהו. דכיון דלית אימתה דחד עלייהו נגעו בכל כלים שבבית. וכן הגנבים שהחזירו את הכלים נאמנים לומר לא נגענו פי' לא נגעו זולתם. דווקא שהחזירו הא לא החזירו כל הבית טמא ומקשינן עלה כל הבית טמא ורמינהו הגנבים שנכנסו לתוך הבית אין טמא אלא מקום רגלי גנבים הנה אע"פ שלא החזירו הכלים הבית טהור כלומר אינו טמא. ופריק רב פנחס בגנבים שבאו לגנוב ועשו תשובה ולא גנבו כלום. ואמרינ' כשם שלא גנבו לא נגעו ואין טמא אלא מקום מגע רגליהם ודאי דאי אפשר לעבור אא"כ נגעו ומשום שעשו תשובה אין אנו מחזיקין אותם בזה הדרך וכן נמי גנבים השנוים במשנתנו אינן נאמנים אלא אם עשו תשובה אבל אם לא עשו תשובה בין אלו ובין אלו הבית כולו טמא. דחיישינן דלמא עברי עלייהו ונגעו בהן כדי לגנבן ונטרדו או לקחו טובים מהן והניחו אלו שלא יכלו לעמסן כולן כאחת. ואמרינן דיקא נמי דקתני במתניתין שהחזירו את הכלים ש"מ כשעשו תשובה ש"מ: ובירושלים נאמנים על הקדש תנא נאמנין על כלי חרס הגסין בירושלים. לפי שאין עושין כבשונות בירושלים ומשום הכי מזדהרי ומנטרי להון לפיכך לא גזרו בהו טומאה מספק. ובשעת הרגל נאמנין אף על התרומה מנא הני מילי אריב"ל דאמר קרא ויאסף כל איש ישראל העירה כאיש אחד חברים הכתוב עשה לכל ישראל בשעת אספתן כאחד אפי' את עמי הארץ עשה אותן חברים: מתני' הפותח את חביתו והמתחיל בעיסתו ברגל פי' כדי למכור ונשאר לו אחר הרגל ר' יהודה אומר יגמור וחכ"א לא יגמור ומיבעיא לן אליבא דחכמים דאמרי לא יגמור מהו שיניחנה לרגל אחר ודחינן יד הכל ממשמשין בה כלומר נגעו בה עמי הארץ ויניחנה לרגל אחר וא"ת אי הכי ברגל עצמו היאך שותין אותה שאני זה הרגל עצמו דהא טומאת עם הארץ ברגל ההיא רחמנא טהרה אבל השתא טמאה היא ואתינן לה לאוקומה כתנאי וסלקא הכי דתני יניחנה לרגל אחר לרבנן היא והא דתני לא יניחנה לר' יהודה היא ומאי לא יניחנה כלומר אין צריך להניחה אלא גומר ושותה אותה: ירושלמי ר' חנינה בשם ר' יוחנן התירו סופן משום תחילתן שאם אתה אומר לא יגמור אף הוא אינו פותח ונמצא מעט בשמחת הרגל: מתני' משעבר הרגל היו

הגהות הב"ח

(א) גמ' ותסברא והא ר' יהודה: (ב) רש"י ד"ה טמאה היא וכו' ניחא ליה במאי:

הגהות מהר"ב רנשבורג

א] גמ' ור' יוחנן אמר אפילו מלאים ואפי' אפיקרסותו לתוכו. נ"ב ע' פרש"י ות"ש ומ"ש כן בספר טורי אבן בד"ה ואפילו אפיקרסותו וכו':

תורה אור השלם

א) וַיֵּאָסֵף כָּל אִישׁ יִשְׂרָאֵל אֶל הָעִיר כְּאִישׁ אֶחָד חֲבֵרִים: [שופטים כ, יא]

ליקוטי רש"י

אפיקרסותו. קולר של ראשו [ברכות כג.]. מעפורת והוא סודר [נדה מח.]. לגין. גדול מכוס וקטן מחביות [שבת קלו:]. אין עושין כבשונות. משרפות מקום לקדירות [ב"ק פב.]. משום קוטרא דמאחרין בכבשן קמא [דף פב:] [זבחים צו.]. ויאסף וגו'. בפלגש בגבעה ומייתי מיניה שמעינן בכל זמן שישראל נאספים למקום אחד קרי להו חברים ורגל היינו אסיפה [נדה לד.]. חברים. פוס כנלה אחת [שופטים כ, יא]. הפותח את חביתו. חבר שהתחיל למכור יינו או ככרו לעולי רגלים ברגל [illegible] ר' יהודה אומר יגמור. ומכרנו לחברים ולכל אדם ויזהר שלא יגע עם הארץ עוד. וחכ"א לא יגמור. [illegible] אקילעא. פורי"א [פסחים עב.]. פרק"א שלמי הבית [ב"ק יט:]. פורק"א לפני הטרקלין [ע"ז כג.]. האידנא. עכשיו [סוכה יח.].

חשק שלמה על ר"ח א) גי' רבינו הוא להיפך מגי' דילן דבמשקין הן טהורין אף לר"ל ובירושלמי מוכרח כמהרש"א שכתב רבה מלגין וד"ל. ב) דברי רבינו אלו עד המשנה שייכים לעיל דף כ"ה ע"ב.

if his garment is inside [the vessel].[6]

The Gemara clarifies R' Yochanan's position:

וְאָמַר רָבָא – **And Rava said:** וּמוֹדֶה רַבִּי יוֹחָנָן בְּמַשְׁקִין עַצְמָן שֶׁהֵן טְמֵאִין – **But R' Yochanan admits regarding the liquid itself that it is *tamei*,** despite the vessel's being *tahor.*[7] וְאַל תִּתְמַהּ – **And do not wonder** at the apparent inconsistency, for we find its like elsewhere. שֶׁהֲרֵי לָגִין מָלֵא מַשְׁקִין – **For behold,** in the case of **a** wooden **flask filled with liquid** that is protected from corpse *tumah* by means of an earthenware vessel, לָגִין טָמֵאִין טוּמְאַת שִׁבְעָה – **the flask is *tamei* with seven-day** corpse ***tumah*** by Rabbinic decree, וּמַשְׁקִין טְהוֹרִין – **but the liquid is *tahor.***[8] The status of the flask is not consistent with the status of its contents. We see that in the sphere of Rabbinic decree, this sort of innovation is allowed.

Mishnah

This Mishnah presents two final stringencies of *terumah* over *kodesh.* The first stringency: הַגַּבָּאִין שֶׁנִּכְנְסוּ לְתוֹךְ הַבַּיִת – **The** tax **agents who entered into a house**[9] וְכֵן הַגַּנָּבִים שֶׁהֶחֱזִירוּ אֶת הַכֵּלִים – **and likewise the thieves who returned the** earthenware **vessels** they stole נֶאֱמָנִין לוֹמַר לֹא נָגַעְנוּ – **are trusted to say, "We did not touch."**[10] However, we trust them only with regard to *kodesh,* but not with regard to *terumah.*[11]

The second stringency:

וּבִירוּשָׁלַיִם נֶאֱמָנִין עַל הַקּוֹדֶשׁ – **And in Jerusalem, [*amei haaretz*] are trusted regarding** the *taharah* of ***kodesh,*** but

NOTES

6. *Rashi,* as emended by *Siach Yitzchak;* ssee *Turei Even.*

By Rabbinic law, the garment of an *am haaretz* is assumed to be contaminated with *midras tumah* (see above, 18b) and will certainly contaminate any vessel in which it is found. Nevertheless, the Rabbis permitted a vessel containing this garment to be used for *kodesh,* as long as it was purchased between Modiim and Jerusalem (*Meiri;* see *Rambam, Metam'ei Mishkav U'Moshav* 11:5; see *Turei Even*). [R' Yochanan is not troubled by the fact that the *taharah* of the vessel is inconsistent with the *tumah* of its contents, as the Gemara will shortly explain.]

[We have made reference in this note and in previous notes (2 and 5) to *Siach Yitzchak's* emendation of *Rashi* (in accordance with the Venetian edition of the Talmud). He emends *Rashi* as follows: The heading ואפי' אפיקרסותו בתוכו is incorporated in the text of the previous *Rashi* (ד"ה תנא נאמנין), which now finishes: וסופינו שאנו מטהרין אותם אפילו מליאים משקין טמאין ואפי' אפיקרסותו בתוכו. The following words אפי' מלאין משקין, which in our text constitute the text of *Rashi,* are actually a new heading, with the word אפי' replaced by אבל. *Likkutei Halachos* emends *Rashi* differently, but to similar effect; see also *Chidushim U'Veurim.*]

7. One might have thought that R' Yochanan holds that if the *am haaretz* is trusted regarding the vessel, he must be trusted regarding its contents as well; accordingly, *taharah* would be granted to the liquid also. Rava explains that although the vessel is *tahor,* its contents remain *tamei* (*Siach Yitzchak*).

8. In this case, the flask is on the upper floor of a house that has a corpse on its lower floor. The hatchway between the floors is blocked by an earthenware vessel. The earthenware shields the contents of the flask from corpse *tumah,* but not the flask itself. For elaboration, see above, 22a-b; *Oholos* 5:4.

9. These are Jews who act as tax collectors for a non-Jewish king to collect head-taxes, tithes of produce and livestock, and levies from their fellow Jews. They are authorized to enter one's house to seize security for one's tax debt (*Rashi*). These agents are generally *amei haaretz* [and thus transmit *tumah*] (*Meiri; Peirush HaRosh* to *Tohoros* 7:6).

[Agents of a Jewish king would not be permitted to enter the house to take security (see *Deuteronomy* 24:11). *Rashi* therefore specifies that these were agents of a non-Jewish king (see *Siach Yitzchak; Chagei David*).]

10. In the case of the tax agents, this refers to the other vessels in the house. The agents are believed to say that they did not touch them; therefore, the vessels are *tahor* (*Meiri; Tos. Yom Tov*). In the case of the thieves, this refers to the vessels they stole and then returned. These are vessels of earthenware, which acquire contact-generated *tumah* only from within. The thieves claim that they did not touch the interior of the vessels. Therefore, the vessels are *tahor* (*Rashi; Meiri*). In the next note, we will explain why these *amei haaretz* are trusted regarding these vessels.

[*Rashi* implies that as long as the thieves did not touch the interior of the vessels, the vessels remain *tahor.* Clearly, *Rashi* holds that the fact that the thieves carried the vessels does not render them *tamei,* notwithstanding that a *zav* normally *does* contaminate that which he carries with *heset tumah* (a form of carrying *tumah* unique to a *zav*). The reason is that while the Rabbis *did* impose *tumah* upon an *am haaretz* because of the possibility that he is a *zav,* they did not place upon him the full stringency of *zav tumah.* Therefore, he does not generate *tumah* through *heset* (cf. *Tos. Rid*). (The precise parameters of *am haaretz tumah* is a matter of intense debate among the Rishonim. For discussion, see *Tosafos* above, 19b ד"ה בגדי ע"ה and to *Niddah* 33b ד"ה ותיפוק ליה; *Rashi, Shabbos* 15b ד"ה ועל ספיקו של בגדי עם הארץ and to *Niddah* ibid. ד"ה על ספק וד"ה מאי טעמא; *Ritva* to *Niddah* ibid.; *Rash* to *Tohoros* 7:5).]

11. *Rashi,* from *Tosefta* 3:12; *Meiri;* cf. *Tosafos.*

Rashi points out that [nearly] all the Mishnahs in this chapter deal with the stringencies of *kodesh* over *terumah* [and *terumah* over *kodesh* (see *Tos. Yom Tov; Rashash; Menachem Meishiv Nefesh*)]. Presumably, our Mishnah also follows this formula; thus, it permits the use of these vessels for *kodesh* only, but not for *terumah. Rashi* supports this notion with the *Tosefta* cited above, which makes this very distinction regarding these vessels. (*Tosafos,* however, have another reading in the *Tosefta,* by which the permit is extended to *terumah* as well as *kodesh.*) See below, note 19.

Rashi does not explain *why* we differentiate between *kodesh* and *terumah;* however, the commentators provide two explanations. The first understands the Mishnah's permit to apply only in the Jerusalem-Modiim area, and only with regard to earthenware vessels. Because earthenware vessels were in short supply in this area, due to the prohibition against building kilns in Jerusalem and the practice of breaking earthenware vessels used for *kodesh* (see 25b note 27), the Rabbis permitted vessels declared *tahor* by tax agents and thieves to be used for *kodesh. Terumah* vessels, however, were not urgently needed; therefore, the permit did not include them (see above, note 3, and see *Meiri;* see *Chazon Yechezkel* to *Tosefta* ibid.). According to this interpretation, the Mishnah is ruling that from Jerusalem to Modiim, the tax agents and thieves are trusted to say that they did not contaminate earthenware vessels. [However, there is an obvious difficulty with this explanation. We have learned in the foregoing Mishnah and Gemara that insofar as earthenware vessels are concerned, the Rabbis lifted their decree on *amei haaretz* between Modiim and Jerusalem, permitting *amei haaretz* in this area to attest to the *taharah* of their vessels. Presumably, tax agents and thieves are included. Why, then, must our Mishnah state their law separately? It may be that the Rabbis meant the permit to apply only to vessels belonging to *amei haaretz,* but not to the vessels of *chaverim,* so as to ensure that *chaverim* would not allow *amei haaretz* to handle their vessels. Accordingly, the Mishnah must state that in this case, the *amei haaretz* are trusted regarding the vessels of a *chaver.*]

The second explanation of why we differentiate between *terumah* and *kodesh* does not limit the permit to earthenware vessels in the Modiim-Jerusalem area, but understands it to apply in *all* areas and with regard to *all* sorts of vessels. The tax agents and thieves are believed with regard to *kodesh* because even *amei haaretz* possess a certain reverence for *kodesh;* this allows us to assume that they will not falsely attribute *taharah* to vessels that will be used for *kodesh.* [Obviously, these individuals must be aware that the vessels in question are to be used for *kodesh.* Otherwise, their reverence for *kodesh* is irrelevant] (see *Menachem Meishiv Nefesh;* see also *Chidushim U'Veurim*). [Although *amei haaretz* are not generally trusted to attest to the *taharah* of empty vessels that will be used for *kodesh* (see 25b), in this case they are believed, since they are not attempting to establish their own vessels as *tahor,* but are simply reinforcing the *taharah* of the vessels of *chaverim.*]

או שניהן יוצאין כלחוץ אמר אביי אף אנן נמי תנינא הקדר שמכר את הקדירות ונכנס לפנים מן המודיעים טעמא דלפנים מן המודיעים הא מודיעים גופה לא מהימן אימא סיפא יצא אינו נאמן הא מודיעים גופה נאמן אלא לאו ש"מ כאן בקדר יוצא וחבר נכנס כאן בששניהן יוצאין או שניהן נכנסין שמע מינה תנא נאמנין בכלי חרס הדקין לקודש אמר ר"ל והוא שניטלין בידו אחת ור' יוחנן אמר אפי' שאין ניטלין בידו אחת אמר ר"ל לא שנו אלא ריקנין אבל מלאין לא ורבי יוחנן אמר אפי' מלאים ואפילו אפיקרסותו לתוכו ואמר רבא ומודה ר' יוחנן במשקין עצמן שהן טמאין ואל תתמה שהרי לגין מלא משקין לגין טמאין טומאת שבעה ומשקין טהורין: **מתני'** הגבאין שנכנסו לתוך הבית וכן הגנבים שהחזירו את הכלים נאמנין לומר לא נגענו ובירושלים נאמנין על הקודש ובשעת הרגל אף על התרומה: **גמ'** ורמינהי הגבאין שנכנסו לתוך הבית הבית כולו טמא ל"ק הא דאיכא נכרי בהדייהו הא דליכא נכרי בהדייהו דתנן אם יש נכרי עמהן נאמנין לומר נכנסנו אבל אין נאמנים לומר נכנסנו אבל לא נגענו וכי איכא נכרי בהדייהו מאי הוי ר' יוחנן ור' אלעזר חד אמר אימת נכרי עליהן וחד אמר אימת מלכות עליהן מאי בינייהו איכא בינייהו נכרי שאינו חשוב: וכן הגנבים שהחזירו את הכלים: ורמינהי הגנבים שנכנסו לתוך הבית אינו טמא אלא מקום דריסת רגלי הגנבים אמר רב פנחס משמיה דרב כשעשו תשובה דיקא נמי דקתני שהחזירו את הכלים ש"מ: ובירושלים נאמנין על הקודש: תנא נאמנין על כלי חרס גסין לקודש וכל כך למה שאין עושין כבשונות בירושלים: ובשעת הרגל אף על התרומה: מנהני מילי אמר רבי יהושע בן לוי דאמר קרא ויאסף כל איש ישראל אל העיר כאיש אחד חברים הכתוב עשאן כולן חברים: **מתני'** הפותח את חביתו והמתחיל בעיסתו על גב הרגל ר' יהודה אומר יגמור וחכ"א לא יגמור: **גמ'** יתיב ר' אמי ורבי יצחק נפחא אקילעא דר' יצחק נפחא פתח חד ואמר מהו שיניחנה לרגל אחר א"ל אידך יד הכל ממשמשין בה ואת אמרת יניחנה לרגל אחר א"ל אטו עד האידנא לאו יד הכל ממשמשין בה א"ל הכי השתא בשלמא עד האידנא טומאת עם הארץ ברגל רחמנא טהרה אלא השתא טמאה היא נימא כתנאי דתני חדא יניחנה לרגל אחר ותניא אידך לא יניחנה לרגל אחר מאי לאו תנאי היא לא הא דקתני יניחנה ר' יהודה והא דקתני לא יניחנה רבנן ותסברא הא רבי יהודה יגמור קאמר אלא הא דקתני לא יניחנה רבי יהודה והא דקתני יניחנה רבנן ומאי לא יניחנה שאין צריך להניחה: **מתני'** משעבר הרגל מעבירין על טהרת עזרה עבר הרגל ליום ששי לא היו מעבירין מפני כבוד השבת רבי יהודה אומר אף לא ביום ה' שאין הכהנים פנויין: **גמ'** תנא שאין הכהנים פנויין מלהוציא בדשן: **מתני'** כיצד מעבירין על טהרת עזרה מטבילין את הכלים שהיו במקדש ואומרין להם הזהרו

שלא

רש"י

וכן שניהם יוצאין. הואיל ומלאו לפנים ושם לא לקח וממנו לא יקח עוד וכ"ש קדר נכנס וחבר יוצא הואיל וסוף הקדר ליכנס לפנים יחזור החבר הצריך ליקח ויקח: תנא נאמנין על כלי חרס הדקין לקדש. הא דתנן מן המודיעים ולפנים נאמנין על כלי חרס בכלי חרס הדקין אמרו שא"א בלא הם כדפרשינן לעיל אבל גסין כגון חבית ליין אין נאמנין אלא בתוך ירושלים כדלקמן ואני לא כך שמעתי ולבי מגמגם על שמועתי שמעתי כשפיהן צר שאין אצבע נכנס לתוכו וסופיו שאנו מטהרין אותם אפילו מליאים משקין טמאין: ואפי' אפיקרסותו בתוכו. אפי' מלאין משקין שלו שאינן של קדש: ואל תתמה. שכל דברי חכמי' כן הם שהרי שמעתי אלא כלי חרס המוליא את המשקין שבתוכו ואין מציל כל כלי שטף שהגין טמאין טומאת שבעה והמשקין טהורין: **מתני'** הגבאין. ישראל שהן גבאין למלך נכרי לגבות מיד ישראל גולגליות ומסין וארנוניות: שנכנסו לתוך הבית. לעבוט עבוטו וכן הגנבים שגנבו כלי חרס והחזירום: נאמנים לומר. שלא נגעו לתוכו לקדש נאמנין אבל לא לתרומה דכולה מתני' אחומר בקדש מתרומה קיימא והכא שנינו בתוספתא הגבאין שנכנסו לתוך הבית נאמנין על טהרת חטאת ואין נאמנין על טהרת תרומה והאי חטאת כשר קדש ולא אפר חטאת כדמוכח התם אף אם עשו תשובה דשין בטומאה היו: ובירושלים נאמנין כו'. מפרש בגמרא: **גמ'** כל הבית כולו טמא. כל כלי הבית טמאין שחזקה הגבאין ממשמשין בכלים: איכא נכרי בהדייהו. אין נאמנין לומר לא נגעו דמרתתו אם לא יתפשו כל הבית: אימת נכרי עליהם. פן יעניש בגוף או בממון: אימת מלכות. שמא ילשין עליהן נכרי אצל המלך: נכרי שאינו חשוב. אימתו ליכא אימת מלכות איכא: אלא מקום דריסת רגלי הגנבים. מ"מ דריסתו מיהא טמא וכ"ש כלים שגנבו והחזירו: כשעשו תשובה. ומחמת תשובה החזירום הלכך לא משקרי: על כלי חרס הגסין. וה"ה הדקין והכא תניא בירושלמי נאמנין על טהרת כל הכלים לקדש: וכל כך למה. מהדר אף על הדקים מן המודיעים ולפנים: שאין עושין כבשונות בירושלים. לא לדקים ולא לגסין ומיהו דקים הולכך לאנשי ירושלים שכל יחיד ויחיד נכסו בביתו לכך הוסיפו להן טהרה ליחידים מגבול מודיעים אבל בעלי הלכה המוסרין נכסים לצבור די להם בנכנסין לתוך העיר ולשם לבלד האמינום על החביות א"כ יחידים צריכים לדקים אף לבישול שלמיהן יום יום: ויאסף כל איש ישראל וגו'. בפלגש בגבעה כתיב שנאספו כל ישראל בגבעה: הכתוב עשאן חברים. ורגל שעת אסיפה הוא: **מתני'** הפותח את חביתו. חבר שפתח את חביתו למכור יין בירושלים ברגל וכל הבא ליקח ממשמש ואף עמי הארץ ממשמשים: לא יגמור. אחר הרגל אע"פ שברגל הן טהורין לא שטהרתן טהרה אלא שברגל הכל חברים אבל לאחר הרגל מגעו טמא למפרע כדאמר במתני' עבר הרגל מטבילין כלי העזרה מפני שנגעו בהן ע"ה ברגל: רבי יהודה אומר יגמור. וטעמא מפ' במסכת ביצה (דף יא:) ג' דברים הותרו סופן משום תחילתם וזה כמו כן שאם אתה אומר לא יגמור אף הוא לא יתחיל ואין מזון מצוי לעולי רגלים: **גמ'** מהו שיניחנה כו'. אליבא דרבנן בעי לה: אטו האידנא. כל ימי הרגל לא ממשמשו בה הכל והתרת ברגל: טמאה היא. למפרע וחבר אינו רשאי למכור דבר שהוא טמא לעולם וי"מ אותה בע"ה ואי אפשר לומר בע"ה לא יגמור דמי לייט לן והלא אומר שלך טמא ושלי טהור וימלא לו מחביריו הרבה שימכור להם ואם בא לאסור שלא יקחו חברים ממנו יקחו ולא יקחו מיבעי ליה ועוד דאמר במסכת ביצה שזו היא אחד מג' דברים שהותרו סופן משום תחילתן ואי בע"ה אפי' לא שרית ליה לגמור ניחא (נ) במאי דמזבין ברגל: ה"ג מאי לאו תנאי היא לא הא דקתני יניחנה ר' יהודה והא דתני לא יניחנה רבנן ותסברא והא רבי יהודה יגמור קאמר אלא הא דתניא יניחנה רבנן והא דתניא לא יניחנה רבי יהודה היא ומאי לא יניחנה כו'. מאי לאו תנאי היא ואליבא דרבנן ותפשוט בעיא דלעיל דפלוגתא דתנאי היא: **מתני'** מעבירין על טהרת עזרה. מעבירין את הכלים ממקומן ולהטבילן ולטהר את העזרה מטומאת ע"ה שנגעו בהן ברגל שאע"פ שעשאם הכתוב חברים ברגל לא מפני שטהורין הן הלכך לאחר הרגל מגען טמא למפרע: מפני כבוד השבת. שהיו הכהנים צריכין להתעסק איש בביתו בצרכי שבת: אף לא ליום החמישי. אם עבר הרגל ליום חמישי אין מטבילין אותן עד לאחר השבת: **גמ'** לפי שאין הכהנים פנויין. במוצאי יום טוב להטבילן שטרודין להוציא הדשן שעל התפוח שבאמצע המזבח שקיבצו שם כל ימות הרגל כל דשן של מערכה: **מתני'** ואומרים להם. לכהנים ע"ה ברגל: הזהרו שלא תגעו בשלחן. שלא יוכלו להטבילו לאחר הרגל שאי אפשר לסלקו ממקומו דכתיב ביה לחם פנים לפני תמיד (שמות כה):

תוספות

הגבאין שנכנסו לבית וכו'. לקדש ובתרומה קאי ולא לחטאת והכי תניא בתוספתא הגבאים שנכנסו לבית נאמנין לומר לא נגענו על טהרת חטאת ועל טהרת תרומה והא חטאת הוי קדש דקתני התם ולא אפר חטאת ואפי' עשו תשובה. הר"ר שמעון:

ובירושלים נאמנין על טהרת כלי חרס הגסים. וכ"ש הדקין וכן תניא בהדיא בירושלמי נאמנין על טהרת כל הכלים. הר"ר שמעון:

עין משפט נר מצוה

נב א ב מיי' פי"א מהל' מטמאי משכב ומושב הלכה ה:
נג ג ד מיי' שם פי"ב הלכה יב:
נד ה ו מיי' שם הל' יד:
נה ז ח מיי' שם פי"א הלכה ה:
נו ט מיי' שם הל' ט:
נז י מיי' שם הל' י:
נח כ מיי' שם הל' יא:

תורה אור השלם

א) וַיֵּאָסֵף כָּל אִישׁ יִשְׂרָאֵל אֶל הָעִיר כְּאִישׁ אֶחָד חֲבֵרִים: [שופטים כ, יא]

not regarding the *taharah* of *terumah*.[12] וּבִשְׁעַת הָרֶגֶל אַף עַל הַתְּרוּמָה – **And during the festival,** they are trusted **even regarding** the *taharah* of ***terumah.***[13]

Gemara The Mishnah stated that if the tax agents claim that they did not touch the other vessels in the house, they are believed. The Gemara questions this on the basis of another Mishnah:

וּרְמִינְהִי – But contrast it with the following Mishnah taught in Tractate *Tohoros* (7:6): הַגַּבָּאִין שֶׁנִּכְנְסוּ לְתוֹךְ הַבַּיִת – IF THE tax AGENTS ENTERED INTO THE HOUSE, הַבַּיִת כּוּלּוֹ טָמֵא – ALL OF the contents of THE HOUSE ARE *TAMEI,* for we presume that they handled everything in the house. They are not trusted to guarantee the *taharah* of any item, even those that will be used for *Kodesh.*[14]

This Mishnah does not give credence to the agents' claim of *taharah.* It thus appears to contradict our Mishnah. – ? –

The Gemara resolves the contradiction:

לֹא קַשְׁיָא – There is no difficulty. הָא דְּאִיכָּא נָכְרִי בַּהֲדַיְיהוּ – **This one** (i.e. the Mishnah in *Tohoros*) is speaking of **where there is a gentile with them** during the search; הָא דְּלֵיכָּא נָכְרִי בַּהֲדַיְיהוּ – **this one** (i.e. our Mishnah) is speaking of **where there is no gentile with them** during the search. דִּתְנַן – **For we have learned in the** same **Mishnah** in *Tohoros:* אִם יֵשׁ נָכְרִי עִמָּהֶן – IF THERE IS A GENTILE WITH THEM, נֶאֱמָנִין לוֹמַר לֹא נִכְנַסְנוּ – THEY ARE TRUSTED TO SAY, "WE HAVE NOT ENTERED," אֲבָל אֵין נֶאֱמָנִים לוֹמַר נִכְנַסְנוּ אֲבָל לֹא נָגַעְנוּ – BUT THEY ARE NOT TRUSTED TO SAY, "WE HAVE ENTERED, BUT WE HAVE NOT TOUCHED."[15]

The Gemara asks:

וְכִי אִיכָּא נָכְרִי בַּהֲדַיְיהוּ מַאי הָוֵי – And when there is a gentile with them, what of it? Why is that a reason to distrust their claim?

The Gemara answers:

רַבִּי יוֹחָנָן וְרַבִּי אֶלְעָזָר – This question was addressed by **R' Yochanan and R' Elazar.** חַד אָמַר אֵימַת נָכְרִי עֲלֵיהֶן – **One said: The fear of the gentile is upon them.** The agents fear he will punish them for sloth, and they therefore search the premises thoroughly. Therefore, we must presume that they have come into contact with all the items in the house; hence, they are not believed to say that they did not handle the other vessels.[16] וְחַד אָמַר אֵימַת מַלְכוּת עֲלֵיהֶן – **And** the other **one said: The fear of the monarchy is upon them.** They fear the gentile will report them to the king, and they therefore mount a thorough search.

The Gemara asks:

מַאי בֵּינַיְיהוּ – What is the practical **difference between** the opinions of **[R' Yochanan and R' Elazar]?**

The Gemara explains:

אִיכָּא בֵּינַיְיהוּ נָכְרִי שֶׁאֵינוֹ חָשׁוּב – There is a practical **difference between them** in the case of **a gentile who is not eminent.** One who is not eminent is unable to punish them, but he is able to report them to the king.

The Mishnah stated:

וְכֵן הַגַּנָּבִים שֶׁהֶחֱזִירוּ אֶת הַכֵּלִים – AND LIKEWISE THE THIEVES WHO RETURNED THE earthenware VESSELS they stole.

The Gemara notes a contradiction between this ruling and the continuation of the Mishnah from Tractate *Tohoros* cited above:

וּרְמִינְהִי – But contrast it with the following Mishnah: הַגַּנָּבִים שֶׁנִּכְנְסוּ לְתוֹךְ הַבַּיִת – IF THE THIEVES ENTERED INTO THE HOUSE, אֵינוֹ טָמֵא אֶלָּא מְקוֹם דְּרִיסַת רַגְלֵי הַגַּנָּבִים – ONLY the items in THE AREA WHERE THE THIEVES WALKED ARE *TAMEI,* for we presume that they came into contact with everything in the area.[17] They are not trusted to guarantee the *taharah* of any item. Now, if the vessels in the place they walked are presumed *tamei,* then the vessels they stole and returned must certainly be presumed *tamei.* But our Mishnah rules that we trust the thieves to say that they did not contaminate the items they stole! – ? –

The Gemara resolves the contradiction:

[אָמַר רַב פִּנְחָס מִשְּׁמֵיהּ (דרב) [דְּרָבָא – **Rav Pinchas said in the name of Rava:**[18] כְּשֶׁעָשׂוּ תְּשׁוּבָה – Our Mishnah is speaking of **where [the thieves] repented;** since they repented, they are trusted.[19]

The Gemara buttresses this explanation:

דַּיְקָא נַמִּי – This is also indicated in **a precise [reading]** of the Mishnah, דְּקָתָנֵי שֶׁהֶחֱזִירוּ אֶת הַכֵּלִים – **for** in describing the thieves, **[the Mishnah] states:** WHO RETURNED THE VESSELS.

NOTES

12. This clause harks back to the previous Mishnah, which taught that it is permissible to purchase small earthenware vessels, but not large ones, from *amei haaretz* between Modiim and Jerusalem. Our Mishnah deals with the purchase of large vessels in the city of Jerusalem itself. Its ruling will be elucidated in the Gemara (*Rashi* here and to the Gemara; *Meiri;* cf. *Tos. Rid*).

13. This is because during pilgrimage festivals, the Rabbis suspend the decree of *am haaretz tumah,* and regard *amei haaretz* as *chaverim,* as the Gemara will explain (*Meiri*).

14. [The Mishnah in *Tohoros* (as well as our Mishnah) is discussing a case of tax agents who were seen entering the house, so our knowledge of their entry is not dependent upon their testimony (see following note). However, unlike our Mishnah, this Mishnah rules that the agents are not trusted to declare the other utensils in the house free of *tumah.* The Mishnah makes no distinction between vessels that will be used for *kodesh* and ordinary vessels; clearly, they are not trusted even with regard to *kodesh.*]

15. [This second clause of the Mishnah in *Tohoros* discusses the case of agents who were not seen entering the house; thus, our knowledge of their entry depends entirely upon their testimony. Since their words are the sole source of the suspicion regarding the other vessels, we are compelled to believe them when they deny contaminating them, in accordance with the Mishnaic principle of הַפֶּה שֶׁאָסַר הוּא הַפֶּה שֶׁהִתִּיר, *the mouth that has forbidden is the very one that has permitted* (see *Rash* to *Tohoros* ibid., quoting *Tosefta*). In this case, the agents are granted a much wider mandate than in our Mishnah, for they are trusted *even* regarding utensils that will not be used for *kodesh.* Nevertheless, if they are accompanied by a gentile, they are not believed, for reasons the Gemara will explain momentarily. Likewise, then, regarding the lesser trust extended by our Mishnah – if the agents are accompanied by a gentile, it is withdrawn. The Gemara now explains that in the first clause of the Mishnah in *Tohoros,* the agents are accompanied by a gentile; accordingly, they are not trusted, even regarding *kodesh.* In our Mishnah, however, the agents are unaccompanied.]

16. *Rashi; Meiri;* cf. *Rambam, Metam'ei Mishkav U'Moshav* 12:12; see *Kesef Mishneh* there.

17. The *tamei* areas are those from which items were definitely stolen, for the thieves were certainly there, and we presume they handled everything in the vicinity. Items found in other rooms of the house, however, are not *tamei.* For we may assume that the thieves avoided these areas, lest they encounter the owners (*Peirush HaRosh* to *Tohoros* ibid.).

18. Our emendation follows *Rashi* to *Sanhedrin* 85a ד״ה דרב פנחס. See also *Mesoras HaShas, Toldos Tannaim V'Amoraim* ד״ה רב פנחס and *Dikdukei Soferim* for other variant readings.

19. For they returned the vessels in an act of repentance. Surely, then, they would not lie [regarding the vessels' status] (*Rashi*). If, however, they returned the vessels out of fear, and not out of contrition, they are not trusted (*Meiri;* see *Rambam* ibid. 12:14).

[Even if they repent, however, they are not trusted regarding *terumah.* For after all is said and done, they remain *amei haaretz,* and as such are constantly involved with *tumah.* With regard to *terumah,* then, where there is no basis to lift the decree (see note 11), we must view them as *tamei* and may not trust them (see *Rashi* to the *Mishnah* סד״ה נאמנים לומר).]

א) [תוספתא פרק ג], ב) לעיל כב: אהלות פ"ה מ"ד, ג) טהרות פ"ז מ"ו, ד) [שם פ"ח], ה) יבמות כב: ב"ק לד: ב"מ סב. סנהדרין פה.

נב א ב מיי' פי"א מהל' מטמאי משכב ומושב הלכה ה:
נג ג ד מיי' שם פי"ב הלכה יג:
נד ה ו מיי' שם הל' יד:
נה ז ח מיי' שם פי"א הלכה ה:
נו ט מיי' שם הל' ט:
נז י מיי' שם הל' ט:
נח כ מיי' שם הל' יא:

ובן שניהם יוצאין. הואיל ומלאו לפנים ושם לא לקח (ממנו) לא יקח עוד וכ"ש קדר נכנס וחבר יוצא הואיל וסוף הקדר ליכנס לפנים יחזור החבר הצריך ליקח ויקח: תנא נאמנין על כלי חרס הדקין לקדש. הא דתנן מן המודיעים ולפנים נאמנין על כלי חרס בכלי חרס הדקין אמרו שא"א בלא הם כדפרשינן לעיל אבל גסין כגון חבית לשון לא נאמנין אלא בתוך ירושלים כדלקמן ואני לא כך שמעתי ולבי מגמגם על שמועתי שמעתי כשפיהן צר שאין אצבעו נכנס לתוכו וסופינו שאנו מטהרין אותם אפילו מלאים משקין טמאין: ואפי' אפיקרסותו בתוכו. אפי' מלאין משקין שלו שאינן של קדש:

או שניהן יוצאין כלחוץ אמר אביי אף אנן נמי תנינא הקדר שמכר את הקדירות ונכנס לפנים מן המודיעים טעמא דלפנים מן המודיעים הא מודיעים גופה לא מהימן אימא סיפא יצא אינו נאמן הא מודיעים גופה נאמן אלא לאו ש"מ כאן בקדר יוצא וחבר נכנס כאן בששניהן יוצאין או שניהן נכנסין שמע מינה תנא נאמנין בכלי חרס הדקין לקודש אמר ר"ל והוא שניטלין בידו אחת ור' יוחנן אמר אפי' שאין ניטלין בידו אחת אמר ר"ל לא שנו אלא ריקנין אבל מלאין לא ורבי יוחנן אמר אפי' מלאים ואפילו אפיקרסותו לתוכו ואמר רבא ומודה ר' יוחנן במשקין עצמן שהן טמאין ואל תתמה שהרי לגין מלא משקין לגין טמאין טומאת שבעה ומשקין טהורין: **מתני'** הגבאין שנכנסו לתוך הבית וכן הגנבים שהחזירו את הכלים נאמנין לומר לא נגענו ובירושלים נאמנין על הקודש ובשעת הרגל אף על התרומה: **גמ'** ורמינהי הגבאין שנכנסו לתוך הבית הבית כולו טמא ל"ק הא דאיכא נכרי בהדייהו הא דליכא נכרי בהדייהו דתנן אם יש נכרי עמהן נאמנין לומר לא נכנסנו אבל אין נאמנים לומר נכנסנו אבל לא נגענו וכי איכא נכרי בהדייהו מאי הוי ר' יוחנן ור' אלעזר חד אמר אימת נכרי עליהן וחד אמר אימת מלכות עליהן מאי בינייהו איכא בינייהו נכרי שאינו חשוב: וכן הגנבים שהחזירו את הכלים: ורמינהי הגנבים שנכנסו לתוך הבית אינו טמא אלא מקום דריסת רגלי הגנבים אמר רב פנחס משמיה (דרב) כשעשו תשובה דיקא נמי דקתני שהחזירו את הכלים ש"מ: ובירושלים נאמנין על הקודש: תנא נאמנין על כלי חרס גסין לקודש וכל כך למה שאין עושין כבשונות בירושלים: ובשעת הרגל אף על התרומה: מנהני מילי אמר רבי יהושע בן לוי דאמר קרא ויאסף כל איש ישראל אל העיר כאיש אחד חברים הכתוב עשאן כולן חברים: **מתני'** הפותח את חביתו והמתחיל בעיסתו על גב הרגל ר' יהודה אומר יגמור וחכ"א לא יגמור: **גמ'** יתיב ר' אמי ורבי יצחק נפחא אקילעא דר' יצחק נפחא פתח חד ואמר מהו שיניחנה לרגל אחר א"ל אידך יד הכל ממשמשין בה ואת אמרת יניחנה לרגל אחר א"ל אטו עד האידנא לאו יד הכל ממשמשין בה א"ל הכי השתא בשלמא עד האידנא טומאת עם הארץ ברגל רחמנא טהרה אלא השתא טמאה היא נימא כתנאי דתני חדא יניחנה לרגל אחר ותניא אידך לא יניחנה לרגל אחר מאי לאו תנאי היא לא הא דקתני יניחנה ר' יהודה והא דקתני לא יניחנה רבנן ותסברא (א) הא רבי יהודה יגמור קאמר אלא הא דקתני לא יניחנה רבי יהודה והא דקתני יניחנה רבנן ומאי לא יניחנה שאין צריך להניחה: **מתני'** משעבר הרגל מעבירין על טהרת עזרה עבר הרגל ליום ששי לא היו מעבירין מפני כבוד השבת רבי יהודה אומר אף לא ביום ה' שאין הכהנים פנויין: **גמ'** תנא שאין הכהנים פנויין מלהוציא בדשן: **מתני'** כיצד מעבירין על טהרת עזרה מטבילין את הכלים שהיו במקדש ואומרין להם הזהרו שלא

ואל תתמה. שכל דברי חכמים כן הן שהרי שמעתי אבל כלי חרס המציל את המשקין שבתוכו ואין מציל כל כלי שטף שהלגין טמאין טומאת שבעה והמשקין טהורין: מתני' הגבאין. ישראל שהן גבאין למלך נכרי לגבות מיד ישראל גולגליות ומסין וארנוניות: שנכנסו לתוך הבית. לעבוט עבוטו וכן הגנבים שגנבו כלי חרס והחזירום: נאמנים לומר. שלא נגעו בתוכו לקדש אבל לא לתרומה דלמולה מתני' לחומר בקדש מתרומה קיימא והדיא תניא בתוספתא הגבאין שנכנסו לתוך הבית נאמנין על טהרת חטאת ואין נאמנין על טהרת תרומה והאי חטאת בשר קדש ולא אפר חטאת כדמוכח התם אף אם עשו תשובה דשין בטומאה היו: ובירושלים נאמנין כו'. מפרש בגמרא: גמ' כל הבית כולו טמא. כל כלי הבית טמאין שחזקה הגבאין ממשמשין בכלים: איכא נכרי בהדייהו. אין נאמנין לומר לא נגענו למרמתו אם לא יחפשו כל הבית: אימת נכרי עליהם. פן יעניסם בגוף או בממון: אימת מלכות. שמא ילשין עליהן נכרי אצל המלך: נכרי שאינו חשוב. אימתו ליכא אימת מלכות איכא: אלא מקום דריסת רגלי הגנבים. מ"מ לריסמא מיהא טמא וכ"ש כלים שגנבו והחזירו: כשעשו תשובה. ומחמת תשובה החזירום הלכך לא משקרי: על כלי חרס הגסין. וכ"ש הדקין והדיא תניא בירושלמי נאמנין על טהרת כל הכלים לקדש: וכל כך למה. מהדר אף על הדקים מן המודיעים ולפנים: שאין עושין כבשונות בירושלים. לא לדקים ולא לגסין ומיהו בדקים הולכך לאנשי ירושלים שכל יחיד ויחיד נכנסו בביתו לא לכך הוסיפו להן טהרה ליחידים מגבול מודיעים אבל בעלי הגלסקה המוכרין נכסים לצבור די להם בנכנסין לתוך העיר ולהם בלבד האמינום על החביות א"נ יחידים צריכים לדקים אף לבישול שלמיהן יום יום: ויאסף כל איש ישראל וגו'. בפלגש בגבעה כתיב שנאספו כל ישראל בגבעה: הכתוב עשאן חברים. ורגל שעת אסיפה הוא: מתני' הפותח את חביתו. חבר שפתח את חביתו למכור יין בירושלים ברגל וכל הבא ליקח ממשמש ואף עמי הארץ ממשמשים: לא יגמור. אחר הרגל אע"פ שברגל הן טהורין לא שטהרתן טהרה אלא שברגל הכל חברים אבל לאחר הרגל מגעו טמא למפרע כדאמר במתני' עבר הרגל מטבילין כלי העזרה מפני שנגעו בהן ע"ה ברגל: רבי יהודה אומר יגמור. וטעמא מפ' במסכת ביצה (דף יא:) ג' דברים הותרו סופן משום תחילתם וזה כמו כן שאם אתה אומר לא יגמור אף הוא לא יתחיל ואין מזון מצוי לעולי רגלים: גמ' מהו שיניחנה כו'. אליבא דרבנן בעי לה: אטו האידנא. כל ימי הרגל לא ממשמשו בה הכל והתרת ברגל: טמאה היא. למפרע וחבר אינו רשאי למכור דבר שהוא טמא לעולם וי"מ אותה בע"ה ואי אפשר לומר בע"ה לא יגמור דמי לייט לן והלא אומר שלך טמא ושלי טהור וימלא לו מחביריו הרבה שימכור להם ואם בא לאסור שלא יקחו חברים ממנו יקחו ולא יקחו מיבעי ליה ועוד דאמר במסכת ביצה שזו היא אחד מג' דברים שהותרו סופן משום תחילתן ואי בע"ה אפי' לא שרית ליה לגמור ניחא (ב) במאי דמזבין ברגל: ה"ג מאי לאו תנאי היא לא הא דקתני יניחנה ר' יהודה והא דתני לא יניחנה רבנן ותסברא והא רבי יהודה יגמור קאמר אלא הא דתניא יניחנה רבנן והא דתניא לא יניחנה ר' יהודה היא ומאי לא יניחנה כו'. מאי לאו תנאי היא ואליבא דרבנן ותפשוט בעיא דלעיל דפלוגתא דתנאי היא: מתני' מעבירין על טהרת עזרה. מעבירין את הכלים ממקומן להטבילן ולטהר את העזרה מטומאת ע"ה שנגעו בהן ברגל שאע"פ שעשאם הכתוב חברים ברגל לא מפני שטהורין הן הלכך לאחר הרגל מגען טמא למפרע: מפני כבוד השבת. שהיו הכהנים צריכין להתעסק איש בביתו בצרכי שבת: אף לא ליום החמישי. אם עבר הרגל ליום חמישי אין מטבילין אותן עד לאחר השבת: גמ' לפי שאין הכהנים פנויין. במוצאי יום טוב להטבילן שטרודין להוציא הדשן שעל התפוח שבאמצע המזבח של כל ימות הרגל: מתני' ואומרים להם. לכהנים. הזהרו שלא תגעו בשלחן. שלא יוכלו להטבילו לאחר הרגל שאי אפשר לסלקו ממקומו דכתיב ביה לחם פנים לפני תמיד (שמות כה):

הגבאין שנכנסו לבית וכו'. לקדש ותרומה קאי ולא לחטאת והדיא תניא בתוספתא הגבאים שנכנסו לבית נאמנין לומר לא נגענו על טהרת חטאת ועל טהרת תרומה והא חטאת הוי קדש דקתני התם ולא אפר חטאת ואפי' עשו תשובה. הר"ר שמעון:

ובירושלים נאמנין על טהרת כלי חרס הגסים. וכ"ש הדקין וכן תניא בהדיא בירושלמי נאמנין על טהרת כל הכלים. הר"ר שמעון:

טעונין

רבינו חננאל

תנא נאמנין על כלי חרס הדקין לקדש אמר ר"ל והוא שניטלין בידו אחת וריקנין אבל מלאין לא כלומר אינם נאמנים ור' יוחנן אמר אע"פ שאינן ניטלין בידו אחת ובין מליאין ובין ריקנין ואפי' אפיקרסותו לתוכו נאמנין אמר רבה אע"ג דר"ל אמר אין נאמנין על כלי חרס מליאין [מודה] היה במשקין עצמן שהן טהורין ואל תתמה שהרי לגין טמא טומאת שבעה ומשקין טהורין. ג) קודם לגיתות שבעים יום נאמן אמר אביי ש"מ דיתרה אריסא מקמי הגתות אגולפי שבעים יום: מתני' הגבאים שנכנסו לתוך הבית נאמנים לומר לא נגענו. אוקימנא בדאיכא נכרי בהדייהו כדתנן אם יש נכרי נאמן לומר נכנסנו אבל לא נגענו מ"ט ר' יוחנן ור' אלעזר חד א' אימת נכרי עליהן וחד אמר אימת מלכות עליהן. מאי בינייהו איכא בינייהו נכרי שאינו חשוב דלית להו אימה. והא דתנינן הגבאין שנכנסו לתוך הבית כולו טמא אוקימנא בדליכא נכרי בהדייהו. דכיון דלית אימתה דחד עלייהו נגעו בכל כלים שבבית. וכן הגנבים שהחזירו את הכלים נאמנים לומר לא נגענו פי' לא נגעו זולתם. דווקא שהחזירו הא לא החזירו כל הבית טמא ומקשינן עלה כל הבית טמא ורמינהו הגנבים שנכנסו לתוך הבית אין טמא אלא מקום רגלי גנבים הנה אע"פ שלא החזירו הכלים הבית טהור כלומר אינו טמא. ופריק רב פנחס בגנבים שבאו לגנוב ועשו תשובה ולא גנבו כלום. ואמרינ' כשם שלא גנבו לא נגעו ואין טמא אלא מקום מגע רגליהם ודאי דאי אפשר לעבור אא"כ נגעו ומשום שעשו תשובה אין אנו מחזיקין אותם בזה הדרך וכן נמי גנבים השנים במשנתנו אינן נאמנים אלא אם עשו תשובה אבל אם לא עשו תשובה בין אלו ובין אלו הבית כולו טמא. דחיישינן דלמא עברי עלייהו ונגעו בהן כדי לגנבן ונטרדו או לקחו טובים מהן והניחו אלו שלא יכלו לעמסן כולן כאחת. ואמרינן דיקא נמי דקתני שהחזירו את הכלים ש"מ כשעשו תשובה: ובירושלים נאמנין על הקדש תנא נאמנין על כלי חרס הגסין לקדש בירושלים. לפי שאין עושין כבשונות בירושלים ומשום הכי מזהרי ומנטרי להון לפיכך לא גזרו בהו טומאה מספק. ובשעת הרגל נאמנין אף על

הגהות הב"ח

(א) גמ' ותסברא והא ר' יהודה: (ב) רש"י ד"ה טמאה היא וכו' ניחא ליה במאי:

הגהות מהר"ב רנשבורג

א] גמ' ור' יוחנן אמר אפילו מלאים ואפי' אפיקרסותו לתוכו. נ"ב ע' פרש"י ומ"ש בזה בספר עורי אבן בד"ה ואפילו אפיקרסותו וכו':

תורה אור השלם

א) וַיֵּאָסֵף כָּל אִישׁ יִשְׂרָאֵל אֶל הָעִיר כְּאִישׁ אֶחָד חֲבֵרִים: [שופטים כ, יא]

ליקוטי רש"י

אפיקרסותו. סודר של ראשו [ברכות כג.]. לגין. כלי מחזיק רביעית [ב"ק קב:]. אין עושין כבשונות. משרפות קדירות [ב"ק פב:]. ויאסף וגו'. כפלגש בגבעה כתיב שנאספו כל ישראל בגבעה. הכתוב עשאן חברים. וכל הימים שהן באין לרגל הרי הן כחברים לענין טהרה [נדה לד.].

Clearly, it is speaking of thieves who have repented.[20]

The Gemara concludes:

שְׁמַע מִינָּהּ – Indeed, we may **learn from here** that the Mishnah speaks of thieves who have repented.

The Mishnah stated:

וּבִירוּשָׁלַיִם נֶאֱמָנִין עַל הַקּוֹדֶשׁ – AND IN JERUSALEM, [*AMEI HAARETZ*] ARE TRUSTED REGARDING the *taharah* of *KODESH*.

The Gemara cites a Baraisa that explains:

תָּנָא – **A Baraisa has taught:** **נֶאֱמָנִין עַל כְּלֵי חֶרֶס גַּסִּין לַקּוֹדֶשׁ** – This means that in Jerusalem THEY ARE TRUSTED REGARDING the *taharah* of LARGE EARTHENWARE VESSELS[21] that will be used FOR *KODESH*.[22] Therefore, in Jerusalem, *chaverim* may purchase these vessels from *amei haaretz.*

The Gemara asks:

וְכָל כָּךְ לָמָּה – **But why so much** – i.e. why were the Rabbis compelled to issue so broad a leniency, permitting large earthenware vessels to be purchased from *amei haaretz* in Jerusalem and small ones even as far as Modiim?

The Gemara explains:

שֶׁאֵין עוֹשִׂין כִּבְשׁוֹנוֹת בִּירוּשָׁלַיִם – It is **because we do not make kilns in Jerusalem,**[23] and earthenware vessels are consequently in short supply. Therefore, in the Jerusalem area, there is no choice but to permit purchase of these vessels from *amei haaretz.*[24]

The Mishnah concluded:

וּבִשְׁעַת הָרֶגֶל אַף עַל הַתְּרוּמָה – AND DURING THE FESTIVAL, THEY ARE TRUSTED EVEN REGARDING the *taharah* of *TERUMAH*.

The Gemara inquires after the source of this permit:

מְנָהָנֵי מִילֵּי – **From where are these words known?** **אָמַר רַבִּי יְהוֹשֻׁעַ בֶּן לֵוִי** – **R' Yehoshua ben Levi said:** **דְּאָמַר קְרָא** – **For a verse has stated:** **,,וַיֵּאָסֵף כָּל־אִישׁ יִשְׂרָאֵל אֶל־הָעִיר כְּאִישׁ אֶחָד חֲבֵרִים"** – ***And all the men of Israel gathered to the city like one man, comrades*** *(chaverim)*.[25] **הַכָּתוּב עֲשָׂאָן כּוּלָּן חֲבֵרִים** – We see from this verse that when Jews gather to one place, **Scripture considers them all *chaverim*,** even those who are usually of *am haaretz* status.[26] The Rabbis took this as license to suspend the regular *am haaretz* decrees during the three pilgrimage festivals – Pesach, Succos and Shavuos – when all Jews assemble in Jerusalem. During these periods, *amei haaretz* are regarded as *chaverim* and are therefore trusted regarding the *taharah* of *terumah.*[27]

Mishnah

This Mishnah sets forth a dispute that bears upon the suspension of *am haaretz tumah* during pilgrimage festivals:

הַפּוֹתֵחַ אֶת חָבִיתוֹ וְהַמַּתְחִיל בְּעִיסָּתוֹ עַל גַּב הָרֶגֶל – If **[a *chaver* merchant] opens his barrel** of wine **or begins** selling a new batch of **his dough** in Jerusalem **on the festival,** and some of it remains after the festival, **רַבִּי יְהוּדָה אוֹמֵר יִגְמוֹר** – **R' Yehudah says he may finish** selling it after the festival, **וַחֲכָמִים אוֹמְרִים לֹא יִגְמוֹר** – **but the Sages say he may not finish** selling it after the festival, for it has been rendered *tamei* through contact with *amei haaretz.*[28]

NOTES

20. The Mishnah could have written simply: וְכֵן הַגַּנָּבִים נֶאֱמָנִין . . ., *and likewise the thieves are trusted . . .* There was no need to write that the vessels were returned. Clearly, the Mishnah wrote this to teach that it is the act of returning that renders these people trustworthy, since they performed it as an act of repentance (see *Siach Yitzchak*).

21. And certainly regarding the *taharah* of *small* earthenware vessels! [For small vessels may be purchased from *amei haaretz* even outside of Jerusalem, from Modiim inwards; certainly, then, they may be purchased inside Jerusalem proper.] This is stated explicitly in the version of this Baraisa taught in *Yerushalmi,* which reads: [In Jerusalem,] *they are trusted regarding the taharah of* ***all*** *vessels* [both large and small] (*Rashi; Tosafos;* see also *Tosefta* 3:12).

22. [But not regarding vessels that will be used for *terumah.*]

23. The reason kilns were forbidden in Jerusalem was so that their smoke would not blacken the walls of the city (*Rashi, Bava Kamma* 82b ד״ה קוטרא). Alternatively, it was so that their smoke would not mingle with the smoke of the daily incense offerings (*Meiri* here).

24. The law against making kilns in Jerusalem precluded the manufacture of large vessels as well as small ones. However, small vessels were in far greater demand, since every individual required them to bring his personal libation [and *minchah*] offerings to the Temple. Also, they used these vessels every day to cook [and eat] their offerings. To fill this need, the Rabbis extended the permit for small vessels beyond Jerusalem, as far as Modiim. Large vessels, however, were chiefly needed by the agents of the Temple treasury, who supplied wine for communal libations. Although they too were in short supply, the need for them was less dire. Therefore, while permitting their purchase from *amei haaretz,* the Rabbis limited the permit to the city of Jerusalem itself (*Rashi*).

[*Rambam* (*Commentary to Mishnah*) adds that in the case of large vessels, the permit is based not only on the shortage of earthenware, but also on the fact that the *amei haaretz,* being aware that these vessels are in short supply, take pains to keep them free of *tumah.*]

25. *Judges* 20:11; see *Radak* there.

26. This verse discusses an incident that took place in the era of the *Shoftim,* Judges. The incident concerned a concubine who was violated by evil residents of the Benjaminite town of Giveah and died as a result of their attack. When the tribe of Benjamin refused to punish the perpetrators, a bloody war ensued, pitting the tribe of Benjamin against the other eleven tribes. Our verse describes the gathering of the eleven tribes unto Giveah for war. It calls this assemblage of Jews *chaverim,* comrades, from which the Rabbis learn that when Jews gather together they must be considered *chaverim.* Based on this verse, the Rabbis suspended the contaminating decree on *amei haaretz* at times of national gathering (*Rashi, Niddah* 34a ד״ה ויאסף וכו׳; see *Gilyonei HaShas* here).

27. The reason the Rabbis suspended the decree of *am haaretz tumah* during the festivals was in order to avoid shaming the *amei haaretz* [before the assemblage of their fellows] (*Rashi, Beitzah* 11b ד״ה אף הפותח את חביתו).

Maharatz Chayes (to *Niddah* ibid.) offers another explanation. He cites *Rambam* in *Moreh Nevuchim* (3:43) who states that the purpose of gathering on the festivals was to bind the hearts of Jews to one another, and to foster love between all Jews – *chaverim* and *amei haaretz,* Torah scholars and common folk alike. *Maharatz Chayes* accordingly explains that the Rabbis recognized that there could be no true comradeship if one Jew, due to his different *taharah* standard, could not break bread with his fellow. They eliminated this impediment by suspending their decree on *amei haaretz.* The verse cited served them as support for their action. [These two reasons apply only in Jerusalem, where the gathering took place; apparently, the decree was lifted only in Jerusalem (see *Zevach Todah*). This is in fact implied quite strongly in *Rashi* to the forthcoming Mishnah (ד״ה הפותח את חביתו); see *Siach Yitzchak* there; see also *Maharsha* here, quoting *Yerushalmi.* However, cf. *Meromei Sadeh* here and *Aruch HaShulchan HeAsid, Mishkav U'Moshav* 121:1-4.]

Rambam (*Metam'ei Mishkav U'Moshav* 11:9) attributes suspension of the decree to the custom of all Jews – including *amei haaretz* – to purify themselves and their vessels during the festival period, in order to travel to Jerusalem [and partake of the festival offerings]. Since it is almost certain that the *amei haaretz* are *tahor,* we lift the decree. This is difficult to understand, for the source provided in our Gemara is the verse in *Judges,* and not this custom. *Tos. Yom Tov* (to the Mishnah) explains that the Rabbis would not have expounded the verse as they did had they not had grounds to assume the *amei haaretz* free of *tumah.* Only their confidence that this was so allowed them to suspend the decree. For other interpretations of *Rambam's* view, see *Rishon Le-Tzion; Aruch HaShulchan HeAsid, Mishkav U'Moshav* 121:7.

28. All through the festival, the customers handle the wine and the dough. Since there are *amei haaretz* among them, the food is *tamei.* Although the Rabbis suspended *am haaretz tumah* during the festival,

וכן שניהם יוצאין. הואיל ומלאו לפנים ושם לא לקח (ממנו) לא יקח עוד וכ"ש קדר נכנס וחבר יוצא הואיל וסוף הקדר ליכנס לפנים יחזור החבר הצריך ליקח ויקח: תנא נאמנין על כלי חרס הדקין לקדש. הא דתנן מן המודיעים ולפנים נאמנין על כלי חרס הדקין אמרו שא"א בלא הם כדפרשינן לעיל אבל גסין כגון חבית ליין אין נאמנין אלא בתוך ירושלים כדלקמן ואני לא כך שמעתי ולבי מגמגם על שמועתי שמעתי כשפיהן צר שאין אצבעו נכנס לתוכו וסופינו שאנו מטהרין אותם אפילו מליאים משקין טמאין: ואפי' אפיקרסותו בתוכו. אפי' מלאין משקין שלו שאינן של קדש:

או שניהן יוצאין כלחוץ אמר אביי אף אנן נמי תנינא הקדר שמכר את הקדירות ונכנס לפנים מן המודיעים טמא דלפנים מן המודיעים הא מודיעים גופה לא מהימן אימא סיפא יצא אינו נאמן הא מודיעים גופה נאמן אלא לאו ש"מ כאן בקדר יוצא וחבר נכנס כאן בששניהן יוצאין או שניהן נכנסין שמע מינה תנא נאמנין בכלי חרס הדקין לקודש אמר ר"ל והוא שניטלין בידו אחת ור' יוחנן אמר אפי' שאין ניטלין בידו אחת אמר ר"ל לא שנו אלא ריקנין אבל מלאין לא א) ורבי יוחנן אמר אפי' מלאים ואפילו אפיקרסותו לתוכו ואמר רבא ומודה ר' יוחנן במשקין עצמן שהן טמאין ואל תתמה שהרי לגין מלא משקין לגין טמאין טומאת שבעה ומשקין טהורין: מתני' הגבאין שנכנסו לתוך הבית וכן הגנבים שהחזירו את הכלים נאמנין לומר לא נגענו ובירושלים נאמנין על הקודש ובשעת הרגל אף על התרומה: גמ' ורמינהי הגבאין שנכנסו לתוך הבית הבית כולו טמא ל"ק הא דאיכא נכרי בהדייהו הא דליכא נכרי בהדייהו דתנן אם יש נכרי עמהן נאמנין לומר נכנסנו אבל אין נאמנים לומר נכנסנו אבל לא נגענו וכי איכא נכרי בהדייהו מאי הוי ר' יוחנן ור' אלעזר חד אמר אימת נכרי עליהן וחד אמר אימת מלכות עליהן מאי בינייהו איכא בינייהו נכרי שאינו חשוב: וכן הגנבים שהחזירו את הכלים: ורמינהי הגנבים שנכנסו לתוך הבית אינו טמא אלא מקום דריסת רגלי הגנבים אמר רב פנחס משמיה (דרב) דרבא כשעשו תשובה דיקא נמי דקתני שהחזירו את הכלים ש"מ: ובירושלים נאמנין על הקודש: תנא נאמנין על כלי חרס גסין לקודש וכל כך למה שאין עושין כבשונות בירושלים: ובשעת הרגל אף על התרומה: מנהני מילי אמר רבי יהושע בן לוי דאמר קרא א) ויאסף כל איש ישראל אל העיר כאיש אחד חברים הכתוב עשאן כולן חברים: מתני' הפותח את חביתו והמתחיל בעיסתו על גב הרגל ר' יהודה אומר יגמור וחכ"א לא יגמור: גמ' יתיב ר' אמי ורבי יצחק נפחא אקילעא דר' יצחק נפחא פתח חד ואמר מהו שיניחנה לרגל אחר א"ל אידך יד הכל ממשמשין בה ואת אמרת יניחנה לרגל אחר א"ל אטו עד האידנא לאו יד הכל ממשמשין בה א"ל הכי השתא בשלמא עד האידנא טומאת עם הארץ ברגל רחמנא טהרה אלא השתא טמאה היא נימא כתנאי דתני חדא יניחנה לרגל אחר ותניא אידך לא יניחנה לרגל אחר מאי לאו תנאי היא לא הא דקתני יניחנה ר' יהודה והא דקתני לא יניחנה רבנן ותסברא (א) הא רבי יהודה יגמור קאמר אלא הא דקתני לא יניחנה רבי יהודה והא דקתני יניחנה רבנן ומאי לא יניחנה שאין צריך להניחה: מתני' משעבר הרגל מעבירין על טהרת עזרה עבר הרגל ליום ששי לא היו מעבירין מפני כבוד השבת רבי יהודה אומר אף לא ביום ה' שאין הכהנים פנויין: גמ' תנא שאין הכהנים פנויין מלהוציא בדשן: מתני' כיצד מעבירין על טהרת עזרה מטבילין את הכלים שהיו במקדש ואומרין להם הזהרו שלא

רש"י

ואל תתמה. שכל דברי חכמי' כך הן שהרי שמעתי אבל כלי חרס המציל את המשקין שבתוכו ואין מציל כל כלי שטף שהלגין טמאין טומאת שבעה והמשקין טהורין: מתני' הגבאין. ישראל שהן גבאין למלך נכרי לגבות מיד ישראל גולגליות ומסין וארנוניות: שנכנסו לתוך הבית. לעבוט עבוטו וכן הגנבים שגנבו כלי חרס והחזירום: נאמנים לומר. שלא נגעו לתוכו לקדש נאמנין אבל לא לתרומה דכולה מתני' אחומר בקדש מתרומה קיימא והכי איתא שנינו בתוספתא הגבאין שנכנסו לתוך הבית נאמנין על טהרת חטאת ואין נאמנין על טהרת תרומה והאי חטאת בשר קדש ולא אפר חטאת דמוכח התם אף אם עשו תשובה לשין בטומאה היו: ובירושלים נאמנין כו'. מפרש בגמרא: גמ' כל הבית כולו טמא. כל כלי הבית טמאין בחזקה הגבאין ממשמשין בכלים: איכא נכרי בהדייהו. אין נאמנין לומר לא נגענו דמרתתו אם לא יחפשו כל הבית: אימת נכרי עליהם. פן יענישם בגוף או בממון: אימת מלכות. שמא ילשין עליהן נכרי אצל המלך: נכרי שאינו חשוב. אימתו ליכא אימת מלכות איכא: אלא מקום דריסת רגלי הגנבים. מ"מ דריסתו מיהא טמא וכ"ש כלים שגנבו והחזירו: כשעשו תשובה. ומחמת תשובה החזירום הלכך לא משקרי: על כלי חרס הגסין. וכ"ש הדקין והכי איתא בירושלמי נאמנין על טהרת כל הכלים לקדש: וכל כך למה. מהדר אף על הדקים מן המודיעים ולפנים: שאין עושין כבשונות בירושלים. לא לדקים ולא לגסין ומיהו בדקים הוצרך לאנשי ירושלים שכל יחיד ויחיד נסכו בביתו לכך הוסיפו להן טהרה ליחידים מגבול מודיעים אבל בעלי הלשכה המוסרין נסכים לגזבר די להם בנכנסין לתוך העיר ולשם בלבד האמינום על החביות א"נ יחידים צריכים לדקים אף לבישול שלמיהן יום יום: ויאסף כל איש ישראל וגו'. בפלגש בגבעה כתיב שנאספו כל ישראל בגבעה: הכתוב עשאן חברים. ורגל שעת אסיפה הוא: מתני' הפותח את חביתו. חבר שפתח את חביתו למכור יין בירושלים ברגל וכל הבא ליקח ממשמש ואף עמי הארץ ממשמשים: לא יגמור. אחר הרגל אע"פ שברגל הן טהורין לא שטהרתן טהרה אלא שברגל הכל חברים אבל לאחר הרגל מגעו טמא למפרע כדאמר במתני' עבר הרגל מטבילין כלי העזרה מפני שנגעו בהן ע"ה ברגל: רבי יהודה אומר יגמור. וטעמא מפ' במסכת ביצה (דף יא:) ג' דברים הותרו סופן משום תחילתם וזה כמו כן שאם אתה אומר לא יגמור אף הוא לא יתחיל ואין מזון מצוי לעולי רגלים: גמ' מהו שיניחנה כו'. אליבא דרבנן בעי לה: אטו האידנא. כל ימי הרגל לא ממשמשו בה הכל והתרת ברגל: טמאה היא. למפרע וחבר אינו רשאי למכור דבר שהוא טמא לעולם וי"מ אותה בע"ה ואי אפשר לומר בע"ה לא יגמור דמי לייט לן והלא אומר שלך טמא ושלי טהור ויצא לו מחביריו הרבה שימכור להם ואם בא לאסור שלא יקחו חברים ממנו יקחו ולא יקחו מיבעי ליה ועוד דאמר במסכת ביצה שזו היא אחד מג' דברים שהותרו סופן משום תחילתן ואי בע"ה אפי' לא שרית ליה לגמור ניחא (ב) כמאי דמזבין ברגל: ה"ג מאי לאו תנאי היא לא הא דקתני יניחנה ר' יהודה והא דתני לא יניחנה רבנן ותסברא והא רבי יהודה יגמור קאמר אלא הא דתניא יניחנה רבנן והא דתניא לא יניחנה רבי יהודה היא ומאי לא יניחנה כו'. מאי לאו תנאי היא ואליבא דרבנן ותפשוט בעיא דלעיל דפלוגתא דתנאי היא: מתני' מעבירין על טהרת עזרה. מעבירין את הכלים ממקומן ולהטבילן ולטהר את העזרה מטומאת ע"ה שנגעו בהן ברגל שאע"פ שעשאם הכתוב חברים ברגל לא מפני שטהורין הן הלכך לאחר הרגל מגען טמא למפרע: מפני כבוד השבת. שהיו הכהנים צריכין להתעסק איש בביתו בצרכי שבת: אף לא ליום החמישי. אם עבר הרגל ליום חמישי אין מטבילין אותן עד לאחר השבת: גמ' לפי שאין הכהנים פנויין. במוצאי יום טוב להטבילן שטרודין להוציא הדשן שעל התפוח שבאמצע המזבח שקיבצו שם כל ימות הרגל כל דשן של מערכה: מתני' ואומרים להם. לכהנים ע"ה ברגל: הזהרו שלא תגעו בשלחן. שלא יוכלו להטבילו לאחר הרגל שאי אפשר לסלקו ממקומו דכתיב ביה לחם פנים לפני תמיד (שמות כה):

תוספות

הגבאין שנכנסו לבית וכו'. לקדש ובתרומה קאי ולא לחטאת והכי איתא בתוספתא הגבאים שנכנסו לבית נאמנין לומר לא נגענו על טהרת חטאת ועל טהרת תרומה והא חטאת הוי קדש כדקתני התם ולא אפר חטאת ואפי' עשו תשובה. הר"ר שמעון:

ובירושלים נאמנין על טהרת כלי חרס הגסים. וכ"ש הדקין וכן תניא בהדיא בירושלמי נאמנין על טהרת כל הכלים. הר"ר שמעון:

שלא

מסורת הש"ס

א) [תוספתא פרק ג], ב) לעיל כב: אהלות פ"ה מ"ד, ג) טהרות פ"ז מ"ו, ד) [שם ע"ש], ה) ג"ז שם, ו) יבמות כב: ב"ק לד: ב"מ סב. סנהדרין פה., ז) [צ"ל דרבה כ"ה בכ"מ ביבמות דר"פ ספא ובסנהדרין ובב"ק איתא כדאמר רב פנחס כשעשו כו'] וכמה דוכתין בש"ס אליגו רבא וכ"ל כמ"ש הגאון בעל סה"ד וכן מפורש ברש"י סנהדרין פה סוף עמוד א', ח) [ב"ק פב: זבחים צו.], ט) נדה לד., י) ביצה יא., כ) צ"ל ממנו, ל) [פ"ג], מ) בס"א הגירסא המספקין וכן הוא בכ"מ פ"א מהל' מטמאי משכב ומושב הל' ו, נ) [לעיל כב:].

עין משפט נר מצוה

נב א ב מיי' פי"א מהל' מטמאי משכב ומושב הלכה ה:
נג ג ד מיי' שם פי"ג הלכה יג:
נד ה ו מיי' שם הל' יד:
נה ז ח מיי' שם פי"א הלכה ט:
נו ט מיי' שם הל' ט:
נז י מיי' שם הל' י:
נח כ מיי' שם הל' יא:

הגהות הב"ח

(א) גמ' ותסברא והא ר' יהודה: (ב) רש"י ד"ה טמאה היא וכו' ניחא ליה כמאי:

הגהות מהר"ב רנשבורג

א] גמ' ור' יוחנן אמר אפילו מלאים ואפי' אפיקרסותו לתוכו. נ"ב עי' פרש"י ד"ה זה בספר טורי אבן בד"ה ואפילו אפיקרסותו וכו':

תורה אור השלם

א) וַיֵּאָסֵף כָּל אִישׁ יִשְׂרָאֵל אֶל הָעִיר כְּאִישׁ אֶחָד חֲבֵרִים: [שופטים כ, יא]

ליקוטי רש"י

אפיקרסותו. סודר של ראשו [ברכות כג.]. מעפורת והוא סודר [נדה מח:]. לגין. גדול מכוס וקטן מחבית [שבת קלט:]. אין עושין כבשונות. משרפות כיר לקדירות [ב"ק פב:]. משום קוטרא כדאמרינן בבבא קמא (דף פב:) [זבחים צו.]. ויאסף וגו'. בפלגש בגבעה כתיב ומיניה שמעינן בכל זמן שישראל נאספים למקום אחד קרי להו חברים ורגל היינו אסיפה [נדה לד.]. חברים. שוים בעצה אחת [שופטים כ, יא]. הפותח את חביתו. חבר כשהתחיל למכור יינו או ככרו לעולי רגלים ברגל וממשמשי בה יד הכל וטומאת עם הארץ ברגל טהורה כל ימות הרגל וכמה שנשאר לאחר הרגל נחלקו רבי יהודה וחכמים בפרק חומר בקדש (חגיגה דף כו.). ר' יהודה אומר יגמור. וימכרנה לחברים ולכל אדם ויזהר שלא יגע עם הארץ עוד. וחכ"א לא יגמור. ולא ימכרנה עוד משום דנטמאת ברגל במגע עם הארץ ונהי דכל ימות הרגל אשתראי שלא לביישם מיהו לאחר הרגל חלה למפרע [ביצה יא:]. אקילעא. כיפת הבית חדר שלפני טרקלין שקורין פורטי"ן בלע"ז [ברכות כב.]. לפני הבית כעין בית שער וקורין פורי"א [פסחים עב:].

רבינו חננאל

תנא נאמנין על כלי חרס הדקין לקדש אמר ר"ל והוא שניטלין בידו אחת וריקנין אבל מלאין לא כלומר אינם נאמנים ור' יוחנן אמר אע"פ שאין ניטלין בידו אחת ובין מלאין ובין ריקנין ואפי' אפיקרסותו לתוכו אמר רבה אע"ג א) דר"ל אמר אין נאמנין על כלי חרס מליאין [מודה] היה במשקין עצמן שהן טהורין ואל תתמה שהרי לגין טמא טומאת שבעה ומשקין טהורין. ב) קודם לגיתות שבעים יום נאמן אמר אביי ש"מ דירתח אריסא מקמי הגתות אגולפי שבעים יום: מתני' הגבאים שנכנסו לתוך הבית נאמנים לומר לא נגענו. אוקימנא בדאיכא נכרי בהדייהו כדתנן אם יש נכרי נאמן לומר נכנסנו אבל לא נגענו מ"ט ר' יוחנן ור' אלעזר חד א' אימת נכרי עליהן וחד אמר אימת מלכות עליהן. מאי בינייהו איכא בינייהו נכרי שאינו חשוב דליתא להו אימה. והא דתנינן הגבאין שנכנסו לתוך הבית כולו טמא אוקימנא בדליכא נכרי בהדייהו. דכיון דלית אימתא דחד עליהו נגעו בכל כלים שבבית. וכן הגנבים שהחזירו את הכלים נאמנים לומר לא נגענו פי' לא נגעו זולתם. דווקא שהחזירו הא לא החזירו כל הבית טמא ומקשינן עלה כל הבית טמא ורמינהו הגנבים שנכנסו לתוך הבית אין טמא אלא מקום רגלי גנבים הנה אע"פ שלא החזירו הכלים הבית טהור כלומר אינו טמא. ופריק רב פנחס בגנבים שבאו לגנוב ועשו תשובה ולא גנבו כלום. ואמרינן כשם שלא גנבו לא נגעו ואין טמא אלא מקום מגע רגליהם ודאי דאי אפשר לעבור אא"כ נגעו ומשום שעשו תשובה אין אנו מחזיקין אותם בזה הדרך וכן נמי גנבים השנים במשנתנו אינן נאמנים אלא אם עשו תשובה אבל אם לא עשו תשובה בין אלו ובין אלו הבית כולו טמא. דחיישינן דלמא עברי עליהו ונגעו בהן כדי לגנבן ונטרדו או לקחו טובים מהן והניחו אלו שלא יכלו לעמסן כולן כאחת. ואמרינן דיקא נמי דקתני שהחזירו את הכלים ש"מ כשעשו תשובה ש"מ: ובירושלים נאמנים על הקדש תנא נאמנין על כלי חרס הגסין בירושלים. לפי שאין עושין כבשונות בירושלים ומשום הכי מזדהרי ומנטרי להון לפיכך לא גזרו בהו טומאה. ובשעת הרגל נאמנין אף על התרומה מנא הני מילי אריב"ל דאמר קרא ויאסף כל איש ישראל העירה כאיש אחד חברים הכתוב עשה לכל ישראל בשעת אסיפתן כאחד אפי' עמי הארץ עשה אותן חברים: מתני' הפותח את חביתו והמתחיל בעיסתו על גב הרגל פי' כדי למכור ונשאר לו אחר הרגל ר' יהודה אומר יגמור וחכ"א לא יגמור ומיבעיא לן אליבא דחכמים דאמרי לא יגמור מהו שיניחנה לרגל אחר ודחינן יד הכל ממשמשין בה כלומר נגעו בה עמי הארץ ויניחנה לרגל אחר וא"ת אי הכי ברגל עצמו האיך שותין אותה שאני הרגל עצמו דהא טומאת עם הארץ ברגל רחמנא טהרה היא אבל השתא טמאה היא ואתינן לאוקמה כתנאי דתני חדא יניחנה לרגל אחר ותניא אידך לא יניחנה לרגל אחר והא דתני יניחנה לרבנן היא והא דתני לא יניחנה לר' יהודה היא ומאי לא יניחנה כלומר אין צריך להניחה אלא יגמור וישתה את כולה: ירושלמי ר' חנינה בשם ר' יוחנן היתירו סופן משום תחילתן שאם אתה אומר לא יגמור אף הוא אינו פותח ונמצא מתמעט בשמחת הרגל: מתני' משעבר הרגל היו

חשק שלמה על ר"ח א) צ"ל כדיטה הוא להיפך מגי' דילן דמשקין הן טהורין אף לר"ל וגירסתו מוכחת מהלכות שהביא רבה מלגין וחו"ק. ב) דברי רבינו אלו עד המשנה שייכים לעיל דף כ"ה ע"ב.

Gemara The Gemara presents an inquiry regarding the opinion of the Sages:

יָתִיב רַבִּי אַמִּי וְרַבִּי יִצְחָק נַפְחָא אַקִּילְעָא דְרַבִּי יִצְחָק נַפְחָא – R' Ami and R' Yitzchak Nafcha were sitting on R' Yitzchak Nafcha's porch. פָּתַח חַד וְאָמַר – One opened the discussion **and said:** מַהוּ שֶׁיַּנִּיחֶנָּה לְרֶגֶל אַחֵר – According to the Sages, who forbid the sale of this wine or dough after the festival, **what is [the law] regarding whether [the *chaver*] may set it aside for the next festival,** and sell it then? **אָמַר לֵיהּ אִידַךְ – The other said to him:** יַד הַכֹּל מְמַשְׁמְשִׁין בָּהּ וְאַתְּ אָמְרַתְּ יַנִּיחֶנָּה לְרֶגֶל אַחֵר – All through the festival, **everyone's hand is touching it, and you say, "Set it aside for the next festival"?** The food has been rendered *tamei,* and may not be sold! **אָמַר לֵיהּ – [The first one] said to him** in reply: **אַטּוּ עַד הָאִידְנָא לָאו יַד הַכֹּל מְמַשְׁמְשִׁין בָּהּ – And until now,** i.e. all through this festival, **is not everyone's hand touching it?** Nevertheless, we permit the *chaver* to sell it during this festival. Why, then, should we not permit its sale during the coming festival too? **אָמַר לֵיהּ – [The other] answered him: הָכִי הַשְׁתָּא – Now, is this** a comparison? **בִּשְׁלָמָא עַד הָאִידְנָא – It is understandable that until now,** i.e. during this festival, the food may be sold, **טוּמְאַת עַם הָאָרֶץ בָּרֶגֶל רַחֲמָנָא טַהֲרָהּ – for on the festival the Merciful One rendered *tahor* the *tumah* of *am haaretz.*** Although the *amei haaretz* do touch and contaminate the food, we disregard this *tumah* throughout the festival. **אֶלָּא הַשְׁתָּא טְמֵאָה הִיא – However, now** that the festival has passed, **[the food] is *tamei*** retroactively, from the moment it came into contact with an *am haaretz!* Therefore, the *chaver* is forbidden to sell it at the next festival.[29]

The Gemara attempts to resolve the inquiry:

נֵימָא כְּתַנָּאֵי – Let us say that [this disagreement] is a matter of Tannaic dispute. דְּתָנֵי חֲדָא – For one Baraisa has taught, regarding food left over from the festival: יַנִּיחֶנָּה לְרֶגֶל אַחֵר – HE SETS IT ASIDE FOR THE NEXT FESTIVAL and sells it then. **וְתַנְיָא אִידַךְ – And it has been taught in another Baraisa:** לֹא יַנִּיחֶנָּה לְרֶגֶל אַחֵר – HE DOES NOT SET IT ASIDE FOR THE NEXT FESTIVAL. **מַאי לָאו תַּנָּאֵי הִיא – Is this, then, not a matter of Tannaic dispute?** Seemingly, it is.

The Gemara rejects this assertion:

לֹא – No, this dispute does not revolve around the ruling of the Sages at all. הָא דְּקָתָנֵי יַנִּיחֶנָּה רַבִּי יְהוּדָה – Rather, **that which [the first Baraisa] has taught,** HE SETS IT ASIDE, reflects the view of **R' Yehudah,** who allows the food to be sold after this festival, **וְהָא דְּקָתָנֵי לֹא יַנִּיחֶנָּה רַבָּנָן – and that which [the second Baraisa] has taught,** HE DOES NOT SET IT ASIDE, reflects the view of **the Rabbis** (i.e. the Sages), who do not allow it to be sold. However, the Baraisos do not represent a Tannaic disagreement regarding what the Sages themselves hold.

The Gemara objects:

וְתִסְבְּרָא – But do you really **hold** that the Baraisa permitting the food's sale at the next festival reflects R' Yehudah's view? הָא רַבִּי יְהוּדָה יִגְמוֹר קָאָמַר – **But** in the Mishnah **R' Yehudah said:** HE MAY FINISH selling the food after the festival, which means that he need not wait until the next festival! Clearly, this Baraisa is not in accordance with R' Yehudah.

The Gemara therefore interprets the Baraisos differently:

אֶלָּא הָא דְּקָתָנֵי לֹא יַנִּיחֶנָּה רַבִּי יְהוּדָה – Rather, that which [the first Baraisa] has taught, HE DOES NOT SET IT ASIDE, reflects the view of **R' Yehudah, וְהָא דְּקָתָנֵי יַנִּיחֶנָּה רַבָּנָן – and that which [the second Baraisa] has taught,** HE SETS IT ASIDE, reflects the view of **the Rabbis. וּמַאי לֹא יַנִּיחֶנָּה – And what is**

NOTES

they simply ruled that it may be *disregarded* during this period. They did not, however, actually *remove* the *tumah* from the *amei haaretz* (as we will see in the next Mishnah). Therefore, once the festival passes, the food that came into contact with *amei haaretz* during the festival is *tamei* retroactively. Since a *chaver* is forbidden to sell *tamei* food, this *chaver* may not sell the leftover wine or dough after the festival (*Rashi* here and to the Gemara).

R' Yehudah agrees that the *tumah* was not removed from *amei haaretz* on the festival. Nevertheless, he permits the *chaver* to sell the leftover food. The reason is taught in Tractate *Beitzah* (11b). R' Yehudah feared that if merchants would not be permitted to sell the leftover wine or dough, they might be reluctant to open a new batch in the first place, with the result that it would be more difficult for festival pilgrims to purchase food. To prevent this, he permitted the *chaver* to continue selling the food after the festival (*Rashi*).

[Why does the Mishnah give two cases, one of opening a barrel and one of starting a batch of dough? *Siach Yitzchak* explains (based on *Yerushalmi* 21b) that it is to teach that the barrel must be filled with something similar to dough – i.e. an essential food. Otherwise, R' Yehudah will not permit the *chaver* to sell the leftovers (presumably, because it is not that important to ensure the pilgrims a supply of nonessential foods). This is why *Rashi* specifies a barrel of wine, and not oil, for wine is essential and oil is not. R' Yehudah would not permit leftover oil to be sold after the festival (however, cf. *Pnei Moshe* to *Yerushalmi* ibid.).]

[*Rashi* (to the Gemara) cites others who claim that the Mishnah is discussing a merchant who is an *am haaretz.* (According to this, a *chaver* would be forbidden to sell the leftover food even according to R' Yehudah – see *Siach Yitzchak.*) *Rashi* rejects this interpretation for two reasons. Firstly, an *am haaretz* would never obey the Sages' ruling forbidding him to sell the food. To the contrary, he would likely say, "It is your food that is *tamei!* Mine is *tahor*" (see 22a-b). He would have no trouble finding purchasers for his wine or dough, because his *am haaretz* colleagues would not refrain from buying. Although the Mishnah might be interpreted as prohibiting the *purchase* of the food from *amei haaretz,* this also cannot be correct, for the Mishnah discusses the act of selling, not of buying. Secondly, the Gemara in *Beitzah* states that the reason R' Yehudah permits the food to be sold is so that one will not be reluctant to start a new barrel or a new batch of dough on the festival. But if the merchant is an *am haaretz* there is no danger that this will occur! For an *am haaretz* knows he can sell the food to others of his ilk; he therefore has no qualms about starting a new batch. Perforce, the Mishnah discusses a *chaver,* and permits even him to sell this food after the festival.]

29. Even on the festival a *chaver* may not sell food that has *always* been *tamei* (*Rashi*). For the festival does not in any way "deactivate" prior *tumah,* but merely prevents new *tumah* from becoming active until after the festival (see *Meiri*). Therefore, food retroactively rendered *tamei* after the previous festival may not be sold at the next.

Here are the two sides of the inquiry: On the one hand, since the festival does not deactivate prior *tumah,* and the food was retroactively rendered *tamei* after the first festival, it enters the next festival in a state of *tumah,* and may not be sold. However, it can be argued that food set aside during a festival for the next festival is not regarded as entering the second festival in a state of *tumah.* The reason is that the food does not acquire *tumah* during the first festival, because of the deferral of *am haaretz tumah* until after the festival. Thus, its setting aside takes place during a period of *taharah.* It is then removed from circulation until another period of *taharah* begins, at the next festival. Thus, this food "begins" and "ends" in *taharah!* Perhaps, then, the intervening days do not matter, and it remains free of *tumah* at the next festival (see *Turei Even;* see *Siach Yitzchak* for another approach).

[One might ask: The Mishnah on 24b states that after the pressing season, an *am haaretz* may set aside *terumah* and give it to a *chaver* at the next season (see 24b note 24). Here too, then, the *chaver* should be permitted to set aside the food until the next festival. *Meiri* explains that in the earlier case, we assume that the *am haaretz* will keep the *terumah* in a special place, and will refrain from handling it until the next season. It will therefore remain entirely free of *tumah.* In our case, however, the food was handled by *amei haaretz* all through the festival. Since the *tumah* takes effect retroactively with the passing of the festival, the food enters the next festival in a state of *tumah* (see *Turei Even* and *Siach Yitzchak* in a similar vein; cf. *Chazon Ish, Moed* §129, comments to 24b).]

וכן שניהם יוצאין. הואיל ומלאו לפנים ושם לא לקח וממנו לא יקח עוד וכ"ש קדר נכנס וחבר יוצא הואיל וסוף הקדר ליכנס לפנים יחזור החבר הצריך ליקח ויקח: תנא נאמנין על כלי חרס הדקין לקדש. הא דתנן מן המודיעים ולפנים נאמנין על כלי חרס בכלי חרס הדקין אמרו שא"א בלא הם כדפרשינן לעיל אבל גסין כגון חבית לייו אין נאמנין אלא בתוך ירושלים כדלקמן ואני לא כך שמעתי ולבי מגמגם על שמועתי שמעתי כשפיהן צר שאין אצבעו נכנס לתוכו וסופיו שאנו מטהרין אותם אפילו מלאים משקין טמאין: ואפי' אפיקרסותו בתוכו.

או שניהן יוצאין כלחוץ אמר אביי אף אנן נמי תנינא הקדר שמכר את הקדירות ונכנס לפנים מן המודיעים טעמא דלפנים מן המודיעים הא מודיעים גופה לא מהימן אימא סיפא יצא אינו נאמן הא מודיעים גופה נאמן אלא לאו ש"מ כאן בקדר יוצא וחבר נכנס כאן בששניהן יוצאין או שניהן נכנסין שמע מינה תנא נאמנין בכלי חרס הדקין לקודש אמר ר"ל והוא שניטלין בידו אחת ור' יוחנן אמר אפי' שאין ניטלין בידו אחת אמר ר"ל לא שנו אלא ריקנין אבל מלאין לא ור' יוחנן אמר אפי' מלאים ואפילו אפיקרסותו לתוכו ואמר רבא ומודה ר' יוחנן במשקין עצמן שהן טמאין ואל תתמה שהרי לגין מלא משקין לגין טמאין טומאת שבעה ומשקין טהורין: **מתני'** הגבאין שנכנסו לתוך הבית וכן הגנבים שהחזירו את הכלים נאמנין לומר לא נגענו ובירושלים נאמנין על הקודש ובשעת הרגל אף על התרומה: **גמ'** ורמינהי הגבאין שנכנסו לתוך הבית הבית כולו טמא ל"ק הא דאיכא נכרי בהדייהו הא דליכא נכרי בהדייהו דתנן אם יש נכרי עמהן נאמנין לומר לא נכנסנו אבל לא נאמנים לומר נכנסנו אבל לא נגענו וכי איכא נכרי בהדייהו מאי הוי ר' יוחנן ור' אלעזר חד אמר אימת נכרי עליהן וחד אמר אימת מלכות עליהן מאי בינייהו איכא בינייהו נכרי שאינו חשוב: וכן הגנבים שהחזירו את הכלים: ורמינהי הגנבים שנכנסו לתוך הבית אינו טמא אלא מקום דריסת רגלי הגנבים אמר רב פנחס משמיה (דרב) כשעשו תשובה דיקא נמי דקתני שהחזירו את הכלים ש"מ: ובירושלים נאמנין על הקודש: תנא נאמנין על כלי חרס גסין לקודש וכל כך למה שאין עושין כבשונות בירושלים: ובשעת הרגל אף על התרומה: מנהני מילי אמר רבי יהושע בן לוי דאמר קרא (א) ויאסף כל איש ישראל אל העיר כאיש אחד חברים הכתוב עשאן כולן חברים: **מתני'** הפותח את חביתו והמתחיל בעיסתו על גב הרגל ר' יהודה אומר יגמור וחכ"א לא יגמור: **גמ'** יתיב ר' אמי ורבי יצחק נפחא אקילעא דר' יצחק נפחא פתח חד ואמר מהו שיניחנה לרגל אחר א"ל אידך יד הכל ממשמשין בה ואת אמרת יניחנה לרגל אחר א"ל אטו עד האידנא לאו יד הכל ממשמשין בה א"ל הכי השתא בשלמא עד האידנא טומאת עם הארץ ברגל רחמנא טהרה אלא השתא טמאה היא נימא כתנאי דתני חדא יניחנה לרגל אחר ותניא אידך לא יניחנה לרגל אחר מאי לאו תנאי היא לא הא דקתני יניחנה ר' יהודה והא דקתני לא יניחנה רבנן ותסברא (א) הא רבי יהודה יגמור קאמר אלא הא דקתני לא יניחנה רבי יהודה והא דקתני יניחנה רבנן ומאי לא יניחנה שאין צריך להניחה: **מתני'** משעבר הרגל מעבירין על טהרת עזרה עבר הרגל ליום ששי לא היו מעבירין מפני כבוד השבת רבי יהודה אומר אף לא ביום ה' שאין הכהנים פנויין: **גמ'** תנא שאין הכהנים פנויין מלהוציא בדשן: **מתני'** כיצד מעבירין על טהרת עזרה מטבילין את הכלים שהיו במקדש ואומרין להם הזהרו

שלא

רש"י

אפי' מלאין משקין שלו שאינן של קדש: **ואל תתמה.** שכל דברי חכמי' כך הן שהרי שמעתי אבל כלי חרס המכיל את המשקין שבתוכו ואין מציל כל כלי שטף שהלגין טמאין טומאת שבעה והמשקין טהורין: **מתני' הגבאין.** ישראל שהן גבאין למלך נכרי לגבות מיד ישראל גולגליות ומסין וארנוניות: **שנכנסו לתוך הבית.** לעבוט עבוטו וכן הגנבים שגנבו כלי חרס והחזירום: **נאמנים לומר.** שלא נגעו לתוכו לקדש נאמנין אבל לא לתרומה דכולה מתני' אחומר בקדש מתרומה קיימא והכי מפרש בתוספתא הגבאין שנכנסו לתוך הבית נאמנין על טהרת חטאת ואין נאמנין על טהרת תרומה והאי חטאת בשר קדש ולא אפר חטאת דכמוכח התם אם עשו תשובה דשין בטומאה הוו: **ובירושלים נאמנין כו'.** מפרש בגמרא: **גמ' כל הבית כולו טמא.** כל כלי הבית טמאין שחזקה הגבאין ממשמשין בכלים: **איכא נכרי בהדייהו.** אין נאמנין לומר לא נגעו דמרתתו אם לא יחפשו כל הבית: **אימת נכרי עליהם.** פן יעניסם בגוף או בממון: **אימת מלכות.** שמא ילשין עליהן נכרי אצל המלך: **נכרי שאינו חשוב.** אימתו ליכא אימת מלכות איכא: **אלא מקום דריסת רגלי הגנבים.** מ"מ דריסתו מיהא טמא וכ"ש כלים שגנבו והחזירו: **כשעשו תשובה.** ומחמת תשובה החזירום הלכך לא משקרי: **על כלי חרס הגסין.** וכ"ש הדקין והכי תניא בירושלמי נאמנין על טהרת כל הכלים לקדש: **וכל כך למה.** מהדר אף על הדקים מן המודיעים ולפנים: **שאין עושין כבשונות בירושלים.** לא לדקים ולא לגסין ומיהו בדקים הוצרך לאנשי ירושלים שכל יחיד ויחיד נכסו בביתו לכך הוסיפו להן טהרה ליחידים מגבול מודיעים אבל בעלי הגסים המוכרין נכסים לצבור די להם בנכנסין לתוך העיר ולשם בלבד האמינום על החביות א"נ יחידים צריכים לדקים אף לבישול שלמיהן יום יום: **ויאסף כל איש ישראל וגו'.** בפלגש בגבעה כתיב שנאספו כל ישראל בגבעה: **הכתוב עשאן חברים.** ורגל שעת אסיפה הוא: **מתני' הפותח את חביתו.** חבר שפתח את חביתו למכור יין בירושלים ברגל וכל הבא ליקח ממשמש ואף עמי הארץ ממשמשים: **לא יגמור.** אחר הרגל אע"פ שברגל הן טהורין לא שטהרתן טהרה אלא שברגל הכל חברים אבל לאחר הרגל מגען טמא למפרע דלאמר במתני' עבר הרגל מטבילין כלי העזרה מפני שנגעו בהן ע"ה ברגל: **רבי יהודה אומר יגמור.** וטעמא מפ' במסכת ביצה (דף יא:) ג' דברים הותרו סופן משום תחילתן וזה כמו כן שאם אתה אומר לא יגמור אף הוא לא יתחיל ואין מזון מצוי לעולי רגלים: **גמ' מהו שיניחנה כו'.** אליבא דרבנן בעי לה: **אטו האידנא.** כל ימי הרגל לא ממשמשו בה הכל והתרת ברגל: **טמאה היא.** למפרע וחבר אינו רשאי למכור דבר שהוא טמא לעולם וי"מ אותה בע"ה ואי אפשר לומר בע"ה לא יגמור דמי לייה לן והלא אומר שלך טמא ושלי טהור וימלא לו מחבריו הרבה שימכור להם ואם לא לאסור שלא יקחו חברים ממנו יקחו ולא יקחו מיעבי ליה ועוד דלאמר במסכת ביצה שזו היא אחד מג' דברים שהותרו סופן משום תחילתן ואי בע"ה אפי' לא שריח ליה לגמור ניחא (ב) כמאי למזבין ברגל: **ה"ג מאי לאו תנאי היא לא הא דקתני יניחנה ר' יהודה והא דתני לא יניחנה כו'.** רבנן ותסברא והא רבי יהודה יגמור קאמר אלא הא דתניא יניחנה רבנן והא דתניא לא יניחנה רבי יהודה היא ומאי לא יניחנה כו'. מאי לאו תנאי היא ואליבא דרבנן ותפשוט בעיא דלעיל דפלוגתא דתנאי היא: **מתני' מעבירין על טהרת עזרה.** מעבירין את הכלים ממקומן ולהטבילן ולטהר את העזרה מטומאת ע"ה שנגעו בהן ברגל שאע"פ שעשאם הכתוב חברים לא מפני שטהורין הן הלכך לאחר הרגל מגען טמא למפרע: **מפני כבוד השבת.** שהיו הכהנים צריכין להתעסק איש בביתו בצרכי שבת: **אף לא ליום החמישי.** אם עבר הרגל ליום חמישי אין מטבילין אותן עד לאחר השבת: **גמ' לפי שאין הכהנים פנויין.** במוצאי יום טוב שטרודין להוציא הדשן שעל התפוח שבאמצע המזבח שקיבצו שם כל ימות הרגל כל דשן של מערכה: **מתני' ואומרים להם.** לכהנים ע"ה ברגל: **הזהרו שלא תגעו בשלחן.** שלא יוכלו להטבילו לאחר הרגל שאי אפשר לסלקו ממקומו דכתיב ביה לחם פנים לפני תמיד (שמות כה):

טעונין

תוספות

הגבאין שנכנסו לבית וכו'. לקדש ובתרומה קאי ולא לחטאת ובהדיא תניא בתוספתא הגבאים שנכנסו לבית נאמנין לומר לא נגענו על טהרת חטאת ועל טהרת תרומה והא חטאת הוי קדש כדקתני התם ולא אפר חטאת ואפי' עשו תשובה. הר"ר שמעון:

ובירושלים נאמנין על טהרת כלי חרס הגסים. וכ"ש הדקין וכן תניא בהדיא בירושלמי נאמנין על טהרת כל הכלים. הר"ר שמעון:

מסורת הש"ס

א) [תוספתא פרק ג], ב) לעיל כב: אהלות פ"ה מ"ד, ג) טהרות פ"ז מ"ו, ד) [שם ע"ש], ה) ג"ז שם, ו) יבמות כב: ב"ק לד: ב"מ סב. סנהדרין פה., ז) [נ"ל דרבה כ"ה בב"מ וביבמות דרב פפא ובסנהדרין ובב"ק איתא כדאמר רב פנחס כשעשו כו'] ובכמה דוכתין בש"ס מליט רבא וכל"ל כמ"ש הגאון בעל פס"ד וכן מפורש ברש"י סנהדרין פה סוף עמוד א', ח) [ב"ק פב: זבחים לו.], ט) נדה לד., י) ביצה יא:, כ) נ"ל ממנו, ל) [פ"ג], מ) בכ"א הגירסא המספקין וכן הוא בכ"מ פי"א מהל' מטמאי משכב ומושב הל' ו, נ) [לעיל כב:].

הגהות הב"ח

(א) גמ' ותסברא והא ר' יהודה: (ב) רש"י ד"ה טמאה היא וכו' ניחא ליה במאי:

הגהות מהר"ב רנשבורג

א] גמ' ור' יוחנן אמר אפילו מלאים ואפי' אפיקרסותו לתוכו. נ"ב עי' פרש"י ומ"ש בזה בספר טורי אבן בד"ה ואפילו אפיקרסותו וכו':

תורה אור השלם

א) וַיֵּאָסֵף כָּל אִישׁ יִשְׂרָאֵל אֶל הָעִיר כְּאִישׁ אֶחָד חֲבֵרִים: [שופטים כ, יא]

ליקוטי רש"י

אפיקרסותו. סודר של ראשו [ברכות כג:]. מעפורת והוא סודר [נדה מח.]. לגין. גדול מכוס וקטן מחבית [שבת קלט:]. אין עושין כבשונות. מקרפות מקום לקדירות [ב"ק פב:]. משום קוטרא [זבחים צו.]. ויאסף וגו'. בפלגש בגבעה כתיב ומייתי שמעינן בכל זמן שישראל נאספים למקום אחד קרי להו חברים [נדה לד.]. חברים. שיש בעלה אחת [שופטים כ, יא]. הפותח את חביתו. חבר שהתחיל למכור יינו או ככרו לעולי רגלים ברגל וממשמשי בה יד הכל וטומאת עם הארץ ברגל טהורה ובמה שנשאר לאחר הרגל נחלקו רבי יהודה וחכמים בפרק חומר בקדש (חגיגה כו.). רבי יהודה אומר יגמור. וחכ"א לא יגמור [ביצה יא.]. אקילעא. כלשכת הבית חדר שלפני הטרקלין [ברכות כג.]. לפני הבית מבוא בית שער וקורין פורי"א [פסחים עב.]. פרק"א שלפני הבית [ב"ק יט:]. פורק"א לפני הטרקלין [ע"ז כד.]. האידנא. עכשיו [סוכה יח.].

עין משפט נר מצוה

נב א ב מיי' פי"א מהל' מטמאי משכב ומושב הלכה ה:
נג ג ד מיי' שם פי"ב הלכה יב:
נד ה ו מיי' שם הל' יד:
נה ז ח מיי' שם פי"א הלכה ה:
נו ט מיי' שם הל' ט:
נז י מיי' שם הל' י:
נח כ מיי' שם הל' יא:

רבינו חננאל

תנא נאמנין על כלי חרס הדקין לקדש אמר ר"ל והוא שניטלין בידו אחת וריקנין אבל מליאין לא כלומר אינם נאמנים ור' יוחנן אמר אע"פ שאינן ניטלין בידו אחת ובין מליאין ובין ריקנין ואפי' אפיקרסתו לתוכן נאמנין אמר רבה אע"ג א) דר"ל אמר אין נאמנין על כלי חרס מליאין [מודה] היה במשקין עצמן שהן טהורין ואל תתמה שהרי לגין טמא טומאת שבעה ומשקין טהורין. ב) קודם לגיתות שבעים יום נאמן אמר אביי ש"מ דיטרח אריסא מקמי הגתות אגולפי שבעים יום: מתני' הגבאים שנכנסו לתוך הבית נאמנים לומר לא נגענו. אוקימנא בדאיכא נכרי בהדייהו כדתנן אם יש נכרי נאמן לומר נכנסנו אבל לא נגענו מ"ט ר' יוחנן ור' אלעזר חד א' אימת נכרי עליהן וחד אמר אימת מלכות עליהן. מאי בינייהו איכא בינייהו נכרי שאינו חשוב דלית להו אימה. והא דתנינן הגבאין שנכנסו לתוך הבית כולו טמא אוקימנא בדליכא נכרי בהדייהו. דכיון דלית אימתה דחד עלייהו נגעו בכל כלים שבבית. וכן הגנבים שהחזירו את הכלים נאמנים לומר לא נגענו פי' לא נגעו זולתם. דווקא שהחזירו הא לא החזירו כל הבית טמא ומקשינן עלה כל הבית טמא ורמינהו הגנבים שנכנסו לתוך הבית אין טמא אלא מקום רגלי גנבים הנה אע"פ שלא החזירו הכלים הבית טהור כלומר אינו טמא. ופריק רב פנחס בגנבים שבאו לגנוב ועשו תשובה ולא גנבו כלום. ואמרינ' כשם שלא גנבו לא נגעו ואין טמא אלא מקום מגע רגליהם ודאי דאי אפשר לעבור אא"כ נגעו ומשום שעשו תשובה אין אנו מחזיקין אותם בזה הדרך וכן נמי גנבים השנים במשנתנו אינן נאמנים אלא אם עשו תשובה אבל אם לא עשו תשובה בין אלו ובין אלו הבית כולו טמא. דחיישינן דלמא עברי עלייהו ונגעו בהן כדי לגנבן ונטרדו או לקחו טובים מהן והניחו אלו שלא יכלו לעמסן כולן כאחת. ואמרינן דיקא נמי דקתני במתניתין שהחזירו את הכלים ש"מ כשעשו תשובה ש"מ: ובירושלים נאמנים על הקדש תנא נאמנין על כלי חרס הגסין בירושלים. לפי שאין עושין כבשונות בירושלים ומשום הכי מזדהרי ומנטרי להון לפיכך לא גזרו בהו טומאה מספק. ובשעת הרגל נאמנין אף על התרומה מנא הני מילי אריב"ל דאמר קרא ויאסף כל איש ישראל העירה כאיש אחד חברים הכתוב עשה לכל ישראל בשעת אסיפתן כאחד אפי' את עמי הארץ עשה אותן חברים: מתני' הפותח את חביתו והמתחיל בעיסתו ברגל פי' כדי למכור ונשאר לו אחר הרגל ר' יהודה אומר יגמור וחכ"א לא יגמור ומיבעיא לן אליבא דחכמים דאמרי לא יגמור מהו שיניחנה לרגל אחר ודחינן יד הכל ממשמשין בה כלומר נגעו בה עמי הארץ ויניחנה לרגל אחר וא"ת אי הכי ברגל עצמו היאך שותין אותה שהרי זה הרגל עצמו עם הארץ ברגל ההיא רחמנא טהריה הא השתא טמאה היא ואתינן לאוקומה כתנאי ודחינן לה ואסיקנא ההיא תנא דתני יניחנה לרגל אחר לרבנן היא והא דתני לא יניחנה לר' יהודה היא ומאי לא יניחנה כלומר אין צריך להניחה אלא יגמור וישתה את כולה: ירושלמי ר' חנניה בשם ר' יוחנן התירו סופן משום תחילתן שאם אתה אומר לא יגמור אף הוא אינו פותח ונמצא ממעט בשמחת הרגל: מתני' משעבר הרגל היו

חשק שלמה על ר"ח א) גי' רבינו הוא להיפך מגי' דילן דבמשקין הן טהורין אף לר"ל וגירסתו מוכרחת מהראיה שהביא רבה מלגין ודו"ק. ב) דברי רבינו אלו עד המשנה שייכים לעיל דף כ"ה ע"ב.

meant by HE DOES NOT SET IT ASIDE?[30] שֶׁאֵין צָרִיךְ לְהַנִּיחָהּ – **That he is not *required* to set it aside** for the next festival, but may sell it immediately, as per R' Yehudah's ruling in the Mishnah.[31]

Mishnah This Mishnah presents another law connected with the *taharah* of *amei haaretz* during the festival:
מִשֶּׁעָבַר הָרֶגֶל – **Once the festival has passed,** מַעֲבִירִין עַל טָהֳרַת עֲזָרָה – **they remove**[32] the Temple vessels **for the purification of the Courtyard.** Since *amei haaretz* were granted a free hand in the Courtyard over the festival, the vessels with which they came into contact must be removed from their places and purified.[33] עָבַר הָרֶגֶל לְיוֹם שִׁשִּׁי – **If the festival passed** going **into Friday,**[34] לֹא הָיוּ מַעֲבִירִין מִפְּנֵי כְּבוֹד הַשַּׁבָּת – **they would not remove** the vessels on that day, **because of the honor of the Sabbath.**[35] רַבִּי יְהוּדָה אוֹמֵר – **R' Yehudah says:** אַף לֹא בְּיוֹם חֲמִישִׁי – They **also** would **not** remove the vessels **on a Thursday,**[36] שֶׁאֵין הַכֹּהֲנִים פְּנוּיִין – **for the Kohanim are not free** on that day either.

Gemara The Gemara cites a Baraisa that explains R' Yehudah's statement:
תָּנָא – **A Baraisa has taught:** שֶׁאֵין הַכֹּהֲנִים פְּנוּיִין מִלְּהוֹצִיא בַּדֶּשֶׁן – R' Yehudah means THAT THE KOHANIM ARE NOT FREE OF the chore of TAKING OUT THE ASHES that accumulated on the Altar over the festival. This huge task occupies their time, and leaves no opportunity for purifying the vessels.[37]

Mishnah The Mishnah elaborates on the removal of the vessels:
כֵּיצַד מַעֲבִירִין עַל טָהֳרַת עֲזָרָה – **How do they remove** the vessels **for the purification of the Courtyard?** Which vessels are affected? מַטְבִּילִין אֶת הַכֵּלִים שֶׁהָיוּ בַּמִּקְדָּשׁ – **They immerse the vessels that were in the Temple** over the festival.
וְאוֹמְרִין לָהֶם הִזָּהֲרוּ – **And** all through the festival **they** would **say to them** [i.e. to the Kohanim who are *amei haaretz*],[38] **"Take care**

NOTES

30. [According to R' Yehudah, one is certainly permitted to set aside the food for the next festival. What, then, does the Baraisa mean by saying, "He does not set it aside for the next festival"?]

31. It emerges that the question of whether the Sages permit the food to be set aside until the next festival is not a matter of Tannaic dispute.

Now, the Gemara *appears* to be ruling that the Sages actually do permit the food to be sold at the next festival – see *Turei Even.* However, *Rambam* (*Metam'ei Mishkav U'Moshav* 11:10) rules otherwise; see *Kesef Mishneh* there and *Rishon LeTzion* here for suggestions as to his reasoning; see also *Meiri* here.

32. *Rashi;* see *Meiri* for other renderings; see also *Tos. Rid.*

33. As we have explained, suspending *am haaretz tumah* during the festival simply means that this *tumah* is disregarded during this period. It does not, however, mean that the *tumah* is actually removed from the *amei haaretz.* Therefore, once the festival passes, the Temple vessels they touched are *tamei* retroactively, and must be purified (*Rashi*).

34. I.e. Friday was the first day after the festival.

35. For the Kohanim needed to attend to Sabbath preparations in their homes on Friday (*Rashi*).

36. That is, if the first day after the festival is a Thursday, they do not purify the vessels on that day, but postpone their immersion until after the Sabbath (*Rashi*). [For why they may not purify them on the Sabbath itself, see *Turei Even; Meromei Sadeh.*]

[*Turei Even* asks: Postponing the immersion means that there will be a span of time after the festival during which the vessels will remain contaminated. How can *tamei* vessels be used for the Temple service? *Turei Even* answers that since it is impossible to purify the vessels immediately, the Rabbis treated the days following the festival as the festival itself, and continued the suspension of *am haaretz tumah* in this case until the first available immersion day.]

37. The multitude of offerings brought on a pilgrimage festival generated a huge accumulation of ashes on the Altar. These were not cleared off the Altar during the festival, but were piled onto the mound at the center of the Altar [for the accumulation of ash of so many offerings was an honor to the Altar]. After the festival, the Kohanim would remove these ashes from the Altar. This left them no time to purify the vessels (*Rashi;* see *Tamid* 28b-29a). [*Turei Even* wonders why Israelites or Levites could not have purified the vessels. See there for discussion.]

[R' Yehudah does not *always* give precedence to taking out the ashes, but only when the festival ends on a Wednesday. Presumably, he reasons that if the Kohanim spend Thursday working on the vessels, the removal of the ashes will be postponed until after the Sabbath, since Friday is reserved for Sabbath preparations, and the ashes may not be cleared on the Sabbath itself. Three full days will pass, then, during which the tremendous volume of ash will interfere with the Altar service. To avoid this, R' Yehudah gives removal of the ashes precedence over purifying the vessels. However, when the festival ends earlier in the week, the vessels are purified on the first non-festival day and the ashes removed on the second (*Turei Even;* cf. *Meromei Sadeh*).]

38. *Rashi; Tosafos* 26b ד״ה שלא תגעו; see *Rambam, Metam'ei Mishkav U'Moshav* 11:11 with *Mishneh LaMelech;* see *Rishon LeTzion* to 26b; *Chidushei R' Y.F. Perla* to *Sefer HaMitzvos L'Rasag* vol. II, pp. 475,476.

וכן שניהם יוצאין. הואיל ומלאו לפנים ושם לא לקח (ט וממנו) לא יקח עוד וכ"ש קדר נכנס וחבר יוצא הואיל וסוף הקדר ליכנס לפנים יחזור החבר הצריך ליקח ויקח: תנא נאמנין על כלי חרס הדקין לקדש. הא דתנן מן המודיעים ולפנים נאמנין על כלי חרס בכלי חרס הדקין אמרו שה"א בלא הס כדפרשינן לעיל אבל גסין כגון חבית ליין אין נאמנין אלא בתוך ירושלים כדלקמן ואני לא כך שמעתי ולבי מגמגם על שמועתי שמעתי כשפיהן צר שאין אצבעו נכנס לתוכו וסופינו שאנו מטהרין אותם אפילו מליאים משקין טמאין: ואפי' אפיקרסותו בתוכו. אפי' מלאין משקין שלו שאין של קדש:

או שניהן יוצאין כלחוץ אמר אביי אף אנן נמי תנינא הקדר שמכר את הקדירות ונכנס לפנים מן המודיעים טעמא דלפנים מן המודיעים הא מודיעים גופה לא מהימן אימא סיפא יצא אינו נאמן הא מודיעים גופה נאמן אלא לאו ש"מ כאן בקדר יוצא וחבר נכנס כאן בששניהן יוצאין או שניהן נכנסין שמע מינה [א] תנא נאמנין בכלי חרס הדקין לקודש אמר ר"ל והוא שניטלין בידו אחת ור' יוחנן אמר אפי' שאין ניטלין בידו אחת אמר ר"ל לא שנו אלא ריקנין אבל מלאין לא אן] ורבי יוחנן [א] אמר אפי' מלאים ואפילו אפיקרסותו לתוכו ואמר רבא [ב] ומודה ר' יוחנן במשקין עצמן שהן טמאין ואל תתמה [ג] שהרי לגין מלא משקין לגין טמאין טומאת שבעה ומשקין טהורין: מתני' הגבאין שנכנסו לתוך הבית וכן הגנבים שהחזירו את הכלים נאמנין לומר לא נגענו ובירושלים נאמנין על הקודש ובשעת הרגל אף על התרומה: גמ' ורמינהי [ג] הגבאין שנכנסו לתוך הבית הבית כולו טמא ל"ק הא דאיכא נכרי בהדייהו הא דליכא נכרי בהדייהו דתנן [ד] אם יש נכרי עמהן נאמנין לומר לא נכנסנו אבל אין נאמנים לומר נכנסנו אבל לא נגענו וכי איכא נכרי בהדייהו מאי הוי ר' יוחנן ור' אלעזר חד אמר [ד] אימת נכרי עליהן וחד אמר אימת מלכות עליהן מאי בינייהו איכא בינייהו נכרי שאינו חשוב: [ה] וכן הגנבים שהחזירו את הכלים: ורמינהי [ו] הגנבים שנכנסו לתוך הבית אינו טמא אלא מקום דריסת רגלי הגנבים [ז] אמר רב פנחס משמיה [ח] דרב [ט] כשעשו תשובה דיקא נמי דקתני שהחזירו את הכלים ש"מ: ובירושלים נאמנין על הקודש: [י] תנא נאמנין על כלי חרס גסין לקודש וכל כך למה [כ] שאין עושין כבשונות בירושלים: [ל] ובשעת הרגל אף על התרומה: מנהני מילי אמר רבי יהושע בן לוי [מ] דאמר קרא [א] ויאסף כל איש ישראל אל העיר כאיש אחד חברים הכתוב עשאן כולן חברים: מתני' [נ] הפותח את חביתו והמתחיל בעיסתו על גב הרגל ר' יהודה אומר יגמור וחכ"א [ס] לא יגמור: גמ' יתיב ר' אמי ורבי יצחק נפחא אקילעא דר' יצחק נפחא פתח חד ואמר מהו שיניחנה לרגל אחר א"ל אידך יד הכל ממשמשין בה ואת אמרת יניחנה לרגל אחר א"ל אטו עד האידנא לאו יד הכל ממשמשין בה א"ל הכי השתא בשלמא עד האידנא טומאת עם הארץ ברגל רחמנא טהרה אלא השתא טמאה היא נימא כתנאי דתני חדא יניחנה לרגל אחר ותניא אידך לא יניחנה לרגל אחר מאי לאו תנאי היא לא הא דקתני יניחנה ר' יהודה והא דקתני לא יניחנה רבנן ותסברא (א) הא רבי יהודה יגמור קאמר אלא הא דקתני לא יניחנה רבי יהודה והא דקתני יניחנה רבנן ומאי לא יניחנה שאין צריך להניחה: מתני' משעבר הרגל מעבירין על טהרת עזרה עבר הרגל ליום ששי לא היו מעבירין מפני כבוד השבת רבי יהודה אומר אף לא ביום ה' שאין הכהנים פנויין: גמ' תנא שאין הכהנים פנויין מלהוציא בדשן: מתני' כיצד מעבירין על טהרת עזרה [ע] מטבילין את הכלים שהיו במקדש ואומרין להם הזהרו שלא

תוספות

הגבאין שנכנסו לבית וכו'. לקדש ובתרומה קאי ולא לחטאת ובהדיא תניא בתוספתא הגבאים שנכנסו לבית נאמנין לומר לא נגענו על טהרת חטאת ועל טהרת תרומה והא חטאת הוי קדש כדקתני התם ולא אפר חטאת ואפי' עשו תשובה. הר"ר שמעון:

ובירושלים נאמנין על טהרת כלי חרס הגסים. וכ"ש הדקין וכן תניא בהדיא בירושלמי נאמנין על טהרת כל הכלים. הר"ר שמעון:

רש"י

ואל תתמה. שכל דברי חכמי' קך הן שהרי שמעתי אבל כלי חרס המציל את המשקין שבתוכו ואין מציל כל כלי שטף שהלגין טמאין טומאת שבעה והמשקין טהורין: מתני' הגבאין. ישראל שהן גבאין למלך נכרי לגבות מיד ישראל גולגליות ומסין וארנוניות: שנכנסו לתוך הבית. לעבוט עבוטו וכן הגנבים שגנבו כלי חרס והחזירום: נאמנים לומר. שלא נגעו לתוכו לקדש נאמנין אבל לא לתרומה דכולה מתני' אחומר בקדש מתרומה קיימא ובהדיא שנינו בתוספתא [ט] הגבאין שנכנסו לתוך הבית נאמנין על טהרת חטאת ואין נאמנין על טהרת תרומה והאי חטאת בשר קדש ולא אפר חטאת כדמוכח התם אף אם עשו תשובה דשין בטומאה היו: ובירושלים נאמנין כו'. מפרש בגמרא: גמ' כל הבית כולו טמא. כל כלי הבית טמאין שחזקה הגבאין ממשמשין בכלים: איכא נכרי בהדייהו. אין נאמנין לומר לא נגענו למרתתו אם לא יחפשו כל הבית: אימת נכרי עליהם. פן יעניש בגוף או בממון: אימת מלכות. שמא ילשין עליהן נכרי אצל המלך: נכרי שאינו חשוב. אימתו ליכא אימת מלכות איכא: אלא מקום דריסת רגלי הגנבים. מ"מ דריסתן מיהא טמא וכ"ש כלים שגנבו והחזירו: כשעשו תשובה. ומחמת תשובה החזירום הלכך לא משקרי: על כלי חרס הגסין. וכ"ש הדקין ובהדיא תניא בירושלמי נאמנין על טהרת כל הכלים לקדש: וכל כך למה. מהדר אף על הדקים מן המודיעים ולפנים: שאין עושין כבשונות בירושלים. לא לדקים ולא לגסין ומיהו בדקים הוצרך לאנשי ירושלים שכל יחיד ויחיד נסכו בביתו לכך הוסיפו להן טהרה ליחידים מגבול מודיעים אבל בעלי הלשכה [מ] המוסרין נסכים לצבור די להם בנכנסין לתוך העיר ולהם בלבד האמינום על החביות א"נ יחידים צריכים לדקים אף לבישול שלמיהן יום יום: ויאסף כל איש ישראל וגו'. בפלגש בגבעה כתיב שנאספו כל ישראל בגבעה: הכתוב עשאן חברים. ורגל שעת אסיפה הוא: מתני' הפותח את חביתו. חבר שפתח את חביתו למכור יין בירושלים ברגל וכל הבא ליקח ממשמש ואף עמי הארץ ממשמשים: לא יגמור. אחר הרגל אע"פ שברגל הן טהורין לא שטהרתן טהרה אלא שברגל הכל חברים אבל לאחר הרגל מגעו טמא למפרע כדאמר במתני' עבר הרגל מטבילין כלי העזרה מפני שנגעו בהן ע"ה ברגל: רבי יהודה אומר יגמור. וטעמא מפ' במסכת ביצה (דף יא:) ג' דברים הותרו סופן משום תחילתן וזה כמו כן שאם אתה אומר לו לא יגמור אף הוא לא יתחיל ואין מזון מצוי לעולי רגלים: גמ' מהו שיניחנה כו'. אליבא דרבנן בעי לה: אטו האידנא. כל ימי הרגל לא ממשמשו בה הכל והתרת ברגל: טמאה היא. למפרע וחבר אינו רשאי למכור דבר שהוא טמא לעולם וי"מ אותה בע"ה ואי אפשר לומר בע"ה לא יגמור דמי לייתינן לן והלא אומר שלך טמא ושלי טהור [י] וימלא לו מחביריו הרבה שימכור להם ואם בא לאסור שלא יקחו חברים ממנו יקחו ולא יקחו מיבעי ליה ועוד דאמר במסכת ביצה שזו היא אחד מג' דברים שהותרו סופן משום תחילתן ואי בע"ה אפי' לא שרית ליה לגמור ניחא (ג) במאי דמזבין ברגל: ה"ג מאי לאו תנאי היא לא הא דקתני יניחנה ר' יהודה והא דתני לא יניחנה רבנן ותסברא והא רבי יהודה יגמור קאמר אלא הא דתניא יניחנה רבנן והא דתניא לא יניחנה רבי יהודה היא ומאי לא יניחנה כו'. מאי לאו תנאי היא ואליבא דרבנן ותפשוט בעיא לעיל דפלוגתא דתנאי היא: מתני' מעבירין על טהרת עזרה. מעבירין את הכלים ממקומן ולהטבילן ולטהר את העזרה מטומאת ע"ה שנגעו בהן ברגל שאע"פ שעשאם הכתוב חברים ברגל לא מפני שטהורין הן הלכך לאחר הרגל מגען טמא למפרע: מפני כבוד השבת. שהיו הכהנים צריכין להתעסק איש בביתו בצרכי שבת: אף לא ליום החמישי. אם עבר הרגל ליום חמישי אין מטבילין אותן עד לאחר השבת: גמ' לפי שאין הכהנים פנויין. במוצאי יום טוב להטבילן שטרודין להוציא הדשן שעל התפוח שבאמצע המזבח שקיבצו שם כל ימות הרגל כל דשן של מערכה: מתני' ואומרים להם. לכהנים ע"ה ברגל: הזהרו שלא תגעו בשלחן. שלא יכלו להטבילו לאחר הרגל שאי אפשר לסלקו ממקומו דכתיב ביה לחם פנים לפני תמיד (שמות כה)

מסורת הש"ס

א) [תוספתא פרק ג], ב) לעיל כה: טהרות פ"ז מ"ה, ג) טהרות פ"ז מ"ו, ד) [שם ע"ש], ה) ג"ש שם, ו) יבמות כב: ב"מ סב. סנהדרין פה. ז) [ל"ל דרבה כ"ה בכ"מ ובימות לקמן ובסנהדרין וכו"ק], ח) [כ"ה בכ"י] כ"ק וכמבה דקמאן], ט) [הגהות ב"ח], י) מ"ס שם, כ) כ"ק פב: ל) ביצה יא, מ) [ל"ל ...], נ) ב"מ סב. מ) תוספתא פ"ג ...

הגהות הב"ח

(א) גמ' ותסברא והא ר' יהודה: (ג) רש"י ד"ה טמאה היא וכו' ניחא ליה במאי:

הגהות מהר"ב רנשבורג

א] גמ' ור' יוחנן אמר אפילו מלאים ואפי' אפיקרסותו לתוכו. נ"ב עי' פרש"י ז"ה בספר עורי אבן בד"ה ואפילו אפיקרסותו וכו':

תורה אור השלם

א) וַיֵּאָסֵף כָּל אִישׁ יִשְׂרָאֵל אֶל הָעִיר כְּאִישׁ אֶחָד חֲבֵרִים: [שופטים כ, יא]

ליקוטי רש"י

אפיקרסותו. סודר של ראשו [ברכות כג:]. מעפורת והוא סודר [נדה מח:]. לגין. גדול מכוס וקטן מחבית [ב"ש קלט:]. אין עושין כבשונות. משרפות קיר לקדירות [ב"ק פב:]. משום קוטרא דכבשונות [בבא קמא (דף פב:)]. ויאסף וגו'. בפלגש בגבעה כתיב ומייהו שמעינן בכל זמן שישראל נאספים למקום אחד קרי להו חברים ורגל שעת אסיפה [נדה לד.]. חברים. שוים בעצה אחת [שופטים כ, יא]. הפותח את חביתו. חבר שהתחיל למכור יינו לעולי רגלים ברגל וממששו בה עמי הארץ ואין טומאת עם הארץ ברגל טהורה כל ימות הרגל ונמצא שאחר הרגל נטמא למפרע [ביצה יא:]. ר' יהודה אומר יגמור. ולאחר הרגל ימכור לחברים אע"פ שממשמשו בה עמי הארץ [ביצה יא:]. וחכ"א לא יגמור. ולא ימכור לאחר הרגל אלא לעמי הארץ שאין מקפידין על הטומאה [שם]. אקילעא. כניסת הבית חדר שלפני הטרקלין [ביצה כב.]. לפני הבית כעין בית שער [פסחים עב:].

עין משפט נר מצוה

נב א ב מיי' פי"א מהל' מטמאי משכב ומושב הלכה ה:
נג ג ד מיי' שם פי"ב הלכה יב:
נד ה ו מיי' שם הל' יד:
נה ז ח מיי' שם פי"א הלכה ה:
נו ט מיי' שם הל' ט:
נז י מיי' שם הל' י:
נח כ מיי' שם הל' יא:

רבינו חננאל

תנא נאמנין על כלי חרס הדקין לקדש אמר ר"ל והוא שניטלין בידו אחת וריקנין אבל מליאין לא כלומר אינם נאמנים ור' יוחנן אמר אע"פ שאינן ניטלין בידו אחת ובין מליאין ובין ריקנין ואפי' אפיקרסותו לתוכו נאמן אמר רבא אע"ג א) דר"ל אמר אין נאמנין על כלי חרס מליאין [מודה] היה במשקין עצמן שהן טהורין ואל תתמה שהרי לגין טמא טומאת שבעה ומשקין טהורין. ב) קודם לגיתות שבעים יום נאמן אמר אביי ש"מ דישרה אריסא מקמי הגתות אגולפי שבעים יום: מתני' הגבאים שנכנסו לתוך הבית נאמנים לומר לא נגענו. אוקימנא בדאיכא נכרי בהדייהו כדתנן אם יש נכרי נאמן לומר נכנסנו אבל לא נגענו מ"ט ר' יוחנן ור' אלעזר חד א' אימת נכרי עליהן וחד אמר אימת מלכות עליהן. מאי בינייהו איכא בינייהו נכרי שאינו חשוב דלית להו אימתה. והא דתנינן הגבאין שנכנסו לתוך הבית כולו טמא אוקימנא בדליכא נכרי בהדייהו. דכיון דלית אימתה דחד עלייהו נגעו בכל כלים שבבית. וכן הגנבים שהחזירו את הכלים נאמנים לומר לא נגענו אע"פ שלא נגעו ולהלן. דווקא שהחזירו הוא אלא החזירו כל הבית טמא ומקשינן עלה כל הבית טמא ורמינהו הגנבים שנכנסו לתוך הבית אין טמא אלא מקום רגלי גנבים הנה אע"פ שלא החזירו הכלים הבית טהור כלומר אינו טמא. ופריק רב פנחס שם שבאו לגנוב ועשו תשובה ולא גנבו כלום. ואמרי' כשם שלא גנבו לא נגעו וכו' טמא אלא מקום מגע רגליהם ודאי דאי אפשר לעבור אא"כ נגעו ומיהו שעשו תשובה אין אנו מחזיקין אותם בזה הדרך וכן נמי גנבים השנים במשנתנו אינן נאמנים אלא אם עשו תשובה אבל אם לא עשו תשובה בין אלו ובין אלו כל הבית טמא. דחיישינן דלמא עברי עלייהו ונגעו בהן כדי לגנבן ונטרדו או לקחו טובים מהן והניחו אלו שלא יכלו לעמסן כולן כאחת. ואמרינן דיקא נמי דקתני שהחזירו את הכלים ש"מ כשעשו תשובה ש"מ: ובירושלים נאמנין על הקדש תנא נאמנין על כלי חרס הגסין בירושלים. לפי שאין עושין כבשונות בירושלים ומשום הכי מזדהרי ומנטרי להון לפיכך לא גזרו להון טומאה מספק. ובשעת הרגל נאמנין אף על התרומה מנא הני מילי אריב"ל דאמר קרא ויאסף כל איש ישראל אל העיר כאיש אחד חברים הכתוב עשאה לכל ישראל בשעת אסיפתן כאחד אפי' עם הארץ עשה אותן חברים: מתני' הפותח את חביתו והמתחיל בעיסתו ברגל פי' כדי למכור ונשאר לו אחר הרגל ר' יהודה אומר יגמור וחכ"א לא יגמור ומיבעיא לן אליבא דחכמים דאמרי לא יגמור מהו שיניחנה לרגל אחר ודחינן יד הכל ממשמשין בה כלומר נגעו בה עמי הארץ ויניחנה לרגל אחר וא"ת אי הכי ברגל עצמו האיך שותין אותה שאני זה הרגל עצמו דהא טומאת עם הארץ ברגל ההוא רחמנא טהריה הא השתא טמאה היא ואתינן לה ואסקינא כתנאי הא דתני יניחנה לרגל אחר לרבנן היא והא דתני לא יניחנה לר' יהודה היא ומאי לא יניחנה כלומר אין צריך להניחה אלא ישתה אותה בחזקת טהרה וגם זה אין לו בה חשש: ירושלמי ר' חנינה בשם ר' יוחנן התירו סופן משום תחילתן שאם אתה אומר לו לא יגמור אף הוא אינו פותח ונמצא מפסיד בשמחת הרגל: מתני' משעבר הרגל היו

עין משפט
נר מצוה

נט א מיי' פי"א מהל' מטמאי משכב ומושב הלכה יא:
ס ב מיי' פ"ז מהלכות כלי המקדש הל' יט:
סא ג ד מיי' פי"א מהל' מטמאי משכב ומושב הלכה יא:
סב ה מיי' פ"ג מהל' כלים הלכה א:
סג ו ז ח מיי' שם פ"ו הלכה טו:

רבינו חננאל

היו מעבירין על טהרת העזרה מטבילין הכלים ששמשו בהן במקדש. ואומר להן הזהרו שמא תגעו בשלחן מכלל שאם יגעו בשלחן מטמא ומקשינן וכי שולחן בר קיבולי טומאה הוא והא כלי עץ העשוי לנחת הוא וכל כלי עץ העשוי לנחת לא מקבל טומאה דבעינן כלי עץ דומיא דשק דמיטלטל מלא וריקם אף כלי עץ מיטלטל מלא וריקם ופרקינן שלחן זה שבמקדש נמי מיטלטל ואפי' מלא דהא מגביהין היו הכהנים אותו בעודנו הלחם סדור עליו ומראין אותו לעולי רגלים. ומקשינן ולולי שמיטלטל מלא וריקם שלחן של מקדש לא הוה מטמא. תיפוק לי משום ציפוי דכיון דהוא מצופה זהב הוה ליה ככלי מתכות ומקבל טומאה דהא נפק ליה מתורת כלי עץ דתנן בכלים פרק כ"ב השלחן והדולפקי שנפחתו או שחיפן בשייש כו'. ואסיקנא טעמא דשייר מקום הנחת כוסות שלא חיפהו בשייש אבל לא שייר בו מקום שאינו מחופה טהור שבא החיפוי בשייש שאינו מקבל טומאה כדקי"ל כלי גללין כלי אבנים כלי אדמה אין מקבלין טומאה וביטל העץ ויבא צפוי הזהב ויבטל העץ ויקבל טומאה ככלי מתכות דהא אפי' פשוטין מקבלין. וכי תימא שאני עצי שטים דכיון דחשיבי לא בטלי בציפויין. הניחא לר"ל דאמר לא שנו שלחן שחיפהו בטיל עצו אלא בכלי אכסלגוס דזילי. אבל בכלי [מסמים] פי' עצי (אבנים) [מסמים] (א) דיקירי לא בטיל אלא לר' יוחנן דאמר כל כלי עץ בטל בציפויין ל"ש כלי אכסלגס ול"ש כלי מסמים ל"ש ציפוי עומד ל"ש ציפוי שאינו עומד ל"ש חופה את לבזבין ול"ש אינו חופה הכל בטל בצפויו. האי שלחן כיון דמצופה הוא אע"ג דאינו מיטלטל מלא וריקם הרי הוא ככלי מתכות ומקבל טומאה. ופרקי' שאני שלחן של מקדש דהא אע"ג דמצופה זהב הוא

חשק שלמה על ר"ח
א) וכ"ה בערוך ערך אכסלגס ע"ש.

שלא תגעו בשלחן. כשהכניס עמי הארץ ההולכין להיכל להשתחוות קאמר דאילו ישראל לא היו ראוין ליכנס אף בין אולם ולמזבח וכן פירש רש"י: **מנורה** לא כתיב בה תמיד. פי' רש"י דתמיד דכתיב בה לא דמי לתמיד דשלחן דהאי תמיד מלילה ללילה הוי כמו עולת תמיד האמור בתמיד ובחביתי כ"ג אבל ביום לא היה דולק למערב ועד בקר כתיב תן לה מדתה מערב עד בקר הלכך כל היום יכול לסלקה אבל תמיד האמור בשלחן כל היום וכל הלילה דהלחם נסדר עליו משבת לשבת והקשה הר"ר אלחנן דהא במסכת תמיד (דף ל:) משמע דנר מערבי דולק כל היום שממנה היה מדליק ובה היה מסיים ומסתמא מתמיד נפקא ועוד קשה להר"ר אלחנן עלה דההיא דהא כתיב מערב עד בקר ושיערו חכמים מדתה לחצי לוג (א) וי"ל (א) דמ"מ לא היה בה טפי מבשאר נרות ומ"מ ממילא מחמת הנס דולק כל היום ובשעה שלא היה הנס היו דולקין אותה בבקר כדי להדליק ממנה האחרות:

כלי עץ העשוי לנחת. הקשה הר"ר אלחנן כל שנים שהיו ישראל במדבר היו מטלטלים אותה ואם כן אין עשוי לנחת ואם כן אמאי צריך ראייה מקרא השלחן הטהור מכלל דאיכא טמא ותירץ דלא איצטריך קרא רק לנוב וגבעון ושילה ובית עולמים שלא היתה מטולטלת ושמעינן מקרא שהיו מגביהין אותה ולא נראה כיון שהיתה מטולטלת כבר אף משבאו לבית עולמים נמי לא נפקא מידי קבלת טומאה ראשונה אלא י"ל דלא מהני טלטולה כיון דלא היתה מטולטלת לבדה כי אם בהדי שאר כלים:

סילוקו כסידורו. לענין שהיה כך ומה שאמר הפסוק חום ביום הלקחו לאו דוקא אלא דחם לא היה דאיכא מ"ד במנחות (דף נה:) שהיא נאפת מערב שבת ואי אפשר שישמור החום עד השבת אם לא שנאמר לדבריו נשאר בתנור לשמור חומו עד השבת בבקר:

בכלי אכסלגים. יתכן לפרש שהיא שם עיר והשודים כלים הבאים משם וקשה דהכא משמע של עץ היו והתם בזבחים פרק דם חטאת (דף צד.) משמע שהיו של עור כדפי' רש"י גבי העור טעון כבוס במקו' קדוש: [וע' תוס' מנחות נז. ד"ה כלי]:

כאן בצפוי עומד. ושל מקדש לא היה בצפוי עומד דשלש שולחנות היו במקדש כמין שלשה ארונות שעשה בצלאל והצפוי נוח להסירו וי"מ בצפוי עומד לצפוי דשייש כגון שלחן ודולפקי דשייש עב וחזק וגם בלא עץ נמי עומד מאליו לכך לא חשיב העץ אבל שלחן של משה הזהב היה דק וקלוש ובלא עץ לא מצי קאי לפיכך העץ עיקר והצפוי בטל לגביה:

שאני שלחן דרחמנא קרייה עץ. יש להקשות מזבח נמי איקרי עץ דכתיב המזבח עץ שלש אמות ותנן ליה במתני' דפליגי ביה משום דלא בטיל הצפוי אגב העץ אלא העץ בטל ועוד אמר בסמוך ואיבעית אימא רבנן לר"א קאמרי מאי דעתך משום דמצופין מיבטל בטל צפוי לגבייהו אלמא טעמא משום דהצפוי בטל לגבי העץ ואילו גבי שלחן ודולפקי היכא דלא שייר כלום בטל העץ אגב הצפוי ומיהו הך קרא דמזבח של עץ מתרגם יהונתן פתורא דסמוך למזבח דדהבא אבל מזבח לא איקרי של עץ וגם שלחן לא מצינו דאיקרי עץ כי אם השלחן דסמוך למזבח מדאפקי' בלשון מזבח אבל שמא שלחן ודולפקי עץ לא איקרי לפיכך לא בטיל הצפוי לגבייהו אי לא שייר כלום והר"ר אלחנן תי' דלא קשה מידי כדתנן במתני' כל הכלים שהיו במקדש טעונים טבילה חוץ ממזבח הזהב והנחשת מזבח הנחשת דכתיב מזבח אבנים תעשה לי מזבח הזהב דכתיב המנורה והמזבחות ואיתקוש להדדי לפיכך נבטל צפוי גבי מזבח הנחשת הלכך לא מקבלי טומאה אך צריך עיון האי קרא דמזבח שלש אמות במאי מיתוקם אי מזבח הזהב אמתים ותו לא:

מתני' **שלא** תגעו בשלחן [ב]כל הכלים שהיו במקדש יש להם שניים ושלישים שאם נטמאו הראשונים יביאו שניים תחתיהן [ג]כל הכלים שהיו במקדש טעונין טבילה חוץ ממזבח הזהב ומזבח הנחשת מפני שהן כקרקע דברי ר"א וחכ"א [ד]מפני שהן מצופין: **גמ'** תנא הזהרו שמא תגעו בשלחן ובמנורה ותנא דידן מ"ט לא תני מנורה שלחן כתיב ביה [א]תמיד מנורה לא כתיב בה תמיד ואידך כיון דכתיב [ב]ואת המנורה נכח השלחן כמאן דכתיב בה תמיד דמי ואידך ההוא לקבוע לה מקום הוא דאתא ותיפוק לי דכלי עץ העשוי לנחת הוא [ה]וכל כלי עץ העשוי לנחת לא מטמא מאי טעמא [ו]דומיא דשק בעינן מה שק מיטלטל מלא וריקם אף כל מיטלטל מלא וריקם האי נמי מיטלטל מלא וריקם הוא כדר"ל [ז]דאמר ר"ל מאי דכתיב [ג]על השלחן הטהור מכלל שהוא טמא ואמאי כלי עץ העשוי לנחת הוא ואינו מקבל טומאה אלא מלמד שמגביהין אותו ומראין בו לעולי רגלים לחם הפנים ואומרים להם ראו חיבתכם לפני המקום סילוקו כסידורו [ח]דא"ר יהושע בן לוי נס גדול נעשה בלחם הפנים כסידורו כך סילוקו שנאמר [ד]לשום לחם חום ביום הלקחו ותיפוק לי משום ציפוי דהתנן [ט]השלחן והדולפקי שנפחתו או שחיפן בשייש ושייר בהם מקום הנחת כוסות טמא ר' יהודה אומר מקום הנחת החתיכות וכי תימא שאני עצי שטים דחשיבי ולא בטלי הניחא לר"ל דאמר לא שנו אלא בכלי אכסלגים הבאין ממדינת הים אבל בכלי מסמים לא בטלי שפיר אלא לרבי יוחנן דאמר [י]אפילו בכלי מסמים נמי בטלי מאי איכא למימר וכי תימא כאן בציפוי עומד כאן בציפוי שאינו עומד הא בעא מיניה ר"ל מרבי יוחנן בציפוי עומד או בציפוי שאינו עומד בחופה את לבזביו או בשאינו חופה את לבזביו וא"ל [ח]לא שנא בציפוי עומד ולא שנא בציפוי שאינו עומד לא שנא בחופה את לבזביו ולא שנא בשאינו חופה את לבזביו אלא שאני שלחן

דרחמנא

טעונין טבילה. מפני טומאת הרגל: חוץ ממזבח הזהב ומזבח הנחשת מפני שהן כקרקע. שהכתוב קראו מזבח אדמה ושלחן הא אמרן דלא נגעו בו: מפני שהן מצופין. בגמרא מפרש: גמ' מנורה לא כתיב בה תמיד. כלומר תמידין האמורין במנורה לא תמיד יומם ולילה קאמר אלא תמיד מלילה ללילה כתמיד האמור בעולת תמיד ובחביתי כ"ג אבל ביום לא היה דולק דמערב עד בוקר כתיב (שמות כז) תן לה מדת השמן שיש בה כדי לידלק מערב עד בוקר לפיכך כל היום אתה יכול לסלקה ולהטבילה אבל תמיד האמור בשלחן תמיד יום ולילה הוא דמשבת לשבת הוא ערוך עליו: נוכח השלחן. כל זמן שהשלחן שם תהא מנורה נוכחו: ותיפוק לי. דאי נמי נגעו בשלחן לא מיטמאו ליה דהא כלי עץ העשוי לנחת במקום אחד הוא: דומיא דשק בעינן. לענין טומאה הוקשו כלי עץ לשק דכתיב כל אשר יפול עליו מהם במותם יטמא מכל כלי עץ או בגד או עור או שק (ויקרא יא): מה שק מיטלטל מלא וריקם. יצא העשוי לנחת דאינו מיטלטל מלא וריקן יצא כלי עץ המחזיק מ' סאה בלח שהן כוריים ביבש אע"פ שמיטלטל ריקן אינו מיטלטל מלא שאם יטלטלנו מלא ישבר: השלחן הטהור. שאמרתי שיהא טהור מכלל שהוא ראוי לטומאה והלא כלי עץ העשוי לנחת הוא: סילוקו כסידורו. שסילוקו לשבת הבאה חם כיום סידורו: חם ביום הלקחו. שיהא חם ביום הלקחו מעל השלחן: ותיפוק לי. דמקבל טומאה ואפילו הוא עשוי לנחת: משום ציפויו. שהוא מתכת דכלי מתכת לא איתקש לשק: דהתנן. דבתר ציפוי אזלינן: הדולפקי. כסא המתקפל ומכוסה עור: שחיפהו בשייש. דשוב הוי ככלי אבנים שאין מקבלין טומאה: ושייר בהן. מן הפחיתה או מן החיפוי כדי הנחת כוסות: טמא. שעדיין ראוי למלאכתו ראשונה: רבי יהודה אומר. צריך אף הנחת חתיכות לחם ובשר ואי לא לאו שלחן הוא אלמא ציפויו מבטלו אפילו להקל וכל שכן להחמיר: לא שנו. הך דקתני ציפויו מבטלו אלא בעצי אכסלגים שאינו חשוב כ"כ: ציפוי שאינו עומד. שאינו מחוזק במסמרים יפה ותאמר דההוא דמקדש לאו עומד הוא: לבזביו. שפה לשלחן סביב:

רחמנא

מסורת הש"ס

א) [יומא כא: מגילה כו: מנחות לו:], ב) [שבת פג: וש"נ], ג) [מנחות כט: לו: יומא כא.], ד) מנחות לו:, ה) כלים פכ"ב מ"א [מנחות לו:], ו) [מנחות פט.].

הגהות הב"ח

(א) תוס' ד"ה מנורה וכו' ויש לומר דנר מערבי לא היה בה שמן טפי:

תורה אור השלם

א) וְנָתַתָּ עַל הַשֻּׁלְחָן לֶחֶם פָּנִים לְפָנַי תָּמִיד: [שמות כה, ל]

ב) וְשַׂמְתָּ אֶת הַשֻּׁלְחָן מִחוּץ לַפָּרֹכֶת וְאֶת הַמְּנֹרָה נֹכַח הַשֻּׁלְחָן עַל צֶלַע הַמִּשְׁכָּן תֵּימָנָה וְהַשֻּׁלְחָן תִּתֵּן עַל צֶלַע צָפוֹן: [שמות כו, לה]

ג) וְשַׂמְתָּ אוֹתָם שְׁתַּיִם מַעֲרָכוֹת שֵׁשׁ הַמַּעֲרָכֶת עַל הַשֻּׁלְחָן הַטָּהֹר לִפְנֵי יְיָ: [ויקרא כד, ו]

ד) וַיִּתֶּן לוֹ הַכֹּהֵן קֹדֶשׁ כִּי לֹא הָיָה שָׁם לֶחֶם כִּי אִם לֶחֶם הַפָּנִים הַמּוּסָרִים מִלִּפְנֵי יְיָ לָשׂוּם לֶחֶם חֹם בְּיוֹם הִלָּקְחוֹ: [שמואל א, כא, ז]

ליקוטי רש"י

עשוי לנחת. שאינו מיטלטל וכלי עץ לענין טומאה הוקש לשק שנאמר (ויקרא יא) מכל כלי עץ או בגד או עור או שק וגו' מה שק מיטלטל מלא וריקן אף כלי עץ מיטלטל מלא וריקן ואף על גב דשלחן מצופה בזהב בטל ציפוי לגביה כדאמרינן בשילהי חגיגה שאני שלחן דקרייה רחמנא עץ [יומא כא:]. במקום אחד [מגילה כו:]. שאינו מטלטל כלי עץ העשוי לנחת אינו מקבל טומאה דכתיב גבי שרצים מכל כלי עץ או עור או שק (ויקרא יא) מה שק מיטלטל מלא וריקם [מנחות כט.]. השלחן הטהור. של זהב טהור דבר אחר על טהרו של שלחן שלא יהיו הסניפין מגביהין את הלחם מעל גבי השלחן [ויקרא כד, ו]. מכלל שהוא טמא. והא עשוי לנחת שאין מגביהין אותו ואינו דומיא דשק [מנחות צו:]. שמגביהין אותו. ומראין אותו לחוץ [יומא כא.]. הלכך מיטלטל מלא וריקם הוא [מנחות כט.]. סילוקו כסידורו. כשמסלקין אותו עדיין הוא חם [יומא שם]. לשום לחם חום. אחר ביום הלקח זה ורבותינו אמרו חם ביום הלקחו חם ביום סלוקו חם כיום סדורו [שמואל א כא, ז]. חום ביום הלקחו. שהוא חם ביום שנלקח משם והאי קרא בלחם הפנים כתיב בספר שמואל [יומא שם]. משמע כשמסלקים היה חום [מנחות שם]. ותיפוק לי. דאפילו אין מגביהין אותו מקבל טומאה. משום ציפוי. דהוי מתכת ולא איתקש לשק אפילו עשוי לנחת מקבל טומאה. דהתנן. דאזלינן בתר ציפוי. הדולפקי. פלדסטו"ר של עור ואוכלין עליו. שחיפן בשייש. דהוה ליה ציפוי של אבנים וכלי אבנים לא מקבלי טומאה. ושייר וכו'. דכיון דאישתייר ביה כולי האי דחזי למלאכתו ראשונה מקבל טומאה. לא שייר לה, אלמא אזלינן בתר ציפוי [שם צו:]. וכי תימא שאני עצי שיטים. דשולחן. דחשיבי ולא בטלי. ולא מקבלי טומאה אגב ציפוי אי לאו דמגביהין אותן. לא שנו. דגבי חיפן בשייש דאזלינן בתר ציפוי. אלא בכלי אכסלגים. דלא חשיב כמסמס [שם צו.]. וכי תימא. הא דאזלינן בתר ציפוי. בציפוי עומד. קבוע במסמרות ושלחן של קדש לאו עומד הוא. הא בעא מיניה כו'. הא דשלחן ודולפקי דאזלינן בתר ציפוי בציפוי עומד או אפילו שאינו עומד [שם צו.]. לבזביו. שפה סביב לשולחן והיא מסגרת [שם צו.].

שֶׁלֹּא תִּגְּעוּ בַּשֻּׁלְחָן – that you do not touch the Table!" The Table cannot be immersed after the festival; therefore, it is imperative that the *amei haaretz* refrain from touching it.[1]

כָּל הַכֵּלִים שֶׁהָיוּ בַּמִּקְדָּשׁ יֵשׁ לָהֶם שְׁנִיִּים וּשְׁלִישִׁים – All the vessels that were in the Holy Temple had second and third replacement [sets], **שֶׁאִם נִטְמְאוּ הָרִאשׁוֹנִים יָבִיאוּ שְׁנִיִּים תַּחְתֵּיהֶן – so that if the first ones became *tamei*, they would bring the second ones in their places.**[2]

כָּל הַכֵּלִים שֶׁהָיוּ בַּמִּקְדָּשׁ טְעוּנִין טְבִילָה – All the vessels that were in the Holy Temple require immersion after the festival, **חוּץ מִמִּזְבַּח הַזָּהָב וּמִזְבַּח הַנְּחֹשֶׁת – except for the Golden Altar and the Copper Altar,**[3] **מִפְּנֵי שֶׁהֵן כְּקַרְקַע – because they are like earth,**[4] and therefore do not acquire *tumah*. **דִּבְרֵי רַבִּי אֱלִיעֶזֶר – These are the words of R' Eliezer. וַחֲכָמִים אוֹמְרִים – But the Sages say: מִפְּנֵי שֶׁהֵן מְצוּפִּין – Because they are plated.**[5]

Gemara

The Mishnah stated that the Kohanim who were *amei haaretz* would be warned not to touch the Table. The Gemara now cites a Baraisa that teaches that this warning was issued regarding a second Temple vessel as well:

תָּנָא – A Baraisa has taught: הִזָּהֲרוּ שֶׁמָּא תִּגְּעוּ בַּשּׁוּלְחָן וּבַמְּנוֹרָה – They would say: **"TAKE CARE, LEST YOU TOUCH THE TABLE OR THE MENORAH!"** The Menorah too cannot be immersed after the festival; therefore, the *amei haaretz* may not come into contact with it.

The Gemara asks:

וְתַנָּא דִּידַן מַאי טַעְמָא לֹא תָּנֵי מְנוֹרָה – And our Tanna (i.e. the Tanna of our Mishnah), **what is the reason he does not teach** this law with regard to the **Menorah?**

The Gemara explains:

שֻׁלְחָן כְּתִיב בֵּיהּ ,,תָּמִיד" – Regarding the Table, it is written that it must be in its place ***continuously;*** **מְנוֹרָה לֹא כְּתִיב בָּהּ תָּמִיד – regarding the Menorah, it is not written** that it must be in its place **"continuously."** Since the Menorah may be removed from its place and immersed, we do not warn the *amei haaretz* against touching it.[6]

The Gemara turns to the Baraisa's view:

וְאִידָךְ – And the other [Tanna] holds **כֵּיוָן דִּכְתִיב ,,וְאֶת־הַמְּנֹרָה נֹכַח הַשֻּׁלְחָן" – that since it is written: *and the Menorah opposite the Table,*[7] כְּמַאן דִּכְתִיב בָּהּ תָּמִיד דָּמֵי – it is as if it is written regarding [the Menorah], "continuously."** This verse implies that the Menorah must remain constantly opposite the Table; hence, just as the Table cannot be moved from its place, so too the Menorah.

The Gemara explains how the Tanna of the Mishnah deals with this verse:

וְאִידָךְ – And the other [Tanna] maintains **הַהוּא לִקְבּוֹעַ לָהּ מָקוֹם הוּא דְּאָתָא – that this verse is** simply **coming to establish [the Menorah's] place** in the Temple. We may not infer from it that the Menorah must remain there constantly.[8]

NOTES

1. The Table (*Shulchan*) was located in the *Heichal,* or Holy. Every Sabbath, the Kohanim would arrange upon it twelve loaves, known as the *lechem hapanim,* or *panim* bread. Regarding the Table the verse states (*Exodus* 25:30): וְנָתַתָּ עַל־הַשֻּׁלְחָן לֶחֶם פָּנִים לְפָנַי תָּמִיד, *And you shall place on the Table panim bread, before Me, continuously.* The word *continuously* teaches that the Table, laden with *panim* bread, may not be moved, but must remain constantly in its place. Since it cannot be taken away for immersion, it is vital that it remain uncontaminated. Therefore, the Kohanim who were *amei haaretz* were warned not to touch it (*Rashi* to 26a; see *Meiri* for another explanation).

[Although we generally *do* immerse the Table if it becomes *tamei,* this is only in the case of Biblical *tumah.* We do not, however, override the Biblical commandment of *continuously* in order to remove the merely Rabbinic *tumah* of *am haaretz* (see *Siach Yitzchak* to *Rashi* 26a).]

2. To use until the first ones are purified (*Meiri*).

Regarding whether there were duplicates of the Table also, see *Meiri, Tiferes Yisrael* §69, *Rishon LeTzion; Siach Yitzchak.*

3. The Golden Altar (מִזְבַּח הַזָּהָב) was located inside the *Heichal,* and was used to burn the daily incense offering. It was built of *shittim* wood and plated with gold (*Exodus* 37:25,26). The Copper Altar was located in the Courtyard. It was upon this Altar that sacrifices were burned, and sacrificial blood was thrown. It was built of *shittim* wood and was plated with copper (ibid. 27:1,2; 38:1,2).

[When Solomon built the First Temple, he found the Copper Altar too small for the Temple's needs, and replaced it with a larger one built of stone (see *Zevachim* 59a-b). At the time of the decree on *amei haaretz,* this stone Altar was already in use; accordingly, it is difficult to understand why the Mishnah makes reference to "the *Copper* Altar." One possibility is that the Mishnah is discussing Solomon's stone Altar, but is referring to it as "the Copper Altar" because it replaced the copper one of Moses. (Such a description of Solomon's Altar is also found in *II Chronicles* 4:1; see *Rashi, Zevachim* 60a ד"ה הכי קאמר כו'.) Alternatively, the Mishnah might be in accord with those who hold that the stone Altar was itself plated with copper (see *Zevachim* 61b). However, it seems clear from *Rashi* (to 27a ד"ה אדרבה) and *Tosafos* (to 27a ד"ה מזבח אדמה; see *Maharsha* there) that the Mishnah is indeed referring to the Copper Altar built by Moses. Although the Altar in use was the stone one, the Mishnah discusses the law of the copper one for purely academic reasons, or because of the possibility that with the coming of the Messiah, Moses' Altar will be returned to service (see *Tos. Yom Tov*).]

4. The Torah refers to the Copper Altar as *an Altar of earth* (*Exodus* 20:21) [and compares the Golden Altar to the copper one (see 27a). Therefore, just as earth does not acquire *tumah,* so too the Altars] (*Rashi;* see *Tos. Yom Tov*).

A third Temple vessel that was not immersed after the festival is the Table. However, since the Mishnah previously stated that the *amei haaretz* do not come into contact with the Table, it does not bother to state that it is not immersed (*Rashi*).

5. The Sages' intent will be explained in the Gemara (27a).

6. The word תָּמִיד (*continuously*) actually does appear several times in Scripture regarding the Menorah (see *Exodus* 27:20; *Leviticus* 24:2-4); however, it does not signify a continuous presence in the Sanctuary. For the Menorah was not required to remain constantly alight; rather, its lamps were kindled each night and burned until morning, but did not remain lit during the day. This is derived from the verse (*Exodus* 27:21; *Leviticus* 24:3): יַעֲרֹךְ אֹתוֹ אַהֲרֹן וּבָנָיו מֵעֶרֶב עַד־בֹּקֶר, *Aaron and his sons shall arrange [the Menorah] from evening until morning,* which teaches that they need use only enough oil to burn for this period (see *Menachos* 89a). We see that when used in connection with the Menorah, the word תָּמִיד does not connote a continuous, uninterrupted presence. Therefore, the Menorah may be moved from its place. When the word is used regarding the Table, however, it means that each new batch of *panim* bread must remain on the Table in the *Heichal* all day and all night throughout the week. It thus teaches that moving the Table is forbidden (*Rashi;* see *Tosafos* here; *Rashi, Shabbos* 22b ד"ה ובה היה מסיים; see *Maharatz Chayes*).

[When used regarding the Menorah, תָּמִיד is translated as *regularly.* It signifies a requirement to kindle the lamps *every* night, without fail. Scripture employs this term in similar fashion with regard to the daily *tamid* offerings and the *chavitin* of the Kohen Gadol, each of which the Torah states must be brought תָּמִיד (see *Leviticus* 6:13; *Numbers* 28:6), and which are brought each morning and each afternoon (*Rashi*).]

7. *Exodus* 26:35.

8. The Tanna of the Baraisa, however, holds that the verse serves a dual purpose – it establishes the location of the Menorah, and it requires that the Menorah remain constantly opposite the Table. For an explanation of how he derives both teachings from a single verse, see *Siach Yitzchak.*

עין משפט
נר מצוה

נט א מיי' פי"א מהל' מטמאי משכב ומושב הלכה יא:
ס ב מיי' פ"ז מהלכות כלי המקדש הל' יט:
סא ג ד מיי' פי"א מהל' מטמאי משכב ומושב הלכה יא:
סב ה מיי' פ"ג מהל' כלים הלכה א:
סג ו ז ח מיי' שם פ"ו הלכה טו:

[א]שלא תגעו בשלחן [ב]כל הכלים שהיו במקדש יש להם שניים ושלישים שאם נטמאו הראשונים יביאו שניים תחתיהן [ג]כל הכלים שהיו במקדש טעונין טבילה חוץ ממזבח הזהב ומזבח הנחשת מפני שהן כקרקע דברי ר"א וחכ"א [ד]מפני שהן מצופין: **גמ'** תנא הזהרו שמא תגעו בשולחן ובמנורה ותנא דידן מ"ט לא תני מנורה שלחן כתיב ביה א) תמיד מנורה לא כתיב בה תמיד ואידך כיון דכתיב ב) ואת המנורה נכח השלחן כמאן דכתיב בה תמיד דמי ואידך ההוא לקבוע לה מקום הוא דאתא ותיפוק לי דכלי עץ העשוי לנחת הוא [ה]וכל כלי עץ העשוי לנחת לא מטמא מאי טעמא [ו]דומיא דשק בעינן מה שק מיטלטל מלא וריקם אף כל מיטלטל מלא וריקם האי נמי מיטלטל מלא וריקם הוא כדר"ל ג) דאמר ר"ל מאי דכתיב ג) על השלחן הטהור מכלל שהוא טמא ואמאי כלי עץ העשוי לנחת הוא ואינו מקבל טומאה אלא מלמד שמגביהין אותו ומראין בו לעולי רגלים לחם הפנים ואומרים להם ראו חיבתכם לפני המקום סילוקו כסידורו ד) דא"ר יהושע בן לוי נס גדול נעשה בלחם הפנים כסידורו כך סילוקו שנאמר ד) לשום לחם חום ביום הלקחו ותיפוק לי משום ציפוי דהתנן [ז]ה) השלחן והדולפקי שנפחתו או שחיפן בשייש ושייר בהם מקום הנחת כוסות טמא ר' יהודה אומר מקום הנחת החתיכות וכי תימא שאני עצי שטים דחשיבי ולא בטלי הניחא לר"ל דאמר לא שנו אלא בכלי אכסלגים הבאין ממדינת הים אבל בכלי מסמים לא בטלי שפיר אלא לרבי יוחנן דאמר ו) אפילו בכלי מסמים נמי בטלי מאי איכא למימר וכי תימא כאן בציפוי עומד כאן בציפוי שאינו עומד הא בעא מיניה ר"ל מרבי יוחנן בציפוי עומד או בציפוי שאינו עומד בחופה את לבזביזו או בשאינו חופה את לבזביזו וא"ל [ח]לא שנא בציפוי עומד ולא שנא בציפוי שאינו עומד לא שנא בחופה את לבזביזו ולא שנא בשאינו חופה את לבזביזו אלא שאני שלחן דרחמנא

שלא תגעו בשלחן. בכהנים עמי הארץ ההולכין להיכל להשתחוות קאמר דאלו ישראל לא היו רשאין ליכנס אף בין אולם למזבח וכן פירש רש"י: **מנורה** לא כתיב בה תמיד. פי' רש"י דתמיד דכתיב בה לא דמי לתמיד דשלחן דהאי תמיד מלילה ללילה הוי כמו עולת תמיד האמור בתמיד ובחגיגה כ"ג אבל ביום לא היה דולק מערב ועד בקר כתיב תן לה מדתה מערב עד בקר הלכך כל היום יכול לסלקה אבל תמיד האמור בשלחן כל היום וכל הלילה דהלחם נסדר עליו משבת לשבת והקשה הר"ר אלחנן דהא במסכת תמיד (דף ל:) משמע דנר מערבי דולק כל היום שממנה היה מדליק ובה היה מסיים ומסתמא מתמיד נפקא ועוד קשה להר"ר אלחנן עלה דההיא דהא כתיב מערב עד בקר ושיערו חכמים מדתה לחצי לוג וי"ל (א) דמ"מ לא היה בה טפי מכשאר נרות ומ"מ ממילא מחמת הנס דולק כל היום ובשעה שלא היה הנס היו דולקין אותה בבקר כדי להדליק ממנה האחרות:

כלי עץ העשוי לנחת. הקשה הר"ר אלחנן כל שנים שהיו ישראל במדבר היו מטלטלים אותה ואם כן אין עשוי לנחת ואם כן מאי צריך ראייה מקרא השלחן הטהור מכלל דאיכא טמא ותירץ דלא איצטריך קרא רק לנוב וגבעון ושילה ובית עולמים שלא היתה מטולטלת ושמעינן מקרא שהיו מגביהין אותה ולא נראה כיון שהיתה מטולטלת כבר אף משבאו לבית עולמים נמי לא נפקא מידי קבלת טומאה ראשונה אלא י"ל דלא מהני טלטולה כיון דלא היתה מטולטלת לבדה כי אם בהדי שאר כלים:

סילוקו כסידורו. לענין שהיה רך ומה שאמר הפסוק חום ביום הלקחו לאו דוקא אלא דחם לא היה דאיכא מ"ד במנחות (דף נה:) שהיא נאפת מערב שבת ואי אפשר שישמור החום עד השבת אם לא שנאמר לדבריו נשאר בתנור לשמור חומו עד השבת בבקר:

בכלי אכסלגים. יתכן לפרש שהיא שם עיר ותשובים כלים הבאים משם וקשה דהכא משמע של עץ היו והתם בזבחים פרק דם חטאת (דף צד.) משמע שהיו של עור כדפי' רש"י גבי העור טעון כבוס במקו' קדוש: [וע' תוס' מנחות נז. ד"ה כלי]:

טעונין טבילה. מפני טומאת הרגל: חוץ ממזבח הזהב ומזבח הנחשת מפני שהן כקרקע. שהכתוב קראו מזבח אדמה ושלחן הא אמרן דלא נגעו בו: מפני שהן מצופין. בגמרא מפרש: **גמ'** מנורה לא כתיב בה תמיד. כלומר תמידין האמורין במנורה לא תמיד יומם ולילה קאמר אלא תמיד מלילה ללילה כתמיד האמור בעולת תמיד ובחגיגה כ"ג אבל ביום לא היה דולק דמערב עד בוקר כתיב (שמות כז) תן לה מדת השמן שיש בה כדי לידלק מערב עד בוקר לפיכך כל היום אתה יכול לסלקה ולהטבילה אבל תמיד האמור בשלחן תמיד יום ולילה הוא דמשבת לשבת הוא ערוך עליו: נוכח השלחן. כל זמן שהשלחן שם תהא מנורה נוכחו: ותיפוק לי. דאי נמי נגעו בשלחן לא מיטמאו ליה דהא כלי עץ העשוי לנחת במקום אחד הוא: **דומיא דשק בעינן.** לענין טומאה הוקשו כלי עץ לשק דכתיב כל אשר יפול עליו מהם במותם יטמא מכל כלי עץ או בגד או עור או שק (ויקרא יא): מה שק מיטלטל מלא וריקם. יצא העשוי לנחת דאינו מיטלטל מלא וריקן יצא כלי עץ המחזיק מ' סאה בלח שהן כוריים ביבש אע"פ שמיטלטל ריקן אינו מיטלטל מלא שאם יטלטלנו מלא ישבר: השלחן הטהור. שאמרתי שיהא טהור מכלל שהוא ראוי לטומאה והלא כלי עץ העשוי לנחת הוא: סילוקו כסידורו. שסילוקו לשבת הבאה חם כיום סידורו: חם ביום הלקחו. שיהא חם ביום הלקחו מעל השלחן: ותיפוק לי. דמקבל טומאה ואפילו הוא עשוי לנחת: משום ציפויו. שהוא מתכת דכלי מתכת לא איתקש לשק: דהתנן. דבתר ציפוי אזלינן: הדולפקי. כסא המתקפל ומכוסה עור: שחיפהו בשייש. דשוב הוי ככלי אבנים שאין מקבלין טומאה: ושייר בהן. מן הפחיתה או מן החיפוי כדי הנחת כוסות: **טמא.** שעדיין ראוי למלאכתו ראשונה: **רבי יהודה אומר.** צריך אף הנחת חתיכות לחם ובשר ואי לא לאו שלחן הוא אלמא ציפויו מבטלו אפילו להקל וכל שכן להחמיר: **לא שנו.** הך דקתני ציפויו מבטלו אלא בעלי אכסלגים שאינו חשוב כ"כ: **ציפוי שאינו עומד.** שאינו מחוק במסמרים יפה ותאמר דההוא דמקדש לאו עומד הוא: **לבזבזין.** שפה לשלחן סביב: רחמנא

כאן בצפוי עומד. ושל מקדש לא היה עומד דשלש שולחנות היו במקדש כמין שלשה ארונות שעשה בצלאל והצפוי נוח להסירו וי"מ בצפוי עומד לפוי דשייש כגון שלחן ודולבקי דשייש עב וחזק וגם בלא עץ נמי עומד מאליו לכך לא חשיב העץ אבל שלחן של משה הזהב היה דק וקלוש ובלא עץ לא מצי קאי לפיכך העץ עיקר והצפוי בטל לגביה:

שאני שלחן דרחמנא קרייה עץ. יש להקשות מזבח נמי איקרי עץ דכתיב המזבח עץ שלש אמות ותנן ליה במתני' דפליגי ביה משום דלא בטיל הצפוי אגב העץ אלא העץ בטל ועוד אמר בסמוך ואיבעית אימא רבנן לר"א קאמרי מאי דעתך משום דמלופין מיבטל בטל צפוי לגבייהו אלמא טעמא משום דהצפוי בטל לגבי העץ ואילו גבי שלחן ודולבקי היכא דלא שייר כלום בטל העץ אגב הצפוי ומיהו הך קרא דמזבח של עץ מתרגם יהונתן פתורא דסמוך למזבח דדהבא אבל מזבח לא מיקרי של עץ וגם שלחן לא מצינו דאיקרי עץ כי אם השלחן דסמוך למזבח מדאפקי' בלשון מזבח אבל שמא שלחן ודולבקי עץ לא איקרי לפיכך לא בטיל הצפוי לגבייהו אי לא שייר כלום והר"ר אלחנן תי' דלא קשה מידי כדתנן במתני' כל הכלים שהיו במקדש טעונים טבילה חוץ ממזבח הזהב והנחשת מזבח הנחשת דכתיב מזבח אבנים תעשה לי מזבח הזהב דכתיב המנורה והמזבחות ואיתקוש להדדי לפיכך נבטל צפוי גבי מזבח הנחשת הלכך לא מקבלי טומאה אך צריך עיון האי קרא דמזבח שלש אמות במאי מיתוקם אי מזבח הזהב אמתים ותו לא:

רבינו חננאל

היו מעבירין על טהרת העזרה מטבילין הכלים ששמשו בהן במקדש. ואומר להן הזהרו שמא תגעו בשלחן מכלל שאם יגעו בשלחן מטמא ומקשינן וכי שולחן בר קיבולי טומאה הוא והא כלי עץ העשוי לנחת הוא וכל כלי עץ העשוי לנחת לא מקבל טומאה דבעינן כלי עץ דומיא דשק דמיטלטל מלא וריקם אף כלי עץ מיטלטל מלא וריקם ופרקינן שלחן זה שבמקדש נמי מיטלטל ואפי' מלא דהא מגביהין היו הכהנים אותו בעודנו הלחם סדור עליו ומראין אותו לעולי רגלים. ומקשינן ולולי שמיטלטל מלא וריקם שלחן של מקדש לא הוה מטמא. תיפוק לי משום ציפוי דכיון דהוא מצופה זהב הוה ליה ככלי מתכות ומקבל טומאה דהא נפק ליה מתורת כלי עץ דתנן בכלים פרק כ"ב השלחן והדולפקי שנפחתו או שחיפן בשייש כו'. ואסיקנא טעמא דשייר מקום הנחת כוסות שלא חיפהו בשייש אבל לא שייר בו מקום שאינו מחופה טהור שבא החיפוי בשייש שאינו מקבל טומאה כדקי"ל כלי גללין כלי אבנים כלי אדמה אין מקבלין טומאה וביטל העץ ויבא צפוי הזהב ויבטל העץ ויקבל טומאה ככלי מתכות דהא אפי' פשוטין מקבלין. וכי תימא שאני עצי שטים דכיון דחשיבי לא בטלי בציפויין. הניחא לר"ל דאמר לא שנו שלחן שחיפהו בטיל עצו אלא בכלי אכסלגוס דזילי. אבל בכלי [מסמים] פי' עצי [אבנים] [מסמים] (א) דיקירי לא בטיל אלא לר' יוחנן דאמר כל כלי עץ בטל בציפויין ל"ש כלי אכסלגס ול"ש כלי מסמים ל"ש ציפוי עומד ל"ש ציפוי שאינו עומד ל"ש חופה את לבזבזין ול"ש אינו חופה הכל בטל בצפויו. האי שלחן כיון דמצופה הוא אע"ג דאינו מיטלטל מלא וריקם הרי הוא ככלי מתכות ומקבל טומאה. ופרקי' שאני שלחן של מקדש דהא אע"ג דמצופה זהב הוא

חשק שלמה על ר"ח

(א) וכ"ה בערוך ערך אכסלגס ע"ש.

מסורת הש"ס

א) [יומא כא: מגילה כו: מנחות לו:], ב) [שבת סג: וש"נ], ג) [מנחות כט: יומא כא.], ד) מנחות לו:, ה) כלים פכ"ב מ"א [מנחות לו:], ו) [מנחות סט.].

הגהות הב"ח

(א) תוס' ד"ה מנורה וכו' וי"ל דנר מערבי לא היה בה שמן טפי:

תורה אור השלם

א) וְנָתַתָּ עַל הַשֻּׁלְחָן לֶחֶם פָּנִים לְפָנַי תָּמִיד: [שמות כה, ל]

ב) וְשַׂמְתָּ אֶת הַשֻּׁלְחָן מִחוּץ לַפָּרֹכֶת וְאֶת הַמְּנֹרָה נֹכַח הַשֻּׁלְחָן עַל צֶלַע הַמִּשְׁכָּן תֵּימָנָה וְהַשֻּׁלְחָן תִּתֵּן עַל צֶלַע צָפוֹן: [שמות כו, לה]

ג) וְשַׂמְתָּ אוֹתָם שְׁתַּיִם מַעֲרָכוֹת שֵׁשׁ הַמַּעֲרָכֶת עַל הַשֻּׁלְחָן הַטָּהֹר לִפְנֵי יְיָ: [ויקרא כד, ו]

ד) וַיִּתֶּן לוֹ הַכֹּהֵן קֹדֶשׁ כִּי לֹא הָיָה שָׁם לֶחֶם כִּי אִם לֶחֶם הַפָּנִים הַמּוּסָרִים מִלִּפְנֵי יְיָ לָשׂוּם לֶחֶם חֹם בְּיוֹם הִלָּקְחוֹ: [שמואל א, כא, ז]

ליקוטי רש"י

עשוי לנחת. שאינו מיטלטל וכלי עץ לענין טומאה הוקש לשק שנאמר (ויקרא יא) מכל כלי עץ או בגד או עור או שק וגו' מה שק מיטלטל מלא וריקן אף כלי עץ מיטלטל מלא וריקן ואף על גב דשלחן מצופה זהב בטל ציפוי לגביה כדאמרינן בשילהי חגיגה שאני שלחן דקרייה רחמנא עץ [יומא כא:]. במקום אחד [מגילה כו:]. שאינו מטלטל כלי עץ העשוי לנחת אינו מקבל טומאה דכתיב גבי שרצים מכל כלי עץ או עור או שק (ויקרא יא) מה שק מיטלטל מלא וריקם [מנחות כט.]. **השלחן הטהור.** של זהב טהור דבר אחר על טהרו של שלחן שלא יהיו הסניפין מגביהין את הלחם מעל גבי השלחן [ויקרא כד, ו]. **מכלל שהוא טמא.** והא עשוי לנחת שאין מגביהין אותו ואינו דומיא דשק [מנחות צו:]. **שמגביהין אותו.** ומראין אותו לחוץ [יומא כא.]. הלכך מיטלטל מלא וריקם הוא [מנחות כט.]. **סילוקו כסידורו.** כשמסלקין אותו עדיין הוא חם [יומא שם]. **לשום לחם חום.** אחר ביום הלקח זה ורבותינו אמרו חם ביום הלקחו חם כיום סלוקו חם כיום סדורו [שמואל א כא, ז]. **חום ביום הלקחו.** שהוא חם ביום שנלקח משם והאי קרא בלחם הפנים כתיב בספר שמואל [יומא שם]. משמע כשמסלקים היה חום [מנחות שם]. **ותיפוק לי.** דאפילו אין מגביהין אותו מקבל טומאה. **משום ציפוי.** דהוי מתכת ולא איתקש לשק אפילו עשוי לנחת מקבל טומאה. **דהתנן.** דאזלינן בתר ציפוי. **הדולפקי.** פלדסטו"ר של עור ואוכלין עליו. **שחיפן בשייש.** דהוה ליה ציפוי של אבנים וכלי אבנים לא מקבלי טומאה. **ושייר וכו'.** דכיון דלאשתמושי ביה כולי האי חזי למלאכתו ראשונה מקבל טומאה. לא שייר לא, אלמא אזלינן בתר ציפוי [שם צז.]. **וכי תימא שאני עצי שיטים.** דשולחן. **דחשיבי ולא בטלי.** ולא מקבלי טומאה אגב ציפוי אי לאו דמגביהין אותן. **לא שנו.** דגבי חיפן בשייש דאזלינן בתר ציפוי. **אלא בכלי אכסלגים.** דלא חשיב כמסמס [שם צז.]. **וכי תימא.** הא דאזלינן בתר ציפוי. **בציפוי עומד.** קבוע במסמרות ושלחן של קדש לאו עומד הוא. **הא בעא מיניה כו'.** הא דשלחן ודולבקי דאזלינן בתר ציפוי בציפוי עומד או אפילו שאינו עומד [שם צז.]. **לבזבזיו.** שפה סביב לשולחן והיא מסגרת [שם צז.].

The Mishnah implies that if *amei haaretz* come into contact with the Table, it is contaminated. The Gemara questions this: וְתֵיפּוּק לִי דִּכְלִי עֵץ הֶעָשׂוּי לְנַחַת הוּא – **But let it emerge**[9] that the Table is not susceptible to contact-generated *tumah,* **since it is a wooden utensil made to remain stationary,**[10] וְכָל כְּלִי עֵץ הֶעָשׂוּי לְנַחַת לֹא מְטַמֵּא – **and** it is a rule that **any wooden utensil made to remain stationary does not acquire *tumah*** through contact. מַאי טַעְמָא – **What is the reason?** דּוּמְיָא דְשַׂק בְּעִינַן – It is that for a utensil to be susceptible to this form of *tumah,* **it is necessary** that it be **similar to a sack.** מַה שַּׂק מִיטַּלְטֵל מָלֵא וְרֵיקָם – **Just as a sack,** in its normal use, **is carried** both **laden** with other objects **and empty,** אַף כָּל מִיטַּלְטֵל מָלֵא וְרֵיקָם – **so too must any [vessel] be carried** both **laden and empty** in order to be susceptible to *tumah.*[11] Utensils that are not made to be carried, however, cannot acquire *tumah* through contact. Since the Table may not be moved, it is by definition a utensil made to remain stationary.[12] Therefore, even if the *amei haaretz* do touch it, it cannot be contaminated. Why then must we warn them not to touch?

The Gemara answers:

הַאי נַמִּי מִיטַּלְטֵל מָלֵא וְרֵיקָם הוּא – **This** utensil **too** (i.e. the Table) **is** made to be **carried** both **laden and empty,** כִּדְרֵישׁ לָקִישׁ – **in accordance with** the words **of Reish Lakish.** דְּאָמַר רֵישׁ לָקִישׁ – **For Reish Lakish said:** מַאי דִּכְתִיב ,,עַל הַשֻּׁלְחָן הַטָּהֹר״ מִכְּלָל שֶׁהוּא טָמֵא – **That which is written:**[13] *And you shall place [the panim breads] . . . **on the uncontaminated Table*** **implies that [the Table] is** vulnerable to being **contaminated.** וְאַמַּאי – **But why** should it be vulnerable? כְּלִי עֵץ הֶעָשׂוּי לְנַחַת הוּא וְאֵינוֹ מְקַבֵּל טוּמְאָה – **It is a wooden utensil made to remain stationary, and** thus **cannot acquire *tumah!*** אֶלָּא מְלַמֵּד שֶׁמַּגְבִּיהִין אוֹתוֹ – **Perforce, this teaches that they would lift the Table** וּמַרְאִין בּוֹ לְעוֹלֵי רְגָלִים לֶחֶם הַפָּנִים – **and display to the festival pilgrims the *panim* bread upon it,**[14] וְאוֹמְרִים לָהֶם – **and they would say to them:** רְאוּ חִיבַּתְכֶם לִפְנֵי הַמָּקוֹם – **"See your belovedness before the Omnipresent,** סִילּוּקוֹ כְּסִידּוּרוֹ – for the bread at **its removal** from the Table **is as** hot and fresh as it was at the time of **its arrangement** upon it the previous Sabbath."[15] דְּאָמַר רַבִּי יְהוֹשֻׁעַ בֶּן לֵוִי – **For R' Yehoshua ben Levi said:** נֵס גָּדוֹל נַעֲשָׂה בְּלֶחֶם הַפָּנִים – **A great miracle was performed with the *panim* bread:** כְּסִידּוּרוֹ כָּךְ סִילּוּקוֹ – **As** it was at the time of **its arrangement, so** it was at the time of **its removal.** שֶׁנֶּאֱמַר – **As it is stated** regarding this bread: ,,לָשׂוּם לֶחֶם חֹם בְּיוֹם הִלָּקְחוֹ״ – ***to place bread that is hot on the day it is taken off.***[16] Since a function of the Table was to lift it with the bread upon it, it is regarded as a utensil made to be carried while laden, and thus can be rendered *tamei.* This explains the implication of the verse *on the uncontaminated Table.* And now that Reish Lakish has demonstrated that the Table is a utensil made to be carried while laden, it is for this reason that we warn the *amei haaretz* against touching it on the festival.

The Gemara questions this response:

וְתֵיפּוּק לִי מִשּׁוּם צִיפּוּי – **But let it emerge** that the reason the Table is susceptible to *tumah* is **because of** its **plating.**[17] דִּתְנַן – **For we have learned in a Mishnah** in Tractate *Keilim:*[18] הַשֻּׁלְחָן וְהַדּוּלְפְּקִי שֶׁנִּפְחֲתוּ אוֹ שֶׁחִיפָּן בְּשַׁיִשׁ – Concerning A wooden TABLE OR A wooden CHAIR THAT BECOMES REDUCED[19] OR THAT ONE COVERS WITH MARBLE: וְשִׁיֵּיר בָּהֶם מְקוֹם הֲנָחַת כּוֹסוֹת – IF THEY REMAIN afterwards WITH ROOM FOR PLACING GOBLETS, טְמֵא – THEY CAN still BE RENDERED *TAMEI.*[20] רַבִּי יְהוּדָה אוֹמֵר – R'

NOTES

9. [Literally: let it emerge for me.]

10. Although the Table is not too large to be moved from its place, it is forbidden to move it (see note 1). Therefore, it is regarded as a utensil made to remain stationary (see *Rishon LeTzion; Siach Yitzchak*).

11. The analogy between a wooden utensil and a sack is taught in a verse that enumerates the items susceptible to *tumas sheretz.* The verse states (*Leviticus* 11:32): מִכָּל־כְּלִי־עֵץ אוֹ בֶגֶד אוֹ־עוֹר אוֹ שָׂק, *whether it is a wooden utensil, or a cloth, or a hide or a sack,* thus equating through *hekeish* a wooden utensil with a sack. The verse thereby teaches that just as a sack is an item that is carried laden as well as empty, so too must wooden utensils [as well as vessels made of the other materials mentioned] be of a sort that are carried laden as well as empty if they are to be susceptible to *tumas sheretz* [or to any other contact-generated *tumah*]. This excludes utensils made to remain stationary, which are carried neither laden nor empty, and vessels of great size, which, although carried while empty, are not carried while laden, since their weight is such that they will break if moved (*Rashi;* see *Toras Kohanim* to *Leviticus* ibid.).

A vessel considered too large to be moved while laden is one that holds a liquid measure of 40 *se'ah* (i.e. three cubic cubits) or a dry measure of 2 *kor* (*Rashi*). [Although 2 *kor* is equal to 60 *se'ah,* the measure of the vessel is the same. This is due to the fact that dry items can be heaped above the rim of the vessel, thus adding half the original volume; see *Shabbos* 35a.]

12. *Tosafos* (here and to *Menachos* 96b) point out that during the Jews' years of wandering in the wilderness, the Table was carried from place to place while laden with *panim* bread. See there for why this does not remove it from the class of utensils made to remain stationary.

13. *Leviticus* 24:6.

14. I.e. they would lift the Table, and [without taking it outside of the *Heichal*] would display it to all those standing in the Courtyard (*Rashi* to *Yoma* 21b ד״ה שמגביהין אותו). However, according to other versions of this *Rashi,* they would lift the Table and carry it out of the *Heichal,* into the Courtyard. For discussion, see *Mishneh LaMelech, Metam'ei Mishkav U'Moshav* 11:11; *Rishon LeTzion* here; *Chidushei R' Y.F. Perla* to *Sefer HaMitzvos L'Rasag* vol. II, pp. 475,476.

15. They would show them that the week-old bread remained as hot as it had been when arranged upon the Table the previous Sabbath (*Rashi;* cf. *Tosafos*). Although the onlookers could not *feel* the bread, they witnessed the steam rising from it (see *Ritva, Yoma* 21a; see *Radvaz, Responsa* §2178 for another suggestion). [The new bread was always hot when it was arranged on the Table – even though it was baked a day before it was arranged – for it would be left in the oven to remain hot until it was time to place it on the Table (see *Tosafos;* cf. *Tosafos, Menachos* 29a and 96b).]

[For an understanding of why this was shown specifically to the festival pilgrims, and what it signified for them, see *Chidushei R' Eliyahu Gutmacher.*]

16. *I Samuel* 21:7. Understood simply, the verse means that on the day the week-old *panim* bread was removed from the Table, hot bread was placed upon it. However, our Gemara interprets it as saying that the bread was still hot on the day it was removed, even though it had been on the Table an entire week (see *Rashi* here and to the verse).

17. The Table is plated with gold, a metal. The Gemara now suggests that its plating causes it to be regarded as a metal utensil, and that this is the reason it is susceptible to *tumah.* Since metal utensils are not mentioned in the verse cited above (note 11), they are not compared to a sack, and need not share its characteristics. Therefore, they can acquire *tumah* even if made to remain stationary. This, then, is the reason the *amei haaretz* are warned against touching the Table. Why then do we attribute its susceptibility to its being lifted before the festival pilgrims? (*Rashi*).

18. 22:1.

19. [I.e. pieces break off from it, reducing its usable area.]

A דּוּלְפְּקִי was a sort of folding chair that was used to eat upon. It was normally covered with leather (*Rashi;* see *Siach Yitzchak;* see also *Rav* to *Keilim* ad loc.).

20. I.e. if the reduction is not complete, and room remains for the placing of goblets, the table retains its original identity as a utensil, and remains vulnerable to *tumah.* Similarly, if the marble plating does not yet fully cover the wood, and there remains a wooden surface large enough for goblets, the table keeps its original identity as a *wooden* utensil. Therefore, it remains susceptible to *tumah* (see *Rashi*).

שלא תגעו בשלחן. בכהנים עמי הארץ ההולכין להיכל להשתחוות קאמר דאילו ישראל לא היו רשאין ליכנס אף בין אולם ולמזבח וכן פירש רש"י: **מנורה** לא כתיב בה תמיד. פי' רש"י דתמיד דכתיב בה לא דמי לתמיד דשלחן דהאי תמיד מלילה ללילה הוי כמו עולת תמיד האמור בתמיד ובחביתי כ"ג אבל ביום לא היה דולק למערב ועד בקר כתיב מן לה מדתה מערב עד בקר הלכך כל היום יכול לסלקה אבל תמיד האמור בשלחן כל היום וכל הלילה דהלחם נסדר עליו משבת לשבת והקשה הר"ר אלחנן דהא במסכת תמיד (דף ל:) משמע דנר מערבי דולק כל היום שממנה היה מדליק ובה היה מסיים ומסתפק מתמיד נפקא ועוד קשה להר"ר אלחנן עלה דההיא דהא כתיב מערב עד בקר ושיערו חכמים מדתה לחצי לוג וי"ל (א) דמ"מ לא היה בה טפי מבשאר נרות ומ"מ ממילא מחמת הנס דולק כל היום ובשעה שלא היה הנס היו דולקין אותה בבקר כדי להדליק ממנה האחרות:

כלי עץ העשוי לנחת. הקשה הר"ר אלחנן כל שנים שהיו ישראל במדבר היו מטלטלים אותה ואם כן אין עשוי לנחת ואם כן אמאי צריך ראייה מקרא השלחן הטהור מכלל דאיכא טמא ומיהו צריך לא איצטריך קרא רק לנוב וגבעון ושילה ובית עולמים שלא היתה מטולטלת ושמעינן מקרא שהיו מגביהין אותה ולא נראה כיון שהיתה מטולטלת כבר אף משבאו לבית עולמים נמי לא נפקא מידי קבלת טומאה ראשונה אלא י"ל דלא מהני טלטולה כיון דלא היתה מטולטלת לבדה כי אם בהדי שאר כלים:

סילוקו כסידורו. לענין שהיה רך ומה שאמר הפסוק חום ביום הלקחו לאו דוקא אלא לחם לא היה דאיכא מ"ד במנחות (דף נז:) שהיא נאפת מערב שבת ואי אפשר שישמור החום עד השבת אם לא שנאמר לדבריו נשאר בתנור לשמור חומו עד השבת בבקר:

בכלי אכסלגים. יתכן לפרש שהיא שם עיר ושעשוים כלים הבאים משם וקשה דהכא משמע של עץ היו והתם בזבחים פרק דם חטאת (דף צד.) משמע שהיו של עור כדפי' רש"י גבי העור טעון כבוס במקו' קדוש: [וע' תוס' מנחות נז. ד"ה כלי]:

שלא תגעו בשלחן ב כל הכלים שהיו במקדש יש להם שניים ושלישים שאם נטמאו הראשונים יביאו שניים תחתיהן ג כל הכלים שהיו במקדש טעונין טבילה חוץ ממזבח הזהב ומזבח הנחשת מפני שהן כקרקע דברי ר"א וחכ"א ד מפני שהן מצופין: **גמ'** תנא הזהרו שמא תגעו בשולחן ובמנורה ותנא דידן מ"ט לא תני מנורה שלחן כתיב ביה א) תמיד מנורה לא כתיב בה תמיד ואידך כיון דכתיב ב) ואת המנורה נכח השלחן כמאן דכתיב בה תמיד דמי ואידך ההוא לקבוע לה מקום הוא דאתא ותיפוק לי דכלי עץ העשוי לנחת הוא ה וכל כלי עץ העשוי לנחת לא מטמא מאי טעמא ג) דומיא דשק בעינן מה שק מיטלטל מלא וריקם אף כל מיטלטל מלא וריקם האי נמי מיטלטל מלא וריקם הוא כדר"ל ג דאמר ר"ל מאי דכתיב ג) על השלחן הטהור מכלל שהוא טמא ואמאי כלי עץ העשוי לנחת הוא ואינו מקבל טומאה אלא מלמד שמגביהין אותו ומראין בו לעולי רגלים לחם הפנים ואומרים להם ראו חיבתכם לפני המקום סילוקו כסידורו ז דא"ר יהושע בן לוי נס גדול נעשה בלחם הפנים כסידורו כך סילוקו שנאמר ד) לשום לחם חום ביום הלקחו ותיפוק לי משום ציפוי דהתנן ה השלחן והדולפקי שנפחתו או שחיפן בשייש ושייר בהם מקום הנחת כוסות טמא ר' יהודה אומר מקום הנחת החתיכות וכי תימא שאני עצי שטים דחשיבי ולא בטלי הניחא לר"ל דאמר לא שנו אלא בכלי אכסלגים הבאין ממדינת הים אבל בכלי מסמים לא בטלי אלא לרבי יוחנן דאמר ז אפילו בכלי מסמים נמי בטלי מאי איכא למימר וכי תימא כאן בציפוי עומד כאן בציפוי שאינו עומד הא בעא מיניה ר"ל מרבי יוחנן בציפוי עומד או בציפוי שאינו עומד בחופה את לבזביו או בשאינו חופה את לבזביו וא"ל ח לא שנא בציפוי עומד ולא שנא בציפוי שאינו עומד לא שנא בחופה את לבזביו ולא שנא בשאינו חופה את לבזביו אלא שאני שלחן דרחמנא

טעונין טבילה. מפני טומאת הרגל: חוץ ממזבח הזהב ומזבח הנחשת מפני שהן כקרקע. שהכתוב קראו מזבח אדמה ושלחן הא אמרן דלא נגעו בו: מפני שהן מצופין. בגמרא מפרש: גמ' מנורה לא כתיב בה תמיד. כלומר תמידין האמורין במנורה לא תמיד יומם ולילה קאמר אלא תמיד מלילה ללילה כתמיד האמור בעולת תמיד ובחביתי כ"ג אבל ביום לא היה דולק למערב עד בוקר כתיב (שמות כז) מן לה מדת השמן שיש בה כדי לידלק מערב עד בוקר לפיכך כל היום אתה יכול לסלקה ולהטבילה אבל תמיד האמור בשלחן תמיד יום ולילה הוא דמשבת לשבת הוא ערוך עליו: נוכח השלחן. כל זמן שהשלחן שם תהא מנורה נוכחו: ותיפוק לי. דאי נמי נגעו בשלחן לא מיטמאו ליה דהא כלי עץ העשוי לנחת במקום אחד הוא: דומיא דשק בעינן. לענין טומאה הוקשו כלי עץ לשק דכתיב כל אשר יפול עליו מהם במותם יטמא מכל כלי עץ או בגד או עור או שק (ויקרא יא): מה שק מיטלטל מלא וריקם. יצא העשוי לנחת דאינו מיטלטל מלא וריקן יצא כלי עץ המחזיק מ' סאה בלח שהן כוריים ביבש אע"פ שמיטלטל ריקן אינו מיטלטל מלא שאם יטלטלנו מלא ישבר: השלחן הטהור. שאמרתי שיהא טהור מכלל שהוא ראוי לטומאה והלא כלי עץ העשוי לנחת הוא: סילוקו כסידורו. שסילוקו לשבת הבאה חם כיום סידורו: חם ביום הלקחו. שיהא חם ביום הלקחו מעל השלחן: ותיפוק לי. דמקבל טומאה ואפילו הוא עשוי לנחת: משום ציפויו. שהוא מתכת דכלי מתכת לא איתקש לשק: דהתנן. דבתר ציפוי אזלינן: הדולפקי. כסא המתקפל ומכוסה עור: שחיפהו בשייש. דשוב הוי ככלי אבנים שאין מקבלין טומאה: ושייר בהן. מן הפחיתה או מן החיפוי כדי הנחת כוסות: טמא. שעדיין ראוי למלאכתו ראשונה: רבי יהודה אומר. צריך אף הנחת חתיכות לחם ובשר ואי לא לאו שלחן הוא אלמא ציפויו מבטלו אפילו להקל וכל שכן להחמיר: לא שנו. הך דקתני ציפויו מבטלו אלא בעצי אכסלגים שאינו חשוב כ"כ: ציפוי שאינו עומד. שאינו מחוזק במסמרים יפה ותאמר דההוא דמקדש לאו עומד הוא: לבזבזין. שפה לשלחן סביב:

רחמנא

כאן בצפוי עומד. ושל מקדש לא היה עומד דשלש שולחנות היו במקדש כמין שלשה ארונות שעשה בצלאל והצפוי נוח להסירו וי"מ בצפוי עומד צפוי דשייש כגון שלחן דשייש עב וחזק וגם בלא עץ נמי עומד מאליו לכך לא חשיב העץ אבל שלחן של משה הזהב היה דק וקלוש ובלא עץ לא מצי קאי לפיכך העץ עיקר והצפוי בטל לגביה:

שאני שלחן דרחמנא קרייה עץ. יש להקשות מזבח נמי איקרי עץ דכתיב המזבח עץ שלש אמות ותנן ליה במתני' דפליגי ביה משום דלא בטיל הצפוי אגב העץ אלא העץ בטל ועוד אמר בסמוך ואיבעית אימא רבנן לר"א קאמרי מאי דעתך משום דמצופין מיבטל בטל צפוי לגבייהו אלמא טעמא משום דהצפוי בטל לגבי העץ ואילו גבי שלחן ודולבקי היכא דלא שייר כלום בטל העץ אגב הצפוי ומיהו הך קרא דמזבח של עץ מתרגם יונתן פתורא דסמוך למזבח דדהבא אבל מזבח לא מיקרי של עץ וגם שלחן לא מצינו דאיקרי עץ כי אם השלחן דסמוך למזבח מדאפקי' בלשון מזבח אבל שמא שלחן ודולבקי עץ לא איקרי לפיכך לא בטיל הצפוי לגבייהו אי לא שייר כלום והר"ר אלחנן תי' דלא קשה מידי כדתנן במתני' כל הכלים שהיו במקדש טעונים טבילה חוץ ממזבח הזהב והנחשת מזבח הנחשת דכתיב מזבח אבנים תעשה לי מזבח הזהב דכתיב המנורה והמזבחות ואיתקוש להדדי לפיכך נבטל צפוי גבי מזבח הנחשת הלכך לא מקבלי טומאה אך צריך עיון האי קרא דמזבח שלש אמות במאי מיתוקם אי מזבח הזהב אמתים ותו לא:

נט א מיי' פי"א מהל' מטמאי משכב ומושב הלכה יא:
ס ב מיי' פ"ו מהלכות כלי המקדש הל' יב:
סא ג ד מיי' פי"א מהל' מטמאי משכב ומושב הלכה יא:
סב ה מיי' פ"ג מהל' כלים הלכה א:
סג ו ז ח מיי' שם פי"ו הלכה טו:

רבינו חננאל

היו מעבירין על טהרת העזרה מטבילין הכלים ששמשו בהן במקדש. ואומר להן הזהרו שמא תגעו בשלחן ותטמאוהו. מכלל שאם תגעו בשלחן טמא ומקשינן וכי שולחן בר קיבולי טומאה הוא והא כלי עץ העשוי לנחת הוא וכל כלי עץ העשוי לנחת לא מקבל טומאה דבעינן כלי עץ דומיא דשק דמיטלטל מלא וריקם אף כלי עץ מיטלטל מלא וריקם ופרקינן שלחן זה שבמקדש נמי מיטלטל ואפי' מלא דהא מגביהין היו הכהנים אותו בעודנו מלא ומראין אותו לעולי רגלים. ומקשינן ולולי שמיטלטל מלא וריקם שלחן של מקדש לא הוה מטמא. תיפוק לי משום ציפוי דכיון דהוא מצופה זהב הוה ליה ככלי מתכות ומקבל טומאה דהא נפק ליה מתורת כלי עץ דתנן בכלים פרק כ"ב השלחן והדולפקי שנפחתו או שחיפן בשייש כו'. ואסיקנא טמאה דשייר מקום הנחת כוסות שלא חיפהו בשייש אבל לא שייר בו מקום שאינו מחופה טהור דבטל החיפוי בשייש שאינו מקבל טומאה כדקי"ל כלי גללים כלי אבנים כלי אדמה אין מקבלין טומאה וביטל העץ ויבא צפוי הזהב ויבטל ויקבל טומאה ככלי מתכות דהא אפי' פשוטין מקבלין. וכי תימא שאני עצי שטים דכיון דחשיבי לא בטלי בציפויין. הניחא לר"ל דאמר לא שנו שלחן שחיפהו בטל עצו אלא בכלי אכסלגוס דזולי. אבל בכלי [מסמים] פי' עצי [אבנים] (מסמים) (א) דיקירי לא בטיל אלא לר' יוחנן דאמר כל כלי עץ בטל בציפויין ל"ש כלי אכסלגוס ול"ש כלי מסמים ל"ש ציפוי עומד ל"ש ציפוי שאינו עומד ל"ש חופה את לבזבזיו ול"ש אינו חופה הכל בטל בצפויו. האי שלחן כיון דמצופה הוא אע"ג דאינו מיטלטל מלא וריקם הרי הוא ככלי מתכות ומקבל טומאה. ופרק' שאני שלחן של מקדש דהא אע"ג דמצופה זהב הוא

חשק שלמה על ר"ח
(א) וכ"ה בערוך ערך אכסלגס ע"ש.

א) יומא כא: מגילה כו: מנחות נז:, ב) [שבת פג. וש"נ], ג) [מנחות כט: יומא כא.], ד) מנחות נז:, ה) כלים פכ"ב מ"א [מנחות נז:], ו) [מנחות צט.].

הגהות הב"ח
(א) תוס' ד"ה מנורה וכו' וי"ל דנר מערבי לא היה בה שמן טפי:

תורה אור השלם
א) וְנָתַתָּ עַל הַשֻּׁלְחָן לֶחֶם פָּנִים לְפָנַי תָּמִיד: [שמות כה, ל]
ב) וְשַׂמְתָּ אֶת הַשֻּׁלְחָן מִחוּץ לַפָּרֹכֶת וְאֶת הַמְּנֹרָה נֹכַח הַשֻּׁלְחָן עַל צֶלַע הַמִּשְׁכָּן תֵּימָנָה וְהַשֻּׁלְחָן תִּתֵּן עַל צֶלַע צָפוֹן: [שמות כו, לה]
ג) וְשַׂמְתָּ אוֹתָם שְׁתַּיִם מַעֲרָכוֹת שֵׁשׁ הַמַּעֲרָכֶת עַל הַשֻּׁלְחָן הַטָּהֹר לִפְנֵי יְיָ: [ויקרא כד, ו]
ד) וַיִּתֶּן לוֹ הַכֹּהֵן קֹדֶשׁ כִּי לֹא הָיָה שָׁם לֶחֶם כִּי אִם לֶחֶם הַפָּנִים הַמּוּסָרִים מִלִּפְנֵי יְיָ לָשׂוּם לֶחֶם חֹם בְּיוֹם הִלָּקְחוֹ: [שמואל א, כא, ז]

ליקוטי רש"י

עשוי לנחת. שאינו מיטלטל וכלי עץ לענין טומאה הוקש לשק שנאמר (ויקרא יא) מכל כלי עץ או בגד או עור או שק וגו' מה שק מיטלטל מלא וריקן אף כלי עץ מיטלטל מלא וריקן ואף על גב שלחן מצופה זהב בטל ציפוי לגביה כדאמרינן בשילהי חגיגה שאני שלחן דקרייה רחמנא עץ [יומא כא.]. במקום אחד [מגילה כו:]. שאינו מטלטל כלי עץ העשוי לנחת אינו מקבל טומאה דכתיב גבי שרצים מכל כלי עץ או עור או שק (ויקרא יא) מה שק מיטלטל מלא וריקם [מנחות כט.]. השלחן הטהור. של זהב טהור דבר אחר על טהרו של שלחן שלא יהיו הסניפין מגביהין את הלחם מעל גבי השלחן [ויקרא כד, ו]. מכלל שהוא טמא. והא עשוי לנחת הוא ואינו מקבל טומאה ואינו דומה לשק [מנחות צו:]. שמגביהין אותו. ומראין אותו לחם [יומא כא.]. הלכך מיטלטל מלא וריקם הוא [מנחות כט.]. סילוקו כסידורו. כשמסלקין אותו עדיין הוא חם כיום שסדרוהו. לשום לחם חום. אחר ביום הלקחו וה"ק כשמסלקין אותו כאמרו הם ביום סידורו. חום ביום הלקחו. שהוא חם כיום שנלקח משם הפנים כתיב בספר שמואל [יומא שם]. כשמסלקים היה משמע

[מנחות שם]. ותיפוק לי. דאפילו אין מגביהין אותו מקבל טומאה. משום ציפוי. דהוי מתכת ולא איתקש לשק אפילו עשוי לנחת מקבל טומאה. דהתנן. דאזלינן בתר ציפוי. הדולפקי. פלדסטו"ר של עור ואוכלין עליו. שחיפן בשייש. ... כלי טומאה. ושייר וכו'. דכיון דאישתייר ביה כולי האי דחזי למלאכתן ראשונה מקבל טומאה. לא שייר לא, אלמא אזלינן בתר ציפוי [שם צו:]. וכי תימא שאני עצי שיטים. דשולחן. דחשיבי ולא בטלי. ... לא שנו. דגבי חיפן בשיש דאזלינן בתר ציפוי. אלא בכלי אכסלגים. דלא חשיב כמסמס [שם צז.]. וכי תימא. הא דאזלינן בתר ציפוי. בציפוי עומד. קבוע במסמרות ושלחן של קדש לאו עומד הוא. הא ב... דשלחן ודולבקי דאזלינן בתר ציפוי בציפוי עומד או אפילו שאינו עומד [שם צז:]. לבזביו. שפה סביב לשולחן והיא מסגרת [שם צז.].

YEHUDAH SAYS: מְקוֹם הֲנָחַת הַחֲתִיכוֹת – They must remain with **ROOM FOR PLACING PIECES** of meat or bread also; room for goblets alone does not suffice. If, however, the marble plating covers so much of the table that there remains no wooden surface large enough for goblets (or goblets and pieces of meat), the table becomes insusceptible to *tumah,* for it loses its status as a wooden utensil, and assumes a new identity as a stone utensil.[21] Utensils made of stone do not acquire *tumah.*

We see from this Mishnah that a plated utensil is identified by its plating. Accordingly, the Table, which is plated with gold, must be regarded as a metal utensil.[22] As such, it acquires *tumah* even if made to remain stationary. Why, then, do we attribute its susceptibility to its being lifted and displayed before the festival pilgrims? Say, rather, that it is due to its golden plating. — ? —

The Gemara forestalls a possible response:

וְכִי תֵּימָא שָׁאנִי עֲצֵי שִׁטִּים דַּחֲשִׁיבֵי וְלֹא בָּטְלֵי – **And if you will say** that ***shittim* wood** (of which the Table is constructed) **is different, because it is valuable, and** therefore **does not become subordinate** to its plating, הָנִיחָא לְרֵישׁ לָקִישׁ דְּאָמַר – **this is well according to Reish Lakish, who said:** לֹא שָׁנוּ אֶלָּא בִּכְלֵי אַכְסִלְגִים הַבָּאִין מִמְּדִינַת הַיָּם – **[The Rabbis] did not teach**[23] that wood is subordinate to its plating **except with regard to utensils of *achsilgis* wood that come from overseas,** which are not very valuable, and therefore take on the identity of their plating, אֲבָל בִּכְלֵי מִסְמִים לֹא בָּטְלֵי – **but in the case of utensils made of *mismim* wood,** which are of great value, **they do not become subordinate** to their plating.[24] שַׁפִּיר – According to Reish Lakish's opinion, **all is well,** for the Table, being of valuable *shittim* wood, does not assume the identity of its plating.[25] אֶלָּא לְרַבִּי יוֹחָנָן דְּאָמַר אֲפִילוּ בִּכְלֵי מִסְמִים נַמִּי בָּטְלֵי – **But according to R' Yochanan, who said** that **even utensils of *mismim* wood also become subordinate** to their plating, מַאי אִיכָּא לְמֵימַר – **what is there to say?**[26] According to R' Yochanan, the Table should acquire *tumah* because of its plating, even if it is not made to be carried. — ? —

The Gemara forestalls another possible response:

וְכִי תֵּימָא – **And if you will say** that כָּאן בְּצִיפּוּי עוֹמֵד כָּאן בְּצִיפּוּי שֶׁאֵינוֹ עוֹמֵד – **here** (i.e. in *Keilim*) we are dealing **with plating that is anchored,** whereas **here** (regarding the Temple Table) we are dealing **with plating that is not anchored,** this is not a reason for the Table to retain its identity as a wooden utensil[27] הָא בָּעָא מִינֵּיהּ רֵישׁ לָקִישׁ מֵרַבִּי יוֹחָנָן – **For Reish Lakish inquired of R' Yochanan:** Does the law that a table becomes subordinate to its plating apply only בְּצִיפּוּי עוֹמֵד אוֹ בְּצִיפּוּי שֶׁאֵינוֹ עוֹמֵד – **in the case of plating that is anchored or** also **in the case of plating that is not anchored?** בְּחוֹפֶה אֶת לְבִזְבְּזָיו אוֹ בְּשֶׁאֵינוֹ חוֹפֶה אֶת לְבִזְבְּזָיו – Does it apply only **when [the plating] covers [the table's] rim** or even **when it does not cover its rim?** וְאָמַר לֵיהּ – **And [R' Yochanan] said to him:** לֹא שְׁנָא בְּצִיפּוּי עוֹמֵד וְלֹא שְׁנָא בְּצִיפּוּי שֶׁאֵינוֹ עוֹמֵד – **Whether it is plating that is anchored or whether it is plating that is not anchored,** לֹא שְׁנָא בְּחוֹפֶה אֶת לְבִזְבְּזָיו וְלֹא שְׁנָא בְּשֶׁאֵינוֹ חוֹפֶה אֶת לְבִזְבְּזָיו – **whether it covers [the table's] rim or whether it does not cover its rim,** the table assumes the identity of the plating.

We see that no matter what the manner of its plating, a wooden utensil plated with metal is regarded as a utensil of metal. Accordingly, even if the Temple Table is not made to be carried, it will be susceptible to *tumah,* because of its gold plating. Why then do we attribute its susceptibility to its being lifted before the pilgrims? — ? —

The Gemara answers:

אֶלָּא שָׁאנִי שֻׁלְחָן – **Rather, the Table is different** than other plated utensils,

NOTES

21. And similarly in the case of a table that has been reduced — if the reduction is so complete that there is not enough room for goblets, the table loses its status as a utensil, and becomes insusceptible to *tumah* (see *Rashi*).

22. Although the Mishnah in *Keilim* teaches this rule with regard to stone plating, it is clearly true with regard to metal plating also. For if a utensil's plating can endow it with a more lenient law — i.e. the insusceptibility of a stone vessel — then it certainly can endow it with a more stringent law — i.e. the susceptibility of a metal vessel (*Rashi*).

23. In the Mishnah in *Keilim* regarding wooden tables and chairs.

24. [Reish Lakish limits the Mishnah's ruling to tables and folding chairs made of cheap, common wood. Rare and valuable wood, however, does not become subordinate to its plating.]

25. [Perforce, then, the Table's vulnerability to *tumah* is due to its being lifted before the festival pilgrims.]

26. [This question is directed towards the Amora who attributes the Table's vulnerability to *tumah* to its being lifted before the pilgrims. It is therefore a bit puzzling. For even if according to R' Yochanan the vulnerability is due to the plating, perhaps this Amora follows Reish Lakish's opinion! Why must he conform to R' Yochanan's view? It appears that the Gemara here is simply citing the Gemara in *Menachos* (96b-97a), where this exchange appears verbatim. The Gemara there differs from ours in that its exchange is based not on our Mishnah, but on a statement by R' Yochanan implying that the Table is susceptible to *tumah.* The Gemara questions his statement on the basis of the Table being made to remain stationary, and continues as it does here. Since the object there is to explain R' Yochanan's statement, the answer must conform to his view. In demanding the same conformity here, our Gemara is apparently utilizing the formulation of that Gemara.]

27. What the Gemara now suggests (and immediately rejects) is that a wooden utensil takes on the identity of its plating *only* when its plating is firmly affixed to it with nails. On this basis, we can differentiate between the table discussed in *Keilim* and the Table of the Temple. For perhaps the Table's plating is not affixed to it, but is a mere covering shaped to its dimensions. If so, it would not cause the Table to be regarded as a metal utensil, since it can readily be removed (*Rashi; Tosafos,* first explanation).

דְּרַחֲמָנָא קַרְיֵיהּ עֵץ – **for the Merciful One has described it** as being **"of wood."** דִּכְתִיב – **For it is written:**[1] ,,הַמִּזְבֵּחַ עֵץ שָׁלוֹשׁ אַמּוֹת גָּבֹהַּ וְאָרְכּוֹ שְׁתַּיִם אַמּוֹת וּמִקְצְעוֹתָיו לוֹ וְאָרְכּוֹ וְקִירֹתָיו עֵץ וַיְדַבֵּר אֵלַי זֶה הַשֻּׁלְחָן אֲשֶׁר לִפְנֵי ה׳ ״ – ***The Altar was of wood, three amos high, and its length two amos, and its corners and its length and walls of wood. And he*** (i.e. the angel) ***said to me: "This is the Table that is before Hashem."*** This verse describes the Table as being "of wood."[2] Since Scripture refers to the Table in this manner, it retains its status as a wooden utensil despite being plated with metal.

Since the Table is regarded as a wooden utensil, we are compelled to say that the reason it is vulnerable to *tumah* is because it is a vessel made to be carried while laden, for it is lifted and displayed before the festival pilgrims.

Having cited the above verse, the Gemara analyzes it:

פָּתַח בְּמִזְבֵּחַ וְסִיֵּים בְּשֻׁלְחָן – The verse **began with** a reference to **"the Altar" but ended with** a reference to **the Table.** Why does it call the Table "the Altar"?

The Gemara explains:

רַבִּי יוֹחָנָן וְרֵישׁ לָקִישׁ דְּאָמְרֵי תַּרְוַיְיהוּ – **R' Yochanan and Reish Lakish both said:** It is to teach the following lesson. בִּזְמַן שֶׁבֵּית הַמִּקְדָּשׁ קַיָּים מִזְבֵּחַ מְכַפֵּר עַל אָדָם – **During the period in which the Holy Temple stood, the Altar would atone for a person.** עַכְשָׁיו שֻׁלְחָנוֹ שֶׁל אָדָם מְכַפֵּר עָלָיו – **Now** that the Temple is destroyed, it is **a person's table** that **atones for him.**[3]

The Mishnah taught:

כָּל הַכֵּלִים שֶׁבַּמִּקְדָּשׁ יֵשׁ לָהֶם שְׁנִיִּים כו׳ – ALL THE VESSELS THAT WERE IN THE HOLY TEMPLE HAD SECOND [and third] replacement [SETS] **etc.** [All the vessels that were in the Holy Temple require immersion after the festival, except for the Golden Altar and the Copper Altar, because they are like earth.]

The Gemara seeks a source that the Altars are like earth:

מִזְבַּח הַנְּחוֹשֶׁת דִּכְתִיב ,,מִזְבַּח אֲדָמָה תַּעֲשֶׂה־לִּי" – **The Copper Altar** is like earth **because it is written:** ***An Altar of earth shall you make for me.***[4] מִזְבַּח הַזָּהָב דִּכְתִיב ,,הַמְּנֹרָה וְהַמִּזְבְּחֹת" – **The Golden Altar** is like earth **because it is written:** ***the Menorah and the Altars.***[5] אִיתְקוּשׁ מִזְבְּחוֹת זֶה לָזֶה – By mentioning them together, this verse demonstrates that **the Altars are compared, one to the other.** Just as the Copper Altar is like earth, so too the Golden Altar. Thus, like earth, the Altars cannot acquire *tumah.*

The Mishnah stated:

וַחֲכָמִים אוֹמְרִים מִפְּנֵי שֶׁהֵן מְצוּפִּין – BUT THE SAGES SAY: BECAUSE THEY ARE PLATED.

The Gemara assumes that the Sages agree with R' Eliezer, but are offering a different reason as to why the Altars cannot acquire *tumah.* It therefore asks:

אַדְּרַבָּה כֵּיוָן דִּמְצוּפִּין נִינְהוּ מִיטַּמְּאוּ – But **to the contrary! Because they are plated, they *should* become *tamei.***[6] Why do the Sages offer this as the reason for the Altars' *insusceptibility* to *tumah*? – ? –

The Gemara concedes:

אֵימָא – Rather, **say** the Mishnah thus: וַחֲכָמִים מְטַמְּאִין מִפְּנֵי שֶׁהֵן מְצוּפִּין – BUT THE SAGES SAY the Altars are *TAMEI,* BECAUSE THEY ARE PLATED. The Sages are not agreeing with R' Eliezer, they are disputing him. They are of the opinion that the Altars are susceptible to *tumah* and must be immersed after the festival. They are not explaining why the Altars are insusceptible, but why they are susceptible.

The Gemara offers an alternative explanation, by which the Sages do not dispute R' Eliezer:

וְאִיבָּעִית אֵימָא – **And if you prefer, say:** רַבָּנָן לְרַבִּי אֱלִיעֶזֶר קָאָמְרֵי – This is what **the Rabbis** (i.e. the Sages) **were saying to R' Eliezer:** מַאי דַּעְתִּיךְ – **What is your reasoning** in citing a verse (i.e. *An Altar of earth*) to teach the insusceptibility of the Altars?[7] מִשּׁוּם דִּמְצוּפִּין – You reason that **because [the Altars] are plated,** they are reckoned as metal utensils, and should be susceptible.[8] The verse is therefore needed to teach that they are not. But your reasoning is flawed! מִיבְטַל בְּטִיל צִפּוּיִין גַּבַּיְיהוּ – For Scripture describes the Altars as being "of wood";[9] therefore, **their plating is subordinate to them.** They are thus regarded as wooden utensils, and the law is that wooden utensils made to remain stationary cannot acquire *tumah.* Therefore, no verse is needed to prove their insusceptibility.[10]

NOTES

1. *Ezekiel* 41:22. This verse is part of the lengthy passage (beginning in chapter 40) detailing Ezekiel's vision of an angel who guides and instructs him regarding the arrangement and laws of the Third Temple. Here the angel describes the Table.

Our translation follows *Rashi* and *Radak* ad loc.; see *Targum Yonasan ben Uziel* for a somewhat different understanding.

2. With the words "the Altar was of wood," which refer to the Table (*Rashi* and *Radak* ibid.). The Gemara will soon explain why the verse calls the Table "the Altar."

3. Through his performance of the mitzvah of inviting and feeding guests (*hachnasas orchim*) (*Rashi;* see *Berachos* 55a). As the Gemara states in *Sanhedrin* (103b): גְּדוֹלָה לְגִימָה, *Great is* [the providing of] *food* [to travelers and guests] (*Tosafos*).

For an esoteric understanding of our Gemara, see *Nefesh HaChaim,* gloss to 2:9.

4. *Exodus* 20:21. The verse continues: *and you shall slaughter upon it your olah offerings and your shelamim offerings, your sheep and your cattle* . . . The Copper Altar is the one upon which we bring animal offerings; clearly, it is the subject of this verse. We see that Scripture refers to the Copper Altar as "an Altar of earth" (*Rashi;* see *Tosafos*).

5. *Numbers* 3:31. This verse describes the responsibilities of the Levites of the family of Kehath. Among the vessels that fall under their purview are the Menorah and the two Altars.

6. Without plating, the Altars would certainly not become *tamei,* for they are wooden vessels made to remain stationary, and are thus insusceptible to *tumah* (*Rashi*). The only reason they might be susceptible is because they are plated with metal, and thus regarded as metal vessels. Why then do the Sages say that their plating is the reason they are *not* susceptible?

7. By citing this verse, R' Eliezer implies that although the Altars are wooden vessels made to remain stationary, it is only this verse that excludes them from *tumah* susceptibility (*Rashi*). Why is this so?

8. R' Eliezer reasons that the Altars assume the identity of their copper and gold plating. As metal utensils, they are susceptible to *tumah* despite being made to remain stationary (*Rashi*).

9. In *Ezekiel* 41:22, in the verse *The Altar was of wood,* cited at the top of the page (see *Rashi*). Although this verse is discussing the Table, not the Altar, the fact that it describes the Table as "the Altar" teaches that in the case of the Altar too, the plating is subordinate to the wood (see *Tosafos, Menachos* 97a ד״ה שאני שלחן, first explanation; see also *Tosafos* above, 26b ד״ה שאני שלחן; see following note).

10. According to this explanation, the Sages agree that the Altars cannot acquire *tumah;* however, they dispute R' Eliezer regarding the reason. R' Eliezer holds it is because of the verse *An Altar of earth.* The Sages hold it is because the Altars, despite being plated with metal, are regarded as wooden utensils, due to the verse that describes them as being "of wood." Since they are made to remain stationary, they are insusceptible to *tumah.* The Mishnah's words "because they are plated" represent not the Sages' reasoning, but their understanding of R' Eliezer's reasoning in requiring the verse *An Altar of earth* (see *Rashi*).

[The Gemara's two explanations disagree as to whether the verse in *Ezekiel* that calls the Table "the Altar" (*The Altar was of wood*) can be used to teach the law of the Altar. The second explanation holds that by

דרחמנא קרייה עץ א) דכתיב א) המזבח עץ שלש אמות גבוה וארכו שתים אמות ומקצועותיו לו וארכו וקירותיו עץ וידבר אלי זה השלחן אשר לפני ה' פתח במזבח וסיים בשלחן רבי יוחנן וריש לקיש דאמרי תרוייהו בזמן שבית המקדש קיים מזבח מכפר על אדם עכשיו שלחנו של אדם מכפר עליו: כל הכלים שבמקדש יש להם שניים כו': מזבח הנחושת דכתיב ב) מזבח אדמה תעשה לי מזבח הזהב דכתיב ג) המנורה והמזבחות איתקוש מזבחות זה לזה: וחכמים אומרים מפני שהן מצופין: אדרבה כיון דמצופין נינהו מיטמאו אימא וחכמים מטמאין מפני שהן מצופין ואב"א רבנן לר"א קאמרי מאי דעתיך משום דמצופין *מיבטל בטיל צפויין גבייהו א"ר אבהו אמר ר"א ת"ח אין אור של גיהנם שולטת בהן ק"ו מסלמנדרא ומה סלמנדרא שתולדת אש היא הסך מדמה אין אור שולטת בו ת"ח שכל גופן אש דכתיב ד) הלא כה דברי כאש נאם ה' על אחת כמה וכמה ג) אמר ריש לקיש אין אור של גיהנם שולטת בפושעי ישראל קל וחומר ממזבח הזהב מה מזבח הזהב שאין עליו אלא כעובי דינר זהב כמה שנים אין האור שולטת בו פושעי ישראל שמלאין מצות כרמון דכתיב ה) כפלח הרמון רקתך ג) אל תקרי רקתך אלא רקנין שבך על אחת כמה וכמה:

הדרן עלך חומר בקודש וסליקא לה מסכת חגיגה

רש"י

רחמנא קרייה עץ. אף כשהוא מצופה: שולחנו מכפר עליו. בהכנסת אורחין: הכי גרסינן מזבח הנחשת דכתיב מזבח אדמה. הכתוב קראו אדמה למזבח שמעלין עליו העולות והשלמים והיינו מזבח הנחשת: אדרבה משום דמצופין נינהו נטמאו. דאי לאו מצופה יש להם לטהרם משום כלי עץ העשוי לנחת: מאי דעתיך. דילפת טעמא מדקרינהו אדמה הא לאו הכי טמאין אע"ג דעשוין לנחת: מפני שהן מצופין. ובעי למימר שהציפוי מבטלן והוי להו כלי מתכות: מיבטל בטיל ציפויין לגבייהו. דרחמנא קרא עץ לכולהו ובלאו האי קרא נמי לא מקבלי טומאה: סלמנדרא. * חיה הנבראת מן האור כשבוערין אש במקום אחד שבע שנים תמיד בלי הפסק: כעובי דינר זהב. דבר מועט לא חסר זהבה דנעשה בו נס:

הדרן עלך חומר בקודש
וסליקא לה מסכת חגיגה

תוספות

שלחנו של אדם מכפר. דגדול כח הלגימה כדאיתא בהגדת חלק (סנהדרין דף קג:): מזבח אדמה תעשה לי. וכי מוקמי לה בזבחים פרק קדשי קדשים (דף נח. ושם) גבי מזבח אבנים להאי קרא דמזבח אדמה אמר הר"ר אלחנן דקאי אתרוייהו ולמורי נראה לפי שהיה מזבח של משה במקום מזבח של אבנים של בית עולמים וכי האי גוונא דריש התם (דף נט.) כי מזבח הנחשת אשר לפני ה' קטן מהכיל ודריש ליה מזבח אבנים במקום מזבח הנחושת: ואיבעית אימא רבנן לר"א כו'. וקשה למה לי השלחן הטהור מכלל שהיה טמא תיפוק ליה משום ליפוי דאף במזבחות נמי הוה מטמא [ר"א] משום ליפוי אי לאו טעמא דכקרקע נינהו ללישנא בתרא אע"פ דרחמנא קרינהו עץ אם כן השלחן נמי טמא אע"ג דאיקרי עץ משום ליפוי וללישנא קמא דמוקי לה כרבנן דמטמא ולא בטל הליפוי לגבי עץ ותירץ הר"ר אלחנן דאיצטריך שפיר קרא דהשלחן דאף במזבחות נמי לא ידעינן ליה שיהיה בטל לגבי הליפוי אלא משום דיליף משלחן דאף על גב דמיקרי עץ התורה טמאתו משום ליפוי ורבנן דאמרי מבטיל בטיל ליפוי לגבייהו אמרי מדאיצטריך לרבויי שלחן דהא מסברא טמא משום ליפוי אלא ודאי לאשמועינן דאע"ג שיש לו ליפוי צריך קרא לרבויי דמקבל טומאה ואי לאו הרבוי הליפוי בטל א"כ ממילא גבי מזבח דליכא רבוי הלפוי בטל ללישנא בתרא:

סלמנדרא. החלד והעכבר תרגם יהונתן כרכושתא וסלמנדרא. ערוך: פושעי ישראל אין אור של גיהנם כו'. נראה לי דלאו בפושעי ישראל בגופן דהא אמרינן בראש השנה (דף יז.) פושעי ישראל בגופן גיהנם כלה והם אינם כלים אלא בפושעי קצת קאמר ומשום דמסיק להו אברהם לכולהו חוץ מבועלי הכותית (א) (ד) דמבשקר ליה) ערלתיה כדאמר בריש עושין פסין (עירובין דף יט.) וכי אמרינן בסוף הזהב (ב"מ דף נח:) הכל יורדין ועולין חוץ משלשה לאו בגיהנם איירי אלא במקום אחד לידון הן יורדין ואף הנידון לאחר שנים עשר חדש עולין ואין נידונין יותר משנה תמימה ה):

שאין בו אלא עובי דינר. בתנחומא יש שהיה משה תמיה על זה אי אפשר שלא ישרף העץ ואמר לו המקום כך דרכי באש של מעלה אש אוכלה אש ואינו מכלה כדכתיב והסנה איננו אוכל (שמות ג):

הדרן עלך חומר בקודש וסליקא לה מסכת חגיגה

עין משפט נר מצוה

סד א מיי' פי"א מהל' מטמאי משכב ומושב הלכה יא [ועי' מה שכתב בזה הכ"מ בפ"ד מהל' כלים הל' ד]:

תורה אור השלם

א) הַמִּזְבֵּחַ עֵץ שָׁלוֹשׁ אַמּוֹת גָּבֹהַּ וְאָרְכּוֹ שְׁתַּיִם אַמּוֹת וּמִקְצְעוֹתָיו לוֹ וְאָרְכּוֹ וְקִירֹתָיו עֵץ וַיְדַבֵּר אֵלַי זֶה הַשֻּׁלְחָן אֲשֶׁר לִפְנֵי יְיָ: [יחזקאל מא, כב]

ב) מִזְבַּח אֲדָמָה תַּעֲשֶׂה לִּי וְזָבַחְתָּ עָלָיו אֶת עֹלֹתֶיךָ וְאֶת שְׁלָמֶיךָ אֶת צֹאנְךָ וְאֶת בְּקָרֶךָ בְּכָל הַמָּקוֹם אֲשֶׁר אַזְכִּיר אֶת שְׁמִי אָבוֹא אֵלֶיךָ וּבֵרַכְתִּיךָ: [שמות כ, כא]

ג) וּמִשְׁמַרְתָּם הָאָרֹן וְהַשֻּׁלְחָן וְהַמְּנֹרָה וְהַמִּזְבְּחֹת וּכְלֵי הַקֹּדֶשׁ אֲשֶׁר יְשָׁרְתוּ בָּהֶם וְהַמָּסָךְ וְכֹל עֲבֹדָתוֹ: [במדבר ג, לא]

ד) הֲלוֹא כֹה דְבָרִי כָּאֵשׁ נְאֻם יְיָ וּכְפַטִּישׁ יְפֹצֵץ סָלַע: [ירמיה כג, כט]

ה) כְּחוּט הַשָּׁנִי שִׂפְתֹתַיִךְ וּמִדְבָּרֵיךְ נָאוֶה כְּפֶלַח הָרִמּוֹן רַקָּתֵךְ מִבַּעַד לְצַמָּתֵךְ: [שיר השירים ד, ג]

מסורת הש"ס

א) ברכות כה. מנחות לז. ע"ש, ב) עירובין יט. ע"ש, ג) [סנהדרין לז. ברכות נז: מגילה ו.], ד) [צ"ל דלא מבשקר ליה], ה) [ועיין עדיות פ"ב מ"י].

הגהות הב"ח

(א) תוס' ד"ה פושעי וכו' חוץ מבועל כותית דמשכה ליה:

גליון הש"ס

רש"י ד"ה סלמנדרא חיה הנבראת וכו'. עיין חולין ד' קכז ע"א ברש"י ד"ה וסלמנדרא:

ליקוטי רש"י

דרחמנא קרייה עץ. אף על גב דשלחן מצופה בזהב בטל ליפוי לגביה כדאמרינן בשילהי חגיגה שאני שלחן דקרייה רחמנא עץ [יומא כא:]. המזבח עץ. מ"י לקבל מדבחא פתורא ר"ל השלחן קורא מזבח שמכפר בזמן הזה כמזבח כך שמעתי. ומקצועותיו. (רגליו, גגו וארכו כתוב במקרא גגו והוא ורגליו, וארכו הכתוב במקרא הוא גגו כצ"ל נו"ה) גוף השלחן [יחזקאל מא, כב]. שהיה מרובע [מנחות צז.]. וקירותיו. מסגרותיו [יחזקאל שם]. שלחנו של אדם מכפר עליו. דנותן פרוסה לאורחים [מנחות שם]. מזבח אדמה. מחובר באדמה שלא יבננו על גבי עמודים או על גבי כיפים דבר אחר שהיה ממלא את חלל מזבח הנחשת אדמה בשעת חנייתן. תעשה לי. שתהא תחלת עשייתו לשמי [שמות כ, כא]. סלמנדרא. שרץ הנולד מן האור מעצי הדס ע"י כשפים והסך מדמו אין האור שולט בו וקים ליה לר"ע דמינא דלב הוא [חולין קכז.]. הלא כה דברי כאש. לא היה להם לטעות ולדמות חלומות לומר שהם נבואה כי דבר נבואה כשבאה כפי הנביא בגבורה היא באה בו כאש בוערת כענין שנאמר ותהי בלבי כאש בוערת (לעיל כ) ואומר ויד ה' עלי חזקה (יחזקאל ג) [ירמיה כג, כט]. רקתך. היא גובה הפנים שקורין פומי"לש בלע"ז אצל העינים ובלשון גמרא קורין אותו רומני דאפי ודומין לפלח חצי רמון בתוך שהוא אדום וסגלגל הרי קילום בנוי אשה והדוגמא פירשו רבותינו ריקני' שבך מלאים מצות כרמון [שיר השירים ד, ג].

רבינו חננאל

הוא איקרי עץ שנאמר המזבח עץ שלש אמות גבוה וארכו שתים אמות ומקצועותיו לו וארכו וקירותיו עץ וידבר אלי זה השלחן אשר לפני ה' אלמא דמקרי עץ ומשום הכי בעינן להיותו מטלטל מלא וריקם. זו ההלכה כולה ענין השלחן שצפויו אינו מבטל העץ שלו היא במסכת מנחות בפרק שתי הלחם ומפורשת שם כאשר פירשנו והרבה טעו בה דכתיב על השלחן הטהור מכלל דזימנין הוא טמא והשלחן פשוטי כלי עץ הוא ומסגרתו למטה היתה. ותניא (בתוספתא ספ"ג) שלחן שנטמא מטבילין אותו בזמנו אפי' בשבת. משום דמטלטל מלא וריקם. ומעשה שהטבילו המנורה בלילי יום כו' א). חוץ ממזבח הזהב ומזבח הנחושת שהן כקרקע. דכתיב מזבח אדמה וכתיב המנורה והמזבחות [אתקוש מזבחות] להדדי דלהוו כולהו כאדמה דלא מקבלי טומאה. וחכמים מטמאין מפני שהן מצופין. אי בעי תימא לר' אלעזר קאמרי ליה דקאמר טעמא מפני שהן כקרקע דלא מטמו. הא לאו הכי הוו מטמא. והא פשוטי כלי עץ (פשוטי) נינהו ולא מטמו. וכי תימא משום דמצופין. דברי חכמים לר' אליעזר בתימה האי דאמרת דמטמו משום צפויו מיבטיל בטיל ציפויהו והוו להו כלי עץ. אלא בין משום שהן מצופין בין משום שהן כקרקע אפי' הכי טעונין ב) טבילה לפי שנינו כל הכלים טעונין טבילה ואפי' המזבח. א"ר אלעזר תלמידי חכמים אין אור של גיהנם שולטת בהן ק"ו מסלמנדרא ומה סלמנדרא שהוא תולדת אש הסך מדמו אין אור שולט בו. ת"ח (שמשתמשין) שכל גופן אש כדכתיב הלא כה דברי כאש עאכ"ו. אמר ר"ל אפי' פושעי ישראל אין אור של גיהנם שולטת בהן ק"ו ממזבח הזהב ומה מזבח הזהב שאין צפויו אלא כעובי דינר הוה כמה שנים ואין אור שולט בו פושעי ישראל שהן מליאין מצות כרמון. שנאמר כפלח הרמון רקתך. אפי' ריקנין שבך מלאין מצות כרמון עאכ"ו: **הדרן עלך חומר בקודש**

סליקא ליה מסכת חגיגה. האל יסיר ממנו אף ורוגז וחימה ותוגה

חשק שלמה על ר"ח א) נראה שצ"ל בלילי יו"ט ובתוספתא הגי' שהטבילו המנורה ביו"ט ואפשר שלפני רבינו היה הגי' בלילי יו"ט ובירושלמי איתא פעם הטבילו את המנורה וגי' התוספתא שהביא רבינו נראה עיקר ודו"ק. ב) לכאורה משמע דחכמים נמי ס"ל דלא בעי טבילה ולא פליגי רק בטעמא ודברי רבינו צ"ע.

Having discussed the plating on the Golden Altar, the Gemara cites a pair of Amoraic statements, the second of which touches upon this subject:

אָמַר רַבִּי אַבָּהוּ אָמַר רַבִּי אֶלְעָזָר – R' Abahu said in the name of R' Elazar: תַּלְמִידֵי חֲכָמִים אֵין אוּר שֶׁל גֵּיהִנֹּם שׁוֹלֶטֶת בָּהֶן – The fire of Gehinnom does not rule over Torah scholars. קַל וָחוֹמֶר מִסָּלָמַנְדְּרָא – This is known through a ***kal vachomer* from the *salamandra*:**[11] **וּמַה סָּלָמַנְדְּרָא שֶׁתּוֹלֶדֶת אֵשׁ הִיא** – If in the case of **the *salamandra,* which is** only **the offspring of fire, הַסָּךְ מִדָּמָהּ אֵין אוּר שׁוֹלֶטֶת בּוֹ – fire does not rule over one who smears** himself **with its blood, תַּלְמִידֵי חֲכָמִים** – then in the case of **Torah scholars, שֶׁכָּל גּוּפָן אֵשׁ – whose entire bodies are** of **fire,**[12] **דִּכְתִיב ,,הֲלוֹא כֹה דְבָרִי כָּאֵשׁ נְאֻם־ה׳ ״ – as it is written:**[13] ***Are not My words mighty as fire, says Hashem,* עַל אַחַת כַּמָּה וְכַמָּה – how much more so!**[14]

The second statement:

אָמַר רֵישׁ לָקִישׁ – Reish Lakish said: אֵין אוּר שֶׁל גֵּיהִנֹּם שׁוֹלֶטֶת בְּפוֹשְׁעֵי יִשְׂרָאֵל – The fire of Gehinnom does not rule over the sinners of Israel. קַל וָחוֹמֶר מִמִּזְבַּח הַזָּהָב – This is known through a ***kal vachomer* from the Golden Altar: מַה מִּזְבַּח הַזָּהָב – If** in the case of **the Golden Altar, שֶׁאֵין עָלָיו אֶלָּא כְּעוֹבִי דִּינָר זָהָב – upon which there is no more than a *dinar's* thickness of gold, כַּמָּה שָׁנִים אֵין הָאוּר שׁוֹלֶטֶת בּוֹ** – still, **for many years the fire did not rule over it,**[15] **פּוֹשְׁעֵי יִשְׂרָאֵל** – then in the case of **the sinners of Israel, שֶׁמְּלֵאִין מִצְוֹת כְּרִמּוֹן – who are as full of mitzvos as a pomegranate** is full of seeds,[16] **דִּכְתִיב ,,כְּפֶלַח הָרִמּוֹן רַקָּתֵךְ״ – as it is written:**[17] ***like a section of pomegranate are your temples,*** regarding which we expound: **אַל תִּקְרֵי ,,רַקָּתֵךְ״ אֶלָּא רֵקָנִין שֶׁבָּךְ – Do not read "your temples"** (*rakaseich*), **but "the empty ones among you"** (*reikanin shebach*),[18] **עַל אַחַת כַּמָּה וְכַמָּה – how much more so!**[19]

הדרן עלך חומר בקודש

WE SHALL RETURN TO YOU, CHOMER BAKODESH

וסליקא לה מסכת חגיגה

AND TRACTATE CHAGIGAH IS CONCLUDED

NOTES

describing the Table as being "of wood" and naming it "the Altar," the verse implies that the Altar too is reckoned a wooden utensil, despite being plated with metal. The first explanation holds that since the words "the Altar" are actually referring to the Table, they teach nothing regarding the Altar. Therefore, the Altars are subordinate to their plating, and assume the identity of metal utensils (see *Tosafos, Menachos* 97a ד״ה שאני שלחן, first explanation; see also *Tosafos* above, 26b ד״ה שאני שלחן; cf. *Tosafos* here ד״ה ואיבעית אימא with *Maharsha*). R' Eliezer, of course, holds that the verse *The Altar was of wood* teaches nothing regarding the Altar. Were it not for the verse *An Altar of earth,* the Altar would be regarded as a metal vessel, and would require immersion. *An Altar of earth* teaches that, like earth, the Altar is not susceptible to *tumah* (see *Tosafos, Menachos* ibid.; cf. *Tosafos* here).]

11. This *salamandra* is a beast created [through magical arts] from a fire left burning for seven years in one place without interruption (*Rashi;* see *Rashi* to *Chullin* 127a ד״ה וסלמנדרא; see *Tosafos;* see *Turei Even*).

12. One who studies Torah in depth is transformed, until he himself burns with an inner fire (see *Maharsha*).

13. *Jeremiah* 23:29.

14. *R' Tzadok HaKohen* (*Divrei Sofrim* p. 20) explains that the fire of Torah refines those immersed in it. It thus accomplishes in this world what the fire of Gehinnom accomplishes in the next. One already purified in this world need not undergo the refining fires of Gehinnom.

[See *Maharsha,* who proves that in extreme cases even Torah scholars are subject to the fires of Gehinnom.]

15. This was a very thin coating, and should have worn away over years of use. The fact that it did not constituted a miracle (*Rashi;* cf. *Tosafos;* see *Maharsha; Gilyonei HaShas*).

16. [And who are thus amply protected from the fire of Gehinnom.]

17. *Song of Songs* 4:3,6:7.

18. רַקָּתֵךְ (*rakaseich*) is a contraction of רֵקָנִין שֶׁבָּךְ (*reikanin shebach*).

19. Although R' Abahu states only that Torah scholars are protected from the fire of Gehinnom, while Reish Lakish extends this protection even to the sinners of Israel, it is not clear that they are in disagreement. For each might be referring to a different level of immunity. For discussion, see *Chidushei R' Eliyahu Gutmacher; Menachem Meishiv Nefesh.*

Tosafos cite sources stating that certain types of sinners do receive punishment in the fires of Gehinnom. They explain that the Gemara refers here to minor sinners. See *Sfas Emes.*

דרחמנא קרייה עץ [א] דכתיב [א] המזבח עץ שלש אמות גבוה וארכו שתים אמות ומקצועותיו לו וארכו וקירותיו עץ וידבר אלי זה השלחן אשר לפני ה' פתח במזבח וסיים בשלחן רבי יוחנן וריש לקיש דאמרי תרווייהו בזמן שבית המקדש קיים מזבח מכפר על אדם עכשיו שלחנו של אדם מכפר עליו: כל הכלים שבמקדש יש להם שניים כו': מזבח הנחושת דכתיב [ב] מזבח אדמה תעשה לי מזבח הזהב דכתיב [ג] המנורה והמזבחות איתקוש מזבחות זה לזה: וחכמים אומרים מפני שהן מצופין: אדרבה כיון דמצופין נינהו מיטמאו אימא וחכמים מטמאין מפני שהן מצופין ואב"א רבנן לר"א קאמרי מאי דעתיך משום דמצופין [ב] מיבטל בטיל צפויין גבייהו א"ר אבהו אמר ר"א ת"ח אין אור של גיהנם שולטת בהן ק"ו מסלמנדרא ומה סלמנדרא שתולדת אש היא הסך מדמה אין אור שולטת בו ת"ח שכל גופן אש דכתיב [ד] הלא כה דברי כאש נאם ה' על אחת כמה וכמה [ג] אמר ריש לקיש אין אור של גיהנם שולטת בפושעי ישראל קל וחומר ממזבח הזהב מה מזבח הזהב שאין עליו אלא כעובי דינר זהב כמה שנים אין האור שולטת בו פושעי ישראל שמלאין מצות כרמון דכתיב [ה] כפלח הרמון רקתך [ד] אל תקרי רקתך אלא רקנין שבך על אחת כמה וכמה:

הדרן עלך חומר בקודש וסליקא לה מסכת חגיגה

רש"י

רחמנא קרייה עץ. אף כשהוא מצופה: שולחנו מכפר עליו. בהכנסת אורחין: הכי גרסינן מזבח הנחשת דכתיב מזבח אדמה. הכתוב קראו אדמה למזבח שמעלין עליו העולות והשלמים והיינו מזבח הנחשת: אדרבה משום דמצופין נינהו נטמאו. דאי לאו מצופה יש להם לטהרם משום כלי עץ העשוי לנחת: מאי דעתיך. דילפת טעמא מדקריניהו אדמה הא לאו הכי טמאין אע"ג דעשוין לנחת: מפני שהן מצופין. ובעי למימר שהציפוי מבטלן והוי להו ככלי מתכות: מיבטל בטיל ציפויין לגבייהו. דרחמנא קרא עץ לכולהו ובלאו האי קרא נמי לא מקבלי טומאה: סלמנדרא. * חיה הנבראת מן האור כשבוערין אש במקום אחד שבע שנים תמיד בלי הפסק: כעובי דינר זהב. דבר מועט לא חסר זהבה דנעשה בו נס:

הדרן עלך חומר בקודש וסליקא לה מסכת חגיגה

תוספות

שלחנו של אדם מכפר. דגדול כח הלגימה דאיתא בהגדת חלק (סנהדרין דף קג:): מזבח אדמה תעשה לי. וכי מוקמי לה בזבחים פרק קדשי קדשים (דף נח. ושם) גבי מזבח אבנים להאי קרא דמזבח אדמה אמר הר"ר אלחנן דקאי לתרווייהו ולמורי נראה לפי שהיה מזבח של משה במקום מזבח של אבנים של בית עולמים וכי האי גוונא דריש התם (דף נט.) כי מזבח הנחשת אשר לפני ה' קטן מהכיל ודריש ליה מזבח אבנים במקום מזבח דנחושת:

ואיבעית אימא רבנן לר"א כו'. וקשה למה לי השלחן הטהור מכלל שהיה טמא תיפוק ליה משום ציפוי דאף במזבחות נמי הוה מטמא [ר"א] משום ציפוי אי לאו טעמא דקרקע נינהו וללישנא בתרא אע"פ דרחמנא קרינהו עץ אם כן השלחן נמי טמא אע"ג דאיקרי עץ משום ציפוי וללישנא קמא דמוקי לה כרבנן דמטמא ולא בטל הציפוי לגבי עץ ותירץ הר"ר אלחנן דאיצטריך שפיר קרא דהשלחן דאף במזבחות נמי לא ידעינן ליה שיהיה בטל לגבי הציפוי אלא משום דיליף משלחן דאף על גב דמיקרי עץ התורה טמאתו משום ציפוי ורבנן דאמרי מבטיל בטיל ציפוי לגבייהו אמרי מדאיצטריך לרבויי שלחן דהא מקבלא טמא משום ציפוי אלא ודאי לאשמועינן דאע"ג שיש לו ציפוי צריך קרא לרבויי דמקבל טומאה ואי לאו הרבוי הציפוי בטל א"כ ממילא גבי מזבח דליכא רבוי הציפוי בטל ללישנא בתרא:

סלמנדרא. החלד והעכבר תרגמם יהונתן כרכושתא וסלמנדרא. ערוך: פושעי ישראל אין אור של גיהנם כו'. נראה לי דלאו בפושעי ישראל בגופן דהא אמרינן בראש השנה (דף יז.) פושעי ישראל בגופן גיהנם כלה והם אינם כלים אלא בפושעי קצת קאמר ומשום דמסיק להו אברהם לכולהו חוץ מבועלי הכותית (א) ([ד] דמבשקר ליה) ערלתיה כדאמר בריש עושין פסין (עירובין דף יט.) וכי אמרינן בסוף הזהב (ב"מ דף נח:) הכל יורדין ועולין חוץ משלשה לאו בגיהנם מיירי אלא במקום אחד לידון הן יורדין ואף הנידון לאחר שנים עשר חדש עולין ואין נידונין יותר משנה תמימה [ה]:

שאין בו אלא עובי דינר. בתנחומא יש שהיה משה תמיה על זה אי אפשר שלא ישרף העץ ואמר לו המקום כך דרכי באש של מעלה אש אוכלה אש ואינו מכלה כדכתיב והסנה איננו אוכל (שמות ג):

הדרן עלך חומר בקודש וסליקא לה מסכת חגיגה

מסורת הש"ס

א) ברכות נה. מנחות צז. ע"ש, ב) עירובין יט. ע"ש, ג) [סנהדרין לז. ברכות נז: מגילה ו.], ד) [צ"ל דלא מבשקר ליה], ה) [ועיין עדיות פ"ב מ"י].

הגהות הב"ח

(א) תוס' ד"ה פושעי וכו' חוץ מבועל כותית דמשכה ליה:

גליון הש"ס

רש"י ד"ה סלמנדרא חיה הנבראת וכו'. עיין חולין ד' קכז ע"א ברש"י ד"ה וסלמנדרא:

ליקוטי רש"י

דרחמנא קרייה עץ. אף על גב דשלחן מצופה בזהב בטל ציפוי לגביה כדאמרינן בשילהי חגיגה שאני שלחן דקרייה רחמנא עץ [יומא כא:]. המזבח עץ. מ"י לקבל מדבחא פתורא ר"ל השלחן קורא מזבח שמכפר בזמן הזה כמזבח כך שמעתי. ומקצועותיו. (רגליו, גגו וארכו כתוב במקרא גגו והוא ורגליו, וארכו הכתוב במקרא הוא גגו כצ"ל נו"ה) גוף השלחן [יחזקאל מא, כב]. שהיה מרובע [מנחות צז.]. וקירותיו. מסגרותיו [יחזקאל שם]. שלחנו של אדם מכפר עליו. דנותן פרוסה לאורחים [מנחות שם]. מזבח אדמה. מחובר באדמה שלא יבננו על גבי עמודים או על גבי כיפים דבר אחר שהיה ממלא את חלל מזבח הנחשת אדמה בשעת חנייתן. תעשה לי. שתהא תחילת עשייתו לשמי [שמות כ, כא]. סלמנדרא. שרץ הנולד מן האור מעצי הדס ע"י כשפים והסך מדמו אין האור שולט בו וקים ליה לר"ע דמינא דלב הוא [חולין קכז.]. הלא כה דברי כאש. לא היה להם לטעות ולדמות חלומות לומר שהם נבואה כי דבר נבואה כשבאה כפי הנביא בגבורה היא באה בו כאש בוערת כענין שנאמר ותהי בלבי כאש בוערת (לעיל כ) ואומר ויד ה' עלי חזקה (יחזקאל ג) [ירמיה כג, כט]. רקתך. היא גובה הפנים שקורין פומי"ליש בלע"ז אצל העינים ובלשון גמרא קורין אותו רומני דאפי ודומין לפלח חצי רמון בתוך שהוא אדום ומגלגל הרי קילום בנוי אשה והדוגמא פירשו רבותינו ריקני' שבך מלאים מצות כרמון [שיר השירים ד, ג].

עין משפט נר מצוה

סד א מיי' פי"א מהל' מטמאי משכב ומושב הלכה יא [ועי' מה שכתב בזה הכס"מ בפ"ד מהל' כלים הל' ד]:

תורה אור השלם

א) הַמִּזְבֵּחַ עֵץ שָׁלוֹשׁ אַמּוֹת גָּבֹהַּ וְאָרְכּוֹ שְׁתַּיִם אַמּוֹת וּמִקְצְעוֹתָיו לוֹ וְאָרְכּוֹ וְקִירֹתָיו עֵץ וַיְדַבֵּר אֵלַי זֶה הַשֻּׁלְחָן אֲשֶׁר לִפְנֵי יְיָ: [יחזקאל מא, כב]

ב) מִזְבַּח אֲדָמָה תַּעֲשֶׂה לִּי וְזָבַחְתָּ עָלָיו אֶת עֹלֹתֶיךָ וְאֶת שְׁלָמֶיךָ אֶת צֹאנְךָ וְאֶת בְּקָרֶךָ בְּכָל הַמָּקוֹם אֲשֶׁר אַזְכִּיר אֶת שְׁמִי אָבוֹא אֵלֶיךָ וּבֵרַכְתִּיךָ: [שמות כ, כא]

ג) וּמִשְׁמַרְתָּם הָאָרֹן וְהַשֻּׁלְחָן וְהַמְּנֹרָה וְהַמִּזְבְּחֹת וּכְלֵי הַקֹּדֶשׁ אֲשֶׁר יְשָׁרְתוּ בָּהֶם וְהַמָּסָךְ וְכֹל עֲבֹדָתוֹ: [במדבר ג, לא]

ד) הֲלוֹא כֹה דְבָרִי כָּאֵשׁ נְאֻם יְיָ וּכְפַטִּישׁ יְפֹצֵץ סָלַע: [ירמיה כג, כט]

ה) כְּחוּט הַשָּׁנִי שִׂפְתֹתַיִךְ וּמִדְבָּרֵיךְ נָאוֶה כְּפֶלַח הָרִמּוֹן רַקָּתֵךְ מִבַּעַד לְצַמָּתֵךְ: [שיר השירים ד, ג]

רבינו חננאל

הוא איקרי עץ שנאמר המזבח עץ שלש אמות גבוה וארכו שתים אמות ומקצועותיו לו וארכו וקירותיו עץ וידבר אלי זה השלחן אשר לפני ה' אלמא דמקרי עץ ומשום הכי בעינן להיותו מטלטל מלא וריקם זו ההלכה כולה ענין השלחן שצפויו אינו מבטל העץ שלו היא במסכת מנחות בפרק שתי הלחם ומפורשת שם כאשר פירשנו והרבה טעו בה דכתיב על השלחן הטהור מכלל דזימנין הוא טמא והשלחן פשוטי כלי עץ הוא ומסגרתו למטה היתה. ותניא (בתוספתא פס"ג) שלחן שנטמא מטבילין אותו בזמנו אפי' בשבת. משום דמטלטל מלא וריקם. ומעשה שהטבילו המנורה בלילי יום כו' א). חוץ ממזבח הזהב ומזבח הנחושת שהן כקרקע. דכתיב מזבח אדמה וכתיב המנורה והמזבחות [אתקוש מזבחות] להדדי דלהוו כולהו כאדמה דלא מקבלי טומאה. וחכמים מטמאין מפני שהן מצופין. אי בעי תימא לר' אלעזר קאמרי ליה דקאמר טעמא מפני שהן כקרקע דלא מטמו. הא לאו הכי הוו מטמא. והא פשוטי כלי עץ (פשוטי) נינהו ולא מטמו. וכי תימא משום דמצופין. דברי חכמים לר' אליעזר בתימה האי דאמרת דמטמו משום צפויו מיבטיל בטיל ציפויהו והוו להו כלי עץ. אלא בין משום שהן מצופין בין משום שהן כקרקע אפי' הכי טעונין ב) טבילה לפי' שנינו כל הכלים טעונין טבילה ואפי' המזבח. א"ר אלעזר תלמידי חכמים אין אור של גיהנם שולטת בהן ק"ו מסלמנדרא ומה סלמנדרא שהוא תולדת אש הסך מדמו אין אור שולט בו. ת"ח (שמשתמשין) שכל גופן אש כדכתיב הלא כה דברי כאש עאכ"ו. אמר ר"ל אפי' פושעי ישראל אין אור של גיהנם שולטת בהן ק"ו ממזבח הזהב ומה מזבח הזהב שאין צפויו אלא כעובי דינר הוה כמה שנים ואין אור שולט בו פושעי ישראל שהן מליאין מצות כרמון. שנאמר כפלח הרמון רקתך. אפי' ריקנין שבך מלאין מצות כרמון עאכ"ו: הדרן עלך חומר בקודש

סליקא ליה מסכת חגיגה. האל יסיר ממנו אף ורוגז וחימה ותוגה

חשק שלמה על ר"ח

א) נראה שצ"ל בלילי יו"ט ובתוספתא הגי' שהטבילו המנורה ביו"ט ואפשר שלפני רבינו היה הגי' בלילי יו"ט ובירושלמי איתא ספס הטבילו את המנורה וגי' התוספתא שהביא רבינו נראה עיקר ודו"ק. ב) לכאורה משמע דחכמים נמי ס"ל דלא בעי טבילה ולא פליגי רק בטעמא ודברי רבינו צ"ע.

Hadran – הַדְרָן

Hadran – הַדְרָן

Upon the סיום, *completion*, of the study of an entire tractate, a festive meal (which has the status of a *seudas mitzvah*) should be eaten – preferably with a *minyan* in attendance. The following prayers of thanksgiving are recited by those who have completed the learning. [The words in brackets are inserted according to some customs.]

The first paragraph is recited three times.

הַדְרָן *We shall return[1] to you, Tractate Chagigah, and you shall return to us. Our thoughts are on you, Tractate Chagigah, and your thoughts are on us. We will not forget you, Tractate Chagigah, and you will not forget us – neither in This World, nor in the World to Come.*

הַדְרָן עֲלָךְ מַסֶּכֶת חֲגִיגָה וְהַדְרָךְ עֲלָן. דַּעְתָּן עֲלָךְ מַסֶּכֶת חֲגִיגָה וְדַעְתָּךְ עֲלָן. לָא נִתְנְשֵׁי מִנָּךְ מַסֶּכֶת חֲגִיגָה וְלָא תִתְנְשֵׁי מִנָּן – לָא בְּעָלְמָא הָדֵין וְלָא בְּעָלְמָא דְאָתֵי.

יְהִי רָצוֹן *May it be Your will, HASHEM, our God, and the God of our forefathers, that Your Torah be our preoccupation in This World, and may it remain with us in the World to Come. Chanina bar Pappa,[2] Rami bar Pappa, Nachman bar Pappa, Achai bar Pappa, Abba Mari bar Pappa, Rafram bar Pappa, Rachish bar Pappa, Surchav bar Pappa, Adda bar Pappa, Daru bar Pappa.*

יְהִי רָצוֹן מִלְּפָנֶיךָ יי אֱלֹהֵינוּ וֵאלֹהֵי אֲבוֹתֵינוּ, שֶׁתְּהֵא תוֹרָתְךָ אֻמָּנוּתֵנוּ בָּעוֹלָם הַזֶּה וּתְהֵא עִמָּנוּ לָעוֹלָם הַבָּא. חֲנִינָא בַּר פָּפָּא, רָמִי בַּר פָּפָּא, נַחְמָן בַּר פָּפָּא, אַחָאי בַּר פָּפָּא, אַבָּא מָרִי בַּר פָּפָּא, רַפְרָם בַּר פָּפָּא, רָכִישׁ בַּר פָּפָּא, סוּרְחָב בַּר פָּפָּא, אַדָּא בַּר פָּפָּא, דָּרוּ בַּר פָּפָּא.

הַעֲרֶב נָא *Please, HASHEM, our God, sweeten the words of Your Torah in our mouth and in the mouths of Your people, the House of Israel, and may [we all –] we, our offspring, [the offspring of our offspring,] and the offspring of Your people, the House of Israel, all of us – know Your Name and study Your Torah. Your commandment makes me wiser than my enemies, for it is forever with me.[3] May my heart be perfect in Your statutes, so that I not be shamed.[4] I will never forget Your precepts, for through them You have preserved me.[5] Blessed are You, HASHEM, teach me Your statutes.[6] Amen. Amen. Amen. Selah! Forever!*

הַעֲרֶב נָא יי אֱלֹהֵינוּ אֶת דִּבְרֵי תוֹרָתְךָ בְּפִינוּ וּבְפִיפִיּוֹת עַמְּךָ בֵּית יִשְׂרָאֵל. וְנִהְיֶה [כֻּלָּנוּ,] אֲנַחְנוּ וְצֶאֱצָאֵינוּ [וְצֶאֱצָאֵי צֶאֱצָאֵינוּ] וְצֶאֱצָאֵי עַמְּךָ בֵּית יִשְׂרָאֵל, כֻּלָּנוּ יוֹדְעֵי שְׁמֶךָ וְלוֹמְדֵי תוֹרָתֶךָ [לִשְׁמָהּ]. מֵאֹיְבַי תְּחַכְּמֵנִי מִצְוֺתֶךָ, כִּי לְעוֹלָם הִיא לִי. יְהִי לִבִּי תָמִים בְּחֻקֶּיךָ, לְמַעַן לֹא אֵבוֹשׁ. לְעוֹלָם לֹא אֶשְׁכַּח פִּקּוּדֶיךָ, כִּי בָם חִיִּיתָנִי. בָּרוּךְ אַתָּה יי, לַמְּדֵנִי חֻקֶּיךָ. אָמֵן אָמֵן אָמֵן, סֶלָה וָעֶד.

מוֹדִים *We express gratitude before You, HASHEM, our God, and the God of our forefathers, that You have established our portion with those who dwell in the study hall, and have not established our portion with idlers. For we arise early and they arise early; we arise early for the words of Torah, while they arise early for idle words. We toil and they toil; we toil and receive reward, while they toil and do not receive reward. We run and they run; we run to the life of the World to Come, while they run to the well of destruction, as it is said: But You, O God, You will lower them into the well of destruction, men of bloodshed and deceit shall not live out half their days; and I will trust in You.[7]*

מוֹדִים אֲנַחְנוּ לְפָנֶיךָ יי אֱלֹהֵינוּ וֵאלֹהֵי אֲבוֹתֵינוּ, שֶׁשַּׂמְתָּ חֶלְקֵנוּ מִיּוֹשְׁבֵי בֵית הַמִּדְרָשׁ, וְלֹא שַׂמְתָּ חֶלְקֵנוּ מִיּוֹשְׁבֵי קְרָנוֹת. שֶׁאָנוּ מַשְׁכִּימִים וְהֵם מַשְׁכִּימִים, אָנוּ מַשְׁכִּימִים לְדִבְרֵי תוֹרָה, וְהֵם מַשְׁכִּימִים לִדְבָרִים בְּטֵלִים. אָנוּ עֲמֵלִים וְהֵם עֲמֵלִים, אָנוּ עֲמֵלִים וּמְקַבְּלִים שָׂכָר, וְהֵם עֲמֵלִים וְאֵינָם מְקַבְּלִים שָׂכָר. אָנוּ רָצִים וְהֵם רָצִים, אָנוּ רָצִים לְחַיֵּי הָעוֹלָם הַבָּא, וְהֵם רָצִים לִבְאֵר שַׁחַת, שֶׁנֶּאֱמַר: וְאַתָּה אֱלֹהִים, תּוֹרִדֵם לִבְאֵר שַׁחַת, אַנְשֵׁי דָמִים וּמִרְמָה לֹא יֶחֱצוּ יְמֵיהֶם, וַאֲנִי אֶבְטַח בָּךְ.

---

1. הַדְרָן עֲלָךְ – *We shall return to you* . . . We express the hope that we will review constantly what we have learned and that, in the merit of our desire to learn, the Torah itself will long to return to us, as it were. Thus, the word is derived from הָדַר, *to return*. This is in the spirit of the Talmudic dictum that תּוֹרָה מַחֲזֶרֶת עַל אַכְסַנְיָא שֶׁלָּהּ, *the Torah returns to its inn*, i.e., the place or people where it was made welcome (*Bava Metzia* 88a).

According to *Sefer HaChaim*, the term is derived from the word הָדָר, *glory*. Thus, whatever glory we have attained is due to the Torah, and we pray that the Torah shed its glory upon us.

2. חֲנִינָא בַּר פָּפָּא – *Chanina bar Pappa* . . . In the simple sense, Rav Pappa was a very wealthy man who, whenever he completed a tractate, used to make great celebrations to which he invited his ten sons, as well as many others. As a result, he brought glory to the Torah, which was reflected in the scholarly attainments of his sons. The nation, therefore, honors Rav Pappa and his family by mentioning them at every *siyum*. Furthermore, esoterically, Rav Pappa symbolizes Moses and the names of his sons symbolize the Ten Commandments (*Teshuvos HaRema; Yam Shel Shelomo, Bava Kamma*, end of ch. 7).

3. *Psalms* 119:98. 4. 119:80. 5. 119:93. 6. 119:12. 7. 55:24.

יְהִי רָצוֹן לְפָנֶיךָ יי אֱלֹהַי, כְּשֵׁם שֶׁעֲזַרְתַּנִי לְסַיֵּים מַסֶּכֶת חֲגִיגָה כֵּן תַּעַזְרֵנִי לְהַתְחִיל מַסֶּכְתּוֹת וּסְפָרִים אֲחֵרִים וּלְסַיְּמָם, לִלְמוֹד וּלְלַמֵּד לִשְׁמוֹר וְלַעֲשׂוֹת וּלְקַיֵּם אֶת כָּל דִּבְרֵי תַלְמוּד תּוֹרָתֶךָ בְּאַהֲבָה. וּזְכוּת כָּל הַתַּנָּאִים וַאֲמוֹרָאִים וְתַלְמִידֵי חֲכָמִים יַעֲמוֹד לִי וּלְזַרְעִי, שֶׁלֹּא תָמוּשׁ הַתּוֹרָה מִפִּי וּמִפִּי זַרְעִי וְזֶרַע זַרְעִי עַד עוֹלָם. וְתִתְקַיֵּם בִּי: בְּהִתְהַלֶּכְךָ תַּנְחֶה אֹתָךְ, בְּשָׁכְבְּךָ תִּשְׁמֹר עָלֶיךָ, וַהֲקִיצוֹתָ הִיא תְשִׂיחֶךָ. כִּי בִי יִרְבּוּ יָמֶיךָ, וְיוֹסִיפוּ לְךָ שְׁנוֹת חַיִּים. אֹרֶךְ יָמִים בִּימִינָהּ, בִּשְׂמֹאלָהּ עֹשֶׁר וְכָבוֹד. יי עֹז לְעַמּוֹ יִתֵּן, יי יְבָרֵךְ אֶת עַמּוֹ בַשָּׁלוֹם.

יְהִי רָצוֹן *May it be Your will,* HASHEM, *my God, that just as You have helped me complete Tractate Chagigah, so may You help me to begin other tractates and books, and to complete them; to learn and to teach, to safeguard and to perform, and to fulfill all the words of Your Torah's teachings with love. May the merit of all the Tannaim, Amoraim, and Torah scholars stand by me and my children, that the Torah shall not depart from my mouth and from the mouth of my children and my children's children forever. May there be fulfilled for me the verse: When you walk, it (i.e., the Torah) will guide you; when you lie down, it will watch over you; and when you wake up, it will converse with you.*[8] *For because of me (i.e., the Torah), your days will increase, and years of life will be added to you.*[9] *Long days are in its right hand, and in its left hand are wealth and honor.*[10] HASHEM *will give might to His people,* HASHEM *will bless His people with peace.*[11]

If a *minyan* is present, the following version of the Rabbis' *Kaddish* is recited by one or more of those present. It may be recited even by one whose parents are still living.

יִתְגַּדַּל וְיִתְקַדַּשׁ שְׁמֵהּ רַבָּא. (.Cong – אָמֵן) בְּעָלְמָא דִּי הוּא עָתִיד לְאִתְחַדָּתָא, וּלְאַחֲיָאָה מֵתַיָּא, וּלְאַסָּקָא יָתְהוֹן לְחַיֵּי עָלְמָא, וּלְמִבְנֵא קַרְתָּא דִירוּשְׁלֵם, וּלְשַׁכְלָלָא הֵיכְלֵהּ בְּגַוַּהּ, וּלְמֶעְקַר פָּלְחָנָא נֻכְרָאָה מִן אַרְעָא, וְלַאֲתָבָא פָּלְחָנָא דִי שְׁמַיָּא לְאַתְרֵהּ, וְיַמְלִיךְ קֻדְשָׁא בְּרִיךְ הוּא בְּמַלְכוּתֵהּ וִיקָרֵהּ, [וְיַצְמַח פֻּרְקָנֵהּ וִיקָרֵב מְשִׁיחֵהּ (.Cong – אָמֵן)] בְּחַיֵּיכוֹן וּבְיוֹמֵיכוֹן וּבְחַיֵּי דְכָל בֵּית יִשְׂרָאֵל, בַּעֲגָלָא וּבִזְמַן קָרִיב. וְאִמְרוּ: אָמֵן.

(.Cong – אָמֵן. יְהֵא שְׁמֵהּ רַבָּא מְבָרַךְ לְעָלַם וּלְעָלְמֵי עָלְמַיָּא.)

יְהֵא שְׁמֵהּ רַבָּא מְבָרַךְ לְעָלַם וּלְעָלְמֵי עָלְמַיָּא.

יִתְבָּרַךְ וְיִשְׁתַּבַּח וְיִתְפָּאַר וְיִתְרוֹמַם וְיִתְנַשֵּׂא וְיִתְהַדָּר וְיִתְעַלֶּה וְיִתְהַלָּל שְׁמֵהּ דְּקֻדְשָׁא בְּרִיךְ הוּא (.Cong – בְּרִיךְ הוּא) °לְעֵלָּא מִן כָּל (From Rosh Hashanah to Yom Kippur substitute – °לְעֵלָּא וּלְעֵלָּא מִכָּל) בִּרְכָתָא וְשִׁירָתָא תֻּשְׁבְּחָתָא וְנֶחֱמָתָא, דַּאֲמִירָן בְּעָלְמָא. וְאִמְרוּ: אָמֵן. (.Cong – אָמֵן.)

עַל יִשְׂרָאֵל וְעַל רַבָּנָן, וְעַל תַּלְמִידֵיהוֹן וְעַל כָּל תַּלְמִידֵי תַלְמִידֵיהוֹן, וְעַל כָּל מָאן דְּעָסְקִין בְּאוֹרַיְתָא, דִּי בְאַתְרָא הָדֵין וְדִי בְכָל אֲתַר וַאֲתַר. יְהֵא לְהוֹן וּלְכוֹן שְׁלָמָא רַבָּא, חִנָּא וְחִסְדָּא וְרַחֲמִין, וְחַיִּין אֲרִיכִין, וּמְזוֹנֵי רְוִיחֵי, וּפֻרְקָנָא מִן קֳדָם אֲבוּהוֹן דִּי בִשְׁמַיָּא [וְאַרְעָא]. וְאִמְרוּ: אָמֵן. (.Cong – אָמֵן.)

יְהֵא שְׁלָמָא רַבָּא מִן שְׁמַיָּא, וְחַיִּים [טוֹבִים] עָלֵינוּ וְעַל כָּל יִשְׂרָאֵל. וְאִמְרוּ: אָמֵן. (.Cong – אָמֵן.)

Take three steps back. Bow left and say . . . עֹשֶׂה; bow right and say . . . הוּא; bow forward and say וְעַל כָּל . . . אָמֵן. Remain standing in place for a few moments, then take three steps forward.

עֹשֶׂה שָׁלוֹם בִּמְרוֹמָיו, הוּא בְּרַחֲמָיו יַעֲשֶׂה שָׁלוֹם עָלֵינוּ, וְעַל כָּל יִשְׂרָאֵל. וְאִמְרוּ: אָמֵן. (.Cong – אָמֵן.)

יִתְגַּדַּל *May His great Name grow exalted and sanctified* (Cong.– *Amen*) *in the world that will be renewed and where He will resuscitate the dead and raise them up to eternal life, and rebuild the city of Jerusalem and complete His Temple within it, and uproot alien worship from the earth, and return the service of Heaven to its place, and may the Holy One, Blessed is He, reign in His sovereignty and splendor [and cause salvation to sprout and bring near His Messiah* (Cong.– *Amen)] in your lifetimes and in your days, and in the lifetimes of the entire House of Israel, swiftly and soon. Now respond: Amen.*

(Cong.– *Amen. May His great Name be blessed forever and ever.)*

May His great Name be blessed forever and ever.

Blessed, praised, glorified, exalted, extolled, mighty, upraised, and lauded be the Name of the Holy One, Blessed is He (Cong.– *Blessed is He),* (From Rosh Hashanah to Yom Kippur add: *exceedingly) beyond any blessing and song, praise, and consolation that are uttered in the world. Now respond: Amen.* (Cong.– *Amen.*)

Upon Israel, upon the teachers, upon their disciples and upon all of their disciples' disciples and upon all those who engage in the study of Torah, who are here or anywhere else; may they and you have abundant peace, grace, kindness, and mercy, long life, ample nourishment, and salvation, from before their Father Who is in Heaven [and on earth]. Now respond: Amen. (Cong.– *Amen.*)

May there be abundant peace from Heaven, and [good] life upon us and upon all Israel. Now respond: Amen. (Cong.– *Amen.*)

Take three steps back. Bow left and say, *'He Who makes peace . . .'*; bow right and say, *'may He . . .'*; bow forward and say, *'and upon all Israel . . . Amen.'* Remain standing in place for a few moments, then take three steps forward.

He Who makes peace in His heights, may He, in His compassion, make peace upon us, and upon all Israel. Now respond: Amen. (Cong.– *Amen.*)

---

8. *Proverbs* 6:22. 9. 9:11. 10. 3:16. 11. *Psalms* 29:11.

Glossary

Scriptural Index

Glossary

abandoned corpse – a human corpse found with no one to attend to its burial. The Torah obligates the person who finds it to bury it and allows even a **nazir** and **Kohen Gadol** to do so.

Adar Sheni – lit. the second **Adar.** When it is deemed necessary for a leap year to be designated, an extra month is added. This thirteenth month is placed between **Adar** and **Nissan** and is called *Adar Sheni.*

Adar – twelfth month of the Hebrew calendar.

Altar – the great *Altar*, which stands in the Courtyard of the **Beis HaMikdash.** Certain portions of every offering are burnt on the *Altar*. The blood of most offerings is applied to the walls of the *Altar*.

amah [pl. **amos**] – cubit; a linear measure equaling six **tefachim.** Opinions regarding its modern equivalent range between 18 and 22.9 inches.

am haaretz [pl. **amei haaretz**] – a common, ignorant person who, possibly, is not meticulous in his observance of **halachah.**

Amora [pl. **Amoraim**] – sage of the **Gemara; cf. Tanna.**

aninus – the state of being an **onein.** Upon the death of one's seven closest relatives a person enters a state of mourning. The first stage of the mourning period is called *aninus.* This stage (during which the mourner is known as an *onein*) lasts until the end of the day on which the death occurred. When burial is delayed the Rabbis extend the *aninus* period until the end of that day.

Anshei Knesses HaGedolah – see **Men of the Great Assembly**.

arachin – see **erech.**

areiv – guarantor.

asham [pl. **ashamos**] – guilt offering, an offering brought to atone for one of several specific sins; in addition, a part of certain purification offerings. It is one of the **kodshei kodashim.**

asham me'ilos – *asham* sacrifice brought by one who is guilty of unauthorized use of consecrated property.

asheirah – a tree either designated for worship or under which an idol is placed.

asmachta – lit. reliance. (a) a conditional commitment made by a party who does not really expect to have to honor it; (b) a verse cited by the **Gemara** not as a Scriptural basis for the law but rather as an allusion to a Rabbinic law.

Av – (a) fifth month of the Hebrew calendar. (b) l.c. [pl. avos] see **melachah.**

av beis din – chief of the court. This position was second in importance to the **Nasi** who served as head of the **Sanhedrin.**

avi avos hatumah – lit. father of fathers of **tumah.** See **tumah.**

avodah [pl. **avodos**] – the sacrificial service, or any facet of it. There are four critical *avodos* in the sacrificial service. They are **shechitah, kabbalah, holachah** and **zerikah.**

avodah zarah – idol worship, idolatry.

av [pl. **avos**] **hatumah** – lit. father of **tumah.** See **tumah.**

azharah – (a) Scriptural warning; the basic prohibition stated in the Torah, which serves to warn the potential sinner against incurring the punishment prescribed for a particular action; (b) term Gemara uses to refer to a negative commandment, the transgression of which is punished by *kares.*

baal keri [pl. **baalei keri**] – one who experienced a seminal emission. He is **tamei** (ritually impure) and must immerse himself in a **mikveh.**

bamah [pl. **bamos**] – lit. high place; altar. This refers to any altar other than the **Altar** of the **Tabernacle** or **Temple**. During certain brief periods of Jewish history, it was permitted to offer sacrifices on a *bamah*. There are two types of *bamah.* The *communal* (or *major*) *bamah* was the altar of the public and was the only *bamah* on which communal offerings could be sacrificed. Private voluntary offerings could be brought even on a *private* (or *minor*) *bamah* which was an altar erected anywhere by an individual for private use.

Baraisa [pl. **Baraisos**] – the statements of **Tannaim** not included by **Rebbi** in the **Mishnah.** R' Chiya and R' Oshaya, the students of Rebbi, researched and reviewed the *Baraisa* and compiled an authoritative collection of them.

bas kol – a voice from Heaven that constitutes a level of Divine communication below that of actual prophecy.

bedi'avad – after the fact. See **lechatchilah**.

bedikah – searching for **chametz.** This involves thoroughly searching any area into which *chametz* may have been brought, and destroying it.

beheimah – domesticated species, livestock. In regard to various laws, the Torah distinguishes between *beheimah,* domestic species, e.g. cattle, sheep, goats; and, **chayah,** wild species, e.g. deer, antelope.

bein haarbayim – lit. between the darkenings. It refers to the hours between the "darkening of the day" and the "darkening of the night." The darkening of the day starts at midday, when the shadows begin to lengthen. The darkening of the night is simply the beginning of the night, after sunset. Thus *bein haarbayim* connotes the afternoon.

bein hashemashos – the twilight period preceding night. The legal status of *bein hashemashos* as day or night is uncertain.

beis din – court; Rabbinical court comprised minimally of three members. Such a court is empowered to rule on civil matters. See also **Sanhedrin**.

beis hamidrash – a **Torah** study hall.

Beis HaMikdash – Holy **Temple** in Jerusalem. The **Temple** edifice comprised (a) the Antechamber or **Ulam**; (b) the **Holy** or **Heichal**; and (c) the **Holy of Holies**. See **Sanctuary**.

beis hapras – a field containing a plowed over grave.

bereirah – retroactive clarification. This principle allows for the assignment of a legal status to a person or object whose identity is as yet undetermined, but which will be clarified retroactively by a subsequent choice.

bikkurim – the first-ripening fruits of any of the seven species (wheat, barley, grapes, figs, pomegranates, olives, dates), with which the Torah praises Eretz Yisrael. They are brought to the **Temple** where certain rites are performed, and given to the **Kohanim**.

binyan av – one of the thirteen principles of Biblical hermeneutics. This is exegetical derivation based on a logical analogy between different areas of law. Whenever a commonality of law or essence is found in different areas of **Torah** law, an analogy is drawn between them, and the laws that apply to one can therefore be assumed to apply to the others as well.

bitul (or **bitul b'rov**) – the principle of nullification in a majority. Under certain circumstances, a mixture of items of differing legal status assumes the status of its majority component.

bi'ur – lit. disposal or removal; **shemittah** produce that a person has legally picked and taken into his house. It must be disposed of and removed from his possession when this type of produce can no longer be found in the field.

chadash – Scripture states that the new crop (*chadash*) of any of the five types of grain (wheat, barley, spelt, oats or rye) is forbidden for consumption until the annual *omer* offering was brought on the sixteenth day of Nissan, which is the second day of **Pesach.** Any grain that took root after the previous *omer* offering was brought is included in the "new crop" prohibition. In addition, there is a separate injunction against reaping the new crop before the *omer*.

chagigah (of the fourteenth of **Nissan**) – special **chagigah** offering generally brought on Erev **Pesach.** This *chagigah* was brought to enhance the joy of the day by providing abundant meat for one to eat along with the **pesach offering.** The participants partake first of the *chagigah* offering to satisfy most of their hunger, and then eat of the *pesach* offering since the meat of the *pesach* is the food that brings him to a feeling of full satiation.

chalal [f: **chalalah**] – lit. desecrated. If a **Kohen** cohabits with any woman specifically forbidden to **Kohanim,** the child of that union is a *chalal* who does not possess the sanctity of a *Kohen*. The *chalal* neither enjoys the privileges of the **Kehunah** nor is subject to its restrictions.

challah – portion removed from a dough of the **five grains,** given to a **Kohen;** if *challah* is not taken, the dough is **tevel** and may not be eaten. The minimum amount of dough from which *challah* must be separated is the volume-equivalent of 43.2 eggs, which is one **issaron.** Nowadays the *challah* is removed and burned.

chametz – leavened products of the five species of grain. *Chametz* is forbidden on **Pesach**.

Chanukah – Festival of Lights. The holiday that commemorates the Maccabean victory over the Greeks. It begins on the 25th of **Kislev** and lasts for eight days.

chatas [pl. **chataos**] – sin offering; an offering generally brought in atonement for the inadvertent transgression of a prohibition punishable by **kares** when transgressed deliberately. A *chatas* is also brought as one of various purification offerings. It is one of the **kodshei kodashim.**

chatas cow – See **parah adumah**.

chaver [f. **chaverah**; pl. **chaverim**] – (a) one who observes the laws of ritual purity even regarding non-consecrated foodstuffs; (b) a Torah scholar, scrupulous in his observance of **mitzvos**. Regarding tithes, **tumah** and other matters, such as the necessity for **hasraah,** he is accorded a special status.

chayah – See **beheimah**.

chazakah – (a) legal presumption that conditions remain unchanged unless proven otherwise; (b) one of the methods of acquiring real estate; it consists of performing an act of improving the property, such as enclosing it with a fence or plowing it in preparation for planting; (c) "established rights"; uncontested usage of another's property establishes the right to such usage; since the owner registered no protest, acquiescence is assumed; (d) uncontested holding of real property for three years as a basis for claiming acquisition of title from the prior owner.

cheilev – The Torah forbids certain fats of cattle, sheep and goats for human consumption. These are primarily the hind fats (suet) placed on the **Altar.** See **shuman**.

cherem – (a) a vow in which one uses the expression "*cherem*" to consecrate property, placing it under jurisdiction of the Temple; (b) land or property upon which a ban has been declared, forbidding its use to anyone, e.g. the city of Jericho.

cheresh – lit. a deaf person; generally used for a deaf-mute who can neither hear nor speak. A *cheresh* is legally deemed mentally incompetent; his actions or commitments are not legally significant or binding.

Cheshvan – see **Marcheshvan**.

Chol HaMoed – the Intermediate Days of the festivals of **Pesach** and **Succos**; these enjoy a quasi-**Yom Tov** status.

chullin – lit. profane things; any substance that is not sanctified. See **kodesh**.

common characteristic – See **tzad hashaveh**.

daf [pl. **dafim**] – folio (two sides) in the **Gemara**.

dayyo – lit. it is sufficient; principle which limits the application of a **kal vachomer** argument, for it states: When a law is derived from case A to case B, its application to B cannot exceed its application to A.

demai – lit. what is this; produce of **Eretz Yisrael** that is obtained from an unlearned person. By Rabbinic enactment it must be tithed since a doubt exists as to whether its original owner tithed it. However, it is assumed that **terumah** was separated from the produce.

dichui – lit. pushing aside; the principle of permanent disqualification. In the context of sacrifices, this principle dictates that once an animal (or sacrificial item) becomes disqualified as an offering, it retains its disqualified status forever. Even where the reason for disqualification no longer exists, the animal may still not be offered upon the **Altar.**

dimu'a – law which states that mixtures containing a minority component of **terumah** are [depending on the concentration] treated as *terumah*.

dinar – a coin. The silver content of the coin was equivalent to ninety-six grains of barley. It was worth 1/25 the value of a gold *dinar*.

donated offering – There is a difference between a נֶדֶר, *neder* (vowed offering), and a נְדָבָה, *nedavah* (donated offering). In the case of a *neder,* the vower declares הֲרֵי עָלַי קָרְבָּן, "It is hereby incumbent upon me to bring a sacrifice." He fulfills his vow by later designating a specific animal as the sacrifice and offering it. In the case of a *nedavah,* the vower declares הֲרֵי זוֹ קָרְבָּן, "This [animal] is a sacrifice," designating from the very start the particular animal he wishes to bring as an offering. In the case of a *neder,* if the designated animal is lost or dies, the vower must bring another in its place, since he has not yet fulfilled his vow "to bring a sacrifice." In the case of a *nedavah,* however, if anything happens to the designated animal the vower need not replace it since his vow was only to bring "*this* animal."

double payment – a punitive fine. A person convicted of theft is required both to return the stolen object (or its monetary equivalent) and to pay the owner a fine equal to its value. If he stole a sheep or goat and slaughtered or sold it, he pays four times the value of the animal. If he stole an ox and slaughtered or sold it, he pays five times its value.

Elohim – (a) a Name of God; (b) [l.c.] sometimes used to refer to a mortal power or the authority of an ordained judge.

emurim – the portions of an animal offering burnt on the **Altar**.

ephah [pl. **ephos**] – a measure of volume equal to three **se'ah**.

erech [pl. **arachin**] – a fixed valuation. The *erech* of a person is the amount fixed by the **Torah** for each of eight different groupings classified by age and gender. All individuals included in the same broad grouping have the identical *erech* valuation, regardless of their value on the slave market.

eruv – a popular contradiciton of **eruvei chatzeiros, eruvei tavshilin,** or **eruvei techumim.**

eruvei chatzeiros – a legal device which merges several separate ownerships **(reshus hayachid)** into a single joint ownership. Each resident family of a **chatzeir** contributes food to the *eruv,* which is then placed in one of the dwellings of the *chatzeir.* This procedure allows us to view all the houses opening into the courtyard as the property of a single consortium (composed of all the residents of the courtyard). This permits all the contributing residents of the *chatzeir* to carry items during the Sabbath from the houses into the *chatzeir* and from one house to another.

eruvei tavshilin – the prepared food set aside prior to a **Yom Tov** that falls on Friday to serve as token food for the Sabbath that follows. Once this token food has been set aside, the person is allowed to complete his preparations for Sabbath on *Yom Tov.* Such preparation is generally forbidden otherwise.

eruvei techumin – merging of boundaries; a legal device that allows a person to shift his Sabbath residence from which the 2,000-**amah techum** is measured. This is accomplished by placing a specific amount of food at the desired location before the start of the Sabbath. The place where the food has been placed is then viewed as his Sabbath residence, and his *techum*-limit is measured from there. This does not extend his **techum** Shabbos, but merely shifts the point from which it is measured.

ervah [pl. **arayos**] – (a) matters pertaining to sexual relationships forbidden under penalty of **kares** or death, as enumerated in *Leviticus* Ch. 18; (b) a woman forbidden to a man under pain of one of these penalties.

esrog – see **four species**.

five grains – wheat, barley, oats, spelt and rye.

four species – the four articles of plant-life we are commanded to take and hold in our hands on the festival of Succos. These consist of: (a) **aravos** – willow branches; (b) **esrog** – citron; (c) **hadasim** – myrtle branches; (d) **lulav** – branch of the date palm tree.

Gemara – portion of the Talmud which discusses the **Mishnah;** also, loosely, a synonym for the Talmud as a whole.

gematria – the numeric valuation of the Hebrew alphabet.

geneivah – *geneivah* is done without the victim's knowledge whereas **gezeilah** is done openly and with force.

ger toshav – a gentile who has formally undertaken to abide by the seven precepts of the Noahide Code but has not converted to Judaism. He is a resident of the Holy Land.

gezeilah – see **geneivah.**

gezeirah shavah – one of the thirteen principles of Biblical hermeneutics. If a similar word or phrase occurs in two otherwise unrelated passages in the **Torah,** the principle of *gezeirah shavah* teaches that these passages are linked to one another, and the laws of one passage are applied to the other. Only those words which are designated by the **Oral Sinaitic Law** for this purpose may serve as a basis for a *gezeirah shavah.*

Golden Altar – See **Inner Altar**.

Great Court – See **Sanhedrin.**

gud achis – extend and lower – a principle that a wall that does not reach the ground is viewed as if it extended to the ground.

gud asik – extend and raise – If a wall or partition is ten **tefachim** high, we can view it as extending upward to whatever height is needed for a given situation.

hagalah – purging. Any utensil used for eating or cooking that absorbed food which is prohibited for consumption has to go through a process of purging in order to render it *kosher* – usable. It must be immersed in a utensil containing boiling water and then washed or soaked in cold water.

Hakheil – This event took place on the evening following the first day of Succos, in the year following the **shemittah** year. The entire nation would gather in one of the **Temple Courtyards** to hear the king read the Book of Deuteronomy.

halachah [pl. **halachos**] – (a) a **Torah** law; (b) [u.c.] the body of Torah law; (c) in cases of dispute, the position accepted as definitive by the later authorities and followed in practice; (d) a **Halachah LeMoshe MiSinai.**

Halachah LeMoshe MiSinai – laws taught orally to Moses at Sinai, which cannot be derived from the Written Torah.

half-shekel – While the Temple stood, every Jew was required to donate a half-*shekel* annually to fund the purchase of the various communal offerings (including, among others, the daily **tamid** offerings and the holiday **mussaf** offerings).

Hashem – lit. the Name; a designation used to refer to God without pronouncing His Ineffable Name.

Havdalah – lit. distinction; the blessing recited at the conclusion of the Sabbath.

hazamah – the process by which witnesses are proven false by testimony that places them elsewhere at the time of the alleged incident. Such witnesses are punished with the consequences their testimony would have inflicted upon their intended victim.

hechsher l'tumah – rendering a food susceptible to **tumah** contamination by contact with one of seven liquids: water, dew, milk, bee honey, oil, wine or blood.

hefker – ownerless.

hekdesh – (a) items consecrated to the **Temple** treasury or as offerings. *Hekdesh* can have two levels of sanctity: **monetary sanctity** and **physical sanctity.** Property owned by the Temple treasury is said to have monetary sanctity. Such property can be redeemed or can be sold by the *hekdesh* treasurers, and the proceeds of the redemption or sale become *hekdesh* in its place. Consecrated items that are fit for the Temple service (e.g. unblemished animals or sacred vessels) are deemed to have physical sanctity; (b) the state of consecration; (c) the **Temple** treasury.

hekeish – an exegetical derivation based on a connection that Scripture makes (often through juxtaposition) between different areas of law. By making this connection, Scripture teaches that the laws that apply to one area can be applied to the other area as well.

hin – liquid measure equal to twelve **lugin**.

ho'il – lit. since. The principle of *ho'il* states that the law applicable in a given situation is effected by the possibility of a change in the situation, even if the change is not expected. I.e., *since* there is a possibility of a new circumstance arising, it must be taken into account in determining blood **avodos.** It involves conveying the blood of the offering to the **Altar.**

holachah – one of the four essential blood **avodos.** It involves conveying the blood of the offering to the **Altar**.

Holy – anterior chamber of the **Temple** edifice (**Heichal**) containing the **Shulchan, Inner Altar** and **Menorah**.

Holy Ark – the Ark holding the Tablets of the Ten Commandments and the Torah Scroll written by Moses. It stood in the **Holy of Holies**.

Holy of Holies – interior chamber of the **Temple** edifice (**Heichal**). During most of the First Temple era, it contained the **Holy Ark;** later it was empty of any utensil. Even the **Kohen Gadol** is prohibited from entering there except on **Yom Kippur**.

Inner Altar – the gold-plated Altar which stood in the **Sanctuary.** It was used for the daily incense service and for the blood applications of inner **chataos**.

issaron – a dry measure equal to one-tenth of an **ephah** or approximately (depending on the conversion factor) as little as eleven or as much as twenty-one cups.

Iyar – second month of the Hebrew calendar.

Jubilee – See **Yovel**.

kabbalah – (a) term used throughout the Talmud to refer to the books of the **Prophets.** It derives from the Aramaic root – to complain or cry out. It thus refers primarily to the admonitory passages of these books; (b) receiving in a **kli shareis** the blood of a sacrificial animal that is slaughtered; one of the four blood **avodos**.

kal vachomer – lit. light and heavy, or lenient and stringent; an *a fortiori* argument. It is one of the thirteen principles of Biblical hermeneutics. It involves the following reasoning: If a particular stringency applies in a usually lenient case, it must certainly apply in a more serious case; the converse of this argument is also a *kal vachomer*.

kares – excision; Divinely imposed premature death decreed by the **Torah** for certain classes of transgression.

kav [pl. **kabim**] – a measure equal to four **lugin**.

kebeitzah – an egg's volume.

Kehunah – priesthood; the state of being a **Kohen**.

kemitzah – the first of four essential services of a **minchah** offering. The **Kohen** closes the middle three fingers of his right hand over his palm and scoops out flour from the *minchah* to form the **kometz** that is burned on the **Altar**.

kesef – (a) money; (b) Tyrian currency which is comprised solely of pure silver coins.

ketores – incense. The incense was a specific mixture of spices that was burned on the Inner Altar every morning and every evening.

kezayis – the volume of an olive; minimum amount of food whose consumption is considered "eating."

kilayim – various forbidden mixtures, including: **shaatnez** (cloth made from a blend of wool and linen); cross-breeding of animals; cross-breeding (or side-by-side planting) of certain food crops; working with different species of animals yoked together; and mixtures of the vineyard.

kilei hakerem – forbidden mixtures of the vineyard. See **kilayim**.

kinyan [pl. **kinyanim**] – formal act of acquisition; an action that causes an agreement or exchange to be legally binding.

Kislev – ninth month of the Hebrew calendar.

kli shareis [pl. **klei shareis**] – service vessel(s); a vessel sanctified for use in the sacrificial service.

kodashim kalim – offerings of lesser holiness (one of the two classifications of sacrificial offerings). They may be eaten anywhere in Jerusalem by any **tahor** person. They include the **todah,** regular **shelamim, bechor, nazir's ram, maaser** and **pesach offerings.** This category of offerings is not subject to the stringencies applied to **kodshei kodashim**.

kodesh – (a) any consecrated object; (b) the anterior chamber of the **Temple** – the **Holy;** (c) portions of sacrificial offerings.

kodshei kodashim – most-holy offerings (one of the two classifications of sacrificial offerings). They may be eaten only in the Temple Courtyard and only by male **Kohanim.** They include the **olah** (which may not be eaten at all), **chatas, asham** and communal **shelamim.** These are subject to greater stringencies than **kodashim kalim**.

Kohen [pl. **Kohanim**] – member of the priestly family descended in the male line from Aaron. The Kohen is accorded the special priestly duties and privileges associated with the **Temple** service and is bound by special laws of sanctity.

Kohen Gadol – High Priest.

kometz [pl. **kematzim**] – See **kemitzah**.

kor – large dry measure; a measure of volume consisting of thirty **se'ah**.

korban – a sacrificial offering brought in the **Beis HaMikdash**.

kri u'ksiv – a word in Scripture written one way but read differently – by special directive to Moses at Sinai.

lashes – See **malkus** and **makkas mardus**.

leaning – See **semichah**.

leaven – An inedible dough leavened to such a degree that it is used as a leavening agent in other doughs – i.e. sourdough. Leaven is forbidden on **Pesach.** See **chametz.**

lechatchilah – (a) before the fact; (b) performance of a **mitzvah** or procedure in the proper manner.

lechem hapanim – showbread. Twelve loaves of bread were placed on the **Shulchan** in the **Temple** each Sabbath, where they remained for the entire week. They were baked in a special shape and were accompanied by two spoonfuls of **levonah.**

leket – gleanings; one of the various portions of the harvest which the Torah grants to the poor. *Leket* refers to one or two stalks of grain that fall from the reaper when he gathers the harvest. See **shich'chah, pe'ah** and **peret**.

lesech – one half of a **kor**.

Levi [pl. **Leviim**] – male descendant of the tribe of *Levi* in the male line, who is sanctified for auxiliary services in the **Beis HaMikdash.** The *Leviim* were the recipients of **maaser rishon**.

levonah – frankincense. Two spoons containing *levonah* were kept on the **Shulchan** together with the **lechem hapanim.** Each Sabbath these spoons would be removed and taken outside to the **Altar** where the *levonah* would be burned. At that point the *lechem hapanim* would become permitted for consumption.

libation – See **nesachim**.

lishmah – for its own sake.

litra – (a) a liquid measure equal to the volume of six eggs; (b) a unit of weight.

log [pl. **lugin**] – a liquid measure equal to the volume of six eggs, between 16 and 21 ounces in contemporary measure.

lulav – See **four species**.

ma'ah [pl. **maos**] – the smallest silver unit in Talmudic coinage. Thirty-two copper **perutos** equal one *ma'ah* and six *ma'ahs* equal a silver **dinar**.

maamad [pl. maamados] – stations. The entire nation is theoretically obligated to be present when the **tamid** is offered. In order to fulfill this requirement, the early prophets established the practice of selecting worthy Yisraelim and dividing them into twenty-four groups, known as *maamados* (corresponding to the twenty-four **mishmaros** of Kohanim and Leviim). Each group (*maamad*) served a week at a time on a rotating basis. When its turn came, some members of the *maamad* stood by the offering in the Temple, acting as emissaries for the people and prayed for Divine acceptance of the offering. The other members of that *maamad* gathered in their local towns and fasted, prayed and read certain Torah portions.

Maariv – the evening prayer service.

maaser [pl. **maasros**] – tithe. It is a Biblical obligation to give two tithes, each known as *maaser,* from the produce of the Land of Israel. The first tithe (**maaser rishon**) is given to a **Levi.** The second tithe (**maaser sheni**) is taken to Jerusalem and eaten there, or redeemed with coins which are then taken to Jerusalem for the purchase of food to be eaten there. In the third and sixth years of the seven-year **shemittah** cycle, the *maaser sheni* obligation is replaced with **maaser ani,** the tithe for the poor.

maaser ani – See **maaser**.

maaser beheimah – the animal tithe. The newborn kosher animals born to one's herds and flocks are gathered into a pen and made to pass through an opening one at a time. Every tenth animal is designated as **maaser.** It is brought as an offering in the Temple and is eaten by the owner.

maaser rishon – See **maaser**.

maaser sheni – See **maaser**.

mah matzinu – lit. just as we find; a **binyan av** from one verse. Just as one particular law possesses aspect A and aspect B, so any other law that possesses aspect A should also possess aspect B.

makkas mardus – lashes for rebelliousness. This is the term used for lashes incurred by Rabbinic – rather than Biblical – law.

malkus – the thirty-nine lashes (forty minus one) imposed by the court for violations of Biblical prohibitions, where a more severe punishment is not indicated.

mamzer [pl. **mamzerim**] [f. **mamzeress**] – (a) offspring of most illicit relationships punishable by **kares** or capital punishment; (b) offspring of a *mamzer* or *mamzeress*.

maneh – (a) equivalent to 100 **zuz;** (b) a measure of weight, equal to 17 ounces.

Marcheshvan – eighth month of the Hebrew calendar

maror – bitter herbs. It is a positive commandment to eat *maror* together with the **pesach offering,** and even nowadays it is a Rabbinical commandment to eat it together with the matzah during the **seder.**

matanos [or **matnos kehunah**] – lit. gifts. The Torah commands that we give the right foreleg, jaws and maw of an ox, sheep or goat that are slaughtered (for non-sacrificial purposes) to the **Kohen.** These are referred to as the "gifts."

matzah – unleavened bread; any loaf made from dough that has not been allowed to ferment or rise. One is Biblically obligated to eat *matzah* on the night of the 15th of Nissan.

mayim chayim – living water. Springwater generally has the status of *mayim chayim*. It is so designated because it issues out of the ground with a natural force which makes it "alive" and moving. It is fit to be used for three purposes for which the Torah specifies *mayim chayim*: (a) the immersion of **zavim,** (b) the sprinkling for **metzoraim,** (c) to consecrate therefrom **mei chatas**.

mayim sheuvin – drawn water; water that flows out of a vessel is designated as *sheuvin* and is unfit for use to constitute the forty **se'ah** of a **mikveh**.

mechussar kapparah [pl. **mechussar kippurim**] – lit. lacking atonement; the status accorded to a **tevul yom** in the interim between sunset of the day of his immersion and the time he brings his offerings. During that interval, he retains a vestige of his earlier **tumah** and is thus forbidden to enter the Temple Courtyard or partake of the offerings.

mei chatas – springwater consecrated by the addition of ashes of a **parah adumah.** This was used to purify individuals or objects of **tumas meis**.

me'ilah – unlawfully benefiting from **Temple** property or removing such property from the Temple ownership. As a penalty one must pay the value of the misappropriated item plus an additional one-fifth of the value. He must also bring an **asham** offering.

melachah [pl. **melachos**] – labor; specifically, one of the thirty-nine labor categories whose performance is forbidden by the Torah on the Sabbath and **Yom Tov.** These prohibited categories are known as *avos melachah*. Activities whose prohibition is derived from one of these thirty-nine categories are known as **tolados** (s. *toladah*) – secondary labor.

melikah – the unique manner in which bird offerings were slaughtered. *Melikah* differs from **shechitah** in two respects: (a) The cut is made with the **Kohen's** thumbnail rather than with a knife. (b) The neck is cut from the back rather than from the throat. Only birds for sacrificial purposes may be slaughtered by *melikah;* all others require *shechitah*. See **shechitah**.

menachos – See **minchah**.

Menorah – the seven-branched gold candelabrum which stood in the **Holy**.

meturgeman – lit. translator. (a) It was customary to employ a translator to explain the Torah and Prophets reading to those in the congregation who did not understand Hebrew; (b) a spokesman who repeated aloud the words of a sage to the assembled.

metzora – A *metzora* is a person who has contracted **tzaraas** (erroneously described as leprosy), an affliction mentioned in *Leviticus* (Chs. 13,14). *Tzaraas* manifests itself (on people) as white or light-colored spots on the body.

midras – If someone who is **tamei** as a result of a bodily emission (e.g. a **zav, zavah, niddah,** woman who has given birth) sits or leans on a bed, couch or chair, it acquires the same level of **tumah** as the person from whom the *tumah* emanates (i.e. **av hatumah**). This form of *tumah* transmission is called *midras*.

migo – lit. since; a rule of procedure. If one makes a claim that – on its own merits – the court would reject, it nonetheless will be accepted "since" had he wished to tell an untruth he would have chosen a claim that certainly is acceptable to the court.

mikveh – ritualarium; a body of standing water containing at least forty **se'ah.** It is used to purify (by immersion) people and utensils of their **tumah**-contamination. A *mikveh* consists of waters naturally collected, without direct human intervention. Water drawn in a vessel is not valid for a *mikveh*.

mil – 2,000 **amos;** a measure of distance between 3,000 and 4,000 feet.

minchah – (a) [cap.] the afternoon prayer service; (b) [pl.**menachos**] a flour offering, generally consisting of fine wheat flour, oil and frankincense, part of which is burnt on the **Altar.** See **kemitzah**.

minyan – quorum of ten adult Jewish males necessary for the communal prayer service and other matters.

Mishkan – predecessor of the **Temple.** See **Tabernacle**.

mishmar [pl. **mishmaros**] – lit. watch; one of the twenty-four watches of **Kohanim** and **Leviim** who served in the Temple for a week at a time on a rotating basis. These watches were subdivided into family groups each of which served on one day of the week.

mitzvah [pl. **mitzvos**] – a **Torah** command, whether of Biblical or Rabbinic origin.

mi'un – By Rabbinic enactment, an underaged orphan girl may be given in marriage by her mother or brothers. She may annul the marriage anytime before reaching majority by declaring, before a **beis din** of three judges, her unwillingness to continue in the marriage. This declaration and process is called *mi'un.*

mixtures of the vineyard – See **kilayim**.

monetary sanctity – See **hekdesh**.

movables, movable property – property that is transportable, in contrast to real estate.

muad – lit. warned one. A bull that gores three times and whose owner was duly warned after each incident to take precautions is considered a *muad* bull. The owner must pay full damage for the fourth and all subsequent incidents. See **tam**.

muchzak – one who has physical possession of an object and who is therefore assumed to be in legal possession of it.

muktzeh – lit. set aside; (a) a class of objects which, in the normal course of events, do not stand to be used on the Sabbath or **Yom Tov.** The Rabbis prohibited moving such objects on the Sabbath or *Yom Tov;* (b) an animal set aside to be sacrificed for idolatry.

mussaf – (a) additional sacrifices offered on the Sabbath, **Rosh Chodesh** or **Yom Tov;** (b) [cap.] the prayer service which is recited in lieu of these sacrifices.

Nasi [pl. **Nesiim**] – the Prince. He serves as the head of the **Sanhedrin** and de facto as the spiritual leader of the people.

nazir [f. **nezirah**] – a person who takes the vow of **nezirus,** which prohibits him to drink wine, eat grapes, cut his hair or contaminate himself with the **tumah** of a corpse.

nedavah – See **donated offering**.

neder – a vow which renders objects, in contradistinction to actions, prohibited. There are two basic categories of vows: (a) restrictive vows; (b) vows to donate to **hekdesh.** See **hekdesh,** see also **donated offering**.

negaim – spots that appear on the skin of a **metzora**.

nesachim – a libation, generally of wine, which is poured upon the **Altar.** It accompanies certain offerings and may be donated separately as well.

netilas yadayim – washing one's hands before eating bread.

neveilah [pl. **neveilos**] – the carcass of an animal that was not slaughtered according to procedure prescribed by the Torah. A *neveilah* may not be eaten. It is an **av hatumah**.

Neviim – Prophets; it consists of the following books: *Joshua, Judges, Samuel, Kings, Jeremiah, Ezekiel, Isaiah,* **Twelve Prophets**.

nezirus – the state of being a **nazir**.

niddah – a woman who has menstruated but has not yet completed her purification process, which concludes with immersion in a **mikveh**.

Nissan – first month of the Hebrew calendar.

Noahide laws – the seven commandments given to Noah and his sons, which are binding upon all gentiles. These laws include the obligation to have a body of civil law, and the prohibitions against idolatry, immorality, bloodshed, blasphemy, stealing and robbing, and eating limbs from a live animal.

nossar – part of a **korban** left over after the time to eat it has passed.

oholos – refers to the complex laws describing how corpse **tumah** can be conveyed to anything under the same roof.

olah [pl. **olos**] – burnt or elevation offering; an offering which is consumed in its entirety by the **Altar** fire. It is one of the **kodshei kodashim**.

olas re'iyah – **olah** of appearance – Every adult Jewish male is commanded to appear at the **Beis HaMikdash** during the three pilgrimage festivals of **Pesach, Shavuos** and **Succos.** He may not appear empty handed, but must bring an *olah* called *olas re'iyah* as a sacrifice.

omer – an obligatory **minchah** offering brought on the sixteenth of **Nissan.** It was forbidden to eat from the new grain crop (**chadash**) before this offering was brought.

onein [f. **onenes**] [pl. **onenim**] – See **aninus**.

or – lit. light. It sometimes refers to the onset of the new day. In the Jewish calendar the new day begins at nightfall and extends through the entire next period of daylight until the following night.

Oral Sinaitic Law – See **Halachah LeMoshe MiSinai**.

orlah – lit. sealed; fruit that grows on a tree during the first three years after it has been planted (or transplanted). The Torah prohibits any benefit from such fruit.

Outer Altar – the **Altar** that stood in the Courtyard of the **Beis HaMikdash,** to which the blood of most offerings is applied, and on which the offerings are burned.

paid custodian – a **shomer** who receives remuneration for his services. He is obligated to make restitution even in the event of theft or loss; however, he is exempt in the case of loss due to an unavoidable mishap.

Panim Bread – see **lechem hapanim.**

parah adumah – lit. red cow. The ashes of the *parah adumah* are mixed with springwater. The resulting mixture is known as **mei chatas** and is used in the purification process of people or objects who have contracted **tumah** from a human corpse.

parsah [pl. **parsaos**] – measure of length equal to eight thousand **amos**.

pasul – lit. invalid; (a) an item that is **tamei** itself but cannot transfer that **tumah** to a like item; (b) something invalid.

peace offering – See **shelamim**.

pe'ah – the portion of the crop, generally the corner of the field, that must be left unreaped as a gift to the poor.

peras – lit. piece, half; term for half the standard Mishnaic loaf of bread. A *peras* equals the volume of four eggs (three eggs according to others).

perushim [sing. **Parush**] – people who are careful to eat even ordinary, unsanctified food (**chullin**) only in a state of **taharah.**

Perutah [pl. **perutos**] – smallest coin used in Talmudic times. In most cases its value is the minimum that is legally significant.

Pesach – Passover; the **Yom Tov** that celebrates the Exodus of the Jewish nation from Egypt.

pesach offering – sacrifice offered on the afternoon of the fourteenth day of **Nissan** and eaten after nightfall. It is one of the **kodashim kalim.**

Pesach Sheni – lit. Second **Pesach;** (a) the fourteenth of **Iyar.** This ay fell one month after the **Yom Tov** of Pesach. Any individual who is **tamei** at the time designated for the **pesach offering** must wait till *Pesach Sheni* to bring his offering; (b) a *pesach* offering brought on the fourteenth of Iyar.

physical sanctity – See **hekdesh**.

piggul – lit. rejected; an offering rendered invalid by means of an improper intent – by the one performing one of the four essential **avodos** – to eat of it or place it on the **Altar** after its allotted time. The intention must have been present during one of the four blood **avodos.** Consumption of *piggul* is punishable by **kares**.

pikadon – an object deposited with a custodian for safekeeping.

pilgrimage festival – the title for the holidays of **Pesach, Shavuos** and **Succos,** when all Jewish males were obligated to appear at the **Beis HaMikdash** in Jerusalem.

positive commandment – a Torah commandment expressed as a requirement *to do.*

poskim – authoritative decisors of Torah law.

prohibition – a negative commandment, which the Torah expresses as a command *not to do.*

prohibitory law – refers to the category of Torah law which deals with questions of permissible or forbidden status, as opposed to questions of **monetary law.**

Prophets – See **Neviim**.

pundyon – a coin.

purification waters – See **mei chatas**.

R' – Rabbi; specifically a **Tanna,** or **Amora** of **Eretz Yisrael**.

rasha – (a) a wicked person; (b) a person disqualified from serving as a witness by his commission of certain transgressions.

Rebbi – R' Yehudah HaNasi; the redactor of the **Mishnah**.

red cow – See **parah adumah**.

regel – any of the three pilgrimage festivals – **Pesach, Shavuos** and **Succos**.

re'iyah – (a) mitzvah of appearing in the **Temple Courtyard** on the festivals of Pesach, Shavuos and Succos; (b) those sacrifices which one is commanded to offer at the time of appearance.

Reish Gelusa – Exilarch, head of the Babylonian Jewish community; parallels the **Nasi** in **Eretz Yisrael**.

reshus harabim – lit. public domain; any unroofed, commonly used street, public area or highway at least sixteen **amos** wide and open at both ends. According to some, it must be used by at least 600,000 people.

reshus hayachid – lit. private domain; any area measuring at least four **tefachim** by four *tefachim* and enclosed by partitions at least ten *tefachim* high. According to most opinions, it needs to be enclosed only on three sides to qualify as a *reshus hayachid*. Private ownership is not a prerequisite.

resident alien – See **ger toshav**.

revai – fruit produced by a tree in its fourth year. This is consecrated in the same manner as **maaser sheni** and must be eaten in Jerusalem or be redeemed with money which is spent in Jerusalem on food to be eaten there. See **orlah**.

revii l'tumah – see **tumah**.

reviis – a quarter of a **log**.

ribbis – a Talmudic term for interest.

Rishon [pl. **Rishonim**] – a **Torah** authority of the period following the **Geonim** (approx. 1000-1500 C.E.).

rishon l'tumah – first degree of acquired **tumah**. See **tumah**.

roof tumah – see **tumas ohel.**

Rosh Chodesh – (a) festival celebrating the new month; (b) the first of the month.

Rosh Hashanah – the **Yom Tov** that celebrates the new year. It falls on the first and second days of **Tishrei**.

rov – majority; a principle used in halachah to determine the origin or status of a particular object. An object of undetermined origin or status is assumed to partake of the same origin or status as that of the majority. See also **bitul b'rov**.

rova [pl. **revaim**] – a quarter-**kav** (1/24 of a **se'ah**). This is identical to a log.

Sadducees – heretical sect active during the Second **Temple** era named after Tzaddok, a disciple of Antigenos of Socho. They denied the Divine origin of the **Oral Law** and refused to accept the Sages' interpretation of the **Torah.**

Sages – (a) the collective body of Torah authorities in the Mishnaic era; (b) the anonymous majority opinion in a **Mishnah** or **Baraisa;** (c) [l.c.] Torah scholar and authority.

Sanctuary – a term applied to the Temple building that housed the **Holy** and the **Holy of Holies**.

Sanhedrin – (a) the High Court of Israel; the Supreme Court consisting of seventy-one judges whose decisions on questions of Torah law are definitive and binding on all courts; (b) [l.c.] a court of twenty-three judges authorized to adjudicate capital and corporal cases.

saris – (a) a male who is incapable of maturing sexually; (b) a castrated male.

se'ah – a Mishnaic measure of volume; six **kav**.

second Pesach – see **Pesach Sheni.**

Seder [pl. **Sedarim]** – lit. order. (a) The Mishnah is divided into six *sedarim*: *Zeraim* (Plants), *Moed* (Festivals), *Nashim* (Women), *Nezikin* (Damages), *Kodashim* (Sacred Things) and *Taharos* (Ritual Purities); (b) [l.c.] ritual festive meal on **Pesach**.

sela [pl. **sela'im**] – a silver coin having the weight of 384 grains of barley. This is the equivalent of four **dinars**.

semichah – (a) Rabbinical ordination empowering one to serve as a judge. This ordination stretches back in an unbroken chain to Moses; (b) a rite performed with almost all personal sacrificial offerings. The owner of the offering places both his hands on the top of the animal's head and presses down with all his might. In the case of a **chatas** or an **asham,** he makes his confession during *semichah*. In the case of a **shelamim** or **todah** offering, he praises and thanks God.

semuchin [pl. **semuchim**] – Scriptural juxtaposition. This principle states that two consecutive verses or passages may be compared for purposes of inferring law from one to the other. It is one of the rules of exegesis employed by the Sages.

se'or – sourdough; see **leaven.**

shalmei chagigah – **shelamim** of celebration. Every adult Jewish male is commanded to bring this ***shelamim*** offering when he appears at the **Beis HaMikdash** on the three pilgrimage festivals. This offering is preferably to be offered on the first day of the festivals – in the case of **Pesach** on the fifteenth of **Nissan,** hence its designation as the **"chagigah** of the fifteenth." If it is not offered then, it may be brought on any of the other days of the festival.

shamei simchah – **shelamim** of joy. The Jew is enjoined to be joyful before God during the festivals. It is derived from here that he should slaughter *shelamim* and daily partake of their meat during the course of the festival.

shaos zemaniyos – seasonal or variable hours. According to this reckoning, the day (or night) – regardless of its length – is divided into twelve equal units (hours).

shaatnez – see **Kilayim.**

Shabbos – (a) the Sabbath; (b) the Talmudic tractate that deals with the laws of the Sabbath.

Shacharis – the morning prayer service.

Shavuos – Pentecost; the festival that celebrates the giving of the **Torah** to the Jewish nation at Mount Sinai.

Shechinah – Divine Presence.

shechitah – (a) ritual slaughter; the method prescribed by the **Torah** for slaughtering a kosher animal to make it fit for consumption. It consists of cutting through most of the esophagus and windpipe from the front of the neck with a specially sharpened knife that is free of nicks. (b) One of the four essential blood **avodos**.

shekel [pl. **shekalim, shekels**] – Scriptural coin equivalent to the Aramaic **sela** or four **dinars.** In Mishnaic terminology, the Scriptural half-*shekel* is called a *shekel,* and the Scriptural *shekel* is called by its Aramaic name, **sela**.

shelamim – peace offering; generally brought by an individual on a voluntary basis; part is burnt on the **Altar,** part is eaten by a **Kohen** (and the members of his household) and part is eaten by the owner. It is one of the **kodashim kalim**.

shelishi l'tumah – See **tumah**.

shelo lishmah – not for its own sake; i.e. intending a sacrifice for the sake of a different type of sacrifice, e.g. an **olah** for the sake of a **shelamim.**

shemittah – the Sabbatical year, occurring every seventh year, during which the land of **Eretz Yisrael** may not be cultivated.

Shemoneh Esrei – also called **Amidah;** the silent, standing prayer, which is one of the main features of the daily prayer services.

sheni l'tumah – See **tumah**.

sheretz [pl. **sheratzim**] – one of eight rodents or reptiles, listed by the Torah, whose carcasses transmit **tumah.** A *sheretz* is an **av hatumah.** See **tumah**.

sheretz tumah – see **tuamh.**

Shevat – eleventh month of the Hebrew calendar.

sheviis – See **shemittah**.

shich'chah – sheaves forgotten in the field during their removal to the threshing floor as well as standing produce that the harvester overlooked. The Torah grants these to the poor. See **leket, pe'ah.**

shomer [pl. **shomrim**] – one who has assumed custodial responsibility for another's property.

shtar [pl. **shtaros**] – legal document.

shtei halechem – lit. two loaves; the offering of two wheat loaves that must be brought on **Shavuos.** It is accompanied by two lambs with which it is waved, and whose offering permits it for consumption by the **Kohanim.** In addition to these lambs, the **Torah** mandates another group of offerings to be brought in conjunction with the *shtei halechem,* one of which is the **chatas**.

Shulchan – lit. table; the golden Table for the **lechem hapanim,** located in the **Holy**.

shuman – animal fats that are permitted for consumption. See **cheilev**.

Sifra – lit. the book; the primary collection of Tannaic exegesis, mainly halachic in nature, on the Book of *Leviticus.* It is also known as *Toras Kohanim.*

Sifri (or **Sifrei**) – lit. the books; the counterpart of the **Sifra;** it expounds on the Books of *Numbers* and *Deuteronomy.*

Sivan – third month of the Hebrew calendar.

sotah – an adulteress or a woman whose suspicious behavior has made her suspected of adultery. The Torah prescribes, under specific circumstances, that her guilt or innocence be established by having her drink specially prepared water.

sprinkling – See **hazaah**.

succah – (a) the temporary dwelling in which one must live during the festival of **Succos;** (b) [cap.] the Talmudic tractate that deals with the laws that pertain to the festival of Succos.

Succos – one of the three **pilgrimage festivals;** on Succos one must dwell in a **succah**.

sugya – self-contained unit of discussion pertaining – generally – to a singlt topic.

Tabernacle – a portable **Sanctuary** for the sacrificial service used during the forty years of national wandering in the Wilderness and the first fourteen years after entry into **Eretz Yisrael**.

taharah – a halachically defined state of ritual purity; the absence of **tumah**-contamination.

tahor – person or object in a state of **taharah**.

tam – lit. ordinary; term used for a bull the first three times it gores another animal. See **muad**.

tamei – person or object that has been contaminated by **tumah** and that can convey *tumah* to another object of its genre.

tamid – communal **olah,** offered twice daily.

Tammuz – fourth month of the Hebrew calendar.

Tanna [pl. **Tannaim**] – Sage of the Mishnaic period whose view is recorded in a **Mishnah** or **Baraisa.**

Targum – lit. translation; the Aramaic interpretive translation of Scripture.

techum [pl. **techumim**] – Sabbath boundary; the distance of 2,000 **amos** from a person's Sabbath residence which he is permitted to travel on the Sabbath or **Yom Tov**.

tefach [pl. **tefachim**] – handbreadth; a measure of length equal to the width of four thumbs.

tefillah – (a) prayer; (b) in Talmudic usage, **tefillah** invariably refers to **Shemoneh Esrei**.

tefillin – phylacteries; two black leather casings, each of which contains Torah passages written on parchment. It is a **mitzvah** for adult males to wear one on the head and one on the arm.

temei'ah – female for **tamei**.

Temple – See **Beis HaMikdash**.

Temple Mount – the site of the Holy **Temple.** See **Beis HaMikdash.**

temurah – The Torah forbids a person to even verbally substitute a different animal for an already consecrated sacrificial animal. This is forbidden even if the second animal is superior. If one violates this prohibition, both the animals are sacred. Both the act of substitution and the animal substituted are known as a *temurah.*

tereifah [pl. **tereifos**] – (a) a person, animal or bird that possesses one of a well-defined group of eighteen defects which will certainly cause its death. Any of these defects renders the animal or bird prohibited for consumption even if it was ritually slaughtered; (b) a generic term for all non-kosher food.

terumah [pl. **terumos**] – the first portion of the crop separated and given to a **Kohen,** usually between 1/40 and 1/60 of the total crop. It is separated prior to **maaser,** and upon separation attains a of state sanctity which prohibits it from being eaten by a non-**Kohen,** or by a **Kohen** in a state of **tumah**.

terumah gedolah – See **terumah**.

terumas maaser – the tithe portion separated by the **Levi** from the **maaser rishon** he receives, and given to **Kohen**.

tevel – produce of **Eretz Yisrael** that has become subject to the obligation of **terumah** and **tithes;** it is forbidden for consumption until *terumah* and all tithes have been designated.

Teves – tenth month of the Hebrew calendar.

tevilah – immersion in a **mikveh** for the purpose of purification from **tumah**-contamination.

tevul yom – lit. one who has immersed that day. This is a person who had been rendered ritually impure with a Biblical **tumah** from which he purified himself with immersion in a **mikveh.** A residue of the *tumah* lingers until nightfall of the day of his immersion, leaving him *tamei* in regard to sacrifices, **terumah** and entering the **Temple** Courtyard. A person in this reduced state of *tumah* is known as a *tevul yom.*

Tishah B'Av – lit. the Ninth of Av; the fast day that commemorates the destruction of the First the Second **Beis HaMikdash** and as well as other national tragedies.

Tishrei – seventh month of the Hebrew calendar.

todah [pl. **todos**] – thanksgiving offering brought when a person survives a potentially life-threatening situation. It is unique in that forty loaves of bread accompany it.

toladah [pl. **tolados**] – lit. offspring; subcategory of an **av** (pl. **avos**). See **melachah**.

Torah – the Five Books of Moses; the Chumash or Pentateuch.

Tosefta – a written collection of **Baraisos**.

tovas hanaah – benefit of gratitude; the parts of the produce that must be separated by the owner and given to the **Kohen** or the **Levi.** The parts are considered the property of the **Kohanim** or the **Leviim,** but their original owner may give them to the Kohen and Levi that he chooses. The one who receives it owes him gratitude, and this is the benefit that the original owner has from the produce.

tumah [pl. **tumos**] – legally defined state of ritual impurity affecting certain people or objects. The strictest level of *tumah, avi avos hatumah* [literally: father of fathers of *tumah*], is limited to a human corpse. The next, and far more common level, is known as *av hatumah,* primary [literally: father] *tumah.* This category includes: one who touched a human corpse; **sheretz,** the carcass of one of the eight species of creeping creatures listed in *Leviticus* 11:29-30; the carcass of a **neveilah,** an animal that died by some means other than a valid ritual slaughter; or one who is a **zav, zavah, niddah** or **metzora**.

An object that is contaminated by an *av hatumah* [primary *tumah*] becomes a *rishon l'tumah* (*first degree of* [acquired] *tumah*). This degree of contamination is also called *v'lad hatumah* (*secondary tumah*) [literally: child (as opposed to *av,* father) of *tumah*]. An object contracting *tumah* from a *rishon* becomes a *sheni l'tumah* (second degree *of* [acquired] *tumah*) – (or *v'lad v'lad hatumah, child of child of tumah*). In the case of *chullin, unsanctified food,* contamination can go no further than a *sheni;* thus, if a *sheni* touches unsanctified food, that food acquires no degree of contamination whatsoever.

Commensurate with the respectively greater degrees of stringency associated with **terumah** and sacrifices, their levels of contamination can go beyond that of *sheni.* Thus, if a *sheni* touches *terumah,* it becomes a *shelishi l'tumah* (third degree of [acquired] *tumah*) but the *tumah* of *terumah* goes no further than this degree. Sacrificial items can go a step further, to *revii l'tumah* (fourth degree of [acquired] *tumah*).

As a general rule, the word **tamei,** *contaminated,* is applied to an object that can convey its *tumah* to another object of its genre. An object that cannot convey its *tumah* in this way is called, **pasul,** (invalid,) rather than *tamei.*

tumas heset – a form of **tumah** generated by a *zav* (*zavah, niddah* or woman who has given birth) in any article whose weight he supports, even if he does not come into direct contact with it.

tumas meis – the **tumah** of a human corpse.

tumas midras – See **midras**.

tumas ohel – lit. roof **tumah;** the *tumah* conveyed to objects or persons when they are under the same roof as certain *tumah* conveyors, generally a human corpse.

Twelve Prophets – the final Book of the Prophets which consists of twelve short prophetic works: *Hosea, Joel, Amos, Obadiah, Jonah, Micah, Nahum, Habakkuk, Zephaniah, Haggai, Zechariah, Malachi.*

Two Loaves – see **shtei halechem.**

tzad hashaveh – An exegetical derivation based on the presumption that a law found in two contexts results from characteristics common to both rather than from characteristics unique to each. Any other context possessing these common characteristics is also subject to the common law, even if the third context differs from the first two in regard to their *unique* features.

tzaraas – See **metzora**.

tzitz – The **Kohen Gadol** wore a golden head-plate known as the *tzitz.* This plate was two fingers in width and reached from ear to ear. The Hebrew words meaning *holy to Hashem* were engraved on it. The *tzitz* atoned for the sin of bringing an offering in tumah and effected acceptance for such an offering.

unpaid custodian – a **shomer** who receives no remuneration for his services. He is liable if the object in his care is damaged as a result of his negligence; if it is lost or stolen, he is exempt.

variable [chatas] offering – a special type of **chatas** offering whose quality varies in accordance with the sinner's financial resources. He is liable to a regular *chatas* offering of a female lamb or kid only if he is a person of means. Should he be poor, he is required to bring only two turtledoves or two young pigeons, one as a *chatas* and the other as an **olah.** If he is very poor, he brings a tenth of an **ephah** of fine flour for a **minchah**.

v'lad hatumah – derivate **tumah;** see **tumah**.

v'lad v'lad hatumah – See **tumah**.

Yisrael [pl. **Yisraelim**] – (a) Jew; (b) Israelite (in contradistinction to **Kohen** or **Levi**).

Yom Kippur – Day of Atonement; a day of prayer, penitence, fasting and abstention from **melachah**.

Yom Tov [pl. **Yamim Tovim**] – holiday; the festival days on which the Torah prohibits **melachah**. Specifically, it refers to the first and last days of **Pesach,** the first day of **Succos, Shemini Atzeres, Shavuos, Yom Kippur** and the two days of **Rosh Hashanah**. Outside of **Eretz Yisrael,** an additional day of **Yom Tov** is added to each of these festivals, except **Yom Kippur** and **Rosh Hashanah**.

Yovel – fiftieth year [Jubilee]; the year following the conclusion of a set of seven **shemittah** cycles. On **Yom Kippur** of that year, the **shofar** is sounded to proclaim freedom for the Jewish servants, and to signal the return to the original owner of fields sold in **Eretz Yisrael** during the previous forty-nine years.

zav [pl. **zavim**] – a man who has become **tamei** because of a specific type of seminal emission. If three emissions were experienced during a three-day period, the man must bring offerings upon his purification.

zavah [pl. zavos] – After a woman concludes her seven days of **niddah,** there is an eleven-day period during which any menseslike bleeding renders her a *minor zavah.* If the menstruation lasts for three consecutive days, she is a *major zavah* and must bring offerings upon her purification.

zechiyah – rule which states that one can act as a person's agent without his prior knowledge or consent if the act is clearly advantageous to the beneficiary.

zerikah [pl. **zerikos**] – throwing; applying the blood of an offering to the Outer **Altar** in the prescribed manner. It is one of the four essential blood **avodos**.

zivah – lit. seepage or flow; the type of discharge which if repeated renders one to be a **zav** or **zavah**.

zomeim [pl. **zomemim**] – witnesses proven false through **hazamah**.

zuz [pl. **zuzim**] – (a) monetary unit equal to a **dinar;** (b) a coin of that value; (c) the weight of a *zuz* coin.

Scriptural Index